ENGELSK–DANSK ORDBOG

GYLDENDALS RØDE ORDBØGER

ENGELSK

Dansk-engelsk. *Af Hermann Vinterberg og Jens Axelsen*
Engelsk-dansk. *Af Hermann Vinterberg og Jens Axelsen*

FRANSK

Dansk-fransk. *Af N. Chr. Sørensen*
Fransk-dansk. *Af N. Chr. Sørensen*

ITALIENSK

Italiensk-dansk. *Af Knud Andersen og Giovanni Màfera*

LATIN

Latin-dansk. *Af Thure Hastrup*

SPANSK

Dansk-spansk. *Af Arne Koefoed og Einar Krog-Meyer*
Spansk-dansk. *Af Carl Bratli.* Forkortet og bearbejdet af
Erling Hoffmeyer og Knud Kinzi

SVENSK

Svensk-dansk. *Af Valfrid Palmgren Munch-Petersen og Ellen Hartmann*

TYSK

Dansk-tysk. *Af Egon Bork og Ernst Kaper*
Tysk-dansk. *Af Egon Bork og Ernst Kaper*

FREMMEDORD

Gyldendals Fremmedordbog. *Af Sven Brüel*

ETYMOLOGI

Dansk etymologisk ordbog. *Af Niels Åge Nielsen*

PSYKOLOGI-PÆDAGOGIK

Psykologisk-pædagogisk ordbog. *Af Mogens Hansen
Poul Thomsen og Ole Varming*

ENGELSK-DANSK

ORDBOG

AF

HERMANN VINTERBERG og JENS AXELSEN

NIENDE ÆNDREDE UDGAVE

4. OPLAG

GYLDENDAL

Bogen er sat med Monophoto Times
og trykt hos Nordisk Bogproduktion A.S. Haslev
Printed in Denmark 1977
ISBN 87-00-80381-2

ENGELSK-DANSK ORDBOG

NIENDE ÆNDREDE UDGAVE

FORORD

Engelsk-dansk ordbog foreligger hermed i en revideret og forøget udgave. Den typografiske udformning er ændret, lydskriften er moderniseret, udtalerne ajourført, og opstillingen i de enkelte artikler er omordnet og gjort mere overskuelig ved indsættelse af forklaringer og eksempler til de forskellige oversættelser. Der er desuden tilføjet ca. 4000 nye ord, ordbetydninger og vendinger, hovedsagelig fra det almindelige ordforråd – både britisk og amerikansk – men også fagord og slangudtryk. En del ældre stof og let gennemskuelige sammensætninger og afledninger, fx på -ness, er udgået.

Ved revisionen har jeg især støttet mig til Webster's Third New International Dictionary med tillæg, Longman's English Larousse, Hamlyn Encyclopedic World Dictionary, Wentworth and Flexner: The Pocket Dictionary of American Slang og Daniel Jones: English Pronouncing Dictionary, 13. udg. v. A. C. Gimson, foruden flere mere specielle fagordbøger. På grund af tekniske vanskeligheder i forbindelse med overgangen til en ny trykteknik har arbejdet med korrekturen strakt sig over ca. 3 år efter manuskriptets afslutning, og jeg har derfor kun i stærkt begrænset omfang kunnet tage hensyn til senere fremkommet materiale.

Jeg takker alle de brugere og meddelere der har hjulpet mig med oplysninger og korrektioner. Især må jeg nævne professor W. Glyn Jones, University of Newcastle-upon-Tyne, og mine kolleger ved Frederiksberg Seminarium. For værdifuld hjælp med den vanskelige korrekturlæsning takker jeg stud. mag. Peter Harder, cand. mag. fru Else Jensenius og frk. Kirsten Jensenius.

Bortset fra enkelte rettelser er dette 4. oplag et uændret optryk.

Januar 1977 *Jens Axelsen*

UDTALEBETEGNELSEN

(Udtalebetegnelsen står i skarpe klammer [ ]).

['] betegner tryk (accent); det sættes foran den stærke (accentuerede) stavelses begyndelse, fx *city* ['siti] med tryk på første, *insist* [in'sist] med tryk på anden stavelse. Står tegnet to steder, betyder det ligelig eller vaklende accentuering eller lige stærkt tryk på begge stavelser.

[:] betegner at den foregående lyd er lang; fx *seat* [si:t], medens *sit* [sit] udtales med kort vokal.

[a:] som i *far* [fa:], *father* ['fa:ðə].

[ai] som i *eye* [ai].

[au] som i *how* [hau].

[æ] som i *hat* [hæt].

[b] som i *bed* [bed], *ebb* [eb].

[d] som i *do* [du:], *bed* [bed].

[dʒ] som i *judge* [dʒʌdʒ], *join* [dʒɔin].

[ð] som i *then* [ðen].

[θ] som i *thin* [θin].

[e] som i *let* [let].

[ei] som i *hate* [heit].

[ə:] som i *hurt* [hə:t], *her* [hə:].

[ə] som i *inner* ['inə], *about* [ə'baut], *hear* [hiə], *poor* [puə], *area* ['ɛəriə].

[f] som i *find* [faind].

[g] som i *get* [get].

[h] som i *hat* [hæt].

[i:] som i *feel* [fi:l].

[i] som i *fill* [fil].

[iə] som i *hear, here* [hiə].

[j] som i *you* [ju:].

[k] som i *can* [kæn].

[l] som i *let* [let], *ell* [el].

[m] som i *man* [mæn].

[n] som i *not* [nɔt].

[ŋ] som i *singer* ['siŋə], *finger* ['fiŋgə].

[ou] som i *no* [nou] el. [nəu].

[ɔi] som i *boy* [bɔi].

[p] som i *pea* [pi:].

[r] som i *red* [red], *area* ['ɛəriə].

[s] som i *sit* [sit].

[ʃ] som i *she* [ʃi:].

[tʃ] som i *chin* [tʃin].

[t] som i *tin* [tin].

[u:] som i *fool* [fu:l].

[u] som i *full* [ful].

[v] som i *vivid* ['vivid].

[w] som i *we* [wi:].

[z] som i *rise* [raiz], *zeal* [zi:l].

[ʒ] som i *measure* ['meʒə].

[ɛ] som i *hair* [hɛə], *area* ['ɛəriə].

[ɔ:] som i *caught* [kɔ:t], *court* [kɔ:t].

[ɔ] som i *cot* [kɔt].

[ʌ] som i *cut* [kʌt].

( ) omslutter tegn for lyd, som kan medtages eller udelades, fx. *empty* ['em(p)ti]. – (:) angiver vaklende længde, fx *across* [ə'krɔ(:)s] med langt eller kort [ɔ].

[fr.] betegner, at ordet udtales som på fransk.

Amerikanske udtalevarianter er anført, hvor det drejer sig om enkelttilfælde, fx [i:] i *leisure*, hvor britisk engelsk har [e], [hə'ræs] for *harass*, hvor britisk engelsk har ['hærəs], mens gennemgående træk som udtalen af *r* efter vokal som i *cart*, udeladelse af [j] foran [u:] som i *student, duty, new*, og udtalen af *a* som [æ] hvor britisk engelsk har [a:] som i *pass* ikke er angivet.

VEJLEDENDE BEMÆRKNINGER

~ betegner, at opslagsordet gentages: **account**, *on* ~ *of*.

- betegner, at (en del af) et foregående opslagsord gentages uden bindestreg som en del af et sammensat ord: **air|lane, -lift**.

~ - betegner, at (en del af) et foregående opslagsord gentages med bindestreg: **free|port**, ~ **-spoken**.

| betegner, at kun den del af ordet, som står foran stregen, gentages i det følgende ved ~ eller - : **back|fire, -gammon; free|port** ~ **mason**.

Fastere sammenstillinger af adjektiv + substantiv og substantiv + substantiv, også de der ikke har bindestreg, er sat på alfabetisk plads; **high road** og **high school** skal således ikke søges under **high** men efter **high-ranking**.

~ replaces the word which is at the head of an entry (the head-word): **account**, *on* ~ *of*.

- replaces the headword without a hyphen as part of a compound: **air|lane, -lift**.

~ - replaces the headword with a hyphen: **free|port**, ~ **spoken**.

| replaces only the part of the headword which is before the stroke by ~ or - : **back|fire, -gammon; free|port** ~ **mason**.

Unhyphened compound words are placed alphabetically, thus **high road** and **high school** are to be found after **high-ranking**, and not under **high**.

FORKORTELSER OG TEGN

ABBREVIATIONS AND SYMBOLS

o:....... det vil sige, *i.e.*
T....... daglig tale, *colloquial*
S....... slang, *slang*
®...... indregistreret varemærke, *trademark*
adj...... adjektiv, tillægsord, *adjective*
adv..... adverbium, biord, *adverb*
agr...... landbrug, *agriculture*
alfab.... alfabetisk, *alphabetical*
alm..... almindelig(t), *general(ly)*
am...... amerikansk, *American*
anat..... anatomi, *anatomy*
arkit.... arkitektur, bygningskunst, *architecture*
arkæol .. arkæologi, *archaeology*
assur.... forsikringsvæsen, *insurance*
astr..... astronomi, *astronomy*
austr.... australsk, *Australian*
bibl..... biblioteksvæsen, *library*
biol..... biologisk, *biology*
bl a..... blandt andet, *inter alia*
bogb.... bogbinderi, *bookbinding*
bot...... botanik, *botany*
cf....... sammenlign, *compare*
conj..... konjunktion, bindeord,*conjunction*
dial..... dialekt, *dialect*
ds....... det samme, *the same*
dss...... det samme som, *the same as*
edb..... databehandling, *data processing*
egl...... egentlig, *properly*, *literally*
el....... eller, *or*
elekt.... elektricitet, *electricity*
eng..... engelsk, *English*
Engl.... *England*
etc...... og så videre, og lignende, *etcetera*
fig...... figurligt, i overført betydning, *figurative(ly)*
filos..... filosofi, *philosophy*
fk....... forkortelse (for), *abbreviation (of)*
flyv..... flyvning, *aviation*
fon...... fonetik, *phonetics*
forb..... forbindelse(r), *connection(s)*
forsk ... forskellige, *various*
forst .... forstvæsen, *forestry*
fr....... fransk, *French*
fx....... for eksempel, *e.g., for example*
fys...... fysik, *physics*
geol..... geologi, *geology*
geogr.... geografi, *geography*
glds..... gammeldags, *obsolescent, archaic*
gram.... grammatik, *grammar*
her...... heraldik, *heraldry*
hist...... historisk, *historical*
i alm.... i almindelighed, *generally*
imper ... imperativ, bydeform, *imperative*
inf...... infinitiv, navneform, *infinitive*
interj.... interjektion, udråbsord, *interjection*
jernb.... jernbaneudtryk, *railway*
jur...... jura, *law*
jvf...... jævnfør, *compare*
kat...... katolsk, *Roman Catholic*
kem..... kemi, *chemistry*
keram... keramik, *pottery*

komp ... komparativ, højere grad, *comparative*
lat...... latin, *Latin*
lign..... lignende, *similar*
litt...... litterært, litteratur, *literary, literature*
mar..... maritimt søfart, *nautical*
mat...... matematik, *mathematics*
med..... lægevidenskab, *medicine*
mek..... mekanik, maskiner, *mechanic*
merk.... merkantilt, handel, *commerce*
meteorol. meteorologisk, *meteorological*
mht..... med hensyn til, *as regards*
mil...... militært, *military*
min..... mineralogi, *mineralogy*
mods.... i modsætning til, *in contrast to*
mus..... musik, *music*
myt..... mytologi, *mythology*
ndf...... nedenfor, *below*
neds..... nedsættende, *disparaging(ly)*
ol....... og lignende, *and the like*
omtr.... omtrent, *approximately*
opr..... oprindelig, *originally*
osv...... og så videre, *and so on*
ovf...... ovenfor, *above*
parl..... parlamentsvæsen, *parliamentary*
part..... participium, tillægsmåde, *participle*
perf..... perfektum, førnutid, *perfect*
p gr af... på grund af, *on account of*
pl....... flertal, *plural*
poet..... digterisk, *poetical*
pol...... politik, *politics*
pp...... perfektum participium, fortids tillægsform, *past participle*
pron.... pronomen, stedord, *pronoun*
præp.... præposition, forholdsord, *preposition*
præs.... præsens, nutid, *present*
præt..... præteritum, datid *past tense*
psyk.... psykologi, *psychology*
radio.... radioudtryk, *radio*
rel...... religiøst, *religion*
sb....... substantiv, navneord, *substantive, noun*
sby...... *somebody*
sj....... sjælden(t), *rare(ly)*
sms..... sammensætning(er), *compound(s)*
spec..... specielt, *specifically*
spr...... sprogvidenskab, *linguistics*
spøg.... spøgende, *jocular*
sth...... *something*
tandl.... tandlægevæsen, *dentistry*
teat..... teater, *theatrical*
tekn..... teknik, *engineering*
tidl...... tidligere, *formerly*
tlf....... telefoni, *telephony*
TV...... fjernsyn, *television*
typ...... typografisk, *printing term*
vb...... verbum, udsagnsord, *verb*
vulg..... vulgært, *vulgar*
zo...... zoologi, *zoology*
økon.... økonomi, *economics*
årh...... århundrede, *century*

A [ei].

A. *fk Academy; America; Associate;* (i biografannonce) *(omtr.)* betinget tilladt for børn (over 5 år).

A: *A1* [ei'wan] af allerbedste slags, første klasses, udmærket; *A flat* as; *A major* a-dur; *A minor* a-moll; *A sharp* ais.

a. *fk ante.*

a [ei; oftest ubetonet ə], *an* [æn, oftest ubetonet ən] en, et; (undertiden) én, ét; om; pr. *(fx £ 1 a ton); two at a time* to på en gang; to ad gangen; *at a blow* med ét slag; *a pound a day* et pund om dagen.

a [ə] på, i, til (oftest sammenskrevet med det følgende ord): *aflame* i flammer.

AA *fk Automobile Association; Anti-Aircraft;* (i biografannonce) *(omtr.)* forbudt for børn under 14 år.

AAA *fk American Automobile Association.*

A. & M. *fk (Hymns) Ancient and Modern* (en salmebog).

aardvark ['a:dva:k] *sb zo* jordsvin.

aardwolf ['a:dwulf] *sb zo* dværghyæne.

Aaron ['ɛərən]. **Aaron's rod** *(bot)* kongelys.

A. A. S. *fk (Fellow of the) American Academy of Arts and Sciences.*

A. B. *fk able-bodied (seaman); (am* form for) *B. A. (Bachelor of Arts).*

aback [ə'bæk]: *taken* ~ forbløffet.

abacus ['æbəkəs] *sb (pl abaci* ['æbəsai]) abakus (kapitælplade); regnebræt, kugleramme.

abaft [ə'ba:ft] *adv* agter (ude); *præp* agten for; ~ *the beam* agten for tværs.

I. abandon [ə'bændən] *vb* opgive *(fx a plan, hope),* forlade *(fx one's house, one's wife);* svigte *(fx one's ideals, one's cause); (mil.)* abandonnere; ~ *oneself to* hengive sig til *(fx vice, despair).*

II. abandon [ə'bændən] *sb* løssluppenhed, tvangfrihed; *with* ~ løssluppent.

abandoned *(pp* af *abandon)* forladt; *adj* ryggesløs, lastefuld. **abandonment** *sb* opgivelse; forladthed; løssluppenhed; impulsivitet; *(mil.)* abandon.

abase [ə'beis] *vb* ydmyge; fornedre.

abasement *sb* ydmygelse; fornedrelse.

abash [ə'bæʃ] *vb* gøre skamfuld; *-ed* flov, forlegen.

abate [ə'beit] *vb* (for)mindske, dæmpe, nedsætte, slå af (om pris); mindskes, aftage; *(jur)* ophæve. **abatement** [ə'beitmənt] *sb* formindskelse, nedsættelse, afslag; ophævelse; *smoke* ~ bekæmpelse af røgplagen.

abatis ['æbətis], **abattis** [ə'bætis] *sb (mil.)* forhugning.

abattoir ['æbətwa:] *sb* slagteri; slagtehus.

abbacy ['æbəsi] *sb* abbedværdighed.

abbess ['æbis] *sb* abbedisse. **abbey** ['æbi] *sb* abbedi.

abbot ['æbət] abbed.

abbr. *fk abbreviated, abbreviation.*

abbreviate [ə'bri:vieit] *vb* forkorte. **abbreviation** [əbri:vi'eiʃən] *sb* forkortelse.

ABC ['ei:bi:'si:] abc.

A. B. C. *fk Aerated Bread Company* (se *aerated):* køreplan (for jernbanerne).

abdicate ['æbdikeit] *vb* frasige sig *(fx all responsibility),* give afkald på: (om regent) abdicere, frasige sig tronen. **abdication** [æbdi'keiʃən] *sb* abdikation, tronfrasigelse.

abdomen ['æbdəmen; æb'doumen] *sb* underliv, bughule; (hos insekter) bagkrop.

abdominal [æb'dɔminl] *adj* underlivs- *(fx operation);* bug-*(fx muscle); ~ cavity* bughule

abduct [æb'dʌkt] *vb* bortføre.

abduction [æb'dʌkʃən] *sb* bortførelse.

abductor [æb'dʌktə] *sb* bortfører; *(anat)* abduktor.

abeam [ə'bi:m] *adv* tværs, tværskibs.

abecedarian [eibi:si:'dɛəriən] *adj* begynder; *adj* elementær.

abele [ə'bi:l] *sb (bot)* hvidpoppel, sølvpoppel.

Aberdeen [æbə'di:n]: ~ *(terrier)* ruhåret skotsk terrier.

---

aberdevine [æbədə'vain] *sb* grønsisken.

Aberdonian [æbə'dounjen] *sb* indbygger i Aberdeen.

aberrance [æb'erəns], **aberrancy** [æb'erənsi] *sb* afvigelse; vildfarelse. **aberrant** [æb'erənt] *adj* afvigende, abnorm; vildfarende. **aberration** [æbə'reiʃən] *sb* afvigelse, vildfarelse; (lysstrålers afvigelse fra banen:) aberration.

abet [ə'bet] *vb (jur)* tilskynde til (forbrydelse); hjælpe.

abetment [ə'betmənt] *sb (jur)* tilskyndelse; meddelagtighed.

abetter, abettor [ə'betə] *sb* tilskynder, hjælper, medskyldig.

abeyance [ə'beiəns] *sb: in* ~ i bero, stående hen; *leave it in* ~ lade det stå hen.

abhor [əb'hɔ:] *vb* afsky.

abhor|rence [əb'hɔrəns] *sb* afsky. **-rent** [əb'hɔrənt] *adj* fuld af afsky; afskyelig; *-rent to* (også) uforenelig med.

abidance [ə'baidəns] *sb* forbliven; afventen; fastholdelse *(by af);* ~ *by the rules* overholdelse af reglerne.

abide [ə'baid] *vb (abode, abode)* forblive; holde stand over for; afvente, underkaste sig; ~ *the course of events* afvente begivenhedernes gang; *I can't* ~ *that* det kan jeg ikke fordrage; ~ *by* stå ved *(fx a promise);* rette sig efter *(fx a decision).*

abiding [ə'baidiŋ] *adj* blivende, varig.

abigail ['æbigeil] *sb* kammerpige.

ability [ə'biliti] *sb* evne, duelighed; *to the best of my* ~ så godt jeg kan, efter evne.

abject [æb'dʒekt] *adj* lav, foragtelig, krybende, ussel; ~ *despair* håbløs fortvivlelse.

abjection [æb'dʒekʃən] *sb* usselhed, foragtelighed.

abjuration [æbdʒu'reiʃən] *sb* afsværgelse.

abjure [əb'dʒuə] *vb* afsværge, opgive.

ablactation [æblæk'teiʃən] *sb* afvænning.

ablation [əb'leiʃən] *sb* bortfjernelse; *(geol)* ablation (ɔ: bortsmeltning, bortførelse).

ablative ['æblətiv]: ~ *case* ablativ; ~ *absolute* absolut ablativ.

ablaut ['æblaut] *sb* aflyd.

ablaze [ə'bleiz] *adj* i lys lue, flammende; *(fig)* strålende, glødende *(with* af).

able [eibl] *adj* duelig, dygtig; *be* ~ *to* kunne; ~ *seaman 1st class* mat; ~ *seaman 2nd class* konstabel.

able-bodied ['eibl'bɔdid] *adj* rask, rørig; *(mar)* helbefaren.

ablet ['æblit] *sb zo* løjert, løje.

abloom [ə'blu:m] *adj, adv (litt)* i blomst.

ablution [əb'lu:ʃən] *sb* (rituel) afvaskning; *-s* (også) vaskerum.

ably ['eibli] *adv* dygtigt.

A. B. M. *fk anti-ballistic missile.*

abnegation [æbni'geiʃən] *sb* fornægtelse.

abnormal [æb'nɔ:ml] *adj* abnorm.

abnormality [æbnɔ'mæliti] *adj* abnormitet.

abnormity [æb'nɔ:miti] *sb* abnormitet, uhyrlighed.

abo ['æbou] *sb (austr)* australneger.

aboard [ə'bɔ:d] *adv, præp* om bord; om bord på; op i toget; *close* ~ tæt langs siden (af).

I. abode [ə'boud] *sb* bolig, bopæl *(fx of no fixed* ~*);* take *up one's* ~ opslå sit paulun, bo.

II. abode [ə'boud] *præt* og *pp* af *abide.*

abolish [ə'bɔliʃ] *vb* afskaffe, ophæve *(fx restrictions).*

abolition [æbə'liʃən] *sb* afskaffelse, ophævelse.

abolitionist [æbə'liʃənist] *sb* abolitionist (modstander af negerslaveriet).

abomasum [æbə'meism] *sb* kallun.

abominable [ə'bɔminəbl] *adj* afskyelig.

abominate [ə'bɔmineit] *vb* afsky.

abomination [əbɔmi'neiʃən] *sb* afsky, afskyelighed, pestilens, vederstyggelighed; *hold sth in* ~ nære afsky for noget.

aboriginal [æbə'ridʒənl] *adj* oprindelig; *sb* = *aborigine.*

aborigine [æbə'ridʒini:] *sb* indfødt; *(austr)* australneger;

aborigenes [æbə'ridʒini:z] oprindelige indbyggere, urfolk, indfødte.

abort [ə'bɔ:t] *vb* abortere; slå fejl; *(flyv)* afbryde; *sb* mislykket togt; afbrydelse.

abortifacient [əbɔ:ti'feiʃənt] *adj* fosterfordrivende; *sb* fosterfordrivelsesmiddel.

abortion [ə'bɔ:ʃən] *sb* abort; misfoster.

abortionist [ə'bɔ:ʃənist] *sb* en som foretager svangerskabsafbrydelser; kvaksalver.

abortive [ə'bɔ:tiv] *adj* mislykket.

abound [ə'baund] *vb* findes i stor mængde; ~ *in* være rig på; ~ *with* vrimle med.

I. about [ə'baut] *præp* omkring, om; omkring i, omkring på; ved, hos, på; om, angående, i anledning af; *I have no money ~ me* jeg har ingen penge hos *(el.* på*)* mig; *think ~* tænke på; *what ~ that?* hvad siger du til det? *what is it all ~?* hvad drejer det sig om? *what ~ it?* hvad skal man gøre ved det? hvad bliver det til? nå, og hvad så?

II. about [ə'baut] *adv* om, rundt; rundt om, her og der; omtrent; *bring ~* forårsage, udvirke, bringe i stand; *going ~* i omløb; *set ~ sth* gå i gang med noget; *be ~* handle om *(fx what is the story ~); kunne fås *(fx not until there is more petrol ~); there is a lot of flu ~* der er meget influenza blandt folk; *be (up and) ~* være oppe, være på benene; *be ~ to do sth* lige skulle til at gøre noget.

about-face [ə'baut'feis] *(am)* *vb* gøre omkring; *sb* omkringvending; *(fig)* kovending.

above [ə'bʌv] *præp, adv* oven over, oven for; oven på; (hævet) over; mere end; ovenanført, ovennævnt; ~ *all* fremfor alt; ~ *oneself* indbildsk; højt oppe, overstadig; *he was ~ suspicion* han var hævet over al mistanke.

above-board [ə'bʌv'bɔ:d] *adj, adv* uden kneb, ærlig, regulær.

above-mentioned [ə'bʌv'menʃənd] *adj* ovennævnte.

abrade [əb'reid] *vb* afskrabe.

Abraham ['eibrəhæm].

abranchiate [ə'bræŋkiət] *adj* gælleløs.

abrasion [əb'reiʒən] *sb* hudafskrabning; afslidning; slid (på tænder).

abrasive [əb'reisiv] *sb* slibemiddel; *adj* slibende; slibe-, ru; *(fig)* irriterende; ubehagelig, »vanskelig«, ufordragelig; ~ *relationship* forhold præget af gnidninger.

abreact [æbri'ækt] *vb* afreagere. **abreaction** [æbri'ækʃən] *sb* afreaktion.

abreast [ə'brest] *adj adv* ved siden af hinanden; ~ *of* på højde med, à jour med; *keep ~ of the times* holde sig à jour, følge med tiden; *overtake three ~* overhale i tredje position.

abridge [ə'bridʒ] *vb* forkorte; begrænse; sammendrage. **abridgment** [ə'bridʒmənt] *sb* forkortelse, begrænsning; sammendrag.

abroad [ə'brɔ:d] *adv* ude; udenlands, i udlandet; ud, i omløb; *go ~* rejse udenlands; *publish (el. spread) ~* udsprede, sætte i omløb; *at home and ~* ude og hjemme; *from ~* fra udlandet.

abrogate ['æbrəgeit] *vb* ophæve, afskaffe.

abrogation [æbrə'geiʃən] *sb* ophævelse, afskaffelse.

abrupt [ə'brʌpt] *adj* brat, stejl; pludselig, brysk, kort for hovedet; usammenhængende. **abruptness** [əb'rʌptnis] *sb* brathed, brysk væsen; mangel på sammenhæng.

abscess ['æbsis] *sb* byld, absces.

abscissa [æb'sisə] *sb* abscisse.

abscond [əb'skɔnd] *vb* rømme, stikke af.

absence ['æbsns] *sb* fraværelse; fravær; udeblivelse; mangel; *(med.)* absence; ~ *of mind* åndsfraværelse.

I. absent ['æbsnt] *adj* fraværende, borte; åndsfraværende.

II. absent [æb'sent] *vb:* ~ *oneself from* holde sig borte fra.

absentee [æbsn'ti:] *adj, sb* fraværende, opholdende sig uden for sit distrikt, (godsejer) som ikke bor på sit gods. **absenteeism** [æbsn'ti:izm] *sb* forsømmelser; det forhold at godsejeren sidder et borte.

absent-minded ['æbsnt'maindid] *adj* åndsfraværende.

absinth ['æbsinθ] *sb* absint.

absolute ['æbsəl(j)u:t] *adj* absolut, uindskrænket; enevældig; ren, ublandet; ubetinget; *the four -s (rel.)* de fire absolutter.

absolutely *adv* absolut, aldeles, ubetinget.

absolution [æbsə'l(j)u:ʃən] *sb* frikendelse, syndsforladelse; absolution.

absolutism ['æbsəl(j)u:tizm] *sb* enevælde.

absolutist ['æbsəl(j)u:tist] *sb* tilhænger af enevælden.

absolve [əb'zɔlv] *vb* frikende, give absolution, løse *(from* fra*)*.

absorb [əb'sɔ:b] *vb* opsuge, suge til sig, absorbere, optage; (om stød også) dæmpe; *-ed in* optaget af; fordybet i, opslugt af *(fx a book); -ed in thought* i dybe tanker; *-ing* spændende; *of -ing interest* af altopslugende interesse.

absorbent [əb'sɔ:bənt] *adj* absorberende; vandsugende; ~ *cotton (am)* (sygе)vat.

absorption [əb'sɔ:pʃən] *sb* opsugning, absorption; optagethed *(in* af*); ~ capacity* absorptionsevne; ~ *centre* (for indvandrere) indslusningscenter.

absquatulate [æb'skwɔtjuleit] *vb* T stikke af.

abstain [əb'stein] *vb* afholde sig *(from* fra*);* afholde sig fra at stemme.

abstainer [əb'steinə] *sb* afholdsmand.

abstemious [æb'sti:mjəs] *adj* mådeholden.

abstention [æb'stenʃən] *sb* afholdenhed; undladelse (af at stemme); *with 20 -s* mens tyve afholdt sig fra at stemme.

abstinence ['æbstinəns] *sb* afholdenhed.

abstinent ['æbstinənt] *adj* afholdende.

I. abstract ['æbstrækt] *sb* abstrakt begreb; resumé; referat; *adj* abstrakt *(fx art); in the ~* teoretisk set; rent abstrakt; *an ~ of the accounts* et kontoudtog; ~ *of title* ekstrakt af adkomstdokumenter vedrørende fast ejendom.

II. abstract [æb'strækt] *vb* fjerne; stjæle, tilvende sig; abstrahere; sammendrage, resumere; referere.

abstracted [æb'stræktid] *adj* fjernet; (om person) adspredt. **abstractedness** *sb* åndsfraværelse.

abstraction [æb'strækʃən] *sb* bortfjernelse; abstraktion; åndsfraværelse.

abstruse [æb'stru:s] *adj* dunkel, uforståelig.

absurd [əb'sə:d] *adj* urimelig, meningsløs, absurd; latterlig, tåbelig.

absurdity [əb'sə:diti] *sb* urimelighed, meningsløshed, absurditet; latterlighed, tåbelighed; *the ~ of the suspicion* det urimelige i mistanken.

abt. *fk* about.

abundance [ə'bʌndəns] *sb* overflod; *out of the ~ of the heart the mouth speaketh* hvad hjertet er fuldt af løber munden over med.

abundant [ə'bʌndənt] *adj* rigelig; ~ *in* rig på.

I. abuse [ə'bju:z] *vb* misbruge; mishandle; skælde ud, rakke ned.

II. abuse [ə'bju:s] *sb* misbrug; mishandling; skældsord; *-s* misligheder, uheldige forhold.

abusive [ə'bju:siv] *adj* grov; ~ *expressions* grovheder.

abut [ə'bʌt] *vb:* ~ *on* støde op til. **abutment** *sb* støtte; underlag; endepille (til bro); ~ *wall* støttemur.

abysmal [ə'bizməl] *adj* bundløs, afgrundsdyb.

abyss [ə'bis] *sb* afgrund. **abyssal** *adj* dybvands-.

A. C. *fk* alternating current.

A/C *fk* account current. **a/c** *fk* account.

A. C. A. *fk* Associate of the Institute of Chartered Accountants.

acacia [ə'keiʃə] *sb (bot)* akacie.

academic [ækə'demik] *adj* akademisk, teoretisk; *sb* akademiker.

academical [ækə'demikl] *adj* akademisk. **academicals** universitetsdragt.

academician [əkædə'miʃən] *sb* medlem af et akademi, især af *the Royal Academy.*

academy [ə'kædəmi] *sb* akademi, højere skole af særlig art, *fx Royal Military A.;* selskab for videnskab *el.* kunst, især *the Royal A.*

acanthus [ə'kænθəs] *sb (bot)* akantus, bjørneklo.

accede [æk'si:d] *vb:* ~ *to* gå ind på *(fx sby's proposal);* tilslutte sig *(fx a party);* overtage *(fx an estate);* tiltræde *(fx an office);* ~ *to the throne* arve tronen.

accelerate [æk'seləreit] *vb* fremskynde, accelerere, forøge hastigheden af; blive hurtigere.

acceleration [ækselə'reiʃən] *sb* acceleration, hastighedsforøgelse; accelerationsevne, accelerationshastighed.

accelerator [æk'seləreitə] *sb* (i bil) speeder; *(fys)* accelerator.

I. accent ['æksnt] *sb* accent; betoning *(fx the ~ is on the first syllable)*; udtale; fremmedartet udtale; tonefald; *without any ~* uden accent, som en indfødt.

II. accent [æk'sent] *vb* accentuere, betone.

accentor [æk'sentə] *sb zo: alpine ~* alpebrunelle.

accentuate [æk'senjuteit] *vb* betone, fremhæve.

accentuation [æksentju'eiʃən] *sb* betoning.

accept [ək'sept] *vb* modtage; antage; sige ja (til) *(fx an invitation)*; godkende, godtage; acceptere *(fx a bill* en veksel)*; *-ed* almindelig anerkendt *(fx the -ed custom)*.

acceptability [əkseptə'biliti] *sb* antagelighed. **acceptable** [ək'septəbl] *adj* antagelig; kærkommen, velkommen.

acceptance [ək'septəns] *sb* modtagelse; antagelse, accept; *(merk)* vekselaccept; accepteret veksel; *meet one's ~* indfri sin accept. **acceptation** [æksep'teiʃən] *sb* (anerkendt) betydning (af et ord).

acceptor [æk'septə] *sb* acceptant.

access ['ækses] *sb* adgang; vej (til); tilgængelighed; anfald, raptus; *easy of ~* let tilgængelig, let at få i tale.

accessary [æk'sesəri] se *accessory*.

accessibility [æksesi'biliti] *sb* tilgængelighed; modtagelighed.

accessible [ək'sesəbl] *adj* tilgængelig; *~ to* modtagelig for *(fx reason)*.

accessory [æk'sesəri] *adj* underordnet, bi-; *(jur)* delagtig, medskyldig *(to* i); meddelagtig; *sb pl accessories* tilbehør, rekvisitter, staffage.

accidence ['æksidəns] *sb (gram)* formlære.

accident ['æksidənt] *sb* tilfælde, tilfældighed; uheld; ulykkestilfælde; ulykke; *(filos)* accidens, tilfældig egenskab; *by ~* tilfældigt, tilfældigvis; *fatal ~* dødsulykke; *meet with an ~* komme ud for et ulykkestilfælde.

accidental [æksi'dentl] *adj* tilfældig; uvæsentlig. **accidentally** [æksi'dentəli] *adv* tilfældigvis. **accidentals** *sb pl (mus.)* løse fortegn.

accident insurance ulykkesforsikring.

accident-prone *adj* : *~ person* ulykkesfugl.

acclaim [ə'kleim] *vb* hilse med bifaldsråb, hylde (som) *(fx he was -ed king)*. **acclamation** [æklə'meiʃən] *sb* bifald(s-råb), akklamation; *carried by ~* vedtaget med akklamation. **acclamatory** [ə'klæmətəri] *adj* bifalds-.

acclimatization [əklaimətai'zeiʃən] *sb* akklimatisering. **acclimatize** [ə'klaimətaiz] *vb* akklimatisere (sig).

acclivity [ə'kliviti] *sb* skråning (opad), stigning.

accolade [ækə'leid] *sb* ridderslag, akkolade; *(fig)* anerkendelse.

accommodate [ə'kɔmədeit] *vb* tilpasse, tillempe *(to* efter), (om øjnene) akkommodere; imødekomme *(fx his wishes)*; gøre en tjeneste, hjælpe *(fx a friend)*, tjene; forsyne *(with* med); *(mht* logi) give husly, skaffe husrum *(el.* logi), indkvartere; (om hotel *etc)* huse, have plads til; (om strid) bilægge, forlige.

accommodating *adj* føjelig, eftergivende, medgørlig, imødekommende.

accommodation [əkɔmə'deiʃən] *sb* tilpasning, tillempning; (om øjet) akkommodation;(forsyning med) bekvemmelighed(er); husly, plads *(fx we have not ~ for so many people)*, boliger, indkvartering, *(mar)* aptering; (om strid) bilæggelse, forlig; *(cf accommodating)* imødekommenhed, forekommenhed; *(mht* penge) lån.

accommodation | bill akkommodationsveksel, tjenesteveksel. **~ bureau** boliganvisningskontor. **~ ladder** falderebstrappe. **~ train** *(am)* bumletog, slæber.

accompaniment [ə'kʌmpənimənt] *sb* tilbehør; *(mus.)* akkompagnement. **accompany** [ə'kʌmpəni] *vb* ledsage; følge med; *(mus.)* akkompagnere. **accompan(y)ist** [ə'kʌmpəni(i)st] *sb* akkompagnatør.

accomplice [ə'kɔmplis] *sb* medskyldig *(in, of* i); *be an ~ of* være i ledtog med.

accomplish [ə'kɔmpliʃ] *vb* fuldende, fuldføre, udrette, udføre; (op)nå; tilbagelægge. **accomplished** [ə'kɔmpliʃt] *adj* dannet, kultiveret; fuldendt.

accomplishment [ə'kɔmpliʃmənt] *sb* fuldbyrdelse, fuldendelse, fuldendthed; bedrift; selskabeligt talent, færdighed.

I. accord [ə'kɔ:d] *sb* overensstemmelse, enighed, harmoni;

forlig; *of one's own ~* på egen hånd, af egen drift, uopfordret; *with one ~* alle som en; *in ~ with* i overensstemmelse med.

II. accord [ə'kɔ:d] *vb* stemme (overens); tilstå, tildele, lade få.

accordance [ə'kɔ:dəns] *sb* overensstemmelse.

according [ə'kɔ:diŋ]: *~ as* alt efter som *(fx temperature varies ~ as you go up or down)*; *~ to* (alt) efter *(fx the temperature varies ~ to the altitude)*, ifølge *(fx ~ to this author)*; *the Gospel ~ to Saint John* Johannes Evangelium; *~ to plan* planmæssig.

accordingly [ə'kɔ:diŋli] *adv* i overensstemmelse dermed, derefter; derfor, følgelig, altså.

accordion [ə'kɔ:djən] *sb* (træk)harmonika.

accost [ə'kɔst] *vb* antaste, tiltale, tale til *(fx I was -ed by a stranger)*.

accoucheur [æku:'ʃə:] *sb* fødselslæge. **accoucheuse** [æku:-'ʃə:z] *sb* jordemoder.

I. account [ə'kaunt] *sb* regning; konto; regnskab; mellemværende; opgørelse; redegørelse, forklaring, beretning; grund, hensyn; *as per ~* ifølge regning; *by all -s* efter alt at dømme; *longitude by ~ (mar)* gisset længde, længde ifølge bestik; *business done for the ~ (merk)* terminsforretninger; *take into ~* tage i betragtning, tage hensyn til, regne med; *of no ~* uden betydning, ligegyldig; *give a good ~ of oneself* klare sig godt, komme godt fra det; *take ~ of = take into ~*; *on joint ~ (merk)* for fælles regning, a meta; *on no ~, not on any ~* under ingen omstændigheder *(fx don't leave the house on any ~)*; *on our ~* for vor skyld; *on one's own ~* for egen regning; for sin egen skyld; af (, for) sig selv; *pay on ~* betale a conto, betale i afdrag; *call to ~* kræve til regnskab; *turn to ~* drage fordel af, gøre brug af; udnytte; *turn to good ~* gøre god brug af; (se også I. *settle*).

II. account [ə'kaunt] *vb* regne for, betragte som; *~ for* gøre rede for; forklare *(fx he must ~ for his conduct)*; gøre regnskab for; tage sig af; klare, dække, være skyld for *(fx 12 p.c. of the oil supplies)*; gøre det af med *(fx 3 enemy aircraft)*.

accountability [əkauntə'biliti] *sb* ansvarlighed. **accountable** [ə'kauntəbl] *adj* ansvarlig.

accountancy [ə'kauntənsi] *sb* revisorvirksomhed, revision, bogholderi, regnskabsføring.

accountant [ə'kauntənt] *sb* revisor, regnskabsfører, bogholder; *chartered ~, (am) certified public ~* statsautoriseret revisor; *chief ~* hovedbogholder.

account| book regnskabsbog. **~ current** kontokurant. **~ sales** salgsregning.

accoutre [ə'ku:tə] *vb* udruste. **accoutrements** [-mənts] *sb pl* udrustning, udstyr.

accredit [ə'kredit] *vb* akkreditere; *~ sth to him, ~ him with sth* tiltro ham noget.

accredited *adj* anerkendt, anset; godkendt.

accretion [æ'kri:ʃən] *sb* tilvækst, forøgelse.

accrue [ə'kru:] *vb* (til)flyde, tilfalde; (om rente) løbe på; *accruing interest* påløbende renter; *advantages accruing from this* deraf flydende fordele; *~ to* tilfalde.

acculturation [əkʌltʃə'reiʃən] *sb* kulturindlæring.

accumulate [ə'kju:mjuleit] *vb* dynge sammen, akkumulere, ophobe (sig), samle (sig). **accumulation** [əkju:mju'leiʃən] *sb* (an)samling, akkumulation. **accumulative** [ə'kju:mjulətiv] *adj* kumulativ; hamstrende, som samler til bunke. **accumulator** [ə'kju:mjuleitə] *sb* akkumulator; *~ plate* akkumulatorplade.

accuracy [ə'kjurəsi] *sb* nøjagtighed, akkuratesse, træfsikkerhed; *an ~ rate of* en nøjagtighedsprocent på.

accurate [ə'kjurit] *adj* nøjagtig, præcis, omhyggelig; *~ measuring* finmåling.

accursed [ə'kə:sid] *adj* forbandet, nederdrægtig.

accusation [ækju'zeiʃən] *sb* beskyldning, anklage.

accusative [ə'kju:zətiv] *adj* akkusativ.

accuse [ə'kju:z] *vb* beskylde, anklage *(of* for); *the -d* anklagede. **accuser** [ə'kju:zə] *sb* anklager.

accustom [ə'kʌstəm] *vb* vænne; *-ed* vant; tilvant, sædvanlig; *he is -ed to* han er vant til, han plejer *(fx he is -ed to walking home)*; *get -ed to doing sth* vænne sig til at gøre noget.

A C E *fk advisory centre for education.*

ace [eis] *sb* es (i kortspil); ener (i terningspil); fremragende jagerflyver; *adj* fremragende, stjerne- *(fx ~ reporter); ~ of diamonds* ruder es; *within an ~ of* meget nær ved at; *within an ~ of death* i yderste livsfare; *within an ~ of doing sth* lige på nippet til at gøre noget.

acerbic [ə'sə:bik] *sb* bitter, skarp, ætsende.

acerbity [ə'sə:biti] *sb* bitterhed, skarphed.

acescent [ə'sesənt] *adj* syrlig, blåsur.

ace-showing (i bridge) esmelding.

acetate ['æsitit] *sb* acetat.

acetic [ə'si:tik] *adj* eddike-; *~ acid* eddikesyre.

acetifier [ə'setifaiə] *sb* eddikedanner.

acetone ['æsitoun] *sb* acetone.

acetous ['æsitəs] *adj* sur.

acetylene [ə'setili:n] *sb* acetylen.

acetylsalicylic acid ['æsitilsæli'silik 'æsid] acetylsalicylsyre.

ache [eik] *sb* smerte; *vb* smerte, gøre ondt; *my head -s* jeg har ondt i hovedet; *be aching to* brænde efter at.

achieve [ə'tʃi:v] *vb* udføre, fuldende; udrette; (op)nå; *(am)* klare sig tilfredsstillende. **achievement** [-mənt] udførelse; præstation, bedrift, storværk, dåd.

Achilles [ə'kili:z]. **Achilles' heel** akilleshæl.

Achilles' tendon akillessene.

achromatic [ækrə'mætik] *adj* akromatisk, farveløs.

acid ['æsid] *adj* sur, syrlig *(fx ~ drops, an ~ face); (fig* også) skarp, ætsende *(fx criticism); sb* syre; **S LSD**.

acidhead *sb* **S** LSD-misbruger.

acidity [ə'siditi] *sb* surhed; *~ of the stomach* for meget mavesyre.

acid|proof *adj* syrefast. *~ test (fig)* afgørende prøve.

acidulated [ə'sidjuleitid], **acidulous** [ə'sidjuləs] *adj* syrlig.

ack-ack ['æk'æk] *sb* luftværnskanon; luftværnsild.

ack emma ['æk'emə] *= a. m.,* om formiddagen.

acknowledge [ək'nɔlidʒ] *vb* indrømme, erkende *(fx a mistake);* vedkende sig *(fx the signature);* anerkende; anerkende modtagelsen af *(fx a letter),* takke for.

acknowledgment [ək'nɔlidʒmənt] *sb* indrømmelse; anerkendelse; erkendtlighed.

A. C. M. *fk Air Chief Marshal.*

acme ['ækmi] *sb* kulmination, højdepunkt; toppunkt *(fx the ~ of perfection).*

acne ['ækni] *sb (med.)* acne, filipens.

acolyte ['ækəlait] *sb* akolyt, messetjener.

aconite ['ækənait] *sb (bot)* stormhat; *winter ~* erantis.

acorn ['eikɔ:n] *sb* agern.

acoustic [ə'ku:stik] *adj* akustisk; *~ nerve* hørenerve. **acoustics** [ə'ku:stiks] *sb* akustik.

acquaint [ə'kweint] *vb: ~ him with* gøre ham bekendt med, meddele ham *(fx the facts); be -ed with* kende, være inde i; *make oneself -ed with* sætte sig ind i, gøre sig bekendt med.

acquaintance [ə'kweintəns] *sb* bekendtskab, kendskab; kundskab; bekendt *(fx an ~ of mine); improve on ~* vinde ved nærmere bekendtskab.

acquiesce [ækwi'es] *vb* slå sig til tåls *(in* med), indvillige, finde sig *(in* i), akkviescere *(in* ved). **acquiescence** [-'esns] *sb* indvilligelse, samtykke. **acquiescent** [-'esnt] *adj* føjelig.

acquire [ə'kwaiə] *vb* erhverve (sig), opnå, få, tilegne sig; anskaffe; *~ knowledge* erhverve sig kundskaber. **acquired characteristics** *(,am* characters) *(biol)* erhvervede egenskaber.

acquirement [ə'kwaiəmənt] *sb* erhvervelse; erhvervet dygtighed, færdighed, kundskab.

acquisition [ækwi'ziʃən] *sb* erhvervelse, anskaffelse; vinding, akkvisition; *he is a valuable ~ to the firm* han er en gevinst for firmaet. **acquisitive** [æ'kwizitiv] *adj* bjærgsom, begærlig.

acquit [ə'kwit] *vb* frikende; frigøre; *be -ted (også:)* klare frisag; *~ oneself well (, ill)* skille sig godt (, dårligt) fra det (, noget). **acquittal** [ə'kwitl] *sb* frikendelse. **acquittance** [ə'kwitəns] *sb* betaling (af gæld), kvittering.

acre ['eikə] *sb* (flademål =) ca. 0,4 hektar; *God's ~* kirkegården. **acreage** ['eikəridʒ] *sb: the ~ of a farm* en gårds jordtilliggende.

acrid ['ækrid] *adj* skarp, bitter, besk; forbitret *(fx quarrel, strife).* **acridity** [æ'kriditi] skarphed, bitterhed, beskhed.

acrimonious [ækri'mounjəs] *adj* skarp, bitter. **acrimony** ['ækriməni] *sb (fig)* skarphed; bitterhed.

acrobat ['ækrəbæt] *sb* akrobat. **acrobatic** [ækrə'bætik] akrobatisk. **acrobatics** *sb pl* akrobatkunster, akrobatik.

acronym ['ækrənim] *sb* initialord *(fx NATO = North Atlantic Treaty Organization).*

Acropolis [ə'krɔpəlis] Akropolis.

across [ə'krɔs] *adv, præp* på tværs; tværs over, over, tværs igennem; bred *(fx the river is a mile ~);* (ovre) på den anden side (af); over kors; (i krydsordsopgave) vandret; (se også *come, get, put).*

acrostic [ə'krɔstik] *sb* akrostikon.

I. act [ækt] *vb* (se også *acting)* virke, fungere; handle, *(teat)* spille, optræde, fremstille (på scenen), opføre; forstille sig; *~ a part* spille en rolle; *he is merely -ing (a part)* han spiller bare komedie; *~ as interpreter* fungere som tolk; *~ for him* handle på hans vegne; *~ on* indvirke på; *~ on your advice* handle efter dit råd; *~ on the principle that..* handle ud fra det princip at ...; *~ out* omsætte i handling; *(psyk)* udleve; *~ up to* handle i overensstemmelse med *(fx one's ideals),* efterleve, svare til.

II. act [ækt] *sb* handling, gerning; *(jur)* forordning, lov; aktstykke, dokument; *(teat)* akt; *(fx* i cirkusprogram) nummer;

caught in the very ~ grebet på fersk gerning; *in the ~ of* i færd med at *(fx in the ~ of stealing); Act of God* force majeure; *the Acts of the Apostles* Apostlenes gerninger; *~ of faith* troshandling, autodafé; *(fig)* handling der skal vise ens tro; *do it as an ~ of faith* gøre det i blind tro; *Act of Parliament (,am: Act of Congress)* lov; *~ of war* krigshandling; *put on an ~* spille komedie.

actable *adj* som kan opføres *(el.* spilles).

ACTH *fk Adrenocorticotropic Hormone.*

acting *sb* skuespilkunst; *adj* fungerende, konstitueret *(fx ~ manager, ~ headmaster); ~ copy* eksemplar til brug for skuespillerne, teatereksemplar.

actinia [æk'tinjə] *sb zo* søanemone.

actinic [æk'tinik] *adj* aktinisk.

action ['ækʃən] *sb* handling, virksomhed; indvirkning, påvirkning; mekanisme; *(tekn)* virkemåde, arbejdsmåde; funktion; *(jur)* proces, sagsanlæg; *(mil.)* aktion, træfning, slag; *bring an ~ against* anlægge sag mod; *take ~* tage affære, skride til handling; skride ind; *radius of ~* aktionsradius. **actionable** [-əbl] *adj* som kan gøres til genstand for sagsanlæg.

action | painter tachist. *~ painting* tachisme. *~ stations (mar)* klartskib.

activate ['æktiveit] *vb* aktivere, aktivisere, gøre virksom; gøre radioaktiv; *-d carbon* aktivt kul.

activation [ækti'veiʃən] *sb* aktivering.

active ['æktiv] *adj* virksom, rask, aktiv, energisk, livlig, adræt; *on the ~ list* i aktiv tjeneste; *~ service* fronttjeneste, tjeneste i felten; *~ tuberculosis* åben tuberkulose; *the ~ voice (gram)* aktiv.

active-minded *adj* åndslivlig.

activism ['æktivizm] *sb* aktivisme.

activist ['æktivist] *sb* aktivist.

activity [æk'tiviti] *sb* virksomhed; aktivitet; raskhed, livlighed; *activities pl* aktivitet, virksomhed, sysler; arrangementer.

actor ['æktə] *sb* skuespiller.

actress ['æktris] *sb* skuespillerinde.

actual ['æktʃuəl] *adj* virkelig, egentlig, ligefrem; nuværende, aktuel.

actuality [æktʃu'æliti] *sb* virkelighed; *actualities pl* realiteter; *~ programme* dokumentarisk udsendelse; (i radio) høre billede.

actualize ['æktʃuəlaiz] *vb* aktualisere, virkeliggøre.

actually ['æktʃuəli] *adv* virkelig, i virkeligheden, faktisk; nu, for øjeblikket.

actuary ['æktjuəri] *sb* beregner, aktuar.

actuate ['æktjueit] *vb* drive, sætte i gang, påvirke, tilskynde; (om miner) udløse, få til at eksplodere.

acuity [ə'kjuiti] *sb* skarphed; skarpsindighed.

aculeate [ə'kju:liit] *adj zo* med brod *(fx ~ insects).*

acumen [ə'kju:men] *sb* skarpsindighed, kløgt, dygtighed.

I. acuminate [ə'kju:minit] *adj* spids, tilspidset.

II. acuminate [ə'kju:mineit] *vb* tilspidse, spidse.

acutance [ə'kju:təns] *sb (fot, omtr)* konturskarphed.

acute [ə'kju:t] *adj* spids; fin, skarp; skarpsindig; heftig, voldsom, akut; ~ *accent* aigu; ~ *angle* spids vinkel.

ad. [æd] *fk* advertisement.

A. D. *fk Anno Domini* ['ænou 'dɔminai] efter Kristi fødsel, e.Kr., (i det Herrens) år; *Air Defence* luftværn.

adage ['ædidʒ] *sb* ordsprog, talemåde.

adagio [ə'da:dʒou] *adv* adagio, langsomt; *sb* adagio.

Adam ['ædəm] Adam; *I don't know him from* ~ jeg kender ham slet ikke, jeg aner ikke hvem han er.

adamant ['ædəmənt] *adj: be* ~ være ubøjelig. **adamantine** [ædə'mæntain] *adj* diamanthård, ubøjelig.

Adam's | **ale** gåsevin, postevand. ~ **apple** adamsæble.

adapt [ə'dæpt] *vb* afpasse, tilpasse *(to* efter); indrette *(for* til); bearbejde *(from* efter); *-ed for broadcasting from his novel* tilrettelagt for radio efter hans roman.

adapt|ability [ədæptə'biliti] *sb* anvendelighed, tilpasningsevne. **-able** [ə'dæptəbl] *adj* anvendelig, bøjelig, smidig.

adaptation [ædæp'teiʃən] *sb* afpasning, tillempning; omarbejdelse, bearbejdelse.

adapted [ə'dæptid] *adj* egnet *(for* til); (se også *adapt)*.

adapter, adaptor [ə'dæptə] *sb (elekt)* snydekontakt; dobbeltstik; *(tekn)* tilpasningsstykke, mellemstykke.

A. D. C. *fk Aide-de-Camp* adjudant; *Amateur Dramatic Club.*

add [æd] *vb* tilføje; lægge sammen, addere; komme i *(fx* ~ *more water)*; ~ *to* forøge, udvide; ~ *up* lægge sammen; stemme; *(fig.* også) hænge (rigtigt) sammen; give mening; ~ *up to* blive tilsammen; betyde. **added** *adj* yderligere *(fx an* ~ *pleasure)*.

Add. *fk* addenda, address.

addendum [ə'dendəm] *sb (pl* addenda) tilføjelse, tillæg.

adder ['ædə] *sb* zo hugorm.

adder's-tongue *(bot)* slangetunge.

I. addict ['ædikt] *sb* narkoman; misbruger; *he is a jazz* ~ han er jazztosset; *morphia* ~ morfinist.

II. addict [ə'dikt] *vb* : ~ *oneself to* hengive sig til. **addicted** [ə'diktid] *adj* : ~ *to* forfalden til *(fx drink)*, misbruger af *(fx drugs)*.

addiction [ə'dikʃən] *sb* forfaldenhed, hang *(to* til); afhængighed *(to* af). **addictive** [ə'diktiv] *adj* som skaber afhængighed, vanedannende.

addition [ə'diʃən] *sb* tilføjelse, tillæg; addition; forøgelse *(fx they are expecting an* ~ *to the family)*; *in* ~ desuden; *in* ~ *to* foruden.

additional [ə'diʃnl] *adj* ekstra, ny; ~ *expenditure* merudgift; ~ *tax* ekstraskat.

additionally *adv* som tilføjelse, som tilgift, yderligere.

additive ['æditiv] *sb* tilsætningsstof, additiv.

addle ['ædl] *vb* forvirre; *-d egg* råddent æg.

addle|brain, -head, -pate fæhoved.

address [ə'dres] *vb* henvende; henvende sig til, tiltale; adressere; *sb* henvendelse; tale; adresse; behændighed; takt; *(gkls)* optræden, måde at konversere på, væsen; *you came to the right* ~ De er kommet til den rette; ~ *oneself to* henvende sig til *(fx the chairman)*; give sig i lag med, tage fat på *(fx a task)*; *pay one's -es to sby* gøre kur til en.

addressee [ædre'si:] *sb* adressat.

adduce [ə'dju:s] *vb* påberåbe sig, anføre.

Aden [eidn].

adenoids ['ædinɔidz] *sb pl (med.)* adenoide vegetationer, 'polypper'.

adept ['ædept] *sb* mester, ekspert *(in* i).

adequacy ['ædikwəsi] *sb* tilstrækkelighed.

adequate ['ædikwit] *adj* tilstrækkelig, fyldestgørende, passende, tilfredsstillende; dækkende *(fx definition); be* ~ *to one's post* være sin stilling voksen.

adhere [əd'hiə] *vb* : ~ *to* hænge fast til, klæbe til; *(fig)* holde fast ved *(fx a plan)*; tilslutte sig *(fx a party, an agreement)*.

adherence [əd'hiərəns] *sb* vedhængen; troskab.

adherent [əd'hiərənt] *adj* vedhængende; *sb* tilhænger.

adhesion [əd'hi:ʒən] *sb* sammenvoksning; *-s (med.)* adhærencer; *give one's* ~ *to* give sin tilslutning til.

adhesive [əd'hi:siv] *adj* vedhængende, klæbrig; *sb* klæbestof; ~ *plaster* hæfteplaster; ~ *power* adhæsionskraft; ~ *tape* klæbestrimmel; hæfteplaster.

adieu [ə'dju:] *interj* farvel; *sb* farvel, afsked.

ad inf. *fk ad infinitum* i det uendelige.

adipose ['ædipous] *adj* fed, fedtholdig; *sb* fedt.

adiposity [ædi'pɔsiti] *sb* fedme.

adjacent [ə'dʒeisənt] *adj* nærliggende *(fx* ~ *villages)*; tilstødende. **adjacent angles** nabovinkler.

adjectival [ædʒek'taivəl] *adj* adjektivisk.

adjective ['ædʒiktiv] *sb* tillægsord, adjektiv.

adjoin [ə'dʒɔin] *vb* grænse til, støde op til (hinanden); *-ing* tilgrænsende, tilstødende, nabo-; *-ing risk (assur)* 'smittefare', gnistrisiko; *the -ing room* værelset ved siden af.

adjourn [ə'dʒə:n] *vb* opsætte, udsætte, hæve (mødet); ~ *to* forlægge residensen til, begive sig til *(fx* ~ *to the drawing room); -ed game* (i skak) hængeparti.

adjournment [ə'dʒə:nmənt] *sb* udsættelse; mellemtid mellem parlamentsmøder.

adjudge [ə'dʒʌdʒ] *vb (jur)* tildømme, tilkende *(fx* ~ *property to sby.)*; (på)dømme.

adjudicate [ə'dʒu:dikeit] *vb* (på)dømme; fælde *(el.* afsige) dom om, afgøre.

adjudication [ədʒu:di'keiʃən] *sb* dom, kendelse.

adjunct ['ædʒʌŋkt] *sb* tilbehør; *(gram)* bestemmelse.

adjunctive [ə'dʒʌŋktiv] *adj* tilføjet, bi-.

adjuration [ædʒuə'reiʃən] *sb* besværgelse.

adjure [ə'dʒuə] *vb* besværge, bønfalde.

adjust [ə'dʒʌst] *vb* ordne, bringe i orden *(fx please* ~ *your dress before leaving)*; bilægge; indstille *(fx* en kikkert), justere, korrigere; regulere, tilpasse; *(am* også) vurdere, taksere (skade); ~ *oneself to new conditions* tilpasse sig efter nye forhold; *-ing screw* stilleskrue.

adjustable [ə'dʒʌstəbl] *adj* indstillelig; ~ *spanner* skiftenøgle.

adjustment [ə'dʒʌstmənt] *sb* ordning, bilæggelse; indstilling, justering, regulering, tilpasning; *(am)* vurdering (af skade).

adjutancy ['ædʒutənsi] *sb* adjudantpost.

adjutant ['ædʒutənt] *sb* adjudant; *zo* marabustork.

I. ad lib. [æd'lib] *fk ad libitum* efter behag.

II. ad-lib [æd'lib] *sb* improvisation; *vb* improvisere; *adj* improviseret.

adman ['ædmæn] *sb* reklamemand; annoncetekstforfatter.

admass ['ædmæs] *sb* det publikum som massemediernes reklame er beregnet på.

administer [əd'ministə] *vb* administrere, forvalte, bestyre, håndhæve; uddele *(fx the sacrament);* tildele; give; indgive (medicin); ~ *an oath to* lade aflægge ed.

administration [ədmini'streiʃən] *sb* administration, forvaltning, bestyrelse, håndhævelse; tildeling; regering, ministerium; *the* ~ *of justice* rettens pleje, retsplejen.

administrative [əd'ministrətiv] *adj* administrativ, udøvende, forvaltnings-.

administrator [əd'ministreitə] *sb* bestyrer, administrator; *(jur)* skifterettens medhjælper.

admirable ['ædmərəbl] *adj* beundringsværdig, fortræffelig.

admiral ['ædm(ə)rəl] *sb* admiral (de 4 grader ovenfra: *A. of the Fleet, Admiral, Vice-A.* (viceadmiral), *Rear-A.* (kontreadmiral)). **admiralship** [-ʃip] *sb* admiralsværdighed.

admiralty ['ædm(ə)rəlti] *sb (poet)* herredømme på havet; *the Admiralty* admiralitetet (flådens øverste ledelse); *(tidl)* marineministeriet; *First Lord of the Admiralty (tidl)* marineminister.

admiration [ædmə'reiʃən] *sb* beundring *(of* for); *he was the* ~ *of all the boys* alle drengene beundrede ham; *do it to* ~ gøre det udmærket.

admire [əd'maiə] *vb* beundre.

admirer [əd'maiərə] *sb* beundrer. **admiringly** [əd'maiəriŋli] *adv* beundrende, med beundring.

admissibility [ədmisə'biliti] *sb* antagelighed; adgangsberettigelse. **admissible** [əd'misəbl] *adj* antagelig; tilstedelig; adgangsberettiget.

admission [əd'miʃən] *sb* adgang; optagelse *(to* på, *fx a school);* indlæggelse *(to* på); indrømmelse; (betaling:) entré *(fx* ~ *50 p.); pay (for)* ~ betale entré; ~ *card (el. order)* adgangskort.

admit [əd'mit] *vb* give adgang; optage *(to* på, *fx* ~ *him to the school);* indlægge *(to a hospital* på et hospital); indrømme; kunne rumme; ~ *of* tillade, give plads for; ~ *to* (også:) indrømme; *children not -ted* forbudt for børn.

admittance [əd'mitəns] *sb* adgang; *no* ~ adgang forbudt.
admittedly [əd'mitidli] *adv* man må indrømme at *(fx* ~ *he is no fool)*; ganske vist *(fx he is* ~ *rich but)*; utvivlsomt.
admixture [əd'mikstʃə] *sb* blanding, tilsætning, iblanding *(fx pure Indian without any* ~ *of white blood)*.
admonish [əd'mɔniʃ] *vb* formane, advare; påminde.
admonition [ædmə'niʃən] *sb* formaning, advarsel; påmindelse.
ad nauseam [æd'nɔːsiəm] til ulidelighed.
ado [ə'duː] *sb* postyr. ståhej; *much* ~ *about nothing* stor ståhej for ingenting; *without more (el. further)* ~ uden videre.
adobe [ə'doubi] *sb* ubrændt soltørret mursten.
adolescence [ædə'lesns] *sb* opvækst; ungdom, ungdomstid.
adolescent [ædə'lesnt] *adj* halvvoksen, i opvækst, ung; *sb* yngling, ung mand, ung pige.
Adonais [ædə'neiis]. **Adonis** [ə'dounis].
adopt [ə'dɔpt] *vb* adoptere; indføre, tage i brug *(fx a new weapon)*; slutte sig til *(fx an opinion)*; godkende *(fx a report)*; antage; ~ *a neutral position* indtage en neutral holdning; ~ *a tone* anslå en tone; *-ed daughter* adoptivdatter.
adoption [ə'dɔpʃən] *sb* adoption; indførelse; godkendelse; antagelse.
adoptive [ə'dɔptiv] *adj* adoptiv- *(fx father)*.
adorable [ə'dɔːrəbl] *adj* henrivende, yndig.
adoration [ædɔː'reiʃn] *sb* tilbedelse, forgudelse.
adore [ə'dɔː] *vb* tilbede, forgude; **T** elske, holde meget af, synes vældig godt om, finde henrivende *(fx I* ~ *your new dress)*. **adorer** [ə'dɔːrə] *sb* tilbeder.
adorn [ə'dɔːn] *vb* smykke, pryde, være en pryd for. **adornment** [-mənt] *sb* prydelse, smykke.
adrenal [ə'driːnl] *adj* binyre-; ~ *gland* binyre.
adrenalin [ə'drenəlin] *sb* adrenalin.
Adriatic [eidri'ætik, æd-]: *the* ~ Adriaterhavet.
adrift [ə'drift] *adj, adv* i drift, drivende for vind og vejr; *(fig)* overladt til sig selv; *be* ~ (også) hverken vide ud eller ind; *turn* ~ jage ud i verden, lade sejle sin egen sø.
adroit [ə'drɔit] *adj* behændig *(at* til), smidig.
adscript ['ædskript] *sb, adj* stavnsbunden, livegen.
adulate ['ædjuleit] *vb* smigre, sleske for.
adulation [ædju'leiʃən] *sb* grov smiger.
adulator ['ædjuleitə] *sb* smigrer, spytslikker.
adulatory ['ædjuleitəri] *adj* smigrende, slesk.
adult ['ædʌlt] *adj* voksen; fuldt udviklet; fuldt udvokset; *sb* voksen person; *for -s only* forbudt for børn.
adulterate [ə'dʌltəreit] *vb* forfalske, opspæde, fortynde.
adulteration [ədʌltə'reiʃən] *sb* forfalskning.
adulterer [ə'dʌltərə] *sb* ægteskabsbryder.
adulteress [ə'dʌlt(ə)ris] *sb* ægteskabsbryderske.
adulterous [ə'dʌltərəs] *adj* skyldig i ægteskabsbrud.
adultery [ə'dʌltəri] *sb* ægteskabsbrud, hor.
adumbrate ['ædʌmbreit] *vb* skitsere, give udkast til; varsle om, lade ane.
adumbration [ædʌm'breiʃən] *sb* skitse, udkast; antydning; forvarsel *(fx -s of things to come)*.
adv. *fk advanced; adverb; adverbial; advertisement.*
I. advance [əd'vɑːns] *sb* fremskridt, fremgang; *(mil.)* fremrykning; (om stilling) avancement, forfremmelse; (om penge) forskud; lån; udlån; (i priser *etc)* stigning, *(mht* løn også) tillæg *(fx a £2 a week* ~ *)*; (på auktion) højere bud *(fx any* ~ *on three hundred?)*; *-s* (også:) tilnærmelser; *in* ~ på forhånd; forskudsvis; *in* ~ *of* foran, før, forud for.
II. advance [əd'vɑːns] *vb* gå fremad, rykke frem; gøre fremskridt; *(mht* stilling) avancere; (om priser) stige; (med objekt:) føre *(el.* bringe) frem, fremføre, fremsætte *(fx an opinion)*; fremme, fremhjælpe *(fx trade and industry)*; fremskynde, rykke frem *(fx the date of the meeting)*; forhøje (priser *etc)*; betale som forskud, låne.
advance copy forhåndsmeddelelse; *(typ)* fortryk, rentryk; forhåndseksemplar.
advanced [əd'vɑːnst] *adj* fremskreden, fremrykket, viderekommen; avanceret; ~ *course* kursus for viderekomne; ~ *guard = advance guard*; ~ *ignition* (i motor) fortænding; ~ *positions* fremskudte stillinger; ~ *students* viderekomne; ~ *training* videregående uddannelse; ~ *in years* alderstegen, til års.

advance guard fordækning, fortrop, fremskudt sikringsled, avantgarde.
advancement [əd'vɑːnsmənt] *sb* fremgang, fremskridt, fremskreden tilstand; forfremmelse, avancement; fremme, ophjælpning; arveforskud.
advantage [əd'vɑːntidʒ] *sb* fordel, fortrin, nytte; *vb* gavne; *something greatly to his* ~ noget for ham meget fordelagtigt; *take* ~ *of* benytte sig af; snyde; *have the* ~ *of* være gunstigere stillet end; *you have the* ~ *of me* jeg har desværre ikke fornøjelsen (at kende Deres navn); *sell to* ~ sælge med fordel; *to the best* ~ med størst fordel, i det fordelagtigste lys.
advantageous [ædvən'teidʒəs] *adj* fordelagtig.
advent ['ædvənt] *sb* komme; advent.
Adventist ['ædvəntist] *sb* adventist.
adventitious [ædvən'tiʃəs] *adj* som kommer til, tilfældig; yderligere; ~ *bud (bot)* biknop.
adventure [əd'ventʃə] *sb* hændelse, oplevelse; vovestykke; eventyr; *(merk)* spekulation.
adventure playground skrammellegeplads, byggelegeplads.
adventurer [əd'ventʃərə] *sb* eventyrer; lykkeridder.
adventuress [əd'ventʃəris] *sb* eventyrerske.
adventurous [əd'ventʃərəs] *adj* dristig, forvoven, risikabel, eventyrlig.
adverb ['ædvəːb] *sb* adverbium, biord.
adverbial [əd'vəːbjəl] *adj* adverbiel.
adversary ['ædvəsəri] *sb* modstander; fjende; modspiller; *the Adversary* Djævelen.
adversative [əd'vəːsətiv] *adj (gram)* adversativ, modsætnings- *(fx conjunction* bindeord, *clause* bisætning).
adverse ['ædvəːs] *adj* modsat, som er imod; ugunstig, uheldig *(fx effects)*; ~ *fortune* modgang; ~ *suit* (i kortspil) modpartens farve.
adversity [əd'vəːsiti] *sb* modgang, ulykke.
I. advert ['ædvəːt] *sb* annonce.
II. advert [əd'vəːt] *vb:* ~ *to* henvende sin opmærksomhed på; hentyde til, henvise til; gøre opmærksom på.
advertise ['ædvətaiz] *vb* bekendtgøre, ̄avertere; gøre reklame (for); ~ *oneself* gøre reklame for sig selv; ~ *for* avertere efter; (se også *advertising)*.
advertisement [əd'vəːtizmənt, *(am)*: ̄ædvətaizmənt] *sb* avertissement, annonce; reklame. **advertisement broker** annonceagent. **advertiser** ['ædvətaizə] *sb* annoncør.
advertising ['ædvətaiziŋ] *sb* reklame; *truth in* ~ ærlig reklame. **advertising** ~ **agency** reklamebureau; annoncebureau. ~ **strip** (om bog) reklamebanderole, mavebælte.
advice [əd'vais] *sb* råd; efterretning, *(merk)* advis; *-s (merk)* efterretninger; *a piece ('el. bit) of* ~ et råd; *ask sby's* ~ spørge én til råds; *take sby's* ~ følge éns råd; *take medical* ~ søge lægehjælp; *letter of* ~ advisbrev; *as per* ~ *(merk)* som adviseret, i følge advis.
advice note følgeseddel.
advisable [əd'vaizəbl] *adj* tilrådelig.
advise [əd'vaiz] *vb* råde; tilråde; advisere, underrette *(of* om); *as -d* som adviseret, i følge advis; *be -d* (også) tage imod råd.
advisedly [əd'vaizidli] *adv* med overlæg, med velberåd hu. **advisedness** [əd'vaizidnis] *sb* forsigtighed.
adviser [əd'vaizə] *sb* rådgiver, konsulent; *legal* ~ juridisk konsulent.
advisory [əd'vaizəri] *adj* rådgivende.
advocacy ['ædvəkəsi] *sb* forsvar, kamp *(of* for); støtte.
I. advocate ['ædvəkit] *sb* talsmand, forkæmper *(of* for); (ved skotsk ret, samt *fig)* advokat.
II. advocate ['ædvəkeit] *vb* være *(el.* gøre sig til) talsmand for, forsvare, støtte.
advowson [əd'vauzn] *sb* kaldsret.
adynamic [ædai'næmik] *adj* kraftløs.
adytum ['æditəm] *sb* helligdom, det allerhelligste.
adz(e) [ædz] *sb (hist.)* ædil.
AEC *fk Atomic Energy Commission.*
aedile ['iːdail] *sb (hist.)* ædil.
A.E.F. *fk Allied Expeditionary Force; Amalgamated Union of Engineering and Foundry Workers.*
Aegean [iːˈdʒiːən] *adj* ægæisk.
aegis ['iːdʒis] *sb* ægide; skjold, værn; *under the* ~ *of the U.N.* under F. N.'s auspicier, under protektion af F. N.
aegrotat [iˈgroutæt] *sb* sygeattest.

Aeneid ['i:niid] Æneide.
Aeolian [i:'ouljən] *adj* æolisk; ~ *harp* æolsharpe.
aeon ['i:ən] *sb* evighed.
aerate ['ɛiəreit] *vb* forbinde med kulsyre; gennemlufte; *-d bread* kulsyrehævet brød; *Aerated Bread Company* (selskab som driver *A. B. C. restaurants*); *-d water* kulsyreholdigt vand, mineralvand.
I. aerial ['ɛəriəl] *sb* antenne.
II. aerial ['ɛəriəl] *adj* luftig, æterisk; luft- *(fx* ~ *combat);* ~ *photograph* luftfotografi; ~ *photography* luftfotografering; ~ *railway* svævebane; ~ *reconnaissance* luftrekognoscering; ~ *ropeway* tovbane; ~ *shoot (bot)* løvskud.
aerie ['ɛəri] *sb* ørnerede.
aeriform ['ɛərifɔ:m] *adj* luftformig; *(fig)* luftig, uvirkelig.
aero|batics [ɛərə'bætiks] *sb* kunstflyvning, luftakrobatik.
-drome ['ɛərədroum] flyveplads, lufthavn. **-dynamics** [ɛəroudai'næmiks] aerodynamik. **-dyne** ['ɛərədain] luftfartøj som er tungere end luften. ~ **-engine** ['ɛərə'endʒin] flyvemotor. **-foil** ['ɛərəfɔil] bæreplan, bæreflade. **-lite** ['ɛərəlait] meteorsten. **-naut** ['ɛərənɔ:t] luftskipper. **-nautical** [ɛərə'nɔ:tikl] *adj* aeronautisk, flyve-. **-nautics** [ɛərə'nɔ:tiks] *sb* aeronautik, luftfart. **-plane** ['ɛərəplein] flyvemaskine, aeroplan; *-plane service* flyveforbindelse. **-stat** ['ɛərəstæt] luftfartøj der er lettere end luften. **-statics** [ɛərə'stætiks] *sb* aerostatik.
aeruginous [iə'ru:dʒinəs] *adj* irret.
aery ['ɛəri] se *aerie.*
aesthete ['i:sθi:t] *sb* æstetiker. **aesthetic** [i:s'θetik] *adj* æstetisk. **aesthetics** [i:s'θetiks] *sb* æstetik.
aet., aetat. *fk* **aetatis** [i:'teitis] i en alder af.
A. F. *fk* *Admiral of the Fleet; Anglo-French; Air Force.*
afar [ə'fa:] *adv* fjernt, langt borte (fra).
A. F. B. *fk* *Air Force Base.* **A. F. C.** *fk* *Air Force Cross.*
affability [æfə'biliti] *sb* venlighed, forekommenhed.
affable ['æfəbl] *adj* venlig, forekommende.
affair [ə'fɛə] *sb* forretning, sag, anliggende, affære; kærlighedshistorie; **T** ting, tingest; 'historie'; *that is my* ~ det bliver min sag.
affect [ə'fekt] *vb* påvirke, berøre, ramme, virke på, angribe; bevæge, røre, afficere; foretrække, ynde *(fx he -s those colours);* foregive; ~ *ignorance* simulere uvidende.
affectation [æfek'teiʃən] *sb* affektation, påtaget væsen; ~ *of kindness* påtaget venlighed.
affected [ə'fektid] *adj* affekteret, kunstlet; angrebet (af sygdom); *the* ~ *part* det angrebne sted.
affection [ə'fekʃən] *sb* kærlighed, hengivenhed; sygdom.
affectionate [ə'fekʃnit] *adj* kærlig, hengiven; *yours -ly* kærlig hilsen.
affective [ə'fektiv] *adj (psyk)* affektiv, følelsesmæssig; affekt-, følelses-.
affiance [ə'faiəns] *vb* forlove (sig); *sb* forlovelse.
affiche [ə'fi:ʃ] *sb* opslag, plakat.
affidavit [æfi'deivit] *sb* beediget skriftlig erklæring.
affiliate [ə'filieit] *vb* optage; tilslutte, tilknytte *(fx a college -d to (, am: with) the university);* ~ *a child on (el. to) sby* udlægge en som barnefader; ~ *oneself to sth* knytte sig til noget, tilslutte sig noget.
affiliation [əfili'eiʃən] *sb* optagelse, tilslutning; tilknytning; *(psyk)* kontakt *(fx need of* ~ kontaktbehov); *(jur)* udlægning af barnefader; *their political -s* deres politiske tilhørsforhold; *payment under an* ~ *order* alimentationsbidrag.
affinity [ə'finiti] *sb* svogerskab, slægtskab; *(fig)* beslægtethed, åndsslægtskab, lighed; *(kem)* affinitet.
affirm [ə'fə:m] *vb* påstå, erklære; bekræfte, stadfæste. **affirmation** [æfə'meiʃən] *sb* bekræftelse; forsikring; højtidelig erklæring i stedet for ed.
affirmative [ə'fə:mətiv] *adj* bekræftende; *in the* ~ bekræftende.
I. affix ['æfiks] *sb (gram)* affiks, præfiks, suffiks.
II. affix [ə'fiks] *vb* påklæbe *(fx a stamp);* vedhæfte; tilføje; ~ *one's signature* to skrive under på, sætte sin underskrift under.
afflatus [ə'fleitəs] *sb* inspiration.
afflict [ə'flikt] *vb* bedrøve; hjemsøge, plage.
affliction [ə'flikʃən] *sb* sorg, lidelse.
affluence ['æfluəns] *sb* overflod; rigdom.
affluent ['æfluənt] *adj* rigelig, rig; *sb* biflod; ~ *society* overflodssamfund.
afflux ['æflʌks] *sb* tilstrømning.
afford [ə'fɔ:d] *vb* yde, give, skaffe; afse; *he can* ~ *to do it* han har råd til *(el.* kan tillade sig) at gøre det; *he cannot* ~ *it* han har ikke råd til det; *he can't* ~ *the time to* han kan ikke afse tid til at.
afforest [æ'fɔrist] *vb* beplante med skov.
affray [ə'frei] *sb* slagsmål, tumult; *shooting* ~ skyderi, ildkamp.
affright [ə'frait] *vb* forskrække.
affront [ə'frʌnt] *vb* krænke, fornærme; *sb* krænkelse, fornærmelse.
afghan ['æfgæn] *sb (am)* slumretæppe.
Afghan ['æfgæn] *sb* afghaner; *adj* afghansk; ~ *(hound)* afghansk mynde.
Afghanistan [æf'gænistæn] *sb.*
aficionado [əfiʃiə'na:dou] *sb* beundrer, tilhænger.
afield [ə'fi:ld] *adv i (el.* ud på) marken, i felten; *(far)* ~ langt bort(e).
afire [ə'faiə] *adj, adv* i brand; *set* ~ stikke i brand, sætte ild på.
aflame [ə'fleim] *adj, adv* i flammer, i lys lue, flammende.
afloat [ə'flout] *adj, adv (mar)* flot; til søs; drivende om; *be* ~ (om rygte) være i omløb; *keep* ~ (også *fig)* holde sig oven vande.
A. F. M. *fk* *Air Force Medal.*
A. F. (of) L. *fk* *American Federation of Labor.*
afoot [ə'fut] *adj, adv* til fods; i gang, på benene; *(fig)* på færde, i gære, under forberedelse.
afore [ə'fɔ:] *adv* foran. **afore-mentioned, afore-said** *adj* førnævnte, bemeldte.
afraid [ə'freid] *adj* bange (of for); ~ *of doing it (el.* to *do it)* bange for at gøre det; ~ *for* ængstelig for, bekymret for *(fx I am* ~ *for his safety);* I am ~ (også) desværre, jeg beklager *(fx I am* ~ *I have not read your book).*
afresh [ə'freʃ] *adv* på ny, igen.
Africa ['æfrikə] Afrika.
African ['æfrikən] *adj* afrikansk; *sb* afrikaner; ~ *marigold (bot)* fløjlsblomst.
Afrikander [æfri'kændə] *sb* afrikander (hvid sydafrikaner).
Afro-Asian ['æfrou'eiʃən] *adj* afro-asiatisk.
aft [a:ft] *adj, adv* agter, agterlig, agterud.
after [a:ftə] *præp, adv, conj* efter *(fx day* ~ *day; shut the door* ~ *you; he was ill for months* ~*);* efter at *(fx I came* ~ *he had gone);* senere *(fx in* ~ *days);* ~ all når alt kommer til alt, alligevel, dog; *in* ~ *times* senere hen; *what is he* ~? hvad er han ude efter? *it is* ~ *six* klokken er over seks; *they were* ~ *making coffee* (irsk) de var ved at lave kaffe.
after|birth efterbyrd. **-care** *(med.)* efterbehandling; *(mht* kriminelle) eftervæm. **-cost** senere udgift, *(fig)* eftervæer. **-crop** efterhøst. **-damp** grubegas efter eksplosion i mine. ~ **-dinner speech** (svarer til) bordtale. **-effect** eftervirkning. **-glow** efterglød, aftenrøde. **-grass** eftergrøde på græsmark. **-image** *(psyk)* efterbillede. **-life** liv(et) efter døden; *in* ~ *life* senere i livet. **-math** ['aftəmæθ] efterslæt, *(fig også)* eftervirkning. **-most** agterst. **-noon** ['a:ftə'nu:n] eftermiddag; *this -noon* i eftermiddag, i eftermiddags; *-noon tea* eftermiddagste. **-pains** *pl* eftervær.
afters ['a:ftəz] *dp pl* **S** dessert.
after|shaft som er bifane. **-thought** senere tanke, eftertanke, noget man først bagefter tænker på; (om barn) efternøler. ~ **-treatment** efterbehandling. **-wards** ['a:ftəwədz] bagefter, senere. **-word** efterskrift.
again [ə'gen, ə'gein] *adv* igen, atter; på den anden side *(fx but then* ~ *he may be right);* desuden *(fx and* ~*, you must not forget that ...);* as much ~ dobbelt så meget; *half as much* ~ halvanden gang så meget; ~ *and* ~ den ene gang efter den anden, atter og atter; *now and* ~ nu og da; *over* ~ om igen; *ring* ~ give genlyd, drøne; *what's that* ~ hvad skal nu det betyde?
against [ə'genst, ə'geinst] *præp* (i)mod; med henblik på *(fx buy preserves* ~ *the winter);* over ~ lige overfor; sammenlignet med; *put a cross* ~ *sby's name* sætte kryds ved ens navn; *come (, run) up* ~ støde på; komme ud for.
I. agape [ə'geip] *adj, adv* gabende, måbende.
II. agape ['ægəpi:] *sb* agape, det oldkristne kærlighedsmåltid.

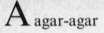

agar-agar [a:'ga:a:'ga; 'eigə'eigə] *sb* agar-agar.
agaric ['ægərik] *sb (bot)* bladsvamp, paddehat.
agate ['ægət] *sb* agat (en smykkesten).
Agatha ['ægəθə].
agave [ə'geivi] *sb (bot)* agave.
agaze [ə'geiz] *adv* stirrende.
I. age [eidʒ] *sb* alder, alderstrin; alderdom; *(hist. etc)* tidsalder, tid *(fx the Age of Johnson, the Ice Age)*; slægtled; generation; **T** lang tid, evighed; *at my ~* i min alder; *he is (of) my ~* han er på min alder; *be of ~* være myndig; *it is -s since I saw him* jeg har ikke set ham i umindelige tider; *come of ~* blive myndig; *of an ~* lige gamle; *under ~* umyndig, mindreårig; *the present ~* nutiden; *be your ~!* lad være med at opføre dig som et pattebarn!
II. age [eidʒ] *vb* blive gammel, ældes *(fx he had -d)*; gøre ældre, få til at se ældre ud *(fx his beard -s him)*.
I. aged [eidʒd] *adj: ~ twenty* 20 år gammel.
II. aged ['eidʒid] *adj* (meget) gammel *(fx an ~ man)*, alderstegen.
age| group aldersklasse; årgang. **-less** *adj* tidløs. *~ limit* aldersgrænse.
agency ['eidʒənsi] *sb* virken, virksomhed, kraft, indvirkning *(fx through the ~ of water)*; billetbureau; telegrambureau; regeringskontor, organ; *(merk)* agentur, bureau; *through (el. by) his ~* ved hans mellemkomst, gennem ham.
agenda [ə'dʒendə] *sb* dagsorden.
agent ['eidʒənt] *sb* agent, repræsentant, forretningsfører; befuldmægtiget; *(land ~)* godsforvalter; *(kem)* middel *(fx cleaning ~)*; *he is a free ~* han er frit stillet; han er sin egen herre.
I. agglomerate [ə'glɔmɔreit] *vb* bunke sig sammen; klumpe sammen.
II. agglomerate [ə'glɔmərit] *sb* agglomerat.
agglomeration [əglɔmə'reiʃən] *sb* agglomerering, sammendyngning; sammenhobning.
agglutinate [ə'glu:tineit] *vb* sammenlime; klæbe sammen.
agglutination [əglu:ti'neiʃən] *sb* sammenklæbning, agglutination. **agglutinative** [ə'glu:tinətiv] *adj* agglutinerende *(fx language)*.
aggrandize [ə'grændaiz] *vb* forstørre, udvide; ophøje. **aggrandizement** [ə'grændizmənt] *sb* forstørrelse, udvidelse; ophøjelse.
aggravate ['ægrəveit] *vb* forværre, skærpe; **T** ærgre, irritere. **aggravating** *adj* skærpende *(fx circumstances)*; **T** ærgerlig, fortrædelig; irriterende. **aggravation** [ægrə'veiʃn] *sb* forværrelse; skærpelse; **T** ærgrelse, irritation.
I. aggregate ['ægrigit] *sb* aggregat, totalsum, samlet masse; *adj* samlet, total; *in the ~, on ~* alt i alt; sammenlagt.
II. aggregate ['ægrigeit] *vb* beløbe sig til; udgøre i alt *(fx the armies -d one million)*.
aggregation [ægri'geiʃən] *sb* sammenhobning.
aggression [ə'greʃən] *sb* aggression; angreb.
aggressive [ə'gresiv] *adj* aggressiv, stridbar, udæskende, udfordrende; pågående. **aggressiveness** *sb* pågåenhed.
aggressor [ə'gresə] *sb* angriber, aggressor, (den) angribende part.
aggrieved [ə'gri:vd] *adj* forurettet, brøstholden.
aghast [ə'ga:st] *adj* forfærdet.
agile ['ædʒail] *adj* rask, adræt, behændig, hurtig.
agility [ə'dʒiliti] *sb* raskhed, adræthed, behændighed, hurtighed.
Agincourt ['ædʒinkɔ:t] *(geogr, hist)* Azincourt.
agio ['ædʒiou] *sb* opgæld, agio.
agiotage ['ædʒətidʒ] *sb* valutahandel; børsspekulationer.
agitate ['ædʒiteit] *vb* agitere, propagandere *(for* for); debattere, diskutere *(fx ~ a question)*; forurolige *(fx he was deeply -d)*, gøre nervøs; ophidse; *(om væske)* sætte i bevægelse *(fx the wind -s the sea)*, ryste.
agitation [ædʒi'teiʃən] *sb* agitation; bevægelse, uro, ophidselse; diskussion. **agitator** ['ædʒiteitə] *sb* agitator; *(i vaskemaskine)* vaskestol.
aglet ['æglit] *sb* dup (på snor *etc)*.
agley [ə'gli:] *adj* (på skotsk) skævt, galt.
aglow [ə'glou] *adj, adv* glødende.
agnail ['ægneil] *sb* neglerod.
agnate ['ægneit] *adj* mandlig beslægtet på fædrene side; *sb*

agnat. **agnation** [æg'neiʃən] *sb* slægtskab på mandssiden.
Agnes ['ægnis].
agnostic [æg'nɔstik] *adj* agnostisk; *sb* agnostiker.
agnosticism [æg'nɔstisizm] *sb* agnosticisme.
ago [ə'gou] *adv* for ... siden; *long ~* for længe siden; *as long ~ as 1940* allerede i 1940.
agog [ə'gɔg] *adj, adv* ivrig, opsat, forhippet, spændt *(about, for, on* på).
agonize ['ægənaiz] *vb* pines, lide kval; pine; *-d* forpint. **agonizing** *adj* pinefuld.
agony ['ægəni] *sb* kval, pine, smerte; dødskamp; *(fig)* heftig kamp; *an ~ of joy* voldsom glæde; *be in agonies of pain* lide frygtelige smerter. **Agony Column** (del af avis, hvor bekendtgørelser om savnede pårørende, private meddelelser, anmodninger om hjælp etc indrykkes; svarer omtrent til: »Personlige«).
agoraphobia [ægərə'foubiə] *sb* pladsangst.
agrarian [ə'grɛəriən] *adj* agrarisk; landbrugs-.
agree [ə'gri:] *vb* stemme overens, passe sammen; være enig *(with* med; *in* om), blive enig *(on* om), enes; indvillige, samtykke *(to* i); godkende, godtage; *~ on a day (også)* aftale en dag; *I think you will ~ that ...* jeg tror du vil give mig ret i at ...; *~ to* (også) gå ind på; *let us ~ to differ* lad os være enige om at hver beholder sin mening; *~ with (gram)* rette sig efter *(fx the verb -s with the subject in number)*; *smoking does not ~ with him* han kan ikke tåle at ryge.
agree|able [ə'griəbl] *adj* behagelig; indforstået *(to* med). **-ably** [-əbli] *adv* behageligt; i overensstemmelse *(to* med).
agreement [ə'gri:mənt] *sb* overensstemmelse; overenskomst, aftale; kontrakt; *come to an ~* nå til en aftale, komme til en ordning.
agrestic [ə'grestik] *adj* landlig; bondsk.
agricultural [ægri'kʌltʃərəl] *adj* landbrugs-. **agriculturalist** [ægri'kʌltʃərəlist] *sb* landmand, landbruger. **agriculture** ['ægrikʌltʃə] *sb* landbrug. **agriculturist** [ægri'kʌltʃərist] *sb* landmand; landbruger.
agrimony ['ægriməni] *sb (bot)* agermåne.
agronomic [ægrə'nɔmik] *adj* agronomisk.
agronomics [ægrə'nɔmiks], **agronomy** [ə'grɔnəmi] *sb* agronomi, landbrugsvidenskab.
aground [ə'graund] *adj, adv* på grund.
ague ['eigju:] *sb* koldfeber; kuldegysning.
ah [a:] *interj* åh! ah! ak! **aha** [a'ha:] *interj* aha!
ahead [ə'hed] *adv* foran, forude, forud; fremad; *go ~* gå forud, gå fremad; gå i gang; (i sportskamp) tage føringen; *go ~!* af sted! klem på! gå videre! fortsæt! *look ~* være forudseende; *~ of* foran, forud for *(fx one's time)*; *~ of time* før tiden, for tidligt.
ahem [m'm] *interj* hm!
ahoy [ə'hɔi] *interj* ohøj! halløj!
AID *(am) fk Agency for International Development.*
A.I.D. *fk artificial insemination by donor.*
aid [eid] *vb* hjælpe, stå bi; *sb* hjælp, bistand; hjælpemiddel; (om person) hjælper; *what is that in ~ of?* hvad skal det gøre godt for?
aide [eid] *sb* medhjælper, assistent; medarbejder; se også *aide-de-camp.*
aide-de-camp ['eiddəkɑ:ŋ] *(pl aides-de-camp* ['eidzdəkɑ:ŋ]) adjudant (hos kongen *el.* en general).
aide-memoire ['eidmem'wa:] *(pl aides-memoire* ['eidzmem'wa:]) aide-memoire, memorandum.
aid station *(mil.) (am)* forbindsplads.
aigrette ['eigret] *sb* hejre; hovedpynt af fjer, blomster eller ædelstene; esprit (på damehat).
aiguillette [eigwi'let] *sb* adjudantsnor.
ail [eil] *vb* skrante, være syg; *what ails you? (litt)* hvad fejler dig?
aileron ['eilərɔn] *sb (flyv)* balanceklap; *~ lever* balanceklaparm.
ailing ['eiliŋ] *adj* skrantende, syg.
ailment ['eilmənt] *sb* sygdom, lidelse.
aim [eim] *vb* sigte *(at* på, til); tragte, stræbe *(at* efter); rette *(at* mod); *sb* sigte, mål, formål, hensigt; *~ a stone at him* kaste en sten efter ham; *be -ed at* være møntet på; være beregnet for; *I ~ to do it (am)* det er min hensigt at gøre det. **aimless** *adj* formålsløs, planløs.
ain't [eint] *vulg* for *am not, is not, are not.*

I. air [ɛə] *sb* luft, luftning, brise *(fx a light ~);* *vb* udlufte *(fx a room);* lufte *(fx a mattress, the dog);* *(fig)* lufte *(fx one's opinions),* komme med, diske op med *(fx theories),* vigte sig med; give luft *(fx a grievance);* *adj* flyver-*(fx officer);* flyve- *(fx ~ trip* flyvetur); *it would be beating the ~* det ville være et\slag i luften; *go by ~* rejse med flyvemaskine; *get the ~* **S** blive afskediget *(el* hældt ud); blive afvist; *give him the ~* **S** afskedige ham, hælde ham ud; give ham løbepas; *my plans are still in the ~* mine planer er endnu svævende; *castles in the ~* luftkasteller; *go on the ~* begynde at sende; blive udsendt i radio, tale i radio; *take the ~* trække frisk luft; **T** fordufte; *go up in the ~* flyve i flint.
II. air [ɛə] *sb* melodi.
III. air [ɛə] *sb* mine *(fx an ~ of triumph* en triumferende mine; *an ~ of innocence* en uskyldig mine), udseende; *airs (and graces)* vigtighed, fine manerer; *give oneself airs, put on airs* gøre sig vigtig, skabe sig, sætte sig på den høje hest, være fin på det.
air| activity flyvevirksomhed. **~ attack** luftangreb. **~ base** luftbase. **~ bed** luftmadras. **~ bladder** luftblære, svømmeblære. **-borne** luftbåren; *become ~* lette; *they were soon ~* de kom hurtig på vingerne. **~ brake** trykluftbremse; *(flyv)* luftbremse. **-brush** luftpensel, sprøjtepistol; *(fot)* retouchepistol. **~ bubble** luftboble, luftblære. **~ chamber** *zo* luftkammer; (i pumpe) vindkedel.
air chief marshal (i *R.A.F. omtr)* general.
air|cock lufthane. **~ combat** luftkamp. **~ commodore** (i *R.A.F. omtr)* generalmajor. **~ compressor** luftkompressor. **~ condenser** luftkondensator. **~ conditioning** luftkonditionering. **~ -cooled** luftkølet. **~ cooling** luftkøling. **~ cover** flyverbeskyttelse.
aircraft ['ɛəkra:ft] *sb (pl d s)* flyvemaskine, luftfartøj.
aircraft| carrier hangarskib. **~ engine** flyvemotor. **~ engineer** flyvemekaniker. **-man** menig i flyvevåbnet. **~ radio operator** flyvetelegrafist.
air| crash flyveulykke, flystyrt. **-crew** flyvemaskinebesætning. **~ current** luftstrøm. **~ cushion** luftpude. **~ defence** luftforsvar. **~ -dried** lufttørret. **-drome** (især *am)* flyveplads. **~ duct** luftkanal.
Airedale ['ɛədeil] airedaleterrier.
air|field flyveplads. **~ filter** luftfilter. **~ force** luftstyrke, luftvåben. **~ force officer** flyveofficer. **-frame** flyskrog. **~ gun** luftbøsse. **~ gunner** skytte i flyvemaskine. **~ hardening** lufthærdning. **~ heater** luftforvarmer. **~ hole** lufthul. **~ hostess** stewardess. **~ house** boblehal.
airily ['ɛərili] *adv* luftigt; let, flot, henkastet, ligegyldigt.
airiness ['ɛərinis] *sb* luftighed; lethed, flothed.
airing ['ɛəriŋ] *sb* udluftning *(fx give the room an ~);* *take an ~* få lidt frisk luft (ɔ: gå en tur); *give one's views an ~* lufte sine synspunkter.
air|lane luftrute. **-less** *adj* indestængt, beklumret; *(tekn)* uden lufttilsætning. **~ letter** aerogram. **-lift** sb luftbro; *vb* transportere via en luftbro. **-line** luftrute; flyveselskab; *(am)* flugleflugtslinie. **-liner** ruteflyver, rutemaskine. **~ lock** luftsluse; (blokering) luftsæk. **-mail** luftpost. **-mail pilot** postflyver.
airman ['ɛəmæn] *sb* flyver; *(am)* menig i flyvevåbnet.
air|marshal (i *R.A.F. omtr)* generalløjtnant. **~ mechanic** flyvemekaniker. **-minded** *adj* flyveinteresseret.
Air Ministry luftfartsministerium.
air|pipe luftrør, aftræksrør. **~ piracy** flybortførelse(r). **-plane** *(am)* flyvemaskine, fly. **~ pocket** lufthul. **-port** lufthavn. **~ pump** luftpumpe. **~ raid** luftangreb. **~ -raid alarm** flyvervarsling. **~ -raid precaution** luftbeskyttelse. **~ -raid shelter** beskyttelsesrum, tilflugtsrum. **~ -raid warden** *(omtr)* husvagt. **~ -raid warning** flyvervarsling. **~ route** luftrute. **-screw** propel. **~ shaft** luftskakt, ventilationsskakt. **-ship** luftskib. **-sickness** luftsyge. **~ sleeve** vindpose. **~ sluice** luftsluse. **~ sock** vindpose. **~ space** luftrum. **-speed** *(flyv)* egenfart, flyvehastighed. **-speed indicator** *(flyv)* fartmåler, hastighedsmåler. **~ strike** *(mil.)* luftangreb, bombardement. **-strip** provisorisk start- og landingsbane. **~ supply** lufttilførsel. **~ support** flyverstøtte. **~ surveying** kortlægning fra luften. **-tight** lufttæt; *(fig)* sikker, vandtæt *(fx alibi).*
air-to-air missile luft-til-luft-raket (der udskydes fra fly mod mål i luften).

air-to-ground missile luft-til-jord-raket (der udskydes fra fly mod mål på jorden).
air| traffic lufttrafik. **~ train** motorfly med svævefly på slæb. **~ umbrella** luftparaply (flyverbeskyttelse). **~ valve** luftventil. **~ vice marshal** (i *R.A.F. omtr)* generalmajor. **~ way** luftrute; *-ways pl (fysiol)* luftveje. **-way beacon** luftrutefyr. **-woman** kvindelig flyver. **-worthy** *adj (flyv)* luftdygtig.
airy [ɛəri] *adj* luftig; let *(fx tread);* sorgløs, letsindig, flot, nonchalant; **T** affekteret, vigtig; *~ notions* fantastiske ideer.
aisle [ail] *sb (arkit)* sideskib (i en kirke); midtergang; *(am)* (midter)gang (i teater, bus, jernbanekupé, sporvogn).
aitch [eitʃ] (bogstavet) h; *drop one's aitches* undlade at udtale h i begyndelsen af ord, tale udannet.
aitchbone ['eitʃboun] *sb* halestykke.
Aix-la-Chapelle ['eiksla:ʃæ'pel] Aachen.
ajar [ə'dʒa:] *adv* på klem.
akimbo [ə'kimbou] *adv: with arms ~* med hænderne i siden.
akin [ə'kin] *adj* beslægtet *(to* med).
Ala. *fk* **Alabama** [ælə'bæmə].
alabaster ['æləbə:stə] *sb* alabast; *adj* alabasthvid, alabastfarvet.
alack [ə'læk] *interj* ak!
alacrity [ə'lækriti] *sb* beredvillighed, raskhed.
alarm [ə'la:m] *sb* alarm; skræk, angst; uro, bekymring; vækker (i et ur), vækkeur; *vb* alarmere; forurolige, ængste, forskrække, opskræmme; *-s and excursions* larm og spektakel; hurlumhej; *give the ~* slå alarm; gøre anskrig; *take ~* blive opskræmt. **alarm clock** vækkeur.
alarming [ə'la:miŋ] *adj* urovækkende, foruroligende.
alarmist [ə'la:mist] *sb* ulykkesprofet, sortseer.
alarum *(glds)* se **alarm**.
alas [ə'læs; ɔ'la:s] *interj* ak; desværre.
Alaska [ə'læskə].
alate ['eileit] *adj* vinget.
alb [ælb] *sb (rel)* messeskjorte, messesærk.
Albania [æl'beinjə] Albanien. **Albanian** *sb* albaner; albansk; *adj* albansk.
Albany ['ɔ:lbəni].
albatross ['ælbətrɔs] *sb* albatros.
Albee ['ɔ:lbi:, 'ælbi:].
albeit [ɔ:l'bi:it] *adv (litt)* endskønt, ihvorvel, omend.
I. Albert ['ælbət].
II. albert ['ælbət] *sb* kort urkæde.
albinism ['ælbinizm] *sb* albinisme.
albino [æl'bi:nou] *sb* albino.
Albion ['ælbjən] Albion *(poet:* England).
album ['ælbəm] *sb* album.
albumin ['ælbjumin] *sb* albumin, æggehvidestof. **albuminous** [æl'bju:minəs] *adj* æggehvidestofholdig. **albuminuria** [ælbjumin'juəriə] *sb (med)* albuminuri, æggehvide i urinen.
alburnum [æl'bə:nəm] *sb* splint *(mods* kerneved).
alchemic(al) [æl'kemik(əl)] *adj* alkymistisk.
alchemist ['ælkimist] *sb* alkymist, guldmager. **alchemy** ['ælkimi] *sb* alkymi, guldmageri.
alcohol ['ælkəhɔl] *sb* alkohol. **alcoholic** [ælkə'hɔlik] *adj* alkoholisk, alkoholholdig; *sb* alkoholiker. **alcoholism** ['ælkəhɔlizm] *sb* alkoholisme. **alcoholize** ['ælkəhɔlaiz] *vb* alkoholisere. **alcoholometer** [ælkəhɔ'lɔmitə] *sb* alkoholometer, brændevinsprøver.
alcove ['ælkouv] *sb* niche, alkove; *(bibl)* reolniche, køje; (i have) lysthus.
aldehyde ['ældihaid] *sb* aldehyd.
alder [ɔ:ldə] *sb* el, elletræ; *common ~* rødel.
alder buckthorn tørstetræ.
alderman ['ɔ:ldəmən] *sb* (i England: *County Council* eller *City Council* medlem som vælges for en længere årrække eller for livstid); (i *City of London, omtr)* rådmand; *(am)* byrådsmedlem.
Aldermaston ['ɔ:ldəma:stən].
Aldershot ['ɔ:ldəʃɔt].
Aldous ['ɔ:ldəs; 'ældəs].
ale [eil] *sb* øl.
aleck ['ælik] *sb: smart ~* indbildsk fyr, vigtigpeter, blære;

he is a smart ~ (også:) han er så pokkers klog.
alee [ə'li:] adv i læ.
alert [ə'lə:t] adj rask, årvågen; sb luftalarm, flyvervarsling; (mil.) beredskab; vb sætte i alarmberedskab, alarmere, varsko; gøre opmærksom (på); reinforced ~ forhøjet beredskab; simple ~ almindeligt beredskab; on the ~ årvågen, på sin post.
Aleutian [ə'lu:ʃjən] adj: the ~ Islands Aleuterne.
alevin ['ælivin] sb zo laksyngel.
alexandrine [ælig'zændrain] sb alexandriner.
alfa ['ælfə]: ~ grass (bot) espartogræs.
alfalfa [æl'fælfə] sb (bot) lucerne.
alfilaria [ælfilə'riə] sb (bot) (am) hejrenæb.
alga ['ælgə] sb (pl algae ['ældʒi:]) sb (bot) alge.
algebra ['ældʒibrə] sb aritmetik; algebra.
algebraic [ældʒi'breiik] adj algebraisk (fx equation).
Algeria [æl'dʒiəriə] Algeriet.
Algiers [æl'dʒiəz] Algier (byen).
alias ['eiliæs] adv alias, også kaldet; sb påtaget navn.
alibi ['ælibai] sb alibi; (am T) undskyldning (fx what is your ~ for being so late); establish an ~ skaffe sig et alibi.
Alice ['ælis]. **Alice band** hårbånd.
alien ['eiljən] adj fremmed (to for); udenlandsk; sb udlænding.
alienable ['eiljənəbl] adj afhændelig.
alienate ['eiljəneit] vb afhænde, overdrage; (om person) fjerne, støde fra sig; fremmedgøre; gøre fremmed (from for); ~ him from (også) stemme ham ugunstigt (el fjendtligt) til.
alienation [eiljə'neiʃən] sb afhændelse; overdragelse; fremmedgørelse; (mental) ~ sindsforvirring.
alienist ['eiljənist] sb psykiater; retspsykiater.
I. alight [ə'lait] vb stige ned, stige af (hesten), stige ud (af vognen); ~ on dale ned på, (om fugl) sætte sig på (fx a twig).
II. alight [ə'lait] adj oplyst, antændt; be ~ with stråle af.
align [ə'lain] vb opstille på linie; stille (sig) op på linie; ~ (oneself) with them stille sig på deres side, slutte sig til dem.
alignment [ə'lainmənt] sb opstilling på linie; (tekn) opretning; (af hjul) sporing; (fig) gruppering (fx the ~ of the European powers); tilhørsforhold; cut across party -s gå på tværs af partilinjerne; in ~ with på linie med; out of ~ ikke på linie.
alike [ə'laik] adv på samme måde, ens, i samme grad, lige (meget).
aliment ['ælimənt] sb næring, føde. **alimentary** [æli'mentəri] adj nærings-; ~ canal fordøjelseskanal. **alimentation** [ælimen'teiʃən] sb næring.
alimony ['æliməni] sb underholdsbidrag (til fraskilt hustru).
alive [ə'laiv] adj i live, levende; (fig) livlig, fuld af liv; virksom; be ~ to være klar over, være opmærksom på (fx a problem); be ~ with vrimle af, myldre med; look ~! skynd dig!
alkali ['ælkəlai] sb (kem) alkali.
alkaline ['ælkəlain] adj alkalisk.
alkaloid ['ælkələid] sb alkaloid.
all [ɔ:l] al, alle, alt; hele (fx all the time); det hele (fx is that all?); helt (fx he is all alone); lutter (fx she is all ears);
above all fremfor alt; after all alligevel, dog, når alt kommer til alt; and all og det hele; one and all alle som en; at all i det hele taget, overhovedet (fx if you go there at all); not at all slet ikke (fx I don't know at all); à jeg be'r; nothing at all intet som helst; all at once lige på én gang; at all events i hvert fald; all but næsten (fx I am all but certain of it); fifteen all (i tennis) a 15; I am all for staying jeg synes absolut vi skal blive; jeg vil allerhelst blive;
all in alt iberegnet (fx the prices quoted are all in); T udmattet, dødtræt; in all i alt (fx I spent £2 in all); all in all i alt i alt (fx all in all he is a nice fellow); she was all in all to him hun var hans et og alt; lose one's all miste alt hvad man ejer og har; all of it det hele; all of us vi alle; all of (am) hele (fx all of two million dollars); it is all one det kommer ud på et; all out i fuld fart (fx the

boat is going all out); for fuld kraft; (i kricket) (etter at) alle 10 gærder er tabt; go all out for T gå 100% ind for; go all out to sætte alt ind på at; all over forbi (fx it is all over with him); over det hele; he was trembling all over han rystede over hele kroppen; all over the world over hele verden; it is you all over hvor det ligner dig; she is all over him S hun er helt væk i ham; all right! all right! godt! meget vel! ja ja da! for mig gerne! så er det en aftale! be all right være i orden, være rigtig; (om person) være helt rigtig; have det godt; I am all right (efter et fald etc) jeg er ikke kommet noget til; it is all right with me for mig gerne; all round, se all-round; when all is said and done når alt kommer til alt; all the same alligevel; it is all the same det er et og det samme; it is all the same to me det er mig ligegyldigt; all set (am T) fiks og færdig, startfærdig; all that alt hvad (der) (fx all that is mine is yours); alt det; it was not so bad as all that så slemt var det nu heller ikke; all the better (, worse) så meget desto bedre (, værre); he is all there T han er vaks; he is not all there T han er ikke rigtig vel forvaret; all too fast altfor hurtigt; it is all up with him han er færdig, det er ude med ham; all up weight totalvægt, samlet vægt.
Allah ['ælə] Allah, Gud.
allay [ə'lei] vb lindre, dulme (fx the pain); dæmpe (fx his anger); ~ their fears berolige dem.
all clear, All Clear afblæsning af flyvervarsel, afvarsling; sound the ~ afblæse flyvervarsel; (fig) afblæse en konflikt etc
allegation [æli'geiʃən] sb påstand.
allege [ə'ledʒ] vb påberåbe sig, anføre; hævde, påstå.
alleged [ə'ledʒd] adj påstået (fx the ~ crime).
allegedly [ə'ledʒidli] adv angiveligt.
Allegheny ['æligeni]: the ~ Mountains Allegheny-bjergene.
allegiance [ə'li:dʒəns] sb troskab, lydighed.
allegoric(al) [æli'gɔrik(l)] adj allegorisk.
allegorize ['æligəraiz] vb forklare el fremstille allegorisk; allegorisere. **allegory** ['æligəri] sb allegori.
allegro [ə'leigrou] allegro.
alleluia [æli'lu:jə] halleluja.
all-embracing adj altfavnende, altomfattende.
allergic [ə'lə:dʒik] adj allergisk (to over for); be ~ to T ikke kunne fordrage.
allergy ['ælədʒi] sb allergi.
alleviate [ə'li:vieit] vb lette, lindre.
alleviation [əli:vi'eiʃən] sb lettelse, lindring.
alley ['æli] sb gyde, stræde; havegang mellem træer el buske; keglebane; that is up his ~ (fig) det er lige noget for ham.
alleyway ['æliwei] sb gang, passage.
All Fools' Day 1. april.
alliance [ə'laiəns] sb forbund, forbindelse, alliance; giftermål; slægtskab, svogerskab.
allied [ə'laid] pp forbundet, allieret, beslægtet (to med); ['ælaid] adj allieret (fx Allied Nations).
alligator ['æligeitə] sb zo alligator.
alligator| pear (bot) alligatorpære, advokatpære. **~ tortoise** alligatorskildpadde.
all-important adj af den største vigtighed.
all-in ['ɔ:l'in] adj alt indbefattet (fx all-in price); T udmattet, dødtræt.
all-in wrestling fribrydning.
allis shad ['ælis'ʃæd] zo stamsild.
alliteration [əlitə'reiʃən] sb allitteration, bogstavrim.
all-mains receiver (radio) universalmodtager.
all-nighter T natkafé.
allocate ['æləkeit] vb tildele; fordele.
allocation [ælə'keiʃən] sb tildeling; fordeling.
allocution [ælə'kju:ʃən] sb tale, henvendelse.
allodium [ə'loudjəm] sb (hist) allodium, fri ejendom.
allot [ə'lɔt] vb tildele, uddele, skænke. **allotment** sb tildeling; del; lod, tilskikkelse; jordlod, kolonihave.
all-out ['ɔ:l'aut] adj fuldstændig, gennemført, total; ubetinget (fx support); make an ~ effort to anstrenge sig af alle kræfter for at; (se også all (out)).
allow [ə'lau] vb tillade (fx smoking is not -ed); lade (fx ~ them to pass); lade få, give (fx ~ him credit); ~ him £25 for expenses); give frist (fx ~ him till Thursday); be-

regne, regne med *(fx ~ an hour for changing trains);*
trække fra *(fx ~ 5 per cent for cash payment);* ind-
rømme *(fx I ~ that he is a good actor);* godkende *(fx a
claim);* be *-ed* have tov til, få lov til *(fx he was -ed to
go);* få lov til at komme ind, få adgang; *~ for* tage hen-
syn til, tage i betragtning, regne med; *-ing for* (også:) når
man tager hensyn til, når man medregner (, fraregner);
~ me! lad mig! må jeg (hjælpe Dem)? *~ of* tillade; *-ing
this* dette indrømmet.
allowable [əˈlauəbl] *adj* tilladelig; tilladt; retmæssig.
allowance [əˈlauəns] *sb* ration, portion, tildeling; tilskud
(fx child ~), -penge *(fx housekeeping ~, daily ~, weekly
~),* godtgørelse, tillæg *(fx uniform ~);* fradrag, *(merk
også)* dekort, rabat; (i sport *omtr)* handicap; forspring;
make ~ for tage hensyn til, tage i betragtning; regne
med.
alloy [əˈlɔi] *sb* legering, blanding, tilsætning; *vb* blande, le-
gere; *(fig)* gøre skår i, forringe.
all-round *adj* alsidig, dygtig på alle områder.
All Saints' Day allehelgensdag, 1. november.
all-seed *(bot)* tusindfrø.
allspice [ˈɔːlspais] *sb (bot)* allehånde.
all-time *adj* T enestående, alle tiders.
allude [əˈluːd] *vb* hentyde, alludere *(to* til).
allure [əˈljuə] *vb* lokke; forlokke; *sb* tiltrækning, charme.
allurement *sb* tillokkelse; lokkemiddel.
allusion [əˈluːʒən] *sb* hentydning, allusion; *make ~ to* hen-
tyde til, komme med hentydninger til.
allusive [əˈluːsiv] *adj* fuld af hentydninger.
alluvial [əˈluːvjəl] *adj* alluvial.
alluvium [əˈluːvjəm] *sb* alluvialdannelse, alluvium.
all-weather *adj* som kan bruges under alle vejrforhold; *~
fighter (flyv)* altvejrsjager.
all-welded *adj* helsvejst.
I. ally [ˈælai] *sb* forbundsfælle, allieret.
II. ally [əˈlai] *vb* forbinde, forene *(to, with* med); *~ (one-
self) with* (også:) alliere sig med; *allied to* (også:) beslæg-
tet med.
almanac(k) [ˈɔːlmənæk] *sb* almanak; årbog.
almighty [ɔːlˈmaiti] *adj* almægtig; S mægtig, gevaldig.
almond [ˈaːmənd] *sb* mandel. **almond paste** mandelmasse,
marcipanmasse.
almoner [ˈaːmənə] *sb (hist.)* almisseuddeler; *(glds)* social-
rådgiver knyttet til et hospital.
almost [ˈɔːlmoust] *adv* næsten.
alms [aːmz] *sb (pl d.s.)* almisse.
almshouse [ˈaːmzhaus] *sb* stiftelse (for fattige gamle).
aloe [ˈælou] *sb (bot)* aloe.
aloetic [æluˈetik] *adj* aloeholdig.
aloft [əˈlɔft] *adv, adj* højt, i vejret; til vejrs; *go ~ (mar)* gå
til vejrs, gå til tops.
alone [əˈloun] *adj, adv* alene, ene; *all ~* ganske alene; *we
are not ~ in thinking that* vi er ikke de eneste der mener
det; (se også *II. let, II. leave).*
along [əˈlɔŋ] *præp* langs, langs med, ned ad, op ad, hen
ad; af sted, frem; *all ~* hele tiden *(fx I knew it all ~);
~ of* T på grund af, desformedelst; *~ with* sammen med,
med; (se også *come, get).*
alongside [əˈlɔŋˈsaid] *præp* ved siden af, langs; *adv* side om
side *(of* med); langs *(el* ved) siden *(of* af); *come (el go)
~ (mar)* lægge til.
aloof [əˈluːf] *adv* på afstand, langt borte; *(fig)* reservert,
fjern; *stand ~* holde sig på afstand; holde sig udenfor;
stand ~ from holde sig uden for.
aloud [əˈlaud] *adv* højt; *read ~* læse højt.
alp [ælp] *sb* bjerg; alpegræsgang; *the Alps* Alperne.
alpaca [ælˈpækə] *sb* alpaka (slags uld(stof)).
alphabet [ˈælfəbit] *sb* alfabet; *(fig)* begyndelsesgrunde.
alphabetic(al) [ælfəˈbetik(l)] *adj* alfabetisk.
alphabetize [ˈælfəbətaiz] *vb* alfabetisere, sætte i alfabetisk
orden.
alpha, **plus** af højeste kvalitet. *~ **rays** (fys)* alfastråler.
Alpine [ˈælpain] *adj* alpe-, alpin *(fx flora); ~ swift (zo)*
alpesejler.
alpinist [ˈælpinist] *sb* bjergbestiger.
already [ɔːlˈredi] *adv* allerede.
Alsace [ˈælsæs] Elsass; Alsace.
Alsatian [ælˈseiʃən] *sb* schæferhund; indbygger i Elsass.

also [ˈɔːlsou] *adv* også. **also ran** deltog også i løbet (men
uden at blive placeret). **also-ran** *sb* hest der ikke blev pla-
ceret; *(fig)* ubetydelighed, nul; *he was also ~* han blev
ikke placeret; *(fig)* han havde ikke held med sig, han
blev ikke til noget.
alt. *fk alternate; altitude.*
altar [ˈɔːltə] *sb* alter. **altar| cloth** alterdug. **-piece** altertavle.
*~ **rail** alterskranke, knæfald.
alter [ˈɔːltə] *vb* forandre, (om tøj) sy om; forandre sig; *cir-
cumstances ~ cases* alt er relativt.
alterable [ˈɔːltərəbl] *adj* foranderlig.
alteration [ɔːltəˈreiʃən] *sb* forandring.
altercate [ˈɔːltəkeit] *vb* trættes, skændes.
altercation [ɔːltəˈkeiʃən] *sb* trætte, skænderi.
I. alternate [ˈɔːltəneit] *vb* skifte, veksle, afveksle; lade
veksle, skifte mellem *(fx ~ pipe and cigar);* skiftes.
II. alternate [ɔːlˈtəːnit] *adj* vekslende; *(bot)* (om bladstil-
ling) afvekslende; *sb (am)* suppleant; *on ~ nights* hver-
anden aften.
alternately [ɔːlˈtəːnitli] *adv* skiftevis.
alternating current vekselstrøm.
alternation [ɔːltəˈneiʃən] *sb* omskiftning, skiften; *~ of ge-
nerations* generationsskifte.
alternative [ɔːlˈtəːnətiv] *adj* alternativ; *sb* alternativ, valg
mellem to muligheder; anden mulighed *(fx that was bad,
but the ~ was worse);* there was no ~ *left to us* vi havde
nu ingen anden udvej; *in the ~* subsidiært.
alternator [ˈɔːltəneitə] *sb* vekselstrømsgenerator.
although [ɔːlˈðou] *conj* skønt, endskønt, uagtet.
altimeter [ˈæltimiːtə] *sb* højdemåler.
altitude [ˈæltitjuːd] *sb* højde.
alto [ˈæltou] *adj* alt(stemme), altsanger.
alto-relievo [æltouriˈliːvou] *sb* haut-relief.
altruism [ˈæltruizm] *sb* altruisme, uegennytte. **altruist** [ˈæl-
truist] *sb* altruist. **altruistic** [æltruˈistik] *adj* altruistisk, ue-
gennyttig.
alum [ˈæləm] *sb* alun.
aluminium [æljuˈminjəm] *sb* aluminium.
aluminum [əˈluːminəm] *sb (am)* aluminium.
alumn|us [əˈlʌmnəs] *sb (pl -i* [-ai]) *sb (am)* gammel elev,
kandidat.
alveolus [ælˈviələs] *sb* tandhule (i kæbebenet); bicelle.
always [ˈɔːlweiz; ˈɔːlwəz] *adv* altid, stedse, stadig.
am [æm, əm] (1. person *sg præs* af *be)* (jeg) er.
A.M. [ˈeiˈem] *fk anno mundi* (i året …) efter verdens ska-
belse; *(elkr) amplitude modulation.*
a.m. [ˈeiˈem] *fk ante meridiem* [ˈænti miˈridjəm] om formid-
dagen, før middag, om formiddagen.
amadou [ˈæmaduː] *sb* fyrsvamp.
amah [ˈaːmə] *sb* (i østen) barnepige.
amain [əˈmein] *adv* af alle kræfter, af al magt.
amalgam [əˈmælgəm] *sb* amalgam. **amalgamate** [-eit] *vb*
amalgamere, sammenslutte; smelte sammen; amalgamere
sig, slutte sig sammen. **amalgamation** [əmælgəˈmeiʃən] *sb*
amalgamering, sammenslutning.
amanita [æməˈnaitə] *sb (bot)* fluesvamp.
amanuens|is [əmænjuˈensis] *sb (pl -es* [-iːz]) privatsekretær,
amanuensis.
amaranth [ˈæmərænθ] *sb (bot)* amarant; uvisnelig blomst.
amass [əˈmæs] *vb* sammendynge, samle.
amateur [ˈæmətə] *sb* amatør; *(neds også)* dilettant, fusker.
amateurish [æməˈtəriʃ] *adj* amatøragtig, dilettantisk.
amatory [ˈæmətəri] *adj* erotisk, elskovs-.
amaze [əˈmeiz] *vb* forbavse, forbløffe.
amazement [əˈmeizmənt] *sb* forbavselse, forbløffelse.
Amazon [ˈæməzən] *sb* amazone; *the ~* Amazonfloden.
ambassador [æmˈbæsədə] *sb* ambassadør.
amber [ˈæmbə] *sb* rav; (om trafiklys) gult.
ambergris [ˈæmbəgriːs] *sb* ambra.
ambidexter [æmbiˈdekstə] *sb (fig)* vendekåbe, vejrhane,
svindler.
ambience [ˈæmbiəns *el fr] sb* omgivelser; atmosfære.
ambient [ˈæmbiənt] *adj* omgivende, omsluttende.
ambiguity [æmbiˈgjuiti] *sb* flertydighed.
ambiguous [æmˈbigjuəs] *adj* flertydig, dunkel.

ambit ['æmbit] *sb* omkreds, område.
ambition [æm'biʃən] *sb* ambition, ærgerrighed; mål.
ambitious [æm'biʃəs] *adj* fremadstræbende, ærgerrig; begærlig *(of* efter).
ambivalence ['æmbi'veiləns, æm'bivələns] *sb* ambivalens.
ambivalent ['æmbi'veilənt, æm'bivələnt] *adj* ambivalent.
amble ['æmbl] *vb* gå, slentre; (om hest) gå i pasgang; *sb* slentren; (om heste) pasgang.
ambler ['æmblə] *sb* (om hest) pasgænger.
ambulance ['æmbjuləns] *sb* ambulance.
ambulatory ['æmbjulətəri] *adj* (om)vandrende; bevægelig, ambulant.
ambuscade [æmbə'skeid] se *ambush.*
ambush ['æmbuʃ] *sb* baghold, bagholdsoverfald, bagholdsangreb; *vb* ligge i baghold, lægge i baghold; *fall into an* ~ falde i baghold; ~ *sby* lokke én i baghold, angribe én fra baghold.
ameer [ə'miə] *sb* emir.
ameliorate [ə'mi:ljəreit] *vb* forbedre; blive bedre.
amelioration [əmi:ljə'reiʃən] *sb* forbedring.
amen ['eimen; *(rel)* 'a:'men] *interj* amen.
amenability [əmi:nə'biliti] *sb* medgørlighed *(etc,* se *amenable).*
amenable [ə'mi:nəbl] *adj* medgørlig, føjelig, lydhør; ~ *to* ansvarlig over for *(fx the laws);* underkastet *(fx their control);* modtagelig for, tilgængelig for *(fx reason* fornuft).
amend [ə'mend] *vb* rette, forbedre, ændre; blive bedre, forbedre sig. **amendment** [ə'mendmənt] *sb* rettelse, forbedring; ændring; *(mht* lov også) ændringsforslag; tillæg; *move an* ~ stille et ændringsforslag.
amends [ə'mendz] *sb: make* ~ give erstatning (, oprejsning); *make* ~ *for* gøre godt igen.
amenity [ə'mi:niti] *sb* behagelighed; elskværdighed; *amenities pl* bekvemmeligheder; behageligheder *(fx the amenities of town life),* goder; faciliteter; naturværdier, naturskønheder; høfligheder, formaliteter.
amerce [ə'mə:s] *vb* idømme en bøde, multktere; straffe.
America [ə'merikə] Amerika.
American [ə'merikən] *adj* amerikansk; *sb* amerikaner(inde); ~ *football* amerikansk fodbold (rugby-lignende spil); ~ *organ* harmonium (med sugebælg); *the* ~ *Revolution* Den amerikanske Frihedskrig.
Americanism [ə'merikənizm] *sb* amerikanisme, amerikansk udtryk (, skik).
americanize [ə'merikənaiz] *vb* amerikanisere.
Amerindian [æmə'rindiən] *sb* (amerikansk) indianer; *adj* indiansk.
amethyst ['æmiθist] *sb* ametyst (en smykkesten).
amiability [eimjə'biliti] *sb* elskværdighed.
amiable ['eimjəbl] *adj* elskværdig.
amicable ['æmikəbl] *adj* venskabelig; fredelig. **amicably** *adv* i mindelighed; *settle* ~ afgøre i mindelighed.
amice ['æmis] *sb* liturgisk skulderklæde.
amid [ə'mid] *præp* midt iblandt, under.
amide ['æmaid] *sb (kem)* amid.
amidships [ə'midʃips] *adv* midtskibs.
amidst [ə'midst] *præp* midt iblandt, under.
amino ['æminou]: ~ *acid* aminosyre.
amir [ə'miə] *sb* emir.
amiss [ə'mis] *adj, adv* urigtigt, forkert, galt; *come* ~ være ubelejligt; gå galt; *it would not be (el come)* ~ det ville ikke være af vejen *(el* ilde); *nothing came* ~ *to him* han var parat til *(el* med på) alt; *there's something* ~ der er noget i vejen; *take* ~ tage ilde op.
amity ['æmiti] *sb* venskab.
ammeter ['æmitə] *sb* amperemeter.
ammo ['æmou] *sb (mil.)* S ammunition.
ammonia [ə'mounjə] *sb* ammoniak; *household* ~ salmiakspiritus; *powdered* ~ hjortetaksalt.
ammunition [æmju'niʃən] *sb* ammunition.
amnesia [æm'ni:zjə] *sb* hukommelsestab.
amnesty ['æmnisti] *sb* amnesti; *vb* give amnesti.
amnion ['æmniən] *sb* fosterhinde. **amniotic** [æmni'ɔtik] *adj:* ~ *fluid* fostervand.
amoeba [ə'mi:bə] *sb (pl amoebæ* [-bi:]) amøbe.
amok [ə'mɔk] *adv: run* ~ gå bersærk.
among [ə'mʌŋ], **amongst** [-st] *præp* iblandt, blandt; *they*

have not £5 ~ *them* de har ikke £5 tilsammen; *quarrel* ~ *themselves* skændes indbyrdes.
amoral [ei'mɔrəl] *adj* amoralsk.
amorce [ə'mɔ:s] *sb* knaldhætte.
amorist ['æmərist] *sb* erotiker.
amorous ['æmərəs] *adj* (som har) let (ved at blive) forelsket; kærligheds-, elskovs- *(fx songs, sighs);* ~ *glances* forlibte øjekast.
amorphous [ə'mɔ:fəs] *adj* amorf, uden bestemt form; *(fig)* ubestemmelig, forvirret.
amortization [əmɔ:ti'zeiʃən] *sb* amortisation. **amortize** [ə'mɔ:taiz] *vb* amortisere, betale ud.
amount [ə'maunt] *sb* beløb, sum; mål, mængde; *vb:* ~ *to* beløbe sig til, løbe op til; *(fig)* (næsten) være det samme som, være ensbetydende med; *it -s to this* det vil sige; *it -s to the same thing* det kommer ud på ét; *it does not* ~ *to much, it is of little* ~ det er uden større betydning; *this* ~ *of confidence* denne store fortrolighed; *a certain* ~ *of courage* et vist mod.
amour [ə'muə] *sb* kærlighedsaffære.
amour-propre *[fr]* *sb* selvagtelse; selvfølelse; selvrespekt.
amp. *fk.* ampere.
ampere ['æmpeə] *sb* ampere.
ampersand ['æmpəsænd] *sb* (tegnet) & (= og), *et*-tegn.
amphetamine [æm'fetəmin] *sb (med)* amfetamin.
amphibian [æm'fibiən] *sb* amfibium; amfibieflyvebåd, amfibiekampvogn; *adj* amfibisk.
amphibious [æm'fibiəs] *adj* amfibisk.
amphitheatre ['æmfiθiətə] *sb* amfiteater.
amphora ['æmfərə] *sb* amfora (krukke med to hanke).
ample ['æmpl] *adj* vid, stor; udførlig; (fuldt ud) tilstrækkelig; rigelig *(fx you have* ~ *time).*
amplification [æmplifi'keiʃən] *sb* udvidelse; forstærkning.
amplifier ['æmplifaiə] *sb* forstærker.
amplify ['æmplifai] *vb* udvide; forøge; behandle (, gøre) udførligere; forstærke.
amplitude ['æmplitju:d] *sb* vidde, udstrækning; rummelighed; *(elekt, fys)* amplitude, udsving.
ampoule ['æmpu:l] *sb* ampul.
amputate ['æmpjuteit] *vb* amputere. **amputation** [æmpju'teiʃən] *sb* amputation.
amuck [ə'mʌk] *adv: run* ~ gå amok.
amulet ['æmjulit] *sb* amulet.
amuse [ə'mju:z] *vb* more, underholde.
amusement [ə'mju:zmənt] *sb* underholdning, morskab, fornøjelse; *-s* (også) forlystelser.
amusing [ə'mju:ziŋ] *adj* underholdende, morsom.
amyloid ['æmilɔid] *adj* stivelsesagtig, stivelsesholdig.
an [ən, æn] (ubestemt artikel) en, et.
anachronism [ə'nækrənizm] *sb* anakronisme.
anachronistic [ənækrə'nistik] *adj* anakronistisk.
anaconda [ænə'kɔndə] *sb zo* anakonda, vandkvæler-(slange).
Anacreontic [ənækri'ɔntik] *adj* anakreontisk.
anaemia [ə'ni:mjə] *sb* anæmi, blodmangel.
anaemic [ə'ni:mik] *adj* anæmisk, som lider af blodmangel.
anaesthesia [ænis'θi:zjə] *sb* bedøvelse, anæstesi.
anaesthetic [ænis'θetik] *sb* bedøvelsesmiddel; *adj* bedøvende; *be under an* ~ være bedøvet, være i narkose.
anaesthetist [æ'ni:sθitist] *sb* narkoselæge; narkotisør.
anaesthetize [æ'ni:sθətaiz] *vb* bedøve, give narkose.
anal ['einl] *adj* anal, endetarms-.
analgesia [ænæl'dʒi:zjə] *sb* smertefrihed, analgesi.
analgesic [ænæl'dʒesik] *adj* smertestillende; *sb* smertestillende middel.
analogic(al) [ænə'lɔdʒik(l)] *adj* analogisk, ved analogi.
analogous [ə'næləgəs] *adj* analog, lignende, overensstemmende. **analogue** ['ænəlɔg] *sb* sidestykke; ~ *computer* analogdatamaskine.
analogy [ə'nælədʒi] *sb* analogi, overensstemmelse.
analyse ['ænəlaiz] *vb* analysere.
analysis [ə'næləsis] *sb* analyse; *in the last* ~ i sidste instans.
analyst ['ænəlist] *sb* analytiker; psykoanalytiker; kommentator.
analytic [ænə'litik] *adj* analytisk.
anamnesis [ænəm'ni:sis] *(med)* anamnese, sygehistorie.
anapaest ['ænəpi:st] *sb* anapæst.

anarchic(al) [æ'na:kik(l)] *adj* anarkisk, lovløs.
anarchism ['ænəkizm] *sb* anarkisme.
anarchist ['ænəkist] *sb* anarkist.
anarchy ['ænəki] *sb* anarki.
anathema [ə'næθimə] *sb* band, bandstråle, bandlysning; forbandelse; *it was ~ to them* det var dem en pestilens.
anathematize [ə'næθimətaiz] *vb* bandlyse.
anatomic(al) [ænə'təmik(l)] *adj* anatomisk.
anatomist [ə'nætəmist] *sb* anatom.
anatomize [ə'nætəmaiz] *vb* dissekere.
anatomy [ə'nætəmi] *sb* anatomi; *(fig)* indgående analyse; **T** *(glds)* skelet.
ancestor ['ænsistə] *sb* stamfader; *-s pl* forfædre, aner.
ancestral [æn'sestr(ə)l] *adj* fædrene, nedarvet.
ancestry ['ænsistri] *sb* aner; herkomst, byrd.
anchor ['æŋkə] *sb* anker; (i sport) ankermand; *vb* ankre (op), forankre; *come to ~* ankre op.
anchorage ['æŋkərid3] *sb* ankerplads; forankring.
anchor escapement (i ur) ankergang.
anchoret ['æŋkəret], **anchorite** ['æŋkərait] *sb* eremit, eneboer.
anchor man (i sport) ankerman.
anchovy ['æntʃəvi] *sb* ansjos.
anchylosed ['æŋkilouzd] *adj* (om led) stift.
anchylosis [æŋki'lousis] *sb* stivhed i leddene.
ancient ['einʃənt] *adj* gammel, fra gammel tid; *sb: the -s* de gamle (ɔ: oldtidens mennesker el. forfattere); *~ history* oldtidens historie, oldtidshistorie; *that is ~ history now (fig)* det er en gammel historie; *~ lights (jur)* vinduesret; *~ monuments* oldtidsminder.
ancillary [æn'siləri] *sb* (underordnet) hjælper; *adj* hjælpe- *(fx equipment, science); ~ to* underordnet.
and [ænd, ən] *conj* og, samt; *there are books ~ books* bøger og bøger er to ting.
Andalusia [ændə'lu:zjə] *sb* Andalusien.
Andes ['ændi:z]: *the ~* Andesbjergene.
andiron ['ændaiən] *sb* ildbuk (til brænde).
Andrew ['ændru:] Andreas.
anecdote ['ænikdout] *sb* anekdote.
anechoic [æni'kouik] *adj* ekkofri.
anemia, anemic, se *anaemia* etc.
anemometer [æni'məmitə] *sb* vindmåler.
anemone [ə'neməni] *sb (bot)* anemone; *zo* søanemone.
anent [ə'nent] *præp (glds)* om, angående.
aneroid ['ænərɔid] *sb* aneroidbarometer.
anesthesia *(etc)*, se *anaesthesia (etc).*
aneurism ['ænjurizm] *sb (med)* aneurisme, sygelig udvidelse af arterie.
anew [ə'nju:] *adv* på ny.
anfractuosity [ænfræktju'ɔsiti] *sb* bugtning, bugtethed.
angel ['eindʒəl] *sb* engel; **S** en der finansierer en opførelse af et teaterstykke.
angelfish ['eindʒəlfiʃ] *zo* havengel.
angelic [æn'dʒelik] *adj* englelig, engle-.
angelica [æn'dʒelikə] *sb (bot)* angelik. **angelica root** angelikrod, engelrod.
angel's trumpet *(bot)* kejserlilje.
angelus ['ændʒiləs] *sb (rel)* angelus, angelusklokke.
anger ['æŋgə] *sb* vrede; *vb* gøre vred, ophidse.
angina [æn'dʒainə] *sb* halsbetændelse, angina; *~ pectoris* angina pectoris.
angiosperm [ændʒiouspə:m] *(bot): the -s* de dækfrøede.
I. angle ['æŋgl] *sb* vinkel; hjørne; synsvinkel; *vb* give en bestemt drejning, fordreje *(fx news).*
II. angle ['æŋgl] *vb* fiske (med snøre), angle *(for* efter).
angle iron vinkeljern.
Anglepoise ['æŋglpɔiz] ® arkitektlampe.
angler ['æŋglə] *sb* fisker (som fisker med snøre), lystfisker; *zo =* **anglerfish** havtaske.
Angles ['æŋglz] *sb pl (hist): the ~* anglerne.
Anglican ['æŋglikən] *adj* anglikansk (hørende til den engelske statskirke); *sb* anglikaner. **Anglicanism** ['æŋglikənizm] *sb* anglikanisme.
anglicism ['æŋglisizm] *sb* anglicisme, engelsk (sprog)ejendommelighed.
anglicize ['æŋglisaiz] *vb* anglisere, gøre engelsk.
Anglo- ['æŋglo(u)] engelsk- *(fx ~-Danish, ~-Irish).*
Anglo-Indian englænder i Indien.

anglophile ['æŋgloufail] *sb, adj* engelskvenlig.
Anglo-Saxon ['æŋglou'sæksən] *sb* angelsaksisk; angelsakser; *adj* angelsaksisk.
angora [æŋ'gɔ:rə] *sb* angorauld; angoragarn. **Angora cat** angorakat.
angry ['æŋgri] *adj* vred *(at, about* over, *with* på); (om sår) betændt.
anguish ['æŋgwiʃ] *sb* kval, pine, smerte; *be in ~* lide frygtelige kvaler; *-ed* forpint.
angular [æŋgju'læriti] *adj* vinkeldannet; vinkel- *(fx distance);* (om person) kantet, benet, knoklet.
angularity [æŋgju'læriti] *sb* kantethed.
anhydride [æn'haidraid] *sb* anhydrid.
anhydrous [æn'haidrəs] *adj (kem)* vandfri.
aniline ['ænili:n] *sb (kem)* anilin.
animadversion [ænimæd'və:ʃn] *sb* kritik, dadel.
animadvert [ænimæd'və:t] *vb* gøre bemærkninger; *~ on* dadle, kritisere.
animal ['æniml] *sb* dyr; *adj* dyrisk; animalsk; primitiv; *~ food* dyrisk føde; *~ heat* (legemets) egenvarme, legemsvarme; *~ husbandry* husdyrbrug; *the ~ kingdom* dyreriget; *~ magnetism* dyrisk magnetisme *~ spirits* livskraft, livsglæde.
I. animate ['ænimeit] *vb* besjæle, oplive, gøre levende; opildne, animere; *-d* (også) ivrig, livlig, oprømt; livfuld, levende; *-d by the best intentions* besjælet af de bedste hensigter; *-d cartoon* tegnefilm.
II. animate ['ænimit] *adj* levende.
animation [æni'meiʃən] *sb* livlighed, liv; (film:) animering.
animosity [æni'mɔsiti] *sb* stærk uvilje, fjendskab, had.
animus ['æniməs] *sb* uvilje, animositet; *(jur)* hensigt *(fx ~ lucrandi* berigelseshensigt).
anise ['ænis] *sb* anis. **aniseed** ['ænisi:d] *sb* anisfrø.
anisette [æni'zet] *sb* anislikør.
ankle ['æŋkl] *sb* ankel. **anklet** ['æŋklit] *sb* ankelring; *(am)* ankelsok; *(mil.)* gangee.
annals ['ænlz] *sb pl* årbøger, annaler.
Anne [æn] Anna.
anneal [ə'ni:l] *vb* (ud)gløde, blødgløde.
annelid ['æn(i)lid] *sb zo* ledorm.
I. annex [ə'neks] *vb* vedføje; vedlægge; (om land) annektere; indlemme *(to i).*
II. annex(e) ['æneks] *sb* anneks, tilbygning; (til skrivelse *etc)* bilag; (til lov *etc)* tilføjelse, tillæg.
annexation [ænek'seiʃən] *sb* indlemmelse, anneksion.
annihilate [ə'naiəleit] *vb* tilintetgøre.
annihilation [ənaiə'leiʃən] *sb* tilintetgørelse.
anniversary [æni'və:səri] *sb* årsdag, årsfest; *wedding ~* bryllupsdag.
Anno Domini ['ænou'dɔminai] efter Kristi fødsel, i det Herrens år; *(fig)* alderdommen.
annotate ['ænouteit] *vb* kommentere; *-d* (også) annoteret, med noter *(fx an ~ edition).*
annotation [ænou'teiʃən] *sb* note, kommentar.
announce [ə'nauns] *vb* melde, forkynde, kundgøre, bekendtgøre, deklarere; (i radio) annoncere, være speaker.
announcement [ə'naunsmənt] *sb* melding, forkyndelse, kundgørelse, meddelelse, bekendtgørelse; (i radio) annoncering.
announcer [ə'naunsə] *sb* speaker (i radio).
annoy [ə'nɔi] *vb* irritere, ærgre, drille; genere, plage, besvære; forulempe.
annoyance [ə'nɔiəns] *sb* ærgrelse, irritation, plage; besvær.
annoyed [ə'nɔid] *adj* ærgerlig *(at* over; *with* på), irriteret, misfornøjet.
annual ['ænjuəl] *adj* årlig, års-; *(bot)* etårig; *sb* etårig plante; årbog; *~ consumption* årsforbrug; *~ cutting (forst)* årshugst; *~ growth* årstilvækst; *~ ring* årring; *~ subscription* årskontingent; *~ yield* årligt udbytte.
annuitant [ə'njuitənt] *sb* livrentenyder.
annuity [ə'njuiti] *sb* livrente; årpenge; *(civil list ~)* apanage.
annul [ə'nʌl] *vb* tilintetgøre, ophæve, annullere.
annular ['ænjulə] *adj* ringformet.
annulated ['ænjuleitid] *adj* forsynet med (, bestående af) ringe.
annulment [ə'nʌlmənt] *sb* ophævelse, annullering.
annunciation [ənʌnsi'eiʃən] *sb* bebudelse; *the Annunciation*

Mariæ bebudelsesdag (25. marts).
annunciator [ə'nʌnsieitə] *sb* nummertavle, signaltavle, nummerkasse.
anode ['ænoud] *sb* anode, positiv pol; ~ *battery* anodebatteri.
anodyne ['ænədain] *sb* smertestillende middel; *(fig)* lindring, trøst; *adj* smertestillende, *(fig)* lindrende, beroligende; afsvækket, uskadelig.
anoint [ə'nɔint] *vb* salve.
anomalous [ə'nɔmələs] *adj* uregelmæssig, afvigende.
anomaly [ə'nɔməli] *sb* anomali, uregelmæssighed.
I. anon [ə'nɔn] *adv (glds)* straks, snart; *ever and* ~ hvert øjeblik.
II. anon. *fk anonymous.*
anonymity [ænə'nimiti] *sb* anonymitet.
anonymous [ə'nɔniməs] *adj* anonym, ikke navngiven.
anopheles [ə'nɔfəli:z] *sb* malariamyg.
another [ə'nʌðə] *pron, adj* en anden, en ny; en til, endnu en; *one* ~ hinanden, hverandre; *one after* ~ den ene efter den anden; *many* ~ *battle* mange flere slag; *you are an Englishman, I am* ~ De er englænder, det er jeg også; *you are* ~ det kan du selv være *(fx 'You are a fool!' 'You are* ~ *!')*; *ask me* ~ T det aner jeg ikke.
anoxia [æn'ɔksiə] *sb (med)* iltmangel.
answer ['ɑ:nsə] *sb* svar; *(fx af opgave)* besvarelse, løsning; facit; *vb* svare (regning); svare på, besvare; svare til *(fx a description, one's expectations)*; passe for, passe til, egne sig til *(fx the purpose)*;
~ *an advertisement* reflektere på en annonce; ~ **back** svare igen; ~ *the bell* lukke op når det ringer; ~ **for** svare for, indestå for; stå til ansvar for; ~ *the helm* lystre roret; ~ *the telephone* tage telefonen; passe t.; *in* ~ **to** som svar på; ~ *to* svare til; lyde, lystre; blive påvirket af, reagere på; ~ *to the name of* lyde navnet.
answerable ['ɑ:nsərəbl] *adj* ansvarlig.
ant [ænt] *sb* myre; *white* ~ termit.
antacid [ænt'æsid] *adj:* ~ *tablet* tablet mod for meget mavesyre.
antagonism [æn'tægənizm] *sb* strid, modstrid; fjendskab; fjendtlig indstilling; modstand *(to* mod).
antagonist [æn'tægənist] *sb* modstander.
antagonize [æn'tægənaiz] *vb* støde fra sig, gøre fjendtlig indstillet; *(am)* modarbejde, modvirke
antarctic [ænt'a:ktik] *adj* antarktisk, sydpolar; *sb: the Antarctic* Antarktis, Sydpolarlandene; *the A. circle* den sydlige polarkreds; *the A. Pole* sydpolen.
ant bear ['ænt'bɛə] *zo* den store myresluger.
ante ['ænti] *sb* indsats, indskud; *vb:* ~ *up* betale (indskud); *raise the* ~ forhøje indskuddet; sætte prisen op.
ante- [ænti] foran, før.
anteater ['ænti:tə] *sb* myresluger; *lesser* ~ tamandua.
antecedence [ænti'si:dəns] *sb* gåen forud.
antecedent [ænti'si:dənt] *adj* forudgående, tidligere *(to* end); *sb* forudgående begivenhed; (i logik) forsætning; *(gram)* korrelat (ord *el* sætning hvortil et relativt pronomen henviser); -s antecedentia, forhistorie, fortid.
antechamber ['æntitʃeimbə] *sb* forværelse.
antedate ['ænti'deit] *vb* antedatere, opgive for tidlig dato for; gå forud for; foregribe.
antediluvian [æntidi'lu:vjən] *adj* antediluviansk; fra før syndfloden, *(fig)* oldnordisk, antikveret.
antelope ['æntiloup] *sb* antilope.
antenatal ['ænti'neitl] *adj* som ligger forud for fødselen; ~ *clinic* konsultation for gravide.
antenn|a [æn'tenə] *sb (pl -ae* [-i:]) *zo* følehorn; (radio) antenne.
antepenult(imate) [æntipi'nʌlt(imit)] *adj, sb* tredjesidste (stavelse).
anterior [æn'tiəriə] *adj* foregående, tidligere *(to* end); foran liggende.
anteroom ['æntirum] *sb* forværelse; *(mil.)* dagligstue i officersmesse.
anthem ['ænθəm] *sb* kirkesang; hymne; *the national* ~ nationalsangen.
anther ['ænθə] *sb (bot)* støvknap; ~ *dust* blomsterstøv.
anthill ['ænthil] *sb* myretue.
anthology [æn'θɔlədʒi] *sb* antologi.
Anthony ['æntəni] *St. -'s fire (med)* rosen.

anthracite ['ænθrəsait] *sb* antracit, glanskul.
anthrax ['ænθræks] *sb (med)* brandbyld; *(vet)* miltbrand.
anthropoid ['ænθrəpoid] *adj* menneskelignende; *sb* menneskeabe.
anthropology [ænθrə'pɔlədʒi] *sb* antropologi.
anti ['ænti] imod, anti-.
antiaircraft ['ænti'ɛəkra:ft] luftværns- *(fx gun* kanon).
antiballistic ['æntibə'listik] *adj:* ~ *missile* antiraket-raket.
antibiotic ['æntibai'ɔtik] *sb* antibiotikum; *adj* antibiotisk.
antibody ['æntibɔdi] *sb (med)* antistof.
antic ['æntik] *adj* grotesk, fantastisk; (se også *antics*).
Antichrist ['æntikraist] Antikrist.
antichristian ['ænti'kristjən] *adj* antikristelig.
anticipate [æn'tisipeit] *vb* vente sig, regne med *(fx difficulties)*; se hen til; bruge på forskud *(fx an inheritance)*; tage forskud på; foregribe *(fx his wishes)*; komme i forkøbet *(fx one's opponent)*; (forudse og) imødegå *(fx an argument)*; (uden objekt) foregribe begivenhedernes gang.
anticipation [æntisi'peiʃən] *sb* forventning; foregribelse; forudfølelse; forsmag; forudnydelse; *in* ~ på forhånd; *in* ~ *of* i forventning om.
anticipatory [æntisi'peitəri] *adj* forhånds-; forventningsfuld.
anticlimax ['ænti'klaimæks] *sb* antiklimaks.
anticline ['æntiklain] *sb (geol)* antiklinal, sadel.
anticlockwise ['ænti'klɔkwaiz] *adv* mod uret.
antics ['æntiks] *sb pl* tossestreger, krumspring.
antidazzle ['ænti'dæzl] *adj* som skal hindre blænding.
antidim ['ænti'dim] *adj* dugfri; antidug-.
antidotal ['ænti'doutl] *adj* som indeholder modgift.
antidote ['æntidout] *sb* modgift.
antifreeze ['ænti'fri:z] *sb* frostvæske, kølervæske.
Antilles [æn'tili:z] *the* ~ Antillerne.
antimacassar ['æntimə'kæsə] *sb* antimakassar.
antimatter ['æntimætə] *sb (fys)* antistof.
antimony ['æntiməni] *sb* antimon.
antinomy [æn'tinəmi] *sb* antinomi, modstrid, modsigelse.
antipathetic [æntipə'θetik] *adj* antipatisk, fjendtlig indstillet; usympatisk.
antipathy [æn'tipəθi] *sb* antipati, modvilje.
antipersonnel ['æntipə:sə'nel] *adj (mil.):* ~ *bomb* sprængstykkebombe; ~ *mine* fodfolksmine.
antiphony [æn'tifəni] *sb* vekselsang.
antipodal [æn'tipədl], **antipodean** [æntipə'di:ən] *adj* diametralt modsat.
antipodes [æn'tipədi:z] *sb pl* sted på den modsatte side af jorden *(fx Australia is the* ~ *of England)*; antipoder *(fx our* ~ *sleep while we wake)*; modsætning.
antiprohibitionist forbudsmodstander.
antipyretic [æntipai'retik] *adj, sb* feberstillende (middel).
antiquarian [ænti'kwɛəriən] *sb* oldgransker, antikvitetskyndig; *adj* oldkyndig; ~ *bookseller* antikvarboghandler.
antiquary ['æntikwəri] *se antiquarian.*
antiquated ['æntikweitid] *adj* antikveret, forældet.
antique [æn'ti:k] *adj* fra oldtiden, antik; gammeldags; *sb* antikvitet.
antiquity [æn'tikwiti] *sb* ælde; *Antiquity* oldtiden; *antiquities pl* oldsager, fortidsminder.
anti-Semite ['ænti'si:mait] *sb* antisemit.
anti-Semitic ['æntisi'mitik] *adj* antisemitisk.
anti-Semitism [ænti'semitizm] *sb* antisemitisme.
antiseptic [ænti'septik] *adj, sb* antiseptisk (middel).
antiseptics [ænti'septiks] *sb* antiseptik.
antiskid ['ænti'skid] *adj:* ~ *chain* snekæde.
antisocial [ænti'souʃəl] *adj* asocial, samfundsfjendtlig.
antispasmodic [æntispæz'mɔdik] *adj, sb (med)* krampestillende (middel).
antitank [ænti'tæŋk] *adj (mil.)* antitank-, panserværns-.
antithes|is [æn'tiθisis] *sb (pl -es* [-i:z]) modsætning, antitese.
antler ['æntlə] *sb* hjortetak; sprosse, gren på en tak; *-s* gevir.
antonym ['æntənim] *sb* antonym, ord med modsat betydning.
Antwerp ['æntwə:p] Antwerpen.
anus ['einəs] *sb* anus, endetarmsåbning, gat.

anvil ['ænvil] *sb* ambolt.
anxiety [æŋ'zaiəti] *sb* bekymring, ængstelse, uro; iver; *(psyk)* angst. **anxiety neurosis** angstneurose.
anxious ['æŋ(k)ʃəs] *adj* ængstelig, bekymret, urolig *(about* for); ivrig; ~ *for* ivrig efter; ~ *to* ivrig efter at; opsat på at, spændt på at.
any ['eni] *pron* nogen, nogen som helst, hvilken som helst; enhver, enhver som helst; ~ *amount of* så mange (, meget) det skal være; *at* ~ *rate*, se *I. rate; responsible for* ~ *consequences* ansvarlig for eventuelle følger; *give me* ~ *old book* giv mig bare en bog, ligemeget hvilken; *hardly* ~ næsten ingen; *thanks, I'm not having* ~ S tak, det skal jeg ikke have noget af; nej, ellers tak; *if* ~, se *if; in* ~ *case* under alle omstændigheder, i hvert fald; ~ *longer* længere; ~ *more* mere; *he is not* ~ *the wiser* han er ikke spor klogere; *it did not snow* ~ *yesterday* (især *am)* det sneede (slet) ikke i går; ~ *time* når det skal være, når som helst.
anybody ['enibɔdi] *pron* nogen, nogen som helst, (alle og) enhver, hvem som helst.
anyhow ['enihau] *adv* på en hvilken som helst måde, på nogen som helst måde; i hvert fald *(fx he is honest,* ~*),* under alle omstændigheder, hvorom alting er; alligevel *(fx I know you don't like it, but you'll have to do it* ~*);* på bedste beskub; skødesløst *(fx the work was done* ~*).*
anyone ['eniwʌn] se *anybody; any one* en (hvilken som helst) enkelt.
anything ['eniθiŋ] *pron* noget; alt; hvad som helst; ~ *but* alt andet end; *if* ~ nærmest, snarere; *like* ~ af al kraft, så det står efter *(fx work like* ~*);* swear like ~ bande som en tyrk.
anyway ['eniwei] se *anyhow.*
anywhere ['eniwɛə] *adv* nogen steder, nogetsteds, hvor som helst, alle vegne, overalt.
anywise ['eniwaiz] *adv (glds)* overhovedet, på nogen måde.
Anzac ['ænzæk] *fk Australian and New Zealand Army Corps;* -*s* soldater af denne hær.
aorta [ei'ɔːtə] *sb (anat)* aorta, den store pulsåre.
aoudad ['audæd] *sb zo* mankefår.
A.P. *fk Associated Press.*
apace [ə'peis] *adv* hurtigt, rask.
I. Apache [ə'pætʃi] *sb* apache(indianer).
II. apache [ə'pæʃ] *sb* apache (parisisk bølle).
apanage ['æpənidʒ] *sb* apanage.
apart [ə'paːt] *adv* afsides, et (lille) stykke væk; afsondret; (adskilt) fra hinanden; særlig, for sig selv *(fx they belong to a race* ~*);* bortset fra *(fx these things* ~, *he has acquitted himself well)*; *come* ~ gå fra hinanden, gå itu; ~ *from* bortset fra; *joking* ~ spøg til side; *tell them* ~ skelne imellem dem; skelne dem fra hinanden; *viewed* ~ betragtet hver for sig; *he lives in a world* ~ han lever i en helt anden verden; (se også *I. set, I. take)*.
apartheid [ə'paːthait] *sb* (sydafrikansk racediskrimination).
apartment [ə'paːtmənt] *sb* værelse; *(am)* lejlighed; -*s* (møbleret) lejlighed; ~ *house (am)* beboelsesejendom.
apathetic [æpə'θetik] *adj* apatisk; følelseskold; kold, sløv.
apathy ['æpəθi] *sb* apati, sløvhed.
ape [eip] *sb zo* (menneske)abe; *(fig)* efteraber; *vb* efterabe.
apeak [ə'piːk] *adv, adj (mar)* (ret) op og ned, lodret.
Apennines ['æpinainz] *sb pl: the* ~ Apenninerne.
apercu [æpə:'sjuː] *sb* kort fremstilling, oversigt.
aperient [ə'piəriənt] *sb, adj* afførende (middel).
aperitif [əperi'tiːf] *sb* aperitif, appetitvækker.
aperitive [ə'peritiv], se *aperient.*
aperture ['æpətjuə] *sb* åbning; hul.
apex ['eipeks] *sb (pl apexes, apices* ['eipisi:z]) top, spids; toppunkt.
aphasia [æ'feizjə] *sb (med)* afasi.
aphis ['eifis] *sb (pl aphides* ['eifidi:z]) bladlus.
aphorism ['æfərizm] *sb* aforisme.
aphoristic [æfə'ristik] *adj* aforistisk.
aphrodisiac [æfrə'diziæk] *sb* pirringsmiddel, elskovsmiddel.
Aphrodite [æfrə'daiti] *sb* Afrodite.
apiary ['eipjəri] *sb* bigård.
apiculture ['eipikʌltʃə] *sb* biavl.
apiece [ə'piːs] *adv* pr. styk; til hver person, hver.
apish ['eipiʃ] *adj* abeagtig; *(fig)* efterabende; naragtig,

abe-.
aplomb [ə'plɔm] *sb* selvbeherskelse, sikkerhed (i optræden), aplomb.
apocalypse [ə'pɔkəlips] *sb* åbenbaring; *the A.* Johannes' Åbenbaring.
apocarp ['æpəka:p] *sb (bot)* flerfoldsfrugt.
apocope [ə'pɔkəpi] *sb (gram)* apokope, bortfald af slutlyd i ord.
Apocrypha [ə'pɔkrifə]: *the* ~ apokryferne, de apokryfe skrifter (til biblen). **apocryphal** [ə'pɔkrifəl] *adj* apokryf; *(fig)* af tvivlsom oprindelse; opdigtet.
apod(e)ictic [æpou'daiktik] *adj* apodiktisk, overbevisende, uimodsigelig.
apologetic [əpɔlə'dʒetik] *adj* undskyldende.
apologize [ə'pɔlədʒaiz] *vb* gøre undskyldning, sige undskyld.
apology [ə'pɔlədʒi] *sb* undskyldning; forsvar; surrogat; *an* ~ *for a tie* noget der skulle forestille et slips.
apophthegm ['æpəθem] *sb* tankesprog.
apoplectic [æpə'plektik] *adj* apoplektisk; *sb* apoplektiker.
apoplexy ['æpəpleksi] *sb* apopleksi.
aport [ə'pɔːt] *adv (mar)* til (, om) bagbord.
apostasy [ə'pɔstəsi] *sb* frafald.
apostate [ə'pɔstit] *sb* apostat, (også *adj)* frafalden.
apostle [ə'pɔsl] *sb* apostel.
apostolic [æpə'stɔlik] *adj* apostolisk.
apostrophe [ə'pɔstrəfi] *sb* apostrof; *(litt)* apostrofe, direkte henvendelse. **apostrophize** [ə'pɔstrəfaiz] *vb* apostrofere, tiltale direkte.
apothecary [ə'pɔθikəri] *sb (glds)* apoteker.
apotheosis [əpɔθi'ousis] *sb* apoteose, ophøjelse, forherligelse.
appal [ə'pɔːl] *vb* forfærde.
Appalachian [æpə'leitʃən]: ~ *Mountains* Appalachiske bjerge.
appalling [ə'pɔːliŋ] *adj* forfærdende, rædselsfuld.
appanage ['æpənidʒ] *sb* apanage.
apparatus [æpə'reitəs] *sb* apparatur, hjælpemidler, instrumenter, instrumentsamling; anordning, apparat; (gymnastik)redskab; *(fysiol)* organer *(fx digestive* ~ fordøjelsesorganer.
apparel [ə'pærəl] *(glds)* klædning, dragt; *vb* klæde på; *article of* ~ beklædningsgenstand.
apparent [ə'pærənt] *adj* åbenbar, tydelig, synlig; tilsyneladende; *for no* ~ *reason* uden påviselig grund; *as is* ~ *from* som det fremgår af. **apparently** *adv* tilsyneladende.
apparition [æpə'riʃən] *sb* syn; spøgelse, genfærd.
appeal [ə'piːl] *vb* appellere *(to* til); bede, bønfalde *(for* om, *fx* ~ *for mercy)*; *sb* påberåbelse; henvendelse; appel; tiltrækning; ~ *against a judgment* appellere en dom; ~ *to* (også) tiltale *(fx if the plan -s to you)*; interessere *(fx the subject -s to me)*; henvise til, påberåbe sig; ~ *to the country* (appellere til vælgerne ved at) udskrive valg; *does it* ~ *to you?* kan du lide det? synes du om det?
appealing [ə'piːliŋ] *adj* bønfaldende *(fx an* ~ *glance)*; tiltrækkende, indbydende.
appear [ə'piə] *vb* vise sig; blive synlig, komme frem; fremgå *(from* af), blive tydelig; findes, stå (i en avis); synes, forekomme; *(om bog)* udkomme; *(jur)* møde *(fx* ~ *in Court)*; *(om skuespiller etc)* optræde.
appearance [ə'piərəns] *sb* tilsynekomst, (om bog) fremkomst, udgivelse, (om skuespiller *etc)* optræden, *(jur)* møde (for retten); udseende; skin; fænomen; -*s are against him* han har skinnet imod sig; -*s are deceptive* skinnet bedrager; *keep up -s* bevare skinnet; *make one's* ~ vise sig, træde ind, komme til stede; *put in an* ~ komme til stede, møde op; *for the sake of -s* for et syns skyld; *save* ~*s* bevare skinnet; *to all -s* efter alt at dømme.
appease [ə'piːz] *vb* fredeliggøre, pacificere *(fx an angry man)*, formilde, forsone, dæmpe; stille *(fx one's thirst)*, give efter for, tilfredsstille.
appeasement [ə'piːzmənt] *sb* fredeliggørelse, pacificering, formildelse; given efter, eftergivenhed; *policy of* ~ eftergivenhedspolitik. **appeaser** [ə'piːzə] *sb* eftergivenhedspolitiker.
appellant [ə'pelənt] *sb* appellerende, appel-; *sb* appellant.
appellate [ə'pelit] *adj: ~ court* appeldomstol.
appellation [æpə'leiʃən] *sb* benævnelse.

appellative [ə'pelətiv] *sb (gram)* fællesnavn, appellativ.
append [ə'pend] *vb* vedhæfte, tilføje, vedlægge.
appendage [ə'pendidʒ] *sb* vedhæng, tillæg; tilbehør.
appendicitis [əpendi'saitis] *sb* blindtarmsbetændelse.
append|ix [ə'pendiks] *sb (pl -ices* [-isi:z] *el. -ixes)* bilag, tillæg; vedhæng.
appertain [æpə'tein] *vb:* ~ *to* tilhøre, høre (med) til; vedrøre.
appetence ['æpitəns] *sb* begær, lyst; tilbøjelighed.
appetite ['æpitait] appetit; begær, lyst *(for* til).
appetizer ['æpitaizə] *sb* appetitvækker.
appetizing ['æpitaiziŋ] *adj* appetitvækkende, tillokkende, appetitlig.
applaud [ə'plɔ:d] *vb* klappe (ad), applaudere; billige, prise.
applause [ə'plɔ:z] *sb* applaus; bifald; ros.
apple ['æpl] *sb* æble; *the* ~ *of his eye* hans øjesten; ~ *of discord* stridens æble.
apple|cart *sb: upset sby's* ~ spolere *(el.* vælte) ens planer. ~ **dumpling** indbagt æble. ~ **pie** æblepie. ~ **-pie bed** seng med lagen lagt dobbelt så man ikke kan få benene strakt ud; seng der er låset. ~ **-pie order** mønstergyldig orden. ~**-polishing** *(am)* fedteri, spytslikkeri. ~ **sauce** æblemos; *(fig)* (overdreven) smiger; *(am)* vrøvl.
appliance [ə'plaiəns] *sb* indretning, anordning, apparat, maskine; redskab, instrument *(fx surgical* ~).
applicable ['æplikəbl] *adj* anvendelig.
applicant ['æplikənt] *sb* ansøger; reflektant.
application [æpli'keiʃən] *sb* anbringelse; pålægning, påføring, påsmøring; omslag; anvendelse *(fx the* ~ *of these remedies);* henvendelse, ansøgning; flid; *form of* ~, ~ *form* ansøgningsblanket; indmeldelsesblanket.
applied [ə'plaid] *adj* anvendt *(fx science);* ~ *art* kunstindustri.
appliqué [æ'pli:kei] *sb* applikation; *vb* applikere.
apply [ə'plai] *vb* sætte *(el.* lægge) på, påføre, påsmøre; anbringe; bruge, anvende; (uden objekt) henvende sig *(to* til); ansøge *(for* om); passe *(to* på), gælde *(to* for, *fx rules that* ~ *to vehicles);* ~ *a dressing* anlægge en forbinding; ~ *a match* sætte en tændstik til; ~ *one's mind to,* ~ *oneself to* lægge sig efter; arbejde flittigt med, koncentrere sig om.
appoint [ə'pɔint] *vb* bestemme, fastsætte, aftale *(fx let us* ~ *a day to meet again);* ansætte *(fx* ~ *sby to a post);* udnævne (til); nedsætte *(fx a committee); well -ed* godt udstyret, godt indrettet *(fx house).*
appointment [ə'pɔintmənt] *sb* bestemmelse; anordning; udnævnelse; ansættelse; stilling; aftale; *-s pl* udstyr; *by* ~ efter aftale; *by* ~ *to Her Majesty the Queen tobacconist (etc)* kgl. hofleverandør; *make an* ~ træffe en aftale.
apportion [ə'pɔ:ʃən] *vb* fordele; tilmåle.
apposite ['æpəzit] *adj* passende, vel anbragt; træffende, rammende *(fx remark).*
apposition [æpə'ziʃən] *sb (gram)* apposition, hosstilling.
appraisal [ə'preizl] *sb* vurdering.
appraise [ə'preiz] *vb* vurdere, taksere.
appraiser [ə'preizə] *sb* vurderingsmand.
appreciable [ə'pri:ʃəbl] *adj* mærkbar, kendelig, betragtelig, betydelig.
appreciate [ə'pri:ʃieit] *vb* vurdere, skatte, (forstå at) værdsætte, goutere; påskønne *(fx I* ~ *your kindness);* sætte pris på; (forstå:) være på det rene med, indse; *(merk)* stige i værdi.
appreciation [əpri:ʃi'eiʃən] *sb* vurdering; påskønnelse; værdsættelse; forståelse *(fx* ~ *of poetry; musical* ~ musikforståelse); *(merk)* værdistigning.
appreciative [ə'pri:ʃjətiv] *adj* påskønnende, anerkendende; *be* ~ *of = appreciate.*
apprehend [æpri'hend] *vb* anholde, arrestere; pågribe; fatte, opfatte, forstå, begribe; befrygte, frygte.
apprehensible [æpri'hensəbl] *adj* begribelig, forståelig.
apprehension [æpri'henʃən] *sb* anholdelse, arrest; pågribelse; opfattelse(sevne); frygt, ængstelse; *-s* (også:) bange anelser.
apprehensive [æpri'hensiv] *adj* bange, frygtsom; intelligent; ~ *faculty* opfattelse(sevne).
apprentice [ə'prentis] *sb* lærling, læredreng, elev; *vb* sætte i lære; ~ *sby* to sætte en i lære hos. **apprenticeship** *sb* lære, læretid.

apprise [ə'praiz] *vb* underrette *(of* om).
appro *fk approbation; approval; on* ~ på prøve; til gennemsyn.
approach [ə'prəutʃ] *vb* nærme sig, komme nærmere (til); gribe an *(fx I do not know how to* ~ *the problem),* gå i gang med; henvende sig til *(fx* ~ *the bank for a loan);* forsøge at påvirke; *sb* komme *(fx the* ~ *of winter);* adgang, vej, indfaldsvej *(fx to a town),* tilkørselsvej *(fx to a motorway);* tilkørsel; *(mar)* indsejling; *(flyv)* anflyvning, indflyvning; *(fig)* fremgangsmåde, måde at gribe noget an på *(fx his* ~ *to the problem);* indstilling; *-es pl* tilkørselsveje; (om person) tilnærmelser.
approachable [ə'prəutʃəbl] *adj* tilgængelig, *(fig* også) omgængelig.
approach| buoy *(mar)* anduvningsvager. ~ **grafting** (i gartneri) afsugning.
approaching [ə'prəutʃiŋ] *adj* forestående, nær, (let *glds)* tilstundende.
approach| light *(mar)* anduvningsfyr; *(flyv)* anflyvningslys, indflyvningslys. ~ **road** indfaldsvej.
approbation [æprə'beiʃən] *sb* bifald, samtykke; *on* ~ på prøve, til gennemsyn.
I. appropriate [ə'prouprieit] *vb* henlægge, bestemme (til et særligt brug); bevilge; tilegne sig, tilvende sig, annektere.
II. appropriate [ə'proupriit] *adj* passende, skikket, behørig; *be* ~ *to* passe *(el.* egne) sig for.
appropriation [əproupri'eiʃən] *sb* tilegnelse; anvendelse; henlæggelse; bestemmelse; bevilling.
approval [ə'pru:vl] *sb* bifald, billigelse; godkendelse; *on* ~ på prøve, til gennemsyn; *meet with* ~ vinde bifald.
approve [ə'pru:v] *vb* billige; bifalde; godkende, anerkende; *-d by the authorities* godkendt af myndighederne; ~ *of* bifalde.
approved school ungdomshjem (for ungdomskriminelle), optagelseshjem.
I. approximate [ə'prɔksimeit] *vb* nærme sig, komme nær til.
II. approximate [ə'prɔksimit] *adj* omtrentlig. **approximately** *adv* omtrent, tilnærmelsesvis.
approximation [əprɔksi'meiʃən] *sb* tilnærmelse *(fx to the truth).*
appurtenance [ə'pə:tinəns] *sb* tilbehør.
apricot ['eiprikɔt] *sb* abrikos.
April ['eipr(ə)l] april. **April fool** aprilsnar.
a priori ['eiprai'ɔ:rai] *adv, adj* a priori.
apron ['eiprən] *sb* forklæde; (skomagers) skødeskind; (på vogn) forlæder; *(flyv)* forplads (foran hangarer).
apron string forklædebånd; *be tied to her -s (fig)* hænge i skørterne på hende.
apropos ['æprəpou] *adv, adj* a propos, tilpas, belejlig; ~ *of* angående, a propos; ~ *of nothing* umotiveret.
apse [æps] *sb (arkit)* apsis.
apsis [æpsis] *sb (pl apsides* [æp'saidi:z]) apsis.
apt [æpt] *adj* skikket, passende, (om bemærkning) træffende; dygtig, flink *(fx be apt at learning); be apt to* være tilbøjelig til at *(fx they are apt to forget); he is apt to come tonight (am)* han kommer sandsynligvis i aften.
aptitude ['æptitju:d] *sb:* ~ *for sth* talent (, særlig evne) til noget; anlæg for noget; ~ *for languages* sprognemme; *have an* ~ *for learning* være lærenem.
aptitude test anlægstest.
aptness ['æptnis] *sb* tilbøjelighed *(fx his* ~ *to forget);* evne *(fx his* ~ *to learn); the* ~ *of his remarks* det rammende i hans bemærkninger.
aqua ['ækwə] *sb* vand; ~ *fortis* [-'fɔ:tis] *(kem)* skedevand.
aqua|lung vandlunge (for undervandssvømmere). ~**-marine** [ækwəmə'ri:n] akvamarin, beryl. ~**-plane** *sb* surfridingbræt; *vb* dyrke surfriding; (om bil på våd vej) miste kontakten med vejbanen; *-planing* (på våd vej) vandløft. ~**-regia** ['ækwə'ri:dʒjə] *(kem)* kongevand.
aquarelle ['ækwə'rel] *sb* akvarel.
aquari|um [ə'kwɛəriəm] *sb (pl -ums, -a)* akvarium.
aquatic [ə'kwætik] *adj* vand- *(fx plant);* ~ *warbler zo* vandsanger.
aqua vitæ ['ækwə'vaiti:] akvavit, brændevin.
aqueduct ['ækwidʌkt] *sb (hist.)* vandledning, akvædukt.
aqueous ['eikwiəs] *adj* vandrig; vandagtig; *(kem)* vandig *(fx solution).*

aquiline ['ækwilain] *adj* ørne-.
A.R.A. *fk Associate of the Royal Academy.*
Arab ['ærəb] *sb* araber; *adj* arabisk; ~ *(horse)* arabisk hest.
arabesque [ærə'besk] *sb* arabesk.
Arabia [ə'reibjə] Arabien.
Arabian [ə'reibjən] *adj* arabisk; *sb* araber; ~ *Nights* Tusind og én Nat.
Arabic ['ærəbik] *sb, adj* arabisk.
arable ['ærəbl] *adj* dyrkelig, opdyrket; *sb* agerland.
Araby ['ærəbi] *(poet)* Arabien.
arachnids [ə'ræknidz] *sb pl zo* spindlere.
Aragon ['ærəgən] Aragonien.
arbiter ['a:bitə] *sb* voldgiftsmand, mægler; dommer *(fx ~ of taste* smagsdommer); herre *(of* over, *fx he was the ~ of their lives)*.
arbitrage ['a:bitridʒ] *sb* voldgiftskendelse; *(merk)* arbitrageforretninger.
arbitrament [a:'bitrəmənt] *sb* voldgiftsafgørelse, voldgiftskendelse.
arbitrary ['a:bitrəri] *adj* arbitrær, vilkårlig; egenmægtig.
arbitrate [a:'bitreit] *vb* afgøre, dømme; (lade) afgøre ved voldgift. **arbitration** [a:bi'treifən] *sb* voldgift. **arbitrator** ['a:bitreitə] *sb* voldgiftsdommer, voldgiftsmand.
arbor ['a:bə] *sb (tekn)* aksel; dorn; *(am)* = *arbour.*
arboreal [a:'bɔ:riəl] *adj* som lever på *(el.* i) træer *(fx ~ animals)*, træ-.
arboretum [a:bə'ri:təm] *sb* arboret.
arboriculture ['a:bərikʌltʃə] *sb* trædyrkning.
arborvitae ['a:bə'vaiti:] *sb (bot)* tuja.
arbour ['a:bə] *sb* løvhytte, lysthus.
arc [a:k] *sb* bue.
arcade [a:'keid] *sb* buegang.
Arcadian [a:'keidjən] *adj* arkadisk; landlig; idyllisk.
Arcady ['a:kədi] Arkadien.
arcane [a:'kein] *adj* hemmelig, mystisk.
arcan|um [a:'keinəm] *sb (pl -a)* hemmelighed; hemmeligt middel, arkanum.
I. arch [a:tʃ] *sb* bue; hvælving; (om del af fod) svang; *vb* krumme; hvælve; bue sig, hvælve sig; spænde en bue over; *the cat -es its back* katten skyder ryg; *fallen -es* platfodethed.
II. arch [a:tʃ] *adj* skælmsk, skalkagtig.
III. arch- [a:tʃ] ærke- *(fx liar* løgner; *duke* hertug).
archaean [a:'ki:ən] *adj (geol)* arkæisk; ~ *rock* urfjeld.
archaeological [a:kiə'lɔdʒikl] *adj* arkæologisk. **archaeologist** [a:ki'ɔlədʒist] *sb* arkæolog.
archaeology [a:ki'ɔlədʒi] *sb* arkæologi.
archaic [a:'keiik] *adj* gammeldags, forældet; arkaisk.
archaism ['a:keiizm] *sb* gammeldags (, forældet) udtryk; arkaisme.
archangel [a:'keindʒəl] *sb* ærkeengel.
arch|bishop ['a:tʃ'biʃəp] ærkebiskop. **-bishopric** ærkebispedømme. **-deacon** ['a:tʃ'di:kn] (gejstlig embedsmand, i rang nærmest under biskop).
archer ['a:tʃə] *sb* bueskytte.
archery ['a:tʃəri] *sb* bueskydning.
archetype ['a:kitaip] *sb* grundtype, (især *psyk)* arketype; mønster, original.
archibald ['a:tʃibɔld].
archie ['a:tʃi] *sb (fk Archibald)* S luftværnskanon.
archiepiscopal [a:kii'piskəpəl] *adj* ærkebispe-.
Archimedes [a:ki'mi:di:z]: ~ *principle* Arkimedes' lov.
archipelago [a:ki'peləgou] *sb* øhav; *the A.* Arkipelagos, Det græske Øhav.
architect ['a:kitekt] *sb* bygmester, arkitekt; *(fig)* skaber. **architectonic** [a:kitek'tɔnik], **architectural** [a:ki'tektʃərəl] *adj* arkitektonisk. **architecture** ['a:kitektʃə] *sb* bygningskunst, arkitektur.
architrave ['a:kitreiv] *sb (arkit)* arkitrav; gerigt.
archival [a:'kaivl] *adj* arkiv-.
archives ['a:kaivz] *sb pl* arkiv.
archivist ['a:kivist] *sb* arkivar.
arch support indlæg (i sko).
archway ['a:tʃwei] *sb* porthvælving, buegang.
arc lamp buelampe. **arc light** buelys.
arctic ['a:ktik] *adj* arktisk, nordlig, nord-; nordpols- *(fx expedition)*; *the A. circle* den nordlige polarkreds; ~ *tern*

havterne; the A. zone Arktis, nordpolarlandene; *-s pl (am)* galochestøvler.
ardency ['a:dnsi] *sb* varme, inderlighed; iver.
Ardennes [a:'denz] *sb pl: the ~* Ardennerne.
ardent ['a:dnt] *adj* brændende; glødende, fyrig *(fx lover)*; ivrig *(fx sportsman* jæger); ~ *spirits* spirituosa; *an ~ theatregoer* en passioneret teatergænger.
ardour ['a:də] *sb* hede; varme; iver; fyrighed, glød.
arduous [a:'dju:əs] *adj* stejl, *(fig)* vanskelig, besværlig; ihærdig, energisk.
are [a:, ə; foran vokal a:r, (ə)r] *(pl* og 2. person *sg præs* af *be)* er.
area ['ɛəriə] *sb* fladeindhold, areal; område, egn; (af by) kvarter; *(fig)* område, felt; *(arkit,* foran hus) forsænket gård mellem fortov og facade, lysgård.
area|bell klokke til køkkenet. ~ *steps* trappe ned til køkkenet.
areca ['ærikə]: ~ *palm (bot)* betel(nød)palme.
arena [ə'ri:nə] *sb* kampplads, arena.
aren't [a:nt] *fk are not, am not.*
argent ['a:dʒənt] *adj* sølv-; sølvklar, sølvhvid.
Argentina [a:dʒən'ti:nə] Argentina.
I. Argentine ['a:dʒəntain] *adj* argentinsk; *sb* argentiner; *the ~ (Republic)* Argentina.
II. argentine ['a:dʒəntain] *adj* sølv-, sølvklar.
argil ['a:dʒil] *sb* pottemagerler.
argillaceous [a:dʒi'leiʃəs] *adj* leret, ler-.
argon ['a:gɔn] *sb (kem)* argon.
argosy [a:gəsi] *sb (hist. poet)* (rigt lastet) handelsskib.
argot ['a:gou] *sb* (tyve)slang, argot.
arguable ['a:gjuəbl] *adj* som kan diskuteres; rimelig; *it is ~ that* det kan (med nogen ret) hævdes at.
argue ['a:gju:] *vb* drøfte, diskutere, strides om; skændes; (be)vise, vidne om *(fx this action -s great courage)*, være tegn på; argumentere, hævde, gøre gældende *(fx he -d that the plan was impracticable)*, fremføre; ~ *him into doing it* få ham (overtalt) til at gøre det; ~ *him out of it* få ham fra det.
argument ['a:gjumənt] *sb* bevisgrund, argument; diskussion, drøftelse; skænderi, strid; indholdsoversigt, resumé.
argumentation [a:gjumen'teiʃən] *sb* bevisførelse, argumentation; diskussion.
argumentative [a:gju'mentətiv] *adj* polemisk, trættekær, stridslysten.
Argyll [a:'gail].
aria ['a:riə] *sb* arie, melodi.
arid ['ærid] *adj* tør, udtørret; gold; kedsommelig, fad, åndløs. **aridity** [æ'riditi] *sb* tørhed, goldhed.
aright [ə'rait] *adv* rigtig, ret.
aril ['æril] *sb (bot)* frøkappe.
arise [ə'raiz] *vb (arose, arisen)* opstå, fremkomme, dukke op, melde sig; rejse sig, stå op; ~ *from* komme af.
arisen [ə'rizn] *pp* af *arise.*
arista [ə'ristə] *sb* stak (som på byg).
aristocracy [æri'stɔkrəsi] *sb* aristokrati.
aristocrat ['æristəkræt] *sb* aristokrat.
aristocratic [æristə'krætik] *adj* aristokratisk.
Aristotle ['æristɔtl] Aristoteles.
arithmetic [ə'riθmətik] *sb* regning.
arithmetical [æriθ'metikl] *adj* aritmetisk; ~ *progression* differensrække *(fx* 1, 3, 5, 7).
Ariz *fk* Arizona.
ark [a:k] *sb* (Noahs, pagtens) ark.
Ark. *fk* **Arkansas** ['a:kənsɔ:; a:'kænsəs].
I. arm [a:m] *sb* arm; kraft, vælde; *child (el. infant) in -s* skødebarn; *when he was still an infant in -s* før han havde lært at gå; *hold the photo at -'s length* holde billedet ud fra sig i strakt arm; *keep him at -'s length* holde ham på tilbørlig afstand, holde ham tre skridt fra livet; *take his ~* tage ham under armen; se også 1. *twist.*
II. arm [a:m] *sb* (oftest brugt i *pl)* våben; våbenart; (i heraldik) våbenskjold; våben(mærke); *in -s* væbnet, kampberedt; *up in -s (fig)* kampberedt, i krigshumør, i oprør, oprørsk; *get up in -s* (også:) komme i harnisk; *small -s* håndskydevåben; *under -s* under våben; *take up -s* gribe til våben.
III. arm [a:m] *vb* bevæbne, væbne; *(fig)* udruste *(fx -ed with statistics)*; forsyne; (uden objekt) gribe til våben,

ruste sig; *-ed neutrality* væbnet neutralitet.
armada [a:'ma:də] *sb: the Spanish ~ (hist.)* den spanske armada.
armadillo [a:mə'dilou] *sb zo* bæltedyr.
armament ['a:məmənt] *sb* bevæbning, oprustning; krigsmagt; *(flys etc)* bevæbning; *-s pl* krigsmagt, krigsudrustning; *-s industry* rustningsindustri; *-s race* kaprustning, rustningskapløb.
armature ['a:mətjuə] *sb* anker (i dynamo, til magnet); armering.
armchair ['a:mtʃɛə] *sb* armstol, lænestol; *adj (fig)* skrivebords- *(fx strategist, dramatist); ~ politician (omtr)* politisk kandestøber.
Armenian [a:'mi:njən] *adj* armenisk; *sb* armenier; armenisk.
arm|ful favnfuld. **-hole** ærmegab.
armistice ['a:mistis] *sb* våbenstilstand; *Armistice Day* årsdagen for våbenstilstanden 11. november 1918.
armlet ['a:mlit] *sb* armbind; *(geogr)* vig, lille bugt.
armorial [a:'mɔ:riəl] *adj* våben-, heraldisk; *~ bearings* våben(mærke), våbenskjold.
armory ['a:məri] *sb* heraldik; (se ogs *armoury)*.
armour ['a:mə] *sb (hist)* rustning; *(mar, mil. zo)* panser; *(mil.)* kampvogne, panserstyrker; *(elekt)* armering.
armour-clad *adj* pansret; *sb* panserskib.
armoured [a:məd] *adj* pansret, panser-; *(elekt etc)* armeret; *~ division* panserdivision; *~ train* pansertog.
armourer ['a:mərə] *sb (mil.)* bøssemager; (våbenmekaniker; *(hist.)* våbensmed.
armour|plate panserplade. *~ -plated* pansret.
armoury ['a:məri] *sb* tøjhus, arsenal; *(am: armory* også) våbenfabrik; (våbenværksted.
arm|pit armhule. **-rest** armlæn.
army ['a:mi] *sb* hær; hærskare, armé.
army| chaplain feltpræst. *~ corps* ['a:mikɔ:, pl:* 'a:mikɔ:z] armékorps; *Women's Voluntary Army Corps* Lottekorpset. *~ list* liste over hærens officerer. *~ order* armébefaling.
Army Service Corps transport- og forsyningstropper.
Army Welfare Service (svarer til) Folk og Værn.
aroma [ə'roumə] *sb* duft, aroma. **aromatic** [ærə'mætik] *adj* aromatisk.
arose [ə'rouz] *præt* af *arise.*
around [ə'raund] *adv, præp* rundt, rundt omkring; om; i nærheden (af); omkring, ca. *(fx ~ 5 pounds);* hen *(fx come ~ and see us);* omkring i; til stede; *he has been ~* han har været at se sig om, han har prøvet noget; *he is the wisest man ~* han er den klogeste der findes.
arouse [ə'rauz] *vb* vække.
A.R.P. *fk Air Raid Precautions* luftværn.
A.R.R. *fk anno regni regis (, reginae): in the year of the king's (, queen's) reign.*
arr. *fk arrival, arrive, arrives, arrived.*
arrack ['ærək] *sb* arrak (brændevin lavet af palmesaft *el.* ris).
arraign [ə'rein] *vb* stille for retten; anklage; *(litt)* kræve til regnskab; fordømme. **arraignment** [ə'reinmənt] *sb* anklage.
arrange [ə'rein(d)ʒ] *vb* ordne, arrangere, bringe i orden (, i stand); opstille *(fx a programme);* aftale, fastsætte, bestemme *(fx a meeting);* bilægge *(fx a dispute); (mus.)* bearbejde, arrangere, udsætte; *~ about (el. for)* sørge for; træffe aftale om; *~ for the car to be there* sørge for at vognen er der; *~ with sby about (el. for) sth* træffe aftale med en om noget.
arrangement [ə'rein(d)ʒmənt] *sb* ordning, arrangement, indretning, opstilling; aftale, overenskomst, forlig, (om skyldner) akkord *(fx make an ~ with one's creditors);* (ting:) apparat, anordning; (om musik) bearbejdelse, udsættelse, arrangement;*-s pl* foranstaltninger, forberedelser *(fx make* (træffe) *-s for the reception of the President); come to an ~* indgå forlig.
arrant ['ærənt] *adj* notorisk, ærke-, topmålt *(fx hypocrite).*
arras ['ærəs] *sb* vægtæppe; gobelin fra Arras.
array [ə'rei] *vb* klæde, smykke; stille i orden, opstille; *(jur)* indkalde nævninger; *sb* klædedragt; *(hist.)* orden, slagorden; *(fig)* (imponerende) række, samling; *(jur)* fortegnelse over nævninger; jury; *in fine ~* prægtigt

klædt; *(fig)* i fin stand.
arrears [ə'riəz] *sb pl* restance; *in ~* bagud *(fx he is in ~ with his work); ~ of correspondence* ubesvarede breve; *~ of work* ugjort arbejde.
I. arrest [ə'rest] *vb* arrestere, anholde, fængsle, (om ejendele) beslaglægge; standse *(fx inflation); ~ sby's attention* tiltrække sig ens opmærksomhed; *suffering from -ed development* udviklingshæmmet; *~ sby's property* gøre arrest i ens ejendele.
II. arrest [ə'rest] *sb* arrestation, anholdelse, (af ejendele) arrest, beslaglæggelse; standsning; *~ of judgment* hindring af domsafsigelse (efter juryens kendelse og på grund af fejl); *make an ~* foretage en anholdelse; *put under ~* arrestere; *a warrant for the ~ of* arrestordre imod.
arresting [ə'restiŋ] *adj* fængslende, interessant.
arris ['æris] *sb (arkit)* grat.
arrival [ə'raivəl] *sb* ankomst; nyankommen; tilførsel; *he was a late ~* han kom sent; *the last ~* den sidste der kom.
arrive [ə'raiv] *vb* ankomme *(at, in* til), komme, nå *(at* til); indtræffe; gøre karriere, skabe sig en position, komme frem.
arrogance ['ærəgəns] *sb* hovmod, indbildskhed, overlegenhed, arrogance.
arrogant ['ærəgənt] *adj* hovmodig, indbildsk, overlegen, arrogant.
arrogate ['ærəgeit] *vb: ~ to oneself* tilrive sig; kræve med urette.
arrogation [ærə'geiʃən] *sb* anmasselse, uberettiget krav.
arrow ['ærou] *sb* pil; *the broad ~* den brede pil (statens mærke på dens ejendele, også på fangetøj).
arrowhead ['ærouhed] *sb* pilespids.
arrowroot ['ærouru:t] *sb* salep.
arse [a:s] *sb (vulg)* røv.
I. arsenic ['a:snik] *sb (kem)* arsenik.
II. arsenic [a:'senik] *adj* indeholdende arsenik, arsenikholdig.
arson ['a:sn] *sb* brandstiftelse, ildspåsættelse.
I. art [a:t]: *thou ~ (glds)* du er.
II. art [a:t] *sb* kunst; kunstfærdighed; *-s pl (glds)* list, kneb; *the black ~* den sorte kunst; *-s and crafts* kunst og håndværk; *the Arts Faculty* det humanistiske fakultet; *the fine -s* de skønne kunster; *she has brought (el. carried) cooking to a fine ~* hun har udviklet madlavning til en hel kunst, hun er en virtuos på kogekunstens område; *have no ~ nor part in it (glds)* ingen som helst andel have deri.
III. art [a:t] *vb: ~ up* pynte på, gøre »kunstnerisk«.
artefact ['a:tifækt] *sb = artifact.*
arterial [a:'tiəriəl] *adj* arterie-; *~ road* hovedvej, hovedfærdselsåre.
arteriosclerosis [a:'tiəriouskliə'rousis] *sb* åreforkalkning.
artery ['a:təri] *sb* pulsåre, arterie; stor trafikåre.
artesian [a:'ti:zjən] *adj* artesisk; *~ well* artesisk brønd.
artful ['a:tful] *adj* listig, snu.
arthritic [a:'θritik] *adj: ~ swelling* gigtknude.
arthritis [a:'θraitis] *sb* artritis, ledbetændelse.
artichoke ['a:titʃouk] *sb* artiskok.
I. article ['a:tikl] *sb* genstand; vare; (i avis *etc)* artikel; *(gram)* artikel, kendeord; (i dokument, kontrakt *etc)* artikel, punkt, paragraf; *-s pl* (også) kontrakt; *-s of apprenticeship* lærebrev, lærekontrakt; *-s of association (of a company)* aktieselskabsvedtægter; *the Thirty-nine A.-s* de 39 artikler i *the Church of England's* trosbekendelse.
II. article [a:'tikl] *vb* sætte i lære *(to* hos); opstille i punkter.
articular [a:'tikjulə] *adj* lede-; *~ rheumatism* ledegigt.
I. articulate [a:'tikjulit] *adj* tydelig, klar, (om person) artikuleret; som kan udtrykke sig (*el.* formulere sig), velformuleret, veltalende; *(anat, bot)* med led, leddelt.
II. articulate [a:'tikjuleit] *vb* udtale tydeligt, artikulere; ledforbinde; *-d bus* sættebus.
articulation [a:tikju'leiʃən] *sb* tydelig udtale; *(fon)* artikulation; *(anat)* ledforbindelse, led.
artifact ['a:tifækt] *sb(arkæol)* artefakt, kulturgenstand.
artifice [a:'tifis] *sb* kunstgreb, list, kneb.
artificer [a:'tifisə] *sb* håndværker, tekniker, mekaniker;

skaber.
artificial [a:ti'fiʃəl] adj kunstig *(fx respiration* åndedræt); kunstlet *(fx smile)*; ~ *silk* kunstsilke.
artillerist [a:'tilərist] sb artillerist.
artillery [a:'tiləri] sb artilleri.
artilleryman artillerist.
artisan [a:ti'zæn, 'a:tizən] sb håndværker.
artist ['a:tist] sb kunstner. **artiste** [a:'ti:st] sb artist.
artistic [a:'tistik] sb kunstnerisk, artistisk.
artistry ['a:tistri] sb kunstnerisk dygtighed.
artless ['a:tlis] adj ukunstlet, naturlig; troskyldig, naiv.
art paper kunsttrykpapir.
arty ['a:ti] adj (forskruet) kunstnerisk, kunstlet.
arum ['ɛərəm] sb dansk ingefær, aronsstav.
arum lily *(bot)* kalla.
A.R.W. *fk Air Raid Warden.*
Aryan ['ɛəriən] sb arier; adj arisk, indo-europæisk.
as [æz, əz] adv, conj ligesom, som; da, idet; eftersom; såsandt; efterhånden som; imens; (lige)så; som, i egenskab af; som for eksempel; *as soon as, as well as etc* så snart som, så vel som osv; *as* **for** hvad angår; *as for me* for min part, hvad mig angår; *as* **from** fra ... at regne *(fx it begins as from May 1.)*; *as* **if** som om; *it is not as if* det er ikke fordi; *as if to* som for at; *I thought as* **much** det tænkte jeg nok; *as* **of** *July 1.* (pr.) 1. juli; *as* **per** ifølge, i henhold til *(fx as per agreement* aftale); *as* **to** hvad angår, med hensyn til; *so as to* for at, så at; *be so kind as to* vær så venlig at; *as* **though** som om; *as* **well** lige så godt; ligeledes, også; *as* **yet** endnu, hidtil;
(forb med *vb) old as I am* så gammel jeg er, skønt jeg er gammel; *as is* i den stand som den forefindes; *it is bad enough as it is* det er dårligt *(el.* slemt) nok i forvejen; *as it were* så at sige; *as it were to meet* som for at møde; *as you were!* om igen! *help such as are poor* hjælp dem som er fattige; *as I live* så sandt jeg lever.
asafoetida [æsə'fetidə] sb *(bot)* dyvelsdræk.
asbestos [æz'bestəs] sb asbest.
ascend [ə'send] vb stige (op); hæve sig; stige op ad, gå op ad *(fx the stairs)*; klatre op ad; gå (, stige, klatre) op på, bestige.
ascendancy, ascendency [ə'sendənsi] sb overlegenhed, magt, herredømme, indflydelse; *gain* ~ *over* få overtaget over.
ascendant, ascendent [ə'sendənt] adj opstigende, opgående; overlegen, dominerende, overvejende; sb (i astrologi, genealogi) ascendent; *be in the* ~ være på vej op *(el.* frem *el.* til magten); være ved magten.
ascension [ə'senʃən] sb opstigen; *(rel)* himmelfart; *A. (Day)* Kristi Himmelfartsdag.
ascent [ə'sent] sb opstigen; bestigning; opgang; skråning; stigning; ~ *of sap (bot)* saftstigning.
ascertain [æsə'tein] vb konstatere; forvisse sig om *(fx I have -ed that it can be done)*, skaffe sig *(el.* få) at vide *(fx whether a piece of news is true)*.
ascetic [ə'setik] adj asketisk; sb asket.
asceticism [ə'setisizm] sb askese.
ascorbic acid [ə'skɔ:bik'æsid] ascorbinsyre.
Ascot ['æskət]; hestevæddeløb på *Ascot Heath.*
ascribable [ə'skraibəbl] adj som kan tilskrives.
ascribe [ə'skraib] vb: ~ *to* tillægge *(fx selfish motives to him)*; tilskrive; henføre til.
asdic ['æzdik] *fk Anti Submarine Detection Investigation Control* (undervandslytteapparat).
asepsis [æ'sepsis] sb aseptik.
aseptic [æ'septik] adj aseptisk, bakteriefri.
asexual ['æ'seksjuəl] adj kønsløs; ~ *reproduction* ukønnet formering.
asexuality [æseksju'æliti] sb kønsløshed.
I. ash [æʃ] sb *(bot)* ask; asketræ.
II. ash [æʃ] sb (oftest i pl *ashes*) aske; *ashes to ashes, dust to dust* af jord er du kommen, til jord skal du blive; *lay in ashes* lægge i aske; *in sackcloth and ashes* i sæk og aske; *the Ashes* (om sejr i kricketkamp mellem England og Australien); *bring back (el.* recover) *the Ashes* få revanche over Australien.
ashamed [ə'ʃeimd] adj skamfuld; *be* ~ skamme sig *(of* over).
ash can *(am)* skraldespand.
ashen ['æʃn] adj aske-; askegrå.

ashlar ['æʃlə] sb kvadersten.
ashore [ə'ʃɔ:] adv i land; *run* ~ løbe på grund, sætte på grund.
ash|pan askeskuffe. **-tray** askebæger.
Ash Wednesday askeonsdag.
Asia ['eiʃə, *(am)* 'eiʒə] Asien. **Asia Minor** Lilleasien.
Asian ['eiʃən, *(am)* 'eiʒən], **Asiatic** [eiʃi'ætik, *(am)* eiʒi-] adj asiatisk; sb asiat.
aside [ə'said] adv til side; til siden; afsides; sb *(teat)* afsides replik; ~ *from* bort fra; *(am)* bortset fra; se også I. *lay, put, I. set.*
asinine ['æsinain] adj æselagtig, dum, stupid.
ask [a:sk] vb spørge; spørge om; bede om; indbyde; bede; forlange, kræve; **T** fri til; ~ *after* spørge til *(fx* ~ *after sby,* ~ *after sby's health)*; ~ *for* bede om, spørge efter, spørge om; kræve; *you have been -ing for it* du har selv været ude om det; *den kunne du have undgået;* ~ *the banns* lyse til ægteskab; ~ *sby's leave* bede en om tilladelse; ~ *off* bede sig fri; ~ *a question* stille et spørgsmål; ~ *one's way* spørge sig frem, spørge om vej; *I* ~ *you!* jeg be'r Dem! jeg ved ikke hvad De føler! *if you* ~ *me* hvis De vil høre min mening; min mening er.
askance [ə'skæns] adv på skrå, til siden; *look* ~ *at (fig)* betragte med mistænksomme blikke, se skævt til.
askew [ə'skju:] adv, adj skævt.
asking ['a:skiŋ] sb: *get it for the* ~ få det uden videre; *that's* ~ det siger jeg ikke! **asking price** prisforlangende.
aslant [ə'sla:nt] adv på skrå, på sned; *præp* skråt hen over.
asleep [ə'sli:p] adv, adj i søvn; sovende; *fall (fast)* ~ falde i (en dyb) søvn; *be* ~ sove.
aslope [ə'sloup] adv, adj hældende, skrånende.
ASM *fk Acting Sergeant Major; Air-to-Surface Missile; Assistant Stage Manager.*
I. asp [æsp] sb *(bot)* asp.
II. asp [æsp] sb giftslange (især ægyptisk brilleslange).
asparagus [ə'spærəgəs] sb *(bot)* asparges.
aspect ['æspekt] sb udseende; aspekt; side (af en sag), synspunkt, synsvinkel; *(astr)* aspekt; *(gram)* aktionsart, aspekt; (om hus *etc*) beliggenhed; *have a southern* ~ vende mod syd.
aspen ['æspən] sb *(bot)* asp; ~ *leaf* æspeløv.
aspergillum [æspə'dʒiləm] sb *(rel)* vievandskost, aspergillum.
asperity [æs'periti] sb barskhed, skarphed.
asperse [ə'spə:s] vb bagtale, bagvaske, smæde; *(rel)* bestænke (med vievand).
aspersion [ə'spə:ʃən] sb *(rel)* bestænkning; *(cf asperse)* bagvaskelse, nedrakning; *cast -s on* tale nedsættende om, bagvaske, smæde.
aspersorium [æspə'sɔ:riəm] sb *(rel)* vievandskar.
asphalt ['æsfælt] sb asfalt; vb asfaltere.
asphodel ['æsfədel] sb *(bot)* asphodelus, asfodel (symbol på troskab).
asphyxiate [æs'fiksieit] vb kulilteforgifte, kvæle.
aspic ['æspik] sb kødgelé, sky; aspic.
aspidistra [æspi'distrə] sb *(bot)* aspidistra.
aspirant [ə'spaiərənt] sb: *an* ~ *to (el.* for) *honours* en der stræber efter hædersbevisninger.
aspirate sb ['æspirit] aspireret konsonant; vb ['æspireit] aspirere.
aspiration [æspi'reiʃən] sb aspiration; tragten, higen.
aspire [ə'spaiə] vb hige, tragte, stræbe *(to* efter); *(glds, fig)* stige, hæve sig.
aspirin ['æspərin] sb ® aspirin.
ass [æs] sb æsel; *(fig)* fjols, fæ; *(am, vulg)* røv.
assagai, assegai ['æsəgai] sb sydafrikansk kastespyd, assagai.
assail [ə'seil] vb angribe, gå løs på; overøse *(fx* ~ *sby. with reproaches)*; ~ *sby with questions* bombardere en med spørgsmål. **assailant** [ə'seilənt] sb angriber.
assassin [ə'sæsin] sb (snig)morder, attentatmand. **assassinate** [ə'sæsineit] vb (snig)myrde, forøve attentat mod. **assassination** [əsæsi'neiʃən] sb (snig)mord, attentat.
assault [ə'sɔ:lt] vb *(mil.)* angribe; storme; (om forbrydelse) overfalde; øve vold mod, voldtage; *(fig)* angribe voldsomt, overfalde; sb voldsomt angreb, overfald; *(mil.)* storm(angreb); *(jur)*: ~ *and battery* voldeligt overfald; vold; *carry by* ~ tage med storm.

A assay

A assay ... 20

assay [ə'sei] *vb* prøve *(mht* lødighed, *fx* guld), probere; *sb* prøve; probering. **assayer** [ə'seiə] *sb* probermester. **assay master** møntguardejn.

assemblage [ə'semblidʒ] *sb* samling, sammenkomst; (af maskine *etc)* samling, montering.

assemble [ə'sembl] *vb* samle; forsamle sig; (maskine *etc)* montere.

assembly [ə'sembli] *sb* forsamling; samling; møde; *(mil.)* samlingssignal.

assembly language *(edb)* symbolsk maskinsprog. ~ **line** samlebånd. ~ **plant** samlefabrik. ~ **room** festsal, mødesal; *(tekn)* samleværksted; ~ *rooms* selskabslokaler. ~ **shop** samleværksted.

assent [ə'sent] *sb* samtykke, bifald; *vb* samtykke *(to* i); *the Royal Assent* kongelig stadfæstelse (af en lov); ~ *to* (også) bifalde.

assert [ə'sə:t] *vb* påstå; forfægte, hævde; forsvare; ~ *itself* gøre sig gældende; ~ *oneself* hævde sig, være selvhævdende, mase sig frem. **assertion** [ə'sə:ʃən] *sb* påstand. **assertive** [ə'sə:tiv] *adj* påståelig; selvsikker, kategorisk *(fx statement, tone).*

assess [ə'ses] *vb* vurdere, taksere; bestemme, fastsætte, ansætte (bøde; skat *etc);* pålægge skat, beskatte; påligne. **assessment** *sb* beskatning; skatteligning; vurdering; fastsættelse; skat, afgift, bøde. **assessor** [ə'sesə] *sb* ligningsmand; *(assur)* vurderingsmand; *(jur, hist.)* bisidder.

asset ['æset] *sb (fig)* aktiv, fordel, gode, *-s* (også) gode sider; *-s (merk)* aktiver, værdier; *gross -s* aktivmasse; *-s and liabilities* aktiver og passiver.

asseverate [æ'sevəreit] *vb* højtideligt forsikre.

asseveration [æsevə'reiʃən] *sb* højtidelig forsikring.

assiduity [æsi'djuiti] *sb* stadig flid, ihærdighed.

assiduous [ə'sidjuəs] *adj* flittig, ihærdig.

assign [ə'sain] *vb* bestemme; fastsætte *(fx a day for the meeting);* anvise, overdrage, tildele, (især *am)* give for *(fx work to do at home);* udpege *(fx ~ them to do it);* angive *(fx a reason for it);* tilskrive, tillægge *(fx the importance -ed to it);* *sb (jur)* person som fordring *etc* er overdraget til, assignatar.

assignation [æsig'neiʃən] *sb* aftale om at mødes, stævnemøde; anvisning; overdragelse.

assignee [æsi'ni:] *sb (jur)* fuldmægtig; person som fordring *etc* er overdraget til, assignatar.

assignment [ə'sainmənt] *sb* overdragelse; tildeling; anvisning, forskrivning *(fx of sby's salary);* opgivelse; (især *am)* opgave, hverv.

assimilate [ə'simileit] *vb* assimilere; optage i sig; tilegne sig; bringe til at ligne, omdanne i lighed *(to* med); (om føde) fordøje; (uden objekt) assimilere sig, *(fon)* blive assimileret; *(am)* blive optaget i samfundet. **assimilation** [əsimi'leiʃən] *sb* assimilation, optagelse, tilpasning.

assist [ə'sist] *vb* hjælpe; fremme; ~ *at* være til stede ved; ~ *in* assistere ved, hjælpe til med.

assistance [ə'sistəns] *sb* hjælp, bistand; *lend* ~ yde hjælp.

assistant [ə'sistənt] *sb* hjælper, medhjælper, assistent; *adj* hjælpende, assisterende; ~ *professor (am, omtr)* adjunkt.

assizes [ə'saiziz] *sb pl* (retsmøder som holdtes på regelmæssige tingrejser rundt om i England af dommere i *the High Court of Justice;* afskaffet 1971).

I. associate [ə'souʃieit] *vb* forbinde, forene; henføre, knytte *(with* til) i tankerne; ~ *with* omgås; ~ *oneself with* slutte sig til.

II. associate [ə'souʃiit] *adj* forbunden, forenet; tilknyttet; med- *(fx editor);* *sb* kammerat, fælle; kollega, medarbejder; *(merk)* associé; (af forening) associeret medlem; ~ *professor (am omtr)* lektor.

association [əsousi'eiʃən] *sb* forening; selskab, klub; forbund; forbindelse; tankeforbindelse; idéassociation; *articles of* ~ aktieselskabsvedtægter; *memorandum of* ~ aktieselskabsanmeldelse.

association football fodbold (den i Danmark alm form).

assonance ['æsənəns] *sb* assonans, halvrim.

assort [ə'sɔ:t] *vb (glds)* ordne, sortere; *-ed* blandet *(fx -ed chocolates);* af forskellig slags; ~ *with* passe sammen med.

assortment [ə'sɔ:tmənt] *sb* sortering; assortiment, udvalg.

assuage [ə'sweidʒ] *vb* lindre, berolige.

assume [ə'sju:m] *vb* tage, overtage *(fx power);* påtage sig

(fx an obligation); tilrive sig; antage, formode *(fx he is -d to be rich),* (ved logisk slutning) forudsætte *(fx if we* ~ *the truth of his statement);* tage på, anlægge *(fx a disguise),* antage; give sig skin af *(fx* ~ *piety).*

assumed [ə'sju:md] *adj* formodet; påtaget, foregivet, simuleret *(fx with* ~ *indifference).*

assumption [ə'sʌmpʃən] *sb* overtagelse *(fx of power);* formodning *(fx this is a mere* ~*),* antagelse, forudsætning; foregiven, skin; *the Assumption (rel)* Marias optagelse i himlen; *on the* ~ *that* ud fra den forudsætning at; *with an* ~ *of indifference* med påtaget ligegyldighed.

assurance [ə'ʃuərəns] *sb* forsikring, tilsagn; forvisning; sikkerhed, vished; (hos person) selvtillid, *(neds)* selvsikkerhed, suffisance; *(assur)* forsikring, assurance.

assure [ə'ʃuə] *vb* forsikre; forvisse *(fx* ~ *oneself that it is so);* sikre, garantere *(fx does hard work usually* ~ *success? an -d income);* tilsikre; overbevise; *(assur)* forsikre, assurere.

assuredly [ə'ʃuəridli] *adv.* (helt) bestemt, helt sikker.

assuredness [ə'ʃuədnis] *sb* (selv)sikkerhed.

Assyria [ə'siriə] Assyrien.

aster ['æstə] *sb (bot)* asters.

asterisk ['æstərisk] *sb (typ)* stjerne.

astern [ə'stə:n] *adv* agter(ud); bak; *go* ~ bakke.

asthenic [æs'θenik] *adj (med.)* astenisk.

asthma ['æsmə] *sb* astma. **asthmatic** [æs'mætik] *adj* astmatisk; *sb* astmatiker.

astigmatic [æstig'mætik] *adj* (om linse) astigmatisk; (om øje) med bygningsfejl. **astigmatism** [æ'stigmətizm] *sb* bygningsfejl (i øjet).

astir [ə'stə:] *adv, adj* i bevægelse, på benene.

astonish [ə'stɔniʃ] *vb* forbavse, overraske.

astonishment [ə'stɔniʃmənt] *sb* forbavselse, overraskelse.

astound [ə'staund] *vb* forbløffe; lamslå.

astrachan = *astrakhan.*

astraddle [ə'strædl] *adv* overskrævs *(of* på).

astrakhan [æstrə'kæn] *sb* astrakan(skind).

astral ['æstrəl] *adj* stjerneformig; stjerne-; astral-.

astray [ə'strei] *adv* på vildspor; *go* ~ fare vild, komme på afveje; *lead* ~ føre på vildspor; forlede.

astride [ə'straid] *adv, adj, præp* overskrævs (på); skrævende (over).

astringent [əs'trindʒənt] *adj* sammensnerpende; astringerende; *(fig)* streng, skarp; *sb* astringerende middel.

astrodome ['æstrədoum] *sb* observationskuppel.

astrologer [ə'strɔlədʒə] *sb* stjernetyder, astrolog.

astrological [æstrə'lɔdʒikl] *adj* astrologisk.

astrology [ə'strɔlədʒi] *sb* astrologi.

astronaut ['æstrənɔ:t] *sb* astronaut, rumpilot.

astronautics [æstrə'nɔ:tiks] *sb* astronautik, rumfartsvidenskab.

astronomer [ə'strɔnəmə] *sb* astronom.

astronomical [æstrə'nɔmikl] *adj* astronomisk.

astronomy [ə'strɔnəmi] *sb* astronomi.

astrophysics ['æstrə'fiziks] *sb* astrofysik.

astute [ə'stju:t] *adj* dreven, snu, snedig.

asunder [ə'sʌndə] *adv* i stykker; adskilt, fra hinanden.

asylum [ə'sailəm] *sb* asyl *(fx ask for political* ~*);* fristed, tilflugtssted; *(glds)* sindssygeanstalt; ~ *for the deaf and dumb* døvstummeinstitut.

asymmetrical [æsi'metrikl] *adj* asymmetrisk.

at [æt, ət] i *(fx at Brighton, at war, at that moment, at a gallop);* på *(fx look at, at the hotel, at that time),* ved *(fx at breakfast, at table);* til *(fx arrive at, at a low price);* for *(fx buy at £1 and sell at £3);* ad *(fx laugh at);* over *(fx angry at, astonished at);* med *(fx at intervals);* løs på, hen imod *(fx run at);*

at four *(o'clock)* kl. 4; *at my uncle's* hos min onkel; *what are you at now?* hvad har I nu for? *at it again* tag fat igen; på'en igen; *he is at it again* nu er han minsandten i gang igen; *at best* i bedste tilfælde (el. fald); *at that* ved det, derved *(fx let us leave it at that);* oven i købet; *two at a time* to ad gangen; *at worst* i værste tilfælde (el. fald).

atavism ['ætəvizm] *sb* atavisme.

atavistic [ætə'vistik] *adj* atavistisk.

ate [et, eit] *præt* af *eat.*

atheism ['eiθiizm] *sb* ateisme. **atheist** ['eiθiist] *sb* ateist.

atheistic [eiθi'istik] *adj* ateistisk.
Athena [ə'θi:nə], **Athene** [ə'θi:ni] Athene.
athenaeum [æθi'ni:əm] *sb* litterær *(el.* videnskabelig) klub; læsesal.
Athenian [ə'θi:njən] *adj* atheniensisk; *sb* athenienser.
Athens ['æθinz] Athen.
athirst [ə'θə:st] *adj* tørstig, tørstende *(for* efter).
athlete ['æθli:t] *sb* atlet, gymnast; - *'s foot* fodsvamp.
athletic [æθ'letik] *adj* atletisk.
athletics [æθ'letiks] *sb* atletik, idræt.
at-home [ət'houm] *sb* åbent hus, modtagelsesdag.
athwart [ə'θwɔ:t] *præp, adv* tværs over; tværs for (, af, på); tværskibs.
Atkins ['ætkinz]: *Tommy ~* (navn for den britiske soldat).
Atlantic [ət'læntik] *adj* atlantisk; *the Battle of the ~* Atlanterhavsslaget, slaget om Atlanten; *the ~ Charter* Atlanterhavsdeklarationen; *the ~* Atlanterhavet, Atlanten; *the ~ Pact* Atlantpagten.
atlas ['ætləs] *sb* atlas.
atmosphere ['ætməsfiə] *sb* atmosfære; *(fig)* stemning.
atmospheric(al) [ætməs'ferik(l)] *adj* atmosfærisk; *~ pressure* lufttryk. **atmospherics** [ætməs'feriks] *sb pl* atmosfæriske forstyrrelser (i radio).
atoll ['ætɔl] *sb* atol, ringformet koraløy.
atom ['ætəm] *sb* atom; *not an ~ of sense* ikke for to øre fornuft; *not an ~ of truth* ikke skygge af sandhed; *blow to -s* sp.ænge i stumper og stykker.
atom bomb atombombe.
atomic [ə'tɔmik] *adj* atomar; atom- *(fx bomb, clock, energy, theory, war, weapon, weight); the Atomic Age* atomalderen; *~ nucleus* atomkerne; *~ number* atomnummer; atomtal; *~ pile* atommile; *~ power plant* atomkraftværk; *~ research* atomforskning; *~ research plant* atomforsøgsstation; *~ submarine* atomdreven undervandsbåd.
atomism ['ætəmizm] *sb* atomisme.
atomization [ætəmai'zeiʃən] *sb* forstøvning.
atomize ['ætəmaiz] *vb* forstøve.
atomizer ['ætəmaizə] *sb* forstøver.
atom-powered ['ætəmpauəd] *adj* atomdreven.
atomy ['ætəmi] *sb (glds)* fnug; atom; dværg; skelet.
atonal [ə'tounl] *adj* atonal.
atone [ə'toun] *vb: ~ for* bøde for, udsone. **atonement** [ə'tounmənt] *sb* soning, udsoning.
atonic [æ'tɔnik] *adj (gram)* ubetonet; *(med.)* slap, atonisk.
atrabilious [ætrə'biljəs] *adj* melankolsk; hypokonder.
atrium ['a:triəm, 'ei-] *sb* atrium.
atrocious [ə'trouʃəs] *adj* oprørende, skændig, grusom; **T** gyselig, rædselsfuld.
atrocity [ə'trɔsiti] *sb* oprørende grusomhed; *~ propaganda* rædselspropaganda.
atrophy ['ætrəfi] *sb* atrofi, hentæring, svind.
atropine ['ætrəpin] *sb (kem)* atropin.
A.T.S. *fk Auxiliary Territorial Service.*
attaboy ['ætəbɔi] *interj (am)* bravo! sådan skal det være!
attach [ə'tætʃ] *vb* fastgøre, sætte på, fæste; *(fig)* knytte *(to* til), (om person også) attachere; fængsle, tiltrække, vinde; *(jur)* anholde; beslaglægge; gøre udlæg i *(fx wages);* (uden objekt) knytte (, slutte) sig *(to* til), følge *(to* med); *~ importance to it* tillægge det betydning; *no blame -s to him* der kan ikke rettes bebrejdelser mod ham; *-ed to* tilknyttet *(fx a firm),* attacheret; *be -ed to sby* være knyttet til en, være en hengiven.
attaché [ə'tæʃei] *sb* attaché; *~ case* attachétaske.
attachment [ə'tætʃmənt] *sb* hengivenhed, sympati; forbindelse, bånd; *(jur)* anholdelse; beslaglæggelse; arrest (i fordringer), eksekution.
attack [ə'tæk] *vb* angribe; anfalde, overfalde; *(fig)* gå i gang med, tage fat på; *sb* angreb; anfald *(fx a heart ~),* tilfælde.
attain [ə'tein] *vb: ~ (to)* nå, opnå.
attainable [ə'teinəbl] *adj* opnåelig.
attainder [ə'teində] *sb (glds jur)* tab af ære, liv og gods.
attainment [ə'teinmənt] *sb* evne, talent, færdighed *(fx a man of many -s);* opnåelse; resultat *(fx his scientific -s).*
attaint [ə'teint] *vb: ~ sby (glds jur)* fradømme en ære, liv og gods.

attar ['ætə] *sb: ~ of roses* rosenolie.
attempt [ə'tem(p)t] *vb* prøve, forsøge; *sb* forsøg; (ved eksamen) besvarelse (af eksamensopgave); (forsøg på mord:) attentat; *~ his life* stræbe ham efter livet; *-ed murder* mordforsøg; *~ on his life* attentat på ham.
attend [ə'tend] *vb* ledsage, følge (med), være med, betjene; (patient *etc)* pleje, passe, tilse; (institution) besøge, gå i *(fx school, church);* (begivenhed *etc)* overvære, følge; deltage i; (uden objekt) være til stede *(at* ved; *fx ~ at a meeting);* høre efter, være opmærksom; *~ to* lægge mærke til, passe, tage sig af; ekspedere; *are you being -ed to?* bliver De ekspederet? *~ upon* opvarte *(fx the king); -ed with* ledsaget af, forbundet med.
attendance [ə'tendəns] *sb* nærværelse, tilstedeværelse; besøg, tilhørerforsamling; betjening; *be in ~ on* være tjenstgørende hos; *dance ~ on* stå på pinde for; *medical ~* lægehjælp; *there was a good ~ at the meeting* mødet var godt besøgt.
attendant [ə'tendənt] *sb* tjener; opsynsmand; billetkontrollør; betjent; *adj* tilstedeværende, tjenstgørende; ledsagende, medfølgende; *the disadvantages ~ on it* de ulemper der er forbundet med det; *lift ~* elevatorfører; *the -s* (også) betjeningen.
attention [ə'tenʃən] *sb* opmærksomhed; omsorg; betjening, pasning; (om patient) behandling; pleje; *-s* opmærksomheder, *(neds)* efterstræbelser; *call ~ to* henlede opmærksomheden på; *pay ~ to* lægge mærke til; hæfte sig ved; lytte til *(fx his advice);* (om person) vise opmærksomhed; *you should pay more ~ to your work* du må koncentrere dig mere om dit arbejde; *pay no ~ to* ikke tage notits af; *pay one's -s to* gøre kur til; *stand at ~ (mil.)* stå ret; *attention!* (kommandoråb) (alle) ret! (i klasse *etc)* hør efter; *please!* må jeg bede om et øjebliks opmærksomhed! (i højttaler) hallo hallo!
attentive [ə'tentiv] *adj* opmærksom, agtpågivende; påpasselig, omhyggelig.
attenuate [ə'tenjueit] *vb* fortynde; svække.
attenuation [ətenju'eiʃən] *sb* fortynding, svækkelse; *(elekt)* dæmpning.
attenuator [ə'tenjueitə] *sb (elekt)* dæmpningsled.
attest [ə'test] *vb* bevidne; bekræfte; tage i ed; *~ to* attestere; bære vidnesbyrd om. **attestation** [æte'steiʃən] *sb* vidnesbyrd; attestering, bekræftelse.
I. Attic ['ætik] *adj* attisk; *~ salt* attisk salt, vid.
II. attic ['ætik] *sb* loftskammer; kvistværelse; pulterkammer; *in the ~* på kvisten.
attire [ə'taiə] *vb* klæde; smykke; *sb* klæder, dragt; (i heraldik) hjortevi (*jo*: gevir).
attitude ['ætitju:d] *sb* stilling, indstilling, standpunkt, holdning; *strike an ~* stille sig i positur.
attitudinize [æti'tju:dinaiz] *vb* stille sig an, opføre sig affektert.
attorney [ə'tə:ni] *sb* fuldmægtig; *(glds og am)* advokat; *power of ~,* letter of ~ skriftlig fuldmagt; prokura. **Attorney General** *(am, omtr)* rigsadvokat, justitsminister.
attract [ə'trækt] *vb* tiltrække til, tiltrække sig.
attraction [ə'trækʃən] *sb* tiltrækning(skraft); tillokkelse, tiltrækkende egenskab; forlystelse; *the chief ~ of the day* dagens clou.
attractive [ə'træktiv] *adj* tiltalende, tiltrækkende, tillokkende.
I. attribute [ə'tribjut] *vb: ~ to* tilskrive, tillægge.
II. attribute ['ætribju:t] *sb* egenskab; attribut; kendetegn.
attribution [ætri'bju:ʃən] *sb* tillæggelse; tillagt egenskab.
attributive [ə'tribjutiv] *adj* attributiv.
attrition [ə'triʃən] *sb* slid, opslidning; sønderknuselse; *war of ~* opslidningskrig, udmattelseskrig.
attune [ə'tju:n] *vb* stemme, bringe i harmoni; *~ to* afstemme efter.
atypical [ei'tipikl] *adj* atypisk.
aubergine ['oubəʒi:n] *sb (bot)* aubergine.
aubretia [ɔ:'bri:ʃjə] *sb (bot)* aubretia, blåpude.
auburn ['ɔ:bən] *adj* rødbrun, kastaniebrun.
auction [ɔ:kʃən] *sb* auktion; *vb* sælge ved auktion, bortauktionere; *~ bridge* auktionsbridge.
auctioneer [ɔ:kʃə'niə] *sb* auktionarius, auktionsholder. **auctioneering** *sb* auktionsholders virksomhed.
audacious [ɔ:'deiʃəs] *adj* dristig, forvoven; fræk.

audacity [ɔː'dæsiti] *sb* dristighed; frækhed.
audible ['ɔːdibl] *adj* hørlig, tydelig.
audience ['ɔːdjəns] *sb* audiens; tilhørere, tilskuere, publikum.
audile ['ɔːdil] *adj (psyk)* auditiv.
audio frequency ['ɔːdiou 'friːkwənsi] audiofrekvens.
audio | **secretary,** ~ **typist** maskinskriver(ske) der skriver efter båndoptager el. diktermaskine.
audio-visual ['ɔːdiou'viʒuəl] *adj:* ~ *aids* audio-visuelle hjælpemidler (i undervisning).
audit ['ɔːdit] *sb* revision (af regnskab); *vb* revidere.
audition [ɔː'diʃən] *sb* hørelse; prøve (før engagement), (i radio) mikrofonprøve.
auditor ['ɔːditə] *sb* revisor; *(am)* lytter.
auditorium [ɔːdi'tɔːriəm] *sb* auditorium, tilhørerplads, tilskuerplads, tilskuerrum.
auditory ['ɔːditəri] *adj* høre- *(fx nerve);* ~ *meatus* øregang.
Audrey ['ɔːdri].
Augean [ɔː'dʒiːən] *adj: cleanse the* ~ *stables* rense augiasstalden.
auger ['ɔːgə] *sb* (snegle)bor; jordbor.
aught [ɔːt] *pron (glds)* noget; *for* ~ *I know* så vidt jeg ved.
augment [ɔːg'ment] *vb* forøge; forøges; *(mus.)* -*ed* forstørret *(fx interval; fourth)*. **augmentation** [ɔːgmen'teiʃən] *sb* forøgelse.
augur ['ɔːgə] *sb (hist.)* augur; *vb* spå, varsle; *it* -*s well for us* det varsler godt for os.
augury ['ɔːgjuri] *sb* spådom; varsel; spådomskunst.
I. August ['ɔːgəst] *sb* august (måned).
II. august [ɔː'gʌst] *adj* ophøjet, ærefrygtindgydende.
Augustan [ɔː'gʌstən] *adj* augustæisk (som angår kejser Augustus); klassisk; ~ *age* litterær guldalder (i England: det 18. årh.); *the* ~ *Confession* den augsburgske bekendelse.
Augustin(e) [ɔː'gʌstin] Augustin(us).
Augustinian [ɔːgə'stinjən] *sb* augustinermunk.
Augustus [ɔː'gʌstəs] August (navn).
auk [ɔːk] *sb zo: great* ~ gejrfugl; *little* ~ søkonge.
auld [ɔːld] *adj* (på skotsk) gammel; ~ *lang syne* ['ɔːldlæn-'sain] de gode gamle tider, de skønne svundne dage.
aunt [aːnt] *sb* tante, faster, moster; *Aunt Sally* (et spil hvor man kaster til måls efter et træhoved); *(fig)* skydeskive.
auntie, aunty ['aːnti] *sb* lille tante.
au pair [ou'pɛə] *adj* som gør husligt arbejde uden andet vederlag end kost og logi og lommepenge; *sb* au pair-pige.
aura ['ɔːrə] *sb* aura, udstråling, duft.
aural ['ɔːrəl] *adj* øre-; ~ *surgeon* ørelæge.
aureola [ɔː'riələ], **aureole** ['ɔːrioul] *sb* glorie.
auricle ['ɔːrikl] *sb (anat)* ydre øre; (hjerte)forkammer, atrium.
auricula [ə'rikjulə] *sb (bot)* aurikel.
auricular [ɔː'rikjulə] *adj* øre-, høre-; mundtlig; ~ *confession (rel.)* privatskriftemål; ~ *flutter (med)* atrieflagren.
Aurora [ɔː'rɔːrə] Aurora; morgenrøde; *aurora australis* sydpolarlys; *aurora borealis* nordpolarlys.
auscultate ['ɔːskəlteit] *vb (med.)* lytte, auskultere.
auscultation [ɔːskəl'teiʃən] *sb (med)* auskultation, lytning.
auspice ['ɔːspis] *sb* varsel; auspicium; *under his* -*s* under hans auspicier. **auspicious** [ɔː'spiʃəs] *adj* lykkevarslende.
Aussie ['ɔzi] *sb* **S** australier, australsk soldat.
austere [ɔ'stiə] *adj* streng, barsk, strengt nøjsom, asketisk, spartansk.
austerity [ɔ'steriti] *sb* strenghed, barskhed, spartanskhed, streng enkelhed; askese; ~ *budget* skrabet budget; ~ *programme* spareprogram.
Austin ['ɔstin].
Australasia [ɔstrəl'eiʒiə] Australasien.
Australia [ɔ'streiljə] Australien.
Austria ['ɔstriə] Østrig.
Austria-Hungary *(hist.)* Østrig-Ungarn.
Austrian ['ɔstriən] *adj* østrigsk; *sb* østriger.
autarchy ['ɔːtaːki] *sb* selvstyre; despoti; se også *autarky*.
autarky ['ɔːtaːki] *sb* (evne til) selvforsyning.
authentic [ɔː'θentik] *adj* autentisk, ægte *(fx signature);* pålidelig *(fx news);* egen; *the* ~ *words of the prophet* profetens egne ord. **authenticate** [ɔː'θentikeit] *vb* godtgøre ægtheden af, stadfæste; legalisere. **authenticity** [ɔːθen'tisiti] *sb*

ægthed; pålidelighed.
author ['ɔːθə] *sb* forfatter; ophav, ophavsmand, skaber.
authoress ['ɔːθəris] *sb* forfatterinde.
authoritarian [ɔːθɔri'tɛəriən] *adj* autoritær.
authoritative [ɔː'θɔritətiv] *adj* autoritativ, som har autoritet, officiel; myndig, bydende.
authority [ɔː'θɔriti] *sb* autoritet, myndighed; anseelse, indflydelse; vidnesbyrd; kilde; hjemmel; fuldmagt, bemyndigelse; *on good* ~ fra pålidelig kilde; *exceed one's* ~ overskride sin kompetence; *those in* ~ myndighederne.
authorize ['ɔːθəraiz] *vb* bemyndige, give fuldmagt; gøre retsgyldig, autorisere; legalisere; berettige; *the Authorized Version* den engelske bibeloversættelse af 1611.
authorship ['ɔːθəʃip] *sb* forfatterskab; *of unknown* ~ hvis forfatter er ukendt.
auto ['ɔːtou] *sb (am)* bil. **auto-** selv-, auto-.
autobiography [ɔːtəbai'ɔgrəfi] *sb* selvbiografi.
autocade ['ɔːtəkeid] *sb* kortege.
autochthonous [ɔː'tɔkθənəs] *adj:* ~ *population* urbefolkning; urindbyggere.
autoclave ['ɔːtəkleiv] *sb* autoklav.
autocracy [ɔː'tɔkrəsi] *sb* enevælde.
autocrat [ɔː'tɔkræt] *sb* selvhersker, enevoldsherre.
autocratic [ɔːtə'krætik] *adj* uindskrænket, autokratisk, enevældig.
auto-da-fé ['ɔːtəda:'fei] *sb* autodafé.
autogamous [ɔː'tɔgəməs] *adj (bot)* selvbestøvende.
autogamy [ɔː'tɔgəmi] *sb (bot)* selvbestøvning.
autogenous [ɔː'tɔdʒənəs] *adj:* ~ *welding* autogensvejsning.
autograph ['ɔːtəgræf] *sb* autograf; egen håndskrift; egenhændig manuskript; *(typ)* autografisk aftryk; *adj* egenhændig, egenhændigt skrevet *(fx document, letter); vb* skrive egenhændigt; -*ed by the author* med forfatterens egenhændige underskrift; -*ed copy* dediceret eksemplar.
autographic [ɔːtə'græfik] *adj* egenhændig.
autography [ɔː'tɔgrəfi] *sb (typ)* autografi.
autogyro ['ɔːtə'dʒaiərou] *sb* autogyro, mølleplan.
autoist ['ɔːtouist] *sb (am)* bilist.
automat ['ɔːtəmæt] *sb* automat; *(am)* automatcafé.
automated ['ɔːtəmeitid] *adj* automatiseret.
automatic [ɔːtə'mætik] *adj* automatisk (fx *pistol, pilot);* ~ *pistol* automatisk pistol (, riffel); ~ *drive* automatisk gear; ~ *(delivery) machine* automat; ~ *rifle (am)* automatisk riffel, let maskingevær; ~ *ticket machine* billetautomat; ~ *transmission* automatisk gear.
automation [ɔːtə'meiʃən] *sb* automatisering.
automatism [ɔː'tɔmətizm] *sb* automatisme.
automaton [ɔː'tɔmətən] *sb (pl -s, automata)* automat, robot.
automobile ['ɔːtəməbiːl] *sb* (især *am*) automobil, bil.
autonomous [ɔː'tɔnəməs] *adj* autonom, selvstyrende. **autonomy** [ɔː'tɔnəmi] *sb* autonomi, selvstyre.
autopsy [ɔː'tɔpsi] *sb* obduktion.
autosuggestion ['ɔːtousə'dʒestʃn] *sb* selvsuggestion.
autumn ['ɔːtəm] *sb* efterår.
autumnal [ɔː'tʌmnl] *adj* efterårs-; efterårsagtig.
auxiliary [ɔːg'ziljəri] *adj* hjælpe-; *sb* hjælper; *(gram)* hjælpeverbum; *auxiliaries* hjælpetropper.
A. V. *fk. Authorized Version.*
avail [ə'veil] *vb* nytte, være til nytte, gavne, hjælpe; *sb* nytte, fordel; ~ *oneself of* benytte sig af; *of (el. to) no* ~ til ingen nytte; *without* ~ forgæves.
availability [əveilə'biliti] *sb* tilgængelighed; gyldighed; anvendelighed.
available [ə'veiləbl] *adj* disponibel, til rådighed, tilgængelig; anvendelig, gyldig; *be* ~ (også) gælde *(fx the ticket is* ~ *for a month).*
avalanche ['ævəlɑːnʃ] *sb* lavine, sneskred; *(fig)* lavine, (pludselig) strøm *(fx of reproaches),* syndflod.
avarice ['ævəris] *sb* griskhed; gerrighed; havesyge; *rich beyond the dreams of* ~ ufattelig rig.
avaricious [ævə'riʃəs] *adj* grisk, gerrig; havesyg.
avast [ə'vɑːst] *interj (mar)* stop! ~ *heaving!* vel hevet! stå hive!
avatar [ævə'tɑː] *sb* en guddoms inkarnation.
avaunt [ə'vɔːnt] *interj* bort!
Ave Maria ['aː'viːmə'riə] Ave Maria.
avenge [ə'vendʒ] *vb* hævne.

avens ['ævənz] *sb (bot)* nellikerod.

avenue ['ævinju:] *sb* vej; allé; (især *am)* boulevard, (bred) gade; *(fig)* vej *(fx new -s for industry); explore every ~* ikke lade noget middel uforsøgt; *~ to prosperity* vej til velstand.

aver [ə'və:] *vb* erklære, forsikre, påstå.

average ['ævərid3] *sb* middeltal, gennemsnit; *(mar)* havari; *adj* gennemsnitlig, gennemsnits-; *vb* finde gennemsnittet af; gennemsnitlig udgøre; *on an (el. on the)~* i gennemsnit; *strike an ~* tage middeltallet; *~ adjuster* dispachør; *~ statement, statement of ~, ~ adjustment, adjustment of ~* dispache, havariopgørelse; *state -s* dispachere; *~ stater* dispachør.

averment [ə'və:mənt] *sb* erklæring, påstand.

averse [ə'və:s] *adj* utilbøjelig, uvillig; *he ~ to (el. from)* ikke bryde sig om; *he is not ~ to* han går ikke af vejen for, han har ikke noget imod. **aversion** [ə'və:ʃən] *sb* uvilje, afsky; genstand for afsky.

avert [ə'və:t] *vb* bortvende; bortlede *(fx shy's suspicion); afvende; afværge, afbøde *(fx a blow).*

aviary ['eivjəri] *sb* voliere, flyvebur.

aviation [eivi'eiʃən] *sb* flyvning; *civil ~* trafikflyvning; *~ petrol (, am: gasolene)* flyvebenzin.

aviator ['eivieitə] *sb* flyver, aviatiker.

avid ['ævid] *adj* grisk, begærlig *(of, for* efter); ivrig.

avidity [ə'viditi] *sb* griskhed, begærlighed; iver.

avitaminosis ['eivaitəmin'ousis] *sb (med.)* avitaminose; vitaminmangelsygdom.

avocado [ævə'ka:dou] *sb (bot)* advokatpære.

avocation [ævə'keiʃən] *sb* beskæftigelse, dont; bibeskæftigelse.

avocet ['ævəset] *sb zo* klyde.

avoid [ə'vɔid] *vb* sky, undgå, undvige; *(jur)* gøre ugyldig; *-ing reaction (fysiol)* afværgereaktion.

avoidance [ə'vɔidəns] *sb* undgåelse.

avoirdupois [ævədə'pɔiz] *sb* handelsvægt; T korpulence, fedme.

Avon ['eivən]: *the Swan of ~* (Shakespeare).

avouch [ə'vautʃ] *vb* erklære; bekræfte; indrømme; garantere, indestå for.

avow [ə'vau] *vb* erklære åbent, tilstå, vedkende sig. **avowal** [ə'vauəl] *sb* åben erklæring, tilståelse.

avowed [ə'vaud] *adj* erklæret *(fx their ~ aim); the ~ author* den som har vedkendt sig forfatterskabet *(of* til).

avowedly [ə'vauidli] *adv* åbent, uforbeholdent.

avuncular [ə'vʌŋkjulə] *adj* onkel-, som onkel *(fx his ~ privilege);* venlig, elskelig, alfaderlig.

await [ə'weit] *vb* afvente *(fx let us ~ his arrival; -ing your orders);* forestå, vente *(fx the fate that -s him).*

I. awake [ə'weik] *vb (awoke, awaked)* vække; vågne; *(fig* også) få øjnene op *(to* for, *fx I awoke to my responsibilities).*

II. awake [ə'weik] *adj* vågen; *be ~ to* have blik *(el.* vågen sans) for, være klar over *(fx he is ~ to his own interest); wide ~* lysvågen, T vaks.

awaken [ə'weikn] *vb* vække; vågne.

award [ə'wɔ:d] *vb* tilkende, tildele; tilstå; *sb* kendelse; no-

get som tilkendes en, pris, præmie, tildeling.

aware [ə'wɛə] *adj* vidende *(of* om); *be ~ of* (også) vide; være klar over; være på det rene med; *become ~ of* blive opmærksom på; *I am ~ that* jeg ved (godt) at.

awash [ə'wɔʃ] *adj* overskyllet af vand; i vandskorpen.

away [ə'wei] *adv* bort; borte; af sted; væk, løs *(fx fire ~);* (i sport) på udebane *(fx they won 2-0 ~); sb* kamp på udebane; *far and ~ the best* langt det (, den) bedste; *right (el. straight) ~* straks; se også *I. do, I. fall, get, I. make, I. take.*

away match kamp på udebane.

awe [ɔ:] *sb* ærefrygt, hellig rædsel; *vb* indgyde ærefrygt; imponere; skræmme *(fx they were -d into submission); stand in ~ of shy* have dyb respekt for en; frygte en.

aweigh [ə'wei] *adv (mar)* let (om anker).

awe-inspiring ærefrygtindgydende, respektindgydende, overvældende. **-some** *adj = ~ -inspiring;* (også) ærbødig. **~ -stricken, ~ struck** rædselsslagen, fyldt af ærefrygt.

awful ['ɔ:f(u)l] *adj (glds)* (ære)frygtindgydende, imponerende; frygtelig; T stor, vældig, frygtelig, forfærdelig.

awfully ['ɔ:fuli] *adv* frygteligt; T ['ɔ:fli] meget; *~ nice* forfærdelig rar; *thanks ~* tusind tak.

awhile [ə'wail] *adv* en stund, lidt.

awkward ['ɔ:kwəd] *adj* kejtet, ubehændig, akavet, klodset; kedelig, slem, ubehagelig, vanskelig; ubelejlig; pinlig *(fx silence, situation); ~ age* lømmelalder, tøsealder; *~ customer* brutal fyr, farlig modstander.

awl [ɔ:l] *sb* syl. **awlwort** *sb (bot)* sylblad.

awn [ɔ:n] *sb* stak (som på byg).

awning ['ɔ:niŋ] *sb* solsejl; markise.

awoke [ə'wouk] *præt* af *awake.*

A.W.O.L. *fk absent without leave* rømmet.

awry [ə'rai] *adv, adj* skævt.

I. axe [æks] *sb* økse; *apply the ~* bruge sparekniven (i budget); *get the ~* blive fyret; blive smidt ud (af skole); *he has an ~ to grind* han vil mele sin egen kage; han vil hyppe sine egne kartofler.

II. axe [æks] *vb* tilhugge med økse; nedskære drastisk.

axial ['æksiəl] *adj* aksial, akse-.

axil ['æksil] *sb (bot)* bladhjørne.

axillary [æk'siləri] *adj (bot)* akselstillet; *~ bud* akselknop.

axiom ['æksiəm] *sb* aksiom, grundsætning; selvindlysende sandhed.

axiomatic [æksiə'mætik] *adj* aksiomatisk, umiddelbart indlysende.

axis ['æksis] *sb (pl axes* ['æksi:z]) akse.

axle ['æksl] *sb* aksel, hjulaksel.

ay [ai] *sb (pl ayes)* ja; jastemme; *ay ay, sir!* javel! *the ayes have it* forslaget er vedtaget.

ayah ['aiə] *sb* indisk barnepige.

aye [ei] *adv* stedse, bestandig; *sb = ay.*

aye-aye ['aiai] *sb zo* fingerdyr.

azalea [ə'zeiljə] *sb (bot)* azalea.

azimuth ['æziməθ] *sb (astr)* azimut.

Azores [ə'zɔ:z] *sb pl: the ~* Azorerne.

Aztec ['æztek] *sb* aztek; *adj* aztekisk.

azure ['æʒə] *adj* himmelblå; *sb* himmelblåt.

B

B [bi:].

b. *fk born* født.

B tonen H; *B flat* b; *B flat major* B-dur; *B flat minor* B-mol.

B.A. *fk Bachelor of Arts; British Academy; British Association.*

baa [ba:] *vb* bræge; *sb* brægen; *interj* mæ(h).

Baal ['beiəl] Baal (fønikisk gud).

baa-lamb ['ba:læm] *sb* mælam.

babble ['bæbl] *vb* -pludre; pjatte; plapre ud med *(fx secrets); sb* pludren, pjat.

babe [beib] *sb* pattebarn, spædt barn; *(am)* S pige.

babel ['beibl] babylonisk forvirring, Babel.

babiroussa [bæbi'ru:sə] *sb* zo hjortesvin.

baboo ['ba:bu:] *sb* (indisk:) hr. *(neds* om europæiseret inder).

baboon [bə'bu:n] *sb* zo bavian.

baby ['beibi] *sb* spædbarn, baby; *(fig)* pattebarn; *(am* S) pige, skat; kælebarn; fyr; *the* ~ of the family familiens Benjamin *(el.* yngste); *I was left holding the* ~ det var mig der kom til at hænge på den; jeg stod med håret ned ad nakken; jeg sad tilbage med smerten.

baby| buggy *(am* T) barnevogn. ~ **car** mindste type bil. ~ **carriage** *(am)* barnevogn. ~ **doll** S pigebarn. ~ **farmer** person der tager børn i pleje; englemager. ~ **grand** kabinetflygel. **-hood** *sb* tidligste barndom. **-ish** *adj* barnagtig.

Babylonian [bæbi'lounjən] *adj* babylonisk; *sb* babylonier.

babysit *vb* være baby-sitter.

babysitter *sb* baby-sitter, aftenvagt (hos børn).

baccalaureate [bækə'lɔ:riit] *sb* (universitetsgrad, graden som *bachelor).*

baccarat ['bækəra:] *sb* baccarat (et hasardspil).

bacchanal ['bækənl] *sb* bakkant; drikkelag, bakkanal; *adj* bakkantisk. **bacchanalia** [bækə'neiljə] *sb pl* bakkanaler, svirelag. **bacchant** ['bækənt] *sb* bakkant. **bacchante** [bə'kænti] *sb* bakkantinde.

baccy ['bæki] *sb* T tobak.

bach [bætʃ] *(am* T) *sb* ungkarl, ugift; *vb* leve ugift.

bachelor ['bætʃələ] *sb* ~ of arts, ~ of science (betegnelse for den der har bestået en universitetseksamen som tages efter tre års studium).

bachelor girl ugift, selverhvervende kvinde.

bacillary [bə'siləri] *adj* bacille-, bacillær.

bacillus [bə'siləs] *sb (pl* bacilli [bə'silai]) bacille.

I. back [bæk] *sb* ryg; bagside *(fx of a house);* stoleryg, ryglæn; bagende, inderste del; (i fodbold *etc)* back; *at the* ~ bagest; *at the* ~ of my head ved bagbordet; **~ of beyond** langt ude på landet; *break the* ~ of a job få det værste (af arbejdet) overstået; *excuse my* ~ undskyld at jeg vender ryggen til Dem; *get (el.* put *el.* set) his ~ up få ham til at rejse børster, gøre ham vred; *the* ~ of the neck nakken; *he is talking through the* ~ of his neck S han vrøvler, han ved ikke hvad han taler om; *he puts his* ~ into it han lægger kræfterne i; *turn one's* ~ on sby vende en ryggen; *when his* ~ was turned når han vendte ryggen til; *sit with one's* ~ to sby vende ryggen til en; *sit with one's* ~ to the engine køre baglæns.

II. back [bæk] *vb* skubbe (, trække *etc)* tilbage, (med hest) rykke, (med bil) bakke *(fx* ~ into the garage), køre baglæns; (i båd) skodde (med årerne); støtte, hjælpe *(fx his friends* -ed *him);* (om væddemål) holde på *(fx a horse);* *(merk)* skrive bag på, endossere *(fx* ~ a bill); *(am)* ligge bag ved; (uden objekt) køre baglæns, (om vinden) dreje i modsat retning af solen; ~ **down** bakke ud; trække i land; opgive (et krav); ~ out vende bagsiden ud til; ~ **out** of trække sig ud af, bakke ud af *(fx an undertaking);* ~ **up** støtte, hjælpe *(fx he has no one to* ~ *him up);* bakke op; *(typ)* vidertrykke (trykke på bagsiden); ~ **water** skodde (ved ro:ning); ~ *the* **wrong horse** holde på den forkerte hest.

III. back [bæk] *adj* bag-; ubetalt, som man er i restance med *(fx* ~ taxes);* (om tidsskrift *etc)* gammel *(fx volume* årgang).

IV. back [bæk] *adv* tilbage *(fx come* ~; *call sby* ~; ~ and forth frem og tilbage); igen *(fx if anybody hits me, I hit* ~); for ... siden *(fx some years* ~); *third floor* ~ tredje sal til gården; *far* ~ in the Middle Ages langt tilbage i middelalderen; *he is just* ~ from London han er lige kommet hjem fra London; ~ of the house bag ved huset; (se også *answer, go, pay, take etc).*

backbencher *sb* menigt partimedlem i parlamentet.

back|bite ['bækbait] *vb* bagtale. **-board** bagsmække (på en vogn); bagklædning. **-bone** rygrad; *to the* -bone helt igennem. ~ **-breaking** *adj* meget anstrengende. **-chat** *sb* vittigt replikskifte, udveksling af vittigheder; svaren igen, næsvist svar. **-cloth,** ~ **curtain** bagtæppe. **-date** antedatere; give tilbagevirkende kraft; *-dated to* med tilbagevirkende kraft fra *(fx wage increase -dated to Jan. 1.).* ~ **door** bagdør, *(fig* også) bagvej. **-door** *adj* hemmelig, fordækt *(fx -door intrigues).* **-drop** *sb* bagtæppe.

backer ['bækə] *sb* hjælper, beskytter; person der (ved væddeløb) holder på en hest; bagmand; kapitalindskyder.

back|fire *sb* tilbageslag (i motor); *vb* (om motor) sætte ud; *(fig)* give bagslag; slå fejl. ~ **-formation** *(gram)* subtraktionsdannelse. **-gammon** [bæk'gæmən] triktrak.

background ['bækgraund] *sb* baggrund, miljø; uddannelse, forudsætninger *(fx he has the right -ground for the job);* (hørespileffekt:) contentum. **background count** (atomfysik) baggrundstælling.

backhand ['bækhænd] *sb* baghånd, baghåndsslag; stejlskrift. **backhanded** *adj* bagvendt, med bagen af hånden; indirekte, tvetydig, sarkastisk; ~ *stroke* baghåndsslag; ~ *writing* stejlskrift. **backhander** baghåndsslag; *(fig)* bagholdsangreb.

backhouse retirade, das.

backing ['bækiŋ] *sb* bagklædning; støtte.

back|lash *sb* dødgang, slør; *(fig)* tilbageslag, reaktion. **-log** stor brændeknude; *(fig)* reserve; arbejde som venter på at blive gjort; *a -log of orders* uudførte *(el.* resterende) ordrer. ~ **number** gammelt nummer (af avis *etc); (fig)* en (,noget) tiden er løbet fra; *he is a* ~ *number* (også) han følger ikke med tiden. **-pack** *(am)* rygsæk; *vb* tage på vandretur (med rygsæk). **-pay** *sb* forfalden løn; efterbetaling. **-pedal** *vb* træde baglæns, bremse; *(fig)* hale i land. ~ **premises** *pl* baglokale.

backroom ~ *boys* videnskabsmænd der udfører hemmeligt forskningsarbejde; politikere *(etc)* der arbejder 'bag kulisserne'.

back seat bagsæde; *take a* ~ *(fig)* træde i baggrunden.

back-seat driver passager i bil der giver føreren gode råd om hvordan han skal køre.

backshish ['bækʃi:ʃ], se *baksheesh.*

backside ['bæk'said] *sb* bagdel, rumpe, ende.

back|-slang form for slang hvor ordene udtales bagfra. **-slide** *vb* tå tilbagefald, svigte; komme ind på forbryderbanen igen. **-slider** *sb* renegat, frafalden. **-stage** *adv* bag scenen, bag kulisserne. **-stairs** *sb pl* bagtrappe, køkkentrappe; *adj* indirekte, hemmelig *(fx influence),* køkkentrappe- *(fx gossip).* **-stay** *(mar)* bardun, agterstag. **-stitch** stikkesting. **-stop** bagstopper; skydevold; *vb* være bagstopper for; *(fig)* støtte, hjælpe. **-stroke** rygsvømning. **-talk** *(am)* = *backchat.* **-track** *vb* gå samme vej tilbage; *(fig)* vende tilbage til en politik man havde forladt; trække i land; kapitulere, opgive.

back-up light (på bil) baklygte.

back vowel *(fon)* bagtungevokal.

backward ['bækwəd] *adj* langsom, sen, som står tilbage (i udvikling), tilbagestående, retarderet *(fx a* ~ *child);* undselig, genert, tilbageholdende; *adv* tilbage, baglæns, bagud.

backwardation [bækwə'deiʃn] *sb* (i terminsforretninger) deport.

backwards ['bækwədz] *adv* tilbage, baglæns; ~ *and forwards* frem og tilbage.

backwash ['bækwɔʃ] *sb* tilbageslag, tilbagestrømmende bølge; tilbagegående strøm; *(fig)* efterdønning.

backwater ['bækwɔːtə] *sb* (sø *el.* indskæring med) stillestående vand (som står i forbindelse med et vandløb); *(fig)* stagnation, dødvande.

backwoods ['bækwudz] *sb pl* urskove (i det vestl. Nordamerika); fjern provins, ravnekrog. **backwoodsman** *sb* nybygger i Vesten(s urskove); **T** landboer som sjældent kommer til byen; overhusmedlem som sjældent deltager i møderne.

backyard *sb* baggård; *(am* ofte) have.

bacon ['beikn] *sb* bacon; *bring home the* ~ klare den, klare ærterne; *save one's* ~ med nød og næppe redde sig, redde skindet. **bacon factory** svineslagteri.

bacteria [bæk'tiəriə] *pl* af: *bacterium*.

bacterial [bæk'tiəriəl] *adj* bakterie-.

bacteriological [bæktiəriə'lɔdʒikəl] *adj* bakteriologisk. **bacteriologist** [bæktiəri'ɔlədʒist] *sb* bakteriolog. **bacteriology** [bæktiəri'ɔlədʒi] *sb* bakteriologi.

bacterium [bæk'tiəriəm] *sb (pl bacteria)* bakterie.

bad [bæd] *adj (worse, worst)* ond, slet, slem; dårlig; grim, ubehagelig; fordærvet; falsk *(fx coin)*; skadelig; syg; ~ *form* se I. *form*; ~ *grace*, se I. *grace*; *go* ~ blive fordærvet; *go from* ~ *to worse* blive værre og værre; *go to the* ~ gå i hundene; *be £50 to the* ~ have tabt £50; ~ *language* skældsord; uartige ord, eder; ~ *luck* uheld; *that's too* ~ det er synd; det var da kedeligt; det er for galt.

baddie [bædi] *sb* **T** skurk; *goodies and* -s helte og skurke; gode og onde.

bade [bæd] *præt* af *bid*.

Baden ['baːdn].

Baden Powell ['beidn'pouel].

badge [bædʒ] *sb* kendetegn, mærke, ordenstegn, emblem; gradstegn, distinktion; skilt *(fx a policeman's* ~).

badger ['bædʒə] *sb* grævling; grævlingehårspensel; *vb* tirre, plage.

bad hat S skidt knægt, slubbert.

badinage ['bædinaːʒ] *sb* godmodigt drilleri; spøg.

badlands ['bædlændz] *sb pl (geogr)* ørkenområder fremkaldt af regnerosion.

badly ['bædli] *adv* slet; slemt; dårligt; ~ *wounded* hårdt såret; *I want it* ~ jeg trænger hårdt til det; *he is* ~ *off* det går skidt med ham; han sidder dårligt i det.

badminton ['bædmintən] *sb* (spillet) badminton; (en sommerdrik af rødvin og sodavand).

badness ['bædnis] *sb* slethed, ondskab.

bad-tempered ['bædtempəd] *adj* opfarende.

Baedeker ['beidikə].

I. baffle [bæfl] *sb* skærm, afbøjningsplade; (i højttaler) lydskærm.

II. baffle [bæfl] *vb* narre; forbløffe; (virke) desorientere(nde på); forpurre; gøre frugtesløs; hæmme, bremse, dæmme op for; ~ *description* trodse enhver beskrivelse; -*d* (også) magtesløs; *baffling wind* skiftende vind.

bag [bæg] *sb* sæk; pose; taske; kuffert; jagtudbytte; *vb* lægge i sæk; skyde (vildt), nedlægge; samle på, få fat i; stikke til sig, snuppe; svulme; pose (sig); *(pair of)* -*s* bukser; (se også *bags*); *his trousers* ~ *at the knees* han har knæ i bukserne; *the* ~ **S** sikker; »hjemme«; *be a* ~ *of bones* kun være skind og ben; *the whole* ~ *of tricks* **T** hele molevitten, hele balladen; *be left holding the* ~, se *baby*.

bagasse [bə'gæs] *sb* bagasse, udpressede sukkerrør.

bagatelle [bægə'tel] *sb* bagatel, småting; fortunaspil.

Bagehot ['bædʒət].

baggage ['bægidʒ] *sb* tros; bagage; tøs *(fx an impudent* ~*)*; *bag and* ~ rub og stub; med pik og pak, med alt sit habengut.

bagging ['bægiŋ] *sb* sækkelærred; *adj, se baggy.*

baggy ['bægi] *adj* poset; *his trousers were* ~ *at the knees* han havde knæ i bukserne.

bagman ['bægmən] *sb* handelsrejsende.

bag|pipe sækkepibe. **-piper** sækkepiber.

bags: ~ *I that cake* helle for den kage.

bag snatcher taskerøver.

bah [baː] *interj* pyt! snak!

Bahama [bə'haːmɔ]: *the* -*s* Bahamaøerne.

I. bail [beil] *sb* kaution; *break* ~, *jump one's* ~ stikke af når man er løsladt mod kaution; *out on* ~ løsladt mod kaution; *give* ~ stille kaution; *go* ~ *for* gå i kaution for; *I'll go* ~ *for that (fig)* det tør jeg vædde på; ~ *out* få løsladt ved at stille kaution.

II. bail [beil] *sb* overligger (på kricketgærde).

III. bail [beil] *vb* øse; hank; stiver; *vb* øse; ~ *out* øse læns; *(flyv)* springe ud med faldskærm.

bailer ['beilə] *sb* øsekar.

Bailey ['beili]: *the Old* ~ (retsbygning i London).

bailiff ['beilif] *sb* foged, forvalter.

bailiwick ['beiliwik] *sb* område, jurisdiktion.

bairn [bɛən] *sb* (på skotsk) barn.

bait ['beit] *sb* lokkemad, madding; foder; *vb* sætte madding på; (heste *etc*) fodre; (på rejse) bede, holde rast; (med hunde) hidse *(fx a bear)*; *(fig)* drille, irritere; plage; *swallow the* ~ *(fig)* bide på krogen.

baize [beiz] *sb* baj (et uldent stof).

bake [beik] *vb* bage; stege; brænde *(fx bricks, tiles)*.

bakehouse ['beikhaus] *sb* bageri.

bakelite ['beikəlait] *sb* bakelit.

baker ['beikə] *sb* bager; -'*s dozen* tretten.

bakery ['beikəri] *sb* bageri, brødfabrik.

baking| powder bagepulver. ~ **soda** tvekulsurt natron.

baksheesh ['bækʃiːʃ] *sb* bakschisch, gave til tiggere i Ægypten, drikkepenge, bestikkelse.

balaclava [bælə'klaːvə]: ~ *helmet* balaclavahue (strikket hjelm), elefanthue.

balalaika [bælə'laikə] *sb* balalajka.

balance ['bæləns] *sb* vægt; ligevægt; balance; *(merk)* overskud, saldo, restbeløb; *(fig)* rest *(fx I shall send you the* ~ *on Monday)*; (i et ur) uro; ~-*b* (af)veje, opveje; balancere (med), holde *(el.* bringe) i ligevægt; afbalancere; afstemme; *(merk)* afslutte, saldere (regnskab); *he holds the* ~ afgørelsen ligger i hans hånd; *the* ~ *in our favour* vort tilgodehavende; ~ *of payments* betalingsbalance; ~ *of trade* handelsbalance; *on* ~ alt i alt, stort set; ~ *oneself* balancere; *strike a* ~ trække en balance; *(fig)* finde en mellemvej (, mellemproportional); *(trembling) in the* ~ uafgjort.

balanced ['bælənst] *adj* velafbalanceret, i ligevægt; velafvejet; *a* ~ *budget* et regnskab der balancerer; *a* ~ *diet* alsidig kost.

balance sheet status(opgørelse).

balcony ['bælkəni] *sb* altan, balkon.

bald [bɔːld] *adj* skaldet; nøgen; ubesmykket *(fx a* ~ *statement of the facts)*; (om stil) farveløs, fattig, tør.

baldachin ['bɔːldəkin] *sb* baldakin, tronhimmel.

bald eagle *zo* hvidhovedet havørn.

balderdash ['bɔːldədæʃ] *sb* vrøvl.

baldhead ['bɔːldhed] *sb* skaldepande. **baldheaded** *adj* skaldet; *go at it* ~ gå på med krum hals; *go* ~ *into* kaste sig ud i.

baldly ['bɔːldli] *adv* uden omsvøb, ligefrem.

baldpate ['bɔːldpeit] *sb* skaldepande.

baldric ['bɔːldrik] *sb* skrårem, bandoler.

Baldwin ['bɔːldwin].

I. bale [beil] *sb* vareballe; *vb* emballere, indpakke.

II. bale [beil] se III. *bail.*

Balearic [bæli'ærik] *adj* balearisk; *the* ~ *Islands* Balearerne.

baleen [bə'liːn] *sb* hvalbarde; fiskeben (i korset).

baleful ['beilf(u)l] *adj* fordærvelig, skadelig, ødelæggende; ond, olm.

Balfour ['bælfə].

balk [bɔːk] *vb* hindre, krydse *(fx his plans)*, skuffe *(fx his hopes)*, narre *(af* for); (uden objekt) standse brat, stoppe op; (om hest) refusere; *se* bjælke; hindring; *(agr)* agerren; ~ *at (fig)* stejle over *(fx the price)*; vægre sig ved *(fx making a speech)*; *the horse* -*ed at the fence* hesten refuserede.

Balkan ['bɔːlkən] *adj* balkan-; *the* -*s* Balkan.

balky ['bɔːki] *adj* stædig, genstridig.

I. ball [bɔːl] *sb* bold; kugle; klode; (garn) nøgle; (i billard) bal; -*s* **S** testikler; vrøvl; ~ *of the eye* øjeæble; ~ *of the* *foot* fodbalde; *on the* ~ S vågen, dygtig, skrap, vaks; *get on the* ~ S vågn op! se at komme i gang! *keep the* ~ *rolling* holde konversationen i gang; *play* ~ (også:) samarbejde, være samarbejdsvillig; *-s to you!* S jeg vil skide på jer; *-s up vb* S spolere.

II. ball [bɔ:l] *sb* bal; *have a* ~ S rigtig slå sig løs; have det vældig sjovt.

III. ball [bɔ:l] *vb* klumpe sig sammen; *the snow -ed under the shoes* sneen klampede under skoene; *get -ed up (am)* blive forvirret, komme i vildrede.

ballad ['bæləd] *sb* folkevise, ballade, gadevise, vise.

ballade [bæ'la:d] *sb* (digt bestående af tre ottelinjede vers samt en slutningsstrofe).

balladmonger ['bælədmʌŋgə] *sb* visesælger, visedigter.

ball-and-socket joint kugleled.

ballast ['bæləst] *sb* ballast; *vb* tage ballast, ballaste.

ball|bearing kugleleje. ~ **cartridge** skarp patron.

ballet ['bælei] *sb* ballet.

Balliol ['beiljəl].

ballistic [bə'listik] *adj* ballistisk; ~ *missile* ballistisk missil; T raket(våben).

ballistics [bə'listiks] *sb* ballistik.

ball lightning kuglelyn.

ballocks ['bælɔks] *sb pl (vulg)* testikler; vrøvl.

balloon [bə'lu:n] *sb* ballon; (i tegneserie) boble; *(mar)* ballonfok; *vb* stige op med ballon; svulme op.

balloon| barrage ballonspærring. ~ **car** ballonkurv, gondol. **-ist** luftskipper. ~ **jib** *(mar)* ballonfok. ~ **pilot** ballonfører. ~ **rigging** ballonnet. ~ **sail** *(mar)* ballonfok. ~ **tyre** ballondæk.

ballot ['bælət] *sb* hemmelig afstemning; stemmeseddel; stemmetal; *(vote by)* ~ stemme hemmeligt.

ballot| box valgurne. ~ **paper** stemmeseddel.

ballpoint (pen) kuglepen.

ballroom ['bɔ:lrum] *sb* balsal.

balls-up ['bɔ:lz'ʌp] *sb* rod, forvirring.

bally ['bæli] *adj, adv* S fordømt, helvedes, pokkers *(fx I am too* ~ *tired).*

ballyhoo ['bælihu:] *sb* S reklamebrøl, larm, ballade.

ballyrag ['bæliræg] *vb* lave gadedrengestreger.

balm [ba:m] *sb* balsam; *(bot)* hjertensfryd.

Balmoral [bæl'mɔrəl].

balmy ['ba:mi] *adj* balsamisk, lindrende; (se også *barmy).*

balony [bə'louni] *sb* vrøvl; *(am* S) humbug, bras.

balsam ['bɔ:lsəm] *sb* balsam; *(bot)* balsamin; ~ *fir* balsamgran. **balsamic** [bɔ:l'sæmik] *adj* balsamisk.

Baltic ['bɔ:ltik]: *the* ~ Østersøen.

Baltimore ['bɔ:ltimɔ:]; ~ *oriole zo* Baltimoretrupial.

baluster ['bæləstə] *sb* baluster, tremme i rækværk; *-s pl* (også) rækværk.

balustrade [bælə'streid] *sb* balustrade; rækværk.

bamboo [bæm'bu:] *sb* bambus; *the* ~ *curtain* bambustæppet.

bamboozle [bæm'bu:zl] *vb* snyde, bedrage, rende om hjørnet med, narre; forvirre.

ban [bæn] *sb* forbud *(on* mod); *(rel)* band, bandlysning; *vb* forbyde; bandlyse.

banal [bə'na:l] *adj* banal. **banality** [bə'næliti] *sb* banalitet.

banana [bə'na:nə] *sb* banan.

band [bænd] *sb* bånd; stribe; (i tøj) linning; *(tekn)* drivrem; (på cigar) mavebælte; (om personer) skare, flok, *(neds)* bande; *(mus.)* musikkorps, orkester; (på bogryg) bind; *vb* knytte sammen, forene.

bandage ['bændidʒ] *sb* bind, bandage, forbinding; bind for øjnene; *vb* forbinde. **bandage-maker** bandagist.

bandan(n)a [bæn'dænə] *sb* (broget tørklæde).

band|box ['bændbɔks] hatteæske, papæske (til modepynt *etc).* ~ **brake** rå båndbremse. ~ **conveyor** transportbånd.

bandeau ['bændou] *sb* (hår)bånd.

banderole ['bændəroul] *sb* mastevimpel; lansefane.

bandicoot ['bændiku:t] *sb, zo* punggrævling, punghare.

bandit ['bændit] *sb* bandit, røver. **banditry** *sb pl* røveruvæsen. **banditti** [bæn'diti] *sb pl* røvere, banditter.

bandmaster ['bændma:stə] *sb* dirigent, kapelmester.

bandog ['bændɔg] *sb* lænkehund, blodhund.

bandoleer [bændə'liə] *sb* skulderrem, bandoler.

band|saw båndsav. **-stand** musiktribune.

bandwagon ['bændwægən] *sb* (smykket vogn i optog, til orkester); *jump on (el. climb on to) the* ~ T slutte sig til den sejrende part (ved valg *etc).*

bandy ['bændi] *sb* et hockey-lignende spil; hockeykølle; *vb* kaste frem og tilbage; udveksle; ~ *about (fig)* slå om sig med *(fx generalizations);* fortælle videre; *have one's name bandied about* blive genstand for sladder; ~ *words* mundhugges.

bandy-legged ['bændilegd] *adj* hjulbenet.

bane [bein] *sb* bane, banesår; ødelæggelse, forbandelse.

bane|berry *(bot)* druemunke. **-ful** *adj* skadelig.

bang [bæŋ] *vb* banke, slå; dundre (med), knalde (med); prygle; (vulgært:) knalde (ɔ: have samleje med); *sb* slag, brag, dundren; (om hår) pandehår; *adv* lige *(fx* ~ *in the middle); bang!* bum! ~ *the door to* knalde døren i; ~ *against a tree* brase imod et træ; *go* ~ sige bang *(el.* bum); eksplodere.

banger ['bæŋə] *sb* T pølse; (om bil) gammel smadrekasse.

Bangkok [bæŋ'kɔk].

Bangladesh ['bæŋlə'deʃ].

bangle ['bæŋgl] *sb* armring, ankelring.

bang-on S i orden; 'lige i øjet'. **bang-up** *(am* S) førsteklasses.

banian ['bæniən] *sb* indisk købmand; slags indisk kjortel. **banian day** *(mar)* kødløs dag. **banian tree** indisk figentræ.

banish ['bæniʃ] *vb* landsforvise; forvise; forjage.

banishment ['bæniʃmənt] *sb* forvisning.

banister ['bænistə] *sb* gelænderstolpe; *-s pl* trappegelænder.

banjo ['bændʒou] *sb* banjo.

bank [bæŋk] *sb* banke; vold; (i galej) rorbænk; (i havet) banke; (ved sø, flod) bred; *(merk etc)* bank; (i minedrift) væggen i en mine, hvor kullene brydes; jordområdet omkring en skaktmunding; *(flyv)* krængning; *(tekn)* række, batteri (af maskiner *etc);* *vb* inddæmme; opdæmme; indestænge; dynge op; drive bankvirksomhed; sætte i banken; *(flyv)* krænge; *the Bank (of England)* Englands bank; ~ *the fires* bakke fyrene; ~ *on* stole på; *I* ~ *with Barclay's* min bankforbindelse er B.

bankable ['bæŋkəbl] *adj* som kan godtages af en bank; pålidelig, sikker.

bank| account bankkonto. ~ **advances** *pl* udlån. ~ **bill** bankveksel; *(am)* pengeseddel. ~ **deposit** bankindskud.

banker ['bæŋkə] *sb* bankier, bankforbindelse; bankdirektør; (ved spil) bankør; (stenhuggers) huggebænk; *(mar.)* fiskefartøj der fisker på New Foundland-bankerne.

bank holiday ['bæŋk'hɔlidi] (i England) almindelig fridag (vedtaget af parlamentet); (i Amerika) dag hvor bankerne officielt beordres lukket.

banking ['bæŋkiŋ] *sb* bankvæsen, bankforretninger, bankvirksomhed; (i vejbygning) overhøjde; *(flyv)* krængning; *adj* bank- *(fx firm),* bankier- *(fx firm).*

bank|note pengeseddel. ~ **rate** diskonto.

bankrupt ['bæŋkrʌpt] *sb* fallent; *adj* bankerot, fallit; ~ *of (fig)* blottet for; *go* ~ gå fallit.

bankruptcy ['bæŋkrəpsi] *sb* bankerot, fallit, konkurs; *file a petition in* ~ indgive konkursbegæring.

bank vole *zo* rødmus.

banner ['bænə] *sb* banner, transparent; (i avis) flerspaltet overskrift; *adj (am)* vældig fin, fremragende, rekord- *(fx a* ~ *year for the corporation).*

bannock ['bænək] *sb* (slags flad kage).

banns [bænz] *sb pl* lysning (til ægteskab); *call (el. publish) the* ~ lyse til ægteskab; *they had their* ~ *called* der blev lyst for dem.

banquet ['bæŋkwit] *sb* banket, festmåltid, fest; *vb* beværte; (uden objekt) feste, gøre sig til gode; *-ing hall* festsal.

banquette [bæŋ'ket] *(mil.)* banket (standplads for skytter bag et brystværn).

banshee [bæn'ʃi:] *sb* spøgelse der varsler død.

bantam ['bæntəm] *sb* dværghøne; *(fig)* lille hidsig fyr, lille kamphane. **bantamweight** bantamvægt(er).

banter ['bæntə] *vb* spøge; spøge med; drille; *sb* skæmt, drilleri.

baobab ['beiəbæb] *sb (bot)* baobabtræ.

B.A.O.R. *fk* British Army of the Rhine.

baptism ['bæptizm] *sb* dåb; ~ *of fire* ilddåb. **baptismal** [bæp'tizməl] *adj* dåbs-, døbe-. **baptist** ['bæptist] baptist;

St. John the Baptist Johannes Døberen. **baptistery** ['bæptistəri] *sb* dåbskapel; (hos baptister) dåbsbassin. **baptize** [bæp'taiz] *vb* døbe.

I. bar [ba:] *sb* stang; tværstang, bom, (i havet) revle, skær; (for dør) slå; *(fig)* hindring *(to* for); *(jur)* retsskranke, *(fig)* domstol; (i kro *etc)* skænk, bar, disk; (aflangt stykke) stang, stykke *(fx of chocolate, of soap)*; (af metal) barre; *(mus.)* taktstreg, takt; (heraldisk: til orden) bjælke; *the Bar* sagførerstanden; *be at the Bar* være advokat *(ɔ: barrister)*; *be admitted (el. be called el. go) to the ~* blive advokat *(ɔ: barrister)*.

II. bar [ba:] *vb* stænge, spærre (for); udelukke; forbyde, sætte en stopper for; undtage, se bort fra; *præp* undtagen; *~ one* på én nær; *~ none* uden undtagelse.

Barabbas [bə'ræbəs].

barathea [bærə'θiə] *sb* barathea, uldstof med silke.

barb [ba:b] *sb* skæg *(fx på fisk)*; (på fjer); stråle; (på en krog el. pil) modhage; *(fig)* giftighed.

Barbados [ba:'beidouz].

barbarian [ba:'bɛəriən] *adj* barbarisk; *sb* barbar. **barbaric** [ba:'bærik] *adj* barbarisk. **barbarism** ['ba:bərizm] *sb* barbari, barbarisme. **barbarity** [ba:'bæriti] *sb* barbarisme. **barbarize** ['ba:bəraiz] *vb* blive barbarisk; gøre barbarisk; bruge fremmedartede talemåder. **barbarous** *adj* ['ba:bərəs] barbarisk.

Barbary ['ba:bəri] Berberiet.

barbastelle bat ['ba:bəstel'bæt] *zo* bredøre, bredøret flagermus.

barbecue ['ba:bikju:] *sb* stegerist; havegrill; *(am)* (fest i fri luft hvor der serveres) helstegt dyr; *vb* stege på stegerist (, havegrill).

barbed [ba:bd] *adj* forsynet med modhager; skarp; *(fig)* skarp, bidende, sårende. **barbed wire** pigtråd; *~ entanglement* pigtrådsspærring.

barbel ['ba:bəl] *sb zo* skægkarpe.

barber ['ba:bə] *sb* barber; *-'s itch* skægpest; *-'s pole* barberskilt (en stribet stang); *-'s rash* skægpest; *-'s shop* barberstue.

barberry ['ba:bəri] *sb (bot)* berberis.

barbet ['ba:bət] *sb zo* skægfugl.

barbette [ba:'bet] *sb (mil.)* bænk (bag brystværn).

barbican ['ba:bikən] *sb* porttårn, portbefæstning.

barbiturate [ba:'bitʃurit] *sb* barbitursyrederivat (sovemiddel).

bard [ba:d] *sb* barde, skjald.

I. bare [bɛə] *adj* bar, nøgen; ubevokset; tom; blottet *(of* for); blot *(fx the ~ idea)*; svag *(fx possibility, chance)*, kneben *(fx chance, majority)*; *lay ~*, se I. *lay*; *the -st chance* den mindste chance; *in one's ~ skin* nøgen; *~ wire* (glat) ståltråd.

II. bare [bɛə] *vb* blotte *(fx one's head)*; *(fig)* lægge blot *(fx one's feelings)*.

bare|back: *ride -back* ride på usadlet hest. **-backed** *adj* uden sadel, usadlet. **-faced** *adj* fræk, skamløs *(fx lie, impudence)*; utilsløret *(fx impudence)*. **-foot(ed)** barfodet. **-headed** *adj* barhovedet.

barely ['bɛəli] *adv* knap (nok); med nød og næppe *(fx it was ~ avoided)*; kun lige akkurat *(fx her feet ~ touched the floor)*; *(cf I. bare)* bart, nøgent; sparsomt *(fx furnished)*.

barenecked *adj* nedringet.

bargain ['ba:gin] *sb* handel, køb, forretning; godt køb, god forretning, noget man har fået billigt, (i butik også) »billigt tilbud«; aftale, overenskomst; *vb* købslå; tinge; forhandle (om); stille som betingelse *(that* at); *~ away* sælge, bortbytte (på ufordelagtige betingelser); *make the best of a bad ~* tage besværligheder ne med et smil; gøre gode miner til slet spil; *~ for* vente, være indstillet på, regne med; *that is a ~* det er et ord; *a ~ is a ~* bordet fanger; *into the ~* oven i købet; *~ on* blive enige om; vente, stole på, regne med; *I'll ~ that* (også) jeg skal garantere for at.

bargain| counter disk med 'billige tilbud'. *~ price* spotpris.

I. barge [ba:dʒ] *sb* pram; chef-chalup; husbåd.

II. barge [ba:dʒ] *vb:* *~ in* mase ind; *~ into* løbe bus på, kollidere med; brase ind i.

bargeboard ['ba:dʒbɔ:d] *sb (arkit)* vindskede.

bargee [ba:'dʒi:] *sb* prammand; *be a lucky ~* være svine-

heldig; *swear like a ~* bande som en tyrk.

barge pole bådstage; *I would not touch him with a ~* jeg vil ikke røre ved ham med en ildtang.

bar iron stangjern.

baritone ['bæritoun] *sb* baryton.

barium ['bɛəriəm] *sb (kem)* barium; *~ meal (med.)* barytgrød.

I. bark [ba:k] *sb (mar)* bark (tremastet fartøj); *(poet)* snekke, fartøj.

II. bark [ba:k] *vb* gø, bjæffe; råbe op; råbe (i en skarp tone), bjæffe; hoste, »gø«; *sb* gøen; *you are -ing up the wrong tree* din bemærkning har fejl adresse, du er gået galt i byen; *his ~ is worse than his bite* han er ikke så slem som han lader; han har det mest i munden.

III. bark [ba:k] *sb* bark (på træ); kinabark; *vb* afbarke; skrabe (huden af) *(fx ~ one's shin)*; garve.

barkeeper ['ba:ki:pə] *sb* indehaver af en bar; bartender.

barker ['ba:kə] *sb* rekommandør; udråber (på marked *etc)*; S pistol.

barley ['ba:li] *sb* byg. **barley|corn** bygkorn; *(mil.)* sigtekorn; *John Barleycorn* øl, whisky. *~ sugar* bolsje.

barm [ba:m] *sb* gær.

barmaid ['ba:meid] *sb* barpige, servitrice.

barman ['ba:mən] *sb* bartender.

barmy ['ba:mi] *adj* gærende; skummende; S tosset, gal, skør.

barn [ba:n] *sb* lade; *(am* også) stald, remise; *(neds* om hus) kasse, skur.

barnacle ['ba:nəkl] *sb zo* andeskæl, langhals; (til hest) kapsun, næsejern; *(fig)* 'burre' (person som man ikke kan ryste af sig); *-s pl* næseklemmer. **barnacle goose** bramgås.

barn|door ladeport, *(film, TV)* læbe (skærm). *~ fowl* høne, hane.

barn owl zo slørugle.

barnstorm ['ba:nstɔ:m] *vb (am)* tage på turné (om skuespiller, valgkandidat).

barnstormer ['ba:nstɔ:mə] *sb* omrejsende skuespiller, foredragsholder etc; fjællebodsskuespiller.

barnyard grass *(bot)* hanespore.

barograph ['bærəgra:f] *sb* barograf (til registrering af lufttryk).

barometer [bə'rɔmitə] *sb* barometer.

barometric [bærə'metrik] *adj* barometer-.

baron ['bærən] *sb* baron (laveste grad af *nobility)*; *(fig)* storfabrikant, magnat.

baronage ['bærənidʒ] *sb* baronstand, baroner.

baroness ['bærənis] *sb* baronesse.

baronet ['bærənit] *sb* baronet (højeste grad af *gentry)*.

baronetcy ['bærənitsi] *sb* baronetrang.

barony ['bærəni] *sb* baroni, barons rang.

baroque [bə'rouk] *sb, adj* barok.

barouche [bə'ru:ʃ] *sb* (firhjulet kalechevogn).

barrack ['bærək] *vb* huje ad.

barrack room belægningsstue. **barracks** ['bærəks] *sb pl (mil.* og *fig)* kaserne.

barrage ['bæra:ʒ] *sb* spærreild; spærring; dæmning; *(fig)* syndflod, regn *(fx of protests)*. **barrage balloon** spærreballon.

barratry ['bærətri] *sb (jur)* (opfordring til) unødig trætte; forsætlig beskadigelse af skib el. ladning.

barred [ba:d] *adj* stribet; spærret, tilgitret.

barrel ['bærəl] *sb* tønde; tromle; cylinder; valse; (på bøsse) løb, pibe; *(fx af hest)* krop; *vb* lægge el. komme i tønde.

barrel| bolt *sb* slå. *~ hoop* tøndebånd. *~ organ* lirekasse. *~ vault* tøndehvælving.

barren ['bærən] *adj* gold; ufrugtbar; *-s sb pl (am)* øde (, ufrugtbare) områder.

barrette [bə'ret] *sb (am)* hårspænde.

barricade ['bæri'keid] *sb* barrikade; *vb* barrikadere.

barrier ['bæriə] *sb* afspærring; bom; barriere; skranke; *(jernb)* billetkontrol(sted); *(fig)* barriere, skranke; hindring *(to* for); *vb* lukke ude (, inde) (med skranke *etc)*; *sound ~* lydmur; *heat ~* varmemur.

barring ['ba:riŋ] *præp* undtagen; *~ accidents* hvis der ikke indtræffer uheld.

barrister ['bæristə] *sb* (procederende) advokat.

bar room skænkestue.

barrow ['bærou] *sb* trillebør; trækvogn; bærebør; *(arkæol)* gravhøj, kæmpehøj; *zo* galt.
barrowman gadesælger.
Bart *fk Baronet.*
bartender ['ba:tendə] *sb* bartender.
barter ['ba:tə] *vb* tuske, bytte; tinge; *sb* tuskhandel; vareudveksling; ting der gives i bytte; ~ *away* sælge for billigt *(fx one's freedom); The Bartered Bride* Den solgte Brud.
Bartholomew [ba:'θoləmju:] Bartholomæus.
bartizan [ba:ti'zæn] *sb* hjørnetårn.
Bartram's sandpiper *zo* Bartrams klire.
baryta [bə'raitə] *sb (kem)* baryt.
barytone ['bæritoun] *sb* baryton.
basal ['beisl] *adj* grund-, fundamental.
basalt ['bæso:lt] *sb* basalt.
bascule ['bæskju:l] *sb* broklap; ~ *bridge* klapbro.
I. base [beis] *sb* basis, grundlag; (nederste del *etc)* fundament *(fx of a building),* underlag, (for søjle, statue, møbel) fodstykke, sokkel; (også for maskine, skinne) fod; (for pudder) underlag; *(geom)* grundflade, grundlinie, (i logaritmesystem) grundtal; *(kem)* base; (i visse boldspil) start, mål; (i baseball) base; *(gram)* rod; basis; *(mil.)* base; *off ~ (fig, am)* galt afmarcheret, på vildspor.
II. base [beis] *vb* basere *(on* på, *fx ~ taxation on income).*
III. base [beis] *adj* lav *(fx motive, action),* tarvelig, ussel; (om metal) uædel; ~ *coin* falsk mønt.
baseball ['beisbo:l] *sb* baseball.
base|board *(am)* fodpanel, fodstykke. **-born** af ringe herkomst.
Basedow's disease ['ba:zidouz di'zi:z] *(med.)* den basedowske syge.
base|less grundløs, ubegrundet. ~ **line** *(mat.)* grundlinie.
basement ['beismənt] *sb* kælderetage.
baseminded *adj* lavsindet.
base rate (banks) basisrente (som nu har erstattet den officielle diskonto).
bash [bæʃ] *vb* T slå; knalde; *sb* slag; *have a ~ at* T forsøge sig med *(el.* i).
bashful ['bæʃful] *adj* undselig, genert.
basic ['beisik] *adj* grund-; grundlæggende, fundamental; *(kem)* basisk; *Basic English* (forenklet engelsk); ~ *price* grundpris; ~ *research* grundforskning; ~ *slag* thomasslagge.
basil ['bæzl] *sb (bot)* basilie(urt); basilikum; ~ *thyme (bot)* voldtimian.
basilisk ['bæzilisk] *sb* basilisk (fabeldyr).
basin ['beisn] *sb* kumme; vandfad; bassin; *(geol:* barbérs) bækken.
basis ['beisis] *sb (pl bases* ['beisi:z]) basis, grundlag.
bask [ba:sk] *vb* varme sig; sole sig.
basket ['ba:skit] *sb* kurv; ballonkurv, gondol; *the pick of the ~* det bedste. **basketball** ['ba:skitbo:l] *sb* basketball.
basketry ['ba:skitri], **basketwork** *sb* kurvemagerarbejde.
basking shark *zo* brugde (art haj).
Basle [ba:l] Basel.
I. Basque [bæsk] *sb* basker; *adj* baskisk.
II. basque [bæsk] *sb* skød (på kjole *el.* damejakke).
bas-relief ['bæsrili:f] *sb* basrelief.
I. Bass [bæs] (ølsort).
II. bass [beis] *sb (mus.)* bas; *adj* bas-, dyb.
III. bass [bæs] *sb zo* bars, aborre; *(bot)* bast.
bass clef *(mus.)* F-nøgle, basnøgle.
bass drum *(mus.)* stortromme.
bassinet [bæsi'net] *sb* (kurveflettet vugge el. barnevogn).
basso ['bæsou] *sb* basstemme, bassanger.
bassoon [bə'su:n] *sb* fagot. **bassoonist** [bə'su:nist] *sb* fagotist.
bass viol ['beisvaiəl] viola da gamba; *(am)* violoncel.
basswood ['bæswud] *sb* amerikansk lind.
bast [bæst] *sb* bast.
bastard ['ba:stəd] *sb* barn som er født uden for ægteskab; bastard; S fyr, ka'l, *(neds)* sjover, slubbert; *adj* uægte.
baste [beist] *vb* dryppe (en steg); ri, rimpe; T banke, prygle.
bastinado [bæsti'neidou] *sb* bastonnade (prygl under fodsålerne); *vb* give bastonnade.
I. bat [bæt] *sb* (kricket)boldtræ; (bordtennis)bat; slåer (i

kricket) *(fx he is a good ~);* (harlekins) briks; S slag; fart, tempo; *(am)* soldetur; *do sth off one's own ~* gøre noget på egen hånd; *off the ~ (am)* øjeblikkelig.
II. bat [bæt] *sb* flagermus; *as blind as a ~* så blind som en muldvarp; (se også *belfry).*
III. bat [bæt] *vb* slå; (i kricket, baseball) være inde som slåer; (i kricket også) være ved gærdet.
IV. bat [bæt] *vb: ~ the eyes* blinke; *without -ting an eyelid* uden at blinke, uden at fortrække en mine.
batata [bə'ta:tə] *sb* batat, sød kartoffel.
Batavia [bə'teivjə] Batavia. **Batavian** *sb* batavier; *adj* batavisk.
batch [bætʃ] *sb* bagning (ɔ: så mange brød som bages i en bagning); sending, parti; bunke, portion; hold *(fx of prisoners),* flok.
bate [beit] *vb* formindske, slå af på *(fx he would not ~ a jot of his claims);* with *-d breath* med tilbageholdt åndedræt.
I. bath [ba:θ] *sb (pl baths* [ba:ðz]) bad; badekar; (især *am)* badeværelse; (i *pl* også) badeanstalt, badested; *vb* give bad; ~ *the baby* bade den lille.
II. Bath [ba:θ]: *Order of the ~* (fornem engelsk orden).
Bath| brick pudsesten. ~ **bun** slags bolle. ~ **chair** rullestol, kørestol.
bathe [beið] *vb* bade, tage sig et søbad; (med objekt) bade *(fx one's eyes);* ~ *in* bad, søbad.
bathing| cap badehætte. ~ **-house** *(am)* badeanstalt. ~ **hut** badehus. ~ **machine** badevogn. ~ **suit** badedragt.
bathos ['beiθos] *sb* antiklimaks, flov afslutning.
bath|robe badekåbe; *(am* også) slåbrok. **-room** badeværelse. ~ **sheet** badelagen. ~ **towel** frottéhåndklæde. **-tub** badekar.
bathysphere ['bæθisfiə] *sb* »dykkerkugle« (til dykning på store havdybder).
batik ['bætik, *am:* bə'ti:k] *sb* (voks)batik.
bating ['beitiŋ] *præp (glds)* undtagen, fraregnet.
batiste [bæ'ti:st] *sb* batist (slags stof).
batman ['bætmən] *sb (mil.)* oppasser.
baton ['bætən] *sb* taktstok; marskalstav; politistav; (stav ved stafetløb) depeche.
bats [bæts] *adj* tosset, gal; (se også *belfry).*
batsman ['bætsmən] *sb* slåer (i kricket).
battalion [bə'tæljən] *sb (mil.)* bataljon.
battel ['bætl] *vb* få sin kost på sit *College; -s sb pl* måltider fra ens *College* og betalingen derfor.
I. batten ['bætn] *sb* bræt; planke, lægte; *(mar)* skalkningsliste; sejlpind; (i teater) rive; *vb: ~ down the hatches (mar)* skalke lugerne.
I. batter ['bætə] *vb* hamre løs på; ~ *him about* mishandle ham; ~ *a wall down* bryde en mur ned; ~ *his skull in* slå hjerneskallen ind på ham.
II. batter ['bætə] *sb* slåer (i kricket, baseball).
III. batter ['bætə] *sb (omtr)* (pandekage)dej *(fx a semiliquid ~ of milk, flour and eggs).*
IV. batter ['bætə] *vb* skråne (om mur *o.l.);* sb hældning.
battered ['bætəd] *adj* ramponeret, medtaget; mishandlet.
battering ram murbrækker.
battery ['bætəri] *sb* batteri, akkumulator; række bure til opfedning af fjerkræ; række båse til opfedning af kvæg; *(jur)* overfald, vold; ~ *calf* tremmekalv; ~ *chick* fabrikskylling; ~ *switch (elekt)* celleskifter.
batting ['bætiŋ] *sb* gærdespil (i kricket); pladevat.
battle ['bætl] *sb* slag; kamp; *vb* kæmpe; *fight a ~* levere et slag; *give ~* levere slag; *tage kampen op; that is half the ~* det er det der tæller.
battle| array slagorden. ~ **axe** stridsøkse; *(fig)* rappenskralde. ~ **cruiser** slagkrydser. ~ **cry** krigsråb. **-dore** fjerboldketsjer; *-dore and shuttlecock* fjerboldspil. ~ **fatigue** *(med.)* krigsneurose, kamptræthed. **-field, -ground** slagmark, valplads. **-ment** [-mənt] brystværn med murtinder; *(arkit)* kamtakker. ~ **piece** slagmaleri. ~ **plane** (svært bevæbnet) bombeflyvemaskine. ~ **royal** almindeligt slagsmål; forrygende skænderi; (om konkurrence) slagsmål mellem flere, hvor den sidste mand i ringen bliver vinder. **-ship** slagskib.
battue [bæ'tu:] *sb* klapjagt; såt; nedslagtning.

batty ['bæti] *adj* S tosset, skør.
bauble ['bɔ:bl] *sb* værdiløst stads, bagatel; narrebriks.
baulk [bɔ:k] se *balk*.
bauxite ['bɔ:ksait] *sb* bauxit.
Bavaria [bə'vɛəriə] Bayern. **Bavarian** [bə'vɛəriən] *adj, sb* bayersk; *sb* bayrer.
bawbee [bɔ:'bi:] *sb* (på skotsk) halfpenny.
bawdy ['bɔ:di] *adj* slibrig, sjofel. **bawdyhouse** bordel.
bawl [bɔ:l] *vb* skråle; *sb* skrål, brøl; ~ *sby out (am)* skælde en ud, overfuse en.
I. bay [bei] *sb* rum, afdeling, bås, (i bibliotek) reolniche, *(arkit)* vinduesfordybning, karnap; (afdeling af bygning, bro *etc)* fag; *(geogr)* (hav)bugt; flad strækning der afbryder en bjergkæde; dæmning.
II. bay [bei] *adj* rødbrun; fuksrød; *sb* rødbrun hest, fuks.
III. bay [bei] *vb* gø, glamme, halse; *sb* gøen; *be at* ~ være trængt op i en krog, være hårdt trængt; *keep sby at* ~ holde sig en fra livet; *bring (el. drive) to* ~ få til at gøre front, bringe til det yderste.
IV. bay [bei] *sb (bot)* laurbærtræ, laurbær; *-s* (også) laurbærkrans; æresbevisninger.
bayonet ['beiənit] *sb* bajonet; *vb* angribe *(el. stikke ned)* med bajonetten. **bayonet joint** bajonetled, bajonetfatning.
bayou ['beiu:] *sb* sumpet flodarm (i det sydlige U.S.A.).
bay rum bayrum.
bay window karnapvindue; *(fig)* tyk mave, hængevom, S 'udhængsskab'.
bazaar [bə'za:] *sb* basar.
bazooka [bə'zu:kə] *sb* raketstyr, bazooka.
B.B.C. *fk* British Broadcasting Corporation.
B.C. *fk* before Christ; British Council; British Columbia; British Canada.
B.C.L. *fk* Bachelor of Civil Law.
B.D. *fk* Bachelor of Divinity.
I. be [bi:] *vb (was, been)* være; blive *(fx will he be here long?)* være til; ske, finde sted; (om tidsrum) vare *(fx it was long before he came)*; (om pris) koste *(fx how much is this?)*; (foran *pp*) være; blive *(fx this was done)*; (foran *inf*) skulle *(fx where am I to sit)*; (foran *-ing* form) være ved at, være i færd med at *(fx I am reading jeg er i færd med at læse, jeg sidder (el. står, ligger etc)* og læser); *I am for doing it now* jeg er stemt for at gøre det nu; *have you been today?* har du været på wc (,potte) i dag? *here you are* vær så god! *here we are* nu er vi der; her er vi; her har vi det; *how is he?* hvordan har han det? *you know how he is* (også) du ved hvordan han er; (se også *how)*; ~ *in* være hjemme; *I must* ~ *off* jeg må af sted; *that is (to say)* det vil sige; *it was not to* ~ det skulle ikke så være; *he was not to* ~ *found* han var ikke til at finde; *he is a liar and always will* ~ han er og bliver en løgner; se også *been, being*.
II. be [bi:] *præs konj* af to be *(fx so be it!* lad det så være!).
B.E.A. *fk* British European Airways.
beach [bi:tʃ] *sb* strand(bred); (strand)grus; *vb* sætte på land, hale i land.
beachboy opsynsmand ved strand; svømmelærer; S strandløve.
beachcomber ['bi:tʃkoumə] *sb* S en der afsøger strandbredden for at finde ilanddrevet gods; (hvid) vagabond *el.* dagdriver (på Stillehavsøerne).
beachhead ['bi:tʃhed] *sb (mil.)* brohoved.
beach-la-mar [bi:tʃlə'ma:] engelsk som det tales på De polynesiske Øer.
beachwear ['bi:tʃwɛə] *sb* strandtøj.
beacon ['bi:kən] *sb* sømærke; fyr; båke; baun; færdselsfyr; *vb* lyse, oplyse, vejlede.
bead [bi:d] *sb* lille kugle; (uægte) perle; *(fx* af sved, fedt) dråbe; (på gevær *etc)* sigtekorn; *tell one's -s* læse sin rosenkrans; *draw a* ~ *on* sigte på.
beadle ['bi:dl] *sb (glds)* kirkebetjent.
beadroll ['bi:droul] *sb* liste, fortegnelse.
beadsman [bi:dzmən] *sb* fattiglem.
beady ['bi:di] *adj* perleagtig; ~ *eyes* små skinnende øjne.
beagle ['bi:gl] *sb* beagle, lille harehund.
beak [bi:k] *sb* næb; spids; (på ambolt) horn; *(hist.* på skib) snabel; S krum næse; dommer.
beaker ['bi:kə] *sb* bæger; *(kem)* bægerglas.
I. beam [bi:m] *sb* bjælke; (til gymnastik, vævning) bom; (i

vægt) stang; *(mar)* dæksbjælke; dæksbredde; *kick the* ~ (blive) vippe(t) i vejret, blive den lille; *abaft the* ~ agten for tværs; *broad in the* ~ svær; *on the port* ~ *(mar)* tværs om bagbord.
II. beam [bi:m] *sb* stråle; *vb* stråle; (om radio) sende (i en bestemt retning); *off the* ~ ude af kurs; *(fig)* helt ved siden af, galt afmarcheret; *on the* ~ på ret kurs, *(fig* også) i orden; ~ *on* smile huldsaligt til.
beam aerial stråleantenne.
beam-ends: *on its (, one's etc)* ~ *(mar)* på siden, krængende over; (om person) i vanskeligheder, på knæene.
beam transmitter (radio) retningssender.
bean [bi:n] *sb* bønne; S skilling; *full of -s* livlig, med fut i; *give him -s* give ham en omgang (klø); *I haven't a* ~ jeg ejer ikke en rød øre; *come on, old* ~*!* kom så, gamle! (se også *II. spill).*
bean|feast personalefest; gilde. ~ **goose** *zo* sædgås.
beano ['bi:nou] *sb* S fest.
I. bear [bɛə] *sb* bjørn; *(merk)* baissespekulant; *vb* baisse, drive baissespekulation i *(fx a stock).*
II. bear [bɛə] *vb (bore, born(e))* bære, bringe; føre; støtte; *(fig)* udholde, tåle; (om barn) føde *(fx he was born in 1914*; *born of, borne by* født af); bringe til verden; (om kurs) styre, holde; *grin and* ~ *it (omtr =)* gøre gode miner til slet spil; ~ *sby company* holde en med selskab; ~ *a hand* give en håndsrækning; ~ *a part in* tage del i; ~ *witness to* vidne om; ~ *oneself* (op)føre sig; ~ *away* dreje af; *(mar)* falde (af); ~ *away the palm* gå af med sejren; ~ *down* slå ned, kue, betvinge; ~ *down upon* styre henimod; ~ *in mind* huske på, erindre; *it was borne in on me that* det gik op for mig at; ~ *left past the cemetery* hold til venstre forbi kirkegården; ~ *off (mar)* holde klar af; holde klar af land; ~ *on* have indflydelse på, angå; ~ *on a stick* støtte sig til en stok; ~ *out* støtte; ~ *sby out* bekræfte ens ord; *bring to* ~ se *bring*; ~ *up* holde ud, ikke fortvivle *(against* over for); ~ *up for (mar)* holde kurs mod; ~ *up under afflictions* holde sig rank i modgang; ~ *with* bære over med.
bearable ['bɛərəbl] *adj* udholdelig.
bearberry ['bɛəbəri] *sb (bot)* melbærris.
bearbind ['bɛəbaind] *sb (bot)* gærdesnerle.
beard [biəd] *sb* skæg (især om hageskæg; også om stak på aks); *vb* trodse *(fx* ~ *the lion in his den)*; *grow a* ~ lade skægget stå, anlægge skæg. **bearded** ['biədid] *adj* skægget; stakket; ~ *tit (zo)* skægmejse. **beardless** ['biədlis] *adj* skægløs; ~ *wheat* kolbehvede.
bearer ['bɛərə] *sb* (lig)bærer; overbringer; ihændehaver; *the tree is a good* ~ træet bærer godt.
bearer| bond ihændehaverpapir. ~ **share** ihændehaveraktie.
bear garden *(fig)* rabaldermøde.
bearing ['bɛəriŋ] *sb* holdning; optræden; forbindelse *(on* med, *fx it has no -s on the question)*; betydning; retning; *(mar)* pejling; *(tekn* af maskine) leje; *(her.)* skjoldfigur; *discuss the question in all its -s* drøfte sagen fra alle sider; *I have lost my -s* jeg har mistet orienteringen; *take the -s* pejle; orientere sig; *it is beyond* ~ det er ikke til at holde ud.
bearish ['bɛəriʃ] *adj* bjørneagtig, plump; *(merk)* med faldende tendens.
bear| leader bjørnetrækker. ~ **operation** *(merk)* baisseforretning. **-skin** bjørneskind; *(mil.)* bjørneskindshue.
beast [bi:st] *sb* (firbenet) dyr, *(fig)* bæst; ~ *of burden* lastdyr; ~ *of prey* rovdyr.
beastliness ['bi:stlinis] *sb* dyriskhed, bestialitet. **beastly** *adj* dyrisk, bestialsk; ~ *drunk* fuld som et svin.
I. beat [bi:t] *sb* slag *(fx heart -s)*; taktslag; runde *(fx a policeman's* ~*)*; klapjagt; *(am S)* journalistisk kup; *it is off my* ~ det er ikke af mit revier, det er noget jeg ikke véd noget om.
II. beat [bi:t] *vb (beat, beaten)* slå *(fx his heart ceased to* ~*)*; banke *(fx his heart was -ing like mad;* ~ *a carpet)*; prygle *(fx* ~ *sby with a stick,* ~ *sby to death)*; piske *(fx eggs); (fig)* slå, overvinde *(fx the enemy); that's -ing the band* det er kun et slag i luften; *to* ~ *the band* så det står (, stod) efter; *that -s the band!* det var dog den stiveste! nu har jeg aldrig hørt så galt! ~ *one's brain* vride sin hjerne; ~ *a drum* slå på tromme; ~ *eggs* piske æg; ~ *it* stikke af, skynde sig; *now then,* ~ *it!* forsvind så! glid så! *can you* ~ *it!* hvad giver De mig! *that*

B beat   30

-s me, it's got me beaten S det kan jeg ikke klare, det går over min forstand; ~ *the record* slå rekorden; ~ *a retreat* slå retræte, trække sig tilbage, løbe sin vej; ~ *time* slå takt; ~ *a wood (for game)* klappe en skov af, afdrive en skov;

~ *about the bush* komme med udflugter (*el.* udenomssnak), bruge omsvøb; *he did not* ~ *about the bush* han gik lige til sagen; ~ **down** slå ned (*fx the rain has beaten down the corn*); nedkæmpe (*fx the opposition*); ~ **down** *the price of sth* bringe (*el.* få) prisen på noget ned; ~ *him down* prutte ham ned; *the sun was -ing down on my head* solen brændte mig lige på hovedet; *I can't* ~ *it* **into** *his head* jeg kan ikke få det banket ind i hovedet på ham; ~ **off** slå tilbage (*fx an attack*); ~ **out** udhamre (*fx gold*); ~ *out the dust from* banke støvet ud af; ~ **(to windward)** (*mar*) krydse op mod vinden; ~ **up** piske (*fx eggs, cream*); **T** gennemprygle; ~ *up game* klappe vildt op.

III. beat [bi:t] *præt* af *II. beat*.

IV. beat ['bi:t] *adj* **S** udmattet, udkørt, slået ud; som vedrører *the* ~ *generation (am)* desillusioneret og nihilistisk forfattergruppe fra 1950erne; *sb: a* ~ et medlem af denne gruppe; ~ *music* beatmusik.

beaten ['bi:tn] *pp* af *II. beat*; ~ *silver* hamret (*el.* drevent) sølv; *the* ~ *track* den slagne vej.

beater ['bi:tə] *sb* klapper (ved jagt); hjulpisker; tæppebanker; (i papirfabr.) heltøjshollænder.

beatific [bi:ə'tifik] *adj* lyksalig; lyksaliggørende.

beatify [bi'ætifai] *vb* lyksaliggøre, beatificere; erklære (en afdød) for salig.

beating ['bi:tiŋ] *sb* banken; bank; dragt prygl, nederlag.

beatitude [bi'ætitju:d] *sb* (lyk)salighed; *the -s* (i Biblen) saligprisningerne.

beatnik ['bi:tnik], se *IV. beat sb*.

beat-up *adj* opslidt.

beau [bou] *sb* (*pl beaux* [bouz]) laps, modeherre; **S** (en ung piges) ven, kavaler.

beau ideal højeste ideal, store forbillede.

beauteous ['bju:tjəs] *adj* skøn.

beautician [bju:'tiʃən] *sb (am)* skønhedsekspert; indehaver af skønhedssalon.

beautiful ['bju:təful] *adj* smuk, skøn, dejlig.

beautify ['bju:tifai] *vb* forskønne, smykke.

beauty ['bju:ti] *sb* skønhed; *she is a* ~ hun er en skønhed; *isn't he a* ~? (ofte ironisk) er han ikke storartet! ~ *is only skindeep* man skal ikke skue hunden på hårene; *that is the* ~ *of it* det er netop det gode (, det morsomme, det spændende) ved det.

beauty| contest skønhedskonkurrence. ~ **culture** skønhedspleje. ~ **parlour,** ~ **shop** *(am)* skønhedsklinik, skønhedssalon. ~ **sleep** søvnen før midnat. ~ **spot** skønhedsplet; naturskønhed, naturskønt sted.

beaver ['bi:və] *sb zo* bæver; bæverskind; kastorhat (af bæverhår), høj hat; (på hjelm) visir; **S** (mand med) fuldskæg.

becalm [bi'ka:m] *vb* berolige; *be -ed (mar)* få vindstille.

became [bi'keim] *vb præt* af *become*.

because [bi'kɔ(:)z] *conj* fordi; ~ *of* på grund af.

I. beck [bek] *sb* bæk.

II. beck [bek] *sb* vink; *be at sby's* ~ *and call* hoppe og springe for en, stå på pinde for en.

III. beck [bek] *sb* vinke, vinke ad.

becket ['bekit] *sb (mar)* knebel.

beckon ['bekən] *vb* vinke, vinke ad; *(fig)* drage.

becloud [bi'klaud] *vb* overtrække med skyer, formørke.

become [bi'kʌm] *vb* (became, become) blive (*fx* ~ *a doctor,* ~ *known; what has* ~ *of him?*); anstå, klæde (*fx that dress -s her*); passe sig for.

becoming [bi'kʌmiŋ] *adj* passende; klædelig.

bed [bed] *sb* seng; leje; (i have) bed (*fx rose* ~); *(geol)* lag; leje (*fx* ~ *of coal*); (til støtte) underlag, fundament; *(tekn:* af drejebænk *etc)* vange; *vb* plante i bed; fæstne, lægge (*fx bricks are -ded in mortar*); ~ *down* lave et leje til (*fx a horse*); ~ *out* plante ud;

in ~ i (sin) seng; *be ill in* ~ ligge syg; *go to* ~ gå i seng; *keep one's* ~ holde sengen; *take to one's* ~ gå til sengs (om en syg); *make a* ~ rede en seng; *as you make your* ~ *so you must lie on it el. you must lie in the* ~ *you*

have made som man reder, så ligger man; *get out of* ~ *on the wrong side* få det forkerte ben først ud af sengen; *be brought to* ~ *of* blive forløst med, nedkomme med; *the* ~ *of the sea* havbunden; ~ *of ashes* askelag.

bedabble [bi'dæbl] *vb* oversprøjte, overstænke.

bedaub [bi'dɔ:b] *vb* tilsøle.

bedazzle [bi'dæzl] *vb* blænde; forvirre, gøre konfus.

bed|bug væggelus. **-chamber** sovekammer. ~ **chart** *(med.)* sengetavle. **-clothes** sengeklæder, sengetøj.

bedding ['bediŋ] *sb* sengetøj, sengeklæder; (for dyr) strøelse; (til støtte *etc*) underlag; *(geol)* lejringsforhold.

Bede [bi:d] Beda.

bedeck [bi'dek] *vb* pynte.

bedeguar ['bedigɔ:] *sb (bot)* rosengalle.

bedevil [bi'devl] *vb* forhekse; plage (indtil vanvid), drive fra forstanden.

bedew [bi'dju:] *vb* dugge.

bedfast ['bedfa:st] *adj (am)* sengeliggende.

bedfellow ['bedfelou] *sb* (sove)kammerat, *(fig også)* forbundsfælle.

bedim [bi'dim] *vb* sløre.

bedizen [bi'daizn] *vb* udmaje.

bed jacket sengetrøje.

bedlam ['bedləm] *sb* galeanstalt, dårekiste.

bedlamite ['bedləmait] *sb (glds)* dårekistelem.

bed linen sengelinned.

bedmaker *(omtr)* rengøringsassistent.

Bedouin ['beduin] *sb* beduin.

bed|pan (stik)bækken. **-plate** fundamentplade, fodplade. **-post** sengestolpe.

bedraggle [bi'drægl] *vb* tilsøle; *-d* sjasket, tilsølet; forfalden, afraket (*fx house*), ussel.

bed|ridden *adj* sengeliggende, syg, svag. **-rock** grundfjeld; *get down to -rock (fig)* komme til det væsentlige. **-room** sovekammer. **-side** sengekant; *his -side manner* hans måde at tage patienterne på; *at the -side* ved sengen. **-side story** godnathistorie. **-side table** natbord. **~ -sitter,** ~ **-sitting room** sove- og opholdsværelse; (ofte =) etværelseslejlighed. **-sore** liggesår. **-spread** sengetæppe. **-spring** spiralbund (i seng). **-staff** sengehest. **-stead** ['bedsted] seng, sengested.

bedstraw *(bot)* snerre; *our Lady's* ~ *(bot)* Jomfru Maries sengehalm.

bedtime sengetid; ~ *story* godnathistorie.

bee [bi:] *sb (zo)* bi; *(am)* sammenkomst til fælles arbejde og gensidig underholdning; (også) konkurrence (*fx a spelling* ~); *have a* ~ *in one's bonnet* have en fiks idé, være monoman.

bee bread bibrød.

beech [bi:tʃ] *sb* bøg. **beech| marten** husmår. ~ **mast** bog, bøgeolden. **-nut** bog, bøgeolden.

bee-eater *sb zo* biæder.

I. beef [bi:f] *sb* oksekød; *(fig)* kræfter, muskler; *beeves pl* oksekroppe.

II. beef [bi:f] *vb (am)* mukke, gøre vrøvl, være utilfreds; ~ *up* styrke.

beefeater ['bi:fi:tə] *sb* opsynsmand (i *Tower*).

beefsteak ['bi:f'steik] *sb* bøf.

beef tea bouillon.

beefy ['bi:fi] *adj* kødfuld, muskuløs.

beehive ['bi:haiv] *sb* bikube.

bee|keeping biavl. **-line** lige linie, korteste vej; *make a -line for* styre lige imod.

Beelzebub [bi'elzibʌb].

been [bi:n, bin] *pp* af *be; have you* ~ *today?* har du været på wc (, potte) i dag? *has he* ~ *today?* har har han været her idag? *he has* ~ *and* han har gået hen og (*fx spoiled it all*).

beer [biə] *sb* øl; *life is not all* ~ *and skittles* livet er ikke lutter lagkage; se også *small* ~.

beery ['biəri] *adj* øllet, ølstinkende.

beestings ['bi:stiŋz] *sb pl* råmælk.

beeswax ['bi:zwæks] *sb* bivoks; *vb* bone.

beet [bi:t] *sb (bot)* bede; *(am)* rødbede.

beet harvester roeoptager.

I. beetle ['bi:tl] *sb zo* bille; **T** kakerlak; (redskab:) kølle; brolæggerjomfru.

II. beetle ['bi:tl] *adj* (om bryn) busket.

III. beetle ['bi:tl] *vb* rage frem; kravle; pile; ~ *off* sjoske af; ~ *over* hænge ud over; *(fig)* hænge truende over, hænge over hovedet på.
beetle|browed ['bi:tl'braud] *adj* med buskede øjenbryn. ~ **crushers** *sb pl* 'brandspande' (ɔ: store støvler). ~ **parasite** *zo* skarnbasselus.
beet-lifting *sb (agr)* roeoptagning.
beetling ['bi:tliŋ] *adj* fremspringende, ludende.
beet|root *(bot)* rødbede. ~ **sugar** roesukker.
beeves [bi:vz] *pl* af *beef.*
beezer ['bi:zə] *sb* S næse, tud.
befall [bi'fɔ:l] *vb (befell, befallen)* tilstøde, times, overgå, ramme *(fx the fate that befell him);* (uden objekt) ske, hænde.
befit [bi'fit] *vb* passe for, sømme sig for.
befog [bi'fɔg] *vb* indhylle i tåge; *(fig)* tilsløre; omtåge, forvirre.
befool [bi'fu:l] *vb* holde for nar; gøre til nar.
before [bi'fɔ:] *adv, præp* før; foran; i nærværelse af *(fx don't use that sort of language ~ the children);* overfor; fremfor, førend; inden; forud for; for; ~ *Christ* før Kristi fødsel; ~ *God!* ved Gud! *be ~ the House* være for i parlamentet.
beforehand [bi'fɔ:hænd] *adv* på forhånd, i forvejen; forud; på forskud; *be ~ with the rent* være forud med (betaling af) huslejen; *be ~ with sby* komme en i forkøbet.
before-mentioned førnævnt.
befoul [bi'faul] *vb* besudle, tilsmudse.
befriend [bi'frend] *vb* vise velvilje imod; hjælpe.
befuddled [bi'fʌdld] *adj* omtåget.
beg [beg] *vb* bede om, anmode om, udbede sig; (uden objekt) tigge; *go (a)begging (fig)* være vanskelig at afsætte *(fx these pictures are going (a)begging); these jobs won't go (a)begging long* der bliver rift om disse stillinger; ~ *leave to* bede om tilladelse til at, tillade sig at; ~ *of sby to do sth* bede en om at gøre noget; ~ *off* bede sig fri; ~ *pardon,* se *pardon;* ~ *the question* bruge det der skal bevises som argument; tage svaret for givet; *I ~ to inform you* jeg tillader mig at meddele Dem.
began [bi'gæn] *præt* af *begin.*
beget [bi'get] *vb (begot, begotten)* avle.
begetter [bi'getə] *sb* fædrene ophav.
beggar ['begə] *sb* tigger; ~ bringe til tiggerstaven; *poor little* ~ stakkels lille fyr; ~ *description* overgå al beskrivelse. **beggarly** *adj* fattig; ussel, luset, sølle.
beggary ['begəri] *sb: reduce sby to* ~ bringe en til tiggerstaven.
begin [bi'gin] *vb (began, begun)* begynde, begynde på; *they don't* ~ *to compare* de kan overhovedet ikke sammenlignes; *well begun is half done* godt begyndt er halvt fuldendt; *to* ~ *with* for det første. **beginner** sb begynder.
beginning *sb* begyndelse; *from the very* ~ fra første færd.
begone [bi'gɔn] *interj* forsvind! væk med dig!
begonia [bi'gounjə] *sb (bot)* begonie.
begot [bi'gɔt] *præt* af *beget.*
begotten [bi'gɔtn] *pp* af *beget.*
begrime [bi'graim] *vb* tilsøle.
begrudge [bi'grʌdʒ] *vb* misunde, ikke unde; ~ *doing it* gøre det modstræbende.
beguile [bi'gail] *vb* narre, skuffe; fordrive (tiden).
beguine [bə'gi:n] *sb* (rumba-lignende dans).
begum ['beigəm] *sb* (indisk) fyrstinde.
begun [bi'gʌn] *pp* af *begin.*
behalf [bi'ha:f] *sb: in his* ~ til hans bedste; *on his* ~ på hans vegne; til hans bedste.
behave [bi'heiv] *vb* opføre sig; ~ *oneself* dy sig, opføre sig ordentligt; *ill behaved* uopdragen; *well behaved* velopdragen.
behaviour [bi'heivjə] *sb* opførsel, adfærd; *be on one's good* ~ gøre sig umage for at opføre sig pænt; *put sby on his good* ~ pålægge en at opføre sig godt.
behaviourism [bi'heivjərizm] *sb* adfærdspsykologi, behaviorisme.
behaviour pattern adfærdsmønster.
behead [bi'hed] *vb* halshugge.
beheld [bi'held] *præt* og *pp* af *behold.*
behest [bi'hest] *sb* bud, befaling.
behind [bi'haind] *præp, adv* bag, bag ved, (bag) efter; til-

bage; bagpå, bagtil; *sb* ende, bagdel; *be ~ sby* stå tilbage for en; stå bagved (ɔ: støtte) en; *what is ~ his refusal?* hvad ligger der bag hans afslag? *from ~* bagfra; *be ~ time* være forsinket, komme for sent; ~ *the times* gammeldags, bagud for sin tid; (se også *I. fall, II. leave).*
behindhand [bi'haindhænd] *adv, adj* tilbage, i restance; bagefter; *be ~* (også) stå tilbage for andre.
behold [bi'hould] *vb (beheld, beheld)* se, skue, betragte, iagttage.
beholden [bi'houldn] *adj* forbunden; *be ~ to* stå i taknemlighedsgæld til.
behoof [bi'hu:f] *sb (glds): to (el. for el. on) his* ~ til hans bedste.
behove [bi'houv] *vb* sømme sig for; påhvile.
beige [beiʒ] *adj* drapfarvet, beige.
being ['bi:iŋ] *sb* tilværelse; væsen; *adj: for the time* ~ foreløbig, for øjeblikket; *in* ~ eksisterende; *come into* ~ blive til.
belabour [bi'leibə] *vb* slå løs på; *(fig)* overfuse; tærske langhalm på.
belated [bi'leitid] *adj* forsinket; lovlig sen, som har ladet vente på sig.
belay [bi'lei] *vb* gøre fast; sikre (med reb); ~! hold inde!
belaying pin *(mar)* kofilnagle.
belch [beltʃ] *vb* ræbe; udspy; *sb* ræben, opstød.
beldam(e) ['beldəm] *sb* gammel heks, kælling.
beleaguer [bi'li:gə] *vb* belejre.
belemnite ['belemnait] *sb* vættelys, belemnit.
Belfast [bel'fa:st].
belfry ['belfri] *sb* klokketårn; *have bats in the ~* S »have rotter på loftet«, være tosset.
Belgian ['beldʒən] *adj* belgisk; *sb* belgier.
Belgium ['beldʒəm] Belgien.
Belgravia [bel'greivjə] (kvarter i Londons *West End).* **Belgravian** *adj* fornem, fin, aristokratisk.
belie [bi'lai] *vb* gøre til løgn, modsige, gøre til skamme; *it does not ~ its name* det svarer til sit navn.
belief [bi'li:f] *sb* overbevisning; tro (*in* på); tiltro (*in* til); *beyond ~* utroligt; *my ~ is that* jeg tror at; *to the best of my ~* så vidt jeg ved.
believable [bi'li:vəbl] *adj* trolig.
believe [bi'li:v] *vb* tro (*in* på); ~ *sby* tro en (ɔ: at han taler sandt); ~ *in* tro på, have tillid til *(fx I ~ in you);* være en tilhænger af *(fx I don't ~ in reading in bed); I don't ~ in smoking before breakfast* jeg holder ikke af *(el.* jeg tror ikke det er sundt) at ryge før morgenmaden.
believer [bi'li:və] *sb* troende; (ofte:) kristen.
Belisha [bi'li:ʃə]: ~ *beacon* »fodgængerappelsin« (der markerer fodgængerovergang).
belittle [bi'litl] *vb* bagatellisere, tale ringeagtende om, forklejne.
bell [bel] *sb* klokke; bjælde; *(mar)* glas, halvtime; *vb* hænge bjælde på; ~ *the cat* påtage sig en farlig opgave til fælles bedste; vove pelsen for de andre; *answer the ~* lukke op (når det ringer); *bear away the ~* vinde prisen; *saved by the ~* (ved boksekamp) reddet af gongongen; se også *II.ring, I. sound.*
belladonna [belə'dɔnə] *sb* belladonna; *(bot)* galnebær.
bellarmine ['bela:min] *sb* skæggemand (stentøjskrus).
bellbind ['belbaind] *sb (bot)* konvolvulus, snerle.
bell|boy piccolo. ~ **buoy** *(mar)* klokkebøje.
belle [bel] *sb (glds)* skønhed (ɔ: smuk kvinde); *the ~ of the ball* ballets dronning.
belles-lettres ['bel'letr] *sb* skønlitteratur.
bell|founder klokkestøber. **-hop** *(am)* piccolo.
bellicose ['belikous] *adj* krigerisk, stridbar.
bellicosity [beli'kɔsiti] *sb* stridbarhed.
belligerence [bi'lidʒərəns] *sb* krigeriskhed; krigstilstand.
belligerent [bi'lidʒərənt] *adj, sb* krigsførende (magt); krigerisk.
bell jar glasklokke.
bellow ['belou] *vb* brøle; larme; *sb* brøl.
bellows ['belouz] *pl* blæsebælg.
bell|pull klokkestreng. **-push** (ringeapparats) knap. **-ringer** klokker. **-wether** klokkefår.
belly ['beli] *sb* bug, mave, vom, underliv; (på violin) dække, bryst; *vb* bugne, svulme.
belly|ache *sb* mavepine, mavekneb; *vb* **T** beklage sig,

brokke sig. **-flop** maveplaster (ved udspring); *(flyv)* mavelanding; *take a ~* falde pladask på maven. **-ful** *sb* **T**: *get a -ful (fig)* få mere end nok. **~ landing** *(flyv)* mavelanding. **~ laugh** S skraldende latter; komisk scene i bog *etc.*

belong [bi'lɔŋ] *vb* høre til; høre hjemme, have sin plads; henhøre *(under* under); *~ to* tilhøre *(fx the book -s to me); they ~ here* de hører til her.

belongings [bi'lɔŋiŋz] *sb pl* ejendele, sager.

beloved [bi'lʌvd] *pp, adj* elsket, afholdt *(fx ~ by all);* [bi'lʌvid] *sb, adj* elsket *(fx my ~; his ~ wife).*

below [bi'lou] *præp, adv* under, neden under, nede; *here ~* her på jorden; *(down) ~* nedenunder; i helvede; *mentioned ~* nedennævnt; *~ the average* under gennemsnittet; *it is ~ him* det er under hans værdighed.

belt [belt] *sb* bælte; livrem; (område) bælte; *(tekn)* drivrem, (i transportør) bånd; *(mil.* til maskingevær) patronbånd; (farvand) bælt; *vb* spænde (med bælte); *(glds)* omgjorde; **T** prygle; fare, løbe; *hit below the ~* slå under bæltestedet; *tighten one's ~* spænde livremmen ind; *get under the ~* **T** sætte til livs, stikke under vesten (ɔ: spise); *(fig)* sikre sig; *~ up!* S klap i! hold mund!

belting ['beltiŋ] *sb* (materiale til) bælte(r), drivremme; *a ~* **T** en dragt prygl.

belt punch hultang.

beluga [bə'lu:gə] *sb zo* hvidhval, hvidfisk (art hval); huse (art stør).

B.E.M. *fk British Empire Medal.*

bemoan [bi'moun] *vb* begræde.

bemused [bi'mju:zd] *adj* forvirret, omtåget; åndsfraværende.

Ben [ben] *fk Benjamin.*

Benares [bi'na:riz].

bench [ben(t)ʃ] *sb* bænk; arbejdsbænk, høvlebænk; *(jur)* dommersæde; dommere, domstol; *be on the ~* beklæde dommersædet; (i sport) være reserve; *be raised to the ~* blive dommer *(el.* biskop).

bencher ['bent ʃə] *sb* ledende medlem af en af *the Inns of Court.*

benchmark ['ben(t)ʃma:k] *sb* fikspunkt (hvorudfra målinger foretages).

I. bend [bend] *sb* bøjning; krumning; bugtning, kurve, vejsving; *(mar)* stik; *round the ~* over det værste; **T** tosset; *the -s (med.)* dykkersyge.

II. bend [bend] *vb (bent, bent)* bøje sig *(fx she was -ing over the cradle);* bøje, bukke *(fx a piece of wire, a bar of iron);* rette, give retning *(fx ~ one's steps towards a place);* dreje *(fx the road -s to the right); (mar)* binde; underslå (sejl); *~ a bow* spænde en bue; *~ the brows* rynke panden; *~ the elbow (fig)* bøje armen, være fordrukken; *~ one's energies (el. oneself) to* sætte al sin energi ind på; *~ the knee* bøje knæ; *catch sby -ing* **T** overrumple en; *~ over backwards,* se lean.

bended ['bendid] *adj* bøjet; *on ~ knees* knælende, inderligt bedende; på sine knæ.

bender ['bendə] *sb* S gilde. **bends** *pl* se *I.* bend.

beneath [bi'ni:θ] *præp, adv* under; nedenunder; *~ contempt* under al kritik; *~ one* under ens værdighed; *marry ~ one* gifte sig under sin stand.

Benedictine [beni'diktin] *sb* benediktinermunk; [beni'dikti:n] D.O.M. (likør).

benediction [beni'dikʃən] *sb* velsignelse.

benefaction [beni'fækʃən] *sb* velgerning; gave til velgørende formål. **benefactor** [ˈbenifæktə] *sb* velgører. **benefactress** [ˈbenifæktris] *sb* velgørerinde.

benefice ['benifis] *sb* præstekald. **beneficence** [bi'nefisns] *sb* godgørenhed. **beneficent** [bi'nefisnt] *adj* godgørende. **beneficial** [beni'fiʃəl] *adj* velgørende, heldig, gavnlig. **beneficiary** [beni'fiʃəri] *sb* beneficiar, begunstiget, en til hvis fordel en livsforsikring er tegnet; indehaver af gejstligt embede; *be a ~ of* nyde godt af.

benefit ['benifit] *sb* fordel, nytte, gavn *(from* af); ydelse, hjælp, understøttelse *(fx unemployment ~* arbejdsløshedsunderstøttelse); *(teat)* benefice; *(glds)* velgerning; *vb* nytte, gavne; gøre godt imod; *~ by* have nytte af, nyde godt af; *daily ~* dagpenge; *for the ~ of* til bedste for; til gavn for; *give him the ~ of the doubt* lade tvivlen komme ham til gode; *~ performance* beneficeforestilling.

Benelux ['benilʌks] Beneluxlandene (Belgien, Nederlandene, Luxembourg).

benevolence [bi'nevələns] *sb* velvilje; godgørenhed; gavmildhed. **benevolent** [bi'nevələnt] *adj* velvillig, menneskekærlig; godgørende.

Bengal [beŋ'gɔ:l] Bengalen. **Bengali** [beŋ'gɔ:li] *adj* bengalsk; *sb* bengaler, bengaleser; bengalisproget.

benighted [bi'naitid] *adj* overrasket af mørket; *(fig)* uoplyst, uvidende.

benign [bi'nain] *adj* mild, venlig; gunstig; (om sygdom) godartet. **benignant** [bi'nignənt] *adj* velvillig; mild. **benignity** [bi'nigniti] *sb* mildhed, venlighed; *(med.)* godartethed.

benison ['benizn] *sb (poet)* velsignelse.

Benjamin ['bendʒəmin]; *benjamin (bot)* benzoetræ.

bennet ['benit] *sb (bot)* febernellikerod.

I. bent [bent] *sb* tilbøjelighed, lyst, evne; *to the top of one's ~* af yderste evne, af hjertens lyst.

II. bent [bent] *sb (bot)* stridt græs; hvene.

III. bent [bent] *præt og pp* af *bend; adj* bøjet; *~ on doing sth* opsat *(el.* besluttet) på at gøre noget.

bent grass *(bot)* (krybende) hvene.

Benthamism ['bentəmizm] nyttemoralen, Benthams lære.

benumbed [bi'nʌmd] *adj* valen, stivnet, 'død' (af kulde); lammet.

benzene ['benzi:n] *sb (kem)* benzol.

benzine ['benzi:n] *sb* benzin (til rensning).

benzoin ['benzouin] *sb* benzoe(harpiks).

benzol ['benzɔl] *sb (merk)* benzol.

bequeath [bi'kwi:ð] *vb* testamentere.

bequest [bi'kwest] *sb* testamentering; testamentarisk gave, arv.

berate [bi'reit] *vb* skælde ud.

Berber ['bə:bə] *sb* berber, berbersprog.

bereave [bi'ri:v] *vb (bereaved el. bereft)* berøve; *~ sby of sth* berøve en noget; *the bereaved* de (sørgende) efterladte; *bereft of* uden, blottet for. **bereavement** *sb* smerteligt tab (ved nær pårørendes død); *owing to ~* på grund af dødsfald.

bereft [bi'reft] *præt og pp* af *bereave.*

beret ['berei] *sb* baskerhue, baret.

berg [bə:g] *sb* isbjerg.

bergamot ['bə:gəmɔt] *sb* bergamottræ; bergamotolie; bergamot(pære).

beriberi ['beri'beri] *sb (med.)* beriberi.

Berkeley ['ba:kli, *am:* 'bə:kli].

Berks [ba:ks] *fk Berkshire* ['ba:kʃiə].

Berlin [bə:'lin, 'bə:'lin].

Bermuda [bə'm(j)u:də]: *the -s* Bermudaøerne.

berry ['beri] *sb* bær; fiskeæg; *vb* samle bær; sætte bær; *brown as a ~* brun som en neger.

berserk ['bə:sə:k] *adj* bersærk; *go ~* få bersærkergang; *~ fury, ~ rage* bersærkergang.

berth [bə:θ] *sb* køje(plads); ankerplads; lukaf; **T** plads, stilling; *vb* skaffe soveplads til; fortøje; *give sth a wide ~* gå langt uden om noget, undgå noget; *(mar)* holde godt klar af noget.

Bertrand ['bə:trənd].

beryl ['beril] *sb* beryl, akvamarin.

beseech [bi'si:tʃ] *vb (besought, besought)* bede indstændigt, bønfalde, trygle (om).

beseem [bi'si:m] *vb (glds)* sømme sig for.

beset [bi'set] *vb (beset, beset)* belejre; omringe, omgive; angribe; plage, true; *~ with (el. by) difficulties* forbundet med store vanskeligheder; *-ting sin* skødesynd.

beshrew [bi'ʃru:] *vb: ~ me if* lad mig synke i jorden om.

beside [bi'said] *præp* ved siden af, ved; foruden; *be ~ oneself* være ude af sig selv; *it is ~ the point* det kommer ikke sagen ved.

besides [bi'saidz] *adv* desuden; *præp* foruden.

besiege [bi'si:dʒ] *vb* belejre; *(fig også)* bestorme *(fx with questions).*

besmear [bi'smiə] *vb* tilsmøre; *(fig)* tilsmudse, tilsvine.

besmirch [bi'smə:tʃ] *vb* plette, besudle.

besom ['bi:zəm] *sb* riskost.

besotted [bi'sɔtid] *adj* omtåget, sløv; forblindet.

besought [bi'sɔ:t] *præt og pp* af *beseech.*

bespangle [bi'spæŋgl] *vb* overså, besætte (med pailletter *ol)*.

bespatter [bi'spætə] *vb* overstænke, tilsøle.

bespeak [bi'spi:k] *vb (bespoke, bespoke(n))* bestille; reservere; betinge sig; tyde på, vidne om.

bespectacled [bi'spektəkld] *adj* bebrillet.

bespoke [bi'spouk] *præt* og *pp* af *bespeak;* adj syet efter mål.

bespoke| **bootmaker** håndskomager. **~ department** bestillingsafdeling (i ekviperingsforretning).

bespoke tailoring syning efter mål.

Bess [bes] *fk Elizabeth.*

I. best [best] *adj, adv* bedst, mest *(fx the ~ hated teacher)*, højest; *sb* bedste tøj *(fx dressed in their ~)*; **at ~** i bedste fald, i det højeste; *be at one's ~* være bedst, yde sit bedste; *it was all* **for the ~** alt føjede sig til det bedste; *I did it all for the ~* jeg gjorde det i bedste mening; **from the ~** *of motives* i den bedste hensigt; **have** *(el. get) the ~ of it* gå af med sejren; *you had ~ confess* du gør klogest i at tilstå; **like ~** holde mest af, synes bedst om; **look** *one's ~* se strålende ud; **make** *the ~ of* benytte på bedste måde, få det mest mulige ud af, udnytte *(fx one's talents)*; *make the ~ of one's way* skynde sig alt hvad man kan; *make the ~ of a bad business* få det bedst mulige ud af situationen, tage det med godt humør; *the ~* **part** *of* det meste af, det bedste ved; **to** *the ~ of my ability* efter bedste evne; *to the ~ of my knowledge* så vidt jeg ved; *he can still dance* **with** *the ~ (of them)* han danser stadig så godt som nogen.

II. best [best] *vb* få overtaget over, overvinde.

bestial ['bestjəl] *adj* bestialsk, dyrisk.

bestiality [besti'æliti] *sb* bestialitet, dyriskhed.

bestiary ['bestiəri] *sb* dyrebog.

bestir [bi'stə:] *vb:* **~** *oneself* røre på sig, tage fat, komme i gang; tage affære.

best man forlover (for brudgommen).

bestow [bi'stou] *vb* overdrage, skænke; give *(upon* til); anbringe. **bestowal** *sb* overdragelse; anbringelse.

bestrew [bi'stru:] *vb* bestrø *(with* med); ligge strøet over *(fx papers -ed the streets)*.

bestride [bi'straid] *vb (bestrode, bestridden)* skræve over, sidde overskrævs på; bestige.

best seller *sb* salgssucces, bestseller.

bet [bet] *vb (bet, bet)* vædde; holde, sætte *(fx £5 on a horse)*; *sb* væddemål; *it is a safe ~ that* det er bombesikkert at; *your best ~* is to du gør klogest i at; *you ~* det kan du bande på.

betake [bi'teik] *vb (betook, betaken):* **~** *oneself* begive sig; **~** *oneself to* (også) ty til, søge tilflugt hos; **~** *oneself to one's heels* tage benene på nakken.

betaken [bi'teikən] *pp* af *betake.*

betaparticle ['bi:tə'pa:tikl] (atomfysik) betapartikel.

betcher ['betʃə]: *you ~* (af: *you may bet your life upon it) (am)* ja det kan du bande på.

betel ['bi:tl] *sb (bot)* betel.

bethel ['beθəl] *sb (omtr)* missionshus; *(am)* sømandskirke.

bethink [bi'θiŋk] *vb (glds):* **~** *oneself of* komme i tanker om, huske; overveje; beslutte.

Bethlehem ['beθlihem]; *star of* **~** *(bot)* fuglemælk.

bethought [bi'θɔ:t] *præt* og *pp* af *bethink.*

betide [bi'taid] *vb* times, hænde; *woe ~ him!* ve ham!

betimes [bi'taimz] *adv* i tide, betids, tidligt.

betoken [bi'toukn] *vb* antyde, betegne; varsle.

betook [bi'tuk] *præt* af *betake.*

betray [bi'trei] *vb* forråde; røbe; svigte *(fx my trust, a girl)*. **betrayal** [bi'treiəl] *sb* forræderi.

betroth [bi'trouð] *vb* trolove, forlove sig med.

betrothal [bi'trouðəl] *sb* trolovelse, forlovelse.

I. better ['betə] *adj, adv* bedre; *one's -s* ens overmænd: *be ~* have det bedre *(fx the patient is ~)*; *be the ~ for it* have godt af det; *for ~ for worse* i medgang og modgang; **get** *the ~ of* besejre, få overtaget over, løbe af med *(fx his kind heart had the ~ of him)*; *you* **had ~** go du må hellere gå, du gør bedst i at gå; *he had ~ not* han gør klogest i at lade være; det kan han lige vove på; *my ~ half* min bedre halvdel; **like ~** holde mere af, synes bedre om; *be* **~ off** være bedre stillet; **~ oneself** forbedre

sine kår; *be* **~ than** *one's word* gøre mere end man har lovet; *go one* **~** *than* **T** overgå, overtrumfe; *no* **~** *than* ikke andet *(el.* mere) end; *he is no* **~** *than he should be* han er ikke af vorherres bedste børn; *she is no* **~** *than she should be* (også) hun er løs på tråden; **think** **~** *of it* ombestemme sig, betænke sig; *komme på bedre (el.* andre) tanker.

II. better ['betə] *sb* en, der vædder.

betterment ['betəmənt] *sb* (grund)forbedring.

better-to-do *adj* bedrestillet.

betting shop indskudsbod.

between [bi'twi:n] *præp* imellem, mellem; **~** *them* i forening, ved fælles hjælp; tilsammen *(fx they had £5 ~ them); ~ ourselves, ~ you and me (and the gatepost)* mellem os sagt; *it is just ~ us two* det bliver mellem os.

between|decks mellemdæk. **-maid** hjælpepige (pige som hjælper kokke- og stuepige). **-whiles** *adv* af og til.

betwixt [bi'twikst] *adv* imellem; **~** *and between* midt imellem, halvt det ene og halvt det andet.

bevel ['bevl] *sb* skråkant, smig, affasning; skæv vinkel; (værktøj:) smigstok; *adj* skæv; *vb* skærpe, affase, afskrå, give skrå retning; *-led* (også) facetslebet *(fx glass, mirror); ~ gear* konisk tandhjul; **~** *pinion* spidshjul.

beverage ['bevəridʒ] *sb* drik; *-s* drikkevarer.

bevy ['bevi] *sb* flok, sværm.

bewail [bi'weil] *vb* begræde, jamre over.

beware [bi'wɛə] *vb* vogte sig *(of* for); *beware!* pas på!

Bewick ['bju:ik]; *-'s swan (zo)* pibesvane.

bewilder [bi'wildə] *vb* forvirre; *-ed* fortumlet, forvirret, desorienteret. **bewilderment** *sb* forvirring.

bewitch [bi'witʃ] *vb* forhekse; fortrylle.

bey [bei] *sb* bey; tyrkisk statholder.

beyond [bi'jɔnd] *præp* og *adv* hinsides, på den anden side (af), forbi; over, udover, mere end; senere end; uden for (rækkevidden af); *live at the back of ~* bo i en ravnekrog *(el.* uden for lands lov og ret); **~** *compare* uforlignelig; **~** *all criticism* hævet over al kritik; **~** *one's depth,* se *depth;* **~** *doubt* hævet over enhver tvivl; **~** *example* eksempelløs; **~** *expression* usigelig; **~** *me* over min forstand; **~** *measure* over al måde; *the* **~** det hinsidige.

bezique [bi'zi:k] *sb* bezique (et kortspil).

bias ['baiəs] *sb* skrå retning, skævhed; hældning *(fig)* hang, tilbøjelighed; fordom; forudindtagethed; ensidighed, partiskhed; *vb* påvirke *(fx we must ~ him in our favour); cut the material on the ~* klippe stoffet skråt *(el.* på skrå).

bias binding skråbånd.

bias(s)ed ['baiəst] *adj* partisk, forudindtaget, ensidig.

bias strip skråstrimmel.

I. bib [bib] *sb* (hage)smæk; *best ~ and tucker* stiveste puds.

II. bib [bib] *vb* pimpe.

bibelot ['bi:blou] *sb* nipsgenstand; miniatureudgave af bog.

Bible ['baibl] bibel. **biblical** ['biblikl] *adj* bibelsk.

bibliographer [bibli'ɔgrəfə] *sb* bibliograf.

bibliographic [bibliə'græfik] *adj* bibliografisk.

bibliography [bibli'ɔgrəfi] *sb* bibliografi.

bibliomania [bibliə'meinjə] *sb* bibliomani, boggalskab.

bibliomaniac [bibliə'meiniæk] *sb* biblioman, fanatisk bogsamler.

bibliophile ['bibliəfail] *sb* bogelsker, bibliofil.

bibulous ['bibjuləs] *adj* drikfældig.

bicameral [bai'kæmərəl] *adj* (om rigsdag) tokammer-, med to kamre.

bicarbonate [bai'ka:bənit] *sb (kem)* bikarbonat.

bicentenary [baisen'ti:nəri] *sb* tohundredårsdag.

biceps ['baiseps] *sb (pl bicepses)* biceps (muskel i overarmen).

bicker ['bikə] *sb* skænderi, trætte; *vb* skændes, trættes, mundhugges.

bicycle ['baisikl] *sb* cykel; *ride a* **~** cykle, køre på cykel; **~** *shed* cykelskur; **~** *shop* cykelværksted, cykelhandler; **~** *stand* cykelstativ.

I. bid [bid] *vb (bade, bid(den)) (glds)* byde, befale; bede, indbyde; *(bid, bid)* tilbyde, byde, gøre bud; (i kortspil) melde; *(am)* give tilbud (ved licitation); **~** *defiance* byde trods; **~** *fair* to tegne til at; **~** *welcome* byde velkommen.

II. bid [bid] *sb* bud; forsøg; (i kortspil) melding; *make a ~ for* give et bud på; gøre en indsats for at opnå, søge at vinde *(fx sympathy; independence)*; *make a ~ for power* gribe efter magten; *no ~* (i bridge) pas; *say no ~* melde pas.

biddable ['bidəbl] *adj* meldbar (i bridge); medgørlig, lydig.

bidden *pp* af *I. bid*.

bidder ['bidə] *sb* en der byder; (i kortspil) (en) melder.

bidding ['bidiŋ] *sb* bud, befaling; *do his ~* adlyde hans befaling; *the ~ was slow (merk)* budene faldt langsomt.

bide [baid] *vb* forblive; modstå; *~ one's time* vente på sin chance.

bidet ['bi:dei] *sb* bidet (sædebadeindretning).

bid price køberkurs.

biennial [bai'enjəl] *sb* toårig plante; *adj* toårig; som varer to år; som indtræffer hvert andet år.

bier [biə] *sb* ligbåre, båre.

biestings ['bi:stiŋz] *sb pl* råmælk..

B.I.F. *fk British Industries Fair*.

biff [bif] *sb* S slag *(fx a ~ in the eye)*; *vb* slå *(fx I -ed him one)*.

biffin ['bifin] *sb* (madæblesort).

bifocal ['bai'foukəl] *adj* bifokal, med to slibninger.

bifurcate ['baifə:keit] *vb* spalte sig i to grene; ['baifə:kit] *adj* spaltet i to grene, togrenet, gaffeldelt.

bifurcation [baifə:'keiʃən] *sb* gaffeldeling; gaffelgren.

big [big] *adj* stor, tyk, svær; bred, vid; kraftig; *(fig)* storsindet; vigtig, betydelig; *look ~* se vigtig ud; *talk ~* prale, være stor i munden; *grow too ~ for one's clothes* vokse fra sit tøj; *he is too ~ for his boots (el. breeches)* han er stor på den, han er indbildsk; *~ words* store ord.

bigamy ['bigəmi] *sb* bigami.

big| brother storebror. **~ bug** = *bigwig*. **~ business** storkapitalen. **-horn** *sb* bjergfår *(i Rocky Mountains)*.

bight [bait] *sb* bugt, bugtning (på et tov); havbugt.

big noise = *bigwig*.

bigot ['bigət] *sb* blind tilhænger, fanatiker. **bigoted** ['bigətid] *adj* bigot, snæversynet, blindt troende, fanatisk.

bigotry ['bigətri] *sb* blind tro, bigotteri.

big| shot = *bigwig*. **~ stick:** *use the ~* stick *(fig)* svinge pisken, bruge magt. **~ top** cirkustelt.

bigwig ['bigwig] *sb* person af betydning; *the -s* de store, 'de store kanoner'.

bike [baik] T *sb* cykel; *vb* cykle.

Bikini [bi'ki:ni]. **bikini** *sb* bikinibadedragt; *~ briefs, -s* bikinitrusser.

bilateral [bai'lætərəl] *adj* tosidet.

bilberry ['bilb(ə)ri] *sb* blåbær.

bile [bail] *sb* galde.

bilge [bildʒ] *sb (mar)* kimming (overgang mellem skibs bund og sider); T vrøvl, pladder; *vb* gøre læk, blive læk i bunden.

bilge| keel slingrekøl. **~ water** *(mar)* bundvand.

biliary ['biljəri] *adj* galde- *(fx ~ duct)*.

bilingual [bai'liŋwəl] *adj* tosproget.

bilious ['biljəs] *adj* galdesyg; galde-; *(fig)* mavesur; *~ attack* anfald af galdesyge, galdekolik.

bilk [bilk] *vb* snyde; *sb* snyder.

Bill [bil] *fk William*.

I. bill [bil] *sb* næb; *vb* næbbes; kysses; *~ and coo* kysses og kæle for hinanden.

II. bill [bil] *sb* beskærekniv; *(hist.)* hellebard.

III. bill [bil] *sb* regning; veksel; plakat; program; løbeseddel; fortegnelse; *(parl)* lovforslag; (især *am*) (penge)seddel; *vb* sætte på plakaten; sætte plakater op i;
be -ed stå på plakaten; *keep the play on the ~* holde stykket på plakaten; *~ of exchange* veksel; *~ of fare* spiseseddel; *clean ~ of health* sundhedspas; *~ of lading* konnossement; *the Bill of Rights* den lov, som sikrede englænderne en fri forfatning efter Stuarternes fordrivelse; *~ of sale* pantebrev i løsøre; skibsskøde; *find a true ~ (jur)* finde klagen berettiget, dekretere tiltale.

billboard ['bilbɔ:d] *sb* plakattavle; plankeværk.

bill broker vekselmægler.

I. billet ['bilit] *sb (mil.)* indkvarteringsseddel; kvarter; indkvartering; T stilling, job; *vb* indkvartere; *~ on* indkvartere hos; *in -s* indkvarteret, i kantonnement.

II. billet ['bilit] *sb* brændestykke; barre (af metal), blok.

billet-doux ['bilei'du:] *sb* billet doux, kærlighedsbrev.

bill|fold *(am)* tegnebog. **-hook** faskinkniv, beskærekniv.

billiards ['biljədz] *sb* billard.

Billingsgate ['biliŋzgit] (fisketorv i London); pøbelsprog, skældsord.

billion ['biljən] *sb* billion; *(am)* milliard.

billow ['bilou] *sb* (stor) bølge; *vb* bølge; (om tøj *etc)* flagre, blafre.

billowy ['biloui] *adj* bølgende.

billposter, billsticker plakatopklæber.

Billy ['bili] *fk William*.

billy ['bili] *sb* (politi)stav; kogekar.

billy|can kogekar. **-goat** gedebuk.

billy-ho ['bilou]: *like ~* som bare pokker.

biltong ['biltoŋ] *sb* strimler af tørret vildtkød.

bimetallism [bai'metəlizm] *sb* bimetallisme, dobbeltmøntfod.

bimonthly ['bai'mʌnθli] *adj* som sker (, udkommer) hveranden måned *(el.* to gange om måneden).

bin [bin] *sb* kasse, beholder, silo; skarnbøtte.

binary ['bainəri] *adj* binær; dobbelt; *~ star* dobbelt stjerne.

bind [baind] *vb (bound, bound)* binde; (sår) forbinde; (bog) indbinde; (tæppe *etc)* kante; *(mht fordøjelse)* forstoppe; *(jur)* forpligte; *sb: S in a ~* i knibe; *be bound over (to keep away from public parks)* få tilhold (om ikke at besøge offentlige anlæg); *~ up* forbinde; se også *III. bound*.

binder ['baində] *sb* bogbinder; (til papirer) bind;. *(fx* til maling) bindemiddel; *(agr)* selvbinder, bindemekanisme; (på cigar) omblad.

binding ['baindiŋ] *sb* bind; indbinding; bogbind; *(fx·*om tæppe) kant, kantning; *adj* bindende *(fx this promise is not ~)*; *~ energy* bindingsenergi; *~ on* bindende for.

bindweed ['baindwi:d] *sb (bot)* snerle.

binge [bindʒ] *sb* S gilde.

bingo ['biŋgou] *sb* bingo, talloteri, bankospil.

binnacle ['binəkl] *sb (mar)* nathus, kompashus.

binocular [b(a)i'nɔkjulə] *adj* til *(el.* med) begge øjne. **binoculars** *sb pl* (dobbelt)kikkert.

bint [bint] *sb* S pigebarn.

binturong ['bintjuərɔŋ] *sb zo* bjørnekat.

biochemistry ['baiou'kemistri] *sb* biokemi.

biodegradable ['baioudi'greidəbl] *adj* biologisk nedbrydelig.

biographer [bai'ɔgrəfə] *sb* biograf (ɔ: levnedsskildrer). **biographical** [baiə'græfikl] *adj* biografisk.

biography [bai'ɔgrəfi] *sb* biografi.

biologic(al) [baiə'lɔdʒik(l)] *adj* biologisk.

biology [bai'ɔlədʒi] *sb* biologi.

biopsy ['baiopsi] *sb (med.)* biopsi.

biovular [bai'ouvjulə] *adj* tveægget *(fx twin)*.

biped ['baiped] *adj* tobenet; *sb* tobenet dyr.

biplane ['baiplein] *sb (flyv)* todækker, biplan.

birch [bə:tʃ] *sb* birk; ris; *vb* give ris.

birchen ['bə:tʃən] *adj* birke-, birketræs-.

bird [bə:d] *sb* fugl; S fyr *(fx a gay ~, a queer ~)*; S sød pige; *kill two -s with one stone* slå to fluer med et smæk; *the early ~, as early; get the ~* S blive fyret, blive smidt ud; (om optrædende) blive pebet ud; *a ~ in the hand is worth two in the bush* en fugl i hånden er bedre end ti på taget; *-s of a feather flock together* krage søger mage; *~ of paradise* paradisfugl; *~ of passage* trækfugl; *~ of prey* rovfugl.

bird| cage fuglebur. **-call** fuglefløjt; lokkefløjte. **~ cherry** *(bot)* hægebær. **~ fancier** fuglehandler, fugleopdrætter. **-lime** fuglelim. **~ sanctuary** fuglereservat. **-seed** fuglefrø. **-'s eye** fugleøje. **-'s eye maple** *(bot)* fugleøjetræ. **-'s eye view:** *a -'s eye view of the castle* udsnit set i fugleperspektiv *(el.* fra luften); *get a -'s eye view of the situation* få et overblik over situationen. **-'s foot trefoil** *(bot)* kællingetand. **~ shot** fuglehagl. **-'s nest** fuglerede; *go birds'-nesting* plyndre fuglereder.

birefringence [bairi'frindʒəns] *sb* dobbeltbrydning.

Birmingham (i England) ['bə:miŋəm]; (i USA) ['bə:miŋhæm].

biro ['baiərou] *sb* ® kuglepen.

birth [bə:θ] *sb* fødsel; herkomst, byrd; *new ~* genfødelse; *give ~ to* føde; *(fig)* afføde; fremkalde; *a man of ~* en

mand af fornem herkomst.
birth| **control** fødselskontrol, børnebegrænsning. **-day** fødselsdag; *-day honours* titler etc uddelt på monarkens officielle fødselsdag; *in one's* -day *suit* i Adamskostume. **-mark** modermærke. ~ **pill** p-pille. **-place** fødested. **-rate** fødselsprocent. **-right** førstefødselsret. **-wort** *(bot)* slangerod.
Biscay ['biskei] Biskaya. **Biscayan** [bi'skeiǝn] *adj* biskayisk.
biscuit ['biskit] *sb* kiks; biskuit; *(am)* kuvertbrød; bolle; (keramik) se *bisque;* (i sport) ekstra point (, slag); *ship's* -*s* beskøjter, skonrogger; *take the* ~ S bære prisen.
bisect [bai'sekt] *vb* halvere; dele i to dele.
bisexual ['bai'seksjuǝl] *adj* biseksuel; *zo* tvekønnet.
bishop ['biʃǝp] *sb* biskop; løber (i skak).
bishopric ['biʃǝprik] *sb* bispedømme.
bismuth ['bizmǝθ] *sb* vismut.
bison ['baisn] *sb zo* bison.
bisque [bisk] *sb* uglaseret porcelæn, biskuit; uglaseret keramik.
bissextile [bi'sekstail] *sb* skudår; *adj:* ~ *day* skuddag.
bistort ['bistɔ:t] *sb (bot)* slangeurt.
bistoury ['bisturi] *sb* bistouri, kirurgisk kniv.
bistre ['bistǝ] *sb* sodfarve, mørkebrunt.
I. bit [bit] *sb* bid, stykke, stump; (til hest) bidsel; (på nøgle) kam; (af bor) spids; (af skærende værktøj) skær, kortstål; (til borsving) bor; (af skruetrækker) klinge; (mønt) stykke *(fx threepenny* ~*); (am)* 12½ cent; (i edb) bit; *-s pl (teat)* småroller; *a* ~ lidt; *not a* ~ *(of it)* slet ikke, ikke det bitterste; ~ *by* ~ lidt efter lidt; *do one's* ~ gøre sit; *every* ~ *as good* akkurat lige så god; *take the* ~ *between one's teeth* løbe løbsk; kaste sig ud i det.
II. bit [bit] *præt* af *bite.*
bitch [bitʃ] *sb* (hunnen af hund, ulv, ræv, også skældsord) tæve; *vb* S brokke sig; spolere, lave brok i.
bite [bait] *vb (bit, bitten)* bide; (om insekt også) stikke; (om syre) ætse; (gøre ondt:) svie, brænde; (om fisk og *fig)* bide på; *sb* bid; mundfuld; stik (af insekt); *what is biting you?* hvad går der af dig? *the biter* (underforstået: *has been) bit* han er blevet fanget i sit eget garn; ~ *the dust* bide i græsset; ~ *off more than one can chew,* se *chew.*
biting midge *zo* mitte.
bitt [bit] *sb (mar)* pullert.
bitten ['bitn] *pp* af *bite; once* ~ *twice shy* brændt barn skyr ilden.
bitter ['bitǝ] *adj* bitter; bidende; *sb* (type øl); se også *bitters.*
bitter cress *(bot)* springklap.
bitterling *sb zo* blåfisk.
bitterly *adv* bittert, bitterlig.
bittern ['bitǝn] *sb zo* rørdrum.
bitter orange pomerans.
bitters ['bitǝz] *sb pl* bitter, angostura.
bitumen [bi'tju:min] *sb* bitumen.
bituminous [bi'tju:minǝs] *adj:* ~ *coal* fede kul.
bivalve ['baivælv] *sb* toskallet skaldyr; musling; ~ *shell* muslingeskal.
bivouac ['bivuæk] *sb* bivuak; *vb* bivuakere.
bi-weekly ['bai'wi:kli] *adj* hver fjortende dag; to gange om ugen.
biz [biz] *sb* S = *business.*
bizarre [bi'za:] *adj* bizar, sælsom.
blab [blæb] *vb* sladre, røbe, plapre ud med (hemmeligheder). **blab** *sb* sladderhank.
bkble *fk* bookable.
I. black [blæk] *adj* sort, mørk; *sb* sort farve, sørgedragt; neger; ~ *in the face* mørkerød i hovedet (af anstrengelse, vrede *etc); he gave me a* ~ *look, he looked* ~ *at me* han skulede til mig; *he is not so* ~ *as he is painted* han er bedre end sit rygte; *in* ~ *and white* sort på hvidt, skriftligt, på tryk; *operate in the* ~ operere med overskud; *put up a* ~ *(mil.)* S begå en grov forseelse.
II. black [blæk] *vb* sværte; (i arbejdskonflikt) blokere; ~ *out* mørklægge; slette; miste bevidstheden *(el.* synet) et øjeblik; (i teater) lave blackout, slukke alt lys på scenen; *he -ed out* (ɔ: kunne ikke huske) der gik en klap ned.
black alder *(bot)* rødel.
black|amoor ['blækǝmuǝ] *sb* morian. ~ **-and-tan** en art ter-

rier (sort og brun); *the Black-and-Tans:* engelsk styrke sendt til Irland for at kue *Sinn Fein* (klædt i kaki med sort hovedtøj). ~ **and white** sort-hvid tegning; *(fot)* sort-hvid kopi; se også I. *black.* ~ **-backed gull** *zo:* greater ~ svartbag; lesser ~ sildemåge. **-ball** *sb* sort kugle (ved ballotering); nej-stemme; *vb* nægte at optage (i klub). ~ **bear** *zo* amerikansk sort bjørn, baribal. ~ **beetle** T kakerlak. **-berry** *(bot)* brombær. **-bird** *zo* solsort. **-birding** indfangning af negere til slavehandel. **-board** vægtavle. ~ **book** straffeprotokol; *be in his* ~ *books* være i unåde hos ham. ~ **buck** *zo* bezoarantilope, indisk antilope. ~ **cap** sort hue (som dommeren bar når han afsagde en dødsdom). ~ **cap** *zo* munk. ~ **carpet beetle** *zo* pelsklanner. ~ **-coat(ed) workers** kontorfolk, 'flipproletarer'. **-cock** *zo* urhane.
Black Country: *the* ~ kuldistrikterne (i England).
black currant solbær.
Black Death: *the* ~ den sorte død.
black| **dog** *sb* melankoli, dårligt humør. ~ **draught** (et afføringsmiddel).
blacken ['blæk(ǝ)n] *vb* sværte; bagvaske.
blacketeer [blæki'tiǝ] *sb* sortbørshaj.
black| **eye** 'blåt' øje. ~ **-eyed Susan** *(bot)* solhat. ~ **fellow** australneger. ~ **fish** *zo* grindehval. **-fly** *zo* kvægmyg.
Black|foot sortefodsindianer. ~ **Forest** Schwarzwald. ~ **Friar** dominikaner, sortebroder.
black frost barfrost. **black grouse** *zo* urfugl.
blackguard ['blæga:d] *sb* sjover, slyngel; *vb* sjofle, udskælde. **blackguardly** *adj* sjofel, gemen.
black guillemot *zo* tejst.
black|head hudorm. ~ **-headed gull** *zo* hættemåge. **-ing** ['blækiŋ] *sb* sværte. **-jack** sørøverflag; totenschläger. ~ **lead** grafit. **-leg** *sb* falskspiller; skruebrækker; *vb* være strejkebryder; være usolidarisk mod. ~ **lemur** *zo* sortmaki (en abe). ~ **letter** gotisk skrift. **-list** *sb (fig)* den sorte liste; *vb* sætte på den sorte liste. **-mail** *sb* (penge)afpresning; *vb* afpresse (penge). **-mailer** *sb* (penge)afpresser.
Black Maria 'salatfadet' (vogn til fangetransport).
black| **mark** anmærkning. ~ **market** sort børs; *on the* ~ *market* på den sorte børs. ~ **-marketeer** sortbørshaj. **-out** *sb* mørklægning; midlertidig bevidstløshed; *I had a* ~ (også:) der gik en klap ned. **-out curtain** mørklægningsgardin. ~ **pudding** blodpølse.
Black Rod: *Gentleman Usher of the Black Rod* kongelig overceremonimester i Overhuset (der har en sort embedsstav).
black| **rust** sortrust (en plantesygdom). ~ **salsify** *(bot)* skorzonerrod. **-shirt** sortskjorte, fascist. **-smith** grovsmed. ~ **spruce** *(bot)* sortgran. **-thorn** *(bot)* slåen.
bladder ['blædǝ] *sb* blære (også om person).
bladder| **campion** *(bot)* blæresmelde. **-nose** *zo* klapmydse (art sæl). **-wort** *(bot)* blærerod. ~ **wrack** *(bot)* blæretang.
blade [bleid] *sb* blad (på græs, kniv, åre *etc);* (på kniv, sav) klinge; *(tekn:* på rotor) vinge; T galant fyr; *in the* ~ *(bot)* som endnu ikke har sat aks; ~ *of grass* (også) græsstrå.
blah [bla:] *sb (am* S) sludder.
blain [blein] *sb* blegn, blase.
blame [bleim] *sb* dadel; skyld; *vb* dadle; bebrejde; give skylden; *you cannot* ~ *him* der er ikke noget at sige til det han har gjort; det kan man ikke fortænke ham i; *who is to* ~? hvem har skylden? *lay the* ~ *on sby for* give en skylden for; *take the* ~ påtage sig skylden.
blame|less *adj* uadlelig, dadelfri. **-worthy** *adj* dadelværdig.
blanch [bla:nʃ] *vb* gøre hvid, blege; blegne; ~ *almonds* smutte mandler; ~ *over (fig)* besmykke, vaske ren.
blancmange [blǝ'mɔnʒ] *sb* (en slags dessert).
blanco ['blæŋkou] *vb (mil.)* pibe (med pibepulver).
bland [blænd] *adj* mild, blid, indsmigrende høflig, affabel, forbindtlig.
blandish ['blændiʃ] *vb* smigre; lokke for. **blandishments** *sb pl* smiger; lokketoner.
blank [blæŋk] *adj* (om papir) blank, ubeskrevet, ikke udfyldt; *(fig)* tom, indholdsløs *(fx future);* (om angstudtryk *etc)* tom, udtryksløs, uforstående *(fx he looked* ~ *);* (komplet *etc)* ren (og skær) *(fx stupidity),* fuldstændig; (om væg, mur) tom; *(arkit)* blind, blændet *(fx window);* *sb* tom plads, (på papir) åben plads, rubrik; *(fig)* tom-

rum *(fx his death left a ~)*; (i stedet for noget udeladt, skrives som en streg, *fx 189-*, *eighteen ninety* ~ atten hundrede nogle og halvfems; i stedet for ed:) nok sagt; (i lotteri) nitte; (i edb) blanktegn; *(mil.)* løs patron; *(tekn)* råemne; (rundt, udstanset) blanket; *(am)* formular, blanket; *I drew a* ~ jeg trak en nitte; *(fig)* jeg fandt intet; *in* ~ in blanco; *my mind is a (perfect)* ~ jeg er helt tom i hovedet; se også *blanks*.

blank| cartridge løs patron. ~ **cheque** blankocheck; *(fig)* blankofuldmagt, frie hænder. ~ **cover** bind uden titel.

blanket ['blæŋkit] *sb* uldent tæppe; *(typ)* dækkel; *(fig)* tæppe, dække; *vb* lægge tæppe på; dække; *adj* almindelig, generel, som dækker alle tilfælde; ~, *toss in a* ~ lege himmelspræt med; *wet* ~ *(fig)* lyseslukker; *born on the wrong side of the* ~ født uden for ægteskab.

blanket term fællesbetegnelse.

blankety blank: *that old* ~ den gamle noksagt.

blank| file blind rode. ~ **flight** blindflyvning.

blanking ['blæŋkiŋ] *sb* (i fjernsyn) slukning.

blankly *adv* tomt, uforstående; rent ud.

blanks [blæŋks] *sb pl (typ)* blindmateriale.

blank verse *sb* urimede vers, blankvers (femfodede jambiske).

blare ['blɛə] *vb* gjalde (om trompet); *sb* trompetstød, skingren.

blarney ['bla:ni] *sb* (grov) smiger; indsmigrende tale; *vb* smigre (groft); *he has kissed the Blarney stone* han har et godt snakketøj.

blasé ['bla:zei] *adj* blasert, blaseret.

blaspheme [blæs'fi:m] *vb* bande og sværge; forbande; bespotte. **blasphemous** ['blæsfiməs] *adj* blasfemisk, bespottelig.

blasphemy ['blæsfimi] *sb* blasfemi, gudsbespottelse; eder og forbandelser.

blast [bla:st] *sb* vindstød, luftstrøm; stød (i blæseinstrument); sprængning; trykbølge (fra eksplosion); *vb* svide; ødelægge; sprænge; angribe heftigt; *in full* ~ i fuldt sving; *the wireless was going (in) full* ~ radioen gik for fuldt drøn; ~ *it* pokker tage det; *blasted* T forbandet, satans.

blast furnace højovn.

blast-off ['bleitənt] *sb* (raket)start.

blat [blæt] *vb* bræge, snakke (løs); sludre.

blatant ['bleitənt] *adj* vulgær; grov *(fx lie)*, tydelig, åbenbar; højrøstet; larmende *(fx radio)*; skrigende *(fx colours)*.

blather ['blæðə] *sb* vrøvl; *vb* vrøvle.

blatherskite ['blæðəskait] *sb* vrøvlehoved.

I. blaze [bleiz] *sb* flamme; flammende lys, glans, strålende skær; *(forst)* mærke (på træ *etc)*; (på hest) blis; *in a* ~ i lys lue; *go to -s* gå pokker i vold; *like -s* som bare pokker; *a* ~ *of fury* et raserianfald.

II. blaze [bleiz] *vb* blusse, flamme; lyse, skinne; (om nyhed) udbrede (kendskab til), bekendtgøre vidt og bredt, udbasunere; *(forst)* mærke (træer); ~ *away* plaffe løs; ~ *away!* klem på! ~ *out (at)* fare op (over for); ~ *a trail* afmærke en sti; ~ *a trail (el. the way) for (fig)* bane vejen for.

blazer ['bleizə] *sb* blazer (kulørt flonelsjakke).

blazing star *(bot)* pragtskær.

blazon ['bleizn] *sb* heraldik; våbenskjold, våbenmærke; *vb* male våbenmærke på; pryde; ~ *abroad (glds)* forkynde vidt og bredt, udbasunere.

blazonry ['bleiznri] *sb* heraldik; våbenskjold(e); *(fig)* pragtudfoldelse.

bleach [bli:tʃ] *vb* blege; bleges; *sb* blegemiddel. **bleacher** ['bli:tʃə] *sb* bleger; blegemiddel; *the -s (am)* 'den billige langside'.

I. bleak [bli:k] *adj* kold, forblæst, trøstesløs, trist.

II. bleak [bli:k] *sb zo* løje, løjert (en fisk).

blear [blia] *vb* sløre, gøre utydelig. **blear-eyed** *adj* nærsynet; med rindende øje; sløv.

bleat [bli:t] *vb* (om får, ged) bræge; (om kalv) brøle; *(fig)* klynke; *sb* brægen, brølen; klynken.

bleb [bleb] *sb* blegn, blære.

bled [bled] *præt og pp* af *bleed*.

bleed [bli:d] *vb (bled, bled)* bløde; årelade; *(fig)* flå, afpresse, blokke (for penge); *(bogb)* beskære for stærkt.

(el. for hårdt); forskære; ~ *sby white* plyndre en for alt hvad han har, klæde en af til skindet. **bleeder** *sb* bløder; S blodsuger; slyngel; fyr. **bleeding** *sb* blødning; åreladning; *adj* S satans, forbandet.

bleeding heart *(bot)* hjerteblomst.

bleep [bli:p] *vb* dutte, pibe (om radiosignal *etc)*; *sb* dut, piben.

blemish ['blemiʃ] *sb* lille fejl, skavank; plet; *vb* sætte plet på, vanære.

blench [blentʃ] *vb* gyse tilbage, vige tilbage.

blend [blend] *vb* blande; blandes; *sb* blanding.

Blenheim ['blenim].

blenny ['bleni] *sb zo* slimfisk; *viviparous* ~ ålekvabbe.

bless [bles] *vb (pp blessed el. blest)* velsigne; ~ *oneself* slå kors for sig; *I'll be blest if* pokker tage mig om; ~ *me! God* ~ *my soul! well, I'm blest!* ih, du store! *he has not got a penny to* ~ *himself with* han ejer ikke en rød øre; ~ *you!* (til en der nyser) prosit!

blessed ['blesid] *adj* velsignet; salig; T forbistret; *(blessed* anvendes undertiden som et jovialt fyldeord, *fx i: the whole* ~ *day* hele den udslagne dag); *the* ~ de salige.

blessedness ['blesidnəs] *sb* lyksalighed; *single* ~ den lyksalige ugifte stand.

blessed thistle *(bot)* benediktinertidsel.

blessing ['blesiŋ] *sb* velsignelse; *ask a* ~ bede bordbøn; *a* ~ *in disguise* held i uheld; *by the* ~ *of God* med Guds hjælp.

blest *pp* af *bless*.

blether ['bleðə] *sb* vrøvl; *vb* vrøvle.

blew [blu:] *præt* af *blow*.

blewit(s) ['blu:it(s)] *sb (bot)* bleg heksering-ridderhat.

blight [blait] *sb* (sygdom på planter som:) skimmel, pletsyge, meldug, rust, brand; *(fig)* fordærv, ødelæggelse; *vb* fordærve, ødelægge, tilintetgøre.

blighter ['blaitə] *sb* S fjols; led fyr, slyngel; fyr, rad *(fx you lucky* ~*)*.

Blighty ['blaiti] *(mil.)* S hjemmet, England; *a* ~ *one* et krigssår som bevirkede den sårede hjemrejse til England.

blimey ['blaimi] *interj* (vulgært, *omtr)* gudfaderbevares.

blimp [blimp] *sb* lille luftskib; *(film)* blimp (lydtæt boks). **Blimp**: *Colonel* ~ (stokkonservativ, snæversynet gammel hugaf).

blimy = *blimey*.

I. blind [blaind] *adj* blind; skjult; T døddrukken; *sb* drikkegilde, soldetur; ~ *of blind* på *(fx* ~ *of one eye)*; ~ *to* blind for.

II. blind [blaind] *sb* rullegardin, jalousi; skodde; (til hest) skyklap; *(fig)* skalkeskjul; *do sth as (el. for) a* ~ gøre noget for at føre andre på vildspor.

III. blind [blaind] *vb* gøre blind *(to* for), blinde; blænde; binde for øjnene; *(fig)* narre, føre bag lyset; S køre vildt.

blind| alley blindgade, blindgyde. ~ **-alley job** stilling som ikke fører til noget, blindgyde. ~ **blocking** blindtryk. ~ **door** blind (tilmuret, tildækket) dør. ~ **drunk** døddrukken.

blinder ['blaində] *sb* skyklap.

blind| flying blindflyvning. **-fold** ['blainfould] *adv* med tilbundne øjne; *(fig)* forblindet; i blinde; *vb* binde for øjnene. ~ **letter** brev med utilstrækkelig adresse. **-man's buff** ['blaindmænz 'bʌf] blindebuk. **-ness** *sb* blindhed. ~ **pig** *(am)* smugkro. ~ **side**: *one's* ~ *side* ens svage side *(el.* punkt). ~ **spot** blind plet (i øjet); *(fig)* blindt punkt. ~ **stamp** blindtryk. ~ **tiger** *(am)* smugkro. ~ **tooling** blindtryk. ~ **wall** væg uden vinduer. **-worm** stålorm.

blink [bliŋk] *vb* blinke; glippe med øjnene; lukke øjnene for; *sb* blink; glimt; *on the* ~ S i uorden; utilpas, dårlig.

blinker [bliŋkə] *sb* blinklys; *-s pl* skyklapper; (skele)briller.

blinking ['bliŋkiŋ] *adj* S *(omtr* =*)* sørens, pokkers.

blinks [bliŋks] *sb (bot)* stor vandarve.

blip [blip] *sb (i radar)* glimt.

bliss [blis] *sb* lyksalighed. **blissful** *adj* lyksalig.

blister ['blistə] *sb* vable, blære, blegn; blase; udbygning på krigsskib til beskyttelse mod torpedoer; blæretrækkende plaster; konverterkobber; *(flyv)* blisterrum; S led fyr; *vb* trække vabler; lægge trækplaster på; hæve sig i vabler; *(fig)* kritisere skarpt.

blister| copper konverterkobber. ~ **gas** *(mil.)* blistergas.
blistering *adj* sviende; voldsom; **S** pokkers.
blithe [blaiठ] *adj* livsglad, fornøjet; munter, sorgløs.
blithering ['bliठəriŋ] *adj* plaprende; ærke-, komplet *(fx ~ idiot)*.
blithesome ['blaiठsəm] *adj* livsglad, fornøjet.
blitz [blits] *sb* luftangreb; lynangreb; *vb* bombe; *the Blitz* (de tyske luftangreb på England i 1940).
blizzard ['blizəd] *sb* snestorm.
bloat [blout] *vb* salte og røge (sild).
bloated ['bloutid] *adj* opsvulmet; oppustet; opblæst, mæsket.
bloater ['bloutə] *sb* saltet og røget sild.
blob [blɔb] *sb* dråbe, klat; *score a ~* **T** ikke score nogen point.
bloc [blɔk] *sb* (politisk) blok.
block [blɔk] *sb* blok; klods; (til tov) hejseblok, trisse; *(typ)* kliché; (af chokolade) plade; (legetøj) byggeklods, billedklods; (huse) huskarré, bygningskompleks; *(~ of flats)* beboelsesejendom, etagehus; (for passage) spærring, hindring (af færdsel), trafikstandsning; *vb* spærre, indelukke, blokere; *in* afspærre, stoppe for; ~ *out* gøre udkast til, skitsere; *go to the ~* bestige skafottet; komme under hammeren (ɔ: på auktion); *two -s from here (am omtr)* to gader herfra; ~ *up* blokere; (om bil) opklodse.
blockade [blɔ'keid] *sb* blokade, blokering; *vb* blokere; *run the ~* bryde blokaden.
blockade-runner blokadebryder.
block|**board** bloklimet møbelplade. ~ **book** blokbog. **-buster** sb karrébombe; sensationsfilm. **-head** dumrian. **-house** blokhus.
blockish ['blɔkiʃ] *adj* tung, klodset, dum, stædig.
block letter blokbogstav.
bloke [blouk] **S** fyr, rad, karl.
blond [blɔnd] *adj* lys, blond.
blonde [blɔnd] *adj* blond; *sb* blondine; blonde; ~ *lace* blonde.
blood [blʌd] *sb* blod; slægt, byrd; **T** *(omtr)* laps, flottenheimer; *vb* lade (jagthund) smage blod; *(fig)* lade (soldater) få kamperfaring; give blod på tanden; *make bad ~* sætte ondt blod; *in cold ~* med koldt blod; *it's in their ~* det ligger dem i blodet; *his ~ was up* hans blod var kommet i kog.
blood-and-thunder *adj* bloddryppende *(fx a ~ play)*.
blood| **bank** blodbank. ~ **count** blodtælling. ~ **-curdling** *adj* som får ens blod til at isne. **-flower** *(bot)* barberkost. **blood**| **group** blodtype. ~ **horse** fuldblodshest. **-hound** blodhund. **-less** *adj* blodløs, bleg; ublodig, uden blodsudgydelse. **-letting** *sb* åreladning. ~ **money** blodpenge. ~ **orange** blodappelsin. ~ **poisoning** *sb* blodforgiftning. ~ **pressure** blodtryk. **-red** blodrød. ~ **relation** kødelig slægtning, blodsbeslægtet. ~ **sample** blodprøve. **-shed** *sb* blodsudgydelse, blodbad. *-shot adj* blodsprængt. ~ **sports** *pl* jagt (især rævejagt). ~ **-stained** *adj* blodig, blodplettet. **-stock** fuldblodsheste, racehheste. **-stone** blodsten (et mineral). **-sucker** blodsuger; igle. ~ **test** blodprøve. **-thirsty** blodtørstig. ~ **vessel** blodkar.
bloody ['blʌdi] *adj* blodig; (vulgært) bruges ikke i *am)* fandens, helvedes, fordømt; ~ *fool* kraftidiot.
bloody-minded *adj* kontrær, stædig, ondskabsfuld.
bloom [blu:m] *sb* blomst, blomsterflor; blomstring, blomstringstid; (blåligt voksagtigt overtræk på druer, blommer *etc)* dug; *(fig)* rødme, glød, friskhed; *(tekn)* blok (af jern); *vb* blomstre; *be in full ~* stå i fuldt flor; *in the ~ of youth* i ungdommens vår; *come into ~* springe ud; *the ~ of health* sundhedens roser.
bloomer| ['blu:mə] *sb* **S** bommert; *-s (glds* vide damebenklæder).
blooming ['blu:miŋ] *adj* blomstrende; **S** sørens, pokkers; *it's a ~ shame* det er sgu' en skam.
Bloomsbury ['blu:mzb(ə)ri] (kvarter i London); *the ~ group* kreds af forfattere der samlede sig om Virginia Woolf i Bloomsbury.
blooper ['blu:pə] *sb (am)* **S** bommert.
blossom ['blɔsəm] *sb* blomst (især på frugttræer); blomsterflor; *vb* blomstre; *come into ~* springe ud; ~ *out (fig)* udfolde sig.

blot [blɔt] *sb* klat, plet; skamplet; *vb* klatte, klatte ud; plette; strege; stryge; udslette; trykke af med trækpapir; ~ *out* udslette, udviske.
blotch [blɔtʃ] *sb* blegn; plet, klat, skjold.
blotter ['blɔtə] *sb* blæksuger; trækpapir; skriveunderlag; *(am)* (politi)rapportbog.
blotting| **pad** underlag af trækpapir, skriveunderlag. ~ **paper** trækpapir.
blotto ['blɔtou] *adj* **S** fuld, døddrukken.
blouse [blauz] *sb* bluse. **blousy** = *blowsy*.
I. blow [blou] *sb* slag, stød; *at a ~* med ét slag; *come to -s* komme i slagsmål; *without a ~* uden sværdslag.
II. blow [blou] *vb (blew, blown)* springe ud, blomstre; *sb* blomstring; *in full ~* i fuldt flor.
III. blow [blou] *(blew, blown)* blæse; blæse på (et instrument); puste (på); (om elektrisk prop) springe; (om penge) bruge, spendere, lade rygge *(fx he blew the whole sum on a dinner)*; ~ *(it)!* så for pokker!
~ *the expense, expense be -ed* blæse være med udgifterne; ~ *a fuse (el. a gasket) (am)* **S** få en prop, blive rasende; ~ *the gaff* plapre ud med hemmeligheden; ~ *hot and cold* være vægelsindet; ~ *sby a kiss* sende en et fingerkys; ~ *one's nose* pudse næse; *oh ~ that!* blæse være med det! ~ *one's own trumpet* rose sig selv i høje toner; ~ *one's top* **S** eksplodere af raseri; blive skør; (med *præp, adv)* ~ *in* falde ind, kigge indenfor; ~ *off steam,* se *steam;* ~ *out* puste ud, oppuste; ~ *oneself out* puste sig op; ~ *out one's brains* skyde sig en kugle for panden; ~ *over* drive *(el.* gå) over, fortage sig, høre op; ~ *up* springe i luften; sprænge i luften; pumpe op; puste op *(fx a balloon);* opkopiere (efter fotografi); forstørre *(fx et fotografi);* **S** eksplodere af raseri; skælde ud.
blower ['blouə] *sb* blæser, ventilator; **S** telefon; næse, nysetøj.
blow|**fly** spyflue. **-gun** pusterør. **-hole** lufthul, blæsehul; åndehul (i isen). **-lamp** blæselampe.
blown [bloun] *pp* af *blow; adj* (også) forpustet; (om blomst) helt udsprunget; ~ *upon* belagt med spy, besudlet, (flue)plettet.
blow-off valve aflbæsningsventil.
blow-out ['blouaut] *sb* udblæsning; punktering; sprængning af sikring; **S** sold, ædegilde.
blow|**pipe** pusterør; loddepistol. **-torch** *(am)* blæselampe. **blow-up** ['blouʌp] *sb* forstørrelse; eksplosion.
blowzy ['blauzi] *adj* tyk og grov; sjusket klædt.
blub *vb* = II. *blubber.*
I. blubber ['blʌbə] *sb* hvalspæk.
II. blubber ['blʌbə] *vb* tude, flæbe, brøle.
bludgeon ['blʌdʒən] *sb* knippel; *vb* slå med en knippel; prygle, banke; *(fig)* tromle ned; tvinge.
blue [blu:] *adj* blå; *(fig)* nedtrykt, melankolsk, trist; *(pol)* tilhørende torypartiet; (om film, bog *etc)* uartig, sjofel, pornografisk; (om kvinde, *glds)* lærd, intellektuel; *sb* blåt, blå farve; konservativ; (om kvinde) blåstrømpe; *vb* gøre blå; blåne; **S** formøble, solde op; **-s** (i jazzmusik) blues; *the -s* tungsindighed, dårligt humør; *the Blues* den kongelige livgarde; *Dark Blues* Oxford studenter; *Light Blues* Cambridge studenter; *be a ~* repræsentere sit universitet ved sportskamp; *in a ~ funk* hundeangst; *once in a ~ moon* så godt som aldrig; *out of the ~* som et lyn fra en klar himmel; ganske uventet.
Bluebeard ['blu:biəd] blåskæg.
blue|**bell** klokkeblomst; (skotsk:) blåklokke. **-bird** *zo* østlig hyttesanger. **-bonnet** blå (rund) skottehue. ~ **book** blåbog (officiel beretning); *(am)* blå bog (over fremtrædende offentlige personer). **-bottle** *zo* spyflue; *(bot)* kornblomst. ~ **chip** sikkert (børs)papir. ~ **-chip** *adj* førsteklasses. ~ **-coat boy** vajsenhusdreng (især *fra Christ's Hospital).* ~ **collar workers** *pl* arbejdere *(mods* funktionærer). ~ **devils** *pl* melankoli. ~ **-eyed boy** yndling, kæledægge, protegé. **-fish** *zo* blå pomatomide. ~ **funk** se *blue.* ~ **gum** *(bot)* febernelliketræ. **-jacket** sømand. ~ **light** blålys. ~ **murder:** *cry ~* skrige op, råbe gevalt. ~ **-pencil** *vb* slette.
Blue Peter *(mar)* blå Peter, afsejlingsflag.
blueprint ['blu:print] *sb* blåtryk, lystryk; *(fig)* (gennemarbejdet) plan; rettesnor; *at the ~ stage (fig)* på skrivebordsstadiet.
blue| **ribbon** blåt bånd (tegn for hosebåndsordenen og af-

holdsforening; højeste udmærkelse på et *el.* andet område). ~ **shark** *zo* blåhaj. **-stocking** blåstrømpe (lærd kvinde). **-stone** kobbervitriol. **-throat** *zo* blåhals. ~ **tit** *sb zo* blåmejse.

blue-water school de som anser flåden for tilstrækkeligt værn for Storbritannien.

bluff [blʌf] *adj* stejl; (om person) djærv, bramfri, barsk; *vb* føre bag lyset, narre, bluffe; *sb* klint, skrænt, brink; (i poker) bluff; *(fig)* bluff, svindel; *call his* ~ afsløre hans bluffnummer.

bluff| **bid** *sb* bluffmelding. ~ **-bowed** *adj (mar)* bredbovet. **bluish** ['blu(:)iʃ] *adj* blålig.

blunder ['blʌndə] *sb* bommert; *vb* begå en bommert; forkludre; (gå usikkert:) tumle; ~ *along* famle sig frem, tumle af sted; ~ *into* tumle imod; buse ind i; rode sig ind i; ~ *on* falde over, finde tilfældigt; ~ *out* buse ud med.

blunderbuss ['blʌndəbʌs] *sb* muskedonner. **blunderer** *sb* klodrian. **blundering** *adj* klodset.

blunt [blʌnt] *adj* (om kniv *etc)* stump, sløv; (om person) ligefrem; djærv; grov; studs; *vb* sløve.

blur [bləː] *vb* plette; klatte; tvære ud; gøre uklar; sløre, udviske; *sb* plet; uklarhed; *-red* (også) uskarp.

blurb [bləːb] *sb* klaptekst, bagsidetekst (på bog).

blurt [bləːt] *vb:* ~ *out* buse ud med; *he* -ed *out the question* spørgsmålet røg ham ud af munden.

blush [blʌʃ] *vb* rødme, blive rød; *sb* rødme, blussen; *at (the) first* ~ ved første øjekast; *put to the* ~ få til at rødme.

bluster ['blʌstə] *vb* (om vind, bølger) bruse, suse; *(fig)* larme; bralre op, råbe op; *sb* brusen, susen; larmen, råben op. **blusterer** *sb* bulderbasse.

bo [bou] *interj* bu! *he cannot say* ~ *to a goose* han er et skikkeligt pjok; han kan hverken sige bu eller bæ.

b.o. *fk body odour.*

boa [bouə] *sb zo* kvælerslange, kæmpeslange; (pelskrave) boa.

BOAC *fk British Overseas Airways Corporation.*

boar [bɔː] *sb zo* orne; vildsvin.

I. board [bɔːd] *sb* bræt; bord; (fortæring:) kost; (personer) bestyrelse; kommission; råd; kollegium; *(bogb etc)* pap; (radio) kontrolbord; *the -s* de skrå brædder, scenen; *bed and* ~ bord og seng (ægteskabeligt forhold); *above* ~ åbent og ærligt; *across the* ~ *(fig)* over hele linien *(fx they got a wage increase of 10 p.c. across the* ~*)*; *go by the* ~ *(mar)* falde over bord; *(fig)* ryge i vasken; blive opgivet; *in -s* i papbind; *on* ~ om bord; ind(e) i tog, sporvogn *etc; be on the* ~ sidde i bestyrelsen; *~ of directors* (et selskabs) bestyrelse.

II. board [bɔːd] *vb* beklæde med brædder; sætte i kost, tage i *(el.* give) kost, være i kost; *(mar)* entre, borde, gå om bord i, sætte om bord (i tog etc) stige ind (, op) i; ~ *out* spise (ɔ: få sin kost) ude; ~ *up* blænde, slå brædder for *(fx a window).*

boarder *sb* kostelev, pensionær; *(mar)* entregast.

boarding| **house** pensionat. ~ **kennel** hundepension. ~ **school** kostskole.

board| **school** *(glds)* folkeskole. ~ **wages** kostpenge; kost og logi som vederlag for arbejde. **-walk** gangbro; strandpromenade.

boast [boust] *vb* prale (med); (have at) rose sig af; kunne opvise; *sb* praleri, stolthed. **boaster** *sb* pralhans. **boastful** *adj* skrydende.

boat [bout] *sb* båd; skib; *(sauce* ~*)* sovseskål; *vb* sejle, ro *(fx go -ing);* *burn one's* ~ brænde sine skibe.

boat drill *(mar)* redningsøvelse.

boater ['boutə] *sb* stråhat.

boat| **hook** bådshage. **-house** bådeskur. **-ing** *sb* bådfart, rotur, roning. **-man** bådfører, færgemand, bådudlejer. **-race** kaproning. **-swain** ['bousn] bådsmand. ~ **train** (tog, der har forbindelse med skib).

Bob [bɔb] kælenavn for *Robert.*

I. bob [bɔb] *vb* bevæge sig stødvis; hoppe; bevæge (sig) op og ned; rykke (op og ned); nikke; (om hestehale) studse, afstumpe; (om hår) bobbe, klippe kort; (neje) knikse; (i fiskeri) tatte; ~ *for eels* tatte ål; *-bed hair* pagehår; ~ *up* dukke op.

II. bob [bɔb] *sb* lod; stumpet hale; pagehår; ryk; slag;

---

rap; nik; kniks; **S** *(pl bob)* shilling (som nu svarer til 5 *new pence).*

bobbery ['bɔbəri] *sb* uro, strid, ballade.

bobbin ['bɔbin] *sb* spole, rulle; kniplepind.

bobbish ['bɔbiʃ] *adj* rask, kry.

Bobby ['bɔbi] kælenavn for *Robert.*

bobby *sb* **T** politibetjent.

bobby pin *(am)* hårklemme.

bobby| **socks,** ~ **sox** *(am)* ankelsokker. ~ **soxer** *(am)* halvvoksen pige.

bobolink ['bɔbəliŋk] *sb zo (am)* risstær.

bobsled, bobsleigh ['bɔb-] *(am)* bobslæde; *vb* køre (med) bobslæde.

bobtail ['bɔbteil] *sb* kuperet hale; hest, hund med kuperet hale; *adj* med kuperet hale; *vb* kupere; *tagrag and* ~ pak, pøbel.

bobtailed *adj* med kuperet hale.

bobwhite ['bɔbwait] *sb zo (am)* trævagtel, virginsk vagtel.

Boche [bɔʃ] *sb* **S** tysker.

bod [bɔd] *sb* **T** fyr.

bode [boud] *vb* varsle.

bodice ['bɔdis] *sb* kjoleliv, underliv.

bodily ['bɔdili] *adj* legemlig, fysisk; personligt; i ét stykke, fuldstændig; ~ *harm* legemsbeskadigelse.

bodkin ['bɔdkin] *sb* pren; trækkenål; *sit* ~ sidde klemt mellem to andre.

Bodleian [bɔd'liən]: *the* ~ *library* (bibliotek i Oxford).

I. body ['bɔdi] *sb* legeme, krop, (død:) lig; (mængde, masse) hele, (samlet) masse; samling *(fx of laws; we have collected a large* ~ *of information);* materiale *(fx a large* ~ *of evidence* bevismateriale); (af personer) gruppe; forsamling *(fx legislative* ~*)*, korps, (i organisation *etc)* organ *(fx decision-making bodies* besluttende organer), institution; (vigtigste del) hovedmasse; (af træ:) stamme; (af skib) skrog; (af fly) krop; (af vogn) fading, (af bil) karosseri; (af bog) tekst; (af type) kegel, typelegeme; *(tekn* af hane, ventil) hus; (af kjole) liv; (om porcelæn) masse, (om keramik) skærv *(mods* glasur); (stof:) stof, substans; (om materiale) tæthed, (om vin *etc)* fylde; *(glds)* person, (især skotsk): *a* ~ man, en, nogen; *only enough to keep* ~ *and soul together* kun nok til at holde livet oppe; *just keep* ~ *and soul together* (også) hutle sig igennem; *in a* ~ samlet, i sluttet trop; *in the* ~ *of ...* inde i selve ...; *heir of the* ~ livsarving; ~ *of troops* troppestyrke.

II. body ['bɔdi] *vb:* ~ *forth* legemliggøre, forme.

body| **builder** karrosserimager; næringsrig mad; træningsapparat. ~ **colour** dækfarve; grundfarve, dominerende farve. ~ **factory** karrosserifabrik. **-guard** livvagt. **-line** **bowling** (kricket) kastning efter kroppen. ~ **odour** armsved. ~ **plan** *(mar)* spantrids. ~ **politic** *sb* statsorden; statslegeme. ~ **stocking** bodystocking, *(omtr)* trikot. ~ **type** *(typ)* brødskrift, ordinær.

Boer [bouə] *sb* boer.

boffin ['bɔfin] *sb* **S** (i *R.A.F.)* regeringsansat videnskabsmand.

bog [bɔg] *sb* mose; sump; **S** lokum; *vb:* ~ *down, be -ged down* synke i en mose; *(fig)* gå i stå *(fx work (, the attack) -ged down);* køre fast.

bog| **asphodel** *(bot)* benbræk. **-bean** *(bot)* bukkeblad.

bogey ['bougi] *sb* bussemand, skræmmebillede; *the* ~ *of inflation* inflationsspøgelsen.

bog-eyed ['bɔgaid] *adj* tung i hovedet, sløj, klatøjet.

bogeyman = *bogey.*

boggle [bɔgl] *vb* blive forfærdet; ~ *at* stejle over, vige tilbage for; trykke sig ved.

bogie [bougi] *sb:* ~ *car* bogievogn.

bog iron ore myremalm. **bog oak** moseeg.

bogus ['bougəs] *adj* forloren, falsk, humbug(s)-.

bogy se *bogey.*

Bohemia [bə'hi:mjə] Bøhmen. **Bohemian** [bə'hi:mjən] *adj* bøhmisk; bohemeagtig, sigøjneragtig; *sb* bøhmer; boheme. **Bohemianism** [bə'hi:mjənizm] *sb* bohemeliv.

I. boil [bɔil] *sb* byld.

II. boil [bɔil] *vb* koge, *(fig* også) syde; *(am)* styrte, fare; *sb* kog; ~ *down* koge ind, *(fig)* fortætte, sammentrænge; *it all -s down to* **T** det hele indskrænker sig til, kernen i sagen er; *bring to the* ~ bringe i kog; *go and* ~ *your*

boom **B**

(ugly) head du kan rende og hoppe.
boiled shirt *(am* S) stivet skjorte; *(fig)* opblæst nar.
boiled sweets bolsjer.
boiler ['bɔilə] *sb* (damp)kedel; varmtvandsbeholder. **boiler suit** kedeldragt.
boiling ['bɔiliŋ] *adj, adv* kogende; *sb* kogning; *keep the pot ~* se I. *pot; the whole ~* S hele molevitten. **boiling point** kogepunkt.
boisterous ['bɔistərəs] *adj* støjende, højrøstet.
boko ['boukou] *sb* S næse, tud.
bold [bould] *adj* dristig, kæk; frimodig; fræk; kraftig, tydelig; *(typ)* fed *(fx headline* overskrift); *make ~ to* driste sig til at. **boldfaced** ['bouldfeist] *adj* fræk; *(typ)* fed.
bole [boul] *sb* træstamme, bul.
bolero [bə'lɛərou] *sb* bolero (spansk dans *el.* kort dametrøje).
boletus [bou'li:təs] *sb (bot)* rørhat.
Boleyn ['bulin, bu'lin].
bolide ['bɔlaid, *(am)* 'boulaid] *sb* meteor, ildkugle.
boll [boul] *sb (bot)* frøkapsel.
bollard ['bɔləd] *sb* fortøjningspæl, pullert; hellefyr.
Bologna [bə'lounjə].
boloney [bə'louni] *sb* vrøvl; *(am* S) humbug, bras.
Bolshevik ['bɔlʃivik] *sb* bolschevik; *adj* bolschevikisk.
Bolshevism ['bɔlʃivizm] *sb* bolschevisme. **Bolshevist** *sb* bolschevik; *adj* bolschevikisk. **Bolshie, Bolshy** ['bɔlʃi] T *sb* bolschevik; *adj* bolschevikisk.
bolster ['boulstə] *sb* hynde; pølle; langpude; *vb* støtte (med puder); *~ up* støtte, stive af, fremhjælpe.
bolt [boult] *sb* bolt, nagle; (i gevær) bundstykke; (for dør) slå, rigel; (i lås) falle; (til armbrøst) bolt, pil; *(thunderbolt)* tordenkile, lyn; (bevægelse:) sæt, pludselig flugt; (af tøj, tapet) rulle; *vb* stænge; sætte slå for; sigte (mel *osv)*; sluge (uden at tygge) *(fx one's dinner)*; styrte frem *el* ud; stikke*af*; løbe løbsk; *~ from the blue* et lyn fra en klar himmel; *make a ~ for it* stikke af; *have shot one's ~* have sagt hvad man har at sige; have opbrugt sit krudt; have udspillet sin rolle; *~ upright* lodret; lige op og ned.
bolt-hole *sb* smuthul.
boltrope ['boultroup] *sb (mar)* ligline (i kanten af sejl).
bolus ['boulǝs] *sb (med)* stor pille.
bomb [bɔm] *sb* bombe; *vb* bombardere; *~ out* udbombe; *~ up* indtage bombelast; laste (med bomber).
bombard [bɔm'ba:d] *vb* bombardere. **bombardier** [bɔmbə'diə] *sb* artillerikorporal; *(flyv)* bombekaster.
bombardment [bɔm'ba:dmənt] *sb* bombardement.
bombast ['bɔmbæst] *sb* svulstighed, falsk patos. **bombastic** [bɔm'bæstik] *adj* svulstig, bombastisk.
Bombay [bɔm'bei].
bomb bay bomberum (i flyvemaskine).
bomb-disposal squad sprængningskommando.
bomber ['bɔmə] *sb* bombefly(vemaskine), bombemaskine; bombekaster.
bombing machine, bomb(ing) plane bombeflyvemaskine.
bomb|load bombelast. **-proof** *adj* bombesikker. **-shell** *sb* bombe. **-site** bombetomt. **~ threat** bombetrussel, telefonbombe.
bona-fide ['bounə'faidi] *adj* bona fide; i god tro; virkelig, ægte.
bonanza [bə'nænzə] *sb* rigt malmfund; *(fig)* guldgrube; *adj* rig, fordelagtig, lønnende.
bond [bɔnd] *sb* gældsbevis, obligation, forskrivning; *(am)* kautionsforsikring; *(arkit)* forbandt; *(kem)* binding; (i statik) adhæsion; *-s pl (fig)* bånd *(fx -s of friendship)*; lænker *(fx in -s; the -s of slavery)*; *vb* lade (varer) lægge i oplag under toldsegl; *goods in ~* varer på frilager; *redeem a ~* indfri en obligation.
bondage ['bɔndidʒ] *sb* trældom.
bonded ['bɔndid] *adj*: *~ goods* varer på frilager; *~ warehouse* frilager (bygning under toldvæsenets bevogtning), transitlager.
bondman ['bɔndmən], **bondsman** ['bɔndzmən] *sb* træl, slave.
bone [boun] *sb* ben, knogle; (i korset) fiskebensstiver, korsetstiver; *-s* S terninger; *(mus.)* (slags) kastagnetter; *vb* udbene, tage benene ud af; T hugge, negle;
it is bred in the ~ det er i kødet båret, det er medfødt, det ligger en i blodet; *I feel in my -s that ~* jeg har på

fornemmelsen at; *make no -s about it* ikke nære betænkeligheder ved det, gøre det uden videre; ikke lægge skjul på det, sige det lige ud; *with a ~ in her mouth (mar)* med skum for boven; *near the ~ (fig)* T lige på stregen; *~ of contention* stridens æble; *on one's -s* T på knæene (økonomisk); *have a ~ to pick with him* have en høne at plukke med ham; *cut to the ~* nedskære drastisk; *I was frozen to the ~* kulden gik mig til marv og ben; *~ up on (am)* T læse op, terpe; sætte sig ind i.
bone| china benporcelæn. **~ -dry** *adj* knastør. **-head** dumrian. **~ -idle** *adj* luddoven. **~ meal** benmel.
boner ['bounə] *sb* bommert, brøler.
bone|setter *sb*, se *osteopath; (glds)* benbrudslæge. **-shaker** skærveknuser, dårlig cykel.
bonfire ['bɔnfaiə] *sb* bål, glædesblus; *make a ~ of* brænde af.
bonhomie ['bɔnɔmi:] *sb* gemytlighed.
bonkers ['bɔŋkəz] *adj* T skør; omtåget.
bonne [bɔn] *sb* bonne (barnepige).
bonne bouche ['bɔn'bu:ʃ] *sb* lækkerbisken; rosinen i pølseenden.
bonnet ['bɔnit] *sb* hue; kyse(hat); hætte; (på skorsten) røgfang; *(tekn)* dæksel, (på bil) motorhjelm, kølerhjelm.
bonnet| box hatteæske. **~ monkey** *sb zo* hueabe.
bonny ['bɔni] *adj* (skotsk) køn, frisk.
bonus ['bounəs] *sb* bonus; gratiale, tillæg; *~ share* friaktie.
bony ['bouni] *adj* benet, knoglet; fuld af ben.
boo [bu:] *vb* (skræmme *el.* håne ved at) råbe 'boo'; pibe ud.
boob [bu:b] S *sb* fjog, fjols, (fejl) bommert, brøler; *vb* kludre, jokke i det.
booby ['bu:bi] *sb* klodrian; fjog; nr. sjok (den sidste i konkurrence); *zo* sule.
booby| hatch S galeanstalt. **~ prize** præmie til den der klarer sig dårligst; trøstpræmie. **~ trap** fælde, ubehagelig overraskelse; *(mil.)* dødsfælde, luremine.
boodle [bu:dl] *sb* bande, flok; penge til bestikkelse; *vb* bestikke; svindle.
I. book [buk] *sb* bog; hæfte *(fx of stamps; of tickets)*; (opera)tekst; *the ~* (seks stik i bridge) bogen; *the Book* Bibelen;
be in sby's bad (el. black) -s være i unåde *(el* dårligt anskrevet) hos en; *by the ~* korrekt, efter reglerne; *in my ~ (am)* efter min mening; *be in sby's good -s* være i kridthuset hos en; *take a leaf out of his ~* følge hans eksempel, tage eksempel efter ham; *~ of reference* opslagsbog; *swear on the Book* aflægge ed; *be on the -s* stå i medlemsfortegnelsen; *(merk)* være bogført, stå opført i bøgerne; *suit one's ~* passe i ens kram; *bring to ~* kræve til regnskab; *throw the ~ at,* se *I. throw; without ~* efter hukommelsen; uden beføjelse.
II. book [buk] *vb* indskrive, føre til bogs, bogføre; notere, skrive op *(fx an order)*; bestille (forud), reservere *(fx rooms, seats)*; løse billet *(fx ~ here!)*; (om foredragsholder *etc)* træffe aftale med, engagere; (om politiet) notere; skrive rapport om (en sigtet); *I have never been -ed for anything* (også:) politiet har ikke noget på mig; *-ed up* optegnet, udsolgt.
bookable ['bukəbl] *adj* som kan bestilles (forud).
book|binder bogbinder. **-binding** bogbinding; bogbinderi. **-case** bogreol, bogskab. **~ end** bogstøtte.
bookie ['buki] *sb* S bookmaker.
booking| clerk billetsælger, billettør. **~ office** billetkontor.
bookish ['bukiʃ] *adj* pedantisk, boglærd, boglig.
book|keeper bogholder. **-keeping** bogholderi. **~ -learned** boglærd. **-let** ['buklit] *sb* brochure, hæfte, (lille) bog. **-maker** bookmaker, professionel væddemålsagent (ved hestevæddeløb). **-man** litterat. **-mark** bogmærke. **-mobile** ['bukməbil] bogbil. **-plate** ekslibris, ejermærke til bøger. **-seller** boghandler. **-shop** boghandel. **-stall** bog- og aviskiosk. **-stand** bogreol; også = **-stall**. **-store** *(am)* boghandel. **~ support** bogstøtte. **~ token** gavekort til bog (, bøger). **~ value** bogført værdi. **~ van** bogbil. **-worm** bogorm, læsehest.
boom [bu:m] *sb* bom; spærring; (på kran) bom, udligger; (til mikrofon) mikrofonstativ, giraf; (om lyd) drøn, drønen, rungen; *(merk)* opsving, hausse, højkonjunktur; *vb* drøne, runge, brumme, bruse, dundre; gøre reklame for;

tage et opsving, blomstre, stige voldsomt; (om flod) få tilstrækkelig høj vandstand til at tømmerstokke kan flyde, (om tømmer) flyde.
boomerang ['bu:məræŋ] *sb* boomerang.
boon [bu:n] *sb* gode, velsignelse; velgerning.
boon companion: *his* ~ hans gode ven og omgangsfælle; hans bonkammerat.
boor [buə] *sb* bonde; tølper, bondeknold.
boorish ['buəriʃ] *adj* bondsk, tølperagtig.
boost [bu:st] *vb* opreklamere; løfte i vejret; forstærke; øge; få til at stige; sætte i vejret; ophjælpe, hjælpe op; *sb* reklame; stigning.
booster ['bu:stə] *sb* reklamemager; *(elekt)* tillægsmaskine; forstærker (til forøgelse af tryk); (til missil) startraket, starttrin.
I. boot [bu:t] *sb: to* ~ oven i købet, tilmed.
II. boot [bu:t] *sb* støvle; bagagerum (i vogn); *vb* sparke; *get the* ~ blive fyret; *the* ~ *is on the other foot (el. leg)* bladet har vendt sig. **bootblack** skopudser.
booted eagle *zo* dværgørn.
bootee ['bu:ti:] *sb* støvlet; strikket babystøvle.
booth [bu:ð] *sb* (markeds)bod; *(am)* telefonboks.
boot|jack ['bu:tdʒæk] *sb* støvleknægt. **-lace** snørebånd. **-leg** *vb* begå spritsmugleri; smugle. **-legger** *sb* spritsmugler. **-less** *adj* unyttig; frugtesløs. **-licker** *sb* spytslikker.
boots [bu:ts] *sb* hotelkarl.
bootstrap ['bu:tstræp] *sb* støvlestrop; *adj* selvhjulpen; *pull oneself up by one's -s* hale sig op ved hjælp af sine støvlestropper, løfte sig selv op ved hårene, klare sig uden hjælp; *by the* ~ *method* ved egen hjælp.
boot tree støvleblok, læst; skostiver.
booty ['bu:ti] *sb* bytte; *play* ~ spille under dække med nogen.
booze [bu:z] **S** *vb* bumle, svire, drikke sig fuld; *sb* svir, drik, sprut. **boozy** *adj* omtåget; fordrukken.
bop [bɔp] *vb (am)* slå.
bo-peep [bou'pi:p] *sb* titteleg; borte, borte – tit-tit.
boracic [bə'ræsik] *adj = boric.*
borage ['bɔridʒ] *(bot)* hjulkrone.
borate ['bɔ:reit] *sb (kem)* borsurt salt.
borax ['bɔ:ræks] *sb (kem)* boraks.
border ['bɔ:də] *sb* rand; kant; grænseområde (især *'the Border'* mellem Skotland og England), *(am)* grænse *(fx the* ~ *between USA and Mexico)*; *(på tøj)* bort, kantning, bræmme; (om billede *etc)* ramme; (i have *etc)* rabat, smalt blomsterbed; *vb* kante, indfatte; begrænse; ~ *on* (også *fig)* grænse til.
borderers ['bɔ:dərəz] *sb pl* grænsebefolkning (især på grænsen mellem England og Skotland).
borderland ['bɔ:dəlænd] *sb* (også *fig)* grænseområde.
borderline case grænsetilfælde; *(psyk)* grænsepsykose.
border state randstat.
I. bore [bɔ:] *præt* af *bear.*
II. bore [bɔ:] *vb* bore, udbore; plage, kede; *sb* bor, hul; kedelig person *el.* ting, plage (i skydevåben) løb, kaliber; *it is a* ~ det er ærgerligt, det er kedeligt; *be -d* kede sig; *be -d stiff (el. to death el. to tears)* kede sig ihjel; *be -d with* være led og ked af; *look -d* se ud til at kede sig.
III. bore [bɔ:] *sb* flodbølge.
boreal ['bɔ:riəl] *adj* nordlig, nord-.
borecole ['bɔ:koul] *sb* grønkål.
boredom ['bɔ:dəm] *sb* kedsomhed.
borer ['bɔ:rə] *sb* bor(eapparat); *zo* borende insekt; slimål.
boric ['bɔ:rik] *adj (kem)* bor-; ~ *acid* borsyre.
boring ['bɔ:riŋ] *adj* borende; kedelig.
born, borne [bɔ:n] *pp* af *bear; never in my born days* aldrig i mine livskabte dage.
Borneo ['bɔ:niou].
boron ['bɔ:rɔn] *sb (kem)* bor; ~ *hydrate* borbrinte.
borough ['bʌrə] *sb* købstad; valgkreds; *the Borough* ɔ: *Southwark* (del af London).
borrow ['bɔrou] *vb* låne (af andre); *(mar)* gå tæt ind til (kysten); luffe; *-ed plumes* lånte fjer.
borrower *sb* låntager, låner.
Borstal, borstal ['bɔ:stl]: ~ *(institution)* (form for ungdomsfængsel).
boscage ['bɔskidʒ] *sb* krat, skovlandskab.
bosh [bɔʃ] *sb* vrøvl, sludder; *vb* ødelægge, spolere.

bosky ['bɔski] *adj* skovklædt, skovbevokset.
bosom ['buzəm] *sb* barm; bryst; *(fig)* skød *(fx in the* ~ *of the family)*; *(am* også) skjortebryst. **bosom friend** hjertensven. **bosomy** ['buzəmi] *adj* barmsvær.
I. boss [bɔs] *sb* **T** mester, principal, chef; diktatorisk (parti)leder, boss; formand; *adj* mesterlig, mester- *(fx cook)*; *vb* herse med, styre, råde; optræde som leder; ~ *the show* stå for det hele.
II. boss [bɔs] *sb* knop, fremspring; nav *(fx på skibsskrue)*; *(hist.:* på skjold) knap, bukkel.
boss|-eyed *adj* enøjet, skeløjet. ~ **shot** forbier.
bossy ['bɔsi] *adj* dominerende, diktatorisk.
B.O.T. *fk Board of Trade.*
botanic(al) [bə'tænik(l)] *adj* botanisk. **botanist** ['bɔtənist] *sb* botaniker. **botanize** ['bɔtənaiz] *vb* botanisere. **botany** ['bɔtəni] *sb* botanik.
Botany wool (slags fin australsk uld).
botch [bɔtʃ] *sb* makværk; *vb* forkludre; lappe sammen, sammenflikke.
botcher *sb* lappeskomager; fusker.
botfly ['bɔtflai] *sb* bremse.
both [bouθ] *adj* begge; både; ~ *and* både og; *you can't have it* ~ *ways* man kan ikke både blæse og have mel i munden; ~ *of them are here* de er her begge to.
bother ['bɔðə] *vb* plage, genere; gøre knuder; plage sig *(about* med), spekulere *(about* over, på), bekymre sig *(about* om); nære bekymringer; *sb* plage, besvær, vrøvl; ståhej; *I can't be -ed* jeg gider ikke; *don't* ~! gør Dem ingen ulejlighed! **T** det skal du ikke spekulere på! *oh* ~! pokkers også! ~ *him* gid pokker havde ham.
botheration [bɔðə'reiʃən] *sb* plage, vrøvl; *oh* ~ så for pokker.
bothersome *adj* besværlig.
Bothnian ['bɔθniən], **Bothnic** ['bɔθnik] *adj* botnisk.
bo tree ['bou 'tri:] *(bot)* det hellige figentræ.
bottle ['bɔtl] *sb* flaske; *vb* fylde på flasker, aftappe; henkoge; *bring up on the* ~ opflaske; ~ *up* tilbageholde, gemme på; holde i tømme *(fx one's anger)*; *-d up* indestængt *(fx fury)*; *-d beer* flaskeøl; *-d gas* flaskegas.
bottle|-feeding opflaskning. ~ **green** flaskegrøn. **-holder** (en boksers) sekundant. **-neck** (også *fig)* flaskehals. ~ **-nosed** *adj* rødnæset, med drankertud. ~ **-nosed whale** *zo* døgling. ~ **opener** oplukker, kapselåbner, **T** madonna. ~ **party** sammenskudsgilde.
I. bottom ['bɔt(ə)m] *sb* bund; grund; nederste del *(fx of the garden)*; inderste del; (på menneske) bagdel, ende; (af stol) sæde; *(mar)* bund; skib; *adj* lavest *(fx price)*, nederst *(fx step* trin), underst *(fx card)*, sidst *(fx my* ~ *dollar)*; *you can bet your* ~ *dollar on that (fig)* **T** det kan du bide dig i næsen på; *at the* ~ *bagdel*; ved foden (af en høj); neden for, forneden; *he is at the* ~ *of it* han står bag ved det; *from top to* ~ fra øverst til nederst; *knock the* ~ *out of* slå bunden ud af, *(fig)* slå grunden væk under; gendrive fuldstændigt; *-s up!* skål! drik ud! *with plain -s* (om bukser) uden opslag.
II. bottom ['bɔt(ə)m] *vb* sætte bund (, sæde) i; komme ned til bunden; *(fig)* komme til bunds i; (om priser) nå bunden.
bottom drawer (nederste) kommodeskuffe (til opbevaring af brudeudstyr).
bottomless ['bɔt(ə)mlis] *adj* bundløs; *(fig)* uudgrundelig.
bottomry ['bɔtəmri] *sb* sølån, bodmeri; ~ *bond* bodmeribrev.
botulism ['bɔtjulizm] *sb (med.)* pølseforgiftning.
boudoir ['bu:dwa:] *sb* boudoir.
bouffant *[fr] adj* struttende.
bough [bau] *sb* gren.
bought [bɔ:t] *præt* og *pp* af *buy.*
bouillon ['bu:jɔ:ŋ] *sb* bouillon.
boulder ['bouldə] *sb* rullesten, kampesten.
Boulogne [bu'lɔin].
bounce [bauns] *sb* spring, hop; elasticitet, springkraft; *(fig)* praleri, vigtigmageri; *vb* springe, hoppe; prelle tilbage; *(fig)* narre; prale; **S** smide ud; (om check) blive afvist (af banken) som dækningsløs.
bouncer ['baunsə] *sb* stor tamp; pralhals; løgnhals; fræk løgn; *(am* **T,** i restaurant *etc)* udsmider.
bouncing ['baunsiŋ] *adj* kraftig, struttende af sundhed;

svær; pralende.

I. bound [baund] *vb* springe, hoppe; springe tilbage; *sb* spring, hop; (se også II. *leap).*

II. bound [baund] *sb* grænse, skranke; *vb* begrænse; *-s* afgrænset terræn uden for hvilket man ikke må komme; *out of -s* forbudt (område); *beat the -s* efterse (og markere) sognegrænserne; *set -s to* sætte grænser for, begrænse.

III. bound [baund] *præt* og *pp* af *bind; adj* bundet, indbundet *(etc cf bind); (mar)* bestemt *(for* til), på vej *(for* til); *(am)* **T** fast besluttet *(fx I am ~ to go if I can); homeward ~* for hjemgående, på hjemvejen; *be ~ to* (også) være nødt til at *(fx admit it);* være sikker på at; *he is ~ to come* han kommer ganske bestemt; *it was ~ to happen* det måtte ske; *be ~ up in* være optaget af, gå op i; *be ~ up with* hænge sammen med, være uløseligt forbundet med.

boundary ['baundəri] *sb* grænse.
bounden ['baundən] *adj: my ~ duty* min simple pligt.
bounder ['baundə] *sb* fyr (især tarvelig og støjende), plebejer; sjover.
boundless ['baundlis] *adj* grænseløs.
bounteous ['bauntiəs] *adj* gavmild; rigelig, rundelig.
bountiful ['bauntiful] *adj* gavmild; rigelig.
bounty ['baunti] *sb* gavmildhed; gave; præmie.
bouquet [bu'kei] *sb* blomsterbuket; duft, aroma.
bourbon ['bɑːbən] *sb* Bourbon whisky.
bourgeois ['buəʒwaː] *sb (pl d s)* spidsborger, person af middelstanden; *adj* (spids)borgerlig.
bourn(e) ['buən] *sb (glds)* grænse; mål; bæk, vandløb.
Bournemouth ['bɔːnməθ].
bout [baut] *sb* omgang, tur; tag, dyst, tørn, kamp; anfald *(fx of fever).*
boutique [buːtiːk] *sb* boutique, modeforretning.
bovine ['bouvain] *adj* okse-, ko-; *(fig)* sløv, dum.
Bovril ['bovril] ® (kødekstrakt).

I. bow [bau] *vb* bøje; bukke; nikke; hilse, tage hatten af; bøje sig *(to, before* for); *sb* buk; *~ sby to the door (, carriage)* følge en (bukkende) til døren (, vognen); *~ one's knee to* bøje knæ for; *~ one's thanks* bukke *(el* bøje hovedet) til tak; *-ing acquaintance* flygtigt bekendtskab; *make one's ~* debutere; bøje sig tilbage; *~ out* trække sig tilbage *(el* ud); *~ sby out* følge en (bukkende) ud.
II. bow [bau] *sb (mar)* bov; *a shot across the ~* et skud for boven.
III. bow [bou] *sb* bue; sløjfe; (på saks) øje; *vb (mus.)* bruge buen; *draw the long ~* overdrive; se også *I. string.*
Bow bells ['bou'belz] klokkerne i *Bow Church* i London; *he is born within the sound of ~* han er en ægte londoner.
bowdlerize ['baudləraiz] *vb* rense for formentlig anstødelige udtryk; *-d edition* udrenset udgave; udgave ad usum delphini.
bowel movement ['bauəl'muːvmənt] afføring.
bowels ['bauəlz] *sb* indvolde; tarmer; *~ (of compassion)* medlidenhed, sympati; følelser; *have your ~ moved?* har De haft afføring?
I. bower ['bauə] *sb* lysthus, løvhytte; *(poet)* kammer.
II. bower ['bauə] *sb: ~ (anchor) (mar)* krananker.
bowerbird *zo* løvhyttefugl; *great ~* krævefugl.
bowfin ['boufin] *sb zo* dyndfisk.
bowie knife ['bouiːnaif] lang jagtkniv.
bowing ['bouiŋ] *sb* (i musik) bueføring.
bowl [boul] *sb* skål; bowle, bolle, terrin; kumme; pibehoved; skeblad; kugle (til spillet *bowls); vb* trille; rulle; (i spil) slå; (i kricket) kaste; *~ sby out* (i kricket) 'kaste' én ud; *(fig)* sætte én ud af spillet, slå én ud; *~ over* vælte, slå ned; gøre rådvild, forbløffe; tage med storm *(fig).*
bowlegged ['boulegd] *adj* hjulbenet.
I. bowler ['boulə] *sb* kaster (i 'kricket).
II. bowler ['boulə] *sb* bowler (rund, stiv hat).
bowline ['boulin] *sb (mar)* bugline; pælestik.
bowling ['bouliŋ] = *bowls; (am)* bowling (slags keglespil).
bowling| alley bowlingbane. *~ green* plæne til *bowls.*
bowls [boulz] *sb* kuglespil (omtrent som Boccia).
bowman ['boumən] *sb* bueskytte; *(mar)* [baumən] pligthugger.
bow oar ['bau'ɔː] *(mar)* pligtåre.

bow saw ['bou'sɔː] svejfsav.
bowshot ['bouʃɔt] *sb* pileskud.
bowsprit ['bousprit] *sb* bugspryd, bovspryd.
Bow Street ['bou'striːt] (gade i London med en politiret); *~ officer, ~ runner (glds)* opdagelsesbetjent.
bowstring ['boustriŋ] *sb* buestreng.
bow tie ['bou'tai] butterfly (slips), sløjfe.
bow wave ['bau'weiv] *(mar)* bovbølge.
bow window ['bou'windou] buet karnapvindue; **T** »mave«, »udhængsskab«.
bow-wow ['bau'wau] *sb* vovvov; vovhund; *vb* gø; *go to the -s* gå i hundene.
I. box [bɔks] *sb (bot)* buksbom.
II. box [bɔks] *sb* æske, skrin, kasse; kuffert; aflukke, (post-, telefon-) boks; alarmskab; (i stald) bås; *(teat)* loge; (i retssal) vidneskranke; n'ævningeaflukke; (på vogn) buk, kuskesæde; (til jagt) jagthytte; (til skildvagt) skilderhus; (til bog) kassette; *(tekn)* kasse; bøsning; *(typ)* kasse, ramme, (indrammet felt) rubrik *(fx* på blanket); *vb* lægge (, pakke) i æske *el* kasse; *Christmas ~* julegave; (i annonce:) *(write el. apply) ~ 103* billet mrk. 103; *~ the compass* læse kompasstregerne efter orden; *(fig)* komme hele kompasset rundt; *~ up* putte i en æske; spærre inde; *put him in the ~ (jur)* føre ham som vidne.
III. box [bɔks] *vb* bokse; bokse med; slå; *~ sby's ears* give en en ørefigen; *sb: a ~ on the ear* en ørefigen.
box| calf boxcalf (slags læder). **-car** *(am)* lukket godsvogn. *~* **coat** kørefrakke.
boxer ['bɔksə] *sb* bokser.
boxing ['bɔksiŋ] *sb* boksning. **Boxing Day** første hverdag efter juledag. **boxing glove** boksehandske.
box| keeper logekontrollør (i teater). *~* **kite** kassedrage. *~* **office** billetkontor; billetindtægter; *it is good ~ office* det trækker folk til. *~* **pleat** wienerlæg. *~* **room** pulterkammer. *~* **spanner** topnøgle. *~* **stall** boks. *~* **thorn** *(bot)* bukketorn.
boy [bɔi] *sb* dreng; fyr, gut; indfødt tjener.
boycott ['bɔikɔt] *vb* boykotte; *sb* boykot, boykotning.
boyfriend: *her ~* hendes ven, den unge mand hun går med.
boyhood ['bɔihud] *sb* drengeår, barndom.
boyish ['bɔiiʃ] *adj* drenget, drenge-.
Boys' Brigade (svarer til) Frivilligt Drengeforbund.
boy scout (drenge)spejder.
boysenberry ['bɔisnberi] *sb (bot)* boysenbær (krydsning mellem brombær og hindbær).
bozo ['bouzou] *sb* **S** fyr.
B.P. *fk* British Petroleum.
B.R. *fk* British Rail de britiske statsbaner.
bra [braː] *sb* brystholder, bh.
brace [breis] *sb* bånd, rem; støtte, stiver; (til bor) borsving; (til tænder) bøjle; *(typ etc)* sammenfatningstegn, klamme som forbinder to linier; (af hunde, vildt, pistoler) par; *(mar)* bras; *vb* styrke; støtte, stive af; binde, stramme, spænde; *-s* (også) seler; *~ up (mar)* brase ind; *~ oneself (up)* stramme sig op; *~ the nerves* styrke nerverne; *~ one's feet against* stemme fødderne imod.
bracelet ['breislit] *sb* armbånd.
bracelet watch armbåndsur.
bracer ['breisə] *sb* **T** opstrammer.
brachycephalic [brækike'fælik] *adj* kortskallet.
bracing ['breisiŋ] *adj* forfriskende, nervestyrkende, opkvikkende.
bracken ['brækn] *sb* ørnebregne(r); bregnekrat.
bracket ['brækit] *sb (arkit)* konsol; kragsten, kragbjælke; knægt; arm; *(typ etc)* parentes, klamme; *(fig)* gruppe, kategori, klasse *(fx the higher income -s); (mil.)* gaffel; *vb* sætte i klammer, sammenstille; *(mil.)* gafle sig ind på; *~ lamp* lampet.
brackish ['brækiʃ] *adj* brak; *(fig)* som smager ubehageligt, besk; *~ water* brakvand.
bract [brækt] *sb (bot)* dækblad.
brad [bræd] *sb* dykker (ɔ: søm).
bradawl ['brædɔːl] *sb* spidsbor, syl.
Bradshaw ['brædʃɔː] (køreplan for Storbritanniens jernbaner; er nu gået ind).
brae [brei] *sb* (skotsk) bakke, skrænt.

brag [bræg] *vb* prale, brovte; *sb* praleri, skryden; poker-lignende kortspil.

braggadocio [brægə'doutʃiou] *sb* praleri.

braggart ['brægət] *sb* pralhals; *adj* pralende.

Brahma ['braːmə] Brahma. **Brahman** ['braːmən], **Brahmin** ['braːmin] *sb* bramin, braman; *adj* bramansk.

I. braid [breid] *vb* flette, sno; besætte med snore; *sb* snor, tresse, galon; fletning; *-ed side seams* galoner (på siden af bukserne).

II. braid [breid] *adj* (skotsk:) bred.

brail [breil] *sb (mar)* givtov til gaffelsejl.

braille [breil] *sb* blindeskrift.

I. brain [brein] *sb* hjerne; *(fig,* også *brains)* hoved, for-stand; *beat one's ~s* lægge hovedet i blød; *blow out one's ~s* skyde sig en kugle for panden; *have exams on the ~* have eksamen på hjernen; *pick sby's -s* udnytte ens vi-den, stjæle ens ideer; *rack (el. puzzle el. cudgel) one's -s* bryde sit hoved; *turn sby's ~* gøre en helt tosset, sætte en fluer i hovedet.

II. brain [brein] *vb: ~ sby* smadre hjernen på en.

brain| bucket styrthjelm. **-child:** *that is his -child* det er hans opfindelse. **~ drain** forskerflugt. **~ fag** hjernetræt-hed. **~ fever** hjernebetændelse. **-less** *adj* enfoldig, dum, tankeløs. **-pan** hjerneskal, pandeskal. **-sick** ikke rigtig i hovedet. **-storm** pludselig vanvid; se også *-wave.* **-storm-ing** *sb* summemøde. **~ trust** *(am)* hjernetrust, gruppe eksperter. **~ truster** *(am)* medlem af en *brain trust.* **-washing** *sb* hjernevask. **-wave** god idé, pludseligt indfald, fund. **-work** åndsarbejde. **-worker** åndsarbejder.

brainy ['breini] *adj* intelligent, begavet.

braise [breiz] *vb* grydestege.

I. brake [breik] *sb* bremse; *vb* bremse; *put on the ~* bremse.

II. brake [breik] *sb* krat; ørnebregne.

III. brake *sb* hørbryder; (til dej) æltemaskine; *(agr)* harve.

brake shoe bremsebakke, bremsesko.

brake(s)man ['breik(s)mən] bremser (på tog); togbetjent.

brake van (vogn med) bremsekupé.

bramble ['bræmbl] *sb* tornet busk; brombærbusk; (skotsk:) brombær.

brambling ['bræmbliŋ] *sb zo* kvækerfinke.

bran [bræn] *sb* klid.

branch [braːnʃ] *sb* gren; *(fig)* gren; afdeling, branche; fi-lial; tjenestegren; *(am* af flod) arm, biflod; *vb* skyde grene; dele sig i grene; *~ off* bøje af; forgrene sig; *~ out* udvide (sit virkefelt).

branchial ['bræŋkiəl] *adj: ~ cleft* gællespalte.

branch line *(jernb)* sidebane.

brand [brænd] *sb* brand (et brændende stykke træ); *(agr* og *hist.)* brændemærke, (redskab hertil) brændejern; *(fig)* brændemærke, skamplet; stempel; *(merk)* mærke, kvalitet; *(glds)* sværd; *vb* brændemærke;· mærke, stemple; *-ed articles, -ed goods* mærkevarer.

brandied ['brændid] *adj* nedlagt i *(el* blandet med) brandy.

brandish ['brændiʃ] *vb* svinge *(fx a sword).*

brandling ['brændliŋ] *sb zo* brandorm.

brand-new ['brænd'njuː] *adj* splinterny.

brandy ['brændi] *sb* cognac; brandy, brændevin (blomme-brændevin *etc).*

brandy|ball (slags bolche). **~ snap** ingefærkiks.

brankursine ['bræŋk'əːsin] *sb (bot)* akantus.

brant (goose) = *brent goose.*

I. brash [bræʃ] *sb* isstykker, sjapis; afklip (fra hæk); skær-ver, grus.

II. brash [bræʃ] *adj* overilet, ubesindig; fræk, pågående, fremfusende; hensynsløs.

brass [braːs] *sb* messing, *(glds)* malm, kobberlegering; *(fx* i kirke) messingplade, mindetavle; *(mus.)* messinginstru-menter; *(fig)* frækhed; S højtstående officerer *(el* em-bedsmænd); penge, gysser; *as bold as ~* fræk som en slagterhund; *I don't care a ~ farthing* jeg bryder mig ikke en døjt om det.

brassard ['bræsaːd] *sb* armbind.

brass band hornorkester.

brass hat *(mil.)* S højtstående officer.

brassie ['braːsi] *sb* brassie, messingbeslået golfkølle.

brassière ['bræsiə; *am:* brə'ziə] *sb* brystholder.

brass plate messingplade, navneplade (på dør).

brass rags: *part ~ S* blive uvenner.

brass tacks: *get down to ~ S* komme til sagen, tage fat på realiteterne.

brassy ['braːsi] *adj* messingagtig; messingfarvet; (om lyd) skinger, skrattende; (om person) fræk, uforskammet.

brat [bræt] *sb (neds)* unge.

bravado [brə'vaːdou] *sb* udfordrende optræden (der dæk-ker over frygt).

brave [breiv] *adj* modig, tapper; prægtig, skøn; *sb* tapper mand; indianerkriger; *vb* trodse, byde trods; *~ it out* stå det igennem med oprejst pande, ikke lade sig mærke med noget. **bravery** ['breivəri] *sb* tapperhed; pragt.

bravo ['braː'vou] *interj* bravo! *sb* bravoråb; bandit.

bravura [brə'vuərə] *sb* bravur, bravurnummer.

braw [brɔː] *adj* (skotsk) gæv, fin.

brawl [brɔːl] *vb* larme, skændes, slås; *sb* larm, klammeri, slagsmål. **brawler** ['brɔːlə] slagsbroder, spektakelmager.

brawn [brɔːn] *sb* grisesylte; *(fig)* muskelkraft, svære musk-ler. **brawny** ['brɔːni] *adj* kraftig.

I. bray [brei] *vb* støde; støde fint; rive.

II. bray [brei] *sb* skrål; (et æsels) skryden; *vb* skråle; skryde.

braze [breiz] *vb* (slag)lodde; overtrække med messing; *(fig)* forhærde; hærde.

brazen ['breizn] *adj* messing-, malm-, bronze-; messingag-tig; *(fig)* fræk, uforskammet, skamløs; *vb: ~ it out* klare sig igennem ved frækhed. **brazen-faced** *adj* fræk.

brazier ['breizjə] *sb* kulbækken, fyrfad; (håndværker:) gørtler.

Brazil [brə'zil] Brasilien. **brazil** [brə'zil] *sb* brasiltræ, fer-nambuktræ. **Brazilian** [brə'ziljən] *adj* brasiliansk; *sb* bra-silianer; *~ rosewood* palisander. **Brazil nut** paranød. **bra-zilwood** = *brazil.*

B.R.C.S. *fk British Red Cross Society.*

breach [briːtʃ] *sb* brud; breche; *vb* skyde breche i; *stand in the ~* tage stødet af; tage en tørn; *step into the ~ (omtr)* føre kampen videre; *~ of the peace* forbrydelse mod den offentlige orden; *~ of promise* brud på ægteskabsløfte; hævet forlovelse.

bread [bred] *sb* brød; *(fig)* levebrød; *know on which side one's ~ is buttered* kende sin egen fordel; *have one's ~ buttered on both sides* være særdeles velsitueret.

bread and butter smørrebrød (uden pålæg); *(fig)* leve-brød; *quarrel with one's ~* beklage sig over ulemperne ved sit levebrød.

bread-and-butter *adj* som gøres for at tjene til føden; *(fig)* praktisk; halvvoksen, skolepigeagtig; *~ letter* takkebrev (for gæstfrihed); *~ product* brødartikel (vare som går godt); *~ study* brødstudium.

bread and cheese ostemad; *(fig)* jævn kost; levebrød.

bread and scrape brød med skrabet smør.

bread|basket brødkurv; *(fig)* kornkammer; S mave. **-corn** brødkorn. **-crumb** krummen (af brød), brødkrumme; rasp. **-cutter** brødmaskine.

breadline *sb (am)* kø af fattige der venter på at få brød; *be on the ~* stå i kø for at få brød.

breadstuffs *sb pl* brødkorn; mel.

breadth [bredθ] *sb* bredde; *~ of mind* frisindethed.

breadthways *adv* i bredden.

breadwinner ['bredwinə] *sb* familieforsørger.

I. break [breik] *vb (broke, broken)* (se også *broken)* brække (over), bryde *(fx the seal);* knække; slå i styk-ker; ødelægge, knuse; *(fig)* knuse *(fx his heart),* få til at briste; ruinere, ødelægge; sprænge *(fx the bank),* bryde *(fx the silence),* afbryde *(fx a journey);* (ikke overholde) bryde *(fx an agreement, a contract, a promise),* over-træde *(fx the law),* krænke; (om slag *etc)* afbøde *(fx a blow, a fall);* (om rekord) slå, overgå; (om hest) skole, ride til, tæmme; *(mil.)* degradere; (om kode) bryde, for-cere; (om kampagne *etc)* åbne, begynde; *(am* om penge) veksle, slå i stykker *(fx a dollar);* (uden objekt) springe, briste, gå itu; knække; (om stemme) knække over, gå i overgang; (om skyer, mørke) sprede sig, forsvinde; (om vejr) slå om; (om dagen) bryde frem, gry;

no bones are broken der er ingen skade sket; *~ cover* flyve op, springe frem (om vildt); *~ an egg* slå hul på et æg; *~ ground* berede jordbunden, bane vejen; *~ the news*

to him meddele ham det skånsomt; ~ *short* standse, bringe til ophør; ~ *step,* se *I. step;* ~ *surface* komme op til overfladen (om undervandsbåd);
(med *præp, adv*) ~ **away** rive sig løs; løbe væk, bryde ud, tyvstarte; spredes; ~ **down** nedbryde (også *kem);* knuse; skille ad; opdele i grupper, analysere; bryde sammen; mislykkes, slå fejl; ~ **even** klare sig uden tab *el* gevinst; få regnskabet til at balancere, få sine udgifter dækket; ~ **in** bryde ind; tæmme, dressere, skole; (om sko) gå 'til; (om pibe) ryge 'til; ~ *the door in* slå døren ind; ~ *in on* afbryde, forstyrre, bryde ind i *(fx a conversation);* ~ **into** gøre indbrud i; slå over i; bryde ud i; gøre indgreb i; tage hul på *(fx a five-pound note);* ~ *into a run* sætte i løb; ~ *sby of a habit* vænne en af med noget; ~ **off** afbryde; bryde af; ~ *off the engagement with* hæve forlovelsen med; *they have broken it off* de har hævet forlovelsen; ~ *on a wheel* radbrække; ~ **out** bryde ud, udbryde; tabe fatningen; få udslæt; ~ *out a flag (mar)* rive et flag ud; ~ **up** slå i stykker; hugge op *(fx an old ship);* splitte *(fx a band of robbers);* opløse *(fx a meeting)* afbryde *(fx a fight);* opdele; opløses; slutte af (om skole); blive affældig; *the frost had broken up* frosten var gået af jorden.
II. break [breik] *sb* brud; frembrud; afbrydelse, pause, standsning, frikvarter; chance; *(typ)* (linie)udgang; *have a lucky* ~ sidde i held, have medvind; *have a bad* ~ sidde i uheld, have modgang; *an even* ~ en rimelig chance, en god chance; *the* ~ *of day* daggry; *make a* ~ T stikke af.
breakable ['breikəbl] *adj* skrøbelig; *sb: -s pl* skrøbelige sager.
breakage ['breikidʒ] *sb* beskadigelse, brud; itubrudte ting; brækage.
breakaway ['breikəwei] *sb* løsrivelse; udbrud; (i fodbold) angreb; (ved løb) tyvstart; (i boksning) afbrydelse af clinch; *adj* udbryder- *(fx group),* løsrivelses-.
breakdown ['breikdaun] *sb* sammenbrud; *(tekn)* havari, maskinskade; *(kem etc)* nedbrydning; *(fig fx* i statistik) analyse; opdeling i grupper.
breakdown| gang hjælpemandskab (ved togulykke). ~ **lorry** kranvogn.
breaker ['breikə] *sb* dressør, berider; brodsø; *(mar)* vand-anker; *(elekt)* afbryder.
breakfast ['brekfəst] *sb* morgenmad; *vb* spise morgenmad.
breakfast nook spisekrog.
breaking| point brudgrænse; *(fig)* bristepunkt. ~ **strength** brudstyrke. ~ **strain,** ~ **stress** brudbelastning.
break line *(typ)* linieudgang, udgangslinie.
breakneck ['breiknek] *adj* halsbrækkende *(fx* ~ *speed);* ~ *stairs* (om trappe) hønsestige.
breakthrough ['breikθru:] *sb (mil.)* gennembrud; *(fig* også) nybrud, skelsættende opdagelse (, begivenhed); afgørende udvikling *(fx in the negotiations).*
breakup ['breikʌp] *sb* opløsning, opbrud; årsafslutning *(fx* skoles).
breakwater ['breikwɔ:tə] *sb* bølgebryder, mole.
bream [bri:m] *sb zo* brasen; *white* ~ flire.
breast [brest] *sb* bryst; *vb* sætte brystet imod; *(fig)* byde trods, trodse *(fx the waves);* arbejde sig op over *(fx a hill);* kæmpe sig igennem *(fx a crisis); make a clean* ~ *of it* gå til bekendelse.
breast|bone brystben. ~ **-fed child** brystbarn. ~ **-feeding** brysternæring. ~ **-high** *adj* i brysthøjde. **-pin** brystnål, slipsnål. **-plate** brystharnisk. **-stroke** brystsvømning. **-work** brystværn.
breath [breθ] *sb* ånde; åndedrag, pust; luftning; pusterum; *with bated* ~ med tilbageholdt åndedræt (på grund af spænding, ængstelse *osv);* catch one's ~ snappe efter vejret; *draw one's* ~ trække vejret, *(poet)* drage ånde; *lose one's* ~ miste vejret *(el* pusten); *a* ~ *of fresh air* en mundfuld frisk luft; *a waste of* ~ spildte ord; ~ *of one's nostrils* livsbetingelse; *out of* ~ åndeløs, forpustet; *in the same* ~ i samme åndedrag *(fx he corrected himself in the same* ~ *); shortness of* ~ åndenød; *take* ~ puste (ud), trække (, få) vejret *(fx we paused to take* ~ *); take away one's* ~ tage vejret fra en; *under one's* ~ sagte, dæmpet, halvhøjt; *waste one's* ~ spilde sit krudt (ɔ: sine ord).

breathalyzer ['breθəlaizə] *sb* spritballon (til spiritusprøve).
breathe [bri:ð] *vb* ånde, trække vejret; puste ud, hvile lidt; indånde; blæse på, blæse; lufte; puste *(fx new life into sth);* give luft; give pusterum, lade puste ud; fremhviske, røbe, give udtryk for; ~ *again (fig)* ånde lettet op; ~ *one's last* drage sit sidste suk; ~ *down sby's neck* **T** *(fig)* være lige i hælene på en *(fx the cops were breathing down his neck);* være 'efter en; *not* ~ *a word about it* ikke mæle et ord om det.
breathed [breθ] *adj* (om lyd) ustemt.
breather ['bri:ðə] *sb* pusterum, hvil *(fx take a* ~ *);* motion der gør forpustet.
breathing ['bri:ðiŋ] *sb* åndedræt, ånde, vejrtrækning; luftning; *adj* åndedræts-.
breathing| exercise åndedrætsøvelse. ~ **hole** åndehul (i isen). ~ **space,** ~ **spell** pusterum.
breathless ['breθlis] *adj* åndeløs, forpustet; der tager vejret fra en; (om vejret) stille.
breathtaking ['breθteikiŋ] *adj* som tager vejret fra en; åndeløst spændende; betagende.
breathy ['bri:ði] *adj* (om stemme) luftblandet.
bred [bred] *præt og pp* af *breed.*
breech [bri:tʃ] *sb* bagdel; *(mil.)* bundstykke; *vb (glds)* give bukser på.
breech|block *(mil.)* kile, bundskrue. ~ **delivery** sædefødsel.
breeches ['britʃiz] *pl* (knæ)bukser; ridebukser; *the wife wears the* ~ det er konen der har bukserne på (ɔ: er den overlegne); se også *big.*
breeches buoy *(mar)* redningsstol.
breeching ['britʃiŋ] *sb* bagrem, omgang (i seletøj).
breechloader *(mil.)* baglader.
breed [bri:d] *vb (bred, bred)* avle; opdrætte; opdrage, uddanne; frembringe; yngle, formere sig; *sb* race, art, slægt, opdræt, afstamning; *born and bred* født og båret; *he is a Dane born and bred* han er født og opvokset i Danmark; *bred in the bone,* se *bone; bred to the bar* uddannet som jurist; ~ *true* give konstant afkom.
breeder reactor *(fys)* formeringsreaktor.
breeding ['bri:diŋ] *sb* avl; forædling; tillæg; udklækning, ynglen; uddannelse, opdragelse; dannelse; ~ *ground* yngleplads, udklækningssted.
I. breeze [bri:z] *sb* brise; **T** skænderi; (fra ovn) slagge, affaldskul.
II. breeze [bri:z] *vb* **T** fare, stryge (af sted); ~ *in* **T** komme farende; komme dumpende.
breeze block slaggebetonplade.
breezy ['bri:zi] *adj* luftig; (om person) jovial.
brent goose ['brent'gu:s] *zo* knortegås.
brethren ['breðrin] *sb pl* brødre (især om medlemmer af sekter og religiøse broderskaber); (ordens-, lavs-) brødre; kolleger.
Breton ['bretn] *adj* bretonsk (ɔ: fra Bretagne); *sb* bretoner; (sprog) bretonsk.
brevet ['brevit] *sb* titulær rang; *vb* give titulær rang; *adj* titulær.
breviary ['bri:vjəri] *sb* breviar, bønnebog.
brevier [brə'viə] *sb (typ)* petit.
brevity ['breviti] *sb* korthed.
brew [bru:] *sb* bryg; *vb* brygge; *(fig)* brygge på, pønse på; trække op (om uvejr); være i gære; *mischief is -ing* der er ugler i mosen; ~ *up* lave te; *(mil.)* **S** brænde; *a -ed-up tank* en udbrændt tank.
brewage ['bru:idʒ] *sb* bryg, blanding. **brewer** ['bruə] *sb* brygger. **brewery** ['bruəri] *sb* bryggeri.
briar ['braiə] se *brier.*
bribe [braib] *sb* bestikkelse, stikpenge; lokkemiddel; *vb* bestikke; købe *(fx* ~ *the child to go to bed).*
bribery ['braibəri] *sb* bestikkelse.
bric-a-brac ['brikəbræk] *sb* nips.
brick [brik] *sb* mursten; tegl(sten); murstensformet blok; (bygge)klods; **T** 'knop', knag *(fx you are a* ~ *); adj* murstensrød; *vb* dække med mursten; *drop a* ~ **S** begå en bommert, træde i spinaten; ~ *in,* ~ *up* mure til, blænde; *make -s without straw* (arbejde uden tilstrækkelige hjælpemidler).
brick|bats *pl* murbrokker, kasteskyts; *(fig)* skrap kritik; ubehageligheder. ~ **-built** *adj* grundmuret. **-burner** *sb* teglbrænder. **-layer** murer. **-work** murværk. **-yard** tegl-

værk.
bridal ['braidl] *adj* brude-, bryllups-. **bridal veil** (også *bot)* brudeslør.
bride ['braid] *sb* brud.
bride|cake bryllupskage. **-groom** brudgom.
bridesmaid ['braidzmeid] *sb* brudepige.
bridewell ['braidwəl] *sb* tugthus, fængsel.
I. bridge [bridʒ] *sb* bro; *(mar)* kommandobro; *(elekt)* målebro; (på en violin) stol; (på briller) næsestykke; *(anat)* næseryg; *vb* slå *(el.* bygge) bro over, udfylde *(fx ~ the pause); don't cross the ~ till you get to it* man skal ikke tage sorgerne på forskud.
II. bridge [bridʒ] *sb* bridge (kortspil).
bridge|head *(mil.)* brohoved. **-work** brobygning; *(tandl)* bro; broarbejde.
bridle ['braidl] *sb* bidsel; hovedtøj; tømme, tøjle, trense; *vb* bidsle; tøjle; ~ *(up)* knejse, slå med nakken, blive stram i ansigtet; ~ *at* stejle over.
bridle| path, ~ **way** ridevej, ridesti.
bridoon [bri'du:n] *sb* trense, bridon.
brief [bri:f] *adj* kort, kortfattet; *sb* kort udtog af en retssag, resumé udarbejdet af *the solicitor* til brug for *the barrister; (rel)* pavebrev, paveligt brev; *(mil. etc)* instruktion; *vb* give resumé af; give instruktioner; orientere; *(jur)* engagere *(barrister); hold no ~ for* ikke se det som sin opgave at støtte eller forsvare; *in ~* kort sagt; ~ *him on the matter* sætte ham ind i sagen.
briefcase mappe.
briefless *adj: a ~ barrister* en *barrister* der ikke har noget at bestille.
briefs [bri:fs] *sb pl* trusser.
brier ['braiə] *sb (bot)* vild rose; hybentorn; tornebusk; bruyere; bruyere-pibe, shagpibe.
brig [brig] *sb (mar)* brig.
brigade [bri'geid] *sb (mil. etc)* brigade.
brigadier [brigə'diə], **brigadier general** ['brigədiə'dʒenərəl] *sb (mil.)* brigadechef, brigadegeneral.
brigand ['brigənd] *sb* røver.
brigantine ['brigəntain] *sb* brigantine (tomastet skib).
bright [brait] *adj* blank, klar, funklende; lys; strålende; (om person) opvakt, kvik, munter; *honour bright!* på ære; *for the sake of our ~ eyes* for vore blå øjnes skyld; *be as ~ as a new penny* stråle som en nyslået toskilling; ~ *red* højrød; *he is not on the ~ side* han har ikke opfundet krudtet.
brighten ['braitn] *vb* blive lysere; gøre lysere; pudse blank.
Brighton ['braitn].
brightwork ['braitwə:k] *sb* poleret metal; *(mar)* poleret og ferniseret træværk.
brill [bril] *sb zo* slethvarre.
brilliance ['briljəns], **brilliancy** ['briljənsi] *sb* glans, skinnende lys; åndrighed, åndfuldhed.
brilliant ['briljənt] *adj* glimrende, funklende, skinnende, strålende; højt begavet, åndrig, åndfuld; genial; *sb* brillant (diamant).
brilliantine [briljən'ti:n] *sb* brillantine.
brim [brim] *sb* rand, kant; skygge (på hat); *vb* være fuld til randen; ~ *over with health* strutte af sundhed; ~ *over with mirth* være overstrømmende munter. **brimful** *adj* bredfuld, smækfuld, overfyldt.
brimstone ['brimstən] *sb* svovl.
brimstone butterfly citronsommerfugl.
brindled ['brindld] *adj* spættet, stribet.
brine [brain] *sb* saltvand; salt vand; saltlage, lage; *(fig)* hav; tårer; *vb* lægge i saltlage.
bring [briŋ] *vb (brought, brought)* bringe; skaffe; indbringe; tage med, bringe med, have med; *(fig)* føre med sig, medføre *(fx Fascism brought disaster);* få, overtale *(to* til at); (om argument) fremføre;
~ **about** forårsage, fremkalde, bringe i stand, bevirke; ~ *an action against* anlægge sag mod; ~ **back** bringe tilbage; genkalde i erindringen; ~ **down** vælte; nedlægge, skyde ned; *(fig)* ydmyge; sænke *(fx prices);* ~ *down the house* høste stormende bifald; ~ **forth** frembringe, føde; ~ **forward** fremsætte; fremføre; overføre; fremkalde; ~ **home** *(mar)* tage hjem; ~ *sth home to sby* overbevise en om noget, bevise ens skyld i noget; ~ **in** indbringe; indføre; bringe på bane; afsige *(fx ~ in a verdict* afsige en

nævningekendelse); *the jury brought him in guilty* nævningene kendte ham skyldig; *all that the war brought in its train* alt hvad krigen førte med sig; ~ *sth* **into** *play* tage noget i brug, sætte noget i gang, sætte noget ind; ~ **off** redde; udføre; *he brought it off* det lykkedes for ham, han klarede det; ~ **on** foranledige, fremkalde *(fx ~ on an attack);* påføre; fremføre; ~ **out** bringe frem, få frem *(fx he could not ~ out a word); (fig* også) kalde på *(fx it brought out the best in him);* (i kortspil) spille ud *(fx the ace);* (om bog *etc)* udgive, udsende *(fx a pamphlet);* fremføre (for offentligheden); (gøre tydelig) understrege, fremhæve; ~ *her out* indføre hende i selskabslivet; ~ **over** omvende; ~ **round** bringe til sig selv igen; bringe på benene igen; omstemme, overtale; ~ *sby* **through** *an illness (, a danger etc)* redde en igennem en sygdom (, en fare *etc);* ~ **to** bringe til bevidsthed; *(mar)* standse; dreje bi; ~ *to bear* bruge, anvende, sætte ind *(on* over for, mod); ~ *one's influence to bear* gøre sin indflydelse gældende; ~ *to mind* genkalde i erindringen; ~ *to pass* sætte igennem, gennemføre; ~ **under** kue, undertrykke; ~ **up** bringe op; opdrage; bringe på bane *(fx a subject);* kaste op *(fx one's food);* standse; *(mar)* ankre, komme til ankers; ~ *sby up before the court* fremstille en i retten.
bring-and-buy sale pakkefest.
brink [briŋk] *sb* brink, kant; *on the ~ of war* på randen til krig; *on the ~ of tears* på grædens rand.
brinkmanship *sb* (i politik) den kunst at balancere på randen til krig.
briny ['braini] *adj* salt; *sb: the ~* S havet.
briquet(te) [bri'ket] *sb* briket.
brise-bise [bri:z'bi:z] *sb* trækgardin (for nederste del af vindue); køkkengardin.
I. brisk [brisk] *adj* frisk, livlig, rask.
II. brisk *vb :* ~ *up* kvikke op.
brisket ['briskit] *sb* spidsbryst, tykbryst.
bristle ['brisl] *sb* børste, stift hår; *vb* rejse sig, stritte, stå stift; rejse børster; ~ *with difficulties* være fuld af vanskeligheder; *bristling with guns* spækket med kanoner.
bristle worm *zo* børsteorm.
bristly ['brisli] *adj* med børster, strittende; stikkende.
Britain ['britn] Storbritannien.
Britannia [bri'tænjə] Britannien; ~ *metal* britanniametal.
Britannic [bri'tænik] *adj* britisk.
British ['britiʃ] *adj* britisk, (ofte:) engelsk *(fx the ~ Navy);* ~ *Rail* de britiske statsbaner; ~ *warm* kort, tyk militærfrakke.
Britisher ['britiʃə] *sb (am)* brite.
Briton ['britən] *sb* brite.
Brittany ['britəni] Bretagne.
brittle ['britl] *adj* skør, sprød; skrøbelig; *he has a ~ temper* han har et iltert temperament, han er opfarende.
broach ['brəutʃ] *sb* stegespid; *(tekn)* rømmerival; *vb* stikke an (et anker *el* fad); *(tekn)* (op)rømme, (op)rive (et hul); *(fig)* tage hul på, begynde at bruge; bringe på bane *(fx a subject);* ~ *to (mar)* komme til at ligge tværs i søen.
broad [brɔ:d] *adj* bred, vid, stor; tydelig; frisindet, tolerant; åbenhjertig; grov; vulgær, sjofel; *sb* bredning; *(am* S) pige, kvindfolk, løsagtig kvinde; ~ *awake* lysvågen; ~ *daylight* højlys dag; *Broad Church* (frisindet retning i den engelske kirke); *a ~ hint* et tydeligt vink; *it is as ~ as it is long (fig)* det er hip som hap; *in ~ outline* i grove *(el* store) træk.
broad|axe *sb* bredbil; *(glds)* stridsøkse. ~ **bean** *(bot)* hestebønne. **-billed sandpiper** *zo* kærløber.
broadcast ['brɔ:dka:st] *vb* bredså; udsende i radio, rundkaste; optræde (, tale) i radio; *sb* bredsåning; radioudsendelse; *adj* radio-; *(agr)* sået med hånden; *(fig)* udbredt *(fx discontent).*
broadcasting ['brɔ:dka:stiŋ] *sb* radioudsendelse, radiofoni; *adj* radio-; *the British Broadcasting Corporation, the B.B.C.* BBC, den britiske radiofoni.
broadcloth fint klæde.
broaden ['brɔ:dn] *vb* gøre bred; udvide (sig).
broad-gauged ['brɔ:d geidʒd] *adj* bredsporet.
broadly ['brɔ:dli] *adv* i det store og hele, stort set.
broad|-minded *adj* tolerant, frisindet. ~ **-mindedness** *sb* tolerance, frisindethed.

Broadmoor ['brɔːdmuə] (anstalt for sindssyge forbrydere). **broad|ness** sb bredde. **-sheet** plakat; løbeseddel; (glds) flyveblad; skillingstryk. **-side** (mar) bredside; (fig også) salve, glat lag; se også -sheet. **-side ballad** skillingsvise. **-sword** pallask. **-tail** zo breitschwantz, fedthalefår, persianerfår. **-ways**, (am) **-wise** adv med den brede side til.
Brobdingnag ['brɔbdiŋnæg] (kæmpernes land i Gulliver's Travels). **Brobdingnagian** [brɔbdiŋ'nægiən] adj gigantisk; sb kæmpe.
brocade [brə'keid] sb brokade.
broccoli ['brɔkəli] sb (bot) aspargeskål, broccoli.
brochure ['brouʃjuə] sb brochure, pjece.
brock [brɔk] sb zo grævling.
brocket ['brɔkit] sb spidshjort (toårig hjort).
brogue [broug] sb dialektudtale, (især) irsk udtale af engelsk; golfsko.
broil [brɔil] vb stege, riste; steges; sb stegt kød; klammeri, tumult. **broiler** sb slagtekylling, fabrikskylling, T »papkylling«; stegerist; stegende varm dag; slagsbroder.
I. broke [brouk] præt af break.
II. broke [brouk] adj ruineret; be stony ~, be dead ~, be ~ to the world være blanket af, ikke eje en rød øre; go for ~ (am) sætte alle kræfter ind.
broken ['broukn] pp af break; brudt, knækket, brækket, knust; (fig også) nedbrudt; ~ bottles flaskeskår; ~ country kuperet terræn; ~ English gebrokkent engelsk; ~ heads brodne pander; ~ home opløst hjem, brudt hjem; ~ meat (kød)levninger; ~ numbers brudte tal; ~ reed upålidelig person (el. ting); ~ sleep urolig søvn; ~ weather ustadigt vejr.
broken|-down adj nedbrudt, slidt op, i uorden; ~ -down material henfaldsprodukt. ~ **-hearted** adj sønderknust, utrøstelig. **-ly** adj afbrudt, stødvis. ~ **wind** (hos heste) engbrystighed. ~ **winded** adj [-windid] stakåndet; (om hest) engbrystet.
broker ['broukə] sb mægler, kommissionær; vekselerer; marskandiser.
brokerage ['broukəridʒ] sb kurtage.
brolly ['brɔli] sb S paraply.
brome grass sb (bot) hejre.
bromide ['broumaid] sb (kem) bromid; (fig) banalitet, floskel, almindelighed, kliché, fortærsket udtryk; (om person) dødbider, skummelig (el åndsforladt) person; ~ paper (fot) bromsølvpapir.
bromine ['broumi(:)n] sb (kem) brom.
bronchi ['brɔŋkai] sb pl luftrørets højre og venstre gren.
bronchia ['brɔŋkiə] sb pl bronkier, luftrørets forgreninger.
bronchitis [brɔŋ'kaitis] sb bronkitis.
bronco ['brɔŋkou] (am) sb utæmmet hest. **broncobuster** sb (am) hestetæmmer.
Brontë ['brɔnti].
bronze [brɔnz] sb bronze; figur af bronze; bronzefarve; vb bronzere; blive solbrændt; gøre solbrændt. **bronze handshake** T (beskeden) afskedigelsesløn.
brooch [broutʃ] sb broche, brystnål.
brood [bruːd] sb unger; afkom; kuld; adj ruge-, avls-; vb ruge; udruge; ~ over (fig) ruge over, gruble over. **brooder** ['bruːdə] sb grubler; (agr) rugemaskine. **broodmare** ['bruːdmɛə] sb følhoppe.
broody ['bruːdi] adj (om høne) liggegal, skruk; (fig) grublende, som går og ruger over noget.
I. brook [bruk] vb tåle.
II. brook [bruk] sb bæk, å.
brook|let ['bruklit] sb lille bæk. **-lime** sb (bot) tykbladet ærenpris. **-weed** (bot) samel.
broom [brum, bruːm] sb fejekost; (bot) [bruːm] gyvel; vb feje.
broom|rape ['bruːmreip] (bot) gyvelkvæler. **-stick** ['brumstik] kosteskaft.
Bros. ['brʌðəz] sb Brdr., brødrene (bruges i firmanavne, fx Smith Bros. & Co. Brdr. Smith & Co.).
broth [brɔθ] sb pl (kød)suppe; a ~ of a boy (irsk:) en storartet fyr; too many cooks spoil the ~ for mange kokke fordærver maden.
brothel ['brɔθl] sb bordel.
brother ['brʌðə] sb broder; (fig) kollega (fx ~ officer officerskollega); ~ in arms krigskammerat.
brother|hood sb broderskab, forening. ~ **-in-law** svoger. **-li-**

ness sb broderlighed. **-ly** adj broderlig.
brougham ['bru(:)əm] sb let landauer.
brought [brɔːt] præt og pp af bring.
brow [brau] sb pande, bryn; bakkekam; brink; knit one's ~s rynke panden.
browbeat ['braubiːt] vb være overlegen mod; hundse, herse med; tromle ned, intimidere.
I. brown [braun] adj brun; sb brunt, brun farve.
II. brown [braun] vb blive brun, brune; be -ed off være skuffet, være træt og ked af det; be -ed off with være led og ked af.
brown| ale mørkt øl. ~ **bread** brød af usigtet hvedemel, grovbrød. ~ **coal** brunkul.
brownie ['brauni] sb bokskamera; alf, nisse; blåmejse (lille pigespejder).
I. Browning ['brauniŋ] browningpistol.
II. browning ['brauniŋ] kulør (til sauce etc).
brown| paper karduspapir, indpakningspapir. ~ **rat** vandrerotte. **-shirt** (hist.) S. A.-mand ~ **study:** in a ~ study i dybe tanker.
browse [brauz] vb afgnave unge spirer; græsse; (fig) kigge løseligt (i en bog); gå på opdagelse (i en boghandel).
Bruges [bruːʒ] Brügge.
Bruin ['bru(:)in] sb bjørn, bamse.
bruise [bruːz] vb kvæste; forslå, støde; knuse; sb kvæstelse, stød, slag, mærke af slag, blå plet.
bruiser ['bruːzə] sb S professionel bokser; stor tamp, grov ka'l.
bruit [bruːt] vb (glds): ~ about udbasunere, gøre bekendt; udsprede.
brumal ['bruːməl] adj vinterlig.
Brummagem ['brʌmədʒəm] (vulg udtale af Birmingham); sb tarvelige varer, 'nürnbergerkram'; adj tarvelig, uægte.
brunch [brʌnʃ] sb måltid der gør det ud for breakfast and lunch.
brunette [bruː'net] sb brunette.
brunt [brʌnt] sb: bear the ~ tage det værste stød, 'tage skrubbet'.
brush [brʌʃ] sb børste, pensel, kost; strejf; lunte (rævehale); sammenstød; krat; vb børste; strejfe; fare; ~ aside (fig) feje til side; ~ away børste af; viske bort; jage fra sig; vise af, feje af; ~ off = ~ away; ~ over, ~ up pudse op, gøre lidt i stand; genopfriske.
brush|maker børstenbinder. ~ **-off :** give the ~ feje af, vise af. ~ **-up:** give a ~ genopfriske. **-wood** krat(skov); kvas- (brænde). **-work** malemåde, penselføring.
brusque [brusk, brʌsk] adj brysk, affejende.
Brussels ['brʌslz] Bruxelles, Bryssel; ~ carpet brysselertæppe; ~ sprouts rosenkål.
brutal ['bruːtl] adj brutal, umenneskelig, grov. **brutality** [bruː'tæliti] sb brutalitet, umenneskelighed, grovhed. **brutalize** ['bruːtəlaiz] vb forrå, brutalisere; behandle brutalt.
I. brute [bruːt] adj dyr; brutal fyr, umenneske.
II. brute [bruːt] adj rå, vild, grusom; grov, uciviliseret; ~ force (rå) magt (fx a rule based on ~ force); ~ strength rå kraft.
brutish ['bruːtiʃ] adj dyrisk, grov, rå.
bryology [brai'ɔlədʒi] sb læren om mosserne.
bryony ['braiəni] sb (bot) galdebær; black ~ fedtrod.
B. Sc. ['bi es'siː] fk Bachelor of Science.
B.S.I. fk British Standards Institution.
B. S. T. fk British Summer Time.
B. T. fk Board of Trade.
BTA fk British Tourist Authority (tidligere: British Travel Association).
bubble ['bʌbl] sb boble; luftkasteller, humbug; vb boble; (glds) narre; (fig) sprudle; ~ over with (fig) sprudle af, strømme over af, være sprængfyldt med.
bubble-and-squeak sb (kål og kartoffelmos stegt med kødstykker). ~ **car** kabinescooter. ~ **gum** ballontyggegummi.
bubbling ['bʌbliŋ] adj sprudlende, overstrømmende.
bubbly ['bʌbli] sb S champagne.
bubo ['bjuːbou] sb byld. **bubonic** [bjuː'bɔnik] adj bylde- (fx ~ plague).
buccaneer [bʌkə'niə] sb sørøver.
Buchan ['bʌkən].
Buchanan [bjuː(:)'kænən].

Bucharest ['bju:kərest] Bukarest.
buck [bʌk] *sb* dåhjort; han *(fx* af hjort, hare, kanin); buk; kavaler, modeherre; *(am* **S)** dollar; *vb* gøre bukkespring; stange, gå til angreb, stritte (imod); ~ *off* kaste (rytter) af; *pass the* ~ *to sby* skyde skylden på en; lade sorteper gå videre til en; *that will* ~ *you up* det vil kvikke dig op; ~ *up!* frisk mod; rub dig!
buckaroo [bʌkə'ru:, 'bʌk-] *sb (am)* cowboy.
buckbean ['bʌkbi:n] *sb (bot)* bukkeblad.
bucket ['bʌkit] *sb* spand, *(mar)* pøs; (på kran) grab; (på elevator *etc)* kop; *vb* hale op i en spand; slå vand på; ride (for) hurtigt, fare, piske (rundt); pjaske (ved roning); *kick the* ~ **S** kradse af, dø; *a drop in the* ~ *(fig)* en dråbe i havet.
bucket| dredger spandekæde(maskine). ~ **seat** (buet) enkeltsæde.
bucket shop outsidervekselerers kontor.
buckeye ['bʌkai] *sb (bot) (am)* hestekastanje.
Buckingham ['bʌkiŋəm].
buckle ['bʌkl] *sb* spænde; *vb* spænde; exe *(fx* om cykelhjul), krølle sig, krumme sig; bule ud, slå buler; (om plade) folde, (om søjle) knække ud; ~ *down to* tage alvorlig fat (på).
buckler ['bʌklə] *sb* skjold.
bucko ['bʌkou] *sb (mar)* **S** slavepisker; *adj* pralende, stor på den.
buckram ['bʌkrəm] *sb* stivlærred; stivhed.
Bucks *fk* Buckinghamshire.
buckshee ['bʌkʃi:] **S** *adj* gratis; *sb* ekstraration; noget man får gratis.
buckshot ['bʌkʃɔt] *sb* dyrehagl.
buckskin ['bʌkskin] *sb* hjorteskind; *-s* hjorteskindsbukser.
buckteeth ['bʌkti:θ] *pl* udstående tænder, hestetænder.
buckthorn ['bʌkθɔ:n] *sb (bot)* vrietorn.
buckwheat ['bʌkwi:t] *sb* boghvede.
bucolic [bju'kɔlik] *adj* hyrde-, landlig; *sb* hyrdedigt.
bud [bʌd] *sb* knop; *(am* **T)** = *buddy; vb* skyde knopper; okulere; *nip in the* ~ kvæle i fødselen.
Budapest ['bju:də'pest].
Buddha ['budə] Buddha. **Buddhism** ['budizm] *sb* buddhisme. **Buddhist** ['budist] *sb* buddhist.
budding ['bʌdiŋ] *sb* (i gartneri) okulation; *(biol)* celleafsnøring; *adj* spirende, vordende; ~ *author* (også) forfatterspire.
buddy ['bʌdi] *sb (am* **T)** kammerat; makker.
budge [bʌdʒ] *vb* røre sig (af stedet), få til at flytte sig; *he would not* ~ *an inch* han veg ikke en tomme, han var ikke til at rokke.
budgerigar ['bʌdʒəriga:] *sb zo* undulat.
budget ['bʌdʒit] *sb* budget; finanslovforslag; *vb* budgettere.
budgie ['bʌdʒi] *sb* **T** undulat.
bud scale *sb (bot)* knopspor.
Buenos Aires ['bwenəs'aiəriz].
buff [bʌf] *sb* bøffellæder; brungult; *adj* brungul; *vb* polere; *in the* ~ **T** nøgen; *the Buffs* det østkentiske regiment.
buffalo ['bʌfələu] *sb zo* bøffel; bison; *(mil.)* amfibiepanservogn; *vb (am)* narre, snyde; koste med, kue, tvinge.
buffer ['bʌfə] *sb* stødpude; *(jernb, kem)* buffer, puffer; *old* ~ (om person) gammel støder, gammel snegl; ~ *state* stødpudestat.
I. buffet ['bʌfit] *sb* puf, stød, slag; *vb* puffe, støde.
II. buffet ['bufei] *sb* restaurant *(fx* på jernbanestation).
III. buffet ['bʌfit] *sb (møbel:)* buffet.
buffet supper ['bufei'sʌpə] stående souper.
buffoon [bə'fu:n] *sb* bajads. **buffoonery** *sb* narrestreger.
bug [bʌg] *sb* væggelus; **S** insekt; bakterie; skjult mikrofon; *(am)* fejl (i maskine *etc)*; *vb* skjule mikrofon(er) i; aflytte, udspionere ved hjælp af skjult(e) mikrofon(er).
bugbear ['bʌgbeə] *sb* bussemand, skræmmebillede; *Latin is my* ~ latin er min skræk.
bug-eyed ['bʌgaid] *adj* med udstående øjne, med øjne der står ud af hovedet.
bugger ['bʌgə] *sb* sodomit; homoseksuel; *(vulg)* fyr, skid; *vb (vulg:)* ~ *it!* Satans osse! ~ *off!* gå ad helvede til!
bugger-all **S** ikke spor, ikke en skid.
buggery ['bʌgəri] *sb* homoseksualitet.
I. buggy ['bʌgi] *adj* fuld af væggetøj.
II. buggy ['bʌgi] *sb* enspænderkøretøj; *(am* **S)** bil, auto-

mobil.
bughouse ['bʌghaus] *adj (am* **S)** skør, tosset; *sb* galeanstalt.
bug-hunting ['bʌghʌntiŋ] *sb* det at samle på insekter, entomologi.
I. bugle ['bju:gl] *sb* signalhorn; *vb* blæse i signalhorn.
II. bugle ['bju:gl] *sb* aflang glas- *el.* jetperle.
III. bugle ['bju:gl] *sb (bot)* læbeløs.
bugle call hornsignal.
bugler ['bju:glə] *sb* hornblæser.
bugloss ['bju:glɔs] *sb (bot)* oksetunge.
bugs [bʌgz] *adj (am* **S)** skør.
buhl [bu:l] *sb* med indlagt arbejde; *sb* indlægning.
build [bild] *vb (built, built)* bygge; bygges; opføre; *sb* bygningsform; (legems)bygning; ~ *in* indbygge; ~ *on* bygge på, stole på *(fx a promise)*; ~ *up* opbygge; styrke *(fx one's-health)*; indarbejde, opreklamere; mure til *(fx a door, a window)*; bygge, omgive med bygninger; *(mil.)* samle tropper og materiel; (uden objekt) gradvis øges; ~ *him up* opreklamere ham, skabe hans ry.
builder ['bildə] *sb* bygmester; bygningshåndværker; *-'s certificate (mar)* bilbrev; *-'s hardware* bygningsbeslag.
building ['bildiŋ] *sb* bygning; *-s* (også) udhuse; ~ *land* byggegrunde; ~ *paper* gulvpap; ~ *owner* bygherre; ~ *society (omtr* =) byggeselskab; kreditforening; ~ *surveyor (omtr* =) bygningskonstruktør; ~ *trade* byggefag.
build-up ['bildʌp] *sb* opbygning; opreklamering; forhåndsreklame; forberedelse (af klimaks); (militær) opbygning, samling af tropper og materiel.
built [bilt] *præt* og *pp* af build.
built-in *adj* indbygget *(fx a* ~ *cupboard)*; *(fig)* indbygget, iboende.
built-up *adj* bebygget; ~ *area* område med bymæssig bebyggelse.
bulb [bʌlb] *sb* elektrisk pære; løg, svibel, knold; kugle, rund udvidelse; glaskolbe.
bulbous ['bʌlbəs] *adj* løgformet; kugleformet; ~ *leg* kugleben.
bulbul ['bulbul] *sb* persisk nattergal.
Bulgaria [bʌl'gɛəriə] Bulgarien. **Bulgarian** [bʌl'gɛəriən] *sb* bulgarer; bulgarsk; *adj* bulgarsk.
bulge [bʌldʒ] *sb* bule, pukkel; ophovnet sted; midlertidig stigning; *(mil.)* frontfremspring; **T** overtag *(om over)*; *vb* bulne ud, hovne op, danne en bule eller pukkel; *the* ~ *(in the birth-rate)* 'de store årgange'; ~ *out* bulne ud.
bulk [bʌlk] *sb* størrelse, (stort) omfang, volumen, (stor) masse; (krop:) korpus; *(fig)* hovedmasse, hovedpart, størstedel, majoritet; *(mar)* last(erum); ladning; *vb* konstatere rumfanget af; tage plads op, være af vigtighed; *break* ~ *(mar)* begynde at losse; *in* ~ løst, ikke i emballage; en gros, i store partier; *the* ~ *of the shares* aktiemajoriteten; ~ *large* indtage en fremtrædende plads; ~ *out* fylde ud, få til at svulme; ~ *up* to beløbe sig til.
bulk| buying køb i store partier; storkøb. **-head** skot, skod. ~ **price** partipris.
bulky ['bʌlki] *adj* svær, stor, voluminøs, uhåndterlig.
I. bull [bul] *sb* tyr; han; (på børsen) haussespekulant, haussist; **S** *(mil.)* pudsning, gøren fint; politibetjent; sludder, vrøvl; *like a* ~ *in a china shop (omtr* =) som en hund i et spil kegler.
II. bull [bul] *sb* (pavelig) bulle.
bullace ['bulis] *sb (bot)* kræge.
bulldog ['buldɔg] *sb* buldog; ordensbetjent ved universitet.
bulldoze ['buldouz] *vb* rydde, planere; *(fig)* kue, tvinge.
bulldozer ['buldouzə] *sb* bulldozer, rydningstraktor.
bullet ['bulit] *sb* kugle (til riffel, pistol); projektil.
bullet-headed *adj* rundhovedet.
bulletin ['bulitin] *sb* bulletin. **bulletin board** opslagstavle.
bulletproof ['bulitpru:f] *adj* skudsikker.
bullfight ['bulfait] *sb* tyrefægtning.
bull|finch dompap; høj hæk (med grøft ved siden af). **-frog** *zo* oksefrø. **-headed** *adj* stædig og dum, halsstarrig; fremfusende. **-horn** *(am)* råber (med forstærker), megafon.
bullion ['buljən] *sb* umøntet guld *el* sølv; *gold in* ~ guld i barrer.
bullock ['bulɔk] *sb zo* stud.
bull operator haussespekulant.
bullring ['bulriŋ] *sb* arena (til tyrefægtning).

bullroarer ['bulrɔ:rə] *sb* brummer (stykke træ i en snor).
bull's-eye ['bulzai] *sb* skibsvindue, koøje; blændlygte; centrum (i skive), pletskud; *(omtr)* bismarcksklump.
bullshit ['bulʃit] *sb* S pladder, vås.
I. bully ['buli] *vb* herse med, behandle brutalt, tyrannisere, hundse; *sb* rå, hoven person; storpraler, grov karl; bølle, voldsmand; tyran; alfons.
II. bully ['buli] *adj (am)* fin, udmærket; ~ *for you* bravo.
bully beef *(mil.)* henkogt oksekød.
bullyrag ['buliræg] *vb* tyrannisere, overfuse, plage.
bulrush ['bulrʌʃ] *sb (bot)* siv, lysesiv; søkogleaks, dunhammer, muskedonner.
bulwark ['bulwək] *sb* vold, bastion; bølgebryder; *(mil.)* skanseklædning; *(fig)* bolværk, værn.
Bulwer ['bulwə].
bum [bʌm] *sb* S rumpe, bagdel; *(am)* vagabond, bums; sut; dagdriver; *vb* vagabondere; drive; nasse sig til; *adj* elendig; *go on the* ~ vagabondere; drive; nasse; *give sby the -'s rush* S smide en ud, give én et spark.
bumbailiff ['bʌm'beilif] *sb* (pante)foged.
bumble ['bʌmbl] *sb* (indbildsk kommunal funktionær); kludder; *vb* kludre, fumle; summe, rumle.
bumble|bee humlebi. **-puppy** stangtennis; dårlig spiller.
bumboat ['bʌmbout] *sb (mar)* bombåd, kadrejerbåd.
bumf [bʌmf] *sb* S toiletpapir; papirer.
bump [bʌmp] *sb* bump, stød, slag; bule; *vb* bumpe, støde, dunke; (om skib) hugge; (om køretøj) skumple; (i kaproning) indhente og røre den foranliggende båd; ~ *of locality* stedsans; ~ *off* S myrde, rydde af vejen.
bumper ['bʌmpə] *sb* kofanger; svingende fuldt glas; *(teat)* fuldt hus; *adj* usædvanlig god *(el.* rig), rekord- *(fx harvest)* ; ~ *to* ~ klos op ad hinanden.
bumper sticker *(am)* plakat til at klæbe på kofanger.
bumping-race kaproning på flod, hvor det gælder for hver båd at indhente og røre den foranliggende båd.
bumpkin ['bʌm(p)kin] *sb* bondetamp, klods.
bumptious ['bʌm(p)ʃəs] *adj* skidtvigtig, indbildsk.
bumpy ['bʌmpi] *adj* ujævn, knoldet.
bum-sucker ['bʌmsʌkə] *sb* S spytslikker.
bun [bʌn] *sb* (bagværk:) bolle; (hår:) knude; *have a* ~ *in the oven* S være gravid, »have stær i kassen«; *take the* ~ være nummer ét, vinde, sejre; *that absolutely takes the* ~ det er vel nok højden!
bunch [bʌnʃ] *sb* bundt, knippe *(fx of keys)* ; klase *(fx of grapes)* , klynge, gruppe; *(neds)* bande, samling *(fx they are a* ~ *of criminals)* ; *the best of the* ~ den bedste af dem alle; ~ *of flowers* buket; ~ *up* klumpe sig sammen; *(fx* om en skjorte) lægge sig i folder.
bunco ['bʌŋkou] *vb (am* S) snyde (især i kortspil).
buncombe ['bʌŋkəm], se *bunkum*.
bundle ['bʌndl] *sb* bundt; bylt; *vb* bylte sammen; stoppe *(fx* ~ *clothes into a drawer;* ~ *him into a taxi)* ; sende i huj og hast *(fx* ~ *him off to school)* ; ~ *out* jage væk, kaste ud; sende *el.* komme af sted i en fart; ~ *up* bundte (, bylte) sammen; (i tøj) hylle *(el.* pakke) ind.
bung [bʌŋ] *sb* spuns; *vb* spunse; T smide; *-ed up* tilstoppet, tillukket; *(am)* mishandlet, ramponeret.
bungalow ['bʌŋgəlou] *sb* bungalow.
bunghole spunshul.
bungle ['bʌŋgl] *vb* fuske, kludre; forkludre; *sb* fuskeri, kludder, bommert. **bungler** fusker.
bunion ['bʌnjən] *sb* betændt hævelse (på tå), knyst.
bunk [bʌŋk] *sb* (i tog, skib) køje, *(mar)* (også:) standkøje; S vås; *vb* gå til køjs; ~ *off, do a* ~ stikke af.
bunker ['bʌŋkə] *sb (mil, mar)* bunker; *vb* tage olie (, kul) ind, bunkre.
bunkum ['bʌŋkəm] *sb* floskler, valgflæsk; vrøvl, nonsens.
bunny ['bʌni] *sb* (kælenavn for) kanin.
Bunsen ['bunsn]: ~ *burner* bunsenbrænder.
bunt [bʌnt] *sb (bot)* stinkbrand, *(mar)* bug (af sejl); *vb* stange, støde.
I. bunting ['bʌntiŋ] *sb* flagdug, flag.
II. bunting ['bʌntiŋ] *sb* zo værling; *yellow* ~ gulspurv.
III. bunting *sb* kørepose (til baby).
Bunyan ['bʌnjən].
buoy [bɔi] *sb* bøje; *vb* afmærke ved bøje(r); ~ *up* holde flydende, holde oppe; opmuntre. **buoyage** ['bɔiidʒ] *sb* farvandsafmærkning.

buoyancy ['bɔiənsi] *sb* evne til at flyde; opdrift; *(fig)* lethed, frejdighed, livsmod. **buoyant** ['bɔiənt] *adj* flydende (ovenpå); som bærer oppe; *(fig)* optimistisk, frejdig, livsglad; *(merk)* stigende.
bur [bə:] *sb* burre (se også under *burr)*.
burberry ['bə:bəri] *sb* ® vandtæt stof; frakke deraf.
burble [bə:bl] *vb* pludre (om bæk); snakke, kværne (om person).
burbot ['bə:bət] *sb zo* ferskvandskvabbe.
burden ['bə:dn] *sb* byrde; *(mar)* drægtighed; (i sang) omkvæd; *vb* bebyrde, betynge; ~ *of proof* bevisbyrde.
burdensome *adj* tyngende, byrdefuld.
burdock ['bə:dɔk] *(bot)* burre.
bureau ['bjuərou] *sb* bureau, kontor, regeringskontor; (møbel:) skrivebord, sekretær, *(am)* kommode.
bureau|cracy [bju'rɔkrəsi] *sb* bureaukrati. **-crat** ['bjuərəkræt] *sb* bureaukrat. **-cratic** [bjuərə'krætik] *adj* bureaukratisk.
burelage *[fr.]* (filateli:) bundtryk.
burette [bju'ret] *sb* måleglas.
burg [bə:g] *sb (am* T) by.
burgee ['bə:dʒi:] *sb* lille splitflag, klubstander.
burgeon ['bə:dʒən] *sb* knop; spire; *vb* knoppes, spire, spire frem; *(fig)* vokse (, brede sig) hurtigt.
burgess ['bə:dʒis] *sb* borger.
burgh ['bʌrə] (skotsk) = *borough*.
burgher ['bə:gə] *sb* borger.
burglar ['bə:glə] *sb* indbrudstyv.
burglar alarm tyverialarm. **burglarious** [bə:'glɛəriəs] *adj* indbruds-.
burglary ['bə:gləri] *sb* indbrudstyveri.
burgle ['bə:gl] *vb* gøre indbrud (i); plyndre; ernære sig som indbrudstyv.
burgomaster ['bə:gəma:stə] *sb* borgmester (i Skandinavien, Tyskland eller Holland).
Burgundy ['bə:gəndi] Burgund; *sb* bourgogne (vin).
burial ['beriəl] *sb* begravelse.
burial| ground begravelsesplads, kirkegård. ~ **mound** gravhøj. ~ **service** begravelsesritual.
burin ['bjuərin] *sb* gravstikke.
burke [bə:k] *vb* kvæle, kværke; *(fig)* henlægge; sylte *(fx* foresporgsel i parlamentet); dysse ned; gå *(el* vige) uden om; ~ *at* vige tilbage for, stejle over.
burlap ['bə:læp] *sb* hessian, sækkelærred; groft stout.
burlesque [bə:'lesk] *adj* naragtig, burlesk; *sb* parodi, travesti; *(am)* varietéforestilling (især med striptease); *vb* gøre latterlig, travestere, parodiere.
burly ['bə:li] *adj* tyk, svær.
Burma ['bə:mə].
I. burn [bə:n] *vb (burnt, burnt el. burned, burned)* brænde; gøre solbrændt; *sb* brandsår; forbrænding; brandplet; *his money -s a hole in his pocket* han kan ikke holde på penge; ~ *up* brænde; komme i brand; flamme op; *(fig)* blive rasende; S skælde læsterligt ud; ~ *with enthusiasm* gløde af begejstring; se også *I. boat, ear, finger etc.*
II. burn [bə:n] *sb* bæk, strøm.
burnet ['bə:nit] *sb (bot)* kvæsurt; pimpinelle.
burnet rose *(bot)* pimpinellerose.
burning glass brændglas.
burnish ['bə:niʃ] *vb* polere; blive blank; *sb* glans.
burnous [bə:'nu:s] *sb* burnus.
burnout ['bə:naut] *sb* (i raket *etc)* drivstofslut.
Burns [bə:nz].
burnt [bə:nt] *præt* og *pp* af *burn*.
burp [bə:p] *sb* bøvs, ræb; *vb* bøvse, ræbe.
burp gun maskinpistol.
burr [bə:] *sb* burre (også om besværlig person); kastanjes skal; (på træ) knude, udvækst; (på hjortetak) rose; (ru kant) grat; *(tandl)* bor; *(astr)* ring om månen; (om lyd) summen, brummen, *(fon)* tungerodssnurren på r; *vb* summe, brumme.
burro ['bʌrou] *sb (am)* lille æsel.
burrow ['bʌrou] *sb* hule, gang (lavet af dyr, *fx* kaniner); *vb* grave *(el.* bore) sig ned; ~ *into (fig)* dykke ned i, udforske.
bursar ['bə:sə] *sb* kasserer, kvæstor; stipendiat.
bursary ['bə:səri] *sb* kvæstur; stipendium.
burst [bə:st] *vb (burst, burst)* briste, revne; sprænges,

springe, eksplodere; fare, springe, bryde (frem, ud); (om uvejr) bryde løs; (med objekt) sprænge; få til at revne; knalde *(fx a balloon); ~ brag*, brængning, eksplosion; udbrud; brag; salve, byge (fra maskinpistol); sæt, kraftanstrengelse; soldetur; *~ into leaf (, flower)* springe ud; *~ into the room* komme farende ind i værelset; *~ out fare* op; udbryde; *~ out laughing* briste i latter; *~ one's sides with laughing* være ved at revne af grin; *~ up* gå i stykker, ramle; *it suddenly ~ upon me* det gik pludselig op for mig; *be -ing with* strutte af, være fyldt til randen med.

burthen ['bə:ðən] *(glds)* = burden.
burton ['bə:tən] *(mar)* håndtalje.
burweed ['bə:wi:d] *(bot)* tornet brodfrø.
bury ['beri] *vb* begrave; se også *sand*.
burying beetle *zo* ådselgraver.
bus [bʌs] *sb* (omni)bus; (især *am* også) rutebil; **S** bil, motorcykel, flyvemaskine; *miss the ~* **S** forspilde sin chance, forpasse det gunstige øjeblik.
busboy ['bʌsbɔi] *sb (am* **S)** afrydder (i restaurant).
busby ['bʌzbi] *sb* bjørneskindshue, chakot af skind.
I. bush [buʃ] *sb* busk; buskads, krat; efeublade som vinhusskilt; (i Australien og Afrika) kratskov, skov med underskov; *good wine needs no ~* en god vare anbefaler sig selv; *take to the ~* (i Australien) flygte ud i kratskoven (og leve som forbryder); (se også *II. beat).*
II. bush [buʃ] *sb* bøsning; *vb: ~ a bearing* indsætte en bøsning i et leje.
bushbuck ['buʃbʌk] *sb zo* skriftantilope.
bushed [buʃt] *adj* vildfaren, desorienteret; udmattet.
bushel ['buʃl] *sb* skæppe (= 36,35 liter); *vb (am)* lappe, reparere, omsy; *hide one's light under a ~* sætte sit lys under en skæppe.
bushfighting junglekrig.
bushing ['buʃiŋ] *sb* bøsning.
bushman ['buʃmən] *sb* buskmand; nybygger (i Australien).
bushpig ['buʃpig] *sb zo* penselsvin.
bushranger ['buʃreindʒə] *sb* australsk røver.
bush telegraph jungletelegraf.
bushy ['buʃi] *adj* busket.
business ['biznis] *sb* (se også *busyness)* profession, bestilling *(fx what is your ~?);* hverv, opgave, gerning *(fx he made it his ~ to help me; it is my ~ in life to save souls);* pligt, sag *(fx it is the manager's ~ to see to that);* ærinde *(fx he is here on* (i) *lawful ~);* forretninger *(fx he is here on* (i) *~);* sager *(fx ~ before the committee);* arbejde *(fx ~ before pleasure);* (mere ubestemt) affære, sag, 'historie' *(fx I am tired of the whole ~);* *(merk)* forretning *(fx he sold the ~);* handel, handelsvirksomhed, forretninger; *(teat)* 'spil' (ud over replikker); T afføring, bæ; *the ~ of the day* dagsordenen; *current (el. daily) ~* løbende forretninger; *do ~* T lave pølser, lave 'stort'; *do ~ with* handle med; *go about one's ~* passe sine egne sager; *go into ~* blive forretningsmand; *good ~!* godt gjort! *great ~* stor omsætning; *hours of ~* = business hours; *he means ~* han mener det alvorligt; *mind your own ~* pas dig selv; *much ~* meget at gøre; *he has no ~ to* han har ingen ret til at; *it is no ~ of yours, it is none of your ~* det kommer ikke dig ved; *send sby about his ~* afvise én; *bede en passe sig selv; a good stroke of ~* en god forretning; *what is your ~ here?* hvad har du her at gøre?
business| double (i bridge) forretningsdobling. *~* **end** den ende (af værktøj etc) man bruger til arbejdet *(fx mods.* skaftet); *the ~ end of the nail* sømmets spids. *~* **hours** kontortid, ekspeditionstid, åbningstid.
businesslike *adj* forretningsmæssig, praktisk, effektiv, målbevidst.
business suit *(am)* jakkesæt.
busker ['bʌskə] *sb* gade- *(el* gård)musikant.
buskin ['bʌskin] *sb* koturne; halvstøvle.
busman ['bʌsmən] *sb* omnibuschauffør; *-'s holiday* fritid *(el* ferie) der tilbringes med samme slags arbejde som det man plejer at udføre.
buss [bʌs] *sb* kys, smask; *vb* kysse.
I. bust [bʌst] *sb* buste.
II. bust [bʌst] *vb* **S** = *burst; adj: be ~* være blank (ɔ: pengeløs); *go ~* gå i brokkassen, være kaput; gå fallit; *go on the ~* svire, gå på sold.

bustard ['bʌstəd] *sb zo: great ~* stortrappe; *little ~* dværgtrappe.
bustle ['bʌsl] *vb* have travlt, fare omkring; skynde på; *sb* travlhed; (i damekjole) tournure.
bustling ['bʌsliŋ] *adj* geskæftig, travl.
I. busy ['bizi] *adj* optaget, beskæftiget *(with, in, at af, med);* travl *(fx he is a very ~ man); (neds)* emsig, geskæftig; (om gade) befærdet; *be ~ doing sth* have travlt med at gøre noget *(fx he is ~ packing); get ~* tage affære; gå i gang; *keep sby ~* holde en i ånde; *the line is ~* (om telefon, telegraf) optaget.
II. busy ['bizi] *vb : ~ oneself* beskæftige sig *(with, in, at, about* med).
busybody ['bizibɔdi] *sb* geskæftig person, en som blander sig i andres sager.
busyness ['bizinis] *sb* travlhed (se også *business).*
but [bʌt, (trykløst) bət] *conj, præp, adv* men; undtagen, uden *(fx he never speaks ~ she contradicts him);* kun *(fx ~ an hour ago; I can ~ ask);* som ikke *(fx not a man ~ would);* jamen *(fx ~ that is not true!);*
all ~ næsten *(fx he was all ~ drowned; he all ~ collapsed); ~ for* him uden ham, dersom han ikke havde været; *if I had ~ known* havde jeg blot *(el.* bare) vidst det; *the last ~ one* den næstsidste; *not ~ what* (end)-skønt; *nothing ~* intet andet end; *~ that* at ... ikke *(fx I am not such a fool ~ that I understand you);* hvis ikke, medmindre *(fx she would have fallen ~ that he caught* (havde grebet) *her); I don't doubt ~ that* he jeg tvivler ikke om at han.
butch [butʃ] **S** *sb* stor stærk fyr; *adj* stor og stærk, maskulin.
butcher ['butʃə] *sb* slagter; *vb* slagte, nedslagte; *(fig)* mishandle, radbrække; *-'s bill (fig)* liste over faldne; *-'s meat* kød *(mods* fisk og fjerkræ).
butcher bird *zo* tornskade.
butcher's broom *(bot)* musetorn.
butchery ['butʃəri] *sb* slagteri; nedslagtning.
butler ['bʌtlə] *sb* kældermester, hovmester; *-'s pantry* anretterværelse.
I. butt [bʌt] *sb* mål; skive (også *fig, fx the ~ of their jokes);* skydevold; (beholder) fad, tønde; (på redskab) skaft, *(mil.)* kolbe; (af træstamme) rodende, rodskaft; (af stangende dyr) stød; (om pladesamling, *tekn)* stød; T lysestump, cigar(et)skod; **S** ende, bagdel; *-s* skydebane.
II. butt [bʌt] *vb* støde, stange; (om plader, *tekn)* være i stød; *-ed* stødsamlet; *~ against (el. into)* rende lige imod *(el* ind i); *~ in* T bryde ind, mase sig på; *~ in on* blande sig i; *~ out over* rage ud over.
butt end skaft, (gevær)kolbe; stump, rest; rodende, rodstok.
butter ['bʌtə] *sb* smør; *(fig)* smiger; *vb* tilberede med smør, smøre smør på; *~ up (fig)* smøre om munden, smigre, sleske for; *she looks as if ~ would not melt in her mouth* hun ser så lammefrom ud; *kind (el. soft el. fair) words ~ no parsnips* skønne løfter hjælper ikke stort.
butter|boat smørbåd; saucekål. **-bur** *(bot)* hestehov. **-cup** *(bot)* ranunkel, smørblomst. *~* **dish** smørkrukke; smørasiet. **-fingered** fummelfingret. **-fingers** fummelfingret person, kludderhoved. **-fish** *zo* tangspræl. **-fly** sommerfugl; *have -flies in the stomach* have kriblen i maven (af spænding); *break a -fly on a wheel* skyde gråspurve med kanoner. **-fly flower** *(bot)* fattigmandsorkidé. **-fly nut** vingemøtrik. **-fly orchis** *(bot)* gøgelilje. **-knife** smørkniv. **-milk** kærnemælk. *~* **pat** formet smørklump. **-scotch** karamel. **-wort** *(bot)* vibefedt.
buttery ['bʌtəri] *sb* proviantrum (især i *colleges).*
butt hinge kanthængsel.
buttock ['bʌtək] *sb* balde; *-s* bagdel.
button ['bʌtn] *sb* knap; knop; (på kårde) dup; T døjt *(fx I don't care a ~ about it); ~ up* knappe; knappes *(fx the dress -s down the back); ~ up* knappe (til), lukke.
button|hole *sb* knaphul; knaphulsblomst; *vb* hage sig fast i, opholde med snak. **-hook** støvleknapper; handskeknapper.
buttons ['bʌtnz] *(pl af button)* pikkolo.
buttress ['bʌtris] *sb* stræbepille, støttepille; *vb: ~ (up)* støtte, afstive; *(fig også)* underbygge.
butty ['bʌti] *sb* **S** kammerat; stykke franskbrød med smør.

butyric [bju:'tirik] *adj* : ~ *acid* smørsyre.
buxom ['bʌksəm] *adj* buttet, fyldig, yppig.
buy [bai] *vb (bought, bought)* købe *(with* for); gå ind på, acceptere; *sb* køb, (god) forretning; *I'll* ~ *it* S jeg giver fortabt (som svar på en gåde *etc)*; ~ *in* købe tilbage (om sælger ved auktion); ~ *oneself off* købe sig fri; ~ *him off* købe sig fri for ham; ~· *over* bestikke; ~ *up* købe op; S ordne, klare.
buyer *sb* køber; opkøber; disponent.
buzz [bʌz] *vb* summe; svirre; fare; *sb* summen, rygte; ~ *off* stikke af, fordufte.
buzzard ['bʌzəd] *sb zo* musvåge.
buzzer ['bʌzə] *sb* fabriksfløjte, sirene; summer, brummer.
buzz saw *sb (am)* rundsav.
by [bai] *præp, adv* af *(fx* built, loved, written ~ *);* ved (hjælp af) *(fx* ~ *the help of God;* ~ *lamp light);* efter (norm *el.* standard) *(fx may I set my watch* ~ *yours?* never judge ~ *appearances);* (nær) ved, hos *(fx sit* ~ *the fire);* ad, over, gennem *(fx I came* ~ *the road,* ~ *the fields,* ~ *Oxford Street);* med *(fx* ~ *railway,* ~ *steamer; raise the wage* ~ *10 per cent; he has two children* ~ *his first wife);* for *(fx one* ~ *one; foot* ~ *foot);* forbi *(fx drive, walk* ~ *sby);* senest, inden, til *(fx you must be here* ~ *nine o'clock);* til side, hen, bort *(fx lay, put* ~*); (mar)* til *(fx north* ~ *east);*
(se også *day, hang, heart, little, means etc)* ~ *oneself* alene; ~ *the day (, month)* for en dag (, måned) ad gangen; ~ *the dozen* i dusinvis; ~ *and* ~ snart, om lidt, siden; ~ *and large* i det store og hele, alt i alt; ~ *the by(e),* ~ *the way* i parentes bemærket, à propos, for resten; ~· *twos and threes* to og tre ad gangen; *six feet* ~ *three* seks fod lang og tre fod bred, 6 × 3 fod.

by-, bye- side-, bi-.
by-blow ['baiblou] *sb* uægte barn.
bye-bye ['bai'bai] farvel; (i børns sprog) ['baibai] visselulle, seng.
by-election ['baiilekʃən] *sb* suppleringsvalg.
bygone ['baigɔn] *adj* svunden, forbigangen; *let -s be -s* tilgive og glemme, lade det være glemt; lade fortiden hvile.
bylaw ['bailɔ:] *sb* vedtægt, statut, lokallov.
by-line ['bailain] *sb* (i avis *etc:* mellem overskrift og artikel) forfatterangivelse; (i fodbold) målstreg. **by-liner** *sb* fast medarbejder.
bypass ['baipa:s] *sb* omfartsvej, sidevej (der aflaster hovedvej), (permanent) omkørsel; ringvej; omløbsledning; *vb* gå udenom *(fig),* ikke tage hensyn til.
bypath ['baipa:θ] *sb* se *byway.*
byplay ['baiplei] *sb* stumt spil; mindre vigtigt optrin (der foregår parallelt med et andet).
by-plot ['baiplɔt] *sb* sidehandling.
by-product ['baiprɔdʌkt] *sb* biprodukt.
byre ['baiə] *sb* kostald.
byroad ['bairoud] *sb* sidevej.
Byron ['baiərən]. **Byronic** [bai'rɔnik] *adj* Byronsk.
bystander ['baistændə] *sb* tilskuer, tilstedeværende; *the -s* de omkringstående.
bystreet ['baistri:t] *sb* sidegade.
byway ['baiwei] *sb* sidevej, bivej; *(fig)* mindre påagtet (forsknings)område.
byword ['baiwɔ:d] *sb* mundheld; stående vending, yndlingsudtryk, slagord; *(fig)* fabel *(fx he was a* ~ *in the village); be a* ~ (også) være berygtet.
Byzantine [bi'zæntain] *adj* byzantinsk; *sb* byzantiner.

C [si:].
C. *fk* centigrade, central, Conservative.
c. *fk* cent, century, chapter, circa, cubic.
cab [kæb] *sb* taxi, drosche; *(driver's ~)* førerhus, førerkabine.
cabal [kə'bæl] *sb* kabale; intrige; klike; *vb* intrigere; *the Cabal* Cabalministeriet (under Karl den Anden).
cabaret ['kæbərei] *sb* kabaret.
cabbage ['kæbidʒ] *sb* kål, kålhoved; (tøjrester som stikkes til side) skrædderlapper; **T** (om person) kødhoved; hjælpeløst vrag; *(am)* **S** penge, sedler; *vb* hugge, stikke til side.
cabbage rose *(bot)* centifolierose, provinsrose. cabbage white *zo* kålsommerfugl
cabby ['kæbi] *sb* **T** taxichauffør, droschekusk.
cabin ['kæbin] *sb* kahyt, lukaf; hytte; kabine. cabin | boy kahytsdreng. ~ class *(mar)* klasse mellem 1. kl. og turistkl. ~ cruiser langtursbåd.
cabinet ['kæbinit] *sb* kabinet, kammer; skab; *(parl)* kabinet, ministerium; *(fot)* kabinetsfotografi. cabinet | council kabinetsråd. -maker *sb* møbelsnedker. -work snedkerarbejde.
cable ['keibl] *sb* kabel; trosse; ankerkæde; kabellængde; (kabel)telegram; *vb* telegrafere (pr. kabel).
cablegram *sb* kabeltelegram.
cable-laid *adj (mar)* kabelslået.
cablese [kei'bli:z] *sb* **T** telegramstil.
cableway *sb* tovbane.
cabman ['kæbmən] *sb* taxichauffør, droschekusk.
caboodle [kə'bu:dl] *sb: the whole ~* det hele, hele molevitten.
caboose [kə'bu:s] *sb* kabys; *(am)* vogn brugt i godstog til jernbanearbejdere og tilfældige passagerer.
cabriolet ['kæbriəlei] *sb* cabriolet (type vogn med kaleche).
cabstand ['kæbstænd] *sb* taxiholdeplads, droscheholdeplads.
ca' canny [kɔ'kæni] se *canny.*
cacao [kə'ɑ:ou] *sb* kakaotræ; kakaobønne; *adj* kakao-.
cachalot ['kæ∫əlɔt] *sb zo* kaskelot.
cache [kæ∫] *sb* gemmested; depot, (skjult) forråd; samling; *vb* lægge i depot; gemme væk.
cachet ['kæ∫ei] *sb* særpræg, blåt stempel *(fig)*, fornemt præg; prestige; (til medicin) oblat(kapsel)
cachinnation [kæki'nei∫ən] *sb* skoggerlatter.
cachou [kæ'∫u:] *sb* pastil der giver frisk ånde.
cackle [kæ'kl] *vb* kagle; kvække; grine; *sb* kaglen; snadren, kvækken; sludder; *cut the ~* hold op med det sludder.
cacophony [kæ'kɔfəni] *sb* kakofoni, mislyd.
cactus ['kæktəs] *sb (pl cacti* ['kæktai], *cactuses)* kaktus.
cad [kæd] *sb* tarvelig fyr, sjover.
cadaverous [kə'dævərəs] *adj* dødningeagtig; ligbleg; udtæret.
caddie ['kædi] *sb* caddie, golfspillers hjælper (som bærer køller).
caddis fly ['kædis'flai] *zo* vårflue.
caddy ['kædi] *sb* tedåse; se også *caddie.*
cadence ['keidəns] *sb* rytme; kadence.
cadet [kə'det] *sb* yngre søn; yngre gren af familie; *(mil., mar, flyv)* kadet, officerselev.
cadge [kædʒ] *vb* tigge, nasse. cadger ['kædʒə] *sb* tigger, en der lever på nas.
cadi ['kɑ:di, 'keidi] *sb* kadi, dommer.
cadmium ['kædmjəm] *sb* kadmium.
cadre ['kɑ:də; *(am)* 'kædri:] *sb* ramme; *(mil.)* kadre, stamme; stampersonel; *(pol)* kadre.
caduceus [kə'dju:sjəs] *sb* merkurstav.
caecum ['si:kəm] *sb (pl caeca)* blindtarm.
caesarean [si'zɛəriən] *adj* kejser-; ~ *operation* kejsersnit.
caesura [si'zjuərə] *sb* cæsur.

café ['kæfei, *(am)* kæ'fei] *sb* kaffesalon, frokostrestaurant, café (NB uden ret til udskænkning af stærke drikke).
cafeteria [kæfə'tiəriə] *sb* cafeteria.
caff [kæf] *sb* **S** = *café.*
caffeine ['kæfi:n] *sb* koffein.
caftan ['kæftən] *sb* kaftan.
cage [keidʒ] *sb* bur; elevatorstol; *vb* sætte i bur; indespærre; få (bold) i nettet. cage | aerial, ~ antenna ruseantenne. ~ bird stuefugl.
cagey ['keidʒi] *adj* forsigtig, hemmelighedsfuld, forbeholden, snu.
cahoot [kə'hu:t] *sb: in -s with* i ledtog med.
caiman ['keimən] *sb zo* kajman, alligator.
Cain [kein] Kain; *raise ~* lave ballade.
cairn [kɛən] *sb* stendynge, stendysse, varde; (hund) cairnterrier.
cairngorm ['kɛəngɔ:m] *sb* røgfarvet kvarts.
Cairo ['kaiərou]
caisson [kə'su:n, 'keisn] *sb* sænkekasse; *(mil.)* ammunitionsvogn; ~ *disease* dykkersyge.
caitiff ['keitif] *sb* kryster, usling.
cajole [kə'dʒoul] *vb* lokke *(el* narre) ved smiger, snakke godt for, besnakke.
cajolery [kə'dʒouləri] *sb* lokken, snakken godt for.
I. cake [keik] *sb* kage; *the land of -s ɔ:* Skotland; ~ *of soap* stykke sæbe; *you cannot eat your ~ and have it* man kan ikke både spise og have mel i munden; *it is selling like hot -s* det går som varmt brød; *a piece of ~* **S** en let sag; *take the ~* bære prisen; overgå alt.
II. cake [keik] *vb* klumpe sammen; kline (til), sidde i kager (på) *(fx mud -d on his shoes).*
cake slice *sb* kageske, kagespade.
Cal. *fk California.*
calabash ['kæləbæ∫] *sb* flaskegræskar; (beholder; musikinstrument) kalabas.
calaboose [kælə'bu:s] *sb* kachot, fængsel.
Calais ['kælei].
calamitous [kə'læmitəs] *adj* ulykkelig, katastrofal; bedrøvelig. calamity [kə'læmiti] *sb* ulykke, katastrofe; kalamitet.
calcification [kælsifi'kei∫ən] *sb* forkalkning.
calcify ['kælsifai] *vb* forkalke(s).
calcination [kælsi'nei∫ən] *sb* udglødning. calcine ['kælsain] *vb* udgløde.
calcium ['kælsjəm] *sb (kem)* kalcium, kalk.
calculable ['kælkjuləbl] *adj* beregnelig.
calculate ['kælkjuleit] *vb* beregne; *(am* **T)** formode, antage; ~ *on* regne med. calculated *adj* beregnet; velberegnet, beregnet *(fx insolence)*; -d *to* egnet til at; som sikkert vil *(fx a promise -d to win votes).* calculating *adj* beregnende; ~ *machine* regnemaskine.
calculation [kælkju'lei∫ən] *sb* regning, beregning, kalkulation, kalkule.
calculator ['kælkjuleitə] *sb* beregner; regnemaskine.
calculus ['kælkjuləs] *(pl -i* [-ai], *-uses) sb (med.)* sten; *(mat.)* regnemetode, matematisk fremgangsmåde; *-regning (fx differential ~, integral ~).*
Calcutta [kæl'kʌtə].
caldron ['kɔ:ldrən] *sb* stor kedel.
Caledonia [kæli'dounjə] Skotland.
Caledonian [kæli'dounjən] *adj* skotsk; *sb* skotte; *the ~ market* (loppetorv i London).
calefactory [kæli'fæktəri] *adj* varmende.
calendar ['kælendə] *sb* kalender; *vb* indføre (i en kalender).
calender ['kælində] *sb* (kalander)presse, glattemaskine; (til papir også) glittemaskine; *vb* presse, gøre glat; glitte.
calf [kɑ:f] *sb (pl calves)* kalv; (elefant-, hval-)unge; kalveskind; (af et ben) læg; *(fig)* grønskolling. calf love barneforelskelse, ungdomsforelskelse.
Caliban ['kælibæn].
calibrate ['kælibreit] *vb* kalibrere; (om måleinstrument) ju-

stere. **calibration** [kæli'brei∫(ə)n] *sb* kalibrering , justering.
calibre ['kælibə] *sb* kaliber.
calico ['kælikou] *sb* kattun̄, sirts, kaliko (slags tæt lærreds-vævet bomuldstøj). **calico printer** kattuntrykker.
Calif. *fk California.*
California [kæli'fɔ:njə] Californien.
Californian [kæli'fɔ:njən] *adj* californisk; *sb* californier.
California poppy *(bot)* guldvalmue.
calipers ['kælipəz] *sb pl (am): inside* ~ dansemester, hul-passer; *outside* ~ krumpasser.
caliph ['kælif] *sb* kalif. **caliphate** ['kælifit] *sb* kalifat.
calisthenics [kælis'θeniks] *(am)* = *callisthenics.*
calk [kɔ:k] *vb* skærpe (en hestesko), brodde; *(mar)* = *caulk.*

I. call ['kɔ:l] *vb* råbe, kalde; (om fugl) skrige, fløjte; *(tlf)* ringe, telefonere; (om besøg) komme på besøg, aflægge (et kort) besøg, høre ind; henvende sig; (med objekt) råbe på, kalde på; råbe an; (om sovende) vække; (sende bud efter) tilkalde *(fx a doctor),* alarmere *(fx the police);* (om møde) sammenkalde; (give navn *etc)* be-nævne, kalde *(fx they -ed him carrots)*; *(tlf)* ringe op *(fx* ~ *me tomorrow);* (i kortspil) melde; *be -ed* (også:) hedde; ~ *witnesses* føre vidner; (se også *day, name);* ~ *at* besøge, aflægge visit i; *(mar)* anløbe; ~ *back* kalde tilbage, tilbagekalde; ringe op igen; ~ *down* ned-kalde; **S skælde** ud; ~ *for* (lade) spørge efter; råbe på; hente; kræve, forlange; *to be left till -ed for* poste re-stante; ~ *forth* fremkalde, kalde frem; opbyde; ~ *in* kalde ind, indkalde; tilkalde; tilbagekalde *(fx an army's outposts);* (om mønter og sedler) inddrage; (gæld *etc)* indkræve, opsige, hjemkalde; ~ *in question* drage i tvivl; ~ *into being (el. existence)* skabe, fremkalde; ~ *off* af-lyse *(fx a meeting),* afblæse *(fx a strike);* (om forlo-velse) hæve; ~ *on* besøge; opfordre; kalde på, påkalde; anråbe; ~ *out* råbe; kalde frem, udfordre; beordre til at gå i strejke; ~ *the watch out* råbe vagten ud; ~ *to* råbe til; ~ *to mind* erindre sig, mindes; ~ *up* kalde til sig, (også *mil)* indkalde; *(tlf)* ringe op, (over radio) kalde; (ånder *etc)* fremmane; *(fig)* fremkalde, kalde frem *(fx memories).*
II. call [kɔ:l] *sb* råb, kalden, (fugls) skrig, sang, toner, (af horn *etc)* signal; *(tlf)* opringning, opkald; (i kortspil) melding; (oplæsning af navne) navneopråb; (indbydelse *etc)* opfordring, indkaldelse, (til embede) kaldelse; *(fig)* kalden, dragen *(fx the* ~ *of the sea);* (følelse af pligt) kald; (om besøg) kort besøg, visit;
feel the ~ *of* drages mod; *there is no* ~ *for you to =* *you have no* ~ *to; I'll* **give** *you a* ~ jeg ringer (til dig); *give an actor a* ~ fremkalde en skuespiller; *you* **have** *no* ~ *to do that* du behøver slet ikke gøre det, der er slet ingen grund til at du skulle gøre det; det har du ikke no-get at gøre med; **make** *(el. pay) a* ~ aflægge (om visit); *make a* ~ *on* stille krav til, lægge beslag på *(fx his time); place* **of** ~ *(mar)* anløbssted; *port of* ~ *(mar)* an-løbshavn; *be* **on** ~ have vagt, være i beredskab, være klar til at rykke ud; *(merk)* skulle tilbagebetales (, tilba-geleveres) på anfordring; he **took** *five -s (teat)* han blev fremkaldt 5 gange; **within** ~ inden for hørevidde.
call| **box** telefonboks. **-boy** piccolo.
caller [kɔ:lə] *sb* besøgende, gæst; *(tlf): the* ~ den der rin-ger op.
call girl prostitueret der kan kontaktes pr. telefon.
calligraphy [kə'ligrəfi] *sb* kalligrafi, skønskrift.
calling ['kɔ:liŋ] *sb* kald, stilling, profession; meldinger (i bridge). **calling card** visitkort.
Calliope [kə'laiəpi] Kalliope.
calipers, se *calipers.*
callisthenics [kælis'θeniks] *pl* calisthenics (skønhedsgymna-stik).
call loan, call money *(merk)* anfordringslån.
call number signatur (på biblioteksbog).
callosity [kæ'lɔsiti] *sb* hård hud, hårdhudethed; fortyk-kelse.
callous ['kæləs] *adj* hård, hårdhudet; barket (om hånd); hjerteløs, ufølsom.
call-over ['kɔ:louvə] *sb* navneopråb.
callow ['kælou] *sb* bar, nøgen, dunet; *(fig)* uerfaren, uud-viklet; ~ *youth* grønskolling, grøn dreng.

call sign kaldesignal. **call slip** bestillingsseddel (i bibliotek).
call-up ['kɔ:lʌp] *sb (mil.)* indkaldelse.
callus ['kæləs] *sb* hård hud; *(forst)* kallus.
calm [ka:m] *adj* stille, rolig; klar; *sb* stilhed, ro; stille vejr, vindstille, havblik; *vb* berolige; ~ *down* blive rolig, falde til ro; formilde, berolige. **calmness** *sb* stilhed, ro.
Calor gas ® flaskegas.
calorie ['kæləri] *sb* kalorie.
calorific [kælə'rifik] *adj* varmeudviklende; varme-, kalo-rie-; ~ *value* brændværdi.
calorimeter [kælə'rimitə] *sb* kalorimeter.
caltrop ['kæltrəp] *sb* partisansøm; *(glds)* fodangel.
calumet ['kæljumet] *sb* indiansk fredspibe.
calumniate [kə'lʌmnieit] *vb* bagtale, bagvaske. **calumniator** [kə'lʌmnieitə] *sb* bagtaler. **calumnious** [kə'lʌmniəs] *adj* bagtalerisk. **calumny** ['kæləmni] *sb* bagtalelse, bagva-skelse.
Calvary ['kælvəri] Golgata.
calve [ka:v] *vb* kælve.
calves [ka:vz] *pl af calf.*
Calvinism ['kælvinizm] calvinisme. **Calvinist** ['kælvinist] *sb* calvinist.
calypso [kə'lipsou] *sb* calypso.
calyx ['keiliks] *sb (pl* calyces ['keilisi:z] *el. -es) (bot)* bæg-ger.
cam [kæm] *sb* kam, knast (på hjul).
Cam [kæm]: *the* ~ (flod som gennemstrømmer Cam-bridge).
camaraderie [kæmə'ra:dəri] *sb* kammeratlighed.
camber ['kæmbə] *sb* afrunding; oprunding (af kørebane *etc);* (på bil) hjulstyrt, forhjulenes hældning udefter; *(mar)* bjælkebugt.
cambium ['kæmbiəm] *sb (bot)* vækstlag.
Cambodia [kæm'boudjə] Cambodia. **Cambodian** *sb* cambo-dianer; (sprog) cambodiansk; *adj* cambodiansk.
Cambrian ['kæmbriən] *adj (geol)* kambrisk.
cambric ['keimbrik] *sb* kammerdug.
Cambridge ['keimbridʒ]
Cambs. *fk Cambridgeshire.*
came [keim] *præt af come;* se også *cames.*
camel ['kæməl] *sb* kamel; *break the -'s back* få bægeret til at flyde over.
cameleer [kæmi'liə] *sb* kameldriver, kamelrytter.
camellia [kə'mi:ljə] *sb (bot)* kamelia.
camelry ['kæməlri] *sb* kamelrytteri.
cameo ['kæmiou] *sb* kamé.
camera ['kæmərə] *sb* fotografiapparat, kamera; *in* ~ *(jur)* for lukkede døre.
cameraman ['kæmərəmæn] *sb* (films-, presse-) fotograf.
cames [keimz] *sb pl* blyindfatning (om vinduesruder).
camiknickers [kæmi'nikəz] *sb pl* combination (dameunder-tøj).
camion ['kæmiən] *sb* lastvogn.
camisole ['kæmisoul] *sb* underliv (beklædningsgenstand).
camlet ['kæmlət] *sb* kamelot (slags tøj).
camomile ['kæməmail] *sb* kamille; ~ *tea* kamillete.
camouflage ['kæmuflɑ:ʒ] *sb* camouflage; *(mil.)* sløring; *vb* camouflere; *(mil.)* sløre.
I. camp [kæmp] *sb* lejr; *vb* slå lejr; ligge i lejr; kampere.
II. camp [kæmp] *sb* ironisk forkærlighed for det banale, vulgære, naivt opstyltede; banalitet, vulgaritet, naiv op-styltethed betragtet som en kvalitet i sig selv; ting *el.* personer der har disse egenskaber; *vb (teat* **S**): ~ *it* overspille, være krukket *(el.* skabagtig).
campaign [kæm'pein] *sb* felttog; kampagne; *vb* deltage i felttog *el.* kampagne. **campaigner** [kæm'peinə] *sb: an old* ~ en gammel rotte, en veteran.
campanology [kæmpə'nɔlədʒi] *sb* (læren om) klokkering-ning.
camp| **bed** feltseng. ~ **chair** feltstol. **-fire** lejrbål. ~ **follower** civilist som følger med en hær, medløber; soldatertøs.
champhor ['kæmfə] *sb* kamfer.
camping ['kæmpiŋ] *sb* lejrliv; camping.
camping| **ground** lejrplads. ~ **site** campingplads.
campion ['kæmpiən] *sb (bot)* pragtstjerne.
camp| **meeting** *(am)* religiøst friluftsmøde. ~ **stool** feltstol, klapstol.
campus ['kæmpəs] *sb (am)* universitets (, skoles) område.

camshaft *sb* knastaksel.

I. can [kæn] *sb* kande; dunk; (især *am)* dåse; *(am* **S)** fængsel; lokum; bagdel, ende; *vb* lægge i dåse, henkoge (hermetisk); *(am* **S)** opgive, holde op med; fængsle; fyre, smide ud; *carry the* ~ **S** få skylden, få balladen; tage ansvaret; se også *canned.*

II. can [kæn, kən] *vb (could, have been able to)* kan; må (gerne).

Canaan ['keinən] Kanaan.

Canadian [kə'neidjən] *adj* canadisk; *sb* canadier.

canal [kə'næl] *sb* (gravet) kanal.

canalize ['kænəlaiz] *vb* kanalisere; *(fig* også) lede.

canard [kæ'na:d] *sb* avisand.

Canaries [kə'nɛəriz]: *the* ~ De kanariske Øer.

canary [kə'nɛəri] *sb* kanariefugl.

canary | creeper *(bot)* sommerfuglekarse. ~ **grass** *(bot)* glansfrø. ~ **reed** *(bot)* rørgræs.

cancel ['kænsl] *vb* strege ud, stryge, slette; kassere; ophæve, annullere, stemple (frimærke); aflyse; afbestille; afsige *(fx a subscription)*; (om brøk) forkorte; *sb (typ)* omtrykt blad; *it -s out* det går lige op.

cancellation [kænsə'leiʃən] *sb* udstregning, annullering; aflysning; afbestilling; stempel.

cancer ['kænsə] *sb (med.)* kræft; kræftskade; Krebsen (himmeltegn); *the Tropic of Cancer* Krebsens vendekreds.

cancerous ['kænsərəs] *adj* kræft-, kræftagtig.

candelabr|um [kændi'la:brəm] *sb (pl -a)* kandelaber, flerarmet lysestage.

candid ['kændid] *adj* oprigtig, åben, ærlig; uvildig; ~ *camera* spionkamera; ~ *picture,* ~ *shot (fot)* naturligt billede, billede som ikke er instrueret.

candidacy ['kændidəsi] *sb* kandidatur.

candidate ['kændidit] *sb* ansøger, aspirant, kandidat.

candidature ['kændidətʃə] *sb* kandidatur.

candied ['kændi:d] *sb* kandiseret. **candied peel** sukat.

I. candle ['kændl] *sb* lys (af stearin *etc)*; *he is not fit to hold a* ~ *to you* han kan slet ikke måle sig med dig; *burn the* ~ *at both ends* slide med *(el* øde) sine kræfter; brænde sit lys i begge ender; *the game is not worth the* ~ det er ikke umagen værd.

II. candle ['kændl] *vb* gennemlyse *(fx eggs).*

candle|berry *sb (bot)* vokspors. ~ **end** lysestump. **-light** levende lys.

Candlemas ['kændlməs] kyndelmisse (2. februar).

candlepower ['kændlpauə] *sb* lys (ɔ: lysstyrkeenhed); *fifty* ~ **bulb** halvtreds-lys pære.

candlestick ['kændlstik] *sb* lysestage.

candour ['kændə] *sb* oprigtighed, åbenhed.

candy ['kændi] *sb* kandis; *(am)* bolsjer, slik; *vb* kandisere; (om sukker) krystallisere.

candy|floss sukkervat. ~ **store** *(am)* chokoladeforretning; T slikbutik.

candytuft ['kænditʌft] *sb (bot)* iberis.

cane [kein] *sb* rør; sukkerrør; spanskrør; stok; *vb* prygle (med spanskrør). **cane| chair** kurvestol, rørstol. ~ **sugar** rørsukker. ~ **trash** sukkerrøraffald.

canine ['keinain] *adj* hundeagtig, hunde-; ~ *tooth* hjørnetand.

caning ['keiniŋ] *sb* dragt prygl.

canister ['kænistə] *sb* (blik)dåse. **canister shot** *(mil.)* kartæske.

canker ['kæŋkə] *sb (bot)* (plante)kræft; kræftagtigt sår; *(fig)* kræftskade; *vb* æde; fordærve; fordærves.

cannabis ['kænəbis] *sb* cannabis, indisk hamp.

canned [kænd] *adj* dåse- *(fx food)*; S fuld; ~ *music* mekanisk musik.

cannery ['kænəri] *sb* konservesfabrik.

cannibal ['kænibəl] *sb* kannibal, menneskeæder. **cannibalism** *sb* kannibalisme, menneskeæderi. **cannibalize** ['kænibəlaiz] *vb* adskille ubrugelig maskine og anvende dele deraf som reservedele, 'slagte'.

cannon ['kænən] *sb* kanon; kanoner, skyts; (i billard) karambolage; *vb* karambolere; ~ *into* brase ind i.

cannonade [kænə'neid] *sb* kanonade; *vb* skyde med kanonner.

cannon|ball kanonkugle. ~ **bone** (på hest) forpibe. ~ **fodder** kanonføde.

cannot ['kænɔt] *vb* kan ikke; ~ *but* kan ikke andet end, kan ikke lade være med at; ~ *help doing it* kan ikke lade være med at gøre det *(fx I* ~ *help laughing).*

canny ['kæni] *adj* snu, sveden; forsigtig; *ca'canny* nedsat arbejdsintensitet (som fagforeningspolitik for at indskrænke produktionen).

canoe [kə'nu:] *sb* kano.

canon ['kænən] *sb* kirkelov; lov, forskrift, regel, kanon; fortegnelse over helgener; kanoniske skrifter; skrifter der anerkendes som ægte *(fx the Chaucer* ~*)*; kannik, domherre.

canonical [kə'nɔnikəl] *adj* kanonisk; ~ *hours* kanoniske tider; *-s sb pl* ornat.

canonize ['kænənaiz] *vb* kanonisere, godkende; erklære for helgen.

canoodle [kə'nu:dl] *vb* kæle.

can opener dåseåbner.

canopy ['kænəpi] *sb* tronhimmel, baldakin; perrontag; (over dør) udhæng; (over seng) sengehimmel; (om træer) løvtag, *(forst)* kronetag; *(flyv)* skærm (af en faldskærm); tag (over cockpit).

can't [ka:nt] se *cannot.*

I. cant [kænt] *sb* hældning, bøjning; *vb* give en hældning, bøje; vælte; kaste; hugge en kant af; (uden objekt) hælde, vippe over på siden; svinge rundt.

II. cant [kænt] *sb* hyklerisk tale, floskler, fraser; jargon; *vb* tale hyklerisk, bruge fraser.

Cantab. ['kæntæb], **Cantabrigian** [kæntə'bridʒiən] *sb* Cambridgemand; *adj* som har med universitetet i Cambridge at gøre.

cantaloup(e) ['kæntəlu:p] *sb (bot)* cantaloup (art melon).

cantankerous [kæn'tæŋkərəs] *adj* trættekær, krakilsk, kværulantisk.

cantata [kæn'ta:tə] *sb* kantate.

canteen [kæn'ti:n] *sb* marketenderi, frokoststue, kantine; feltflaske.

canter ['kæntə] *sb* kort galop; *vb* løbe i kort galop; lade løbe i kort galop; *win in a* ~ vinde en let sejr.

Canterbury ['kæntəbəri]; ~ *bell (bot)* klokkeblomst.

cantharides [kæn'θæridi:z] *sb pl (med.)* spansk flue.

cant hook tømmerhage, vendekrog.

canticle ['kæntikl] *sb* salme (om visse stykker af *Prayer Book)*; *the Canticles* Salomos Højsang.

cantilever ['kæntili:və] *sb* udligger; *adj* udhængende, fritbærende; ~ *bridge* cantileverbro; ~ *wing (flyv)* fritbærende plan.

canto ['kæntou] *sb* sang (afsnit af et digt).

I. canton ['kæntən] *sb* kanton (i Schweiz).

II. canton [kən'tu:n] *vb* indkvartere (soldater).

cantonment [kæn'tu:nmənt] *sb* kantonnement.

cantrips ['kæntrips] *sb pl* (skotsk) heksekunster; udskejelser.

Canuck [kə'nʌk] *sb* S *sb* fransk-canadier; *(am)* canadier.

Canute [kə'nju:t] Knud.

canvas ['kænvəs] *sb* lærred; sejldug; *under* ~ i lejr, i telt(e); *(mar)* under sejl.

canvass ['kænvəs] *vb* drøfte; fremsætte *(fx a plan)*; undersøge; *(pol)* agitere, drive husagitation, hverve stemmer; *(merk)* gå rundt ved dørene og tage imod bestillinger, tegne annoncer *o l ; sb* agitation, arbejde for ens kandidatur.

canvasser ['kænvəsə] *sb* stemmehverver; agitator; (annonce)agent, akkvisitør.

canyon ['kænjən] *sb* fjeldkløft; dyb flodseng.

caoutchouc ['kautʃuk] *sb* kautsjuk.

I. cap [kæp] *sb* hue, kasket, sixpence, kappe (hovedbeklædning), hætte (også til fyldepen *etc)*; (mælke)kapsel; dæksel; låg; fænghætte; knaldhætte; *(mar)* æselhoved; *the* ~ *fitted* bemærkningen ramte; *if the* ~ *fits you, wear it* du følte dig nok truffet! *she set her* ~ *at him* hun lagde an på ham; ~ *and bells* narrehue; ~ *and gown* akademisk dragt; ~ *in hand* ydmygt, med hatten i hånden.

II. cap [kæp] *vb* sætte hætte (,kapsel, dæksel) på; sætte fænghætte i; tage huen af; *(fig)* overgå; sætte kronen el. slutstenen på, krone *(fig)*; ~ *anecdotes* søge at overgå hinanden i at fortælle historier.; *-ped with snow* sneklædt, med sne på toppen.

capability [keipə'biliti] *sb* evne; duelighed.

capable ['keipəbl] adj dygtig, egnet, duelig; ~ of doing it i stand til at gøre det; it is ~ of several interpretations det kan fortolkes på flere måder.

capacious [kə'peiʃəs] adj rummelig.

capacitance [kə'pæsitəns] sb (elekt) kapacitet.

capacitate [kə'pæsiteit] vb sætte i stand (til), kvalificere.

capacity [kə'pæsiti] sb evne til at rumme (el optage); rumindhold, (mar) drægtighed; rummelighed, plads; (om person) dygtighed, evne, kvalifikation; (om maskine etc) kapacitet, ydeevne; load ~ lasteevne; in an official ~ i embeds medfør; in his ~ of i sin egenskab af; with a ~ seating ~ of 2500 med 2500 siddepladser; storage ~ lagerplads; filled to ~ helt fuld, fyldt til sidste plads; work to ~ arbejde for fuld kraft.

cap-a-pie [kæpə'pi:]: armed ~ væbnet fra top til tå, væbnet til tænderne.

caparison [kə'pærisn] sb sadeldækken, skaberak; vb lægge sadeldækken på.

I. cape [keip] sb cape, slag; slængkappe.

II. cape [keip] sb forbjerg; the Cape Kap det gode Håb.

cape jasmine (bot) gardenia.

I. caper ['keipə] sb kapers, kapersbusk.

II. caper ['keipə] sb bukkespring; vb danse, hoppe, springe (af glæde), gøre krumspring; -s narrestreger; cut -s springe, hoppe; lave narrestreger.

capercaillie [kæpə'keilji], **capercailzie** [kæpə'keilzi] sb zo tjur.

Cape Town ['keip'taun] Kapstaden.

Cape Verde ['keip 've:d] Kap Verde; the ~ Islands De kapverdiske Øer.

cap gun knaldhættepistol.

capillary [kə'piləri] sb kapillar, kapillær, hårkar; ~ action hårrørsvirkning; ~ plexus hårkarnet.

capital ['kæpitl] adj hoved-, vigtigst; fortræffelig; sb hovedstad; (penge) kapital; (på søjle) kapitæl; (bogstav) stort bogstav (fx the name was written in -s); small ~ (typ) kapitæl; capital! storartet; make ~ out of slå mønt af, drage fordel af, udnytte; a ~ crime en forbrydelse der straffes med døden; ~ gains kapitalvinding; ~ goods kapitalgoder; ~ letters store bogstaver; ~ levy engangsskat, formueafgift; ~ punishment dødsstraf.

capitalism ['kæpitəlizm] sb kapitalisme.

capitalist ['kæpitəlist] sb kapitalist.

capitalistic ['kæpitə'listik] adj kapitalistisk.

capitalize [kə'pitəlaiz, 'kæpi-] vb (økon) kapitalisere; (om skrift) skrive med stort bogstav (, store bogstaver); ~ (on) (fig) udnytte, slå mønt af, drage fordel af.

capitation [kæpi'teiʃən] sb skat på hver enkelt person, kopskat; ~ fee gebyr pro persona; ~ grant tilskud pr person (, om skole: pr elev).

Capitol ['kæpitl] Kapitolium.

capitulate [kə'pitjuleit] vb kapitulere. **capitulation** [kəpitju-'leiʃən] sb kapitulation.

capon ['keipən] zo kapun (kastreret hane).

cap pistol knaldhættepistol.

caprice [kə'pri:s] sb grille, lune, kaprice; lunefuldhed.

capricious [kə'priʃəs] adj lunefuld, kapricios.

Capricorn ['kæprikɔ:n] Stenbukken (stjernebilledet); the Tropic of ~ Stenbukkens vendekreds.

capriole ['kæprioul] sb kapriol, bukkespring.

caps (= capital letters) (typ) kapitæler.

capsicum ['kæpsikəm] sb spansk peber.

capsize [kæp'saiz] vb kæntre, kuldsejle, vælte; sb kæntring.

capstan ['kæpstən] sb (mar) gangspil, spil.

capstone ['kæpstoun] sb murtag; (arkæol) dæksten; (fig) slutsten (fx the ~ of his career); kronen på værket.

capsular ['kæpsjulə] adj kapselformet.

capsule ['kæpsju:l] sb kapsel; rumkapsel; vb indkapsle; sammentrænge stærkt, koncentrere.

Capt. fk Captain.

captain ['kæptin] sb (mil.) kaptajn; ritmester; (mar) kaptajn, skibsfører; kommandørkaptajn; anfører, leder, førstemand; (i sport) anfører, holdkaptajn; vb stå i spidsen for; ~ of horse ritmester; ~ of industry storfabrikant.

captaincy sb kaptajnsstilling, kaptajnsrang; førerskab.

captainship sb kaptajnsstilling; førerskab.

caption ['kæpʃən] sb overskrift; (billed)tekst, billedunder-

skrift.

captious ['kæpʃəs] adj spidsfindig, kværulerende.

captivate ['kæptiveit] vb fængsle, fortrylle, bedåre, besnære.

captive ['kæptiv] adj fangen; sb fange; ~ balloon standballon; ~ audience tvungne (el. 'tvangsindlagte') tilhørere (, tilskuere).

captivity [kæp'tiviti] sb fangenskab.

capture ['kæptʃə] sb pågribelse; tilfangetagelse; bytte, fangst; vb tage til fange, pågribe, fange; opbringe (fx a ship); erobre (fx a market); (i skak) slå.

capuchin ['kæpjuʃin] sb kåbe med hætte; kapuciner (munk); zo kapuciner(abe), sapaju.

capybara [kæpi'ba:rə] sb zo flodsvin.

car [ka:] sb bil, vogn; (til elevator) elevatorstol; (på luftballon) gondol; (jernb, am) waggon, jernbanevogn.

caracal ['kærəkæl] sb zo ørkenlos.

caracara [kærə'kærə] sb zo gribbefalk.

caracole ['kærəkoul] sb (i ridning) halvsving; halv volte; vb (lade) foretage et halvsving; ~ one's horse (også) tumle sin hest.

carafe [kə'ræf] sb vandkaraffel.

caramel ['kærəmel] sb karamel.

carapace ['kærəpeis] sb (ryg)skjold.

carat ['kærət] sb karat.

caravan ['kærəvæn] sb karavane; sigøjnervogn, gøglervogn; campingvogn.

caravanserai [kærə'vænsərai] sb karavanserai.

caraway ['kærəwei] sb (bot) kommen.

carbarn ['ka:ba:n] sb (am) sporvognsremise, (bus)garage.

carbide ['ka:baid] sb karbid.

carbine ['ka:bain] sb (mil.) karabin.

carbohydrate ['ka:bou'haidreit] sb (kem) kulhydrat.

carbolic [ka:'bɔlik] adj karbol-; ~ acid karbolsyre.

carbon ['ka:bən] sb kulstof; (i buelampe) kulstift; (ved maskinskrivning) karbonpapir; aftryk, gennemslag.

carbonate ['ka:bənit] sb kulsurt salt.

carbon| **copy** gennemslag. ~ **dioxide** kuldioksyd, kulsyre. ~ **filament** kultråd.

carbonic [ka:'bɔnik] adj: ~ acid kulsyre.

carboniferous [ka:bə'nifərəs] adj (geol) kulførende; ~ formation kulformation.

carbonize ['ka:bənaiz] vb forkulle, karbonisere.

carbon | **monoxide** kulilte. ~ **paper** karbonpapir.

carborundum [ka:bə'rʌndəm] sb karborundum.

carboy ['ka:bɔi] sb syreballon.

car breaker autoophugger.

carbuncle ['ka:bʌŋkl] sb brandbyld; filipens; (ædelsten:) karfunkel.

carburet ['ka:bjuret] vb forbinde med kulstof, karburere.

carburettor ['ka:bjuretə] sb karburator.

carcase, carcass ['ka:kəs] sb død krop; ådsel, kadaver; slagtekrop; (mar) skibsskrog; (af hus) råhus; skrog; (i bildæk) lærredskasse. **carcass meat** frisk kød (mods konserves).

C.A.R.D. fk Campaign Against Racial Discrimination.

I. card [ka:d] sb kort, spillekort, visitkort; opslag; T original, sjov fyr; the ~ **T** det helt rigtige; a rum ~ **T** en løjerlig størrelse; get one's -s **T** blive fyret; hand in one's -s **T** søge sin afsked; lucky at -s heldig i spil; speak by the ~ veje hvert ord; tell fortunes by -s spå i kort; it is on the -s det er sandsynligt.

II. card [ka:d] sb, vb karte.

cardamom ['ka:dəməm] sb kardemomme.

cardan ['ka:dæn] ~ joint kardanled.

card|**board** ['ka:dbɔ:d] sb karton, pap; -board character (fig) papfigur. ~-**carrying** som har medlemskort. ~ **case** visitkortmappe. ~ **catalogue** kartotek (i bibliotek). -**holder** indehaver af fagforeningsbog (, medlemskort til parti); (am) låner (på bibliotek).

cardiac ['ka:diæk] adj hjerte-; hjertestyrkende, oplivende; sb hjertestyrkning.

cardigan ['ka:digən] sb trøje, cardigan.

cardinal ['ka:dinəl] adj vigtigst, fornemst, hoved-; kardinal-; afgørende; sb (også zo) kardinal; ~ numbers grundtal, mængdetal; ~ point himmelhjørne, hovedstreg (på kompas).

I. card index sb kartotek.

II. card-index *vb* føre kartotek over; katalogisere.
carditis [ka:'daitis] *sb (med.)* karditis, hjertebetændelse.
cardsharper ['ka:dʃa:pə] *sb* falskspiller.
card vote stemme afgivet gennem delegeret.
I. care [kɛə] *sb* bekymring; omsorg, omhu; omhyggelighed; varetægt, beskyttelse, pleje, pasning; det man tager sig af; sorg; *have a ~, take ~* være forsigtig; *take ~ of* sørge for; drage omsorg for; ordne; klare; *~ of* (på brev forkortet: c/o) adr(esse); *~ of the skin* hudpleje; *(handle) with ~!* (på pakke) forsigtig!
II. care [kɛə] *vb : ~ about* være interesseret i; *~ for* bekymre sig om, drage omsorg for, tage sig af; bryde sig om; *I don't ~ a damn (el. straw, button etc), I couldn't ~ less* jeg er revnende ligeglad; *I don't ~ if I do* T det kunne jeg godt tænke mig (at gøre); *who -s?* hva' så? *would you ~ to* har du lyst til at; *for all I ~,* se *for.*
careen [kə'ri:n] *vb* kølhale; krænge over.
career [kə'riə] *sb* løb; løbebane, karriere, levevej; *vb* fare af sted.
careerist [kə'riərist] *sb* stræber, karrieremager.
careers master erhvervsvejleder (på skole).
carefree ['kɛəfri:] *adj* sorgløs.
care|ful ['kɛəf(u)l] *adj* omhyggelig, påpasselig, forsigtig. **-less** [-ləs] *adj* ligegyldig, ligeglad *(of* med), skødesløs; sorgløs, ubekymret.
caress [kə'res] *vb* kæle for; kærtegne; *sb* kærtegn.
caret ['kærət] *sb* indskudsmærke (ʌ) i korrektur.
caretaker ['kɛəteikə] *sb* opsynsmand, portner, vicevært; skolebetjent; *~ government* forretningsministerium; *~ premier* fungerende premierminister.
careworn ['kɛəwɔ:n] *adj* forgræmmet.
carfare ['ka:fɛə] *sb (am)* billetpris, takst.
cargo ['ka:gou] *sb (pl -es)* ladning.
carhop ['ka:hɔp] *sb* tjener (el servitrice) i 'drive-in' restaurant.
Caribbean [kæri'bi:ən] *sb* caraiber; *adj* caraibisk; *the ~* Vestindien; Det caraibiske Hav.
caribou ['kæribu:] *sb* nordamerikansk rensdyr.
caricature [kærikə'tjuə; 'kæri-] *sb* karikatur; *vb* karikere.
caries ['kɛərii:z, *am* 'kæri:z] *sb* caries.
carillon [kə'riljən, 'kærilijən, am:'kærələn] *sb* klokkespil.
Carinthia [kə'rinθiə] Kärnthen.
carious ['kɛəriəs] *adj* angreben af caries, cariøs, hul (om tand).
carking ['ka:kiŋ] *adj* besværlig, nagende; bekymret.
carline ['ka:lin] *sb: ~ thistle (bot)* bakketidsel.
carling *sb (mar)* kravelbjælke, stikbjælke.
Carlisle, Carlyle [ka:'lail].
carman ['ka:mən] *sb* fragtmand, vognmand, vognmandskusk.
Carmichael [ka:'maikəl].
carminative ['ka:minətiv] *sb, adj (med)* vinddrivende (middel).
carmine ['ka:main] *sb* karmin(rødt).
carnage ['ka:nidʒ] *sb* massakre, blodbad.
carnal ['ka:nl] *adj* kødelig; sanselig; *~ knowledge (jur)* kønslig omgang.
carnation [ka:'neiʃən] *sb (bot)* (have)nellike; kødfarve.
Carnegie [ka:'negi, 'ka:nəgi].
carnelian [kə'ni:ljən] *sb* karneol.
carnival ['ka:nivəl] *sb* karneval, folkefest; *(am)* omrejsende tivoli; *~ novelties* festartikler.
carnivore ['ka:nivɔ:] *sb* kødædende dyr *(el* plante); rovdyr (om pattedyr).
carnivorous [ka:'nivərəs] *adj* kødædende *(fx plant).*
carob ['kærəb] *sb (bot)* johannesbrød.
carol ['kærəl] *sb* (munter) sang (især julesang); *vb* lovsynge; synge.
Carolina [kærə'lainə] Carolina (i Nordamerika).
Carolina allspice *(bot)* bægerkrone, kanelbusk.
Caroline ['kærəlain].
carom ['kærəm] *sb, vb (am)* = *cannon* (i billard); *-s* bobspil.
carotid [kə'rɔtid]: *~ artery* halspulsåre.
carousal [kə'rauzəl] *sb* drikkelag.
carouse [kə'rauz] *vb* svire, drikke; *sb* drikkelag.
I. carp [ka:p] *sb zo* karpe.
II. carp [ka:p] *vb : ~ (at)* kritisere småligt, hakke på.

carpal ['ka:pl]: *~ bone* håndrodsknogle.
car park parkeringsplads; *(multi-storey ~)* parkeringshus.
Carpathians [ka:'pei∂jənz]: *the ~* Karpaterne.
carpel ['ka:pel] *sb (bot)* frugtblad; småfrugt.
carpenter ['ka:pəntə] *sb* tømrer; *-'s bench* høvlebænk; *-'s square* tømmervinkel.
carpenter ant *zo* herkulesmyre. **carpenter bee** *zo* tømrerbi.
carpentry ['ka:pəntri] *sb* tømrerhåndværk; tømmerarbejde.
carpet ['ka:pit] *sb* (gulv)tæppe; *vb* lægge tæppe på; T (kalde ind for at) give en balle, skælde ud; *be on the ~* være på tapetet; T få en balle, blive skældt ud; *sweep (el. brush) it under the ~ (fig)* lægge det på hylden, undlade at tage stilling til det, feje det ind under tæppet; *the red ~* (også) den røde løber.
carpet|bag vadsæk. **-bagger** politisk lykkeridder; en fremmed der optræder som valgkandidat. *~* **beetle** *zo* pelsklanner. *~* **bombing** systembombning. *~* **dance** lille svingom *(egl.* med gulvtæppet på). **-ed** tæppebelagt. **-ing** gulvtæppestof. *~* **knight** soldat som holder sig hjemme fra krigen, stuehelt. *~* **rod** trappestang. *~* **slipper** sutsko. *~* **sweeper** tæppefejemaskine.
carport ['ka:pɔ:t] *sb (am)* carport (let garage uden vægge).
carpus ['ka:pəs] *sb (anat)* håndrod.
carr [ka:] *sb* kær.
carrel ['kærəl] *sb* studierum (i bibliotek).
carriage ['kæridʒ] *sb* (hestetrukken) vogn; transport, befordring; fragt; *(jernb)* personvogn; *(mil.)* (kanon)lavet; (på skrivemaskine) vogn, slæde; *(tekn)* slæde; *(~ of the body)* holdning; *~ and pair* tospænder.
carriage | bolt bræddebolt. *~* **drive** privat kørevej, indkørsel. *~* **forward** fragten betales af modtageren. *~* **-free, ~ paid** franko leveret, fragtfrit (fragten er betalt af afsenderen). *~* **horse** kørehest. **-way** kørebane.
carrier ['kæriə] *sb* fragtmand, vognmand, vognmandskusk; drager; overbringer, bærer; (på cykel) bagagebærer; *(mar)* hangarskib; *(med.)* smittebærer.
carrier | bag bærepose. *~* **pigeon** brevdue. *~* **wave** bærebølge.
carriole ['kærioul] *sb* karriol (tohjulet vogn).
carrion ['kæriən] *sb* ådsel. **carrion | crow** *zo* sortkrage. *~* **flower** *(bot)* dødningeblomst; ådselsblomst.
carrot ['kærət] *sb* gulerod; *-s* T rødtop, rødhåret person.
carroty ['kærəti] *adj* rødhåret.
carry ['kæri] *vb* bære, bringe; føre (med sig); gå med; transportere; sejle med; (i regnskab) overføre; *(mil. og fig)* erobre, tage (med storm); *(parl etc)* føre igennem, sætte igennem; vedtage *(fx a Bill* et lovforslag); (om skyts, lyd) række, nå, (om stemme også) kunne høres; *(mus.)* udføre, synge (et parti), dække (en stemme); *~ one's point* sætte sin vilje igennem; *~ two* to i mente; *~ weight* have vægt, have betydning; *~ oneself* føre sig; opføre sig;
~ away (fig) rive med, henrive; *~ away sth (fig)* tage noget med sig hjem; *~ all before one* vinde al modstand; gå fra sejr til sejr; *~ forward* (i bogføring) transportere, overføre; *~ into effect* gennemføre *(fx a plan)*; *~ off* bortføre, (om sygdom *etc)* bortrive; vinde *(fx a prize)*; klare *(fx a difficult situation)*; *~ it off well* tage det roligt; *~ on* føre *(fx ~ on a conversation)*; drive *(fx* forretning); fortsætte; T tage sig på; *~ on with a girl* komme sammen med en pige; *~ out* udføre; gennemføre; *~ over* overføre, prolongere; *~ through* gennemføre; hjælpe igennem, bringe frelst gennem.
carryall ['kæriɔ:l] *sb* stor lærredstaske; *(am)* let firhjulet vogn; lukket bil med sæder som i charabanc.
carry cot babylift.
carrying | capacity lasteevne. **-s on** *pl* upassende opførsel, fjasen. *~* **trade** fragtfart.
carry-over ['kæriouvə] *sb (merk)* overførsel; (til næste side i regnskab) transport; *(fig)* videreførelse, bevarelse (af noget forældet); relikt.
carsick ['ka:sik] *adj* køresyg.
cart [ka:t] *sb* kærre; arbejdsvogn, vogn; *vb* transportere på vogn; fragte; køre (korn *etc)* ind; skæbe, hale; *put the ~ before the horse* vende tingene på hovedet; *in the ~* T godt oppe at køre, i knibe.
cartage ['ka:tidʒ] *sb* kørsel; kørselspenge, transportomkostninger.

carte blanche ['ka:t'bla:nʃ] carte blanche.
carte-de-visite [ka:tdəvi'zi:t] fotografi i visitkortformat.
cartel [ka:'tel] *sb* kartel; aftale om udveksling af krigsfanger; skriftlig udfordring (til duel).
carter ['ka:tə] *sb* fragtmand, vognmand, vognmandskusk.
Cartesian [ka:'ti:ziən] *adj* kartesiansk.
Carthage ['ka:θidʒ] Kartago.
cart horse arbejdshest.
Carthusian [ka:'θ(j)u:ziən] *sb* karteuser; elev fra *Charterhouse School; adj* karteusisk, karteuser-; fra *Charterhouse School.*
cartilage ['ka:tilidʒ] *sb* brusk.
cartilaginous [ka:ti'lædʒinəs] *adj* bruskagtig.
cartload ['ka:tloud] *sb* vognlæs.
cartographer [ka:'tɔgrəfə] *sb* kartograf, korttegner.
carton ['ka:tən] *sb* papæske, karton; plet (i skydeskive).
cartoon [ka:'tu:n] *sb* udkast, karton (til billede); vittighedstegning; bladkarikatur; tegneserie; *(animated ~)* tegnefilm; *vb* tegne, karikere; *~ film* tegnefilm.
cartoonist *sb* vittighedstegner, karikaturtegner, bladtegner.
cartouche [ka:'tu:ʃ] *sb* kartouche (ornament i rammeform).
cartridge [ka:'tridʒ] *sb* patron; *(fot)* kassette; (i reaktor) brændselselement.
cartridge| case patronhylster. **~ paper** karduspapir. **~ starter** patronstarter.
cartwheel ['ka:twi:l] *sb* vognhjul; *turn -s* vende mølle.
cartwright ['ka:trait] *sb* vognmager.
carve [ka:v] *vb* udskære, udhugge, mejsle, indskære; (om kød) skære for *(fx the goose); ~ (out)* skabe *(fx he -d out an empire by the sword).*
carvel-built ['ka:vəlbilt] *adj (mar)* kravelbygget.
carver ['ka:və] *sb* billedskærer; forskærer; forskærerkniv.
carving ['ka:vin] *sb* billedskæring; det at skære for; udskåret arbejde, billedskærerarbejde. **carving knife** forskærerkniv.
caryatid [kæri'ætid] *sb* (græsk *arkit)* karyatide.
cascade [kæs'keid] *sb* vandfald; *(fig)* kaskade *(fx -s of laughter)* ; *(elekt)* kaskade *(fx relays in ~)* ; *vb* strømme, bruse; komme strømmende *(el.* væltende) *(fx the money kept cascading in).*
I. case [keis] *sb* tilfælde; sag; *(jur)* (rets)sag; beviser; *(gram)* kasus; *(med)* tilfælde; *(med)* tilfælde; patient;
as the *~ may be* alt efter omstændighederne; eventuelt; *that is the ~* det er sandt; det er tilfældet; *that is our ~ my lord (jur)* hermed indlader jeg sagen til doms; *the ~ for ...* det der taler for ...; *there is a strong ~ for it* der er meget der taler for det; *he has a strong ~* han står stærkt; **in ~** for det tilfælde at *(fx take your umbrella in ~ it should rain)* ; *in any ~* under alle omstændigheder; i hvert fald; *just in ~* for alle tilfældes skyld; *in ~ of* i tilfælde af *(fx in ~ of fire, ring the alarm bell)* ; *if that is the ~, in that ~* i så fald; *in the ~ of* hvad angår; *he is in no better ~* han er ikke bedre stillet; **make out a ~** *against* skaffe beviser mod; *make out a ~ for* finde argumenter for, finde alt det der taler for.
II. case [keis] *sb* kasse, æske, skrin; hylster, etui, foderal; (til pude) betræk; (til bog) kassette, *(bogb)* løst bogbind, omslag; (i' museum) montre; *(fx til dør)* karm; *(typ)* sættekasse; *(suitcase)* kuffert.
III. case [keis] *vb* lægge i kasse (, æske *etc, cf II. case)* ; stikke i et foderal *(etc)* ; beklæde, overtrække; *(am* S) udspionere; undersøge nøje; rekognoscere i.
caseharden ['keisha:dn] *vb* gøre hård (på overfladen); hærde; indsatshærde, pakhærde; *(fig)* forhærde.
case history alle nødvendige oplysninger om et bestemt tilfælde; *(med)* sygehistorie, sygejournal.
casein ['keisi:in] *sb* ostestof, kasein.
case|knife skedekniv; **~ law** ret baseret på tidligere retsafgørelser.
casemate ['keismeit] *sb (mil.)* kasemat.
casement ['keismənt] *sb* (sidehængt) vindue; vinduesramme (om rude).
caseous ['keisiəs] *adj* osteagtig.
case record = *case history.*
casern(e) [kə'zə:n] *sb* kaserne.
case shot shrapnel, (granat)kardæsk.
cash [kæʃ] *sb* rede penge, kontanter; *vb* hæve (penge på), indløse *(fx a cheque)*, diskontere; *~ on delivery* pr. ef-

terkrav; *~ down* kontant; *be in ~* T være ved muffen; *be out of ~* have tørre lommesmerter, mangle penge; *~ in* tjene penge; T dø; *~ in on* slå mønt af, udnytte.
cash and carry store storkøb.
cash| audit kasserevision. **~ book** kassebog. **~ box** pengekasse. **~ desk** kasse (i forretning). **~ discount** kontantrabat.
cashew [kæ'ʃu:] : *~ nut* elefantlus, anakardienød.
I. cashier [kæ'ʃiə] *sb* kasserer, kassemester.
II. cashier [kə'ʃiə] *vb* kassere, afskedige (i unåde).
cash receipt kassekvittering.
cash register kasseapparat.
casing ['keisin] *sb* beklædning; kappe; (ved boring) udforing; (af bildæk) kasse; (af vindue, dør) karm; *(bogb)* omslag, løst bogbind; papbind med lærred; **-s** *pl* tarme.
cask [ka:sk] *sb* fad, tønde, fustage, drittel; *vb* fylde på et fad *(etc).*
casket ['ka:skit] *sb* skrin, smykkeskrin; *(am,* også) ligkiste.
Caspian ['kæspiən] *adj* : *the ~ Sea* det kaspiske hav.
casque [kæsk] *sb (glds)* hjelm.
cassation [kæ'seiʃən] *sb* kassation; *Court of C.* kassationsret.
casserole ['kæsəroul] *sb* ildfast fad, serveringsgryde; gryderet, sammenkogt ret.
cassette [kə'set] *sb* kassette; *~ recorder* kassettebåndoptager.
Cassiopeia [kæsiə'pi:ə] Kassiopeja.
cassock ['kæsək] *sb (omtr =)* præstekjole.
cassowary ['kæsəwɛəri] *sb* zo kasuar.
I. cast [ka:st] *vb (cast, cast)* kaste; fælde *(fx* takker); afkaste; kassere, udrangere; forme, støbe; (om tal) sammentælle, regne; *(teat)* fordele (rollerne i et stykke), udvælge (skuespiller til rolle); *~ about for* lede efter *(fx a reply)* ; *be ~ away* lide skibbrud; *~ one's mind back to* prøve at huske; *~ down* vælte, ødelægge; nedslå, gøre modfalden; *~ him for a role* udvælge ham til en rolle, tildele ham en rolle; *be ~ in damages* blive dømt til at betale erstatning; *~ sby's horoscope* stille ens horoskop; *~ sth in sby's teeth* rive en noget i næsen; *~ off* kassere; forlade, lade sejle sin egen sø; *(mar)* kaste los; (i strikketøj) lukke af; *(typ)* beregne hvor meget et manuskript vil fylde; *~ on* slå (masker) op; *~ out* forjage, forstøde; *~ one's vote* afgive sin stemme, stemme *(for* på).
II. cast [ka:st] *sb* kast; afstøbning *(fx plaster* (gips-) *~)* ; *(fig)* form, præg, ejendommelighed; (om farve og *fig)* skær, anstrøg; *(med.)* gipsbandage; (om øje) skelen; *(teat)* rollebesætning; rolleliste; noget afkastet; ham; gylp.
castanet [kæstə'net] *sb* kastagnet.
castaway ['ka:stəwei] *sb* skibbruden; udstødt, paria.
caste [ka:st] *sb* kaste; *lose ~* blive udstødt af sin kaste; synke i social anseelse.
castellan ['kæstələn] *sb* slotsfoged.
castellated ['kæsteleitid] *adj* med tårne og tinder, med mur-tinder; med (mange) slotte; *~ nut* kronemøtrik.
caster ['ka:stə] *sb* støber, støbemaskine; se også *castor.*
castigate ['kæstigeit] *vb* revse, tugte. **castigation** [kæsti'geiʃən] *sb* revselse, tugtelse.
Castile [kæs'ti:l] Kastilien.
casting ['ka:stiŋ] *sb* kasten; støbning; stykke støbegods.
casting vote afgørende stemme.
cast iron ['ka:st'aiən] *sb* støbejern.
cast-iron ['ka:st'aiən] *adj* støbejerns-; jernhård; (om alibi) absolut sikker, uangribelig.
castle ['ka:sl] *sb* befæstet slot, borg; herregård; (i skak) tårn; *vb* rokere; *build -s in the air (el. in Spain)* bygge luftkasteller.
castle nut kronemøtrik.
cast-off ['ka:st'ɔf] *adj* aflagt, kasseret.
castor ['ka:stə] *sb* peberbøsse, strødåse, platmenage; møbelrulle; (kastor)hat.
castor| oil amerikansk olie. **~ sugar** strøsukker, fint melis.
castrate [kæs'treit] *vb* kastrere.
casual ['kæʒuəl] *adj* tilfældig *(fx meeting)* ; skødesløs, henkastet *(fx remark)* ; formløs; overfladisk; ligegyldig *(fx air* mine); *-s sb pl* = *casual shoes; ~ (poor)* midlertidig fattigunderstøttet; *be ~ about* være skødesløs med, tage let på.
casual labourer løsarbejder.

casually *adv* tilfældigt, henkastet, skødesløst; *I'll just drop in* ~ jeg kigger ind når jeg kommer forbi.
casual shoe hyttesko.
casualty ['kæʒjuɔlti] *sb* ulykkestilfælde; kvæstelse; (person) offer; *casualties* tilskadekomne; *(mil.)* tab; savnede, døde *el* sårede. **casualty | clearing station** hovedforbindingsplads. ~ **list** liste over faldne *el* sårede, tabsliste. ~ **ward** skadestue.
Casual Ward afdeling i fattighus for midlertidigt fattigunderstøttede; hjemløseherberg.
casuist ['kæzjuist] *sb* kasuist. **casuistry** *sb* kasuistik.
cat [kæt] *sb* kat; (skældsord om kvinde) 'slange'; (over ildsted) dobbelt trefod; *(mar)* (anker)kat; *(glds)* nihalet kat; (om spil) pind; *vb* katte (anker); **S** brække sig; *(vulg)* være ude efter en pige, prøve at få steg på gaflen; *see which way the* ~ *jumps* se hvad vej vinden blæser, afvente begivenhedernes gang; *enough to make a* ~ *laugh* uhyre ringagtig; *let the* ~ *out of the bag* plumpe ud med hemmeligheden; *a* ~ *may look at a king* ɔ: selv den ringeste har sine rettigheder.
C.A.T. *fk College of Advanced Technology*.
cataclysm ['kætəklizm] *sb* oversvømmelse, syndflod; naturkatastrofe; voldsom omvæltning.
catacomb ['kætəku:m] *sb* katakombe.
catafalque ['kætəfælk] *sb* katafalk (forhøjning til kiste).
catalogue ['kætələg] *sb* katalog, fortegnelse; liste; *vb* katalogisere; ~ *of sins (, crimes)* synderegister.
catalysis [kə'tælisis] *sb* katalyse. **catalyst** ['kætəlist] *sb* katalysator. **catalytic** [kætə'litik] *adj* katalytisk. **catalyze** ['kætəlaiz] *vb* katalysere.
catamaran [kætəmə'ræn] *sb* katamaran (type båd); tømmerflåde (lavet af to både); (om kvinde) rappenskralde.
cat-and-dog: *lead a* ~ *life* leve som hund og kat.
cataplasm ['kætəplæzm] *sb* grødomslag.
catapult ['kætəpʌlt] *sb* slangebøsse; *(flyv)* katapult; *(hist)* blide, katapult; *vb* katapulte, slynge (ud).
cataract ['kætərækt] *sb* vandfald, fos;, *(med)* grå stær; *black* ~ *(med)* sort stær.
catarrh [kə'ta:] *sb* snue, katar.
catastrophe [kə'tæstrəfi] *sb* katastrofe.
catbird *zo(am)* kattedrossel.
cat burglar klatretyv.
catcall ['kætkɔ:l] *sb* pift, fløjten, piben; *vb* pifte, fløjte, pibe; *-s* pibekoncert (som udtryk for mishag).
I. catch [kætʃ] *vb (caught, caught)* gribe *(fx a ball)*, tage, gribe fat i *(fx his arm)*; fange *(fx fish; a criminal)*; opfange, opsamle *(fx rainwater)*; *(fig)* få *(fx a glimpse of sth)*, fange *(fx their attention)*, gribe *(fx him cheating* ham i at snyde), overraske; (høre *etc)* opfange, opfatte, få fat i *(fx a few remarks; I did not* ~ *what he said)*; (om sygdom *etc)* få, blive smittet af *(fx influenza, his enthusiasm)*, (om befordringsmiddel) nå, komme med *(fx the train)*; (om slag, lys *etc)* ramme *(fx the stone (, the blow) caught him on the jaw; the light caught his face)*; (om objekt) gribe fat; blive hængende (fast) *(fx his foot caught in a hole; her dress caught on a nail)*; (om mad) brænde på; (i baseball) være griber;
~ *at sth* gribe efter noget; ~ *him at sth* gribe ham i noget; ~ *sby a box on the ear* stikke en en ørefigen; ~ *one's breath* snappe efter vejret; ~ *(a)* cold blive forkølet; ~ *me (doing it)* **T** jeg skal ikke nyde noget, du kan tro jeg kan nære mig; ~ *his eye* fange hans blik; ~ *the Speaker's eye* få ordet (i Underhuset); ~ *fire* fænge, komme i brand; ~ *it* få en omgang; *you'll* ~ *it good and proper!* du kan tro der vanker! *the lock has caught* døren er gået i baglås; ~ *sight of* få øje på; ~ *on* slå an, blive populær; ~ *on to* få fat i, forstå; ~ *sby out* gribe en ud (i kricket); *(fig)* gribe en i en fejl; ~ *up* snappe *(fx he caught up his hat and rushed out)*; afbryde; indvikle, fange *(in* i); ~ *up on (, with)* indhente.
II. catch [kætʃ] *sb* greb, griben; (i fiskeri) fangst, *(fig)* **T** bytte, godt kup; (til dør, vindue) krog, lukke, klinke, *(fx* til taske) (snap)lås; *(tekn)* pal, spærrehage; (i musik) kanon; stump *(fx -es of a song)*; *a* ~ *in one's breath* et gisp, en snappen efter vejret; *there was a* ~ *in his voice* hans stemme skælvede; *the question has a* ~ *in it* spørgsmålet indeholder en fælde; *there is a* ~ *in it* (også:) der er noget lumskeri ved det.

catch-as-catch-can fri brydning.
catchfly ['kætʃflai] *sb (bot)* limurt.
catching ['kætʃiŋ] *adj* smitsom; *(fig)* smittende *(fx enthusiasm)*; tiltrækkende; iørefaldende.
catchment ['kætʃmənt] *sb*: ~ *area* afvandingsområde; *(fig)* opland.
catchpenny ['kætʃpeni] *adj* værdiløs men prangende; billig; ~ *show* gøgl.
catchphrase ['kætʃfreiz] *sb* slagord.
catchpole, catchpoll ['kætʃpoul] *sb* (underordnet) retsbetjent.
catchword ['kætʃwɔ:d] *sb* stikord; slagord; *(typ)* kustode.
catchy ['kætʃi] *adj* iørefaldende *(fx tune)*; iøjnefaldende; drilagtig, lumsk, vanskelig *(fx question)*.
catechetic(al) [kæti'ketik(l)] *adj* kateketisk. **catechism** ['kætikizm] *sb* katekismus; udspørgen; *put sby through his* ~ forhøre en grundigt. **catechize** ['kætikaiz] *vb* katekisere; udspørge.
categorical [kæti'gɔrikl] *adj* kategorisk.
category ['kætigəri] *sb* kategori; gruppe, kreds, klasse.
catenary [kə'ti:nəri, *am*: 'kætineri] *sb (mat)* kædelinie.
catenate ['kætineit] *vb* sammenkæde.
cater ['keitə] *vb* skaffe mad, levere fødevarer; ~ *for (el. to) (fig)* søge at tilfredsstille *(fx* ~ *to the demands of the masses)*; henvende sig til, appellere til; være beregnet for; sørge for.
caterer ['keitərə] *sb* leverandør af mad til selskaber etc.; indehaver af diner transportable-firma.
catering ['keitəriŋ] *sb* levering af mad til selskaber *etc*; restaurationsvirksomhed; ~ *staff* restaurationspersonale.
caterpillar ['kætəpilə] *sb* larve, kålorm; (på traktor etc) larvebånd. **caterpillar treads** *pl* larvefødder, bælter.
caterwaul ['kætəwɔ:l] *sb* kattehyl; kattemusik; *vb* lave kattemusik.
catfish ['kætfiʃ] *zo* malle; havkat.
catgut ['kætgʌt] *sb* tarmstreng.
cathartic [kə'θa:tik] *adj* afførende; rensende; *sb* afføringsmiddel.
Cathay [kæ'θei] *(glds* navn for) Kina.
cathead ['kæthed] *sb (mar)* katdavid.
cathedral [kə'θi:drəl] *sb* katedral, domkirke.
Catherine ['kæθərin]; ~ *wheel* sol (i fyrværkeri).
catheter ['kæθitə] *sb (med)* kateter.
cathode ['kæθoud] *sb* katode, negativ pol.
Catholic ['kæθəlik] *adj* katolsk; frisindet, liberal, fordomsfri; *sb* katolik. **Catholicism** [kə'θɔlisizm] *sb* katolicisme.
catholicity [kæθə'lisiti] *sb* frisindethed, fordomsfrihed.
cathouse ['kæthaus] *sb* **S** bordel.
Catilinarian [kætili'nεəriən] *adj* katilinarisk.
Catiline ['kætilain] Catilina.
cation ['kætaiən] *sb (elekt)* kation.
catkin ['kætkin] *sb (bot)* rakle, 'gæsling'.
catlap ['kætlæp] *sb* pøjt, sprøjt.
catlike ['kætlaik] *adj* katteagtig.
catling ['kætliŋ] *sb* amputationskniv.
catmint ['kætmint] *sb (bot)* kattemynte, katteurt.
catnap ['kætnæp] *sb*: *get a* ~ få (sig) en på øjet, få en lille lur.
catnip *(am)* = catmint.
Cato ['keitou].
cat-of-nine-tails ['kætə'nainteilz] *sb* nihalet kat, tamp.
cat's cradle leg med snor.
cat's-paw *sb (mar)* krængestik; blaf, svag vind, vindkrusning; *make a* ~ *of sby* lade en rage kastanierne ud af ilden for sig.
cat's-tail *sb (bot)* muskedonner. **cat's-tail grass** *(bot)* rottehale.
catsup ['kætsəp] *sb* ketchup.
cat's whisker metaltråd i krystaldetektor; *it's the -s* **S** det er mægtig fint.
cattish ['kætiʃ] = catty.
cattle ['kætl] *sb* kvæg, hornkvæg. **cattle | cake** foderkage. ~ **dealer** kreaturhandler. ~ **lifter** kvægtyv. ~ **pen** kvægfold. ~ **plague** kvægpest. ~ **rustler** *(am)* kvægtyv. ~ **show** dyrskue. ~ **thief** kvægtyv. ~ **truck** kreaturvogn (på jernbane).
catty ['kæti] *adj* katteagtig; ondskabsfuld, sladderagtig.
catwalk ['kætwɔ:k] *sb* smal gang; *(mar)* løbebro.

Caucasian [kɔːˈkeiziən] *adj* fra Kaukasus, kaukasisk; hvid, tilhørende den hvide race; *sb* kaukasier; hvid.
Caucasus [ˈkɔːkəsəs] Kaukasus.
caucus [ˈkɔːkəs] *sb* forberedende partimøde; (diktatorisk) partibestyrelse.
caudal [ˈkɔːdl] *adj* hale-.
caudillo [kɔːˈdiːljou] *sb* statschef, fører, diktator.
caudle [ˈkɔːdl] *sb* varm drik med vin.
caught [kɔːt] *præt* og *pp* af *catch*.
caul [kɔːl] *sb* sejrsskjorte; hårnet.
cauldron [ˈkɔːldrən] *sb* stor kedel.
cauliflower [ˈkɔliflauə] *sb* blomkål.
caulk [kɔːk] *vb* *(mar)* kalfatre, tætte (med værk etc).
causal [ˈkɔːzəl] *adj* kausal; ~ *relation* årsagssammenhæng.
causality [kɔːˈzæliti] *sb* kausalitet, årsagssammenhæng.
causation [kɔːˈzeiʃən] *sb* forårsagen, bevirken; årsagsforhold; årsagsbegreb; årsag.
cause [kɔːz] *sb* årsag; grund; sag *(fx the ~ of liberty)*; *vb* forårsage, fremkalde, forvolde, bevirke; lade. **causeless** *adj* ubegrundet.
causeway [ˈkɔːzwei] *sb* vej anlagt på dæmning; hævet vej over fugtig bund; landevej, chaussé.
caustic [ˈkɔːstik] *adj* kaustisk, ætsende; *(fig)* ætsende, bidende, skarp; *sb* ætsemiddel.
cauterization [kɔːtəraiˈzeiʃən] *sb* kauterisation, udbrænding; ætsning. **cauterize** [ˈkɔːtəraiz] *vb* kauterisere, udbrænde; ætse. **cautery** [ˈkɔːtəri] *sb* kauterisation; kauter, glødenål.
caution [ˈkɔːʃən] *sb* forsigtighed, varsomhed; advarsel; *vb* advare; tilråde; *(jur)* gøre (en anholdt) opmærksom på at alt hvad han siger kan blive forelagt i retten; ~! giv agt! *he is a ~* T han er til at dø af grin over; *he was -ed* (også) han fik en advarsel.
cautionary [ˈkɔːʃənri] *adj* advarende.
caution money depositum (ved indtrædelse i kollegium etc).
cautious [ˈkɔːʃəs] *adj* forsigtig, varsom.
calvalcade [kævəlˈkeid] *sb* kavalkade.
cavalier [kævəˈliə] *sb* rytter, ridder; kavaler; *adj* flot, overlegen, affejende.
cavalry [ˈkævəlri] *sb* kavaleri.
cave [keiv] *sb* hule; *vb* udhule; ~ *in* falde (, synke, styrte) sammen; give efter.
caveat [ˈkeiviæt] *sb* protest; advarsel.
caveman [ˈkeivmæn] *sb* hulebeboer; primitivt menneske, vild.
cavern [ˈkævən] *sb* hule; *(med.)* kaverne.
cavernous [ˈkævənəs] *adj* hul; fuld af huller.
caviar(e) [ˈkæviaː] *sb* kaviar; ~ *to the general* kaviar for hoben.
cavil [ˈkævil] *vb* komme med smålig kritik, gøre urimelige indvendinger *(at imod)*; *sb* smålig kritik. **caviller** *sb* smålig kritiker.
cavity [ˈkæviti] *sb* hulhed, hulrum, kløft, hule.
cavort [kəˈvɔːt] *vb* *(am* T) lave krumspring, hoppe omkring; boltre sig, tumle (sig).
caw [kɔː] *vb* skrige (som en ravn eller krage); *sb* ravneskrig, krageskrig, skrig.
cayenne [keˈjen]: ~ *(pepper)* cayennepeber.
cayman [ˈkeimən] *sb* kajman, alligator.
cayuse [kaiˈuːs] *sb* indiansk pony.
C.B. *fk* *Companion of the Bath; confined to barracks; County Borough.*
C.B.E. *fk* *Commander of the Order of the British Empire.*
CBI *fk* *Confederation of British Industry.*
C.B.S. *fk* *Columbia Broadcasting System.*
C.C. *fk* *County Council(lor); cricket club.*
cc. *fk* chapters. **c. c.** *fk* cubic centimetre.
C.C.S. *fk* *Casualty Clearing Station.*
C.C.T.V. *fk* *closed-circuit television.*
C.D. *fk* *Council of Deputies* stedfortræderråd.
C double flat (i musik) ceses.
C.E. *fk* *Church of England; Civil Engineer.*
cease [siːs] *vb* ophøre, holde op; lade være med, holde op med; ~ *fire* holde inde (med skydningen); *without* ~ uden ophør.
cease-fire [ˈsiːsˈfaiə] *sb* våbenhvile, våbenstilstand.
ceaseless [ˈsiːslis] *adj* uophørlig, uafladelig.

Cecil [ˈsesl]. **Cecilia** [siˈsiljə]. **Cecily** [ˈsisili].
cedar [ˈsiːdə] *sb* ceder.
cede [siːd] *vb* afstå *(fx territory)*; indrømme *(fx rights)*.
cedilla [siˈdilə] *sb* cedille.
ceil [siːl] *vb* *(am)* lægge loft over.
ceiling [ˈsiːliŋ] *sb* loft; *(mar)* inderklædning; *(flyv)* stigehøjde, tophøjde; *(meteorol)* skyhøjde; *(fig)* loft *(fx a ~ on wages); price ~* prisstop *(on* for).
ceiling price maksimalpris.
celandine [ˈseləndain] *sb* : *greater ~ (bot)* svaleurt; *lesser ~ (bot)* vorterod.
Celebes [seˈliːbiz].
celebrate [ˈselibreit] *vb* fejre, højtideligholde; prise; ~ *Mass* celebrere *(el.* holde *el.* læse) messe; *-d* berømt. **celebration** [seliˈbreiʃən] *sb* højtideligholdelse; lovprisning.
celebrity [siˈlebriti] *sb* berømmelse; berømthed *(fx several celebrities were present).*
celeraiac [siˈleriæk] *sb* (knold)selleri.
celerity [siˈleriti] *sb* hurtighed, hastighed.
celery [ˈseləri] *sb* (blad)selleri.
celesta [siˈlestə] *sb* celeste (musikinstrument).
celestial [siˈlestjəl] *adj* himmelsk; himmel-; *sb (spøg)* kineser; ~ *body* himmellegeme; *the Celestial Empire* Det himmelske Rige (Kina).
celibacy [ˈselibəsi] *sb* cølibat.
celibate [ˈselibit] *adj sb* ugift (person).
cell [sel] *sb* *(anat, biol, elekt,* i bikube, rum) celle; *(elekt)* element.
cellar [ˈselə] *sb* kælder. **cellaret** [seləˈret] *sb* barskab, vinskab.
'cellist [ˈtʃelist] *sb* (violon)cellist.
'cello [ˈtʃelou] *sb* cello, violoncel.
cellophane [ˈseləfein] *sb* cellofan.
cellular [ˈseljulə] *adj* celle-; ~ *tissue* cellevæv.
cellule [ˈseljuːl] *sb* lille celle.
celluloid [ˈseljulɔid] *sb, adj* celluloid.
cellulose [ˈseljulous] *sb* cellulose.
Celt [kelt; *især am:* selt] *sb* kelter.
Celtic [ˈkeltik; *især am* og om fodboldklub: ˈseltik] *adj* keltisk.
cement [siˈment] *sb* bindemiddel; cement; *(fig)* bånd; *vb* sammenkitte; cementere; *(fig)* knytte *(el* binde) sammen; styrke, befæste *(fx their friendship).*
cementation [siːmenˈteiʃən] *sb* cementering, sammenkitning.
cemetery [ˈsemitri] *sb* kirkegård.
cenotaph [ˈsenətɑːf] *sb* gravminde (over død(e) der ligger begravet andetsteds); *the Cenotaph* (mindesmærke i Whitehall for verdenskrigenes faldne).
cense [sens] *vb* afbrænde røgelse for *(el.* i). **censer** *sb* røgelseskar.
censor [ˈsensə] *sb* censor; *vb* censurere.
censorious [senˈsɔːriəs] *adj* dømmesyg, kritisk.
censorship [ˈsensəʃip] *sb* censorat, censur.
censure [ˈsenʃə] *sb* kritik; dadel; *vb* kritisere; dadle, laste; *vote of ~* mistillidsvotum.
census [ˈsensəs] *sb* (folke)tælling. **census | paper** mandtalsliste, folketællingsskema. ~ **taker** indsamler af mandtalslister ved folketælling.
cent [sent] *sb* *(am)* cent, $\frac{1}{100}$ dollar.
Cent. *fk* Centigrade.
centaur [ˈsentɔː] *sb* kentaur.
centaury [ˈsentɔːri] *sb* *(bot)* tusindgylden.
centenarian [sentiˈnɛəriən] *adj, sb* hundredårig (person).
centenary [senˈtiːnəri, *am:* ˈsentəneri, senˈtenəri] *adj* hundredårs-; *sb* hundredårsfest.
centennial [senˈtenjəl] *sb* hundredårsfest; *adj* hundredårig.
center [*(am)*] = *centre*.
centi|grade [ˈsentigreid] *adj* celsius *(fx ~ thermometer).* **-gramme** [-græm] *adj* centigram. **-litre** [-liːtə] *sb* centiliter. **-metre** [-miːtə] *sb* centimeter.
centipede [ˈsentipiːd] *sb zo* skolopender.
central [ˈsentrəl] *adj* central, midt-; ~ *heating* centralvarme; *the Central Powers (hist,* i 1. verdenskrig) centralmagterne.
centralization [sentrəlaiˈzeiʃn] *sb* centralisering. **centralize** [ˈsentrəlaiz] *vb* centralisere.
I. centre [ˈsentə] *sb* midpunkt, centrum; center, station.

II. centre ['sentə] *vb* samle (i et midtpunkt), koncentrere *(on, in* om); (uden objekt) forene sig, være forenet, koncentrere sig *(in, round* om).
centre| bit centrumsbor. **-board** sænkekøl. **-piece** bordopsats. **~ punch** *(tekn)* kørner.
centrifugal [sen'trifjugəl] *adj* centrifugal; **~** *force* centrifugalkraft.
centrifuge ['sentrifju:dʒ] *sb* centrifuge.
centripetal [sen'tripitl] *adj* centripetal.
centuple ['sentjupl] *adj* hundrede gange så stor; *vb* forøge hundredfold.
century ['sentʃuri, -əri] *sb* århundrede; hundrede points (i kricket); **~** *plant (bot)* agave.
cephalic [ke'fælik] *adj:* **~** *index* hovedindeks.
ceramic [si'ræmik] *adj* keramisk, pottemager-.
ceramics [si'ræmiks] *sb* keramik.
Cerberus ['sə:bərəs] *(myt)* Kerberos.
cere [siə] *sb zo* vokshud.
cereal ['siəriəl] *sb* korn; kornsort; -s corn-flakes eller lignende kornspise.
cerebellum [seri'beləm] *sb (anat)* lillehjerne.
cerebral ['seribrəl] *adj* hjerne-; cerebral; intellektuel; **~** *hemorrhage* hjerneblødning; **~** *inflammation* hjernebetændelse.
cerebration [seri'breiʃn] *sb* hjernevirksomhed.
cerebrum ['seribrəm] *sb* hjerne.
cerecloth ['siəkləθ] *sb* vokslagen, ligklæde.
cerement ['siəmənt] *sb* voksklæde (til balsamering); -s (også) ligklæder.
ceremonial [seri'mounjəl] *adj* ceremoniel, højtidelig; *sb* ceremoniel. **ceremonious** [seri'mounjəs] *adj* ceremoniel; formel.
ceremony ['seriməni] *sb* ceremoni; højtidelighed; formaliteter, omstændigheder; *stand on* **~** holde på formerne; *without* **~** uden videre.
cert. *fk certificate, certified;* T *certainty; it's an absolute (el. a dead)* **~** det er stensikkert; *a dead* **~** (også:) en sikker vinder.
certain ['sə:tn, 'sə:tin] *adj* vis, sikker *(of* på); bestemt; *a* **~** *John Brown* en vis John Brown; *I feel* **~** *that* jeg føler mig overbevist om at; *he is* **~** *to come* det er sikkert at han kommer; *I cannot say for* **~** jeg kan ikke sige det med sikkerhed; *make* **~** *of* forvisse sig om.
certainly *adv* sikkert, bestemt; ganske vist; **~**! ja vel; ja værsgo; **~** *not* nej absolut ikke, nej naturligvis, vist ikke.
certainty ['sə:tnti] *sb* vished, bestemthed, sikkerhed; *for (el. to) a* **~** helt sikkert.
certifiable [sə:ti'faiəbl] *adj* som kan bevidnes (, bekræftes, attesteres); T skrupskør, moden til indlæggelse.
I. certificate [sə'tifikit] *sb* bevis, attest, certifikat; **~** *of baptism (am)* dåbsattest; **~** *of origin* oprindelsescertifikat; *Certificate of Secondary Education* (svarer omtr til) tiendeklasses prøven.
II. certificate [sə'tifikeit] *vb* give attest *(el* certifikat); *-d* eksamineret (som har eksamensbevis).
certification [sə:tifi'keiʃən] *sb* bekræftelse, attestering; det at erklære for sindssyg; attest.
certify ['sə:tifai] *vb* bevidne, bekræfte, attestere; give attest; erklære for sindssyg; *this is to* **~** herved bevidnes; *certified copy* bekræftet afskrift; *I* **~** *this to be a true copy* afskriftens rigtighed bevidnes; *certified milk* dyrlægekontrolleret mælk; *certified public accountant (am)* statsautoriseret revisor.
certitude ['sə:titju:d] *sb* vished.
cerulean [si'ru:ljən] *adj* himmelblå; **~** *blue* ceruleanblå; cølinblåt.
ceruse ['siəru:s] *sb* blyhvidt.
cervical ['sə:vikl] *adj* hals-; **~** *vertebra* halshvirvel.
cessation [se'seiʃən] *sb* ophør; standsning.
cession ['seʃən] *sb* afståelse.
cesspool ['sespu:l] *sb* slamkiste (i kloak); sivebrønd; *(fig)* sump; **~** *of iniquity* lastens hule.
cetaceans [si'teiʃənz] *sb pl zo* hvaler.
Ceylon [si'lɔn].
cf. *fk confer* jævnfør, sammenlign.
c. f. i. *fk cost, freight and insurance.*
C flat (i musik) ces.
C.G.M. *fk Conspicuous Gallantry Medal* tapperhedsme-

dalje.
C.H. *fk Companion of Honour* (medlem af ordenen: *the Companions of Honour).*
ch. *fk chapter.*
cha-cha-cha ['tʃa:'ʃa:'tʃa:] *sb* cha-cha-cha (en dans).
I. chafe [tʃeif] *vb* gnide (for at varme); gnave *(fx the collar -s the horse's neck); (mar)* skamfile; *(fig)* ophidse, irritere; (uden objekt) være utålmodig (, irriteret, ophidset), rase; blive øm af noget der gnaver *el.* gnider.
II. chafe [tʃeif] *sb* gnidning; *(fig)* irritation, forbitrelse.
chafer ['tʃeifə] *sb zo* torbist.
chaff [tʃa:f] *sb* avner; hakkelse; T drilleri; *vb* drille *(about* med).
chaffer ['tʃæfə] *vb* tinge, købslå.
chaffinch ['tʃæfin(t)ʃ] *sb zo* bogfinke.
chaffy ['tʃa:fi] *adj* fuld af avner; *(fig)* værdiløs; T smådrillende.
chafing dish ['tʃeifiŋdiʃ] fyrfad.
chagrin ['ʃægrin, *(am)*ʃə'grin] *sb* ærgrelse; krænkelse; *vb* ærgre, krænke; *-ed* ærgerlig, krænket.
chain [tʃein] *sb* kæde, lænke; kætting; *vb* lænke; spærre med lænker; **~** *of evidence* beviskæde; se også *I. measure.*
chain | armour ringbrynje. **~ gang** hold sammenlænkede fanger. **~ letter** kædebrev. **~ lightning** *(am)* siksaklyn. **~ locker** *(mar)* kædekasse. **~ mail** ringbrynje. **~ pump** øseværk. **~ reaction** kædereaktion. **~ smoker** kæderyger. **~ stitch** kædesting. **~ store** kædeforretning.
chair [tʃεə] *sb* stol; *(fig)* (ved universitetet) lærestol, professorat; *(jur)* dommersæde; (ved møde *etc)* forsæde; dirigentstilling, formandspost, præsidentskab; (om person) dirigent, ordstyrer; præsident; *(jernb)* skinnestol; *(glds)* bærestol; *vb* være dirigent *(el.* ordstyrer) ved, lede *(fx a meeting);* bære i guldstol; *the* **~** *(am)* den elektriske stol; *get the* **~** blive henrettet; *take the* **~** være dirigent, overtage formandsposten; *åbne mødet; take a* **~** tage plads, sætte sig; *-ed by X* med X som formand (, dirigent).
chairman ['tʃεəmən] *sb* formand, dirigent, ordstyrer. **chairmanship** ['tʃεəmənʃip] *sb* formandspost *etc.* **chairwoman** kvindelig formand *etc.*
chaise [ʃeiz] *fk* fir- *el* tohjulet vogn.
chalcedony [kæl'sedəni] *sb* kalcedon (smykkesten).
chaldron ['tʃɔ:ldrən] *sb* (kulmål, ca. 13 hl).
chalet ['ʃælei] *sb* sæterhytte; svejtserhytte; 'hytte'; lille villa.
chalice ['tʃælis] *sb* bæger, kalk.
chalk [tʃɔ:k] *sb* kridt; kridtmærke; *vb* kridte; mærke med kridt; *as different as* **~** *from cheese* T vidt forskellige; *you do not know* **~** *from cheese* du kan ikke se forskel på sort og hvidt; *by a long* **~** langt, i høj grad *(fx better by a long* **~***); not by a long* **~** langtfra; **~** *out* skitsere, ridse op; **~** *up* notere; score; *he will* **~** *that up against you* det vil han huske dig for; **~** *up to* tilskrive.
chalk| pit kridtbrud. **-stone** forkalkninger (hos gigtpatienter), gigtknude.
chalky ['tʃɔ:ki] *adj* kridtagtig, kridhvid.
challenge ['tʃælin(d)ʒ] *vb* udfordre; udæske; gøre indsigelse mod; drage i tvivl; *(mil.)* råbe an; *sb* udfordring; udæskning; indsigelse; anråben; *(hist)* fejdebrev; **~** *attention* påkalde (sig) opmærksomhed; **~** *a juror* udskyde en nævning.
challenge cup vandrepokal.
chalybeate [kə'libiit] *adj* jernholdig.
chamade [ʃə'ma:d] *sb* (parlamentær)signal.
chamber ['tʃeimbə] *sb* kammer; *(glds)* sovekammer; *(parl)* mødesal; kammer; *(anat, tekn)* kammer *(fx i* skydevåben); rum; T natpotte; *-s pl (glds)* advokatkontor, dommerkontor; ungkarlelejlighed; *Chamber of Horrors* rædselskabinet (i panoptikon).
chamber|lain ['tʃeimbəlin] *sb* kammerherre. **-maid** stuepige. **~ music** kammermusik. **~ pot** (nat)potte.
chameleon [kə'mi:ljən] *sb zo* kamæleon.
chamfer ['tʃæmfə] *sb* (skrå)fas, skråkant, rejfning, affasning; *vb* rejfe, affase; *-ed* (også) tilspidset.
I. chamois ['ʃæmwa:] *sb zo* gemse.
II. chamois ['ʃæmi]: **~** *(leather)* vaskeskind.
I. champ [tʃæmp] *sb* S champion, mester.

II. champ [tʃæmp] *vb* tygge, gumle (på); *(fig)* skære tænder, stampe af utålmodighed; ~ *the bit* (om hest) gumle (utålmodigt) på bidslet; ~ *at the bit (fig)* = ~.

champagne [ʃæm'pein] *sb* champagne.

champaign [tʃæmpein] *sb* slette.

champion ['tʃæmpjən] *sb* forkæmper, ridder; (i sport) champion, mester; *adj* førsteklasses, mester-; *vb* forsvare; forfægte. **championship** *sb* mesterskab; konkurrence om mesterskabet; forsvar *(of* for).

chance [tʃa:ns] *sb* tilfælde; tilfældighed; mulighed; chance, lejlighed; risiko; udsigt *(of* til); udsigter; *adj* tilfældig *(fx a* ~ *meeting)* ; *vb* hænde, træffe sig; risikere;

by ~ tilfældig; ~ *custom* strøgkunder; *take -s* udsætte sig for risiko; *take one's* ~ tage chancen; ~ *it* tage risikoen *(el* chancen), lade stå til; *I'll call him an old fool and* ~ *it* jeg vil kalde ham en gammel nar og tage følgerne; *I -d to meet him* jeg mødte ham tilfældigt; ~ *upon* støde på.

chancel ['tʃa:nsəl] *sb* kor (del af kirke).

chancellery ['tʃa:nsələri] *sb* kancelli; kanslerværdighed; ambassadekontor.

chancellor ['tʃa:nsələ] *sb* kansler; *(am)* universitetsrektor; (se også *exchequer).*

Chancery ['tʃa:nsəri] *sb* kanslerretten (afdeling af *the High Court of Justice); in chancery* i kanslerretten; *(fig* og om bokser hvis hoved er under modstanderens arm:) i klemme.

chancre ['ʃæŋkə] *sb (med)* chanker (sår fra kønssygdom).

chancy ['tʃa:nsi] *adj* T tilfældig, vilkårlig; uberegnelig; usikker, risikabel.

chandelier [ʃændi'liə] *sb* lysekrone.

chandler ['tʃa:ndlə] *sb* høker; (i sammensætninger:) -handler; *ships'* ~ skibs(ekviperings)handler.

I. change [tʃein(d)ʒ] *sb* forandring, ændring, forvandling; skifte(n); afveksling; *(mht* tøj) omklædning; skiftetøj; *(mht* penge) omveksling; byttepenge, småpenge; (om månen) måneskifte;

for a ~ til en afveksling; *give* ~ *for* veksle, give tilbage på *(fx a five -pound note); get no* ~ *out of sby (fig)* ikke få noget ud af en, ikke komme nogen vegne med en; *give no* ~ *(fig)* ikke røbe noget; *give* ~ *give short* ~ give for lidt for penge tilbage, snyde; ~ *of life* kvindens overgangsalder; *a* ~ *of underwear* et (rent) sæt undertøj; *three -s of water* tre hold vand; *ring the -s on (fig)* tærske langhalm på, variere i det uendelige; *take your* ~ *out of that!* kan du give igen på den! kan du stikke den! kom så igen! se også *small* ~.

II. change [tʃein(d)ʒ] *vb* forandre, ændre, forvandle; skifte *(fx trains; one's clothes),* udskifte; bytte, (om penge) veksle; (uden objekt) forandre sig, ændre sig, veksle, skifte; (befordringsmiddel) skifte, stige om; (tøj) klæde sig om; ~ *the beds* skifte sengelinned, lægge rent på sengene; ~ *down (, ↑up)* skifte til lavere (, højere) gear; ~ *foot (el. step)* træde om, skifte trit; ~ *for* ombytte med; ~ *hands* skifte ejer, komme på andre hænder, handles; ~ *over* skifte om; omstille; ~ *round* bytte om; ~ *the subject* skifte (samtale)emne; se også *I. mind, I. tune.*

III. 'Change [tʃein(d)ʒ] børs; *on* ~ på børsen.

changeable ['tʃein(d)ʒəbl] *adj* foranderlig.

changeless ['tʃein(d)ʒlis] *adj* uforanderlig.

changeling ['tʃein(d)ʒliŋ] *sb* skifting.

change-over ['tʃein(d)ʒouvə] *sb* overgang (til andet system), omstilling; omslag; skifte (i stafetløb).

change-over switch *sb (elekt)* omkobler, omskifter.

changing room omklædningsværelse.

I. channel ['tʃænəl] *sb* (naturlig) kanal; rende; *(fig)* kanal, vej; *-s (mar)* røst; *the Channel* Kanalen (mellem England og Frankrig).

II. channel *vb* rifle, kannelere, danne rende i.

chant [tʃa:nt] *vb* synge; messe; besynge; *sb* sang; salmemelodi; kirkesang; messen.

chanterelle [tʃæntə'rel] *sb (bot)* kantarel.

chanticleer [tʃænti'kliə] *sb zo* hane.

chantry ['tʃa:ntri] *sb* kapel til sjælemesse.

chanty ['tʃa:nti, 'ʃænti] *sb (mar)* opsang.

chaos ['keiɔs] *sb* kaos. **chaotic** [kei'ɔtik] kaotisk.

I. chap [tʃæp] *sb, vb* sprække, revne.

II. chap [tʃæp] *sb* kæbe; se også *chops.*

III. chap [tʃæp] *sb* T fyr, ka'l.

chapbook ['tʃæpbuk] folkebog; skillingstryk.

chapel ['tʃæpəl] *sb* dissenterkirke *(fx* metodist- *el* baptistkirke); mindre kirke, kirke knyttet til en institution, *fx* slotskirke; kapel; gudstjeneste (i *chapel) ;* sammenslutning af typografer (, journalister) på en arbejdsplads; ~ *of ease* annekskirke; ~ *of rest* (lig)kapel.

chaperon ['ʃæpərəun] *sb* chaperone, anstandsdame, ledsagerinde; *vb* ledsage (som anstandsdame).

chapfallen ['tʃæpfɔ:l(ə)n] *adj* lang i ansigtet.

chaplain ['tʃæplin] *sb* præst (ved en institution); feltpræst, skibspræst, fængselspræst; ~ *-in-ordinary* hofpræst.

chaplet ['tʃæplit] *sb* krans (om hovedet); rosenkrans; perlekrans; *vb* smykke med en krans.

chapman ['tʃæpmən] *sb* bissekræmmer.

chapped [tʃæpt] *adj* sprukken.

chappie ['tʃæpi] se *III. chap.*

chaps [tʃæps] *sb pl (am)* (cowboys) læderbukser; se også *chops.*

chapter ['tʃæptə] *sb* kapitel; domkapitel, ordenskapitel; (af forening) lokalafdeling; *give* ~ *and verse* give nøjagtig kildehenvisning, give dokumentation.

chapter house kapitelhus; *(am)* klubhus, mødehus.

I. char [tʃa:] *sb zo* fjeldørred.

II. char [tʃa:] *vb* forkulle.

III. char [tʃa:] *vb* (gå ud og) gøre rent (for folk); *sb* rengøringskone.

IV. char [tʃa:] *sb* S te.

charabanc ['ʃærəbæŋ] *sb* turistbil.

character ['kæriktə] *sb* karakter; natur, art *(fx problems of a different* ~*),* beskaffenhed, præg; særpræg, ejendommelighed; egenskab (især *biol, fx hereditary -s);* (hos person) karakter; fasthed, viljestyrke, fast karakter *(fx he is a man of* ~*);* (om person) personlighed *(fx a noble* ~ *; a public* ~*);* orginal *(fx he is quite a* ~*);* (i bog, skuespil *etc)* person, figur; rolle; (om skrift) skrifttegn, bogstav *(fx Greek -s),* (også edb) tegn; *(typ)* type, skriftsnit; *(tel glds)* ry, rygte *(fx a woman of good* ~*),* skudsmål, vidnesbyrd *(fx he gave the servant a good* ~*); gain the* ~ *of a miser* få ord for at være en gnier; *in* ~ i rollen, i stilen; som passer til personen; *act in* ~ blive i rollen; *in the* ~ *of a friend* i egenskab af ven; *good judge of* ~ menneskekender; *list of -s* personliste; *with a* ~ *of its own* særpræget; *out of* ~ ikke i stilen; som ikke passer til rollen (, personen); *act out of* ~ falde ud af rollen.

character disorder *(psyk)* karakterdefekt.

characteristic [kæriktə'ristik] *adj* karakteristisk, betegnende *(of* for); *sb* ejendommelighed, særpræg, kendetegn; *(fys)* karakteristik.

characterize ['kæriktəraiz] *vb* karakterisere, kendetegne; betegne; præge.

character part karakterrolle.

charade [ʃəˈraːd,*(am)*ʃəˈreid] *sb* karade, stavelsesgåde; ordsprogsleg; *(fig neds)* paradeforestilling, komedie, tom ceremoni; spilfægteri; *do -s* lege ordsprogsleg.

charcoal ['tʃa:koul] *sb* trækul.

I. charge [tʃa:dʒ] *vb* pålægge, formane *(fx he -d her to be careful); (merk)* forlange (som betaling), beregne, tage (betaling); debitere; (fylde *etc)* lade *(fx a revolver);* oplade *(fx a battery);* fylde (et glas); (jur *etc)* anklage, sigte, beskylde (with for); *(mil.)* angribe, storme, storme løs på; *(glds)* bebyrde, belæsse; ~ *a book* (i bibliotek) notere et udlån; ~ *the jury* give retsbelæring til nævningerne; ~ *the goods to him (el. to his account)* skrive varerne på hans konto, debitere ham for varerne; ~ *sby with sth* beskylde *(el* sigte, anklage) en for noget; *(glds)* overdrage *(el* betro) en noget.

II. charge [tʃa:dʒ] *sb* ladning (i skydevåben og *elekt);* pålæg, formaning, retsbelæring, hyrdebrev; omsorg, varetægt, ansvarlig opsyn, ansvarlig ledelse; omkostning(er); betaling, pris, gebyr; behæftelse; betroet gods, person(er) i ens varetægt, plejebarn; protegé; beskyldning, *(jur)* sigtelse, anklage; *(mil.)* angreb; *(her.)* våbenmærke;

the ~ *was* anklagen lød på; *-s forward* omkostninger på efterkrav; *make a* ~ angribe; *make a* ~ *of £ 5* forlange (en betaling) af £ 5; *make the* ~ *that* fremsætte den beskyldning at; *what's your* ~? hvad er Deres pris? *sound the* ~ blæse til angreb;

at his ~ på hans bekostning; *be in* ~ have kommandoen; *in* ~ *of* under bevogtning *(el* opsyn, ledelse) af *(fx children in* ~ *of a nurse);* som har opsyn med *(fx a nurse in* ~ *of children); be in* ~ *of* (også) lede; passe, have ansvaret for; *give sby in* ~ overgive en til politiet, lade en anholde; *take* ~ *of* overtage (ledelsen af), påtage sig at passe på; tage sig af *(fx take* ~ *of the keys); free of* ~ gratis; *on the* ~ *of murder* sigtet *(el* anklaget) for mord; *return to the* ~ forny angrebet; *(fig)* komme igen, vende frygtelig tilbage; *without* ~ gratis.

chargeable ['tʃaːdʒəbl] *adj* som kan pålægges; som skal betales *(upon* af); som kan anklages.

charge account *(am)* (kunde)konto.

charged [tʃaːdʒd] *adj (fig)* ladet med spænding; følelsesladet; sprængfarlig.

chargé d'affaires ['ʃaːʒeidæ'fɛə] chargé d'affaires.

charge hand *(omtr)* formand.

charge plate kontoplade.

charger ['tʃaːdʒə] *sb* stridshest; fad; *demand his head on a* ~ forlange hans hoved på et fad.

charge sheet liste over politisager.

Charing Cross ['tʃæriŋ 'krɔs].

chariot ['tʃæriət] *sb* let herskabsvogn; *(hist.)* stridsvogn.

charisma [kə'rizmə] *sb (teol)* nådegave; *(fig)* udstråling, evne til at vinde mennesker for sig.

charismatic [kæriz'mætik] *adj* som har udstråling, som har evne til at vinde mennesker for sig.

charitable ['tʃæritəbl] *adj* næstekærlig, godgørende, barmhjertig; velvillig, overbærende; velgørenheds- *(fx bazaar); put a* ~ *interpretation on it* udlægge (, optage) det i den bedste mening, fortolke det velvilligt.

charity ['tʃæriti] *sb* (næste)kærlighed, godgørenhed, barmhjertighed, medlidenhed; godhed, overbærenhed; kærlighedsgerning; almisse; velgørende institution; ~ *begins at home (omtr* =) hvad du evner kast af i de nærmeste krav.

charivari ['tʃaːri'vaːri] *sb* kattemusik, spektakel.

charlady ['tʃaːleidi] *sb* rengøringsdame.

charlatan ['ʃaːlətən] *sb* charlatan, fidusmager.

Charlemagne ['ʃaːləˈmein] *(hist.)* Karl den Store.

Charles ['tʃaːlz] Charles; Karl *(fx King* ~ *I); -'s Wain (astr)* Karlsvognen.

Charley, Charlie ['tʃaːli] (form af *Charles);* **S** fjols.

charlock ['tʃaːlɔk] *sb (bot)* agersennep.

I. Charlotte ['ʃaːlət].

II. charlotte ['ʃaːlət]: *apple* ~ *(omtr* =) æblekage.

charm [tʃaːm] *sb* tryllemiddel, trylleformular; amulet, (på armbånd) charm; trylleri; yndighed, elskværdighed, charme; -s (også) ynder; *vb* fortrylle, henrive, charmere, henrykke; trylle; *it worked like a* ~ det gik fint, det havde en mirakuløs virkning. **charmed** [tʃaːmd] *adj* fortryllet; *I shall be* ~ *to* det skal være mig en stor glæde at; *he bears a* ~ *life* han er usårlig. **charmer** *sb* fortryllende person, charmetrold. **charming** *adj* charmerende, henrivende, yndig, elskværdig.

charnel house ['tʃaːnəl haus] lighus; benhus.

Charon ['kɛərən] Charon.

chart [tʃaːt] *sb* søkort; *(geol, meteorol)* kort *(fx weather* ~); (skematisk oversigt) diagram; grafisk fremstilling; kurve *(fx temperature* ~); *(mht* grammofonpladesalg) hitliste; *vb* kortlægge; *(fig)* planlægge.

charter ['tʃaːtə] *sb* dokument, frihedsbrev, rettighedsbrev, privilegium; kontrakt; *(mar)* befragtning; (om by) købstadsprivilegier; *vb* privilegere; befragte; chartre *(fx an aeroplane);* **T** hyre *(fx a car); the Great Charter* 'det store frihedsbrev' (Magna Carta).

chartered accountant statsautoriseret revisor.

chartered surveyor landinspektør.

charterer ['tʃaːtərə] *sb* befragter.

charter|flight charterflyvning. ~ **party** befragtningskontrakt, certeparti.

chart house *(mar)* bestiklukaf.

Chartism ['tʃaːtizm] *sb* chartisme (engelsk radikal bevægelse efter reformloven 1832).

chartist ['tʃaːtist] *sb* chartist.

chart room bestiklukaf.

charwoman ['tʃaːwumən] *sb* rengøringskone.

chary ['tʃɛəri] *adj* forsigtig; sparsom, karrig *(of* med).

I. chase [tʃeis] *vb* jage, forfølge, fordrive; fare; *sb* jagt; forfølgelse; jagtdistrikt; jagtret; jaget vildt, jaget skib, bytte; *give* ~ optage forfølgelsen.

II. chase [tʃeis] *vb* drive, ciselere, punsle; skære gevind.

chaser ['tʃeisə] *sb (tekn)* gevindstål; **T** drik til at skylle efter med; (om film) B-film; (person) ciselør.

chasm [kæzm] *sb* kløft, afgrund, svælg.

chassis ['ʃæsi] *sb (pl chassis* [-iz]) chassis, understel.

chaste [tʃeist] *adj* kysk; ren; (om stil) enkel.

chasten ['tʃeisn] *vb* tugte, revse; lægge en dæmper på; gøre mere afdæmpet (, forsigtig, ydmyg); rense, lutre, forædle; -*ing adj* (også) afsvalende; neddæmpende.

chastise [tʃæs'taiz] *vb* tugte, revse. **chastisement** ['tʃæstizmənt] *sb* tugtelse, revselse.

chastity ['tʃæstiti] *sb* kyskhed; renhed; (om stil) enkelhed.

chasuble ['tʃæzjubl] *sb* messehagel.

chat [tʃæt] *sb* passiar, sludder, snak; causeri; *vb* passiare, sludre, snakke, slå en sludder af; ~ *up* **T** snakke godt for, flirte med.

chatelaine ['ʃætəlein] *sb* borgfrue.

chattel ['tʃætl] *sb (jur)* formuegenstand; *-s* løsøre.

chatter ['tʃætə] *vb* snakke, plapre; pludre; (om fugl) kvidre, skræppe; (om tænder:) klapre; *sb* pjatten; plapren, pludren; kvidren, skræppen; klapren.

chatterbox ['tʃætəbɔks] *sb* sludrechatol.

chatty ['tʃæti] *adj* snaksom.

Chaucer ['tʃɔːsə].

chauffeur ['ʃoufə] *sb* (især privat ansat) chauffør; herskabschauffør; *vb* være chauffør (for).

chauvinism ['ʃouvinizm] *sb* chauvinisme.

chaw [tʃɔː] *vb* tygge; gumle; mase, knuse.

cheap [tʃiːp] *adj* billig; tarvelig; godtkøbs-; *he felt* ~ han følte sig flov, han skammede sig; *hold* ~ ringeagte; *make oneself (too)* ~ udsætte sig for foragt; *on the* ~ billigt.

cheapen ['tʃiːpn] *vb* nedsætte prisen på; *(fig)* forsimple, gøre billig *(el.* tarvelig).

cheapjack ['tʃiːpdʒæk] *sb* bissekræmmer.

cheapskate ['tʃiːpskeit] *sb* fedtsyl.

cheat [tʃiːt] *sb* snyderi, bedrageri; snyder, bedrager; *vb* bedrage, snyde *(at* i), narre; fordrive *(fx time);* ~ *sby (out) of sth* franarre en noget; snyde en for noget.

check [tʃek] *sb* hindring, standsning; kontrol; mærke; garantiseddel, garderobenummer, pladsbillet; ternet mønster, ternet stof; *(am)* check; regning, bon; jeton; revne, sprække *(fx* i maling); *vb* hindre, standse, bremse; kontrollere, checke, afkrydse, afmærke; byde skak; irettesætte; *(am)* aflevere i garderoben; sende (, indskrive) som rejsegods; ~! skak! *hand in one's -s* **S** tage billetten, dø; *be in* ~ stå skak; *keep him in* ~ holde ham i skak; ~ *in* (også) begynde at arbejde; *(am)* indskrive sig (på hotel); ~ *off* afkrydse; checke af; ~ *out (am)* betale og rejse (fra hotel); *keep a* ~ *on* overvåge, holde øje med; ~ *up an account* stemme et regnskab af; ~ *up on* afkontrollere; efterprøve; ~ *(out) with (am)* passe *(el* stemme) med.

checkbook *(am)* checkhæfte.

checker ['tʃekə] *sb* kontrollør; *(am)* dambrik; ternet mønster; *vb* = *chequer.*

checkers ['tʃekəz] *sb pl (am)* damspil.

check|girl *(am)* garderobedame. ~ **list** (kontrol)liste.

checkmate ['tʃekmeit] *sb* (i skak) mat; *(fig)* nederlag; *vb* gøre skakmat, tilføje nederlag.

check-out ['tʃekaut] *sb* betaling af hotelregning; kasse (i selvbetjeningsforretning).

checkpoint kontrolsted.

checkroom *(am)* garderobe.

check-up ['tʃekʌp] *sb* kontrol, efterprøvning; (læge)undersøgelse.

Cheddar ['tʃedə]: ~ *cheese* cheddarost.

cheek [tʃiːk] *sb* kind; **T** frækhed, uforskammethed; *vb* være fræk over for; ~ *to* ~ kind mod kind; ~ *by jowl* side om side, tæt op ad hinanden.

cheek pouch kæbepose.

cheeky ['tʃiːki] *adj* fræk, næbbet.

cheep [tʃiːp] *vb* pibe, pippe.

cheer [tʃiə] *sb* bifaldsråb, hurra; opmuntring; sindsstemning, humør; munterhed; mad og drikke *(fx good* ~); *vb* opmuntre; heppe op; råbe hurra (for); ~ *on* op-

chimpanzee **C**

muntre, tilskynde ved tilråb, heppe op; ~ *up* fatte mod; opmuntre; heppe op; ~ *up!* op med humøret!.

cheerful ['tʃiəf(u)l] *adj* glad, munter, fornøjet; lys, venlig; *-ly adv* muntert *(etc)*; med glæde, glædelig; med godt humør *(fx bear a defeat -ly)*.

cheering *sb* hurraråb.

cheerio ['tʃiəri'ou] *interj* T farvel (med dig); skål!

cheerleader *(am)* leder af hylekor (ved sportskampe *etc)*; hepper.

cheerless *adj* trist, uhyggelig.

cheers [tʃiəz] *interj* skål!

cheery ['tʃiəri] *adj* munter.

cheese [tʃi:z] *sb* ost; *vb:* ~ *it* S hold op! hold mund! stik af!

cheese|cake pin-up billede. **-cloth** ostelærred.

cheesed (-off) *adj* S utilfreds, gal i hovedet.

cheese|monger [-'mʌŋgə] *sb* ostehandler. **-paring** *sb* osteskorpe; gerrighed, karrighed; *adj* gerrig. ~ **spread** smøreost. ~ **straw** ostestang; ostepind.

cheetah ['tʃi:tə] *sb zo* gepard.

chef [ʃef] *sb* køkkenchef.

Chelsea ['tʃelsi] (del af London).

chemical ['kemikl] *adj* kemisk; *sb* kemikalie.

chemise [ʃə'mi:z] *sb* chemise, særk.

chemisette [ʃemi'zet] *sb* chemisette, underbluse, underliv.

chemist ['kemist] *sb* kemiker; apoteker; *chemist's shop* apotek.

chemistry ['kemistri] *sb* kemi.

cheque [tʃek] *sb* check, anvisning.

chequebook checkhæfte.

chequer ['tʃekə] *vb* gøre ternet; *(fig)* gøre afvekslende; *sb* ternet mønster; *-ed* ternet, *(fig)* broget, afvekslende; *a -ed career* en omtumlet tilværelse.

cherish ['tʃeriʃ] *vb* værne om; passe og pleje, opføde; bære på hænder; elske, skatte højt; nære *(fx hopes, hatred)*.

cheroot [ʃə'ru:t] *sb* cerut.

cherry ['tʃeri] *sb* kirsebær; kirsebærtræ; *adj* kirsebærrød; *make (el. have) two bites at the* ~ (ville) prøve en gang til.

cherry brandy kirsebærlikør.

cherub ['tʃerəb] *sb* *(pl cherubim* ['tʃerəbim]) kerub, engel, basunengel; *(pl cherubs)* englebarn.

chervil ['tʃə:vil] *sb (bot)* hulsvøb, kørvel.

Cheshire ['tʃeʃə]: *grin like a* ~ *cat (omtr =)* grine som en flækket træsko.

chess [tʃes] *sb* skak; broplanke i pontonbro; *a game of* ~ et parti skak.

chess|board skakbræt. **-man** skakbrik.

chest [tʃest] *sb* kiste; kasse; *(anat)* bryst(kasse); *get it off one's* ~ lette sit hjerte; ~ *of drawers* kommode, dragkiste.

chesterfield ['tʃestəfi:ld] *sb* chesterfieldsofa; lang overfrakke.

chestfoundered ['tʃestfaundəd] *adj (omtr)* bovlam. **chestfoundering** *sb (omtr)* bovlamhed.

chest note brysttone.

chestnut ['tʃesnʌt] *sb (bot)* kastanie, kastanietræ; (farve) kastaniebrunt; (hest) kastaniebrun hest, fuks; T gammel vittighed; *pull the -s out of the fire for sby* rage kastanierne ud af ilden for en.

cheval-de-frise [ʃə'vældə'fri:z] *sb (mil.)* spansk rytter (pigtrådskors).

cheval glass [ʃə'vælglɑ:s] toiletspejl, drejespejl.

cheviot ['tʃeviət] *sb* (klæde:) cheviot.

chevron ['ʃevrən] *sb* sparre, *(mil.)* vinkel.

chevrotain ['ʃevrətein] *sb zo* dværghjort.

chevy ['tʃevi] *vb* jage, genne, jage med.

chew [tʃu:] *vb* tygge; (tobak) skrå; *(fig)* tygge på; S skældte ud; ~ *the cud* tygge drøv; ~ *up* sønderdele; ødelægge; *bite off more than one can* ~ tage munden for fuld, slå større brød op end man kan bage; **chewed (-off)** S udmattet; slået; arrig.

chewing gum tyggegummi.

chiaroscuro [ki'ɑ:rə'skuərou] *sb* clair-obscur.

chic [ʃi:k] *adj* chik, fiks; *sb* chik.

Chicago [ʃi'kɑ:gou, *(am* ogsă:) ʃi'kɔ:gou].

chicane [ʃi'kein] *sb* kneb; sofisteri, lovtrækkeri; (i kortspil) **chikane;** (på væddeløbsbane:) sving, forhindring; *vb*

---

bruge kneb.

chicanery [ʃi'keinəri] = *chicane sb.*

chichi ['ʃi:ʃi] *adj* T overpyntet, oversmart.

chick [tʃik] *sb* kylling; rolling; S pigebarn.

chickadee [tʃikə'di:] *sb zo (am)* (fyrre)mejse.

chicken ['tʃikin] *sb* kylling; høne; S tøsedreng, bangebuks; *feed the -s* give hønsene; *count one's -s before they are hatched* sælge skindet, før bjørnen er skudt; *she's no (spring)* ~ hun er ikke nogen årsunge; ~ *out (vb)* T få kolde fødder.

chicken|feed *sb* kyllingefoder; S ubetydelighed, småpenge. **-hearted** *adj* forsagt, bange, fej. ~ **pox** *sb* skoldkopper. ~ **run** sb hønsegård.

chickling ['tʃiklin] *sb* lille kylling; *(bot)* agerfladbælg.

chickweed ['tʃikwi:d] *sb (bot)* fuglegræs; hønsetarm; skovstjerne.

chicory ['tʃikəri] *sb* cikorie; julesalat.

chide [tʃaid] *vb (chid, chid(den))* irettesætte, skænde (på).

chief [tʃi:f] *adj* først, fornemst, vigtigst, højest, øverst; hoved-, over-; *sb* høvding, anfører, overhoved, leder, chef; *in* ~ øverst, først-; (først og) især; *his* ~ *competitor* hans nærmeste konkurrent; *Chief Constable* politimester, politidirektør; *the Chief Executive (am)* præsidenten; *Chief Scout* spejderchef; ~ *inspector (omtr)* politiassistent, kriminalassistent (af 1. grad).

chiefly ['tʃi:fli] *adv* først og fremmest, hovedsagelig.

chieftain ['tʃi:ftən] *sb* høvding.

chiffchaff ['tʃiftʃæf] *sb zo* gransanger.

chiffon ['ʃifən] *sb* chiffon (et stof).

chigger ['tʃigə] *sb zo* augustmide; se også *chigoe.*

chignon ['ʃi:njɔ:ŋ] *sb* nakkeknude, opsat nakkehår.

chigoe ['tʃigou] *sb zo* sandloppe; se også *chigger.*

chilblain ['tʃilblein] *sb* frostknude, frost (i fingrene, tæerne *etc).*

child [tʃaild] *sb (pl children)* barn; *(fig)* produkt *(fx a* ~ *of his imagination); this* ~ jeg, mig, 'far her' *(fx not this* ~*); with* ~ frugtsommelig.

child|bearing barnefødsel; ~*-bearing age* i den fødedygtige alder. **-bed** barselseng. **-birth** fødsel.

childe [tʃaild] *sb (poet)* junker.

Childermas ['tʃildəmæs] (d. 28. december).

childhood ['tʃaildhud] *sb* barndom; *be in one's second* ~ gå i barndom.

childish ['tʃaildiʃ] *adj* barnlig; barnagtig.

childless ['tʃaildlis] *adj* barnløs.

childlike ['tʃaildlaik] *adj* barnlig.

childminder ['tʃaildmaində] *sb* dagplejemor.

children ['tʃildrən] *sb pl* børn; *-'s disease* børnesygdom.

child's play *(fig)* børneleg, legeværk.

child welfare børneforsorg. **child welfare centre** børneplejestation.

Chile ['tʃili] Chile; ~ *saltpetre* chilesalpeter.

Chilean ['tʃilian] *sb* chilenser; *adj* chilensisk.

chill [tʃil] *adj* kold; kølig; nedslående; *sb* kulde; kølighed; kuldegysen; forkølelse; nedslående indflydelse; *vb* gøre kold, få til at fryse; isne; afkøle; *(tekn)* hærde; *(fig)* nedslå, nedstemme; (uden objekt) blive kold; *take the* ~ *off* kuldslå, temperere; *cast (el. throw) a* ~ *over (el. upon)* nedstemme. **chill casting** kokilstøbning.

chilli ['tʃili]: ~ *pepper* cayennepeber.

chilly ['tʃili] *adj* kølig, kold.

Chiltern Hundreds ['tʃiltən 'hʌndrədz]: *accept (el apply for) the* ~ opgive sit sæde i underhuset.

chime [tʃaim] *sb* klokkespil; klang; harmoni; *vb* stemme sammen; harmonere *(with* med); ringe (som et klokkespil); ringe med (klokkespil); *-s* klokkespil; *in* ~ i harmoni; *in* falde ind (i en samtale); give sin tilslutning; stemme i med; ~ *in with* stemme med, harmonere med *(fx his plans* ~ *in with mine).*

chimera [kai'miərə, ki'miərə] *sb* kimære, hjernespind.

chimerical [kai'merikəl] *adj* kimærisk, uvirkelig, indbildt, fantastisk.

chimney ['tʃimni] *sb* skorsten; lampeglas; krater, klipperevne.

chimney|piece kamingesims, kaminhylde. ~ **pot** skorstenspibe; skorstensrør; T høj hat. ~ **stack** gruppe af skorstenspiber; fabriksskorsten. ~ **sweep** skorstensfejer.

chimpanzee [tʃimpən'zi:] *sb* chimpanse.

chin [tʃin] *sb* hage; *vb* få hagen op til, hæve sig op til (i armene); **T** snakke, småpludre; *keep your ~ up* op med humøret.
I. China ['tʃainə] Kina.
II. china ['tʃainə] *sb* porcelæn; **S** makker.
china| clay kaolin ~ **eye** porcelænsøje. ~ **ink** tusch.
China|man ['tʃainəmən] kineser. **-town** kineserkvarter.
chinch ['tʃintʃ] *sb zo* væggelus.
chinchilla [tʃin'tʃilə] *sb zo* chinchilla; haremus.
chin-chin ['tʃin'tʃin] *interj* **T** skål.
chin-deep ['tʃin'di:p] *adj* til hagen (i vand *etc*); *be in ~* (også) være ved at drukne i arbejde.
chine [tʃain] *sb* rygben (på dyr); kam; højderyg, bakkekam; (især ved *Bournemouth*) kløft.
Chinee [tʃai'ni:] *sb* **S** kineser.
Chinese [tʃai'ni:z] *sb (pl Chinese)* kineser; *sb, adj* kinesisk; ~ *lantern* kinesisk lygte; ~ *white* zinkhvidt.
I. chink [tʃiŋk] *sb* sprække.
II. chink [tʃiŋk] *vb* klirre; klirre med; *sb* klirren; penge.
III. Chink [tʃiŋk] *sb* **S** *(neds)* kineser.
chin| music *(am)* snak, sludder. **-strap** hagerem.
chintz [tʃints] *sb* sirts (et bomuldsstof).
chinwag ['tʃinwæg] **S** *sb* sludder, passiar; *vb* sludre, snakke.
I. chip [tʃip] *sb* flis, splint, spån; skår *(fx a glass with a ~ in its rim)*, hak; (i (kort)spil) jeton; **-s** pommes frites; *(am)* franske kartofler; *when the -s are down* når det kommer til stykket; *he is a ~ off the old block* han er faderen op ad dage; *have a ~ on one's shoulder* altid være parat til slagsmål, hele tiden være på vagt, være krigersk; *hand (el pass) in one's -s* **S** tage billetten, dø.
II. chip [tʃip] *vb* snitte, hugge (af); slå en flis af, lave skår i; blive skåret, gå i stykker; skalle af; **S** drille *(about med)*; ~ *in* bidrage; blande sig i samtalen; *(am)* skyde sammen, slå sig sammen (om) *(fx ~ in to buy a bottle of whisky)*.
chip|basket spånkurv. **-board** spånplade.
chipmunk ['tʃipmʌŋk] *sb zo (am)* jordegern.
chipped beef *(am)* tynde skiver røget tørret oksekød.
Chippendale ['tʃipəndeil] (en møbelstil).
chipper ['tʃipə] *vb* kvidre; *adj (am* **T)** glad, munter, kvik, kry; ~ *up (am* **T)** kvikke op.
chippy ['tʃipi] *adj* hakket, skåret; utilpas, sløj, med tømmermænd; tør, kedelig; *sb (am* **S)** (gade)pige.
chiro|mancer ['kairəmænsə] *sb* kiromant. **-mancy** [-si] *sb* kiromanti, kunsten at spå i hånden. **-podist** [ki'rɔpədist] *sb* fodplejer. **-practic** [kairə'præktik] *sb* kiropraktik. **-practor** [-'præktə] *sb* kiropraktor.
chirp [tʃə:p] *vb* kvidre, pippe; *sb* pip.
chirpy ['tʃə:pi] *adj* munter, livlig.
chirrup ['tʃirəp] *vb* kvidre; sige hyp til en hest; *sb* kvidren; hyp.
chisel ['tʃizl] *sb* mejsel; *vb* mejsle; **S** snyde, bedrage, svindle, nasse; snyde sig til; *-led features* mejslede træk.
chiseller ['tʃizlə] *sb* **S** snyder, bedrager, nasser; *welfare ~* socialbedrager.
chit [tʃit] *sb (neds)* barn, unge; tøs, pigebarn; (stykke papir) seddel, note; kvittering *(fx for mad el drikkevarer nydt på kredit)*, gældsbevis, skyldseddel; *a ~ of a girl* en stump pigebarn.
chitchat ['tʃittʃæt] *sb* lille sludder.
chitin ['kaitin] *sb (biol)* kitin.
chiton ['kaitən] *sb zo* skallus.
chitterlings ['tʃitəliŋz] *sb pl (omtr =)* finker.
chivalrous ['ʃivəlrəs] *adj* ridderlig.
chivalry ['ʃivəlri] *sb* ridderskab; ridderværdighed; ridderlighed; riddere; *the age of ~* riddertiden.
chive [tʃaiv] *sb (bot)* purløg.
chiv(v)y ['tʃivi] *vb* jage, genne; jage *(el koste)* med; plage.
chloral ['klɔ:rəl] *sb* kloral. **chloric** ['klɔ:rik] *adj* klor-.
chlorinate ['klɔ:rineit] *vb* klore, behandle med klor.
chlorine ['klɔ:ri:n] *sb* klor.
chloroform ['klɔrəfɔ:m] *sb* kloroform; *vb* kloroformere.
chlorophyll ['klɔrəfil] *sb* bladgrønt, klorofyl.
chlorosis [klɔ'rousis] *sb (med)* blegsot; *(bot)* klorofylmangel.
choc [tʃɔk] *sb* **T** chokolade; ~ *ice* is med chokoladeovertræk.

chock [tʃɔk] *sb* bremseklods, kile, klampe; *vb* klodse op, fastkile. **chock-a-block** *adj (mar)* klos for; *(fig)* tæt pakket, helt fuld. **chock-full** *adj* propfuld.
chocolate ['tʃɔk(ə)lit] *sb* chokolade; *adj* chokolade-; chokoladebrun; *-s* (fyldte) chokolader, konfekt.
choice [tʃɔis] *sb* valg; udvalg; den (, det) man vælger; elite, bedste del, kerne; *adj* udsøgt; kræsen; *for ~* helst; hvis jeg har (, havde) frit valg; *I do not live here for ~* jeg bor ikke her fordi jeg helst vil; *I have no ~ in the matter* jeg har intet valg; *take (el make) one's ~* træffe sit valg, vælge.
choir ['kwaiə] *sb* sangkor; kor (i kirke).
choirmaster korleder.
choke [tʃouk] *vb* kvæle; stoppe; være ud at kvæles; *sb* choker (i bil); ~ *down* (om mad) tvinge ned; *(fig)* undertrykke, bide i sig; ~ *sby off* lukke munden på en, bide en af; ~ *sby off from doing sth* få en fra at gøre noget; ~ *up* tilstoppe; overfylde, fylde op; kvæle.
choke coil *(elekt)* dæmpespole.
chokedamp ['tʃoukdæmp] *sb* grubegas.
choker ['tʃoukə] *sb* stort halstørklæde; (flip:) fadermorder; ~ *(necklet)* tætsiddende (perle)halsbånd.
chok(e)y ['tʃouki] *adj* kvælende; halvkvalt; *sb* **S** fængsel; *in ~* i spjældet.
choler ['kɔlə] *sb* galde; vrede.
cholera ['kɔlərə] *sb* kolera; *(European ~)* kolerine.
choleric ['kɔlərik] *adj* hidsig, kolerisk.
cholesterol [kɔ'lestərɔl] *sb (med)* kolesterol.
chondroma [kɔn'droumə] *sb (med)* brusksvulst.
choose [tʃu:z] *vb (chose, chosen)* vælge, udvælge, udkåre; (især med *inf)* foretrække; have lyst, finde for godt; *I cannot ~ but* jeg kan ikke andet end; *there is not much to ~ between them* de er to alen af et stykke; de har ikke noget at lade hinanden høre; det er hip som hap.
choos(e)y ['tʃu:zi] *adj* kræsen.
chop [tʃɔp] (se også **II.** *chap* og *chops*) *vb* hugge; hakke; *sb* hug, slag; afhugget stykke, kotelet; (i Indien, Kina) stempel; (vare)mærke; kvalitet; **S** mad; *get the ~* **T** få sin bekomst, blive dræbt; blive fyret; ~ *logic* disputere på en overspidsfindig måde; give sig af med ordkløveri; ~ *words* skændes; ~ *about*, ~ *round* (om vinden) pludselig vende sig; ~ *and change* være ustadig, have syv sind over et dørtrin; ~ *down* hugge om, fælde; ~ *up* hugge i stykker.
chophouse ['tʃɔphaus] *sb* værtshus, (billig) restaurant.
chopper ['tʃɔpə] *sb* -hugger *(fx wood ~)*; økse; kødøkse, flækkekniv; *(fig)* sparekniv; **T** helikopter.
chopping board hakkebræt.
choppy ['tʃɔpi] *adj* (om havet) krap; (om vind) skiftende.
chops [tʃɔps] *sb pl* mund, kæft; *lick one's ~* slikke sig om munden; *the Chops of the Channel* kanalgabet (mod Atlanterhavet).
chopstick ['tʃɔpstik] *sb* (kinesisk) spisepind; *-s* (musikstykke) prinsesse toben.
choral ['kɔ:rəl] *adj* kor-.
chorale [kɔ'ra:l] *sb* koral, salmemelodi.
chord [kɔ:d] *sb* streng; *(geom)* korde; *(mus)* akkord; *strike a ~* anslå en akkord; *(fig)* anslå en streng.
chore [tʃɔ:] *sb* stykke (husligt) arbejde, (huslig) pligt; kedeligt arbejde, kedelig pligt; *-s* (også:) sysler; *vb* udføre husligt arbejde *(etc)*.
chorea [kɔ'ri:ə] *sb* sankt veitsdans.
choreography [kɔri'ɔgrəfi] *sb* koreografi.
choriamb ['kɔriæmb)] *sb* korjambe.
chorister ['kɔristə] *sb* korsanger, kordreng.
choroid ['kɔ:rɔid] *sb (anat)* årehinde.
chortle ['tʃɔ:tl] *vb* le (især drilagtigt *el.* triumferende); klukle; *sb* kluklatter.
chorus ['kɔ:rəs] *sb* kor; korværk; omkvæd; *vb* synge *el* råbe i kor.
I. chose [ʃouz] *sb* retsobjekt, formuegenstand.
II. chose [tʃouz] *præt* af *choose.*
chosen [tʃouzn] *pp* af *choose; the ~ few* de få udvalgte.
chough [tʃʌf] *sb zo* alpekrage.
chow [tʃau] *sb* chow-chow (kinesisk hunderace); **S** mad.
chrism [krizm] *sb* den hellige olie.
Christ [kraist] Kristus.
Christabel ['kristəbel].

christen ['krisn] *vb* døbe.
Christendom ['krisndəm] *sb* kristenheden.
christening ['krisniŋ] *sb* dåb.
Christian ['kristjən] *sb* kristen; *adj* kristen, kristelig; T ordentlig *(fx I have not had a decent ~ meal)*.
Christianity [kristi'æniti] *sb* kristendom.
Christianize ['kristjənaiz] *vb* kristne.
Christian name døbenavn, fornavn.
Christmas ['krisməs] *sb* jul; *a merry ~* glædelig jul.
Christmas| box julegave (især pengegave til tjenestefolk *etc)*. **~ card** julekort. **~ carol** julesang. **~ Day** første juledag. **~ Eve** juleaften. **~ greeting** julehilsen. **~ present** julegave. **~ rose** julerose. **~ seal** julemærke. **-tide** juletid.
Christopher ['kristəfə].
Christ's Hospital (kendt *public school,* opr for ubemidlede).
Christy ['kristi]: **~** *Minstrels* varietésangere der optræder som negre.
chromate ['kroumit] *sb* kromsurt salt.
chromatic [krə'mætik] *adj* kromatisk; **~** *scale* kromatisk skala.
chrome [kroum] *sb* krom; **~** *yellow* kromgult. **chromic** ['kroumik] *adj*: **~** *acid* kromsyre.
chromium ['kroumiəm] *sb* krom.
chromium| -plated forkromet. **~ salt** kromsalt.
chromolithograph ['kroumou'liθgra:f] *sb* farvelitografi (billede).
chromosome ['kroumasoum] *sb* kromosom.
Chron. *fk Chronicles.*
chronic ['krɔnik] *adj* kronisk, langvarig; S kedelig, infam.
chronicle ['krɔnikl] *sb* krønike, årbog; *vb* nedskrive, optegne; *the Chronicles* Krønikernes bog (i biblen).
chronicler ['krɔniklə] *sb* krønikeskriver.
chronological [krɔnə'lɔdʒikl] *adj* kronologisk.
chronology [krə'nɔlədʒi] *sb* kronologi, tidsberegning; kronologisk oversigt *(el* fortegnelse), tidstavle.
chronometer [krə'nɔmitə] *sb* kronometer.
chrysalis ['krisəlis] *sb (pl chrysalises* ['krisəlisiz], *chrysalides* [kri'sælidi:z]) puppe.
chrysanthemum [kri'sænθəməm] *sb* krysantemum.
chub [tʃʌb] *sb* døbel (en karpefisk).
chubby ['tʃʌbi] *adj* buttet, tyk, rund; rundkindet, pludskæbet.
chuck [tʃʌk] *vb* T smide, kaste; smide væk, kassere; opgive; (kærtegne:) dikke under hagen; (om lyd) klukke; (til hest) sige hyp; *sb* patron (på drejebænk); kluk; klap; kast; (kæleord) snut, skat; S mad; **~** *it!* hold op med det! **~** *away* bortødsle; **~** *out* smide ud, T forkaste; **~** *sby under the chin* dikke en under hagen; **~** *up* opgive; *give the* **~** T afskedige, jage bort, bryde med; **~, ~**! pylle, pylle!
chucker-out ['tʃʌkər'aut] *sb* udsmider.
chuck-farthing ['tʃʌk'fa:ðiŋ] *sb* klink.
chuckle ['tʃʌkl] *vb* småle, le indvendig; gotte sig *(at* over); *sb* kluklatter, indvendig latter.
chucklehead ['tʃʌklhed] *sb* dumrian.
chuffed [tʃʌft] *adj* S henrykt.
chug [tʃʌg], **chug-chug** *sb* tøffen; *vb* dunke, tøffe.
chum [tʃʌm] *sb* ven, kammerat; (som man deler værelse med) kontubernal, slof; *vb* dele værelse; **~** *together* bo sammen; **~** *up with* blive ven med.
chummy ['tʃʌmi] *adj* kammeratlig, fortrolig.
chump [tʃʌmp] *sb* træklods, klump; T tykhovedet person, fæ; S hoved; **~** *end* den tykke ende; *off one's* **~** skør, tosset.
chunk [tʃʌŋk] *sb* humpel, tyk skive, luns.
chunky ['tʃʌŋki] *adj* firskåren, tyk.
chunter ['tʃʌntə] *vb* mumle, brokke sig; rumle.
church [tʃə:tʃ] *sb* kirke; gudstjeneste *(fx what time does ~ begin);* *be at* **~** være i kirke; *go to* **~** gå i kirke; *enter (el* go into) *the Church (fig)* blive præst.
church|goer kirkegænger. **-ing** *sb* (barselkones første) kirkegang. **-man** tilhænger af statskirken. **~ mouse:** *as poor as a ~ mouse* så fattig som en kirkerotte. **~ register** kirkebog. **~ service** gudstjeneste. **-warden** kirkeværge; lang kridtpibe. **-woman** (kvindeligt) medlem af statskirken.
churchy ['tʃə:tʃi] *adj* T kirkelig; *(neds)* hellig.
churchyard ['tʃə:tʃ'ja:d] *sb* kirkeplads, kirkegård.

churl [tʃə:l] *sb* tølper; bondekarl.
churlish ['tʃə:liʃ] *adj* ubehøvlet, tølperagtig.
churn [tʃə:n] *sb* mælkejunge; smørkærne; *vb* kærne; piske op; male (rundt); **~** *out* fabrikere på stribe, sprøjte ud; **~** *up* køre op, rode op *(fx a heavy truck had -ed up the road).*
chute [ʃu:t] *sb* nedløbskanal, nedløbsrør; slisk; rutschebane; (til affald) nedstyrtningsskakt; T faldskærm.
chutney ['tʃʌtni] *sb* chutney (indisk krydderi af mangofrugt m.m.).
chyle [kail] *sb* chylus, vævsvæske.
C.I. *fk Channel Islands.*
CIA *(am) fk Central Intelligence Agency.*
ciborium [si'bɔ:riəm] *sb* ciborium, hostiegemme.
cicada [si'ka:də] *sb* cikade.
cicatrice ['sikətris], **cicatrix** ['sikətriks] *sb (pl cicatrices* [sikə'traisi:z]) ar, mærke.
cicely ['sisili] *sb: sweet ~ (bot)* sødskærm.
Cicero ['sisərou].
C.I.D. *fk Criminal Investigation Department.*
cider ['saidə] *sb* cider, æblevin; *sweet ~* æblemost.
c. i. f. cif, frit leveret *(fk cost, insurance, freight* ɔ*:* omkostninger, assurance og fragt betalt).
cigar [si'ga:] *sb* cigar.
cigar| case cigarfoderal. **~ cutter** cigarklipper.
cigarette [sigə'ret; *am:* 'sigəret] *sb* cigaret.
cigarette| end cigaretstump. **~ holder** cigaretrør.
cigar holder cigarrør.
cilia ['siliə] *pl* øjenhår; *(bot)* randhår; fimrehår, svingtråde.
C.-in-C. *fk Commander-in-Chief.*
cinch [sintʃ] *(am) sb* sadelgjord; T sikkert tag; *vb* sikre; få en klemme på; få sikkert tag i; *that's a* **~** S det er ligetil; der er helt sikkert.
cinchona [siŋ'kounə] *sb* kinatræ. **cinchona bark** kinabark.
cincture ['siŋktʃə] *sb* bælte.
Cinderella [sində'relə] Askepot; *adj (fig)* forsømt, overset, som ingen tager sig af; *the ~ services* det mindst eftertragtede arbejde *(fx* hjælpen for socialforsorgen).
cinders ['sindəz] *sb pl* slagger. **cinder track** slaggebane.
cine [sini] *(fk cinema;* i *sms)* biograf-, films-; *sb = cinecamera.*
cinecamera ['sinikæmərə] *sb* smalfilmsapparat (til optagelse).
cinefilm ['sinifilm] *sb* smalfilm.
cineloop ['sinilu:p] *sb* sløjfefilm.
cinema ['sinəmə] *sb* biografteater; *the ~* filmen, filmkunsten; *go to the ~* gå i biografen.
cinema| organ kinoorgel. **~ show** biografforestilling.
cinematic [sinə'mætik] *adj* filmisk; films-.
cinematograph [sinə'mætəgra:f] *sb (glds)* filmsapparat.
cinematographic [sinəmætə'græfik] *adj* filmisk.
cineraria [sinə'rɛəriə] *sb (bot)* cineraria.
cinerarium [sinə'rɛəriəm] *sb* urneniche.
cinerary ['sinərəri] *adj* aske-; **~** *urn* gravurne.
cinerator ['sinəreitə] *sb (am)* krematorieovn.
Cingalese [siŋgə'li:z] *sb* singaleser; *adj* singalesisk.
cinnabar ['sinəba:] *sb* cinnober.
cinnamon ['sinəmən] *sb* kanel; (farve) kanelbrunt.
cinque, cinq [siŋk] *sb* femmer (om kort og terning).
cinquefoil ['siŋkfɔil] *sb (bot)* (krybende) potentil.
CIO *fk Congress of Industrial Organizations* (en *am* fagforeningssammenslutning).
cion ['saiən] *(am) = scion.*
cipher ['saifə] *sb* nul; ciffer; chifferskrift; kode til chifferskrift; monogram; *vb* affatte i chifferskrift; beregne, regne.
circa ['sə:kə] cirka, omtrent.
Circassian [sə'kæsiən] *adj* tjerkessisk; *sb* tjerkesser.
circle ['sə:kl] *sb* cirkel; kreds; ring; *vb* bevæge sig i en kreds, cirkulere; kredse (om); gå rundt om; *argue in a ~* gøre sig skyldig i en cirkelslutning; *come full ~* komme tilbage til sit udgangspunkt.
circlet ['sə:klit] *sb* lille cirkel; ring, krans.
circs [sə:ks] T *fk circumstances.*
circuit ['sə:kit] *sb* omkreds; rundrejse, rundtur, runde; rute; kredsløb; omvej; *(elekt)* strømkreds; *(jur)* en dommers rejse i sit distrikt for at holde ret, retsrejse;

retsdistrikt; *(teat etc)* kæde af teatre, biografer *etc* (under samme ledelse); make a ~ of the camp gå en runde i lejren, gå hele lejren rundt; *short* ~ kortslutning.
circuit breaker *(elekt)* afbryder.
circuitous [sə(:)'kju(:)itəs] *adj* som går ad omveje; indirekte, ikke ligefrem, fuld af omsvøb; ~ *road* omvej.
circular ['sə:kjulə] *adj* cirkelrund, kredsformig, bevægende sig i en kreds; rund-; *sb* cirkulære, rundskrivelse; ringvej.
circularize ['sə:kjuləraiz] *vb* sende cirkulære(r) til; ~ *the members* (også) rundsende en skrivelse til medlemmerne.
circular| **letter** rundskrivelse, cirkulære. ~ **plane** *(am)* skibshøvl. ~ **railway** ringbane. ~ **saw** rundsav. ~ **ticket** rundrejsebillet. ~ **tour** rundrejse.
circulate ['sə:kjuleit] *vb* cirkulere, være i omløb; lade cirkulere, bringe *(el.* i omløb; *circulating library* lejebibliotek; *(am)* udlånsbibliotek.
circulation [sə:kju'leiʃən] *sb* omløb, kredsløb; cirkulation; udbredelse; oplag (af avis *etc);* (i bibliotek) udlån.
circulatory ['sə:kjuleitri] *adj (fysiol)* kredsløbs-.
circumbendibus [sə:kəm'bendibəs] *sb* S omsvøb, vidtløftighed; omvej.
circumcise ['sə:kəmsaiz] *vb* omskære.
circumcision [sə:kəm'siʒən] *sb* omskærelse.
circumference [sə'kamfərəns] *sb* periferi; omkreds.
circumjacent [sə:kəm'dʒeisənt] *adj* omliggende.
circumlocution [sə:kəmlə'kju:ʃən] *sb* omskrivning; omsvøb; *C. Office* omsvøbsdepartement.
circumnavigate [sə:kəm'nævigeit] *vb* omsejle.
circumnavigation ['sə:kəmnævi'geiʃən] *sb* omsejling.
circumnavigator [sə:kəm'nævigeitə] *sb* (jord)omsejler.
circumscribe ['sə:kəmskraib] *vb* afgrænse, omskrive; *(fig)* indskrænke, begrænse. **circumscription** [sə:kəm'skripʃən] *sb* afgrænsning, omrids; begrænsning, indskrænkning; (på mønt *etc)* omskrift.
circumspect ['sə:kəmspekt] *adj* forsigtig, varsom; velovervejet. **circumspection** [sə:kəm'spekʃən] *sb* omtanke, forsigtighed.
circumstance ['sə:kəmstəns] *sb* omstændighed, forhold; detalje; (ved beretning) detaljer, omstændelighed; (styrende magt) skæbnen, tilfældet; *-s* (også) formueomstændigheder; kår *(fx strained -s* trange kår); *pomp and* ~ pomp og pragt; *-s alter cases* alt er relativt; *in (el under) the -s* under de forhåndenværende omstændigheder; *in (el under) no -s* under ingen omstændigheder.
circumstanced ['sə:kəmstənst] *adj* stillet, situeret; *'~ as I was* sådan som jeg var stillet; *be awkwardly* ~ være i en ubehagelig situation.
circumstantial [sə:kəm'stænʃəl] *adj* omstændelig, detaljeret; som ligger i omstændighederne; ~ *evidence* indirekte beviser, indicier, indiciebevis.
circumvent [sə:kəm'vent] *vb* omgå; overliste, **circumvention** [sə:kəm'venʃən] *sb* omgåelse; overlistelse.
circus ['sə:kəs] *sb* cirkus; runddel, rund plads i en by *(fx Oxford* ~, *Piccadilly* ~, i London).
Cirencester ['saiərənsestə, 'sisi(s)tə].
cirl [sə:l]: ~ *bunting zo* gærdeværtling.
cirque [sə:k] *sb (geol)* botn, cirkusdal.
cirrhosis [si'rousis] *sb (med)* skrumpning; ~ *of the kidney* skrumpnyre; ~ *of the liver* skrumpelever.
cirrocumulus [sirou'ku:mjuləs] *sb* makrelskyer. **cirrostratus** [sirou'stra:təs] *sb* slørskyer. **cirrus** ['sirəs] *sb (pl cirri* ['sirai] fjersky, cirrus.
cissy ['sisi] *sb* S tøsedreng.
cist [sist] *sb* skrin, kiste, hellekiste.
cistern ['sistən] *sb* cisterne (beholder).
citadel ['sitədl] *sb* citadel.
citation [sai'teiʃən] *sb* stævning; anførelse (af et citat); citat; henvisning; *(am)* hædrende omtale; *(mil.)* omtale i dagsbefaling; begrundelse ved tildeling af hædersbevisning.
cite [sait] *vb* stævne; citere, anføre (som argument *el* bevis); *(am): be -d (mil.)* blive nævnt i dagsbefalingen.
citizen ['sitizn] *sb* borger; civil person; beboer; ~ *of the world* kosmopolit, verdensborger. **citizenry** ['sitiznri] *sb* borgerskab, borgere. **citizenship** *sb* borgerskab, borgerret, indfødsret; borgerpligt.
citric ['sitrik] *adj* citron-; ~ *acid* citronsyre.

citril finch *zo* citronsisken.
citron ['sitrən] *sb* (tykskallet) citron.
cittern ['sitə:n] *sb* (ældre, lut-lignende strengeinstrument).
city ['siti] *sb* stad, (stor) by; *the City* City, det oprindelige London, forretningskvarteret der.
city| **council** borgerrepræsentation, byråd (i en *city)*. ~ **councillor** byrådsmedlem. ~ **editor** redaktør af handels-og børsstoffet (i avis). ~ **hall** rådhus (i en *city).* ~ **man** finansmand, forretningsmand (i *the City).*
civet ['sivit], **civet cat** *zo* desmerkat.
civic ['sivik] *sb* borger; *adj* borgerlig; by- *(fx* ~ *orchestra)*, kommunal; ~ *centre* bycentrum hvor de offentlige bygninger ligger.
civics ['siviks] *sb pl* samfundslære.
civil ['sivil] *adj* borger-, borgerlig; civil; høflig; ~ *aviation* trafikflyvning. **civil engineer** bygningsingeniør.
civilian [si'viljən] *sb* civil person, civilist; *adj* civil.
civility [si'viliti] *sb* høflighed.
civilization [sivili'zeiʃən] *sb* kultur, civilisation.
civilize ['sivilaiz] *vb* civilisere; *-d* (også) dannet, kultiveret.
civil| **law** borgerlig ret. ~ **list** (den kongelige) civilliste. ~ **list pension** (svarer til) understøttelse på finansloven. ~ **marriage** borgelig vielse. ~ **servant** *(omtr)* tjenestemand inden for civiletaterne, (stats)tjenestemand. **Civil Service:** *the* ~ *(omtr)* civiletaterne, statsadministrationen. **civil war** borgerkrig.
civvy ['sivi] *sb* civil person; *civvies* (S, også) civilt tøj; ~ *street* det civile liv.
C. J. *fk Chief Justice.*
cl. *fk centilitre; class.*
clack [klæk] *sb* klapren; *vb* klapre; plapre.
clad [klæd] *glds præt* og *pp* af *clothe; adj* klædt; påklædt.
claim [kleim] *sb* fordring, krav, påstand; (grube)lod; (i forsikringsvæsen) skade(anmeldelse); *vb* fordre, gøre fordring på, kræve; afhente; hævde; ~ *kinship* påberåbe sig slægtskabet, gøre familieskabet gældende; ~ *to* gøre fordring på; *(fig)* have prætentioner i retning af; *peg out (el. stake) a* ~ *(to)* afmærke og gøre krav på et jordareal (om guldgraver); *(fig)* gøre krav på.
claimant ['kleimənt] *sb* fordringshaver.
claims inspector skadestaksator, vurderingsmand.
clairvoyance [kleə'vɔiəns] *sb* synskhed.
clairvoyant [kleə'vɔiənt] *adj* synsk.
clam [klæm] *sb* (spiselig) musling; *(am* S) en der er stram som en østers; dødbider; *vb* samle muslinger; ~ *up (am)* klappe i.
clamant ['kleimənt] *adj* højrøstet, larmende; *(fig)* skrigende; påtrængende.
clamber ['klæmbə] *vb* klatre, klavre; *sb* klatren, klavren.
clammy ['klæmi] *adj* klam.
clamorous ['klæmərəs] *adj* skrigende, larmende, højrøstet.
clamour ['klæmə] *sb* skrig, råb; højrøstet misfornøjelse; ramaskrig; *vb* råbe *(for* på); larme.
clamp [klæmp] *sb* skruetvinge; (på værktøjsmaskine) spændestykke; *(fx* på slange) klemme, spændebøjle, forskruning; *(agr)* kule *(fx potato* ~*)*; *vb* spænde (fast), klemme (fast), presse; trampe; ~ *down on* slå hårdt (, hårdere) ned på *(fx tax dodgers);* gribe kraftigt ind over for; sætte en stopper for; holde tilbage *(fx news).*
clampdown ['klæmpdaun] *sb* pludselig stramning af kursen (, reglerne, bestemmelserne); energisk indgreb; pludseligt forbud.
clan [klæn] *sb* klan, stamme.
clandestine [klæn'destin] *adj* hemmelig; smug-; illegal.
clang [klæŋ] *vb* klirre, klingre, drøne (med metalklang); klirre med; *sb* klirren, klingen, metalklang, drønen.
clanger ['klæŋə] *sb* T: *drop a* ~ træde i spinaten, lave en brøler.
clangorous ['klæŋərəs] *adj* klingende, drønende.
clangour ['klæŋə] *sb* (metal)klang, klirren, drøn.
clank [klæŋk] *vb* rasle, skramle, klirre.
clannish ['klæniʃ] *adj* stærkt sammenholed.
clannishness *sb* familiesammenhold.
clap [klæp] *vb* klappe; klappe ad; sætte (hårdt og energisk), smække; slå, klap, slag, smæld, skrald; S gonorré; ~ *eyes on* se for sine øjne, få øje på; ~ *them in(to) prison* sætte (, smide) dem i fængsel; ~ *one's hands* klappe i hænderne; ~ *of thunder* tordenskrald.

clapboard ['klæpbɔːd] *sb (am)* (bræt til) klinkbeklædning; tyndt bræt; ~ *house* klinkbeklædt hus.

clapnet *sb* fuglenet.

clapper ['klæpə] *sb* klapper, klakør; (instrument) skralde; (i klokke) knebel; **T** tunge; *-s pl* (film) klaptræ; *they ran like the -s* de løb som om fanden var i hælene på dem.

clapper boards *pl* (film) klaptræ.

claptrap ['klæptræp] *sb* tomme talemåder, tilstræbte åndrigheder, effektjageri.

claque [klæk] *sb* klakke (samling klakører).

Clara ['klɛərə]. **Clare** [klɛə].

Clarence ['klærəns].

clarendon ['klærindən] *sb (typ)* (en halvfed skrift).

claret ['klærət] *sb* rødvin (især bordeaux); ~ *cup* isafkølet rødvin med lemon juice, spiritus *etc.*

clarification [klærifi'keiʃən] *sb* klaring, afklaring.

clarify ['klærifai] *vb* klare, opklare; tydeliggøre, præcisere; afklare; klares.

clarinet [klæri'net] *sb* klarinet.

clarion ['klæriən] *sb (glds)* clarino (trompet med høj, lys klang); ~ *call* fanfare.

clarity ['klæriti] *sb* klarhed, renhed.

clash [klæʃ] *vb* klirre; støde sammen, tørne sammen, kollidere; *sb* klirren, sammenstød, konflikt; *the colours* ~ farverne skriger mod hinanden; ~ *of interests* interessekonflikt; ~ *of opinions* meningsuoverensstemmelse.

clasp [klɑːsp] *sb* hægte, spænde, (på perlekæde *etc)* lås; omfavnelse; *vb* hægte; holde fast, omfavne, knuge, gribe fast om; ~ *hands* trykke hinandens hænder; ~ *one's hands* folde hænderne; *he -ed her in his arms* han tog hende i sine arme; han trykkede hende til sit bryst.

clasp knife foldekniv.

class [klɑːs] *sb* klasse; kursus; slags; *(mil.* og om studenter) årgang; (ved universitetseksamen) (hoved)karakter *(fx obtain a first* ~ få førstek.); *vb* dele i klasser, klassificere, ordne; *it is in a* ~ *by itself* den er noget helt for sig selv; den er bedre end alle de andre; *no* ~ **T** ringe, tarvelig; *he takes the* ~ *in French* han underviser *(el* har) klassen i fransk; *he takes -es in French* han går til franskundervisning.

class distinction klasseskel.

classic ['klæsik] *adj* klassisk *(fx* ~ *literature; a* ~ *example)*; fortrinlig; *sb* klassiker. **classical** ['klæsikl] *adj* klassisk *(fx* ~ *music)*. **classicism** ['klæsisizm] *sb* klassicisme.

classification [klæsifi'keiʃən] *sb* klassifikation.

classified ['klæsifaid] *adj* klassificeret (om dokument også: hemmelig); *(bibl)* systematisk; ~ *advertisements* rubrikannoncer.

classify ['klæsifai] *vb* klassificere, inddele i klasser, systematisere.

classy ['klɑːsi] *adj* **S** fin, fornem, overklasse-, burgøjser-.

clatter ['klætə] *vb* klapre; klirre; rasle, skramle; klapre med, klirre med; plapre; *sb* klapren; klirren; raslen; skramlen; plapren.

clause [klɔːz] *sb* klausul, paragraf; sætning.

claustrophobia [klɔːstrə'foubjə] *sb (psyk)* klaustrofobi.

clave [kleiv] *glds præt* af **I.** *cleave.*

clavichord ['klævikɔːd] *sb* klavikord.

clavicle ['klævikl] *sb (anat)* nøgleben, kraveben.

claw [klɔː] *sb* klo; *vb* kradse, rive, flå; gribe, fægte (med kløerne, hænderne) *(for* efter); ~ *back (økon)* tage tilbage i skat; ~ *off a coast (mar)* klare en kyst fra sig.

claw feet *pl* løvefødder (på møbler).

claw hammer kløfthammer.

clay [klei] *sb* lerjord; ler (også *fig* om menneskelegeme, lig); kridtpibe; *vb* kline; dække med ler.

clayey ['kleii] *adj* leret.

claymore ['kleimɔː] *sb* (skotsk tveægget sværd).

clay pigeon lerdue (til skydeøvelse).

clay pipe kridtpibe.

clean [kliːn] *adj* ren; pæn, net; glat; renlig; (om form) velformet, regelmæssig; (om bevægelse) behændig, (om slag) velrettet; *(typ:* om korrektur) god, (næsten) fri for fejl, trykfærdig; *(am* **S**) pengeløs, blanket af; *adv* rent, ganske, fuldkommen, helt *(fx he had* ~ *forgotten it)*; lige *(fx hit* ~ *in the eye)*; *vb* rense, udrense; gøre rent (i); pudse *(fx boots; silver plate, windows)*;

come ~ **S** gå til bekendelse; ~ *copy* renskrift; *keep it* ~ **S** ikke blive sjofel; *a* ~ *record* et uplettet rygte; *he jumped* ~ *over the hedge* han sprang over hækken uden så meget som at røre den; ~ *out* gøre rent i; udrense; tømme; ~ *sby out* blanke en af; ~ *up* bringe i orden; rense, rydde (op i); **T** tjene *(fx a fortune)*.

clean-cut ['kliːnkʌt] *adj* skarptskåren, klar, skarp.

cleaner ['kliːnə] *sb* renseredskab; tøjrenser; rengøringsassistent; *-s* renseri.

I. cleanly ['klenli] *adj* renlig.

II. cleanly ['kliːnli] *adv* rent.

cleanse [klenz] *vb* rense.

clean-shaven *adj* glatbarberet.

clean sheet uplettet fortid; *(typ)* udhængeark.

clean-up ['kliːnʌp] *sb* **T** udrensning; **S** kæmpefortjeneste.

I. clear [kliə] *adj* klar (for øjet, *fx sky, light, fire; day)*; (om lyd) klar, lys *(fx note, voice)*; (umiskendelig:) klar, tydelig *(fx statement, meaning)*; (ryddet *etc*) fri *(fx the road was* ~ *of traffic)*; (ubeskåret) hel *(fx six* ~ *days)*; netto *(fx profit)*; (uden pletter) ren *(fx conscience)*; *in* ~ (om meddelelse) i klart sprog; *in the* ~ ude af vanskelighederne; renset (for beskyldning *etc)*.

II. clear [kliə] *adv* helt, fuldstændigt *(fx it went* ~ *through the room)*; *keep* ~ *of* holde sig klar af, undgå.

III. clear [kliə] *vb* rydde *(fx snow; attics pulterkamre)*; tømme *(fx a pillarbox* en postkasse); (især *fig)* rense *(fx it -ed the air)*; ~ *him of* (for) *suspicion)*; (undgå at ramme:) gå fri af *(fx the car -ed the tree)*, klare; (springe over:) klare, tage *(fx an obstacle)*; (få gennem tolden:) klarere *(fx goods)*; *(merk)* sælge ud, realisere *(fx one's stock* lager); tjene netto; cleare; (om mål) klare; (i edb) slette; (uden objekt) klare op; klares;

~ *a bill* indløse en veksel; ~ *a suit* (i bridge) spille en farve god; ~ *the table* tage af bordet; ~ *one's throat* rømme sig;

~ *away* tage bort, rydde bort; tage af bordet; trække bort, **T** forsvinde; stikke af; ~ *off* gøre færdig, få til side; tage bort; trække bort; **T** forsvinde, stikke af; ~ *out* rense ud; blanke af; **T** forsvind, stikke af; ~ *up* rydde op; ordne; klare op *(fx it is -ing up)*; opklare, oplyse, forklare.

clearance ['kliərəns] *sb* klaring; oprydning, oprømning; *(mar)* klarering, toldbehandling; *(fig)* tilladelse; *(tekn)* mellemrum; spillerum, frigang; slør; fri højde, fri profil; *bill of* ~ klareringsbevis. **clearance sale** udsalg, realisation, rømningssalg.

clear-cut ['kliə'kʌt] *adj* skarpskåren, klar; skarp *(fx a* ~ *distinction)*.

clearing ['kliəriŋ] *sb* rydning, ryddet land; *(merk)* clearing, afregning.

clearing house afregningskontor; clearingcentral.

clear|-sighted *adj* klarsynet. ~ **-starch** *vb* stive (tøj). **-story** = *clerestory.* **-way** vej med stopforbud; *urban* ~ gade med stopforbud i myldretid.

cleat [kliːt] *sb (mar)* klampe.

cleavage ['kliːvidʒ] *sb* spaltning *(fx a* ~ *in a political party)*; kløvning; **T** fordybning mellem bryster, kavalergang.

I. cleave [kliːv] *vb (cleaved el glds) clave; cleaved)* klæbe; holde fast *(to* ved).

II. cleave [kliːv] *vb (clove el cleft; cloven el cleft)* kløve, spalte, spalte sig.

cleaver ['kliːvə] *sb* (slagters) flækkekniv.

cleavers ['kliːvəz] *sb (bot)* burresnerre.

clef [klef] *sb (mus.)* nøgle.

I. cleft [kleft] *præt* og *pp* af **II.** *cleave.*

II. cleft [kleft] *sb* kløft, spalte.

cleft|-grafting *sb* spaltepodning. ~ **palate** ganespalte.

clematis ['klemətis] *sb (bot)* klematis.

clemency ['klemənsi] *sb* mildhed, skånsel.

clement ['klemənt] *adj* mild, overbærende.

clench [klenʃ] *vb* knuge, klemme sammen; fastgøre; afgøre endeligt; ~ *one's fist* knytte næven; ~ *one's teeth* bide tænderne sammen.

Cleopatra [kliə'pætrə] Kleopatra.

clerestory ['kliəstəri] *sb* klerestorium, lysgalleri over triforium (i kirke).

clergy ['klə:dʒi] *sb* gejstlighed; *30* ~ 30 gejstlige.

clergyman ['klɔ:dʒimən] *sb* gejstlig, præst; *-'s sore throat* præstesyge.

clerical ['klerikl] *adj* gejstlig; skrive-; kontor- *(fx staff, work)*; ~ *error* skrivefejl.

clerk [kla:k, *am* klə:k] *sb* kontormand, kontorist; fuldmægtig; *(am)* ekspedient; *vb* være ansat på et kontor; *(am)* være ekspedient; ~ *in holy orders* gejstlig, præst; ~ *of (the) works* bygningskonduktør.

clever ['klevə] *adj* dygtig, flink, kvik, begavet, intelligent; behændig, ferm, fiks; *(neds)* smart, snu; ~ *at arithmetic* flink til regning; ~ *with one's hands* fiks på fingrene; *he is a shade too* ~ *for me* han er mig et nummer for smart.

clever-clever *adj* oversmart. **clever-dick** *adj* S smart.

clevis ['kli:vis] *sb (tekn)* gaffel.

clew [klu:] *sb* nøgle; ledetråd; *(mar)* skødbarm; *vb* lede, anvise; ~ *up* vinde (sammen til et nøgle).

cliché ['kli:ʃei] *sb* kliché; forslidt frase.

click [klik] *vb* smække; klikke; *(fig)* falde på plads, falde i hak; *(am S)* passe storartet sammen; gøre lykke; (med objekt) smække med; *sb* smæk; klik; *(tekn)* spærrehage; pal; ~ *one's heels* slå hælene sammen; ~ *into place* falde på plads (med et klik); falde i hak; ~ *with a girl* S finde sig en pige.

click beetle *zo* smælder.

clicker *(typ)* faktor; ombryder.

client ['klaiənt] *sb* klient; kunde; *(bibl)* låner.

clientele [klia:n'teil; *fr]* *sb* klientel; klienter; kundekreds, kunder.

cliff [klif] *sb* klippeskrænt mod havet; klint.

cliff-hang *vb* bryde af på et spændende sted; vente i spænding.

cliff-hanger gyser, åndeløst spændende (fortsat) roman (, film *etc)*.

cliff-hanging *adj* åndeløst spændende; som afbrydes på et meget spændende sted.

climacteric [klai'mæktərik] *sb* klimakterium; kritisk år i et menneskes liv; *adj* overgangs-; afgørende, kritisk.

climate ['klaimit] *sb* klima; himmelstrøg; egn, egne; *the* ~ *of opinion* stemningen, den almindelige indstilling; *the* ~ *of taste* den herskende smag.

climatic(al) [klai'mætik(l)] *adj* klimatisk.

climax ['klaimæks] *sb* klimaks.

climb [klaim] *vb* klatre; stige (til vejrs); (med objekt) bestige, klatre op ad (, på, i); *sb* klatretur; stigning, opstigning; ~ *down (fig)* stikke piben ind, trække i land; falde til føje; *rate of* ~ stigehastighed; *-ing expedition* bjergbestigning.

climber ['klaimə] *sb* klatrer, bjergbestiger; *(fig)* stræber; *(bot)* klatreplante.

clime [klaim] *sb (poet)* himmelstrøg, egn; klima.

clinch [klinʃ] *vb* fastgøre, klinke; *(fig)* afgøre endeligt, bekræfte; (i boksning) gå i clinch; *sb* clinch; ~ *a nail* vegne et som.

clincher ['klinʃə] *sb* afgørende argument.

clines [klainz] *sb pl* gradvise overgange.

cling [kliŋ] *vb (clung, clung)* klynge sig, klamre sig *(to* til); hænge fast *(to* ved, i); klæbe; *-ing* (om tøj) stramtsiddende.

clinic ['klinik] *sb* klinik; klinisk undervisning; *adj* klinisk.

clinical ['klinikl] *adj* klinisk; ~ *thermometer* lægetermometer.

I. clink [kliŋk] *vb* klinge, klirre; klirre med; *sb* klang, klirren; ~ *glasses* klinke med glassene.

II. clink [kliŋk] *sb* S fængsel; *in* ~ i spjældet.

clinker ['kliŋkə] *sb* klinke (slags hårdtbrændt mursten); slagge; *adj* T første klasses; *vb* brænde sammen til slagger.

clinker-built *adj (mar)* klinkbygget.

clinking *adv* : ~ *good* vældig god.

clinkstone *sb* fonolit.

clinometer [klai'nɔmitə] *sb* faldmåler, hældningsmåler.

Clio ['klaiou] Klio.

I. clip [klip] *sb* hårklemme; clip, papirklemme; cykelspænde; *(mil.)* laderamme (til patroner); (på slange) spændebøjle.

II. clip [klip] *vb* klemme sammen.

III. clip [klip] *vb* klippe; beklippe; nedskære; stække; studse; *(fig)* sakse *(fx from a newspaper)*; T slå; S fare

(af sted), ræse; *sb* klip; klipning; slag, rap; S fart; ~ *his ear* give ham en lussing; ~ *one's words* afsnubbe ordene.

clip hooks *(mar)* dyvelskløer.

clip joint S natklub *(etc)* der tager overpriser.

clipper ['klipə] *sb* klipper; møntklipper; *(mar, flyv)* klipper; S pragteksemplar. **clippers** *sb pl* (billet)saks; klippemaskine.

clippie ['klipi] *sb* kvindélig konduktør (på bus).

clipping *sb* klipning; afklippet stykke, stump, udklip; *adj* S storartet, mageløs.

clique [kli:k] *sb* klike; *vb* T slutte sig sammen (i kliker).

cliqu(e)y ['kli:ki], **cliquish** ['kli:kiʃ] *adj* tilbøjelig til at danne kliker. **cliquishness** ['kli:kiʃnis], **cliquism** ['kli:kizm] *sb* klikevæsen.

cloaca [klou'eikə] *sb* zo kloak (hos kloakdyr).

cloak [klouk] *sb* kappe, kåbe; *(fig)* skalkeskjul, påskud; *vb* dække med kappe; *(fig)* skjule, tilsløre.

cloak-and-dagger *adj* melodramatisk; ~ *novel* røverroman, spionroman.

cloakroom ['kloukrum] garderobe (i teater, på jernbanestation *etc)*; toilet. **cloakroom ticket** garderobenummer.

clobber ['klɔbə] S *sb* tøj, kluns, habengut; *vb* slå, banke, tæve.

cloche [klouʃ] *sb* dyrkningsklokke; solfanger; *(~ hat)* klokkehat.

I. clock [klɔk] *sb* pil (mønster på strømpe).

II. clock [klɔk] *sb* stueur, tårnur, ur, klokke; T ansigt; *vb*: ~ *by* tage tid på en; ~ *in (,out)* (på arbejdsplads:) stemple ind (, ud); *put back the* ~ *(fig)* skrue tiden tilbage; *it is two o'clock* klokken er to; (se også *o'clock)*; *all round the* ~ døgnet rundt.

clock face urskive. **-maker** urmager. ~ *watcher* arbejder der til ser på uret (og længes efter arbejdstidens ophør). **-wise** *adv* med uret, med solen.

clockwork ['klɔkwə:k] *sb* urværk; *everything went like* ~ alting gik som det var smurt *(el.* som efter en snor); ~ *toys* mekanisk legetøj.

clod [klɔd] *sb* klump; jordklump; (om person) fjols, fjog; *vb* kaste jordklumper på. **cloddish** ['klɔdiʃ] *adj* dum, fjoget.

clodhopper *sb* bondeknold.

clog [klɔg] *vb* hindre; hæmme; tynge ned, bebyrde; forstoppe, tilstoppe; gå trægt, blive tilstoppet; klumpe sig (sammen); gå byrde, hindring; klods (om benet); tilstopning; træsko.

cloister ['klɔistə] *sb* klostergang, buegang, søjlegang (mod indre gård); kloster; *vb* sætte i kloster; ~ *oneself (fig)* mure sig inde.

clop [klɔp] *vb* klapre.

I. close [klous] *adj* tæt *(to* ved); lummer, trykkende, beklumret; omhyggelig bevogtet *(fx prisoner)*; skjult; indesluttet, tilbageholdende; påholdende; knap, vanskelig at skaffe *(fx money is* ~*)*; begrænset; nøjagtig, koncis, sammentrængt, koncentreret; nøje, grundig, omhyggelig *(fx investigation)*; næsten jævnbyrdig *(fx fight)*; *there is a* ~ *resemblance between them* de ligner hinanden meget; *it was a* ~ *shave (el. thing el. call)* det var nær galt; det var tæt på; *keep sth* ~ holde noget hemmeligt; ~ *by* nær ved, tæt ved; ~ *on* i nærheden af, lige ved.

II. close [klous] *sb* indhegning, vænge; lukket plads.

III. close [klouz] *sb* slutning, ende, afslutning; *bring to a* ~ afslutte; *draw towards its* ~ nærme sig en afslutning, gå på hæld.

IV. close [klouz] *vb* lukke; afspærre; afslutte, slutte; (uden objekt) slutte; lukke sig; nærme sig; gå løs på hinanden; ~ *an account* afslutte en konto; ~ *the ranks! (mil.)* slut rækkerne! ~ *down* lukke, indstille virksomheden; ~ *in* nærme sig, (om mørke *etc)* falde på, sænke sig; ~ *in upon* nærme sig fra alle sider, omringe; *the net is closing round him* nettet er ved at trække sig sammen om ham; ~ *up* lukke, (om personer) slutte op, rykke sammen, *(typ)* knibe; (om sår) lukke sig, heles; ~ *with* komme overens med; gå ind på, antage *(fx* ~ *with an offer)*; gå løs på, komme i håndgemæng med.

closed circuit lukket kredsløb. **closed-circuit television** intern fjernsyn.

closed shop virksomhed der kun beskæftiger fagorganiserede arbejdere.

close|-fisted adj påholdende, gerrig. ~ **-hauled** (mar) bidevind ~ **-grained** adj tæt; (om træ) tættåret; (om læder) fintnarvet. ~ **-knit** (fig) fast sammentømret. ~ **-lipped** adj forbeholden, tilknappet, tavs.
close|ly ['klousli] adv tæt, nøje. ~ **quarters** se I. quarter. ~ **season** fredningstid. ~ **-shaven** adj glatbarberet.
closet ['klɔzit] sb lille værelse, kammer, kabinet; (væg)-skab; wc; be ~ed with holde hemmelig rådslagning med.
close time fredningstid.
closet play læsedrama.
close-up ['klousʌp] sb nærbillede.
closing date: the ~ is July 1. (svarer til) ansøgningsfristen udløber 1. juli.
closing| hour, ~ **time** lukketid.
closure ['klouʒə] sb lukning; afslutning; lukke; (på flaske etc) kapsel, låg; (fon) lukke; (parl) afslutning af underhusdebat fremtvungen ved afstemning.
clot [klɔt] sb·størknet masse, klump; T fjols, tåbe; vb klumpe sig, løbe sammen; størkne, blive levret; (se også clotted).
cloth [klɔθ] sb (se også clothes, cloths) klæde; vævet stof; klud (fx dust ~); (til bord) dug; (til bogbind) shirting; (til hest) dækken; (teat) tæppe; (fig) gejstlig stand; lay the ~ lægge dug på bordet. **cloth| binding** shirtingsbind, hellærredsbind (om bog). ~ **cap** sixpence (kasket).
clothe [klouð] vb klæde; hylde med tøj; beklæde, iklæde; (fig) udstyre; dække; udtrykke.
clothes [klouðz] sb pl klæder, tøj; klædningsstykker; sengeklæder.
clothes| brush klædebørste. ~ **hanger** bøjle (til tøj). ~ **horse** tørrestativ. ~ **line** tøjsnor. ~ **moth** møl. ~ **peg** (, am **-pin**) tøjklemme. ~ **press** klædeskab. ~ **tree** stumtjener.
clothier ['klouðiə] sb herreekviperingshandler; klædehandler.
clothing ['klouðiŋ] sb klæder, tøj; article of ~ beklædningsgenstand.
cloths [klɔθs] pl af cloth tøjer, stoffer; [klɔ:ðz] duge, klude.
clotted ['klɔtid] adj størknet, levret; klumpet; overfyldt, stoppet, blokeret; ~ cream tyk fløde skummet af kogt mælk; ~ nonsense det rene vrøvl; his hair was ~ with blood hans hår var sammenklistret af blod.
cloud [klaud] sb sky; sværm, vrimmel; vb overtrække med skyer; (fig) formørke, fordunkle; kaste en skygge over; sætte en plet på; (uden objekt) blive skyet; blive overtrukket; every ~ has a silver lining oven over skyerne er himlen altid blå; be in the -s (fig) svæve oppe i skyerne; ~ over blive overtrukket: under a ~ mistænkt: i unåde.
cloud|berry sb (bot) multebær. **-burst** sb skybrud. ~ **-capped** adj skydækket. ~ **chamber** tågekammer. ~ **-cuckooland** drømmeland. **-less** skyfri. **-let** sb lille sky.
cloudy ['klaudi] adj overskyet; uklar (fx liquid).
clough [klʌf] sb fjeldkløft.
clout [klaut] sb klud, lap; lussing; vb lappe; lange en ud; (i baseball) ramme. **clout nail** rørsøm.
I. clove [klouv] præt af cleave.
II. clove [klouv] sb (bot) kryddernellike; sideløg.
clove hitch sb (mar) dobbelt halvstik.
cloven ['klouvn] pp af cleave; show the ~ hoof (fig) stikke hestehoven frem.
cloven-hoofed adj med spaltet klov; ~ animal klovdyr.
clove pink sb havenellike.
clover ['klouvə] sb (bot) kløver; be in ~ have det som blommen i et æg, leve i overflod; være på den grønne gren.
cloverleaf ['klouvəli:f] sb (ved vej) kløverbladsudfletning.
clown [klaun] sb bonde; bondeknold; klovn, bajads.
clownish ['klauniʃ] adj bondeagtig, bondsk; klovnagtig.
cloy [klɔi] vb overmætte, overfylde; **cloying** adj vammel.
club [klʌb] sb kølle; (i kort) klør; (forening) klub; vb slå med kølle; bruge som kølle; ~ (together) slå sig sammen, skyde (penge) sammen.
club(b)able ['klʌbəbl] adj T der egner sig som klubmedlem; omgængelig, selskabelig.
club|foot klumpfod. **-haul** vb (mar) vende ved hjælp af et anker. **-land** (kvarteret omkring St. James's i London). ~ **law** nævneret. **-man** ['klʌbmən] klubmedlem, levemand. ~ **moss** sb (bot) ulvefod.

cluck [klʌk] sb kluk; vb klukke; smække med tungen.
clue [klu:] sb holdepunkt (for en undersøgelse), nøgle (til forståelse); spor (i en sag), indicium, fingerpeg; løsning; I haven't a ~ jeg aner det ikke; the police are without a ~ politiet står på bar bund; furnish a ~ to lede på sporet af.
clump [klʌmp] sb klump, klods; klynge, gruppe; tyk ekstra skosål; dunk; trampen; vb jokke tungt, trampe; dunke, slå, banke.
clumsy ['klʌmzi] adj klodset.
clung [klʌŋ] præt og pp af cling.
cluster ['klʌstə] sb klynge; klase; sværm; vb samle sig i klynge; vokse i klaser; vokse i klynge; flokkes; ~ crystal (bot) krystalstjerne, druse.
cluster pine (bot) strandfyr.
clutch [klʌtʃ] vb gribe (hårdt) fat i, hage sig fast i (, til), klynge sig til (fx his arm); sb (hårdt) greb, tag; (maskes:) redefuld æg; kuld; (i bil) kobling; ~ at a straw gribe efter et halmstrå; get into his -es falde i kløerne på ham.
clutch| lever sb koblingsarm. ~ **pedal** koblingspedal. ~ **slip** sb svigtende kobling.
clutter ['klʌtə] sb forvirring, rod; dynge; vb bringe i uorden; (stå og) fylde op i (, på); the room was all -ed up with cushions stuen flød med puder.
Clyde [klaid].
cm. fk centimetre.
C.M.G. fk Companion of the Order of St. Michael and St. George.
C.N.D. fk Campaign for Nuclear Disarmament.
C.O. fk commanding officer; conscientious objector.
Co. [kou] fk company; county.
c/o fk care of.
co- [kou] (forstavelse:) med- (fx coeditor).
coach [koutʃ] sb karet; (glds) dagvogn, diligence; (bil) turistbil, rutebil; lille lukket bil med to døre; (jernb) jernbanevogn; (person) manuduktør; træner, sportsinstruktør; vb manuducere; træne; køre; rejse i diligence; a ~ and four en firspændervogn.
coach| box buk, kuskesæde. **-builder** sb karetmager. ~ **house** vognskur, vognport. **-ing** sb manuduktion; (i sport etc) træning, instruktion. **-man** ['koutʃmən] kusk. ~ **-station** rutebilstation.
coadjutor [kou'ædʒutə] sb medhjælper.
coagulate [kou'ægjuleit] vb løbe sammen, koagulere, størkne; (med objekt) få til at løbe sammen etc.
coagulation [kouægju'leiʃən] sb koagulering.
coal [koul] sb kul; vb forsyne med kul; tage kul ind; carry -s to Newcastle (svarer til) give bagerbørn hvedebrød.
coal| bed kulleje. ~ **bunker** (mar) kulbunker.
coaler ['koulə] sb kulbåd, kulvogn.
coalesce [kouə'les] vb vokse sammen, forene sig, smelte sammen.
coal|face det sted hvor brydningen foregår. **-field** kuldistrikt. **-fish** zo sej. **-heaver** kulafbærer, kullemper. **-ing** sb indtagning af kul.
coalition [kouə'liʃən] sb forening; forbund, koalition; ~ government samlingsregering.
coal| measures pl kulførende lag. **-mine** kulmine, kulgrube. **-mouse** sb zo sortmejse. ~ **oil** (am) råolie; petroleum. **-scuttle** kulkasse; kulspand. **-seam** kullag. ~ **tit** sb zo sortmejse.
coaming ['koumiŋ] sb (mar) lugekarm.
coarse [kɔ:s] adj grov; ej; plump.
coarse-grained adj grovkornet; (om læder) groftnarvet, stornarvet.
coarsen ['kɔ:sn] vb forgrove, forrå; forgroves.
coast [koust] sb kyst; (am) kælkebakke; kælketur; vb sejle langs kysten (af), sejle i kystfart; kælke; køre ned ad bakke; glide (uden motorkraft); holde frihjul, køre på frihjul; køre i frigear; the ~ is clear (fig) der er fri bane.
coastal ['koustal] adj kyst-; ~ trade kystfart, indenrigsfart.
coaster ['koustə] sb kystfartøj; (cykel med) baghjulsbremse; (på bord) glasbakke, flaskebakke; (am) kælk; legevogn; rutschebane.
coastguard sb (i en) kystvagt; (også) kystpoliti.
coastwise ['koustwaiz] adj, adv kyst-; ~ trade kystfart.
coat [kout] sb frakke; jakke; kåbe; (læges etc) kittel;

(dækkende lag) overtræk *(fx of chocolate)*, (af maling, cement, puds *etc)* lag; (et dyrs) pels; ham; *vb* beklæde; overtrække; belægge; (med maling) stryge; ~ *of arms* våbenskjold, våbenmærke; ~ *of mail* ringbrynje, panserskjorte; *a* ~ *of paint* en gang *(el* et lag) maling; *cut one's* ~ *according to one's cloth* sætte tæring efter næring; *dust his* ~ *for him* gennembanke ham; *trail one's* ~ være udfordrende, ægge til modsigelse; *wear the king's* ~ være i kongens klæder; være soldat.

coated ['koutid] *adj* overtrukket, imprægneret; (om tunge) belagt; ~ *paper* bestrøget papir.

coatee ['kouti:] *sb* kort jakke.

coat hanger *sb* bøjle (til at hænge tøj på).

coati ['kouti] *sb zo* næsebjørn.

coating ['koutiŋ] *sb* beklædning, overtræk, lag, hinde; frakkestof.

coat tails *pl* frakkeskøder.

coax [kouks] *vb* lokke, (prøve at) overtale, snakke godt for.

cob [kɔb] *sb* klump; lille stærk hest; majskolbe; hansvane.

cobalt [kou'bɔ:lt, 'koubɔ:lt] *sb* kobolt.

cobber ['kɔbə] *sb* (australsk T) ven, kammerat.

I. cobble ['kɔbl] *vb* lappe; flikke; *sb* lapperi.

II. cobble ['kɔbl] *sb* håndsten, rullesten; toppet brosten; *vb* brolægge med toppede brosten; *-s* (også) større kul.

cobbler ['kɔblə] *sb* skoflikker; fusker; isdrik *(fx sherry* ~).

cobblestone = II. *cobble.*

coble [koubl] *sb* fladbundet båd.

cobnut ['kɔbnʌt] *slags* stor hasselnød.

cob pipe majspibe.

cobra ['koubrə] *sb zo* brilleslange.

cobweb ['kɔbweb] *sb* spindelvæv.

coca-cola ['koukə'koulə] *sb* ® coca-cola.

cocaine [kə'kein] *sb* kokain.

coccus ['kɔkəs] *sb (pl cocci* ['kɔksai]) kugleformet bakterie, kok.

Cochin-China ['kɔtʃin'tʃainə].

cochineal ['kɔtʃini:l] *sb* kochenille (et rødt farvestof).

chochlea ['kɔkliə] *sb (anat)* ørets sneglegang.

cock [kɔk] *sb* hane; (fugle)han; (på en bøsse, på vandrør *etc)* hane; (på hus) vejrhane; (på vægt) viser (om hoved, hat) bevægelse opad, skrå stilling; (om person) førstemand, anfører; **S** sludder; *(vulg)* pik; *vb* sætte på snur; spænde hanen (på en bøsse); vende, dreje (øjne, ører) *(at* mod); *that* ~ *won't fight* den går ikke; der bliver ingen bukser af det skind; *old* ~*!* gamle dreng! *the* ~ *of the walk* manden for det hele, den dominerende person; ~ *one's ears* spidse ører; ~ *one's eye at sth* skotte *(el.* skæve) til noget, kigge på noget; ~ *one's fist* føre hånden tilbage for at slå; ~ *one's nose* stikke næsen i sky.

cockade [kɔ'keid] *sb* kokarde.

cock-a-doodle-doo ['kɔkədu:dl'du:] kykliky.

cock-ahoop ['kɔkə'hu:p] *adj* triumferende, hoverende, stolt; *be* ~ (også) stikke næsen i sky.

Cockaigne [kɔ'kein] slaraffenland; cockneyernes land (London).

cockalorum [kɔkə'lɔ:rəm] *sb* lille vigtigprås.

cock-and-bull story røverhistorie, skrøne.

cockatoo [kɔkə'tu:] *sb zo* kakadue.

cockatrice ['kɔkətrais] *sb* basilisk (fabeldyr).

Cockayne ['kɔkein] = *Cockaigne.*

cock boat jolle, lille båd.

Cockburn ['koubə:n].

cockchafer ['kɔktʃeifə] *sb zo* oldenborre.

cocked [kɔkt] *adj* : ~ *hat* trekantet hat; *knock sby into a* ~ *hat* banke én sønder og sammen.

I. Cocker ['kɔkə]: *according to* ~ (svarer til) efter Chr. Hansens regnebog.

II. cocker ['kɔkə] *vb :* ~ *up (am)* forkæle.

cockerel ['kɔkərəl] *sb* hanekylling.

cock|eyed *adj* skeløjet; **S** skæv; tosset; beruset. **-fight** hanekamp.

cockhorse ['kɔk'hɔ:s] *sb* kæphest, gyngehest; *ride a* ~ (også) ride ranke.

cockle ['kɔkl] *sb zo* hjertemusling; *(bot)* klinte; rajgræs; rynke, bule; *vb* blive rynket, slå buler; se også *cockleshell; warm the -s of one's heart* varme en om hjerterødderne.

cockleshell ['kɔklʃel] *sb* muslingeskal; *(fig)* nøddeskal (skrøbelig båd).

cockloft ['kɔklɔft] *sb* loftskammer, kvist.

cockney ['kɔkni] *sb* ægte londoner; londonersprog; *adj* londonsk.

cockpit ['kɔkpit] *sb* hanekampplads; krigskueplads; *(flyv)* cockpit, førerrum; *(mar)* cockpit; *(glds,* på krigsskib) lazaret.

cockroach ['kɔkroutʃ] *sb zo* kakerlak.

cockscomb ['kɔkskoum] *sb (zo, bot)* hanekam; se også *coxcomb.*

cockshot ['kɔkʃɔt], **cockshy** ['kɔkʃai] *sb* **T** kast til måls; mål der kastes efter; *(fig)* skydeskive.

cock sparrow spurvehan; *(fig)* lille vigtigprås.

cocksure ['kɔk'ʃuə] *adj* selvsikker, skråsikker.

cocktail ['kɔkteil] *sb* cocktail; hest med kuperet hale.

cocky ['kɔki] *adj* (skidt)vigtig, kry, kæphøj, selvtilfreds.

coco ['koukou] *sb* kokos(palme).

cocoa ['koukou] *sb* kakaobønne; kakao.

cocoanut, coconut kokosnød.

cocoon [kɔ'ku:n] *sb* kokon (puppehylster).

cod [kɔd] *sb zo* torsk; **T** parodi; *adj* parodisk; lavet for sjov; *vb* parodiere, gøre grin med.

C.O.D. *fk Concise Oxford Dictionary; cash on delivery* kontant ved levering; pr. efterkrav.

I. coddle ['kɔdl] *vb* forkæle, pylre om; hæge om, kæle for.

II. coddle ['kɔdl] *vb* koge (over en sagte ild).

code [koud] *sb* kode; *(jur)* lovbog, lovsamling, kodeks; *(fig)* kodeks, regler, love; *vb* omsætte til kode.

codfish ['kɔdfiʃ] *sb zo* torsk.

codger ['kɔdʒə] *sb* (gammel) stabejs (, støder, knark, særling).

codicil ['kɔdisil] *sb (jur)* kodicil (tillægsbestemmelse i testamente).

codification [kɔdifi'keiʃən] *sb* kodifikation.

codify ['kɔdifai] *vb* kodificere (samle og ordne).

codling ['kɔdliŋ] *sb* ung torsk; art madæble; ~ *moth zo* æblevikler.

cod-liver oil (torske)levertran.

cod's roe torskerogn.

codswallop ['kɔdzwɔləp] *sb* **S** sludder, bavl.

co-ed ['kou'ed] *sb (am)* **S** kvindelig studerende ved college for begge køn.

co-education ['kouedju'keiʃən] *sb* fællesundervisning (for piger og drenge). **co-educational** *adj* : ~ *school* fællesskole.

coefficient [koui'fiʃənt] *sb (mat)* koefficient.

coerce [kou'ə:s] *vb* tvinge. **coercion** [kou'ə:ʃən] *sb* tvang. **coercive** [kou'ə:siv] *adj* tvingende, tvangs- *(fx methods).*

coeval ['kou'i:vəl] *adj* samtidig, jævnaldrende.

coexist ['kouig'zist] *vb* være til på samme tid, bestå sammen. **coexistence** ['kouig'zistəns] *sb* sameksistens, koeksistens.

C. of E. *fk Church of England.*

coffee ['kɔfi] *sb* kaffe. **coffee | bean** kaffebønne. ~ **berry** kaffebønne; kaffetræets frugt. ~ **grinder** kaffekværn. ~ **grounds** *sb* kaffegrums. ~ **house** kafé. ~ **maker** espressokande; kaffekolbe; kaffemaskine. ~ **mill** kaffemølle. **-pot** kaffekande. ~ **room** kafferestaurant, kaffesalon (i hotel). ~ **table** sofabord.

coffer ['kɔfə] *sb* pengekiste; kassette (i loft).

cofferdam ['kɔfədæm] *vb* kofferdam, sænkekasse.

coffin ['kɔfin] *sb* ligkiste; *vb* lægge i kiste.

coffin| nail ligkistesøm; **S** cigaret. ~ **ship** *(mar)* plimsoller, dødssejler.

cog [kɔg] *sb* tand (på hjul); (i snedkeri) tap; *(fig)* lille hjul i stort maskineri; *vb :* ~ *the dice* snyde i terningespil.

cogency ['koudʒənsi] *sb* (om argument) slagkraft, overbevisende karakter.

cogent ['koudʒənt] *adj* tvingende; overbevisende.

cogitate ['kɔdʒiteit] *vb* tænke. **cogitation** [kɔdʒi'teiʃən] *sb* tænken; tænkning.

cognac ['kɔnjæk] *sb* (fransk) kognak.

cognate ['kɔgneit] *adj* beslægtet; *sb* slægtning; beslægtet sprog *(el* ord).

cognition [kɔg'niʃən] *sb* erkendelse; viden.

cognizance ['kɔgnizəns] *sb* kundskab; kendskab; kompetence, jurisdiktion; forhør, undersøgelse for retten; *take*

~ *of* bemærke, tage til efterretning; anerkende eksistensen af.
cognizant ['kɔgnizənt] *adj* bekendt *(of* med), vidende *(of* om). **cognize** [kɔg'naiz] *vb* erkende.
cognomen [kɔg'noumən] *sb* (efter)navn, familienavn; tilnavn; øgenavn.
cognoscente ['kɔnjə'ʃenti] *sb (pl cognoscenti* [-ti:]) kender.
cogwheel ['kɔgwi:l] *sb* tandhjul.
cohabit [kou'hæbit] *vb* leve sammen (som ægtefolk), leve i papirløst ægteskab.
cohabitation [kouhæbi'teiʃən] *sb* samliv; papirløst ægteskab.
coheir ['kou'ɛə] *sb* medarving.
cohere [kou'hiə] *vb* hænge sammen.
coherence [kou'hiərəns] *sb* sammenhæng.
coherent [kou'hiərənt] *adj* sammenhængende.
cohesion [kou'hi:ʒən] *sb* sammenhængskraft, kohæsion; sammenhæng. **cohesive** [kou'hi:siv] *adj* kohæsiv; sammenhængende.
cohort ['kouhɔ:t] *sb* kohorte; gruppe; *(birth* **~***)* fødselsårgang, generation.
coif [kɔif] *sb* tætsluttende hue *(el* hætte); *(hist)* hjelmhue.
coign [kɔin] *sb :* **~** *of vantage* fordelagtig stilling, sted hvorfra man har godt overblik.
coil [kɔil] *vb* sno (sig); rulle (sig) sammen; vinde op i spiral(form), lægge sammen i ringe; (om tov) rinke op, *(mar)* kvejle; skyde op; *sb* spiral, rulle; (enkelt snoning:) ring, bugt; (om tov) rulle, *(mar)* kvejl; bugt; *(elekt)* spole, rulle; *-s* (om frisure) frikadeller; *(fig)* net; bånd.
coil aerial rammeantenne.
coiled pottery båndkeramik.
coin [kɔin] *sb* mønt; *vb* præge, udmønte; *(fig)* præge, danne, skabe, lave *(fx a new word);* opdigte; **~** *money* T tjene store penge; se også *I. pay (back).*
coinage ['kɔinidʒ] *sb* møntprægning, udmøntning; mønt; *(fig)* opfindelse; nydannelse (om ord og udtryk).
coin changer møntgiver.
coincide [kouin'said] *vb* træffe sammen, falde sammen *(with* med).
coincidence [kou'insidəns] *sb* sammentræf; overensstemmelse; *it was a mere* **~** det var et rent tilfælde; *the long arm of* **~** tilfældets spil.
coincident [kou'insidənt] *adj* sammentræffende; samtidig; overensstemmende; sammenfaldende. **coincidental** [kouinsi'dentl] *adj* tilfældig; også = *coincident.*
coiner ['kɔinə] *sb* falskmøntner.
coir [kɔiə] *sb* kokosbast, kokostaver. **coir rope** græstov.
coke [kouk] *sb* koks; T coca-cola; kokain; *vb* lave til koks; forkokse; *broken* **~** knuste koks.
cokernut ['koukənʌt] *sb* T kokosnød.
cokey ['kouki] *sb* S kokainist; narkoman.
col [kɔl] *sb (geol)* sadel; *(meteorol)* sadelområde.
I. Col. *fk colonel; Colorado.*
II. col. *fk colonial, column.*
colander ['kaləndə] *sb* dørslag.
Colchester ['koultʃistə].
cold [kould] *adj* kold; *(fig)* kold; koldblodig, rolig; *sb* kulde; forkølelse; snue; *I am* **~** jeg fryser; *catch (a)* **~***, take* **~** forkøle sig; **~** *in the head (el nose)* snue; *be left out in the* **~** *(fig)* være sat udenfor; være ude i den kolde sne; *it leaves me* **~** det rør mig ikke; *give sby the* **~** *shoulder* vise én en kold skulder.
cold|**-blooded** *adj* (om dyr) koldblodet; *(fig)* kold, følelsesløs; brutal *(fx murder).* **~** **comfort** dårlig *(el.* mager) trøst. **~** **cream** coldcream. **~** **deck** spil kort, som i det skjulte holdes parat for at benyttes til falsk spil. **~** **feet** T angst, fejhed, 'kolde fødder'. **~** **front** koldfront. **~** **-short** *adj* koldskør (om metaller som afkøling gør sprøde). **~** **-shoulder** *vb :* **~** *-shoulder sby* vise én en kold skulder. **~** **storage** opbevaring i kølerum; kølehus; *put in* **~** *storage (fig)* lægge på is. **~** **war** kold krig. **~** **wave** kuldebølge; koldpermanent.
Coleridge ['koulridʒ].
cole|**seed** ['koulsi:d] rapsfrø. **-slaw** [-slɔ:] *(am)* kålsalat.
colic ['kɔlik] *sb* kolik, mavekrampe.
colitis [kɔ'laitis] *sb* tyktarmsbetændelse.
collaborate [kə'læbəreit] *vb* være medarbejder; samarbejde.

collaboration [kəlæbə'reiʃən] *sb* medarbejderskab, samarbejde. **collaborationist** [kəlæbə'reiʃənist] *sb* samarbejdsmand, kollaboratør. **collaborator** [kə'læbəreitə] *sb* medarbejder; kollaboratør.
collapse [kə'læps] *vb* falde (, klappe, synke) sammen; *(fig)* falde til jorden; (om person) bryde sammen; (især *med.)* kollabere; *sb* sammenfalden; sammenbrud, fiasko.
collapsible [kə'læpsəbl] *adj* sammenklappelig, sammenfoldelig.
collar ['kɔlə] *sb* krave, flip; (til hund *etc;* smykke) halsbånd; (på seletøj) kumte; (til orden *etc)* ordenskæde; *(mek)* ring, (på bolt) bryst; *vb* gribe i kraven; få fat i; S hugge, negle.
collar | **beam** hanebjælke. **-bone** kraveben.
collarette [kɔlə'ret] *sb* lille damekrave.
collate [kə'leit] *vb* sammenligne, konferere, (om manuskripter *etc)* kollationere; (om præst) kalde (til et embede).
collateral [kɔ'lætərəl] *adj* underordnet, bi-; side-; parallel; *sb* slægtning i en sidelinie; **~** *(security)* yderligere sikkerhed, kaution, håndpant; **~** *loan* lombardlån.
collation [kə'leiʃən] *sb* kollationering, sammenligning *(fx* af en afskrift med originalen); let måltid; (bogs) udstyrelse.
colleague ['kɔli:g] *sb* embedsbroder, kollega.
I. collect [kə'lekt] *vb* samle, indsamle; samle på; afhente; (om gæld) opkræve, inddrive; *(elekt)* aftage (strøm); (uden objekt) samle sig; *adj (am)* som betales af modtageren; **~** *oneself* samle sig, sunde sig.
II. collect ['kɔlekt] *sb* kollekt, (kort) bøn (til særlige lejligheder).
collected [kə'lektid] *adj* fattet, rolig.
collection [kə'lekʃən] *sb* indsamling; samling; ansamling; afhentning; tømning *(af* postkasse); opkrævning, inkasso.
collective [kə'lektiv] *adj* samlet, fælles; kollektiv; **~** *bargaining* overenskomstforhandlinger (mellem fagforeninger og arbejdsgivere); **~** *farm* kollektivbrug; **~** *security* kollektiv sikkerhed.
collectivism [kə'lektivizm] *sb* kollektivisme.
collector [kə'lektə] *sb* samler; inkassator; opkræver; indsamler; *(elekt)* strømaftager; **~** *of customs* toldforvalter; **~** *of taxes* skatteopkræver.
colleen ['kɔli:n, (i Irland:) kɔ'li:n] *sb* (irsk:) pige.
college ['kɔlidʒ] *sb* kollegium; læreanstalt, universitet; højere skole; *(am* også) fagskole; **~** *of education* seminarium.
collegian [kə'li:dʒən] *sb* medlem af et kollegium.
collegiate [kə'li:dʒiit] *adj* kollegie-; universitets-; som hører til et *college.*
collide [kə'laid] *vb* støde sammen.
collie ['kɔli] *sb* collie, (skotsk) hyrdehund.
collier ['kɔliə] *sb* (kul)minearbejder; kulbåd, matros på kulbåd. **colliery** ['kɔljəri] *sb* kulmine.
collision [kə'liʒən] *sb* sammenstød, kollision.
collision course kollisionskurs.
collocate ['kɔləkeit] *vb* stille, ordne; sammenstille. **collocation** [kɔlə'keiʃən] *sb* sammenstilling, ordforbindelse.
collogue [kə'loug] *vb* tale fortroligt sammen; lægge råd op.
colloid ['kɔlɔid] *adj* klisteragtig.
collop ['kɔləp] *sb* skive kød *el* stegeflæsk; *(fig)* delle.
colloquial [kə'loukwiəl] *adj* kollokvial, som hører til dagligsproget, som bruges i daglig tale. **colloquialism** [kə'loukwiəlizm] *sb* udtryk fra daglig tale.
colloquy ['kɔləkwi] *sb* samtale.
collotype ['kɔlətaip] *sb* lystryk.
collude [kə'lu:d] *vb* være i hemmelig forståelse, spille under dække. **collusion** [kə'lu:ʒən] *sb* hemmelig forståelse, aftalt spil. **collusive** [kə'lu:siv] *adj* aftalt i hemmelighed.
collywobbles ['kɔliwɔblz] *sb pl* T rumlen i maven, mavepine.
colocynth ['kɔləsinθ] *sb (bot)* kolokvint.
Cologne [kə'loun] Køln; eau de Cologne.
colon ['kɔlən] *sb* (skilletegn) kolon; *(anat)* tyktarm.
colonel ['kə:nəl] *sb* oberst; *(am* også tom høflighedstitel).
colonelcy [kə:nlsi] *sb* oberstrang, oberststilling.
colonial [kə'lounjəl] *adj* kolonial, koloni-; *sb (glds)* indbygger i (engelsk) koloni; *Colonial Office (glds)* koloni-

ministeriet.
colonialism [kə'louniəlizm] *sb* kolonialisme.
colonialist [kə'louniəlist] *sb* kolonialist.
colonist ['kɔlənist] *sb* kolonist, nybygger. **colonization** [kɔlənai'zeiʃən] *sb* kolonisering. **colonize** ['kɔlənaiz] *vb* kolonisere; sende til kolonierne; bosætte sig som kolonist.
colonizer ['kɔlənaizə] *sb* kolonisator.
colonnade [kɔlə'neid] *sb* søjlegang, kolonnade.
colony ['kɔləni] *sb* koloni, nybygd.
colophon ['kɔləfən] *sb (typ)* kolofon.
color *(am)* = colour.
Colorado [kɔlə'ra:dou]; ~ *beetle zo* coloradobille.
coloration [kʌlə'reiʃən] *sb* farvelægning, farvetegning; farve(r).
coloratura [kɔlərə'tuərə] *sb* (i musik) koloratur.
colossal [kə'lɔsl] *adj* kolossal. **coloss|us** [kə'lɔsəs] *sb (pl -i* [-ai] *el -uses)* kolos; kæmpestatue.
I. colour ['kʌlə] *sb* farve, kulør; rødme; skin; beskaffenhed; -s fane, flag;
come off with *flying* -s klare det med glans; *get one's -s* komme på (universitets) førstehold; *give (el lend)* ~ *to* gøre sandsynlig; *give a false* ~ *to* forvanske; *join the -s* melde sig under fanerne; *lose* ~ blive bleg; *off* ~, se *offcolour; I have not seen the* ~ *of his money* jeg har ikke set en øre fra ham; *show one's -s* tone flag; *(fig)* bekende kulør; *show one's true* ~ vise sit sande ansigt, vise sig i sin sande skikkelse; *stick to one's -s* holde fanen højt, være tro mod sin overbevisning; *take one's* ~ *from* efterabe; *under* ~ *of* under påskud af; *under false -s* under falsk flag; *sail under false -s* tone falsk flag.
II. colour [kʌlə] *vb* farve; kolorere, farvelægge; *(fig)* farve; besmykke; forvanske; påvirke, præge; (uden objekt) få farve; rødme; ~ *up* rødme.
colourable ['kʌlərəbl] *adj* plausibel, antagelig; bestikkende; falsk.
colour| bar raceskel. ~ **-blind** farveblind. ~ **box** malerkasse. ~ **cast** *sb* farvefjernsynsudsendelse.
coloured ['kʌləd] *adj* farvet; farve-; kulørt.
colourful ['kʌləful] *adj* farvestrålende, farverig, broget, livlig.
colouring ['kʌləriŋ] *sb* farve; kolorit; teint; skær, anstrøg.
colour|less farveløs. **-man** farvehandler. ~ **print** farvetryk (billedet); *(fot)* farvefoto (aftryk). ~ **scheme** farvesammensætning, farvevalg. ~ **vision** farveopfattelse, farvesyn.
colporteur ['kɔlpɔ:tə, kɔlpɔ'tə:] *sb* kolportør.
colt [koult] *sb* føl (især hingstføl); plag, ung hest; (om person) ung nar, grønskolling; (våben) colt-revolver.
coltsfoot ['koultsfut] *sb (bot)* følfod.
columbari|um [kɔləm'bɛəriəm] *sb (pl -a)* dueslag; urnehal.
I. columbine ['kɔləmbain] *sb (bot)* akeleje.
II. Columbine ['kɔləmbain] Kolumbine.
Columbus [kə'lʌmbəs] Kolumbus.
column ['kɔləm] *sb* søjle; kolonne; spalte (i avis, bog).
columnist ['kɔləmnist] *sb* redaktør af særlig spalte *(el* afdeling) i avis.
coma ['koumə] *sb* coma, dyb bevidstløshed; *(astr)* coma (tågemasse om komets kerne); *(bot)* bladdusk; frøuld.
comatose ['koumətous] *adj* comatøs; dybt bevidstløs.
comb [koum] *sb* kam; vokskage; *vb* kæmme; rede; (om bølge) bryde; *(fig)* finkæmme *(fx the police -ed the town for the murderer)*; gennemtrawle; ~ **out** rede ud; finkæmme; *(fig)* sortere fra, skille fra.
combat ['kɔmbət] *sb* kamp; *vb* kæmpe; bekæmpe.
combatant ['kɔmbətənt; *(am også)* kəm'bætənt] *sb* kæmpende; kombattant; stridsmand; forkæmper; *adj* kæmpende.
combat fatigue *sb (med.)* kamptræthed, krigsneurose.
combative ['kɔmbətiv; *(am også)* kəm'bætiv] *adj* kamplysten, krigerisk.
combat team *(mil.)* kampstyrke.
comber ['koumə] *sb* kartemaskine; brodsø.
combination [kɔmbi'neiʃən] *sb* forbindelse, forening, kombination; sammenslutning; (til lås) kode, kombination; *(motorcycle* ~*)* motorcykel med sidevogn; *(a pair of) -s* (en) combination (undertøj).
combination lock kombinationslås, kodelås.
combination pliers *pl* universaltang.
I. combine ['kɔmbain] *sb* mejetærsker; sammenslutning,

syndikat, trust, konsortium.
II. combine [kəm'bain] *vb* kombinere, forbinde, forene; forbinde sig, forene sig.
combings ['koumiŋz] *sb pl* afredt hår.
comb-out ['koumaut] *sb* finkæmning.
combustibility [kəmbʌstə'biliti] *sb* brændbarhed. **combustible** [kəm'bʌstibl] *adj* brændbar; let antændelig; *(fig)* let fængelig, let at ophidse; *sb* brændbart stof.
combustion [kəm'bʌstʃən] *sb* forbrænding.
combustion| chamber forbrændingskammer. ~ **engine** forbrændingsmotor.
I. come [kʌm] *vb (came, come)* komme; ankomme; ske *(fx* ~ *what may* ske hvad der vil); gå 'til; spille, agere *(fx* ~ *the great man)*; udvikle sig; blive *(fx it will* ~ *allright in the end)*; (om vare) fås *(fx they* ~ *in a variety of colours)*;
come! hør! *come! come!* nå! små slag! *he is as clever as they* ~ han er noget så klog ; han er noget af det klogeste; *how -s it that* hvordan kan det være at; ~ *it over* S dominere; ~ *it strong* S overdrive; ~ *to pass* hænde; ~ *true* gå i opfyldelse; *in days to* ~ i fremtiden; *the years to* ~ de kommende år;
(med *adv* og *præp)* ~ **about** hænde; ske, gå til *(fx it came about in this way)*; vende; ~ **across** møde; støde på; S punge ud *(fx he will have to* ~ *across with the money)*; ~ **along** kom så; kom med; komme frem, komme, vise sig; ~ **at** få fat på; opnå; gå løs på, angribe *(fx he came at me)*; ~ **away** falde af, gå af *(fx the handle came away)*; ~ **back** komme tilbage, blive populær igen, være med igen; T svare igen; replicere; ~ **by** komme forbi; komme til, få fat på *(fx it is difficult to* ~ *by)*; ~ **down** komme ned, falde ned; blive sat tilbage; (om pris) falde; (om tradition) blive overleveret; ~ *down handsomely* ordentlig flotte sig, punge ud; *he has* ~ *down in the world* det er gået tilbage for ham; ~ *down on* overfalde. skælde ud; *he came down on their side* han sluttede sig til deres parti; ~ *down with the money* betale pengene; ~ **for** hente, komme efter; ~ **forward,** ~ **forth** komme frem; melde sig; tilbyde sig; *it -s strangely from him* det lyder mærkeligt i hans mund; ~ **home to,** se *home;* ~ **in** komme ind; opnå; komme til nytte; blive mode; (ved væddeløb) slutte, komme i mål; *(parl)* blive valgt; komme til magten; (om frugt *etc)* blive moden; ~ *in for* blive udsat for *(fx criticism)*; få; *I came in for a share* der faldt noget af til mig; *where does the fun* ~ *in?* hvad morsomt er der ved det? *where do I* ~ *in?* hvad skal jeg lave? hvad er min opgave? *it came in useful* det kom lige tilpas, det kom til nytte; ~ **into** arve *(fx a fortune)*; få; gå ind på; ~ *into being* opstå; ~ *into force* træde i kraft; ~ *into money* komme til penge; ~ *into one's head* falde en ind; ~ *of* komme af; nedstamme fra; *nothing came of it* der blev ikke noget af det;
~ **off** komme bort fra; slippe fra (noget); klare sig; foregå, finde sted; gå af, falde ud (godt *el* dårligt); lykkes; falde af, gå af *(fx the handle came off)*; *it didn't* ~ *off* (også) det lykkedes ikke, det blev ikke til noget; ~ *off it!* hold op med det; hold op med at spille vigtig; *she would have* ~ *off worse* det ville han have gået hende værre; ~ *off on* smitte af på; ~ **on** komme frem; nærme sig; storme frem; gøre sin entré; komme for *(fx the case -s on next Thursday)*; udvikle sig, gøre fremskridt; trives, lykkes; ~ *on!* skynd dig! kom så! (bønfaldende:) å hva', nå nå *(fx* ~ *on, don't argue* (også) lad nu være med at skændes); *I've got a cold coming on* jeg er ved at blive forkølet; ~ **out** komme ud, blive bekendt; komme frem, blive opdaget; (om bog) udkomme; (om ung pige) debutere i selskabslivet; (om hår) falde af; *(bot)* springe ud; (om kabale) gå op; T strejke; nedlægge arbejdet; ~ *out No. 1* komme ind som nr. 1; ~ *out against* kritisere, angribe; *he came out in spots* han fik udslæt; ~ *out of* føre til, være resultatet af *(fx what came out of your work?)*; ~ *out with* komme frem med; fremsætte; plumpe ud med;
~ **over** blive *(fx he came over queer)*; *what's* ~ *over him* hvad går der af ham; ~ **round** vende sig (om vinden); komme på bedre tanker; komme sig; komme til sig selv; lade sig overtale; ~ *round some time!* kig inden for (ɔ: besøg mig) engang! ~ **through** *(am)* klare den; blive frelst (ɔ: omvendt); S rykke ud med sproget; ~ *through*

with røbe, komme frem med; *the call came through (tlf)* han (, jeg *etc)* fik forbindelse; **~ to** komme til sig selv igen; beløbe sig til *(fx the bill came to ten pounds)*; falde ud, ende; *he had it coming to him* han var selv ude om det; **~** *to grief* komme galt af sted; **~** *to nothing* mislykkes *(fx his plans came to nothing)*; løbe ud i sandet, ikke blive til noget; **~** *to that* for den sags skyld, når alt kommer til alt; **~** *to pieces* gå i stykker; **~ up** komme op; dukke op; rejse sig; komme frem; komme for; **~** *up to* nå op til; stå på højde med; nå; **~** *up with* nå, indhente; **~** *upon* træffe på, (tilfældigt) finde, komme over; falde over; **~** *within* falde ind under.

II. come [kʌm] *pp* af *come.*
come-at-able [kʌm'ætəbl] *adj* omgængelig, let at få i tale; let tilgængelig.
comeback ['kʌmbæk] *sb* tilbagekomst; come-back; **S** rapt svar, svar på tiltale.
Comecon *fk Council for Mutual Economic Aid.*
comedian [kə'mi:diən] *sb* komiker.
comedo ['kɔmidou] *sb* hudorm.
come-down ['kʌmdaun] *sb* brat fald; skuffelse; ydmygelse.
comedy ['kɔmidi] *sb* komedie; komik; *the* **~** *of the situation* det komiske ved situationen; **~** *of manners* sædekomedie.
come-hither [kʌm'hiðə] *adj* **T** indladende.
comely ['kʌmli] *adj* pæn, køn; tækkelig, net.
comer ['kʌmə] *sb: all -s* alle, der melder sig *(el.* indfinder sig); *the first* **~** den først ankomne.
comestibles [kʌ'mestiblz] *sb pl* madvarer.
comet ['kɔmit] *sb* komet.
comfits ['kʌmfits] *sb* konfekt, søde sager (især: kandiserede frugter).
comfort ['kʌmfət] *sb* trøst; (legemligt:) velbefindende, velvære; *(mht* indretning *etc)* hygge, bekvemmelighed, behagelighed; komfort; *(mht* penge) økonomisk tryghed; *vb* trøste, oplive; *too big (, close etc) for* **~** for stor (, nær *etc)* til at man er rigtig tryg ved det; ubehageligt stor (, nær *etc).*
comfortable ['kʌmf(ə)təbl] *adj* bekvem, magelig, komfortabel, behagelig, hyggelig; veltilpas; god, pæn *(fx income)*; *be* **~** (også) sidde godt; ligge godt; sidde godt i det; *make oneself* **~** hygge sig; *make yourself* **~** (også) gør Dem det bekvemt. **comfortably** *adv* bekvemt, let, behageligt; *be* **~** *off* være velstillet, sidde godt i det.
comforter ['kʌmfətə] *sb* trøster; uldent halstørklæde; narresut; vattæppe.
comfortless ['kʌmfətlis] *adj* uden hygge; uhyggelig, trøstesløs, trist.
comfort station *(am)* (offentligt) toilet.
comfrey ['kʌmfri] *sb (bot)* kulsukker.
comfy ['kʌmfi] *fk comfortable.*
comic ['kɔmik] *adj* komisk *(fx a* **~** *song)*; *sb* komiker; tegneseriehæfte; *-s* tegneserier.
comical ['kɔmikəl] *adj* komisk, morsom, pudsig.
comic | book tegneseriehæfte; **~ paper** vittighedsblad; tillæg til avis, med tegneserier. **~ strip** tegneserie.
Cominform ['kɔminfɔ:m]: *fk Communist Information Bureau; the* **~** Kominform.
coming ['kʌmiŋ] *adj* kommende, tilkommende; *sb* komme; **~** *in* (om pris, varer) indgående; **~** *out* udgående; **~** *man* vordende leder, stjerne *etc; the* **~** *thing* fremtidens løsen.
Comintern ['kɔmintə:n] *fk Communist International* Komintern.
comity ['kɔmiti] *sb* høflighed; **~** *of nations* venskabelig forståelse mellem nationerne.
comma ['kɔmə] *sb* komma.
I. command [kə'ma:nd] *vb* befale, kommandere, byde; påbyde *(fx silence)*; *(mil., mar)* have kommandoen over *(fx a division)*, føre; *(fig)* beherske *(fx one's temper)*; *(mht* beliggenhed) beherske *(fx a position from which the artillery -ed the town)*, dominere; have udsigt over; (fortjene:) have ret til; kunne kræve *(fx a high salary)*; (få:) opnå *(fx a good price)*; fremtvinge, vække, indgyde *(fx respect, admiration)*; (have:) råde over *(fx unlimited capital)*; nyde *(fx respect* agtelse).
II. command [kə'ma:nd] *sb* befaling, ordre, kommando; anførsel, kommando *(fx under his* **~***)*; magt, herre-

dømme, rådighed *(of* over); beherskelse *(of* af, *fx a language)*; *at* **~** på kommando; til disposition *(fx all the money at my* **~***)*; *at (el by) his* **~** på hans befaling *(el* bud); *in* **~** kommanderende; *be in* **~** føre kommandoen *(fx who is in* **~** *here?).*
commandant [kɔmən'dænt] *sb* kommandant.
commandeer [kɔmən'diə] *vb* rekvirere; beslaglægge.
commander [kə'ma:ndə] *sb* fører, anfører; feltherre, hærfører; *(mil.)* kommandør; *(mar)* orlogskaptajn; (af en orden) kommandør.
commander-in-chief [kə'ma:ndərin'tʃi:f] øverstbefalende.
commandment [kə'ma:ndmənt] *sb* bud; *the ten -s* de ti bud.
commando [kə'ma:ndou] *sb* (soldat i) særlig uddannet angrebsstyrke, kommando.
command performance privat forestilling for kongehuset.
Commem [kə'mem] *(fk Commemoration)* stiftelsesfest ved universitetet i Oxford.
commemorate [kə'meməreit] *vb* fejre; minde(s).
commemoration [kəmemə'reiʃən] *sb* ihukommelse; mindefest, stiftelsesfest ved universitetet i Oxford; *in* **~** *of* til minde om. **commemorative** [kə'memərətiv] *adj* til erindring *(of* om); **~** *stamp* særfrimærke, erindringsmærke.
commence [kə'mens] *vb* begynde. **commencement** [kə'mensmənt] *sb* begyndelse; (eksamens)afslutningshøjtidelighed; dimissionsfest; årsafslutning.
commend [kə'mend] *vb* rose, prise; anbefale; betro, overgive; *it does not* **~** *itself to me* det tiltaler mig ikke; **~** *me to* **T** næ, må jeg så be' om. **commend|able** [kə'mendəbl] *adj* prisværdig; værd at anbefale. **-atory** [kə'mendətəri] *adj* anbefalende; rosende.
commensurability [kəmenʃərə'biliti] *sb* kommensurabilitet.
commensurable [kə'menʃərəbl] *adj* kommensurabel.
commensurate [kə'menʃərit] *adj: be* **~** *with* stå i et rimeligt forhold til; svare til *(fx his success was not* **~** *with his efforts).*
comment ['kɔment] *sb* (kritisk *el.* forklarende) kommentar, bemærkning; *vb* gøre bemærkninger *(on* om); skrive fortolkning *(on* til); *go beyond fair* **~** overskride ytringsfrihedens grænse; **~** *on* (også) omtale, udtale sig om, anmelde.
commentary ['kɔməntəri] *sb* kommentar, fortolkning; ledsagende tekst, speakerkommentar (til film *etc)*; (i radio) reportage.
commentate ['kɔmənteit] *vb* referere (i radio).
commentator ['kɔmənteitə] *sb* kommentator; radioreporter.
commerce ['kɔmə:s] *sb* handel; omgang, samkvem.
commercial [kə'mə:ʃəl] *adj* kommerciel; erhvervs- *(fx aviation)*; handels- *(fx school; traveller* rejsende; *treaty* traktat); forretnings-; *sb* reklameudsendelse (i radio og TV); **T** handelsrejsende; *put to* **~** *use* udnytte erhvervsmæssigt.
commercial| art reklamegrafik, industriel grafik. **~ artist** *(glds)*, se **~** *designer.* **~ designer** grafisk designer, grafisk formgiver (og layoutmand).
commercialize [kə'mə:ʃəlaiz] *vb* kommercialisere; udnytte erhvervsmæssigt; *it has become -d* der er gået forretning i det.
commie ['kɔmi] *sb* **T** kommunist.
commination [kɔmi'neiʃən] *sb* trussel, fordømmelse.
commingle [kə'miŋgl] *vb* blande (sig).
comminute ['kɔminju:t] *vb* findele; *-d fracture (med)* splintbrud. **comminution** [kɔmi'nju:ʃən] *sb* findeling.
commiserate [kə'mizəreit] *vb* ynke, have medlidenhed (med); udtrykke sin medfølelse med. **commiseration** [kəmizə'reiʃən] *sb* medlidenhed, medynk; medfølelse.
commissar [kɔmi'sa:] *sb* kommissær (i Sovjet).
commissariat [kɔmi'sɛəriət] *sb (mil.)* intendantur; forsyningstjeneste; (i Sovjet) kommissariat.
commissary ['kɔmisəri] *sb* kommissær; intendant; *(am)* udsalg, kantine (i lejr *etc).*
commissary-general generalintendant.
commission [kə'miʃən] *sb* hverv; bestilling *(fx a* **~** *for a portrait)*; *(mil.)* officersudnævnelse, officerspatent, officersbestalling; *(merk)* kommission, provision; (personer:) kommission, udvalg; *(cf commit)* betroelse, overdragelse; forøvelse *(fx the* **~** *of a crime)*; *vb* befuldmægtige; give et hverv; give i kommission, give bestilling på; (om skib) indsætte i farten, udruste; *get a* **~** blive officer; *ship in* **~** udrustet skib; tjenstdygtigt skib; *put a ship*

in(to) ~ indsætte et skib i farten; hejse kommando; *out of* ~ ude af drift, i uorden, i stykker; *ship out of* ~ skib der har strøget kommando, oplagt skib; *be -ed to write an article* få bestilling på en artikel; ~ *of the peace* embede som *(el* udnævnelse til) fredsdommer.

commission agent kommissionær; bookmaker.

commissionaire [kəmiʃəˈnɛə] *sb* (uniformeret) dørvogter, portier, schweizer (ved stormagasin, biografteater *etc).*

commissioned [kəˈmiʃənd] *adj:* ~ *officer* officer.

commissioner [kəˈmiʃənə] *sb* kommissær; kommissionsmedlem; kommitteret; regeringsrepræsentant (i koloni *etc);* kommandør (i Frelsens Hær); ~ *of police (omtr)* politidirektør; *assistant* ~ *of police (omtr)* politiinspektør; *Parliamentary* ~ ombudsmand.

commissure [ˈkɔmisjuə] *sb:* ~ *of the lips* mundvig.

commit [kəˈmit] *vb* betro, overgive, overdrage; forøve, begå *(fx a crime);* forpligte, binde; henvise til et udvalg; ~ *for trial* sætte under tiltale; ~ *oneself* forpligte sig, binde sig *(fx to a certain course);* tage stilling, udtale sig; kompromittere sig; ~ *oneself to* (også) påtage sig; ~ *to the flames* brænde, kaste på ilden; ~ *sby to a mental hospital* tvangsindlægge én på et sindssygehospital; ~ *to memory* memorere, indprente i sin hukommelse; ~ *to prison* fængsle; ~ *to writing* nedskrive.

commitment [kəˈmitmənt] *sb* overdragelse; forøvelse; forpligtelse; løfte; *(økon og fig)* engagement; *(jur)* arrestordre, fængslingskendelse; *(med.)* tvangsindlæggelse.

committal [kəˈmitl] *sb* = *commitment;* jordfæstelse, begravelse.

committed [kəˈmitid] *adj* forpligtet, engageret.

I. committee [kəˈmiti] *sb* komité, udvalg; (i forening) bestyrelse, forretningsudvalg; (ved kapsejlads) dommerkomité; *the House goes into* ~ tinget konstituerer sig som udvalg; ~ *of inspection* kreditorudvalg.

II. committee [kɔmiˈtiː] *sb* værge (for en sindssyg *etc).*

commix [kɔˈmiks] *vb* sammenblande.

commode [kəˈmoud] *sb* kommode; servante; pottestol, toiletstol, *(glds)* natstol.

commodious [kəˈmoudjəs] *adj* rummelig.

commodity [kəˈmɔditi] *sb (merk)* vare.

commodore [ˈkɔmədɔː] *sb (mar)* eskadrechef; kommandør.

common [ˈkɔmən] (se også *commons) adj* fælles; almindelig, sædvanlig; *(neds)* simpel, tarvelig; (om rang) menig; *sb* fælled, overdrev; *in* ~ fælles, tilfælles; *in* ~ *with* (også) ligesom; *out of the* ~ ud over det almindelige, ualmindelig.

commonalty [ˈkɔmənlti] *sb* borgerstanden, den jævne befolkning, almuen.

common avens *(bot)* febernellikerod.

common denominator fællesnævner.

commoner [ˈkɔmənə] *sb* borgerlig; underhusmedlem; (i Oxford) student hvis universitetsstudium ikke er afhængigt af et legat; *the Great C.* (betegnelse for William Pitt den ældre).

common| gender fælleskøn. ~ **law** sædvaneret. ~**-law marriage** papirløst ægteskab.

commonly [ˈkɔmənli] *adv* sædvanligvis.

Common Market: *the* ~ Fællesmarkedet.

common | measure fælles mål; *(mus)* lige takt. ~ **newt** *zo* lille salamander. ~ **noun** fællesnavn (modsat egennavn). ~ **-or-garden** *adj* ganske almindelig.

commonplace [ˈkɔmənpleis] *sb* banalitet, floskel; *adj* hverdagsagtig, fortærsket, banal.

common room [ˈkɔmənrum]: *senior* ~ lærerværelse; *junior* ~ elevers (el studenters) opholdsstue.

commons [ˈkɔmənz] *sb el pl* borgerlige, borgerstanden; (mad) kost; *(am)* frokoststue, spisesal (i *college);* *on short* ~ på smalkost; *the (House of) Commons* Underhuset.

common | sense sund fornuft. ~ **time** lige takt.

commonwealth [ˈkɔmənwelθ] *sb* stat, republik; *the Commonwealth* republikken ·under Cromwell); *the British Commonwealth of Nations* det britiske statssamfund; *the Commonwealth of Australia* Australien.

commotion [kəˈmouʃən] *sb* bevægelse; røre; oprør, tumult.

communal [ˈkɔmjunl] *adj* fælles, offentlig.

I. commune [ˈkɔmjuːn] *sb* kommune; (ofte =) kollektiv; *The Commune (of Paris)* Pariserkommunen.

II. commune [kəˈmjuːn] *vb (am)* gå til alters; ~ *with* føre

en fortrolig samtale med; have fortrolig omgang med, være ét med *(fx nature).*

communicable [kəˈmjuːnikəbl] *adj* som kan meddeles; smitsom.

communicant [kəˈmjuːnikənt] *sb* altergænger.

communicate [kəˈmjuːnikeit] *vb* kommunikere; meddele; overføre; videregive, bringe videre; være forbundet *(with* med); *(rel)* gå til alters; ~ *itself to* brede sig til; ~ *with* (sam)tale med; kommunikere med; stå i forbindelse med *(fx my room -s with the kitchen).*

communication [kəmjuːniˈkeiʃən] *sb* kommunikation; meddelelse; forbindelse, samfærdsel.

communication cord *(omtr)* nødbremsegreb.

communicative [kəˈmjuːnikətiv] *adj* meddelsom.

communion [kəˈmjuːnjən] *sb* fællesskab; forbindelse; samkvem, omgang; (kirke)samfund; altergang; *hold* ~ *with* rådføre sig med; *hold* ~ *with oneself* tænke *(el* grunde) dybt; *Holy Communion* Nadveren; *receive (el go to)* ~ gå til alters.

communion | cup alterkalk. ~ **rail** alterskranke. ~ **table** nadverbord.

communiqué [kəˈmjuːnikei] *sb* communiqué.

communism [ˈkɔmjunizm] *sb* kommunisme.

communist [ˈkɔmjunist] *sb* kommunist; *adj* kommunistisk.

communistic [kɔmjuˈnistik] *adj* kommunistisk.

community [kəˈmjuːniti] *sb* fælleskab; samfund; (befolknings)gruppe.

community | centre kulturcenter. ~ **singing** fællessang.

communize [ˈkɔmjunaiz] *vb* gøre statsejet; gøre kommunistisk.

commutable [kəˈmjuːtəbl] *adj* som kan ombyttes.

commutation [kɔmjuˈteiʃən] *sb* forandring; bytning; ~ *of tithes* tiendeafløsning; ~ *ticket* abonnementskort.

commutator [ˈkɔmjuteitə] *sb (elekt)* kommutator, strømvender; (i motor) strømfordeler.

commute [kəˈmjuːt] *vb* ombytte; forandre; afløse; forvandle; nedsætte (en straf); regelmæssigt rejse med toget til og fra arbejde, være kortrejsende.

commuter [kəˈmjuːtə] *sb* kortrejsende.

commuter| belt det snævre område omkring by der betjenes af nærtrafik. ~ **traffic** nærtrafik.

commuting [kəˈmjuːtiŋ] *sb* (om trafik) pendling.

I. compact [kəmˈpækt] *adj* tæt (pakket); kompakt; sammentrængt; kortfattet.

II. compact [ˈkɔmpækt] *sb* overenskomst, pagt; (lille) pudderdåse.

III. compact [kəmˈpækt] *vb* sammenpresse, sammentrænge; *(fig)* sammensvejse; sammensmelte.

companion [kəmˈpænjən] *sb* kammerat, ledsager(inde); selskabsdame; (af orden) ridder; (tilsvarende ting:) pendant; (om bog) håndbog; (el ledsage, følge; ~ *in crime* medskyldig; *-s in misfortune* lidelsesfæller.

companionable [kəmˈpænjənəbl] *adj* omgængelig, selskabelig.

companionate [kəmˈpænjənit] *adj:* ~ *marriage* kammeratægteskab.

companion-in-arms våbenfælle, soldaterkammerat.

companion| ladder kahytstrappe. **-ship** kammeratskab. **-way** kahytstrappe.

company [ˈkʌmpəni] *sb* selskab; *(merk)* (handels)selskab; aktieselskab, kompagni; *(mil)* kompagni; **T** gæst(er); *he came in* ~ *with us* han kom sammen med os; *get into bad* ~ komme i dårligt selskab; *a ship's* ~ et skibs mandskab; *he is good* ~ han er morsom at være sammen med; *keep* ~ *with* omgås; *(vulg)* være kæreste med; *keep sby* ~ holde én med selskab; *the Companies Act* aktieselskabsloven; (se også *II. part).*

company commander *(mil.)* kompagnichef.

comparable [ˈkɔmpərəbl] *adj* som kan sammenlignes.

comparability [kɔmpərəˈbiliti] *sb* sammenlignelighed; *loss of* ~ *(mht* løn) efterslæb.

comparative [kəmˈpærətiv] *adj* forholdsmæssig, relativ; sammenlignende; *(gram)* komparativ, komparativisk; *sb (gram): the* ~ komparativ, højere grad.

comparatively *adv* forholdsvis.

compare [kəmˈpɛə] *vb* sammenligne *(to, with* med); (kunne) sammenlignes, (kunne) måle sig *(with* med); *(gram)* komparere, gradbøje; *beyond* ~ uforlignelig; ~

notes udveksle synspunkter *(el* erfaringer, indtryk).

comparison [kəm'pærisn] *sb* sammenligning; *(gram)* komparation, gradbøjning; *beyond all* ~ uforlignelig; *make (el. establish) a* ~ *between* foretage en sammenligning mellem.

compartment [kəm'pa:tmənt] *sb* afdeling; rum *(fx watertight* ~*);* aflukke; (i tog) kupé; (del af flade:) felt.

compass ['kʌmpəs] *vb* omgive, omslutte, *(fig)* fatte; nå, opnå *(fx one's ends, aims);* udpønse, lægge planer om; *sb* omfang; omkreds; rækkevidde, begrænsning, (rimelige) grænser; rum; omvej; (instrument:) kompas; *a pair of -es* en passer; *-ed about* omringet.

compass | card kompasrose. ~ **course** devierende kurs.

compassion [kəm'pæʃən] *sb* medlidenhed *(on* med); *have (el. take)* ~ *upon* forbarme sig over.

compassionate [kəm'pæʃəneit] *vb* have medlidenhed med; [kəm'pæʃənit] *adj* medlidende; *leave on* ~ *grounds* orlov på grund af dødsfald i familien etc.

compass | plane skibshøvl. ~ **saw** stiksav.

compatibility [kəmpætə'biliti] *sb* forenelighed; *(mht* blod) forligelighed.

compatible [kəm'pætəbl] *adj* forenelig, overensstemmende; *(mht* blod) forligelig.

compatriot [kəm'pætriət] *sb* landsmand.

compeer [kəm'piə] *sb* ligemand; kammerat.

compel [kəm'pel] *vb* tvinge; tiltvinge sig, fremtvinge; ~ *sby's attention* fængsle ens opmærksomhed; ~ *sby's respect* aftvinge én respekt. **compelling** [kəm'peliŋ] *adj* tvingende; uimodståelig.

compendious [kəm'pendiəs] *adj* (omfattende, men) kortfattet; sammentrængt.

compendium [kəm'pendiəm] *sb* udtog; kompendium.

compensate ['kɔmpenseit] *vb* erstatte, godtgøre; give erstatning, holde skadesløs; opveje; *(psyk)* kompensere. **compensation** [kɔmpen'seiʃən] *sb* erstatning, godtgørelse; *(psyk)* kompensation; *pay* ~ *in full* yde fuld erstatning.

compensatory [kəm'pensətəri] *adj* erstatnings-.

compère ['kɔmpɛə] *sb* konferencier; (radio, også) programleder; *vb* være konferencier (, programleder) for.

compete [kəm'pi:t] *vb* konkurrere *(for* om, til); deltage (i konkurrence).

competence ['kɔmpitəns], **competency** ['kɔmpitənsi] *sb* tilstrækkeligt udkomme; forholdsvis gode kår; dygtighed, kvalifikationer; *(jur)* kompetence, habilitet.

competent ['kɔmpitənt] *adj* kompetent, kvalificeret; dygtig; *(jur)* kompetent, habil *(fx witness),* tilladelig, lovlig *(fx evidence).*

competition [kɔmpi'tiʃən] *sb* kappestrid, konkurrence *(for* om). **competitive** [kəm'petitiv] *adj* konkurrerende; konkurrencedygtig; ~ *spirit* kappelyst.

competitor [kəm'petitə] *sb* konkurrent, medbejler; deltager (i konkurrence).

compilation [kɔmpi'leiʃən] *sb* kompilation, samlerarbejde, uddrag (af forskellige bøger). **compile** [kəm'pail] *vb* samle; kompilere; ~ *an index* udarbejde et register. **compiler** [kəm'pailə] *sb* kompilator, udgiver; (i edb) kompilator, oversætter (af algoritmisk sprog).

complacence [kəm'pleisns], **complacency** [kəm'pleisnsi] *sb* selvtilfredshed. **complacent** [kəm'pleisnt] *adj* selvtilfreds; selvbehagelig.

complain [kəm'plein] *vb* klage; beklage sig *(of, about* over); *(merk)* reklamere (ɔ: klage). **complainant** [kəm'pleinənt] *sb* klager, sagsøger.

complaint [kəm'pleint] klage, besværing; lidelse, sygdom; *(merk)* reklamation; *book of* -*s* ankeprotokol; *lodge (el make) a* ~ *against sby* indgive klage over én; indklage en; *I have no* -*s to make* jeg har ikke noget at klage over.

complaisance [kəm'pleizəns] *sb* forekommenhed, imødekommenhed; føjelighed, elskværdighed. **complaisant** [kəm'pleizənt] *adj* forekommende, imødekommende; føjelig; elskværdig.

complement ['kɔmplimənt] *sb* fuldendelse, udfyldning; *(gram)* komplement; *(mar)* fuldstændig bemanding; *(mil.)* (fuld) styrke; ~ *of the engine* maskinbesætning; *ship's* ~ skibsbesætning; *subjective* ~ omsagnsled til grundleddet.

complementary [kɔmpli'mentəri] *adj* supplerende, udfyldende; ~ *angles* komplementvinkler; ~ *colour* komple-

mentærfarve.

complete [kəm'pli:t] *adj* fuldstændig, komplet; fuldkommen, fuldendt; *vb* fuldende, fuldstændiggøre; fuldføre; udfylde *(fx a form);* ~ *one's twentieth year* fylde tyve år; ~ *works* samlede værker. **completion** [kəm'pli:ʃən] *sb* fuldendelse; fuldstændiggørelse, fuldførelse; udfyldning.

complex ['kɔmpleks] *adj* indviklet; sammensat; *sb* kompleks; sammensat hele; *(psyk)* kompleks.

complexion [kəm'plekʃən] *sb* ansigtsfarve, hudfarve, teint; udseende; anskuelse, partifarve; karakter; *(glds)* gemyt, temperament; *put a different* ~ *on the matter* stille sagen i et andet lys.

complexity [kəm'pleksiti] *sb* indviklet beskaffenhed.

compliance [kəm'plaiəns] *sb* indvilligelse *(with* i); eftergivenhed, føjelighed; *in* ~ *with* i overensstemmelse med.

compliant [kəm'plaiənt] *adj* eftergivende, føjelig.

complicate ['kɔmplikeit] *vb* komplicere, gøre indviklet. **complicated** *adj* indviklet, kompliceret.

complication [kɔmpli'keiʃən] *sb* forvikling; (også *med)* komplikation.

complicity [kəm'plisiti] *sb* medskyldighed; meddelagtighed.

I. compliment ['kɔmplimənt] *sb* kompliment; høflighed; hilsen; *my* -*s to your father* hils din fader (fra mig); -*s of the season* jule-og nytårsønsker; *Mr. X's* -*s and would you* ... jeg skal hilse fra hr. X og spørge om De ville ...

II. compliment ['kɔmpliment] *vb* komplimentere; lykønske *(on* med).

complimentary [kɔmpli'mentəri] *adj* komplimenterende; smigrende; rosende; ~ *copy* frieksemplar; ~ *dinner* festmiddag til ære for en; ~ *ticket* fribillet.

compline(e) ['kɔmplin] *sb* komplet, aftengudstjeneste.

comply [kəm'plai] *vb* give efter, indvillige, samtykke; ~ *with* rette sig efter, efterkomme, gå ind på, imødekomme *(fx his requests, his wishes).*

compo ['kɔmpou] *sb* bastardmørtel.

component [kəm'pounənt] *adj* som er en (bestand)del af, del-; *sb* bestanddel; komponent; del; element; ~ *parts* bestanddele.

comport [kəm'pɔ:t] *vb* stemme *(with* med), passe sig *(with* for); ~ *oneself* opføre sig; optræde *(fx he -ed himself with dignity).*

compose [kəm'pouz] *vb* sammensætte; ordne, samle; tilsammen udgøre, danne; (skrive *etc)* forfatte; komponere; (gøre rolig:) berolige; (om strid) bilægge; *(typ)* sætte; ~ *one's features* lægge ansigtet i de rette folder; ~ *oneself* fatte sig. **composed** [kəm'pouzd] *adj* fattet, rolig; *be* ~ *of* bestå af, være sammensat af.

composer [kəm'pouzə] *sb* komponist; forfatter.

composing | frame *(typ)* sættereol. ~ **machine** sættemaskine. ~ **room** sætteri. ~ **stick** vinkelhage.

composite [kəm'pɔzit] *adj* sammensat; *(bot)* kurvblomstret; *sb* sammensætning; *(bot)* kurvblomst.

composition [kɔmpə'ziʃən] *sb* sammensætning; komposition; (skole) fristil; *(litt)* værk; skrift; *(mus.)* komposition; (især *jur)* forlig; overenskomst, ordning, (ved konkurs) akkord; *(typ)* sætning.

compositor [kəm'pɔzitə] *sb* sætter.

compos mentis ['kɔmpəs 'mentis] ved sin fornufts fulde brug.

compost ['kɔmpɔst] *sb* kompost; *vb* gøde med kompost.

composure [kəm'pouʒə] *sb* ro, fatning.

compote ['kɔmpət] *sb* kompot.

I. compound ['kɔmpaund] *sb* blanding; sammensætning, *(gram* også) sammensat ord, kompositum; *(kem)* forbindelse *(fx water is a* ~ *of oxygen and hydrogen);* (område:) rum; (i Indien og Kina) indhegnet gård med (især europæisk) beboelseshus el fabrik; (i Sydafrika) indhegnet bydel hvor de indfødte (minearbejdere *etc)* er henvist til at bo.

II. compound ['kɔmpaund] *adj* sammensat *(fx word).*

III. compound [kəm'paund] *vb* sammensætte; blande; afgøre i mindelighed; få en ordning, (ved konkurs) få en akkord i stand *(fx with one's creditors);* komme overens, forlige sig; (om skade *etc)* forstørre, øge; ~ *a felony* lade sig bestikke til ikke at forfølge en forbrydelse; ~ *for* indgå forlig om, få en ordning med hensyn til.

compound | eye ɔ: facetøje. ~ **fracture** *(med)* kompliceret brud, åbent brud. ~ **interest** rentes rente.

comprehend [kɔmpri'hend] *vb* indbefatte, omfatte; begribe,

comprehend [kɔmpri'hend] *vb* indbefatte, omfatte; begribe, fatte. **comprehensible** [kɔmpri'hensəbl] *adj* begribelig, forståelig.

comprehension [kɔmpri'henʃən] *sb* opfattelse, forståelse; fatteevne; indbefatning; *it is beyond my ~* det går over min forstand.

comprehensive [kɔmpri'hensiv] *adj* omfattende; hvori alt er indbefattet; vidtfavnende, vidtspændende.

comprehensive school enhedsskole, udelt skole.

I. compress [kəm'pres] *vb* sammenpresse, komprimere; sammentrænge.

II. compress ['kɔmpres] *sb* (*med.*) omslag, kompres.

compressed air komprimeret luft, trykluft.

compression [kəm'preʃən] *sb* sammentrykning, fortætning; kompression.

compressor [kəm'presə] *sb* kompressor.

comprise [kəm'praiz] *vb* indbefatte, omfatte.

compromise ['kɔmprəmaiz] *sb* kompromis, overenskomst, forlig; *vb* bilægge, afgøre i mindelighed, (uden objekt) indgå et kompromis, gå på akkord *(with* med), gøre indrømmelser; (udsætte for skam) kompromittere; (for fare) bringe i fare.

comptroller [kən'troulə] *sb* tilsynsførende embedsmand (= *controller,* stavemåden bruges i visse titler).

compulsion [kəm'pʌlʃən] *sb* tvang; *(psyk)* kompulsion, kompulsiv trang.

compulsive [kəm'pʌlsiv] *adj* tvingende; (især *psyk)* tvangs-; *~ eater* trøstespiser.

compulsory [kəm'pʌlsəri] *adj* tvungen; obligatorisk *(fx some subjects are ~)*; *~ education* skolepligt, tvungen skolegang; *~ pilotage* lodspligt, lodstvang; *~ purchase* ekspropriation.

compunction [kəm'pʌŋkʃən] *sb* samvittighedsnag.

compurgation [kɔmpə:'geiʃən] *sb*: *oath of ~* renselsesed.

computable [kəm'pju:təbl] *adj* beregnelig.

computation [kɔmpju'teiʃən] *sb* beregning.

computation centre regnecentral.

compute [kəm'pju:t] *vb* beregne, anslå; regne.

computer [kəm'pju:tə] *sb* regnemaskine; data(behandlings)-maskine, databehandlingsanlæg, datamat, computer.

computerize [kəm'pju:təraiz] *vb* lade udføre (, styre) af en datamaskine; *-d* datamatiseret, datastyret.

computer science datalogi.

comrade ['kɔmrid, -reid] *sb* kammerat.

I. con [kɔn] *vb* studere, læse på *(fx a lesson)*; *~ over* læse på; *~ a ship* styre et skib.

II. con [kɔn] *fk contra*; se også *I. pro.*

III. con [kɔn] **S** *fk confidence (cf conman)*; *vb* snyde (ved hjælp af bondefangerkneb), fuppe.

concatenate [kɔn'kætineit] *vb* sammenkæde.

concatenation [kɔnkæti'neiʃən] *sb* sammenkædning.

concave ['kɔn'keiv] *adj* hul, hulsleben, konkav; *~ hulhed; ~ lens* spredelinse; *~ mirror* hulspejl.

concavity [kɔn'kæviti] *sb* hulhed; konkavitet.

conceal [kən'si:l] *vb* skjule, holde hemmelig; *-ed lighting* indirekte belysning. **concealment** *sb* hemmeligholdelse; skjul; *~ of birth* fødsel i dølgsmål.

concede [kən'si:d] *vb* indrømme.

conceit [kən'si:t] *sb* indbildskhed; *(litt)* søgt sammenligning (, åndrighed); *in one's own ~* efter sin egen mening, i egen indbildning; *out of ~ with* ikke (længere) tilfreds med.

conceited [kən'si:tid] *adj* indbildsk; *-ed about* vigtig af.

conceivable [kən'si:vəbl] *adj* forståelig; tænkelig *(fx take every ~ precaution)*, mulig.

conceive [kən'si:v] *vb* undfange; fatte; forstå; tænke sig, forestille sig; *~ a plan* udklække en plan.

concentrate ['kɔnsəntreit] *vb* koncentrere, sammendrage; koncentrere sig, samle sig *(on* om); *sb* koncentrat; kraftfoder.

concentration [kɔnsən'treiʃən] *sb* sammendragning, koncentrering, koncentration; *~ area* opmarchområde; *~ camp* koncentrationslejr.

concentric [kən'sentrik] *adj* koncentrisk.

concept ['kɔnsept] *sb* begreb.

conception [kən'sepʃən] *sb* undfangelse, befrugtning; forestilling; bevidsthedsbillede, idé.

I. concern [kən'sə:n] *vb* angå, vedkomme *(fx it does not ~*

you at all); *~ oneself with sth* interessere sig for noget, give sig af med noget; se også *concerned.*

II. concern [kən'sə:n] *sb* anliggende, sag *(fx it is no ~ of mine; mind your own -s)*; andel *(fx he has a ~ in the business)*; *(merk)* foretagende, forretning, virksomhed, firma; koncern; (uro *etc)* bekymring, ængstelse; *what ~ is it of yours?* hvad kommer det dig ved? *the whole ~* hele historien, hele redeligheden.

concerned [kən'sə:nd] *adj* bekymret *(fx he has a ~ look)*; interesseret; *as far as I am -ed* hvad mig angår; *be ~ in* være interesseret i; være impliceret i, have (noget) at gøre med *(fx he was ~ in the robbery)*; *the firm ~* vedkommende firma, det pågældende firma.

concerning *præp* angående, hvad angår, med hensyn til.

concernment [kən'sə:nmənt] *sb* vigtighed *(fx it is of vital ~)*; bekymring.

I. concert [kən'sə:t] *vb* indrette, ordne; aftale; samordne.

II. concert ['kɔnsət] *sb* koncert; forståelse, harmoni, overensstemmelse; aftale; *in ~ with* i samråd *(el* fællesskab) med.

concerted [kən'sə:tid] *adj* fælles; som sker i fællesskab; samlet *(fx attack)*; *(mus.)* udsat for flere stemmer (, instrumenter); *~ action* samlet optræden, fællesaktion.

concert grand koncertflygel.

concertina [kɔnsə'ti:nə] *sb* concertina (lille sekskantet harmonika).

concertmaster *(am)* koncertmester, første violinist.

concerto [kən'tʃə:tou] *sb* koncert, stykke for soloinstrument med orkesterledsagelse.

concert pitch kammertone; *at ~ (fig)* i topform.

concession [kən'seʃən] *sb* indrømmelse; bevilling, koncession. **concessionaire** [kanseʃə'nɛə] *sb* koncessionshaver.

concessionary [kən'seʃənəri] *adj* koncessioneret. **concessive** [kən'sesiv] *adj* indrømmende.

conch [kɔŋk] *sb* konkylie.

conchie, conchy ['kɔnʃi] *sb* **S** *(fk conscientious objector)* militærnægter.

conciliate [kən'silieit] *vb* vinde (for sig); forsone.

conciliation [kənsili'eiʃən] *sb* forsoning; mægling.

conciliation board forligskommission. **~ officer** forligsmand. **~ proceedings** mægling (ved skilsmisse).

conciliator [kən'silieitə] *sb* fredsstifter. **conciliatory** [kən'siliətəri] *adj* forsonende, mæglende, mæglings-; forsonlig.

concise [kən'sais] *adj* kortfattet, koncis.

conclave ['kɔnkleiv] *sb* konklave.

conclude [kən'klu:d] *vb* ende; afslutte; slutte; *(fig)* slutte *(from* af), drage en slutning; beslutte.

conclusion [kən'klu:ʒən] *sb* slutning, ende; afslutning; konklusion; *draw a ~* drage en slutning; *in ~* sluttelig, til sidst; *try -s with* prøve kræfter med, tage det op med.

conclusive [kən'klu:siv] *adj* afgørende.

concoct [kən'kɔkt] *vb* udklække; udspekulere *(fx a plan)*; finde på, opdigte *(fx an excuse)*; sammenbrygge; bikse sammen *(fx en ret)*.

concoction [kən'kɔkʃən] *sb* opdigtning; påfund; opdigtet historie; blanding, bryg, drik; rodsammen.

concomitant [kən'kɔmitənt] *adj* ledsagende; *sb* ledsagende omstændighed; ledsagefænomen; *be a ~ of* følge med *(fx tuberculosis is often a ~ of poverty)*.

concord ['kɔŋkɔ:d] *sb* enighed; sammenhold; overensstemmelse; samklang, harmoni; *(gram)* kongruens.

concordance [kən'kɔ:dəns] *sb* overensstemmelse; konkordans *(fx a ~ of the Bible).* **concordant** [kən'kɔ:dənt] *adj* overensstemmende *(with* med).

concordat [kɔn'kɔ:dæt] *sb* konkordat.

concourse ['kɔŋkɔ:s] *sb* sammenløb, tilløb, stimmel, skare, forsamling; *(arkit)* gennemgangsareal, forhal; *(am)* bred vej; banegårdshal.

concrescence [kɔn'kresəns] *sb* sammenvoksning.

I. concrete ['kɔnkri:t] *sb* beton; *(gram)* konkret, tingsnavn.

II. concrete ['kɔnkri:t] *adj* sammenvokset, hård, fast; konkret.

III. concrete [kən'kri:t] *vb* blive hård, størkne; gøre til en fast masse.

IV. concrete ['kɔnkri:t] *vb* støbe (i beton), betonstøbe; udstøbe (med beton).

concrete | mixer betonblandemaskine. **~ noun** *(gram)*

konkret, tingsnavn.
concreting ['kɔnkriːtiŋ] *sb* betonstøbning.
concretion [kɔn'kriːʃən] *sb* størkning; fast masse.
concubinage [kɔn'kjuːbinidʒ] *sb* konkubinat.
concubine ['kɔŋkjubain] *sb* konkubine, medhustru.
concupiscence [kɔn'kjuːpisns] *sb* lystenhed.
concupiscent [kɔn'kjuːpisnt] *adj* lysten.
concur [kɔn'kəː] *vb* forene sig, mødes; falde sammen, indtræffe samtidig; være enig; medvirke; virke sammen.
concurrence [kɔn'kʌrəns] *sb* sammentræf; forening, overensstemmelse; medvirkning; enighed; bifald.
concurrent [kɔn'kʌrənt] *adj* medvirkende, samvirkende; samstemmende, enig; samtidig; (om linjer) hinanden skærende; *sb* medvirkende omstændighed (*el.* årsag).
concuss [kɔn'kʌs] *vb* ryste. **concussed** [kɔn'kʌst] *adj* som har hjernerystelse.
concussion [kɔn'kʌʃən] *sb* rystelse; ~ *of the brain* hjernerystelse. **concussive** [kɔn'kʌsiv] *adj* rystende.
condemn [kɔn'dem] *adj* dømme; fordømme; kondemnere (*fx a house*); *the doctors had -ed him* han var opgivet af lægerne; *the -ed cell* de dødsdømtes celle.
condemnation [kɔndem'neiʃən] *sb* fordømmelse, domfældelse; kondemnering. **condemnatory** [kɔn'demnətəri] *adj* fordømmende.
condensable [kɔn'densəbl] *adj* fortættelig. **condensation** [kɔnden'seiʃən] *sb* fortætning, kondensation; (af vand også) nedslag; (*fig*) sammentrængning.
condense [kɔn'dens] *vb* fortætte, kondensere; fortættes, kondensere sig; (*fig*) sammentrænge. **condenser** *sb* fortætter, kondensator.
condescend [kɔndi'send] *vb* nedlade sig; være nedladende. **condescending** *adj* nedladende. **condescension** [kɔndi'senʃən] *sb* nedladenhed.
condign [kɔn'dain] *adj* velfortjent, passende (*fx* ~ *punishment*).
condiment ['kɔndimənt] *sb* (stærkt) krydderi; ~ *set* saltbøsse og peberbøsse (og undertiden sennepskrukke).
I. condition [kɔn'diʃən] *sb* betingelse, vilkår; tilstand, forfatning (*fx in a miserable* ~); (især i sport) kondition; (social stilling) stand; *-s pl* forhold, omstændigheder; *people of all -s* folk af alle lag; *change one's* ~ (oftest =) gifte sig; *in* ~ ved godt helbred, i god kondition; *out of* ~ i dårlig form, ikke helt rask; *on* ~ *that* på den betingelse at; forudsat at; *on no* ~ under ingen omstændigheder.
II. condition [kɔn'diʃən] *vb* betinge; træne op, bringe i form; (*psyk*) indgive betingede reflekser, 'dressere'; *-ed by* betinget af, bestemt af.
conditional [kɔn'diʃənl] *adj* betingende, betinget; ~ *on* betinget af. **conditional clause** betingelsessætning. **conditionally** *adv* på visse betingelser, med visse forbehold.
conditioned reflex (*psyk*) betinget refleks.
condole [kɔn'doul] *vb* bevidne sin deltagelse; ~ *with sby* kondolere en.
condolence [kɔn'douləns] *sb* kondolence.
condom ['kɔndəm] *sb* kondom, præservativ.
condominium [kɔndə'miniəm] *sb* fællesstyre; (*am*) hus med ejerlejligheder; ejerlejlighed.
condonation [kɔndou'neiʃən] *sb* tilgivelse.
condone [kɔn'doun] *vb* tilgive; lade gå upåtalt hen.
condor ['kɔndɔ:] *sb* zo kondor.
conduce [kɔn'djuːs] *vb* bidrage. **conducive** [kɔn'djuːsiv] *adj* som bidrager (*to* til).
I. conduct ['kɔndʌkt] *sb* førelse; ledelse (*fx the* ~ *of the war*); opførsel, adfærd, handlemåde, vandel.
II. conduct [kɔn'dʌkt] *vb* føre, lede; udføre; (*mus.*) dirigere; (*fys*) lede; ~ *oneself* opføre sig; *-ed tour* omvisning; selskabsrejse.
conduction [kɔn'dʌkʃən] *sb* ledning.
conductive [kɔn'dʌktiv] *adj* (*fys*) ledende.
conductor [kɔn'dʌktə] *sb* fører, leder (*fx the* ~ *of the expedition*); konduktør (på sporvogn, omnibus, *am* også tog); (*mus.*) dirigent; (*fys*) leder; lynafleder.
conduct sheet (*mil.*) straffeblad.
conduit ['kɔndit] *sb* vandledning, rør, kanal; (*elekt*) (lednings)rør. **conduit system** ledningsnet.
cone [koun] *sb* kegle; (til is) kræmmerhus, vaffel; (*bot*) kogle; *be -d* (*flyv*) blive indfanget af (fjendtlige) lyska-

stere.
cone-shaped *adj* kegleformet.
cone sheet (*geol*) keglegang.
coney ['kouni] *sb* (*glds*) kanin.
confab ['kɔnfæb] **T** *fk confabulate, confabulation*.
confabulate [kɔn'fæbjuleit] *vb* snakke, passiare.
confabulation [kɔnfæbju'leiʃən] *sb* snak, passiar.
confection [kɔn'fekʃən] *sb* blanding, tilberedning; (stykke) konfekt; færdigsyet (pyntet) dametøj.
confectioner [kɔn'fekʃənə] konfekturehandler, sukkervarefabrikant; konditor; *-s' sugar* (*am*) flormelis.
confectionery [kɔn'fekʃənri] *sb* sukkervarer, konfekt; konfekturehandler; konditorvarer; konditori.
confederacy [kɔn'fedərəsi] *sb* forbund; sammensværgelse; edsforbund.
I. confederate [kɔn'fedəreit] *vb* forbinde; forene sig, slutte forbund.
II. confederate [kɔn'fedərit] *adj* og *sb* forbundet, forbunds-; forbundsfælle; medskyldig; (*am hist*) sydstats-, hørende til de konfødererede amerikanske sydstater (*the Confederate States of America*); sydstatsmand.
confederation [kɔnfedə'reiʃən] *sb* forbund.
confer [kɔn'fəː] *vb* konferere; rådslå; overdrage; give; ~ *sth upon sby* skænke en noget; tildele en noget.
conference ['kɔnfərəns] *sb* konference; møde.
conference call telefonmøde.
confess [kɔn'fes] *vb* bekende, tilstå; vedgå, indrømme; (*rel*) skrifte; tage til skrifte.
confession [kɔn'feʃən] *sb* bekendelse, tilståelse; indrømmelse; (*rel*) skriftemål, skrifte; trosbekendelse.
confessional [kɔn'feʃənl] *sb* skriftestol.
confessor [kɔn'fesə] *sb* bekender; skriftefader.
confetti [kɔn'feti] *sb* konfetti.
confidant, confidante [kɔnfi'dænt] *sb* fortrolig (ven, veninde).
confide [kɔn'faid] *vb* betro; ~ *in* stole på, have tillid til (*fx I can* ~ *in him*); betro sig til; ~ *to* betro til (*fx he -d his troubles to me*).
confidence ['kɔnfidəns] *sb* tillid (*in* til); tillidsfuldhed; fortrolighed (*fx in strict* ~); fortrolig meddelelse; betroelse (*fx I don't want to listen to his -s*); *in* ~ i al fortrolighed; *be in sby's* ~ have ens fortrolighed; *take him into my* ~ betro mig til ham, skænke ham min fortrolighed; *vote of* ~ tillidsvotum.
confidence | man bondefanger. ~ **trick** bondefangerkneb. ~ **trickster** bondefanger.
confident ['kɔnfidənt] *adj* overbevist; tillidsfuld; selvtillidsfuld, sikker; ~ *of* stolende på, i tillid til. **confidential** [kɔnfi'denʃəl] *adj* fortrolig (*fx tone*); betroet (*fx servant*); ~ *agent* hemmelig agent.
configuration [kɔnfigju'reiʃən] *sb* form; stilling; (*astr, kem*) konfiguration; (*psyk*) gestalt.
confine [kɔn'fain] *vb* begrænse; indskrænke; indeslutte, indespærre; holde fangen, fængsle; *be -d* (også) nedkomme; *she is about to be -d* hun venter sin nedkomst; *-d to one's bed* sengeliggende; *-d to barracks* (*mil.*) i kvarterarrest; *be -d to one's room* måtte holde sig inde (på grund af sygdom).
confinement [kɔn'fainmənt] *sb* indespærring; arrest; barselseng, nedkomst; ~ *to barracks* kvarterarrest; *be placed under* ~ blive spærret inde.
confines ['kɔnfainz] *sb pl* grænser.
confirm [kɔn'fəːm] *vb* bekræfte, stadfæste; bestyrke, befæste; (*rel*) konfirmere. **confirmation** [kɔnfə'meiʃən] *sb* stadfæstelse, bekræftelse; (*rel*) konfirmation. **confirmed** *pp* af *confirm*; (også:) forhærdet, uforbederlig, indgroet, inkarneret (*fx bachelor*); passioneret (*fx smoker*); uhelbredelig.
confiscate ['kɔnfiskeit] *vb* konfiskere, beslaglægge. **confiscation** [kɔnfis'keiʃən] *sb* konfiskation, beslaglæggelse.
conflagration [kɔnflə'greiʃən] *sb* (kæmpe)brand.
I. conflict [kɔn'flikt] *vb* støde sammen, være i modstrid med hinanden; ~ *with* støde sammen med, være i modstrid med.
II. conflict ['kɔnflikt] *sb* kamp, strid, konflikt; *come into* ~ *with* komme i modstrid med; komme i konflikt med (*fx the law*).
conflicting [kɔn'fliktiŋ] *adj* modstridende.

C confluence

confluence ['kɔnfluəns] *sb* sammenløb; sammenstrømning, sammenstimlen; folkestimmel. confluent ['kɔnfluənt] *adj* sammenflydende; *sb* biflod. conflux ['kɔnflʌks] se *confluence.*

conform [kən'fɔ:m] *vb* tilpasse, tillempe; rette sig *(to* efter); være i overensstemmelse *(to, with* med); passe *(to, with* til). conformable [kən'fɔ:məbl] *adj* overensstemmende, passende; lydig, føjelig. conformation [kɔnfɔ:'meiʃən] *sb* form, skikkelse, bygning; struktur.

conformism [kən'fɔ:mizm] *sb* konformisme.

conformist [kən'fɔ:mist] *sb* konformist (tilhænger af den engelske statskirke).

conformity [kən'fɔ:miti] *sb* konformitet; (handlemåde i) overensstemmelse (med givne regler); *(rel)* tilslutning til den engelske statskirke.

confound [kən'faund] *vb* sammenblande; forveksle; forvirre; forbløffe; gøre til skamme; tilintetgøre; ~ *his impudence!* sikken en uforskammet fyr; ~ *it!* gid pokker havde det! *-ed* forbistret *(fx a -ed long time).*

confront [kən'frʌnt] *vb* stå *(el.* stille (sig)) ansigt til ansigt med; stå (lige) over for; konfrontere *(with* med); *the crisis which now -s the people* den krise som folket nu står over for.

confrontation [kɔnfrʌn'teiʃən] *sb* konfrontation.

Confucius [kən'fju:ʃiəs] Kungfutse.

confuse [kən'fju:z] *vb* forvirre; sammenblande, forveksle *(fx ~ cause and effect).*

confusedly [kən'fju:zidli] *adv* forvirret.

confusion [kən'fju:ʒən] *sb* uorden, forvirring; sammenblanding; forlegenhed, bestyrtelse; ødelæggelse.

confutation [kɔnfju:'teiʃən] *sb* gendrivelse.

confute [kən'fju:t] *vb* gendrive, modbevise; bringe til tavshed.

con game *(am)* bondefangerkneb.

congeal [kən'dʒi:l] *vb* bringe til at fryse; bringe til at størkne *el* stivne; fryse; størkne, stivne.

congelation [kɔndʒi'leiʃən] *sb* størknen, stivnen; frysen.

congenial [kən'dʒi:niəl] *adj* (ånds)beslægtet; sympatisk *(fx society);* som passer til ens temperament og indstilling *(fx work).* congeniality [kəndʒi:ni'æliti] *sb* åndsslægtskab; sympati; passende beskaffenhed.

congenital [kən'dʒenitl] *adj* medfødt *(fx disease).*

conger (eel) ['kɔŋgə('ri:l)] havål.

congeries [kən'dʒiəri:z] *sb* dynge, hob; virvar.

congest [kən'dʒest] *vb* overfylde; *-ed area* overbefolket område.

congestion [kən'dʒestʃən] *sb* kongestion, blodtilstrømning; overfyldning, trængsel; *traffic ~* trafikprop.

I. conglomerate [kən'glɔmereit] *vb* sammenklumpe, sammenhobe.

II. conglomerate [kən'glɔmərit] *adj* sammenhobet; *sb* blandet masse; konglomerat.

conglomeration [kənglɔmə'reiʃən] *sb* sammenhobning; konglomerat.

conglutinate [kən'glu:tineit] *vb* sammenlime, sammenklæbe; sammenføje; (uden objekt) sammenklæbes, vokse sammen.

conglutination [kənglu:ti'neiʃən] *sb* sammenlimning; sammenvoksning.

Congo ['kɔŋgou]: ~ *snake* slangepadde.

congratulate [kən'grætjuleit] *vb* lykønske, gratulere *(on* med). congratulation [kəngrætju'leiʃən] *sb* lykønskning. congratulatory [kən'grætjulətəri] *adj* lykønsknings-.

congregate ['kɔŋgrigeit] *vb* samle (sig).

congregation [kɔŋgri'geiʃən] *sb* menighed; (for)samling.

congregationalism [kɔŋgri'geiʃənəlizm] *sb (rel)* kongregationalisme (den kirkelige retning der gør de enkelte menigheder uafhængige), frimenighedsbevægelse.

congress ['kɔŋgres, *(am)* -gris] *sb* møde; kongres; *Congress* kongressen (De forenede Staters parlament).

congressional [kɔŋ'greʃənl] *adj* kongres- *(fx debate);* ~ *district (am)* valgkreds i USA (ved valg til Repræsentanternes Hus).

congressman ['kɔŋgrismən] *sb (am)* kongresmedlem, medlem af Repræsentanternes Hus.

congruence ['kɔŋgruəns] *sb* overensstemmelse; kongruens.

congruent ['kɔŋgruənt] *adj* overensstemmende; kongruent. congruity [kɔŋ'gruiti] *sb* overensstemmelse. congruous

['kɔŋgruəs] *adj* passende; overensstemmende.

conic(al) ['kɔnik(l)] *adj* kegle-; kegleformig, konisk; ~ *section* keglesnit. conics ['kɔniks] *sb* læren om keglesnit.

conifer ['kounifə] *sb (bot)* nåletræ. coniferous [kou'nifərəs] *adj* koglebærende; nåle(træs)-; ~ *forest* nåleskov.

conjectural [kən'dʒektʃərəl] *adj* grundet på gisning.

conjecture [kən'dʒektʃə] *sb* gætning, gisning, konjektur; *vb* gætte, gætte sig til, formode.

conjoin [kən'dʒɔin] *vb* forbinde; *-t* forenet.

conjugal ['kɔndʒugəl] *adj* ægteskabelig *(fx happiness).*

conjugate ['kɔndʒugeit] *vb* konjugere(s). conjugation [kɔndʒu'geiʃən] *vb* konjugation, (verbal)bøjning.

conjunction [kən'dʒʌŋkʃən] *sb* forbindelse; forening; sammenfald; *(gram)* konjunktion; bindeord.

conjunctiva [kɔndʒʌŋk'taivə] *sb* øjets bindehinde.

conjunctive [kən'dʒʌŋktiv] *adj* forbindende.

conjunctivitis [kɔndʒʌŋkti'vaitis] *sb (med)* betændelse i øjets bindehinde, konjunktivitis.

conjuncture [kən'dʒʌŋktʃə] *sb* sammentræf (af omstændigheder), forhold, situation; (kritisk) tidspunkt.

conjuration [kɔndʒu'reiʃən] *sb* besværgelse.

I. conjure [kən'dʒuə] *vb* besværge, bede indstændigt.

II. conjure ['kʌndʒə] *vb* lave tryllekunster, trylle, hekse; ~ *up* fremmane; *a name to ~ with* et navn der betyder noget (ɔ: er kendt).

conjurer ['kʌndʒərə] *sb* tryllekunstner.

conjuring trick ['kʌndʒəriŋ'trik] tryllekunst.

conk [kɔŋk] *sb* S næse, tud; en på tuden; *vb: ~ (out)* (om motor *etc)* sætte ud, bryde sammen, svigte; (om person) besvime; dø.

conker ['kɔŋkə] *sb* T kastanje.

conman ['kɔnmæn] *sb* T bondefanger.

conn [kɔn] *vb: ~ a ship* styre et skib.

Conn. *fk* Connecticut; Connaught.

Connaught ['kɔnɔ:t].

connect [kən'nekt] *vb* forbinde; stå i forbindelse, (om tog *etc)* korrespondere, have forbindelse *(with* med); ~ *with* S slå, ramme; *-ed* (også) sammenhængende; *well -ed* af god familie.

connectedly [kə'nektidli] *adv* i sammenhæng.

Connecticut [kə'netikət].

connecting rod drivstang, plejlstang.

connection [kən'nekʃən] *sb* forbindelse, sammenhæng; *(merk)* kundekreds; (familie:) slægtning; slægtskab; *(rel)* kirkesamfund.

connective [kə'nektiv] *adj* forbindende; bindeord; ~ *tissue* bindevæv.

connexion se *connection.*

conning tower ['kɔniŋtauə] *(mar)* kommandotårn.

conniption [kə'nipʃən] *sb* S: ~ *(fit)* hysterisk anfald.

connivance [kə'naivəns] *sb* det at se igennem fingre med (især forbrydelse); hemmelig forståelse, medvirken.

connive [kə'naiv] *vb* være medvider; ~ *at* se igennem fingre med; ~ *with* stå i hemmelig forbindelse med.

connoisseur [kɔnə'sə:] *sb* kender, kunstkender.

connotation [kɔnə'teiʃən] *sb* konnotation; bibetydning.

connote [kɔ'nout] *vb* have bibetydning af; betyde.

connubial [kə'nju:bjəl] *adj* ægteskabelig.

conquer ['kɔŋkə] *vb* erobre; besejre; (uden objekt) sejre.

conqueror ['kɔŋkərə] *sb* erobrer, sejrherre.

conquest ['kɔŋkwest] *sb* erobring; sejr; *the Conquest* især = *the Norman Conquest* (1066); *make a ~ of* vinde (for sig); *by right of ~* med erobrerens ret.

consanguineous [kɔnsæŋ'gwiniəs] *adj* blodsbeslægtet.

consanguinity [kɔnsæŋ'gwiniti] *sb* blodsslægtskab.

conscience ['kɔnʃəns] *sb* samvittighed; *in all ~* T sandt at sige, mindsandten; med rimelighed; *a matter of ~* en samvittighedssag.

conscience clause bestemmelse der giver ret til fritagelse *(fx* for religionsundervisning) af samvittighedsgrunde.

conscience| money penge der indbetales for at lette samvittigheden, især med hensyn til tidligere begået skattesnyderi. ~ -stricken brødebetynget; *be ~ -stricken* have samvittighedsnag.

conscientious [kɔnʃi'enʃəs] *adj* samvittighedsfuld; samvittigheds-. conscientious objector militærnægter (af samvittighedsgrunde).

conscious ['kɔnʃəs] *adj* bevidst, ved bevidsthed; genert; *be*

77

~ of sth være sig noget bevidst, være klar over noget. **consciousness** sb bevidsthed.
I. conscript ['konskript] sb værnepligtig; udskreven (soldat).
II. conscript [kən'skript] vb udskrive.
conscription [kən'skripʃən] sb udskrivning; værnepligt.
consecrate ['konsikreit] vb indvie; vie, hellige *(fx his life was -d to the service of his country)*.
consecration [konsi'kreiʃən] sb indvielse.
consecutive [kən'sekjutiv] adj på hinanden følgende; følgende; sammenhængende, følge-; ten ~ days ti dage i træk. **consecutive clause** følgebisætning.
consensus [kən'sensəs] sb enighed, samstemmighed; samstemmende mening.
consent [kən'sent] sb samtykke *(fx the parents gave their ~ to the marriage)*; vb: ~ to samtykke i, give sit samtykke til *(fx the parents -ed to the marriage)*; indvillige i, billige, gå ind på; finde sig i; the age of ~ den kriminelle lavalder; by mutual ~ ved fælles overenskomst; by common ~, with one ~ enstemmigt.
consentient [kən'senʃənt] adj samstemmende.
consequence ['konsikwəns] sb følge; følgeslutning, konsekvens; vigtighed, betydning; -s (leg der består i at hver deltager skriver en sætning til en historie uden at kende de foregående); in ~ som følge deraf, følgelig; in ~ of som følge af; of ~ vigtig; of no ~ uden betydning.
I. consequent ['konsikwənt] sb følge, virkning; (i logik) følgesætning.
II. consequent ['konsikwənt] adj (deraf) følgende.
consequential [konsi'kwenʃəl] adj (deraf) følgende, deraf betinget; følge-; (om person) vigtig, anmassende, indbildsk; ~ loss insurance driftstabsforsikring.
consequently ['konsikwentli] adv følgelig, altså.
conservancy [kən'sə:vənsi] sb: nature ~ naturfredning.
conservation [konsə'veiʃən] sb vedligeholdelse, bevaring; *(fys)* bevarelse.
conservatism [kən'sə:vətizm] sb konservatisme.
conservative [kən'sə:vətiv] adj vedligeholdende, bevarende; konservativ; *Conservative (pol)* konservativ; on *(el. at)* a ~ estimate efter en forsigtig vurdering.
conservatoire [kən'sə:vətwa:] sb musikkonservatorium.
conservator ['konsəveitə] sb bevarer *(fx ~ of the peace)*; beskytter; *(tekn)* konservator; *(am)* værge.
conservatory [kən'sə:vətri] sb drivhus, vinterhave; *(am)* musikkonservatorium.
conserve [kən'sə:v] sb syltetøj; vb bevare *(fx one's health)*; sylte.
conshie, conshy se *conchie*.
consider [kən'sidə] vb betragte, overveje; betænke, tage i betragtning *(fx we must ~ his youth)*; anse for *(fx I -ed him (to be) a fool)*, holde for; mene *(fx we ~ that he is right)*, finde; tage hensyn til *(fx he never -s others)*, være hensynsfuld over for; (uden objekt) tænke sig om, betænke sig; *all things -ed* når alt tages i betragtning, når alt kommer til alt; (se også *considered, considering*).
considerable [kən'sidərəbl] adj anselig, betydelig *(fx a ~ amount)*.
considerate [kən'sidərit] adj hensynsfuld.
consideration [kənsidə'reiʃən] sb betragtning; overvejelse *(fx under ~)*; hensynsfuldhed *(fx he never shows much ~ for her feelings)*; vigtighed, betydning *(fx it is of no ~ at all)*; (penge) duser, vederlag, løn, betaling *(fx he will do anything for a ~)*; afståelsessum; in ~ of i betragtning af; som belønning for, som vederlag for; *take into ~* tage i betragtning, tage under overvejelse; on *(el. under)* no ~ under ingen omstændigheder.
considered [kən'sidəd] adj velovervejet.
considering [kən'sidəriŋ] præp i betragtning af *(fx ~ his age)*; **T** efter omstændighederne *(fx that's not so bad, ~)*, alt taget i betragtning.
consign [kən'sain] vb overdrage, betro, overgive; *(merk)* sende, konsignere; ~ to oblivion lade det gå i glemme; ~ it to the wastepaper basket smide det i papirkurven.
consignee [konsai'ni:] sb modtager, konsignatar.
consignment [kən'sainmənt] sb overdragelse; konsignation, adressering; sending, parti; on ~ i konsignation; ~ note fragtbrev. **consignor** [kən'sainə] sb konsignant, afsender.
consist [kən'sist] vb bestå *(in i, of af)*; stemme overens

(with med).
consistence [kən'sistəns] sb, se *consistency*.
consistency [kən'sistənsi] sb konsekvens, følgerigtighed; overensstemmelse; *(beskaffenhed:)* stoftæthed; fasthed; konsistens.
consistent [kən'sistənt] adj følgerigtig, konsekvent; ~ with forenelig med, overensstemmende med; be ~ with (også) stemme med.
consistory [kən'sistəri] sb konsistorium, kirkeråd, kirkelig domstol.
consolation [konsə'leiʃən] sb trøst. **consolation prize** trøstpræmie. **consolatory** [kən'sɔlətəri] adj trøstende.
I. console [kən'soul] vb trøste.
II. console ['konsoul] sb *(arkit)* konsol; (til orgel) spillebord; *(elekt etc)* kontrolbord; reguleringspult; (til radio el. TV apparat) (større) skab (på ben). **console table** konsol(bord).
consolidate [kən'solideit] vb konsolidere, sikre, styrke; forene; (uden objekt) antage fast form; blive fast; *-d annuities* se *consols; the Consolidated Fund* det almindelige statsfond som dannes af hovedparten af statsindtægterne og af hvilket renten af statsgælden, kongelig apanage *etc* betales. **consolidation** [kənsoli'deiʃən] sb forening; befæstelse, konsolidering.
consols [kən'sɔlz] sb pl konsoliderede (engelske) statsobligationer, consols *(fk consolidated annuities)*.
consommée [kən'sɔmei] sb (klar) kødsuppe, consommé.
consonance ['konsənəns] sb samklang; overensstemmelse; *(mus.)* konsonans.
consonant ['konsənənt] sb medlyd, konsonant; adj overensstemmende; ~ with (også) der passer til, der harmonerer *(el. stemmer overens)* med.
I. consort ['konsɔ:t] sb ægtefælle, gemal, gemalinde; *(mar)* eskorterende skib, ledsageskib.
II. consort [kən'sɔ:t] vb omgås; passe sammen, stemme overens *(with med)*.
consortium [kən'sɔ:tjəm] sb konsortium.
conspectus [kən'spektəs] sb kort oversigt, resumé.
conspicuous [kən'spikjuəs] adj klar, tydelig, iøjnefaldende; fremtrædende; *make oneself ~* gøre sig bemærket; *be ~ by one's absence* glimre ved sin fraværelse.
conspiracy [kən'spirəsi] sb sammensværgelse.
conspirator [kən'spirətə] sb sammensvoren, konspirator.
conspiratorial [kənspirə'tɔ:riəl] adj konspiratorisk; medvidende.
conspire [kən'spaiə] vb sammensværge sig; deltage i sammensværgelse; virke sammen, forene sig.
constable ['kʌnstəbl] sb politibetjent; *Constable of the Tower* kommandant i Tower; *outrun the ~* komme i gæld.
constabulary [kən'stæbjuləri] sb politikorps; adj politi-.
Constance ['konstəns] *(geogr)* Konstanz; *Lake of ~* Bodensøen.
constancy ['konstənsi] sb bestandighed; standhaftighed.
constant ['konstənt] adj bestandig, stadig, uforandret; konstant; (om person) standhaftig, trofast *(fx a ~ friend)*, stabil; sb konstant (størrelse).
Constantine ['konstəntain] Konstantin.
Constantinople [konstænti'noupl] Konstantinopel.
constantly ['konstəntli] adv stadig, bestandig.
constellation [konstə'leiʃən] sb stjernebillede, konstellation.
consternation [konstə'neiʃən] sb bestyrtelse.
constipate ['konstipeit] vb virke (for)stoppende; be -d have forstoppelse.
constipation [konsti'peiʃən] sb forstoppelse.
constituency [kən'stitjuənsi] sb valgkreds; vælgere.
constituent [kən'stitjuənt] adj grundlovgivende *(fx assembly)*; vælgende; sb bestanddel; *(parl)* vælger; ~ parts bestanddele.
constitute [kən'stitju:t] vb udgøre *(fx seven days ~ a week)*; indrette *(fx I am so -d that I need very little sleep)*; fastsætte, anordne; udnævne (til); indstifte *(fx divinely -d)*; nedsætte *(fx a committee)*; he -d himself her protector han opkastede sig til hendes beskytter.
constitution [konsti'tju:ʃən] sb indretning, beskaffenhed; sammensætning; struktur, bygning; (persons) legemsbeskaffenhed; konstitution *(fx he has a poor ~)*; natur; *(jur)* (stats)forfatning, konstitution.
constitutional [konsti'tju:ʃənl] adj medfødt, naturlig, kon-

stitutionel; *(jur)* forfatningsmæssig, konstitutionel; *sb* spadseretur for sundhedens skyld, motion; ~ *formula (kem)* konstitutionsformel; ~ *law* forfatningsret; ~ *state* retsstat.

constitutive [kən'stitjutiv] *adj* væsentlig; grundlæggende, bestemmende; *(jur)* lovgivende, konstituerende.

constrain [kən'strein] *vb* tvinge; indskrænke. **constrained** [kən'streind] *adj* genert, tvungen, ufri.

constraint [kən'streint] *sb* tvang; ufrihed, indespærring; generthed.

constrict [kən'strikt] *vb* sammentrække, sammenpresse, sammensnøre, indsnøre; *-ed* (også) snæver, begrænset.

constriction [kən'strikʃən] *sb* sammensnøring, sammentrækning; ~ *of the chest* trykken for brystet.

constrictor [kən'striktə] *sb* sammentrækkende muskel; *zo* kvælerslange.

constringent [kən'strindʒənt] *adj* sammentrækkende.

construct [kən'strʌkt] *vb* opføre, bygge; konstruere; ['konstrʌkt] *sb* konstruktion.

construction [kən'strʌkʃən] *sb (cf construct)* opførelse, bygning; konstruktion; udførelse; *(cf construe)* forklaring, mening, udlægning, fortolkning; *put a good ~ on sth* udlægge noget på en gunstig måde, optage noget i en god mening. **constructional** [kən'strʌkʃənl] *adj* bygnings-, konstruktions-; udførelses-; ~ *engineer* bygningsingeniør.

constructive [kən'strʌktiv] *adj* konstruktiv; positiv *(fx a ~ proposal)*; bygnings-, bygge-; *(jur)* som man kan slutte sig til; ~ *total loss* konstruktivt totaltab.

constructor [kən'strʌktə] *sb* konstruktør.

construe [kən'stru:] *vb* udlægge, fortolke, opfatte; oversætte; *(gram)* analysere, kunne analyseres *(fx this sentence does not ~)*; konstruere, forbinde *(fx 'aware' is -d with 'of' or 'that')*.

consuetude ['konswitju:d] *sb* sædvane.

consul ['konsəl] *sb* konsul; ~ *general* generalkonsul. **consular** ['konsjulə] *adj* konsulær, til konsulatet hørende; ~ *service* konsulattjeneste. **consulate** ['konsjulit] *sb* konsulat. **consulship** *sb* konsulembede, konsulat.

consult [kən'sʌlt] *vb* rådslå, rådføre sig med; konsul(t)ere *(fx a doctor)*; slå op *(el.* se efter) i *(fx a dictionary)*; tage hensyn til *(fx his feelings)*; ~ *a watch* se på et ur. **consultant** [kən'sʌltənt] *sb* overlæge. **consultation** [konsəl'teiʃən] *sb* rådførelse; rådslagning; samråd. **consultative** [kən'sʌltətiv] *adj* rådgivende. **consulting** *adj* rådgivende *(fx architect)*; ~ *room* konsultationsværelse.

consume [kən'sju:m] *vb* forbruge, opbruge; (om føde) fortære, konsumere; (om ild) fortære; ~ *away (fig)* hentæres; *be -d with (fig)* fortæres af *(fx hatred)*; brænde af *(fx curiosity)*; *be -d with envy* nages af misundelse.

consumer [kən'sju:mə] *sb* forbruger, konsument.

consumer | **durables** *pl* varige forbrugsgoder. ~ **goods** *pl* forbrugsvarer, forbrugsgoder.

I. consummate ['konsəmeit] *vb* fuldende; fuldbyrde *(fx the marriage)*.

II. consummate [kən'sʌmit] *adj* fuldendt, fuldendt dygtig; ~ *skill* overlegen dygtighed.

consummation [konsə'meiʃn] *sb* fuldendelse; ende; fuldbyrdelse.

consumption [kən'sʌm(p)ʃən] *sb* fortæring; forbrug; *(med.)* lungetuberkulose; *(glds)* svindsot, tæring. **consumptive** [kən'sʌm(p)tiv] *adj* fortærende, ødelæggende; *(med.)* tuberkuløs, *(glds)* svindsottig; *sb* tuberkulosepatient.

I. contact ['kontækt] *sb* berøring, kontakt, forbindelse; *(med.)* mulig smittebærer; *break ~ (elekt)* afbryde strømmen; *be in ~ with* (også) holde sig i kontakt med; have føling med; *make ~ with* sætte sig i forbindelse med.

II. contact [kən'tækt] *vb* træde i (forretnings)forbindelse med; kontakte, få (, sætte sig i) forbindelse med; stå i forbindelse med.

contact| **flying** flyving ved hjælp af jordsigt. ~ **lens** *(med.)* kontaktlinse. ~ **man** kontaktmand, mellemmand.

contagion [kən'teidʒən] *sb* smitte.

contagious [kən'teidʒəs] *adj* smitsom; smittende.

contain [kən'tein] *vb* indeholde; rumme; (styre *etc*) holde i tømme, beherske *(fx one's anger, oneself)*; *(mil.* og *fig)* dæmme op for *(fx an attack, inflation)*, standse; ~ *the enemy* binde fjenden; *thirty -s six* seks går i op i tredive.

container *sb* beholder, container. **containment** *sb: policy of ~* inddæmningspolitik.

contaminate [kən'tæmineit] *vb* besmitte; forurene *(mht* radioaktivitet).

contamination [kəntæmi'neiʃən] *sb* besmittelse; (radioaktiv) forurening; *(gram)* kontamination, sammenblanding.

contango [kən'tæŋgou] *sb (merk)* contango, report.

contd. *fk continued* fortsættes, vend; fortsat.

contemn [kən'tem] *vb* foragte.

contemplate ['kontempleit] *vb* beskue, betragte; overveje; påtænke, have i sinde; vente.

contemplation [kontem'pleiʃən] *sb* betragtning; beskuelse; overvejelse, grubleri; forventning; hensigt; *have in ~* påtænke, have under overvejelse.

contemplative ['kontempleitiv, kən'templətiv] *adj* eftertænksom, dybsindig; kontemplativ, beskuende.

contemporaneous [kəntempə'reinjəs] *adj* samtidig.

contemporary [kən'tempərəri] *adj* samtidig; jævnaldrende; nulevende, nutids-, moderne; *sb* samtidig, jævnaldrende; blad *el.* tidsskrift der udkommer på samme dag *el.* i samme periode som et andet.

contempt [kən'tem(p)t] *sb* foragt; *beneath ~* under lavmålet, under al kritik; *hold in ~* nære foragt for; ringeagte; ~ *of court* foragt for retten.

contemptible [kən'tem(p)təbl] *adj* foragtelig; ussel, elendig.

contemptuous [kən'tem(p)tjuəs] *adj* hånlig.

contend [kən'tend] *vb* kæmpe, kappes *(with sby for sth* med en om noget); strides; forfægte; påstå, anføre (som argument).

I. content ['kontent] *sb* rumindhold; indhold; (se også *contents)*.

II. content [kən'tent] *adj* tilfreds; (ved afstemning i Overhuset) ja; *sb* tilfredsstillelse, tilfredshed; *vb* tilfredsstille; *to his heart's ~* så meget han lyster; ~ *oneself* lade sig nøje, nøjes *(with* med); *be ~ with* være tilfreds med, nøjes med.

contented [kən'tentid] *adj* tilfreds *(fx a ~ smile)*.

contention [kən'tenʃən] *sb* strid; påstand *(fx my ~ is this)*.

contentious [kən'tenʃəs] *adj* trættekær, stridbar; omstridt; ~ *issue* stridsspørgsmål.

contentment [kən'tentmənt] *sb* tilfredshed; tilfredsstillelse.

contents ['kontents] *sb pl* indhold; *insurance of ~* effektforsikring; *table of ~* indholdsfortegnelse.

contents bill 'spiseseddel' (for avis).

conterminous [kən'tə:minəs] *adj: be ~ with* have fælles grænse med, støde op til.

I. contest [kən'test] *vb* bestride; rejse tvivl om; kæmpe for, forsvare; ~ *an election(, a seat)* stille (sig som) modkandidat ved et valg; *a -ed election* kampvalg; *(am* også) et valg, hvis resultats gyldighed bestrides.

II. contest ['kontest] *sb* styrkeprøve, strid; konkurrence *(fx beauty ~)*.

contestant [kən'testənt] *adj* stridende, kæmpende; *sb* konkurrencedeltager; modkandidat; en der bestrider et valgs gyldighed; *the -s* (også) de stridende parter.

context ['kontekst] *sb* sammenhæng, kontekst; baggrund; T uddrag; *quote out of ~* begå citatfusk.

contiguity [konti'gjuiti] *sb* berøring, nærhed.

contiguous [kən'tigjuəs] *adj* tilstødende, berørende, som støder op *(el.* grænser) til hinanden.

continence ['kontinəns] *sb* mådehold; afholdenhed; kyskhed; selvbeherskelse.

continent ['kontinənt] *adj* afholdende; kysk; mådeholden; *sb* fastland, kontinent, verdensdel; *on the Continent* på Europas fastland.

continental [konti'nentl] *adj* fastlands-, kontinental; (for englændere ofte =) fra det europæiske fastland, udenlandsk; *sb* udlænding; *the ~ shelf* kontinentalsokkelen; *the ~ slope* kontinentalskråningen; *the Continental system (hist.)* fastlandsspærringen.

contingency [kən'tindʒənsi] *sb* mulighed; tilfælde, eventualitet *(fx I am ready for any ~)*; *contingencies* (også) uforudsete udgifter.

contingent [kən'tindʒənt] *adj* tilfældig; mulig, eventuel; afhængig *(upon* af); betinget *(upon* af); *sb* (fremtids)mulighed; part, andel; gruppe af deltagere; *(mil.)* troppekontingent.

continual [kən'tinjuəl] *adj* stadig (tilbagevendende), bestan-

dig; uophørlig, vedvarende.
continuance [kən'tinjuəns] *sb* varighed; vedvaren, fortsættelse; forbliven; *during the* ~ *of the war* så længe krigen varer (, varede).
continuation [kəntinju'eiʃən] *sb* fortsættelse; ~ *school* efterskole.
continue [kən'tinju:] *vb* fortsætte *(fx the story was -d in the next month's issue)*; lade vedvare; forlænge; blive ved med *(fx he -d working)*; (uden objekt) (for)blive *(in* ved); vedblive (at være); fortsætte *(fx he will* ~ *at school)*; vedvare, vare; ~ *sby in office* lade en blive *(el.* beholde en) i et embede; *to be -d* fortsættes (i næste nr.); ~ *to be* blive ved med at være *(fx chairman)*; *he -s to be ill* han er stadig syg.
continuity [kɔnti'nju(:)iti] *sb* sammenhæng, kontinuitet; (til film) drejebog; *(radio)* manuskript. **continuity girl** (ved film) scriptgirl.
continuous [kən'tinjuəs] *adj* sammenhængende, vedvarende, fortsat; fortløbende; uafbrudt; ~ *performance* uafbrudt forestilling.
continuum [kən'tinjuəm] *sb pl continua* kontinuum, sammenhængende hele *el.* række.
contort [kən'tɔ:t] *sb* forvride; forvrænge. **contortion** [kən'tɔ:ʃən] *sb* forvridning. **contortionist** [kən'tɔ:ʃənist] *sb* slangemenneske.
contour ['kɔntuə] *sb* omrids, kontur; (på kort) højdekurve.
contour | feather dækfjer. ~ **line** højdekurve (på kort). ~ **map** højdekort (med højdekurver).
contra ['kɔntrə] *præp* imod.
contraband ['kɔntrəbænd] *adj* ulovlig, forbudt; smugler- *(fx goods)*; *sb* smuglergods; ~ *of war* krigskontrabande.
contrabass ['kɔntrə'beis] *sb* kontrabas.
contraception [kɔntrə'sepʃən] *sb* svangerskabsforebyggelse, fødselskontrol.
contraceptive [kɔntrə'septiv] *adj* antikonceptionel, (svangerskabs)forebyggende; *sb* forebyggende middel.
I. contract [kən'trækt] *vb* trække sig sammen *(fx om muskel)*; sammentrække(s), forkorte(s); snøre (sig) sammen, indsnævre(s); indskrænke *(fx expenses)*; rynke *(fx* one's brows)*, rynkes; (få:) pådrage sig *(fx a disease)*; (om aftale) bringe i stand, slutte *(fx* ~ *an alliance with a foreign country)*; komme overens om; slutte kontrakt (om), kontrahere; ~ *debts* stifte gæld; ~ *bad habits* lægge sig dårlige vaner til; ~ *a marriage* indgå ægteskab; ~ *out* trække sig ud; *credit is -ing* kreditten strammes; *the -ing parties* de kontraherende parter.
II. contract ['kɔntrækt] *sb* overenskomst, kontrakt, aftale; entreprise; akkord; forlovelse, ægteskab; *award (el.* give) sby the* ~ *for sth* give en noget i entreprise; *make the (el. one's)* ~ *holde kontrakten (i kontraktbridge); ~ **bridge** kontraktbridge.
contracted [kən'træktid] *adj* sammentrukket; snæver; afkortet; rynket *(fx brow)*; *(fig)* snævrsynet, indskrænket; *-ed to* forlovet med.
contractible [kən'træktəbl], **contractile** [kən'træktil] *adj* sammentrækkelig.
contraction [kən'trækʃən] *sb (cf I. contract)* sammentrækning; sammenskrumpning; forkortelse; indskrænkning; rynkning, rynken; (om sygdom) pådragelse, (om gæld) stiftelse.
contract note slutseddel.
contractor [kən'træktə] *sb* kontrahent; entreprenør; leverandør; *(anat)* sammentrækkende muskel.
contractual [kən'træktʃuəl] *adj* kontraktlig, kontraktmæssig.
contradict [kɔntrə'dikt] *vb* modsige, dementere; stride imod. **contradiction** [kɔntrə'dikʃən] *sb* modsigelse, dementi, uoverensstemmelse; ~ *in terms* selvmodsigelse.
contradictory [kɔntrə'diktəri] *adj* modsigende, modstridende, uforenelig; modsigelysten; *sb* modsigelse.
contradistinction [kɔntrədi'stiŋkʃən] *sb* kontrast, modsætning, skelnen; *in* ~ *from (el. to)* i modsætning til. **contradistinguish** [kɔntrədis'tiŋwiʃ] *vb* skelne.
contrail ['kɔntreil] *sb (flyv)* kondensstribe.
contralto [kən'træltou] *sb* (i musik) kontraalt.
contraption [kən'træpʃən] *sb* (mærkelig) indretning, tingest.
contrapuntal [kɔntrə'pʌntl] *adj* kontrapunktisk.
contrariety [kɔntrə'raiəti] *sb* uoverensstemmelse, modsæt-

ning, modstrid.
contrariwise ['kɔntrəriwaiz] *adv* omvendt, modsat, tværtimod.
I. contrary ['kɔntrəri] *sb* det modsatte; modsætning; *go by contraries* være stik imod hvad man venter; (om ting i drøm) betyde det modsatte; *on the* ~ *tværtimod; examples to the* ~ eksempler på det modsatte.
II. contrary ['kɔntrəri] *adj* modsat; ~ *to* (stridende) imod; i strid med.
III. contrary [kən'trɛəri] *adj* vrangvillig, kontrær.
I. contrast ['kɔntra:st] *sb* kontrast, modsætning.
II. contrast [kən'tra:st] *vb* stille i modsætning *(with* til), sammenligne; danne modsætning *(with* til), kontrastere.
contravene [kɔntrə'vi:n] *vb* handle imod, overtræde *(fx* ~ *the regulations)*; bestride; være i strid med.
contravention [kɔntrə'venʃən] *sb* overtrædelse, (mod)strid; *in* ~ *of the regulations* i strid med bestemmelserne.
contretemps ['kɔ:ntra:ŋ] *sb* (kedeligt *el.* pinligt) uheld.
contribute [kən'tribjut] *vb* bidrage, medvirke; yde, give, levere; ~ *to a newspaper* skrive artikler til *(el.* skrive i) en avis. **contribution** [kɔntri'bju:ʃən] *sb* bidrag; indsats; *(mil.)* kontribution, krigsskat; *lay under* ~ *brandskatte.
contributor [kən'tribjutə] *sb* bidragyder; medarbejder (ved et blad). **contributory** [kən'tribjutəri] *adj* bidragende; medvirkende *(fx cause)*; *sb* bidragyder.
contrite ['kɔntrait] *adj* angerfuld, brødebetynget, sønderknust (af anger). **contrition** [kən'triʃən] *sb* anger, sønderknuselse.
contrivance [kən'traivəns] *sb* opfindelse; indretning; påfund.
contrive [kən'traiv] *vb* opfinde; udtænke; finde på; finde middel *(to* til at), sørge for *(to* at); planlægge; få pengene til at slå til; *I -d to* det lykkedes mig at.
contrived [kən'traivd] *adj* unaturlig, kunstig, konstrueret.
contriver [kən'traivə] *sb: she is a good* ~ hun er en dygtig husmoder.
I. control [kən'troul] *sb* kontrol, opsyn; indskrænkning, tvang; magt, herredømme; myndighed; kontrolapparat; kontrolforanstaltning; *controls (flyv)* styregrejer.
II. control [kən'troul] *vb* kontrollere; styre; beherske; *-led press* ensrettet presse; *-ling interest* aktiemajoritet.
control | column *(flyv.)* styrepind. ~ **cubicle** kontrolrum.
controller [kən'troulə] *sb* kontrollør; kontrolapparat; *(elekt)* strømfordeler.
controversial [kɔntrə'və:ʃəl] *adj* polemisk, omstridt, kontroversiel. **controversialist** *sb* polemiker.
controversy ['kɔntrəvə:si, kən'trɔvəsi] *sb* strid, meningsudveksling, polemik. **controvert** ['kɔntrəvə:t] *vb* bestride.
contumacious [kɔntju'meiʃəs] *adj* ulydig (mod retten); hårdnakket, halsstarrig. **contumacy** ['kɔntjuməsi] *sb* ulydighed mod retten, foragt for retten, udeblivelse fra retten; genstridighed.
contumelious [kɔntju'mi:ljəs] *adj* fornærmelig, hånlig.
contumely ['kɔntjumili] *sb* hån, fornærmelse.
contuse [kən'tju:z] *vb* kvæste. **contusion** [kən'tju:ʒən] *sb* kvæstelse, kontusion.
conundrum [kə'nʌndrəm] *sb* gåde, ordgåde.
conurbation [kɔnə:'beiʃən] *sb* storby opstået ved sammensmeltning af flere byer, bydannelse.
convalesce [kɔnvə'les] *vb* være i bedring, være ved at komme sig; være rekonvalescent.
convalescence [kɔnvə'lesns] *sb* bedring, rekonvalescens.
convalescent [kɔnvə'lesnt] *adj* som er i bedring; *sb* rekonvalescent.
convection [kən'vekʃn] *sb* konvektion, varmestrømning.
convene [kən'vi:n] *vb* komme sammen; sammenkalde *(fx a meeting)*; indkalde.
convenience [kən'vi:njəns] *sb* bekvemmelighed; belejlighed; behagelighed; toilet *(fx public* ~*); at your* ~ når De passer Dem, når De lejlighed; *at your earliest* ~ snarest belejligt; *marriage of* ~ fornuftægteskab; *make a* ~ *of him* udnytte ham.
convenience | foods *pl* delvis tilberedte madvarer. ~ **goods** *pl (merk)* dagligvarer.
convenient [kən'vi:njənt] *adj* bekvem, passende, belejlig.
convenor [kən'vi:nə] *sb (omtr)* fællestillidsmand.
convent ['kɔnvənt] *sb* (nonne)kloster.
conventicle [kən'ventikl] *sb* konventikel, møde *el.* gudstje-

neste, især afholdt i hemmelighed af dissentere; dissenteres forsamlingshus.

convention [kən'venʃən] *sb* sammenkomst, forsamling, møde; konvention, skik og brug, konventionelle regler.

conventional [kən'venʃənəl] *adj* konventionel, bundet af skik og brug, hævdvunden; traditionel; almindelig; ~ *weapons* konventionelle våben *(mods* atomvåben).

conventionalism [kən'venʃənəlizm] *sb* fastholden ved det konventionelle, konventionalisme.

conventionality [kənvenʃə'næliti] *sb* fastholden af det konventionelle; hævdvunden regel, konveniens.

conventionalize [kən'venʃnəlaiz] *vb* stilisere.

conventual [kən'ventjuəl] *adj* klosteragtig, kloster-; *sb* munk, klosterbroder; nonne; konventual(inde).

converge [kən'və:dʒ] *vb* løbe sammen, konvergere.

convergence [kən'və:dʒəns] *sb* konvergens. **convergent** [kən'və:dʒənt] *adj* konvergerende, sammenløbende.

conversable [kən'və:səbl] *adj* konversabel, underholdende, livlig, selskabelig.

conversance [kən'və:sns] *sb:* ~ *with* fortrolighed med.

conversant [kən'və:snt] *adj* bevandret, kyndig *(with* i), fortrolig *(with* med).

conversation [kɔnvə'seiʃən] *sb* samtale; konversation; omgang; *make* ~ konversere. **conversational** [kɔnvə'seiʃənl] *adj* samtale-; underholdende; selskabelig.

conversazione [kɔnvəsætsi'ouni] *sb* soiré.

I. converse [kən'və:s] *vb* underholde sig *(with* med), konversere; ~ *with sby about sth* samtale med en om noget.

II. converse [kən'və:s] *sb* samkvem; samtale, konversation; *(mat.)* omvendt forhold; omvendt sætning; *adj* omvendt.

conversion [kən'və:ʃən] *sb* forvandling, omdannelse; omstilling; ombygning, omsætning; *(rel)* omvendelse; *fraudulent* ~ underslæb, uretmæssig forbrug af betroede midler.

conversion table omregningstabel.

I. convert ['kɔnvə:t] *sb* konvertit.

II. convert [kən'və:t] *vb* forvandle *(into* til, *fx a desert into a garden, a defeat into a victory);* lave om; (om stof og *fys)* omdanne *(into* til, *fx rags into paper, sugar into starch, energy into heat);* (om bygning, skib *etc)* ombygge *(into* til); (om produktion) omstille; (ved beregning) omregne, omsætte *(into* til, *fx inches into centimetres); (merk)* omveksle *(fx pounds into dollars);* omsætte *(into* til, *fx shares into cash),* konvertere; *(rel)* omvende *(to* til); (i rugby) sparke mål efter et *try; (jur)* tilvende sig; (uden objekt) (kunne) forvandles *(etc); (rel)* blive omvendt, konvertere.

convertibility [kənvə:tə'biliti] *sb (økon* om valuta) konvertibilitet.

convertible [kən'və:təbl] *adj* som kan forvandles *(etc* se *II. convert);* (om valuta) konvertibel; *sb* convertible (bil der kan forandres fra åben til lukket); ~ *into gold* guldindløselig.

convex ['kɔnveks] *adj* konveks.

convey [kən'vei] *vb* føre, bringe, transportere; befordre; overføre; overbringe; *(fig)* bibringe, meddele, gengive; *(jur)* overdrage, tilskøde; *it does not* ~ *anything to me* det siger mig ikke noget.

conveyance [kən'veiəns] *sb* befordring, transport; befordringsmiddel, vogn; overlevering; *(jur)* overdragelse af fast ejendom; overdragelsesdokument, skøde. **conveyancer** advokat med speciale i overdragelse af fast ejendom.

conveyer, conveyor [kən'veiə] *sb* transportør; ~ *belt* transportbånd.

I. convict [kən'vikt] *vb* kende skyldig *(of* i); domfælde; *previously -ed* tidligere straffet.

II. convict ['kɔnvikt] *sb* domfældt; straffefange, strafafsoner.

conviction [kən'vikʃən] *sb* overbevisning; erklæren for skyldig, domfældelse; *carry* ~ virke overbevisende; *he had no previous -s* han var ikke tidligere straffet.

convince [kən'vins] *vb* overbevise.

convivial [kən'viviəl] *adj* selskabelig; lystig; T i løftet stemning, opstemt.

convocation [kɔnvə'keiʃən] *sb* sammenkaldelse; præstemøde; gejstlig synode (i England). **convoke** [kən'vouk] *vb* sammenkalde.

convolute ['kɔnvəlu:t] *adj* sammenrullet, snoet. **convolution**

[kɔnvə'lu:ʃən] *sb* vinding *(fx cerebral* ~ hjernevinding).

convolvulus [kən'vɔlvjuləs] *sb (bot)* snerle.

convoy ['kɔnvɔi] *sb* eskorte, konvoj; *vb* eskortere, konvojere.

convulse [kən'vʌls] *vb* fremkalde krampetrækninger hos; (bringe til at) ryste; *be -d with laughter* vride sig af latter.

convulsion [kən'vʌlʃən] *sb* krampetrækning; *-s pl* (også) rystelser; *-s of laughter* latterkrampe, krampelatter. **convulsive** [kən'vʌlsiv] *adj* krampagtig.

cony ['kouni] *sb* kaninskind; *(glds)* kanin.

coo [ku:] *vb* kurre; (om baby) pludre; *sb* kurren; (udråb) ih!

cook [kuk] *sb* kok, kokkepige; *vb* tilberede, lave (mad); koge, stege; (kunne) tillaves; *(fig)* (også ~ *up)* lave *(el.* bikse *el.* brygge) sammen; forfalske, lave kunster med; 'pynte på' *(fx the books* regnskaberne); *(am)* ødelægge; *be a good* ~ (også) være god til at lave mad; *too many -s spoil the broth* mange kokke fordærver maden; *something big was -ing* der var noget stort i gære; ~ *up a story* brygge en historie sammen.

cookbook *(am)* kogebog.

cooked [kukt] *adj* T udmattet.

cooker ['kukə] *sb* komfur; koger, kogeapparat; madæble.

cookery ['kukəri] *sb* kogekunst, madlavning.

cookery book kogebog.

cook|-general kokke-enepige. **-house** lejrkøkken; *(mil.)* feltkøkken; *(mar)* kabys.

cookie ['kuki] = *cooky.*

cooking ['kukiŋ] *sb* madlavning.

cook|room køkken, kabys. **-shop** spisehus.

cooky ['kuki] *sb (am)* småkage; S *(sød)* pige; fyr.

cool [ku:l] *adj* kølig, sval; afkølet; *(fig)* koldsindig, rolig; fræk; *(am)* S vældig fin; »skøn«; *sb* kølighed; *vb* køle, (af)svale; (også ~ *down)* kølne, blive kølig, afkøles, afsvales; blive rolig; *a* ~ *customer* en fræk fyr; ~ *one's heels* vente *(fx let him* ~ *his heels for a while);* ~ *it* S tage det køligt, tage den med ro; *keep* ~ holde hovedet koldt; *a* ~ *hundred* T ikke mindre end hundrede, hele hundrede.

coolant ['ku:lənt] *sb* kølevæske.

cooler ['ku:lə] *sb* vinkøler; smørkøler; kølebeholder; svaledrik; S fængsel, (isolations)celle; *in the* ~ i spjældet.

coolheaded *adj* koldblodig, besindig.

coolie ['ku:li] *sb* kuli.

cooling *jacket* kølevandskappe. ~ *plant* køleanlæg. ~ *surface* køleflade.

coolly ['ku:lli] *adv* køligt; koldblodigt; frækt.

coolness ['ku:lnis] *sb* kølighed; koldsindighed, kulde; koldblodighed; ugenerthed; frækhed; *there is a* ~ *between them (fig)* der er kold luft imellem dem.

coomb [ku:m] *sb* snæver dal.

coon [ku:n] *sb* vaskebjørn; T snu fyr; *(neds)* neger; *he is a gone* ~ S det er slut med ham.

coop [ku:p] *sb* hønsebur, hønsekurv; S fængsel; *vb* indespærre; ~ *in,* ~ *up* indespærre.

co-op [kou'ɔp] *sb* brugsforening, 'brugs'.

cooper ['ku:pə] *sb* bødker; *vb* gøre bødkerarbejde; reparere (tønder, osv). **cooperage** ['ku:peridʒ] *sb* bødkerværksted, bødkerarbejde.

cooperate [kou'ɔpəreit] *vb* samarbejde; medvirke, samvirke.

cooperation [kouɔpə'reiʃən] *sb* samarbejde, kooperation; medvirkning; samvirken; *in* ~ *with* i samarbejde med.

cooperative [kou'ɔpərətiv] *adj* samarbejdende; samvirkende; andels-; samarbejdsvillig *(fx you are not very* ~); *sb* andelsforetagende.

cooperative ~ *bakery* fællesbageri. ~ *creamery,* ~ *dairy* andelsmejeri. ~ *society* andelsselskab; brugsforening. ~ *stores* brugsforening(sudsalg). ~ *undertaking* andelsforetagende; brugsforening.

cooperator [kou'ɔpəreitə] *sb* medarbejder; medlem af andelsselskab.

co-opt [kou'ɔpt] *vb* (om komité, nævn *etc)* supplere sig med; indvælge. **co-optation** [kouɔp'teiʃən] *sb* selvsupplering.

I. coordinate [kou'ɔ:dinit] *adj* sideordnet; *sb* sideordnet ting; *(mat.)* koordinat.

II. coordinate [kou'ɔ:dineit] *vb* sideordne, samordne, koor-

dinere.
coordination [kouɔ:di'neiʃən] *sb* sideordnet stilling, koordination, koordinering, samordning.
coot [ku:t] *sb zo* blishøne; *(am* **T)** fjols; *as bald as a* ~ så skaldet som et pillet æg.
cootie ['ku:ti] *sb* **S** lus.
cop [kɔp] *sb* spole; **S** panser (om politibetjent); fangst, pågribelse; *vb* **S** stjæle; fange, få fat i, 'knalde'; *it is a fair* ~ (ofte =) jeg overgiver mig frivilligt; jeg giver fortabt; *it's not much* ~ **S** der er ikke meget ved det; ~ *it* få en omgang.
copacetic, copesetic [koupə'setik] *adj (am)* **S** glimrende, helt i orden.
copal ['koupəl] *sb* kopal (slags harpiks).
copartner ['kou'pa:tnə] *sb* deltager, kompagnon.
copartnership *sb* kompagniskab.
I. cope [koup] *sb* korkåbe; hvælving.
II. cope [koup] *vb* klare den; *(arkit)* dække, afdække; ~ *with* hamle op med, magte, klare *(fx he could* ~ *with any situation).*
copeck ['koupek] *sb* kopek (russisk mønt).
Copenhagen [koupn'heigən] København.
copenhagen blue lys blå farve.
Copernican [kou'pɔ:nikən] *adj* kopernikansk.
copestone = *capstone.*
copilot ['kou'pailət] *sb* anden pilot.
coping ['koupiŋ] *sb* murtag, dæksten; afdækningssten.
coping | **saw** *(am)* løvsav. ~ **stone** *se capstone.*
copious ['koupjəs] *adj* rig, rigelig; righoldig; ordrig, vidtløftig.
copper ['kɔpə] *sb* kobber; vaske- el. bryggerkedel, kobberkedel; kobbermønt; **S** panser (politibetjent); *vb* beklæde med kobber; -*s* hals, svælg.
copperas ['kɔpərəs] *sb* jernvitriol.
copper| **beech** *(bot)* blodbøg. ~ **bit** loddebolt. **-bottomed** *adj* kobberforhudet.
copperhead ['kɔpəhed] *sb (am) zo* kobberhoved (en giftslange); *(hist.)* (under borgerkrigen øgenavn for nordstatsmand som sympatiserede med sydstaterne).
copper|**plate** kobberplade, kobberstik; kalligrafisk skrift, skønskrift. -**plate printing** dybtryk. ~ **pyrites** kobberkis. **-smith** kobbersmed. -**top S** rødtop.
coppice ['kɔpis] *sb* underskov, lavskov, krat.
copra ['kɔprə] *sb* kopra (tørrede kokoskerner).
copse [kɔps] = *coppice.*
copshop S politistation.
Copt [kɔpt] *sb* kopter. **Coptic** ['kɔptik] *adj* koptisk.
copulate ['kɔpjuleit] *vb* parre sig. **copulation** [kɔpju'leiʃən] *sb* parring. **copulative** ['kɔpjulətiv] *adj* forbindende; parrings-.
I. copy ['kɔpi] *sb (mods* original) kopi, efterligning; (af tekst) kopi, genpart, afskrift, (med karbonpapir) gennemslag; (enkelt bog, billede) eksemplar; *(typ)* manuskript; **T** (i avis) stof *(fx murders are always good* ~*);(glds)* forskrift, fortegning.
II. copy ['kɔpi] *vb* kopiere, efterligne; (tekst) skrive af.
copy|**book** *sb* skrivebog; *adj* banal, fortærsket; *blot one's* -*book* spolere sit gode navn og rygte, begå en fadæse. **-cat T** efteraber. **-hold** *(jur)* arvefæste, arvefæstegård. **-holder** arvefæster; *(typ)* manuskriptholder, tenakel.
copying ink kopiblæk.
copyist ['kɔpiist] *sb* afskriver; plagiator.
copyright ['kɔpirait] *sb* litterær *el.* kunstnerisk ejendomsret, ophavsret, forfatterret; forlagsret; *adj, vb* beskytte(t) ved copyright. **copyright deposit** *(bibl)* pligtaflevering.
copywriter (reklame)tekstforfatter.
coquet [kɔ'ket] *vb* kokettere, flirte, *(fig)* lege *(with* med).
coquetry ['kokitri] *sb* koketteri.
coquette [kɔ'ket] *sb* kokette. **coquettish** [kɔ'ketiʃ] *adj* koket.
cor [kɔ:] *interj* **T** ih! næh; orv!
coracle ['kɔrəkl] *sb* lille båd bygget af vidjer beklædt med skind.
coral ['kɔrəl] *sb* koral; koraldyr; (til baby) bidering;· *adj* koralrød.
coralline ['kɔrəlain] *adj* koral-; *sb (bot)* koralmos; *zo* koraldyr.
cor anglais [*fr.*] *(mus.)* engelskhorn.
corbel ['kɔ:bəl] *sb* konsol(sten), kragsten; *vb* støtte med

konsol.
corbie ['kɔ:bi]: ~ *gable* trappegavl; -*steps* aftrapning.
cord [kɔ:d] *sb* strikke; snor; (rummål, om brænde) favn; (tøj:) jernbanefløjl; *(elekt)* ledning; *vb* binde, snøre; -*s* (også) fløjlsbukser.
cordage ['kɔ:didʒ] *sb* tovværk.
corded ['kɔ:did] *adj* snøret sammen; snorebesat; (om stof) ribbet.
cordial ['kɔ:diəl] *adj* hjertelig; inderlig; hjertestyrkende; *sb* hjertestyrkning. **cordiality** [kɔ:di'æliti] *sb* hjertelighed, inderlighed.
cordite ['kɔ:dait] *sb* cordit (røgfrit krudt).
cordon ['kɔ:dən] *sb* kordon; kæde; (politi)afspærring; ordensbånd (over skulderen); kordontræ (frugttræ med kun én gren); *vb* danne kæde omkring, omringe; ~ *off* afspærre.
cordovan ['kɔ:dəvən] *sb* korduan (fint læder af gedeskind).
corduroy ['kɔ:dərɔi] *sb* jernbanefløjl, korduroy; -*s* fløjlsbukser.
cordwood ['kɔ:dwud] *sb* favnebrænde.
core [kɔ:] *sb* det inderste, indre del, kerne; kernehus; støbekerne; borekerne; (af tov) kalv, sjæl; (af *elekt* kabel) kore; *(med.)* byldemoder; *vb* udkerne, tage kernehuset ud af; *to the* ~ helt igennem; *shaken to the* ~ rystet i sin sjæls inderste.
C.O.R.E. *fk Congress of Racial Equality.*
coregent ['kou'ri:dʒənt] *sb* medregent.
coreligionist ['kouri'lidʒənist] *sb* trosfælle.
corer ['kɔ:rə] *sb* (til frugt) kernehusudstikker.
corespondent ['kourispɔndənt] *sb* medindstævnet ved skilsmisseproces.
corf [kɔ:f] *(pl corves) sb* kurv, hyttefad.
Corfu [kɔ:'fu:].
corgi [kɔ:gi]: *Welsh* ~ (en hunderace).
coriaceous [kɔri'eiʃəs] *adj* læder-; læderagtig.
Corinth ['kɔrinθ] Korinth.
Corinthian [kə'rinθiən] *sb* korinter; *adj* korintisk.
Coriolanus [kɔriɔ'leinəs] Koriolan.
corium ['kɔ:riəm] *sb* læderhud.
cork [kɔ:k] *sb* kork; (til flaske *etc)* prop; (ved fiskeri) korkflåd; *vb* tilproppe; svække med prop; *the wine is* -*ed* vinen smager af prop. **corkage** ['kɔ:kidʒ] *sb* proppenge.
corked [kɔ:kt] *adj* tilproppet; (om vin) som smager af prop; **T** plakatfuld.
corker ['kɔ:kə] *sb* **T** kæmpeløgn; slående argument; *it was a* ~ det var helt fantastisk.
corking *adj* **S** storartet, mægtig (fin).
cork jacket redningsvest.
corkscrew ['kɔ:kskru:] *sb* proptrækker; *vb* sno sig; ~ *stairs* vindeltrappe.
corky ['kɔ:ki] *adj* korkagtig; **T** livlig, kåd; (om vin) = *corked.*
corm [kɔ:m] *sb (bot)* løgknold (som hos krokus).
cormorant ['kɔ:mərənt] *sb zo* ålekrage, skarv; *(fig)* grådig person, slughals.
I. corn [kɔ:n] *sb* korn; sæd; (i Amerika især majs; i Skotland især havre; i England især hvede); *(am* **T)** banalitet(er), sentimentalt pladder.
II. corn [kɔ:n] *vb* salte, sprænge (om kød).
III. corn [kɔ:n] *sb* ligtorn; *tread on his* -*s (fig)* træde ham over tæerne.
corn|**chandler** kornhandler. -**cob** majskolbe; majspibe. ~ **cockle** *(bot)* klinte. -**crake** *zo* engsnarre.
cornea ['kɔ:niə] *sb (anat)* hornhinde (i øjet).
corned beef sprængt oksekød.
cornel ['kɔ:nl] *sb (bot)* kornel.
cornelian [kɔ:'ni:ljən] *sb* karneol.
corneous ['kɔ:niəs] *adj* hornagtig.
corner ['kɔ:nə] *sb* hjørne; krog; afkrog; *(merk)* opkøberspekulation; opkøberkonsortium, corner; (i fodbold) hjørnespark; *vb* sætte til vægs; bringe i klemme; opkøbe; køre om hjørnet; *cut* -*s (am)* prøve at slippe om ved det på den nemmeste (, billigste, hurtigste) måde; *put in the* ~ sætte i skammekrogen; *drive into a* ~ *(fig)* trænge op i en krog; *be just round the* ~ *(fig)* stå for døren; være lige forestående; *have one's* -*s rubbed off* få kanterne slebet af; *turn the* ~ dreje om hjørnet; *(fig)* komme over det værste, gå bedre tider i møde.

C corner post 82

corner| post afviser, afvisersten; hjørnestolpe. ~ **seat** hjørneplads. **-stone** hjørnesten. **-wise** *adv* diagonalt.
cornet ['kɔːnit] *sb (mus.)* kornet; (pose:) kræmmerhus; (til is) vaffel.
cornettist ['kɔːnitist] *sb* kornettist.
corn|field kornmark. ~ **flour** majsmel, rismel etc. **-flower** *(bot)* kornblomst; *-flower (blue)* kornblå. ~ **gromwell** *(bot)* agerstenfrø.
cornice ['kɔːnis] *sb* karnis, gesims.
Cornish ['kɔːniʃ] *adj* som hører til Cornwall, kornisk.
cornstarch *(am)* = **corn flour**.
cornucopia [kɔːnjuˈkoupjə] *sb* overflødighedshorn; overflod.
corny ['kɔːni] *adj* kornet, kernefuld; korn-; T fortærsket; banal; sentimental.
corolla [kəˈrɔlə] *sb (bot)* (blomster)krone.
corollary [kəˈrɔləri] *sb* logisk konsekvens, naturlig følge, resultat.
coron|a [kəˈrounə] *sb (pl -ae* [-iː]) *(astr)* krone, korona; *(elekt)* korona; *(bot)* bikrone.
coronary ['kɔrənəri] *adj:* ~ **artery** *(anat)* kranspulsåre, koronararterie; ~ **thrombosis** *(med.)* koronartrombose, blodprop i kranspulsåre.
coronation [kɔrəˈneiʃən] *sb* kroning.
coroner ['kɔrənə] *sb* embedsmand som afholder ligsyn ved mistænkelige dødsfald; *-'s inquest* (retsligt) ligsyn.
coronet ['kɔrənit] *sb* adelskrone; *ducal* ~ hertugkrone; *earl's* ~ grevekrone.
corpora ['kɔːpərə] *pl* af **corpus.**
I. corporal ['kɔːpərəl] *sb* korporal.
II. corporal ['kɔːpərəl] *adj* legemlig; korporlig *(fx ~ punishment).*
corporality [kɔːpəˈræliti] *sb* legemlighed.
corporate ['kɔːpərit] *adj* forenet (i en korporation); korporativ; fælles, samlet.
corporation [kɔːpəˈreiʃən] *sb* korporation, lav; kommunalbestyrelse; *(jur)* juridisk person; *(am)* aktieselskab; **S** borgmestermave.
corporeal [kɔːˈpɔːriəl] *adj* legemlig; håndgribelig, materiel.
corporeity [kɔːpəˈriːiti] *sb* legemlighed, håndgribelig eksistens.
corposant ['kɔːpəzænt] *sb* st. Elmsild.
corps [kɔː; *pl* kɔːz] *sb* korps.
corpse [kɔːps] *sb* lig.
corpulence ['kɔːpjuləns] *sb* sværhed, korpulence. **corpulent** ['kɔːpjulənt] *adj* svær, korpulent.
corpus ['kɔːpəs] *sb* samling.
corpuscle ['kɔːpʌsl] *sb* blodlegeme; *(fys)* partikel.
corral [kɔˈrɑːl] *sb* indhegning til kvæg, fold; vognborg; *vb* drive ind i en indhegning; **S** bemægtige sig.
correct [kəˈrekt] *vb* rette, korrigere; indstille rigtigt; irettesætte; straffe; afhjælpe, bøde på; *adj* rigtig, korrekt; *I stand -ed* jeg indrømmer min fejl.
correction [kəˈrekʃən] *sb* rettelse; irettesættelse; *(glds)* straf; *house of* ~ *(omtr* =) arbejdshus; *I speak under* ~ jeg siger det med al mulig reservation.
corrective [kəˈrektiv] *adj* forbedrende, rettende; korrigerende, neutraliserende; straffende; *sb* forbedringsmiddel, korrektiv; neutraliserende middel.
corrector [kəˈrektə] *sb* forbedrer; revser; reformator; ~ *(of the press)* korrekturlæser.
correlate ['kɔrileit] *sb* korrelat, modstykke; *vb* svare til; være korrelative; sætte i forbindelse (med hinanden); koordinere *(fx the two courses of study).*
correlation [kɔriˈleiʃən] *sb* gensidigt forhold, korrelation.
correlative [kɔˈrelətiv] *adj, sb* korrelativ.
correspond [kɔriˈspɔnd] *vb* svare *(with, to* til); veksle breve, korrespondere.
correspondence [kɔriˈspɔndəns] *sb* overensstemmelse; korrespondance, brevveksling. **correspondence| column** (i avis) spalte for læserbreve. ~ **course** korrespondancekursus.
correspondent [kɔriˈspɔndənt] *adj* tilsvarende; korresponderende; *sb* brevskriver; en man veksler breve med; *(merk)* korrespondent; forretningsforbindelse; (til avis) korrespondent, medarbejder.
corridor ['kɔridɔː] *sb* gang, korridor; ~ *carriage* gennemgangsvogn; ~ *train* tog bestående af gennemgangsvogne.

corrigenda [kɔriˈdʒendə] *sb pl* rettelser.
corroborant [kɔˈrɔbərənt] *adj* styrkende; bekræftende; *sb* styrkende middel; bekræftelse.
corroborate [kəˈrɔbəreit] *vb* bekræfte, bestyrke. **corroboration** [kərɔbəˈreiʃən] *sb* bekræftelse, bestyrkelse. **corroborative** [kəˈrɔbərətiv] *adj* bekræftende.
corrode [kəˈroud] *vb* ætse; tære; *(fig)* fortære, ætse, undergrave: (uden objekt) tæres; ruste.
corrosion [kəˈrouʒən] *sb* ætsning, tæring, korrosion.
corrosive [kəˈrousiv] *adj* ætsende, (for)tærende; *sb* ætsende middel.
corrugate ['kɔrugeit] *vb* rynke, rifle; blive rynket; *corrugated (card)board* bølgepap; *corrugated iron* bølgeblik.
corrugation [kɔruˈgeiʃən] *sb* rynkning; rynker; rifling.
corrupt [kəˈrʌpt] *vb* fordærve, ødelægge *(fx their taste);* forvanske *(fx a text);* (person) bestikke, korrumpere, demoralisere; (uden objekt) fordærves, rådne; *adj* fordærvet, rådden; (om person) moralsk fordærvet, lastefuld; bestikkelig; (om tekst) forvansket; *evil communications* ~ *good manners* slet selskab fordærver gode sæder; ~ *practices* bestikkelse.
corruptible [kəˈrʌptəbl] *adj* forkrænkelig, forgængelig; bestikkelig.
corruption [kəˈrʌpʃən] *sb* fordærvelse; forkrænkelighed; forrådnelse; bestikkelse; forfalskning; korruption.
corruptive [kəˈrʌptiv] *adj* fordærvende, korrumperende.
corsage [kɔːˈsɑːʒ] *sb* brystbuket; kjoleliv.
corsair ['kɔːsɛə] *sb* sørøver, korsar; sørøverskib.
corselet ['kɔːslit] *sb* korselet; brystharnisk.
corset ['kɔːsit] *sb* korset. **corsetry** ['kɔːsitri] *sb* korsetfabrikation; korsetter.
Corsica ['kɔːsikə] Korsika.
Corsican ['kɔːsikən] *adj* korsikansk; *sb* korsikaner.
cortège [kɔːˈteiʒ] *sb* optog, følge, kortege; ligtog.
cortex ['kɔːteks] *sb (pl cortices* ['kɔːtisiːz]) bark.
cortical ['kɔːtikl] *adj* barkagtig; bark-; ydre; *(anat)* vedrørende hjernebarken.
cortisone [kɔːˈtizoun] *sb (med.)* cortisone.
corundum [kəˈrʌndəm] *sb* korund; slibemiddel.
coruscate ['kɔrəskeit] *vb* funkle, gnistre, glimte.
coruscation [kɔrəsˈkeiʃən] *vb* funklen, gnisten, glimten.
corvette [kɔːˈvet] *sb* korvet.
corybantic [kɔriˈbæntik] *adj* korybantisk, vild.
corymb [kɔˈrimb] *sb (bot)* halvskærm.
coryza [kəˈraizə] *sb* forkølelse, snue.
cos [kɔs] *sb (bot)* bindsalat; *fk cosine.*
cosh [kɔʃ] **S** *sb* totenschlæger; *vb* slå (med en totenschlæger).
cosher ['kɔʃə] *sb* pylre om, gøre stads af, forkæle.
cosignatory ['kouˈsignətəri] *sb* medunderskriver.
cosine ['kousain] *sb (mat.)* kosinus.
cosiness ['kouzinis] *sb* hygge, lunhed.
cosmetic [kɔzˈmetik] *adj* kosmetisk, forskønnende; *cosmetics sb pl* kosmetik.
cosmic ['kɔzmik] *adj* kosmisk, som vedrører eller tilhører verdensaltet; ~ *rays* kosmiske stråler.
cosmo|gony [kɔzˈmɔgəni] *sb* (læren om) verdens oprindelse, kosmogoni. **-graphy** [kɔzˈmɔgrəfi] *sb* verdensbeskrivelse. **-naut** ['kɔzmənɔːt] *sb* kosmonaut, (russisk) rumpilot. **-politan** [kɔzmouˈpɔlitən] *adj* kosmopolitisk; *sb* kosmopolit, verdensborger. **-polite** [kɔzˈmɔpəlait] *sb* kosmopolit.
cosmos ['kɔzmɔs] *sb* kosmos.
Cossack ['kɔsæk] *sb* kosak.
cosset ['kɔsit] *vb* forkæle.
I. cost [kɔ(ː)st] *sb* omkostning, pris; bekostning, skade; *-s (jur)* sagsomkostninger; *at* ~ for fremstillingsprisen; *at all -s* for enhver pris; *at the* ~ *of* på bekostning af; *at great* ~ *of life* med tab af mange menneskeliv; *count the* ~ tage alle forhold i betragtning; *I know it to my* ~ det har jeg fået at føle; jeg ved det af bitter erfaring.
II. cost [kɔ(ː)st] *vb (cost, cost)* koste; beregne omkostningen, lave kalkule; *it* ~ *me dear* det kom mig dyrt at stå; *it -s the earth* det koster det hvide ud af øjnene.
cost accounting omkostningsberegning.
costal ['kɔstl] *adj* ribbens-. **costal| pleura** brysthinde. ~ **pleurisy** brysthindebetændelse.
coster(monger) ['kɔstə(mʌŋgə)] *sb* gadehandler (især med frugt).

costing ['kɔ(:)stiŋ] *sb* overslag over udgifter; omkostningsberegning, kalkulation.
costive ['kɔstiv] *adj* forstoppet; træg.
costly ['kɔ(:)stli] *adj* kostbar, dyr.
costmary ['kɔstmɛəri] *sb (bot)* rejnfan.
cost of living leveomkostninger.
cost-of-living| allowance dyrtidstillæg. ~ **index** (detail)pristal.
cost price fremstillingspris.
costume [kɔs'tju:m] *sb* kostume, dragt; *vb* kostumere.
costumier [kɔs'tju:miə] *sb* dameskrædder.
cosy ['kouzi] *adj* lun, hyggelig; *sb* tevarmer, tehætte; *make oneself* ~ gasse sig.
cot [kɔt] *sb* hytte; fold, sti; barneseng; (hænge)køje; feltseng, lejrseng; *fk cotangent*.
cotangent ['kou'tændʒənt] *sb* kotangens.
cote [kout] *sb* skur, hus, fold.
coterie ['koutəri] *sb* klike.
cothurn|us [kou'θə:nəs] *(pl -ni* [-nai]) *sb* koturne.
cotill(i)on [kə'tiljən] *sb* kotillon.
cottage ['kɔtidʒ] *sb* (mindre) beboelseshus, arbejderbolig; feriehus; *love in a* ~ kærlighed og kildevand.
cottage| cheese hytteost. ~ **hospital** hospital efter pavillonsystemet; lille hospital (uden fast lægestab). ~ **industry** hjemmeindustri. ~ **piano** pianette.
cottager ['kɔtidʒə] *sb* en der bor i en *cottage;* husmand.
cottar ['kɔtə] *sb* husmand.
cotter ['kɔtə] *sb* husmand; *(tekn)* kile, split. **cotter pin** split.
cottier ['kɔtiə] *sb* husmand.
cotton ['kɔtn] *sb* bomuld; bomuldstøj; bomuldstråd; *absorbent* ~ *(am)* (vandsugende) vat, sygevat; *vb:* ~ *(on) to* føle sig tiltrukket af, synes godt om; S fatte, begribe; ~ *up to* blive gode venner med.
cotton | gin bomuldsegreneringsmaskine. ~ **grass** kæruld. ~ **mill** bomuldsspinderi. ~ **print** mønstret bomuldstøj, kattun. ~**seed** bomuldsfrø. **-tail** *(am) zo* (art vildkanin). ~ **waste** bomuldsaffald, tvist. **-wood** balsampoppel. ~ **wool** råbomuld; vat; *wrap sby up in* ~ *wool* overforkæle én.
cotyledon [kɔti'li:dɔn] *sb (bot)* kimblad.
I. couch [kautʃ] *vb* affatte, udtrykke; *(glds)* fælde (en lanse); (uden objekt) lægge sig, lejre sig; ligge i baghold; ~ *a cataract* operere for stær; ~ *down* krybe sammen; *-ed* liggende.
II. couch [kautʃ] *sb* (hos læge) leje; (møbel) løjbænk, sofa, chaiselong; (af maling) lag, (i maleri) grund.
couchette [ku:'ʃet] *sb (jernb)* liggeplads (i liggevogn); ~ *car* liggevogn.
couch grass *(bot)* kvikgræs.
cougar ['ku:gə] *sb zo* kuguar, puma.
cough [kɔ(:)f] *sb* hoste; host; *vb* hoste; ~ *out,* ~ *up* hoste op; S rykke ud med; punge ud (med); ~ *it up* S spyt ud (ɔ: sig det).
cough drop hostebolsje.
could [kud, kəd] *præt* af *can*.
couldn't ['kudnt] *fk could not.*
coulisse [ku:'li:s] *sb* kulisse.
coulter ['koultə] *sb* plovjern, langjern (i plov).
council ['kaunsl] *sb* rådsforsamling, råd; kirkeforsamling, koncilium; ~ *of war* krigsråd.
council| board rådsbord; rådsmøde. ~ **house** kommunal (arbejder)bolig.
council school *(omtr)* kommuneskole.
counsel ['kaunsl] *sb* råd *(fx give good* ~*);* rådslagning; plan; (person) juridisk konsulent; advokat (i denne betydning uændret i *pl);* *vb* give råd, råde; tilråde.
keep one's (own) ~ holde tand for tunge; *saner -s will prevail (omtr* =) man vil komme på bedre tanker; fornuften vil sejre; *take* ~ *with* rådføre sig med; *Counsel for the Plaintiff* sagsøgerens advokat; *Counsel for the Defendant* den indstævntes advokat; *Counsel for the Crown, Counsel for the Prosecution* anklager (i kriminalsager); *Counsel for the Defence* forsvarer (i kriminalsager); *Queen's (, King's) Counsel* juridisk titel hvis indehaver optræder som *Counsel for the Crown;* ~ *of perfection (omtr* =) uopnåeligt ideal.
counsellor ['kaunsələ] *sb* rådgiver; (i Irland og USA) advo-

kat; ~ *of embassy* ambassaderåd.
I. count [kaunt] *sb* greve (ikke-engelsk titel).
II. count [kaunt] *sb* tælling, beregning; tal; *(jur)* anklagepunkt; *drop a* ~ frafalde et anklagepunkt; *keep* ~ *of* holde tal på, holde rede på; *lose* ~ løbe sur i det; *I have lost* ~ *of them* jeg kan ikke holde tal på dem mere; *I had lost* ~ *of the time* tiden var løbet fra mig; *on all -s* på alle punkter; *be out for the* ~ T være slået helt ud; *take the* ~ blive talt ud (i boksning); *take a* ~ *of eight* (om bokser) tage tælling til otte; *take* ~ *of* tælle; *take no* ~ *of* ikke tage nogen notits af.
III. count [kaunt] *vb* tælle, regne; tælle til *(fx* ~ *20);* medregne; (uden objekt) anse for; regne for; regnes for *(fx this book -s as a masterpiece);* komme i betragtning, have betydning *(fx that does not* ~*),* veje, tælle *(fx every penny -s);*
~ *it against him* lægge ham det til last, lade det komme ham til skade; *stand up to be -ed (fig)* bekende kulør; ~ *down* tælle baglæns; tælle ned; ~ *for* regne for, anse for; betyde *(fx it -s for nothing);* gælde for; ~ *in* medregne, tælle med; ~ *off* dele ind (ved at tælle højt) *(fx* ~ *off by threes* del ind til tre); ~ *(up)on* gøre regning på, regne med; ~ *out* tælle ud (i boksning); lade ude af betragtning; ~ *out the House* hæve mødet (i Underhuset) som ikke beslutningsdygtigt; ~ *me out* jeg vil ikke være med; ~ *over* tælle efter.
countdown ['kauntdaun] *sb* nedtælling (ved raketaffyring).
I. countenance ['kauntinəns] *sb* ansigt(sudtryk), mine; hjælp; støtte *(fx give* ~ *to a plan);* fatning, kontenance; *change* ~ skifte farve; *keep one's* ~ bevare fatningen, lade være med at le; *lose* ~ tabe fatningen; *put out of* ~ bringe ud af fatning.
II. countenance ['kauntinəns] *vb* gå med til *(fx a fraud),* støtte; billige; tolerere.
I. counter ['kauntə] *sb* (ved spil) jeton; spillemønt; (i butik *etc)* disk, skranke; *(cf III. count)* tæller; *(mar)* gilling; *under the* ~ under disken; under hånden, hemmeligt.
II. counter ['kauntə] *vb* modstød, parade; vb imødegå, parere; svare; *adv* modsat, imod; ~ *to* imod *(fx act* ~ *to one's orders* handle imod sine instrukser).
counteract [kauntə'rækt] *vb* modvirke. **counteraction** [kauntə'rækʃən] *sb* modvirkning, modstand, hindring.
counteractive [kauntə'ræktiv] *adj* modvirkende.
counterattack ['kauntərətæk] *sb, vb* (foretage) modangreb.
I. counterbalance [kauntə'bæləns] *vb* opveje.
II. counterbalance ['kauntəbæləns] *sb* modvægt.
counter|blast ['kauntə-] *sb* modstød; kraftig imødegåelse. **-charge** *sb, vb* (fremsætte) modbeskyldning; (foretage) modangreb. **-check** *sb, vb* (foretage) kontraprøve. **-claim** *sb, vb* (stille) modkrav. **-clockwise** mod urviserens bevægelsesretning, mod uret. **-espionage** kontraspionage.
counterfeit ['kauntəfit] *vb* efterlave, efterligne, forfalske; hykle; *adj* eftergjort, forfalsket; påtaget, uægte; *sb* efterligning; forfalsket ting; bedrager; *(glds)* bedrageri; kontrafej.
counter|foil ['kauntə-] talon (i checkhæfte). **-fort** *(arkit)* stræbepille, støttepille. **-girl** buffetdame. **-irritant** *(med.)* afledende middel. **-jumper** *(neds)* diskenspringer. **-man** buffist.
countermand [kauntə'ma:nd] *vb* give kontraordre, tilbagekalde, afbestille; *sb* afbestilling; kontraordre.
counter|march ['kauntə-] *sb* kontramarch; *vb* marchere tilbage. **-measure** modtræk. **-mine** *sb* kontramine; *vb* kontraminere. **-move** *sb* modtræk. **-pane** sengetæppe. **-part** genpart; tilsvarende stykke, sidestykke, modstykke, pendant. **-point** kontrapunkt. **-poise** *sb* modvægt; *vb* holde i ligevægt; opveje. **-productive** som har den stik modsatte virkning af den tilsigtede; *be -productive* give bagslag, virke stik modsat. **-revolution** kontrarevolution, modrevolution. **-shaft** forlagsaksel. **-shaft bearing** forlagsleje. **-sign** *vb* kontrasignere; *sb* feltråb, losen. **-signature** kontrasignatur. **-sink** *vb* forsænke (en skrue *etc);* *sb* forsænker. **-tenor** ['kauntə'tenə] høj tenor, kontratenor. **-thrust** *sb* modstød.
countervail ['kauntəveil] *vb* opveje, udligne; *-ing duty* kompensationstold.
counter word tomt ord.
countess ['kauntis] *sb* en *earl's* el. *count's* hustru; grevinde.

counting | **frame** kugleramme. **-house** kontor, regnskabsafdeling (i forretning), kontorlokale.

countless ['kauntlis] adj utallig, talløs.

countrified ['kʌntrifaid] adj rustificeret, bondsk, landlig.

country ['kʌntri] sb land; egn; land (mods by); fædreland; terræn; across ~ over stok og sten; gennem terrænet; in the ~ på landet; into the ~ ud på landet; go (el. appeal) to the ~ appellere til vælgerne, udskrive valg.

country | **box** mindre landsted. ~ **cousin** et gudsord fra landet; slægtning ude fra bøhlandet. ~ **dance** folkedans. ~ **folk** landboere; landsmænd. ~ **gentleman** herremand, godsejer. ~ **girl** bondepige. ~ **house** landsted. **-man** landsmand; landmand, bonde. **-people** landboere; landsmænd. ~ **seat** landsted. **-side** egn; in this -side her på egnen. ~ **town** købstad. **-wide** landsomfattende. **-woman** landsmandinde; bondekone.

county ['kaunti] sb grevskab, (omtr =) amt; indbyggerne i et county, godsejerfamilierne (i et county); adj amts-; som tilhører (, vedrører) godsejerfamilierne.

county | **borough** større by som administrativt udgør et county. ~ **council** (omtr =) amtsråd. ~ **court** (lokal civil domstol). ~ **family** godsejerfamilie, herremandsfamilie. ~ **school** (omtr) kommuneskole. ~ **seat** (am) ~ **town** hovedbyen i et county.

coup [ku:] sb kup; pull off a great ~ gøre et godt kup. **coup**| **de grâce** [fr.] nådestød. ~ **de main** [fr] overrumpling. ~ **d'état** [fr] statskup.

coupé ['ku:pei] sb kupé (lukket topersoners vogn); halvkupé i enden af jernbanevogn.

couple [kʌpl] sb par, ægtepar; kobbel ((rem til) to jagthunde); (fys) kraftpar; (arkit) spærfag; vb koble sammen; parre; forbinde; forene; (uden objekt) forene sig; gifte sig; parre sig; in -s parvis; to og to.

coupler ['kʌplə] sb kobling.

couplet ['kʌplit] sb kuplet (to rimede verslinier).

coupling ['kʌpliŋ] sb kobling; ~ **box** muffe (om aksler); ~ lever koblingshåndtag.

coupon [ku:pɔn] sb kupon; rationeringsmærke; billet.

courage ['kʌridʒ] sb mod, tapperhed; have the ~ of one's opinions (el. convictions) have sine meninger mod; take ~ fatte mod; take one's ~ in both hands tage mod til sig, skyde hjertet op i livet.

courageous [kə'reidʒəs] adj modig, tapper.

courier ['kuriə] sb ilbud, kurér; rejseleder.

course [kɔ:s] sb løb; forløb, gang (fx the ~ of events, of life); fremgangsmåde, vej (fx several -s are open to us); bane (fx the planets in their -s); (mar og fig) kurs; (mht undervisning) kursus, (af foreiæsninger) række; (ved et måltid) ret; (arkit) (mur)skifte, løb; (mar) undersejl; (med.) række behandlinger, kur; -s pl (også) menstruation;

    in due ~ se due; in ~ of construction under bygning; in the ~ of i løbet af, under; in the natural (el. normal) ~ of events (el. things) hvis det går som det skal, hvis det går normalt; of ~ selvfølgelig; a matter of ~ en selvfølge; shape a ~ for sætte kursen mod; stay the ~ gennemføre løbet; stå distancen; the law must take (el. run) its ~ retten må gå sin gang; take to evil -s komme på afveje.

II. course [kɔ:s] vb jage; løbe, rulle (om blodet).

courser ['kɔ:sə] sb hest, ganger; cream-coloured ~ zo ørkenløber.

coursing ['kɔ:siŋ] sb jagt (med benyttelse af mynder).

I. court [kɔ:t] sb gård(splads); lille plads mellem huse, blindgade, gyde; (til tennis etc) bane, felt af tennisbane; (af museum etc) afdeling; (for høj) slot; (jur) ret; retssal; ~ of justice (el. law el. judicature) domstol, ret; a higher (, lower) ~ en højere (, lavere) instans;

    at ~ ved hoffet; have a friend at ~, se friend; before the ~ for retten; hold a ~ holde hof; in ~ i retten; in the ~ i retssalen; the ball is in your ~ (fig) det er dig der har udspillet; bring into ~, take into ~ bringe for retten; put oneself out of ~ forspilde sin ret til at blive hørt; settle a case out of ~ indgå forlig; ordne en sag i mindelighed; make (el. pay) (one's) ~ to sby gøre kur til én.

II. court [kɔ:t] vb gøre kur til, søge at vinde; (fig) indbyde til, pådrage sig; ~ applause angle efter bifald; ~ defeat berede sig et nederlag; ~ disaster udfordre skæbnen.

court| **card** billedkort. ~ **circular** hofnyheder. ~ **dress** hofdragt.

courteous ['kɔ:tjəs] adj høflig, artig; venlig.

courtesan ['kɔ:təzæn,(am)'kɔ:təzən] sb kurtisane, skøge.

courtesy ['kɔ:tisi] sb høflighed, artighed; opmærksomhed; belevenhed; gunst(bevisning); by ~ of ved imødekommenhed fra; skænket (, betalt) af. **courtesy title** ærestitel (især om en peer's ringere titel der bruges af hans ældste søn).

court| **guide** hof- og statskalender. **-hand** (hist.) diplomskrift, kancelliskrift. **-house** retsbygning, domhus.

courtier ['kɔ:tjə] sb hofmand.

courtly ['kɔ:tli] adj høflig, høvisk, beleven.

court|**-martial** ['kɔ:t'ma:[əl] sb ʰkrigsret; vb stille for en krigsret. ~ **plaster** hæfteplaster. **-room** retslokale. **-ship** bejlen, frieri. ~ **shoes** pumps. **-yard** gård, gårdsplads; -yard house atriumhus.

cousin ['kʌzn] sb fætter, kusine, søskendebarn; slægtning; ~ **german** el. **first** ~ (kødeligt) søskendebarn, kødelig fætter el. kusine; second ~ næstsøskendebarn, halvfætter, halvkusine; first ~ once removed fætters el. kusines barn.

cousinship ['kʌznʃip] sb fætterskab; der forhold at være fætre el. kusiner.

couturier [fr] sb modeskaber.

couvade [ku'va:d] sb couvade, mandlig barselseng (hos primitive stammer).

I. cove [kouv] sb bugt, vig; hvælving; vb hvælve.

II. cove [kouv] sb S fyr (fx he is a queer ~).

covenant ['kʌvinənt] sb pagt; overenskomst; vb slutte pagt; the Ark of the Covenant pagtens ark; the Solemn League and Covenant (en overenskomst mellem skotterne og det engelske parlament 1643, som anerkender Skotlands presbyterianske kirke). **Covenanter** ['kʌvinəntə] sb tilhænger af the Solemn League and Covenant.

Covent Garden ['kɔvənt 'ga:dn] (plads i London, hvor der er grønt- og blomstertorv; opera i London).

Coventry ['kɔvəntri] (by i Midtengland); send to ~ udelukke af det gode selskab, fryse ud, udelukke fra kammeratskab, boycotte.

I. cover ['kʌvə] vb (se også covered) dække; tildække; (med stof etc) betrække; (fig) skjule, dække over (fx he tried to ~ his confusion), dække (fx the expenses; a retreat; ~ him with a revolver; the book -s the whole subject); omfatte (fx the period -ed by these statistics); (i avis) dække, referere; (om distance) tilbagelægge (fx we have -ed 50 miles), (om tid) strække sig over; (i kortspil) stikke; (om væddemål) tage imod; (parre sig med) bedække; ~ eggs ligge på æg; ~ a wide field (fig) spænde vidt; the amount is -ed der er dækning for beløbet; the loan was -ed many times lånet blev overtegnet mange gange; ~ in dække til, fylde op; -ed in (el. with) snow dækket med sne; ~ up dække til; (fig) dække over, skjule, tilsløre, mørklægge.

II. cover ['kʌvə] sb dække, låg, (tekn, fx kloak-) dæksel; (stof til møbel etc) betræk, (til bog, hæfte, papirer) omslag, (i bogbinderi) perm (fx front ~, back ~), (til brev) kuvert, omslag, (lag:) belægning, beklædning, (på dæk) slidbane; (sted:) skjul, skjulested (for vildt), (bevoksning) krat, tykning; (fig) beskyttelse, (også mil, merk) dækning; (foregiven:) påskud, skin; (agr) bedækning; (ved bord) kuvert; (i avis) reportage; take ~ søge dækning; -s were laid for ten der var dækket til ti; from ~ to ~ fra første til sidste side; fra ende til anden; under ~ of i ly af (fx darkness), under dække af; under ~ of friendship under venskabs maske; under the same ~ i samme konvolut; under separate ~ separat, særskilt.

coverage ['kʌvəridʒ] sb dækning; presseomtale, reportage; (radio) dækningsområde.

cover|**alls** ['kʌvərɔ:lz] (am) kedeldragt. ~ **charge** kuvertafgift. ~ **crop** dækafgrøde.

covered ['kʌvəd] adj dækket, tildækket; overdækket (fx veranda); med låg; med hat; remain ~ beholde hatten på; ~ dish lågfad; ~ wagon prærievogn.

cover girl pin-up pige, forsidepige.

covering ['kʌvəriŋ] sb bedækning; dække, beklædning, betræk; ly, skjul. **covering** | **board** (mar) skandæk. ~ **letter** følgeskrivelse.

cover|**let** ['kʌvəlit], **-lid** [-lid] sb sengetæppe. ~ **name** dæknavn.

covert ['kʌvət] *sb* skjul, ly, tilflugtssted, dyrestade; tykning; *adj* stjålen *(fx a ~ glance)*; skjult, forblommet, tilsløret.

covert| cloth covercoat (et tætvævet stof). *~* **coat** let frakke. *~* **shoot** klapjagt.

coverture ['kʌvətjuə] *sb* bedækning; *(jur)* en gift kvindes juridiske stilling.

cover-up ['kʌvərʌp] *sb* dækken over, tilsløring, mørklægning.

covet ['kʌvit] *vb* begære, hige *(el.* tragte) efter.

covetous ['kʌvitəs] *adj* begærlig *(of* efter).

covey ['kʌvi] *sb* yngel, kuld; børneflok; flok.

I. cow [kau] *sb* ko, hun (af visse dyr); *till the -s come home* **S** i det uendelige; i al evighed.

II. cow [kau] *vb* kue, forkue, kujonere; virke trykkende på.

coward ['kauəd] *sb* kujon, kryster.

cowardice ['kauədis] *sb* fejhed, krysteragtighed.

cowardly ['kauədli] *adj* fej, krysteragtig.

cow|bane *(bot)* gifttyde. **-berry** *(bot)* tyttebær. **-boy** røgterdreng; cowboy. **-catcher** *(am)* kofanger, banerømmer.

cower ['kauə] *vb* krybe sammen, dukke sig.

cow|herd *sb* røgter(dreng). **-hide** *sb* kohud; pisk; *vb* piske. **-house** kostald.

cowl [kaul] *sb* munkehætte, munkekutte; (på skorsten) røghætte; (i bil) torpedo; *(flyv)* motorhjelm, motorkappe.

cowlick ['kaulik] *sb* strittende hårtot; hvirvel i håret.

cowling ['kaulin] *sb (flyv)* motorhjelm, motorkappe.

cow|man fodermester; *(am)* kvægejer. *~* **parsley** *(bot)* vild kørvel. *~* **parsnip** *(bot)* bjørneklo. **-pat** kokasse.

Cowper ['ku:pə, 'kaupə].

cow|pox kokopper. **-puncher** *(am* **T)** cowboy.

cowrie, cowry ['kauri] *sb zo* porcelænssnegl.

cow|shed kostald. **-slip** *(bot)* kodriver.

cox [kɔks] *sb* styrmand (ved kaproning); *vb* være styrmand i en kaproningsbåd.

coxcomb ['kɔkskoum] *sb* nar, laps; narrehue.

coxcombry ['kɔkskəmri] *sb* naragtighed.

coxless ['kɔkslɔs] *adj* uden styrmand.

coxswain ['kɔkswein, kɔksn] *sb* kvartermester; styrmand (i kaproningsbåd).

coy [kɔi] *adj* bly, undselig; koket.

coyote ['kɔjout] *zo* prærieulv.

coypu ['kɔipu:] *sb zo* sydamerikansk bæverrotte, sumpbæver.

coz [kʌz] *fk* cousin.

cozen ['kʌzn] *vb* narre, bedrage.

cozy = cosy.

C.P. *fk* Charter Party; Book of Common Prayer; Communist Party.

c.p. *fk* candlepower; chemically pure.

cp. *fk* compare.

c.p.s. *fk* cycles per second.

Cr. *fk* credit(or); Crown.

crab [kræb] *sb zo* krabbe; fladlus; *(bot)* skovæble; vildt æbletræ; *(fig)* gnavpotte; *vb* kritisere, rakke ned på; fiske krabber; bevæge sig sidelæns; *the Crab* Krebsen (stjernebillede); *edible ~ zo* taskekrabbe; *catch a ~* fange en ugle (under roning).

crab apple skovæble.

crabbed ['kræbid] *adj* knarvorn, gnaven, irritabel, sur; (om skrift) gnidret.

crabby ['kræbi] *adj* knarvorn, gnaven, irritabel, sur.

crabgrass ['kræbgra:s] *sb (bot)* fingeraks, blodhirse.

crab louse *zo* fladlus.

I. crack [kræk] *sb* knald *(fx of a gun, of a whip)*; brag; smæld; knæk; (brud:) sprække, spalte, revne *(fx the ice was full of -s)*; knæk; **T** (hårdt) slag *(fx on the head)*; forsøg *(fx have a ~ at it* gøre et forsøg); spydighed, vittighed; *at the ~ of dawn* ved daggry; *in a ~* i løbet af 0,5; *till the ~ of doom* til dommedagsbasunen lyder.

II. crack [kræk] *vb* få til at revne; knuse, sprænge; knække *(fx nuts)*; ødelægge; (om lyd) knalde med, smælde med *(fx a whip)*; (om olie *etc)* krakke; (uden objekt) sprække, revne, briste; knalde, smælde; (om stemmen) knække over, gå i overgang;

~ a bottle knække halsen på en flaske; *~ a crib* **S** begå indbrud, lave et bræk; *~ down on* slå hårdt ned på; *~ jokes* rive vittigheder af sig; *get -ing* **S** komme i gang, tage fat; *~ him over the head* slå ham (hårdt) i hovedet; *~ up* gå i stykker; bryde sammen; *~ sby up* skamrose en; hæve en til skyerne.

III. crack [kræk] *adj* første klasses, elite- *(fx regiment, team)*.

crack-brained *adj* tosset, forrykt.

crackdown ['krækdaun] *sb* se *clampdown.*

cracked [krækt] *adj* revnet; sprukken; **T** tosset, forrykt; *~ oil* krakolie.

cracker ['krækə] *sb* knallert (fyrværkeri); nøddeknækker; slags kiks; piskesnært; **S** løgn; *let off a Chinese ~* futte en kineser af.

crackerjack ['krækədʒæk] *(am)* **S** fremragende.

crackers ['krækəz] *sb* nøddeknækker; *adj* **T** skør, tosset.

crackjaw ['krækdʒɔ:] *adj* vanskelig at udtale, halsbrækkende.

crackle ['krækl] *vb* knitre, knase; *sb* knitren; krakeleret overflade. **crackling** *sb* knitren; sprød svær (på en flæskesteg).

cracknel ['kræknəl] *sb* (tyk, skør kiks).

crack|pot skør rad. *~* **shot** mesterskytte.

cracksman ['kræksmən] *sb* **S** indbrudstyv.

crack-up ['krækʌp] *sb* flystyrt; sammenbrud.

Cracow ['krækou] Krakow.

cradle ['kreidl] *sb* vugge; sengekrone (til hospitalsseng); redningsstol; hængestillads; mejered (på le); (telefon)gaffel; vb lægge i vuggen, vugge; lægge (telefonen, røret) på; høste med mejered; *the ~ of the deep* havet; *from the ~* lige fra barndommen.

craft [kra:ft] *sb* fag, håndværk, kunsthåndværk, dygtighed, kunst; *(neds)* list, bedrageri; *(mar)* skib(e), fartøj(er); flyvemaskine(r); *the ~* frimurerne.

craftsman ['kra:ftsmən] *sb* håndværker; fagmand; kunstner. **craftsmanship** *sb* håndværksmæssig dygtighed; håndværksmæssig udførelse; *an excellent piece of ~* et fint stykke arbejde.

crafty ['kra:fti] *adj* listig, snu.

crag [kræg] *sb* ujævn og stejl klippe, fremludende klippestykke. **cragged** ['krægid] *adj* klippefuld; (om klippe) ujævn, knudret.

craggy ['krægi] se *cragged.*

crag martin *zo* klippesvale.

cragsman ['krægzmən] *sb* bjergbestiger.

crake [kreik] *sb zo* rørvagtel.

cram [kræm] *vb* stoppe, proppe, stuve, presse ind; fylde sig, proppe sig; *(fig)* proppe (med kundskaber), manuducere; drive forceret eksamenslæsning; **T** lyve; *sb* eksamenslæsning; terperi; løgn; løgnehistorie; *the theatre was -med* teatret var stuvende fuldt; *~ up* terpe.

crambo ['kræmbou] *sb* rimleg, rimord.

cram-full *adj* propfuld.

crammer ['kræmə] *sb* manuduktør, terper; skole med manuduktionskursus til en eksamen.

cramp [kræmp] *sb (med.)* krampe; (stor jernkrog) krampe; *(arkit)* muranker; (til fastspænding) skruetvinge; skruestik; *(fig)* hindring; indskrænkning; *vb* give krampetrækninger; hæmme, lægge bånd på, indskrænke; gøre fast med kramper; *it -ed his style* se hæmmede ham.

cramped [kræmpt] *adj* trang, indskrænket; gnidret (om skrift); *be ~ for space* ikke have megen plads at røre sig på.

cramp iron jernkrampe, muranker.

crampon ['kræmpən] *sb* isbrod (på sko); stenklo.

cranberry ['krænbəri] *(bot)* tranebær; *mountain ~* tyttebær.

crane [krein] *sb* kran; *zo* trane; *vb* løfte med en kran; strække hals; strække sig.

crane fly *zo* stankelben.

cranes-bill ['kreinzbil] *(bot)* storkenæb.

cranial ['kreinjəl] *adj* kranie-.

cranium ['kreinjəm] *sb (pl* crania) hjerneskal, kranium.

crank [kræŋk] *sb* krumtap, krank; håndsving, startsving; forkrøgning; **T** forskruet idé; monoman person, særling; *(am* **T)** tværdriver, gnavpotte; *adj* tilbøjelig til at vælte

el. kæntre; skrøbelig; *(am)* frisk, rask, lystig; *vb* bøje ned *el.* tilbage; forkrøppe; ~ *(up)* starte (en bil) med håndsving.
crank|bearing krumptapleje. **-case** krumtaphus. **-shaft** krumtapaksel.
cranky ['kræŋki] *adj* forskruet, sær, excentrisk; tvær; skrøbelig; kroget.
cranny ['kræni] *sb* revne, sprække.
crap [kræp] *sb* **S** skidt, lort; sludder; *vb* skide.
crape [kreip] *sb* krep, (sørge)flor; *vb (glds)* kruse; kreppe.
craps [kræps] *sb pl (am)* (et terningespil); *shoot* ~ rafle, spille terninger.
crapulence ['kræpjuləns] *sb* umådeholdenhed, drukkenskab.
crapulent ['kræpjulənt], **crapulous** ['kræpjuləs] *adj* fordrukken.
I. crash [kræʃ] *sb* brag, bulder; sammenstød; styrt; nedstyrtning af flyvemaskine; *(fig)* krak, fallit; (stof) grovcretonne; *vb* brage, styrte sammen; støde sammen; (få til at) styrte ned, knuse (flyvemaskine ved nedstyrtning); forulykke; (om firma *etc)* krakke; (trænge:) brase *(into* ind i, *through* gennem); *(am)* komme uindbudt til, trænge sig ind i, gå ind til uden at betale *(fx* ~ *a dance)* ; ~ *one's way* mase sig frem.
II. crash [kræʃ] *adj* forceret *(fx a* ~ *programme to produce missiles)* ; lyn- *(fx course* kursus).
crash barrier autoværn.
crash-dive ['kræʃdaiv] *sb* (om undervandsbåd) brat dykning; *vb* dykke brat.
crash helmet styrthjelm.
crashing ['kræʃiŋ] *adj* **T** helt igennem, gennemført, ærke-.
crash-landing katastrofelanding.
crass [kræs] *adj* tykhovedet, ærkedum; grov.
crassitude ['kræsitjuːd] *sb* tykhovedethed, ærkedumhed, sløvhed.
crate [kreit] *sb* pakkurv, tremmekasse; *vb* pakke ned i en tremmekasse.
crater ['kreitə] *sb* krater; granathul.
cravat [krə'væt] *sb* halsbind, slips.
crave [kreiv] *vb* bønfalde om, bede om; ~ *for* have stærk lyst til, higre efter, tørste efter.
craven ['kreivn] *sb* kujon, kryster; *adj* fej.
craving ['kreiviŋ] *sb* begærlighed, stærk længsel *(for* efter), stærk lyst *(for* til).
craw [krɔː] *sb* kro (hos fugle).
crawfish ['krɔːfiʃ] *sb* krebs.
crawl [krɔːl] *vb* kravle, krybe; snegle sig af sted; have krybende fornemmelser; *sb* kravlen, kryben; crawl (svømning); ~ *with* myldre af.
crawler ['krɔːlə] *sb* kryb; kryber, spytslikker; ledig taxi (der kører langsomt for at få passagerer). **crawlers** *sb pl* kravledragt; larvefødder.
crawl space krybekælder.
crayfish ['kreifiʃ] *sb zo* krebs.
crayon ['kreiən] *sb* farveblyant; kridttegning, pastel; kulstift; kultegning; kulspids (i buelampe); *vb* tegne med farveblyant etc.
craze [kreiz] *vb* gøre forrykt; (om glasur) krakelere; *sb* mode(galskab), mani; *it's the* ~ det er sidste skrig.
crazy ['kreizi] *adj* vanvittig *(fx* ~ *with pain)* ; faldefærdig, skrøbelig; ~ *about* helt vild med, skør efter.
crazy|bone *(am)* snurreben. ~ **pavement** belægning med brudfliser. ~ **quilt** *(am)* kludetæppe (uden mønster).
creak [kriːk] *vb* knirke, knage; få til at knirke; *sb* knirken.
cream [kriːm] *sb* fløde; creme; det bedste, det fineste; flødefarve; *vb* sætte fløde, skumme fløde; indsmøre i creme; røre til en creme; *-ed potatoes* kartoffelmos; ~ *off (fig)* skumme af, tage, fjerne.
cream-coloured *adj* cremefarvet.
creamer ['kriːmə] *sb* flødekande; centrifuge.
creamery ['kriːməri] *sb* mejeri.
cream of tartar renset vinsten.
cream separator centrifuge.
creamy ['kriːmi] *adj* flødeagtig.
crease [kriːs] *sb* fold; pressefold, læg; (i kricket) linie trukket på jorden; *vb* presse (benklæder); krølle; folde; *(am)* (om skud) strejfe.
creaser ['kriːsə] *sb* (i bogbinderi) rygstempel.

crease|-resistant, ~ **-resisting** krølfri.
creasy ['kriːsi] *adj* krøllet.
create [kri'eit] *vb* skabe; frembringe; fremkalde, vække *(fx a sensation)* ; (om stilling *etc)* oprette; (om person) udnævne (til) *(fx* ~ *him a Peer; new Peers were -d)* ; **T** skabe sig, tage på veje; ~ *a part* kreere en rolle.
creation [kri'eiʃən] *sb* skabelse; frembringelse, frembringelse; oprettelse; udnævnelse; (det skabte:) frembringelse, værk; verden; (i mode) kreation, model; *the lord of* ~ skabningens herre.
creative [kri'eitiv] *adj* skabende; kreativ. **creativity** [kriei'tiviti] *sb* skabende evne, kreativitet.
creator [kri'eitə] *sb* skaber.
creature ['kriːtʃə] *sb* menneske, væsen; dyr; *(fig)* redskab, kreatur; *poor* ~ arme stakkel; ~ *comforts* materielt velvære; materielle goder.
crèche [kreiʃ] *sb* vuggestue; julekrybbe.
credence ['kriːdəns] *sb* tro, tiltro; *(rel)* sidebord (ved alter); *(glds møbel)* kredensbord; *letter of* ~ introduktionsskrivelse; *give (el. lend)* ~ to fæste lid til, tro.
credentials [kri'denʃəlz] *sb pl* akkreditiver; legitimationsskrivelser.
credibility [kredi'biliti] *sb* troværdighed.
credibility gap troværdighedskløft.
credible ['kredəbl] *adj* trolig, troværdig.
credit ['kredit] *sb* tillid, tiltro; godt navn, anseelse; (ros *etc)* anerkendelse, ære; *(merk)* kredit; *(am)* kildeangivelse (i forord); nævnelse af firma der har betalt en udsendelse; point (for gennemført kursus som led i et studium); tro om, skænke tiltro; kreditere; *give sby* ~ *for being* tro om en at han er; *(give)* ~ *where* ~ *is due* ære den som æres bør, *letter of* ~ akkreditiv; *open* ~ åben kredit, åbent lån; *on* ~ på kredit; *stand to the* ~ *of an account* indestå på en konto; *it is a* ~ *to him* det gør ham ære; *he is a* ~ *to his profession* han er en pryd for sin stand; *give* ~ *to* fæste lid til, tro *(fx a story)* ; *pass an amount to sby's* ~, ~ *an amount to sby*, ~ *sby with an amount* kreditere en for et beløb; ~ *sby with sth* tiltro en noget; *give en æren for noget.*
creditable ['kreditəbl] *adj* hæderlig, ærefuld *(to* for); *that is* ~ *to him* det gør ham ære.
creditor ['kreditə] *sb* kreditor.
credit rating agency kreditoplysningsbureau.
credit| squeeze kreditstramning. ~ **titles** *pl* (i film) fortekster.
credulity [kri'djuːliti] *sb* lettroenhed.
credulous ['kredjuləs] *adj* lettroende.
creed [kriːd] *sb* trosbekendelse; tro, overbevisning.
creek [kriːk] *sb* vig, bugt; *(am)* å, bæk.
creel [kriːl] *sb* fiskekurv.
I. creep [kriːp] *sb* kryben; (om skinne) vandring; (om beton) krybning; **S** listetyv; modbydelig ka'l; *it gives me the -s* jeg får myrekryb af det.
II. creep [kriːp] *vb (crept, crept)* krybe; liste sig, snige sig *(upon* over); have en kriblende fornemmelse, gyse; (om skinne *etc)* vandre; *(mar)* drægge; *make one's flesh* ~ få en til at gyse, give en myrekryb; *an error has crept in* der har indsneget sig en fejl.
creeper ['kriːpə] *sb* kryb; slyngplante; *(mar)* dræg; *-s pl* klatrejern; **S** gummisko.
creeping ['kriːpiŋ] *adj* krybende; *(fig)* snigende *(fx fear).*
creepy ['kriːpi] *adj* uhyggelig.
creese [kriːs] *sb* kris (malajisk dolk).
cremate [kri'meit] *vb* brænde. **cremation** [kri'meiʃən] *sb* (lig)brænding. **crematorium** [kremə'tɔːriəm], **crematory** ['krematəri] *sb* krematorium.
creme de menthe *[fr.]* pebermyntelikør.
crenated ['kriːneitid] *adj* takket.
crenellated ['krenileitid] *adj* kreneleret, forsynet med skydeskår.
creole ['kriːoul] *sb* kreol.
creosote ['kriəsout] *sb* kreosot (en tjæreolie).
crêpe | de chine ['kreipdə'ʃiːn] *sb* crepe de chine. ~ **nylon** crepenylon. ~ **paper** crepepair. ~ **rubber** rågummi. ~ **rubber sole** rågummisål.
crepitate ['krepiteit] *vb* knitre. **crepitation** [krepi'teiʃən] *sb* knitren.
crepon ['krepɔːŋ] *sb* crepon (bomuldsstof).

crept [krept] *præt* og *pp* af II. *creep.*
crepuscular [kri'pʌskjulə] *adj* tusmørke-, halvmørk.
crescent ['kresnt] *adj* halvmåneformet; voksende; *sb* halvmåne (også symbol for Tyrkiet, Islam); halvmåneformet plads (, gade, husrække); (bagværk:) horn.
cress [kres] *sb (bot)* karse.
cresset ['kresit] *sb* beggryde, ildbækken (brugt som fakkel).
crest [krest] *sb* kam (på hane); fjerdusk; top; bølgetop; hjelmbusk; hjelm (over et våbenskjold), våbenmærke; *vb* pryde med hjelmbusk *etc;* nå op til toppen af. **crested** *adj* toppet; ~ *lark* toplærke; ~ *newt* stor vandsalamander; ~ *tit* topmejse. **crestfallen** *adj* modfalden, slukøret.
cretaceous [kri'teiʃəs] *adj* kridt-; *the Cretaceous (geol)* kridttiden.
Crete [kri:t]ʹ Kreta.
cretin ['kretin] *sb* kretiner (vanskabt idiot). **cretinism** ['kretinizm] *sb* kretinisme, idioti.
cretonne [krə'tɔn] *sb* cretonne.
crevasse [kri'væs] *sb* gletscherspalte.
crevice ['krevis] *sb* sprække.
crew [kru:] *sb* (skibs)mandskab, besætning; (arbejds)hold; T flok, bande.
crewcut *sb* karsehår; *adj* plysset, karseklippet.
crewel ['kru:il] *sb* konturtråd.
crew-neck sweater sweater med rund hals.
crib [krib] *sb* krybbe; julekrybbe; (til barn) barneseng, kravleseng; (i mine) skaktforing; (hus *etc*) (lille) hus, hytte, lille værelse; (afskrift *etc*) plagiat; (i skole) snydeoversættelse; *vb* stjæle, rapse; plagiere, (i skolen) snyde, skrive af; S beklage sig.
cribbage ['kribidʒ] *sb* puk (et kortspil).
cribriform ['kribrifɔ:m] *adj* gennemhullet som en si.
crick [krik] *sb* hold (i nakken), forvridning; *vb* forstrække, forvride.
I. cricket ['krikit] *sb zo* fårekylling.
II. cricket ['krikit] *sb* kricket; *it is not* ~ T *(fig)* det er ikke ærligt spil; *play* ~ T *(fig)* spille ærligt spil, holde sig til reglerne.
cricketer ['krikitə] *sb* kricketspiller.
crier ['kraiə] *sb* råber; udråber.
crikey ['kraiki] *interj* S ih du store!
crime [kraim] *sb* forbrydelse; ulovlighed; kriminalitet.
Crimea [krai'miə]: *the* ~ Krim.
Crimean [krai'miən] *adj* krim-, krimsk.
crime sheet *(mil.)* straffeblad.
criminal ['kriminəl] *adj* forbryderisk; kriminel; straffe-; *sb* forbryder; ~ *abortion* ulovlig svangerskabsafbrydelse.
Criminal Investigation Department (svarer til) kriminalpolitiet.
criminality [krimi'næliti] *sb* kriminalitet.
criminal | justice strafferet; strafferetspleje. ~ *law* strafferet.
criminate ['krimineit] *vb* anklage.
criminology [krimi'nɔlədʒi] *sb* kriminologi.
I. crimp [krimp] *sb* hverver; hyrebasse; *vb* hverve (ved kneb), shanghaje.
II. crimp [krimp] *vb* kruse, krølle *(fx* ~ *the hair);* S hindre; *sb* krøl, krus; *put a* ~ *in* S hindre.
crimson ['krimzn] *sb* karmoisinrødt; højrødt; *adj* karmoisinrød, højrød; *vb* rødme; *blush* ~ rødme dybt.
crimson rambler *(bot)* rød slyngrose, crimson rambler.
cringe [krin(d)ʒ] *vb* krybe sammen; krybe (for en); ~ *with embarrassment* vride sig af forlegenhed.
cringle [kriŋgl] *sb (mar)* (øje af tovværk) løjert; kovs.
crinkle ['kriŋkl] *vb* bøje, sno; kruse, krølle; (uden objekt) bøje sig, sno sig; kruse sig; sb snoning, krusning; krølle; rynke.
crinoline ['krinəlin] *sb* stivskørt; *(glds)* krinoline.
cripes [kraips] *interj* S gudfader bevares.
cripple ['kripl] *sb* krøbling; *vb* gøre til krøbling; lemlæste; *(fig)* lamme, gøre magtesløs.
crisis ['kraisis] *sb (pl crises* ['kraisi:z]) vendepunkt, krise.
crisp [krisp] *adj* kruset, tæt krøllet *(fx hair)*; skør, sprød *(fx lettuce)*; frisk *(fx reply)*; livlig; klar, skarp *(fx air)*; *vb* kruse, krølle; gøre sprød; kruse sig, blive sprød; *-s* franske kartofler.
crispbread knækbrød.

criss-cross ['kriskrɔs] *adv* på kryds og tværs; *adj* krydsende; som går på kryds og tværs; *vb* slå linier på kryds og tværs; *sb* netværk; kryds- og tværsmønster.
criterion [krai'tiəriən] *sb (pl criteria)* kriterium, kendemærke, særkende.
critic ['kritik] *sb* kritiker, anmeldeʹr; kritisk person, streng dommer; *dramatic* ~ teateranmelder; *literary* ~ litteraturanmelder.
critical ['kritikl] *adj* kritisk; afgørende *(fx moment)*; betænkelig, farlig.
criticism ['kritisizm] *sb* kritik; *be above* ~ være hævet over kritik; *be beneath* ~ være under al kritik.
criticize ['kritisaiz] *vb* kritisere.
critique [kri'ti:k] *sb* kritik; kritisk artikel (, essay), (udførlig) anmeldelse.
critter ['kritə] *sb* T = *creature.*
croak [krouk] *vb* kvække (som frø); skrige hæst (som ravn); *(fig)* se sort på det, spå ulykke(r); klage; S dø, krepere; slå ihjel; *sb* kvækken, skrigen.
croaker ['kroukə] *sb* (om person) brumbasse; ulykkesprofet, defaitist.
Croat ['krouət] *sb* kroat. **Croatia** [krou'eiʃə] Kroatien.
Croatian [krou'eiʃən] *sb* kroat; (sprog) kroatisk; *adj* kroatisk.
crochet ['krouʃei] *vb* hækle; *sb* hækling; hækletøj; *double* ~ fastmaske. **crochet hook** hæklenål. **crocheting** ['krouʃeiiŋ] *sb* hækling; hækletøj.
crock [krɔk] *sb* lerkrukke, lerpotte; potteskår; (hest) krikke; (person) skrog, krykhusar, krøbling; (bil) vrag; *vb* T ødelægge, 'gøre det af med'; blive et vrag.
crockery ['krɔkəri] *sb* lervarer, stentøj, porcelæn. **crocks** S service, 'postelin'.
crocodile ['krɔkədail] *sb* krokodille; (pige)skole som går tur to og to; lang hale af børn.
crocus ['kroukəs] *sb (bot)* krokus.
Croesus ['kri:səs] Krøsus, rigmand.
croft [krɔft] *sb* toft, vænge; husmandslod.
crofter ['krɔftə] *sb* husmand, boelsmand.
cromlech ['krɔmlek] *sb* stendysse.
Cromwell ['krɔmwel].
crone [kroun] *sb* gammel kælling (, kone *el.* morlil).
crony ['krouni] *sb* gammel ven, 'kammesjuk'; *his cronies* (også) hans kumpaner.
I. crook [kruk] *sb* hage, krog; krumstav; hyrdestav; krumning, bøjning; bugt; S svindler, forbryder; *on the* ~ S uærligt.
II. crook [kruk] *vb* krumme; bøje; krumme sig, bøje sig.
III. crook [kruk] *adj* T uærlig; *(austr)* syg.
crookbacked ['krukbækt] *adj* pukkelrygget.
crooked ['krukid] *adj* krum, skæv; kroget; *(fig)* uhæderlig, uærlig.
croon [kru:n] *sb* nynnen; *vb* nynne.
crooner ['kru:nə] *sb* refrainsanger(inde).
crop [krɔp] *sb* kro (hos fugle); *(agr)* høst, afgrøde, *(fig)* mængde, samling, (om hår: ~ *of hair)* manke; (frisure) kortklippet hår; (pisk *etc)* ridepisk; ridepisk; *vb* afklippe, beklippe, beskære; afgnave; (om hår) studse, kortklippe, (om ører) kupere; *(agr)* beplante, tilså *(fx* ~ *a field with wheat)*; give afgrøde; høste; ~ *up* dukke op, vise sig. **crop-eared** med kuperede ører.
cropper ['krɔpə] *sb* kropdue; fald; fiasko; *come a* ~ falde, styrte; gøre fiasko, gå bag af dansen.
croquet ['kroukei, *(am)* krou'kei] *sb* kroket; krokade; *vb* krokere; spille kroket.
croquette [krɔ'ket] *sb* kroket (bolle *el.* rulle med indbagt kød *el.* fisk).
crosier ['krouʒə] *sb* bispestav; krumstav.
I. cross [krɔs] *sb* kors; kryds; (på bogstav) tværstreg; (ved avl) krydsning *(fx a mule is a* ~ *between a horse and an ass)*; raceblanding, bastard; mellemting; *(fig)* kors, lidelse; *make one's* ~ sætte sit mærke (om en der ikke kan skrive sit navn); *on the* ~ diagonalt; T uærligt; *take up one's* ~ tage sit kors op.
II. cross [krɔs] *adj* tvær-; (om person) tvær, gnaven, arrig *(with* på); *as* ~ *as two sticks* sur og tvær; ~ *to* modsat, imod.
III. cross [krɔs] *vb* krydse; gå tværs over *(fx the street);* gå (, køre, ride *osv*) over *(el.* igennem); sejle *(el.* sætte)

over *(fx the Channel)*; modvirke, modarbejde, hindre; modsige; sætte en streg over *el.* igennem; lægge over kors; skære, krydse; (uden objekt) krydse hinanden; tage (over), sejle (over) *(fx ~ over to England)*; ~ one's arms lægge armene over kors; ~ *a cheque* crosse en check; ~ *the floor (of the House)* skifte parti (i Underhuset); stemme mod sit eget parti; ~ *his hand with silver* give ham en sølvmønt; bestikke ham; ~ *my heart* på ære! ama'r! *be -ed in love* lide skuffelse i kærlighed; *it -ed my mind* det faldt mig ind; ~ *oneself* gøre korsets tegn for sig; ~ *off*, ~ *out* strege ud, overstrege; ~ *sby's path* krydse ens vej; ~ *swords with* krydse klinge med; ~ one's t's sætte streger gennem t'erne; *(fig)* være pertentlig.

cross|bar tværtræ, tværstang; (på cykel) stang; (i mål) overligger; *(typ)* middelsteg. **-beam** tværbjælke. **-bench** (plads i Underhuset for uafhængige medlemmer); *adj* neutral, uafhængig. **-bill** *zo* lille korsnæb. **-bones** *pl* korslagte knogler. **-bow** armbrøst. **-breed** *vb* krydse; *sb* krydsning, blandingskvæg; blandingsrace. ~ **bun:** *hot ~ bun* bolle med kors på (spises langfredag). ~ **-country** tværs gennem landet; gennem terrænet; terrængående *(fx vehicle)*; ~ **-country race** terrænløb. **-current** tværstrømning. **-cut** genvej; (i film) krydsklip. **-cut saw** skovsav. ~ **-examination** *(jur)* kontraafhøring (ɔ: afhøring af modpartens vidne); krydsforhør. ~ **-examine** underkaste kontraafhøring *(cf ~ -examination)*; krydsforhøre. ~ **-eyed** skeløjet. ~ **-fade** *vb* (i radio) fade noget ind medens noget andet fades ud. ~ **-fertilize** krydsbestøve. ~ **fire** krydsild. **-flute** *(mus.)* tværfløjte. ~ **-grained** *adj* vreden (om træ); *(fig)* umedgørlig. ~ **hairs** *pl* trådkors. ~ **-hatch** *vb* krydsskravere. **-head** (i maskine) krydshoved. ~ **-head(ing)** (i avis) underrubrik.

crossing ['krɔsiŋ] *sb* korsvej; (gade)overskæring; overgang (over gade); overfart.

crossing sweeper *(glds)* gadefejer.

cross|-legged *adj* med benene over kors. ~ **-light** lys fra flere sider; undersøgelse fra forskellige synspunkter. **-patch** T gnavpotte. **-piece** tværstykke, tværbjælke. ~ **-purposes:** *be at ~ -purposes* misforstå hinanden; komme til at modvirke hinanden; *we are talking at ~ -purposes* du taler i øst og jeg i vest. ~ **-question** *vb* krydsforhøre. ~ **-reference** krydshenvisning. **-road** korsvej; tværvej. ~ **-roads** vejkryds, korsvej; *at the ~ -roads* på skillevejen. ~ **-rule** kvadrere. ~ **section** tværsnit. ~ **-stitch** korssting. **-trees** *pl (mar)* tværsaling, tværtræ på masten. **-wise** *adj* over kors. **-word (puzzle)** krydsordsopgave.

crotch [krɔtʃ] *sb* skridt (i benklæder); tveje (gren).

crotchet ['krɔtʃit] *sb* fjerdedelsnode; grille.

crotchety ['krɔtʃiti] *adj* fuld af griller, sær.

croton ['kroutɔn]: ~ *oil* krotonolie.

crouch [krautʃ] *vb* krybe sammen, ligge sammenkrøben; stå på spring; (om dyr) ligge på spring, ligge på lur; ~ *down* (også) sidde på hug.

croup [kru:p] *sb* kryds (på en hest); *(med.)* strubehoste.

croupier ['kru:piə] *sb* croupier (ved roulettespil); vice-præsident (ved festmiddag).

I. crow [krou] *sb* krage; galen, hanegal; *as the ~ flies* i fugleflugtslinie; *eat ~ (am)* ydmyge sig, krybe til korset.

II. crow [krou] *vb (crew el. crowed, crowed)* gale; prale, brovte; hovere, triumfere; (om lille barn) juble, pludre fornøjet.

crow|bar ['krouba:] koben, brækjern. **-berry** *(bot)* revling.

I. crowd [kraud] *sb* hob, mængde, menneskemængde, masse; trængsel; oplob; T kreds, kor, slæng, sjak; *the ~* mængden, de brede lag; *collect a ~* samle oplob; *he might pass in a ~* han er ikke værre end så mange andre; *go with the ~ (fig)* følge med strømmen.

II. crowd [kraud] *vb* fylde (til trængsel), overfylde; presse, mase, sammentrænge; (uden objekt) trænge sig, flokkes, stimle; myldre; ~ *(on) sail* prange sejl, sætte alle sejl til; ~ *out* trænge *(el. skubbe)* ud *(el. til side)*, fortrænge; udelade på grund af pladsmangel.

crowded ['kraudid] *adj* (over)fyldt; tæt pakket; sammentrængt; overlæsset, overbebyrdet; *play to a ~ house* spille for fuldt hus.

crowfoot ['kroufut] *sb (pl crowfoots) (bot)* ranunkel; *(mar)* hanefod; *(mil)* partisansøm.

I. crown [kraun] *sb* (konge-, træ-, tand- *etc)* krone; (øverste del) top *(fx of a mountain)*, (af hat) puld, (af hoved) isse; (papirformat: 15 × 20 *inches, am:* 15 × 19 *inches)*; (især *glds)* (mønt til en værdi af 5 *shillings* (25 *new pence))*; *(lit)* krans *(fx laurel ~)*; *the Crown* kronen, kongemagten, staten, det offentlige, *(jur)* anklagemyndigheden.

II. crown [kraun] *vb* krone; (hædre:) kranse; *(fig)* krone, sætte kronen på (værket), afslutte; (i damspil) gøre (en brik) til dam;·*(tandl)* sætte krone på (en tand); S slå oven i hovedet; *to ~ all he did the best* (, værste) af det hele var at han.

Crown Colony kronkoloni.

Crown Court (domstol over *magistrate's court;* afløste 1971 *assizes* og *quarter sessions)*.

crown imperial *(bot)* kejserkrone.

crown| land domæne, krongods. ~ **law** straffelov. ~ **prince** kronprins. ~ **wheel** kronehjul.

crow's-feet *sb* rynker ved øjnene.

crow's nest *(mar)* udkigstønde (ved mastetop); manøvretønde.

crozier ['krouʒə] *sb* bispestav, krumstav.

crucial ['kru:ʃəl] *adj* afgørende; streng.

crucian ['kru:ʃən] *sb zo* karusse.

crucible ['kru:sibl] *sb* smeltedigel; ~ *steel* digelstål.

cruciferous [kru:'sifərəs] *adj (bot)* korsblomstret.

crucifix ['kru:sifiks] *sb* krucifiks. **crucifixion** [krusi'fikʃən] *vb* korsfæstelse. **cruciform** ['kru:sifɔ:m] *adj* korsdannet.

crucify ['kru:sifai] *vb* korsfæste.

crud [krʌd] *sb* S lort.

crude [kru:d] *adj* rå; grov; umoden, ufordøjet, ubearbejdet, ufærdig, rå mase *(fx Idea)*; naiv *(fx book)*; primitiv *(fx hut)*; grel, skrigende *(fx colours)*; utilsløret, nøgen *(fx facts)*; *sb (merk)* råolie; ~ *birth rate* naturlig fertilitetskvotient; ~ *oil* råolie.

crudeness ['kru:dnis], **crudity** ['kru:diti] *sb* råhed, umodenhed, ufærdighed, naivitet; grelhed, grel karakter.

cruel ['kru:əl] *adj* grusom, ubarmhjertig; frygtelig, forfærdelig. **cruelty** ['kru:əlti] *sb* grusomhed, ubarmhjertighed.

cruet ['kru:it] *sb* flacon (i platmenage); platmenage.

cruet stand platmenage.

Cruikshank ['krukʃæŋk].

cruise [kru:z] *vb* krydse, være på krydstogt, være på langfart; (om taxa) køre langsomt på udkig efter hyre; *sb* sørejse; krydstogt; langfart. **cruiser** ['kru:zə] *sb* krydser; patruljevogn, patruljebåd; turbåd, langtursbåd. **cruiser-weight** let sværvægt. **cruising speed** marchhastighed.

crumb [krʌm] *sb* krumme; brødsmule; *(fig)* smule; *vb* vende i rasp (før panering).

crumble ['krʌmbl] *vb:* ~ *(up)* smuldre; hensmuldre.

crumbly ['krʌmbli] *adj* sprød; som let smuldrer.

crumbs [krʌmz] *interj* S du store kineser!

crumby ['krʌmi] *adj* blød; smulet.

crummy ['krʌmi] *adj* S luset, elendig, billig.

crump [krʌmp] *sb* knasen; T slag; dumpt brag; eksploderende granat; *vb* knase; dunke; eksplodere med et dumpt brag, brage; bombardere.

crumpet ['krʌmpit] *sb* (slags tebrød); S hoved; kvinde; *barmy on the ~* 'skør i bøtten'.

crumple ['krʌmpl] *vb* krølle, forkrølle; blive (for)krøllet; ~ *up* krølle sammen; gøre kål på; synke sammen; bryde sammen; give efter.

crunch [krʌnʃ] *vb* knase; slå knasen; *the ~* S det kritiske punkt, det afgørende øjeblik; *when it comes to the ~* S når det kommer til stykket.

crupper ['krʌpə] *sb* kryds (på hest); rumperem.

crusade [kru:'seid] *sb* korstog, kampagne *(fx temperance ~* afholdskampagne); *vb* være (, drage) på korstog; deltage i en kampagne.

crusader [kru:'seidə] *sb* korsfarer.

cruse [kru:z] *sb* lerkrukke, lergryde.

crush [krʌʃ] *sb* knusen; trængsel, sammenstimlen, menneskemængde; S reception, stort selskab; *vb* knuse, mase; presse; krølle; myldre; knuse, tilintetgøre; overvælde; (uden ˈobjekt) knuses, sammenpresses; ~ *down* pulverisere; slå ned, knuse; *get* (, *have) a ~ on sby* S blive (, være) 'varm' på en; ~ *out* presse ud; mase ud *(fx a cigarette)*; ~ *up* knuse, støde; pulverisere.

crush hat klaphat, chapeaubas.
crush-room teaterfoyer.
crust [krʌst] *sb* skorpe; **S** frækhed; (af vin) bundfald, depot; *vb* overtrække med skorpe; sætte skorpe; (om vin) afsætte bundfald *(el.* depot).
crustacea [krʌs'teiʃjə] *sb pl* krebsdyr. **crustacean** *sb* krebsdyr; *adj* krebsdyr-. **crustaceous** *adj* krebsdyr-; skorpeagtig.
crustation [krʌs'teiʃən] *sb* skorpedannelse.
crusted ['krʌstid] *adj* med skorpe; (om vin) som har afsat bundfald; gammel.
crusty ['krʌsti] *adj* med skorpe; *(fig)* fortrædelig, knarvorn, vranten; **S** elendig.
crutch [krʌtʃ] *sb* krykke; skridt *(fx* i tøj); *(mar)* (åre)gaffel.
crux [krʌks] *sb* vanskelighed, vanskeligt punkt; *the ~ of the matter* sagens kerne.
I. cry [krai] *vb* skrige, råbe; udbryde; græde *(fx ~ oneself to sleep);* råbe med (varer); bekendtgøre; *~ down* rakke ned på; *~ for* råbe på; græde for (at få); *~ for the moon* ønske det uopnåelige; *for -ing out loud* **S** hold da helt op; åh hold kæft; *~ off* trække sig tilbage *(from* fra); *~ off a deal* annullere en handel; *~ out* råbe *(for* på); klage højt; skrige; *~ out against* protestere højlydt imod; *~ one's eyes out* græde øjnene ud af hovedet; *~ shame upon* protestere imod; *~ up* rose, hæve til skyerne, opreklamere; *~ wolf* slå falsk alarm.
II. cry [krai] *sb* skrig, råb; gråd, klage; (hunds) halsen; *they had a good ~* de fik sig en ordentlig grædetur; *a far ~* et godt stykke vej; *(fig)* et langt spring; *a far ~ from* meget fjernt fra; *in full ~* i skarp forfølgelse; *much ~ and little wool* viel Geschrei und wenig Wolle; stor ståhej for ingenting; *within ~* inden for hørevidde.
crybaby ['kraibeibi] *sb* flæbehoved, tudesøren.
crying ['kraiiŋ] *adj (fig)* himmelråbende, iøjnefaldende.
cryolite ['kraiəlait] *sb* kryolit.
crypt [kript] *sb* krypt (kapel under kirke); gravhvælving.
cryptic ['kriptik] *adj* hemmelig; gådefuld *(fx remark).*
cryptogram ['kriptəgræm] *sb* kryptogram, chifferskrift. **cryptography** [krip'tɔgrəfi] *sb* kryptografi.
crystal ['kristl] *sb* krystal; krystalglas; urglas; *adj* krystal-, krystalklar. **crystal gazing** spåen ved hjælp af en krystalkugle. **crystalline** ['kristəlain] *adj* krystallinsk, krystalklar; krystal-; *~ lens* krystallinse.
crystallization [kristəlai'zeiʃən] *sb* krystallisation, krystallisering. **crystallize** ['kristəlaiz] *vb* krystallisere; krystallisere sig; kandisere. **crystallography** [kristə'lɔgrəfi] *sb* krystallografi, krystallære. **crystal set** (radio) krystalapparat.
C.S. *fk* Civil Service.
C.S.E. *fk* Certificate of Secondary Education.
ct. *fk. cent.* **Cttee** *fk* committee.
C.U. *fk* Cambridge University.
cub [kʌb] *sb* unge (især af ræv, ulv, løve, tiger, bjørn); hvalp, knægt; ulveunge (spejder); (se også *cub reporter); vb* yngle, føde; jage ræveunger; *unlicked ~* grønskolling.
Cuba ['kju:bə] Cuba.
cubage ['kju:bidʒ] *sb* kubikindhold.
Cuban ['kju:bən] *adj* cubansk; *sb* cubaner; *~ heel* officershæl.
cubature ['kju:betʃə] *sb* (udregning af) kubikindhold.
cubbing ['kʌbiŋ] *sb* rævejagt.
cubbish ['kʌbiʃ] *adj* uopdragen, ubehøvlet, kluntet.
cubbyhole ['kʌbihoul] *sb* lille rum, hummer, hyggelig hybel.
cube [kju:b] *sb* kubus, terning; kubiktal, tredje potens; *vb* skære ud i terninger; finde kubiktallet af, opløfte til tredje potens; *a ~ of soap* et stykke sæbe. **cube root** kubikrod.
cubic(al) [kju:bik(l)] *adj* kubisk; kubik-.
cubic equation tredjegradsligning.
cubicle ['kju:bikl] *sb* (lille) sovekammer, sovekabine; badekabine; aflukke.
cubiform ['kju:bifɔ:m] *adj* terningdannet, kubisk.
cubism ['kju:bizm] *sb* kubisme. **cubist** ['kju:bist] *sb* kubist.
cubit ['kju:bit] *sb* (gammelt længdemål, 18-22 tommer); *add a ~ to one's stature* (bibelsk) lægge en alen til sin vækst.
cub master ulvefører.

cub reporter journalistspire.
cuckold ['kʌkould] *sb* hanrej; *vb* gøre til hanrej.
cuckoo ['kuku:] *sb zo* gøg; *(fig)* fjols, skør rad; *adj* **S** tosset; *go ~* gå fra forstanden.
cuckoo⏐ clock kukur. **-flower** *(bot)* engkarse. **-pint** *(bot)* dansk ingefær, aronsstav. *~ spit* gøgespyt. *~ spit insect zo* skumcikade.
cucumber ['kju:kəmbə] *sb (bot)* agurk; *as cool as a ~* kold og rolig.
cud [kʌd] *sb: chew the ~* tygge drøv; overveje.
cuddle ['kʌdl] *vb* omfavne, knuse; ligge *(el.* lægge sig) lunt og godt; putte sig; *sb* omfavnelse; *~ up to* trykke sig *(el.* putte sig) ind til. **cuddlesome, cuddly** *adj* lige til at knuse (ɔ: omfavne).
cuddy ['kʌdi] *sb* kahyt, kabys, lille rum.
cudgel ['kʌdʒəl] *sb* knippel; *vb* prygle; *~ one's brains* bryde sit hoved; *take up the -s for* træde i skranken for.
cudweed ['kʌdwi:d] *sb (bot)* (vild) evighedsblomst.
cue [kju:] *sb (teat)* stikord; *(fig)* vink; (billard) kø; *(glds)* (hår)pisk; *take one's ~ from sby* lytte til én, rette sig efter én, efterligne en.
I. cuff [kʌf] *sb* slag, dask, klaps; *vb* slå, daske, klapse; slås.
II. cuff [kʌf] *sb* opslag (på ærme, *am* også på bukser); manchet; *-s pl* (glds) håndjern; *off the ~* improviseret; *on the ~ (am)* **S** på kredit; gratis.
cuff links manchetknapper.
cuirass [kwi'ræs] *sb* harnisk, kyras.
cuirassier [kwirə'siə] *sb* kyrassér.
cuisine [kwi'zi:n] *sb* køkken, kogekunst, madlavning.
culch = *cultch.*
cul-de-sac ['kuldə'sæk *el. fr.]* *sb* blind gade, blind vej; *(fig)* blindgyde, noget der ingenting fører til.
culinary ['kʌlinəri] *adj* som hører til kogekunsten, kulinarisk; mad-,· koge-.
cull [kʌl] *vb* udsøge, udvælge; samle; plukke.
cullender ['kʌlində] *sb* dørslag.
cullet ['kʌlit] *sb* glasaffald (til omsmeltning).
Culloden [kə'lɔdn, kə'loudn].
cully ['kʌli] *sb (glds)* **S** kammerat; godtroende fjols; *vb* narre.
culm [kʌlm] *sb* kulstøv; *(bot)* stængel.
culminate ['kʌlmineit] *vb* kulminere.
culmination [kʌlmi'neiʃən] *sb* kulmination.
culottes [kju'lɔts] *sb pl* buksenederdel.
culpability [kʌlpə'biliti] *sb* strafværdighed.
culpable ['kʌlpəbl] *adj* strafværdig, dadelværdig, kriminel.
culprit ['kʌlprit] *sb* forbryder; synder, misdæder; *the ~* (også) den skyldige; *(jur)* tiltalte.
cult [kʌlt] *sb* kultus, kult; dyrkelse; *~ of personality* persondyrkelse.
cultch [kʌltʃ] *sb* underlag på havbunden for østersyngel.
cultivable ['kʌltivəbl] *adj* som kan dyrkes (, pløjes), dyrkbar.
cultivate ['kʌltiveit] *vb* dyrke; opdyrke; opelske *(fx a plant);* udvikle, uddanne; forædle; civilisere, kultivere; *~ a moustache* anlægge overskæg.
cultivation [kʌlti'veiʃən] *sb* dyrkning; dannelse; kultur.
cultivator ['kʌltiveitə] *sb* dyrker; (redskab:) kultivator.
cultural ['kʌltʃərəl] *adj* kultur-, kulturel; *~ anthropology* etnologi.
culture ['kʌltʃə] *sb* dyrkning, avl; opdragelse, udvikling; dannelse; kultur. **cultured** ['kʌltʃəd] *adj* kultiveret, dannet. **cultured pearl** kulturperle.
culvert ['kʌlvət] *sb* stenkiste (under vej); gennemløb; afvandingssluse; rør (til kabler etc).
cumber ['kʌmbə] *vb* bebyrde, besvære.
Cumberland ['kʌmbələnd].
cumbersome ['kʌmbəsəm] *adj* byrdefuld, besværlig, uhåndterlig.
Cumbrian ['kʌmbriən] *adj* cumberlandsk, kumbrisk.
cumbrous ['kʌmbrəs] *adj* besværlig, tung, uhåndterlig.
cum div. *fk* cum *dividend* iberegnet dividenden.
cumin ['kʌmin] *sb (bot)* kommen.
cummerbund ['kʌməbʌnd] *sb* indisk skærf.
cummin ['kʌmin] *sb (bot)* kommen.
cumulate ['kju:mjuleit] *vb* opdynge.
cumulation [kju:mju'leiʃən] *sb* opdyngen, sammendyngen.

cumulative ['kju:mjulətiv] *adj* sammendynget, ophobet, kumulativ; som vinder i styrke; ~ *dividend* kumulativt udbytte; ~ *evidence* vidnesbyrd der (alle sammen) peger i samme retning.

Cunard [kju:'na:d].

cun(e)iform ['kju:ni(i)fɔ:m] *adj* kiledannet; *sb* = ~ *characters* kileskrift.

cunning ['kʌniŋ] *adj* listig, forslagen, snild; *(glds)* dygtig; *(am* **T)** nydelig, 'nuttet'; *sb* listighed, list, snuhed; *(glds)* behændighed.

cunt [kʌnt] *sb (vulg)* fisse, kusse.

cup [kʌp] *sb* kop; bæger, pokal; *(rel)* kalk; *(bot)* blomsterbæger; (præmie) pokal; (skålformet genstand) skål; hulning, fordybning; *(glds med.)* kop (til kopsætning); (drik) kold punch; *vb* hule (hånden); *(glds med.)* kopsætte; *he is not my* ~ *of tea* han er ikke mit nummer; *be in one's -s* være beruset; *a* ~ *and saucer* et par kopper; *he -ped the match against the wind* han skærmede tændstikken mod vinden med sin hule hånd; ~ *one's hand to one's ear* holde hånden bag øret (for at høre bedre).

cup and ball bilboquet.

cupbearer mundskænk.

cupboard ['kʌbəd] *sb* skab; *the skeleton in the* ~ den uhyggelige familiehemmelighed.

cupboard love madkæresteri, kærlighed som man simulerer for at opnå en fordel.

cupel ['kju:pəl] *sb* prøvedigel, kapel.

Cupid ['kju:pid] *sb* Amor; amorin.

cupidity [kju'piditi] *sb* begærlighed.

Cupid's bow amorbue.

cupola ['kju:pələ] *sb* kuppel.

cuppa ['kʌpə] **S** = *cup of tea*

cupping ['kʌpiŋ] *sb (glds med.)* kopsætning; ~ *glass* sugekop.

cupreous ['kju:priəs] *adj* kobberagtig, kobber-.

cupric ['kju:prik] *adj (kem.)* kupri-.

cupriferous [kju'prifərəs] *adj* kobberholdig.

cuprous ['kju:prəs] *adj (kem.)* kupro-.

cup tie pokalkamp; pokalturnering.

cur [kə:] *sb* køter; *(glds)* sjover.

cur. *fk current.*

curable ['kjuərəbl] *adj* helbredelig.

curacao [kjuərə'sou] *sb* curacao, likør.

curacy ['kjuərəsi] kapellanembede.

curare [kju'ra:ri] *sb* kurare (giftstof).

curassow [kjuərə'sou] *sb zo* hokko (en fugl).

curate ['kjuərit] *sb* kapellan; *like the -'s egg* ɔ: delvis mislykket, elendig men med enkelte lyspunkter.

curative ['kjuərətiv] *adj* helbredende; *(fx the* ~ *value of sunshine)*, lægende.

curator [kjuə'reitə] *sb* konservator; museumsinspektør; museumsdirektør; (på skotsk) værge.

I. curb [kə:b] *sb* kindkæde på bidsel; tøjle, tømme *(fig)* hindring; (ved gade) kantsten; *(am)* efterbørs.

II. curb [kə:b] *vb* holde i tømme, tøjle, tæmme, styre *(fx one's passions)*; dæmpe, holde nede.

curb| market *(am)* efterbørs. ~ **prices** noteringen på efterbørsen. ~ **roof** mansardtag. **-stone** kantsten.

curcuma [kə:kjumə] *sb (bot)* gurkemejerod.

curd [kə:d] *sb* ostemasse, skørost, oplagt mælk.

curdle ['kə:dl] *vb* løbe sammen; størkne, koagulere; stivne; (med objekt) lade løbe sammen; bringe til at stivne; *it made my blod* ~ *(fig)* det fik mit blod til at isne.

curdy ['kə:di] *adj* sammenløbet.

cure [kjuə] *sb* kur *(for* mod); helbredelse; afvænning; *(rel)* sjælesorg, embede; *vb* helbrede, kurere *(for)*; konservere, salte, nedsalte, *(fx* hø, tobak) tørre, (malt) aftørre, *(fx* ost) lagre, (skind) berede, (cement, plastic) hærde, (gummi) vulkanisere.

cure-all ['kjuərɔ:l] *sb* universalmiddel.

currettage [kju'retidʒ] *sb (med.)* udskrabning.

curette [kju'ret] *sb* curette (til udskrabning); *vb* udskrabe.

curfew ['kə:fju:] *sb* aftenklokke; aftenringning; udgangsforbud, spærretid.

curio ['kjuəriou] *sb* kuriositet.

curiosity [kjuəri'ɔsiti] *sb* nysgerrighed; videbegærlighed; (om ting) sjældenhed; mærkværdighed, raritet, kuriositet, antikvitet. **curiosity shop** antikvitetshandel.

curious ['kjuəriəs] *adj* nysgerrig, videbegærlig, interesseret; (usædvanlig:) mærkværdig, mærkelig, besynderlig; *(glds)* kunstfærdig, omhyggelig. **curiously** *adv* (også) påfaldende, meget.

curl [kə:l] *sb* krølle; krusning; *vb* kruse, krølle; sno sig, krumme sig; kruse sig; spille curling; ~ *up* rulle sig sammen; falde sammen; rulle sammen; ~ *of the lips* hånligt smil; ~ *one's legs under one* trække benene op under sig; ~ *one's moustache* sno sit overskæg; ~ *one's toes* krumme tæer.

curled| mint *(bot)* krysemynte. ~ **parsley** *(bot)* kruspersille.

curler ['kə:lə] *sb* curler (til hår); curlingspiller.

curlew ['kə:lju:] *sb zo* stor regnspove. **curlew sandpiper** *zo* krumnæbbet ryle.

curleycue, curlicue ['kə:likju:] *sb* snirkel, krusedulle.

curling ['kə:liŋ] *sb* curling (et skotsk spil på isen).

curling irons, curling tongs krøllejern.

curlpaper papillot.

curly ['kə:li] *adj* krøllet; buet. **curlycue** = *curlicue.*

curmudgeon [kə:'mʌdʒən] *sb* gnavpotte, krakiler; gnier.

curmudgeonly *adj* gnaven, krakilsk; gnieragtig.

currant ['kʌrənt] *sb (bot)* ribs; korend; *black* ~ solbær; *red* ~ ribs; *white* ~ hvid ribs.

currency ['kʌrənsi] *sb* omløb, cirkulation; valuta, penge; mønt *(fx in foreign* ~*)*; (om penge) gangbarhed, kurs; *(fig)* udbredelse; *(merk)* løbetid *(fx of a bill* veksel); *gain* ~ vinde udbredelse, blive almindelig kendt; *the word is out of* ~ ordet er gået af brug.

current ['kʌrənt] *adj* gangbar, gyldig *(fx coin)*; gængs *(fx phrase)*; almindelig udbredt, i omløb værende, cirkulerende; (som findes nu) indeværende *(fx year, month)*; løbende *(fx expenses)*; nuværende, dagens, for øjeblikket gældende, aktuel *(fx events)*; *sb* strøm; retning, tendens.

current| account kontokurant. ~ **collector** strømaftager.

currently *adv* for øjeblikket, for tiden; til stadighed.

curriculum [kə'rikjuləm] *sb* pensum; undervisningsplan, læseplan; ~ *vitae* data, biografiske oplysninger (i ansøgning *etc)*.

curried ['kʌrid] *adj* i karry *(fx* ~ *eggs)*.

currier ['kʌriə] *sb* skindbereder.

currish ['kə:riʃ] *adj* køteragtig; bidsk.

I. curry ['kʌri] *vb* tilberede (skind); (hest) strigle; ~ *favour* indsmigre sig *(with* hos).

II. curry ['kʌri] *sb* karry; kød i karry; *vb* tillave med karry.

currycomb ['kʌrikoum] *sb, vb* strigle.

curse [kə:s] *sb* forbandelse *(to* for); ed; *vb* forbande; bande (over); *the* ~ *(vulg)* menstruation; ~ *you* gid fanden havde dig; *be -d with* (have at) trækkes med.

cursed ['kə:sid] *adj,* se *cussed.*

cursive ['kə:siv] *adj* flydende (om håndskrift).

cursory ['kə:səri] *adj* hastig, flygtig, løselig.

curst [kə:st] *adj,* se *cussed.*

curt [kə:t] *adj* mut, studs *(fx a* ~ *answer)*, kort.

curtail [kə:'teil] *vb* forkorte, afkorte; beskære; nedsætte, indskrænke. **curtailment** [kə:'teilmənt] *sb* afkortning; afstudsning; beskæring; nedsættelse, indskrænkning.

curtain ['kə:tn] *sb* forhæng; gardin; portiere; *(teat)* tæppe; tæppefald; slutoptrin; fremkaldelse *(fx he took five -s* han blev fremkaldt fem gange); *vb* forsyne med gardiner; *draw the* ~ trække gardinet for *(el.* fra); *draw a* ~ *over (fig)* skjule, tie stille med; *drop the* ~ lade tæppet falde; ~ *of fire* spærreild; *fireproof* ~ jerntæppe (i teater); *it is -s for him* **S** det er sket *(el.* nat) med ham, han er færdig; *give a* ~ fremkalde; *the* ~ *rises* tæppet går op; ~ *off* skille fra ved et forhæng.

curtain| call fremkaldelse. ~ **lecture** gardinpræken. ~ **raiser** forspil (kort indledende skuespil); *(fig)* indledning. ~ **wall** ikke-bærende ydervæg.

curts(e)y ['kə:tsi] *sb* nejen; *vb* neje; *drop a* ~ neje, knikse.

curvaceous [kə:'veiʃəs] *adj* **T** velskabt.

curvature ['kə:vətʃə] *sb* krumning.

curve [kə:v] *sb* krumning, kurve; *vb* krumme, bøje; krumme sig; *her ample -s* hendes yppige former.

curvet [kə'vet] *vb* (i ridning) (lade) courbettere; *(fig)* gøre krumspring; *sb* (i ridning) courbette; *(fig)* krumspring.

cushion ['kuʃən] *sb* pude; (billard) bande; *vb* lægge på puder; lægge puder på, polstre; læne, *(fig)* gøre behagelig; afbøde; udligne; dysse ned.
cushiony ['kuʃəni] *adj* som en pude, blød.
cushy ['kuʃi] *adj* **S** let, behagelig, magelig.
cusp [kʌsp] *sb* spids; (månens) horn.
cuspid ['kʌspid] *sb* hjørnetand.
cuspidal ['kʌspidəl] *adj* spids.
cuspidor ['kʌspidɔ:] *sb (am)* spyttebakke.
cuss [kʌs] *sb* fyr, karl; ed; *vb* bande; *I don't care a* ~ jeg bryder mig pokker om det.
cussed ['kʌsid] *adj* forbandet, forbistret; urimelig, krakilsk, stædig, stivsindet, ondskabsfuld.
custard ['kʌstəd] *sb (omtr=)* cremesovs.
custard pie (i komisk nummer) lagkage (brugt som kasteskyts).
custodian [kʌs'toudjən] *sb* opsynsmand, inspektør (i hus); (i museum) kustode; *(fig)* vogter.
custody ['kʌstədi] *sb* forvaring; arrest; opsyn, bevogtning, varetægt; forældremyndighed *(fx he has the ~ of his child)*; *take into* ~ anholde.
I. custom ['kʌstəm] *sb* skik, sædvane, brug; *(merk)* kundekreds, søgning; *withdraw one's* ~ *from* holde op med at handle hos.
II. custom ['kʌstəm] *adj (am)* lavet på bestilling, efter mål *(fx ~ clothes)*.
customary ['kʌstəməri] *adj* sædvanlig, almindelig; vedtægtsmæssig.
customer ['kʌstəmə] *sb* kunde; **T** fyr *(fx he is an ugly ~)*.
custom|house ['kʌstəmhaus] toldbod. **-house broker** toldklarerer. ~ **-made** *(am)* lavet på bestilling.
customs ['kʌstəmz] *sb pl* told, toldvæsen; ~ *check* toldeftersyn; ~ *examination* toldvisitation; ~ *officer* toldembedsmand.
I. cut [kʌt] *vb* skære, snitte, klippe, hugge, save (af, over, op), (med spade) grave *(fx a trench)*; (træ) fælde, (græs) slå, (korn) meje; (tildanne) skære (, hugge *etc*) til, (glas *etc*) slibe, (film) klippe; (gøre mindre) beskære, forkorte, stryge i *(fx a speech)*; nedsætte *(fx the price)*; *(bogh, fot* og *om planter)* beskære; (i sport, om bold) snitte; (i kortspil) tage af; (om linier) skære, krydse; (smerte) skære, bide, *(fig)* såre, krænke; **T** (om bekendt *etc*) ikke ville hilse på (, kendes ved), ignorere, behandle som luft; **T** (ikke deltage i) skulke fra, pjække fra *(fx a lecture)*, stikke af fra *(fx work)*; *(am* **S)** dele bytte;
(forskellige *forb*, se også *ground, ice)* ~ *and come again* der er mere hvor det kom fra; ~ *and run* stikke af fra det hele; ~ *a book* skære en bog op; *they* ~ *him dead* de lod fuldstændig som om han var luft; ~ *a figure* gøre indtryk; ~ *a poor figure* gøre en ynkelig figur; ~ *it fine* lige akkurat nå det (, klare den); ~ *the knot* hugge knuden over; ~ *oneself loose* gøre sig fri *(from* af); ~ *sby short* afbryde en; *to* ~ *a long story short* kort sagt; ~ *one's teeth* få tænder; *it* ~*s both ways* det er et tveægget sværd;
(forb med *adv, præp)* ~ *across* gå tværs over; *(fig)* gå på tværs af *(fx* ~ *across party lines)*; ~ *along* skynde sig; ~ *at* slå efter; tage kraften af, nedslå; ~ *away* skære væk *(el.* løs *el.* fri); hugge væk; stikke af; ~ *back* skære ned, forkorte; skære tilbage, beskære *(fx a tree)*; (i film) gribe tilbage, indskyde tidligere begivenheder (i handlingen); ~ *down* fælde, slå *(el.* hugge) ned; bortrive; nedskære, indskrænke; sy ind; ~ *sby down to size* skære en ned, sætte en på plads; ~ *for deal* trække om hvem der skal give; ~ *for partners* trække om makkerskab; ~ *in* falde ind, afbryde; **T** (i dans) bryde ind (og danse videre med en andens partner); (om bil) 'skære ind' efter overhaling; ~ *him in* **T** lade ham være med (ɔ: få en andel); ~ *into* falde ind i, bryde ind i; ~ *off* hugge (, skære, klippe) af; afskære; afbryde (i telefonen); standse leveringen af; (om døden) bortrive; ~ *him off with a shilling* gøre ham arveløs; ~ *out* hugge (, skære, klippe) ud; skære væk, fjerne, stryge; tilskære, klippe (tøj); planlægge; afbryde; udskille (i radio); stikke ud *(fx* ~ *out a rival)*; holde op med *(fx you must* ~ *tobacco right out)*; ~ *it out!* hold op! hold mund! ~ *out the engine* slå motoren fra; ~ *out for*, se *II. cut*; ~ *to pieces* klippe i stykker; *(fig)* kritisere sønder og sammen; ~ *up* skære

(, hugge, klippe*)* i stykker; nedsable; kunne skæres i stykker; **S** lave ballade; *he was* ~ *up by it* han var oprevet over det; det tog stærkt på ham; det gik ham nær; ~ *up rough* tage på vej, blive ondskabsfuld, blive farlig; ~ *up well* efterlade sig en smuk formue.
II. cut [kʌt] *præt* og *pp* af **I.** *cut; adj* skåret *(etc);* **S** fuld, drukken, pløret; ~ *and dried* fiks og færdig, klappet og klar(t); kedsommelig; rutinepræget; ~ *flowers* afskårne blomster; *you will have your work* ~ *out for you* du får fuldt op at gøre *(el.* mere end nok at bestille); det er næsten mere end du kan overkomme; *be* ~ *out for* egne sig til, være skabt til.
III. cut [kʌt] *sb* snit, hug, skramme, snitsår; (med pisk) slag; *(fig)* hib; (af kød) (udskåret) stykke; (billede) træsnit, stik; (i kortspil) aftagning; *(mht* tøj) mode, snit; (reduktion) nedsættelse; nedskæring; beskæring, forkortelse, udeladelse, strygning, klipning; (i film) klip (ɔ: hurtigt skift); klipning; **S** andel (i bytte); *be a* ~ *above* være en tak bedre end; *be a* ~ *above the average* hæve sig over gennemsnittet; *give sby the* ~ afbryde omgangen med en, ikke (længere) hilse på en; ~ *of a whip* (piske)-snert.
cut-and-dried, se *II. cut*.
cutaneous [kju'teiniəs] *adj* hud- *(fx disease)*.
cutaway ['kʌtəwei] *adj, sb:* ~ *(coat)* jaket.
cutback ['kʌtbæk] *sb* nedskæring; *(am,* i film) flashback, tilbageblik.
cute [kju:t] *adj (am* **T)** fiks, nysselig, nuttet, sød.
cut glass slebet glas.
cuticle ['kju:tikl] *sb* overhud; neglebånd.
cutie ['kju:ti] *sb (am* **T)** sød pige.
cutlass ['kʌtləs] *sb* huggert.
cutler ['kʌtlə] *sb* knivsmed, knivfabrikant.
cutlery ['kʌtləri] *sb* knive; skærende instrumenter (knive, sakse *etc);* spisebestik.
cutlet ['kʌtlit] *sb* kotelet.
cutoff ['kʌtɔf] *sb* genvej; afbrydelse, pause; tætningsvæg.
cutout ['kʌtaut] *sb (elekt)* afbryder.
cutout doll påklædningsdukke.
cutover ['kʌtouvə] *sb* skovningsplads; overgang.
cut price nedsat pris.
cutpurse ['kʌtpə:s] *(glds)* lommetyv.
cut rate nedsat pris. **cut-rate** *adj* som sælger (, sælges) til nedsat pris; *(fig)* billig, tarvelig.
cutter ['kʌtə] *sb* tilskærer; filmklipper; *(tekn)* fræser; klippemaskine; kniv, skær; *(mar)* kutter; *(am* også) kane.
cutthroat ['kʌtθrout] *sb* morder; **S** 'banditbridge' (hasardpræget form for tremands bridge); *adj* morderisk; ~ *competition* hensynsløs konkurrence.
cutting ['kʌtiŋ] *adj* skærende; skarp, bidende; *sb* skæren, huggen; (af tøj) tilskæring, klipning; (af græs *etc*) slåning; (af træ) hugst, skovning, *(jernb etc)* gennemskæring; (noget afklippet) strimmel; udklip *(fx newspaper -s):* afklip, prøve; (af plante) stikling; ~ *pliers*, ~ *nippers* bidetang; *a* ~ *wind* en bidende kold vind.
cuttle ['kʌtl], **cuttlefish** *sb* blæksprutte.
cutty ['kʌti] *sb* tøjte, tøs; kort ske; snadde, næsevarmer; *adj* kort.
cutwater ['kʌtwɔ:tə] *sb* (på skibsstævn) skæg.
C.V.O. *fk Commander of the Victorian Order*.
cwt ['hʌndridweit] *fk hundredweight (= 112 lbs)*.
cyanic [sai'ænik] *adj* cyan-. **cyanide** [sai'ænaid] *sb:* ~ *of potassium* cyankalium.
cyanosis [saiə'nousis] *sb (med.)* cyanose, blåfarvning af huden *(fx* ved hjertefejl).
cyanotic [saiə'nɔtik] *adj (med.)* cyanotisk; blåligt farvet.
cyclamen ['siklæmən] *sb (bot)* alpeviol; (farve) cyklamen.
cycle ['saikl] *sb* kreds; periode; cyklus; cykel; *vb* cykle.
cycle car lille (3-hjulet) bil.
cyclic ['saiklik] *adj* cyklisk. **cyclist** ['saiklist] *sb* cyklist.
cyclometer [sai'klɔmitə] *sb* kilometertæller.
cyclone ['saikloun] *sb* cyklon, hvirvelstorm.
cyclopedia [saiklə'pi:diə] *sb* encyklopædi.
Cyclops ['saiklɔps] *sb (pl Cyclopes* ['saikloupi:z]) *(myt)* kyklop.
cyclostomes ['saikləstoumz] *sb pl zo* rundmundede.
cyclotron ['saiklətrɔn] *sb* cyklotron.

4*

cygnet ['signit] *sb zo* svaneunge.
cylinder ['silində] *sb* valse, cylinder; gasflaske, stålflaske; tromle (i revolver). **cylindrical** [si'lindrikl] *adj* cylindrisk.
cymbal ['simbəl] *sb (mus.)* cymbel; bækken.
Cymbeline ['simbili:n].
cyme [saim] *sb (bot)* kvast.
cymoscope ['saiməskoup] *sb* (radio) detektor.
Cymric ['kimrik] *sb, adj* kymrisk, walisisk.
Cymry ['kimri] *sb pl* kymrere, walisere.
cynic ['sinik] *adj* kynisk; *sb* kyniker. **cynical** ['sinikl] *adj* kynisk. **cynicism** ['sinisizm] *sb* kynisme.
cynosure ['sinəzjuə, *(am)* 'sainəʃuə] *sb* brændpunkt; midtpunkt *(fx he was the ~ of all eyes);* ledestjerne. **Cynosure** *(astr)* Den lille Bjørn; polarstjernen.
cypress ['saipris] *sb (bot)* cypres.
Cypriote ['sipriout], **Cypriot** ['sipriət] *sb* cypriot; *adj* cyp-

riotisk. **Cyprus** ['saiprəs] Cypern.
Cyrene [sai'ri:ni]. **Cyrus** ['saiərəs].
cyst [sist] *sb* cyste, blære; svulst. **cystitis** [sis'taitis] *sb* blærebetændelse.
cyto|genesis [saitə'dʒenəsis] *sb* celledannelse. **-logy** [sai'tolədʒi] *sb* cellelære. **-plasm** ['saitəplæzm] *sb* celleslim.
czar [za:] zar; **T** diktator.
czardas ['tʃa:dæs] *sb* czardas (ungarsk dans).
czar|evitch ['za:rivitʃ] zarevitj (zarens søn). **-evna** [za:-'revnə] zarevna (zarens datter). **-ina** [za:'ri:nə] zarina (zarens hustru; kvindelig zar). **-itsa** [za:'ritsə] zaritza (zarens hustru).
Czech [tʃek] *sb* tjekker; tjekkisk; *adj* tjekkisk.
Czecho-Slovak ['tʃekə'slouvæk] *sb* tjekkoslovak; *adj* tjekkoslovakisk. **Czecho-Slovakia** ['tʃekəslə'vækiə] Tjekkoslovakiet.

D [di:].
d. (før 1971) tegn for *penny, pence (fx 5d. 5 pence); fk date; daughter; died.*
d- *fk* damn. **'d** *fk* had, would.
D. A. *fk District Attorney.*
dab [dæb] *vb* slå let (med noget fugtigt *el.* blødt); duppe; *sb* let slag; klat, stænk; *zo* slette, ising; *-s pl* **T** fingeraftryk; *be a ~ (hand)* at være dygtig til, være en mester i *(fx he is a ~ at tennis).*
dabble ['dæbl] *vb* pjaske (med), plaske; *~ in* fuske med (, i), give sig lidt af med *(fx ~ in politics).*
dabbler ['dæblə] *sb* dilettant, fusker.
dabchick ['dæbtʃik] *sb zo* (lille) lappedykker; *(am)* tyknæbbet lappedykker.
dace [deis] *sb zo* strømskalle.
dachshund ['dækshund] *sb* gravhund, grævlingehund.
dacoit [də'kɔit] *sb* røver (i Indien).
dactyl ['dæktil] *sb* daktyl.
dactylic [dæk'tilik] *adj* daktylisk.
dad [dæd], **daddy** [dædi] *sb* **T** far.
daddy-long-legs ['dædi'lɔŋlegz] *zo* stankelben; *(især am)* mejer.
dado ['deidou] *sb* brystningspanel; sokkelflade.
Daedalus ['di:dələs].
daffadowndilly ['dæfədaun'dili], **daffodil** ['dæfədil] *sb* påskelilje.
daffy ['dæfi] *adj* (skotsk, *am* **S**) = *daft.*
daft [da:ft] *adj* dum, tosset, fjollet, skør.
dagger ['dægə] *sb* daggert; kors *(typ:* †); *they are at -s drawn* der er krig på kniven mellem dem; *look -s* se forbitret ud; *he looked -s at me* han sendte mig et rasende *(el.* hadefuldt, gennemborende) blik; han havde mord i blikket.
daggerboard ['dægəbɔ:d] *sb (mar)* stiksværd.
daggle ['dægl] *vb* tilsøle; slæbe gennem sølet.
dago ['deigou] *sb (am, neds)* spanier, portugiser, italiener.
daguerreotype [də'gerətaip] *sb* daguerreotypi; *vb* daguerreotypere.
dahlia ['deiljə] *sb (bot)* dahlia, georgine.
Dail Eireann [dail'ɛərən] underhuset i den irske fristats parlament.
daily ['deili] *adj* daglig; *sb* dagblad, blad; *(omtr)* heldagshjælp (pige der bor hjemme).
daily| dozen daglige motionsøvelser; rutinearbejde. *~ run (mar)* distance i etmål.
dainty ['deinti] *adj* fin; lækker, nysselig, elegant; affektert; kræsen; *sb* lækkerbisken.
daiquiri ['daikəri] *sb (am)* cocktail af rom, citronsaft, sukker og is.
dairy ['dɛəri] *sb* (is)mejeri.
dairy| breed malkerace. *~ cattle* malkekvæg. *~ farm* mejerigård. **-maid** mælkepige, mejerske. **-man** mejerist, mejeriejer, mejeribestyrer, mælkehandler. *~ produce* mejeriprodukter.
dais [deis] *sb* forhøjning, estrade, podium.
daisy ['deizi] *sb (bot)* tusindfryd, gåseurt, bellis, hvid okseøje; *he's a ~* **S** han er vældig god; *push (up) daisies* **T** være død og begravet.
daisy cutter **S** jordstryger (om bold).
Dakota [də'koutə].
dale [deil] *sb* dal.
dalliance ['dæliəns] *sb* fjas, leg, *(glds)* ganten, pjank; smøleri.
dally ['dæli] *vb* fjase, pjanke; lege *(with* med), *(glds)* gantes, kokettere; (være langsom) smøle, drysse.
Dalmatia [dæl'meiʃiə] Dalmatien. **Dalmatian** *adj* dalmatisk; *sb* dalmatiner; *~ pelican zo* krøltoppet pelikan.
dalmatic [dæl'mætik] *sb* dalmatika (katolsk messehagel; kroningsdragt).
daltonism ['dɔ:ltənizm] *sb* farveblindhed.

I. dam [dæm] *sb* moder (især om dyr); *the devil and his ~* fanden og hans oldemor.
II. dam [dæm] *sb* dæmning, dige; *vb* inddige, dæmme *(up* op).
damage ['dæmidʒ] *sb* skade, beskadigelse; *vb* tilføje skade, beskadige; *what's the ~?* **T** hvor meget skal jeg bløde (ɔ: betale)? *stand the ~* **T** betale gildet.
damages ['dæmidʒiz] *sb pl* skadeserstatning; *action for ~* erstatningssag; *bring an action for ~ against sby, sue sby for ~* anlægge erstatningssag mod en; *claim for ~* erstatningskrav; *make a claim for ~ against sby* gøre erstatningskrav gældende mod en; *liable to pay ~ to sby* erstatningspligtig over for en.
damascene ['dæməsi:n] *vb* damascere.
damask ['dæməsk] *sb* damask; (farve) rosenrød; *vb* damascere. **damask rose** *(bot)* damascenerrose.
dame [deim] titel for *knight's* og *baronet's* hustru, samt for indehaverske af en ridderorden; dame; (fornem) frue; gammel kone; **S** pige. **Dame Fortune** fru Fortuna. **Dame Nature** moder natur. **dame school** *(glds)* pogeskole.
dame's-violet *(bot)* aftenstjerne.
damn [dæm] *vb* fordømme; forbande; forkaste; give *(fx skuespil)* en kølig modtagelse; bande; *sb* ed, banden; *I don't care a ~* jeg er revnende ligeglad; *I don't give a ~ for it* jeg giver pokker *(el.* fanden) i det; *well, I'll be -ed* det var som pokker *(el.* fanden); *oh ~ (it)* så for pokker *(el.* fanden); pokkers også; pokker tage det.
damnable ['dæmnəbl] *adj* fordømmelig; fordømt, forbandet. **damnation** [dæm'neiʃən] *sb* fordømmelse; (som udråb) så sku' da fanden stå i det. **damnatory** ['dæmnətəri] *adj* fordømmende; fældende. **damned** [dæmd] *adj* fordømt; pokkers, fandens. **damnedest** ['dæmdist] *adj* **T**: *do one's ~* gøre sit yderste; *try one's ~* prøve af al magt.
damning ['dæmiŋ] *adj* fældende *(fx ~ evidence).*
Damocles ['dæməkli:z] Damokles; *sword of ~* damoklessværd.
damp [dæmp] *sb* fugtighed; fugt; *(fig)* dæmper; *adj* fugtig, klam; *vb* fugte; dæmpe *(fx ~ the fires)*; nedslå; lægge en dæmper på *(fx their ardour); ~ off* gå ud, drukne (om plante *etc).* **damp course** fugtisoleringslag (i mur).
dampen ['dæmpən] *vb* blive fugtig; (med objekt) fugte; *(fig)* dæmpe, nedslå, lægge en dæmper på.
damper ['dæmpə] *sb* sordin; dæmper (i klaver; i kedel); spjæld; fugter; *(fig* også) 'lyseslukker'; *put a ~ on* lægge en dæmper på. **damper felt** dæmpefilt.
damp|proof *adj* fugttæt. **-proofing** *sb* fugtisolation.
damsel ['dæmzəl] *sb* mø, ung pige, jomfru. **damsel fly** *zo* vandnymfe.
damson ['dæmzən] *sb* (dyrket) kræge; damascenerblomme, sveskeblomme; *adj* blommefarvet.
Danaides [də'neiidi:z] *pl (myt)* danaider.
I. dance [da:ns] *sb* dans, bal; *the Dance of Death* dødedansen; *join the ~* danse med; *lead the ~* føre op; *lead sby a ~* gøre det broget for en; køre i ring med en.
II. dance [da:ns] *vb* danse; *~ to sby's pipe (el. tune)* danse efter ens pibe; *~ attendance on sby* stå på pinde for en.
dancer ['da:nsə] *sb* danser, danserinde; *the -s* de dansende.
dancing ['da:nsiŋ] *sb* dans, dansen, dans.
dancing master danselærer.
dandelion ['dændilaiən] *sb (bot)* løvetand, fandens mælkebøtte.
dander ['dændə] *sb: get sby's ~ up* gøre en gal i hovedet.
dandified ['dændifaid] *adj* lapset.
dandle ['dændl] *vb: ~ a child on one's knee* lade et barn ride ranke.
dandriff ['dændrif], **dandruff** ['dændrʌf] *sb* skæl (i hovedbunden).
dandy ['dændi] *sb* laps, modeherre; *adj* fin, elegant, lapset; *(am)* storartet, glimrende.
dandy brush kardæsk (børste til hest).

dandyism ['dændiizm] *sb* lapseri; lapsethed.
Dane [dein] *sb* dansker; *(great) Dane* grand danois.
danegeld ['deingeld] *sb (hist.)* danegæld.
Danelaw ['deinlɔ:] *(hist.)* Danelag(en).
danger ['dein(d)ʒə] *vb* fare; *in ~ of* i fare for; *Danger!* pas på! **dangerous** ['dein(d)ʒərəs] *adj* farlig; livsfarlig.
danger| money faretillæg. **~ signal** faresignal. **~ zone** fare-zone.
dangle ['dæŋgl] *vb* dingle; lade dingle; dingle med; holde frem (som lokkemiddel); **~** *after* rende *(el.* hænge) efter *(fx she has half a dozen boys dangling after her).*
Daniel ['dænjəl].
Danish ['deiniʃ] *sb* dansk; *(am også, omtr)* wienerbrød; *adj* dansk; **~** *pastry* wienerbrød; **~** *seine* snurrevod.
dank [dæŋk] *adj* klam; kold og våd.
Danube ['dænju:b]: *the ~* Donau.
Danubian [dæn'ju:biən] *adj* Donau-; *the ~ countries* Donaulandene.
dap [dæp] *vb* dyppefiske.
dapper ['dæpə] *adj* livlig, væver; pyntelig, fiks, net, sirlig.
dapple ['dæpl] *adj* spættet; *vb* spætte, plette.
dapple-grey *adj* gråskimlet; **~** *horse* gråskimmel.
darbies ['da:biz] *sb pl* S håndjern.
Darby and Joan ['da:bi ən 'dʒoun] gammelt ægtepar, der stadig er lige forelskede.
Dardanelles [da:də'nelz]: *the ~* Dardanellerne.
dare [dɛə] *vb (dare(d), (glds) durst; dared)* turde, vove, driste sig til; trodse; udfordre; *(el.* udfordring; dristighed; *he ~ not do it el. he does not ~ to do it* han tør ikke gøre det; *I ~ say* sandsynligvis, måske, nok, vel sagtens *(fx I ~ say he will come); don't ~ to do that* du kan vove på at gøre det; **~** *sby to do sth* udæske en til at gøre noget ved at påstå, at han ikke tør; *I ~ you to deny it* nægt det hvis du tør.
daredevil ['dɛədevl] *adj* dumdristig; *sb* himmelhund, vovehals.
daring ['dɛəriŋ] *sb* forvovenhed, dristighed; *adj* forvoven, dristig.
dark [da:k] *adj* mørk; *(fig også)* dunkel, hemmelighedsfuld; skummel, dyster, uhyggelig; *sb* mørke; mørk farve; uklarhed, uvidenhed; *after ~* efter mørkets frembrud *(fx don't go out after ~); ~ deeds* mørkets gerninger; *be in the ~ about* svæve i uvidenhed om, ikke kunne forstå; *I am in the ~ about it* jeg kender ikke noget til det; *keep ~* holde skjult, holde hemmeligt; *keep sby in the ~* holde en udenfor; *look on the ~ side of things, take a ~ view of things* se sort på det; (se også *II. leap).*
Dark| Ages: *the ~* den mørke middelalder. **~ Continent:** *the ~* det mørke fastland (ɔ: Afrika).
darken ['da:kn] *vb* formørkes; formørke, gøre mørkere; *if ever you ~ my doors again* hvis du nogensinde sætter dine ben over min dørtærskel igen.
darkey ['da:ki] *sb* neger.
dark horse ukendt hest, sort hest (i væddeløb); *(fig)* ubeskrevet blad, 'ukendt størrelse'.
darkish ['da:kiʃ] *adj* noget mørk, mørkladen.
dark lantern blændlygte.
darkling ['da:kliŋ] *(poet) adv* i mørke; *adj* mørk.
darkness ['da:knis] *sb* mørke; dunkelhed; *(fig)* uvidenhed; *deeds of ~* mørkets gerninger; *the Prince of ~* Djævelen, mørkets fyrste.
darkroom mørkekammer.
darky ['da:ki] *sb* neger.
darling ['da:liŋ] *sb* yndling, skat, øjesten; (i tiltale) min ven; kære; *adj* yndlings-; yndig, henrivende; *the ~ of fortune* lykkens yndling.
I. darn [da:n] se *damn.*
II. darn [da:n] *vb* stoppe (reparere); *sb* stopning.
darned ['da:nd] = *damned.*
darnedest ['da:ndist] = *damnedest.*
darnel ['da:nl] *sb (bot)* giftig rajgræs.
darner ['da:nə] *sb* en der stopper *(fx* strømper); stoppeæg.
darning ['da:niŋ] *sb* stopning; stoppetøj.
darning needle stoppenål.
dart [da:t] *sb* kastespyd, kastepil; indsnit; spidslæg; *vb* kaste *(fx ~ a look at her);* slynge; (uden objekt) pile, fare, styrte (løs); se også *darts.*

dartboard ['da:tbɔ:d] *sb* skive (til *darts).*
darter ['da:tə] *sb zo* slangehalsfugl.
Dartford warbler *zo* provencesanger.
Dartmoor ['da:tmuə, 'da:tmɔ:] (kendt *eng* fængsel); **~** *crop* tætklippet hår.
darts [da:ts] *sb pl* pilespil, pilekastning.
I. dash [dæʃ] *vb* støde, kaste; sønderslå, knuse, tilintetgøre; (med væske) stænke, oversprøjte; klaske, smække *(fx ~ colours on a canvas);* (uden objekt) fare, styrte (af sted); (brugt som ed for *damn):* **~** *it!* gid pokker havde det! **~** *away a tear* viske *(el.* stryge) en tåre bort; **~** *off* jaske af, hastigt nedkradse; **~** *one's hopes* tage håbet fra en; knuse ens forhåbninger; *a landscape -ed with sunlight* et landskab med spredte solstrejf.
II. dash [dæʃ] *sb* stød, slag; pludselig bevægelse; fart, liv, fut, raskhed, dristighed; (af vand) plask; (med pen) pennestrøg; *(typ etc)* tankestreg; (i morsealfabet) streg; (lille kvantum) stænk *(fx coffee with a ~ of brandy),* lille tilsætning, *(fig)* let anstrøg; *(am)* = *dashboard; cut a ~* gøre en god figur, være i vælten; *make a ~ for* skynde sig (, styrte af sted) for at nå.
dashboard ['dæʃbɔ:d] *sb* (i bil, fly) instrumentbræt; (på hestekøretøj) forsmæk(ke).
dashing ['dæʃiŋ] *adj* flot, rask.
dastard ['dæstəd] *sb* kryster, kujon.
dastardly ['dæstədli] *adj* fej.
data ['deitə] *pl* af *datum;* (videnskabeligt) materiale; data; **~** *processing* databehandling.
I. date [deit] *sb (bot)* daddel(palme).
II. date [deit] *sb* dato, tid; årstal; *(am)* aftale, stævnemøde; en man har stævnemøde med *(el.* går ud med); *no ~* (om bog) uden år; *out of ~* forældet; *up to ~* moderne, tidssvarende; *bring sth up to ~* føre noget à jour.
III. date [deit] *vb* datere, tidsfæste; datere sig, skrive sig *(from fra);* **T** gå af mode, blive forældet; *(am)* aftale stævnemøde med, gå ud med, invitere ud; **~** *back to* gå helt tilbage til.
date|less *adj* endeløs; tidløs; ældgammel; udateret. **~ line** datolinie; linie med dato- (og steds-)angivelse. **-line** linje med datering (i avis, brev). **~ palm** daddelpalme. **~ stamp** datostempel.
dative ['deitiv] *sb (gram)* dativ.
datum ['deitəm] *sb (pl data)* kendsgerning, faktum.
datura [də'tjuərə] *sb (bot)* pigæble.
daub [dɔ:b] *vb* tilsmøre, tilkline, oversmøre; smøre (ned), klatte (ned), smøre sammen; *sb* smøreri; dårligt maleri; oversmøring. **dauber** ['dɔ:bə] *sb* smører, klatmaler.
daughter ['dɔ:tə] *sb* datter. **daughter-in-law** svigerdatter. **daughterly** ['dɔ:təli] *adj* datterlig.
daunt [dɔ:nt] *vb* skræmme, gøre bange; *nothing -ed* uforfærdet, ufortrøden. **dauntless** *adj* uforfærdet.
davenport ['dævnpɔ:t] *sb (eng)* (slags) skrivepult; *(især am)* stor polstret (sove)sofa.
Daventry ['dævntri]. **David** ['deivid].
davit ['dævit] *sb (mar)* jollebom, david.
Davy ['deivi] kortform af *David.*
Davy Jones('s locker) ['deivi 'dʒounz(iz 'lɔkə)]: *go to ~* drukne på havet, gå nedenom og hjem.
davy lamp (minearbejders) sikkerhedslampe.
daw [dɔ:] *sb zo* allike.
dawdle ['dɔ:dl] *vb* nøle, smøle, spilde tiden, drive.
dawdler ['dɔ:dlə] *sb* smøl, drys.
dawn [dɔ:n] *vb* gry, dages; bryde frem; *sb* daggry, *(fig)* gry, (første) begyndelse; *it -ed upon him* det gik op for ham; *the darkest hour is before the ~* når nøden er størst er hjælpen nærmest.
day [dei] *sb* dag; døgn; tid *(fx my ~ is done* (forbi)); vejr *(fx it was a fine ~; what sort of a ~ is it?); by ~* om dagen *(fx we work by ~);* **~** *by ~* dag for dag; hver dag; *call it a ~* lade det være nok *(el.* godt) for i dag; *holde fyraften; carry (el. gain el. win) the ~* vinde sejr; *for -s* i dagevis; *it has had its ~* det er passé; *in -s of old* i gamle dage, i fordums tid; *lose the ~* tabe slaget, forspilde sejren; *make a ~ of it* få en dag ud af det; gøre sig en glad dag; *the Government of the ~* den daværende regering; den til enhver tid siddende r.; *the other ~* forleden dag; *the ~ is ours* sejren er vor; *one of these -s* en skønne dag; **~** *in, ~ out* dag ud og dag ind; *24 hour ~*

døgn, etmål (fra middag til middag); *sufficient unto the ~ is the evil thereof* hver dag har nok i sin plage; *this ~ week* i dag otte dage; se også *if, II. name, I. order, yesterday.*

day| boarder kostelev. -book journal. ~ boy dagelev. -break daggry. ~ coach *(am omtr)* fællesklasse. ~ cream dagcreme. -dream drømmeri, dagdrøm. ~ fly *zo* døgnflue. ~ girl dagelev. ~ labour arbejde der betales pr. dag. ~ labourer daglejer.

daylight ['deilait] *sb* dagslys; daggry *(fx get up before ~)*; *by ~, in ~* ved dagslys; *in broad ~* ved højlys dag; *(fig)* i fuld offentlighed; *let ~ into the affair* lade sagen komme frem for offentligheden; *let the ~ into sby* skyde en, stikke en ned; *beat the -s out of* mørbanke, slå halvt fordærvet; *scare the -s out of* skræmme livet af; *we began to see ~ (fig)* det begyndte at lysne. daylight-saving sommertid.

day| lily *(bot)* daglilje. -long *adj* daglang. ~ nursery vuggestue, børnehave; legeværelse, børneværelse. ~ pupil, ~ scholar dagelev. ~ shift daghold. -spring daggry; *(fig)* gry, begyndelse. -star morgenstjernen. -time dag; *in the -time* om dagen, mens det er dag.

daze [deiz] *vb* forvirre, fortumle; *in a ~* ør, omtåget, fortumlet.

dazzle [dæzl] *vb* blænde; forblinde; *sb* blændende skin (, glans).

D.C. *fk District of Columbia; (elekt) direct current.*

D.C.L. *fk Doctor of Civil Law* dr. jur.

D.C.M. *fk Distinguished Conduct Medal.*

D.D. *fk Doctor of Divinity* dr. theol.

d-d *fk damned.*

D-Day *(mil.)* D-dag (den dag et angreb *(etc)* skal indledes; (især:) 6. juni 1944, da den allierede landgang i Normandiet fandt sted).

deacon ['di:kn] *sb* (underordnet gejstlig); *vb (am)* fuppe. deaconess ['di:kənis] *sb* diakonisse.

dead [ded] *adj* død *(fx he is ~; ~ capital; ~ languages)*; livløs; uvirksom; øde; vissen *(fx leaves)*; udgået; flov, mat *(fx market)*; dødlignende *(fx sleep; silence)*; *adv* lige, stik; *the ~* den døde, de døde; ~ *against* stik imod; *as ~ as mutton (el. as a doornail)* så død som en sild; *be ~ broke* ikke eje en rød øre; *a ~ failure* en komplet fiasko; *a ~ match* en brugt *(el.* afbrændt) tændstik; *at the ~ of night* i nattens mulm og mørke; *stop ~* standse brat; *come to a ~ stop* gå helt i stå; ~ *straight* snorlige.

dead|-alive kedelig; sløv. -beat *adj* dødtræt; *sb* snylter, en der ikke betaler. ~ calm *adj* blikstille; *sb* havblik. ~ centre dødpunkt (i motor *etc)*. ~ cert *se cert.* ~ drunk døddrukken.

deaden [dedn] *vb* afdæmpe, formindske, døve *(fx pain* smerte); afdæmpes.

dead| end blindgade. -fall fælde med en vægt der falder ned og dræber byttet; vildnis af faldne træer. -head (en som har) fribillet; gratist (i sporvogn). ~ heat dødt løb. ~ letter uanbringeligt brev (hvis adressat ikke kan findes); dødt bogstav, lov som ikke (længere) ænses. -line (yderste) frist. -lock stilstand; *be at a -lock* være kørt fast; *come to a -lock* (om forhandlinger) gå i hårdknude, gå i baglås. ~ loss rent tab; *it was a ~ loss* (også) det var en ren tilsætning.

deadly ['dedli] *adj* dødelig, dødbringende; uforsonlig; død-; utålelig; ~ *dull* dødsens kedsommelig; ~ *pale* dødbleg.

deadly| nightshade *(bot)* galnebær, belladonna. ~ sin dødssynd.

dead| man T tom flaske; *be a ~ man* være dødsens; *wait for ~ men's shoes* vente på at en skal dø for at kunne overtage hans stilling. ~ man's handle dødmandsknap (i *elekt* tog). ~ march sørgemarch.

deadness ['dednis] *sb* livløshed.

dead| nettle *(bot)* rønnælde. -pan *adj* fuldkommen udtryksløs *(fx face)*; gravalvorlig; ~ *face* (også) pokeransigt. ~ point dødpunkt (i motor *etc)*. ~ reckoning *(mar)* bestik; *longitude by ~ reckoning* gisset længde, længde ifølge bestik; *navigate by ~ reckoning* sejle på bestikket.

Dead Sea: *the ~* Det døde Hav.

dead| set: *be ~ set to* være fast besluttet på at; *make a ~*

set *against* gå lige løs på; lægge kraftigt an på. ~ water dødvande. -weight dødvægt. -wood visne grene; *(fig) (mar)* opklodsningstræ, dødtræ.

deaf [def] *adj* døv *(to* for); ~ *as a post* stokdøv; ~ *and dumb* døvstum.

deafen ['defn] *vb* gøre døv, døve; lydisolere.

deafening ['defniŋ] *adj* øredøvende; *sb* lydisolerende materiale, indskud.

deaf|-mute ['def'mju:t] *sb adj* døvstum. ~ -mutism ['def'mju:tizm] *sb* døvstumhed.

deafness ['defnis] *sb* døvhed; *acquired ~* døvblevenhed.

I. deal [di:l] *sb* fyrreplanke; fyrretræ; *adj* fyrretræs-.

II. deal [di:l] *sb* del; antal; (i kortspil) kortgivning; tur til at give kort *(fx it is my ~)*; *(merk)* forretning, handel; *do a ~* slå en handel af; *a good ~* en hel del, meget; en god forretning; *a great ~* en hel del; *he has had a hard ~* han er forfordelt af skæbnen; *get a square ~* få en fair behandling.

III. deal [di:l] *vb (dealt, dealt)* tildele, give *(fx ~ crippling blows)*; give kort; handle; ~ *in* handle med *(fx cars)*; forhandle; *(fig)* beskæftige sig med; ~ *out* uddele; (i kortspil) springe over ved kortgivning; ~ *with* handle med *(fx a firm)*; have med at gøre *(fx he is easy to ~ with)*; tage sig af, behandle, drøfte *(fx ~ with a subject)*; omhandle, vedrøre; behandle *(fx ~ justly with him)*; *how shall we ~ with the matter?* hvordan skal vi gribe sagen an?

dealer ['di:lə] *sb* forhandler, handlende, købmand; kortgiver.

dealfish ['di:lfiʃ] *sb zo* vågmær.

dealing ['di:liŋ] *sb* handlemåde, færd; handel; behandling; omgang; *I advise you to have no -s with him* jeg råder dig til ikke at have noget med ham at gøre.

dealt [delt] *præt* og *pp* af *III. deal.*

dean [di:n] *sb* dekan (leder af fakultet); domprovst, stiftsprovst, provst; *(am)* doyen. deanery ['di:nəri] *sb* provsteembede, provsti; provstebolig.

dear [diə] *adj* kær; dyrebar; sød; dyr, kostbar; *adv* dyrt; *sb* kære, elskede; *O ~, ~ me!* (ja) men kære! men dog! nej da! *do, there's a ~* vær dog sød, så er du sød; *she is an old ~* hun er en elskelig gammel dame.

dear-bought ['diəbo:t] *adj* dyrekøbt.

dearie *se deary.*

Dear John *(am* S) brev fra kæreste hvori hun slår op med én; afskedsbrev.

dearly ['diəli] *adv* dyrt; inderligt; *love him ~* elske ham højt.

dearth [də:θ] *sb* dyrtid; mangel *(of* på).

deary ['diəri] *sb* kære ven, elskede.

death [deθ] *sb* død; dødsfald; dødsmåde; *at -'s door* døren; *be in at the ~* være til stede når hunden dræber ræven; *(fig)* se hvordan det ender, være til stede i det afgørende øjeblik; *catch one's ~ of cold* få sig en ordentlig forkølelse; *it was the ~ of him* han tog livet af ham; det var hans død; *put to ~* dræbe; ombringe; aflive; *wounded to ~* dødeligt såret; *a fight to the ~* en kamp på liv og død.

death|bed dødsleje. -blow dødsstød. ~ duty arveafgift. ~ knell dødsklokke. -less uforgængelig, udødelig. -like dødlignende. -ly dødelig; dødlignende *(fx a -ly stillness)*; -ly *pale* ligbleg. ~ mask dødsmaske. ~ rate dødelighed, dødelighedsprocent. ~ rattle dødsrallen. ~ roll dødsliste. -'s-head dødningehoved. ~ struggle, ~ throes dødskamp. -trap dødsfælde. ~ warrant *(fig)* dødsdom. -watch *zo* dødningeur.

deb [deb] T *fk* débutante.

débâcle [dei'ba:kl] *sb* sammenbrud, opløsning.

debag [di'bæg] *vb* S trække bukserne af.

debar [di'ba:] *vb* udelukke *(from* fra).

debark [di'ba:k] *vb* udskibe, landsætte; (uden objekt) gå i land.

debarkation [di:ba:'keiʃn] *sb* udskibning; landgang.

debase [di'beis] *vb* forringe, gøre ringere; nedværdige; *(fig* også) forsimple; ~ *the coinage (el. currency)* forringe landets mønt.

debatable [di'beitəbl] *adj* omtvistelig, diskutabel; omstridt.

debate [di'beit] *sb* debat, drøftelse, diskussion; *vb* debattere, drøfte, diskutere; overveje.

debater [di'beitə] *sb* debattør.
debating society diskussionsklub.
debauch [di'bɔ:tʃ] *vb* forføre, demoralisere; *sb* udsvævelse; soldetur.
debauchee [debɔ:'tʃi:] *sb* udsvævende person; svirebroder.
debauchery [di'bɔ:tʃəri] *sb* udsvævelser, uordentligt liv.
debenture [di'bentʃə] *sb (merk)* (partial)obligation; bevis for ret til toldgodtgørelse.
debenture holder obligationsejer.
debilitate [di'biliteit] *vb* svække. **debilitation** [dibili'teiʃən] *sb* svækkelse. **debility** [di'biliti] *sb* svaghed.
debit ['debit] *sb* debet, gæld; debetside; *vb* debitere; *place it to his ~, ~ him with it* debitere ham for det.
debit entry debetpostering.
debonair [debə'nɛə] *adj* munter, sorgløs; venlig; høflig.
debouch [di'bautʃ] *vb* munde ud; *(mil.)* rykke ud i åbent terræn. **debouchment** *sb* flodmunding.
debrief [di'bri:f] *vb* afhøre (pilot) efter fuldført mission.
debris ['deibri:] *sb* rester, (mur)brokker, stumper; løse klippestykker *etc* ved foden af et bjerg.
debt [det] *sb* gæld; *bad -s* usikre *(el.* uerholdelige) fordringer; *~ of gratitude* taknemmelighedsgæld; *~ of honour* æresgæld; *pay the ~ of nature* dø; *be in sby's ~* stå i gæld til en.
debt| collector inkassator. **~ -collecting agency** inkassobureau.
debtor ['detə] *sb* debitor, skyldner. **debtor| country** debitorland. **~ side** debetside.
debug [di'bʌg] *vb* T fjerne skjulte mikrofoner fra; rette fejl (i).
debunk [di'bʌŋk] *vb* T pille ned af piedestalen, berøve glorien.
debur [di'bə:] *vb (tekn)* afgrate.
debus [di'bʌs] *vb* stige ud af motorkøretøj, udlade *(fx* tropper) fra motorkøretøj.
début ['deibu:] *sb* debut, første optræden. **débutante** ['debjuta:nt] *sb* ung pige der for første gang optræder i selskabslivet.
Dec. *fk December.*
decade [di'keid] *sb* decennium; tiår, årti.
decadence ['dekədəns] *sb* dekadence, forfald. **decadent** ['dekədənt] *adj* som er i tilbagegang, dekadent.
deca|gon ['dekəgən] tikant. **-gramme** dekagram.
decalcify [di'kælsifai] *vb* afkalke.
Decalogue ['dekələg]: *the ~* de ti bud.
decamp [di'kæmp] *vb* bryde op; forsvinde, fortrække, stikke af.
decant [di'kænt] *vb* omhælde (forsigtigt), dekantere.
decantation [di:kæn'teiʃən] *sb* dekantering, omhældning.
decanter [di'kæntə] *sb* karaffel.
decapitate [di'kæpiteit] *vb* halshugge. **decapitation** [dikæpi'teiʃən] *sb* halshugning.
decarbonize [di'ka:bənaiz] *vb* afkulle, befri for kulstof.
decathlon [di'kæθlən] *sb* tikamp (i atletik).
decay [di'kei] *vb* forfalde; rådne (bort); visne; svækkes, opløses; *sb* forfald; forrådnelse, opløsning; svækkelse; (om radioaktivitet) henfald; *-ed tooth* hul tand.
decease [di'si:s] *sb* dødelig afgang, død; *vb* afgå ved døden; dø; *the -d* den afdøde.
deceit [di'si:t] *sb* bedrageri, svig, falsk; svigefuldhed, falskhed. **deceitful** [di'si:tf(u)l] *adj* uærlig, løgnagtig, falsk, svigefuld, bedragerisk.
deceive [di'si:v] *vb* bedrage, narre; *~ oneself* narre sig selv; *be -d* (også) lade sig narre. **deceiver** [di'si:və] *sb* bedrager.
decelerate [di'seləreit] *vb* nedsætte hastigheden (af), sagtne (farten).
December [di'sembə] december.
decency ['di:snsi] *sb* sømmelighed; (vel)anstændighed; *in all ~* i tugt og ære; *in (common) ~* anstændigvis; *have the ~ to do it* have så meget sømmelighedsfølelse at man gør det; *I cannot in ~ do it* jeg kan ikke være bekendt at gøre det; *offence against public ~* blufærdighedskrænkelse; *for -'s sake* af sømmelighedshensyn, for skams skyld.
decennial [di'senjəl] *adj* tiårs-; som indtræffer hvert 10. år; tiårsdag.
decennium [di'seniəm] *sb (pl decennia)* tiår.
decent ['di:snt] *adj* sømmelig, anstændig; passende, rime-

lig; ordentlig *(fx weather)*, hæderlig *(fx result)*, tilfredsstillende; flink *(fx he is a ~ chap)*; pæn *(fx it was very ~ of him)*.
decentralization [di:sentrəlai'zeiʃən] *sb* decentralisering.
decentralize [di'sentrəlaiz] *vb* decentralisere.
deception [di'sepʃən] *sb* bedrag.
deceptive [di'septiv] *adj* skuffende; vildledende.
dechristianise [di'kristʃənaiz] *vb* afkristne.
decibel ['desibel] *sb* decibel (måleenhed for lydstyrke).
decide [di'said] *vb* afgøre; beslutte; bestemme sig, beslutte sig *(on til)*; *(jur)* pådømme; *~ against sth* beslutte sig til ikke at gøre noget; *~ between* vælge imellem; *he -d that* (også) han kom til det resultat at; *that -d him* det fik ham til at bestemme sig. **decided** [di'saidid] *adj* afgjort *(fx it is a ~ advantage)*; bestemt. **decidedly** *adv* afgjort *(fx he is ~ better)*; bestemt.
deciduous [di'sidjuəs] *adj* som falder af (hvert år); løvfældende; *~ tooth* mælketand; *~ tree* løvfældende træ.
decimal ['desiməl] *sb* decimalbrøk; *adj* decimal-; *go ~* gå over til decimalsystemet. **decimal| arithmetic** decimalregning. **~ balance** decimalvægt. **~ classification** decimalklassedeling. **~ currency** møntsystem baseret på decimalsystemet. **~ fraction** decimalbrøk; (decimalbrøk skrives *fx* 3.5 og læses *three point (el. decimal) five* tre komma fem).
decimalization [desiməlai'zeiʃ(ə)n] *sb* inddeling efter decimalsystemet; overgang til decimalsystemet.
decimalize ['desiməlaiz] *vb* inddele efter decimalsystemet; gå over til decimalsystemet.
decimal point (svarer til) komma foran decimalbrøk.
decimate ['desimeit] *vb (hist.)* decimere, borttage hver tiende af; *(fig)* tynde ud blandt, reducere stærkt.
decimation [desi'meiʃ(ə)n] *sb* decimering; udtynding.
decimetre ['desimi:tə] *sb* decimeter.
decipher [di'saifə] *vb* dechifrere, tyde.
decision [di'siʒən] *sb* afgørelse, beslutning; bestemmelse; *(jur)* afgørelse, kendelse; (egenskab:) beslutsomhed; *make a ~* træffe en afgørelse *(el.* beslutning *el.* bestemmelse). **decision-making** *sb* det at træffe beslutninger *(el.* afgørelser *el.* bestemmelser); beslutningsproces; *participate in ~* være medbestemmende; *~ bodies* besluttende organer; *~ process* beslutningsproces.
decisive [di'saisiv] *adj* afgørende *(fx battle)*; (om egenskab) beslutsom, fast, bestemt.
I. deck [dek] *vb*: *~ out* smykke, pynte.
II. deck [dek] *sb (mar)* dæk, skibsdæk; (af bro) dæk; (i bus) etage; (på båndoptager) forplade; S stueetage; *(am)* etage; *~ of cards* (især *am*) spil kort; *below ~* under dækket, i kahytten; *clear the -s* gøre klart skib; *go off the ~* S gå på vingerne, starte (med flyvemaskine); *on ~* på dækket.
deck| cabin *(mar)* dækslukaf. **~ cargo** *(mar)* dækslast. **~ chair** liggestol, dækstol. **~ hands** *(mar)* dæksbesætning. **~ house** dækshus, ruf.
deckle [dekl] *sb* arkform. **deckled paper** imiteret bøttepapir, papir med bøttekant. **deckle edge** bøttekant (ujævn kant på håndgjort papir).
deck| light *(mar)* dæksglas. **-line** *(mar)* dækslinie. **~ passenger** *(mar)* dækspassager.
declaim [di'kleim] *vb* deklamere; *~ against* ivre mod, protestere kraftigt mod. **declamation** [deklə'meiʃən] *sb* deklamation. **declamatory** [di'klæmətəri] *adj* deklamatorisk, retorisk.
declaration [deklə'reiʃən] *sb* erklæring; deklaration; tolddeklaration; (i kortspil) melding; (i kricket) lukning; *the D. of Independence* uafhængighedserklæringen; *~ of war* krigserklæring.
declarative [di'klærətiv], **declaratory** [di'klærətəri] *adj* erklærende.
declare [di'klɛə] *vb* erklære *(fx war was -d)*; bekendtgøre; tage parti *(for* for; *against* imod); (til fortoldning:) deklarere, angive; (i kortspil) melde; (i kricket) lukke; *well, I ~!* det må jeg sige! *~ him (to be) a liar* erklære ham for løgner; *~ off* trække sig ud af det; *~ oneself* sige sin mening, afsløre sit sande væsen; erklære sig; *have you anything to ~?* har De noget der skal fortoldes?
declared [di'klɛəd] *adj* erklæret *(fx intention)*, åbenlys; deklareret *(fx dividends)*.

declarer [di'klɛərə] *sb* (i kortspil) melder, spiller.
declass ['di:'klɑ:s] *vb* deklassere.
déclassé [dei'klæsei] *adj* deklasseret.
declassify [di'klæsifai] *vb* frigive (hemmeligt dokument).
declension [di'klenʃən] *sb* forfald; hældning; *(gram)* deklination, bøjning *(fx of a noun)*.
declination [dekli'neiʃən] *sb* bøjning; afvigelse; (kompassets) misvisning, deklination.
decline [di'klain] *vb* aftage; gå på hæld; forfalde, være i forfald; gå tilbage; afslå; undslå sig for *(fx he -d to do it)*; nægte, sige nej (til); *(gram)* deklinere, bøje *(fx ~ a noun)*; hælde; *sb* aftagen; nedgang; tilbagegang, hensvinden, forfald; *on the ~* i aftagen; på retur.
declivity [di'kliviti] *sb* skråning, hældning.
declutch ['di:'klʌtʃ] *vb* udkoble, frakoble.
decoct [di'kɔkt] *vb* afkoge. **decoction** [di'kɔkʃən] *sb* afkogning; afkog, dekokt.
decode ['di:'koud] *vb* omsætte (kode) til almindeligt sprog, dechifrere.
decoke [di:'kouk] *vb* T afkulle.
décolletage [dei'kɔltɑ:ʒ] *sb* dekolletage; brystudskæring, nedringet kjole.
décolleté(e) [dei'kɔltei] *adj* dekolleteret, nedringet.
decoloration [di:kʌlə'reiʃən] *sb* affarvning. **decolour** [di:'kʌlə], **decolo(u)rize** [di:'kʌləraiz] *vb* affarve.
decompose ['di:kəm'pouz] *vb* opløse, opløse sig.
decomposition [di:kɔmpə'ziʃən] *sb* opløsning; nedbrydning.
decompression [di:kəm'preʃən] *sb* dekompression.
decompression chamber dekompressionstank (for dykkere).
decontaminate ['di:kən'tæmineit] *vb* rense (for gas, for radioaktivt støv *etc*), desinficere. **decontamination** [di:kən'tæmi'neiʃən] *sb* rensning (for giftgas, radioaktivt støv *etc*).
decontrol ['di:kən'troul] *vb* ophæve kontrollen med; ophæve hastighedsbegrænsningen for.
décor ['deikɔ:] *sb* dekorationer (på scenen), udstyr.
decorate ['dekəreit] *vb* pynte *(fx the Christmas tree)*, pryde, smykke; dekorere *(fx he was -d for bravery)*; male og tapetsere, gøre i stand *(fx a house, a room)*; *-d style* (engelsk gotik fra 14. årh.). **decoration** [dekə'reiʃən] *sb* pynt, udsmykning; prydelse; dekoration; istandsættelse (ɔ: malen og tapetseren).
decorative ['dekərətiv] *adj* dekorativ; dekorations-.
decorator ['dekəreitə] *sb* dekoratør; *(painter and ~)* maler og tapetserer; *(interior ~)* indretningsarkitekt, boligkonsulent, indendørsarkitekt.
decorous ['dekərəs] *adj* sømmelig, passende.
decorum [di'kɔ:rəm] *sb* sømmelighed, dekorum, anstand *(fx behave with ~)*.
I. decoy [di'kɔi] *vb* lokke; forlokke. **II. decoy** ['di:kɔi] *sb* lokkemiddel; lokkemad; lokkefugl; lokkedue.
decoy duck lokkefugl; lokkeand.
I. decrease [di:'kri:s] *vb* aftage, formindskes, blive mindre; formindske, gøre mindre; (i strikning) tage ind.
II. decrease ['di:kri:s] *sb* formindskelse, aftagen, nedgang *(fx a ~ in the population)*; indtagning (på strikketøj).
decree [di'kri:] *vb* forordne, bestemme; *sb* forordning, dekret; kendelse; bestemmelse *(fx a ~ of fate)*.
decree absolute *(jur)* endelig skilsmissedom. **~ nisi** ['naisai] *(jur)* foreløbig skilsmissedom.
decrement ['dekrimənt] *sb* formindskelse, aftagen.
decrepit [di'krepit] *adj* affældig; faldefærdig.
decrepitude [di'krepitju:d] *sb* affældighed.
decrial [di'kraiəl] *sb* nedrakning, højrøstet fordømmelse.
decrustation [di:krʌs'teiʃən] *sb* fjernelse af skal *el.* skorpe.
decry [di'krai] *vb* rakke ned på, tale nedsættende om, fordømme.
decumbent [di'kʌmbənt] *adj* (bot) liggende.
decuple ['dekjupl] *adj* tifold; *vb* tidoble; *sb* tidobbelt antal.
decussate [di'kʌseit] *adj* (bot) korsstillet *(fx leaves)*.
dedicate ['dedikeit] *vb* vie *(fx one's life to a cause)*, hellige; indvie *(fx a new bridge)*; tilegne; *-d* som har viet sit liv til et kald (, en sag); som går ind for sin sag; som går helt op i sit arbejde; pligttro; *-d Conservatives* trofaste konservative. **dedication** [dedi'keiʃən] *sb* indvielse; helligelse; tilegnelse, dedikation; pligttroskab; begejstring.
deduce [di'dju:s] *vb* udlede, slutte *(from af)*.
deducible [di'dju:səbl] *adj* som kan udledes *(el. sluttes)*.

deduct [di'dʌkt] *sb* fradrage, trække fra. **deduction** [di'dʌkʃən] *sb* *(cf deduce)* udledelse, slutning; *(cf deduct)* fradrag. **deductive** [di'dʌktiv] *adj* deduktiv.
deed [di:d] *sb* dåd, bedrift; gerning, handling; *(jur)* aktstykke, dokument, skøde; *take the will for the ~* se på den gode vilje; *in ~* i gerning, af gavn; *in very ~* virkelig; *~ of conveyance* skøde; *~ of gift* gavebrev.
deed poll ['di:dpoul] deklaration; *change one's name by ~* få navneforandring ved øvrighedsbevis.
dee-jay [di'dʒei] *sb* T pladevender *(fk disc jockey)*.
deem [di:m] *vb* tænke, mene; anse for.
deemster ['di:mstə] *sb* dommer (på øen *Man*).
I. deep [di:p] *sb: the ~* havets dyb.
II. deep [di:p] *adj* dyb; bred *(fx shelf)*; (om farve) mørk; *(fig)* dyb; dybttænkende, dybsindig; grundig; snedig *(fx a ~ one)*; snu; *adv* dybt; *go off the ~ end* tabe hovedet; handle overilet; begå en dumhed; blive ophidset; *~ in* fordybet i; *~ in debt* i dyb gæld; *they were standing three ~* de stod i tre lag *(el.* i tre rækker bag hinanden).
deep-drawn: *a ~ sigh* et dybt suk.
deepen ['di:pn] *vb* uddybe, gøre dyb; gøre bredere; gøre mørkere; blive dybere (og dybere).
deep fat friture.
deepfreeze *sb* fryser; *vb* dybfryse, opbevare i fryseboks.
deep freezer fryser; fryseboks.
deep-fry *vb* fruturestege.
deepie ['di:pi] *sb* T tredimensional film.
deep-laid snedig udtænkt. **~ -mouthed** dybtglammende (om hund). **~ -rooted** dybt rodfæstet, indgroet. **~ -sea** dybhavs-. **~ -sea lead** dybdelod. **~ -sea sounding** dybhavslodning. **~ -seated** *adj* dybtliggende; indgroet; rodfæstet.
deer [diə] *sb (pl ds)* hjort, dyr (af hjorteslægten).
deerhound (skotsk) dyrehund. **~ park** dyrehave, dyrepark. **-skin** hjorteskind. **-stalker** pyrschjæger; hue med skygge for og bag (som Sherlock Holmes). **-stalking** pyrschjagt (på hjorte).
de-escalation ['di:eskə'leiʃ(e)n] *sb* gradvis formindskelse, nedtrapning.
deface [di'feis] *vb* skæmme, vansire; udviske, ødelægge.
defacement [di'feismənt] *sb* vansiring; beskadigelse, ødelæggelse.
de facto [di'fæktou] de facto, faktisk.
defalcation [di:fæl'keiʃən] *sb* underslæb; forbrug af betroede midler.
defamation [defə'meiʃən] *sb* bagtalelse, bagvaskelse, ærekrænkelse, injurie.
defamatory [di'fæmətəri] *adj* ærekrænkende.
defame [di'feim] *vb* bagtale, bagvaske.
defamer [di'feimə] *sb* æreskænder.
defatted [di:'fætid] *adj* affedtet.
default [di'fɔ:lt] *sb* forsømmelse; *(jur)* udeblivelse (fra retten); *(merk)* misligholdelse; mora; *vb* ikke holde sit ord, ikke opfylde en pligt; udeblive; *judgment by ~* udeblivelsesdom; *in ~* i mora; *in ~ of* af mangel på. **defaulter** [di'fɔ:ltə] *sb* en der ikke møder (i retten); bedrager, kassebedrøver; dårlig betaler, fallent; *(mil.)* soldat der har begået en militær forseelse.
defeasance [di'fi:zəns] *sb* *(jur)* ophævelse, annullering, omstødelse. **defeasible** [di'fi:zibl] *adj* *(jur)* som kan ophæves, omstødelig.
defeat [di'fi:t] *vb* overvinde; slå; tilintetgøre; *(parl)* forkaste (lovforslag); *sb* nederlag; overvindelse; tilintetgørelse; forkastelse; *~ his own end* modarbejde sin hensigt.
defeatism [di'fi:tizm] *sb* defaitisme.
defeatist [di'fi:tist] *sb* defaitist, en der opgiver på forhånd; *adj* defaitistisk.
defecate ['defikeit] *sb* rense; udrenses, have afføring.
defecation [defi'keiʃən] *sb* rensning; afføring.
defect [di'fekt] *sb* mangel fejl, defekt, brist; *vb* hoppe af (om politisk flygtning); falde fra.
defection [di'fekʃən] *sb* afhopning; frafald.
defective [di'fektiv] *adj* mangelfuld, ufuldstændig (også *gram)*; defekt; *mentally ~* åndssvag.
defector [di'fektə] *sb* afhopper.
defence [di'fens] *sb* forsvar; værn; defensorat; (i kortspil) modspil; *-s* forsvarsværker; *appear for the ~* møde som forsvarer; *in ~ of* til forsvar for.
defenceless [di'fenslis] forsvarsløs. **~ mechanism** *(psyk)*

forsvarsmekanisme.
defend [di'fend] *vb* forsvare *(from* imod).
defendant [di'fendənt] *sb* indstævnte, (den) sagsøgte; (i mindre kriminalsag) anklagede.
defender [di'fendə] *sb* forsvarer.
defense *(am)* = *defence.*
defensible [di'fensəbl] *adj* som kan forsvares; forsvarlig.
defensive [di'fensiv] *adj* forsvars-, defensiv; *sb: the ~* defensiven; *be on the ~* være parat til at forsvare sig, være i defensiven.
I. defer [di'fə:] *vb* udsætte; opsætte; se også *deferred.*
II. defer [di'fə:] *vb* bøje sig *(to* for, *fx I ~ to your opinion).*
deference ['defərəns] *sb* agtelse; hensynsfuldhed, ærbødighed; *in ~ to* af hensyn til; *pay ~ to* vise agtelse *(el.* ærbødighed) for; *with all due ~ to* med al respekt for.
deferential [defə'renʃəl] *adj* ærbødig.
deferment [di'fə:mənt] *sb* opsættelse, udsættelse.
deferred [di'fə:d] *adj* udsat, opsat; *~ annuity* opsat livrente; *~ payment* afbetaling; *~ shares* aktier der først giver dividende når dividenden af selskabets øvrige aktier har nået et vist beløb; *on ~ terms* på afbetaling.
defiance [di'faiəns] *sb* udfordring; trods; *bid ~ to him, set him at ~* trodse ham, byde ham trods; *in ~ of* til trods for; stik imod.
defiant [di'faiənt] *adj* trodsig; udfordrende.
deficiency [di'fiʃənsi] *sb* mangel; ufuldkommenhed; underskud; deficit; se også *mental ~; ~ disease* mangelsygdom.
deficient [di'fiʃənt] *adj* mangelfuld, utilstrækkelig; *~ in vitamins* vitaminfattig; *mentally ~* åndssvag, evnesvag, psykisk udviklingshæmmet.
deficit ['defisit] *sb* deficit, underskud, kassemangel.
I. defile ['di:fail] *sb* snævert bjergpas, defilé.
II. defile [di'fail] *vb* besmitte; besudle; tilsmudse; forurene.
III. defile [di'fail] *vb* (gå i række) defilere.
defilement [di'failmənt] *sb* besmittelse; besudling; tilsmudsning; forurening.
definable [di'fainəbl] *adj* som kan defineres *(el.* bestemmes), definerbar.
define [di'fain] *vb* forklare, definere; præcisere; karakterisere; aftegne.
definite ['definit] *adj* bestemt *(fx a ~ answer),* afgjort; afgrænset; *the ~ article* det bestemte kendeord.
definition [defi'niʃən] *sb* bestemmelse, forklaring, definition; skarp afgrænsning; skarphed.
definitive [di'finitiv] *adj* definitiv, bestemt; afgørende, endelig.
deflagrate ['defləgreit] *vb* forbrænde; afbrænde. **deflagration** [deflə'greiʃən] *sb* forbrænding; afbrænding.
deflate [di'fleit] *vb* slippe luften el. gassen ud af; nedbringe priserne, skabe deflation; *(fig)* gøre mindre opblæst, pille ned. **deflation** [di'fleiʃn] *sb* deflation, prisfald. **deflationary** [di'fleiʃənəri] *adj* deflatorisk, inflationsbegrænsende.
deflect [di'flekt] *vb* afbøje *(fx rays);* give en anden retning; afvige, bøje af. **deflection** [di'flekʃən] *sb* afbøjning; afvigelse.
defloration [di:flɔ:'reiʃən] *sb* deflorering (sprængning af jomfruhinden).
deflower ['di:flauə] *vb* deflorere; *~ a woman* (også) berøve en kvinde hendes uskyld.
Defoe [di'fou].
defoliant [di:'fouliənt] *sb* afløvningsmiddel.
defoliate [di:'foulieit] *vb* afløve; afløves, tabe bladene.
deforest [di:'fɔrist] *vb* rydde for skov *(el.* træer).
deforestation [di:fɔres'teiʃən] *sb* skovrydning.
deform [di'fɔ:m] *vb* misdanne, vansire, deformere.
deformation [di:fɔ:'meiʃən] *sb* misdannelse; vansiring.
deformed [di'fɔ:md] *adj* vanskabt, deform.
deformity [di'fɔ:miti] *sb* misdannelse, vanskabthed, deformitet.
defraud [di'frɔ:d] *vb* besvige, bedrage *(of* for).
defray [di'frei] *vb* bestride, afholde (omkostninger, udgifter). **defrayal** [di'freiəl], **defrayment** [di'freimənt] *sb* afholdelse, bestridelse.
defrock [di'frɔk] *vb* fradømme kjole og krave.

defrost ['di:'frɔst] *vb* afise, afrime; (om madvarer) tø op.
defroster *sb* (på bil) defroster, afiser.
deft [deft] *adj* behændig, fingernem, kvik, rask.
defunct [di'fʌŋkt] *adj* død; *the ~* den afdøde.
defuse [di'fju:z] *vb* desarmere *(fx a bomb),* uskadeliggøre; *(fig* også) tage brodden af, gøre mindre sprængfarlig, tage sprængstoffet ud af, afdramatisere *(fx the situation).*
defy [di'fai] *vb* udfordre; trodse; *I ~ you to do it* gør det hvis du tør *(el.* kan); *it defies definition* det er umuligt at definere; *~ public opinion* lade hånt om den offentlige mening.
deg. *fk* degree(s).
degauss ['di:'gaus] *vb* afmagnetisere.
degeneracy [di'dʒenərəsi] *sb* degeneration, den egenskab at være degenereret. **degenerate** [di'dʒenəreit] *vb* degenerere, udarte, vanslægte; [di'dʒenərit] *adj* vanslægtet, degenereret; *sb* degenereret individ. **degeneration** [didʒenə'reiʃən] *sb* degeneration, udartning. **degenerative** [di'dʒenərətiv] *adj* degenererende, degenerativ, degenerations-.
degradable [di'greidəbl] *adj (kem)* nedbrydelig.
degradation [degrə'deiʃən] *sb* nedværdigelse; fornedrelse; *(mht* rang) nedgradering; *(kem)* nedbrydning. **degrade** [di'greid] *vb* nedværdige; fornedre; *(mht) degradere; (kem)* nedbryde(s). **degraded** *adj* nedværdiget; ussel, elendig; forsimplet. **degrading** *adj* nedværdigende, lav.
degree [di'gri:] *sb* grad; rang, værdighed; (akademisk) grad, (embeds)eksamen; *(glds)* stand; *by -s* gradvis, lidt efter lidt; *a (certain) ~ of, some ~ of* et vist mål af *(fx he must show a ~ of tolerance); ~ of latitude* breddegrad; *~ of longitude* længdegrad; *people of low ~ (glds)* simple folk; *to a high ~* i høj grad; *snobbish to a ~* uhyre snobbet, *to the last ~* i højeste grad.
dehiscent [di'hisənt] *adj (bot)* opspringende.
dehumanize [di:'hju:mənaiz] *vb* umenneskeliggøre.
dehydrate [di:'haidreit] *vb* dehydrere; tørre.
de-ice ['di:'ais] *vb* forhindre isdannelse; afise.
de-icer ['di:'aisə] *sb* afisningsanordning.
deification [di:ifi'keiʃən] *sb* guddommeliggørelse.
deify ['di:ifai] *vb* gøre til gud, forgude.
deign [dein] *vb* værdiges, nedlade sig til.
Dei gratia ['di:ai'greiʃiai] af Guds nåde.
deism ['di:izm] *sb* deisme. **deist** [di:ist] *sb* deist. **deistic(al)** [di:'istik(l)] *adj* deistisk. **deity** ['di:iti] *sb* guddom, guddommelighed.
deject [di'dʒekt] *vb* nedslå. **dejected** *adj* nedslået, modløs. **dejection** [di'dʒekʃən] *sb* modløshed.
de jure [di:'dʒuəri] de jure (efter loven).
dekko ['dekou] *sb* S blik; *take a ~* se, kigge.
Del. *fk Delaware.*
del. *fk delineavit* har tegnet.
delate [di'leit] *vb* angive. **delation** [di'leiʃən] *sb* angivelse, angiveri.
Delaware ['delawɛə].
delay [di'lei] *vb* opsætte, udsætte; forhale; opholde; forsinke; (uden objekt) nøle, tøve; *sb* opsættelse, forhaling, udsættelse; ophold; nølen; *-ed action bomb* tidsindstillet bombe; *-ing action* henholdende kamp; *without ~* ufortøvet, straks.
del credere [del'kredəri] *(merk)* delkrédere; *the agent acts ~* kommissionæren står delkrédere.
delectable [di'lektəbl] *adj* yndig, liflig, herlig.
delectation [di:lek'teiʃən] *sb* lyst, fornøjelse.
delegacy ['deligəsi] *sb* delegation, repræsentation; udvalg.
I. delegate ['deligeit] *vb* delegere, beskikke; betro, overdrage.
II. delegate ['deligit] *sb* delegeret, udsending, befuldmægtiget.
delegation [deli'geiʃən] *sb* beskikkelse, udnævnelse, bemyndigelse, overdragelse; delegation; delegerede.
delete [di'li:t] *vb* slette, stryge, lade udgå.
deleterious [deli'tiəriəs] *adj* ødelæggende, skadelig.
deletion [di'li:ʃən] *sb* strygning, udeladelse.
delft [delft] *sb* delfterfajance.
Delhi ['deli].
I. deliberate [di'libəreit] *vb* overveje; drøfte; betænke sig.
II. deliberate [di'libərit] *adj* velovervejet, overlagt, forsætlig, tilsigtet; sindig, langsom. **deliberately** *adv* med fuldt overlæg, med velberåd hu.

deliberateness [di'libəritnis] *sb* sindighed, forsigtighed; ro.
deliberation [dilibə'reiʃən] *sb* overvejelse; drøftelse; sindighed.
deliberative [di'libərətiv, *(am)* -reitiv] *adj* overvejende; rådslående.
delicacy ['delikəsi] *sb* finhed; finfølelse, takt; vanskelighed, delikat beskaffenhed; svaghed, skrøbelighed, sarthed; (om mad) delikatesse, lækkerbidsen; *delicacies* (også:) kræs, lækkerier; ~ *of feeling* finfølelse.
delicate ['delikit] *adj* fin, fintfølende; sart, svagelig; vanskelig; kræsen; (om mad) delikat, lækker; *in a ~ condition* frugtsommelig.
delicatessen [delikə'tesən] *sb* viktualier; viktualieforretning.
delicious [di'liʃəs] *adj* delikat, liflig *(fx smell, taste)*, lækker *(fx dinner)*; yndig *(fx landscape)*; *(mht* humor) herlig.
delict ['di:likt] *sb* forseelse, lovovertrædelse.
delight [di'lait] *sb* glæde, fryd; *vb* fryde, glæde; glæde sig; *take ~ in* finde fornøjelse i; nyde; *to my great ~* til min store glæde.
delighted [di'laitid] *adj* glad, lykkelig, henrykt; *he will be ~ with it* han bliver henrykt over det; *he will be ~ to come* det vil være ham en stor glæde at komme. **delightedly** *adv* med glæde.
delightful [di'laitful] *adj* dejlig, yndig, indtagende; fornøjelig, morsom, interessant.
delikatessen = *delicatessen.*
Delilah [di'lailə] Dalila.
delimit [di:'limit], **delimitate** [di'limiteit] *vb* afgrænse, afstikke. **delimitation** [dilimi'teiʃən] *sb* afgrænsning.
delineate [di'linieit] *vb* skitsere, tegne; skildre.
delineation [dilini'eiʃən] *sb* skitsering, skitse, tegning; skildring. **delineator** [di'linieitə] *sb* tegner; skildrer.
delinquency [di'liŋkwənsi] *sb* forseelse, lovovertrædelse; kriminalitet. **delinquent** [di'liŋkwənt] *adj* som forser sig; *sb* skyldig, delinkvent, forbryder.
deliquesce [deli'kwes] *vb* blive flydende.
deliquescent [deli'kwesnt] *adj* henflydende.
delirious [di'liriəs] *adj* delirerende, fantaserende, uklar; *be ~* fantasere, tale i vildelse; være i ekstase, være ude af sig selv *(fx with joy* af glæde).
delirium [di'liriəm] *sb* fantaseren, vildelse, delirium; *~ tremens* [di'liriəm'tri:menz] delirium tremens (drankergalskab).
deliver [di'livə] *vb* aflevere *(fx a message)*, overlevere, indlevere; overgive *(fx a fortress to the enemy)*, udlevere; *(merk)* levere; udbringe; (om post) omdele, ombære, udbringe; (om fange, nødstedt) udfri, befri *(fx from captivity)*, redde; (om fødende) forløse; (mundtligt:) fremsige, holde *(fx a speech)*; (uden objekt) opfylde forventningerne; opfylde sit løfte; *~ a battle* levere et slag; *~ a blow* rette *(el.* føre) et slag; *~ the goods* S opfylde forventningerne; give det ønskede resultat; *~ oneself* udtale sig; *~ oneself of an opinion* udtale en mening; *be -ed of a child* nedkomme *(el.* blive forløst) med et barn; *stand and ~!* *(glds)* pengene eller livet! *~ us from evil* fri os fra det onde.
deliverance [di'livərəns] *sb* befrielse, redning; forløsning; udtalelse. **deliverer** [di'livərə] *sb* befrier, frelser.
delivery [di'livəri] *sb* *(cf deliver)* aflevering, overlevering; overdragelse, indlevering; overgivelse; udlevering; (af varer) levering; udbringning; (af post) ombæring *(fx there is only one ~ a day)*, omdeling, udbringning; (af missil) fremføring; (af fange *etc)* udfrielse, befrielse, redning; (fødendes) nedkomst, forløsning; (skuespillers) foredrag; (pumpes *etc)* ydeevne; (i sport) kast; aflevering; *take ~ of (merk)* aftage.
delivery van varevogn.
dell [del] *sb* lille dal.
delouse ['di:'laus] *vb* afluse.
Delphi [delfai] Delfi. **Delphic** ['delfik] *adj* delfisk.
delphinium [del'finiəm] *sb (bot)* ridderspore.
delta ['deltə] *sb* delta.
delude [di'l(j)u:d] *vb* bedrage, narre, føre bag lyset.
deluge ['delju:dʒ] *sb* oversvømmelse; syndflod; *vb* oversvømme; *the Deluge* Syndfloden.
delusion [di'lu:ʒən] *sb* bedrag; illusion, vildfarelse; forblindelse, selvbedrag, vrangforestilling; *be under the ~ that*

(også) have det fejlagtige indtryk at.
delusive [di'lu:siv] *adj* skuffende; falsk.
delve [delv] *vb* forske, studere, undersøge; *(glds)* grave; *~ into* (også) fordybe sig i, dykke ned i, kulegrave *(fx a problem)*.
demagnetization [di:mægnitai'zeiʃən] *sb* afmagnetisering.
demagnetize [di'mægnitaiz] *vb* afmagnetisere.
demagogue ['deməgɔg] *sb* demagog.
demagogy ['deməgɔgi *el.* -gɔdʒi] *sb* demagogi.
demand [di'ma:nd] *vb* fordre, kræve, forlange; spørge (om); *sb* fordring, forlangende, krav; begæring; spørgsmål; eftersørgsel; *it is in great ~* det er meget efterspurgt, der er rift om det; *this cheque is payable on ~* denne check betales på anfordring; *meet a ~* tilfredsstille et behov; *make -s on* stille krav til; *he has many -s on his purse* han har store udgifter. **demand bill** sigtveksel. ~ **note** opkrævning, anfordringsbevis.
demarcation [di:ma:'keiʃən] *sb* afgrænsning, grænse; faggrænse (på arbejdsplads); *line of ~* demarkationslinie, grænselinie.
demean [di'mi:n] *vb:* ~ *oneself* opføre sig; nedværdige sig.
demeanour [di'mi:nə] *sb* opførsel, adfærd; holdning.
demented [di'mentid] *adj* afsindig, vanvittig, gal.
dementia [di'menʃiə] *sb* sløvsind; *senile ~* alderdomssløvsind.
Demerara [demə'ra:rə]. **demerara** [demə'rɛərə] *sb* demerarasukker.
demerit [di:'merit] *sb* fejl, mangel, skyggeside; *(am* også) anmærkning; strafpoint; *merits and -s* fortrin og mangler.
demesne [di'mein] *sb* selvejendom; domæne; *hold in ~* besidde som selvejer; *state ~* statsejendom.
demi ['demi] halv.
demi|god halvgud. **-john** syreballon; stor kurvflaske.
demilitarization [di:militərai'zeiʃən] *sb* demilitarisering. **demilitarize** ['di:'militəraiz] *vb* demilitarisere, afmilitarisere.
demi-monde ['demi'mɔ:nd] *sb* demimonde.
demi-rep ['demirep] *sb* demimonde, letlevende kvinde.
demise [di'maiz] *sb* død, dødelig afgang; overdragelse; *vb* overdrage; borttestamentere; *~ of the crown* tronskifte.
demisemiquaver ['demisemikweivə] *sb* toogtredivtedelsnode.
demission [di'miʃən] *sb* fratrædelse, demission.
demit [di'mit] *vb* tage sin afsked, demissionere.
demitasse ['demitæs] *sb* mokkakop.
demiurge [di'mi:ədʒ] *sb* verdensskaber.
demo ['demou] *sb* T demonstration.
demob [di:'mɔb] *vb* T = *demobilize.*
demobilization ['di:moubilai'zeiʃən] *sb* hjemsendelse, demobilisering.
demobilize [di:'moubilaiz] *vb* hjemsende, demobilisere.
democracy [di'mɔkrəsi] *sb* demokrati.
democrat ['deməkræt] *sb* demokrat.
democratic(al) [demou'krætik(l)] *adj* demokratisk.
democratize [di'mɔkrətaiz] *vb* demokratisere.
démodé [dei'moudei] *adj* umoderne.
demoiselle [dəmwa'zel]: ~ *crane zo* jomfrutrane.
demolish [di'mɔliʃ] *vb* nedrive, sløjfe; ødelægge; T fortære.
demolition [demə'liʃən] *sb* nedrivning, sløjfning; ødelæggelse; ~ *squad (mil.)* sprængningskommando, rydningshold.
demon ['di:mən] *sb* dæmon, ond ånd, djævel; ~ *drink* spiritusdjævelen.
demonetize [di:'mʌnitaiz] *vb* (om penge) sætte ud af kurs.
demoniac [di'mouniæk], **demoniacal** [di:mə'naiəkl], **demoniac(al)** [di:'mɔnik(l)] *adj* djævelsk; besat. **demonology** [di:mə'nɔlədʒi] *sb* lære om dæmoner *(el.* djævle).
demonstrable ['demənstrəbl] *adj* bevislig, påviselig.
demonstrate ['demənstreit] *vb* bevise, påvise; forevise, vise, demonstrere. **demonstration** [demən'streiʃən] *sb* bevisførelse; påvisning; bevis; forevisning; tilkendegivelse (af stemning *etc)*; (offentlig) demonstration.
demonstrative [di'mɔnstrətiv] *adj* afgørende; demonstrativ; som viser sine følelser; åben; *(gram)* påpegende stedord; *sb* påpegende stedord.
demonstrator ['demənstreitə] *sb* demonstrator, (undervisnings)assistent; demonstrant.
demoralization [dimərəlai'zeiʃən] *sb* demoralisation.

demoralize [di'mɔrəlaiz] *vb* demoralisere.
Demosthenes [di'mɔsθəni:z].
demote [di'mout] *vb* degradere.
demotic [di'mɔtik] *adj* folkelig.
demotion [di'mouʃən] *sb* degradering.
demount [di:'maunt] *vb* demontere, afmontere, skille ad.
demur [di'mə:] *vb* gøre indsigelse *(to* mod); nære betænkeligheder; nøle, tøve; *sb* indsigelse; betænkelighed, tøven *(fx he did it without ~).*
demure [di'mjuə] *adj* ærbar, sat, alvorlig; adstadig; påtaget ærbar *(el.* alvorlig).
demurrage [di'mʌridʒ] *sb (mar)* overliggedage; overliggedagspenge.
demurrer [di'mʌrə] *sb (jur)* indsigelse; *put in a ~* rejse indsigelse.
demy [di'mai] *sb* (papirformat).
den [den] *sb* (dyrs) hule; hybel, »hule« (ɔ: værelse); rovdyrbur; *~ of thieves (el. robbers)* røverrede.
denationalize [di:'næʃnəlaiz] *vb* denationalisere; ophæve nationaliseringen af.
denaturalize [di:'nætʃrəlaiz] *vb* denaturalisere, fratage indfødsretten.
denatured [di:'neitʃəd] *adj: ~ alchohol* denatureret sprit.
denazification ['di:na:tsifi'keiʃən] *sb* afnazificering.
dendrology [den'drɔlədʒi] *sb* læren om træerne.
dengue ['dengi] *sb (med.)* denguefeber (tropesygdom).
denial [di'naiəl] *sb* nægtelse, benægtelse, dementi; fornægtelse.
denigrate ['denigreit] *vb* sværte, rakke ned på.
denim ['denim] *sb* denim (kraftigt bomuldsstof); cowboystof.
denizen ['denizn] *sb* udlænding der har opnået opholdstilladelse med visse rettigheder *el.* indfødsret med visse begrænsninger; (især *poet)* beboer.
Denmark ['denma:k] Danmark.
denominate [di'nomineit] *vb* benævne, kalde.
denomination [dinɔmi'neiʃən] *sb* benævnelse *(fx liar is the right ~ for him);* klasse; kategori; *(rel)* sekt; (af pengeseddel *etc)* pålydende værdi.
denominational [dinɔmi'neiʃənl] *adj* hørende til en sekt.
denominator [di'nɔmineitə] *sb* nævner (i brøk); *common ~* fællesnævner.
denotation [denə'teiʃən] *sb* (ords) betydning, begreb *(mods connotation* bibetydning, bibegreb).
denote [di'nout] *vb* betegne.
denouement [dei'nu:ma:ŋ] *sb* afsløring; (intrigens) opklaring, (gådens) løsning (i drama *etc).*
denounce [di'nauns] *vb* anklage (voldsomt), fordømme; undsige; opsige *(fx a treaty);* (til politi *etc)* angive. **denouncement** = *denunciation.*
dense [dens] *adj* tæt *(fx fog);* kompakt *(fx mass);* tykhovedet, dum; *~ ignorance* tyk uvidenhed; *~ negative (fot)* tæt negativ. **density** ['densiti] *sb* tæthed; tykhovedethed, dumhed.
dent [dent] *sb* hak, fordybning; hulning, bule; *vb* blive bulet; (med objekt) *= make a ~ on (el. in)* lave et hak i, slå bule i; *(fig)* indvirke på, svække, mindske.
dental ['dentl] *(fig)* dental; tand-; *sb (fon)* tandlyd.
dental | floss tråd til tandrensning. **~ plate** se I. *plate.* **~ surgeon** tandlæge. **~ technician** tandtekniker.
dentate(d) ['denteit(id)] *adj (bot)* zo tandet, takket.
denticare ['dentikeə] *sb (am)* offentlig tandretandpleje.
dentifrice ['dentifris] *sb* tandpulver, tandpasta.
dentist ['dentist] *sb* tandlæge. **dentistry** ['dentistri] *sb* tandlægekunst; *school of ~* tandlæge(høj)skole.
dentition [den'tiʃən] *sb* tandbrud; tandsystem; tandstilling; tænder; *deciduous ~* mælketandsæt; *secondary ~* tandskifte.
denture ['dentʃə] *sb* (tand)protese, gebis.
denuclearized [di:'nju:kliəraizd] *adj* atomvåbenfri.
denudation [di:nju'deiʃən] *sb* blottelse; *(geol)* denudation.
denude [di'nju:d] *vb* blotte *(af for); ~ of* (også) fratage.
denunciation [dinʌnsi'eiʃən] *sb (cf denounce)* (voldsom) anklage, fordømmelse; undsigelse; opsigelse; angivelse.
denunciator [di'nʌnsieitə] *sb* fordømmer; angiver.
deny [di'nai] *vb* (be)nægte; afvise; dementere; fornægte *(fx ~ one's faith);* fragå; *(mil.)* forhindre i at benytte; *~ oneself* pålægge sig afsavn; *~ oneself to callers* nægte

sig hjemme.
deodar ['di:əda:] *sb (bot)* indisk ceder.
deodorant [di:'oudərənt] *sb* desodoriserende middel, lugtfjerner, deodorant.
deodorization [di:oudərai'zeiʃn] *sb* fjernelse af lugt, desodorisering. **deodorize** [di'oudəraiz] *vb* befri for lugt, desodorisere.
D.E.P. *fk Department of Employment and Productivity.*
dep *fk departs, departure* (om tog *etc); department; deputy.*
depart [di'pa:t] *vb* afgå *(for* til); afrejse; gå bort, dø; *~ from* afvige fra; *~ this life* afgå ved døden; *the -ed* (også) afdøde.
department [di'pa:tmənt] *sb* afdeling; branche; område, felt; fag, faggruppe, (ved universitet, svarer til) institut; (regeringskontor) departement; ministerium.
departmental [dipa:t'mentl] *adj* afdelings-; ministeriel.
department store stormagasin.
departure [di'pa:tʃə] *sb* afgang; bortgang; afvigelse; død; *-s pl* (også) afgående tog (, skibe, fly); *a new ~* noget ganske nyt, en skelsættende begivenhed; *next ~* næste afgående skib (, tog). **departure platform** afgangsperron.
depend [di'pend] *vb (jur)* være uafgjort; *(glds)* hænge ned; *it all -s* det kommer an på omstændighederne; *~ on* afhænge af, bero på *(fx it all -s on how you look at it);* være afhængig af, stole på *(fx he is not a man to be -ed on);* regne med *(fx don't ~ on his help);* he *-s on his pen (for a living)* han er henvist til at leve af sin pen; *~ upon it!* det kan du stole på! *the school does not ~ on him* skolen står og falder ikke med ham.
dependable [di'pendəbl] *adj* pålidelig, driftssikker.
dependant = *dependent.*
dependence [di'pendəns] *sb* afhængighed *(on* af); tillid *(in, on* til). **dependency** [di'pendənsi] *sb* bliand; lydland; afhængighed; *(am* også) afhængighed af offentlig hjælp.
dependent [di'pendənt] *adj* afhængig *(on* af); underordnet; *sb* person som er afhængig af *(el.* forsørges af) en anden; undergiven; følgesvend.
depict [di'pikt] *vb* male; afbilde; skildre.
depilate ['depileit] *vb* afhåre; fjerne hår fra.
depilatory [de'pilətri] *sb* hårfjerningsmiddel; *adj* hårfjernende.
deplane [di:'plein] *vb* stige ud af flyvemaskine; landsætte fra flyvemaskine.
deplete [di'pli:t] *vb* tømme, udtømme, formindske, reducere. **depletion** [di'pli:ʃən] *sb* tømning, udtømmelse, formindskelse, forringelse.
deplorable [di'plɔ:rəbl] *adj* (yderst) beklagelig, sørgelig; elendig, jammerlig.
deplore [di'plɔ:] *vb* beklage (dybt); angre.
deploy [di'plɔi] *vb (mil.)* udfolde, deployere, sprede; bringe i stilling, gruppere; opmarchere; indsætte, anvende, tage i brug.
deployment [di'plɔimənt] *sb (mil.)* deployering, spredning; gruppering; opmarchering; indsættelse, anvendelse.
deponent [di'pounənt] *sb* deponent verbum; *(jur)* vidne.
depopulate [di:'pɔpjuleit] *vb* affolke. **depopulation** [di:pɔpju-'leiʃən] *sb* affolkning.
deport [di'pɔ:t] *vb* deportere, forvise; udvise; *~ oneself* opføre sig; forholde sig. **deportation** [di:pɔ:'teiʃən] *sb* deportation, forvisning; udvisning.
deportment [di:'pɔ:tmənt] *sb* holdning, anstand; optræden, opførsel.
depose [di'pouz] *vb* afsætte; *(jur)* afgive forklaring; vidne; *~ (to)* bevidne.
deposit [di'pɔzit] *vb* anbringe, aflevere, (om passager) sætte af, (om æg) lægge; (til opbevaring *el)* betro; deponere, (om penge i bank) indskyde, indsætte; *(kem)* afsætte, bundfælde (sig), *(geol)* aflejre (sig); *sb (geol)* aflejring; leje *(fx iron ore -s); (kem etc)* bundfald; *(merk)* depositum; pant; udbetaling (ved køb); (i bank) indskud, indlån; *(tekn)* svejsemetal; (på museum, bibliotek depotlån; *~ account* indlånskonto; *pay a ~* give penge på hånden.
depositary [di'pɔzitəri] *sb* depositar, en der modtager noget i forvaring.
deposition [depə'ziʃən] *sb* afsætning, afsættelse (fra stilling); aflejring; *(jur)* (beediget skriftligt) vidneudsagn;

the Deposition (i kunst) nedtagelsen af korset.
depositor [di'pɔzitə] *sb* indskyder (i bank), sparer.
depository [di'pɔzitəri] *sb* opbevaringssted, oplagringssted.
depot ['depou] *sb* depot, oplagssted, pakhus; (regiments) hovedkvarter; (for sporvogne) remise, (for busser) garage; *(am)* ['dipou] jernbanestation.
depravation [deprə'veiʃən] *sb* fordærvelse; udartning; depravation. **deprave** [di'preiv] *vb* fordærve; depravere. **depravity** [di'præviti] *sb* fordærvelse.
deprecate ['deprikeit] *vb* misbillige, ikke synes om; frabede sig, bede sig forskånet for; afvende ved bøn; ~ *hasty action* sætte sig imod overilede handlinger; ~ *panic* afværge panik. **deprecating** = *deprecatory.* **deprecation** [depri-'keiʃən] *sb* misbilligelse; bøn om forskånelse.
deprecatory ['deprikətəri] *adj* misbilligende; afværgende, undskyldende.
depreciate [di'priːʃieit] *vb* forklejne, nedvurdere, omtale nedsættende, forringe; undervurdere; *(merk)* depreciere, nedsætte i værdi; nedskrive; afskrive; (om valuta) devaluere; (uden objekt) falde i værdi.
depreciation [dipriːʃi'eiʃən] *sb* nedvurdering, forklejnelse; undervurdering; *(merk)* depreciering, værdiforringelse; nedskrivning, afskrivning; (af valuta) devaluering; ~ *account* afskrivningskonto; ~ *reserve* afskrivningsfond.
depreciative [di'priːʃjətiv], **depreciatory** [di'priːʃjətəri] *adj* nedsættende; forringende.
depredate ['deprideit] *vb* plyndre. **depredation** [depri'deiʃən] *sb* plyndring. **depredator** ['deprideitə] *sb* røver, udplyndrer.
depress [di'pres] *vb* trykke ned; *(fig)* nedtrykke, nedslå, deprimere; hæmme. **depressed** areas kriseramte områder. ~ *classes* undertrykte befolkningsklasser.
depression [di'preʃən] *sb* nedtrykning; sænkning; depression, nedtrykthed, dårligt humør; *(meteorol)* lavtryk, lavtryksområde; *(merk)* lavkonjunktur, erhvervskrise, krise(tid).
deprivation [depri'veiʃən] *sb* berøvelse; tab; afsavn; nød; *(rel)* afsættelse.
deprive [di'praiv] *vb* berøve, fratage; *(rel)* afsætte; ~ *him of it* berøve *(el. fratage)* ham det. **deprived** *adj* som lider afsavn, dårligt stillet, nødlidende; *culturally* ~ kulturfattig.
dept. *fk department.*
depth [depθ] *sb* dybde; dyb; bredde; *in* ~ i dybden, indgående; *defence in* ~ *(mil.)* dybdeforsvar; ~ *of field* (i fotografi) dybdeskarphed; *the -s of misery* den dybeste elendighed; *in the* ~ *of night* (, *winter*) midt om natten (, vinteren); *be beyond (el. out of) one's* ~ (også *fig*) være længere ude end man kan bunde.
depth charge dybvandsbombe. ~ **gauge** dybdemåler.
depurate ['depjureit] *vb* rense.
depuration [depju'reiʃən] *sb* rensning.
deputation [depju'teiʃən] *sb* beskikkelse; sendelse med fuldmagt; deputation.
depute [di'pjuːt] *vb* give fuldmagt; overdrage.
deputize ['depjutaiz] *vb* vikariere, fungere som stedfortræder.
deputy ['depjuti] *sb* repræsentant, fuldmægtig, deputeret; vikar, stedfortræder, vice-; ~ *chairman* næstformand; ~ *superintendent* afdelingslæge.
De Quincey [də'kwinsi].
deracinate [di'ræsineit] *vb* rykke op med rode, udrydde.
derail [di'reil] *vb* afspore(s), løbe af sporet. **derailment** *sb* afsporing.
derange [di'rein(d)ʒ] *vb* forvirre, forstyrre; bringe i uorden; gøre sindsforvirret. **deranged** *adj* forvirret, forstyrret; sindsforvirret; sindssyg. **derangement** *sb* forvirring, forstyrrelse; uorden; sindsforvirring.
derate [diː'reit] *vb* nedsætte kommuneskatter for.
deration [diː'ræʃn] *vb* ophæve rationeringen af, frigive *(fx petrol has been -ed).*
Derby [dɑ:bi] (by i Mellemengland); *the* ~ derbyløbet (ved Epsom; indstiftet af en jarl af Derby).
derby ['dɑ:bi, *(am)* 'dɔ:bi] *sb* bowlerhat.
derelict ['derilikt] *adj* forladt, opgivet som værdiløst; *sb* herreløst gods; dødt skib; menneskevrag; ~ *farm* ødegård.
dereliction [deri'likʃən] *sb* opgivelse; forsømmelse *(fx of*

---

duty); svigten; forladthed.
deride [di'raid] *vb* håne, udle, spotte. **derider** [di'raidə] *sb* spotter.
derision [di'riʒən] *sb* bespottelse, hån; *hold him in* ~ håne ham; *he became the* ~ *of* han blev til spot for.
derisive [di'raisiv], **derisory** [di'raisəri] *adj* spottende, hånende, ironisk; latterlig.
derivation [deri'veiʃən] *sb* afledning; udledning; afstamning, oprindelse (af ord). **derivative** [di'rivətiv] *adj* afledet; *sb* afledning, derivat.
derive [di'raiv] *vb* aflede, udlede; opnå, få, forskaffe sig; ~ *from* (også) stamme fra; ~ *advantage (el. profit) from* drage fordel af.
derm(a) ['dəːm(ə)] *sb* hud.
dermatitis [dəːmə'taitis] *sb* dermatitis, hudbetændelse. **-tologist** [dəːmə'tɔlədʒist] *sb* dermatolog, specialist i hudsygdomme. **-tology** [dəːmə'tɔlədʒi] *sb* dermatologi.
derogate ['derəgeit] *vb:* ~ *(from)* nedsætte, nedvurdere, forklejne.
derogation [derə'geiʃən] *sb* nedvurdering, forklejnelse, nedsættelse.
derogatory [di'rɔgətri] *adj* nedsættende.
derrick ['derik] *sb* lossebom, lastebom; udligger; boretårn.
derring-do [deriŋ'duː] *sb (glds)* dristig handling, dristighed.
derringer ['derin(d)ʒə] *sb (am)* lommepistol.
dervish ['dəːviʃ] *sb* dervish.
descalation ['diːskə'leiʃən] *sb* gradvis formindskelse, nedtrapning.
I. descant ['deskænt] *sb (mus.)* diskant, overstemme; *(poet)* melodi, sang.
II. descant [di'skænt] *vb:* ~ *on* udbrede sig om, tale vidt og bredt om.
descend [di'send] *vb* gå ned ad, stige ned i; (uden objekt) gå (, stige, komme) ned; (om terræn *etc*) skråne, sænke sig; *(fig)* nedstamme; gå i arv; *be -ed from* nedstamme fra; ~ *to* (også) nedværdige sig til, (om arv) gå over til; ~ *upon* falde over, kaste sig over, ramme. **descendant** [di-'sendənt] *sb* efterkommer.
descent [di'sent] *sb* nedstigning; skrånen nedad, hældning; dalen, fald, synken; overfald, (fjendes) indfald, landgang; herkomst, afstamning; arv, nedarvning; *of noble* ~ af adelig byrd.
describe [di'skraib] *vb* beskrive; ~ *as* betegne som, kalde.
description [di'skripʃən] *sb* beskrivelse; (af person) signalement; (slags:) beskaffenhed; art, slags *(fx goods of every* ~).
descriptive [di'skriptiv] *adj* beskrivende, deskriptiv.
descry [di'skrai] *vb* opdage; øjne.
Desdemona [dezdi'mounə].
desecrate ['desikreit] *vb* vanhellige.
desecration [desi'kreiʃən] *sb* vanhelligelse.
desegregate [diː'segrigeit] *vb* ophæve raceadskillelsen i *(fx a school).* **desegregation** [diːsegri'geiʃən] *sb* ophævelse af raceadskillelsen.
desensitize [diː'sensitaiz] *vb (med.)* desensibilisere; gøre ufølsom.
I. desert ['dezət] *adj* øde; *sb* ørken, ubeboet sted.
II. desert [di'zəːt] *vb* forlade; svigte; desertere.
III. desert [di'zəːt] *sb* fortjeneste, fortjenstfuld handling, fortjent løn (, straf); *get one's -s* få hvad man har fortjent.
deserter [di'zeːtə] *sb* frafalden; rømningsmand, desertør.
desertion [di'zəːʃən] *sb* frafald; desertion; flugt; svigten; forladthed; *(jur)* det at ægtefælle forlader hjemmet (, ophæver samlivet).
desert locust *zo* ørkengræshoppe. ~ **rat** *(mil.)* T »ørkenrotte«.
deserve [di'zəːv] *vb* fortjene; gøre sig fortjent; ~ *well of one's country* have gjort sig fortjent af fædrelandet, have ydet sit fædreland store tjenester. **deservedly** [di'zəːvidli] *adv* fortjent, med rette *(fx he was* ~ *blamed).*
deserving [di'zəːviŋ] *adj* fortjenstfuld; ~ *poor* værdige trængende.
deshabille ['dezæbiːl] *sb* negligé.
desiccant ['desikənt] *sb* tørremiddel; *adj* tørrende.
desiccate ['desikeit] *vb* tørre *(fx frugter)*; udtørre; blive tør.

desiccation [desi'keiʃən] *sb* udtørring.
desiccator ['desikeitə] *sb* exsikkator.
desiderate [di'zidəreit] *vb* savne; ønske; betragte som ønskelig.
desiderat|um [dizidə'reitəm] *sb (pl -a)* savn; ønske; ønskemål.
I. design [di'zain] *vb* gøre udkast, skitsere, tegne; formgive, designe; konstruere; (i sine tanker) planlægge; udtænke; bestemme, udse *(fx this room is -ed to be my study); he -s to* (også) det er hans mening at.
II. design [di'zain] *sb* tegning, udkast, rids; dessin; mønster; formgivning, design; konstruktion; plan; forehavende, hensigt; *(neds)* anslag *(on, against* mod); *by ~* med vilje; *it was more by fortune than by ~* det var snarere lykken end forstanden; *she has -s on your money* hun er ude efter dine penge; *they had -s on his life* de stræbte ham efter livet.
designate ['dezigneit] *vb* betegne, angive; udse, udpege *(to, for* til); ['dezignit] *adj* designeret. **designation** [dezig-'neiʃən] *sb* betegnelse; udpegning.
designedly [di'zainidli] *adv* med forsæt.
designer [di'zainə] *sb* tegner; konstruktør; formgiver, designer; en som lægger planer; *(neds)* rænkesmed.
designing [di'zainiŋ] *adj* listig, lumsk, beregnende.
desirability [dizaiərə'biliti] *sb* ønskelighed.
desirable [di'zaiərəbl] *adj* ønskelig, attråværdig.
desire [di'zaiə] *sb* ønske; lyst *(for* til); begær, attrå; anmodning, bøn; *vb* ønske; attrå, begære; anmode, bede; *leave much to be -d* lade meget tilbage at ønske.
desirous [di'zaiərəs] *adj* begærlig, ivrig *(of* efter); *be ~ of* (også) ønske.
desist [di'zist] *vb* afstå *(from* fra); holde op *(from* med).
desk [desk] *sb* (skrive)pult; skrivebord; *master's ~* kateder; *~ sergeant* tjenstgørende overbetjent.
I. desolate [di'desəlit] *adj* ubeboet, øde, trøstesløs; (om person) forladt; ensom; ulykkelig.
II. desolate [di'desəleit] *vb* affolke; hærge, lægge øde; gøre ulykkelig. **desolation** [desə'leiʃən] *sb* affolkning; ødelæggelse; trøstesløshed; forladthed, ensomhed.
despair [di'spɛə] *sb* fortvivlelse; *vb* fortvivle, opgive håbet *(of* om); *be the ~ of one's parents* bringe sine forældre til fortvivlelse. **de\pairing** [di'spɛəriŋ] *adj* fortvivlet.
despatch [di'spætʃ] se *dispatch.*
desperado [despə'ra:dou] *sb (pl -es)* samvittighedsløs skurk, desperado.
desperate ['desp(ə)rit] *adj* fortvivlet, desperat; T håbløs, elendig; *a ~ remedy (omtr)* en fortvivlelsens udvej; *~ diseases have ~ remedies* de skal skarp lud til skurvede hoveder.
desperation [despə'reiʃən] *sb* fortvivlelse, desperation.
despicable ['despikəbl] *adj* foragtelig.
despise [di'spaiz] *vb* foragte.
despite [di'spait] *sb* ondskab; had; foragt; *præp* trods, til trods for; *in ~ of* til trods for, på trods af.
despoil [di'spɔil] *vb* plyndre.
despoliation [dispouli'eiʃən] *sb* plyndring.
despond [di'spɔnd] *sb* fortvivle, opgive håbet. **despondency** [di'spɔndənsi] *sb* fortvivlelse; modfaldenhed, modløshed.
despondent [di'spɔndənt] *adj* fortvivlet; modfalden, modløs, forsagt.
despot ['despɔt] *sb* selvhersker, despot. **despotic** [de'spɔtik] *adj* despotisk. **despotism** ['despətizm] *sb* despoti.
desquamation [deskwə'meiʃn] *sb (med)* afskalning.
dessert [di'zə:t] *sb* dessert; *~ spoon* dessertske.
destination [desti'neiʃən] *sb* bestemmelsessted, rejsemål, destination.
destined ['destind] *adj: ~ for* bestemt til; *(mar)* med kurs mod; *~ to* (af skæbnen) bestemt til at; *a plan ~ to fail* en plan der var dømt til at mislykkes; *they were ~ to meet again* skæbnen ville at de skulle mødes igen.
destiny ['destini] *sb* skæbne.
destitute ['destitju:t] *adj* fattig, nødlidende; *~ of* blottet for.
destitution [desti'tju:ʃn] *sb* fattigdom, armod, nød.
destroy [di'strɔi] *vb* ødelægge, tilintetgøre, destruere; nedbryde *(fx discipline);* aflive, dræbe. **destroyer** [di'strɔiə] *sb* ødelægger; *(mar)* torpedojager, destroyer.
destruct [di'strʌkt] *sb* tilintetgørelse, ødelæggelse *(fx af ra-*

ket efter afskydelsen).
destructible [di'strʌktəbl] *adj* forgængelig; som kan ødelægges *el.* tilintetgøres. **destruction** [di'strʌkʃn] *sb* ødelæggelse, aflivelse; undergang.
destructive [di'strʌktiv] *adj* destruktiv, nedbrydende, ødelæggende; *~ distillation (kem)* tørdestillation. **destructor** [di'strʌktə] *sb* forbrændingsovn; anordning (i raket) til tilintetgørelse.
desuetude [di'sju:itju:d, 'deswitju:d] *sb* ophør, gåen af brug; *fall into ~* gå af brug.
desultory ['desəltəri] *adj* planløs *(fx reading),* springende, tilfældig.
detach [di'tætʃ] *vb* skille, løsgøre, løsrive; tage af; (til særlig opgave) detachere; udtage; *~ oneself from* skille sig ud fra. **detachable** [di'tætʃəbl] *adj* aftagelig, løs.
detached [di'tætʃt] *adj* afsondret, som ligger for sig selv; *(fig)* uhildet, upartisk, objektiv; *~ house* fritliggende hus, enkelthus, villa.
detachment [di'tætʃmənt] *sb* adskillelse; afsondring; afsondrethed; *(fig)* objektivitet, uhildethed, upartiskhed; *(mil.)* detachement, afdeling.
I. detail [di'teil] *vb* fortælle omstændeligt, berette indgående om; *(mil.)* afgive, udtage, beordre.
II. detail [di'teil] *sb* enkelthed; detalje; omstændelig beretning; *(mil.)* soldater afgivet til særskilt tjeneste; afdeling; *in ~* punkt for punkt, i enkeltheder, omstændeligt, indgående; *go into ~* gå i enkeltheder.
detailed *adj* omstændelig, udførlig, detaljeret.
detain [di'tein] *vb* (forsinke:) opholde; (ikke frigive:) tilbageholde, anholde, internere; (i hospital) indlægge; (i skole) lade sidde efter. **detainee** [ditei'ni:] *sb* anholdt, arrestant; interneret. **detainer** [di'teinə] *sb* uretmæssig tilbageholdelse af ejendom; ordre til forlænget arrest.
detect [di'tekt] *vb* opdage; opspore; opfange; påvise; *~ sby in* gribe en i.
detection [di'tekʃən] *sb* opdagelse; påvisning; opklaring (af forbrydelse). **detection rate** opklaringsprocent.
detective [di'tektiv] *sb* kriminalbetjent, opdager, detektiv; detektiv- *(fx agency* bureau), kriminal- *(fx novel* roman).
detector [di'tektə] *sb* detektor.
détente [dei'ta:nt] *sb* (politisk) afspænding.
detention [di'tenʃən] *sb (cf detain)* tilbageholdelse; anholdelse; eftersidning; indlæggelse. **detention centre** *(omtr)* ungdomshjem (til maksimalt 6 mdr's ophold).
deter [di'tə:] *vb* afskrække.
detergent [di'tə:dʒənt] *adj* (især syntetisk) vaskemiddel; rensende middel; *adj* rensende.
deteriorate [di'tiəriəreit] *vb* forringe(s), forværre(s).
deterioration [ditiəri'reiʃən] *sb* forringelse, forværring.
determent [di'tə:mənt] *sb* afskrækkende moment; afskrækkelse.
determinable [di'tə:minəbl] *adj* som kan bestemmes.
determinant [di'tə:minənt] *adj* bestemmende; *sb* determinant; afgørende faktor.
determinate [di'tə:minit] *adj* bestemt.
determination [ditə:mi'neiʃən] *sb* bestemmelse; afgørelse; fastsættelse; (egenskab:) bestemthed; fasthed; beslutsomhed; målbevidsthed.
determine [di'tə:min] *vb* bestemme; afgøre; fastsætte; beslutte sig *(upon* til); *(jur)* bringe til ophør. **determined** [di'tə:mind] *adj* bestemt, fast, beslutsom; målbevidst; *~ to* besluttet på at. **determinism** [di'tə:minizm] *sb* determinisme. **determinist** [di'tə:minist] *sb* determinist.
deterrent [di'terənt] *adj* afskrækkende middel, afskrækkende moment; afskrækkelsesvåben.
detest [di'test] *vb* afsky. **detestable** [di'testəbl] *adj* afskyelig.
detestation [di:tes'teiʃən] *sb* afsky; noget der vækker afsky.
dethrone [di'θroun] *vb* detronisere, støde fra tronen; afsætte. **dethronement** [di'θrounmənt] *sb* detronisering; afsættelse.
detonate ['detəneit] *vb* detonere; eksplodere; knalde; (med objekt) lade *(el.* få til at) eksplodere; *(fig)* sætte i gang, udløse. **detonation** [detə'neiʃən] *sb* detonation; eksplosion; knald. **detonator** ['detəneitə] *sb* detonator, tændsats, fænghætte; *(jernb)* knaldsignal.
detour ['di:tuə] *sb* omvej; afstikker; omkørsel.
detract [di'trækt] *vb: ~ from* nedsætte, forringe; *~ attention* bortlede opmærksomheden.

detraction [di'trækʃən] *sb* forringelse, bagtalelse.
detractive [di'træktiv] *adj* nedsættende, bagtalerisk.
detractor [di'træktə] *sb* bagvasker.
detrain [di:'trein] *vb* (lade) stige ud af toget.
detribalize [di:'traibəlaiz] *vb* fjerne fra stammetilværelse.
detriment ['detrimənt] *sb* skade; *to the* ~ *of* til skade for; *without* ~ *to* uden skade for. **detrimental** [detri'mentl] *adj* skadelig (*to* for).
detrition [di'triʃən] *sb* afslidning, afskuring.
detritus [di'traitəs] *sb* forvitringsprodukt(er), forvitringsgrus; rester; affald; *(med.)* detritus.
Detroit [də'trɔit].
de trop [də'trou] uvelkommen, i vejen, til ulejlighed; *feel* ~ føle sig tilovers.
detruncate [di:'trʌŋkeit] *vb* afhugge, afskære.
deuce [dju:s] *sb* toer (i spil); lige (i tennis); **T** (i eder) fanden, pokker; *the* ~ *of* pokkers; *go to the* ~ gå pokker i vold; *the* ~ *he did* han gjorde pokker, gjorde han; gu' gjorde han ej; *there will be the* ~ *to pay* det bliver en dyr *(el.* slem) historie; *play the* ~ *with* sth spolere noget; *what the* ~ hvad pokker. **deuced** [dju:st] *adj* **S** fandens, pokkers.
Deuteronomy [dju:tə'rɔnəmi] femte Mosebog.
devaluate = *devalue.* **devaluation** [di:vælju'eiʃən] *sb* devaluering.
devalue [di:'vælju:] *vb* devaluere, nedsætte i værdi, nedskrive; *(fig)* nedvurdere.
devastate ['devəsteit] *vb* ødelægge, hærge. **devastating** ['devəsteitiŋ] *adj* ødelæggende; voldsom, frygtelig, tilintetgørende; ~ *criticism* sønderlemmende kritik.
devastation [devə'steiʃən] *sb* ødelæggelse, hærgen.
develop [di'veləp] *vb* udvikle sig; udfolde sig; vise sig, opstå; (med objekt) udvikle *(fx one's muscles; a technique; a new method; a theory);* udbygge *(fx an organization; a system);* udvide *(fx a business);* videreføre *(fx his original idea);* udnytte *(fx the resources of a country),* (om grundareal) (udstykke og) bebygge; *(mat.)* udfolde; *(fot)* fremkalde; (om noget der kommer gradvis) (efterhånden) få *(fx a taste for sth; measles; engine trouble);* be *-ing a cold* være ved at blive forkølet.
developer [di'veləpə] *sb (fot)* fremkalder(væske); *he is a late* ~ han er sent udviklet.
developing country udviklingsland.
development [di'veləpmənt] *sb (cf develop)* udvikling, udbygning, udvidelse, videreførelse; udnyttelse; (om grundareal) (udstykning og) bebyggelse; *(mat.)* udfoldning; *(fot)* fremkaldelse; *(mus.)* gennemføring; (i sonate) gennemføringsdel.
development area udviklingsområde.
deviance ['di:viəns] *sb* afvigelse (fra normen).
deviant ['di:viənt] *adj* afvigende *(fx* ~ *behaviour).*
deviate ['di:vieit] *vb* afvige; *(mar)* deviere; ~ *from* (også) fravige. **deviation** [di:vi'eiʃən] *sb* afvigelse; afdrift; (kompassets) deviation. **deviationist** [di:vi'eiʃənist] *sb* afviger (fra partilinien).
device [di'vais] *sb* opfindelse, påfund; plan, list; indretning, anordning, apparat; *(her.)* devise, valgsprog; *leave him to his own -s* lade ham sejle sin egen sø, lade ham klare sig selv.
I. devil ['devl] *sb* djævel; *(fig)* frisk fyr; stærkt krydret kødret; **T** fyr *(fx poor* (sølle) ~; *lucky* ~); *(typ: printer's* ~) bogtrykkerdreng; *(litt)* underordnet medarbejder, neger; *(jur)* underordnet advokat;
beat the -'s tattoo tromme i bordet; ~ *a bit!* ikke det fjerneste! *the* ~ *you did* du gjorde fanden, gjorde du; gu' gjorde du ej; *between the* ~ *and the deep* (blue) *sea* som en lus mellem to negle, i et dilemma; *give the* ~ *his due* ret skal være ret; man kan også gøre (et) skarn uret; *go to the* ~ gå i hundene; gå pokker i vold! *a* ~ *of a fellow* en fandens ka'l; ~ *a one* ingen djævel (ɔ: ingen); *the* ~ *looks after his own* fanden hytter sine; *there'll be the* ~ *to pay* så er fanden løs; der bliver en fandens ballade; *play the* ~ *with* ødelægge, holde slemt hus med, gøre kål på; *raise the* ~ lave et fandens spektakel; *talk of the* ~ *and you'll see his tail* (*el.* horns) når man taler om solen så skinner den; *it is the very* ~ det er forbandet ubehageligt, (, besværligt *etc).*
II. devil ['devl] *vb* stege eller riste med sennep *etc;* plage

(fx ~ *Dad for a new bike);* udføre underordnet arbejde for en anden.
devilfish ['devlfiʃ] *sb zo* djævlerokke.
devilish ['devliʃ] *adj* djævelsk; forbandet, pokkers; upålidelig.
devil-may-care *adj* fandenivoldsk, ligeglad.
devilment ['devlmənt] *sb* spilopmageri; kådt, drilsk indfald; *out of sheer* ~ af ren og skær kådhed.
devilry ['devlri] *sb* djævelskab, djævelskhed; ondskabsfuld drilagtighed; djævle.
devil's bit *(bot)* djævelsbid.
devious ['di:viəs] *adj* afsides; vildsom; vildfarende; upålidelig; ~ *means* uærlige midler, krogveje; *by* ~ *paths* ad omveje.
devise [di'vaiz] *vb* opfinde, optænke, udtænke; *(jur)* testamentere; *sb* borttestamentering. **devisee** [devi'zi:, divai'zi:] *sb (jur)* arving (efter testamente). **devisor** [devi'zɔ:, divai'zɔ:] *sb (jur)* arvelader.
devitalization [di:vaitəlai'zeiʃən] *sb* nervebehandling (af en tand). **devitalize** [di:'vaitəlaiz] *vb* berøve livskraften, afkræfte; dræbe nerven i (en tand).
devoid [di'vɔid] *adj:* ~ *of* fri for, blottet for; ~ *of sense* meningsløs.
devolution [di:və'lu:ʃən] *sb* overgang (ved arv) *(on* til); overdragelse; degeneration.
devolve [di'vɔlv] *vb:* ~ *(up)on* overdrage til; gå i arv til; overgå til; tilfalde, påhvile.
Devon ['devn]. **Devonian** [de'vouniən] *adj* devonisk; som hører til Devonshire; *sb* indbygger i Devonshire.
Devonshire ['devnʃ(i)ə].
devote [di'vout] *vb* hellige, vie, ofre; ~ *all one's energy to* sætte al sin kraft ind på. **devoted** [di'voutid] *adj* hengiven; selvopofrende.
devotee [devə'ti:] *sb* entusiast, fanatiker; *bridge* ~ passioneret bridgespiller.
devotion [di'vouʃən] *sb* helligelse, hengivelse; opofrelse; hengivenhed; andagt, gudsfrygt; *-s pl* andagtsøvelser, andagt; ~ *to* (også) hengivenhed for; brændende optagethed af *(fx a cause); his* ~ *to football* hans fodboldentusiasme; ~ *to duty* pligttroskab. **devotional** [di'vouʃnəl] *adj* andægtig; opbyggelig, andagts-.
devour [di'vauə] *vb* sluge *(fx one's dinner; a novel);* fortære; *-ed by* (også) overvældet af *(fx anxiety).*
devout [di'vaut] *adj* from, religiøs; andægtig; oprigtig, inderlig *(fx prayer);* ivrig *(fx supporter).*
dew [dju:] *sb* dug; *vb* dugge.
dewberry ['dju:beri] *sb* behændighed, (finger)færdighed; dygtighed, hurtig opfattelsesevne.
dew|berry korbær. **-claw** ulveklo, vildtklo, femte (overtallig) klo. **-drop** dugdråbe. **-fall** dugfald. **-lap** løs hud under halsen; (hos kvæg) doglæp. **-point** dugpunkt.
dewy ['dju:i] dugget.
dexterity [deks'teriti] *sb* behændighed, (finger)færdighed; dygtighed, hurtig opfattelsesevne.
dexterous ['dekst(ə)rəs] *adj* behændig, øvet; fingerfærdig, fingernem; hurtig i opfattelsen.
dextral ['dekstrəl] *adj* højrehåndet; *zo* højrevendt.
dextrin(e) ['dekstrin] *sb* dekstrin.
dextrorotatory [dekstra'routətəri] *adj (kem)* højredrejende.
dextrose ['dekstrous] *sb* dekstrose, druesukker.
dextrous = *dexterous*
dey [dei] *sb* dej (tyrkisk guvernør).
D.F. *fk* Defender of the Faith; *direction finder.*
D.F.C. *fk* Distinguished Flying Cross.
D.F.M. *fk* Distinguished Flying Medal.
D.G. *fk* Dei Gratia af Guds nåde.
dg *fk* decigramme.
dhoti ['douti] *sb* (hindus) lændeklæde.
dhow [dau] *sb* dhow (enmastet arabisk fartøj).
diabetes [daiə'bi:ti:z] *sb* sukkersyge. **diabetic** [daiə'betik] *adj* sukkersyge-, *sb* diabetiker, sukkersygepatient.
diabolic(al) [daiə'bɔlik(l)] *adj* djævelsk, diabolsk.
diabolo [di'a:bolou] *sb* djævlespil.
diachronic [daiə'krɔnik] *adj* diakronisk, som tager hensyn til det historiske forløb.
diacritic [daiə'kritik] *adj* diakritisk; *sb* diakritisk tegn (tegn som angiver et bogstavs udtale, *fx* prik, accent).
diadem ['daiədem] *sb* diadem.
diagnose ['daiəgnouz] *vb* diagnosticere, stille en diagnose for.

diagnos|is [daiəg'nousis] *sb (pl -es* [daiəg'nousi:z]) diagnose.

diagnostic [daiəg'nɔstik] *adj* diagnostisk; *sb* kendetegn (på en sygdom), symptom.

diagonal [dai'ægənl] *sb, adj* diagonal; ~ *strut* skråstiver.

diagram [dai'əgræm] *sb* diagram, rids, figur.

dial ['daiəl] *sb* solskive, solur; urskive; talskive; *(tlf)* nummerskive; (radio) indstillingsskala; **S** ansigt; *vb (tlf)* dreje (et nummer); (radio:) stille ind på (radiostation).

dialect ['daiəlekt] *sb* dialekt. **dialectal** [daiə'lektl] *adj* dialektal, dialekt- *(fx differences).* **dialectic(al)** [daiə'lek-tik(l)] *adj* dialektisk, som hører til dialektikken; (også = *dialectal*); ~ *materialism* dialektisk materialisme.

dialectician [daiəlek'tiʃən] *sb* dialektiker.

dialectics [daiə'lektiks] *sb* dialektik.

dialling tone *(tlf)* klartone.

dialogue ['daiəlɔg] *sb* samtale, dialog; replikskifte.

dial| telephone automatisk telefon. ~ **tone** *(tlf)* klartone.

dialysis [dai'ælisis] *sb (kem)* ·dialyse.

diameter [dai'æmitə] *sb* diameter, tværmål.

diametrical [daiə'metrikl] *adj* diametrisk; diametral; *-ly opposed* diametralt modsat.

diamond ['daiəmənd] *sb* (også *typ)* diamant; rombe; (i kortspil) ruder; (i baseball) diamantstykket (inderste del af banen); ~ *cut* ~ høg over høg; *black* -s sorte diamanter; stenkul; *king of -s* ruder konge; se også *rough* ~.

diamond|back terrapin *zo* knopskildpadde. ~ **bird** *zo* diamantfugl. ~ **cutter** diamantsliber. ~ **jubilee** 60-årsdag. ~ **wedding** diamantbryllup.

Diana [dai'ænə].

diapason [daiə'peisn] *sb* toneregister, omfang (af stemme, instrument); stemmegaffel; kammertone; *(fig)* tonei, melodi; tonebrus; (i orgel): *open* ~ principal; *stopped* ~ gedackt, dækfløjte.

diaper ['daiəpə] *sb* rudet mønster; (håndklæde)stof med rombeformet *el.* rudet mønster; (især *am)* ble; *vb* forsyne med rudet mønster.

diaphanous [dai'æfənəs] *adj* gennemsigtig.

diaphragm ['daiəfræm] *sb (anat)* mellemgulv; skillevæg; *(zo, bot)* hinde, membran; *(fot)* blænder; *(med)* pessar.

diaphragmatic [daiəfræg'mætik] *adj* mellemgulvs-.

diarist ['daiərist] *sb* dagbogsforfatter.

diarrhoea [daiə'riə] *sb* diarré.

diary ['daiəri] *sb* dagbog; lommebog, lommekalender.

diastole [dai'æstəli] *sb* diastole (den rytmiske udvidelse af hjertet).

diathermy ['daiəθə:mi] *sb* diatermi.

diatonic [daiə'tɔnik] *adj* (i musik) diatonisk.

diatribe ['daiətraib] *sb* heftigt udfald, voldsom kritik; smædeskrift.

dibble ['dibl] *sb* plantestok, plantepind; *vb* lave huller (, plante) med plantepind, prikle; dible.

dibs [dibz] *sb pl* jetons; **S** stakater, gysser.

dice [dais] *sb (pl af die)* terninger; *vb* spille med terninger, rafle; skære i terninger *(fx -d carrots); it is no* ~ *(am* **S)** det mjælper *(el.* nytter) ikke, der er ikke noget at gøre.

dicebox raflebæger. **dicer** ['daisə] terningspiller.

dicey ['daisi] *adj* **S** risikabel, farlig.

dichotomy [dai'kɔtəmi] *sb* opdeling i to grupper, tvedeling, gaffeldeling; modsætning; *classification by* ~ todelt klassifikation.

I. Dick [dik] *fk Richard.*

II. dick [dik] *sb* **T** fyr; **S** opdager, detektiv; *(vulg)* pik; *take one's* ~ aflægge ed.

dickens ['dikinz] *sb* **T** (i ed:) fanden, pokker.

dicker ['dikə] *vb* tinge, prutte; *(fig am)* slå en handel af, lave en studehandel.

dickey ['diki] *sb* **S** åbent bagsæde i bil; kuskesæde på he-stekøretøj; 'klipfisk' (løst skjortebryst); snydebluse; pip-fugl; *adj* **S** sløj, dårlig; ussel; svag, rystende.

dickey seat se *dickey.* **dicky** se *dickey.*

dicky-bird pipfugl.

dicta *pl* af *dictum.*

dictaphone ['diktəfoun] *sb* ® diktafon.

I. dictate [dik'teit] *vb* diktere; befale.

II. dictate ['dikteit] *sb* befaling; diktat; magtsprog; bud *(fx* the *-s of* conscience).

dictating machine diktermaskine, dikteranlæg.

dictation [dik'teiʃən] *sb* diktat; *from* ~ efter diktat.

dictator [dik'teitə] *sb* diktator.

dictatorial [diktə'tɔ:riəl] *adj* diktatorisk.

dictatorship [dik'teitəʃip] *sb* diktatur, diktatorstilling.

diction ['dikʃən] *sb* ordvalg, diktion; foredrag.

dictionary ['dikʃən(ə)ri] *sb* ordbog, leksikon.

dictum ['diktəm] *sb (pl dicta* ['diktə]) udsagn; konklusion; autoritativ udtalelse; maksime.

did [did] *præt af do.*

didactic [di'dæktik] *adj* belærende, didaktisk; ~ *poem* læredigt. **didactics** *sb* didaktik.

didapper ['daidæpə] *sb = dabchick.*

diddle ['didl] *vb* snyde, fuppe; *(am)* fare op og ned (, frem og tilbage); drysse (tiden bort); ~ *sby out of his money* narre pengene fra en.

didn't ['didnt] = *did not.*

Dido ['daidou]. **dido** ['daidou] *sb (am* **T)** nummer, trick.

didy ['didi] *sb* ble.

I. die [dai] *vb* dø; omkomme; visne; dø hen, ophøre; (om plante) gå ud; ~ *away* dø hen *(fx* the noise died away); *be dying* være ved at dø, ligge for døden; *be dying for* længes efter, være helt syg efter; ~ *by the sword* falde for sværdet; ~ *down* dø hen; ~ *hard* kæmpe til det sidste; (også *fig)* være sejlivet, være svær at få bugt med; ~ *in one's boots* dø kæmpende, dø pludseligt, dø en voldsom død; ~ *in the last ditch,* se II. *last;* ~ *of grief* dø af sorg; ~ *off* dø bort, dø en efter en; ~ *out* uddø; *never say* ~! frisk mod!

II. die [dai] *sb (pl dice)* terning; *(pl dies)* møntstempel, prægestempel, matrice; *(screw* ~) skruebakke, gevind-skærer; *the* ~ *is cast* terningerne er kastet.

dieaway ['daiəwei] *adj* smægtende.

die-cast ['daika:st] *vb* trykstøbe.

diehard ['daiha:d] *adj, sb* stokkonservativ, reaktionær; en som sælger sit liv dyrt.

dielectric [daii'lektrik] *adj* elektrisk isolerende; *sb* dielektrikum, isolator.

diesel ['di:zəl] *sb* dieselmotor; diesellokomotiv; ~ *engine* dieselmotor; ~ *oil* dieselolie.

diesinker ['daisiŋkə] *sb* stempelskærer; matricefræsema-skine.

I. diet ['daiət] *sb* rigsdag, landdag; kongres.

II. diet ['daiət] *sb* kost; diæt; *vb* sætte på diæt; spise; holde diæt.

dietary ['daiətəri] *adj* diæt-; *sb* diætkost, diæt; diætfor-skrift; diætseddel.

dietetic [daii'tetik] *adj* diætetisk. **dietetics** *sb* diætetik.

dietician [daiə'tiʃən] *sb* diætetiker, ernæringsfysiolog.

differ ['difə] *vb* være forskellig, afvige *(from* fra); være uenig *(from, with* med); *agree to* ~ blive enige om at lade hver beholde sin mening; *I beg to* ~ jeg er ikke enig med Dem; jeg tillader mig at være af en anden mening; ~ *from* (også) adskille sig fra.

difference ['difrəns] *sb* forskel, forskellighed, afvigelse; særpræg; (~ *of opinion)* uenighed, strid; mellemværende; *make a* ~ betyde noget; *what one eats* det betyder noget hvad man spiser; *that makes all the* ~ det var noget helt andet; det er noget der batter; *it makes no* ~ det har ikke noget at sige; det gør ikke noget; *settle the* ~ bilægge striden; *split the* ~ se I. split.

different ['difrənt] *adj* forskellig *(from* fra); anderledes *(from* end); særpræget; *that is* ~ det er noget andet *(el.* en anden sag); *she wore a* ~ *hat* hun havde en anden hat på.

differential [difə'renʃəl] *adj* differential, angivende forskel, forskels-; differentieret, særlig; *sb* lønforskel, prisforskel; *(tekn)* differentiale.

differential| calculus differentialregning. ~ **gear** differentiale; differentialtandhjul. ~ **pulley block** differentialtalje. ~ **tariff** differentialtarif.

differentiate [difə'renʃieit] *vb* differentiere; skelne, sondre, adskille; skille sig ud. **differentiation** [difərenʃi'eiʃən] *sb* differentiering, skelnen, adskillelse.

difficult ['difikəlt] *adj* vanskelig, svær.

difficulty ['difikəlti] *sb* vanskelighed; forlegenhed; *find* ~ *in sth* finde noget vanskeligt, have svært ved noget; *make (el. raise) difficulties* komme med indvendinger, gøre

knuder.
diffidence ['difidəns] *sb* frygtsomhed, mangel på selvtillid, spagfærdighed. **diffident** ['difidənt] *adj* forknyt, frygtsom, som mangler selvtillid, spagfærdig, forsagt.
diffraction [di'frækʃən] *sb* diffraktion, bøjning (af lysstråle).
I. diffuse [di'fju:z] *vb* udbrede; sprede; *(fys)* blande(s), blande sig, diffundere.
II. diffuse [di'fju:s] *adj* spredt *(fx light)*; diffus, vidtløftig, bred, snakkesalig *(fx speaker)*.
diffusible [di'fju:zəbl] *adj* som kan udbredes.
diffusion [di'fju:ʒən] *sb* spredning, udbredelse; *(fys også)* blanding, diffusion.
diffusive [di'fju:siv] *adj* spredt, udbredt; vidtløftig.
I. dig [dig] *vb (dug, dug)* grave; grave op; støde, puffe; **S** slide; logere; *(am* **S)** forstå; bryde sig om; bemærke; lytte til; ~ *for* grave efter; ~ *in* grave ned; bo midlertidigt *(with* hos); ~ *in the spurs* hugge sporerne i; ~ *in one's toes* gøre sej modstand; (kridte skoene og) stå fast; ~ *oneself in (mil.)* grave sig ned; *(fig)* forskanse sig, befæste sin stilling; gå i gang; ~ *into* **T** *(fig)* grave sig ned i; gøre indhug i *(fx one's savings)*, kaste sig over *(fx one's work, a meal)*; ~ *out* grave frem; ~ *up* grave frem (, op); *(fig* også) 'spytte i bøssen', yde bidrag; skaffe (penge).
II. dig [dig] *sb* stød, puf; *(fig)* hib, snært; *(arkæol)* udgravning; *(am* **S)** slider; *have a* ~ *at* sby give en et hib; *give him a* ~ *in the ribs* puffe ham i siden; (se også *digs)*.
I. digest [ˈdaidʒest] *sb* udtog, oversigt, sammendrag; *(jur)* lovbog.
II. digest [d(a)i'dʒest] *vb* fordøje; lade sig fordøje; tilegne sig; ordne, bringe i system, gennemtænke.
digester [di'dʒestə] *sb* fordøjelsesmiddel; *Papin's Digester* Papins gryde. **digestible** [di'dʒestəbl] *adj* fordøjelig.
digestion [di'dʒestʃən] *sb* fordøjelse; digestion; (af kloakslam) udrådning; *(fig)* forståelse. **digestive** [di'dʒestiv] *adj* fordøjelses- *(fx trouble)*; fordøjelsesfremmende, god for fordøjelsen; *sb* middel som fremmer fordøjelsen.
digger ['digə] *sb* guldgraver; **S** australier; *zo* gravehveps; *I say, old* ~ *!* hør, du gamle!
digger| shield = *digging shield*. ~ **wasp** *zo* gravehveps.
digging ['digin] *sb* gravning; guldgravning; udgravet materiale: *-s* (guld)minedistrikt; **T** bolig, logi; ~ *shield* tunnelleringsskjold.
digit ['didʒit] *sb* tå, finger; fingersbred; encifret tal, ciffer *(fx the number 1960 contains four -s)*.
digital ['didʒitəl] *adj* finger-; *sb* tangent (på musikinstrument).
digital computer cifferregnemaskine.
digitalis [didʒi'teilis] *sb (bot)* fingerbøl, digitalis.
digitate ['didʒitit] *adj (bot)* fingret (om blad).
digitigrade ['didʒitigreid] *sb* tågænger.
dignified ['dignifaid] *adj* værdig. **dignify** ['dignifai] *vb* ophøje, udmærke, hædre; beære, kaste glans over; besmykke, give et fint navn.
dignitary ['dignitəri] *sb* høj gejstlig, høj embedsmand; dignitar, standsperson; *dignitaries* honoratiores.
dignity ['digniti] *sb* værdighed, ophøjethed; *stand on one's* ~ holde på sin værdighed.
digraph ['d(a)igra:f] *sb* digraf (to bogstaver der betegner én lyd, *fx* 'ea' i ordet *beat)*.
digress [dai'gres] *vb* komme bort fra emnet; gøre sidespring. **digression** [d(a)i'greʃən] *sb* digression, sidespring, afstikker, uvedkommende bemærkning.
digressive [d(a)i'gresiv] *adj* fuld af sidespring; side-.
digs [digz] *sb pl* **T** bolig, logi.
dike [daik] *sb* dige, dæmning; grav, grøft; *(geol)* gang; *vb* inddige, inddæmme; afgrøfte; grave. **diker** ['daikə] *sb* grøftegraver.
dilapidate [di'læpideit] *vb* forsømme, lade forfalde; (uden objekt) forfalde. **dilapidated** [di'læpideitid] *adj* forsømt, forfalden; medtaget; faldefærdig, brøstfældig. **dilapidation** [dilæpi'deiʃən] *sb* brøstfældighed, forfald; løse klippestykker.
dilatation [dailei'teiʃən, dilə-] *sb* udvidelse.
dilate [d(a)i'leit] *vb* udvide, udspile; udvide sig *(fx the pupils of his eyes -d in the dark)*; udbrede sig, tale vidt og bredt *(on* om). **dilation** [d(a)i'leiʃən] *sb* udvidelse.

dilatory ['dilətəri] *adj* sendrægtig, nølende; forhalings- *(fx policy, tactics)*.
dilemma [d(a)i'lemə] *sb* dilemma.
dilettan|te [dili'tænti] *sb (pl -ti* [-ti]) dilettant.
dilettantism [dili'tæntizm] *sb* dilettanteri.
diligence *sb* ['dilidʒəns] flid; ['diliʒɑ:ns] diligence.
diligent ['dilidʒənt] *adj* flittig, omhyggelig.
dill [dil] *sb (bot)* dild.
dilly-dally ['dilidæli] *vb* nøle, tøve, vakle; smøle.
diluent ['diljuənt] *sb* opløsningsvæske, fortynder.
dilute [d(a)i'l(j)u:t] *vb* fortynde, spæde op; (også *fig)* udvande; (uden objekt) lade sig fortynde; *adj* fortyndet; ~ *labour* antage ufaglært arbejdskraft.
dilution [d(a)i'l(j)u:ʃən] *sb* fortynding, opspædning, opblanding; *(fig)* udvanding, udtynding.
diluvial [d(a)i'lu:viəl] *adj (geol)* diluvial-; smeltevands-.
dim [dim] *adj* uklar, tåget, dunkel; mat, svag *(fx his sight was* ~*)*; utydelig *(fx a* ~ *sound)*; sløret; **T** dum, kedelig; *vb* dæmpe, afblænde; (om billygte) blænde ned; *(fig)* gøre uklar, sløre *(fx eyes -med with tears)*; (uden objekt) blive mat, blive uklar; *take a* ~ *view of* se **I. view.**
dim. *fk diminutive.*
dime [daim] *sb (am)* ticent; *they are a* ~ *a dozen (fig)* den slags er der ingen mangel på; dem går der tretten på dusinet af. **dime novel** knaldroman.
dimension [di'menʃən] *sb* dimension, omfang, mål; *-s* (også) størrelse *(fx a house of considerable -s)*.
I. dimidiate [di'midiit] *adj* halveret.
II. dimidiate [di'midieit] *vb* halvere.
diminish [di'miniʃ] *vb* formindske; formindskes; *the law of -ing returns* det aftagende udbyttes lov.
diminution [dimi'nju:ʃən] *sb* formindskelse.
diminutive [di'minjutiv] *adj* diminutiv, meget lille; *sb* diminutiv, formindskelsesord.
dimmer ['dimə] *sb* lysdæmper, modstand; (i bil) nedblændingskontakt.
dimple ['dimpl] *sb* lille fordybning, smilehul; (ved svejsning) trykforsænkning; *vb* danne små fordybninger i; kruse; kruse sig; få smilehuller.
dimpled ['dimpld], **dimply** ['dimpli] *adj* med små fordybninger; kruset; med smilehuller.
dimwit *sb* fjols, tåbe.
din [din] *sb* larm, drøn; *vb* larme, drøne; ~ *it into his ears* banke det ind i hovedet på ham.
dine [dain] *vb* spise til middag, dinere; ~ *him* beværte (el. traktere) ham med middagsmad; invitere ham på middag; ~ *and wine him* traktere ham med middag og vin; give en fin middag for ham; *this table -s twelve comfortably* der kan magelig spise 12 personer til middag ved dette bord; ~ *off (el. on)* roast goose få gåsesteg til middag; ~ *out* spise til middag ude; **S** klare sig uden middagsmad.
diner ['dainə] *sb* middagsgæst; spisevogn. **diner-out** en som ofte spiser ude, middagsherre.
dinette [dai'net] *sb* spisekrog, spiseplads.
ding-dong ['dindɔŋ] *sb* dingdang; ~ *fight* kamp med stadig skiftende held; meget jævnbyrdig kamp; forrygende slagsmål.
dinge [din(d)ʒ] *vb* lave bule(r) i.
dinghy ['dingi] *sb* jolle; sejljolle; *(flyv)* gummibåd.
dingle ['dingl] *sb* dyb, snæver dal.
dingo ['dingou] *sb zo* vild hund (i Australien).
dingus ['dinəs] *sb (am* **S)** tingest.
dingy ['din(d)ʒi] *adj* snusket, snavset, lurvet; mørk.
dining| alcove spisekrog. ~ **car,** ~ **coach** spisevogn. ~ **room** spisestue. ~ **table** spisebord.
dinkey ['dinki] *sb* lille lokomotiv, rangerlokomotiv.
dinkum ['dinkəm] *adj (austr)* ægte, rigtig.
dinky ['dinki] *adj* **T** sød, fiks; lille(bitte).
dinner ['dinə] *sb* middag, middagsmad; festmiddag.
dinner| hour middagspause. ~ **jacket** smoking. ~ **mat** dækkeserviet. ~ **party** middagsselskab. ~ **service,** ~ **set** spisestel.
dinosaur ['dainəsɔ:] *sb* dinosaurus.
dint [dint] *sb* mærke af slag *el.* stød; hak, bule; *vb* lave bule(r) i; *by* ~ *of* ved hjælp af.
diocesan [dai'ɔsisən] *adj* stifts-.
diocese ['daiəsis] *sb* stift, bispedømme.

dioecious [dai'i:ʃəs] *adj (bot)* tvebo.
Dionysus [daiə'naisəs] Dionysos.
diopter [dai'ɔptə] *sb* dioptri (enhed for linsestyrke).
dioptric [dai'ɔptrik] *adj* dioptrisk. **dioptrics** *sb* dioptrik, lære om lysstrålernes brydning.
dioxide [dai'ɔksaid] *sb (kem)* dioxyd.
dip [dip] *vb* dukke, synke *(el.* gå) ned; sænke sig, skråne *(fx the road -s); (flyv)* dykke; (med objekt) dyppe, farve (ved at dyppe), støbe lys (ved at dyppe en væge i talg); hælde, øse; *sb* dukkert; dypning; dykning; hældning, sænkning, lavning; fald *(fx a ~ in prices);* tællelys, spiddelys; magnetnålens inklination; ~ *the flag* kippe flaget; ~ *the headlights* blænde ned; ~ **into** stikke hånden (, fingeren) i *(fx a jam jar); (fig)* kigge i *(fx a book);* se lidt på, beskæftige sig overfladisk med; ~ *into one's purse (fig)* gøre et greb i lommen; ~ *one's hand into* stikke hånden ned i.
diphtheria [dif'θiəriə] *sb* difteritis, difteri.
diphthong ['difθɔŋ] *sb* tvelyd, diftong.
diphthongize ['difθɔŋgaiz] *vb* diftongere.
diploma [di'ploumə] *sb* diplom; eksamensbevis; afgangsbevis.
diplomacy [di'ploumesi] *sb* diplomati. **diplomat** ['dipləmæt] *sb* diplomat. **diplomatic** [diplə'mætik] *adj* diplomatisk; *the ~ body (el. corps)* det diplomatiske korps; *the ~ service* udenrigstjenesten. **diplomatics** *sb* diplomatik, håndskriftsvidenskab.
diplomatist [di'ploumətist] *sb* diplomat.
dip needle inklinationsnål.
dipper ['dipə] *sb* øse; *zo* vandstær; (i bil) nedblændingskontakt; (på gravemaskine) graveskovl; *the (Big) Dipper (am, astr)* Den store Bjørn; *the Little Dipper (am, astr)* Den lille Bjørn.
dipping needle inklinationsnål.
dippy ['dipi] *adj* S skør, gal, tosset.
dipsomania [dipsə'meinjə] *sb* dipsomani, periodisk forfaldenhed til drik. **dipsomaniac** [dipsə'meinjæk] *adj* dipsoman, kvartalsdranker.
dipstick (oliestands)målepind; pejlstok.
diptera ['diptərə] *sb pl zo* tovingede insekter.
dipterous ['diptərəs] *adj* tovinget.
dire ['daiə] *adj* skrækkelig, sørgelig; *(glds, poet)* svar; *out of ~ necessity* tvunget af den hårde nød.
direct [di'rekt, dai-] *adj* lige; direkte; umiddelbar; ligefrem; *vb* lede *(fx the work),* dirigere *(fx an orchestra);* styre *(fx one's steps towards the house),* rette, henvende *(fx one's remarks to sby; one's attention to sth);* anvise; befale, beordre *(fx ~ them to advance slowly);* vise vej; (om brev) adressere; (film *etc)* iscenesætte; *the ~ opposite of* det stik modsatte af; *in ~ ratio to* ligefrem proportional(t) med.
direct| current jævnstrøm. ~ **grant school** *grammar school* der modtager direkte statstilskud. ~ **hit** fuldtræffer.
direction [di'rekʃən, dai-] *sb* retning; ledelse, styring; direktion, bestyrelse; anvisning; adresse; *-s for use* brugsanvisning.
directional [di'rekʃənl] *adj: ~ aerial* retningsantenne, pejleantenne; ~ *gyro* kursgyro; ~ *light* retningsfyr.
direction| finder pejleapparat. ~ **indicator** (på bil) retningsviser, adviser; *(flyv)* retningsindikator.
directive [di'rektiv, dai-] *adj* ledende; *sb* direktiv.
directly [di'rektli, dai-] *adv* lige; direkte; umiddelbart; straks, om et øjeblik; *conj* så snart, straks da.
directness [di'rektnis, dai-] *sb* lige retning; ligefremhed; umiddelbarhed.
director [di'rektə, dai-] *sb* leder; vejleder; bestyrer, direktør; *(merk)* bestyrelsesmedlem; (af film *etc)* instruktør; (af hørespil) iscenesætter, instruktør; *(mil.)* korrektør. **directorate** [di'rektərit, dai-] *sb* direktorat, direktion.
directory [di'rektəri, dai-] *adj* vejledende; *sb* adressebog, vejviser; telefonbog; ~ *inquiries (tlf,* svarer til) nummerkontoret.
directress [di'rektris, dai-] *sb* bestyrerinde, direktrice.
directrix [di'rektriks, dai-] *sb (mil.)* kernelinie; *(mat)* ledelinie, ledekurve.
direful ['daiəful] *adj* frygtelig, forfærdende.
dirge [də:dʒ] *sb* klagesang, sørgesang.
dirigible ['diridʒəbl] *sb* styrbart luftskib.

dirk [də:k] (især skotsk) *sb* dolk; *vb* dolke.
dirt [də:t] *sb* smuds, snavs, skarn, *(fig)* svineri, sjofelhed(er); jord; (ved udvaskning af guld) grus; *do ~ to (el. on)* = *do the dirty on,* se *dirty; eat ~* lade sig byde hvad som helst; *fling (el. throw) ~ at* kaste smuds på, bagtale; *treat sby like ~* behandle en sjofelt; *yellow ~* guld.
dirt| cheap latterlig billig, til spotpris. ~ **road** *(am)* jordvej, markvej. ~ **track** slæggebane (til motorcykelvæddeløb). ~ **-track racing** dirt track.
dirty ['də:ti] *adj* snavset, smudsig; som fremkalder radioaktiv forurening *(fx bomb); (fig)* tarvelig, gemen; slibrig, uanstændig, sjofel *(fx story),* svinsk; *vb* gøre snavset; tilsmudse; snavse *(el.* svine) til; blive snavset; *do the ~ on* behandle sjofelt; lave en svinestreg mod; snyde; *a ~ look* et vredt *(el.* olmt) blik; *a ~ old man* en gammel gris; *a ~ trick* en svinestreg; ~ *weather* stormvejr; ~ *word* uartigt ord; ~ *work* lumskeri; *do sby's ~ work for him* gøre det grove arbejde for én.
disability [disə'biliti] *sb* inkompetence; uegnethed, mangel på evne; handicap; *(jur)* inhabilitet.
disable [dis'eibl] *vb* gøre utjenstdygtig; gøre til invalid; gøre ubrugbar; diskvalificere, gøre uarbejdsdygtig; *(jur)* gøre inhabil; ~ *him from doing it* sætte ham ud af stand til at gøre det. **disabled** [dis'eibld] *adj* invalid, handicappet; *(mil.)* ukampdygtig; invalid; (om bil *etc)* havareret; ~ *soldier* krigsinvalid; ~ *vessel (mar)* havarist.
disablement [dis'eiblmənt] *sb* diskvalifikation; erhvervsudygtighed; invaliditet; ukampdygtighed.
disabuse [disə'bju:z] *vb* desillusionere; bringe *(el.* rive) ud af vildfarelse; ~ *of* befri *(el.* frigøre) for.
disaccord [disə'kɔ:d] *vb* nægte at give sin tilslutning; disharmonere; *sb* uoverensstemmelse, disharmoni.
disadvantage [disəd'va:ntidʒ] *sb* skade; ulempe, uheldigt forhold; mangel; *vb* være til skade for, skade; *at a ~* uheldig stillet. **disadvantaged** [disəd'va:ntidʒd] *adj* handicappet *(fx children).*
disadvantageous [disədva:n'teidʒəs] *adj* ufordelagtig.
disaffected [disə'fektid] *adj* utilfreds, misfornøjet, fjendtlig stemt over for regering *el.* øvrighed.
disaffection [disə'fekʃən] *sb* utilfredshed, misfornøjelse, oprør.
disagree [disə'gri:] *vb* være uenig; ikke stemme overens; *lobster -s with me* jeg kan ikke tåle hummer.
disagreeable [disə'griəbl] *adj* ubehagelig.
disagreement [disə'gri:mənt] *sb* uoverensstemmelse, uenighed; strid.
disallow [disə'lau] *vb* forkaste; afvise; nægte at acceptere; ~ *(of)* misbillige. **disallowance** [disə'lauəns] *vb* forkastelse; afvisning; misbilligelse.
disappear [disə'piə] *vb* forsvinde.
disappearance [disə'piərəns] *sb* forsvinden.
disappoint [disə'pɔint] *vb* skuffe; narre *(of* for); (om plan) forpurre, vælte; *I'm -ed in you* jeg er skuffet over Dem.
disappointment [disə'pɔintmənt] *sb* skuffelse.
disapprobation [disæprə'beiʃən] *sb* misbilligelse.
disapproval [disə'pru:vəl] *sb* misbilligelse.
disapprove [disə'pru:v] *vb: ~ (of)* misbillige, være imod; afvise, forkaste.
disarm [dis'a:m] *vb* afvæbne; afruste, nedruste; desarmere, uskadeliggøre *(fx a bomb).* **disarmament** [dis'a:məmənt] *sb* afvæbning; afrustning, nedrustning; desarmering, uskadeliggørelse.
disarrange ['disə'reindʒ] *vb* bringe i uorden.
disarrangement ['disə'reindʒmənt] *sb* uorden, forvirring.
disarray ['disə'rei] *vb* bringe i uorden; afklæde; *sb* uorden, forvirring.
disassemble ['disə'sembl] *vb* demontere, skille ad.
disaster [diz'a:stə] *sb* ulykke, katastrofe.
disastrous [di'za:strəs] *adj* ulykkelig, katastrofal.
disavow ['disə'vau] *vb* fralægge sig ansvaret for, nægte at vedkende sig, desavouere. **disavowal** [disə'vauəl] *sb* fralæggelse af ansvar, desavouering.
disband [dis'bænd] *vb* hjemsende; opløse; opløse sig.
disbandment [dis'bændmənt] *sb* hjemsendelse; opløsning.
disbar [dis'ba:] *vb: ~ sby* fratage én advokatbestalingen.
disbelief ['disbi'li:f] *sb* vantro, tvivl.
disbelieve ['disbi'li:v] *vb* ikke tro *(in* på); vægre sig ved at tro på, tvivle om. **disbeliever** ['disbi'li:və] *sb: a ~* en som

ikke tror; en vantro.
disburden [dis'bəːdn] *vb* befri for en byrde; lette *(of* for);
~ *one's mind* lette sit hjerte.
disburse [dis'bəːs] *vb* udbetale. **disbursement** [dis'bəːsmənt]
sb udbetaling, udgift, udlæg.
disc [disk] *sb* rund skive *(el.* plade); grammofonplade;
(anat) diskus.
I. discard [dis'kaːd] *vb* (i kortspil) kaste af; (om tøj) tage
af, lægge; (om noget ubrugeligt) udrangere, kassere; *(fig*
også) kaste, lade falde, opgive; (om vane) aflægge; ~
hearts kaste af i hjerter.
II. discard ['diskaːd] *sb* afkast (i kortspil).
discern [dis'səːn] *vb* se, skelne, opdage; erkende. **discernible**
[di'səːnəbl] *adj* som kan skelnes. **discerning** [di'səːniŋ] *adj*
forstandig; skarpsindig; kritisk. **discernment** [di'səːnmənt]
sb skelnen; dømmekraft; skarpsindighed.
I. discharge [dis'tʃaːdʒ] *vb* udsende *(fx smoke),* afgive,
give fra sig, udtømme, udlede *(fx the factory -s its waste
into the river),* (lade) strømme ud; fjerne; (om våben) af-
skyde *(fx an arrow),* affyre *(fx a gun); (elekt)* udlade,
aflade; *(med.)* udsondre, afsondre, væske (om sår);
(mar) losse *(fx the ship, the cargo);* (om person) afske-
dige; (om fange) frigive, løslade, *(mil.)* hjemsende,
(mar) afmønstre, (om patient) udskrive; (om forplig-
telse, hverv) udføre *(fx one's duties),* opfylde, betale *(fx
a debt).*
II. discharge ['distʃaːdʒ, dis'tʃaːdʒ] *sb (cf I. discharge)* af-
givelse, udtømmelse, udledning, udstrømning; fjernelse;
udløb, afløb; afskydning, affyring, salve; *(elekt)* udlad-
ning, afladning; *(med.)* udsondring, afsondring, udflod;
(mar) losning; (om person) afskedigelse; frigivelse, løsla-
delse, hjemsendelse, afmønstring, udskrivning; (om for-
pligtelse) udførelse *(fx the* ~ *of one's duties),* opfyldelse,
betaling; *the* ~ *of one's office* ens embedsførelse; *port of*
~ lossehavn.
discharge| **book** søfartsbog. ~ **pipe** afløbsrør, spildevands-
rør.
disc harrow diskharve.
disciple [di'saipl] *sb* discipel. **discipleship** [di'saiplʃip] *sb* di-
scipels stilling *el.* forhold.
disciplinarian [disipli'nεəriən] *adj* disciplinær; *sb: a strict*
~ en der holder streng disciplin.
disciplinary ['disiplinəri] *adj* disciplinær.
discipline ['disiplin] *sb* disciplin, mandstugt; opdragelse;
tugtelse; disciplin, fag, videnskabsgren; *vb* disciplinere;
tugte, opdrage; *breach of* ~ brud på disciplinen, discipli-
nær forseelse.
disc jockey T grammofoncausør, pladevender (i radio).
disclaim [dis'kleim] *vb* ikke anerkende, forkaste, afvise, be-
nægte; fralægge sig *(fx responsibility);* frasige sig, op-
give; ~ *knowledge of it* nægte at kende noget til det; ~
(assets and) liabilities upon succeeding to property fragå
arv og gæld.
disclaimer [dis'kleimə] *sb* fralæggelse; fornægtelse; benæg-
telse; dementi; opgivelse.
disclose [dis'klouz] *vb* åbenbare, afsløre, røbe *(fx a se-
cret).*
disclosure [dis'klouʒə] *sb* åbenbarelse, afsløring.
discoid ['diskɔid] *adj* skiveformet.
discoloration [diskʌlə'reiʃən] *sb* affarvning; misfarvning;
plet, skjold. **discolour** [dis'kʌlə] *vb* affarve, forandre far-
ven på; plette; blive affarvet *(el.* misfarvet), skifte farve.
discomfit [dis'kʌmfit] *vb:* ~ *sby* bringe en ud af fatning;
tage modet fra en; sætte en i forlegenhed; forpurre ens
planer; *(glds)* slå en på flugt. **discomfiture** [dis'kʌmfitʃə]
sb forvirring; forstyrrelse; skuffelse; nederlag.
discomfort [dis'kʌmfət] *sb* ubehag, ubehagelighed, gene; *vb*
genere, volde ubehag.
discommode [diskə'moud] *vb* genere, besvære.
discompose [diskəm'pouz] *vb* forurolige, forstyrre, bringe
ud af fatning. **discomposure** [diskəm'pouʒə] *sb* uro, mang-
el på fatning, sindsoprør.
disconcert [diskən'səːt] *vb* gøre forlegen, bringe ud af fat-
ning; tilintetgøre, forpurre; *-ed* (også) befippet; *-ing* for-
virrende, desorienterende, forbløffende.
disconnect ['diskə'nekt] *vb* adskille, frakoble, sætte ud af
forbindelse, afbryde; *-ed* usammenhængende; *(tlf)* af-
brudt. **disconnection** ['diskə'nekʃən] *sb* adskillelse; fra-

kobling; mangel på sammenhæng; afbrydelse.
disconsolate [dis'kɔnsəlit] *adj* trøstesløs; utrøstelig.
discontent ['diskən'tent] *adj* misfornøjet, utilfreds; *sb* mis-
fornøjelse, utilfredshed; *the -s* de misfornøjede, de util-
fredse.
discontented ['diskən'tentid] *adj* misfornøjet, utilfreds.
discontinuance [diskən'tinjuəns], **discontinuation** [diskəntin-
ju'eiʃən] *sb* afbrydelse, ophør.
discontinue ['diskən'tinjuː] *vb* holde op med, afbryde *(fx
the connection with sby);* inddrage *(fx a grant),* lade gå
ind *(fx a newspaper),* nedlægge *(fx a railway line),*
standse; (om abonnement) sige af; *(med.)* seponere;
(uden objekt) standse, ophøre.
discontinuous [diskən'tinjuəs] *adj* usammenhængende, af-
brudt.
discord ['diskɔːd] *sb* disharmoni; mislyd, dissonans; uover-
ensstemmelse, uenighed, strid, splid.
discordance [dis'kɔːdəns] *sb* disharmoni, mislyd; uoverens-
stemmelse.
discordant [dis'kɔːdənt] *adj* uharmonisk; uoverensstem-
mende.
discotheque ['diskətek] *sb* diskotek (restaurant hvor der
danses til grammofonmusik).
I. discount [dis'kaunt, 'diskaunt] *vb (merk)* fradrage; (om
veksel) diskontere, (om varer) udbyde (, sælge) til nedsat
pris, nedsætte, give rabat på; *(fig)* trække fra *(fx you
will have to* ~ *much of what he says about her),* ignorere,
ikke tage hensyn til; se bort fra, lade ude af betragtning
(fx that possibility may be -ed); (om fremtidig begiven-
hed) foruddiskontere.
II. discount ['diskaunt] *sb* rabat, fradrag, dekort; *be at a* ~
stå under pari; være til købs til billige priser; *(fig)* stå i
lav kurs; *sell at a* ~ sælge til underkurs (, til nedsat pris,
med rabat).
discountenance [dis'kauntinəns] *vb* bringe ud af fatning;
ikke støtte; modarbejde, misbillige, tage afstand fra *(fx
the Government -d the plan).*
discounter ['diskauntə] *sb* diskontør.
discount house rabatvarehus; diskontobank.
discount rate diskonto.
discourage [dis'kʌridʒ] *vb* tage modet fra, gøre modløs; af-
skrække; søge at hindre, modvirke; ~ *him from doing it*
søge at hindre ham i at gøre det, få ham fra det.
discouragement [dis'kʌridʒmənt] *sb* afskrækkelse; modløs-
hed; modarbejdelse. **discouraging** *adj* nedslående.
discourse [dis'kɔːs, 'diskɔːs] *sb* samtale; tale; foredrag;
prædiken; [dis'kɔːs] *vb* samtale, tale; holde foredrag om;
afhandle, tale om.
discourteous [dis'kɔːtjəs] *adj* uhøflig. **discourtesy** [dis'kəːtisi]
sb uhøflighed.
discover [dis'kʌvə] *vb* opdage *(fx an unknown country, a
plot; that one's car is stolen); (glds)* åbenbare, vise,
røbe; *John is -ed seated before an open fire (teat)* da
tæppet går op ses John siddende ...; *-ed check* afdækker-
skak.
discoverer [dis'kʌvərə] *sb* opdager *(fx af nyt land).*
discovery [dis'kʌvəri] *sb* opdagelse *(fx the* ~ *of America);*
fund; *(jur)* fremlæggelse.
disc recording pladeoptagelse, grammofonoptagelse.
discredit [dis'kredit] *sb* skam, miskredit; mistro, tvivl; *vb*
bringe i miskredit; ikke (ville) tro; *bring* ~ *on* bringe i
miskredit, bringe i vanry; *throw* ~ *on* svække tilliden til.
discreditable [dis'kreditəbl] *adj* vanærende, beskæmmende.
discreet [dis'kriːt] *adj* diskret; forsigtig, betænksom; takt-
fuld.
discrepancy [dis'krepənsi] *sb* uoverensstemmelse, modstrid;
forskel. **discrepant** [dis'krepənt] *adj* uoverensstemmende,
modsigende, modstridende.
discrete [dis'kriːt] *adj* afsondret; adskilt.
discretion [dis'kreʃən] *sb* diskretion; konduite, betænksom-
hed, forsigtighed, skønsomhed, klogskab, takt; forgodt-
befindende, skøn; *come to (el. arrive at) years of* ~
komme til skelsår og alder; *at* ~ efter skøn, efter behag
(fx payment at ~*); surrender at* ~ overgive sig på nåde
og unåde; ~ *is the better part of valour* forsigtighed er en
borgmesterdyd; *use one's own* ~ handle efter eget skøn;
within one's ~ efter eget skøn.
discretionary [dis'kreʃənəri] *adj* efter skøn, skønsmæssig;

have large ~ *powers (omtr)* have vide beføjelser.
I. discriminate [dis'krimineit] *vb* skelne; diskriminere, gøre forskel (på); (ad)skille; ~ *against sby* udsætte en for forskelsbehandling, stille en ringere.
II. discriminate [dis'kriminit] *adj* skønsom, indsigtsfuld.
discriminating [dis'krimineitiŋ] *adj* indsigtsfuld, skarpsindig; fintmærkende, kræsen *(fx taste)*; kritisk; karakteristisk; diskriminerende.
discrimination [diskrimi'neiʃən] *sb* skelnen, sondring, skelneevne, skarpt blik; forskelsbehandling; *racial* ~ racediskrimination.
discriminative [dis'kriminətiv] *adj* karakteristisk; fint skelnende; uensartet, ikke ens for alle.
discriminatory [dis'kriminətəri] *adj* diskriminerende.
discursive [dis'kɔːsiv] *adj* springende, vidtløftig; ræsonnerende, logisk sluttende, diskursiv.
discus ['diskəs] *sb (pl disci* ['diskai]) diskos.
discuss [dis'kʌs] *vb* drøfte, diskutere, debattere; overveje; gøre rede for; omtale, behandle; **T** fortære, nyde.
discussion [dis'kʌʃən] *sb* drøftelse, diskussion, behandling.
disc valve tallerkenventil.
disdain [dis'dein] *sb* foragt, ringeagt; *vb* foragte, ringeagte, forsmå.
disdainful [dis'deinf(u)l] *adj* ringeagtende, hånlig.
disease [di'ziːz] *sb* sygdom; sygelighed. **disease carrier** smittebærer. **diseased** [di'ziːzd] *adj* syg; angreben (af sygdom); sygelig.
disembark ['disim'baːk] *vb* udskibe, landsætte; gå i land, gå fra borde. **disembarkation** [disemba'keiʃən] *sb* udskibning, landsætning; landgang; *port of* ~ udskibningshavn (ɔ: hvor man går i land).
disembarrass ['disim'bærəs] *vb* befri *(of* for).
disembarrassment [disim'bærəsmənt] *sb* befrielse.
disembodied ['disim'bɔdid] *adj* ulegemlig, frigjort fra legemet; abstrakt.
disembogue [disim'boug] *vb* (om flod) munde ud; strømme ud; udtømme.
disembowel [disim'bauəl] *vb* sprætte maven op på; tage indvoldene ud af.
disenchant [disin'tʃaːnt] *vb* desillusionere.
disencumber ['disin'kʌmbə] *vb* befri (for en byrde); aflaste.
disengage ['disin'geidʒ] *vb* gøre fri, løse, befri; *(tekn)* udløse (kobling), udkoble; *(mil.)* afbryde kontakt med fjenden. **disengaged** ['disin'geidʒd] *adj* fri, ledig, ikke optaget. **disengagement** ['disin'geidʒmənt] *sb* befrielse; frigørelse; frihed; *(mil.)* afsætningsbevægelse; afbrydelse af kontakt.
disentangle ['disin'tæŋgl] *vb* udrede; vikle løs; frigøre; bringe i orden; blive udredet, komme løs, frigøre sig; ~ *the threads* rede trådene ud. **disentanglement** [disin'tæŋglmənt] *sb* udredning; befrielse.
disentomb ['disin'tuːm] *vb* tage op af graven; *(fig)* grave frem.
disequilibrium ['disiːkwi'libriəm] *sb* uligevægt, manglende balance.
disestablish ['disi'stæbliʃ] *vb* opløse, ophæve; ~ *the Church* adskille stat og kirke.
disesteem ['disi'stiːm] *vb* ringeagte; *sb* ringeagt; miskredit.
diseuse [di'zɔːz] *sb* oplæser, recitatrice.
disfavour ['dis'feivə] *sb* ugunst; unåde; disfavør; mishag; misbiligelse; *vb* misbillige, være ugunstig stemt mod; *fall into* ~ falde i unåde.
disfiguration [disfigju'reiʃən] *sb* vansiring; beskadigelse.
disfigure [dis'figə] *vb* vansire, skæmme, skamfere; beskadige. **disfigurement** *sb = disfiguration.*
disfranchise [dis'fræn(t)ʃaiz] *vb* fratage stemmeret, fratage borgerlige rettigheder.
disfranchisement [dis'fræntʃizmənt] *sb* fratagelse af borgerlige rettigheder (, af stemmeret).
disgorge [dis'gɔːdʒ] *vb* udspy, gylpe op; *(fig)* (modstræbende) give fra sig; give tilbage; udlevere; (om flod) udmunde.
disgrace [dis'greis] *sb* unåde *(fx be in* ~); skændsel; vanære; *vb* bringe i unåde; vanære; blamere; *bring* ~ *upon sby* bringe skam over en.
disgraceful *adj* vanærende; skændig, skammelig.
disgruntled [dis'grʌntld] *adj* misfornøjet, gnaven, utilfreds.
disguise [dis'gaiz] *vb* forklæde, udklæde; maskere, camou-

flere, skjule *(fx badly -d satisfaction)*; *sb* forklædning, udklædning; forstillelse; *in the* ~ *of* forklædt som; *throw off one's* ~ kaste masken; ~ *one's voice* fordreje sin stemme.
disgust [dis'gʌst] *sb* væmmelse, modbydelighed, afsky, lede; *vb* fremkalde væmmelse, vække modbydelighed; *be* *-ed* væmmes, føle afsky; være forarget, være skuffet. **disgustedly** *adv* med væmmelse, med afsky; *look* ~ *at* betragte med afsky. **disgusting** *adj* modbydelig, væmmelig; frastødende.
dish [diʃ] *sb* fad, asiet; ret *(fx a* ~ *of meat and potatoes)*; hulhed; hulning; **S** sød pige; flot fyr; *vb* lægge på fad; gøre konkav, trykke bule i; gøre kål på, ødelægge, snyde; *do (el. wash) the -es* vaske op; ~ *(up)* rette an, servere; *(fig)* diske op med; ~ *out* uddele.
dishabille [disæ'biːl] *sb* negligé.
disharmonious ['disha:'mounjəs] *adj* disharmonisk.
disharmony ['dis'haːməni] *sb* disharmoni.
dish\cloth karklud; viskestykke. **-clout** karklud; (om kvinde) sjuske, sluske. ~ **drainer** opvaskestativ.
dishearten [dis'haːtn] *vb* berøve modet; gøre modløs. **disheartened** *adj* forsagt, modløs. **disheartening** *adj* nedslående.
dished [diʃt] *adj* konkav; hvælvet; skålformet; (om hjul) med styrt; **T** slået, snydt, »færdig«.
dishevel [di'ʃevəl] *vb* bringe i uorden, pjuske.
dishevelled [di'ʃevəld] *adj* uordentlig, pjusket, usoigneret.
dish mat bordskåner.
dishonest [dis'ɔnist] *adj* uærlig, uhæderlig, uredelig.
dishonesty [dis'ɔnisti] *adj* uærlighed, uhæderlighed, uredelighed.
dishonour [dis'ɔnə] *sb* vanære; *(merk)* dishonorering; *vb* vanære; ikke honorere (en veksel); svigte (et løfte).
dishonourable [dis'ɔnərəbl] *adj* vanærende; vanæret; uhæderlig, skammelig.
dish\pan opvaskebalje. **-rag** karklud. ~ **towel** viskestykke. **-washer** opvasker; tallerkenvasker; opvaskemaskine. **-water** opvaskevand; *(fig)* tyndt pjask.
dishy [diʃi] *adj* smart, laber.
disillusion [disi'l(j)uːʒən] *sb* desillusionering; *vb* desillusionere, berøve illusioner; *be -ed with* have mistet sine illusioner om, være skuffet over.
disillusionize [disi'luːʒənaiz] *vb* (især *am)* desillusionere.
disillusionment *sb* desillusionering.
disincentive [disin'sentiv] *sb* hæmsko, dæmper.
disinclination [disinkli'neiʃən] *sb* utilbøjelighed, ulyst.
disincline [disin'klain] *vb* gøre utilbøjelig. **disinclined** *adj* utilbøjelig; *be* ~ *to do it* ikke have lyst til at gøre det.
disinfect [disin'fekt] *vb* rense, desinficere.
disinfectant [disin'fektənt] *sb* desinfektionsmiddel; *adj* desinficerende.
disinfection [disin'fekʃən] *sb* desinfektion.
disinfestation ['disinfes'teiʃən] *sb* skadedyrsbekæmpelse.
disinflationary [disin'fleiʃənəri] *adj* inflationsbegrænsende, deflatorisk.
disingenuity [disindʒi'njuːiti] *sb* falskhed, uærlighed, uoprigtighed, perfidi. **disingenuous** ['disin'dʒenjuəs] *adj* falsk, uærlig, uoprigtig; perfid.
disinherit ['disin'herit] *vb* gøre arveløs.
disintegrate [dis'intigreit] *vb* opløse, sønderdele; opløse sig, smuldre bort, gå i opløsning, falde fra hinanden.
disintegration [disinti'greiʃən] *sb* opløsning.
disinter ['disin'təː] *vb* opgrave, grave frem; bringe for dagen.
disinterested [dis'intristid] *adj* uegennyttig; uhildet, objektiv; **T** uinteresseret.
disinterment [disin'təːmənt] *sb* opgravning.
disjoin [dis'dʒɔin] *vb* splitte, adskille.
disjoint [dis'dʒɔint] *vb* vride af led; adskille i sammenføjningerne, sønderlemme, bryde i stykker; *-ed* (også) usammenhængende.
disjunction [dis'dʒʌŋkʃən] *sb* adskillelse.
disjunctive [dis'dʒʌŋktiv] *adj* adskillende, *(gram)* disjunktiv; ~ *conjunction* disjunktivt bindeord.
disk, se *disc.*
dislike [dis'laik] *sb* modvilje, antipati, uvilje; *vb* ikke kunne lide; have noget imod; *have a* ~ *of* ikke kunne lide; *-d* ilde lidt, upopulær.

dislocate ['dislakeit] *vb* vride af led, forvride; bringe forstyrrelse i *(fx traffic was -d by the snow)*, få til at bryde sammen. **dislocation** [dislə'keiʃən] *sb* forvridning; forstyrrelse, sammenbrud *(fx of traffic)*.
dislodge [dis'lɔdʒ] *vb* fordrive; flytte; fjerne; opjage (vildt).
disloyal [´dis'lɔiəl] *adj* troløs; illoyal.
disloyalty [´dis'lɔiəlti] *sb* troløshed; illoyalitet.
dismal ['dizməl] *adj* trist, sørgelig, bedrøvelig; dyster; *sb:* the *-s* S nedtrykthed, depression.
dismantle [dis'mæntl] *vb* demontere; nedrive, sløjfe; nedlægge, ophæve; ~ *a ship* aftakle et skib.
dismast [dis'ma:st] *vb* afmaste (et skib).
dismay [dis'mei] *vb* forfærde, gøre bange; nedslå; *sb* forfærdelse, skræk; modløshed.
dismember [dis'membə] *vb* sønderlemme, dele (især et land). **dismemberment** *sb* sønderlemmelse, deling.
dismiss [dis'mis] *vb* sende bort (, ud), lade gå, (i skole også) give fri *(fx the teacher -ed the class)*, *(mil.)* lade træde af, (fra stilling) afskedige; fjerne; (ikke ville beskæftige sig med) affærdige *(fx a suitor, the subject)*, vise *(el.* skubbe) fra sig *(fx the idea, the problem, all thoughts of revenge)*, afvise, opgive *(fx the thought)*, skaffe sig (, blive) af med; *(jur)* afvise, hæve (en sag); ~! *(mil.)* træd af! ~ *it from one's mind (el. thoughts)* slå det ud af hovedet.
dismissal [dis'misl] *sb (cf dismiss)* bortsendelse; afskedigelse, fjernelse; affærdigelse, afvisning, opgivelse.
dismount [dis'maunt] *vb* kaste af hesten; (om maskine *etc)* demontere; skille ad; (om juvel) tage ud af fatningen; (uden objekt) stige af hesten, stige af, sidde af; stå af.
disobedience [disə'bi:djəns] *sb* ulydighed. **disobedient** [disə'bi:djənt] *adj* ulydig *(to* imod).
disobey ['disə'bei] *vb* være ulydig (mod), ikke adlyde.
disoblige ['disə'blaidʒ] *vb* vise sig uvillig over for, være lidet forekommende imod, støde, fornærme. **disobliging** *adj* uelskværdig, lidet forekommende.
disorder [dis'ɔːdə] *sb* uorden, forvirring, forstyrrelse; urolighed, tumult; *(med.)* forstyrrelse, sygdom; *vb* bringe i uorden; gøre syg; *-ed* i uorden, syg.
disorderly [dis'ɔːdəli] *adj* uordentlig; i uorden; urolig, larmende, oprørt *(fx crowd)*; forargelig; *charged with being drunk and* ~ *(omtr)* tiltalt for beruselse og gadeuorden; ~ *conduct (omtr)* gadeuorden; ~ *house* bordel; spillebule.
disorganization [disɔːgənai'zeiʃən] *sb* desorganisation, opløsning. **disorganize** [dis'ɔːgənaiz] *vb* desorganisere, opløse, bringe i uorden.
disorient [dis'ɔːriənt] *vb* desorientere; *be -ed* (også) miste orienteringen. **disorientate** = *disorient*.
disown [dis'oun] *vb* fornægte, forskyde, forstøde, nægte at vedkende sig.
disparage [dis'pæridʒ] *vb* nedsætte, forklejne, tale nedsættende om. **disparagement** *sb* nedsættelse, forklejnelse.
disparate ['dispərit] *adj* ganske forskellig, inkommensurabel, forskelligartet, ulig; *sb: -s* ganske forskellige ting.
disparity [dis'pæriti] *sb* ulighed, forskel *(fx* ~ *in age)*.
dispassionate [dis'pæʃnit] *adj* rolig, sindig, lidenskabsløs; uhildet.
dispatch [dis'pætʃ] *sb* afsendelse; ekspedition; hurtig besørgelse; hurtighed, hast; aflivning, drab; (meddelelse *etc)* depeche; (officiel) rapport, beretning; melding; (til avis) telegram; *vb* afsende; ekspedere; blive hurtig færdig med; gøre det af med, tage af dage, rydde af vejen; *mentioned in -es (mil.)* nævnt i dagsbefalingen; *happy* ~ harakiri. **dispatch**| **box** dokumentskrin. ~ *case* dokumenttaske. ~ **rider** motorordonnans.
dispel [di'spel] *vb* sprede, fordrive.
dispensable [di'spensəbl] *adj* undværlig.
dispensary [di'spensəri] *sb* officin (i apotek); apotek.
dispensation [dispen'seiʃən] *sb* uddeling; tilskikkelse; styrelse *(fx divine* ~*)*; religiøst system; fritagelse, dispensation; administration, forvaltning; system.
dispense [di'spens] *vb* uddele, fordele; tillave medicin; fritage *(from* for), give dispensation; ~ *with* undvære, klare sig uden; dispensere fra. **dispenser** [di'spensə] *sb* uddeler; farmaceut; (til sæbe) dispenser, sæbeautomat.
dispensing optician optiker der fremstiller brilleglas efter recept.
dispeople ['dis'pi:pl] *vb* affolke.
dispersal [di'spə:səl] *sb* spredning, udbredelse.
disperse [di'spə:s] *vb* sprede; splitte *(fx a crowd)*; udbrede; (uden objekt) sprede sig; (om tåge) lette.
dispersedly [di'spə:sidli] *adv* spredt.
dispersion [di'spə:ʃən] *sb* spredning; udbredelse; (om lys) dispersion, farvespredning; *cone of* ~ *(mil.)* spredningskegle. **dispersive** [di'spə:siv] *adj* spredende.
dispirit [di'spirit] *vb* berøve modet, gøre forstemt. **dispirited** *adj* forstemt, modløs, forknyt.
displace [dis'pleis] *vb* flytte, fjerne; afsætte, forjage, fordrive, fortrænge; *be (el. get) -d* forskubbe *(el.* forskyde) sig. **displaced person** tvangsforflyttet *(el.* hjemstavnsfordreven) person, flygtning.
displacement [dis'pleismənt] *sb* flytning, forskydning; afsættelse, fortrængelse; *(mar)* deplacement.
display [di'splei] *sb* udfoldelse, udstilling, stillen til skue; skue, opvisning; (i edb) visning; *vb* udstille, fremlægge; *(fig)* udfolde *(fx great activity and courage)*; fremvise, vise, lægge for dagen, *(neds)* stille til skue; *(typ)* fremhæve; *make a* ~ *of* prale med, stille til skue.
display| **aria** bravurarie. ~ **type** *(typ)* accidensskrift. ~ **unit** dataskærm.
displease [dis'pli:z] *vb* mishage. **displeased** *adj* misfornøjet.
displeasing *adj* ubehagelig, væmmelig.
displeasure [dis'pleʒə] *sb* misfornøjelse; mishag; vrede; ærgrelse.
disport [di'spɔ:t] *vb:* ~ *oneself* muntre sig, tumle sig.
disposable [di'spouzəbl] *adj* som står til rådighed, disponibel; afhændelig; som kan kasseres efter brugen, engangs-*(fx bottle)*.
disposal [di'spouzəl] *sb* rådighed *(of* over); disposition; overdragelse, afhændelse; ordning, anvendelse, anbringelse; bortskaffelse; kassation; *at sby's* ~ til ens disposition *(el.* rådighed).
dispose [di'spouz] *vb* ordne, fordele, opstille, anbringe, placere; (uden objekt) råde, herske; *man proposes, God -s* mennesket spår, Gud rå'r; ~ *of* gøre det af med, ekspedere, ordne, blive færdig med; skaffe sig af med, skille sig af med, afhænde, sælge; kassere, udrangere; disponere over; ~ *him to* gøre ham tilbøjelig til *(el.* stemt for) at.
disposed [di'spouzd] *adj* tilbøjelig, villig *(fx he is* ~ *to help you)*; indstillet, sindet *(fx friendly* ~*)*; *are you* ~ *for a walk?* har du lyst til at gå en tur? *well* ~ *towards* gunstigt *(el.* velvilligt) stemt over for.
disposition [dispə'ziʃn] *sb* (om person: tænkemåde *etc)* natur *(fx a selfish* ~*)*, gemyt *(fx a happy* ~*)*, temperament; (særlig evne) tilbøjelighed *(to* til (at), *fx to* jealousy*)*, anlæg; *(cf dispose)* ordning, fordeling, opstilling; anbringelse, placering; afhændelse, overdragelse; *(glds)* bestemmelse *(fx a* ~ *of fate)*; (det at kunne bestemme over) rådighed *(of* over); *at his* ~ til hans disposition *(el.* rådighed).
dispossess ['dispə'zes] *vb* fortrænge, fordrive, sætte ud (af \ hus *el.* lejlighed); ~ *of* berøve, fratage. **dispossession** [dispə'zeʃən] *sb* fordrivelse, fratagelse.
dispraise [dis'preiz] *sb* dadel; *vb* nedsætte, dadle, tale nedsættende om; *speak in* ~ *of* tale nedsættende om.
disproof ['dis'pru:f] *sb* gendrivelse, modbevis.
disproportion [disprə'pɔ:ʃən] *sb* misforhold; bringe i misforhold. **disproportional** [disprə'pɔ:ʃnəl], **disproportionate** [disprə'pɔ:ʃnit] *adj* uforholdsmæssig; *it is* ~ *to* det står ikke i forhold til.
disprovable [dis'pru:vəbl] *adj* som kan gendrives (el. modbevises).
disprove ['dis'pru:v] *vb* modbevise, gendrive; afkræfte *(fx a rumour)*.
disputable [dis'pju:təbl] *adj* omtvistelig.
disputant [dis'pju:tənt] *sb* stridende part.
disputation [dispju'teiʃən] *sb* ordstrid, disput.
disputatious [dispju'teiʃəs] *adj* trættekær.
I. dispute [dis'pju:t] *vb* strides, disputere; (med objekt) drøfte; bestride; bekæmpe; søge at hindre *(fx an advance)*; kæmpe for (, om); ~ *every inch of ground* forsvare hver tomme jord, yde hårdnakket modstand.
II. dispute [dis'pju:t] *sb* strid; stridighed *(fx border -s)*;

meningsforskel; ordstrid; *beyond* ~ uimodsigelig, ube-
stridelig; *in* ~ omtvistet; *the amount in* ~ det beløb sa-
gen (, striden) drejer sig om; *point in* ~ stridspunkt; *that
is open to* ~ det kan man strides om.
disputed [dis'pju:tid] *adj* omstridt.
disqualification [diskwɔlifi'keiʃən] *sb* diskvalifikation; *(jur)*
inhabilitet.
disqualify [dis'kwɔlifai] *vb* diskvalificere, gøre uegnet *(for
til); (jur)* gøre inhabil; *he was disqualified from driving*
han mistede kørekortet.
disquiet [dis'kwaiət] *sb* uro; *vb* forurolige.
disquietude [dis'kwaiətju:d] *sb* uro, bekymring.
disquisition [diskwi'ziʃən] *sb* undersøgelse, afhandling *(on
om).
Disraeli [diz'reili].
disregard ['disri'ga:d] *sb* ignoreren; ligegyldighed; *vb* igno-
rere, lade hånt om; lade ude af betragtning, se bort fra;
~ *it* (også) slå det hen.
disrepair ['disri'pɛə] *sb* forfald, dårlig stand; *in* ~ (om hus)
forfaldent; *fall into* ~ gå i forfald.
disreputable [dis'repjutəbl] *adj* berygtet; vanærende.
disrepute ['disri'pju:t] *sb: be in* ~ have et dårligt ry på sig,
være berygtet; *fall into* ~ blive berygtet, komme i mis-
kredit.
disrespect ['disri'spekt] *sb* respektløshed, uærbødighed.
disrespectful [disri'spektf(u)l] *adj* respektløs, uærbødig.
disrobe ['dis'roub] *vb* afklæde, klæde sig af.
disrupt [dis'rʌpt] *vb* bringe forstyrrelse i; afbryde *(fx tele-
phone services);* skabe kaos i; få til at gå i opløsning *(fx
family life);* sprænge; splitte.
disruption [dis'rʌpʃən] *sb* afbrydelse, forstyrrelse; sammen-
brud; opløsning; brud, sprængning, splittelse.
disruptive [dis'rʌptiv] *adj* splittende, opløsende, nedbry-
dende *(fx forces).*
dissatisfaction ['dis(s)ætis'fækʃən] *sb* utilfredshed; misfor-
nøjelse. **dissatisfactory** ['dis(s)ætis'fæktəri] *adj* utilfreds-
stillende. **dissatisfied** ['di(s)'sætisfaid] *adj* misfornøjet,
utilfreds. **dissatisfy** ['di(s)'sætisfai] *vb* mishage, ikke til-
fredsstille.
dissave [dis'seiv] *vb* bruge af sin kapital.
dissect [di'sekt] *vb* dissekere; *-ing* (også) dissektions- *(fx
-ing table).* **dissection** [di'sekʃən] *sb* dissektion.
dissemble [di'sembl] *vb* skjule *(fx one's anger);* forstille
sig, hykle. **dissembler** [di'semblə] *sb* hykler.
disseminate [di'semineit] *vb* udbrede, så, udstrø; *-d sclero-
sis* dissemineret sklerose. **dissemination** [disemi'neiʃən] *sb*
udbredelse *(fx* ~ *of knowledge).*
dissension [di'senʃən] *sb* tvist, splid, uenighed.
I. dissent [di'sent] *vb* være af en anden mening; *(rel)* af-
vige fra statskirken, være dissenter; ~ *from* være uenig i;
afvige fra.
II. dissent [di'sent] *sb* meningsforskel; afvigelse fra stats-
kirken; *(jur)* dissens.
dissenter [di'sentə] *sb* dissenter, en som har en fra den her-
skende kirke afvigende tro.
dissentient [di'senʃint] *adj* afvigende, dissentierende, ue-
nig; *sb* anderledestænkende; *without a* ~ *vote* enstem-
migt; *with only three -s* med alle stemmer imod tre.
dissepiment [di'sepimənt] *sb (zo, bot)* skillevæg.
dissertation [disə'teiʃən] *sb* afhandling, disputats.
disservice [dis'sə:vis] *sb* bjørnetjeneste.
dissever [di'sevə] *vb* skille ad.
dissidence ['disidəns] *sb* uenighed.
dissident ['disidənt] *adj* uenig, dissentierende, som har en
anden opfattelse; anderledes tænkende; *sb* en der har en
anden opfattelse; anderledestænkende; *(rel)* dissenter.
dissimilar ['di'similə] *adj* ulig, forskellig *(to* fra).
dissimilarity [disimi'læriti] *sb* ulighed.
dissimilation [disimi'leiʃən] *sb* (om lydudvikling) dissimila-
tion.
dissimilitude [disi'militju:d] *sb* ulighed.
dissimulate [di'simjuleit] *vb* forstille sig; skjule; hykle; fo-
regive. **dissimulation** [disimju'leiʃən] *sb* forstillelse, hyk-
leri.
dissipate ['disipeit] *vb* sprede, forjage; forøde, ødsle bort;
sprede sig; føre et udsvævende liv. **dissipated** ['disipeitid]
adj udsvævende. **dissipation** [disi'peiʃən] *sb* spredning;
forjagelse; ødslen; udsvævelser, udskejelser.

dissociate [di'souʃieit] *vb* skille, adskille, holde ude (fra
hinanden) *(fx it is difficult to* ~ *those ideas); (kem)* dis-
sociere, spalte; ~ *oneself from* tage afstand fra.
dissociation [disousi'eiʃən] *sb* adskillelse; skelnen, afstand-
tagen; *(kem)* dissociation.
dissolubility [disɔlju'biliti] *sb* opløselighed.
dissoluble [di'sɔljubl] *adj* opløselig.
dissolute ['disɔl(j)u:t] *adj* udsvævende. **dissoluteness** *sb* ud-
svævelser. **dissolution** [disə'l(j)u:ʃən] *sb* opløsning; ophæ-
velse.
dissolve [di'zɔlv] *vb* opløse; opløse sig; smelte; ophæve; (i
film) overtone; *sb* overtoning. **dissolvent** [di'zɔlvənt] *adj*
opløsende; *sb* opløsningsmiddel.
dissonance ['disənəns] *sb* mislyd, dissonans; uoverensstem-
melse; disharmoni. **dissonant** ['disənənt] *adj* ildelydende,
disharmonisk, skurrende; uoverensstemmende *(from
med).*
dissuade [di'sweid] *vb:* ~ *him from it* fraråde ham det; få
(el. snakke) ham fra det; ~ *him from doing it* (også) råde
(el. overtale) ham til ikke at gøre det. **dissuasion** [di-
'sweiʒən] *sb* fraråden, det at overtale til at lade være.
dissuasive [di'sweisiv] *adj* frarådende.
dissyllabic *etc,* se *disyllabic etc.*
distaff ['dista:f] *sb* ten, håndten; rokkehoved; *on the* ~
side på spindesiden.
I. distance ['distəns] *sb* afstand, frastand, distance, *(fig)*
fjernhed; (stykke vej) distance, strækning; (om tid) tids-
rum; *at a* ~ i nogen afstand; noget borte; på afstand;
keep sby at a ~ holde én på afstand; *keep one's* ~ holde
afstand (fx til forankørende); *(fig)* holde sig på afstand,
holde sig tilbage; *in the* ~ i det fjerne; *some* ~ et stykke
vej; *a short* ~ et lille stykke vej.
II. distance ['distəns] *vb* fjerne, rykke fra hinanden; lade
tilbage, (ud)distancere.
distant ['distənt] *adj* fjern *(fx a* ~ *relation,* ~ *times);*
(langt) borte; *(fig* også) vag, uklar; tilbageholdende, re-
serveret, kølig, afmålt *(fx a* ~ *manner);* ~ *control* fjern-
styring; ~ *identification* fjernidentificering. **distantly** *adv*
langt ude *(fx he is* ~ *related to me);* forbeholdent, af-
målt, køligt *(fx he nodded* ~*).*
distaste [dis'teist] *sb* afsmag, lede. **distasteful** [dis'teistf(u)l]
adj ubehagelig, modbydelig.
I. distemper [dis'tempə] *sb* hundesyge; *(glds)* sygdom;
uro, forstyrrelse.
II. distemper [dis'tempə] *sb, vb* limfarve.
distempered [dis'tempəd] *adj* limfarvet; *(glds)* forstyrret,
sygelig, usund.
distend [dis'tend] *vb* udspile, puste op; udvide; svulme op,
udvide sig. **distensible** [dis'tensəbl] *adj* som kan udvides.
distension [dis'tenʃən] *sb* udspænding, opsvulmen, udvi-
delse.
distichous ['distikəs] *adj (bot)* toradet.
distil [di'stil] *vb* destillere; lade dryppe; *(fig)* uddestillere.
distillate ['distilit] *sb* destillat. **distillation** [disti'leiʃən] *sb*
destillation. **distillatory** [di'stilətəri] *adj* destillations-.
distiller [di'stilə] *sb* destillationsapparat; destillatør, bræn-
devinsbrænder, spritfabrikant, whiskyfabrikant. **distillery**
[di'stiləri] *sb* brænderi, spritfabrik, whiskyfabrik.
distinct [di'stiŋ(k)t] *adj* tydelig, klar *(fx pronunciation, out-
lines);* afgjort, udpræget *(fx difference);* udtrykkelig *(fx
promise);* forskellig; tydelig adskilt, særskilt *(fx two* ~
objects, two ~ *spheres of activity).*
distinction [di'stiŋ(k)ʃən] *sb* forskel; adskillelse; skelnen,
distinktion, sondring; (ry) anseelse; (orden *etc)* udmær-
kelse, hædersbevisning; (eksamenskarakter:) udmær-
kelse; *a writer of* ~ en fremragende forfatter; *make a* ~
(between) skelne (mellem); *achieve* ~ udmærke sig; *a* ~
without a difference en kun tilsyneladende forskel.
distinctive [di'stiŋ(k)tiv] *adj* særlig, karakteristisk, som gør
det muligt at skelne fra andre individer af samme art, di-
stinktiv; kendings-.
distinctly [di'stiŋ(k)tli] *adv* udtrykkeligt *(fx I* ~ *said so),*
tydeligt, klart, bestemt.
distinguish [di'stingwiʃ] *vb* skelne *(between* mellem, *fx two
colours; from* fra), sondre; skille *(from* fra); se forskel
(fx I can hardly ~ *between the two sisters);* (opfatte)
skelne *(fx distant things; words, sounds),* skimte *(fx a
light in the distance);* (præge) kendetegne, udmærke; ad-

skille *(from* fra, *fx his clothes did not* ~ *him from the others)*; (se også *distinguished)*; ~ *oneself* udmærke sig.
distinguishable [di'stiŋgwiʃəbl] *adj* som kan skelnes, opfattes, erkendes.
distinguished [di'stiŋgwiʃt] *adj* udmærket, meget anerkendt, anset, fremtrædende, fremragende; fornem, distingveret; *be -ed by* udmærke sig ved, være kendetegnet ved, kunne kendes på.
distinguishing [di'stiŋgwiʃiŋ] *adj:* ~ *flag* kendingsflag; ~ *mark* særligt kendetegn.
distort [di'stɔ:t] *vb* fordreje *(fx one's face)*, forvride, *(tekn)* forspænde, skævkaste, kaste sig; *(fig)* fordreje, forvrænge *(fx his words)*.
distortion [di'stɔ:ʃən] *sb* fordrejelse, forvridning, forvrængning.
distract [di'strækt] *vb* aflede, bortlede (opmærksomheden); distrahere; forstyrre, forvirre, splitte; gøre afsindig.
distracted [di'stræktid] *adj* forstyrret, forrykt; urolig, splittet.
distraction [di'strækʃən] *sb* distraheren; forvirring, forstyrrelse; adspredelse; vanvid *(fx they drove him to* ~*; he loved her to* ~*)*; sindsforvirring.
distrain [di'strein] *vb* udpante, gøre udlæg *(upon* i); *the landlord has -ed upon the piano* værten har pantet klaveret. **distraint** [di'streint] *sb* udpantning.
distrait [di'strei] *adj* distræt.
distraught [di'strɔ:t] *adj* vanvittig; forstyrret.
distress [di'stres] *sb* nød, sorg; lidelse, kval, pine, kvide; *(jur)* udpantning; *vb* bringe i nød; pine; bedrøve; *(jur)* pante; ~ *at sea* havsnød.
distress call nødsignal.
distressed [di'strest] *adj* ulykkelig; nødstedt; kriseramt.
distress ful [di'stresful] *adj* ulykkelig; lidende; smertelig. ~ **gun** nødskud; signalkanon. ~ **rocket** nødraket. ~ **work** nødhjælpsarbejde.
distribute [di'stribju:t] *vb* uddele, fordele, distribuere, bringe omkring; omdele; sprede; *(typ)* lægge af; styrte; ~ *films* udleje film.
distributing company filmsudlejningsselskab.
distribution [distri'bju:ʃən] *sb* distribution, uddeling, fordeling; (af post) ombæring; (af film) udlejning; *(typ)* aflægning; *(bot, zo)* udbredelse; (i logik) distribution.
distributive [di'stribjutiv] *adj* uddelende, fordelende; *sb* distributivt ord; *the* ~ *trades (merk)* handelsleddene.
distributor [di'stribjutə] *sb* fordeler; uddeler; ombærer; (i bil) strømfordeler; *film* ~ filmsudlejer.
district [di'strikt] *sb* distrikt, område, egn; *(am.* også) valgkreds.
district attorney *(am)* distriktsadvokat (lokal folkevalgt statsadvokat). ~ **heating** fjernvarme. ~ **nurse** hjemmesygeplejerske.
distrust [di'strʌst] *vb* mistro, ikke tro, mistænke, have mistillid til; *sb* mistro, mistillid *(of* til). **distrustful** *adj* mistænksom, mistroisk, frygtsom; som mangler tillid.
disturb [di'stə:b] *vb* forstyrre; forvirre; forurolige; bringe i uorden, flytte på, røre (ved) *(fx don't* ~ *the screw)*.
disturbance [di'stə:bəns] *sb* forstyrrelse; forvirring, urolighed; tumult, optøjer. **disturber** *sb* fredsforstyrrer.
disunion [dis'ju:njən] *sb,* se *disunity.*
disunite ['disju'nait] *vb* skille; skilles ad; skabe uenighed imellem, splitte. **disunity** [dis'ju:niti] *sb* delthed, uenighed, splittelse.
disuse ['dis'ju:s] *sb: rusty from* ~ rusten af ikke at blive brugt; *fall into* ~ gå af brug. **disused** ['dis'ju:zd] *adj* gået af brug; som ikke bruges mere; nedlagt *(fx mine)*.
disyllabic [disi'læbik] *adj* tostavelses-. **disyllable** [di'siləbl] *sb* tostavelsesord.
I. ditch [ditʃ] *sb* grøft, (skytte)grav; voldgrav; *the* ~ **S** havet; (se også II. *last)*.
II. ditch [ditʃ] *vb* grøfte, grave grøft(er) (om); **S** smide over bord; kassere, droppe; lade i stikken; *(flyv)* nødlande på havet; ~ *a car* køre en bil i grøften.
ditcher ['ditʃə] *sb* grøftegraver.
ditchwater grøftevand; *dull as* ~ dødkedelig.
dither ['diðə] *sb* rysten, skælven; *vb* ryste, skælve; vakle, tøve; *be all of a* ~ være helt befippet.
dithyramb ['diθiræmb] *sb* dityrambe (i antikken sang til vinguden Dionysos' pris). **dithyrambic** [diθi'ræmbik] *adj*

dityrambisk; *sb* dityrambe.
ditto ['ditou] ditto; det samme; *I say* ~ *to him* (spøgende) jeg er enig med ham; *a suit of -es* en hel dragt (af samme stof).
ditty ['diti] *sb* vise.
ditty bag, ditty box *(mar)* lille pose *(el.* æske) til sysager og andre småting.
diuretic [daijuə'retik] *adj, sb* urindrivende (middel).
diurnal [dai'ə:nəl] *adj* dag-, døgn-, daglig.
diva ['di:və] *sb* diva, primadonna.
divagate ['daivəgeit] *vб* komme bort fra emnet; komme på afveje. **divagation** [daivə'geiʃən] *sb* digression; sidespring.
divan [di'væn] *sb* divan (statsråd; møbel).
divaricate [dai'værikeit] *vb* forgrene sig.
I. dive [daiv] *vb* dykke (ned); dukke; springe ud; *(flyv)* styrtdykke; ~ *into a subject* trænge ind i et emne; ~ *into one's pocket* stikke hånden ned i lommen.
II. dive [daiv] *sb* dykning, dukkert; udspring; *(flyv)* styrtdykning; *(mar)* dykning; **S** bule, snask, (kælder)beværtning; *make a* ~ *into* fare *(el.* springe) ned i.
dive bomber styrtbomber.
diver ['daivə] *sb* dykker; *zo* lom.
diverge [d(a)i'və:dʒ] *vb* gå til forskellige sider, gå fra hinanden, afvige, divergere.
divergence [d(a)i'və:dʒəns], **divergency** [d(a)i'və:dʒənsi] *sb* divergens, afvigelse. **divergent** [dai'və:dʒənt] *adj* divergerende, afvigende.
divers ['daivəz] *adj (glds)* adskillige, flere, diverse.
diverse [dai'və:s, 'daivə:s] *adj* forskellig, helt anderledes.
diversification [daivə:sifi'keiʃən] *sb* forandring, afveksling, forskellighed, variation.
diversify [dai'və:sifai] *vb* forandre, variere, gøre afvekslende; *diversified* forskelligartet.
diversion [d(a)i'və:ʃən] *sb* afledning; bortledning *(fx water)*; (på vej) omkørsel; *(fig)* fornøjelse, adspredelse, *(mil.)* diversionsmanøvre.
diversionary [di'və:ʃənəri] *adj* afledende; ~ *attack (mil.)* afledningsangreb.
diversity [d(a)i'və:siti] *sb* forskellighed, variation.
divert [d(a)i'və:t] *sb* aflede; bortlede *(fx his attention)*; omdirigere, omlede *(fx traffic)*; adsprede, more, underholde; *-ing* underholdende, morsom.
Dives ['daivi:z] den rige mand (i lignelsen om Lazarus).
divest [d(a)i'vest] *vb:* ~ *of* afklæde, afføre; berøve; ~ *oneself of* afføre sig, aflægge *(fx one's clothes)*; give fra sig, opgive *(fx one's privileges)*; frigøre sig for.
divide [di'vaid] *vb* dele; inddele; dividere *(by* med); skille, splitte, gøre uenig; (dem objekt) dele sig; være uenig; *(parl)* stemme; *sb* vandskel, *(am* også) skel, skillelinje; ~ *the House* lade foretage afstemning i Underhuset; *10 -s by 2 2* går op i 10.
dividend ['dividend] *sb (merk)* dividende; *(mat.)* dividend; *ex* ~ eksklusive dividende; *cum* ~ cum dividende; dividende inkluderet; *pay a good* ~ *(fig)* give stort udbytte, betale sig.
dividers [di'vaidəz] *sb pl* delepasser.
divination [divi'neiʃən] *sb* spådom; anelse.
I. divine [di'vain] *vb* spå; ane, gætte.
II. divine [di'vain] *adj* guddommelig; gejstlig; *(fig)* guddommelig, gudbenådet, vidunderlig; *sb* gejstlig; teolog.
diviner [di'vainə] *sb* spåmand; vandviser (som finder vand ved hjælp af en ønskekvist).
divine service gudstjeneste.
diving bell dykkerklokke. ~ **board** vippe (til udspring).
divining rod ønskekvist (til at vise vand).
divinity [di'viniti] *sb* guddommelighed; guddom; teologi, teologisk fakultet; kristendomskundskab; *Doctor of Divinity* dr. theol.
divisible [di'vizəbl] *adj* delelig.
division [di'viʒən] *sb* deling; inddeling, opdeling, fordeling; (som skiller) skel, skillevæg; (som er skilt fra) afdeling, *(mil., sport)* division; (strid *etc)* uenighed, splittelse, splid; *(mat.)* division; *(parl)* afstemning; ~ *of labour* arbejdsdeling. **division lobby** (i underhuset) afstemningskorridor.
divisive [di'vaisiv] *adj* som skaber splittelse *(el.* uenighed); ~ *policy* splittelsespolitik.
divisor [di'vaizə] *sb* divisór.

D divorce

divorce [di'vɔːs] *sb* skilsmisse; adskillelse; *vb* lade sig skille fra *(fx one's wife)*; skille, adskille.
divorcee [divɔː'siː] *sb* fraskilt.
divulge [d(a)i'vʌl(d)ʒ] *vb* åbenbare, røbe.
divvy ['divi] **S** *sb* andel; *vb* dele.
I. Dixie ['diksi], ~ *Land* Sydstaterne (af U.S.A.).
II. dixie ['diksi] *sb (mil.)* kogekar.
D.I.Y. *fk Do It Yourself.*
dizzy ['dizi] *adj* svimmel; ør, forvirret; svimlende; **S** dum, fjoget; *vb* gøre svimmel.
D.J. *fk disc jockey.*
dl. *fk decilitre.*
D.Lit. *fk Doctor of Literature.*
D.Litt. *fk Doctor of Letters.*
D.M. *fk Doctor of Medicine.*
dm. *fk decimetre.* **d-n** *fk damn.*
D.N.B. *fk Dictionary of National Biography.*
I. do [duː] *(præt did, pp done,* 3. person *sing. præs does)*
1. (transitivt selvstændigt *vb)* gøre, udføre, bestille; yde, præstere, udrette; rede, ordne; passe; behandle; bevære; (om mad) tilberede, stege, koge, gennemkoge, gennemstege; (om turist) bese, se seværdighederne i, »gøre«; *(teat, fig)* spille, give rollen som; **T** snyde; ødelægge, spolere; gå i seng med, »bolle«; 2. (intransitivt selvstændigt *vb)* gøre, handle; klare sig; gå an, være nok, passe; leve, have det, trives; 3. (hjælpeverbum); 4. (som stedfortræder for et verbum); eksempler på de fire ovennævnte betydningsgrupper: (eksempler med præpositioner og adverbier står samlet under 5; se også *done)*
1. *do one's best* gøre sit bedste; *do one's duty* gøre sin pligt; *do me a service* gør mig en tjeneste; *do a portrait* male et portræt; *what is he -ing there?* hvad bestiller han der? *he did good work* han præsterede *(el.* ydede) godt arbejde; *do the bed* rede sengen; *do one's hair* rede sit hår; *do the flowers* ordne blomsterne; *do a room* gøre et værelse i stand; *do one's lessons* lære sine lektier; *have a lesson to do* have en lektie for; *do a sum* regne et stykke; *do one's teeth* børste tænder; *do a town* se (seværdighederne i) en by; *do Hamlet* spille Hamlet; *he does the host admirably* han er en glimrende vært; *he did us well* han beværtede os på det bedste; (se også 5); *do a mile a minute* tilbagelægge en engelsk mil i minuttet; *they will do you* de vil snyde dig; *now you've done it* nu har du ødelagt det hele;
2. *he is -ing well* han klarer sig godt, det går ham godt; *do or die* sejre eller falde; *be up and doing* være i fuld virksomhed; *that will do* det er nok; *that won't do* den går ikke, det går ikke an; *will this do?* kan De bruge denne? er dette nok? *how do you do?* god dag!
3. *he did not see me* han så mig ikke; *don't do it* gør det ikke; *don't!* lad være! *do you speak English?* taler De engelsk? *do we dress for dinner?* skal vi klæde os om til middag? *I do like London* jeg holder så meget af London; *I do think he is crying* jeg tror virkelig at han græder; *do come å,* kom nu; tag nu og kom;
4. *did you see him?* – *I did* så du ham? – ja, jeg gjorde; *you like him, don't you?* du synes om ham, ikke sandt? *you don't smoke, do you?* du ryger ikke, vel?
5. *do* **away with** rydde af vejen, afskaffe; ~ *away with oneself* tage livet af sig, gøre en ulykke på sig selv; *do (by others) as you would be done* **by** gør mod andre som du vil andre skal gøre mod dig; *do* **down** overgå, få overtaget over; snyde; *do* **for** gøre det af med, ødelægge, gøre ende på; føre hus for; *this will do for him* (også) det er (godt) nok til ham; *what do you do for water here?* hvor får I vand fra her? *do* **in T** slå ihjel, gøre det af med *(fx ten years of this would do me in)*; snyde; *do* **into** *Danish* oversætte til dansk; *do* **out** gøre i orden, gøre i stand, gøre rent i *(fx a room)*; *do him out of his money* franarre ham hans penge; *do* **over** gøre i stand, male og tapetsere *(fx a room)*; *do* sby *over* **S** overfalde én; *do* **to** gøre mod, handle mod; *do* **up** knappe, hægte; pynte på, pakke op, fikse op (på), modernisere, istandsætte; pakke ind; *do up one's hair* sætte håret op; *that would do me very* **well** det ville passe mig udmærket; *they do one very well* man spiser godt hos dem; *do oneself well (el. proud)* leve flot; *he did well to refuse* det var rigtigt *(el.* klogt) af ham at sige nej; *do well out of* have økonomisk fordel

af; *he did well out of the war* han tjente store penge på krigen; *do* **with** udholde, holde ud, finde sig i *(fx I cannot do with his hypocrisy)*; nøjes med *(fx can you do with a glass of water?)*; trænge til *(fx I could do with a nice cup of tea)*; *what are we to do with him?* hvad skal vi stille op med ham? *what did you do with yourself?* hvordan fik du tiden til at gå? hvad bestilte du? *have to do with* have at gøre med; *do* **without** undvære.
II. do [duː] *sb* **S** svindel(nummer), fup; fest, gilde, kalas; *pl -s* andel; *fair -s!* del retfærdigt!
III. do ['ditou] *fk ditto.*
IV. do [dou] (i musik) do.
dobbin ['dɔbin] *sb* arbejdshest, øg.
doc [dɔk] *sb* **T** doktor.
docile ['dousail] *adj* lærvillig, føjelig.
docility [də'siliti] *sb* lærvillighed; føjelighed.
I. dock [dɔk] *sb* dok; *(am også)* kaj; anløbsbro; *vb* dokke, sætte i dok, *(fig, også)* gå i dok; *-s* (også) havn.
II. dock [dɔk] *sb (bot)* skræppe.
III. dock [dɔk] *sb* anklagebænk; *be in the* ~ sidde på anklagebænken.
IV. dock [dɔk] *sb zo* hale (bortset fra hårene); kuperet hale; *vb* afskære, studse, kupere; *(fig)* nedskære, afknappe, trække fra (i løn *etc)*; ophæve.
V. dock [dɔk] *vb* (rumfart) sammenkoble.
dockage ['dɔkidʒ] *sb* dokpenge, dokplads.
dock dues dokafgifter.
docker ['dɔkə] *sb* havnearbejder, dokarbejder.
I. docket ['dɔkit] *sb* mærkeseddel; indholdsangivelse; uddrag (af dom *el.* protokol); *(am)* retsliste, dagsorden; dossier.
II. docket ['dɔkit] *vb* skrive indholdsangivelse på; gøre uddrag af; mærke, sætte mærkeseddel på.
dock| gate dokport. ~ **labourer** havnearbejder. ~ **wall** dokvæg.
dockyard ['dɔkjaːd] *sb* værft.
doctor ['dɔktə] *sb* læge, doktor; *vb* doktorere *(el.* kurere) på; **T** reparere; forfalske; kastrere; *-s disagree* de lærde er uenige. **doctoral** ['dɔktərəl] *adj* doktor-.
doctorate ['dɔktərit] *sb* doktorgrad.
doctrinaire [dɔktri'neə] *sb, adj* doktrinær (person).
doctrinal [dɔk'trainl, 'dɔktrinl] *adj* lære-, tros-, dogmatisk.
doctrine ['dɔktrin] *sb* doktrin, læresætning; dogme; lære, dogmatik.
document ['dɔkjumənt] *sb* dokument; bevis; ['dɔkjument] *vb* forsyne med bevis, forsyne med papirer; dokumentere.
documentary [dɔkju'mentəri] *adj* dokumentarisk; *sb* dokumentarfilm; ~ *credit* remburs.
documentation [dɔkjumen'teiʃn] *sb* dokumentation; ~ *centre* dokumentationscentral.
I. dodder ['dɔdə] *sb (bot)* (hør)silke.
II. dodder ['dɔdə] *vb* ryste, vakle, gå vaklende.
dodderer *sb* gammelt nussehoved. **doddering** *adj* rystende; senil.
dodecaphonic [doudekə'fɔnik] *adj:* ~ *music* tolvtonemusik.
dodge [dɔdʒ] *vb* springe til side; sno sig, gøre krumspring; (med objekt) undgå behændigt, knibe udenom, lege kispus med; *sb* krumspring, list, kneb, kunstgreb; fiks indretning.
dodgem ['dɔdʒim] *sb* radiobil (forlystelse).
dodger ['dɔdʒə] *sb* snyder, lurendrejer; *(am)* reklameseddel; majskage.
dodgy ['dɔdʒi] *adj* snedig, listig; besværlig, kilden.
dodo ['doudou] *sb zo* dronte (uddød fugl); *as dead as the* ~ komplet forældet; så død som en sild.
doe [dou] *sb zo* då; hunkanin; hunhare.
doer ['duː(ə] *sb* gerningsmand; handlingens mand *(fx he is a* ~, *not a dreamer)*.
does [dʌz] 3. person ental *præs* af *do.*
doeskin ['douskin] *sb* dådyrskind.
doesn't ['dʌznt] forkortet for *does not.*
doest ['duːist] *glds* 2. person, ental *præs* af *do.*
doff [dɔf] *vb* tage af *(fx* ~ *one's hat)*; afføre sig.
dog [dɔg] *sb* hund; han (af flere dyr); (til hængelås *etc)* krampe; (på ildsted) ildbuk; *(tekn)* anslag, stop, knast; spændestykke, ters; (på drejebænk) medbringer; (om person) fyr, rad; *-s* **S** fødder; *vb* forfølge; følge i hælene

på (også: ~ *sby's footsteps); the Dogs* hundevæddeløb; ~ *does not eat* ~ den ene ravn hakker ikke øjet ud på den anden; *give a* ~ *a bad name and hang him* der hænger altid noget ved, når man bagtaler en; *go to the -s* gå i hundene; *every* ~ *has his day* enhver får sin chance; ~ *in the manger* (en som hverken selv gør brug af en ting eller vil tillade andre at gøre det); *let sleeping -s lie (omtr)* ikke rippe op i noget *(el.* i fortiden); *put on (the)* ~ spille vigtig, blære sig; *a sly* ~ en snedig rad; *throw to the -s* kassere, smide væk.

dog|berry *(bot)* frugt af kornel. ~ **biscuit** hundekiks. **-cart** jagtvogn. ~ **collar** hundehalsbånd; halskæde (ɔ: smykke); **S** (engelsk) præsteflip. ~ **days** hundedage.

doge [douʒ] *sb (hist.)* doge.

dog|-ear æseløre (i bog). ~ **eared** med æselører. ~ **end** cigaretstump, skod. **-face** *(am mil.* **S)** knoldesparker, fodtusse. ~ **fancier** hundeven; hundeopdrætter. **-fight** slagsmål mellem hunde; luftduel, luftkamp. **-fish** *zo* hundehaj.

dogged ['dɔgid] *adj* stædig, udholdende, ihærdig; *it's* ~ *does it* det gælder bare om at holde ud.

doggerel ['dɔg(ə)rəl] *adj* slet, uregelmæssig (om vers); burlesk; *sb* burlesk vers, knyttelvers.

doggie ['dɔgi] *sb* **T** vovse.

doggish ['dɔgiʃ] *adj* hundeagtig; bidsk.

doggo ['dɔgou]: *lie* ~ ligge tot, holde sig skjult, ikke tiltrække sig opmærksomhed.

doggone ['dɔgɔn] *adj (am)* **S** forbistret, forbandet.

dog grass *(bot)* kvik(græs).

doggy ['dɔgi] *adj* hundeagtig, hunde-; som holder af hunde; **T** smart; vigtig, blæret; *sb* vovse.

dog|hole hundehul (elendigt opholdssted). **-house** hundehus; arbejdsskur; *(mar)* dækshus, ruf; *in the -house* i unåde. ~ **Latin** klosterlatin, dårlig latin. ~ **lead** snor (el. rem) til hund.

dogma ['dɔgmə] *sb* trossætning, dogme. **dogmatic(al)** [dɔg'mætik(l)] *adj* dogmatisk, selvsikker. **dogmatism** ['dɔgmətizm] *sb* dogmatisme; selvsikkerhed. **dogmatist** ['dɔgmətist] *sb* dogmatiker; selvsikker person. **dogmatize** ['dɔgmətaiz] *vb* dogmatisere; tale med selvsikkerhed.

do-gooder ['du:'gudə] *sb* blåøjet idealist.

do-goodism ['du:'gudizm] *sb* blåøjet idealisme.

dog rose *(bot)* hybenrose, hunderose.

dogsbody ['dɔgzbɔdi] *sb* **S** slave.

dog's chance: *not even a* -*'s chance* ikke skygge af chance. **-'s dinner:** *be dressed up like a* -*'s dinner* være majet ud. **-'s ear** *sb* æseløre (i bog); *vb* lave æselører i. **-sleep** urolig søvn. **-'s life:** *lead a* -*'s life* føre et hundeliv; *lead him a* -*'s life* gøre ham livet surt, plage livet af ham. **-'s meat** kød til hundefoder; hundeæde. **-'s mercury** *(bot)* bingelurt.

dog's tail (grass) *(bot)* kamgræs.

dog| star Sirius, Hundestjernen. ~ **-tag** hundetegn (også *fig* om identitetsmærke). ~ **-tired** dødtræt. **-tooth** hundetandsornament. **-tooth violet** hundetand. ~ **trimmer** hundeklipper. **-trot** luntetrav. ~ **violet** *(bot)* hundeviol. **-watch** vagt på skib fra kl. 16-18 *el.* 18-20. **-wood** *(bot)* kornel.

doily ['dɔili] *sb* lunchserviet, dækkeserviet; mellemlægsserviet, flakonserviet (til at stille vaser *etc* på).

doing ['du(:)iŋ] *sb* handling; udførelse; værk *(fx it is his* ~*); -s* gerninger, meriter; *it takes a lot of* ~ det er ikke så ligetil, det er ikke nogen let sag.

doit [dɔit] *sb* døjt.

do-it-yourself kit samlesæt, byggesæt.

doldrums ['dɔldrəmz] *sb pl: the* ~ kalmebæltet, det stille bælte omkring ækvator; *be in the* ~ være i dårligt humør; (om virksomhed) ligge stille.

I. dole [doul] *sb* arbejdsløshedsunderstøttelse; gave, skærv; *be on the* ~ få arbejdsløshedsunderstøttelse; ~ *out* dele ud (især modstræbende og i små portioner).

II. dole [doul] *sb (glds, poet)* sorg, kvide.

doleful ['doulful] *adj* sørgelig; bedrøvelig; bedrøvet.

dolichocephalic ['dɔlikoukeʹfælik] *adj* langskallet.

I. Doll [dɔl] kælenavn for *Dorothy*.

II. doll [dɔl] *sb* dukke; **S** pigebarn; *vb:* ~ *up* pynte (sig), maje sig ud; *be -ed up* (også) være i kisteklæderne, være i sit stiveste puds.

dollar [dɔlə] *sb* dollar; **T** 5 shillings (nu: 25 pence).

dollop ['dɔləp] *sb* klump, klat *(fx of whipped cream);* stor portion.

doll's house dukkestue; lille hus, 'dukkehjem'.

I. Dolly ['dɔli] kælenavn for *Dorothy*.

II. dolly ['dɔli] *sb* dukke, **T** pigebarn; *(tekn.)* nitteforholder; modholder; (film) kameravogn, dolly; *vb* (film): ~ *in (, out)* køre kameraet frem (, tilbage).

dolman ['dɔlmən] *sb* dolman (tyrkisk kjortel; husartrøje; damekåbe).

dolmen ['dɔlmən] *sb* stendysse.

dolorous ['dɔlərəs] *adj* sørgelig; bedrøvelig, melankolsk.

dolour ['doulə] *sb (poet)* sorg, kvide.

dolphin ['dɔlfin] *sb zo* delfin; guldmakrel; *(mar)* duc d'albe, knippe af nedrammede pæle til fortøjning.

dolphin striker *(mar)* pyntenetstok.

dolt [doult] *sb* dumrian, fjols, drog. **doltish** ['doultiʃ] *adj* dum; klodset.

domain [də'mein] *sb* domæne.

dome [doum] *sb* kuppel (i *am* **S** også om hoved); *vb* kuple sig.

Domesday ['du:mzdei]: ~ *Book* Englands jordebog fra Vilhelm Erobrerens tid.

domestic [də'mestik] *adj* hus-, huslig; *(pol. etc)* indre, indenrigs-, indenlandsk; (om dyr) tam; *-s* tjenestefolk; ~ *animal* husdyr; ~ *industry* husflid; hjemmeindustri; ~ *pig* tamsvin; ~ *science* husholdningslære, hjemmekundskab; *be in* ~ *service* være ude at tjene, være i huset; ~ *utensils* husgeråd.

domesticate [də'mestikeit] *vb* knytte stærkt til hjemmet, få til at holde af hjemmet; gøre huslig; civilisere; (om dyr) tæmme. **domesticated** *adj* (især:) huslig; (om dyr) tam.

domestication [dəmesti'keiʃən] *sb* tilknytning til hjemmet; tæmning; tamhed.

domesticity [doume'stisiti] *sb* familieliv, hjemmeliv; kærlighed til hjemmet; huslighed; tamhed; *domesticities pl* hjemlige (, huslige) sager *(el.* problemer).

domicile ['dɔmis(a)il] *sb* bopæl, domicil, hjemsted; *vb* bosætte; domicilere; *-d bill* domicilveksel.

domiciliary [dɔmi'siljəri] *adj* hus-; ~ *visit* husundersøgelse.

dominant ['dɔminənt] *adj* herskende; fremherskende; dominerende; *sb* (i musik) dominant.

dominate ['dɔmineit] *vb* herske; ~ *(over)* beherske, dominere; rage op over; have udsyn over. **domination** [dɔmi'neiʃən] *sb* herredømme.

domineer [dɔmi'niə] *vb* være tyrannisk, dominere; ~ *over* tyrannisere.

dominical [də'minikəl] *adj* som angår Herren (Gud), som angår søndagen; ~ *letter* søndagsbogstav.

Dominican [də'minikən] *adj* dominikansk; *sb* dominikaner.

dominie ['dɔmini] *sb* (på skotsk) skolelærer; ['doumini] præst (i den reformerte kirke).

dominion [də'minjən] *sb* herredømme, magt; selvstyrende landområde, dominion *(tidl.* brugt om *fx* Canada, New Zealand).

domino ['dɔminou] *sb* domino (dragt); halvmaske; dominobrik; *-es* domino (spillet).

I. don [dɔn] *sb* don, herre (spansk); spanier; medlem af lærerstaben ved universitet *el.* college; **T** mester *(at* i); stormand.

II. don [dɔn] *vb* tage på, iføre sig.

dona(h) ['dounə] *sb* **S** pige.

Donald ['dɔnld]: ~ *Duck* Anders And.

donate [də'neit] *vb* give. **donation** [də'neiʃən] *sb* gave; gavebrev; bortgivelse.

done [dʌn] *pp* af *do; adj* gjort; færdig *(fx the work is* ~*);* forbi *(fx the day is* ~*);* (færdig)stegt *(fx the meat is* ~*; a well-* ~ *chop);* udmattet; snydt, bedraget *(fx I have been* ~*);* ~ *!* det er et ord *(el.* en aftale); *it is not* ~ man kan ikke gøre (ɔ: det strider mod god tone); *he is* ~ *(for)* han er færdig, det er sket *(el.* ude) med ham, han har fået sit knæk; *have* ~ *eating* være færdig med at spise; ~ *in* udmattet; *it's the* ~ *thing* det hører til god tone; ~ *to a turn (el. a nicety)* tilpas stegt; ~ *with* overstået; færdig; ødelagt; stærkt sminket; *well begun is half* ~ godt begyndt er halvt fuldendt; *(over and)* ~ *with* overstået; *get (, have)* ~ *with it* blive (, være) færdig med det; *be* det overstået; (se også *undo).*

donee [dou'ni:] *sb* gavemodtager.

donjon ['dɔndʒən] *sb* borgtårn.
Don Juan [dɔn'dʒu(:)ən].
donkey ['dɔŋki] *sb* æsel; dumrian; *talk the hind leg off a* ~ snakke fanden et øre af; *I have not seen him for -'s years* det er en evighed siden jeg har set ham.
donkey| boiler donkeykedel, hjælpekedel. ~ **engine** donkeymaskine (lille dampmaskine der bruges ved ladning og losning). **-man** donkeymand (som passer donkeymaskine). **-work** slavearbejde.
donor ['douna] *sb* donor; giver; *(blood* ~*)* bloddonor.
do-nothing ['du:nʌθiŋ] *adj* passiv, uenergisk; *sb* dagdriver.
Don Quixote [dɔn 'kwiksət].
don't [dount] forkortet af *do not; sb* forbud.
doodah ['du:da:] *sb* S ståhej; opstandelse, forvirring; *all of a* ~ helt konfus, helt fra snøvsen.
doodle [du:dl] *vb* sidde og tegne kruseduller (mens man keder sig); *sb* kruseduller.
doodlebug ['du:dlbʌg] *sb* flyvende bombe; *zo (am)* myreløvelarve.
doolie, dooly ['du:li] *sb* (i Indien) primitiv båre (til sårede).
doom [du:m] *sb* skæbne; undergang, ulykke; *(glds)* dom; dommedag; *vb* dømme; fordømme; vie (til undergang); *till the crack of* ~ til dommedagsbasunen lyder.
doomsday ['du:mzdei] *sb* dommedag; *Doomsday Book* se *Domesday.*
door [dɔ:] *sb* dør; *lay it at his* ~ skyde ham det i skoene, give ham skylden for det; *the change must be laid at her* ~ forandringen må tilskrives hende; *the fault lies wholly at my* ~ skylden ligger helt og holdent hos mig; *at death's* ~ på gravens rand, ved dødens tærskel; *next* ~, se *next door; open the* ~ *to (, shut the* ~ *on) (fig)* åbne (, lukke) døren for; *a* ~ *to success* en vej til succes; *out of -s* ude, udendørs, i det fri.
door|case dørkarm. **-frame** dørkarm. **-handle** dørhåndtag. **-keeper** dørvogter, portner. **-knob** dørhåndtag. **-man** portier, portner. **-mat** dørmåtte; *(fig)* en der finder sig i alt. ~ **money** entré (betaling). **-nail**; *as dead as a -nail* så død som en sild. **-plate** navneskilt (på dør), dørskilt. **-post** dørstolpe. **-sill** dørtrin, dørtærskel. ~ **spring** dørlukker. **-step** trappetrin (uden for huset); S humpel (brød). **-strip** tætningsliste. **-way** døråbning; *in the -way* i døren.
I. dope [doup] *sb* (brugt om forskellige, især tyktflydende væsker) smørelse; lak; benzin; *(flyv)* dope (slags lak); *(fot)* fremkaldervæske; S (brugt om forskellige narkotiske midler) »stof«; opium; alkohol; (oplysninger:) (stald)tips; (om person) fjols; *hand (out) the* ~,S give (de fornødne) oplysninger; *that's the* ~*!* S det er det vi skal ha' frem! der er noget af det rigtige!
II. dope [doup] *vb* S smøre, overstryge; behandle med noget bedøvende, bedøve; dope *(fx a racehorse);* være stofmisbruger; narre, snyde; forfalske; ~ *out* finde ud af, opdage.
dope fiend S narkoman, stofmisbruger. **dope pedlar** forhandler af narkotika.
dopester ['doupstə] *sb (am): inside* ~ *(omtr)* valgprofet.
dor [dɔ:] *sb zo* skarnbasse.
Dora = D.O.R.A. *fk Defence of the Realm Act* forsvarsloven af august 1914.
dorbeetle ['dɔ:bi:tl] *sb zo* skarnbasse.
Dorian ['dɔ:riən] *adj* dorisk; *sb* dorier.
Doric ['dɔrik] *adj* dorisk; *sb* dorisk, bondemål; *speak one's native* ~ tale sin hjemlige dialekt.
Dorking ['dɔ:kiŋ] *sb* dorkinghøne.
dorm [dɔ:m] *sb* T sovesal.
dormancy ['dɔ:mənsi] *sb* dvale(tilstand).
dormant ['dɔ:mənt] *adj* slumrende, hvilende; ubrugt, passiv; *lie* ~ ligge i dvale; ~ *partner* passiv kompagnon.
dormer ['dɔ:mə], **dormer window** (fremspringende) tagvindue, kvistvindue.
dormice ['dɔ:mais] *pl* af *dormouse.*
dormitory ['dɔ:mitri] *sb* sovesal; ~ *(suburb)* soveby.
dormouse ['dɔ:maus] *sb (pl dormice)* syvsover, hasselmus.
Dorothea [dɔrə'θiə]. **Dorothy** ['dɔrəθi].
dorsal ['dɔ:səl] *adj* ryg-; ~ *fin* rygfinne.
Dorset ['dɔ:sit].
I. dory ['dɔ:ri] *sb* dory (lille fladbundet robåd).
II. dory ['dɔ:ri] *sb zo* sankt petersfisk.
dosage ['dousidʒ] *sb* dosering; dosis.

dose [dous] *sb* dosis; *vb* give medicin til, give i doser; dosere.
dosemeter ['dousmi:tə], **dosimeter** [dou'simitə] *sb* dosimeter (til måling af radioaktivitet).
doss [dɔs] S *sb* seng; *vb* sove; ~ *down* rede op (på gulvet); sove primitivt. **dosshouse** (simpelt og billigt) logihus.
dossier ['dɔsiei] *sb* dossier, sagsakter, sag; (kriminels) generalieblad; *(med.)* journal.
dost [dʌst] *glds* 2. person *præs sg* af *do.*
dot [dɔt] *sb* prik, punkt; *vb* prikke, punktere; sætte prik over; (be)strø; danne (ligesom) prikker på; *people -ted the fields* rundt omkring på markerne så man folk; ~ *him one* lange ham en ud; ~ *one's i's* sætte prik over i'erne, være meget nøjagtig; ~ *the i's and cross the t's* sætte prik over i'erne og streg gennem t'erne; *(fig)* være meget omhyggelig; give noget den sidste afpudsning; *be off one's* ~ være forrykt; *10.15 on the* ~ lige præcis 10.15; *in the* ~ *year* ~ S i syttenhundredehvidkål; *since the year* ~ S fra tidernes morgen.
dotage ['doutidʒ] *sb* alderdomssløvhed, senilitet; *he is in his* ~ han går i barndom.
dot-and-dash|-code morsealfabet. ~ **-line** stiplet linie.
dot-and-carry-one *vb* halte; *adj* halt, haltende ('en op og to i mente').
dotard ['doutəd] *sb* gammel mand som går i barndom, mimrende olding.
dote [dout] *vb* gå i barndom; ~ *(up)on* forgude.
doth [dʌθ] *(glds)* = *does.*
Dotheboys ['du:ðəbɔiz]: ~ *Hall* en skole i Dickens' Nicholas Nickleby *(do* 'snyde').
doting ['doutin] *adj* som går i barndom, senil; tilbedende.
dotted ['dɔtid] *adj* prikket; punkteret *(fx a* ~ *line); sign on the* ~ *line (fig)* skrive under uden videre, acceptere blankt; ~ *with houses* med huse her og der.
dotterel ['dɔtrəl] *sb zo* pomeransfugl.
dottle ['dɔtl] *sb* klump pibeudkrads.
dotty ['dɔti] *adj* prikket; S forrykt, skør.
I. double ['dʌbl] *adj* dobbelt, det dobbelte (af); falsk, tvetydig; *sb* sidestykke, kopi, dobbeltgænger; dubleant; dobbeltvæddemål; (i tennis) dobbeltfejl (se også *doubles); at the* ~, *(am) on the* ~ i hurtigmarch, i løb; *or quits* kvit eller dobbelt; *ride* ~ ride to på én hest.
II. double ['dʌbl] *vb* fordoble; lægge dobbelt, bøje sammen; *(mar)* sejle rundt om, runde *(fx Cape Horn);* (i kortspil) doble; *(teat)* dublere; (om garn) tvinde; (om objekt) fordobles, fordoble sig; gå i hurtigmarch, løbe i stor fart; ~ *one's fists* knytte næverne; ~ *the parts of A and B* både spille rollen som A og som B (i samme stykke); ~ *back* bøje om; vende om og gå samme vej tilbage; ~ *in* bøje ind; ~ *up* folde(s) sammen, lægge(s) sammen; krumme (sig) sammen; *(fx til* at) falde sammen; dele værelse (, seng); ~ *him up* få ham til at krumme sig sammen af smerte.
double|-barrelled *adj* dobbeltløbet; *(fig)* dobbelttydig, tvetydig; ~ *-barrelled name* toleddet navn (med bindestreg). ~ **bass** ['dʌbl'beis] *(mus.)* kontrabas. ~ **-bedded** med to senge, med en dobbeltseng. ~ **-bottomed** dobbeltbundet, falsk, uoprigtig. ~ **-breasted** toradet (om jakke). ~ **chin** dobbelthage. ~ **-column page** tospaltet side. ~ **-cross** *vb* snyde, bedrage, forråde. ~ **-dealer** en der spiller dobbeltspil, bedrager. ~ **-dealing** *sb* dobbeltspil; *adj* uredelig, tvetunget. ~ **-decker** skib med to dæk; todækker; toetages omnibus. ~ **Dutch** T kaudervælsk. ~ **-dyed** farvet to gange; ærke- *(fx scoundrel).* ~ **eagle** amerikansk guldmønt (= 20 dollars). ~ **-edged** tvægget. ~ **ender** *(mar)* spidsgatter. ~ **entendre** *[fr]* tvetydighed. ~ **entry** dobbelt bogholderi. ~ **-faced** falsk. ~ **feature** dobbeltprogram (i biograf). ~ **-header** baseball-program med to kampe. ~ **-lock** låse ved at dreje nøglen to gange om. ~ **-park** *vb* parkere i anden poition. ~ **-quick** *sb* hurtigmarch; *adv* i hurtigmarch.
doubles ['dʌblz] *sb pl* (i tennis) double.
doublet ['dʌblit] *sb* dublet; vams.
double|-talk *use* ~ *-talk* mene det modsatte af hvad man siger. **-think** dobbelttænkning (nære to modstridende opfattelser på én gang). **-tongued** tvetunget. ~ **track** dobbeltspor. **-tree** hammel.

doubling ['dʌbliŋ] *sb* fordobling *(etc, cf II. double)*; krumspring, kunstgreb; (om garn) tvinding.
doubly ['dʌbli] *adv* dobbelt.
doubt [daut] *vb* tvivle (om *el.* på); betvivle; *(glds)* befrygte; *sb* tvivl, uvished, betænkelighed; *beyond* ~ hævet over enhver tvivl; *no* ~ uden tvivl, utvivlsomt, sikkert; *throw* ~ *on* drage i tvivl; *without (a)* ~ uden tvivl, utvivlsomt; ganske givet. **doubter** ['dautə] *sb* tvivler.
doubtful ['dautf(u)l] *adj* tvivlrådig; tvivlsom; problematisk; tvetydig, ikke helt pæn; ~ *debts* usikre fordringer; *in* ~ *taste* temmelig smagløs.
doubting Thomas vantro Thomas, skeptiker.
doubtless ['dautlis] *adv* uden tvivl; utvivlsomt.
douce [du:s] *adj* sat, rolig, sindig, stilfærdig.
douceur [du:'sə:] *sb* dusør; bestikkelse.
douche [du:ʃ] *sb* styrtebad, douche; *(med)* udskylning.
dough [dou] *sb* dej; S penge. **dough|boy** *(am* T) infanterist. **-nut** *(omtr)* Berliner Pfannkuchen.
doughty ['dauti] *adj (glds)* tapper, mandig.
doughy ['doui] *adj* dejagtig, klæg; blegfed.
Douglas ['dʌgləs]: ~ *fir* douglasgran.
dour [duə] *adj* hård, ubøjelig, stædig, sej *(fx resistance)*; indædt *(fx anger)*; dyster, mørk, streng.
douse [daus] *vb* overøse *(el.* overhælde) med vand, sjaske til; dyppe *(el.* komme) i vand; (om lys) slukke.
dove [dʌv] *sb (også fig)* due; *simple as* ~ enfoldige som duer.
dovecot(e) ['dʌvkɔt] *sb* dueslag; *flutter the* -s bringe uro i lejren, sætte sindene i bevægelse, lave røre i andedammen.
Dover ['douvə].
dovetail ['dʌvteil] *sb* sinke(forbindelse); *vb* sinke (sammen); *(fig)* passe sammen; passe nøjagtigt *(into, with* ind i).
dowager ['dauədʒə] *sb* fornem *el.* rig enke; T statelig ældre dame; *queen-dowager* enkedronning.
dowdy ['daudi] *sb* gammeldags *(el.* sjusket) klædt kvinde; *adj* gammeldags, sjusket, smagløs; dårligt *(el.* smagløst) klædt.
dowel ['dauəl] *sb* dyvel, tap, låsetap; *(tekn)* styrepind, styrestift, passtift. **dowel pin,** se *dowel.*
dower ['dauə] *sb* enkelod, enkesæde; medgift; begavelse, talent; *vb* begave *(with* med).
dowlas ['daulɔs] *sb* dowlas (groft lærred).
I. down [daun] *sb* dun; fnug.
II. down [daun] *sb* højdedrag; klit; *the Downs* højdedrag i Sydengland; havet mellem Goodwin Sands og den engelske kyst.
III. down [daun] *adv* ned, nede; nedad; (i krydsordsopgave) lodret; *præp* ned ad, nede ad, ned igennem; *adj* lav, ringe; nedadgående, aftagende; afkræftet, udmattet; langt nede, nedtrykt; (ned)skrevet; *(merk)* på bordet, kontant, i udbetaling; *down!* (til hund) dæk!
bread is ~ brødet er faldet (blevet billigere); *cash* ~ (pr.) kontant; *two goals* ~ to mål bagefter; ~ *the street* hen ad gaden; ~ *there* der ned(e); ~ *wind* med vinden; (se også *II.* boil, *I.* come, *I.* go, *II.* let, *I.* run etc);
(med præp, adv) ~ *from* (om tid) lige fra; (om sted) (bort) fra; *be* ~ *on sby* være på nakken af en; *have a* ~ *on sby* have et horn i siden på en, have noget imod en; ~ *and out* færdig, ruineret, ødelagt; slået ud; ~ *to* (lige) til *(fx* ~ *to the time of Elizabeth)*; ~ *under* på den anden side af jorden (i Australien *etc)*; *up and* ~ op og ned, frem og tilbage; *ups and -s* medgang og modgang; *be* ~ *with influenza* ligge syg af influenza.
IV. down [daun] *vb* slå ned; nedskyde (flyvemaskine); drikke, hælde i sig *(fx a glass of beer)*; ~ *tools* nedlægge arbejdet, strejke.
down|-at-heel lurvet, derangeret. **-beat** *(mus)* nedslag. **-cast** *adj* nedslået; (om øjne) nedslagen. **-dale** ned ad bakke. **-draught** nedslag (i skorsten). **-fall** fald; undergang; (sne, regn) nedbør, *(am)* = *deadfall.* **-grade** *sb* skråning (nedad), faldende strækning; *(jernb)* fald; *vb* nedsætte, anbringe i en lavere klasse, degradere; forklejne, rakke ned på; *on the* -grade i nedgang, for nedadgående, på retur. **-haul** *(mar)* nedhaler. **-hearted** modfalden. **-hill** hældende; ned ad bakke; *he's going* -hill *fast* det går rask ned ad bakke med ham.

downies ['dauniz] *sb pl* S barbitursyrepræparater.
Downing ['dauniŋ]: ~ *Street* (gade i London med premierministerens bolig); ministeriet, regeringen.
down|land ['daunlænd] bakket landskab. **-lead** ['daunli:d] nedføringstråd (til radio). **-let** duntæppe, dundyne. **-pipe** nedløbsrør, faldrør. ~ **platform** perron for tog der kører ud af byen. **-pour** skylregn, øsregn. ~ **quilt** duntæppe. **-right** *adj* fuldkommen, komplet, ren *(fx nonsense)*; *adv* direkte, ligefrem *(fx he was* -right *rude)*. **-stage** *adv* (på scene) i (, henimod) forgrunden. **-stairs** ned ad trapperne, ned; nedenunder (i en lavere etage). **-stroke** nedstreg. ~**-to-earth** *(am)* nøgtern, realistisk, jordbunden, jordnær. **-town** (ind) til (, inde i) byen, ind til (, inde i) centrum (af byen), ind til (, inde i) forretningskvarteret. **-trodden** undertrykt, forkuet. **-ward** ['daunwəd] *adj* nedadgående; synkende; *adv* nedad. **-wards** ['daunwədz] *adv* nedad. **-wash** *(flyv)* nedadgående vind *(el.* strømning). **-wind** med vinden.
I. downy ['dauni] *adj* dunet; dunblød; S listig, snu.
II. downy ['dauni] *adj* bakket, bølgeformet.
downy-leaved rose *(bot)* filtrose.
dowry ['dauəri] *sb* medgift; *(fig)* talent.
dowse [dauz] *vb* vise vand (med ønskekvist); se også *douse.* **dowser** vandviser. **dowsing rod** ønskekvist.
doxology [dɔk'sɔlədʒi] *sb* lovprisning, lovsang.
I. doxy ['dɔksi] *sb (glds* S) tiggertøs, tiggerkælling; tøjte; tøs, elskerinde.
II. doxy ['dɔksi] *sb* T mening, doktrin.
doyen ['dɔiən] *sb* doyen, alderspræsident.
Doyle [dɔil].
doz. *fk* dozen.
I. doze [douz] *vb* blunde, småsove; døse; *sb* blund; døs; råddenskab i træ.
II. doze [douz] *vb* rydde, planere (med bulldozer).
dozen ['dʌzn] *sb* dusin, (som rundt tal) en halv snes; *by the* ~ dusinvis; -s *of times* snesevis af gange; (se også *nineteen, six).* **dozenth** tolvte; *for the* ~ *time* for (hundrede og) syttende gang.
dozer ['douzə] *sb = bulldozer.*
dozy ['douzi] *adj* døsig.
doyley ['dɔili] *sb = doily.*
D.P. *fk* displaced person.
Dr. *fk* Doctor, debitor.
I. drab [dræb] *sb* sjuske; *(glds)* skøge.
II. drab [dræb] *sb* gråbrunt klæde; drap; gråbrun farve; *adj* drapfarvet; hverdagsgrå, trist, ensformig.
drabbet ['dræbit] *sb* groft, drapfarvet lærred.
drabble ['dræbl] *vb* tilsøle(s); ~ *through* plaske gennem.
drachm [dræm], **drachma** ['drækmə] *sb (hist.)* drakme; (se også *dram).*
Draconian [drei'kounjən], **Draconic** [drə'kɔnik] *adj* drakonisk, meget streng.
draff [dræf] *sb* bundfald, bærme; (ved brygning) mask.
draft [dra:ft] *(se også under draught)* grundrids, plan, tegning; (skriftligt:) udkast, kladde, koncept; *(merk)* veksel, tratte; *(mar)* dybgående; *(mil.)* detachement; indkaldelse, *(am)* værnepligt; indkaldt mandskab; *vb* tegne; lave udkast til, sætte op; koncipere; *(mil.)* detachere; *(am)* indkalde; ~ *agreement* udkast til overenskomst.
draft| board *(am)* udskrivningskommission. ~ **card** *(am)* indkaldelsesordre. ~ **dodger,** ~ **resister** *(am)* en der prøver at unddrage sig militærtjeneste; militærnægter.
draftee [dræf'ti:] *sb (am)* indkaldt soldat.
draftsman ['dra:ftsmən] *sb* tegner.
draftsmanship *= draughtsmanship.*
I. drag [dræg] *vb* trække, hale; slæbe (hen ad jorden); (ved eftersøgning) dregge i, trække vod i; gennemsøge; *(agr)* harve; (uden objekt) slæbes; slæbe sig af sted, gå trægt; S kede *(fx he -s me)*; *the affair* -s *sagen trækker ud; the brakes* ~ bremserne slæber på; ~ *one's feet* slæbe på fødderne; *(fig)* være træg *(el.* modvillig); ~ *it in (fig)* trække det ind ved hårene; ~ *on* trække i langdrag, slæbe sig hen; ~ *it out* trække det ud, trække det i langdrag; ~ *up a child* give et barn en brutal og tilfældig opdragelse.
II. drag [dræg] *sb* slæben, slæbning; *(agr)* agerslæber, tung harve; *(mar, fx* til eftersøgning af druknet) vod, dræg, skraber; (ved jagt) slæb (til at frembringe kunstigt

spor); *(fig)* hæmsko, klods om benet *(on* på); *(flyv)* luftmodstand; (ved støbning) underpart, underkasse; (vogn:) diligencelignende privat køretøj; **T** hiv (af cigaret); kvindetøj båret af mand; *(am* **S)** gade; *main* ~ hovedgade; *that record is a* ~ **S** den plade er dødkedelig *(el.* dødssyg); *have a* ~ **S** have et ord at skulle have sagt (ɔ: have indflydelse).

drag anchor *(mar)* drivanker.

draggle ['drægl] *vb* slæbe i snavset; tilsøle(s); tiljaske(s). **draggled** *adj* jasket.

draggle|-tail *sb* sjuske. **-tailed** sjokket, sjusket.

dragnet ['drægnet] *sb* vod.

dragoman ['drægəmən] *sb* orientalsk tolk *el.* fører.

dragon ['drægən] *sb* drage. **dragon|fly** *zo* guldsmed. ~ **tree** *(bot)* drageblodstræ.

dragoon [drə'gu:n] *sb* dragon; *vb* tvinge ved voldsomme midler, regere med, tyrannisere.

drag|rope slæbetov (til ballon); drægtov. ~ **show** optræden af mænd i kvindetøj. ~ **wire** *(flyv)* modstandsbardun.

I. drain [drein] *vb* bortlede (noget flydende); udtørre; dræne; *(fig)* tømme; tappe *(of* for); (uden objekt) flyde bort, løbe af; *his life was -ing away* hans liv ebbede ud.

II. drain [drein] *sb* afløb; kloakledning; drænrør; nedløbsrør; dræn (i sår); tømning, tapning; slurk, tår; *be a* ~ *on* tære stærkt på *(fx his purse* hans pengebeholdning; *his strength* hans kræfter); *go down the* ~ forsvinde, gå til spilde.

drainage ['dreinidʒ] *sb* bortledning; afvanding; aftapning; dræning; rørlægning; kloakering; kloakvæsen, kloaksystem; kloakvand; dræningsvand.

draining|-board, ~ **dish,** ~ **tray** opvaskebakke.

drainpipe drænrør; nedløbsrør; *-s* **S** snævre bukser.

drake [dreik] *sb* zo andrik; døgnflue.

dram [dræm] *sb* 1/16 *ounce; (am)* 1/8 *ounce;* smule; dram, snaps.

drama ['dra:mə] *sb* drama.

dramatic(al) [drə'mætik(l)] *adj* dramatisk; *(fig* også) overraskende, opsigtsvækkende, sensationel, pludselig.

dramatics [drə'mætiks] *sb pl* amatørteater; dramatik; **T** dramatik, postyr.

dramatis personae ['dræmətis pə:'souni:] de optrædende personer; personliste.

dramatist ['dræmətist] *sb* dramatiker, skuespilforfatter.

dramatization [dræmətai'zeiʃən] *sb* dramatisering.

dramatize ['dræmətaiz] *vb* dramatisere.

dramaturgy ['dræmətə:dʒi] *sb* dramaturgi.

drank [dræŋk] *præt* af *drink.*

drape [dreip] *vb* beklæde; drapere; *sb* fald *(fx the* ~ *of a gown); -s pl* draperier; *(am)* gardin(er); forhæng.

draper ['dreipə] *sb* klædehandler, manufakturhandler. **draper's shop** manufakturforretning.

drapery ['dreipəri] *sb* drapering, draperi; gardin, forhæng; klædehandel; manufakturvarer; manufakturforretning.

drastic ['dræstik] *adj* drastisk; kraftigt virkende *(fx remedy).*

drat [dræt]: ~ *him!* gid pokker havde ham! ~ *(it)!* så for pokker!

draught [dra:ft] *sb* (se også under *draft)* trækken; aftapning; træk, trækvind; spjæld (i ovn etc); slurk; drik; et glas *(el.* krus) øl *etc;* mikstur; fiskedræt; grundrids, tegning, udkast; *(mar)* dybgående; *at a* ~ i ét drag; *beer on* ~ fadøl; *feel the* ~ *(fig)* komme i (økonomiske) vanskeligheder, føle sig truet; *a rough* ~ en kladde.

draught|board dambræt. ~ **excluder** tætningsliste. ~ **horse** trækhest, arbejdshest.

draughts [dra:fts] *sb pl* damspil.

draughts|man dambrik; tegner; forfatter af udkast, koncipist. **-manship** tegnekunst.

draughty ['dra:fti] *adj: a* ~ *room* et værelse hvor det trækker.

I. draw [drɔ:] *sb* (et) træk, lodtrækning, trækning; remis, uafgjort spil, uafgjort kamp; lokkemiddel, trækplaster, *(teat)* kassestykke; *beat him on the* ~ *(am)* skyde først; komme ham i forkøbet.

II. draw [drɔ:] *vb (drew drawn)* trække; drage; trække op *(fx* ~ *the cork gently),* trække ud *(fx a tooth),* trække for (, fra) *(fx the curtain),* trække ned (, obligation, præmie) udtrække; *(fig)* tiltrække *(fx the accident drew a*

large crowd), drage *(fx she felt -n towards him),* lokke *(fx* ~ *him away from his work,* ~ *him to say silly things),* fremkalde *(fx* ~ *applause; it drew indignant protests from them),* udlede *(fx* ~ *a moral from* (af) *the story),* drage *(fx a conclusion, the consequences),* hente *(fx* ~ *inspiration from his example);* suge; (om væske) tappe *(fx* ~ *wine from a cask,* ~ *him a glass of beer); (fig)* få til at udtale sig, »prise« *(fx they tried to* ~ *him);* (om penge) hæve *(fx he -s £15 every week,* ~ *one's wages);* (om billede) tegne *(fx* ~ *a picture of sth; she -s well);* (om dokument) affatte, opsætte, udfærdige; (i madlavning) udtage indvoldene af *(fx* ~ *a chicken);* (i sport, spil) spille uafgjort *(fx Arsenal and Chelsea drew 3-3);* (ved jagt) afsøge; *(mar)* stikke, have et dybgående af; *(merk)* trække, trassere *(fx a bill, a cheque);* (i fiskeri) trække vod i;

(forskellige forbindelser:) *he refused to be -n* han lod sig ikke provokere; han ville ikke røbe noget; ~ *(a) blank,* se *blank;* ~ *a bow* spænde en bue; ~ *the long bow* overdrive, fantasere; ~ *a cork* (også:) trække en flaske op; *we must* ~ *the line somewhere* der må være en kant *(el.* grænse); *I* ~ *the line there* der trækker jeg grænsen; ~ *the rein* holde hesten an; ~ *tears* lokke tårerne frem; (forbindelser med *præp* og *adv*) ~ **apart** *(fig)* glide fra hinanden; ~ **away** trække bort; drage bort; øge sit forspring; ~ **back** trække (sig) tilbage; ~ **down** trække ned; pådrage sig; fremkalde *(fx it drew down a storm of protest);* ~ *down the curtain* lade tæppet gå ned; ~ **for** *partners* trække om hvem der skal være makkere; ~ **from** *nature* tegne efter naturen; ~ *inspiration from* lade sig inspirere af, hente sin inspiration fra; ~ *water from a well* hente vand op af en brønd; ~ **in** trække ind; inddrage, lokke med; formindske, nedskære, inddrage; indskrænke; *the days are -ing in* dagene bliver kortere; ~ **level** *with* indhente, komme på højde med; ~ *it mild,* se *mild;* ~ **near** nærme sig; ~ **off** uddrage; aflede; føre sig, trække (sig) tilbage; aftappe, affade; ~ **on** nærme sig *(fx winter is -ing on);* trække på *(fx you may* ~ *on me for £200); (fig)* trække veksler på; bruge som kilde, benytte *(fx he has -n on old manuscripts),* øse af *(fx his extensive knowledge);* ~ *sby on* lokke en; provokere en; ~ **out** trække ud; strække; trække frem; fremdrage, få frem; ~ *sby out* få en til at udtale sig, få en på gled; *the days are -ing out* dagene bliver længere; ~ **round** samle sig om; ~ **to** *a conclusion* nærme sig sin afslutning; gå på hæld; ~ **up** stille op *(fx the troops drew up on the drill ground);* standse; sætte op, affatte *(fx a contract),* redigere; ~ *oneself up* rette sig (i vejret).

draw|back ['drɔ:bæk] *sb* ulempe, ubehagelighed, skyggeside, minus; hindring; *(merk)* toldgodtgørelse ved eksport af importerede varer; *(am)* returkommission. **-bridge** vindebro, svingbro.

drawee [drɔ:'i:] *sb* trassat.

I. drawer [drɔ:] *sb* skuffe; *chest of -s* kommode, dragkiste, skuffemøbel; se også *bottom drawer; top drawer.*

II. drawer ['drɔ:ə] *sb* tegner; *(merk)* trassent; ~ *of a cheque* (også) checkudsteder.

drawers ['drɔ:z] *sb pl* underbukser.

drawing ['drɔ:iŋ] *sb* tegning; trækning; udtrækning; *-s* (også) indtægter; *out of* ~ fortegnet.

drawing| board tegnebræt. ~ **card** *(am)* trækplaster *(fig).* ~ **knife** båndkniv. ~ **master** tegnelærer. ~ **paper** tegnepapir. ~ **pin** tegnestift. ~ **room** dagligstue, salon; selskab; kur (ved hoffet). ~ **room comedy** salonkomedie.

drawknife ['drɔ:naif] *sb* båndkniv.

drawl [drɔ:l] *vb* dræve, tale *el.* læse slæbende; *sb* dræven, slæbende tale *el.* læsen.

drawn [drɔ:n] *pp* af *II. draw;* trukket *(etc);* stram; fortrukken; anspændt; ~ *butter sauce (am)* opbagt sovs.

dray [drei] *sb* flad arbejdsvogn, ladvogn, blokvogn, ølvogn. **dray| horse** svær arbejdshest, bryggerhest. **-man** ølkusk.

dread [dred] *sb* skræk, frygt, ærefrygt; rædsel *(of* for); *adj* frygtelig; ærefrygtindgydende; *vb* frygte, rædes. **dreadful** *adj* frygtelig; *penny* ~ knaldroman, røverroman.

dreadnought ['drednɔ:t] *sb* svært frakkestof, tyk frakke; *(mar)* dreadnought (panserskibstype).

I. dream [dri:m] *sb* drøm. **II. dream** [dri:m] *vb (dreamt el.*

dreamed, dreamt *el. dreamed)* drømme; ~ *up* fantasere sig til, finde på. **dreamer** ['dri:mə] *sb* drømmer. **dreamt** [dremt] *præt* og *pp* af *dream*. **dreamy** ['dri:mi] *adj* drømmende; som en drøm; drømmeagtig.

dreary ['driəri] *adj* sørgelig, trist; uhyggelig, trøstesløs; kedelig, ensformig.

dredge [dredʒ] *sb* dræg; østersskraber, bundskraber; (til opmudring) muddermaskine; *(agr)* blandsæd; *vb* skrabe østers; drægge *(for* efter); fiske op; mudre op, opmudre; (om sukker, mel) drysse; ~ *the meat with flour* drysse mel over kødet; ~ *sugar over* strø sukker på.

dredger ['dredʒə] *sb* skraber; muddermaskine; strødåse.

dree [dri:] *vb* (i skotsk) tåle; ~ *my weird* finde mig i min skæbne.

dregs [dregz] *sb pl* bærme, bundfald; *drink (el.* drain) to the ~ tømme til bunden; *the* ~ *of Society* samfundets bærme.

drench [drenʃ] *vb* gennembløde, gennemvæde; give medicin ind; *sb* dosis kreaturmedicin.

I. dress [dres] *sb* dragt; påklædning; (dame)kjole; se også *evening dress, full dress*.

II. dress [dres] *vb* klæde på, klæde; klæde sig på; klæde sig om; pynte *(fx a shop window)*, tilberede, ordne, (til)-lave; tilhugge, tilhøvle, tilrette *etc*, afrette, afpudse; (om kød *etc)* rense *(fx fish)*, pudse; (om sår) forbinde, behandle; (om skind) garve; (om stof) appretere; *(mil.)* stille op i lige linie, rette ind; *right* ~! ret ind til højre! ~ *flax* hegle hør; ~ *her hair* sætte hendes hår; ~ *a horse* strigle en hest; ~ *the salad* tillave salaten med eddike, olie *etc;* ~ *ship (mar)* flage over toppene *(el.* ræerne); ~ *a tree* beskære et træ;
    (med *adv)* ~ *sby down* give en en omgang, skænde på en; ~ *out* pynte; ~ *up* pynte, fikse op; klæde sig ud.

III. dress [dres] *adj* selskabs-, galla- *(fx shoes, uniform)*. **dress**| **circle** balkon (i teater). ~ **coat** herrekjole.

dresser ['dresə] *sb* påklæder(ske); vinduesdekoratør; kirurgs assistent; køkkenskab med tallerkenrække foroven; *(am)* toiletbord; *(tekn)* afretter.

dress form gine (til kjolesyning).

dressing ['dresin] *sb* påklædning; (til sår) forbinding; *(agr)* gødning; (i madlavning) tilberedning; tillavning; sovs; dressing, marinade (til salat); fyld (i stegt fugl *etc)*; (stivemiddel i stof) appretur.

dressing| **bag** necessaire, lille toilettaske. ~ **bell** klokke (der giver signal til omklædning til middag). ~ **case** se ~ *bag*. ~ **down** omgang, overhaling *(fx give him a good* ~ *down)*. ~ **gong** gongong (der giver signal til omklædning til middag). ~ **gown** slåbrok. ~ **jacket** frisertrøje. ~ **room** påklædningsværelse, (skuespiller)garderobe. ~ **set** toiletgarniture. ~ **station** forbindingsplads. ~ **table** toiletbord. **dress**|**maker** dameskrædderinde. -**making** dameskrædderi, kjolesyning. ~ **preserver** ærmeblad. ~ **rehearsal** generalprøve. ~ **shield** ærmeblad. ~ **shirt** manchetskjorte. ~ **show** mannequinopvisning. ~ **suit** kjole og hvidt.

dressy ['dresi] *adj* fiks; (over)pyntet; pyntesyg.

drew [dru:] *præt* af *draw*.

dribble [dribl] *vb* dryppe, savle; lade dryppe; (i fodbold) drible; *sb* dryp.

driblet ['driblit] *sb* dryp; lille smule, lille sum penge; *by -s* i småpartier, dråbevis.

I. drier ['draiə] *sb* tørremiddel; tørrehjelm.

II. drier komparativ af *dry*.

I. drift [drift] *sb* drift, driven, *(fig)* retning, tendens, tankegang, mening *(fx the* ~ *of the speech)*; sammendrevet dynge *(fx of dead leaves)*, snedrive; snefog, regnbyge; *(geogr)* (langsom) strøm; *(mar, flyv)* afdrift; *(geol)* aflejring; (i fiskeri) drivgarn; *(tekn)* dorn (til at udvide et hul med); uddrivningskile; (i mine) stolle (minegang); *I didn't get the* ~ *of what he said* (også) jeg forstod ikke hvor han ville hen.

II. drift [drift] *vb* drive, fyge (sammen); sammendynge; flyde; føres, lade sig føre; T slentre; *let things* ~ lade stå til.

drift anchor drivanker.

drifter ['driftə] *sb* drivgarnsfisker; dagdriver; flakke (ɔ: der tit skifter arbejdssted).

drift| **ice** drivis. ~ **net** drivgarn. -**wood** drivtømmer.

drill [dril] *vb* bore; gennembore; *(mil.)* eksercere (med);

(fig) indøve, indeksercere; *sb (tekn)* drilbor; *(agr)* radsåmaskine, rad, fure; (stof) drejl; *(mil.)* eksercits; *(fig)* mekanisk indøvelse; rutine; T rigtig fremgangsmåde *(fx what's the* ~ *for filling in this form?)*; *zo* dril (en abe).

drill| **ground** eksercerplads. ~ **hall** eksercerhus. ~ **harrow** drillharve.

drilling rig boreplatform.

drily ['draili] *adv* tørt.

I. drink [driŋk] *sb* drik, drikke; drink; *have a* ~, *take a* ~ drikke et glas, få sig et glas; *in* ~ beruset; *the* ~ *(flyv,* **S)** havet; *in the* ~ **S** i 'ballen', i vandet.

II. drink [driŋk] *vb (drank, drunk)* drikke *(out of* af); ~ *in* indsuge; tømme; ~ *off* drikke ud; ~ *to* drikke på; ~ *to sby* skåle med en, hilse på en (med glasset); drikke ens skål; ~ *up* drikke op, drikke ud.

drinkable ['driŋkəbl] *adj* drikkelig; *sb:* -s drikkevarer.

drinker ['driŋkə] *sb* en som drikker; dranker.

drinking| **bout** soldetur. ~ **song** drikkevise. ~ **water** drikkevand.

drip [drip] *vb* dryppe; dryppe af; *sb* dryp; *(arkit)* vandnæse; gesims; *(med)* drop; **S** kedeligt drys.

drip-dry ['dripdrai] *adj* som skal dryppetørre; *vb* dryppetørre.

dripping ['dripiŋ] *sb* dryppen; stegefedt; fedt og saft der drypper fra kød under stegning; ~ *wet* drivvåd.

dripstone ['dripstoun] *sb* drypsten; *(arkit)* vandnæse, drypkant, kransliste.

I. drive [draiv] *vb (drove, driven)* drive, jage, tvinge; jage med, koste med; (om bil *etc)* køre, styre, føre, (om bold, søm) slå *(fx* ~ *a nail in)*, (om pæl) ramme ned, (om tunnel *etc)* grave, føre *(fx* ~ *a tunnel through a hill)*; (uden objekt) køre; fare; ~ *a bargain* slå en handel af; ~ *a hard bargain* være en hård forhandler; presse en aftale (, handel) igennem; ~ *at* sigte til, hentyde til, mene *(fx what are you driving at?)*; *(let)* ~ *at* lange ud efter, gå løs på; ~ *away sorrow* fordrive sorgen; ~ *it into his head* banke det ind i hovedet på ham; *he could be led but not* -n han skulle tages med det gode; ~ *up* køre frem.

II. drive [draiv] *sb* køretur; kørevej, indkørsel; kørsel; driven, jagten, klapjagt; fart, energi, handlekraft; voldsomt angreb; fremstød, kampagne, offensiv *(fx an export* ~ *)*; (i sport) hårdt (fladt) slag, (i kricket) slag fremefter; **four-wheel** ~ firhjulstræk; *with lefthand* ~ venstrestyret (om bil).

drive-in ['draivin] *sb* drive-in, friluftsbiograf (, restaurant etc) for bilister i vogn; bilbio.

drivel ['drivl] *vb* savle; vrøvle; *sb* savl; vrøvl.

driveller ['drivlə] *vb* vrøvlehoved.

driven ['drivn] *pp* af *drive*, *adj: white as the* ~ *snow* hvid som nyfalden sne; *pure as the* ~ *snow (fig)* uskyldsren.

driver ['draivə] *sb* kusk, chauffør, bilist, vognstyrer, lokomotivfører; drivværk, drivhjul; slags golfkølle.

driveway ['draivwei] *sb* indkørsel, kørevej.

driving| **belt** drivrem. ~ **instructor** kørelærer. ~ **lesson** køretime. ~ **licence** kørekort. ~ **mirror** bakspejl. ~ **shaft** drivaksel. ~ **test** køreprøve. ~ **wheel** drivhjul.

drizzle ['drizl] *vb* støvregne, småregne; *sb* støvregn, finregn. **drizzly** *adj* med støvregn.

drogue [droug] *sb* drivanker; *(flyv)* slæbemål; vindpose.

drogue parachute bremsefaldskærm.

droit [drɔit] *sb* rettighed.

droll [droul] *adj* morsom, komisk, pudsig, løjerlig. **drollery** ['droul(ə)ri] *sb* morsomhed(er), pudsighed, løjerlighed.

dromedary ['drʌmədəri] *sb zo* dromedar.

drone [droun] *sb* (bi) drone; (person) dagdriver, drivert; (lyd) summen, snurren; (instrument) baspibe; sækkepibe; *vb* dovne, dvaske; brumme, snurre; tale *(el.* synge) monotont. **drone fly** *zo* dyndflue.

droningly ['drouniŋli] *adv* monotont, drævende.

drool [dru:l] = *drivel*.

droop [dru:p] *vb* hænge ned; lude; hænge slapt; blive kraftesløs, synke sammen.

I. drop [drɔp] *sb* dryp; dråbe; (smykke:) ørelok; (sukker:) bolsje, drops; *(cf II. drop)* fald, nedgang; faldhøjde; (med faldskærm) udspring; nedkastning; *(teat)* mellemaktstæppe; (for nøglehul og fl)* klap; (på galge) faldlem; *a* ~ *too much* en tår over tørsten; *a* ~ *in the bucket (el. ocean)* en dråbe i havet; *at the* ~ *of a hat* på et givet signal; straks, uden mukken; pludselig, på den mindste foranledning; *get (el. have) the ~ on (am)* have overtaget over; *letter ~* brevsprække.

II. drop [drɔp] *vb* lade falde *(fx the curtain, a remark)*, nedkaste *(fx supplies)*, sænke *(fx one's voice)*; tabe *(fx he -ped the vase)*, miste, slippe, give slip på, kaste; sætte af *(fx you can ~ me here)*; (i jagt) skyde ned *(fx a bird)*; (om dyr) føde, kaste (unger); (glemme:) udelade *(fx a letter* et bogstav); (ikke (ville) beskæftige sig mere med:) holde op med, opgive *(fx you had better ~ the matter; ~ an acquaintance* et bekendtskab), afbryde omgangen med, slå hånden af, droppe *(fx a friend)*, forlade; (om brev *etc)* sende *(fx ~ me a postcard)*; (uden objekt) falde, dumpe, lade sig falde *(fx ~ from a window)*, synke *(fx into a chair)*, falde (el. segne el. synke) om *(fx ~ dead, ~ with fatigue)*; synke, tage af, aftage *(fx sales -ped)*; falde tilbage *(fx ~ to the third place)*; forsvinde *(fx ~ out of sight)*; dryppe, drive (af vand); (om vind) stilne af; lægge sig;

~ (the) anchor kaste anker, ankre op; *his face -ped* han blev lang i ansigtet; *~ a hint* lade en bemærkning falde, give et praj (el. vink); *~ it!* hold op (med det)! (til en hund) læg det; *~ me a line* send mig et par ord; *~ the subject* forlade emnet, lade emnet falde;

~ behind sakke agterud (for); *~ down(stream)* føres med strømmen; *~ down on* skælde ud, overfalde; *~ in* komme uventet, kigge indenfor; drysse ind, se ind *(on* til); *~ off* aftage, tage af, synke; falde hen, falde i søvn; falde fra; dø; *~ out* trække sig ud, glide ud; falde fra, gå fra, opgive; melde sig ud af samfundet; *~ through (fig)* falde til jorden; *ready to ~* segnefærdig.

drop|curtain mellemaktstæppe. *~ -forge vb* sænksmede. *~ hammer* faldhammer. **-kick** *vb* halvflugte; slå halvflugtning. *~ leaf* klap (på klapbord). **-let** lille dråbe, spytpartikel.

dropout ['drɔpaut] *sb* frafald; student (, elev) der ikke fuldfører uddannelsen; en der melder sig ud af samfundet; social taber; (i edb) udfald. **dropout rate** frafaldsprocent.

dropper ['drɔpə] *sb (med.)* pipette, dråbetæller.

droppings ['drɔpiŋz] *sb pl* dryp *(fx from a candle)*; (dyrs) ekskrementer.

drop|rudder sænkeror. *~ scene* mellemaktstæppe.

dropsical ['drɔpsikl] *adj* vattersotig.

dropsy ['drɔpsi] *sb* vattersot.

dross [drɔs] *sb* slagger, bundfald, affald.

drought [draut] *sb* tørhed, tørke; *(glds)* tørst. **droughty** ['drauti] *adj* tør, tørstig. **drouth** [drauθ] *(am)* = *drought*.

I. drove [drouv] *sb* drift (kvæg); *(fig)* flok, skare.

II. drove [drouv] *præt* af *drive*; *vb* drive (kvæg).

drover ['drouvə] *sb* kvægdriver; kvæghandler.

drown [draun] *vb* drukne; overdøve; *get -ed, be -ed* drukne; *~ the revolution in blood* kvæle revolutionen i blod.

drowse [drauz] *vb* halvsove, døse; gøre døsig.

drowsy ['drauzi] *adj* søvnig, døsig; søvndyssende.

I. drub [drʌb] *vb* banke, prygle, tæske; stampe.

II. drub [drʌb] *sb* slag, stød.

drubbing ['drʌbiŋ] *sb* dragt prygl; lag tæsk.

drudge [drʌdʒ] *sb* slider, slave, træl; hårdt og ensformigt arbejde; slid; *vb* trælle; slide og slæbe. **drudgery** ['drʌdʒəri] *sb* slid og slæb, hårdt og ensformigt arbejde.

drug [drʌg] *sb* medicin, apotekervare; droge; stimulans, narkotisk middel; *-s* (også) medicinalvarer; »stof«; *vb* blande med et bedøvende stof *el.* gift; give medicin ind; forgifte, bedøve; bruge stimulanser; *~ on the market* uafsættelig vare.

drug|addict narkoman, stofmisbruger. *~ addiction* narkomani, stofmisbrug. *~ factory* medicinalfabrik.

drugget ['drʌgit] *sb* uldent stof til gulvtæpper; tæppeskåner.

druggist ['drʌgist] *sb* materialhandler; (i USA og Skotland) apoteker.

drugstore ['drʌgstɔ:] *sb (am)* forretning der foruden apotek også rummer isbar, legetøjsafdeling, parfumeafdeling *etc.*

drug user stofbruger.

druid ['druid] *sb (hist.)* druide (keltisk præst).

drum [drʌm] *sb* tromme; trommehvirvel; trommeslager; cylinder, tromle, valse; (cylindrisk beholder) tromle, tønde; *(anat)* trommehinde; *vb* tromme; tromme på; tromme sammen (rekrutter, politiske partifæller); *beat the ~* slå på tromme; *~ sth into sby ('s head)* banke noget ind i hovedet på en; *~ up* tromme sammen; skaffe ved ihærdige anstrengelser.

drum|beat trommeslag, trommehvirvel. **-fire** trommeild. **-head** trommeskind. **-head court-martial** standret. *~ major* tamburmajor, regimentstambur. *~ majorette* kvindelig tamburmajor; medlem af pigegarde.

drummer ['drʌmə] *sb* trommeslager; *(am)* handelsrejsende, repræsentant.

drumstick *sb* trommestik; **T** (stegt) hønselår.

drunk [drʌŋk] *pp* af *drink*; *adj* fuld, beruset *(fx the man is ~)*; *(~* beruser; **S** drikkegilde; *get ~* drikke sig fuld; *~ as a lord* hønefuld, fuld som en allike; *~ with delight* ovenud henrykt, vild af begejstring.

drunkard ['drʌŋkəd] *sb* dranker.

drunken ['drʌŋkən] *adj* fuld, beruset *(fx a ~ man)*; drikfældig. **drunkenness** ['drʌŋkənnis] *sb* fuldskab.

drupe [dru:p] *sb (bot)* stenfrugt.

dry [drai] *adj* tør; (om træ) udgået; (om malkeko) gold; (om humor) tør, spids; *(am)* tørlagt (ɔ: med spiritusforbud); *(mar)* læns; *~* tørre; *sb* tørvejr, tørke; tørhed; *~ bread* bart brød; *~ out* udtørre; **S** *(mht* narkotika) nedtrappe; *~ up* tørre (ind); udtørres, hentørres; *(fig,* om skuespiller) gå i stå, glemme sin replik; *~ up!* **T** hold mund! *~ work* arbejde man bliver tørstig af.

dryad ['draiəd] *sb* dryade, skovnymfe.

dryasdust ['draiəzdʌst] *adj* knastør; *sb* stuelærd, pedant.

dry battery, dry cell tørelement.

dry cleaners renseri. **dry cleaning** kemisk rensning.

Dryden ['draidn].

dry dock *sb* tørdok. **dry-dock** *vb* (lade) gå i tørdok.

dry goods *(am)* manufakturvarer; (i Australien) isenkram.

dry ice tøris.

dry matter tørstof.

dry nurse goldamme, barnepige. **dry-nurse** *vb* opflaske; være barnepige for.

drypoint ['draipɔint] *sb* koldnål; koldnålsstik, koldnålsradering.

dry rot svamp (i hus, i træ).

drysalter ['drai:sɔ:ltə] *sb* materialist, farvehandler. **drysaltery** materialhandel.

dry-shod ['drai'ʃɔd] *adj* tørskoet.

dry(stone) wall tørmur, tørtbygget mur.

D.S.C. *fk Distinguished Service Cross*.

D. Sc. *fk Doctor of Science*.

D.S.M. *fk Distinguished Service Medal*.

D.S.O. *fk Distinguished Service Order*.

D.S.T. *fk Daylight Saving Time*.

d.t., D.T. *fk delirium tremens*.

dual ['djuəl] *adj* dobbelt; *sb (gram)* dualis; *~ carriageway* dobbelt kørebane, adskilte kørebaner; *~ control (flyv)* dobbeltstyring; (i bil) dobbeltkommando; *~ flight (flyv)* flyvning med flyvelærer; *~ highway (am)* vej med adskilte kørebaner.

dualism ['djuəlizm] *sb* dualisme, dobbelthed.

dual-purpose *adj* som er beregnet til to formål, som kan bruges på to måder.

dual|tyres *pl* tvillingringe. *~ wheels* *pl* tvillinghjul.

I. dub [dʌb] *sb* klodrian.

II. dub [dʌb] *vb* slå til ridder; betitle; udnævne til; titulere, kalde, give øgenavn *(fx they -bed him 'Fatty')*; indsmøre med fedt *(fx ~ leather)*; (om film) eftersynkronisere; (radio) overspille.

dubbin ['dʌbin] *sb* læderfedt, fedtsværte.

dubiety [dju:'baiəti] *sb* tvivl; tvivlsomhed; tvivlsspørgsmål.

dubious ['dju:bjəs] *adj* tvivlende; tvivlrådig; usikker; tvivlsom; mistænkelig; be *(el. feel) ~ as to what to do* være i tvivl om hvad man skal gøre.

dubitable ['dju:bitəbl] *adj* tvivlsom.

dubitative ['dju:bitətiv] *adj* tvivlrådig.

Dublin ['dʌblin].

ducal ['dju:kəl] *adj* hertugelig.

ducat ['dʌkət] *sb* dukat.

duchess ['dʌtʃis] *sb* hertuginde.

duchy ['dʌtʃi] *sb* hertugdømme.
I. duck [dʌk] *sb* and; **T** (om person) skat, snut; *(mil.)* amfibie-landgangsfartøj; (i kricket) nul points; *-'s arse haircut* anderumpefrisure; *like water off a -'s back* som at slå vand på en gås; *-'s egg* andeæg; nul point (i kricket); *break one's -('s egg)* (i kricket) 'løbe' for første gang, få sit første point; *make (el. play)* -s *and drakes* slå smut; *play* -s *and drakes with one's money* øse sine penge ud; *in two shakes of a -'s tail* i løbet af nul komma fem, i lynende fart; *he takes to it like a* ~ *to water* det går som en leg for ham.
II. duck [dʌk] *sb* ravndug, bomuldslærred; sejldug; *-s* ravndugsbukser.
III. duck [dʌk] *vb* dukke (sig); smyge sig (, vige) uden om *(fx responsibility)*; *sb* dukkert, dukken sig.
duck|bill *zo* næbdyr. **-board** gangbræt (på sumpet jord *el.* i skyttegrav). **-boat** skydepram.
ducking ['dʌkiŋ] *sb* dukkert.
duck-legged ['dʌklegd] *adj* kortbenet.
duckling ['dʌkliŋ] *sb* ælling.
duckweed ['dʌkwi:d] *sb (bot)* andemad.
ducky ['dʌki] *adj* nuttet, sød; *sb* skat, snut.
duct [dʌkt] *sb* kanal, rør, (udførsels)gang.
ductile ['dʌktail] *adj* strækkelig, strækbar, bearbejdelig, bøjelig; plastisk; smidig; føjelig, let påvirkelig.
ductility [dʌk'tiliti] *sb* strækkelighed, strækbarhed; smidighed; føjelighed.
ductless ['dʌktlis] *adj (anat)*: ~ *glands* endokrine kirtler.
dud [dʌd] *sb* forsager, blindgænger; *(fig)* fuser, forbier, fiasko; *adj* uenergisk, kraftesløs; dårlig, i uorden; (om check) falsk; *duds (am* **T)** tøj, klude, kluns.
dude [dju:d] *sb (am)* laps; bybo; ~ *ranch* ranch indrettet for turister.
dudgeon ['dʌdʒən] *sb* vrede, forbitrelse, fortørnelse; *in high* ~ meget fortørnet.
due [dju:] *adj* skyldig; passende, tilbørlig; behørig; forfalden *(fx* om veksel); *sb* afgift; ret, hvad der tilkommer en; *-s* (også) kontingent; *adv* stik *(fx* ~ *north)*; ~ *date* forfaldsdag, betalingsdag; *he is* ~ *for promotion* han står for tur til at blive forfremmet; *give everyone his* ~ svare enhver sit; *in* ~ *time (el. course)* i rette tid, til sin tid, da tiden var inde; i tidens fylde; *fall* ~ *(for payment)* forfalde til betaling; *the steamer is* ~ *today* damperen skal komme i dag; *it is* ~ *to* det skyldes, det er en følge af *(fx the accident was* ~ *to the snow)*; *the obedience* ~ *to parents* den lydighed man skylder sine forældre; *thanks are* ~ *to Mr. X* jeg (, vi) er hr X tak skyldig.
duel ['dju:əl] *sb* tvekamp, duel; *vb* duellere.
duellist ['dju:əlist] *sb* duellant.
duenna [dju'enə] *sb* duenna, anstandsdame.
duet [dju'et] *sb* duet; *play a piano* ~ spille firhændig.
duff [dʌf] *sb* melbudding; *vb* **S** forfalske; forkludre, spolere.
duffel [dʌfl] *sb* dyffel; sportsudstyr, sæt tøj.
duffelcoat duffelcoat.
duffer ['dʌfə] *sb* dumrian, klodrian; bissekræmmer.
duffle|bag sportstaske; *(am)* køjesæk. **-coat** duffelcoat.
I. dug [dʌg] *sb* patte, pattevorte, yver.
II. dug [dʌg] *præt* og *pp* af *dig*.
dug-out ['dʌgaut] *sb* dækningsrum, beskyttelsesrum; kano lavet af udhulet træstamme; **S** afskediget officer som atter kaldes til tjeneste.
duiker ['daikə] *sb zo* dykantilope, dværgantilope.
duke [dju:k] *sb* hertug; **S** næve, hånd.
dukedom ['dju:kdəm] *sb* hertugdømme; hertugværdighed.
dulcet ['dʌlsit] *adj* sød, liflig, melodiøs.
dulcify ['dʌlsifai] *vb* forsøde; gøre blid.
dulcimer ['dʌlsimə] *sb* hakkebræt *(glds* musikinstrument).
dull [dʌl] *adj* dunkel, mat *(fx colour, eyes)*; uklar; (ikke skarp) stump, sløv *(fx knife)*; *(fig)* dump *(fx pain, sound)*; (om person) dum, tungnem, træg, langsom; (ikke morsom) kedelig *(fx film, book)*, flov, trist; *(merk)* svag *(fx a* ~ *market)*; *vb* gøre uklar; dulme; formindske; sløve; *be (el. feel)* ~, *have a* ~ *time* kede sig; ~ *of hearing* tunghør.
dullard ['dʌləd] *sb* dumrian.
dull-witted dum, enfoldig.
dulse [dʌls] *sb* spiselig tang.

duly ['dju:li] *adv* på tilbørlig måde *(el.* vis), i rette tid, behørigt, rigtigt *(fx* ~ *received)*.
dumb [dʌm] *adj* stum, umælende, målløs; tavs, fåmælt; *(am* **T)** dum; *vb* gøre stum; blive stum.
dumb|barge slæbepram. **-bells** håndvægte.
dumbfound [dʌm'faund] *vb* gøre målløs, forbløffe; *-ed* lamslået.
dumb|show pantomime, stumt spil. **-waiter** stumtjener (et lille serveringsbord); køkkenelevator.
dumdum ['dʌmdʌm] *sb* dumdumkugle.
Dumfries [dʌm'fri:s].
dummy ['dʌmi] *sb* stråmand; stum person; *(teat)* statist; **T** tåbe; (bugtalers) dukke; (i udstillingsvindue: til tøj) voksmannequin; (i kortspil) blind makker; (ting:) attrap, (af bog) prøvebog, prøvebind, (på hylde) blindbog; (til paryk) skabilkenhoved, parykblok; *(baby's* ~) narresut; *adj* fingeret; forloren, attrap-; ~ *cartridge* øvelsespatron.
dump [dʌmp] *sb* losseplads; ammunitionsdepot; bump; bule, 'hul'; fængsel, arrest; *vb* vælte af, læsse af, smide; dumpe *(fx* ~ *nerve gas in the sea)*; *(merk)* kaste ud på markedet til en lav pris, dumpe; se også *dumps*.
dump|body vippelad, tippelad. ~ *car (am)* tipvogn.
dumping ['dʌmpiŋ] *sb* aflæsning; dumpning; *(merk)* dumping.
dumpling ['dʌmpliŋ] *sb* melbolle; indbagt æble; (om person) **T** bolle.
dumps [dʌmps] *sb pl: in the* ~ deprimeret, nedtrykt.
dump truck *(am)* vogn med tippelad.
dumpy ['dʌmpi] *adj* lille og tyk.
I. dun [dʌn] *adj* gråbrun, mørkebrun; mørk; *sb* gråbrun farve.
II. dun [dʌn] *vb* kræve, rykke; *sb* rykker.
dunce [dʌns] *sb* dumrian, fæ, tosse; *(glds)* fuks (i en klasse); *-'s cap* narrehue, dosmerhue (brugt som straf for dovne børn).
Dunciad ['dʌnsiæd]: *the* ~ (digt af Pope).
Dundee [dʌn'di:].
dunderhead ['dʌndəhed] *sb* fæhoved, dumrian.
dunderheaded *adj* dum, tykhovedet.
dune [dju:n] *sb* klit, sandbanke.
dung [dʌŋ] *sb* møg, gødning; *vb* gøde.
dungaree [dʌŋgə'ri:] *sb* en slags groft kaliko; *-s pl (omtr)* arbejdsbukser, cowboybukser; overalls.
dung beetle *zo* skarnbasse.
dungeon ['dʌndʒən] *sb* underjordisk fangehul; borgtårn.
dung fork møggreb. **dunghill** mødding.
dunk [dʌŋk] *vb* dyppe.
Dunkirk [dʌn'kə:k].
dunlin ['dʌnlin] *sb zo* almindelig ryle.
Dunlop ['dʌnlɔp].
dunnage [dʌnidʒ] *sb* bagage; *(mar)* garnering (underlag under lasten *el.* beskyttende materiale mellem indladet gods), *(*~ *wood)* stuvholt.
dunner ['dʌnə] *sb* rykker.
dunning letter rykkerbrev.
dunno [dʌ'nou] **T** = *(I) don't know*.
duo ['dju:(:)ou] *sb* duo, duet.
duodecimal [dju:ə'desiməl] *adj:* ~ *system* tolvtalsystem.
duodecimo [dju:ə'desimou] *sb* (bogformat:) duodez.
duodenal [dju:ə'di:nəl] *adj (anat)* vedrørende tolvfingertarmen; ~ *ulcer* sår på tolvfingertarmen.
duodenum [dju:ə'di:nəm] *sb (anat)* tolvfingertarm.
douloguse ['dju:ələg] *sb* samtale mellem to.
dupe [dju:p] *vb* narre, bedrage, føre bag lyset; *sb* nar, godtroende fjols.
duplex [dju:pleks] *adj* dobbelt; *sb (am)* = ~ *apartment* lejlighed i to etager; ~ *house* dobbelthus.
I. duplicate ['dju:plikeit] *vb* fordoble; (skrivelse *etc)* duplikere, tage genpart af; mangfoldiggøre.
II. duplicate ['dju:plikit] *adj* dobbelt; *sb* dublet; genpart; duplikat; *in* ~ in duplo.
duplication [dju:pli'keiʃən] *sb* fordobling, duplikering.
duplicator ['dju:plikeitə] *sb* duplikator.
duplicity [dju'plisiti] *sb* falskhed, uoprigtighed, dobbeltspil.
durability [djuərə'biliti] *sb* varighed, holdbarhed.
durable [djuərəbl] *adj* varig, holdbar; *-s sb pl* varige forbrugsgoder.
duramen [djuə'reimen] *sb (bot)* kerneved.

durance ['djuərəns] *sb* fangenskab.
duration [dju'reiʃən] *sb* varighed, den tid noget varer; *for the ~ (of the war)* så længe krigen varede (, varer).
durbar ['dəːbaː] *sb* audiens (i Indien).
duress [dju'res] *sb* fængsling, frihedsberøvelse; (uretmæssig) tvang; vold; *do sth under ~* gøre noget under tvang.
Durham ['dʌrəm].
during ['djuəriŋ] *præp* under *(fx ~ my absence)*, i løbet af.
durmast ['dəːmaːst]: *~ oak* vintereg.
durra ['dʌrə] *sb (bot)* durra, indisk hirse.
durst [dəːst] *glds præt* af *dare*.
dusk [dʌsk] *sb* tusmørke, skumring; *adj* = *dusky*; *vb* skumre, formørkes; formørke.
dusky ['dʌski] *adj* dunkel, mørk, skummel, sortladen.
dust [dʌst] *sb* støv; fejeskarn; støvsky; S penge, mønt; *vb* tilstøve; støve af, rense for støv; bestrø; pudre (med insektpudder); *bite the ~* bide i græsset; *kick up (el. make, raise) a ~* lave spektakel, lave ballade; *throw ~ in sby's eyes* stikke én blår i øjnene; *~ sby's jacket (for him)* gennembanke en.
dust|bin skraldebøtte, skarnkasse. *~ cart* skraldevogn. *~ cover* smudsomslag (på bog); se også *~ sheet*. *~ devil* støvhvirvel.
duster ['dʌstə] *sb* støveklud; strødåse; *(am)* (kort) housecoat, kittel.
dusting ['dʌstiŋ] *sb* drys *(fx a ~ of flour]*; afstøvning; S dragt prygl.
dust|jacket = *~ cover*. **-man** skraldemand; Ole Lukøje. **-off** *sb (am) (mil.)* helikopter til borttransport af sårede. **-pan** fejebakke, fejespån. *~ sheet* møbelovertræk. *~ shot* spurvehagl. **-up** S ballade, slagsmål, skænderi. *~ wrapper* smudsomslag.
dusty ['dʌsti] *adj* støvet; dårlig, utilfredsstillende; *not so ~* S ikke dårlig *(el. værst), ikke så gal.
Dutch [dʌtʃ] *adj* hollandsk; *sb* hollandsk (sproget); *the ~* hollænderne; *go ~* deles om udgifterne; *in ~ (am)* S i knibe; i unåde; *that beats the ~ (am)* S det overgår alt.
Dutch| auction hollandsk auktion. *~ courage: get up ~ courage* drikke sig mod til. *~ door* halvdør. *~ hoe* skuffejern.
Dutchman ['dʌtʃmən] *sb* hollænder; S skandinavisk el. tysk sømand; *... or I'm a ~* ellers må du kalde mig Mads.
Dutch| treat sammenskudsgilde. *~ uncle: talk to sby like a ~ uncle* holde en formaningstale til en.
duteous ['djuːtjəs] *adj* lydig, pligttro.
dutiable ['djuːtjəbl] *adj* toldpligtig, afgiftspligtig.
dutiful ['djuːtif(u)l] *adj* lydig, pligttro; pligtskyldig.
duty ['djuːti] *sb* pligt, skyldighed; ærbødighed; afgift, told; tjeneste, opgave; *do ~ for* erstatte, tjene som *(fx the log*

did ~ for a chair); *be on ~* have tjeneste; *officer on ~* vagthavende officer; *be off ~* have fri; have tjenestefri; *when he is off ~* (også) uden for tjenesten, uden for tjenestetiden. **duty-free** *adj* toldfri.
duvet ['djuːvei] *sb* dundyne, duntæppe; dunjakke.
D.V. *fk Deo volente* om Gud vil.
dwarf [dwɔːf] *sb* dværg; *vb* hindre i væksten, forkrøble; trykke; rage højt op over; *be -ed by* se lille ud ved siden af; *(fig)* blive overskygget *(el.* stillet i skyggen) af.
dwarfish ['dwɔːfiʃ] *adj* dværgagtig.
dwarfishness *sb* dværgvækst.
dwell [dwel] *vb (dwelt, dwelt)* dvæle, fæste sig, opholde sig *(on* ved, *fx we have dwelt too long on this subject);* bo.
dweller ['dwələ] *sb* beboer *(fx town ~, cave ~).*
dwelling ['dweliŋ] *sb* bolig.
dwelling| house beboelseshus. *~ place* bopæl, bolig.
dwelt [dwelt] *præt* og *pp* af *dwell*.
dwindle ['dwindl] *vb* svinde; svinde ind, skrumpe sammen.
dwt. *fk pennyweight* (1,555 gram).
dye [dai] *vb* farve; tage mod farve; *sb* farve, farvestof; *-d in the wool, -d in grain* gennemfarvet; vaskeægte; *(fig)* fuldblods, ærke-; *a scoundrel of the deepest ~* en ærkeslyngel.
dyer ['daiə] *sb* farver.
dyer's| greenweed *(bot)* farvevisse. *~ mignonette, ~ rocket* *(bot)* farvereseda.
dye|stuff farvestof. **-works** farveri.
dying ['daiiŋ] *adj* døende; døds-; sidste, på dødslejet udtalt *(fx one's ~ words)*; *sb* død; *be ~ for* T længes efter, være (helt) syg efter; *be ~ to* T være syg efter at.
dying| bed dødsleje. *~ day* dødsdag.
dyke [daik] sc *dike*.
Dylan ['dilən].
dyn *fk dynamics*.
dynamic [dai'næmik] *sb* drivkraft; *adj* dynamisk. **dynamics** dynamik.
dynamite ['dainəmait] *sb* dynamit; *(fig)* sprængstof *(fx political ~);* *vb* sprænge med dynamit.
dynamiter ['dainəmaitə] *sb* dynamitattentatmand.
dynamo ['dainəmou] *sb* dynamo.
dynamometer [dainə'mɔmitə] *sb* dynamometer.
dynasty ['dinəsti] *sb* dynasti.
dyne [dain] *sb* dyn (fysisk måleenhed).
dystenteric [disn'terik] *adj (med.)* dystenterisk.
dysentery ['disntri] *sb* dysenteri.
dyslexia [dis'leksiə] *sb* dysleksi, (medfødt) ordblindhed.
dyspepsia [dis'pepsiə] *sb (med.)* dyspepsi, fordøjelsesvanskeligheder.
dyspeptic [dis'peptik] *adj* dyspeptisk; *sb* dyspeptiker.
dyspnoea [dis'(p)niə] *sb (med.)* åndenød.

E, e [i:]. **E** *fk east, eastern.*
each [i:tʃ] *pron* hver, hver især, hver enkelt (af et antal); ~ *for all and all for* ~ én for alle og alle for én; *they cost sixpence* ~ de koster 6 pence stykket; ~ *other* hinanden, hverandre; ~ *way* se *I. way.*
eager ['i:gə] *adj* ivrig, begærlig *(for* efter; *to* efter at); spændt *(fx expectation);* ~ *to* (også) opsat på at.
eager beaver T morakker.
eagerness ['i:gənis] *sb* iver, begærlighed.
eagle ['i:gl] *sb zo* ørn; (amerikansk mønt =) 10 dollars.
eagle-eyed *adj* som har falkeblik, skarpsynet.
eagle owl *zo* den store hornugle.
eaglet ['i:glit] *sb* ung ørn.
eagre ['eigə, 'i:gə] *sb* tidevandsbølge, flodbølge, springflod.
E. & O.E. *fk errors and omissions excepted.*
I. ear [iə] *sb* øre; *(mus.)* gehør; (på krukke) hank; *be all -s* være lutter øre; *were your -s burning last night?* ringede det ikke for dine ører i går aftes? *I had his* ~ jeg fandt et villigt øre hos ham; han lyttede gerne til mig; *give* ~ *to* høre på, høre efter; *I would give my -s to know* jeg ville give hvad det skulle være for at få det at vide;
(forb med præp) bring a storm about one's -s rejse en storm af kritik; *go in at one* ~ *and out at the other* gå ind ad det ene øre og ud af det andet; *play by* ~ spille efter gehør; *set by the -s* bringe i totterne på hinanden; *have an* ~ *for music* have gehør *(el.* musikalsk sans); *a word in sby's* ~ et ord i fortrolighed; *his words fell on deaf -s* han talte for døve øren; *over head and -s, up to the -s* til op over begge ører.
II. ear [iə] *sb* aks; kolbe (på majsplante); *vb* sætte aks.
ear|ache ['iəreik] ørepine. **-drum** trommehinde.
eared [iəd] *adj* med øre(r); *(bot)* med aks; ~ *seal* øresæl.
earflap ['iəflæp] *sb* øreklap.
earing ['iəriŋ] *sb (mar)* nokbindsel, nokbændsel.
earl [ə:l] *sb* jarl; engelsk adelsmand med rang under *marquess* og over *viscount.*
earldom ['ə:ldəm] *sb* en *earl's* rang, titel eller gods.
earlobe ['iəloub] *sb* øreflip.
early ['ə:li] *adj* tidlig; tidligt på den *(fx you are* ~ *today);* for tidlig; tidligt moden, tidlig *(fx fruit);* snarlig *(fx he asked for an* ~ *meeting);* første, indledende *(fx the* ~ *chapters of a book);* adv tidligt; for tidligt; *as* ~ *as May* allerede i maj; *the* ~ *boat* morgendamperen; *the* ~ *church* oldkirken; *at your earliest convenience* snarest belejligt; *at an* ~ *date* i nær fremtid; *his* ~ *days = his* ~ *life; it is* ~ *days yet* det er endnu for tidligt; der er tid nok endnu; *his* ~ *dream* hans ungdomsdrøm; *have* ~ *habits, keep* ~ *hours* gå tidligt i seng og stå tidligt op; ~ *in May, in* ~ *May* i begyndelsen af maj; *his* ~ *life (el. days)* hans ungdom.
early bird en der kommer tidligt; morgenmand; *the* ~ *catches the worm (omtr)* morgenstund har guld i mund.
early closing day dag i ugen hvor forretninger *etc* lukker tidligt.
Early English tidlig engelsk spidsbuestil (gotik).
early| leaver elev der ikke fuldfører. ~ **riser** morgenmand. ~ **warning system** radarvarslingssystem.
earmark ['iəma:k] *sb* mærke (hak) i øret (på får); kendetegn; æseløre (i bog); *vb* mærke øret på; øremærke; *(fig)* bestemme, sætte til side, afsætte, hensætte.
earmuffs ['iəmʌfs] *sb pl* øreklapper.
earn [ə:n] *vb* tjene, fortjene, erhverve; opnå, vinde *(fx fame);* skaffe *(fx it -ed him the nickname of »Fatty«).*
earned income indtægt ved arbejde.
I. earnest ['ə:nist] *adj* alvorlig; ivrig, indtrængende; *sb* alvor; *in* ~ for alvor; *are you in* ~? er det dit alvor? *in good* ~ *(el.* for) ramme alvor.
II. earnest ['ə:nist] *sb* penge på hånden; pant, bevis *(fx as an* ~ *of his good intentions);* forsmag *(fx an* ~ *of future favours).*

earnest money penge på hånden.
earnestness ['ə:nistnis] *sb* alvor, alvorlighed.
earning capacity indtjeningsevne.
earnings ['ə:niŋz] *sb pl* fortjeneste, indtægt.
ear|phone hovedtelefon (til radio). **-pick** øreske. **-reach** hørevidde. **-ring** ørering. **-shot** hørevidde.
I. earth [ə:θ] *sb* jord; jordklode, jorden; land; jordart; *(elekt)* jordforbindelse; (rævs, grævlings) hule, hi; *move heaven and* ~ sætte himmel og jord i bevægelse; *how (, what, where) on* ~? hvordan (, hvad, hvor) i al verden? *come back (el. down) to* ~ *(fig)* komme ned på jorden igen; *down to* ~ jordbunden, nøgtern; *take* ~, *go (el. run) to* ~ smutte ind i sin hule; *run to* ~ (med objekt) drive *(fx* en ræv) ind i dens hule; *(fig)* opspore; få endelig opklaret.
II. earth [ə:θ] *vb* dække med jord; hyppe; drive *(fx* en ræv) ind i dens hule; *(elekt)* jordforbinde, jorde; (uden objekt, *fx* om ræv) søge ind i sin hule.
earth closet tørkloset.
earthen ['ə:θn] *adj* jord-; ler-.
earthenware ['ə:θnwɛə] *sb* lervarer; pottemagerarbejde.
earth lead ['ə:θ'li:d] jordledning.
earthling ['ə:θliŋ] *sb* jordboer; verdensbarn.
earthly ['ə:θli] *adj* jordisk; optænkelig; *of no* ~ *use* til ingen verdens nytte; *not an* ~ S ikke gnist af chance.
earthly-minded verdsligsindet.
earth|nut jordnød. **-quake** jordskælv. ~ **star** *(bot)* stjernebold. **-ward** med retning mod jorden. **-work** jordvold; jordarbejde. **-worm** regnorm.
earthy ['ə:θi] *adj* jordagtig; jordisk; jordbunden, materialistisk; grov.
ear| trumpet hørerør. **-wax** ørevoks.
earwig ['iəwig] *sb zo* ørentvist; *vb* tude (én) ørene fulde.
ease [i:z] *sb* velvære, ro; bekvemmelighed, behagelighed, magelighed; lethed; *(mht væsen)* tvangfrihed, utvungenhed, ugenerthed; *(mht* smerte) lettelse, lindring; *(mht* tvang) lettelse, lempelse; (om tøj) rummelighed, vidde; *at* ~ i ro (og mag), bekvemt; *(mil)* rør; *be at* ~ befinde sig vel, være utvungen, føle sig som hjemme; *ill at* ~ ilde til mode; *live at* ~ leve under gode økonomiske forhold; *march at* ~ *(mil.)* marchere i rørmarch; *put at* ~ berolige; *stand at* ~ *(mil.)* stå rør, stå i rørstilling; *take one's* ~ gøre sig det mageligt; *with* ~ med lethed, ubesværet.
II. ease [i:z] *vb* lindre *(fx the pain);* lette *(fx one's mind, the situation);* befri; løsne, slappe; lempe, manøvrere *(fx the piano into place);* lade gå med sagte fart; *(mar)* fire på; slække *(fx skødet);* ~ *the helm! (mar)* let på roret! ~ *down* slappe (af); sagtne (farten); ~ *off (mar)* fire (på reb, sejl); skubbe (båd) fra land; (uden objekt) fjerne sig; mindskes, tage af; T slappe af; ~ *off the sheets (mar)* fire på skøderne; ~ *up on* spare på.
easel ['i:zl] *sb* staffeli.
easement ['i:zmənt] *sb* servitut.
easily ['i:zili] *adv* med lethed, let, sagtens; langt *(fx he is* ~ *the strongest of the boys);* ~ *learned (, repaired etc)* let *(el.* nem at, reparere *etc).*
easiness ['i:zinis] *sb* ro; behagelighed *(etc cf easy).*
east, East [i:st] *sb* øst; østlig del; *the East* østlandene; Østen, Østerland, orienten; *(am)* østststaterne; *adj* østlig, øst-; *adv* mod øst, østpå; *vb* bevæge sig mod øst; ~ *by north* øst til nord *(el.* for) øst for.
eastbound ['i:stbaund] *adj* østgående, mod øst.
East End: *the* ~ (den østlige (fattigere) del af London).
I. easter ['i:stə] *sb* østenstorm.
II. Easter ['i:stə] påske.
Easter| Eve påskelørdag. ~ **Day** påskedag.
easterly ['i:stəli] *adj* østlig; *sb* østenvind.
Easter Monday anden påskedag.
eastern ['i:stən] *adj* mod øst, østre, fra øst; østerlandsk; *sb* østerlænding; *the Eastern Church* den græsk-katolske

kirke.
easterner ['i:stənə] *sb (am)* person fra øststaterne.
Easter Sunday påskedag.
East Indies ['i:st'indiz]: *the ~* Ostindien.
easting ['i:stiŋ] *sb (mar)* sejlads mod øst; forandret østlig længde; *run her ~ down* (om skib) sejle østpå.
eastward ['i:stwəd] *adv* mod øst, østpå.
easy ['i:zi] *adj* rolig; behagelig; magelig, bekvem; veltilpas; let, nem *(fx task)*; (om væsen) fri, utvungen, naturlig *(fx manner)*; medgørlig; *(neds)* løs, slap *(fx morals)*; *(merk:* om varer) ikke meget efterspurgt; *~ circumstances* gode kår; *~ does it!* tag det roligt! små slag!
honours (are) ~ honnørerne er fordelte; *~ majority* stort flertal; *~ money* let tjene penge; *the money market is easier* pengemarkedet er mindre stramt; *on ~ terms* på moderate *(el.* lempelige) betingelser; *~ of belief* lettroende; *make ~* berolige; *be in Easy Street* være velstillet, 'ligge lunt i svinget'; *of ~ virtue* letlevende; *go ~, take it ~* tage den med ro; *go ~ on (el. with)* spare på; holde igen på; *~ with the sugar!* spar på sukkeret!
easy|chair lænestol. **~ -going** *adj* sorgløs, magelig, medgørlig.
I. eat [i:t] *vb (eat el. ate, eaten)* spise; æde; *~ away* fortære; *~ into* æde sig ind i, tære på, gøre indhug i; *~ one's head off* æde sig en pukkel til, ikke gøre gavn for føden; *~ his head off* S bide ad ham, skælde ham ud; *~ one's heart out* ruge over sine sorger, græmme sig, lide i stilhed; *don't ~ me!* æd mig ikke! godt ord igen! *the meat -s well* kødet smager godt; *what's -ing you? (am)* hvad går der af dig? *~ one's words* tage sine ord i sig igen.
II. eat [et] *præt* af *eat.*
eatable ['i:təbl] *adj* spiselig; *-s sb pl* madvarer.
eaten ['i:tn] *pp* af *eat.*
eater ['i:tə] *sb* spiseæble; *he is a slow ~* han spiser langsomt.
eating ['i:tiŋ] *sb* mad, spisen; *adj* fortærende, nagende.
eats [i:ts] *sb pl* S mad.
eau-de-Cologne [oudəkə'loun] *sb* eau de Cologne.
eau-de-vie [oudə'vi:] *sb* cognac.
eaves [i:vz] *sb pl* tagskæg; *dripping from the ~* tagdryp.
eaves|drop ['i:vzdrɔp] *vb* lytte, lure. **-dropper** *sb* lurer.
ebb [eb] *sb* ebbe; *(fig)* dalen, nedgang; *vb* ebbe; *(fig)* synke; aftage, gå tilbage, svinde *(fx -ing strength); our party was at a low ~* vort parti var i stærk tilbagegang, det så sørgeligt ud for vort parti; *~ away* ebbe ud.
ebb tide *sb* ebbe.
ebonite ['ebənait] *sb* ebonit.
ebony ['ebəni] *sb* ibenholt; *adj* sort som ibenholt.
ebullience ['i'bʌljəns] *sb* livlighed, overgivenhed, strålende humør.
ebullient [i'bʌljənt] *adj* livlig, sprudlende, overgiven, i strålende humør.
ebullition [ebə'liʃən] *sb (kem)* kogning, opkogning; *(fig)* opbrusen; udbrud.
E.C. *fk East Central (London postal district).*
eccentric [ik'sentrik] *adj* excentrisk; overspændt, besynderlig, sær; *sb* excentrisk skive; excentrisk person, særling.
eccentricity [eksen'trisiti] *sb* excentricitet, særhed.
Ecclesiastes [ikli:zi'æsti:z] Prædikerens bog.
ecclesiastic [ikli:zi'æstik] *sb* (en) gejstlig, præst. **ecclesiastical** [ikli:zi'æstikəl] *adj* gejstlig, kirke- *(fx history).*
echelon ['eʃəlɔn] *sb (mil.)* trappevis forskudt opstilling; enhed, afdeling, echelon; kommandoniveau, trin.
echidna [e'kidnə] *sb* zo myrepindsvin.
echo ['ekou] *sb* genlyd, ekko; *(fig* også) efterklang; *vb* genlyde; give genlyd; kaste tilbage (om lyd); gentage, sige efter; *to the ~* så det giver genlyd.
echo chamber ekkorum.
echoic [e'kouik] *adj* lydmalende.
echo|sounder ekkolod. **~ sounding** ekkolodning.
éclair ['eiklɛə] *sb* lille flødekage.
eclectic [ik'lektik] *adj* eklektisk, udvælgende, udsøgende; *sb* eklektiker. **eclecticism** [ek'lektisizm] *sb* eklekticisme.
eclipse [i'klips] *sb* formørkelse; fordunkling; *vb* formørke; fordunkle, overgå, overstråle.
ecliptic [i'kliptik] *sb* ekliptika (jordens bane om solen).
eclogue ['eklɔg] *sb* hyrdedigt.
ecologist [i'kɔlədʒist] *sb* økolog.

ecology [i'kɔlədʒi] *sb* økologi.
economic [i:kə'nɔmik, ek-] *adj* økonomisk, erhvervs- *(fx ~ crisis* erhvervskrise); *~ planning* planøkonomi; *~ plant* nytteplante. **economical** *adj* økonomisk, sparsommelig *(of* med).
economics [i:kə'nɔmiks, ek-] *sb* økonomi, nationaløkonomi.
economize [i'kɔnəmaiz] *vb* økonomisere, være sparsommelig; *~ on* (også) holde hus med. **economy** [i'kɔnəmi] *sb* økonomi; sparsommelighed; besparelse.
ecstasy ['ekstəsi] *sb* henrykkelse, begejstring, ekstase; *be in ecstasies* være vildt begejstret *(over* for); være i den svende himmel; *go into ecstasies over* falde i henrykkelse over, blive vildt begejstret for.
ecstatic [ik'stætik] *adj* ekstatisk, henrykt, henreven; som hensætter en i ekstase.
E.C.T. *fk electroconvulsive treatment* elektrochokbehandling, elektrostimulation.
Ecuador [ekwə'dɔ:].
ecumenic(al) [i:kju'menik(l)] *adj* almindelig, økumenisk.
eczema ['eksimə] *sb (med.)* eksem.
eczematous [ek'semətəs] *adj* eksematøs.
ed. *fk edited; edition; editor.*
edacious [i'deiʃəs] *adj* grådig.
eddy ['edi] *sb* hvirvel, malstrøm; *vb* hvirvle rundt.
edelweiss ['eidlvais] *sb (bot)* edelweiss.
edema [i'di:mə] *sb (med.)* ødem, væskeansamling.
edematous [i'demətəs] *adj* ødematøs.
Eden ['i:dn] Eden, paradis.
edentate [i'denteit] *adj* tandløs; *zo* som hører til gumlerne. **edentates** *sb pl* gumlere.
I. edge [edʒ] *sb* æg (på kniv *etc*), kant rand; udkant *(fx a house on the ~ of the forest)*; (af skov også) skovbryn; (på en bog) snit; *(fig)* skarphed; brod; **T** (lille) forspring *(on, over* for, *fx the Republicans had an ~ over the Democrats)*; fordel;
be on ~ være irritabel, være nervøs; være ivrig *(to* efter at); *his tone got an ~ to it* hans tone blev skarp; *give an ~ to* skærpe *(fx one's appetite)*, gøre mere intens; *give the (sharp el. rough) ~ of one's tongue to* sby skælde en ud, give en det glatte lag; *have an ~ on* være let beruset; *have an (el. the) ~ on (el. over)* (også) være (lidt) foran; have overtaget over; *put an ~ on* hvæsse, skærpe; *set sby's nerves on ~* gå en på nerverne; *set sby's teeth on ~* få det til at hvine i tænderne på en; *(fig)* gå en på nerverne; *take the ~ off the appetite* stille den værste sult.
II. edge [edʒ] *vb* skærpe; kante, sætte kant på; (flytte) skubbe lidt efter lidt, trænge *(fx ~ him off the road)*; rykke; lempe, manøvrere, kante *(fx ~ the cupboard into the corner)*; (uden objekt) rykke *(fx in, out)*, kante sig, liste sig *(fx he -d into the room)*; *~ one's way through the crowd* trænge sig frem gennem mængden; *~ on* ægge; *~ sby out* fortrænge en; lige akkurat vinde over en.
edge tool skærende værktøj; *play with -s (omtr =)* lege med ilden.
edgeways ['edʒweiz], **edgewise** ['edʒwaiz] *adv* på højkant; på siden, sidelæns; *I cannot get a word in ~* jeg kan ikke få et ord indført.
edging ['edʒiŋ] *sb* rand, kant, kantning, bort, indfatning.
edgy ['edʒi] *adj* skarp; irritabel, nervøs.
edible ['edibl] *adj* spiselig.
edible frog *zo* grøn frø, vandfrø.
edict ['i:dikt] *sb* edikt, forordning.
edification [edifi'keiʃən] *sb* opbyggelse.
edifice ['edifis] *sb* bygning(sværk).
edify ['edifai] *vb* virke opbyggeligt på. **edifying** *adj* opbyggelig.
Edinburgh ['ed(i)nbərə]. **Edison** ['edisn].
edit ['edit] *vb* udgive; redigere; (om film) klippe (til).
edit. *fk edited; edition; editor.*
Edith ['i:diθ].
edition [i'diʃən] *sb* udgave; oplag.
editor ['editə] *sb* udgiver; redaktør.
editorial [edi'tɔ:riəl] *adj* redaktionel, udgiver-, redaktions-; *sb* ledende artikel; *~ office* redaktion (om stedet); *~ staff* redaktion (om personalet).
editor-in-chief chefredaktør.
editorship ['editəʃip] *sb* redaktørpost; *under the ~ of* under

redaktion af.
editress ['editris] (kvindelig) redaktør (, udgiver).
EDP *fk electronic data processing.*
educable ['edjukəbl] *adj* som kan opdrages.
educate ['edjukeit] *vb* opdrage; uddanne, oplære; optræne; opøve, udvikle *(fx one's taste); be -d* (også) få sin uddannelse. **educated** (boglig) dannet.
education [edju'keiʃən] *sb* opdragelse; uddannelse; undervisning, skolevæsen; pædagogik; *it is quite an ~ to listen to him* det er ligefrem opdragende at høre på ham.
educational [edju'keiʃənəl] *adj* opdragelses-; belærende; pædagogisk *(fx ~ work; ~ toys).* **educationalist** [edju-'keiʃənəlist], **educationist** [edju'keiʃənist] *sb* pædagog.
educative ['edjukeitiv] *adj* opdragende, udviklende.
educator ['edjukeitə] *sb* pædagog, opdrager.
educe [i'dju:s] *vb* udlede; udvinde; fremlokke.
Edward ['edwəd]. **Edwardian** [ed'wɔ:djən] som hører til Edward VII's tid (1901-10).
EEC, E.E.C. *fk European Economic Community.*
EEG, E.E.G. *fk electroencephalogram.*
eel [i:l] *sb* ål; *as slippery as an ~* så glat som en ål. **eel|grass** *(bot)* bændeltang. **-pot** åleruse. **-pout** *zo* ålekvabbe. **-spear** ålejern, lyster. **~ trap** åleruse.
e'en [i:n] *fk even.*
e'er [ɛə] *fk ever.*
eerie ['iəri], **eery** ['iəri] *adj* uhyggelig, sælsom.
efface [i'feis] *vb* udslette, udviske; *~ oneself* være selvudslettende. **effacement** [i'feismənt] *sb* udslettelse.
I. effect [i'fekt] *sb* virkning, følge, resultat; effekt; *-s* (også) ejendele, effekter; løsøre; *no -s* (også) ingen dækning; *in ~* faktisk, i virkeligheden; i sine virkninger; gældende, i kraft; *bring (el. carry) into ~* virkeliggøre, fuldbyrde; *give ~ to, put into ~* lade træde i kraft, gennemføre; *go into ~* træde i kraft; *of no ~* uden virkning, til ingen nytte; *to good ~* med god virkning; *to that ~* i den retning, gående ud på det; *a remark to the ~ that* en bemærkning om at; *useful ~* nyttevirkning; *take ~* gøre virkning, virke; træde i kraft.
II. effect [i'fekt] *vb* bevirke, fremkalde; udføre, udrette; gennemføre, fuldbyrde, effektuere; *~ an insurance* tegne en forsikring; *~ a purchase* afslutte et køb.
effective [i'fektiv] *adj* virksom; effektiv; virkningsfuld, kraftig; tjenstdygtig; *sb: -s (mil.)* kampdygtige tropper.
effectual [i'fektʃuəl] *adj* virkningsfuld *(fx an ~ remedy);* effektiv; gyldig, gældende, bindende; *be ~* (også) gøre sin virkning.
effectuate [i'fektʃueit] *vb* iværksætte, gennemføre, virkeliggøre, effektuere. **effectuation** [ifektʃu'eiʃən] *sb* iværksættelse, gennemførelse.
effeminacy [i'feminəsi] *sb* kvindagtighed, blødagtighed.
effeminate [i'feminit] *adj* kvindagtig, blødagtig.
effervesce [efə'ves] *vb* bruse (op), skumme, moussere, perle, syde; *(fig)* strømme over, sprudle, være meget livlig *(el.* munter, kåd). **effervescense** [efə'vesəns] *sb* opbrusen, brusen; livlighed, munterhed, kådhed.
effervescent [efə'vesənt] *adj* brusende, skummende, mousserende; livlig, munter, kåd, sprudlende.
effete [e'fi:t] *adj* udlevet, udslidt, udtjent.
efficacious [efi'keiʃəs] *adj* effektiv, virkningsfuld *(fx an ~ cure).* **efficacy** ['efikəsi] *sb* virkningsfuldhed.
efficiency [i'fiʃənsi] *sb* effektivitet, virkeevne, kraft; *(tekn)* virkningsgrad, nyttevirkning; (om person) dygtighed, duelighed; *~ expert* rationaliseringsekspert.
efficient [i'fiʃənt] *adj* virksom, virkningsfuld, formålstjenlig; effektiv; habil, dygtig, duelig; *~ cause* virkende *(el.* umiddelbar) årsag.
effigy ['efidʒi] *sb* (tredimensionalt) billede, statue; *in ~ in* effigie.
effing ['efiŋ] *adj* (eufemisme for:) *fucking (f-ing); ~ and blinding* banden og sværgen.
effloresce [eflɔ:'res] *vb* udfolde sig; danne skorpe; udblomstre (om mursalpeter). **efflorescence** [eflɔ:'resəns] *sb* blomstring; udslæt; udblomstring (af mursalpeter). **efflorescent** [eflɔ:'resənt] *adj* fremblomstrende.
effluence [i'flu:əns] *sb* udflyden, udstrømning.
effluent ['efluənt] *adj* udflydende, udstrømmende; *sb* udløb, afløb.

effluvium [e'flu:vjəm] *sb (pl effluvia* [e'flu:vjə]) uddunstning, dunst; udflåd.
efflux ['eflʌks] *sb* udstrømning; (om tid) forløb.
effort ['efət] *sb* anstrengelse, bestræbelse, møje; forsøg; indsats; præstation *(fx it was a good ~);* (især ironisk:) (ånds)produkt.
effortless ['efətlis] *adj* ubesværet, let; *with ~ ease* med legende lethed.
effrontery [e'frʌntəri] *sb* uforskammethed, frækhed.
effulgence [i'fʌldʒəns] *sb* glans.
effulgent [i'fʌldʒənt] *adj* strålende, skinnende.
effuse [i'fju:z] *vb* udgyde; udbrede; strømme ud. **effusion** [i'fju:ʒən] *sb* udgydelse; *~ of blood* (også) blodtab. **effusive** [i'fju:siv] *adj* overstrømmende.
eft [eft] *sb zo* stor salamander.
EFTA *fk European Free Trade Association.*
e.g. *fk exempli gratia* for eksempel.
egad [i'gæd] *(glds)* min tro!
egalitarian [igæli'tɛəriən] *sb* tilhænger af *egalitarianism.*
egalitarianism [igæli'tɛəriənizm] *sb* lighedsprincippet, tro på at alle mennesker er lige.
I. egg [eg] *sb* æg; *(mil.)* **T** (luft)bombe; *bad ~ (fig)* skidt fyr; *good ~* **S** den er fin; prægtig fyr; udmærket ting; *lay an ~ (am)* **S** gøre fiasko; *put all one's -s in one basket* anbringe hele sin kapital i ét foretagende, *(omtr)* sætte alt på ét kort *(el.* bræt); *will you teach your grandmother to suck -s?* skal ægget lære hønen? *as sure as -s is -s,* se *sure.*
II. egg [eg] *vb: ~ on* ægge, tilskynde.
egg| beater hjulpisker. **-cup** æggebæger. **~ flip** slags æggetoddy; æggekol; æggesnaps. **-head** **S** intellektuel. **-nog =** *~ flip.* **-plant** ægplante. **~ -shaped** ægformet. **-shell** æggeskal. **-slice** paletspade. **~ slicer** æggedeler. **-timer** æggekoger; ægur. **-whisk** piskeris.
eglantine ['eglantain] *sb (bot)* æblerose.
ego ['egou] *sb* jeg; *the ~* jeget.
ego|centric ['egou'sentrik] *adj* egocentrisk, selvoptaget; *sb* egocentrisk person. **-centricity** [-sen'trisiti], **-centrism** [-'sentrizm] *sb* egocentricitet, selvoptagethed.
egoism ['egouizm] *sb* egoisme.
egoist ['egouist] *sb* egoist.
egoistic(al) [egou'istik(l)] *adj* egoistisk.
egotism ['egoutizm] *sb* for megen tale om sig selv, selvoptagethed; indbildskhed; egoisme. **egotist** ['egətist] *sb* en der altid taler om sig selv; egoist. **egotistic(al)** [egə'tistik(l)] *adj* som altid taler om sig selv, egocentrisk; egoistisk.
egregious [i'gri:dʒiəs] *adj* ualmindelig, topmålt, ærke-; (ironisk:) fortræffelig.
egress ['i:gres] *sb* udgang; udløb.
egret ['i:gret] *sb* hejre, hejrefjer; aigrette (ɔ: fjerbusk); *(bot)* fnok (på løvetand *etc); large ~* sølvhejre; *little ~* silkehejre.
Egypt ['i:dʒipt] Egypten.
Egyptian [i'dʒipʃən] *adj* egyptisk; *sb* egypter; **T** egyptisk cigaret; *~ mongoose zo* faraorotte; *~ vulture zo* ådselgrib.
egyptologist [i:dʒip'tɔlədʒist] *sb* egyptolog.
egyptology [i:dʒip'tɔlədʒi] *sb* egyptologi.
eh [ei] *interj* hvad? ikke sandt?
e.h.t. *fk* extra high tension.
eider ['aidə] *sb zo* edderfugl. **eider|down** edderdun; dyne. **~ duck** edderfugl.
eidolon [ai'doulən] *sb* fantom, syn; idealbillede.
eight [eit] *otte; sb* ottetal; otter; *the Eights* kaproningerne med otteårede både mellem kollegierne (i Oxford og Cambridge); *he has had one over the ~* **S** han har fået en tår over tørsten. **eighteen** ['ei'ti:n] atten. **eighteenth** ['ei-'ti:nθ] attende; *sb* attendedel. **eighth** [eitθ] ottende; *sb* ottendedel. **eighthly** ['eitθli] for det ottende. **eightieth** ['ei-tiiθ] firsindstyvende; *sb* firsindstyvendedel. **eighty** [eiti] firs.
Eire ['ɛərə] Irland.
Eisenhower ['aizənhauə].
eisteddfod [ai'steðvəd] *sb* wallisisk digter- og musikerstævne.
either ['aiðə] en (af to); den ene el. den anden; hver (af to); hvilken som helst (af to); begge *(fx there are houses*

on ~ side); either ~ or enten ~ eller; *not ... either* heller ikke; *on ~ side of the table* på hver sin side af bordet; på begge sider af bordet.

ejaculate [i'dʒækjuleit] *vb* ejakulere; udbryde, udråbe; udsprøjte. **ejaculation** [idʒækju'leiʃən] *sb* ejakulation; udbrud. **ejaculatory** [i'dʒækjulətəri] *adj* pludselig ytret; udtrykt i korte sætninger.

eject [i'dʒekt] *vb* kaste ud, udslynge; udsende *(fx sparks);* smide ud *(fx hecklers),* fordrive; afsætte; *(jur)* sætte ud *(fx a tenant).* **ejection** [i'dʒekʃən] *sb* udkastning, udsmidning, fordrivelse, afsættelse; *(jur)* udsættelse; ~ *seat (flyv)* katapultsæde. **ejectment** [i'dʒektmənt] *sb* fordrivelse; *(jur)* udsættelsesforretning. **ejector** [i'dʒektə] *sb* udkaster, ejektor; ~ *seat (flyv)* katapultsæde.

eke [i:k] *vb:* ~ *out* forøge; udfylde, fuldstændiggøre; supplere, strække; ~ *out one's income* supplere sine indtægter; ~ *out a living* slå sig igennem, møjsommeligt tjene til livets ophold.

el [el] *sb (am)* L.

I. elaborate [i'læbəreit] *vb* forarbejde, udarbejde; udføre i detaljer, udvikle nærmere, uddybe.

II. elaborate [i'læbərit] *adj* detaljeret, udførlig *(fx plan);* omstændelig *(fx ceremony);* kunstfærdig, kompliceret *(fx design);* fuldendt, udsøgt *(fx an ~ dinner).* **elaboration** [ilæbə'reiʃən] *sb* (nærmere) udarbejdelse, udformning, uddybning.

eland ['i:lənd] *sb zo* elsdyrantilope.

elapse [i'læps] *vb* forløbe, gå (hen) (om tid).

elastic [i'læstik] *adj* elastisk, spændstig, smidig; *(fig* også) rummelig *(fx definition);* *sb* elastik; ~ *(side) boots* fjederstøvler.

elasticity [ilæ'stisiti] *sb* elasticitet, spændstighed

elate [i'leit] *vb* gøre opstemt. **elated** [i'leitid] *adj* glad, i glad stemning, opstemt, oprømt. **elation** [i'leiʃən] *sb* glæde, opstemthed.

Elbe [elb]: *the ~* Elben.

I. elbow ['elbou] *sb* albue; bøjning, knæ (på rør); *be at one's ~* være ved hånden; være ved ens side; *out at -s* med huller på albuerne, lurvet, forhutlet; *crook one's ~* S bøje armen (ɔ: drikke); *rub -s with* gnide sig op ad; *be up to the -s in work* have hænderne fulde.

II. elbow ['elbou] *vb* skubbe; puffe, albue; ~ *one's way* albue sig frem; ~ *sby out of the* way skubbe en til side. **elbow**| **grease** T knofedt, hårdt arbejde. **-room** albuerum; plads til at røre sig.

I. elder ['eldə] *adj* ældre; ældst (af to); *sb* ældre person; ældste; *one's -s* de der er ældre end en selv.

II. elder ['eldə] *sb (bot)* hyld. **elderberry** hyldebær.

elderly ['eldəli] *adj* ældre.

elder statesman erfaren afgået politiker hvis råd man stadig lytter til.

eldest ['eldist] *adj* ældst.

El Dorado [eldou'ra:dou] eldorado.

eldritch ['eldritʃ] *adj* spøgelsesagtig, uhyggelig.

Eleanor ['elinə].

elecampane [elikæm'pein] *sb (bot)* alant, ellensrod.

elect [i'lekt] *vb* udvælge, vælge, udkåre; foretrække, beslutte *(fx he -ed to go home);* *adj* udvalgt, udkåret; *the bride ~* den udkårne; *president ~* præsident der er valgt men endnu ikke tiltrådt.

election [i'lekʃən] *sb* valg; udvælgelse.

electioneer [ilekʃə'niə] *vb* drive valgagitation. **electioneering** *sb* valgagitation, valgkampagne.

elective [i'lektiv] *adj* vælgende; valg-; valgt, fremgået af valg; *sb (am)* valgfrit fag; ~ *monarchy* valgrige; ~ *subjects (am)* valgfri fag.

elector [i'lektə] *sb* vælger, valgberettiget; valgmand; *Elector* kurfyrste.

electoral [i'lektərəl] *adj* valg-; vælger-, valgmands-; *Electoral* kurfyrstelig; ~ *college* forsamling af valgmænd, valgmandsforsamling; ~ *pact* listeforbund; *Electoral Prince* kurfyrste.

electorate [i'lektərit] *sb* vælgerkorps, vælgerbefolkning, vælgermasse; *(hist.)* kurfyrstendømme; *the ~* (også) vælgerne.

electric [i'lektrik] *adj* elektrisk *(fx charge* ladning, *current,* strøm, *light* lys). **electrical** [i'lektrikl] *adj* elektrisk; ~ *engineer* elektroingeniør; ~ *machine* elektricermaskine.

electric| **bell** ringeapparat. ~ **blue** stålblå. ~ **chair** elektrisk stol.

electrician [ilek'triʃən] *sb* elektriker.

electricity [ilek'trisiti] *sb* elektricitet.

electric| **motor** elektromotor. ~ **torch** lommelygte.

electrification [ilektrifi'keiʃən] *sb* elektricering; elektrificering, indførelse af elektrisk drift. **electrify** [i'lektrifai] *vb* elektricere; elektrificere, indføre elektrisk drift.

electro [i'lektrə] *fk* *electroplate, electrotype.* **electro-** (forstavelse) elektro- *(fx chemistry* kemi).

electrocardiogram [ilektrə'ka:diəgræm] *sb (med.)* elektrokardiogram.

electrocute [i'lektrəkju:t] *vb* henrette ved elektricitet (, i den elektriske stol); *be -d* (også:) blive dræbt af elektrisk strøm.

electrocution [ilektrə'kju:ʃn] *sb* henrettelse ved elektricitet (, i den elektriske stol).

electrode [i'lektroud] *sb* elektrode.

electroencephalogram [i'lektræn'sefələgræm] *sb (med.)* elektroencefalogram.

electrolyse [i'lektrəlaiz] *vb* elektrolysere, kemisk sønderdele ved en elektrisk strøm. **electrolys**|**is** [ilek'trɔlisis] *sb (pl -es* [-i:z]) elektrolyse. **electrolyte** [i'lektrəlait] *sb* elektrolyt.

electromagnet [i'lektrə'mægnit] *sb* elektromagnet. **electromagnetic** [i'lektrəmæg'netik] *adj* elektromagnetisk. **electromagnetism** [i'lektrə'mægnitizm] *sb* elektromagnetisme.

electromotive [i'lektrəmoutiv] *adj:* ~ *force* elektromotorisk kraft. **electromotor** [i'lektrə'moutə] *sb* elektromotor.

electron [i'lektrɔn] *sb* elektron.

electronic [ilek'trɔnik] *adj* elektronisk, elektron- *(fx brain* hjerne; *computer* regnemaskine); ~ *data processing* elektronisk databehandling. **electronics** *sb* elektronik.

electro|**plate** [i'lektrəpleit] *vb* forsølve galvanisk; *sb* elektroplet. **-scope** [i'lektrəskoup] elektroskop. **-static** [i'lektrə'stætik] *adj* elektrostatisk. **-statics** [i'lektrə'stætiks] *sb* elektrostatik. **-technology** [i'lektrətek'nɔlədʒi] *sb* elektroteknik. **-therapy** [i'lektrə'θerəpi] *sb* elektroterapi. **-type** [i'lektrətaip] *sb* galvanoplastik, elektrotypi.

electuary [i'lektjuəri] *sb (med.)* latverge, brystsaft.

eleemosynary [elii:'mɔsinəri] *adj* almisse-; fattig-; som lever af almisse; godgørende, velgørenheds-.

elegance ['eligəns] *sb* elegance, smagfuldhed.

elegant ['eligənt] *adj* elegant, smagfuld *(am* T) glimrende, storartet.

elegiac [eli'dʒaiək] *adj* elegisk, klagende; *-s sb pl* elegiske vers. **elegist** ['eldʒist] *sb* elegisk digter.

elegy ['elidʒi] *sb* klagesang, elegi.

element ['elimənt] *sb* element, grundstof; (væsentlig) bestanddel; *-s pl* begyndelsesgrunde, elementer; *the fury of the -s* elementernes rasen; ~ *of danger* faremoment; *there is an ~ of truth in it* der er noget sandt i det; *be in one's ~* være i sit rette element, være i sit es.

elemental [eli'mentl] *adj* element-; elementær; usammensat.

elementary [eli'mentəri] *adj* elementær; ~ *school (am)* underskole.

elephant ['elifənt] *sb* elefant; se også *white ~.*

elephant| **bull** hanelefant. ~ **calf** elefantunge. ~ **cow** hunelefant.

elephantiasis [elifən'taiəsis] *sb* elefantiasis.

elephantine [eli'fæntain] *adj* elefantagtig, uhyre, stor, klumtet, klodset.

Eleusinian [elju'siniən] *adj* eleusinsk.

elevate ['eliveit] *vb* hæve, løfte; *(fig)* ophøje; højne; gøre munter, bringe i løftet stemning. **elevated** ['eliveitid] *adj* højtliggende; *(fig)* ophøjet; munter, i løftet stemning, 'høj oppe'; *sb* T højbane; ~ *railway* højbane. **elevation** [eli'veiʃən] *sb* ophøjelse; løftning; højhed, værdighed; højde; *(mil.)* elevation; *(arkit)* opstalt, facadetegning.

elevator ['eliveitə] *sb* hejseapparat, løfteredskab; *(am)* varerelevator, elevator; *(flyv)* højderor; *(anat)* løftemuskel.

eleven [i'levn] elleve; *sb* hold (på 11 spillere, *fx a cricket ~).* **eleven-plus examination** *(eng* eksamen ved overgangen fra *primary* til *secondary school).*

elevenses [i'levnziz] *sb pl* T formiddagskaffe el. -te.

eleventh [i'levnθ] ellevte; *sb* ellevtedel; *at the ~ hour* i den

ellevte time.
elf [elf] *sb (pl elves)* alf; lille spilopmager.
elf| **arrow, ~ bolt, ~ dart** pilespids af flint. **~ fire** lygtemand.
elfin ['elfin] *adj* alfeagtig, alfe-; *(fig)* let, fin; overjordisk; æterisk. **elfish** ['elfiʃ] *adj* alfeagtig; ondskabsfuld, drilagtig.
Elgin ['elgin]: *the ~ marbles* (græske marmorværker, som Lord Elgin bragte til England, nu i British Museum); (især) Parthenonfrisen.
Elia ['i:ljə] (pseudonym for Charles Lamb).
Elias [i'laiəs].
elicit [i'lisit] *vb* fremkalde *(fx a protest)*; få frem, bringe for dagen *(fx ~ the truth)*; lokke frem *(fx ~ a reply)*.
elide [i'laid] *vb* stryge; udelade, elidere (i udtalen); lade ude af betragtning.
eligibility [elidʒə'biliti] *sb* valgbarhed; fortrinlighed.
eligible ['elidʒəbl] *adj* valgbar *(for, to til, fx the presidency)*; værd at vælge; attråværdig, ønskelig; berettiget *(for* til), kvalificeret *(for* til, *fx benefits)*; *be ~ for inclusion (, admission etc)* (også:) kunne medtages (, optages etc); *an ~ young man* (en ung mand der er) et passende parti.
Elijah [i'laidʒə] Elias (profeten).
eliminate [i'limineit] *vb* bortskaffe, fjerne, udstøde, udelukke, eliminere, borteliminere; lade ude af betragtning.
elimination [ilimi'neiʃən] *sb* bortskaffelse, udstødelse; udelukkelse; eliminering, borteliminering; *proof of ~* eksklusionsbevis.
Elinor ['elinə]. **Eliot** ['eljət].**Elisha** [i'laiʃe] Elisa (profeten).
elision [i'liʒən] *sb* elision, udeladelse.
élite [ei'li:t] *sb* elite.
elixir [i'liksə] *sb* eliksir; kvintessens; *~ of life* livseliksir.
Eliza [i'laizə]. **Elizabeth** [i'lizəbəθ].
Elizabethan [ilizə'bi:θən] *adj* elisabethansk; *sb* elisabethaner.
elk [elk] *sb zo* elg, elsdyr; *(am)* wapitihjort (art kronhjort).
ell [el] *sb (am)* L; vinkel; vinkelbygning; *(glds)* (længdemål, ca. 112 cm); *give him an inch and he'll take an ~* rækker man fanden en lillefinger, tager han hele hånden.
ellipse [i'lips] *sb (mat.)* ellipse.
ellipsis [i'lipsis] *sb (pl -es* [-i:z]) *(gram)* ellipse, udeladelse.
elliptic(al) [i'liptik(l)] *adj* elliptisk.
elm [elm] *sb (bot)* elm.
Elmo ['elmou]: *St. Elmo's fire* st. elmsild.
elocution [elə'kju:ʃən] *sb* foredrag(småde); talekunst; sprogbehandling. **elocutionary** [elə'kju:ʃnəri] *adj* som vedrører udtalen eller foredraget. **elocutionist** [elə'kju:ʃnist] *sb* lærer i taleteknik; recitator, oplæser.
elongate ['i:lɔŋgeit] *vb* forlænge; strække; strække sig; forlænges. **elongation** [i:lɔŋ'geiʃən] *sb* forlængelse; *(astr)* elongation, vinkelafstand.
elope [i'loup] *vb: she -d* hun løb bort med sin elsker. ·
elopement [i'loupmənt] *sb* bortførelse.
eloquence ['eləkwəns] *sb* veltalenhed.
eloquent ['eləkwənt] *adj* veltalende.
else [els] *adv* ellers; anden, andet; *anyone ~* en hvilken som helst anden; *nothing ~* intet andet; *nowhere ~* intet andet sted; *or ~* eller også, ellers; *somewhere ~* et andet sted; *what ~* hvad andet; *who ~* hvem andre.
elsewhere ['elsweə] *adv* andetsteds.
Elsinore [elsi'nɔ:, 'el-] Helsingør.
elucidate [i'lu:sideit] *vb* forklare, belyse.
elucidation [ilu:si'deiʃən] *sb* forklaring, belysning, opklaring.
elude [i'lu:d] *vb* undvige; undgå *(fx discovery)*; smutte fra *(fx one's pursuers)*; unddrage sig *(fx one's obligations; it -s definition)*; omgå; *it -d me (fig)* jeg fik ikke rigtig fat på det.
elusion [i'lu:ʒən] *sb* undvigelse, undgåen; omgåelse. **elusive** [i'lu:siv], **elusory** [i'lu:səri] *adj* undvigende; snu; flygtig; vanskelig at få fat på *(el.* huske).
elver ['elvə] *sb zo* glasål.
elves [elvz] *pl* af *elf.*
elvish ['elviʃ] *adj* alfeagtig; drilagtig.
Ely ['i:li].
Elysian [i'liziən] *adj* elysisk, elysæisk, himmelsk, paradi-

sisk.
Elysium [i'liziəm] Elysium.
'em [əm] dem.
emaciated [i'meiʃieitid] *adj* udtæret, mager. **emaciation** [imeisi'eiʃən] *sb* udtæret tilstand, magerhed.
emanate ['eməneit] *vb* udstrømme, udspringe, udgå, hidrøre; udstråle *(from* fra). **emanation** [emə'neiʃən] *sb* udstrømmen, udstråling, emanation; følge, konsekvens.
emancipate [i'mænsipeit] *vb* frigøre, emancipere *(fx an -d young woman)*; frigive *(fx slaves)*. **emancipation** [imænsi-'peiʃən] *sb* frigørelse, emancipation, frigivelse. **emancipationist** [imænsi'peiʃənist] *sb* talsmand for frigørelse (især for negerslaveriets ophævelse). **emancipator** [i'mænsipeitə] *sb* befrier; *the Great Emancipator* Lincoln.
I. emasculate [i'mæskjuleit] *vb* kastrere; svække; afsvække, berøve sin kraft, forfladige.
II. emasculate [i'mæskjulit] *adj* umandig; svag.
emasculation [imæskju'leiʃən] *sb* kastrering; afkræftelse, svækkelse.
embalm [im'ba:m] *vb* balsamere; *(fig)* bevare frisk i mindet; *(poet)* fylde med vellugt.
embalmment [im'ba:mmənt] *sb* balsamering.
embank [im'bæŋk] *vb* inddige; opdæmme.
embankment [im'bæŋkmənt] *sb* inddæmning; opdæmning; dæmning; vold; jernbaneskråning; kaj; *the Embankment* (gade i London).
embargo [im'ba:gou] *sb* embargo; indførselsforbud, udførselsforbud; forbud; spærring; *vb* beslaglægge, rekvirere; udstede forbud imod, forbyde; *lay (el. put) an ~ on* lægge embargo på; belægge med embargo; *(fig)* forbyde; *lift an ~* hæve en embargo.
embark [im'ba:k] *vb* indskibe, tage om bord *(fx the ship -ed passengers and cargo)*; indskibe sig, gå om bord; *~ upon* gå i lag med, indlade sig på *(fx a dangerous venture)*; *he -ed his fortune in* han anbragte sin formue i.
embarkation [imba:'keiʃən] *sb* indskibning; *port of ~* indskibningshavn.
embarrass [im'bærəs] *vb* forvirre; sætte i forlegenhed, gøre forlegen; gøre indviklet; bringe i vanskeligheder; hæmme. **embarrassed** *adj* forlegen, flov, genert; *be ~* (også) være i forlegenhed, være i vanskeligheder. **embarrassing** *adj* generende, pinlig *(fx his questions are ~)*.
embarrassment [im'bærəsmənt] *sb* forvirring; forlegenhed; vanskelighed, knibe; hindring.
embassy ['embəsi] *sb* ambassade.
embattled [im'bætld] *adj* opstillet i slagorden, *(fig)* kampberedt; med murtinder.
embay [im'bei] *vb* bringe ind i en bugt, indeslutte.
embed [im'bed] *vb* lægge helt ned i, indkapsle; *(geol)* indlejre; *(tekn)* indstøbe, nedstøbe; *-ded in* indesluttet *(el.* indlejret) i; *it is -ded in my recollection* det står præget i min erindring.
embellish [im'beliʃ] *vb* forskønne, udsmykke, pryde; pynte på. **embellishment** [im'beliʃmənt] *sb* forskønnelse, udsmykning, prydelse.
ember ['embə] *sb* (ulmende) glød, glødende kul, aske.
ember days faste- og bededage i den romersk-katolske kirke, tamperdage.
embezzle [im'bezl] *vb* forgribe sig på (betroede midler); begå underslæb *(el.* kassesvig). **embezzler** [im'bezlə] *sb* en som begår underslæb, T kassebedrøver.
embitter [im'bitə] *vb* gøre bitter; *it -ed his life* det forbitrede tilværelsen for ham.
emblazon [im'blæzn] *vb* dekorere med heraldiske figurer; male med strålende farver; forherlige. **emblazonment** [-mənt], **emblazonry** [-ri] *sb* våbenmaleri; våbenfigurer, heraldisk udsmykning.
emblem ['embləm] *sb* sindbillede, symbol. **emblematic(al)** [embli'mætik(l)] *adj* sindbilledlig, symbolsk; *be ~ of* (også) være et symbol på; være et synligt udtryk for.
embodiment [im'bɔdimənt] *sb* legemliggørelse, inkarnation; virkeliggørelse; optagelse, indlemmelse; samling til et hele; *the ~ of courage* (også) det personificerede mod.
embody [im'bɔdi] *vb* give konkret udtryk *(el.* form) *(fx he embodied his ideas in a memorandum)*; virkeliggøre, nedlægge *(fx the principles embodied in the treaty)*; indbære; indeholde, rumme *(fx the latest model embodies many new features)*; optage, indarbejde; legem-

liggøre, personificere.
embolden [im'bouldən] *vb* give mod *(fx it -ed him to speak)*.
embolism ['embəlizm] *sb (med.)* emboli, blodprop.
embonpoint *[fr] sb* embonpoint (fyldighed, »mave«).
embosom [im'buzəm] *vb (glds)* tage til sit hjerte; omgive, skjule *(fx a house -ed with trees)*.
emboss [im'bɔs] *vb* udføre i *(el.* pryde med) ophøjet arbejde *el.* relief; præge i relief; *-ed* (om metal også) drevet; *-ed printing* ophøjet tryk, prægetryk.
embouchure [ɔmbu'ʃuə] *sb* flodmunding; *(mus.)* mundstykke på blæseinstrument; den blæsendes mundstilling.
embower [im'bauə] *vb* omgive med løv.
embrace [im'breis] *vb* omfavne; omfatte; indbefatte *(fx a word which -s many concepts)*; gribe *(fx an opportunity)*; antage; (ivrigt) tage imod *(fx an offer)*; slutte sig til *(fx a religion)*; (ivrigt) tage op *(fx a cause)*; tage fat på, påbegynde *(fx a career)*; (uden objekt) omfavne hinanden *(fx they -d)*; *sb* omfavnelse, favntag; *locked in an ~* tæt omslynget.
embrasure [im'breiʒə] *sb* skydeskår; *(arkit)* embrasure, smiget vindues- *el.* døråbning (bredere indadtil end udadtil.)
embrocate ['embrəkeit] *vb* indgnide.
embrocation [embrə'keiʃən] *sb* lægemiddel (som indgnides); liniment.
embroider [im'brɔidə] *vb* brodere; *(fig)* brodere på, pynte på. **embroidery** [im'brɔidəri] *sb* broderi.
embroil [im'brɔil] *vb* inddrage, indvikle *(fx he was -ed in their quarrels)*; skabe forvirring i, forstyrre; *get -ed with* komme i strid med. **embroilment** [em'brɔilmənt] *sb* det at blive indviklet i strid *etc;* splid, forvirring, forvikling.
embryo ['embriou] *sb* embryo, foster; *(bot)* kim, spire; *(fig)* spire; *adj* uudviklet; *in ~* i sin vorden, vordende.
embryology [embri'ɔlədʒi] *sb* embryologi. **embryologist** [embri'ɔlədʒist] *sb* embryolog. **embryonic** [embri'ɔnik] *adj* foster-; uudviklet, ufuldbåren.
embus [im'bʌs] *vb* stige ind (, *(mil.)* sidde 'op) i motorkøretøj.
emcee ['emsi:] *sb (am)* konferencier (af *M. C.)*.
emend [i'mend] *vb* forbedre, rette (tekst).
emendation [i:men'deiʃən] *sb* forbedring, (tekst)rettelse.
emerald ['emərəld] *sb* smaragd; smaragdgrønt; *adj* smaragd-; smaragdgrøn; *the Emerald Isle* den smaragdgrønne ø (Irland).
emerge [i'mə:dʒ] *vb* dukke op, komme op; dukke frem, opstå. **emergence** [i'mə:dʒəns] *sb* opdukken, tilsynekomst; opståen, fremkomst.
emergency [i'mə:dʒənsi] *sb* nødsituation, kritisk situation; yderste nød; *adj* nød-, reserve-; *state of ~* undtagelsestilstand; *in case of ~, in an ~* i nødstilfælde.
emergency| brake (i tog) nødbremse; (i bil) håndbremse. ~ **door, ~ exit** reserveudgang *(fx* i et teater). ~ **landing ground** *(flyv)* nødlandingsplads. ~ **lighting** nødbelysning. ~ **measure** nødforanstaltning. ~ **meeting** hastemøde. ~ **powers** ekstraordinær bemyndigelse. ~ **regulation** *(mil.)* forholdsordre. ~ **squad** udrykningskolonne. ~ **store** reserveforråd.
emergent [i'mə:dʒənt] *adj* opdukkende; som opstår; pludselig opstående *(fx danger)*; ~ *from* som opstår som følge af *(fx political issues ~ from war)*.
emeritus [i'meritəs] *adj, sb* emeritus; ~ *professor* professor emeritus.
emersed [i'mə:st] *adj* som rager op (over en flade).
emersion [i'mə:ʃən] *sb* tilsynekomst; *(astr)* emersion (fremdukken efter formørkelse).
emery ['eməri] *sb* smergel. **emery| board** sandfil (til negle). ~ **cloth** smergellærred. ~ **paper** smergelpapir.
emetic [i'metik] *sb* brækmiddel; *adj* som fremkalder opkastning.
emigrant ['emigrənt] *adj* udvandrer-, udvandrende; udvandret; *sb* udvandrer, emigrant.
emigrate ['emigreit] *vb* udvandre, emigrere.
emigration [emi'greiʃən] *sb* udvandring, emigration.
emigré ['emigrei] *sb* (politisk) emigrant.
Emily ['emili]
eminence ['eminəns] *sb* højde(drag), forhøjning; *(fig)* høj værdighed, fremtrædende stilling; berømmelse, ære; (kar-

dinals titel) eminence.
eminent ['eminənt] *adj* høj; højtstående; fremtrædende, fremragende; betydelig. **eminently** *adv* i fremragende grad; særdeles.
emir [e'miə] *sb* emir.
emissary ['emisəri] *sb* agent, udsending.
emission [i'miʃən] *sb* udsendelse; udstedelse; udstråling *(fx of heat)*.
emit [i'mit] *vb* udsende; udstede *(fx paper money)*; udstråle, give fra sig; ytre.
Emmanuel [i'mænjuəl]. **Emmaus** [e'meiəs].
emollient [i'mɔliənt] *sb, adj* blødgørende (middel) (til hud).
emolument [i'mɔljumənt] *sb* indtægt; *-s* emolumenter, sportler, honorarer.
emote [i'mout] *vb* give overdrevent udtryk for følelser, sjæle.
emotion [i'mouʃən] *sb* sindsbevægelse, bevægelse, rørelse; følelse; *with ~* (også) bevæget.
emotional [i'mouʃənəl] *adj* følelses-, følelsesmæssig; som taler til følelserne, rørende, stemningsfuld, følelsesbetonet; (om person især) emotionel, letpåvirkelig, følelsesfuld, følsom; *an ~ person* (også) et stemningsmenneske. **emotionalism** [i'mouʃənalizm] *sb* følelsesbetonethed, følsomhed. **emotionalist** [i'mouʃənalist] *sb* følelsesmenneske.
emotive [i'moutiv] *adj* følelsesmæssig; følelsesladet, følelsesbetonet, som taler til følelserne.
empanel [im'pænl] *vb* opføre på (nævninge)liste, udtage (til nævning); udfærdige liste over (nævninge).
empathic [em'pæθik] *adj* indfølende.
empathy ['empəθi] *sb* indføling, indlevelse.
empennage [em'penidʒ, *am* a:mpə'na:ʒ] *sb (flyv)* haleparti.
emperor ['empərə] *sb* kejser.
emphasis ['emfəsis] *sb* emfase; eftertryk; fynd; vægt.
emphasize ['emfəsaiz] *vb* lægge eftertryk på, betone; fremhæve, understrege, pointere, lægge vægt på.
emphatic [im'fætik] *adj* emfatisk; eftertrykkelig, kraftig, fyndig, energisk, kategorisk, bestemt. **emphatically** [im'fætikəli] *adv* eftertrykkeligt.
emphysema [emfi'si:mə] *sb (med.)* emfysem (luftansamling i væv).
empire ['empaiə] *sb* rige; kejserrige; herredømme; *Empire* (også) empire(stil); *the Empire (hist.)* det britiske verdensrige; *Empire Day* 24. maj (dronning Viktorias fødselsdag); *Empire State* (staten) *New York*.
empiric [em'pirik] *adj* erfaringsmæssig, empirisk; *sb* empiriker; *(glds)* charlatan, kvaksalver. **empirical** [em'pirikəl] *adj* empirisk. **empiricism** [em'pirisizm] *sb* empirisme; erfaringsfilosofi; *(glds)* kvaksalveri.
emplacement [im'pleismənt] *sb (mil.)* kanonstilling.
emplane [im'plein] *vb* gå (, tage) om bord i en flyvemaskine.
employ [im'plɔi] *vb* beskæftige, sysselsætte, give arbejde, ansætte *(fx he is -ed in a bank)*; bruge, anvende; tilbringe *(fx that is the way he -s his spare time)*; *sb* tjeneste; beskæftigelse, arbejde; *in sby's ~* i ens brød, ansat hos en.
employable [im'plɔiəbl] *adj* anvendelig.
employé [ɔm'plɔiei], **employee** [emplɔi'i:] *sb* funktionær.
employer [im'plɔiə] *sb* arbejdsgiver, principal; *-s' association (el. federation, organization)* arbejdsgiverforening.
employment [im'plɔimənt] *sb* beskæftigelse, sysselsættelse; anvendelse; ansættelse, tjeneste, arbejde; *out of ~* arbejdsløs; ~ *exchange* arbejdsanvisningskontor; arbejdsformidling; ~ *officer* arbejdsformidler; ~ *tax* skat på arbejdskraft.
emporium [em'pɔ:riəm] *sb* varehus, stor butik; stabelplads; oplagssted; handelscentrum.
empower [im'pauə] *vb* bemyndige; sætte i stand til, give evne til.
empress ['empris] *sb* kejserinde.
empty ['em(p)ti] *adj* tom; *sb* tomt returgods, tom emballage; *vb* tømme *(of* for), tømme ud; løbe ud; tømmes; ~ *of* blottet for, uden *(fx words ~ of meaning)*; *the river empties itself into the sea* floden strømmer ud i havet.
empty-|handed tomhændet. ~ **headed** tomhjernet.
empyreal [empai'riəl] *adj* himmelsk.
empyrean [empai'ri:ən] *sb* den højeste himmel, (ild)himlen.
emu ['i:mju:] *sb zo* emu (australsk fugl).

emulate ['emjuleit] vb kappes med; efterligne; søge at overgå. **emulation** [emju'leiʃən] sb kappelyst, kappestrid.

emulator ['emjuleitə] sb konkurrent, rival, efterligner.

emulous ['emjuləs] adj kappelysten; *be ~ of* søge at overgå *(fx one's rivals)*; stræbe *(el.* tragte) efter *(fx fame).*

emulsify [i'mʌlsifai] vb emulgere.

emulsion [i'mʌlʃən] sb emulsion.

enable [i'neibl] vb sætte i stand til *(fx the money -d him to travel)*; enabling act bemyndigelseslov.

enact [i'nækt] vb give lovskraft, vedtage (en lov), forordne; *(teat)* spille, opføre; *be -ed* finde sted, udspille sig.

enactment [i'næktmənt] sb vedtagelse; lov, forordning.

enamel [i'næməl] vb emalje; lak; vb emaljere; lakere; *-led (fig)* broget, som stråler i alle farver.

enamoured [i'næməd] sb forelsket *(of* i).

encaenia [en'si:njə] sb stiftelsesfest (ved Oxford universitet).

encage [in'keidʒ] vb sætte i bur; indespærre.

encamp [in'kæmp] vb slå lejr, lejre sig; lægge i lejr.

encampment [in'kæmpmənt] sb lejr, lejrplads; det at slå lejr.

encapsulate [en'kæpsjuleit] vb indkapsle.

encase [in'keis] vb indhylle, indfatte; omslutte, indpakke.

encash [in'kæʃ] vb inkassere, hæve penge på.

encaustic [en'kɔ:stik] adj enkaustisk; sb enkaustik; *~ painting* enkaustisk maleri, voksmaleri; *~ tile* flise med indbrændt dekoration.

enceinte [fr.; a:n'sænt] sb *(mil.)* enceinte; adj gravid, frugtsommelig.

encephalitis [ensefə'laitis] sb *(med.)* hjernebetændelse.

enchain [in'tʃein] vb lænke; *(fig)* fængsle.

enchant [in'tʃa:nt] vb fortrylle; *-ed with* (også) henrykt over.

enchanter [in'tʃa:ntə] sb troldmand; fortryllende person.

enchanter's nightshade *(bot)* steffensurt.

enchanting [in'tʃa:ntiŋ] adj fortryllende, bedårende.

enchantment [in'tʃa:ntmənt] sb fortryllelse, trylleri, trolddom.

enchantress [in'tʃa:ntris] sb troldkvinde; fortryllende kvinde.

enchase [in'tʃeis] vb indfatte *(fx ~ a jewel in gold)*; indlægge; ciselere.

encircle [in'sə:kl] vb omringe *(fx -d by the enemy)*, indeslutte, indkredse; kredse om; *-d by* (også) omkranset af.

encirclement [in'sə:klmənt] sb omringning, indeslutning, indkredsning.

en clair *[fr]* (om telegram) i klart sprog.

enclave ['enkleiv] sb enklave.

enclitic [in'klitik] adj enklitisk, efterhængt.

enclose [in'klouz] vb omgive *(fx a high hedge -d the garden)*; indeslutte, indespærre (i brev) vedlægge *(fx I ~ a copy of our price list)*; *(hist.)* indhegne (fællesjord), udskifte.

enclosure [in'klouʒə] sb indhegning, indhegnet plads; hegn, gærde; (i brev) indlæg, bilag; *(hist)* indhegning af fællesjord for at gøre den til privateje; *the ~ movement (omtr)* udskiftningen; *~ wall* ydermur.

encode [en'koud] vb omsætte til kodesprog, indkode.

encomiastic(al) [enkoumi'æstik(l)] adj lovprisende.

encomium [en'koumjəm] sb lovtale.

encompass [in'kʌmpəs] vb omgive; omfatte; omringe, omspænde.

encore [ɔŋ'kɔ:] da capo; sb dacapo(nummer), ekstranummer; vb forlange da capo *(fx ~ a song)*; forlange et ekstranummer af *(fx ~ the singer)*.

encounter [in'kauntə] sb (tilfældigt) møde; sammenstød, kamp; træfning; vb træffe (sammen med), møde, komme ud for, støde på.

encourage [in'kʌridʒ] vb opmuntre, oplive, indgyde mod; anspore *(to* til (at)); hjælpe frem, støtte, ophjælpe, fremme *(fx a trade)*. **encouragement** [in'kʌridʒmənt] sb opmuntring; befordring, hjælp frem, fremme.

encroach [in'kroutʃ] vb: *~ on* gøre indgreb i *(fx their rights)*; trænge sig ind på *(fx their territory)*; tage mere og mere af. **encroachment** [in'kroutʃmənt] sb indgreb, overgreb; uretmæssig indtrængen.

encrust [in'krʌst] vb se *incrust.*

encumber [in'kʌmbə] vb bebyrde, betynge, belemre; (over)-fylde; (med gæld) behæfte; *~ a property* behæfte en ejendom.

encumbrance [in'kʌmbrəns] sb byrde, hindring, klods om benet; gæld, behæftelse; *without ~ (el. -s)* (også) uden børn.

encyclic(al) [en'siklik(l)] adj encyklisk, cirkulerende; *~ (letter)* rundskrivelse (især pavelig), encyklika.

encyclopedia [ensaiklə'pi:diə] sb encyklopædi, konversationsleksikon. **encyclopedic(al)** [ensaiklə'pi:dik(l)] adj encyklopædisk, (meget) omfattende *(fx knowledge)*. **encyclopedist** [ensaiklə'pi:dist] sb encyklopædist.

encyst [en'sist] sb indkapsle.

I. end [end] sb ende, endepart, (af)slutning *(fx the ~ of the war)*; (om person) endeligt, død *(fx he came to* (fik) *a sad ~)*; (stykke:) ende; stump *(fx of a pencil)*; *(fig)* afdeling *(fx the London ~ of the firm)*; del *(fx his ~ of the job)*; (hensigt *etc)* formål *(fx he used the money for his own -s)*, øjemed; mål *(fx an ~ in itself)*;

be at an ~ være til ende, være forbi; *at this ~* (også:) her; *look at the ~ of the book* se bag i bogen; *at a loose ~*, (am) *at loose -s* ledig, uden noget at tage sig til; *he was at the ~ of his patience* det var (ved at være) slut med hans tålmodighed; *that is the ~!* det er dog den sidveste! *turn ~ for ~* vende op og ned *(el.* rundt) på; *gain one's ~* nå sit mål; *go off the deep ~* se II. *deep; in the ~* til sidst; til syvende og sidst; *the ~ justifies the means* hensigten helliger midlet; *make (both) -s meet* få det til at løbe rundt (økonomisk); *make an ~ of* gøre en ende på, gøre kål på; *there is an ~ (of it)* dermed punktum, dermed basta; *such was the ~ of John* således endte (ɔ: døde) John; *~ of a cigar* cigarspids; *cigarstump; no ~ (of)* en uendelig masse; T umådelig, uhyre *(fx no ~ disappointed)*; *no ~ of a fine chap* en vældig flink fyr; *(for) hours on ~* flere timer i træk; *stand on ~* stå på enden, stå på højkant; stritte, rejse sig (om håret); *put an ~ to* gøre ende på, sætte en stopper for; gøre ende på (med); *come to an ~* få ende, ophøre; *~ to ~* i forlængelse af hinanden; *it is only a means to an ~* det er kun et middel; *to this ~* i denne hensigt; *keep one's ~ up* T hævde sig, klare sig, ikke lade sig gå på, holde den gående (trods modgang).

II. end [end] vb ende, slutte, ophøre; (med objekt) (af)-slutte, gøre ende på; *all's well that -s well* når enden er god, er alting godt; *he is the genius to ~ them all* han er det største geni der har eksisteret; *the war to ~ war* den krig der skulle gøre en ende på alle krige;

(forb med præp) ~ in ende med; *~ in smoke* gå op i røg, ikke blive til noget; *~ off* (af)slutte; *~ up* ende, havne *(fx in prison, in the ditch)*; *~ up* with ende *(el.* slutte) med; *to ~ up with* som afslutning, til slut.

endanger [in'dein(d)ʒə] vb bringe i fare, udsætte for fare, sætte på spil.

endear [in'diə] vb: *~ oneself to* gøre sig elsket (, vellidt) af; *he -ed himself to them* han vandt deres hengivenhed.

endearing [in'diəriŋ] adj vindende, indtagende.

endearment [in'diəmənt] sb udtryk for *el.* bevis på kærlighed; kærtegn; *term of ~* kæleord.

endemic [en'demik] adj endemisk (om sygdom; begrænset til en bestemt egn); sb endemi.

end game slutspil.

ending ['endiŋ] sb slutning *(fx happy ~)*; afslutning; endeligt, død; *(gram)* endelse.

endive ['endiv] sb *(bot)* endivie; endiviesalat, julesalat.

endless ['endlis] adj endeløs, uendelig, *~ belt* transportbånd.

endmost ['endmoust] adj fjernest.

endocrine ['endəkrain] adj (om kirtel) endokrin, med indre sekretion.

endogamy [en'dɔgəmi] sb giftermål inden for stammen; indgifte.

endorse [in'dɔ:s] vb endossere; skrive bag på *(fx a cheque)*; påtegne; *(fig)* godkende, tiltræde, give sin tilslutning til.

endorsee [endɔ:'si:] sb endossatar.

endorsement [in'dɔ:smənt] sb endossement, endossering,

påtegning; godkendelse, bekræftelse. **endorser** [in'dɔ:sə] *sb* endossent.

endosperm ['endəspə:m] *sb (bot)* frøhvide.

endow [in'dau] *vb* udstyre, udruste, begave *(fx -d with great talents);* skænke legatsum til, betænke; dotere.

endowment [in'daumənt] *sb* dotation; legat, gave; fond, pengemidler; -s (også) evner, begavelse.

endowment insurance livsforsikring med udbetaling i levende live, livsbetinget livsforsikring.

end paper (i bog) forsatsblad.

end product slutprodukt; *(fig)* slutresultat.

endshrink ['endʃriŋk] *vb* trække sig sammen på den lange led (om tømmer).

endue [in'dju:] *vb :* ~ *with* skænke, udstyre med.

endurable [in'djuərəbl] *adj* udholdelig.

endurance [in'djuərəns] *sb* udholdenhed; varighed, vedvaren; lidelse.

endure [in'djuə] *vb* udholde, tåle, døje, lide; (uden objekt) holde ud; vare *(fx as long as her love -s),* blive stående, leve *(fx his work (, name) will ~).* **enduring** *adj* varig, blivende; langmodig.

endways ['endweiz], **endwise** ['endwaiz] *adv* på enden, oprejst; med enden fremad, på langs.

Endymion [en'dimiən].

E.N.E. *fk east-north-east.*

enema ['enimə] *sb (med.)* lavement, klyster.

enemy ['enimi] *sb* fjende; *adj* fjendtlig *(fx ~ ships; ~ property); make enemies* skaffe sig fjender; *he is his own worst ~* han er værst ved sig selv.

energetic(al) [enə'dʒetik(l)] *adj* kraftig, energisk, handlekraftig, virksom

energize ['enədʒaiz] *vb* fylde med energi, styrke; udfolde energi.

energy ['enədʒi] *sb* kraft, energi.

enervate ['enə:veit] *vb* svække, afkræfte, udmarve.

enervation [enə:'veiʃən] *sb* svækkelse, afkræftelse.

enface [in'feis] *vb* skrive (, trykke) på forsiden af; forsyne med påtegning på forsiden.

enfeeble [in'fi:bl] *vb* svække, afkræfte. **enfeeblement** [in-'fi:blmənt] *sb* afkræftelse.

enfeoff [in'fef] *vb* forlene. **enfeoffment** [in'fefmənt] *sb* forlening; lensbrev.

enfilade [enfi'leid] *sb (mil.)* flankerende ild, sidebestrygning; *vb (mil.)* beskyde i længderetningen; ~ *fire (mil.)* = *enfilade sb.*

enfold [in'fould] *vb* indhylle; omslutte; omgive; omfavne.

enforce [in'fɔ:s] *vb* fremtvinge *(fx obedience);* gennemtvinge, sætte igennem *(fx they have power to ~ their decisions);* håndhæve *(fx a law; discipline);* (om argument *etc)* underbygge; ~ *a judgment* gennemtvinge fuldbyrdelsen af en dom; ~ *it on them* påtvinge dem det; *-d* (på)-tvungen. **enforcement** [in'fɔ:smənt] *sb* fremtvingelse; gennemtvingelse; håndhævelse.

enfranchise [in'fræntʃaiz] *vb* give stemmeret *(fx women were -d many years ago);* give købstadsrettigheder; frigive *(fx slaves).* **enfranchisement** [in'fræntʃizmənt] *sb* tildeling af stemmeret; tildeling af købstadsrettigheder; frigivelse.

engage [in'geidʒ] *vb* forpligte; antage, engagere *(fx a servant, sby as a guide);* bestille *(fx a seat in the theatre);* hyre *(fx a taxi); (fig)* optage, beskæftige; lægge beslag på *(fx his attention);* inddrage, indvikle; *(mil.)* engagere, angribe *(fx we shall ~ the enemy at once); (tekn)* gribe ind i; (om tandhjul) være (, bringe) i indgreb, (om kobling) rykke ind; ~ *his sympathy* vinde hans sympati; ~ *for* garantere, indestå for; ~ *in* give sig af med *(fx ~ in writing),* tage del i, blande sig i; indlade sig på; ~ *oneself to sby* forlove sig med en; ~ *(oneself) to do sth* forpligte sig til at gøre noget, påtage sig at gøre noget; ~ *with* gribe ind i (om tandhjul); *(mil.)* indlade sig i kamp med.

engaged [in'geidʒd] *adj* optaget *(fx I cannot come, because I am ~; is this seat ~?);* forlovet; (om forfatter) engageret (i en sag).

engagement [in'geidʒmənt] *sb* forpligtelse; aftale; løfte; forudbestilling; engagement; forlovelse; *(mil.)* slag, træfning; *(tekn)* indgreb, indgriben; *without ~* uden forbindende. **engagement ring** forlovelsesring.

engaging [in'geidʒiŋ] *adj* vindende, indtagende.

engender [in'dʒendə] *vb* avle, skabe.

engine ['endʒin] *sb* maskine; motor; lokomotiv; brandsprøjte; ~ *of power* magtmiddel.

engine driver lokomotivfører.

I. engineer [indʒi'niə] *sb* maskinarbejder, mekaniker; tekniker; konstruktør, maskinbygger; ingeniør; *(mar)* maskinmester; maskinist; *(am)* lokomotivfører; *(fig)* ophavsmand, skaber; *the Engineers* ingeniørtropperne; *chemical ~* kemiingeniør; *chief ~* første maskinmester.

II. engineer [indʒi'niə] *vb* lede anlægget af, bygge, konstruere; beskæftige sig med ingeniørarbejde; *(fig)* manøvrere; bringe i stand, arrangere; få gennemført (med list og lempe).

engineering [indʒi'niəriŋ] *sb* maskinvæsen; ingeniørarbejde, ingeniørvirksomhed; *adj* ingeniørmæssig.

engine| fitter montør. **-house** remise. **-man** maskinist; maskinmand. ~ **shop** maskinværksted.

England ['iŋglənd] England.

English ['iŋgliʃ] *adj* engelsk; *vb* oversætte til engelsk; *the ~* englænderne; ~ *bond (arkit)* blokforbandt; *the ~ Channel* Kanalen.

Englishman ['iŋgliʃmən] *sb* englænder.

English| maple *(bot)* naur. ~ **oak** *(bot)* stilkeg.

Englishry [iŋgliʃri] *sb* engelsk befolkning (især i Irland), engelsk koloni.

Englishwoman ['iŋgliʃwumən] *sb* englænderinde.

engorge [in'gɔ:dʒ] *vb* spise grådigt, foræde sig (i).

engraft [in'gra:ft] *vb* pode, indpode.

engrain [in'grein] *vb* farve i ulden. **engrained** *adj* indgroet, uforbederlig.

engram ['engræm] *sb (psyk)* engram, hukommelsesspor.

engrave [in'greiv] *vb* (ind)gravere, stikke (i metal), indskrive; indpræge, præge. **engraver** [in'greivə] *sb* gravør.

engraving [in'greiviŋ] *sb* gravering, gravørkunst; (kobber)-stik.

engross [in'grous] *vb* lægge beslag på, optage; *(jur)* afskrive med stor og tydelig skrift, renskrive; opsætte i lovmæssig form; *(glds)* opkøbe; *-ed in* fordybet i.

engrossing [in'grousiŋ] *adj* som optager hele ens tid og interesse, altopslugende. **engrossment** [in'grousmənt] *sb (jur)* renskrivning, renskrift, renskrevet dokument; optagethed; opkøb.

engulf [in'gʌlf] *vb* opsluge.

enhance [in'ha:ns] *vb* forhøje, forøge; forstærke.

enhancement [in'ha:nsmənt] *sb* forhøjelse, forøgelse; forstærkning.

enigma [i'nigmə] *sb* gåde. **enigmatic(al)** [enig'mætik(l)] *adj* gådefuld.

enjoin [in'dʒɔin] *vb* påbyde *(fx silence);* pålægge *(fx a duty on sby);* indskærpe; *(am også)* forbyde.

enjoy [in'dʒɔi] *vb* nyde *(fx one's dinner);* glæde sig over, synes godt om; more sig over; kunne glæde sig ved *(fx good health);* have *(fx a good income),* eje; ~ *oneself* more sig, befinde sig godt.

enjoyable [in'dʒɔiəbl] *adj* glædelig, morsom, behagelig, fornøjelig.

enjoyment [in'dʒɔimənt] *sb* nydelse, fornøjelse, morskab, glæde; *take ~ in* finde fornøjelse i, glæde sig ved; *be in the ~ of* have, kunne glæde sig ved *(fx he is in the ~ of good health).*

enkindle [in'kindl] *vb* opflamme, vække.

enlace [in'leis] *vb* omslynge; sammenflette.

enlarge [in'la:dʒ] *vb* forøge(s), forstørre(s), udvide (sig); udbygge; kunne forstørres; ~ *(up)on* gå nærmere ind på, udbrede sig om, berette udførligt om.

enlargement [in'la:dʒmənt] *sb (fot)* forstørrelse; udvidelse.

enlarger [in'la:dʒə] *sb* forstørrelsesapparat.

enlighten [in'laitn] *vb* oplyse; ~ *ed despotism* oplyst enevælde.

enlightenment [in'laitnmənt] *sb* oplysning.

enlist [in'list] *vb* hverve; *(fig)* vinde; sikre sig *(fx his aid);* (uden objekt) lade sig hverve, melde sig som soldat; melde sig (som tilhænger); ~ *him in a good cause* vinde ham for en god sag; *-ed men* menige og underofficerer.

enlistment [in'listmənt] *sb* hvervning, indrullering.

enliven [in'laivn] *vb* oplive, opmuntre, sætte liv i.

enmesh [in'meʃ] *vb* indvikle (som i et net).

enmity ['enmiti] *sb* fjendskab.
ennoble [i'noubl] *vb* adle; forædle.
ennui [*fr.*; a:'nwi:] *sb* livslede; kedsomhed.
Enoch ['i:nɔk].
enormity [i'nɔ:miti] *sb* afskyelighed, uhyrlighed, forbrydelse, udåd; vældigt omfang.
enormous [i'nɔ:məs] *adj* enorm, overordentlig, uhyre, umådelig.
enough [i'nʌf] *adv* nok, tilstrækkelig; nok så *(fx jauntily ~* nok så kækt); *~ and to spare* mere end nok; *be good ~ to tell us* vær så god at sige os; *that is not good ~* (også) det kan du ikke være bekendt; *little ~* ikke ret meget; *a nice ~ fellow* en ganske rar fyr; *~ of that!* lad det nu være nok! hold op! *he knows well ~ that* han ved meget godt at; *she sings well ~* hun synger såmænd meget godt; (se også *feast).*
enounce [i'nauns], se *enunciate.*
enow [i'nau] *adv* (glds og *poet)* nok.
enquire, enquiry, se under *inquire, inquiry.*
enrage [in'reidʒ] *vb* gøre rasende, ophidse.
enrapture [in'ræptʃə] *vb* henrykke, henrive.
enrich [in'ritʃ] *vb* berige; smykke, forskønne; gøde, frugtbargøre; *-ed uranium* beriget uran.
enrichment [in'ritʃmənt] *sb* berigelse; forsiring; udsmykning; gødskning.
enrobe [in'roub] *vb* beklæde, klæde.
enrol(l) [in'roul] *vb* indskrive (sig) *(fx as a member);* indtegne (sig) *(fx for a course til et kursus);* indmelde (sig); *(mil.)* (lade sig) indrullere, melde sig til tjeneste.
enrolment [in'roulmənt] *sb* indrullering; indskrivning; indmeldelse; antal indskrevne (elever *etc),* tilgang.
en route [ɔːɲ'ruːt] undervejs.
E.N.S.A. *fk Entertainments National Service Association.*
ensanguined [in'sæŋgwind] *adj* blodplettet.
ensconce [in'skɔns] *vb* anbringe (trygt), forskanse, dække; *~ oneself* forskanse sig *(fx behind a newspaper);* anbringe sig, sætte sig tilrette.
ensemble [a:n'sa:mbl] *sb* hele; helhedsvirkning; ensemble (også om kjole og frakke af samme stof); *(mus)* ensemble; sammenspil.
enshrine [in'ʃrain] *vb* lægge i et skrin; opbevare som en relikvie; hæge om, bevare *(fx his memory).*
enshroud [in'ʃraud] *vb* indhylle.
ensiform ['ensifɔ:m] *adj (bot)* sværdformet.
ensign ['ensain; i fladen: 'ensn] *sb* fane, flag; tegn, mærke; *(glds)* fændrik; *(am, omtr)* søløjtnant; *red ~* det engelske handelsflag; *white ~* den engelske krigsflådes flag.
ensilage ['ensilidʒ] *sb* ensilage, ensilering; *vb* ensilere.
ensile [in'sail] *vb* ensilere.
enslave [in'sleiv] *vb* trælbinde, gøre til slave.
ensnare [in'snɛə] *vb* fange (i snare).
ensue [in's(j)uː] *vb* følge, påfølge.
ensure [in'ʃuə] *vb* sikre *(fx ~ oneself against risks);* garantere (for) *(fx I cannot ~ success).*
entablature [in'tæblətʃə] *sb (arkit)* entablement (omfattende: arkitrav, frise og gesims).
I. entail [in'teil] *vb* stamgods, fideikommis, len; arvegangsmåde; *cut off an ~* ophæve fideikommis.
II. entail [in'teil] *vb* gøre til fideikommis *(el* len), testamentere som stamgods; medføre, nødvendiggøre *(fx it will ~ great expense).*
entangle [in'tæŋgl] *vb* bringe i urede; filtre sammen; indvikle, indfiltre *(fx the bird -d itself in the net);* gøre (mere) indviklet; *become -d in sth* (også *fig)* blive viklet *(el* rodet) ind i noget.
entanglement [in'tæŋglmənt] *sb* forvikling; sammenfiltring; vanskelighed; uheldig forbindelse; *(mil.)* spærring.
entente [ɔn'tɔnt] *sb: the ~* ententen.
enter ['entə] *vb* gå (, komme, træde, køre, sejle, rejse, marchere) ind; (med objekt) gå (, komme, træde *etc)* ind i *(fx a room, a tunnel, a harbour, a country),* trænge ind i *(fx the bullet -ed his lung);* (skrive:) indskrive *(fx his name in the list),* indføre *(fx a sum in an account book),* registrere; indgive, (lade) føre til protokols *(fx a protest);* (som deltager, elev *etc)* indmelde *(fx a pupil at a school),* tilmelde *(fx a horse for a race),* indtegne, indskrive; (om personen selv) indmelde (, indtegne, indskrive) sig i (, til) *(fx a school),* lade sig indskrive ved

(fx a university); indtræde i *(fx a firm; the Common Market);* melde sig som deltager i *(fx a competition);* (om skib) angive til fortoldning;
~ *Hamlet* (i sceneanvisning) Hamlet (kommer) ind; *~ one's name for* melde sig til, melde sig som deltager i *(fx a race);* indtegne sig til; *~ sby's head* falde en ind; *~ into* forstå; sætte sig ind i *(fx his feelings);* indlade sig på *(el* i); tage del i; indgå *(fx a treaty);* indgå i, være en bestanddel af; indtræde i *(fx one's rights; matrimony ægtestanden);* påbegynde; *~ into conversation with* indlede en samtale med; *~ into details* gå i enkeltheder; *~ into partnership with* gå i kompagni med; *~ a protest* (også) nedlægge protest; *~ upon* tage fat på, begynde på *(fx a career);* *(jur)* overtage, tage i besiddelse.
enteric [en'terik] *adj* enterisk, tarm-; *~ fever* tyfus.
enteritis [entə'raitis] *sb* tarmkatar.
enterprise ['entəpraiz] *sb* foretagende; bedrift, virksomhed; foretagsomhed, initiativ. **enterprising** *adj* foretagsom, initiativrig.
entertain [entə'tein] *vb* underholde, more; beværte, vise gæstfrihed (mod), have gæster; nære *(fx a hope, doubts);* tage under overvejelse, reflektere på *(fx I cannot ~ the proposal);* *they ~ quite a lot* de har megen selskabelighed, de har tit gæster. **entertainer** *sb* vært; varietékunstner, entertainer. **entertaining** *adj* morsom, underholdende.
entertainment [entə'teinmənt] *sb* underholdning; morskab; gæstfri modtagelse; beværtning; repræsentation; fest. **entertainment allowance** repræsentationstillæg. *~ business* underholdningsindustri, forlystelsesbranche. **-s tax** forlystelsesskat.
enthrall [in'θrɔ:l] *vb (fig)* fængsle, betage.
enthrone [in'θroun] *vb* sætte på trone; indsætte (en biskop); *be -d* trone; *-d in the heart of* højt elsket af.
enthuse [in'θju:z] *vb* T vise begejstring, falde i henrykkelse *(over over).*
enthusiasm [in'θju:ziæzm] *sb* begejstring, henrykkelse, entusiasme.
enthusiast [in'θju:ziæst] *sb* begejstret person; entusiast; *(rel)* sværmer.
enthusiastic [inθju:zi'æstik] *adj* begejstret *(about* for, over), entusiastisk, henrykt; *(rel)* sværmerisk.
enthusiastically *adv* med begejstring.
entice [in'tais] *vb* lokke, forlede, friste. **enticement** *sb* lokkemiddel, fristelse, tillokkelse.
entire [in'taiə] *adj* hel; udelt, fuldstændig, komplet, intakt; fuldkommen; *sb* helhed, hele.
entirely [in'taiəli] *adv* helt, ganske; udelukkende.
entirety [in'taiəti] *sb* helhed; *the motion was passed in its ~* forslaget blev vedtaget i sin helhed.
entitle [in'taitl] *vb* berettige *(fx nothing can ~ him to say that);* *a book -d ...* en bog der bærer titlen ...
entity ['entiti] *sb* væsen, realitet, eksistens; størrelse; *(filos* også) entitet.
entomb [in'tu:m] *vb* begrave; tjene som grav for.
entomological [entəmə'lɔdʒikl] *adj* entomologisk. **entomologist** [entə'mɔlədʒist] *sb* entomolog, insektforsker. **entomology** [entə'mɔlədʒi] *sb* entomologi, insektlære.
entourage [ɔntu'ra:ʒ] *sb* omgivelser, følge; omgangskreds; *his ~* (også) de mennesker han omgiver (, omgav) sig med.
entozoon [entə'zouɔn] *sb (pl entozoa* [entə'zouə]) indvoldsorm.
entr'acte ['ɔntrækt] *sb* mellemakt(smusik).
entrails ['entreilz] *sb pl* indvolde.
entrain [en'trein] *vb* anbringe i et tog; gå ind i et tog.
I. entrance [en'trɔns] *sb* (sted) indgang, indkørsel, *(mar)* indsejling, indløb; (ret, mulighed) adgang *(fx he was refused ~; ~ is by the side door);* (penge) entré *(fx pay one's ~);* (handling, cf *enter)* det at komme (, gå *etc)* ind, indtræden, indkørsel, indsejling; indrejse, ankomst, *(teat)* entré (på scenen); indskrivning, tilmelding, optagelse; (af embede) tiltrædelse *(into el. upon* af); *force an ~* trænge sig voldsomt ind; *~ into* tiltrædelse sig adgang til.
II. entrance [in'tra:ns] *vb* henrykke, henrive.
entrance exam(ination) adgangseksamen. *~ fee* entré (adgangsbetaling); indskrivningsgebyr.
entrant ['entrənt] *sb* (nyt) tiltrædende medlem; en der sø-

ger optagelse; deltager.

entrap [in'træp] *vb* lokke i fælde, fange (i en fælde); *(fig)* narre *(into* til) *(fx he was -ped into doing it)*.

entreat [in'tri:t] *vb* bede, bønfalde *(fx they -ed him to show mercy)*; ~ *sth of him* bede *(el* bønfalde) ham om noget.

entreaty [in'tri:ti] *sb* bøn; *a look of* ~ et bønligt blik.

entrée ['ontrei] *sb* mellemret; adgang.

entremets ['ontrəmei] *sb* mellemret.

entrench [in'trenʃ] *vb* forskanse; ~ *on* gøre indgreb i; ~ *oneself* grave sig ned; *(fig)* etablere sig, befæste sin stilling; *-ed (fig)* rodfæstet, grundfæstet, fast forankret; etableret; *an* ~ *right* (også) en grundlovsfæstet ret.

entrenching tool *(mil.)* (fodfolks)spade. **entrenchment** [in'trenʃmənt] *sb* forskansning, skanse, skyttegrav.

entrepot ['ontrəpou] *sb* lagerplads, oplagssted, entrepot.

entrepreneur [ontrəprə'nə:] *sb* driftsherre; selvstændig forretningsdrivende; impresario, koncertarrangør; *(neds)* (lidt for) foretagsom forretningsmand.

entresol ['ontrəsɔl] *sb* mezzanin(etage).

entropy ['entrəpi] *sb* entropi.

entrust [in'trʌst] *vb* betro, overlade; ~ *it to him*, ~ *him with it* betro ham det.

entry ['entri] *sb (cf enter)* det at gå (, komme *etc)* ind; indtræden, indkørsel *(fx no* ~ indkørsel forbudt), indsejling, indrejse, ankomst, indmarch, indtog, indtrængen, *(teat)* entré (på scenen); (i bog) indskrivning, indførsel, registrering, protokollering; (som deltager, elev *etc)* indmeldelse *(fx at a school)*, tilmelding *(fx for a competition)*, indtegning, indskrivning, optagelse *(fx to a university)*, indtræden *(fx America's* ~ *into the war, Britain's* ~ *into the Common Market)*; (om skib, til told) toldangivelse; *(jur, cf* ~ *upon)* overtagelse (af ejendom); (noget skrevet) notat, notits, (i bog) indførsel, (i protokol) protokollat, (i regnskab) post(ering), (i ordbog *etc)* opslagsord, artikel; (ved sportskonkurrence *etc)* fortegnelse over anmeldte deltagere; anmeldt deltager (, hest *etc)*; (ved prisopgave *etc)* besvarelse; (sted:) indgang; forhal; (ret, mulighed) adgang; (i kortspil) indkomst; *bookkeeping by single (, double)* ~ enkelt (, dobbelt) bogholderi; *force an* ~ *into* tiltvinge sig adgang til; *make an* ~ *in a book* notere i en bog; *make one's* ~ holde sit indtog.

entry card (i kortspil) indkomstkort.

entwine [in'twain] *vb* sammenflette, indflette, omvinde.

enucleate [i'nju:klieit] *vb* forklare, drage frem; fjerne kernen fra; *(med)* fjerne (i sin helhed) fra omgivende væv, udskrælle (en svulst).

enumerate [i'nju:məreit] *vb* opregne, optælle. **enumeration** [inju:mə'reiʃən] *sb* opregning, optælling.

enunciate [i'nʌnsieit] *vb* udtale, artikulere *(fx* ~ *clearly)*, fremsige; fremstille, formulere *(fx a new theory)*; meddele, bekendtgøre, forkynde. **enunciation** [inʌnsi'eiʃən] *sb* udtale, artikulation, fremsigelse; fremstilling, formulering; bekendtgørelse, forkyndelse.

enuresis [enju'ri:sis] *sb* ufrivillig vandladning.

envelop [in'veləp] *vb* indsvøbe; indhylle *(fx -ed in a cloak, -ed in smoke, -ed in mystery)*; indpakke; *(mil.)* indkredse, omringe; *-ed in flames* omspændt af flammer; *-ing movement* indkredsningsmanøvre.

envelope ['enviloup] *sb* konvolut, kuvert; hylster, dække, ballonhylster; *(mat)* indhyllingskurve.

envelopment [in'veləpmənt] *sb* indhylning; *(mil.)* indkredsning, omslutning; hylster; omslag.

envenom [in'venəm] *vb* forgifte.

enviable ['enviəbl] *adj* misundelsesværdig.

envious ['enviəs] *adj* misundelig *(of* på); *be* ~ *of his success* misunde ham hans succes.

environment [in'vairənmənt] *sb* omgivelser, miljø; livsforhold; omringelse; *Department of the Environment* miljøministerium.

environmental [invairən'mentəl] *adj* miljøbestemt, miljø- *(fx* ~ *influence)*; miljømæssig.

environmentalist [invairən'mentəlist] *sb* miljøforsker.

environs [in'vairənz, in'vairənz] *sb pl* omegn, omgivelser.

envisage [in'vizidʒ] *vb* betragte; forestille sig, danne sig et billede af; forudse; *(glds)* se i øjnene.

envision [in'viʒən] *vb (am)* se for sig, forestille sig, danne sig et billede af.

I. envoi, envoy ['envɔi] *sb* envoi (slutningsstrofe).

II. envoy ['envɔi] *sb* gesandt; udsending.

envy ['envi] *sb* misundelse; genstand for misundelse; *vb* misunde.

enwrap [in'ræp] *vb* indhylle; omgive; *-ped in (fig)* hensunket *(el* fordybet) i.

enzyme ['enzaim] *sb (kem)* enzym.

eocene ['i:əsi:n] *sb (geol)* eocen.

eolith ['i:əliθ] *sb (arkæol)* eolit (primitivt stenredskab).

eon ['i:ɔn] *sb* æon, langt tidsrum, 'evighed'

EP *fk extended play* (45 omdrejninger i minuttet).

epaulet(te) ['epəlet] *sb* epaulette.

épée ['eipei] *sb* kårde.

epergne [i'pə:n] *sb* bordopsats.

ephemera [i'femərə] *sb (pl -ae, -as* [-i:, -əz]) døgnflue; døgnvæsen.

ephemeral [i'femərəl] *adj* som kun varer en dag; flygtig, kortvarig, døgn- *(fx tune)*.

Ephesian [i'fi:ʒən] *sb* efeser; *adj* efesisk.

Ephesus ['efisəs].

epic ['epik] *sb* epos, episk digt; *adj* episk; *(fig)* vældig, storslået.

epicalyx [epi'keiliks] *sb (bot)* bibæger.

epicene ['episi:n] *adj* som hører til begge køn; uden udpræget kønskarakter, kønsløs; kvindagtig.

epicentre ['episentə] *sb* epicentrum, jordskælvs centrum (på jordoverfladen).

epicure ['epikjuə] *sb* gourmet, feinschmecker. **epicurean** [epikju'riən] *adj* nydelsessyg, epikuræisk; *sb* nydelsesmenneske; epikuræer. **epicureanism** [epikju'riənizm] *sb* epikuræisme; vellevned.

Epicurus [epi'kjuərəs] Epikur.

epidemic [epi'demik] *adj* epidemisk; *sb* epidemi.

epidermis [epi'də:mis] *sb* epidermis, overhud.

epidiascope [epi'daiəskoup] *sb* epidiaskop, lysbilledapparat.

epiglottis [epi'glotis] *sb* epiglottis, strubelåg.

epigone ['epigoun] *sb* epigon.

epigram ['epigræm] *sb* epigram; fyndord.

epigrammatic [epigrə'mætik] *adj* epigrammatisk; fyndig; kort og vittig.

epigraph ['epigra:f] *sb* indskrift; motto.

epilepsy ['epilepsi] *sb (med)* epilepsi. **epileptic** [epi'leptik] *adj* epileptisk; *sb* epileptiker.

epilogue ['epilog] *sb* epilog, slutningstale.

I. Epiphany [i'pifəni] helligtrekongersdag.

II. epiphany [i'pifəni] *sb* guddoms *el.* overmenneskeligt væsens manifestation; *(fig)* indblik i tingenes inderste væsen.

Epirus [i'paiərəs].

episcopacy [i'piskəpəsi] *sb* bispestyre; *the* ~ bispekollegiet, samtlige biskopper.

episcopal [i'piskəpəl] *adj* styret af biskopper, episkopal; biskoppelig, bispe-; *the Episcopal Church* den episkopale (ɔ: anglikanske) kirke.

episcopalian [ipiskə'peiliən] *adj* episkopal, biskoppelig; *sb* medlem *(el.* tilhænger) af episkopal kirke.

episcopate [i'piskəpit] *sb* bispeembede, bispeværdighed; bispesæde; *the* ~ bispekollegiet, samtlige biskopper.

episode [i'episoud] *sb* episode.

episodic(al) [epi'sɔdik(l)] *adj* episodisk.

epistemology [episti'mɔlədʒi] *sb* erkendelsesteori.

epistle [i'pisl] *sb* skrivelse, epistel, brev.

epistolary [i'pistələri] *adj* skriftlig; i brevform, brev-.

epitaph ['epita:f] *sb* gravskrift, epitaf(ium).

epithalamium [epiθə'leimiəm] *sb* bryllupsdigt.

epithelial [epi'θi:ljəl] *adj* epitel-.

epithelium [epi'θi:ljəm] *sb* epitel.

epithet ['epiθet] *sb* epitet; (karakteriserende) tillægsord; prædikat; (stående) tilnavn; skældsord.

epitome [i'pitəmi] *sb* udtog, resumé; *he is the* ~ *of* han er indbegrebet af. **epitomize** [i'pitəmaiz] *vb* gengive i udtog, give et resumé af, resumere, sammenfatte.

epizoon [epi'zouən] *sb (pl -a)* snylter.

epoch [i:pɔk] *sb* epoke; *mark a new* ~ *in* sætte skel i, indlede en ny epoke i. **epoch-making** *adj* epokegørende, skelsættende.

epode ['epoud] *sb* epode.

eponym ['epənim] *sb* den som noget er opkaldt efter *(el* som har givet navn til noget).

epos ['epɔs] *sb* epos, heltedigt.

Epsom ['epsəm]: ~ *salt(s)* engelsk salt.

E.P.U. *fk European Payments Union* den europæiske betalingsunion.

equability [ekwə'biliti] *sb* jævnhed, ensartethed, ro. **equable** ['ekwəbl] *adj* jævn, ensartet, rolig, ligevægtig.

I. equal ['i:kwəl] *adj* lige; lige stor, ens, samme *(fx of ~ height, with ~ ease)*; lig; ensartet, jævn, rolig; *sb* ligemand, jævnbyrdig, lige, mage;

  they are ~ in ability de er lige dygtige; *he is your ~ in strength* han er lige så stærk som du; *be the ~ of (mat.)* være lig med; *on ~ terms, on an ~ footing* på lige fod; ~ *pay* ligeløn; ~ **to** lig med; svarende til; på højde med, jævnbyrdig med; i stand til, stærk nok til; mand for at klare; *be ~ to a task (, the situation)* være en opgave (, situationen) voksen; *it was ~ to my expectations* det svarede til mine forventninger.

II. equal ['i:kwəl] *vb* kunne måle sig med; være lig med, svare til; ~ *a record* tangere en rekord; *he -s you in strength* han er lige så stærk som du.

equality [i'kwɔliti] *sb* lighed; ligelighed; ensartethed, jævnhed; ligeberettigelse, ligestillethed; *on an ~ with, on a footing of ~ with* på lige fod med.

equalization [i:kwəlai'zeiʃən] *sb* ligestillelse; udjævning, udligning. **equalization fund** egaliseringsfond; udligningsfond.

equalize ['i:kwəlaiz] *vb* stille på lige fod; gøre lige; gøre ensartet; udjævne; egalisere, udligne; (i fodbold) udligne.

equally ['i:kwəli] *adj* lige; i samme grad, lige så; ligelig; *they are ~ clever* de er lige dygtige.

equanimity [ekwə'nimiti] *sb* sindsligevægt, sindsro.

equanimous [i'kwæniməs] *adj* sindsligevægtig.

equate [i'kweit] *vb*: ~ *with* sætte lig med, sætte lighedstegn mellem; ~ *it with* (også) få det til at stemme med *(fx I cannot ~ your statement with his)*; bringe det i overensstemmelse med *(fx I want to ~ the expense with the income)*.

equation [i'kweiʃ(ə)n; -ʒ(ə)n] *sb* ligning; ligevægt, lighed; ligestillelse; udjævning, udligning.

equator [i'kweitə] *sb*: *the ~* ækvator.

equatorial [ekwə'tɔ:riəl] *adj* ækvatorial. **equatorial (instrument)** ækvatorialkikkert.

equerry ['ekwəri; i'kweri] *sb* (hof)staldmester.

equestrian [i'kwestriən] *adj* ridende, ride-, rytter-; *sb* rytter, rytterske; (i cirkus) berider, kunstrytter; ~ *statue* rytterstatue.

equiangular ['i:kwi'æŋgjulə] *adj* ligevinklet.

equidistant ['i:kwi'distənt] *adj* i (, med) samme afstand; ~ *from* lige langt fra.

equilateral [i:kwi'lætərəl] *adj* ligesidet *(fx ~ triangle)*; *sb* ligesidet figur.

equilibrate [i:kwi'laibreit] *vb* bringe *el* holde i ligevægt; balancere. **equilibration** [i:kwilai'breiʃən] *sb* (bringen i) ligevægt.

equilibrist [i:'kwilibrist] *sb* ekvilibrist, balancekunstner, linedanser.

equilibrium [i:kwi'libriəm] *sb* ligevægt.

equine [i'kwain] *adj* heste-, som angår heste.

equinoctial [i:kwi'nɔkʃəl] *adj* jævndøgns-, ækvinoktial; *sb* jævndøgnslinie, himmelens ækvator; ~ *(gale)* jævndøgnsstorm.

equinox ['i:kwinɔks] *sb* jævndøgn.

equip [i'kwip] *vb* udstyre, udruste, ekvipere.

equipage ['ekwipidʒ] *sb* udrustning; udstyr; *(glds)* ekvipage; følge.

equipment [i'kwipmənt] *sb* ekvipering, udrustning, mundering; udstyr, materiel.

equipoise ['ekwipɔiz] *sb* ligevægt; modvægt.

equitable ['ekwitəbl] *adj* billig, retfærdig, rimelig.

equity ['ekwiti] *sb* billighed, retfærdighed, rimelighed; *(jur)* billighedsret; værdi af en ejendom ud over prioriteter eller kreditorers krav; *Equity* (i England) skuespillernes fagforening; *equities, equity shares* stamaktier.

equivalence [i'kwivələns] *sb* lige gyldighed, lige kraft, lige værd, ækvivalens.

equivalent [i'kwivələnt] *adj* af samme værdi *(el* størrelse), ligegældende, ensbetydende, tilsvarende; ækvivalent; *sb*

noget tilsvarende; tilsvarende beløb; ensbetydende ord; ækvivalent; *be ~ to* svare til, være ensbetydende med; *money or its ~* penge eller penges værdi.

equivocal [i'kwivəkl] *adj* tvetydig, dobbelttydig, tvivlsom, usikker, uklar.

equivocate [i'kwivəkeit] *vb* gå uden om sandheden, komme med udflugter, udtrykke sig på en tvetydig måde.

equivocation [ikwivə'keiʃən] *sb* det at komme med udflugter *etc*, tvetydig udtryksmåde, spidsfindighed.

E.R. *fk Elizabeth Regina; East Riding*.

era ['iərə] *sb* tidsregning *(fx the beginning of the Christian ~)*; periode, tidsalder, æra.

eradiate [i'reidieit] *vb* udstråle.

eradicate [i'rædikeit] *vb* rykke op med rode; udrydde.

eradication [irædi'keiʃən] *sb* oprykning med rode; udryddelse.

erase [i'reiz] *vb* radere bort, udkradse, udviske, slette; udslette. **erase head** slettehoved (på båndoptager).

eraser [i'reizə] *sb* raderkniv; raderviskelæder; tavlesvamp.

erasing shield viskeskjold.

erasure [i'reiʒə] *sb* radering, udviskning, udraderet sted; udslettelse.

ere [ɛə] *præp, conj (glds)* før, førend, inden; ~ *long* inden længe, snart; ~ *now* før.

erect [i'rekt] *vb* rejse *(fx a statue)*, opføre *(fx a wall)*; opsætte; oprette, stifte *(fx a university)*, grundlægge; opstille *(fx a theory)*; ophøje *(into* til); *(geom)* oprejse; (om penis) erigeres; *adj* oprejst, opret, stående, strittende *(fx with hair ~)*; løftet; rank, modig, fast, standhaftig; ~ *oneself* rette sig op.

erectile [i'rektail] *adj* som kan rejses; som kan rejse sig.

erection [i'rekʃən] *sb* rejsning; opførelse; bygning; oprettelse; *(anat)* erektion.

erector [i'rektə] *sb* montør; skibsbygger.

eremite ['erimait] *sb* eneboer, eremit.

erethism ['eriθizm] *sb (med)* eretisme, abnormt forhøjet irritabilitet.

erewhile [ɛə'wail] *adv (glds)* for lidt siden.

erg [ə:g] *sb* erg (måleenhed for arbejde og energi).

ergo ['ə:gou] ergo, altså.

ergonomics [ə:gə'nɔmiks] *sb* ergonomi, læren om tilpasning af arbejdsredskaber og arbejdsforhold til de menneskelige krav.

ergot ['ə:gət] *sb (bot)* meldrøje (svamp på korn). **ergotism** ['ə:gətizm] *sb* meldrøjeforgiftning.

Erin ['iərin] Erin, (gammelt navn for) Irland.

erk [ə:k] *sb* **S** menig; rekrut (i flyvevåbnet).

ermine ['ə:min] *sb* hermelin, lækat; hermelinskind; dommerværdighed; *vb* klæde i hermelin; *wear the ~* være dommer.

Ernest [i'ə:nist] Ernst. **Ernie** *fk Ernest*.

ERNIE *fk electronic random number indicator equipment* computer der udtrækker vindende præmieobligationsnumre.

erode [i'roud] *vb* erodere, afslide; (om syre) tære, ætse; *(fig)* nedbryde, undergrave, udhule.

erogenous [i'rɔdʒinəs] *adj* erogen.

erosion [i'rouʒən] *sb (cf erode)* erosion *(fx soil ~)*; afslidning; tæring, ætsning; *(fig)* nedbrydning; undergravning; udhuling *(fx of purchasing power)*.

erosive [i'rousiv] *adj* eroderende, tærende, ætsende, afslidende.

erotic(al) [i'rɔtik(l)] *adj* erotisk.

eroticism [i'rɔtisizm] *sb* erotik, erotisk karakter.

erotomaniac [iroutə'meiniæk] *sb* erotoman.

err [ə:] *vb* tage fejl, fejle; *(glds)* fare vild; komme på afveje.

errand ['erənd] *sb* ærinde; *go on (el. run) an ~* gå et ærinde.

errand boy bydreng.

errant ['erənt] *adj* omvandrende, omrejsende, omflakkende; som fristet til sig, vildfarende.

errantry ['erəntri] *sb* omvandren, omflakken.

errata [i'reitə] fejlliste *(pl af erratum)*.

erratic [i'rætik] *adj* uberegnelig, excentrisk *(fx behaviour)*, tilfældig, uregelmæssig *(fx attendance)*, ujævn; ~ *blocks (geol)* erratiske blokke, vandreblokke.

erroneous [i'rounjəs] *adj* fejlagtig, urigtig.

error ['erə] *sb* fejltagelse, vildfarelse, forseelse, fejl; *commit an* ~ begå en fejl; *you are in* ~ De tager fejl; ~ *of judgment* fejlbedømmelse, fejlskøn; *-s and omissions excepted* med forbehold af fejl og forglemmelser.
Erse [əːs] *sb* gælisk.
erst [əːst], **erstwhile** ['əːstwail] *adv* forhen.
erubescent [eru'besnt] *adj* rødmende.
eructate [i'rʌkteit] *vb* få opstød, ræbe; (om vulkan) udspy dampe *etc.* **eructation** [irʌk'teiʃən] *sb* opstød, ræben; (om vulkan) udspyelse af dampe etc.
erudite ['erudait] *adj* lærd.
erudition [eru'diʃən] *sb* lærdom.
erupt [i'rʌpt] *vb* være i udbrud, komme i udbrud; vælte ud, bryde frem; (om sygdom) slå ud.
eruption [i'rʌpʃən] *sb* udbrud; frembrud; *(med)* udslæt.
eruptive [i'rʌptiv] *adj* frembrydende; eruptiv; *(med.)* ledsaget af udslæt; ~ *rocks* eruptivbjergarter.
erysipelas [eri'sipiləs] *sb (med)* rosen.
erythrocyte [i'riθrəsait] *sb* rødt blodlegeme.
escalade [eskə'leid] *sb* bestigning ved stormstiger, stormløb; *vb* bestige (ved hjælp af stormstiger).
escalate ['eskəleit] *vb* stige op ad en rullende trappe; *(fig)* stige *(el* udvikle sig) gradvis, eskalere, optrappe(s). **escalation** [eskə'leiʃən] *sb* gradvis stigning *el* forøgelse; optrapning. **escalator** ['eskəleitə] *sb* escalator, rullende trappe.
escallop [is'kɔləp] *sb* kammusling; muslingeskal.
escapade [eskə'peid] *sb* eskapade; gal streg.
I. escape [i'skeip] *vb* undslippe, rømme, flygte, løbe bort, undvige; løbe ud, strømme ud; (med objekt) slippe fra *(el.* for), undgå; *it -s me (el. my memory)* jeg kan ikke huske det; *it -s me* (også) jeg kan ikke forstå det; *it -d me (el. my lips)* det slap mig ud af munden; *it -d me* (også) det undgik min opmærksomhed; *he -d alive* han slap fra det med livet.
II. escape [i'skeip] *sb* rømning, undvigelse, flugt; redning; udstrømning *(fx* af gas); afledning, middel til at flygte fra virkeligheden *(el* hverdagen); virkelighedsflugt; *(bot)* forvildet plante; *there is no* ~ *from it* det kan man ikke slippe for; det er ikke til at komme uden om; se også *fire* ~; II. *narrow.*
escape clause forbeholdsklausul.
escapee [iskei'piː] *sb* flygtning; undvegen fange.
escape| hatch *(mar)* nødluge. ~ **literature** eskapistisk litteratur.
escapement [i'skeipmənt] *sb* echappement, gang (i et ur).
escape| valve sikkerhedsventil. ~ **velocity** (rakets) undvigelseshastighed. ~ **wheel** ankerhjul (i et ur).
escapism [i'skeipizm] *sb* eskapisme, flugt fra virkeligheden.
escapist [i'skeipist] *sb* eskapist; en der flygter fra virkeligheden.
escarp [i'ska:p] *vb* eskarpere. **escarpment** [i'ska:pmənt] *sb* brat skråning, *(mil.)* eskarpe.
eschalot ['eʃəlɔt] *sb* chalotteløg.
eschar ['eska:] *sb* skorpe på brandsår, brandskorpe.
eschatology [eskə'tɔlədʒi] *sb (teol)* eskatologi (læren om de sidste ting).
escheat [is'tʃiːt] *sb* hjemfald; hjemfaldet gods; *vb* hjemfalde; konfiskere.
eschew [is'tʃuː] *vb* undgå, sky.
I. escort ['eskɔːt] *sb* eskorte, (bevæbnet) følge; ledsager.
II. escort [i'skɔːt] *vb* ledsage, eskortere.
escritoire [eskri'twaː] *sb* chatol, sekretær.
esculent ['eskjulənt] *adj* spiselig.
escutcheon [i'skʌtʃən] *sb* skjold, våbenskjold, våbenmærke, våben; (beslag om nøglehul) nøgleskilt; *(mar)* navnebræt; *a blot on his* ~ en plet på hans ære.
E.S.E. *fk east-south-east.*
Eskimo ['eskimou] *sb* eskimo; *adj* eskimoisk.
Eskimo dog grønlandsk hund, eskimohund.
Eskimo roll grønlændervending (i kajak).
ESN *fk educationally subnormal.*
esophagus [iː'sɔfəgəs] *sb (anat)* spiserør.
esoteric [esə'terik] *adj* hemmelig, esoterisk, kun bestemt for de indviede.
E.S.P *fk extra-sensory perception.*
espalier [i'spæljə] *sb* espalier; espaliertræ.
esparto [i'spa:tou] ~ *grass* espartogræs.

especial [i'speʃəl] *adj* særlig, speciel.
especially [i'speʃəli] *adv* særligt, specielt, især.
Esperantist [espə'ræntist] *sb* esperantist.
Esperanto [espə'ræntou] *sb* esperanto.
espial [i'spaiəl] *sb* spejden, udspionering; opdagelse.
espionage [espi'na:ʒ] *sb* spionage.
esplanade [esplə'neid] *sb* esplanade; promenade.
espousal [i'spauzəl] *sb* antagelse (af en sag), tilslutning; *espousals pl (glds)* trolovelse; vielse.
espouse [i'spauz] *vb* gøre sig til talsmand for, gå ind for, vie sine kræfter til *(fx a cause)*; *(glds)* ægte, formæle sig med.
esprit ['espri:] *sb* livlighed, esprit; ~ *de corps* ['espri:də'kɔ:] korpsånd.
espy [i'spai] *vb* få øje på, opdage.
Esq. [i'skwaiə] *fk Esquire* Hr. (på breve: *T. Brown, Esq.* Hr. T. Brown).
Esquimau ['eskimou] *sb (pl -x* [-z]) eskimo.
esquire [i'skwaiə] *sb (fk* til *Esq.)* hr. (på breve); fornem mand i rang under *knight; (glds)* væbner.
ESRO *fk European Space Research Organization.*
I. essay ['esei] *sb* essay, afhandling; (i skole) stil.
II. essay [e'sei] *vb* forsøge, prøve.
essayist ['eseiist] *sb* essayist,.essayforfatter.
essence ['esns] *sb* væsen; hovedindhold, kerne; ekstrakt; essens; parfume; *(glds)* væren, tilværelse; *in* ~ i sit inderste væsen; i det væsentlige.
essential [i'senʃəl] *adj* væsentlig; uundværlig, afgørende, absolut nødvendig, livsvigtig; grundlæggende; fundamental; *sb* hovedpunkt, væsentlig forudsætning; absolut betingelse; *in all -s* i alt væsentligt.
essentiality [isenʃi'æliti] *sb* væsentlighed, vigtighed.
essentially [i'senʃəli] *adv* i sit inderste væsen, i bund og grund; i alt væsentligt; ~ *different* væsensforskellig.
Essex ['esiks].
essential oil æterisk olie.
establish [i'stæbliʃ] *vb* oprette *(fx a new state, a bank)*, anlægge *(fx a colony)*, grundlægge, stifte; *(fig:* skabe *etc)* tilvejebringe *(fx law and order)*, skabe *(fx a precedent)*, etablere *(fx a blockade, a boycott)*, opstille *(fx a theory)*, fastsætte *(fx rules)*; (gøre sikker) befæste *(fx their authority)*, grundfæste; (fastslå med sikkerhed) godtgøre, bevise *(fx one's innocence)*, fastslå *(fx his identity)*, konstatere; (om person: i stilling *etc)* indsætte *(fx* ~ *him as governor)*; installere; etablere, sætte i vej *(fx* ~ *him in business)*; (i kortspil:) ~ *a suit* gøre en farve god; ~ *oneself* slå sig ned, bosætte sig *(fx in a new house)*; etablere sig, nedsætte sig.
established [i'stæbliʃt] *adj* (almindelig) anerkendt *(fx author)*, etableret *(fx a well-~ firm)*, fast *(fx rule)*, fastslået, grundfæstet *(fx customs); the Established Church* statskirken (særlig om England); *the* ~ *order* den herskende *(el.* bestående) orden, den bestående, de bestående forhold, samfundsordenen.
establishment [i'stæbliʃmənt] *sb* (til *establish:)* oprettelse, anlæggelse, grundlæggelse, stiftelse; tilvejebringelse, skabelse *(fx of law and order)*, opstilling, fastsættelse *(fx of rules)*; befæstelse *(fx of their authority)*, godtgørelse *(fx of his identity)*, konstatering; indsættelse, etablering; nedsættelse; (noget der er etableret) institution, *(merk)* etablissement, forretning, virksomhed, foretagende, (privat:) hus, husholdning; (personer:) husstand, personale, *(mil. etc)* styrke, personel; *the Establishment* statskirken; de konservative samfundsinstitutioner (kongehuset, aristokratiet, hæren *etc* i England), *(omtr =)* det etablerede samfundssystem, systemet; de ledende kredse *(fx the literary* ~).
estate [i'steit] *sb* gods, ejendom *(fx he has a large* ~ *in Shropshire)*; (samling huse) bebyggelse; *(jur)* formue; bo; *(glds)* rang, stand; *reach man's* ~ *(el.* ~ *of manhood)* nå til manddomsalder, blive mand; *the three -s of the realm* de tre rigsstænder; *the third* ~ tredjestand; *the fourth* ~ pressen; (se også *gross estate, real estate).*
estate| agent ejendomsmægler. ~ **car** stationcar.
esteem [i'stiːm] *vb* (høj)agte, værdsætte; regne for, anse for; ~ *(høj)agtelse;* mening, vurdering; *hold in high* ~ sætte stor pris på, højagte; *be held in* ~ være respekteret; *he rose in my* ~ han steg i min agtelse.

esthete *(etc)* = aesthete *(etc)*.
Esthonia(n), se *Estonia etc*.
estimable ['estiməbl] *adj* agtværdig.
I. estimate ['estimeit] *vb* vurdere; bedømme; beregne, anslå, ansætte *(at* til); gøre overslag over; *(mar)* gisse.
II. estimate ['estimit] *sb* vurdering; bedømmelse; overslag, beregning, tilbud; budget; *form an ~ of* danne sig et skøn over; *on a rough ~* efter et løst skøn; skønsmæssigt; *the Estimates* finanslovforslaget (vedrørende statens udgifter).
estimation [esti'meiʃən] *sb* vurdering; bedømmelse; skøn, overslag *(of* over), beregning; agtelse *(fx he rose in my ~); in my ~* efter mit skøn.
Estonia [es'touniə] Estland. **Estonian** [es'touniən] *sb* ester; estisk; *adj* estisk.
estop [i'stɔp] *vb (jur)* hindre, standse.
estrade [es'tra:d] *sb* estrade, forhøjning.
estrange [i'streindʒ] *vb* gøre fremmed (for hinanden); støde bort *(el* fra sig), fjerne; stille i et køligt forhold *(from* til); *they have become -d* forholdet mellem dem er kølnet; de er ikke så gode venner som de har været.
estrangement [i'streindʒmənt] *sb* køligt forhold, misstemning.
estuary ['estjuəri] *sb* munding, flodmunding (med ebbe og flod).
esurient [i'sjuriənt] *adj* grådig, forslugen.
E.T.A. *fk estimated time of arrival*.
etc *fk et cetera*.
et cetera, etcetera [it'setrə] og så videre. **etceteras** andre ting, andre poster, ekstraudgifter, tilbehør, småting.
etch [etʃ] *vb* radere, ætse. **etching** ['etʃiŋ] *sb* radering.
etching needle radernål.
eternal [i'tə:nəl] *adj* evig *(fx ~ life; the ~ triangle);* T evindelig *(fx his ~ complaints)*, evig; *the ~ City* den evige stad, Rom. **eternalize** [i'tə:nəlaiz] = *eternize*.
eternity [i'tə:niti] *sb* evighed.
eternize [i'tə:naiz] *vb* gøre evig, udødeliggøre; forlænge i det uendelige.
Ethel ['eθəl]
ether ['i:θə] *sb* æter.
ethereal [i'θiəriəl] *adj* æterisk, overjordisk.
etherealize [i'θiəriəlaiz] *vb* gøre æterisk.
etherify [i'θerifai] *vb* omdanne til æter.
etherize ['i:θəraiz] *vb* bedøve med æter.
ethical ['eθikl] *adj* etisk; *~ drug* receptpligtigt lægemiddel.
ethics ['eθiks] *sb* morallære, etik.
Ethiopia [i:θi'oupjə] Etiopien (tidligere Abessinien).
Ethiopian [i:θi'oupjən] *adj* etiopisk; *sb* etiopisk; etioper.
Ethiopic [i:θi'ɔpik] *sb* etiopisk.
ethmoidal [eθ'mɔidəl] *adj: ~ bone (anat)* siben.
ethnic ['eθnik] *adj* etnisk, race-; folke- *(fx group);* hedensk.
ethnographer [eθ'nɔgrəfə] *sb* etnograf.
ethnographic(al) [eθnə'græfik(l)] *sb* etnografisk.
ethnography [eθ'nɔgrəfi] *sb* etnografi.
ethnological [eθnə'lɔdʒikl] *adj* etnologisk.
ethnologist [eθ'nɔlədʒist] *sb* etnolog.
ethnology [eθ'nɔlədʒi] *sb* etnologi.
ethos ['i:θɔs] *sb* etos (moralsk holdning; særpræg).
ethyl ['eθil] *sb* ætyl.
etiolate ['i:tiəleit] *vb* blege, gøre bleg, etiolere.
etiolation [i:tiə'leiʃən] *sb* blegnen, bleghed.
etiology [i:ti'ɔlədʒi] *sb* ætiologi, læren om sygdomsårsager.
etiquette ['etiket] *sb* etikette, skik og brug.
Eton ['i:tn] (by ved Themsen, med en berømt skole: *Eton College)*; *~ crop* drengehår, drengefrisure.
Etonian [i'tounjən] *sb* etonianer, elev fra *Eton College;* adj Eton'sk.
Etruscan [i'trʌskən] *sb* etrusker; etruskisk; *adj* etruskisk.
et seq. *fk et sequentia (= and what follows)*.
etui [e'twi:] *sb* etui.
etymological [etimə'lɔʒikl] *adj* etymologisk.
etymologize [eti'mɔlədʒaiz] *vb* studere etymologi, bestemme et ords etymologi.
etymology [eti'mɔlədʒi] *sb* etymologi.
etymon ['etimɔn] *sb* etymon, stamord.
eucalyptus [ju:kə'liptəs] *sb (bot)* eukalyptus.
Eucharist ['ju:kərist] *sb (rel)* nadverens sakramente.

euchre ['ju:kə] *sb* slags kortspil; *vb* overliste; slå.
Euclid ['ju:klid] Euklid; (euklidisk) geometri.
Euclidean [ju:'klidiən] *adj* euklidisk.
Eugene [ju:'ʒein; 'ju:dʒi:n] Eugène, Eugen.
eugenic [ju:'dʒenik] *adj* racehygiejnisk.
eugenics [ju:'dʒeniks] *sb* eugenik, racehygiejne.
eulogist ['ju:lədʒist] *sb* lovpriser, lovtaler. **eulogistic(al)** [ju:lə'dʒistik(l)] *adj* lovprisende, (overdrevent) rosende.
eulogize ['ju:lədʒaiz] *vb* lovprise, forherlige.
eulogy ['ju:lədʒi] *sb* lovtale, lovord, overdreven ros.
eunuch ['ju:nɔk] *sb* eunuk.
eupeptic [ju:'peptik] eupeptisk, med god fordøjelse; letfordøjelig; *(fig)* glad, optimistisk.
euphemism ['ju:fimizm] *sb* eufemisme, formildende omskrivning. **euphemistic** [ju:fi'mistik] *adj* eufemistisk.
euphemize ['ju:fimaiz] *vb* formilde ved omskrivning, tilsløre; bruge eufemisme.
euphonic [ju:'fɔnik], **euphonious** [ju:founiəs] *adj* velklingende, vellydende. **euphony** ['ju:fəni] *sb* velklang, vellyd.
euphoria [ju:'fɔ:riə] *sb* eufori, følelse af velbefindende, (umotiveret) opstemthed.
euphoriant [ju:'fɔ:riənt] *sb* euforiserende middel; *adj* euforiserende.
euphoric [ju:'fɔ:rik] *adj* opstemt.
euphrasy ['ju:frəsi] *sb (bot)* øjentrøst.
Euphrates [ju:'freiti:z]: *the ~* Eufrat.
Euphues ['ju:fju:z].
euphuism ['ju:fjuizm] *sb* euphuisme, søgt sirlighed i sprog og stil. **euphuistic** [ju:fju'istik] *adj* euphuistisk; affekteret sirlig.
Eurasia [ju'reiʃə; (især *am)* -ʒə] Eurasien.
Eurasian [ju'reiʒən] *adj* eurasisk; *sb* eurasier, barn af en europæer og en asiat.
EURATOM [juə'rætəm] *fk European Atomic Energy Community*.
eureka [ju'ri:kə] heureka! (jeg har fundet det).
Euripides [ju'ripidi:z].
Euro|currency [juəroukʌrənsi] Eurovaluta. **-dollar** Eurodollar.
Europe ['juərəp] Europa.
European [juərə'pi:ən] *adj* europæisk; *sb* europæer. **European| ash** *(bot)* almindelig ask. **~ aspen** *(bot)* bævreasp. **~ Economic Community** det europæiske økonomiske fællesskab; T fællesmarkedet. **~ Free Trade Association** frihandelsområdet.
Eurydice [ju'ridisi] Eurydike.
eurythmics [ju:'riθmiks] *sb pl* rytmisk gymnastik, plastik.
Eustachian [ju:'steiʃən] *adj (anat): the ~ tube* det eustakiske rør.
Euston ['ju:stən].
euthanasia [ju:θə'neizjə] *sb* let og smertefri død; medlidenhedsdrab, dødshjælp, eutanasi.
Euxine ['ju:ksain]: *the ~ (glds)* Sortehavet.
EVA *fk extravehicular activity*.
evacuant [i'vækjuənt] *adj* afførende; *sb* afførende middel.
evacuate [i'vækjueit] *vb* udtømme, tømme; evakuere, rømme, forlade. **evacuation** [ivækju'eiʃən] *sb* udtømmelse, tømning; afføring; evakuering, rømning.
evacuee [ivækju'i:] *sb* evakueret person; *~ children* evakuerede børn.
evade [i'veid] *vb* undgå *(fx a blow)*, undvige; slippe fra *(fx one's enemies);* omgå; søge at komme uden om, knibe uden om *(fx a question);* unddrage sig *(fx one's duty, military service);* ~ *income tax* snyde i skat.
evaluate [i'vækjueit] *vb* vurdere, taksere; udtrykke i tal; evaluere. **evaluation** [ivælju'eiʃən] *sb* vurdering, taksering; evaluering.
evanesce [i:və'nes] *vb* forsvinde, svinde bort.
evanescence [i:və'nesns] *sb* forsvinden, svinden; flygtighed.
evanescent [i:və'nesnt] *adj* kortvarig, (hastigt) forsvindende, flygtig.
evangelical [i:væn'dʒelikl] *adj* evangelisk; lavkirkelig; *sb* protestantisk kristen som hævder frelsen ved tro (modsat gode gerninger), lavkirkemand.
evangelicalism [i:væn'dʒelikəlizm] *sb* den lære at frelsen ved tro er det centrale i kristendommen.
evangelism [i'vændʒilizm] *sb* evangeliets forkyndelse; missioneren.

evangelist [i'vændʒilist] *sb* evangelist; omrejsende prædikant. **evangelistic** [ivændʒə'listik] *adj* evangelistisk; evangelisk.

evangelize [i'vændʒilaiz] *vb* prædike evangeliet; kristne.

Evans ['evənz].

evaporate [i'væpəreit] *vb* fordampe; lade fordampe, inddampe, kondensere *(fx milk);* svinde bort; forsvinde, fordufte *(fx their enthusiasm -d).*

evaporation [ivæpə'reiʃən] *sb* fordampning; inddampning.

evaporator [i'væpəreitə] *sb* inddampningsapparat; vandfordamper; køleelement.

evasion [i'veiʒən] *sb (cf evade)* undvigelse, omgåelse; unddragelse; *-s* udflugter; (se også *tax* ~).

evasive [i'veisiv] *adj* undvigende; flygtig, vanskelig at få fat på *(el* fastholde).

Eve [i:v] Eva.

eve [i:v] *sb (poet)* aften; helligaften; *Christmas Eve* juleaften, juleaftensdag; *on the* ~ *of* umiddelbart før *(el* foran), på tærskelen til *(fx on the* ~ *of an election).*

Eveline, Evelyn ['i:vlin; 'evlin].

I. even ['i:vən] *sb (poet)* aften.

II. even ['i:vən] *adv* endog, endogså, selv *(fx it was cold* ~ *in July);* (om tid) lige, netop, just *(fx* ~ *as he came);* allerede *(fx* ~ *as a boy);* (med *komp)* endnu *(fx it was* ~ *worse);* ~ *if* selv om; *not* ~ ikke engang; ikke så meget som; *don't say that,* ~ *in jest* det må du ikke sige, ikke engang for spøg; ~ *so* alligevel; ~ *then* allerede da, selv da; endnu dengang; ~ *though* selv om; ~ *'to* lige til; ~ *while* endnu mens.

III. even ['i:vən] *adj* jævn *(fx surface, motion, flow),* glat *(fx surface),* flad *(fx country);* (ens:) ligelig *(fx distribution),* lige stor *(fx quantities);* lige, jævnbyrdig *(fx match* kamp); (om sind) rolig, ligevægtig *(fx an* ~ *temper);* (om tal) lige *(fx 2, 4 and 6 are* ~ *numbers; the* ~ *pages);* præcis *(fx an* ~ *hundred* præcis hundrede), nøjagtig, lige; ~ *balance* ligevægt; *break* ~, se I. *break; an* ~ *chance* en fifty-fifty chance; ~ *date* lige dato; *of* ~ *date (merk)* af samme dato; ~ *with* på højde med *(fx the water was* ~ *with the windows),* i niveau med; *(fig)* kvit med; *I'll be (el. get)* ~ *with them* (også:) det skal de få betalt!

IV. even ['i:vən] *vb* (ud)jævne; ~ *up* udligne.

even-handed [i:vən'hændid] *adj* upartisk.

evening ['i:vnin] *sb* aften; *this* ~ i aften; *yesterday* ~ i går aftes; *in the* ~ om aftenen; *good* ~ god aften.

evening dress selskabsdragt, selskabstøj, festdragt; (for herre) kjole (og hvidt); (for dame) lang kjole, aftenkjole; *in* ~ (også) selskabsklædt.

evening| prayers aftenandagt. ~ **primrose** *(bot)* natlys. ~ **star** Venus, aftenstjerne.

even-minded ['i:vənmaindid] *adj* rolig, behersket, ligevægtig.

even money fifty-fifty *(fx an* ~ *bet); it is* ~ *that he will win* der er en fifty-fifty chance for at han vinder.

evensong ['i:vənsɔŋ] *sb* aftenandagt.

event [i'vent] *sb* begivenhed, tildragelse; *(glds)* udfald, følge, resultat; (i sport) konkurrence, løb, kamp, øvelse; *at all -s* i hvert tilfælde, i alt fald; *in any* ~ hvad der end sker; *in that* ~ i så fald; *in the* ~ da det kom til stykket, til (syvende og) sidst; *in the* ~ *of* i tilfælde af.

even-tempered ['i:vntempəd] *adj* rolig, ligevægtig.

eventful [i'ventful] *adj* begivenhedsrig.

eventide ['i:vəntaid] *sb* kvæld.

eventless [i'ventlis] *adj* begivenhedsløs.

eventual [i'ventʃuəl] *adj* endelig.

eventuality [iventju'æliti] *sb* mulighed, eventualitet.

eventually [i'ventʃuəli] *adv* endelig, til sidst, i sidste instans.

eventuate [i'ventjueit] *vb (am)* finde sted, hænde; blive til virkelighed, komme til udførelse *(fx these plans will soon* ~); (mere *el.* mindre) få et uheldigt (, heldigt) udfald *(el* forløb); ~ *from* komme ud af *(fx did any good* ~ *from their talks?);* ~ *in* resultere i, (sluttelig) føre til *(fx the negotiations -d in an agreement).*

ever ['evə] *adv* nogen sinde (i nægtende, spørgende og betingende sætninger) *(fx did you* ~ *see the like?);* på nogen mulig måde *(fx be as amusing as* ~ *you can);* (efter: *who, what, where, how)* i alverden, dog *(fx what* ~ *do you mean?); (am)* alle tiders *(fx the biggest film* ~); (især *glds)* altid, stedse, bestandig;

~ *after* lige siden; *they lived happily* ~ *after* de levede lykkeligt til deres dages ende; ~ *and again,* ~ *and anon* nu og da, atter og atter; *was he* ~ *proud* ih hvor var han stolt; *for* ~, *for* ~ *and a day, for* ~ *and* ~ for bestandig, for stedse, i al fremtid, for evigt; *hardly* ~ næsten aldrig; ~ *since* lige siden; ~ *so much* umådelig meget; *I thank you* ~ *so much* mange, mange tak; ~ *so often* utallige gange; *let him be* ~ *so poor* lad ham være aldrig så fattig; hvor fattig han end er; *he is* ~ *so rich* han er mægtig rig; ~ *such a nice man* en vældig rar mand; *yours* ~ *(omtr)* din hengivne.

everglade ['evəgleid] *sb: the Everglades (am)* sumpstrækninger i Florida.

evergreen ['evəgri:n] *adj* stedsegrøn; *sb* stedsegrøn plante, stedsegrønt træ; (om melodi) evergreen (ɔ: som bevarer sin popularitet).

evergreen oak *(bot)* steneg.

everlasting [evə'la:stiŋ] *adj* evig, evindelig; meget holdbar; ~ *(flower)* evighedsblomst.

evermore ['evə'mɔ:] *adv* stedse; *for* ~ i al evighed, til evig tid.

eversion [i'və:ʃən] *sb (med.)* udkrængning.

evert [i'və:t] *vb* krænge ud.

every ['evri] *pron* enhver, hver, alle, al mulig *(fx you have* ~ *reason to be satisfied);* ~ *bit* helt, fuldt ud *(fx this is* ~ *bit as good as that);* ~ *now and then,* ~ *so often* nu og da, fra tid til anden, med mellemrum; hvert andet øjeblik; ~ *other day* hver anden dag; ~ *one* enhver; ~ *one of you* hver eneste af jer; *in* ~ *way* på enhver måde, i enhver henseende, på alle måder; ~ *which way (am)* hulter til bulter; *with* ~ *good wish* med alle gode ønsker; *his* ~ *word* hvert ord han siger; ~ *four years* hvert fjerde år.

everybody ['evribɔdi] *pron* enhver, alle; *it is not for* ~ det er ikke hver mands sag.

everyday ['evri('dei] *adj* hverdags-, daglig, dagligdags, ganske almindelig, hverdagsagtig.

everyone ['evriwʌn] *pron* enhver.

everything ['evriθiŋ] *pron* alt, alting; *she has* ~ **T** hun har det hele.

everywhere ['evriwɛə] *adv* overalt, allevegne.

evict [i'vikt] *vb* sætte ud, sætte på gaden.

eviction [i'vikʃən] *sb* udsættelse.

evidence ['evidəns] *sb* vidneforklaring, vidneudsagn, vidnesbyrd; bevis, bevismateriale; tegn, spor; *(glds)* tydelighed, klarhed; *vb* vidne; bevise, godtgøre; *give* ~ aflægge vidneforklaring, vidne (for retten); *give (el. bear)* ~ *of* vidne om, vise tegn på; *be in* ~ forekomme, optræde, være til stede; kunne ses, gøre sig gældende, gøre sig bemærket; *he is not in* ~ (også) han glimrer ved sin fraværelse; *that is not accepted in* ~ det kan ikke godtages som bevismateriale; *call sby in* ~ indkalde én som vidne; *a piece of* ~ et bevis.

evident ['evidənt] *adj* øjensynlig, tydelig, klar, indlysende, åbenbar, evident.

evidential [evi'denʃəl] *adj* bevisende, beviskraftig, bevis-; ~ *of* som viser *(fx a remark* ~ *of intelligence).*

evidently [i'evidəntli] *adv* øjensynligt, åbenbart.

evil ['i:vl] *adj (worse, worst)* ond, slem, slet, dårlig, skadelig; hæslig; *sb* onde; ulykke; ~ *eye* onde øjne (i overtro); *the Evil One* den Onde.

evildoer [i:vl'du:ə] *sb* misdæder.

evil-eyed ['i:vl'aid] *adj* som har onde øjne.

evil-minded ['i:vl'maindid] *adj* ondsindet, som har en grim tankegang.

evince [i'vins] *vb* (ud)vise *(fx courage),* tilkendegive, røbe.

eviscerate [i'visəreit] *vb* tage indvoldene ud af, skære op; berøve saft og kraft.

evocation [evə'keiʃən] *sb* fremkaldelse, fremmanen, levendegørelse.

evocative [i'vɔkətiv] *adj* som taler til følelserne; som fremkalder en særlig stemning; udtryksfuld, suggestiv; ~ *of* som fremmaner (, fremkalder, vækker); ~ *power* evne til at levendegøre en scene (, en beskrivelse *etc).*

evoke [i'vouk] *vb* fremmane *(fx spirits),* fremkalde, vække *(fx admiration),* vække til live *(fx memories of the past).*

evolution [i:və'lu:ʃən] *sb* udvikling; evolution; udfoldelse;

(mil.) manøvre; *the theory of* ~ udviklingslæren.
evolutional [i:və'lu:ʃənəl], **evolutionary** [i:və'lu:ʃənəri] *adj* evolutions-, udviklings-.
evolutionism [i:və'lu:ʃənizm] *sb* udviklingslære.
evolutionist [i:və'lu:ʃənist] *sb* tilhænger af udviklingslæren.
evolve [i'vɔlv] *vb* udvikle, udfolde, udarbejde, udklække *(fx a plan)*; udvikle sig, udfolde sig.
evulsion [i'vʌlʃən] *sb* oprykning, udriven.
ewe [ju:] *sb* får (kun om hundyret). **ewe lamb** gimmerlam; *his* ~ *(fig)* hans kæreste eje.
ewer ['ju:ə] *sb* vandkande (til servantestel).
ex [eks] *(merk)* (leveret) fra, ex; ab *(fx* ~ *works* ab fabrik; ~ *warehouse* ab lager); eksklusive *(fx* ~ *dividend* eksklusive udbytte).
exacerbate [eks'æsəbeit] *vb* forværre *(fx the pain, the situation)*, skærpe *(fx the conflict)*; irritere, ophidse.
exacerbation [eksæsə'beiʃn] *sb* forværring; ophidselse.
I. exact [ig'zækt] *adj* nøjagtig *(fx description, measurements)*, præcis; præcist rigtig; eksakt *(fx the* ~ *sciences)*; *the* ~ *spot where* nøjagtig det sted hvor; *his* ~ *words* præcis de (samme) ord han brugte; ~ *change* aftalte penge, lige penge; *the* ~ *opposite* det stik modsatte.
II. exact [ig'zækt] *vb* kræve, fordre *(from af, fx* ~ *obedience from one's children; a job that -s care)*; inddrive *(from hos, fx* ~ *taxes from them)*; ~ *sth from sby* (også) afpresse en ngt *(fx* ~ *a promise from him;* ~ *tribute from a conquered people)*, aftvinge en ngt.
exacting [ig'zæktiŋ] *adj* fordringsfuld, krævende; streng.
exaction [ig'zækʃən] *sb* inddrivelse; afpresset ydelse, tvangsydelse; (strengt *el* urimeligt) krav.
exactitude [ig'zæktitju:d] *sb* nøjagtighed; punktlighed, præcision.
exactly [ig'zæk(t)li] *adv* nøjagtig, akkurat, præcis, netop *(fx that is* ~ *what I mean)*; egentlig *(fx what* ~ *do you mean?)*; *not* ~ ikke ligefrem, ikke just *(fx he is not* ~ *intelligent)*; ~ *!* ja netop!
exaggerate [ig'zædʒəreit] *vb* overdrive; gøre unormalt stor, fremhæve for stærkt. **exaggerated** overdrevet; outreret, overeksponeret; unormalt forstørret, urimelig stor.
exaggeration [igzædʒə'reiʃən] *sb* overdrivelse.
exalt [ig'zɔ:lt] *vb* ophøje *(fx* ~ *him to the position of president)*; lovprise; (om farve) forstærke; ~ *sby to the skies* hæve én til skyerne.
exaltation [igzɔ:l'teiʃən] *sb* ophøjelse; begejstring, løftelse, eksaltation, opstemthed; løftet stemning.
exalted [ig'zɔ:ltid] *adj* ophøjet, fornem *(fx personage)*; meget høj *(fx style)*; begejstret, eksalteret; opstemt; i løftet stemning.
exam [ig'zæm] *sb* T eksamen.
examination [igzæmi'neiʃən] *sb* undersøgelse; eftersyn, gennemgang; (i skole *etc*) eksamen; eksamination; *(jur)* afhøring, forhør; *pass an* ~ tage en eksamen; *sit for an* ~ gå op til en eksamen.
examination paper eksamensopgave.
examine [ig'zæmin] *vb* undersøge *(fx a document, a problem)*, gennemgå *(fx accounts)*, efterse; (ved eksamen) eksaminere; *(jur)* afhøre *(fx a witness)*, forhøre, holde forhør over; *-d copy* verificeret afskrift.
examinee [igzæmi'ni:] *sb* eksaminand.
examiner [ig'zæminə] *sb* undersøger; censor ved eksaminer, eksaminator; forhørsdommer; *external* ~ fremmed censor.
example [ig'za:mpl] *sb* eksempel *(of på)*; forbillede; prøve; *for* ~ for eksempel; *make an* ~ *of sby* straffe en for at statuere et eksempel; *set a bad* ~ være et dårligt eksempel for andre; *set a good* ~ foregå de andre med et godt eksempel; *take* ~ *by* tage til forbillede; *let this be an* ~ *to you* lad dette være dig en advarsel *(el* en lære); *without* ~ uden sidestykke.
exanimate [ig'zænimit] *adj* livløs.
exanthema [eksæn'θi:mə] *sb (med.)* udslæt.
exarch ['eksa:k] *sb* eksark (statholder i det byzantinske rige); patriark (biskop i den græske kirke).
exasperate [ig'za:spəreit] *vb* forbitre, ophidse, opirre, irritere; gøre rasende; forværre. **exasperating** *adj* irriterende, til at fortvivle over. **exasperation** [igza:spə'reiʃn] *sb* forbitrelse; ophidselse; irritation; forværring.
exc. *fk* except.

excavate ['ekskəveit] *vb* udgrave, grave.
excavation [ekskə'veiʃən] udgravning.
excavator ['ekskəveitə] *sb* jordarbejder; gravemaskine, gravko.
exceed [ik'si:d] *vb* overgå *(fx one's expectations)*; overskride *(fx one's powers, the speed limit)*; overstige *(fx persons whose incomes* ~ £ *900)*; (uden objekt) gå for vidt; *(glds)* spise *(el* drikke) for meget.
exceeding [ik'si:diŋ] *adj* overmåde stor, betydelig; usædvanlig; *præs part* som overstiger *(etc, cf exceed)*.
exceedingly *adv* i høj grad, overordentlig; yderst.
excel [ik'sel] *vb* overgå; udmærke sig *(fx* ~ *at sport)*; være fremragende dygtig *(fx she -s as a cook)*.
excellence ['eksələns] *sb* fortræffelighed; fortrinlighed; udmærket egenskab, fortrin.
Excellency ['eksələnsi] *sb : His* ~ Hans Excellence.
excellent ['eksələnt] *adj* fortræffelig, udmærket, fortrinlig, excellent.
excelsior [ek'selsiɔ:] *(am)* højere (op) (brugt som motto, *fx* for New York); *sb* træuld. **Excelsior State** = *New York*.
except [ik'sept] *vb* undtage; gøre indsigelse *(to el. against* mod); *præp, conj* undtagen; med mindre; uden; ~ *for* når undtages på nær; bortset fra; ~ *that* bortset fra at.
excepting undtagen, med undtagelse af, fraregnet; *everyone not* ~ *myself must do so* alle, jeg selv iberegnet, må gøre det.
exception [ik'sepʃən] *sb* undtagelse; indsigelse; *beyond* ~ upåklagelig; *with the* ~ *of* med undtagelse af; *an* ~ *to the rule* en undtagelse fra reglen; *take* ~ *to* gøre indsigelse mod, rejse indvending mod; misbillige, tage anstød af, tage ilde op.
exceptionable [ik'sepʃənəbl] *adj* uheldig, ubehagelig, stødende.
exceptional [ik'sepʃənəl] *adj* ualmindelig, usædvanlig, enestående, exceptionel. **exceptionally** *adv* usædvanlig.
I. excerpt [ik'sə:pt] *vb* uddrage, excerpere.
II. excerpt [ik's:pt] *sb* uddrag, udtog, excerpt.
excerption [ik'sə:pʃən] *sb* uddragning, excerpering.
excess [ik'ses] *sb* overskud, plus, overvægt; overmål; overdrivelse, overskridelse; umådeholdenhed; *-es* udskejelser, excesser; *the -es committed by the troops* (også) de overgreb tropperne gjorde sig skyldige i; *in* ~ *of* ud over *(fx some pennies in* ~ *of the usual amount; luggage in* ~ *of 40 lbs)*; ~ *of imports* importoverskud; *to* ~ i overdreven grad, umådeholdent, alt for meget *(fx he smokes to* ~*)*; *carry to* ~ overdrive.
excess| consumption merforbrug. ~ **expenditure** merudgift. ~ **fare** *(jernb)* (betaling for) tillægsbillet.
excessive [ik'sesiv] *adj* usædvanlig stor (, høj *etc)*, overordentlig; alt for stor (, høj *etc)*; overdreven; umådeholden *(fx drinking)*.
excess| luggage overvægtig bagage. ~ **profits** merindkomst; merudbytte; ~ *profits duty (el. tax)* merindkomstskat.
I. exchange [iks'tʃein(d)ʒ] *vb* udveksle *(fx presents)*; bytte *(for* med); (om indkøbt vare) ombytte; (om penge) veksle; kunne veksles *(at, for* med); ~ *blows* slås; ~ *greetings* hilse på hinanden; *they had -d seats* de havde byttet plads.
II. exchange [iks'tʃein(d)ʒ] *sb* udveksling; ombytning; bytte, veksling; meningsudveksling *(fx there have been angry -s)*; *(tlf)* central; *(merk)* valuta; valutakurs, (sted) børs; *bill of* ~ veksel; *foreign* ~ fremmed valuta; *in* ~ *for* i bytte for, til gengæld for, imod; *rate of* ~ (veksel)kurs.
exchangeable [iks'tʃein(d)ʒəbl] *adj* som kan byttes *(el* udveksles); ~ *into* guld indløselig med guld.
exchange control valutakontrol.
exchequer [iks'tʃekə] *sb* finanshovedkasse; *(hist)* skatkammer; *the Exchequer* finanshovedkassen; statskassen; finansministeriet; *the Chancellor of the Exchequer* finansministeren. **exchequer bond** (rentebærende) statsobligation; statsgældsbevis.
excipient [ik'sipiənt] *sb* (i farmakologi) vehikel, hjælpestof; (i salve) salvegrundlag.
I. excise [ik'saiz] *sb* forbrugafgift(er); kontor (, departement) som indkræver den (, dem); *vb* lægge forbrugsaf-

gift på (en vare).
II. excise *vb* bortskære, fjerne, slette.
excise duty forbrugsafgift, produktionsafgift.
excision [ik'siʒn] *sb* bortskæring, fjernelse, udslettelse.
excitability [iksaitə'biliti] *sb* pirrelighed; nervøsitet; letbevægelighed.
excitable [ik'saitəbl] *adj* pirrelig; nervøs; letbevægelig.
excitant ['eksitənt] *sb* stimulerende middel.
excitation [eksi'teiʃən] *sb* pirring; æggen; irritation; *(elekt)* magnetisering.
excitatory [ik'saitətəri] *adj* stimulerende, pirrende.
excite [ik'sait] *vb* vække *(fx hatred, curiosity)*, fremkalde; (især om person) ophidse, bringe i sindsbevægelse *(el* affekt); opflamme, opildne, opægge; *(elekt)* fremkalde spænding i, magnetisere; (om nerve) pirre, stimulere.
excited [ik'saitid] *adj* ophidset *(fx it is nothing to get ~ about)*; spændt, urolig, nervøs; ivrig, betaget, begejstret; opstemt, eksalteret.
excitement [ik'saitmənt] *sb* ophidselse; affekt; spænding; sindsbevægelse; uro; spændende begivenhed.
exciting [ik'saitiŋ] *adj* spændende *(fx an ~ story)*.
excl. *fk* exclusive(ly), excluding, excluded.
exclaim [iks'kleim] *vb* udbryde; udråbe; *~ against* protestere højlydt mod.
exclamation [eksklə'meiʃən] *sb* udbrud, udråb; *~ mark* udråbstegn.
exclamatory [iks'klæmətəri] *adj* råbende; udråbs-.
exclave [eks'kleiv] *sb* eksklave, ekstraterritorialt område *(fx Berlin is an ~ of West Germany)*.
exclude [iks'klu:d] *vb* udelukke, holde ude; undtage.
exclusion [iks'klu:ʒən] *sb* udelukkelse; undtagelse.
exclusive [iks'klu:siv] *adj* eksklusiv *(fx club)*; (om person) afvisende, fornem; (alene:) eneste; ene- *(fx rights)*, sær-*(fx privileges)*; *mutually ~* som udelukker hinanden, uforenelige; *~ of* ikke indbefattet; eksklusive, fraregnet.
exclusively *adv* udelukkende, kun. **exclusiveness** *sb* eksklusivitet; fornem tilbageholdenhed, afvisende holdning.
excogitate [iks'kɔdʒiteit] *vb* udtænke, udpønse. **excogitation** [ikskɔdʒi'teiʃən] *sb* opfindelse, påfund; udpønskning.
excommunicate [ekskə'mju:nikeit] *vb* ekskommunicere, udelukke fra den katolske kirke, bandlyse.
excommunication ['ekskəmju:ni'keiʃən] *sb* ekskommunikation, udelukkelse fra den katolske kirke, bandlysning.
excoriate [iks'kɔ:rieit] *vb* flå; skrabe huden af; *(fig)* kritisere skånselsløst, hudflette. **excoriated** (også) hudløs.
excoriation [ekskɔ:ri'eiʃən] *sb* flåning; hudafskrabning; skånselsløs kritik, hudfletning.
excrement ['ekskrimənt] *sb* ekskrement, afføring.
excremental [ekskri'mentl] *adj* ekskrement-, afførings-.
excrescence [iks'kresns] *sb* udvækst. **excrescent** [iks'kresnt] *adj* udvoksende, som kun er en udvækst; overflødig.
excrete [iks'kri:t] *vb* udskille, afsondre.
excretion [iks'kri:ʃən] *sb* udskillelse, afsondring; udtømmelse; ekskret.
excruciating [iks'kru:ʃieitiŋ] *adj* pinefuld; kvalfuld; *~ pain* ulidelige smerter.
exculpate ['ekskʌlpeit] *vb* frikende, erklære for uskyldig; retfærdiggøre; *~ sby* bevise ens uskyld; *~ sby from a charge* rense en for en anklage.
exculpation [ekskʌl'peiʃən] *sb* frikendelse; retfærdiggørelse.
exculpatory [iks'kʌlpətəri] *adj* retfærdiggørende, som beviser ens uskyld.
excursion [iks'kə:ʃən] *sb* tur, udflugt; *(fig)* afstikker *(fx an ~ into politics)*, (fra emnet) digression, ekskurs; *(glds mil.)* udfald; *~ train* billigtog.
excursionist [iks'kə:ʃənist] *sb* deltager i udflugt, turist.
excursive [iks'kə:siv] *adj* springende, vidtløftig.
excursus [iks'kə:səs] *sb* ekskurs, tillæg der uddyber et punkt i et værk.
excusable [iks'kju:zəbl] *adj* undskyldelig.
I. excuse [iks'kju:z] *vb* undskylde; fritage (for); give fri; *~ me!* undskyld! *~ me coming, ~ my coming, ~ me for coming* undskyld jeg kommer; *~ me from coming* fritag mig for at komme; *~ oneself from* bede sig fritaget for.
II. excuse [iks'kju:s] *sb* undskyldning; påskud *(fx his headache is only an ~ for not working)*; afbud; *an ~ for a novel* **T** noget der dårligt kan kaldes en roman; *ignorance of the law is no ~ (omtr)* ukendskab til loven frita-

ger ikke for straf; *a poor ~* en dårlig undskyldning; *send an ~* sende afbud; *without ~* (også) uden grund.
ex-directory number *(tlf)* udeladt (, hemmeligt) nummer.
execrable ['eksikrəbl] *adj* afskyelig; elendig, horribel.
execrate ['eksikreit] *vb* afsky; bande; *(glds)* forbande.
execration [eksi'kreiʃən] *sb* forbandelse.
execratory ['eksikreitəri] *adj* forbandelses-.
executant [ig'zekjutənt] *sb* udøvende kunstner; *the -s* de spillende.
execute ['eksikju:t] *vb* udføre; ekspedere, effektuere *(fx an order)*; fuldbyrde *(fx a judgement)*; foredrage, spille, synge *(fx a song)*; (om dokument) udstede, udfærdige; underskrive, gøre retsgyldig (ved at underskrive, forsegle *etc)*; (om dødsdømt) henrette.
execution [eksi'kju:ʃən] *sb (cf execute)* udførelse; ekspedition, effektuering; fuldbyrdelse; foredrag, udførelse, teknik; udstedelse, udfærdigelse, underskrivelse; henrettelse, eksekution; **T** ødelæggelse; *carry into ~* bringe til udførelse; *do great ~* gøre stor virkning; forårsage stor ødelæggelse *(el* stort mandefald); *levy ~ (jur)* gøre udlæg *(el* eksekution).
executioner [eksi'kju:ʃənə] *sb* skarpretter, bøddel.
executive [ig'zekjutiv] *adj* udøvende, fuldbyrdende, eksekutiv; ledende, overordnet; leder- *(fx ability)*; *sb* udøvende myndighed; hovedbestyrelse; forretningsudvalg, ledelse; person i overordnet stilling, direktør, leder, chef; *~ committee* hovedbestyrelse, forretningsudvalg; se også *chief ~*.
executor [ig'zekjutə] *sb* eksekutor (af et testamente).
executrix [ig'zekjutriks] *sb* kvindelig eksekutor.
exegesis [eksi'dʒi:sis] *sb* fortolkning, eksegese.
exegetic [eksi'dʒetik] *adj* fortolkende, eksegetisk.
exemplar [ig'zemplə] *sb* mønster, forbillede, ideal; (mønstergyldigt) eksempel; eksemplar.
exemplary [ig'zempləri] *adj* eksemplarisk, mønsterværdig, forbilledlig *(fx conduct)*; der tjener som en advarsel *(fx punishment)*; der tjener som eksempel.
exemplification [igzemplifi'keiʃən] *sb* eksemplificering, belysning ved eksempler; eksempel; *(jur)* bekræftet afskrift.
exemplify [ig'zemplifai] *vb* eksemplificere, belyse ved eksempler, illustrere; tjene som eksempel på; give eksempel på; *(jur)* tage en bekræftet afskrift af, bevise ved bekræftet afskrift.
exempt [ig'zem(p)t] *vb* fritage *(from* for, *fx military service)*; *adj* fritaget, fri *(fx these goods are ~ from taxes)*.
exemption [ig'zem(p)ʃən] *sb* fritagelse; immunitet; *~ from duty* toldfrihed.
exequatur [eksi'kweitə] *sb* regerings godkendelse af en fremmed konsul.
exequies ['eksikwiz] *sb pl* begravelse.
I. exercise ['eksəsaiz] *vb* udøve *(fx authority)*, bruge, bringe i anvendelse, udfolde *(fx all one's strength)*; udvise *(fx caution)*, vise *(fx patience)*; (give øvelse) øve, opøve, træne; (om hest) røre; (om sindet) optage, beskæftige *(fx their minds deres tanker)*; give nok at tænke på; bekymre *(fx I am very much -d about his future)*; (uden objekt) få motion *(fx you don't ~ enough)*.
II. exercise ['eksəsaiz] *sb* øvelse *(fx gymnastic -s; practise -s on the piano; the army took part in a NATO ~)*; (bevægelse:) motion; (stykke:) øvelsesstykke; (i skole også) stil, opgave; *(rel)* andagtsøvelse; *(cf I. exercise)* udøvelse, brug, anvendelse, udfoldelse; *-s (am)* ceremoni; *take ~* få motion.
exercise| bike motionscykel, kondicykel. *~* **book** stilebog, skrivehæfte.
exerciser ['eksəsaizə] *sb* motionsapparat.
exert [ig'zə:t] *vb* anvende, udøve *(fx ~ one's influence)*; *~ oneself* anstrenge sig, gøre sig umage; *~ oneself on his behalf* prøve at gøre noget for ham; *~ all one's strength* opbyde alle sine kræfter.
exertion [ig'zə:ʃən] *sb* anstrengelse, anspændelse; anvendelse, udøvelse.
exeunt ['eksiʌnt] (de) går ud; *~ omnes* alle ud.
exfoliate [iks'foulieit] *vb* skalle af; afstøde; udfolde (sig).
exfoliation [iksfouli'eiʃən] *sb* afskalning; udfoldelse.
ex gratia [eks 'greiʃə] *adj* frivillig, som gives pr. kulance.
exhalation [eks(h)ə'leiʃən] *sb* uddunstning; udånding;

dunst. **exhale** [eks'heil] *vb* uddunste; udånde, udsende.

exhaust [ig'zɔːst] *vb* udtømme *(fx a well)*; opbruge *(fx the ammunition)*; tømme *(of* for); udmatte, afkræfte, trætte; *sb* udblæsning, udstødning; udstrømning af spildedamp; udblæsningsrør; udblæsningsgas; spildedamp; ~ *the soil* udpine jorden; ~ *a subject* udtømme et emne; ~ *a tube of air* pumpe et rør tomt for luft; *open* ~ fri udblæsning.
exhaust fan ventilator.
exhaustible [ig'zɔːstəbl] *adj* som kan udtømmes.
exhausting [ig'zɔːstiŋ] *adj* trættende, anstrengende.
exhaustion [ig'zɔːstʃən] *sb* udtømmelse; udmattelse.
exhaustive [ig'zɔːstiv] *adj* udtømmende.
exhaust| pipe udblæsningsrør. ~ **steam** spildedamp.
exhibit [ig'zibit] *vb* udstille; udvise, vise; *(jur)* fremlægge; *sb* udstillingsgenstand; samling, udstilling; *(jur)* bilag.
exhibition [eksi'biʃən] *sb* fremvisning; udstilling; tilskuestillen; *(jur)* fremlæggelse; (til studerende) stipendium (især: vundet ved konkurrence og mindre end *scholarship)*; *make an* ~ *of oneself* gøre sig til nar; gøre skandale.
exhibitioner [eksi'biʃənə] *sb* stipendiat.
exhibitionism [eksi'biʃənizm] *sb* ekshibitionisme.
exhibitionist [eksi'biʃənist] *sb* ekshibitionist.
exhibitor [ig'zibitə] *sb* udstiller.
exhilarate [ig'ziləreit] *vb* opmuntre; oplive.
exhilarated *adj* munter, glad, let beruset, animeret.
exhilaration [igzilə'reiʃən] *sb* opmuntring; munterhed, løftet stemning.
exhort [ig'zɔːt] *vb* formane; tilskynde.
exhortation [egzɔː'teiʃən] *sb* formaning, formaningstale; tilskyndelse.
exhortative [ig'zɔːtətiv], **exhortatory** [ig'zɔːtətəri] *adj* formanende.
exhumation [ekshju:'meiʃən] *sb* opgravning.
exhume [eks'hjuːm] *vb* opgrave (lig); *(fig)* grave frem.
exigency [eksidʒənsi; ig'zi-] *sb* tvingende nødvendighed, nød; kritisk situation; *exigencies* krav, fordringer.
exigent [eksidʒənt] *adj* presserende, kritisk, krævende.
exigible [eksidʒibl] *adj* som kan kræves.
exiguity [eksi'gjuiti] *sb* lidenhed, ubetydelighed, sparsomhed. **exiguous** [ig'zigjuəs] *adj* liden, ubetydelig, sparsom.
exile [eksail] *sb* landsforvisning, landflygtighed; eksil; *adj* landflygtig, forvist; *vb* landsforvise; *go into* ~ gå i landflygtighed.
exist [ig'zist] *vb* være, være til, eksistere, leve; findes, forefindes, foreligge, bestå; *I cannot* ~ *on my earnings* jeg kan ikke leve af min løn; -*ing* (også) gældende.
existence [ig'zistəns] *sb* eksistens, tilværelse, liv; tilstedeværelse; væsen; *justify one's* ~ dokumentere sin eksistensberettigelse; *in* ~ eksisterende, som findes, som er til *(fx it is the largest house in* ~ *)*; *come into* ~ blive til.
existent [ig'zistənt] *adj* eksisterende, bestående, nuværende, foreliggende, forhåndenværende.
existential [egzi'stenʃəl] *adj* eksistentiel. **existentialism** [egzi'stenʃəlizm] *sb* eksistentialisme. **existentialist** *sb* eksistentialist.
exit [eksit] *vb* (han *el* hun) går ud, ud *(fx* ~ *Hamlet* Hamlet ud); *sb* udgang; sortie; bortgang, død; (fra motorvej) frakørselsvej; *make one's* ~ gå ud, gå bort.
exit| line udgangsreplik. ~ **visa** udrejsevisum.
ex-libris [eks'laibris] ekslibris.
Exmouth [eksmauθ].
exodus [eksədəs] *sb* udvandring, flugt; *the rural* ~ flugten (*el* afvandringen) fra landet; *Exodus* anden Mosebog.
ex officio [eksɔ'fiʃiou] på embeds vegne; i embeds medfør; født *(fx the sheriff is* ~ *returning officer for the county)*.
exogamy [ek'sɔgəmi] *sb* ægteskab uden for stammen.
exonerate [ig'zɔnəreit] *vb* befri, løse, frigøre, fritage (for ansvar, pligt); *(mht* anklage) frifinde, rense.
exoneration [igzɔnə'reiʃən] *sb* befrielse; renselse.
exor. *fk* executor.
exorbitance [ig'zɔːbitəns] *sb* urimelighed, ubluhed; umådelighed.
exorbitant [ig'zɔːbitənt] *adj* overdreven, ublu *(fx an* ~ *price)*; urimelig; umådelig; ~ *price* (også) ågerpris.
exorcise [eksɔːsaiz] *vb* besværge, mane bort, mane i jorden, uddrive (onde ånder). **exorcism** [eksɔːsizm] *sb* (ånde)manen, djævleuddrivelse. **exorcist** [eksɔːsist] *sb* ånde-

maner, djævleuddriver.
exordium [eksɔːdjəm] *sb* indledning, optakt.
exoteric [eksə'terik] *adj* populær, almenfattelig.
exotic [ig'zɔtik] *adj* eksotisk, fremmedartet, udenlandsk.
expand [iks'pænd] *vb* udvide *(fx one's business)*; få til at udvide sig *(fx heat* -*s metal)*; udfolde, udbrede *(fx wings)*; *(mat.)* rækkeudvikle; (uden objekt) udvide sig, vokse *(fx our trade has* -*ed)*; udfolde sig *(fx the flower* -*ed in the sunshine)*; *(fig* om person) live op, tø op, folde sig ud; ~ *one's chest* skyde brystet frem; ~ *on* gå nærmere ind på, behandle mere udførligt; *my heart* -*s with joy* mit hjerte svulmer af glæde. **expanded:** ~ *metal* strækmetal; *the* ~ *present (, preterite)* den udvidede nutid (, datid).
expanse [iks'pæns] *sb* udstrakt flade, vid udstrækning.
expansion [iks'pænʃən] *sb* udfoldelse; udbredelse; udvidelse, ekspansion; vidt udstrakt rum *(el* flade); *(mat.)* rækkeudvikling.
expansive [iks'pænsiv] *adj* udvidende; udvidelig; vidtstrakt, omfattende; ekspansiv; udvidelses-; *(fig* om person) åbenhjertig, meddelsom.
expatiate [iks'peiʃieit] *vb* udbrede sig *(on* over).
expatiation [ikspeiʃi'eiʃən] *sb* vidtløftig omtale.
I. expatriate [iks'pætrieit] *vb* forvise; ~ *oneself* udvandre; gå i eksil.
II. expatriate [eks'pætriit] *sb* emigrant; *adj* eksil- *(fx an* ~ *Greek)*.
expatriation [ikspætri'eiʃən] *sb* forvisning; udvandring.
expect [ik'spekt] *vb* vente *(fx I* ~ *him tomorrow)*; forvente, regne med; forlange; T formode, antage *(fx I* ~ *you are tired now)*, tro; *I* ~ *you to be punctual* jeg må forlange af Dem at De er præcis; *I* ~ *we shall be* (el. *I* ~ *there to be) trouble* jeg venter (*el* regner med) at der bliver ballade; *she is* -*ing* T hun venter sig.
expectancy [ik'spektənsi] *sb* forventning.
expectant [ik'spektənt] *adj* ventende, forventningsfuld; afventende; ~ *mother* vordende moder; ~ *treatment (med.)* afventende behandling.
expectation [ekspek'teiʃən] *sb* forventning; ~ *of life* forventet levealder; *have great* -*s* have udsigt til en stor arv; *have great* -*s of* vente sig meget af; *in* ~ *of* i forventning om; *is there any* ~ *of* ... er der nogen udsigt til ...
expectorant [ik'spektərənt] *adj* slimløsende; *sb* slimløsende middel. **expectorate** [ik'spektəreit] *vb* hoste op, spytte op; spytte. **expectoration** [ikspektə'reiʃən] *sb* ophostning; (op)spytning; (op)spyt.
expedien|ce [ik'spiːdjəns], -**cy** [-si] *sb* formålstjenlighed; hensigtsmæssighed; fordelagtighed; egoistiske hensyn.
expedient [ik'spiːdjənt] *adj* hensigtsmæssig, passende, formålstjenlig; opportun; fordelagtig; *sb* middel, udvej, råd.
expedite [ekspidait] *vb* fremskynde, fremme; udføre hurtigt, få fra hånden; *(merk)* afsende, udsende, udstede.
expedition [ekspi'diʃən] *sb* hurtighed, raskhed; ekspedition; krigstog.
expeditionary [ekspi'diʃənəri] *adj* ekspeditions-; ~ *force (mil)* ekspeditionsstyrke, styrke der gør tjeneste uden for hjemlandet.
expeditious [ekspi'diʃəs] *adj* hurtig, rask.
expel [ik'spel] *vb* udstøde *(fx air from the lungs)*; uddrive *(fx a poison from the body)*; (om person) fordrive, forjage *(fx an invader)*; udvise *(fx an undesirable alien)*; udstøde, ekskludere *(fx he was* -*led from the party (, club))*; (fra skole) bortvise; (fra universitet) relegere.
expellee [ikspe'liː] *sb* udvist (person).
expend [ik'spend] *vb* give ud; anvende, ofre; forbruge, bruge, opbruge.
expendable [ik'spendəbl] *adj* som kan opbruges; (især *mil.)* som kan ofres.
expenditure [ik'spenditʃə] *sb* udgift(er); forbrug; *private* ~ privatforbrug.
expense [ik'spens] *sb* udgift, omkostning; bekostning; *they laugh at my* ~ de morer sig på min bekostning; *at the* ~ *of* på bekostning af; *go to the* ~ *of* ofre penge på (at); *put sby to* ~ sætte en i udgift.
expense account omkostningskonto.
expensive [ik'spensiv] *adj* kostbar, dyr.
experience [ik'spiəriəns] *sb* erfaring, rutine, øvelse; (hændelse *etc)* erfaring, oplevelse; *vb* erfare; opleve; føle, for-

nemme, få at føle, gennemgå; komme ud for; *from (el. by)* ~ af erfaring. **experienced** [ik'spiəriənst] *adj* erfaren, rutineret, øvet.

I. experiment [ik'sperimənt] *sb* forsøg, eksperiment; *adj* forsøgs- *(fx ~ farm)*.

II. experiment [ik'speriment] *vb* anstille forsøg, eksperimentere *(fx he is -ing with new methods)*; ~ *on animals* anstille forsøg med dyr, lave dyreforsøg.

experimental [iksperi'mentl] *adj* erfaringsmæssig, erfarings-; eksperimentel, forsøgs- *(fx ~ animal)*; ~ *psychology* eksperimentalpsykologi.

experimentalist [iksperi'mentəlist] *sb* eksperimentator.

experimentally [iksperi'mentli] *adv* eksperimentelt, forsøgsvis.

experimentation [eksperimen'teiʃən] *sb* eksperimenteren.

I. expert ['ekspə:t] *adj* øvet, erfaren, kyndig, dygtig, sagkyndig.

II. expert ['ekspə:t]· *sb* sagkyndig, ekspert, fagmand; specialist *(on* i); *with the air (, eye) of an* ~ med kendermine (, kenderblik); - *'s report* ekspertise; *(the)* -s sagkundskaben.

expertise [ikspə'ti:z] *sb* sagkundskab; sagkyndigt skøn; ekspertise, sagkyndig erklæring, ekspertudsagn.

expert knowledge sagkundskab.

expertly ['ekspə:tli] *adv* dygtigt, behændigt.

expertness ['ekspə:tnis] erfaring; dygtighed.

expert opinion: *give an* ~ afgive et sagkyndigt skøn.

expiable ['ekspiəbl] *adj* som kan udsones.

expiate ['ekspieit] *vb* bøde for, sone, udsone.

expiation [ekspi'eiʃən] *sb* udsoning; bod.

expiatory ['ekspieitəri] *adj* udsonings-, sonende.

expiration [ekspaiə'reiʃən] *sb* udånding; *(om* tidsrum etc) ophør, udløb; *(glds)* udånden, sidste suk, død.

expiratory [eks'paiərətəri] *adj* udåndings-.

expire [iks'paiə] *vb* udånde; drage sit sidste suk, dø; *(om* ild) gå ud; *(om* tidsrum *etc)* udløbe; ophøre.

expiry [iks'spaiəri] *sb* ophør, udløb, ende.

explain [ik'splein] *vb* forklare; gøre rede for; ~ *away* bortforklare; ~ *oneself* forklare sig.

explainable [ik'spleinəbl] *adj* forklarlig.

explanation [eksplə'neiʃən] *sb* forklaring; *come to an* ~ *with* komme til en forståelse med.

explanatory [ik'splænətəri] *adj* forklarende; oplysende.

expletive [ik'spli:tiv] *adj* udfyldende; overflødig; *sb* fyldeord, fyldekalk; ed, kraftudtryk.

explicable ['eksplikəbl] *sb* forklarlig.

explicate ['eksplikeit] *vb* udlægge, forklare; *(om* teori *etc)* udvikle.

explication [ekspli'keiʃən] *sb* udlægning, forklaring; udvikling.

explicative [ek'splikətiv] *adj,* **explicatory** [eks'plikətəri] *adj* forklarende.

explicit [ik'splisit] *adj* tydelig, klar, bestemt, udtrykkelig *(fx statement)*; åben, utvetydig *(fx admission)*; (især i logik og *mat.)* eksplicit; *he was quite* ~ han udtalte sig meget tydeligt *(el.* åbent). **explicitly** *adv* tydeligt, klart, med rene ord.

explode [ik'sploud] *vb* få til at eksplodere, sprænge *(fx they -d the bomb)*; eksplodere *(fx the boiler -d)*, springe; *(fig)* bryde ud, fare op, briste i latter; **T** forkaste, vise urigtigheden af, afsløre *(fx a myth)*; *an -d idea* en tanke man forlængst har opgivet; *an -d theory* en forladt teori; *-d view* sprængskitse.

I. exploit ['eksploit] *sb* dåd, bedrift.

II. exploit [ik'sploit] *vb* udnytte; *(neds* også) udbytte *(fx ~ the working classes)*.

exploitation [eksploi'teiʃən] *sb* udnyttelse; udbytning.

exploiter [iks'ploitə] *sb* udbytter.

exploration [eksplɔ:'reiʃən] *sb* udforskning, undersøgelse; *(med.)* eksploration. **exploratory** [iks'plɔ:rətəri] *adj* undersøgende, undersøgelses-, forsknings-.

explore [iks'plɔ:] *vb* udforske, tage på opdagelsesrejse(r) i; undersøge, *(med* også) eksplorere.

explorer [iks'plɔ:rə] *sb* opdagelsesrejsende.

explosion [iks'plouʒən] *sb* explosion, sprængning; *(fig)* udbrud.

explosion engine eksplosionsmotor.

explosive [iks'plousiv] *adj* eksplosiv; *(fig* også) sprængfar-

lig *(fx issue)*, (om person) heftig, opfarende; *sb* sprængstof; ~ *bomb* sprængbombe; ~ *cartridge* sprængpatron; ~ *charge* sprængladning; ~ *signal* knaldsignal.

expo *fk* exposition.

exponent [iks'pounənt] *sb* fortolker, repræsentant, talsmand; *(mat)* eksponent; *adj* forklarende.

I. export ['ekspɔ:t] *sb* udførsel, eksport; eksportvare.

II. export [iks'pɔ:t] *vb* udføre, eksportere.

exportable [iks'pɔ:təbl] *adj* som kan udføres.

exportation [ekspɔ:'teiʃən] *sb* udførsel, éksport.

export bounty eksportpræmie. **exporter** [ik'spɔ:tə] *sb* eksportør. **export licence** eksporttilladelse.

expose [iks'pouz] *vb* udsætte *(to* for, *fx cold, danger)*; (vise *etc)* fremvise *(fx the beggar -d his sores),* udstille *(fx one's wares)*; (til spot) stille blot, stille til skue, blotte *(fx one's ignorance)*; (om noget hemmeligt) røbe, afsløre *(fx a plot)*; *(fot)* eksponere; ~ *a card* vise et kort; ~ *a child* udsætte et barn; *they left only their eyes -d* de lod kun deres øjne være utildækket; *an -d situation* en udsat stilling.

exposé [eks'pousei] *sb* afsløring; fremstilling, redegørelse.

exposition [ekspə'ziʃ(ə)n] *sb* udstilling; fremstilling, redegørelse, udvikling, forklaring; *(teat* og *mus.)* eksposition; *power of* ~ fremstillingsevne.

expositor [iks'pozitə] *sb* fortolker.

expository [iks'pozit(ə)ri] *adj* forklarende, fortolkende.

ex post facto ['eks'poust'fæktou]: ~ *law* lov med tilbagevirkende kraft.

expostulate [iks'postjuleit] *vb:* ~ *with sby about sth* bebrejde en noget, gå i rette med en for noget, foreholde en noget.

expostulation [ekspostju'leiʃ(ə)n] *sb* bebrejdelse, forestilling, protest.

exposure [iks'pouʒə] *sb (cf expose)* udsættelse *(to* for); udsat stilling; fremvisning, udstilling; blottelse; afsløring *(fx of a crime)*; *(fot)* eksponering; optagelse, billede; *die of (el. from)* ~ fryse ihjel, dø af kulde (og udmattelse); *the house has a southern* ~ huset vender mod syd; se også *indecent.*

exposure meter *(fot)* belysningsmåler.

expound [ik'spaund] *vb* udlægge, forklare *(fx a theory)*; fremsætte, fremstille, gøre rede for *(fx one's views)*.

I. express [iks'pres] *sb* eksprestog, iltog; ekspresbefordring, ekspresbesørgelse; ekspresbud, ilbud; (især *am)* transportfirma, speditør.

II. express [iks'pres] *vb* udtrykke *(fx one's meaning)*; sende ekspres; presse ud *(fx juice -ed from grapes)*; ~ *oneself* udtrykke sig; *he -ed himself strongly on* han udtalte sig i skarpe vendinger om.

III. express [iks'pres] *adj* udtrykkelig *(fx wish),* klar, tydelig; (hurtig:) ekspres- *(fx letter; train; delivery* udbringning); il-; *he is the* ~ *image of his father* han er sin faders udtrykte billede.

IV. express [iks'pres] *adv* ekspres *(fx travel* ~ *)*.

express forwarding ekspresforsendelse.

expressible [ik'spresəbl] *adj* som kan udtrykkes.

expression [ik'spreʃən] *sb* udtryk, vending; fremstilling; (i musik) foredrag; *beyond* ~ ubeskrivelig, usigelig; ~ *of opinion* meningstilkendegivelse; *with* ~ udtryksfuldt. **expressionism** [-izm] *sb* ekspressionisme. **expressionist** [-ist] *sb* ekspressionist. **expressionless** *adj* udtryksløs.

expressive [ik'spresiv] *adj* udtryksfuld; *be* ~ *of* udtrykke, give udtryk for.

expressway [iks'preswei] *sb (am)* motorvej.

expropriate [iks'prouprieit] *vb* ekspropriere; tilegne sig; ~ *him from his estate* fratage ham hans ejendom, eksropriere hans ejendom. **expropriation** [iksproupri'eiʃən] *sb* ekspropriation, eksropriering.

expulsion [iks'pʌlʃən] *sb (cf expel)* udstødelse, uddrivelse; fordrivelse, forjagelse; udvisning, eksklusion, bortvisning *(fx from a school)*; relegation.

expulsive [iks'pʌlsiv] *adj (med.)* uddrivende.

expunge [iks'pʌn(d)ʒ] *vb* stryge *(fx ~ a name from a list)*; fjerne; (ud)slette.

expurgate ['ekspə:geit] *vb* rense (bog for anstødelige udtryk *el* fejl). **expurgation** [ekspə:'geiʃən] *sb* udrensning, renselse.

exquisite ['ekskwizit] *adj* udsøgt, fortræffelig *(fx work-*

manship); stærk, heftig *(fx pain, joy)*; *sb* modeherre, laps; *an* ~ *ear* et fint øre.

ex-serviceman forhenværende soldat, veteran.

exsiccate ['eksikeit] *vb* udtørre. **exsiccation** [eksi'keiʃən] *sb* udtørring.

ex-soldier forhenværende soldat, veteran.

extant [iks'tænt, 'ekstənt] *adj* bevaret, i behold, eksisterende.

extemporaneous [ikstempə'reinjəs], **extemporary** [iks-'tempərəri] *adj* improviseret, som har evne til at improvisere; pludselig, uventet.

extempore [iks'tempəri] *adj* ekstempore; improviseret *(fx an* ~ *speech, speak* ~).

extemporize [iks'tempəraiz] *vb* improvisere.

extend [ik'stend] *vb* strække ud, række ud *(fx one's arms)*; række frem *(fx one's hand)*; (gøre større *etc)* udvide *(fx one's business)*, forlænge *(fx a visit, a railway)*; (ud)strække; (om reb) spænde ud; (give *etc)* yde *(fx help)*, vise *(fx hospitality)*, skænke, give; (uden objekt) strække sig *(fx his garden -s as far as the road)*; *(mil.)* sprede; sprede sig, formere skyttekæde; ~ *oneself* anspænde sig; ~ *an invitation to sby* sende en en indbydelse, indbyde én.

extended [ik'stendid] *adj* udstrakt, udvidet; forlænget; lang(varig), langstrakt, langtrukken; fremstrakt *(fx hand)*; *(am)* omfattende, vidtstrakt; *the horse was fully* ~ hesten fik lov at strække ud; ~ *order* spredt orden; *with his little finger* ~ med strittende lillefinger.

extensible [ik'stensəbl], **extensile** [ik'stensail] *adj* udvidelig, strækbar.

extension [ik'stenʃən] *sb* udstrækning, udvidelse, forlængelse, tilbygning; forlængerstykke; *(med.)* stræk; (i logik) begrebsomfang, ekstension; *(tlf)* ekstraapparat; ~ *12 (tlf)* lokal 12; *University E.* folkeuniversitet.

extension| **ladder** hejsestige. ~ **table** udtræksbord.

extensive [ik'stensiv] *adj* udstrakt, vid, stor, omfattende; ~ *farming* ekstensiv drift.

extensor [ik'stensə] *sb (anat)* strækkemuskel.

extent [ik'stent] *sb* udstrækning, omfang; grad; område; *to a certain* ~ til en vis grad; *to a great* ~ i vid udstrækning; *to the* ~ *of £2000* helt op til £2000.

extenuate [ik'stenjueit] *vb* besmykke; formilde, undskylde *(fx nothing can* ~ *his crime)*; *extenuating circumstances* formildende omstændigheder.

extenuation [ikstenju'eiʃən] *sb* formildelse, undskyldning; *plead sth in* ~ fremføre noget som formildende omstændighed. **extenuatory** [iks'tenjuətəri] *adj* undskyldende, formildende.

exterior [ik'stiəriə] *adj* ydre; udvendig; udenrigs-; *sb* ydre, udvortes; ydre form; eksteriør; ~ *to* uden for, fjernt fra.

exterminate [eks'tə:mineit] *vb* udrydde. **extermination** [ekstə:mi'neiʃən] *sb* udryddelse; *(am)* tilintetgørelseslejr. **exterminator** [eks'tə:mineitə] *sb* kammerjæger, desinfektør; insektpulver.

external [ik'stə:nəl] *adj* ydre, udvendig, udvortes; *(pol)* udenrigs-; ~ *evidence* ydre indicier; ~ *examiner* fremmed censor; *for* ~ *use* til udvortes brug.

externals [ik'stə:nəlz] *sb pl* det ydre, det udvortes *(fx we should not judge people by* ~); ydre former (, ceremonier) *(fx the* ~ *of religion)*.

exterritorial ['eksteri'tɔ:riəl] *adj* eksterritorial, som ikke er underkastet opholdsstatens jurisdiktion.

extinct [ik'stiŋkt] *adj* udslukt *(fx volcano)*, slukket *(fx fire)*; uddød *(fx species)*; ophævet *(fx custom)*.

extinction [ik'stiŋkʃən] *sb* (ud)slukning; uddøen; ophævelse; tilintetgørelse; udslettelse.

extinguish [ik'stiŋgwiʃ] *vb* slukke; udslukke; udslette, bringe ud af verden; stille i skygge, fordunkle.

extinguisher [ik'stiŋgwiʃə] *sb* lyseslukker; slukningsapparat.

extirpate ['ekstə:peit] *vb* udrydde; fjerne.

extirpation [ekstə:'peiʃən] *sb* udryddelse; fjernelse.

extol [iks'tol] *vb* prise, hæve til skyerne.

extort [iks'tɔ:t] *vb:* ~ *from* afpresse; aftvinge; fravriste.

extortion [iks'tɔ:ʃən] *sb* pengeafpresning, optrækkeri.

extortionate [iks'tɔ:ʃənit] *adj* hård, ublu; ~ *interest* åger-

renter.

extortioner [iks'tɔ:ʃənə] *sb* udsuger, optrækker.

extra ['ekstrə] *adj, adv* ekstra; som ligger *el* befinder sig udenfor; *sb* ekstraudgave, ekstranummer; (films)statist; *(mht* betaling) ekstraudgift, tillæg, noget der betales ekstra for; *fire and light are -s* varme og lys beregnes ekstra *(el* er ikke indbefattet i betalingen).

I. extract [iks'trækt] *vb* trække ud *(fx a tooth)*; trække op *(fx a letter from one's pocket)*; *(fig)* uddrage *(fx the main points from the memo)*; (om ekstrakt) udtrække; (om mineral *etc)* udvinde *(fx oil from shale)*; ~ *the necessary information from him* få *(el.* hale) de nødvendige oplysninger ud af ham; ~ *a promise from him* aftvinge ham et løfte; ~ *pleasure from* få glæde af; ~ *the square root* uddrage kvadratroden.

II. extract ['ekstrækt] *sb* ekstrakt, udtræk, essens *(fx vanilla* ~); *(af bog etc)* uddrag, ekstrakt, udpluk, citat.

extraction [iks'trækʃən] *sb* ekstrakt, udtræk; (om slægtskab) afstamning, herkomst *(fx he is of French* ~); ekstraktion; *(cf I.* extract) udtrækning *(fx of a tooth)*; optrækning; udvinding *(fx of oil)*; uddragning. **extraction rate** udvindingsprocent; (om korn) formalingsprocent.

extractive [iks'træktiv] *adj* som kan uddrages; udtræknings-, udvindings-; *sb* uddrag, ekstrakt.

extractor [iks'træktə] *sb* (patron)udtrækker; *(tandl)* ekstraktionstang.

extraditable ['ekstrədaitəbl] *adj* som falder ind under bestemmelserne om udlevering.

extradite ['ekstrədait] *vb* udlevere (en forbryder).

extradition [ekstrə'diʃən] *sb* udlevering (af forbryder); ~ *treaty* udleveringstraktat.

extrajudicial ['ekstrədʒu'diʃəl] *adj* ekstrajudiciel, udenretslig (ɔ: som sker uden for retten).

extramarital ['ekstrə'mæritəl] *adj* uden for ægteskabet; ~ *relations* uægteskabelige forbindelser.

extramural ['ekstrə'mjuərəl] *adj* som befinder sig uden for murene; som finder sted uden for en institution (især universitet); ~ *courses (omtr)* folkeuniversitetskurser.

extraneous [iks'treinjəs] *adj* fremmed; uvedkommende; ~ *to the subject* emnet uvedkommende.

extraordinary [iks'strɔ:din(ə)ri] *adj* overordentlig; usædvanlig, mærkværdig, mærkelig; ekstraordinær.

extraparochial ['ekstrəpə'roukjəl] *adj* udensogns.

extrapolate ['ekstrə'pəleit] *vb (mat.)* ekstrapolere; *(fig)* slutte ud fra foreliggende kendsgerninger.

extrasensory ['ekstrə'sensəri] *adj* oversanselig; ~ *perception* modtagelse af bevidsthedsindtryk som ikke foregår gennem de alm sanser *(fx* ved clairvoyance *el* telepati).

extra time (i fodbold) omkamp.

extravagance [ik'strævigəns] *sb* ødselhed, ekstravagance; luksus *(fx an* ~ *one can't afford)*; urimelighed; overdrivelse; overspændthed.

extravagant [ik'strævigənt] *adj* ødsel, ekstravagant; urimelig; overdreven; overspændt; vild, rablende.

extravaganza [ekstrævə'gænzə] *sb* regelløs komposition; fantasi(stykke); *(teat)* farce; udstyrsstykke; *(fig)* løssluppenhed.

extravasated [ik'strævəseitid] *adj* udsivet (om blod); blodunderløben. **extravasation** [ekstrævə'seiʃən] *sb* udsivning (af blod); blodunderløben plet.

extravehicular ['ekstrəvə'hikjulə] *adj* som finder sted uden for rumfartøjet; ~ *activity* rumvandring, månevandring.

extreme [ik'stri:m] *adj* yderst *(fx the* ~ *edge of the field; the* ~ *left)*; sidste *(fx hopes)*; yderliggående *(fx views)*, radikal, voldsom; ekstrem; meget stor, overordentlig *(fx joy, danger, exactitude)*; *sb* yderste ende, yderste grænse; yderpunkt; yderlighed *(fx go to -s)*; ekstrem; *(glds)* vanskelighed, fare; *the* ~ *penalty of the law* lovens strengeste straf (ɔ: dødsstraffen); *in* ~ *old age* i en høj alderdom, i en meget høj alder; *-s meet* modsætningerne mødes; *in the* ~ yderst *(fx he is troublesome in the* ~).

extremely [ik'stri:mli] *adv* yderst, højst, overordentlig.

extreme unction *(rel)* den sidste olie.

extremist [ik'stri:mist] *sb* ekstremist, person med yderliggående meninger.

extremities [ik'stremitiz] *sb pl* yderligheder; *(anat)* ekstremiteter, hænder og fødder.

extremity [ik'stremiti] *sb* yderste ende; højeste grad; yderste forlegenhed (, nød, ulykke); (se også *extremities*).

extricate ['ekstrikeit] *vb* vikle ud, udfri, befri; få løs; hjælpe ud *(from* af); ~ *oneself from* rede sig ud af *(fx a difficult situation)*. **extrication** [ekstri'keiʃən] *sb* udredning, befrielse.

extrinsic [ek'strinsik] *adj* udvortes, ydre; udefra kommende; udefra virkende.

extrovert ['ekstrəvə:t] *adj (psyk)* udadvendt, ekstroverteret.

extrude [ik'stru:d] *vb* udstøde, uddrive; *(tekn)* strengpresse. **extrusion** [ik'stru:ʒən] *sb* udstødelse, uddrivelse; *(tekn)* strengpresning, strengpresset artikel.

exuberance [ig'zju:bərəns] *sb* overflod, fylde, yppighed.

exuberant [ik'zju:bərənt] *adj* overstrømmende, yppig, rig, frodig.

exudation [eksju:'deiʃən] *sb* udsivning, udsvedning, udsondring. **exude** [ig'zju:d] *adj* udsive, udsvede, udsondre; udsondres; *(fig)* udstråle *(fx he -d enthusiasm)*.

exult [ig'zʌlt] *vb* juble, triumfere *(at, over* over). **exultant** [ig'zʌltənt] *adj* jublende, triumferende. **exultation** [egzʌl'teiʃən] *sb* jubel, triumferen.

exx. *fk examples*.

eyas ['aiəs] *sb* falkeunge.

I. eye [ai] *sb* øje, blik; øje (på nål), øsken; løkke, malle *(hook and* ~ hægte og malle);

a *black* ~ et blåt øje; *for the sake of our bright -s* for vore blå øjnes skyld; *catch sby's* ~, se I. *catch; feast one's -s on* glæde sig ved synet af; *-s front!* se lige ud! *the* ~ *is greater than the appetite* maven bliver mæt før øjnene; *I can see that with* **half an** ~ det kan jeg se med et halvt øje; *if you had half an* ~ hvis du havde øjne i hovedet; **have an** ~ *for* have blik for, have sans for; *have one's* ~ *on* have et godt øje til; have i kikkerten; *have an* ~ *to* se på, skele til; *have all one's -s about one,* **keep** *one's -s open (el. skinned el. peeled)* passe godt på, have øjnene med sig; *keep an (el one's)* ~ *on* holde øje med; *keep an* ~ *out for* være på udkig efter; *make -s at sby* 'skyde' til en, lave øjne til en; *mind your* ~*!* pas på! *the mind's* ~ det indre øje; **my** ~*!* ih, du store! *all my* ~ T sludder; *that is all my* ~ *(and Betty Martin)* sludder (og

vrøvl); det gælder til Wandsbek; *make sby* **open** *his -s* få en til at spærre øjnene op; *open sby's -s to* åbne ens øjne for; *-s right!* se til højre! *run one's* ~ *over (el. through)* lade blikket glide hen over; *see* ~ *to* ~ *with* være enig med; *set -s on* se (for sine øjne) *(fx I have never set -s on him); be unable to take one's* ~ *off* ikke kunne få øjnene fra; *turn a blind* ~ *to (el. on)* lukke øjnene for, se gennem fingre med;

(forb med *præp) by* ~ på øjemål; *do sby in the* ~ T snyde en; *that was a slap (el. one) in the* ~ *(for me)* S det var en værre afbrænder; *find favour in his -s* finde nåde for hans øjne; *in the* ~ *of the law* set med lovens øjne; *in the* ~ *of the wind* lige imod vinden; *be up to the -s in debt* sidde i gæld til op over begge ører; *with an* ~ *to that* med det for øje, med henblik på det.

II. eye [ai] *vb* se på, betragte *(fx he -d me suspiciously); mønstre, måle; *he -d him from head to foot* han målte ham fra øverst til nederst.

eye|ball øjæble. **-bath** øjen(bade)glas. **-bolt** øjebolt. **-bright** *(bot)* øjentrøst. **-brow** øjenbryn. **-catcher:** *it is an -catcher* det falder i øjnene, det har blikfang. **-catching** iøjenspringende. **-cup** *(am)* = *-bath*. ~ **disease** øjensygdom. ~ **doctor** øjenlæge.

eyeful ['aiful] *sb* S dejligt syn, køn pige; *he got an* ~ han fik set sig mæt.

eye|glass monokel; okular; øjen(bade)glas. **-glasses** briller, lorgnet. **-guard** beskyttelsesbriller. **-hole** øjenhule. **-lashes** øjenhår, øjenvipper. **-less** uden øjne, blind.

eyelet ['ailit] *sb* snørehul, lille åbning.

eye|lid øjenlåg. **-minded** visuelt indstillet. ~ **-opener** T *(omtr)* morgenbitter; opstrammer; overraskelse; *that was an* ~ *-opener for him* det åbnede hans øjne, det gav ham et nyt syn på sagen. **-piece** okular. **-shade** øjenskærm. ~ **shadow** øjenskyggecreme. **-shot** synsvidde *(fx out of -shot)*. **-sight** syn *(fx my -sight is failing)*; synsvidde. ~ **socket** øjenhule. **-sore** noget som støder øjet *(fx* en grim bygning), skamplet, (en) torn i øjet. **-tooth** hjørnetand; *cut one's -teeth* blive voksen. **-wash** øjenbadevand; S bluff. **-winker** *(am)* øjenvippe; 'noget i øjet'. **-witness** øjenvidne.

eyot [eit] *sb* lille ø, holm.

eyrie, eyry ['aiəri] *sb* rovfuglerede.

F [ef]. **F.** *fk Fahrenheit; Fellow; French; Friday.*
f. *fk feminine; folio; foot; forte; franc.*
F.A. *fk Football Association.*
Fabian ['feibjən] *adj* klogt nølende; hørende til *the Fabian Society.*
fable ['feibl] *sb* fabel, opdigtet historie; sagn; *vb* opdigte; fortælle noget opdigtet.
fabled ['feibld] *adj* opdigtet; eventyrlig, sagnagtig.
fabric ['fæbrik] *sb* (vævet) stof *(fx woollen -s), (fig)* væv *(fx a ~ of lies);* indre sammensætning, system, struktur *(fx the ~ of society);* vævning *(fx a cloth of exquisite ~);* bygningsværk.
fabricate ['fæbrikeit] *vb* opdigte *(fx a charge* en anklage); forfalske *(fx a document);* fremstille, lave.
fabrication [fæbri'keiʃən] *sb* opdigtet *(el løgnagtig)* beretning; opspind; falskneri; *(cf fabricate)* opdigtning; forfalskning; fremstilling.
fabulist ['fæbjulist] *sb* fabeldigter; løgner.
fabulous ['fæbjuləs] *adj* sagn- *(fx heroes),* fabel-; T utrolig, fabelagtig *(fx wealth),* eventyrlig.
façade [fə'sa:d] *sb* facade.
I. face [feis] *sb* ansigt; ansigtsudtryk, mine *(fx a sad ~);* udseende; overflade *(fx the ~ of the earth);* (af krystal *etc)* flade; (forside *etc)* forside, yderside, (af hus) facade; (af ur) urskive; (på hammer, ambolt) bane; *(typ)* skriftsnit, skriftbillede; hoved (af type); T uforskammethed, frækhed;
  full ~ (om portræt) en face; **have** *the ~ to say no* have den frækhed at sige nej; *in the ~ of* over for *(fx the enemy);* til trods for, trods *(fx many difficulties);* (se også I. *fly);* *look him in the ~* se ham i øjnene; *slam the door in his ~* smække døren i for næsen af ham; **lose** *(one's)* ~ tabe ansigt; **make** *a ~ (el. -s)* skære ansigter; *make (el. pull el. wear) a long ~* være (, blive) lang i ansigtet; **on** *the ~ of it* tilsyneladende; overfladisk set; *that* **puts** *an entirely new ~ on the matter* det stiller sagen i et helt nyt lys; *put a good (el. bold) ~ on it* gøre gode miner til slet spil; **save** *one's* ~ redde sin anseelse, redde skinnet, redde ansigtet; **set** *one's ~ against it* sætte sig imod det; **show** *one's ~* vise sig, lade sig se; *~* **to** *~ with* ansigt til ansigt med; *he told him to his ~ that* han sagde ham lige op i ansigtet at.
II. face [feis] *vb* stille sig ansigt til ansigt med, vende ansigtet imod *(fx he -d the orchestra);* ligge (, stå *etc)* lige over for; vende (ud) imod *(fx the house -s the park); (fig)* stå over for *(fx difficulties);* se lige i øjnene, trodse *(fx the danger);* (dække:) beklæde, belægge; (om tøj) besætte, kante, forsyne med opslag; *~ letters* vaske breve op (ɔ: lægge dem med adresserne samme vej); *~ the music* tage skraldet; *~ the question* se sagen lige i øjnene; *about ~!* omkring! *left ~!* venstre om! *right ~!* højre om! *~ down* kue, intimidere, byde trods; *~ it out* ikke ville give sig; dristigt holde på sit; *~ up to the danger* dristigt se faren i øjnene; *be -d with* være stillet over for, stå over for *(fx we are -d with a crisis).*
face| ache ansigtssmerter; **T** hæslighed. *~* **card** *(am)* billedkort. *~* **cloth** vaskeklud; klæde *(fx a jacket of ~ cloth).* *~* **flannel** vaskeklud. *~* **-lift(ing)** ansigtsløftning.
face-off ['feis ɔf] *sb* (i ishockey) det at puck'en gives op af dommeren; *(fig)* konfrontation.
facer ['feisə] *sb* slag i ansigtet, slem overraskelse.
face-saving *adj* som skal redde ansigtet *(el* skinnet).
facet ['fæsit] *sb* facet; *vb* facettere.
facetiae [fə'si:ʃii:] *sb pl* vittige indfald; humoristisk litteratur; anekdotesamling.
facetious [fə'si:ʃəs] *adj* spøgende, (anstrengt) spøgefuld.
face value pålydende værdi; *accept it at its ~ (fig)* tage det for hvad det giver sig ud for, tage det for gode varer.
facia ['feiʃə], *(am)* 'fæʃə] *sb* instrumentbræt; butiksskilt (med indehaverens navn).

facial ['feiʃəl] *adj* ansigts- *(fx expression); sb* ansigtsbehandling, ansigtsmassage; *~ angle* ansigtsvinkel.
facile ['fæsail] *adj* let *(fx victory);* (let) tilgængelig; (let)-flydende *(fx style, verse); (neds)* letkøbt, overfladisk; (om person) behændig; *(neds)* eftergivende, føjelig; (elskværdig:) facil.
facilitate [fə'siliteit] *vb* lette.
facilitation [fəsili'teiʃən] *sb* lettelse.
facility [fə'siliti] *sb (cf facile)* lethed; færdighed; føjelighed; (lejlighed til at gøre noget) mulighed *(fx special facilities for learning English);* let adgang; *facilities* (også:) (hjælpe)midler, faciliteter; anlæg; *modern facilities* moderne bekvemmeligheder.
facing ['feisiŋ] *adj* med ansigtet mod, med front mod; *sb* (på tøj) besætning, kantning; opslag; *(arkit)* (væg-, facade-)beklædning; *(mil.)* vending; *put him through his -s* prøve hvad han duer til.
facing wall skalmur.
facsimile [fæk'simili] *sb* faksimile; *vb* faksimilere.
fact [fækt] *sb* kendsgerning, faktum *(fx it is a ~);* omstændighed, forhold; kendsgerninger, virkelighed *(fx ~ and fiction),* realiteter; *in ~* i virkeligheden, faktisk; endog, ja *(fx I disliked him, in ~ I hated him); the ~ is that* sagen er (den) at; *the -s of life* livets realiteter; *tell him the -s of life* fortælle ham hvor de små børn kommer fra; *matter of ~,* se I. *matter; the ~ remains that* det står (i hvert fald) fast at.
fact-finding committee undersøgelseskommission.
faction ['fækʃən] *sb* parti; klike; klikevæsen; uenighed, strid. **factious** ['fækʃəs] *adj* oprørsk; urolig; klike-.
factitious [fæk'tiʃəs] *adj* kunstig; tillært, uægte.
factitive ['fæktitiv] *adj:* *a ~ verb* et verbum der har objekt og objektsprædikat *(fx they made him a judge).*
factor ['fæktə] *sb* faktor; *(merk)* agent, kommissionær.
factorage ['fæktəridʒ] *sb* kommission.
factory ['fæktəri] *sb* fabrik; *(glds)* faktori, handelsstation; *Factory Acts* arbejderbeskyttelseslove, fabrikslovgivning; *~ girl* fabriksarbejderske; *~ hand* fabriksarbejder.
factotum [fæk'toutəm] *sb* faktotum, altmuligmand, 'højre hånd'.
factual ['fæktjuəl] *adj* faktisk, virkelig; saglig, nøgtern.
faculty ['fækəlti] *sb* evne *(fx creative faculties),* anlæg; (ved universitet) fakultet, *(am* også) lærerstab; *the ~* **T** (især:) lægestanden; *(mental) faculties* åndsevner; *he is still in possession of all his faculties* han er stadig åndsfrisk.
fad [fæd] *sb* indfald, grille, lune; kæphest, mani.
faddish ['fædiʃ] *adj* besat af en idé *el* en mani; sær.
faddist ['fædist] *sb* en der er besat af en idé *el* en mani, monoman person.
faddy ['fædi] *adj* monoman; sær.
fade [feid] *vb* falme; visne; *~ away* svinde bort, forsvinde (lidt efter lidt), dø hen, fortone sig; *~ in* (i film) optone; *~ out* forsvinde (lidt efter lidt); (i film) udtone; (om lyd) udtone, dø hen, fade. **faded** *adj* visnet; falmet.
fade-in ['feidin] *sb* (i film, om lyd) optoning.
fadeless ['feidlis] *adj* farveægte, solægte; uvisnelig.
fade-out ['feidaut] *sb* (i film, om lyd) udtoning.
fading ['feidiŋ] *sb* (i radio) fading.
faecal ['fi:kəl] *adj* ekskrement-.
faeces ['fi:si:z] *sb pl* afføring, ekskrementer.
faery ['feəri] *sb,* se *fairy.*
fag [fæg] *sb* (på kostskole) mindre elev, som må opvarte ældre skolekammerat(er); **T** slid, træarbejde; **S** cigaret, smøg; *(am* **S)** bøsse (ɔ: homoseksuel); *vb* trælle, slide og slæbe; (på kostskole) være *fag;* (med objekt) trætte, udmatte.
fag-end ['fæg'end] *sb* tarvelig rest; sidste ende; (af cigaret *etc)* stump, 'skod'.
fagged (out) ['fægd (aut)] *adj* udaset.

faggot, fagot ['fægət] *sb* brændeknippe, risbundt; (slags) frikadelle (af hakket lever); **S** gammel kælling.
Fahrenheit ['færənhait, 'faːr-] Fahrenheit, fahrenheitstermometer.
faience [fai'aːns] *sb* fajance.

I. fail [feil] *vb* svigte *(fx don't ~ him in his need)*, lade i stikken; *(ved eksamen)* dumpe i *(fx he -ed history)*, dumpe til *(fx a test)*, (om lærer) lade dumpe; (uden objekt) mislykkes, slå fejl *(fx the attack -ed; the crop (høsten) -ed)*; svigte *(fx his courage -ed; his voice -ed; the brake -ed)*; (om person) fejle, have uheld med sig; (økonomisk) gå fallit; (ved eksamen) falde igennem, dumpe; *(mht* styrke) blive svag(ere) *(fx his eyesight is -ing)*; *he is -ing rapidly* det går hurtigt ned ad bakke med ham; *words ~ me* jeg mangler ord;
~ **in** mangle *(fx he -s in respect)*, savne; ~ *in one's duty* svigte sin pligt; ~ *in one's object* ikke nå sit mål; ~ **to** være ude af stand til at, ikke kunne *(fx I ~ to see why)*; undlade at, forsømme at *(fx he -ed to let me know)*; *he -ed to do it* (også) han gjorde det ikke; ~ *to obtain* gå glip af; *he -ed to obtain the post* (også) det lykkedes ham ikke at få stillingen.
II. fail [feil] *sb: without ~* aldeles bestemt *(fx I'll come without ~)*.
failing ['feiliŋ] *sb* skavank, svaghed, fejl *(fx we all have our little -s)*; *præp* i mangel af; ~ *an answer* hvis der ikke kommer svar; ~ *that (, this, which)* i mangel heraf, ellers, i modsat fald.
fail-safe ['feilseif] *adj* fejlsikker.
failure ['feiljə] *sb* aftagen, svigten *(fx of supplies, of eyesight, of strength)*; fiasko *(fx the campaign was a ~)*; mislykket bestræbelse (, forsøg), nederlag *(fx he succeeded after many -s)*, fejlslagning, sammenbrud *(fx the ~ of the attack)*, *(merk)* betalingsstandsning, fallit; (om person) mislykket individ, fiasko; *the ~ of his health* hans svigtende helbred; *the ~ of the crops* den fejlslagne høst; ~ *to do sth* undladelse *(el* forsømmelse) af at gøre noget; *the reason for their ~ to appear* grunden til at de ikke kom.
fain [fein] *(glds)*: *would ~* ville gerne *(fx he would ~ go)*; *be ~ to* være nødt til.
fains [feinz] *interj* **S:** ~ *I keeping goal!* fri for at stå i mål!
I. faint [feint] *sb* afmagt, besvimelse; *she went off in a ~* hun besvimede.
II. faint [feint] *adj* svag *(fx sound, attempt)*; mat; udmattet *(fx with hunger)*; kraftløs; frygtsom; (om vind) flov; *I have not the -est idea* jeg har ikke den fjerneste anelse (om det); ~ *heart never won fair lady (omtr)* hvo intet vover intet vinder.
III. faint [feint] *vb* besvime *(fx she -ed with hunger)*; blive svag; (om lyd) dø hen.
faint-hearted ['feint'ha:tid] *adj* forsagt, frygtsom, forknyt.
fainting fit besvimelse.
I. fair [fɛə] *adj* retfærdig; fair, ærlig; reel *(fx treatment)*; rimelig *(fx share* andel; *prices)*; (om kvalitet *etc)* god; antagelig, jævn, nogenlunde (god) *(fx income)*; hæderlig; (uden plet, fejl) ren, pletfri *(fx reputation)*; (om farve) blond, lys *(fx hair)*; *(glds)* fager, skøn; (om vejr) godt; (på barometret) smukt vejr; **T** regulær, fuldkommen *(fx it was a ~ miracle)*; *adv* ærligt *(etc)*; lige, direkte *(fx I hit him ~ on the chin)*;
all is ~ in love and war i kærlighed og krig gælder alle kneb; *bid ~ to* se *bid*; ~ *enough!* lad gå (med det)! det bøjer jeg mig for! all right! ~ *fight* ærlig kamp; *fight ~* kæmpe efter reglerne; *by ~ means or foul*, se **III.** *foul*; ~ *promises* gyldne løfter; *be on the ~ side of forty* være under 40; *you cannot say -er than that* det er virkelig alt hvad man kan forlange; *speak him ~ (glds)* tale høfligt til ham; ~ *and square* ærlig; *the ~* de skønne; ~ *to middling* nogenlunde *(fx the weather is ~ to middling)*; *be in a ~ way to* være godt på vej til (at) *(fx he is in a ~ way to ruin himself)*; ~ *wind* gunstig vind; ~ *words butter no parsnips*, se *butter*.
II. fair [fɛə] *sb* marked, messe, basar; *a day after the ~* en postgang for sent, post festum.
fair| comment se *comment*. ~ **copy** renskrift. ~ **cow S** rædselsfuld. ~ **dealing** ærlighed. ~ **draft** renskrift. ~ **game** lovligt vildt; *(fig)* taknemligt offer; *he is ~ game* (også)

han må altid holde for *(el* stå for skud). ~ **ground** markedsplads. ~ **-haired** *adj* lyshåret; ~ **-haired boy** yndling, protegé.
fairing ['fɛəriŋ] *sb* markedsgave; *(flyv)* strømlinjebeklædning, strømlinjeskærm.
fairlead ['fɛəliːd] *sb (mar)* skødeviser, klys.
fairly ['fɛəli] *adv* retfærdigt; temmelig, ganske *(fx ~ good)*; rigtigt, ordentlig, helt *(fx ~ awake)*; *he ~ scolded me* han skældte mig ligefrem ud; *he judged me ~* han dømte mig retfærdigt.
fair-minded *adj* retsindig.
fairness ['fɛənis] *sb* retfærdighed, fairness, ærlighed, rimelighed; (om hår) blondhed, lyshed; *(glds)* skønhed; *in ~* retfærdigvis; når man skal være retfærdig; *in ~ I must add* jeg skylder retfærdigheden at tilføje.
fair| play ærligt spil; retfærdig behandling. ~ **sex:** *the ~ sex* det smukke køn. ~ **-spoken** ['fɛə'spoukən] *adj* høflig, beleven. **-to-middling** nogenlunde (god), hæderlig. **-way** sejlløb, farvand.
fair-weather *adj:* ~ *friend* upålidelig ven; ~ *sailing* magsvejrssejlads; ~ *sailor* bolværksmatros.
fairy ['fɛəri] *sb* fe, alf; **S** homoseksuel; *adj* feagtig, trolddomsagtig, fe-, alfe-.
fairy| land eventyrland. ~ **lights** *pl* kulørte lamper. ~ **ring** heksering (ɔ: svampe); *(bot)* elledans-bruskhat. ~ **story**, ~ **tale** eventyr.
faith [feiθ] *sb* tro *(in på)*, tillid *(in til)*; troskab; *breach of ~* løftebrud, tillidsbrud, illoyalitet; *break ~ with* bedrage, forråde; *the Christian ~* den kristne tro; *by (my) ~!* på ære, ærlig talt, sandelig; *in bad ~* mod bedre vidende; *in good ~* i god tro.
faithful ['feiθful] *adj* tro, trofast, redelig, nøjagtig; troende; *yours -ly* med højagtelse.
faithless ['feiθlis] *adj* troløs; vantro.
I. fake [feik] *sb* bugt (af en tovrulle).
II. fake [feik] *vb* forfalske; eftergøre *(fx antiques)*; 'pynte på' *(fx a report)*; simulere *(fx surprise, illness)*; *sb* forfalskning, svindel; *adj* **T** uægte, falsk; ~ *up* pynte på, forfalske; lave sammen.
fakir ['feikiə] *sb* fakir.
falcate ['fælkeit] *adj* seglformet.
falchion ['fɔːltʃən] *sb* kort, bred, krum sabel.
falciform ['fælsifɔːm] *adj* seglformet.
falcon ['fɔːlkən, 'fɔːkən] *sb* falk.
falconer ['fɔː(l)k(ə)nə] *sb* falkoner.
falconry ['fɔː(l)kənri] *sb* falkejagt, falkeopdræt.
falderal ['fældə'ræl] *sb* værdiløs bagatel, dims; sludder; (i sang) faldera.
faldstool ['fɔːldstuːl] *sb* bedestol; korpult.
Falkland ['fɔːlklənd].
I. fall [fɔːl] *vb (fell, fallen)* falde, synke; aftage; (om mørke, tavshed) sænke sig *(on* over); (om får, hare) fødes; (med *adj)* blive *(fx lame, silent, ill)*;
~ *a-crying* stikke i at græde; *his face fell* han blev lang i ansigtet; *his heart fell* hans mod sank; *night fell* (også) natten faldt på; ~ *a victim to* blive offer for *(fx she fell a victim to his revenge)*; *the wind fell* vinden løjede af; *(forb med præp, adv)* ~ *about* **S** grine højt; ~ *astern* blive sejlet agterud; ~ *away* tabe sig, blive svagere; falde fra; ~ *back* trække sig tilbage *(on* til), falde tilbage *(on* på); ~ *behind* sakke agterud; komme bagefter, komme i restance *(in* med); ~ *calm* stilne af; ~ *down on* **T** ikke klare *(fx a job)*, ikke overholde, svigte *(fx one's promise)*; ~ *due*, se *due*; ~ *for* blive forelsket i, falde for; lade sig imponere af *(el*. narre) af, hoppe på; ~ *foul of*, se *foul*; ~ *in* styrte sammen *(fx the roof fell in)*; stille sig på plads, *(mil.)* træde an, stille; udløbe, ophøre (om pension); forfalde til betaling; ~ *in love* blive forelsket *(with* i); ~ *in with* træffe sammen med; falde sammen med, stemme overens med; gå ind på, efterkomme, tiltræde (et forslag);
~ *into* munde ud i (om flod); ~ *into bad habits* lægge sig dårlige vaner til; ~ *into the habit of ...* komme i vane med ...., forfalde til ...; ~ *into line* stille sig op (i geled); ~ *into line with (fig)* erklære sig enig i, tilslutte sig; ~ *off* falde af; være i tilbagegang, falde, gå tilbage; blive mindre; falde fra, svigte; *(mar)* falde af; ~ *'on* tage fat *(fx på måltid)*; ~ *on* overfalde; tilfalde; træffe på;

komme på *(fx an idea); ~ on one's feet* slippe godt fra det, komme ned på benene; *he fell on hard times (el. evil days)* der kom vanskelige tider for ham; ham kom i nød; **~ out** falde ud; falde af; hænde; blive uvenner *(with* med); *(mil.)* (lade) træde af; **~ over** styrte ned; falde over; falde (omkuld); *~ over oneself* (være ved at) falde over sine egne ben; *(fig) =* **~** *over backwards* gøre sig alle mulige anstrengelser; **~ short** ikke nå målet; være utilstrækkelig; slippe op; *~ short of* ikke opfylde, ikke nå op til; **~ through** falde igennem, mislykkes; **~ 'to** tage fat *(fx* på måltid), lange til fadet; begynde at slås; *~ to* henfalde til; give sig til; tilfalde; *~ to blows* komme i slagsmål; *~ to pieces* falde sammen; *~ to work* tage fat; *~ under* falde ind under, høre til; komme ind under; *~ upon = ~ on.*

II. fall [fɔ:l] *sb* fald; nedgang *(fx a ~ in prices);* (ofte *pl)* vandfald *(fx the Niagara Falls);* bryde(r)tag; *(am)* efterår *(fx in the ~ of 1970); have a ~* falde; *the Fall of Man* syndefaldet; *~ of rain* nedbør, regnmængde; *try a ~* with tage en dyst med, tage det op med.

fallacious [fə'leiʃəs] *adj* fejlagtig; vildledende.

fallacy ['fæləsi] *sb* vildfarelse; forkert antagelse; fejlslutning.

fal-lals ['fæ'lælz] *sb pl* flitter, dingeldangel, stads; fiksfakserier, dikkedarer.

fallen ['fɔ:l(ə)n] *pp* af *fall; the ~* de faldne.

fall guy *(am* S) let offer; syndebuk.

fallibility [fæli'biliti] *sb* fejlbarhed.

fallible ['fælibl] *adj* fejlbar, som kan begå fejl.

falling| sickness *(glds)* faldende syge, epilepsi. **~ star** stjerneskud.

Fallopian [fæ'loupiən] *~ tube (anat)* æggeleder.

fallout ['fɔ:laut] *sb* (radioaktivt) nedfald.

fallow ['fælou] *adj* gulbrun; brak; *sb* brak(jord), brakmark, brakpløjning; *vb* lægge brak; *lie ~, be in ~* ligge brak.

fallow deer dådyr.

Falmouth ['fælməθ].

false [fɔ:(:)ls] *adj* falsk; usand, urigtig; uægte, forloren; uærlig, utro; *play sby ~* narre en; *sail under ~ colours* føre falsk flag.

falsehood ['fɔ:(:)lshud] *sb* usandhed, løgn; usandfærdighed; *tell a ~* sige en usandhed.

false| imprisonment uforskyldt fængsling; ulovlig frihedsberøvelse. **~ keel** *(mar)* stråkøl. **~ start** tyvstart; *(fig)* mislykket forsøg; *get a ~ start* snuble i starten; komme skævt ind på det.

falsetto [fɔ:l'setou] *sb* falset.

falsies ['fɔ:(:)lsiz] *sb pl* indlæg (i brystholder).

falsification [fɔ:(:)lsifi'keiʃən] *sb* forfalskning; gendrivelse.

falsifier ['fɔ:(:)lsifaiə] *sb* forfalsker; løgner.

falsify ['fɔ:(:)lsifai] *vb* forfalske; gendrive; gøre til skamme; skuffe *(fx my hopes were falsified).*

falsity ['fɔ:(:)lsiti] *sb* falskhed; usandhed; uvederhæftighed.

Falstaff ['fɔ:(:)lsta:f].

falter ['fælmə] *vb* vakle *(fx with -ing steps);* (om stemme) være usikker, skælve; *~ an excuse* fremstamme en undskyldning.

fame [feim] *sb* rygte; ry, berømmelse; *house of ill ~,* se *house; Lord Cardigan, of sweater ~* Lord C., berømt på grund af sweateren. **famed** [feimd] *adj* berømt.

familial [fə'miljəl] *adj* familie- *(fx ties, disease),* familiær *(fx conflicts).*

I. familiar [fə'miljə] *adj* velkendt *(fx I heard a ~ voice; this is ~ to me);* fortrolig *(fx I am not ~ with those technical terms);* familiær, intim *(fx don't be too ~ with him).*

II. familiar [fə'miljə] *sb* fortrolig ven, gammel bekendt; *(~ spirit)* dæmon, tjenende ånd; *(kat.)* familiar, inkvisitionstjener.

familiarity [fəmili'æriti] *sb* fortrolighed, familiaritet; *familiarities* intimiteter.

familiarize [fə'miljəraiz] *vb* gøre kendt; *~ oneself with* sætte sig ind i, gøre sig fortrolig med.

family ['fæmili] *sb* familie; børn; slægt; *he was one of a ~ of ten* han havde 9 søskende; *he has a wife and ~* han har kone og børn; *that happens in the best (of) families* det sker i de bedste familier; *in a ~ way* uden ceremo-

nier, i al tarvelighed; *in the ~ way* T gravid, i omstændigheder; *she is in the ~ way* (også: T) hun skal have en lille.

family| allowance forsørgertillæg; børnetilskud. **~ doctor** huslæge. **~ likeness** familielighed. **~ man** familiefader; familiemenneske. **~ name** efternavn. **~ planning** familieplanlægning, børnebegrænsning. **~ prayers** *pl* husandagt. **~ treasure** arvestykke, familieklenodie. **~ tree** stamtræ.

famine ['fæmin] *sb* hungersnød; mangel *(fx water ~);* **~** *prices* dyrtidspriser.

famish ['fæmiʃ] *vb* udhungre, tvinge ved sult, lade sulte ihjel; sulte, forsmægte; *I am -ed (el. -ing)* jeg er skrupsulten.

famous ['feiməs] *adj* berømt; T udmærket; glimrende *(fx he has a ~ appetite).*

fan [fæn] *sb* vifte; ventilator; *(agr)* kornrensemaskine; (om person) begejstret tilhænger, beundrer, entusiast *(fx a jazz-fan);* *vb* vifte *(fx ~ oneself);* rense; ægge, opflamme; *~ a fire* få en ild til at blusse op; *~ the flame* puste til ilden; *~ out* spredes (i vifteform).

fanatic [fə'nætik] *adj* fanatisk; *sb* fanatiker.

fanatical [fə'nætikl] *adj* fanatisk.

fanaticism [fə'nætisizm] *sb* fanatisme.

fancied ['fænsid] *adj* indbildt *(fx affronts);* yndlings- *(fx horse),* foretrukken.

fancier ['fænsiə] *sb* ynder, liebhaver, kender *(fx a rose-fancier);* opdrætter.

fanciful ['fænsif(u)l] *adj* fantastisk; forunderlig; naragtig; lunefuld.

I. fancy ['fænsi] *sb* indbildningskraft, fantasi; indbildning *(fx it is mere ~),* forestilling *(fx he had happy fancies of marrying an heiress);* indfald, grille, lune *(fx it was a passing ~);* lyst, liebhaveri; forkærlighed *(fx he had a ~ for early morning walks),* tilbøjelighed; sværmeri; kærlighed; *take a ~ to* kaste sin kærlighed på, få lyst til; *it will take (el. catch) his ~* det vil falde i hans smag.

II. fancy ['fænsi] *vb* tro, mene; tænke sig, forestille sig *(fx can you ~ him as a teacher?);* bilde sig ind; synes om *(fx I don't ~ this place),* have lyst til; *~ meeting you here!* tænk at man skulle træffe dig her! *~ oneself* bilde sig noget ind, være indbildsk; *he rather fancies himself* han har store tanker om sig selv.

III. fancy ['fænsi] *adj* fantasi-; mønstret, broget, pynte-, mode-; (om kvalitet) luksus-; (om dyr, *omtr)* race-.

fancy| ball kostumebal. **~ diving** udspring. **~ dress** karnevalsdragt, kostume. **~ fair** basar (i godgørende øjemed). **~ -free** *adj* løs og ledig, ikke forelsket. **~ goods** luksusartikler, galanterivarer. **~ man** S elsker, fyr; alfons. **~ material** mønstret stof. **~ paper** luksuspapir. **~ price** fabelagtig pris. **~ weaving** mønstervævning. **~ woman** elskerinde; prostituerede. **-work** fint håndarbejde, broderi.

fandango [fæn'dæŋgou] *sb* fandango.

fane [fein] *sb* helligdom, tempel.

fanfare ['fænfɛə] *sb* fanfare.

fanfaronade [fænfærə'na:d] *sb* praleri; fanfare.

fang [fæŋ] *sb* hugtand, gifttand; (hos edderkop) giftkrog; (af tand) rod; (på værktøj) angel.

fanlight ['fænlait] *sb* halvkredsformet vindue over en dør.

fan mail breve fra beundrere.

fanning mill *(agr, am)* renseblæser.

I. Fanny ['fæni] S medlem af *F.A.N.Y.*

II. fanny ['fæni] *sb (am)* S ende, bagdel.

III. Fanny: *(sweet) ~ Adams* S slet ingenting.

fan palm viftepalme.

fantail ['fænteil] *sb zo* højstjært.

fantasia [fæn'teiziə] *sb* fantasi.

fantastic [fən'tæstik] *adj* fantastisk, forunderlig, grotesk.

fantasy ['fæntəsi] *sb* fantasifuld idé, lune; fantasi.

fan vaulting *(arkit)* vifthvælvinger.

F.A.N.Y. *fk First Aid Nursing Yeomanry* (kvindeligt hjælpekors).

F.A.O. *fk Food and Agriculture Organization.*

far [fa:] *adj (farther, farthest; further, furthest)* fjern, langt borte, langt borte liggende; lang, vid; *adv* fjernt, langt; vidt; meget;

~ and away the best langt den bedste; *~ and near* nær og fjern; *~ and wide* vidt og bredt; *as ~ as* indtil, lige til; *as (el. so) ~ as I know* så vidt jeg ved; *~ away* langt

borte; *few and* ~ *between* få og sjældne; **by** ~ *the best* langt det bedste; *too difficult by* ~ alt for vanskelig; *not by* ~ langt fra; *carry it too* ~ drive det for vidt, over-drive det; *from the* ~ *end of the room* fra den modsatte ende af værelset; *I am* ~ **from** *wishing* jeg ønsker absolut ikke; *be it* ~ *from me to* det være langt fra mig at; *go* ~, se *go*; ~ *gone*, se *gone*; ~ *off* langt bort(e); ~ **on** *in the day* langt op ad dagen; ~ *on in the forties* højt oppe i fyrrerne; *the* ~ *side of the horse* hestens højre side; **so** ~ så langt; hidtil; for så vidt; *now that we have come so* ~ nu da vi er kommet så vidt; *in so* ~ *as* for så vidt som; *so* ~ *as to* i den grad at, så at; *so* ~ *so good* så vidt er alting i orden; (ofte:) det kan jeg altsammen gå med til (men ...).

farad ['færəd] *sb* farad (enhed for elektrisk kapacitet).
faraway ['fa:rəwei] *adj* fjern.
farce [fa:s] *sb (teat)* farce; *vb (glds)* farsere.
farcical ['fa:sikl] *adj* farceagtig.
farcy ['fa:si] *sb* snive (hestesygdom).
fardel [fa:dl] *sb (glds)* byrde.
I. fare [fɛə] *sb* billetpris, kørepenge, takst, betaling (for befordring); passager; kost, mad; *collect -s, come round for the -s* billettere; *-s, please; any more -s?* er alle billetteret? *bill of* ~ spiseseddel; *table of -s* taksttarif.
II. fare [fɛə] *vb* klare sig; spise og drikke, leve; *(glds)* fare, drage; *you may go further and* ~ *worse* vær tilfreds med hvad du har; *I had -d very ill* det var gået mig meget dårligt; *how -s it?* hvordan går det; *it -d well with us* det gik os godt.
Far East: *the* ~ Det fjerne Østen.
fare stage takstgrænse.
farewell ['fɛə'wel] *sb* farvel; *adj* afskeds-.
far|-famed ['fa:'feimd] *adj* navnkundig. ~ **-fetched** ['fa:-'fetʃt] *adj* søgt, unaturlig; usandsynlig. ~ **-flung** vidt-strakt. ~ **-gone** *(fig)* langt nede *(el* ude); se også *gone*.
farina [fə'rainə] *sb* mel; blomsterstøv.
farinaceous [færi'neiʃəs] *adj* melet, melagtig; stivelsesholdig *(fx food).*
farinose ['færinous] *adj* melet.
farm [fa:m] *sb* (bonde)gård, avlsgård; farm; *vb* dyrke (jorden), drive (en gård *etc); (hist,* om skat) forpagte, bort-forpagte; ~ *out* (om person) sætte i pleje (mod betaling); (om arbejde) videregive, lade udføre af andre; *(hist)* bortforpagte.
farmer ['fa:mə] *sb* landmand, bonde; farmer; *(hist,* om skat) forpagter.
farm|hand *(am)* landarbejder, karl. **-house** bondegård, stuehus, forpagterbolig. **-ing** ['fa:miŋ] *sb* landbrug. **-stead** ['fa:msted] *sb* bondegård.
farmyard ['fa:mja:d] *sb* (bondegårds) gårdsplads; ~ *manure* staldgødning.
faro ['fɛərou] *sb* faraospil (hasardspil).
Faroe Islands ['fɛərou'ailəndz]: *the* ~, *the Faroes* Færø-erne.
Faroese [fɛərə'i:z] *adj* færøsk; *sb* færøsk; færing.
far-off ['fa:rɔf] *adj* fjerntliggende, fjern; ~ *days* længst forsvundne dage.
farouche [fə'ru:ʃ] *adj* sky, genert, vild.
far-out ['fa:raut] *adj (am)* outreret, fantastisk.
Farquhar ['fa:k(w)ə].
farrago [fə'ra:gou] *sb* blanding, miskmask, rodsammen.
far-reaching ['fa:'ri:tʃiŋ] *adj* vidtrækkende.
farrier ['færiə] *sb* beslagsmed, grovsmed.
farriery ['færiəri] *sb* beslagsmedje; beslaglære.
farrow ['færou] *vb* fare, få grise; *sb* kuld grise.
farseeing ['fa:'si:iŋ] *adj* vidtskuende, fremsynet.
farsighted ['fa:'saitid] *adj* vidtskuende, fremsynet; langsynet.
fart [fa:t] *(vulg)* sb fis, skid; *vb* fise.
farther ['fa:ðə] *komp af far* fjernere; videre; længere; *at the* ~ *bank* på den anden bred. **farthest** ['fa:ðist] *sup af far* fjernest, længst; *at (the)* ~ højst; senest.
farthing ['fa:ðiŋ] *sb (glds)* kvartpenny; hvid, døjt; *I don't care a* ~ det bryder jeg mig ikke en døjt om, det rager mig en fjer.
farthingale ['fa:ðiŋgeil] *sb* fiskebensskørt.
f.a.s. *fk free alongside ship.*
fascia ['feiʃjə] *sb* instrumentbræt; *(arkit)* bånd; ['fæʃjə]

(anat) seneskede; (se også *facia).*
fascia board instrumentbræt.
fascinate ['fæsineit] *adj* fængsle, fortrylle, betage. **fascinating** *adj* fængslende, fortryllende, betagende; spændende.
fascination [fæsi'neiʃən] *sb* fortryllelse.
fascine [fæ'si:n] *sb* faskine, risknippe.
Fascism ['fæʃizm] *sb* fascisme.
Fascist ['fæʃist] *sb* fascist; *adj* fascistisk.
fash [fæʃ] (på skotsk) *vb:* ~ *oneself* være ængstelig; bekymre sig; ærgre sig; *sb* plage; ærgrelse; bekymring.
fashion ['fæʃən] *sb* mode *(fx the latest* ~); måde, manér *(fx after* (på) *his own* ~); snit, facon (på tøj); *vb* danne, forme; lave; afpasse, indrette;
after a ~ på en måde, til en vis grad, på sin vis; sådan da *(fx she had cleaned the house, after a* ~); *he is an artist after a* ~ han er en slags kunstner; *after the* ~ *of* i lighed med; *after the* ~ *of sailors = sailor-* ~ på sø-mandsvis; *a novel after the* ~ *of Dickens* en roman i D.'s manér; *in a* ~ *= after a* ~; *be in the* ~ være med på moden; *it is in* ~, *it is the* ~ det er på mode, det er moderne; *it is all the* ~ det er sidste skrig; *a man of* ~ en verdensmand, en modeherre, en fin herre; *the world of* ~ den elegante verden; *out of* ~ gået af mode, umoderne; *set the* ~ give tonen an, være toneangivende.
fashionable ['fæʃənəbl] *adj* moderne *(fx clothes);* mode-*(fx doctor);* fashionabel, mondæn, celeber, fin; *sb* modeherre; *the* ~ *world* den elegante verden.
fashion| parade mannequinopvisning. ~ **plate** modetegning, modebillede; *(fig)* modedukke. ~ **show** manne-quinopvisning.
I. fast [fa:st] *sb, vb* faste.
II. fast [fa:st] *sb* fortøjning, tov.
III. fast [fa:st] *adj, adv* fast *(fx a* ~ *grip; stand* ~); hurtig, rask *(fx horse; race);* letlevende *(fx lady),* letsindig *(fx girl),* udsvævende *(fx life);* (om farve) lysægte, vaske-ægte;
he fell ~ *asleep* han faldt i en dyb søvn; *my watch is* ~ mit ur går for stærkt; ~ *friends* svorne venner; ~ *goods* ilgods; ~ *liver (el.* ~ *man)* levemand; *make* ~ gøre fast, lukke forsvarligt; fortøje; *play* ~ *and loose with* drive halløj med; være hensynsløs *(el* upålidelig *el* troløs) over for; lege med *(fx her feelings);* ~ *to light* lysægte; *he goes too* ~ (også) han dømmer overilet; *live too* ~ leve for stærkt; ~ *train* iltog.
fasten ['fa:sn] *vb* gøre fast; lukke *(fx doors, windows);* knappe *(fx a coat);* binde *(fx shoelaces);* stænge; hæfte *(fx* ~ *papers together); (fig)* fæstne *(fx one's eyes* (blik-ket) *on sth);* (uden objekt) fæste sig; ~ *on (fig)* slå ned på; gribe; bide *(el* hage) sig fast i; ~ *a crime on sby* ud-lægge en som gerningsmand til en forbrydelse.
fastener ['fa:snə] *sb* lukker; *snap* ~ tryklås.
fastening ['fa:sniŋ] *sb* ting der tjener til at fastgøre, lukke-mekanisme, beslag.
fastidious [fə'stidiəs] *adj* kræsen.
fasting ['fa:stiŋ] *sb* faste.
fastness ['fa:stnis] *sb* fasthed *etc* (se III. *fast);* befæstet sted, fæstning; *the* ~ *of a colour* en farves ægthed.
fat [fæt] *adj* fed; svær; tyk; (om jord) fed, frugtbar; *sb* fedt, fedtstof, det fede, fedme; *vb* fede, mæske; *chew the* ~ S snakke, sludre; brokke sig; *cut it* ~ rigtig ville vise sig; *cut up* ~ efterlade sig en formue; *then the* ~'s *in the fire* så er fanden løs; *live on the* ~ *of the land* leve flot, leve et slaraffenliv; *a* ~ *lot you care* det bryder du dig pokker om; *a* ~ *lot you know about it* det aner du jo ikke spor om.
fatal ['feitl] *adj* skæbnesvanger; ødelæggende; dødbringende, dræbende *(fx a* ~ *shot);* dødelig *(fx his wound proved* ~); ~ *accident* ulykke som koster menneskeliv, dødsulykke; *it may be* ~ det kan medføre døden; *the* ~ *sisters* skæbnegudinderne.
fatalism ['feitəlizm] *sb* fatalisme. **fatalist** ['feitəlist] *sb* fata-list; *adj* fatalistisk. **fatalistic** [feitə'listik] *adj* fatalistisk.
fatality [fə'tæliti] *sb* uundgåelig skæbne; farlighed; døde-lighed.
fata morgana ['fa:tə mɔ:'ga:nə] fata morgana.
fate [feit] *sb* skæbne; *the Fates* skæbnegudinderne, par-cerne, nornerne. **fated** ['feitid] *adj* af skæbnen bestemt.
fateful ['feitf(u)l] *adj* skæbnesvanger, afgørende, vigtig.

fathead ['fæthed] *sb* kødhoved, dumrian.
fatheaded ['fæthedid] *sb* tykhovedet.
father ['fɑ:ðə] *sb* fader; *vb* være fader til; antage som barn; *the child is ~ to* (el. *of) the man* den voksnes karaktertræk findes allerede hos barnet; *the wish is ~ to the thought* tanken fødes af ønsket; man tror det man gerne vil tro; *the Fathers of the Church* kirkefædrene; *Our Father* Fadervor; *~ (up)on* udlægge som fader til; tillægge forfatterskabet til; tilskrive; *she -ed the child upon him* hun udlagde ham som barnefader.
Father Christmas julemanden.
father|hood faderforhold; faderskab. **~ -in-law** svigerfader. **-land** fædreland. **-less** *adj* faderløs. **-ly** *adj* faderlig.
fathom ['fæðəm] *sb* favn (længdemål: 1,828 meter); *vb* måle dybden af; udgrunde; fatte.
fathomless ['fæðəmlis] *adj* bundløs; *(fig)* uudgrundelig.
fatigue [fə'ti:g] *sb* træthed; udmattelse; anstrengelse, besværlighed; soldaters arbejde at ikke-militær art, *fx* rengøring, køkkentjeneste; *vb* trætte, udmatte, anstrenge.
fatigue| duty *(mil.)* arbejdstjeneste. **~ fracture** træthedsbrud. **~ party** *(mil.)* arbejdskommando.
fatling ['fætliŋ] *sb* ungt, fedet dyr.
fatness ['fætnis] *sb* fedme.
fatted ['fætid] *adj* opfedet; *kill the ~ calf* slagte fedekalven.
fatten ['fætn] *vb* fede; blive fed, mæske sig.
fattish ['fætiʃ] *adj* fedladen.
fatty ['fæti] *adj* fed; fedtet, fedtagtig; *sb* tyksak; *~ acid* fedtsyre; *~ degeneration of the heart* fedthjerte.
fatuity [fə'tju:iti] *sb* enfoldighed, tåbelighed.
fatuous ['fætjuəs] *adj* enfoldig, tåbelig, fjoget.
fat-witted ['fætwitid] *adj* tykhovedet, tungnem.
faubourg ['foubuə(g)] *sb* forstad.
faucal ['fɔ:kl] *adj* svælg-. **fauces** ['fɔ:si:z] *sb pl* svælg.
faucet ['fɔ:sit] *sb (am)* tap, vandhane.
faugh [fɔ:] *interj* fy; føj.
Faulkner ['fɔ:knə].
fault [fɔ(:)lt] *sb* fejl, forseelse; *(geol)* forkastning, spring; *it is my ~* det er min skyld; *my ~!* ingen forseelse! *be at ~* have skylden; (om jagthunde) være på vildspor, have tabt sporet; *(fig)* være desorienteret, ikke vide hvad man skal gøre; *be in ~* have skylden; *find ~ with* dadle, bebrejde, have noget at udsætte på; kritisere (småligt); *he is always finding ~* han er altid utilfreds; *to a ~* i en urimelig grad; *modest to a ~* altfor beskeden, så beskeden at det halve kunne være nok.
fault|finder ['fɔ(:)ltfaində] *sb* kværulant, smålig kritiker. **-finding** *sb* uvenlig kritik; *adj* kværulantisk, (smålig) kritisk.
faultless ['fɔ:ltlis] *adj* fejlfri.
faulty ['fɔ:lti] *adj* mangelfuld, ufuldkommen, defekt; fuld af fejl.
faun [fɔ:n] *sb* faun, skovgud.
fauna ['fɔ:nə] *sb* fauna.
fauteuil ['foutə:i] *sb* fauteuil.
faux pas ['fou'pɑ:] *sb* fejltrin, forløbelse, bommert.
favor *(am)* = **favour**.
I. favour ['feivə] *sb* gunst *(fx he gained the King's ~)*, yndest; velvilje; protektion *(fx he got the post by ~)*; partiskhed; gunstbevisning, tjeneste *(fx could you do me a ~)*; (ved fest) sløjfe, emblem; *(merk, glds)* ærede skrivelse *(fx we have received your ~ of yesterday)*; *-s* (erotisk) gunst *(fx he enjoyed her -s; she granted her -s to him)*;
by your ~ med Deres tilladelse; *by ~ of (glds,* på brev) overbringes af; *find ~ in his eyes* finde nåde for hans øjne; *in ~ of sby* til fordel for en; til gunst for en, i ens favør; *I am in ~ of a change* jeg er stemt for en forandring; *stand high in sby's ~* have en høj stjerne hos én; *those in ~ de* der stemmer for; *be in ~ with* være yndet af; *out of ~* i unåde; *be restored to ~* blive taget til nåde; *under ~ of night* i ly af natten; *look with ~ on* se velvilligt på, betragte med velvilje, bifalde; *without fear or ~*, se I. *fear*.
II. favour ['feivə] *vb* billige, være stemt for, støtte *(fx a proposal)*; foretrække; begunstige *(fx the weather -ed our voyage)*; favorisere; T ligne, slægte på *(fx he -s his father)*; (journalistsprog:) gå med *(fx dark suits)*; for-

tune -s the brave lykken står den kække bi; *~ sby with sth* beære en med noget, tilstå en noget *(fx the King -ed him with an audience)*; *please ~ me with an answer (glds merk)* vær så venlig at sende mig et svar; *Miss X will now ~ the company with a song* frk. X vil nu gøre os den glæde at synge for os.
favourable ['feiv(ə)rəbl] *adj* gunstig, heldig; imødekommende.
favoured ['feivəd] *adj* begunstiget *(fx position)*.
favourite ['feiv(ə)rit] *sb* yndling; favorit; *adj* yndlings-; *be a great ~ with* være meget afholdt af, være populær blandt; *~ dish* livret; *~ reading* yndlingslekture.
favouritism ['feiv(ə)ritizm] *sb* unfair begunstigelse, protektion.
I. fawn [fɔ:n] *sb* dåkalv, hjortekalv, rålam; *adj* lysebrun, dådyrfarvet.
II. fawn [fɔ:n] *vb* kælve (om dådyr).
III. fawn [fɔ:n] *vb* (om hund) logre, springe op *etc; (fig): ~ on* krybe for, logre for, sleske for.
fawn-coloured *adj* lysebrun.
fay [fei] *sb* fe; *vb* indfælde, indpasse.
faze [feiz] *vb (am* T) bringe ud af fatning, bringe fra koncepterne, anfægte, hyle ud af det.
F.B.A. *fk* Fellow of the British Academy.
F.B.I. *(am) fk* Federal Bureau of Investigation (forbundspolitiet).
F.C. *fk* football club.
fcap., fcp *fk* foolscap.
F.D. *fk* fidei defensor troens forsvarer.
F.D.R. *fk* Franklin Delano Roosevelt.
fealty ['fi:əlti] *sb* lenslydighed, feudal troskab.
I. fear [fiə] *sb* frygt; angst; *no ~!* T ikke tale om! nej du kan tro nej! aldrig i livet! nej gu gør jeg ej! *for ~ of* af frygt for; *there is not much ~ of his coming* der er ikke nogen større fare for at han skal komme; *without ~ or favour* upartisk; uden persons anseelse.
II. fear [fiə] *vb* frygte, befrygte; være bange (for); *~ death* frygte døden; *~ for* være bekymret for, nære ængstelse for *(fx his life)*.
fearful ['fiəf(u)l] *adj* frygtelig, skrækkelig; frygtsom, ængstelig.
fearless ['fiəlis] *adj* uden frygt, uforfærdet.
fearsome ['fiəsəm] *adj* frygtindgydende, gruelig.
feasibility [fi:zi'biliti] *sb* gennemførlighed, mulighed.
feasible ['fi:zəbl] *adj* gennemførlig, realisabel *(fx plan)*; mulig, gørlig; rimelig *(fx explanation); it is ~* det kan lade sig gøre.
feast [fi:st] *sb* fest; festmåltid, gilde; *vb* holde gilde, spise og drikke godt, gøre sig til gode; beværte, traktere; *~ (fig)* en sand nydelse; *enough is as good as a ~* man kan ikke mere end spise sig mæt; *~ one's eyes on sth* fryde sig ved synet af noget.
feast day festdag; højtid; (katolsk også) navnedag.
feat [fi:t] *sb* dåd, heltegerning, bedrift; kunst, kunststykke.
I. feather ['feðə] *sb* fjer; fjervildt, fuglevildt; (på hundehale) fane; *fine -s make fine birds* klæder skaber folk; *a ~ in one's cap* en fjer i hatten, noget at være stolt af; *be in high (el. fine el. full) ~* være i løftet stemning; være i strålende humør; være i fin form; *you might have knocked him down with a ~* han var lige ved at gå bagover (af forbavselse); *birds of a ~ flock together* krage søger mage; *show the white ~* vise fejhed.
II. feather ['feðə] *vb* sætte fjer på noget *(fx ~ an arrow); ~ one's nest* mele sin kage; *~ the oars* skive årerne; *~ the propellers (flyv)* kantstille propellerne.
feather| bed *sb* underdyne. **-bed** *vb* forkæle. **-bedding** *sb* ansættelse af overflødig arbejdskraft efter fagforeningsbestemmelse. **-brained** tomhjernet, tankeløs. **~ duster** fjerkost. **-head** tankeløst menneske. **-less** fjerløs. **-weight** fjervægt.
feathery ['feðəri] *adj* fjerlignende; fjerklædt; fjerlet.
I. feature ['fi:tʃə] *sb* ansigtstræk; træk; karakteristisk træk *(el* moment el egenskab); væsentlig led *(fx of a system)*; indslag; særlig attraktion; (hoved)nummer; (om film) (hoved)film, spillefilm; (i avis) stort opsat artikel; avisrubrik; (i radio) hørebillede; *a redeeming ~* et forsonende træk; *short ~* kortfilm.
II. feature ['fi:tʃə] *vb* ligne; kendetegne; byde på; bringe

(som en særlig attraktion); sætte (artikel *etc)* stort op; *a film featuring X (am)* en film, hvori X optræder i en hovedrolle.

feature| film hovedfilm, spillefilm. **-less** uden særpræg, uden karakteristiske momenter, uinteressant, ensformig. **~ programme** hørebillede. **~ writer** redaktør af avisrubrik.

Feb. *fk February.*

febrifuge ['febrifju:dʒ] *sb. adj* feberstillende (middel).

febrile ['fi:brail] *adj* febersyg; febril.

February ['februəri] februar.

fec. *fk fecit* ['fi:sit] *(= made).*

fecal, feces = *faecal, faeces.*

feckless ['feklis] *adj* kraftløs, uduelig, hjælpeløs.

feculence ['fekjuləns] *sb* bundfald, grums; grumsethed.

feculent ['fekjulənt] *adj* grumset.

fecund ['fi:kənd, 'fekənd] *adj* frugtbar. **fecundate** ['fi:kən-deit, 'fekəndeit] *vb* gøre frugtbar; befrugte. **fecundation** [fi:kən'deiʃən, fekʌn'deiʃən] *sb* frugtbargørelse, befrugtning. **fecundity** [fi'kʌnditi] *sb* frugtbarhed.

fed [fed] *præt* og *pp* af *feed;* **~ up** led og ked af det; **~ up** *with* led og ked af, træt af; *I am **~ up** with it* (også:) det hænger mig ud af halsen.

federal ['fedərəl] *adj* forbunds-; føderativ; føderalistisk; *(am)* forbunds- *(fx police), (hist.,* i Borgerkrigen) nord-stats-.

federalism ['fedərəlizm] *sb* føderalisme.

federalist ['fedərəlist] *sb* føderalist.

federate ['fedəreit] *vb* forene; forene sig; ['fedərit] *adj* allieret, forbunden.

federation [fedə'reiʃən] *sb* føderation, forbund.

federative ['fedərətiv] *adj* føderativ.

fedora [fi'dɔ:rə] *sb (am)* blød filthat.

fee [fi:] *sb* betaling, honorar, salær; gebyr; afgift; skolepenge; *(glds)* drikkepenge; *(hist)* len; (se også *fee simple; fee tail);* *vb* betale, honorere, lønne, give drikkepenge.

feeble ['fi:bl] *adj* svag, mat. **feebleminded** ['fi:bl'maindid] *adj* åndssvag; *(glds)* vaklende, svag; forsagt.

I. feed [fi:d] *vb (fed, fed)* fodre, nære, give føde, bespise, give mad; ernære *(fx I have a large family to* **~);** (om baby) amme; made; (om kreaturer) lade græsse; *(teat)* give stikord til; *(tekn)* føde, tilføre, fremføre, pålægge, påfylde; (uden objekt) spise, æde; leve *(on* af); (om kreaturer) græsse; *he cannot* **~** *himself* han kan ikke spise selv; *many mouths to* **~** mange munde at mætte; *the lake is fed by two rivers* søen har tilløb fra to floder; **~** *up* opfodre; se også *fed.*

II. feed [fi:d] *sb* foder; føde, næring; portion, ration; **T** måltid *(fx we had a good* **~);** *(teat)* komikers partner der giver ham stikord; *(tekn)* fødning, fremføring, tilførsel, tilspænding; *(off one's* **~** **T** miste appetitten; ikke ville spise; (om dyr) gå fra foderet.

feedback ['fi:dbæk] *sb* (radio) tilbagekobling; *(fig)* feedback, tilbagemelding.

feeder ['fi:də] *sb* en der fodrer *osv;* bikanal; biflod; *(jernb)* sidebane; (til baby) sutteflaske, hagesmæk; *(tekn)* fødeapparat; *(elekt)* fødeledning; *a greedy* **~** en grovæder.

feed hole (i edb) føringshul.

feeding| bottle (sutte)flaske. **~ cup** tudekop.

feed|pipe føderør. **~ pump** fødepumpe. **~ track** (i edb) føringsspor.

fee-faw-fum ['fi:'fɔ:'fʌm] (ord, der i eventyr lægges kæmper og trolde i munden).

I. feel [fi:l] *vb (felt, felt)* føle, mærke; føle på *(fx he felt the material);* have en fornemmelse *(el* følelse) af, have på fornemmelsen *(fx I felt that there was something wrong);* føle sig sikker på *(fx we* **~** *that he is telling the truth);* mene, synes *(fx I* **~** *that it would be wrong);* (uden objekt) føle sig *(fx the air felt cold);* føle sig *(fx he felt tired),* befinde sig, være til mode; famle *(fx he felt about in the dark for the door);*

he -s strongly **about** *(el. on) it* det ligger ham stærkt på sinde; **~ cold** fryse; *the hall -s cold* forstuen gør et koldt indtryk *(el* føles kold); *the wall -s cold* væggen er kold at føle på; **~ for** famle efter; føle for, sympatisere med; *I* **~** *it in my bones* jeg har det på fornemmelsen; **~ like** have

lyst til *(fx I* **~** *like a cup of tea);* være i humør til, være oplagt til *(fx I don't* **~** *like working);* føles som *(fx it -s like velvet);* føle sig som *(fx I* **~** *like a man on a desert island);* *she does not* **~** *like herself today* hun er ikke helt sig selv i dag; *I don't* **~** **up to** *it* jeg har ikke kræfter til det; jeg har ikke rigtig mod på det; **~** *one's* **way** famle sig frem; *(fig* også*)* føle sig for; **~ with** føle med, sympatisere med.

II. feel [fi:l] *sb* følelse; *you can tell it by the* **~** du kan føle det; *I didn't like the* **~** *of it* det føltes ubehageligt; *let me have a* **~** lad mig føle; *it has a soft* **~** det er blødt at føle på; *smooth to the* **~** glat at føle på.

feeler ['fi:lə] *sb* følehorn, føletråd; *(fig)* føler *(fx peace* **~),** prøveballon; *(tekn:* **~** *gauge)* føler, følelære, søger.

feeling ['fi:liŋ] *adj* følende; medfølende; følsom; varm; levende; *sb* følelse, fornemmelse; stemning; indstilling; ophidselse; *bad (el. ill)* **~** misstemning; *good* **~** sympati.

fee simple selveje, fri ejendom; *hold in* **~** have fuld ejendomsret over.

feet [fi:t] *(pl* af *foot)* fødder; fod (som mål).

fee tail fideikommis, stamgods, ejendom der kun kan gå i arv til visse kategorier af arvinger.

feign [fein] *vb* foregive, hykle *(fx indifference);* forstille sig; simulere; finde på, opdigte *(fx an excuse).* **feigned** [feind] *adj* forstilt, foregiven *(fx enthusiasm);* fordrejet *(fx voice);* forfalsket; **~** *name* påtaget *(el* fingeret) navn; *make a -ed submission* underkaste sig på skrømt.

feint [feint] *sb* list, forstillelse, kneb; finte; *(mil.)* skinmanøvre; *make a* **~** *of doing* lade som om man gør.

fel(d)spar ['fel(d)spa:] *sb* feldspat (mineral).

felicitate [fi'lisiteit] *vb* lykønske.

felicitation [filisi'teiʃən] *sb* lykønskning.

felicitous [fi'lisitəs] *adj* velvalgt (om udtryk); heldig; lykkelig.

felicity [fi'lisiti] *sb* lykke, held; evne til at finde det rette udtryk; velvalgt udtryk.

feline ['fi:lain] *adj* katteagtig, katte-.

I. fell [fel] *præt* af *fall.*

II. fell [fel] *adj* fæl, ful, grusom, frygtelig.

III. fell [fel] *sb* højdedrag; hedestrækning.

IV. fell [fel] *sb* skind; pels.

V. fell [fel] *vb* slå ned, fælde, hugge om; (i syning) sy med sømmesting; staffere.

fellah ['felə] *sb (pl fellaheen* [felə'hi:n]) ægyptisk bonde.

fell(ed) seam indersøm, kapsøm.

feller ['felə] **S** = *fellow.*

felling ['feliŋ] *sb* fældning; (i syning) (syning med) sømmesting; staffering.

fellmonger ['felmʌŋgə] *sb* skindhandler.

felloe ['felou] *sb* fælg.

fellow ['felou] *sb* fyr, kammerat; fælle, kollega; medlem (af et selskab *etc),* (ved universitet) kandidat som er medlem af et kollegiums lærerstab; (om ting) lige; mage; *adj* med-*(fx* **~** *passenger);* *a* **~** (også) man, en anden en (= jeg); *my dear* **~** kære ven.

fellow| actor medspillende. **~ citizen** medborger. **~ countryman** landsmand. **~ creature** medskabning, medmenneske. **~ feeling** medfølelse, fællesfølelse.

fellowship ['felouʃip] *sb* fællesskab, kammeratskab; forening, selskab, sammenslutning; *(rel)* samfund; (ved universitet) en *fellow's* stilling *el* stipendium.

fellow| soldier soldaterkammerat. **~ traveller** medrejsende; *(fig)* (politisk) sympatisør, medløber (især kommunistisk).

felly ['feli] *sb* fælg.

felo-de-se ['fi:lou di: 'si:] *sb (jur)* selvmorder; selvmord.

I. felon ['felən] *sb* betændt neglerod; bullen finger.

II. felon ['felən] *sb* forbryder.

felonious [fi'louniəs] *adj* forbryderisk, skændig.

felony ['feləni] *sb (jur)* (alvorlig) forbrydelse, misgerning *(fx* mord).

felspar d s s *feldspar.*

I. felt [felt] *præt* og *pp* af *feel.*

II. felt [felt] *sb* filt; filthat, hat; *vb* filte.

felt roof paptag.

felucca [fe'lʌkə] *sb* feluke (middelhavsskib).

felwort ['felwə:t] *sb (bot)* ensian.

fem. *fk feminine.*

female ['fi:meil] *adj* kvindelig; *sb* kvinde, *(neds)* kvinde-menneske; (om dyr) hun; ~ *friend* veninde; ~ *slave* slav-inde; ~ *suffrage* kvindelig valgret, valgret for kvinder; ~ *thread* indvendigt gevind.

feme [fi:m] *sb (jur)* kvinde; ~ *covert* ['kʌvət] gift kvinde; ~ *sole* [soul] ugift *(el* økonomisk uafhængig) kvinde.

femineity [femi'ni:iti] *sb* kvindelighed.

feminine ['feminin] *adj* kvindelig; feminin; kvindagtig; hunkøns-; ~ *ending* kvindelig udgang (i vers); ~ *gender* hunkøn; ~ *rhyme* kvindeligt rim.

femininity [femi'niniti] *sb* kvindelighed; hunkøn.

feminism ['feminizm] *sb* feminisme, kvindebevægelse.

feminist ['feminist] *sb* kvindesagsforkæmper.

feminize ['feminaiz] *vb* gøre *(el* blive) kvindelig *el* kvindag-tig.

femoral ['femərəl] *adj* lår-.

fen [fen] *sb* mose, sump; *the* Fens lavtliggende områder i Cambridgeshire og Lincolnshire.

I. fence [fens] *sb* hegn, gærde, plankeværk, stakit; *(fig glds)* værn; (i lås) spærretap; (på sav) anlæg; (sport:) fægtning, fægtekunst; S hæler; hælers gemmested; *come down on the right side of the* ~ slutte sig til den sejrende part; *sit on the* ~ forholde sig afventende, være neutral, stille sig forbeholdent.

II. fence [fens] *vb* indhegne; forsvare; (om hest) springe over forhindring; (uden objekt) forsvare sig; fægte; *(fig)* komme med udflugter, omgå sandheden; S være hæler; ~ *off* indhegne; adskille; afværge; ~ *with the question* vige uden om spørgsmålet.

fencer ['fensə] *sb* fægter.

fencing ['fensiŋ] *sb* fægtning; indhegning; S hæleri.

fencing | **school** fægteskole. ~ **wire** hegnstråd.

fend [fend] *vb* afværge; ~ *for oneself* klare sig selv; ~ *off* afværge, afbøde; *(mar)* holde fri.

fender ['fendə] *sb* kamingitter; *(mar)* friholt, fender; *(jernb)* banerømmer; *(am)* skærm *(fx* på bil).

fenestration [feni'streiʃən] *sb* vinduesgruppering.

fen fire lygtemand.

Fenian ['fi:njən] *sb (hist)* fenier (medlem af irsk revolutio-nær bevægelse).

fennec ['fenik] *sb zo* ørkenræv.

fennel ['fenl] *sb (bot)* fennikel.

fennish ['feniʃ] *adj* sump-; sumpet.

fenugreek ['fenjugri:k] *sb (bot)* bukkehorn.

feoff [fef] *(hist) sb* len; *vb* forlene. **feoffee** [fe'fi:] *sb* lens-mand. **feoffer** ['fefə] *sb* lensherre. **feoffment** ['fefmənt] *sb* forlening.

feral ['fiərəl] *adj* vild, utæmmet, uciviliseret, barbarisk.

feretory ['feritəri] *sb* helgenskrin, relikvieskrin.

ferine ['fiərain] *adj* = *feral*.

Feringhee [fə'riŋgi] *sb* (indisk ord for) europæer.

I. ferment ['fə:mənt] *sb* gær(stof); gæring.

II. ferment [fə'ment] *vb* gøre, sætte i gæring; *(fig)* gære; ophidse.

fermentable [fə'mentəbl] *adj* gæringsdygtig.

fermentation [fə:men'teiʃən] *sb* gæring; *(fig* også) bryd-ning.

fermentative [fə:'mentətiv] *adj* gærende, som forårsager gæring.

fern [fə:n] *sb (bot)* bregne.

fernery ['fə:nəri] *sb* bregnebeplantning.

ferocious [fə'rouʃəs] *adj* vild, grum, rovbegærlig, glubsk.

ferocity [fə'rɔsiti] *sb* vildhed, grusomhed, rovbegærlighed, glubskhed.

ferreous ['fiəriəs] *adj* jern-, jernholdig.

I. ferret ['ferit] *sb* (bomulds- eller silke-)bånd.

II. ferret ['ferit] *sb* fritte (en slags ilder som bruges til rot-tejagt og kaninjagt); *vb* forfølge, efterspore, støve efter; ~ *about* støve rundt; ~ *out*|opsnuse, opspore, støve op.

ferrety ['ferəti] *adj* fritteagtig; *(fig)* snu, lusket; ~ *eyes* stikkende øjne.

ferriage ['feriidʒ] *sb* færgning, færgeløn.

ferric ['ferik] *adj* jern-, ferri-.

ferriferous [fe'rifərəs] *adj* jernholdig.

Ferris wheel ['feriswi:l] *sb* pariserhjul.

ferro- ['ferou] (i *sms)* jern- *(fx* ~ *-concrete* jernbeton).

ferrous ['ferəs] *adj* jern-, ferro-.

ferruginous [fe'ru:dʒinəs] *adj* jernholdig; rustfarvet.

ferrule ['feru:l, 'ferəl] *sb* (på stok) dupsko; *(tekn)* rørring, ferul, (på fiskestang også) samlering, samlebøsning.

ferry ['feri] *sb* færge; færgested; *(jur)* færgeprivilegium; *vb* færge, overføre; (med fly) transportere; (om bil, fly *etc)* overføre, levere; færge. **ferry**|**boat** færgebåd. ~ **bridge** togfærge; færgeklap. **-man** færgemand.

fertile ['fə:tail; *am:* 'fə:tl] *adj* frugtbar.

fertility [fə(:)'tiliti] *sb* frugtbarhed.

fertilization [fə:tilai'zeiʃən] *sb* frugtbargørelse, befrugtning.

fertilize ['fə:tilaiz] *vb* gøre frugtbar, gøde; befrugte; *(bot)* bestøve.

fertilizer ['fə:tilaizə] *sb* kunstgødning, gødningsstof.

ferule ['feru:l] *sb* ferle; *vb* slå med en ferle.

fervency ['fə:v(ə)nsi] *sb* varme, glød, inderlighed, iver.

fervent ['fə:v(ə)nt] *adj* varm, brændende *(fx desire, ha-tred)*, glødende, ivrig *(fx admirer)*, inderlig *(fx prayer)*.

fervid ['fə:vid] *adj* hed, brændende, glødende *(fx enthusi-asm)*; heftig.

fervour ['fə:və] *sb* varme, glød *(fx he spoke with revolution-ary* ~*)*, heftighed, inderlighed.

fescue ['feskju:] ~ *grass (bot)* svingel.

fess(e) [fes] *sb (her.)* bjælke.

festal ['festəl] *adj* fest-, festlig.

fester ['festə] *vb* bulne, afsondre materie; rådne; (om li-denskab) gnave, fortære; *sb* bullenskab, ondartet sår; *the wound is -ing* der er (gået) betændelse i såret. **festering** *adj* betændt, bullen.

festival ['festivəl] *adj* fest-, festlig; *sb* festdag, højtid; fest, festival.

festive ['festiv] *adj* højtidsfuld, festlig, glad.

festivity [fe'stiviti] *adj* feststemning, festlighed, fest.

festoon [fe'stu:n] *sb* guirlande; *(arkit)* feston; *vb* ud-smykke *(el* pynte) med guirlander.

fetal ['fi:tl] *adj* foster- *(fx movement; position)*.

I. fetch [fetʃ] *sb* dobbeltgænger, genfærd (af en levende person).

II. fetch [fetʃ] *vb* hente; indbringe (ved salg); T gøre ind-tryk på, betage; *(mar)* nå *(fx* ~ *port)*; *(~ to windward of)* ligge op; ~ *about (mar)* vende; ~ *and carry* appor-tere (om hund); ~ *and carry for sby* løbe ærinder for en; hoppe og springe for en; ~ *him a box on the ears* lange ham en lussing; ~ *a pump* spæde en pumpe; ~ *a sigh* drage et suk; ~ *tears from sby's eyes* få en til at græde; ~ *up (mar)* nå; T ende, havne *(fx* ~ *up in jail)*; standse; kaste op; *(am)* opdrage.

III. fetch [fetʃ] *sb* T kunstgreb, kneb, list, fif.

fetching ['fetʃiŋ] *adj* fængslende, fortryllende, henrivende.

fête [feit] *sb* fest; *vb* fejre, feste for.

fetich = *fetish*.

feticide ['fi:tisaid] *sb* fosterdrab.

fetid ['fetid] *adj* stinkende; ildelugtende.

fetish ['fi:tiʃ] *sb* fetich; *make a* ~ *out of* gøre til en fetich; være alt for optaget af. **fetishism** ['fi:tiʃizm] *sb* fetichdyr-kelse; *(psyk)* fetichisme.

fetlock ['fetlɔk] *sb* hovskæg, kodehår; kode.

fetor ['fi:tə] *sb* stank.

fetter ['fetə] *vb* lænke, lægge i lænker; binde; *sb* lænke, fodlænke; *-s (fig)* lænker, tvang, bånd.

fettle ['fetl] *sb* (god) stand; *in fine* ~ i fin form; i strålende humør; veloplagt.

fetus ['fi:təs] *sb* foster.

feu [fju:] *(el* skotsk) *sb* fæste, forpagtning; grund; *vb* bortfæste, bortforpagte; fæste, forpagte.

I. feud. *fk feudal(ism)*.

II. feud [fju:d] *sb* fejde; len.

feudal ['fju:d(ə)l] *adj* feudal, lens-. **feudalism** ['fju:dəlizm] *sb* lenssystem, feudalsystem, lensvæsen, feudalisme. **feu-dality** [fju:'dæliti] *sb* lensforhold, feudalitet. **feudatory** ['fju:dətəri] *adj* feudal, lens-; *sb* lensmand, vasal; len.

feuilleton ['fə:itɔ:ŋ] *sb* føljeton; del af avis (med kulturelt stof.

fever ['fi:və] *sb* feber; *vb* give feber; *in a* ~ *of expectation* i feberagtig spænding. **fevered** ['fi:vəd] *adj* se *feverish*.

feverfew ['fi:vəfju:] *sb (bot)* matrem.

fever heat feberhede; *at* ~ *(fig)* på kogepunktet.

feverish ['fi:vəriʃ] *adj* febersyg, febril; feberhed; feber- *(fx dreams)*; feberagtig, febrilsk *(fx haste)*.

fever-stricken feberhærget.

few [fju:] (kun) få; ikke ret mange; *a* ~ nogle få, et par; *every* ~ *minutes* med få minutters mellemrum; *not a* ~ en hel del; *a good* ~ temmelig mange; *quite a* ~, se *quite; one of the next* ~ *days* en af de første dage; *the* ~ de få, mindretallet. **fewer** ['fju:ə] færre; *no* ~ *than* ikke mindre end. **fewest** ['fju:ist] færrest.

fey [fei] *adj* dødsmærket, døden nær (og derfor unormalt opstemt *el* klarsynet).

fez [fez] *sb* fez (østerlandsk hovedbeklædning).

ff. *fk fortissimo; folios; following pages.*

ffy. *fk faithfully.*

F.H. *fk Fire Hydrant.*

fiancé, fiancée [fi'a:ŋsei] *sb* forlovede.

fiasco [fi'æskou] *sb* fiasko.

fiat ['faiət] *sb (jur)* ordre, befaling, magtbud.

fib [fib] (især i børnesprog) *sb* usandhed, (lille) løgn; *vb* lyve. **fibber** ['fibə] *sb* løgnhals.

fiber, fibre ['faibə] *sb* fiber, trævl, tråd; (af hør *etc* også) tave; *(fig)* karakter, støbning *(fx he was of a different* ~*); of coarse* ~ grov.

fibre|board fiberplade. ~ **glass** glasfiber.

fibril ['faibril] *sb* lille fiber, fibril, fin trævl. **fibrillation** [faibri'leiʃən] *sb* fiberdannelse; *(med)* fibrillation, flimren.

fibrin ['faibrin] *sb* fibrin. **fibrous** ['faibrəs] *adj* fibrøs, trævlet, trådet; ~ *root* trævlerod.

fibster ['fibstə] *sb* løgnhals.

fibula ['fibjulə] *sb (anat)* lægben; *(arkæol)* fibula (nål).

fibular ['fibjulə] *adj* lægbens-.

fichu ['fi:ʃu:] *sb* fichu (skulderslag).

fickle ['fikl] *adj* vaklende, ubestandig, vankelmodig, vægelsindet; skiftende.

fictile ['fiktil] *adj* formet af ler, plastisk; pottemager-.

fiction ['fikʃən] *sb* prosadigtning, skønlitteratur (eksklusive poesi og drama); opdigtelse, opspind, fiktion.

fictitious [fik'tiʃəs] *adj* opdigtet; fingeret; falsk.

fid [fid] *sb (mar)* slutholt, fedte.

Fid. Def. *fk fidei defensor* troens forsvarer.

I. fiddle ['fidl] *sb* violin; *(mar)* slingrebræt; **S** fidus, fupnummer; *fit as a* ~ frisk som en fisk; *a face as long as a* ~ et bedemandsansigt; *play second* ~ spille anden violin; spille en underordnet rolle.

II. fiddle ['fidl] *vb* spille violin; lege; fingerere *(el.* pille) (ved); nusse (med); **S** lave fup (med), forfalske *(fx the accounts);* ~ *about* nusse omkring; ~ *away one's time* pjatte tiden væk.

fiddleblock *(mar)* violinblok. ~ **glass** glasfiber.

fiddle-dedee ['fidldi'di:], **fiddle-faddle** ['fidlfædl] *sb* sniksnak, vrøvl.

fiddler ['fidlə] *sb* violinspiller; spillemand; **S** fupmager. **fiddler crab** *zo* vinkekrabbe.

fiddlestick ['fidlstik] *sb* violinbue; *fiddlesticks!* snak! vås! sludder!

fiddling ['fidliŋ] *adj* ubetydelig *(fx sum, details).*

fidelity [fi'deliti] *sb* troskab *(fx* ~ *to one's principles);* nøjagtighed *(fx he reported the debate with* ~*).*

fidelity | control *(radio)* kvalitetskontrol. ~ **guarantee insurance** kautionsforsikring.

I. fidget ['fidʒit] *vb* være rastløs, være febrilsk, være nervøs, vimse om; fingerere, famle.

II. fidget ['fidʒit] *sb* febrilsk (, urolig, rastløs) person; *(om barn)* lille uro; *the* ~*s* uro, rastløshed, nervøsitet; *have the* ~*s* være nervøs; *it gave me the* ~*s* det gik mig på nerverne.

fidgety ['fidʒiti] *adj* rastløs, febrilsk, nervøs, urolig.

fiduciary [fi'dju:ʃjəri] *adj* betroet; dækningsløs; *sb* formuebestyrer, kurator, værge; ~ *issue* udækket seddelmasse; ~ *loan* lån under sikkerhedsstillelse.

fie [fai] *interj* fy! ~ *upon you!* fy! ~ *for shame!* fy! fy skam dig!

fief [fi:f] *sb (hist)* len.

I. field [fi:ld] *sb* mark, ager; *(fig)* område, felt; *(mil.)* felt, slagmark, *(glds)* valplads; slag, kamp; *(i sport)* spilleplads, bane; deltagere, spillere, *(ved væddeløb)* felt, *(ved jagt)* jagtselskab, meute; *(i maleri etc)* grund, baggrund, *(i våben el.* flag) felt; *(elekt, fys,* i edb) felt; *(am TV)* delbillede;

drive from the ~ slå af marken; *fair* ~ *and no favour* uden at gøre forskel til nogen side; *hold the* ~ holde stand, ikke lade sig slå af marken; *in the* ~ på marken; i

marken *(fx studies in the* ~*); (mil.)* i felten; *keep the* ~ fortsætte felttoget; holde stand; ~ *of battle* slagmark; ~ *of vision* synsfelt; *on the* ~ på marken, på slagmarken; *take the* ~ *(også fig)* drage i felten, rykke i marken; (i sport) stille op; stå i marken.

II. field [fi:ld] *vb* rykke i marken; (i kricket) være markspiller, stå i marken; ~ *the ball* (i kricket) gribe bolden og kaste den ind til gærdet; ~ *a tough question* klare et svært spørgsmål; ~ *a strong team* stille (med) et stærkt hold.

field| allowance *(mil.)* felttillæg. ~ **bindweed** *(bot)* agersnerle. ~ **day** mønstringsdag; militærrevy; vigtig debat; *(fig)* stor dag; *have a* ~ *day* (også) rigtig slå sig løs, få en dag ud af det. ~ **dog** jagthund, (især) hønsehund. ~ **dressing** forbindssager. ~ **duty** felttjeneste.

fielder ['fi:ldə] *sb* (i kricket) markspiller.

field| events kast- og springkonkurrencer. **-fare** *zo* sjagger, kramsfugl. ~ **glasses** *pl* feltkikkert. ~ **gun** feltkanon. ~ **ice** storis. ~ **madder** *(bot)* blåstjerne. ~ **marshal** feltmarskal. ~ **mouse** markmus. ~ **officer** officer af rang som major eller derover, stabsofficer. ~ **piece** feltkanon. ~ **preacher** friluftsprædikant.

fieldsman ['fi:ldzmən] *sb* markspiller (i kricket).

field| sports friluftsidrætter (især ridning, jagt og fiskeri). ~ **trip** ekskursion. **-work** feltskanse; arbejde *(el* studier) i marken.

fiend [fi:nd] *sb* djævel; **T** entusiast *(fx a golf* ~*).* **fiendish** ['fi:ndiʃ] *adj* djævelsk.

fierce [fiəs] *adj* vild; heftig, voldsom, rasende *(fx.quarrel);* barsk, bister *(fx look* ~*);* bidsk, glubsk *(fx dog);* **T** modbydelig *(fx a* ~ *cold).*

fieri facias ['faiərai'feiʃiæs] *sb (jur)* udpantningsordre; *sell under a writ of* ~ sælge ved tvangsauktion.

fiery ['faiəri] *adj* ild-; hed, brændende; heftig; ilter; fyrig; *in* ~ *characters* med flammeskrift. **fiery cross** brændende kors (symbol for Ku Klux Klan); *(hist.)* budstikke.

fi. fa. *fk fieri facias.*

fife [faif] *sb* pibe *(fx -s and drums);* *vb* spille på pibe. **fifer** ['faifə] *sb* piber.

fifteen ['fif'ti:n] femten; *sb* (rugby)hold; *the Fifteen* jakobinsk opstand 1715.

fifteenth ['fif'ti:nθ] *adj* femtende; *sb* femtendedel.

fifth [fifθ] *adj* femte; *sb* femtedel; *(mus.)* kvint.

fifth| column femte kolonne. ~ **columnist** medlem af femte kolonne, femtekolonnemand.

fifthly ['fifθli] *adv* for det femte.

fiftieth ['fiftiiθ] halvtredsindstyvende; *sb* halvtredsindstyvendedel.

fifty ['fifti] halvtreds(indstyve); *I will go fifty-fifty with you* jeg vil slå halv skade med dig *(el* dele lige med dig); *on a fifty-fifty basis (merk)* a meta.

I. fig [fig] *sb* figentræ; figen; *a* ~ *for him* blæse være med ham; *I don't care a* ~ *for it* jeg bryder mig ikke et hak om det.

II. fig [fig] *sb* puds, stads; *vb* pynte; *in full* ~ i fineste puds; ~ *out* pynte; ~ *out (el up) a horse* dope en hest.

fig. *fk figure; figuratively.*

I. fight [fait] *vb (fought, fought)* kæmpe *(against, with* mod, med; *for* for, om), slås; (med objekt) bekæmpe; udkæmpe *(fx a duel);* kæmpe for, slås for; konkurrere om;

~ *back* slå fra sig; ~ *back one's tears* kæmpe med gråden; ~ *a battle* levere et slag; ~ *down* nedkæmpe; bekæmpe; ~ *a gun* betjene en kanon; ~ *sby off* slå en tilbage, kæmpe for at holde en på afstand; ~ *off a cold* prøve at holde en forkølelse nede; ~ *it out* afgøre det ved kamp, slås om det; ~ *shy of* gå langt uden om, undgå, holde sig fra; ~ *one's way* kæmpe sig frem.

II. fight [fait] *sb* strid, kamp, slagsmål; kamplyst *(fx he was still full of* ~*); free* ~ almindeligt slagsmål; *put up a good* ~ forsvare sig tappert, levere en god kamp; *show* ~ sætte sig til modværge, sætte sig på bagbenene, vise kløer.

fighter ['faitə] *sb* kæmpende, stridsmand; slagsbroder; *(flyv)* jager(maskine).

fighter-bomber (stærkt bevæbnet, let bombemaskine).

fighting ['faitiŋ] *sb* kampe, kamphandlinger *(fx there was no* ~ *yesterday);* *adj* kampdygtig, våbendygtig; kampberedt, kampklar; krigerisk; kamp-.

fighting| **chance:** *there is a* ~ *chance* det kan lykkes hvis vi sætter alle kræfter ind; det er lige akkurat muligt. ~ **cock** kamphane; *feel like a* ~ *cock* være fuld af gå-på-mod; *live like a* ~ *cock* leve overdådigt. ~ **men** soldater. ~ **patrol** *(mil.)* kamppatrulje.

fig leaf figenblad.

figment ['figmənt] *sb* påfund; ~ *of the mind* fantasifoster, hjernespind.

fig tree figentræ.

figuration [figju'reiʃn] *sb* form; figurering; *(mus.)* becifring.

figurative ['figjurətiv] *adj* overført, figurlig, billedlig, symbolsk; billedrig, blomstrende; ~ *language* billedsprog.

I. figure ['figə] *sb* figur; skikkelse; ciffer, tal; mønster (i tøj); *he is no good* **at** *-s* han duer ikke til regning; *at a low (, high)* ~ til en lav (, høj) pris; **cut** *a* ~, se *cut; double -s* tocifrede tal; *speak* **in** *-s* tale i billeder; *it runs* **into** *five -s* det kommer op på et femcifret beløb; *a* ~ **of** et billede på *(fx he was a* ~ *of poverty)*; *he was a* ~ *of fun* han gjorde en latterlig figur, han var til grin; ~ *of speech* billedligt udtryk; *set of -s (tekn)* talstempelsæt; *what's the* ~? hvad er prisen?

II. figure ['figə] *vb* afbilde, fremstille; optræde *(fx he -d as a wealthy man);* spille en rolle *(fx he -d briefly in history),* figurere *(fx his name -d in the report);* beregne, regne; *(am)* regne med; slutte *(fx he -d it was no use);* betragte som *(fx he -d himself a good candidate);* ~ *on (am)* regne med; ~ *out* regne ud *(fx* ~ *out the cost* regne prisen ud); *it -s out at £5* det bliver £5; ~ *to oneself* forestille sig.

figured ['figəd] *adj* mønstret; ~ *bass* becifret bas, generalbas.

figure|head galionsfigur; *(fig)* topfigur. ~ *-of-eight knot (mar)* flamsk knob. ~ **skate** kunstløberskøjte. ~ **skater** kunst(skøjte)løber. ~ **skating** kunstskøjteløb.

figurine ['figjuri:n] *sb* statuette.

figwort ['figwɔ:t] *sb (bot)* brunrod.

Fiji ['fi:dʒi]: *the* ~ *Islands* Fijiøerne.

filament ['filəmənt] *sb* (tynd) tråd, fiber; *(bot)* støvtråd; *(elekt,* i glødelampe) glødetråd.

filamentous [filə'mentəs] *adj* trådagtig, trådformet.

filar ['failə] *adj* tråd-.

filature ['filətʃə] *sb* afhaspning af silke (fra kokonen); afhaspningsmaskine.

filbert ['filbət] *sb* dyrket hasselnød.

filch [filtʃ] *vb* stjæle, rapse. **filcher** ['filtʃə] *sb* tyv.

I. file [fail] *sb* brevordner, regningskrog, spyd; arkivskab, dokumentskab *el.'-kasse, kartoteksskab; kartotek, arkiv, samling af dokumenter, aviser etc; (i en bestemt sag:) akter, dossier, sag; (i edb) fil, register; (af personer) række, (mil.) rode; blank* ~ blind rode; *rank and* ~, se *I. rank; by -s* rodevis; *move in Indian (el. single)* ~ gå en og en, gå i gåsegang; *(mil.)* gå i enkeltkolonne.

II. file [fail] *vb* sammenhæfte; ordne, lægge på plads, arkivere, lægge til akterne; indgive (ansøgning *etc);* indlevere (til et arkiv *etc);* gå en og en *(el.* i gåsegang), defilere; *(mil.)* gå i enkeltkolonne; ~ *for (am)* ansøge om; ~ *a petition* indgive andragende.

III. file [fail] *sb* fil; *vb* file; *a sly old* ~ en udspekuleret fyr.

file| **cutter** filehugger. **-fish** *zo* filfisk.

filial ['filjəl] *adj* sønlig, datterlig, barnlig.

filiation [fili'eiʃən] *sb* sønne- (, datter-)forhold; nedstamning; *(jur)* paternitetsbestemmelse.

filibeg ['filibeg] *sb* højlænders skørt, kilt.

filibuster ['filibʌstə] *vb* (især *am)* lave obstruktion (i kongressen) ved at holde marathontaler; *sb* fribytter, sørøver; obstruktionsmager.

filiform ['f(a)ilifɔ:m] *adj* tråddannet.

filigree ['filigri:] *sb* filigran.

filing ['failiŋ] *sb* arkivering *etc,* se II. *file;* ~ *cabinet (el.* cupboard) arkivskab, kartotekskab.

filings ['failiŋz] *sb pl* filspåner; arkivalier.

I. fill [fil] *vb* fylde; udfylde *(fx his place will not be easy to* ~), optage *(fx it -ed her thoughts);* (med mad) mætte; (om pibe, huller) stoppe; (om tand) plombere; (om embede) beklæde, besætte; *(merk,* om bestilling) effektuere,

ekspedere; *(am,* om recept) ekspedere; (uden objekt) fyldes; ~ *the bill* give fyldest, være brugbar, opfylde kravene; ~ *in* udfylde; indføje; ~ *in for* vikariere for; ~ *in on (am* **S**) holde a jour med; ~ *out* (om sejl) fyldes, udspiles; (om person) blive tykkere *(el.* rundere), lægge sig ud; *(am)* udfylde; ~ *up* fylde op, fylde helt *(fx the tank);* påfylde; udfylde *(fx a form);* ~ *a want* afhjælpe *(el.* udfylde) et savn.

II. fill [fil] *sb: eat one's* ~ spise sig mæt; *have had one's* ~ have fået rigeligt *(of* af), have fået nok *(of* af); *a* ~ *of tobacco* et stop tobak.

filler ['filə] *sb* fyld *(fx* i kage); fyldstof; spartelfarve; (i tekstiler) appretur; (til fyldepen) hævert.

fillet ['filət] *sb* hårbånd, pandebånd; (træ-, metal-) liste; (om mad) filet, mørbrad; (på bogbind) filet, linie; *vb* filere.

filling ['filiŋ] *sb* fyldning, udfyldning, opfyldning; (i cigar) indlæg; (om tand) plombering, plombe; *(am,* i vævning) skudgarn; se også *filler.*

filling station *(am)* benzintank, servicestation.

fillip ['filip] *vb* knipse; stimulere, sætte fart i; *sb* knips; stimulans, opstrammer; bagatel.

fillister ['filistə] *sb* simshøvl.

filly ['fili] *sb* fole, hoppefole; livligt pigebarn.

film [film] *sb* hinde; film; *vb* overtrække med en hinde, filme, filmatisere *(fx a novel).*

film | **cartridge** filmkassette. ~ **director** filminstruktør. ~ **gate** billedkanal, filmkanal.

filmic ['filmik] *adj* filmisk.

film |**library** filmarkiv. ~ **stock** råfilm. ~ **strip** billedbånd (til brug i undervisning).

filmy ['filmi] *adj* overtrukken med en hinde; hindeagtig.

filoselle ['filəsel, filə'sel] *sb* floretsilke.

filter ['filtə] *vb* filtrere; filtreres, sive, trænge (igennem); (om bil) dreje fra (ɔ: væk fra hovedstrømmen); *sb* filter, filtrerapparat; ~ *out* filtrere fra; sive ud.

filter| **light** (ved lyskurv) grøn pil. ~ **paper** filtrerpapir. ~ **-tipped** (om cigaret) med filter.

filth [filθ] *sb* snavs, smuds, skidt; sjofelhed(er); *talk* ~ komme med sjofelheder. **filthy** ['filθi] *adj* snavset, smudsig, beskidt; svinsk, sjofel *(fx joke);* modbydelig.

filtrate ['filtreit] *vb* filtrere; ['filtrit] *sb* filtrat.

filtration [fil'treiʃən] *sb* filtrering.

fin [fin] *sb* finne, svømmefinne; støbefinne; køleribbe; *(flyv)* halefinne; *(mar)* styrefinne; **S** hånd, næve; *tip us your* ~ **S** stik mig din næve.

fin. *fk financial; finished.*

finable ['fainəbl] *adj* som medfører en bøde; som kan idømmes en bøde.

final ['fainəl] *adj* endelig, afgørende; *sb* slutkamp, finale; afsluttende eksamen; (af avis) sidste udgave.

finale [fi'na:li] *sb* finale.

finalist ['fainəlist] *sb* finalist, deltager i slutkamp.

finality [fai'næliti] *sb* endelighed; endelig afgørelse (, udtalelse, ordning); *speak with* ~ udtale sig definitivt; afskære al videre diskussion.

finalize ['fainəlaiz] *vb* afslutte, bringe til afslutning; godkende endeligt.

finally ['fainəli] *adv* endelig, til sidst, til slut.

finance [fai'næns] *sb* finans; finansvidenskab; *pl* finanser; *vb* finansiere; ~ *company* finansieringsselskab.

financial [fai'nænʃ(ə)l] *adj* finansiel, finans-; penge-; *year* finansår; driftsår.

financier [fai'nænsiə] *sb* finansmand; financier.

finback ['finbæk] *sb zo* finhval.

finch [finʃ] *sb* fi.

I. find [faind] *vb (found, found)* finde; (et mål) ramme, træffe; *(fig)* erfare, opdage, konstatere; *(give etc)* levere; forsyne *(in, with* med); skaffe *(fx money);* *(jur)* afgive kendelse om at, kende;

750 pounds a year and all found 750 pund om året og fri station; ~ *for the plaintiff* give sagsøgeren medhold; *the jury found him guilty* nævningene kendte ham skyldig; ~ *sby* in træffe i hjemme; *he -s me in clothes* han holder mig med tøj; ~ *sby in a lie* gribe én i en løgn; *I cannot* ~ *it in my heart* jeg kan ikke bringe det over mit hjerte; *be well found in* være velforsynet med; ~ *sby a job* skaffe én arbejde; ~ *oneself* befinde sig *(fx how do you* ~ *your-*

F find

150

self?); finde sig selv; £5 *a day and ~ yourself* £5 om dagen på egen kost; *he found himself wishing that ...* han greb sig i at ønske at ...; *~ out* opdage, gennemskue.
II. find [faind] *sb* fund.
finder ['faində] *sb* finder; søger, sigtekikkert.
finding ['faindiŋ] *sb* kendelse; *-s* (forsknings)resultater; resultater af undersøgelse; *(jur)* kendelse.
I. fine [fain] *sb* bøde; afgift; *vb* idømme en bøde.
II. fine [fain] *adj* fin; prægtig, fremragende; smuk, skøn; ren; (findelt, tynd *etc)* fin *(fx sand, thread, pen),* spids *(fx nib* pen), skarp *(fx edge* æg); *(fig)* subtil *(fx distinction);* T glimrende; (ironisk) nydelig, køn *(fx that's a ~ excuse); the ~ arts* de skønne kunster (se også II. *art);*
~ day dejligt vejr; *one ~ day, one of these ~ days* en skønne dag; *a ~ fellow* en smuk fyr, en prægtig fyr; (ironisk) en net herre; *a ~ friend you have been* du har været en nydelig ven; *you are a ~ one!* du er en køn en! *~ gold* rent guld *(el* guld af en nærmere fastsat lødighed); *a ~ taste* en kræsen smag.
III. fine [fain] *vb* rense, klare, lutre; afklares; blive finere; svinde hen.
IV. fine [fain]: *in ~* sluttelig; kort sagt.
fine-draw ['fain'drɔ:] *vb* sy fint sammen; kunststoppe; trække metal *etc* ud til tynde tråde.
fine-drawn ['fain'drɔ:n] *adj* fint tegnet *(fx features); (fig)* hårfin.
fine-grained ['fain'greind] *adj* finkornet; finluvet.
finery ['fainəri] *sb* stads, pynt.
fine-spun ['fain'spʌn] *adj* fint spundet; *(fig)* fint udtænkt, hårtrukken.
finesse [fi'nes] *sb* finhed, diplomati; behændighed, list, fif; (i bridge) knibning; *vb* bruge list (imod), (i bridge) knibe.
fine-toothed ['fain'tu:θt] *adj: ~ comb* tættekam.
fine writing tilstræbt elegant stil.
finfoot ['finfut] *zo* amerikansk svømmerikse.
finger ['fiŋgə] *sb* finger; (mål) fingersbred; (på ur *etc)* viser; *vb* fingerere, beføle, famle ved; berøre let; bruge fingrene; spille på med fingrene; *(mus.)* angive fingersætning i; T hugge, rapse; *burn one's -s (fig)* brænde sig; *have a ~ in the pie* have en finger med i spillet; *have at one's -s' ends* kunne på fingrene; *don't lay a ~ on him* rør ham ikke; *lay (el. put) one's ~ on* sætte fingeren på, udpege; *put the ~ on* S angive, stikke; *twist sby round one's (little) ~* vikle én om sin lillefinger.
finger| alphabet fingersprog. **-board** gribebræt (på violin *etc);* klaviatur; manual (på orgel). **~ bowl** [-boul] skylleskål.
fingering ['fiŋgəriŋ] *sb* fingereren; (angivelse af) fingersætning; uldent strømpegarn.
finger|mark aftryk af snavset finger. **-nail** negl. **~ plate** dørskåner. **-post** afviser, vejviser(pæl). **-print** *sb* fingeraftryk; *vb* tage fingeraftryk af. **-stall** fingertut. **-tip** fingerspids *(fx a gentleman to his -tips);* fingertut; *have it at one's -tips* kunne det på fingrene.
finial ['f(a)iniəl] *sb (arkit)* korsblomst.
finical ['finikl], **finicking** ['finikiŋ], **finicky** ['finiki] *adj* sirlig, pertentlig; *(fig)* overbroderet; (alt for) udpenslet.
finikin ['finikin] = *finicky.*
fining ['fainiŋ] *sb* klaring *etc* (se III. *fine).*
finis ['finis] *sb* ende, finis.
I. finish ['finiʃ] *vb* ende, bringe til ende, blive færdig med, gøre færdig, fuldende, fuldføre, afslutte; (om mad) spise op, drikke op *(el* ud); T (om person) gøre det *af* med; (om produkt, arbejdsstykke) færdigbehandle, færdiggøre, afrette, afpudse; (om tekstiler) appretere; (uden objekt) blive færdig, slutte, holde op; tale ud *(fx do let me ~);* (i sport) fuldføre, komme i mål; *he -ed third* han kom ind som nr. 3; *~ off (el. up)* spise op, drikke op *(el* ud); gøre færdig, fuldende; *~ off* (også) T gøre det (helt) af med; *~ up with* slutte af med; *to ~ up with* til slut; *~ with* bryde med; *when -ed with* efter afbenyttelsen.
II. finish ['finiʃ] *sb* slutning; *(tekn)* afretning, afpudsning, efterbehandling; *(fig)* formfuldendthed; (i sport) slutkamp, oprøb; (i tekstiler) appretur, (på overflade) fernis, lak; *be in at the ~* være med når ræven dræbes; *(fig)* være med i det afgørende øjeblik; *fight to a ~* kæmpe til en af parterne er overvundet.
III. finish ['fainiʃ] *adj* fin, ganske fin, finere.

finished ['finiʃt] *adj* afsluttet; færdig (også *fig);* formfuldendt; afpudset; *~ goods* færdigvarer.
finishing| coat finpuds; dækfarve. **~ line** mållinie. **~ school** pigeinstitut. **~ stroke** nådestød. **~ touches** *pl* sidste penselstrøg; *put the ~ touches on sth* (også) lægge sidste hånd på noget, give noget en sidste afpudsning.
finite ['fainait] *adj* begrænset; *(gram)* finit.
fink [fiŋk] *sb (am)* S lus, skiderik; stikker, angiver; skrubrækker.
Finland ['finlənd] Finland. **Finn** [fin] *sb* finne.
Finnish ['finiʃ] *sb, adj* finsk.
Finno-Ugric ['finou'ju:grik] *adj* finsk-ugrisk.
finny ['fini] *adj* finnet.
fin ray *zo* finnestråle.
F. Inst. P. *fk Fellow of the Institute of Physics.*
fiord [fjɔ:d] *sb* fjord (især norsk).
fir [fə:] *sb (bot)* (ædel)gran. **fir cone** (gran)kogle.
I. fire [faiə] *sb* ild, ildebrand, ildløs; bål; flamme, lue, *(fig)* lidenskab; *catch (el. take) ~* fænge; *cease ~* indstille skydningen; *coals of ~* se *coal; draw the ~ (mil.)* tiltrække fjendens ild, udsætte sig for beskydning; *electric ~* elektrisk varmeovn; *give ~* give ild, fyre; *hang ~,* se I. *hang; have a ~* have fyret, have ild i kaminen; *lay a ~* lægge (brændsel) tilrette (i kamin *etc); light (el. make) a ~* tænde op, lægge i kakkelovnen; *line of ~ (mil.)* ildlinie; skudlinie; *miss ~* se II. *miss; get on together like a house on ~* komme storartet ud af det; *open ~ (mil.)* åbne ild; *(fig)* begynde, tage fat; *the ~ is out* ilden er gået ud; *the scene of the ~* brandstedet; *set ~ to (el. set on ~)* stikke ild på; (se også *Thames); smell of ~* brandlugt; *speed of ~* skudhastighed; *strike ~* slå gnister; *between two -s* under dobbelt ild; *be under ~ (mil.)* være i ilden, blive beskudt; *(fig)* måtte stå for skud, blive angrebet; *there is no smoke without ~* der går ikke røg af en brand, uden at der er ild i den.
II. fire [faiə] *vb* tænde; stikke i brand, (skydevåben) affyre; (keramik *etc)* brænde; *(fig)* opildne, opflamme; T afskedige, fyre; (uden objekt) komme i brand, antændes, (opvarme, skyde) fyre, (om skydevåben) gå af, (om motor) tænde; *~ away* fyre løs; *(fig)* klemme på; skaffe fra leveren; *~ the boilers* fyre under kedlerne; *~ off* affyre; *~ on, ~ at* beskyde; *ready to ~ (mil.)* skudklar; *~ up* fare op, blive rasende.
fire| alarm brandalarm. **-arms** *pl* skydevåben. **~ arrow** brandpil. **-ball** kuglelyn; meteorsten; *(hist)* brandkugle, ildkugle; *(fig)* krudtugle. **~ bomb** brandbombe. **-brand** brand, brændende stykke træ; (om person) urostifter. **-break** *sb* brandbælte. **~ breathing** ildsprudende. **-brick** ildfast mursten. **~ brigade** brandvæsen. **~ bucket** brandspand. **-bug** *(am)* T pyroman, brandstifter. **-clay** ildfast ler. **~ control** *(mil.)* ildledelse. **-cracker** kineser (fyrværkeri). **-crest** *zo* rødtoppet fuglekonge. **-damp** grubegas. **~ department** *(am)* brandvæsen. **-dog** ildbuk. **~ drill** brandøvelse; ildbor (til at frembringe ild med). **~ -eater** ildsluger; *(fig)* pralhals; slagsbroder. **~ -eating** drabelig. **~ engine** sprøjte. **~ escape** brandstige; brandtrappe. **~ extinguisher** ildslukningsapparat. **~ fighter** brandmand. **-fly** ildflue. **-guard** kamingitter; brandvagt. **~ hook** brandhage. **~ hose** brandslange. **-house** *(am)* brandstation. **~ hydrant** brandhane.
fire| insurance brandforsikring. **~ irons** kaminsæt. **~ lane** brandbælte. **-lighter** ildtænder. **~ -line** brandbælte. **-man** brandmand; fyrbøder. **~ office** brandforsikringsselskab. **-place** kamin; ildsted, arne. **-plug** brandhane. **~ policy** brandforsikringspolice. **-proof** ildfast, brandsikker. **~ -raising** brandstiftelse, ildspåsættelse. **~ sale** brandudsalg. **~ screen** kaminskærm; *(am)* kamingitter. **-side** *(fig)* hjem; *adj (am)* kamin- *(fx chat);* uformel; *sit round the -side* sidde foran *(el* ved) kaminen. **~ station** brandstation. **~ step** *(mil.)* skydetrin. **-stone** ildfast sten. **-trap** brandfarlig bygning, brandfælde. **~ -walking** det at gå på gløder. **~ warden** *(am)* brandfoged. **-watcher** brandvagt. **-wood** brænde. **-works** fyrværkeri. **~ worship** ildtilbedelse.
firing ['faiəriŋ] *sb* brændsel; antændelse; affyring, skydning, fyring; (om keramik *etc)* brænding.
firing| line ildlinie. **~ party** *(am) ~* squad. **~ pin** *(mil.)* slagstift, slagbolt. **~ squad** henrettelsespeloton; æreskompagni (der affyrer salut ved begravelse). **~ step** *(mil.)*

skydetrin.
firkin ['fə:kin] *sb* fjerding; anker.
I. firm [fə:m] *sb* firma.
II. firm [fə:m] *adj* fast; sikker, bestemt; *be on ~ ground* have fast grund under fødderne; *have a ~ seat* sidde fast i sadlen; *you must be ~ with him* du må være bestemt over for ham.
III. firm [fə:m] *vb* fortætte, kondensere *(fx cheese)*; fasttræde *(fx ~ the soil after planting)*; befæste; blive fast.
firmament ['fə:məmənt] *sb* firmament.
firman [fə:'ma:n] *sb* østerlandsk monarks forordning.
first [fə:st] *adj* først; *adv* for det første; før, hellere *(fx he would die ~)*; *sb* første præmie; førsteplads; (ved eksamen) første karakter *(fx take a ~* få første k.); (i bil) første gear *(fx he shifted into ~)*; *-s pl* første sortering; **at** *(the) ~* i begyndelsen; (se også I. *hand og sight)*; *~* **come, ~** served den der kommer først til mølle får først malet; **from** *the ~* fra begyndelsen af, fra første færd; **in** *the ~ place* for det første; *~ and* **last** først og sidst; helt igennem *(fx he was ~ and last a poet)*; *~ or last* før eller siden; *from ~ to last* fra først til sidst; *~ of all* allerførst; *~ of exchange* primaveksel; *of the ~ importance* af største vigtighed; *~* **off** *(am)* T lige med det samme; **on** *~ coming* straks *(el.* lige) når man (, han *etc)* kommer; *on the ~ approach of a stranger* straks når *(el.* så snart) en fremmed nærmer sig; *not know the ~* **thing** *about it* ikke have spor kendskab til det; *~ thing in the morning* straks om morgenen; straks i morgen tidlig; på fastende hjerte; *come ~ thing tomorrow* kom straks i morgen tidlig; **when** *~* så snart, straks da, lige da; *when we were ~ married* i begyndelsen af vort ægteskab.
first | **aid** førstehjælp. *~* **-aid course** samariterkursus. *~* **-aider** samarit. *~* **-aid station** lægevagt; *(mil.)* forbindsplads. *~* **base** *(am,* i baseball) første base; første basemand; *it never got to ~ base* T der kom aldrig rigtig noget ud af det. **-born** førstefødt. *~* **class** første klasse; (eksamenskarakter, *omtr)* første karakter. *~* **-class** *adj* førsteklasses, udmærket; *(travel ~ -class* rejse på første klasse. *~* **cousin** søskendebarn, fætter, kusine. *~* **finger** pegefinger. *~* **floor** første sal; *(am)* stuetagen. **-fruits** *pl* førstegrøde. **-hand** *adj* førstehånds *(fx information)*; *adv = at ~ hand* på første hånd, umiddelbart.
firstling ['fə:stliŋ] *sb* førstefødt afkom.
firstly ['fə:stli] *adv* for det første.
first | **name** *(am)* fornavn. *~* **night** premiere. **-nighter** fast premieregæst. *~* **novel** (forfatters) debutroman. *~* **offender** førstegangsforbryder. *~* **officer** overstyrmand, næstkommanderende. *~* **papers** *pl (am)* erklæring om at man agter at ansøge om statsborgerskab. *~* **-rate** førsterangs, førsteklasses. *~* **string** (på violin) kvint.
firth [fə:θ] *sb* fjord.
fiscal ['fiskəl] *adj* fiskal- og finans-; skatte-; *~ year* (statens) finansår, skatteår.
I. fish [fiʃ] *sb (pl fish el. fishes)* fisk; jeton, spillemærke; T fyr; *all is ~ that comes to his net* han tager alt med; han udnytter alt til sin fordel; *he drinks like a ~* han drikker som en svamp; *feed the fishes* drukne; 'ofre' (kaste op i søsyge); *feel like a ~ out of water* føle sig som en fisk på landjorden; ikke være i sit rette element; *have other ~ to fry* have vigtigere ting for; have andet at tage sig til; *that is neither ~ nor flesh (nor good red herring)* det er hverken fugl eller fisk; *an odd (el. a queer) ~* en snurrig fyr.
II. fish [fiʃ] *vb* fiske; fiske i; *go -ing* tage på fiskeri; *~ for information* fiske efter oplysninger; *~ in troubled waters* fiske i rørt vande; *~ out* fiske op; hale frem; affiske (ɔ: tømme for fisk).
fishball fiskefrikadelle.
fisher ['fiʃə] *sb* fisker; *zo* fiskemår.
fisherman ['fiʃəmən] *sb* fisker.
fishery ['fiʃəri] *sb* fiskeri; fiskerettighed; fiskeplads.
fish | **glue** fiskelim. *~* **hawk** fiskeørn. **-hook** fiskekrog.
fishing ['fiʃiŋ] *sb* fiskeri. **fishing** | **frog** *zo* havtaske. *~* **line** fiskesnøre. *~* **rod** fiskestang. *~* **tackle** fiskeredskaber.
fish | **joint** *(jernb)* laskesamling. *~* **kettle** fiskekedel. **-monger** fiskehandler. **-plate** *(jernb)* skinnelask. **-pond** fiskedam. **-pot** tejne. *~* **slice** paletspade. **-tail** *sb* fiskehale; *vb (flyv)* reducere farten ved at svinge fra side til side.

-wife fiskerkone; *(neds)* fiskerkælling.
fishy ['fiʃi] *adj* fiskeagtig; fiskerig; fiske- *(fx smell)*; T tvivlsom, mistænkelig, fordægtig; *there's something ~ about it* der er noget muggent ved det.
fissile ['fisail, *(am)* 'fisil] *adj* spaltelig, spaltbar, kløvbar.
fission ['fiʃən] *sb* kløvning; *(fys)* (atom)spaltning, fission; *(biol)* formering ved celledeling. **fissionable** ['fiʃənəbl] *adj* spaltelig.
fissiparous [fi'sipərəs] *adj (biol)* som formerer sig ved celledeling.
fissure ['fiʃə] *sb* fissur; spalte, revne, fure.
I. fist [fist] *sb* (knyttet) næve; (skrift:) 'klo' *(fx he writes an awful ~)*; *the mailed ~* den pansrede næve; *hand over ~,* se I. *hand.*
II. fist [fist] *vb* fiste, slå til med hånden.
fistic ['fistik] *adj* bokse- *(fx ~ skill* bokseteknik; *~ contest* boksekamp).
fisticuffs ['fistikʌfs] *sb (glds)* nævekamp, slagsmål.
fistula ['fistjulə] *sb (med)* fistel. **fistular** ['fistjulə] *adj* rørformig. **fistulous** ['fistjuləs] *adj* fistelagtig.
I. fit [fit] *sb* anfald, tilfælde; *beat him all to -s* slå ham sønder og sammen; *by -s (and starts)* nu og da, stødvis, rykvis; *give sby a ~* T chokere en; *go off in a ~* få krampe; *a ~ of laughter* et latteranfald; *when the ~ is on him* når han er i det humør; *throw a ~* T få en prop *(el* et tilfælde) *(fx he will throw a ~ when he hears it)*.
II. fit [fit] *sb* pasning, det at passe; pasform; *(tekn)* pasmål; *that coat is an excellent (, bad) ~* den jakke sidder fortræffeligt (, dårligt).
III. fit [fit] *adj* egnet, passende; som passer godt; dygtig, duelig; i god (, fin) form, sund og rask; *a ~ person* (også) den rette mand (, kvinde);
    as is ~ and proper som det det sig hør og bør; *be ~* **for** være egnet til, egne sig til; *~ for duty* arbejdsdygtig, tjenstdygtig; *~ for a king* af bedste kvalitet; *~ for use* brugelig; brugbar; *keep ~* holde sig i form; *see ~, think ~* finde for godt, finde passende *(el* formålstjenligt); *be ~* **to** være egnet til at *(fx food ~ to eat)*; være lige ved at *(fx she worked till she was ~ to drop)*; *she cried ~ to break her heart* hun græd som om hendes hjerte skulle briste; *he laughed ~ to burst* han lo så han var ved at revne; *I am not ~ to be seen* jeg kan ikke vise mig som jeg er; *a smell ~ to knock you down* en lugt der var ved at slå en omkuld.
IV. fit [fit] *vb* gøre egnet *(el.* kvalificeret) *(to* til, *fx the training -ted him to work; el. for* til, *fx it -ted him for his work)*; udstyre *(with* med, *fx ~ a room with chairs)*; indrette, afpasse; tilpasse *(fx a carpet)*; anbringe, montere *(fx fog lights)*; indbygge *(fx a cupboard)*; (være rigtig) passe til, passe i *(fx the key -s the lock)*; (om tøj) passe *(fx the coat -s me)*; passe, sidde *(fx the coat -s)*; *~ in* passe ind; få plads til; *~ in* **with** passe ind i, passe sammen med *(fx it -s in well with my arrangements)*; indrette efter; *here's your new coat, you had better ~ it* **on** her er din ny jakke, du må hellere prøve den; *~ out* udruste, udstyre, (med tøj) ekvipere; *~ up* indrette, montere, udstyre.
fitch [fitʃ] *sb* ilderskind; ilderhår; pensel (fremstillet af ilderhår). **fitchew** ['fitʃu:] *sb zo* ilder.
fitful ['fitf(u)l] *adj* rykvis; stødvis; urolig; afbrudt; ustadig.
fitly ['fitli] *adv* passende.
fitment ['fitmənt] *sb* tilbehør, udstyr; *-s* (også) indbyggede skabe *etc.*
fitness ['fitnis] *sb* egnethed, skikkethed; duelighed; *(physical ~)* form, kondi(tion); *it is but in the ~ of things that* det ligger i sagens natur at.
fit-out ['fitaut] *sb* udrustning; udstyrelse; udstyr.
fitted ['fitid] *adj* egnet *(for* til); tilpasset; indbygget *(fx cupboard)*; fast *(fx cupboard, carpet)*; *well ~* (også) godt sammenpasset.
fitter ['fitə] *sb* montør, maskinarbejder, motormekaniker; (i skrædderi) tilskærer.
fitting ['fitiŋ] *adj* passende; *sb* montering; udrustning; armatur; tilbehør, fed; fedtlag, apparat, rekvisit, tilbehør; (hos skrædder) prøve; (om tøj, sko) pasform.
fitting-out ['fitiŋ'aut] *sb* udstyrelse; udrustning; montering.
fitting | **room** (hos skrædder) prøveværelse. *~* **shop** samle-

værksted.
Fitzgerald [fits'dʒerəld].
five [faiv] fem; *sb* femmer; femtal; *the* ~ *of hearts* hjerter fem.
five-and-ten *sb (am)* forretning med billige ting.
fivefold ['faivfould] *adj, adv* femdobbelt, femfold.
fiver ['faivə] *sb* fempundsseddel; *(am)* femdollarseddel.
fives [faivz] *sb* slags boldspil.
five year plan femårsplan.
I. fix [fiks] *sb* forlegenhed, knibe; *(mar, flyv)* stedsbestemmelse; S fix, 'skud' (af heroin).
II. fix [fiks] *vb* fæste, fæstne; gøre fast; sætte op *(fx a shelf, a poster)*, sætte på *(fx a lid)*; hæfte; *(tekn)* fastspænde, spænde op, fiksere; *(fig)* fastsætte, bestemme *(fx a price, a date)*; (uden objekt) nedsætte sig, sætte sig fast, fæstne sig; *(fot)* fiksere; T fikse, ordne, klare *(fx let me* ~ *that; I'll* ~ *him!)*; reparere; lave, tilberede *(fx a meal, the salad)*; S tage (, give en) et 'skud' (heroin); ~ *bayonets!* bajonet på! ~ *a flat-*lappe en punktering; ~ *one's hair* sætte sit hår; ~ **on** bestemme sig til; fastsætte; ~ **up** ordne, arrangere *(fx a tennis tournament)*; indrette *(fx* ~ *a room up as a laboratory)*; T bilægge *(fx a quarrel)*; kurere, bringe på ret køl, kvikke op *(fx a cup of coffee will* ~ *you up)*; *I can easily* ~ *you up for the night* jeg kan sagtens give dig husly for natten.
fixation [fik'seiʃən] *sb* fastgørelse; fastsættelse; bestemmelse; *(fot)* fiksering; *(psyk)* binding.
fixative ['fiksətiv] *sb* fiksativ, fiksermiddel.
fixed [fikst] *adj* fast *(fx price, income)*; stift *(fx look, smile)*; ~ *bayonets* opplantede bajonetter; ~ *capital* anlægskapital; ~ *charges* faste udgifter; ~ *idea* fiks idé.
fixedly ['fiksidli] *adv* fast; stift, bestemt.
fixed | -spool reel fastspolehjul (til fiskestang). ~ **star** fiksstjerne.
fixer ['fiksə] *sb* fiksermiddel.
fixing bath *(fot)* fikserbad.
fixings ['fiksiŋz] *sb pl* (især *am)* tilbehør, pynt, besætning (på kjole).
fixing salt fiksersalt.
fixity ['fiksiti] *sb* fasthed, uforanderlighed.
fixture ['fikstʃə] *sb* fast tilbehør, fast inventar, nagelfast genstand; (fastsat tidspunkt for) sportskamp (, sportskonkurrence).
fizz [fiz] *vb* syde; bruse, moussere; *sb* brusen; S champagne, skum.
fizzle ['fizl] *vb* hvisle, sprutte; gøre fiasko, falde igennem; *sb* syden, hvislen; fiasko; ~ *out* mislykkes, løbe ud i sandet, fuse ud.
fizzy ['fizi] *adj* T mousserende, som bruser; ~ *lemonade* sodavand.
fl. *fk florin.*
Fla. *fk Florida.*
flabbergast ['flæbəga:st] *vb* T forbløffe; *-ed* (også) lamslået, himmelfalden, paf.
flabby ['flæbi] *adj* slap, slatten, holdningsløs, svag; blegfed, lasket.
flabellate [flə'belit] *adj (biol)* vifteformet.
flaccid ['flæksid] *adj* slap, slatten.
flaccidity [flæk'siditi] *sb* slaphed, slattenhed.
I. flag [flæg] *vb* hænge slapt; være *(el.* blive) mat, dø hen *(fx the conversation was -ging)*; *his interest is -ging* han er ved at tabe interessen.
II. flag [flæg] *sb; vb* dekorere med flag; mærke, hæfte et mærke på; signalere til med flag; standse; ~ *down* standse *(fx a car)*; flage af; ~ *of convenience (mar)* bekvemmelighedsflag; ~ *of truce, white* ~ parlamentærflag; *black* ~ sørøverflag; *yellow* ~ karantæneflag; *dip the* ~ kippe med flaget; *fly the* ~ lade flaget vaje; *a vessel flying the Danish* ~ et skib, der sejler under dansk flag; *lower the* ~ hale flaget ned; *strike the* ~ stryge flaget.
III. flag [flæg] *sb (bot)* sværdlilje.
IV. flag [flæg] *sb* flise; vb belægge med fliser.
flag| captain *(mar)* flagkaptajn. ~ **day** 'mærkedag' (hvor der sælges mærker i gaderne); *(am)* flagdag (14. juni).
flagellant ['flædʒilənt] *sb* flagellant. **flagellate** ['flædʒeleit] *vb* piske. **flagellation** [flædʒe'leiʃən] *sb* piskning.
flageolet [flædʒou'let] *sb* flageolet (slags fløjte.).
flagged [flægd] *adj* flagsmykket; flisebelagt.

flagging ['flægiŋ] *sb* flisebelægning.
flagitious [flə'dʒiʃəs] *adj* afskyelig; skændig.
flag lieutenant ['flægle'tenənt] *(mar)* flagadjudant.
flagon ['flægən] *sb* karaffel; flaske.
flagrancy ['fleigrənsi] *sb* afskyelighed; skamløshed.
flagrant [fleigrənt] *adj* flagrant, åbenbar; skamløs.
flagship ['flægʃip] *sb* admiralskib, flagskib.
flagstaff ['flægsta:f] *sb* flagstang.
flagstone ['flægstoun] *sb* flise. **flagstoned** flisebelagt.
flagwagging, flagwaving ['flæg-] *sb* hurrapatriotisme.
flagwaver *sb* chauvinist; hurrapatriot.
flail [fleil] *sb* plejl; *vb* tærske med plejl.
flail tank minerydningstank.
flair [flɛə] *sb* flair, sans, 'næse' *(for* for).
flak [flæk] *sb* antiluftskyts, flak, luftværnsild.
I. flake [fleik] *sb* flage, tyndt lag, tynd skive; *flint* ~ flintflække; *snowflakes* snefnug; *soap flakes* sæbespåner; *vb:* ~ *off* skalle af; ~ *out* S falde i søvn; besvime, miste bevidstheden; 'flippe ud'.
II. flake [fleik] *sb* stativ til fisketørring; bådsmandsstol.
flak jacket, flak vest skudsikker vest.
flam [flæm] *sb* løgnehistorie, fup; *vb* fuppe.
flambeau ['flæmbou] *sb* fakkel.
flamboyant [flæm'bɔiənt] *adj* flammet; bølgende; *(fig)* blomstrende, farvestrålende; prangende; *(arkit)* flamboyant (sengotisk stil).
I. flame [fleim] *sb* flamme, lue; (om person) flamme, sværmeri; *fan the* ~ *(fig)* puste til ilden; *go down (el. crash) in -s* styrte brændende til jorden.
II. flame [fleim] *vb* flamme, lue, blusse.
flame|-coloured ildrød, luerød. **-out** *(flyv)* jetmotors svigten; motorstop. **-thrower** *(mil.)* flammekaster. ~ **tube** *(flyv)* flammerør.
flaming ['fleimiŋ] *adj* flammende; blussende; skamløs *(fx lie)*; T forbandet, fandens *(fx it is a* ~ *nuisance)*; *a* ~ *temper* et voldsomt temperament.
flamingo [flə'miŋgou] *sb zo* flamingo.
flan [flæn] *sb* tærte (med frugt) *(fx strawberry* ~*)*.
Flanders ['fla:ndəz] Flandern; (se også *poppy)*.
flange [flæn(d)ʒ] *sb* fremstående kant *(fx* på jernbanehjul); flange.
flank [flæŋk] *sb* side, flanke; *vb* flankere *(fx a road -ed with trees)*; *(mil.)* sikre flanken; falde i flanken.
flanker ['flæŋkə] *sb (mil.)* sideværk; -s flankesikring.
flannel ['flænl] *sb* flannel, uldflonel; vaskeklud; (se også *flannels)*; T smiger; pladder, sludder; *vb* gnide med flonel; T smigre, fedte for, snakke godt for, besnakke.
flannelboard ['flænlbɔ:d] *sb* flonelstavle.
flannelette [flæn'let] *sb* (bomulds)flonel *(fx* til pyjamas).
flannelgraph ['flænlgræf] *sb* flannellograf, flonelstavle.
flannelled ['flænld] *adj* klædt i flannelsbukser (som *fx* sportsfolk).
flannels ['flænlz] *sb pl* flannelsbukser, flonelsbukser; (let *glds)* lange uldne underbukser.
I. flap [flæp] *sb* (en) klap; lem; bordklap; (af hud) lap, (af tøj) flig, snip, smæk; (af hat) hatteskygge; (slag, lyd) smæk, klask, dask; dasken; (mad:) pandekage; *(flyv)* landingsklap, flap; *get into a* ~ T blive forfjamsket *(el* nervøs), komme helt ud af flippen.
II. flap [flæp] *vb* klaske, daske; slå; baske (med vingerne), flakse, hænge slapt ned; blafre; T = *get into a* ~ (se I. *flap)*.
flap|doodle ['flæpdu:dl] *sb (glds* T) vås, nonsens. ~ **-eared** med udstående ører; (om hund) med hængende ører. **-jack** pandekage; pudderdåse.
flapper ['flæpə] *sb* fluesmækker; ung (ikke flyvefærdig) fugl; ung vildand; backfisch, halvvoksent pigebarn; S hånd, pote, lab.
flare [flɛə] *sb* ustadigt lys; nødblus; lysbombe; signallys, blus; udbugning; (i film) overstråling; *vb* flagre; flakke, flamme op, glimte; lyse med blændende glans; bue ud; (især om tøj) blive videre nedefra *(fx* om skørt) strutte; *-d pants* bukser med svaj; ~ *up*, ~ *out* flamme op, blusse op; fare op (i vrede).
flare-up ['flɛər'ʌp] *sb* opblussen; opbrusen; blus.
flaring ['flɛəriŋ] *adj* flakkende; blændende; prangende; ~ *bow(s) (mar)* udfaldende bov; ~ *skirts* struttende skørter.

flash [flæʃ] *sb* glimt, blink; lynglimt; (i journalistsprog) kort nyhedsmeddelelse; (på uniform) uniformsmærke; (i film) glimt; *(fot)* blitz; T smagløshed; *adj* flot; smagløs; simpel; falsk *(fx ~ money)*; *vb* glimte, blinke; lyne; fare; (med objekt) lade glimte, lade blusse op; vise i et glimt; (ud)sende (pr. telegraf *etc)*; overfange *(fx -ed glass)*; T vise frem, prale med, vigte sig med; (om hustag) inddække (ɔ: tætte med zink *etc)*; *a ~ in the pan* en kort opblussen; et slag i luften; en der har kortvarig succes; *his eyes -ed fire* hans øjne skød lyn; *it suddenly -ed (up)on me* det slog pludselig ned i mig, det gik pludselig op for mig.

flash|back (i film) flashback; tilbageblik. **-bulb** *(fot)* blitzpære. **~ card** (i undervisning) kort der fremvises for eleverne i et kort glimt. **-cube** *(fot)* blitzterning. **-gun** *(fot)* blitz. **-hider** *(mil.)* flammeskjuler.

flashing ['flæʃiŋ] *sb* indskud *(fx* af metalplader) til tætning af tag, inddækning. **flashing light** *(mar)* blinkfyr.

flash|lamp blitzlampe. **-light** magniumsbombe, blitzlampe; *(am)* lommelygte; *(mar)* blinkfyr. **~ photography** blitzfotografering. **~ screen** *(mil.)* flammeskjuler. **~ signal** blinklyssignal. **-point** flammepunkt, antændelsestemperatur; *(fig)* kritisk punkt.

flashy ['flæʃi] *adj* udmajet, prangende, smagløs.

flask [flɑːsk] *sb* flaske; lommeflaske, lommelærke; *(mil.)* feltflaske; *(glds)* krudthorn.

I. flat [flæt] *adj* flad; jævn; (kategorisk:) direkte, afgjort *(fx denial)*; (ikke varieret) ensartet, fast *(fx price; rate* takst), uden forskel *(fx a ~ £1 a week increase)*; *(neds)* trist, kedsommelig *(fx style)*; mat, flov *(fx joke)*, (om smag) flov, fad, (om drik) doven *(fx beer)*; *(merk,* om marked) mat; (om lyd) klangløs *(fx voice)*, tonløs, død; *(mus.)* med b for; S flad (ɔ: uden penge); *adv* fladt; direkte, rent ud *(fx I told him ~ that I wouldn't)*; præcis, (i sport) rent *(fx he finished in two minutes ~)*; falsk (ɔ: for lavt) *(fx sing ~)*;
~ against helt ind imod *(fx the ladder was standing ~ against the wall)*; stik imod *(fx he acted ~ against my orders)*; *fall ~ (fig)* falde til jorden *(fx his jokes (, the attempt) fell ~)*; *knock him ~* slå ham i gulvet (, til jorden); *lay the town ~* jævne byen med jorden; *~ on one's face* lige på ansigtet; *~ on one's back* fladt på ryggen; *(fig)* syg, i sengen; *~ out* helt udkørt *(fx he looked ~ out)*; af alle kræfter, for fuldt tryk *(fx work ~ out)*; *a ~ refusal* et blankt afslag; *and that's ~* og dermed basta; så er den ikke længere.

II. flat [flæt] *sb* lejlighed; fladhed, jævnhed; flade; slette; flad side; *(teat)* sætstykke; *(mus.)* (fortegnet) b; *(tekn)* fladjern; T kedeligt drys, dumrian; *(am)* punktering; flad kurv; fladvogn; *(jernb)* åben godsvogn (uden sidefjæle); *(mar)* pram; grundt sted, grund; *-s* flade sumpstrækninger; *the ~ of the sword (, hand)* den flade klinge (, hånd).

flat|boat pram. **~ -bottomed** *adj* fladbundet. **-car** *(am, jernb)* fladvogn. **~ -chested** fladbrystet. **-fish** fladfisk, flynder. **-foot** platfod(ethed); S politibetjent. **-footed** platfodet; T klodset; *(am* S) lige ud, uforbeholden. **-iron** strygejern.

flatlet ['flætlit] *sb* etværelseslejlighed, ungkarlelejlighed.

flat| race fladløb. **~ rate** enhedstakst. **~ -rate** ensartet *(fx contributions, pension)*, udifferentieret. **~ spin** *(flyv)* fladt spin; *go into a ~ spin* T blive helt forfjamsket.

flatten ['flætn] *vb* gøre flad; trykke (, hamre, slå) flad; udjævne(s); jævne med jorden, slå ned; *(fig)* slå ned, tromle ned, knuse *(fx opposition)*; tage modet fra, gøre nedslået; S slå ned, slå i gulvet, slå ud; *(mus.)* sætte b for; *~ his nose* give ham en begmand; *~ oneself against the wall* trykke sig ind mod væggen (, muren); *~ out* udjævne; *(flyv)* flade ud, rette (maskinen) op (efter dyk); T bringe helt ud af det, knuse.

I. flatter ['flætə] *sb (tekn)* plathammer, sæthammer.

II. flatter ['flætə] *vb* smigre; flattere; *I ~ myself that* jeg smigrer mig med at, jeg drister mig til at tro at, jeg bilder mig ind at.

flatterer ['flætərə] *sb* smigrer.

flattery ['flætəri] *sb* smiger, smigren.

flat| tire punkteret ring, punktering. **-top** *(am)* hangarskib.

flatulence ['flætjuləns] *sb* vinde, flatulens; *(fig)* svulstighed.

flatus ['fleitəs] *sb* vinde, tarmluft.

flat|ware *(am)* kuvertartikler; spisebestik, sølvtøj. **-worm** *zo* fladorm.

flaunt [flɔːnt] *vb* flagre, vaje; knejse; sætte næsen i sky; stille til skue, skilte med, prale med *(el* af) *(fx ~ one's vices)*; *(am)* lade hånt om *(fx ~ the regulations)*.

flautist ['flɔːtist] *sb* fløjtespiller, fløjtenist.

flavour ['fleivə] *sb* aroma; velsmag, smag; smagsstof; bouquet (om vin); *(fig)* duft; *(glds)* vellugt, duft; *vb* sætte smag på, give aroma.

flaw [flɔː] *sb* revne, sprække, ridse; mangel, fejl, brist, svaghed, ufuldkommenhed; vindstød; kortvarigt uvejr.

flawless ['flɔːlis] *adj* uden mangler, fejlfri.

flax [flæks] *sb (bot)* hør. **flax breaker** hørbryder.

flaxen ['flæksn] *adj* af hør, hør-; hørgul; *~ hair* lyst hår.

flaxy ['flæksi] *adj* høragtig; blond.

flay [flei] *vb* flå; levit ere skånselsløst.

flea [fliː] *sb zo* loppe; *send sby away with a ~ in his ear* skære en ned, tage pippet fra en, affærdige en brysk.

flea|bag T sovepose. **-bane** *(bot)* bakkestjerne. **~ beetle** jordloppe. **-bite** loppestik; *(fig)* ubetydelighed, knappenålsstik; rød plet (på hvid hest); *a mere -bite* en ren bagatel. **-bitten** bidt af lopper; befængt med lopper; (om hest) rødskimlet; T lurvet, ussel. **~ market** loppetorv.

fleck [flek] *sb* plet; stænk; *vb* plette; stænke.

flection ['flekʃən] *sb* bøjning.

fled [fled] *præt* og *pp* af II. *fly* eller *flee.*

fledge [fledʒ] *vb* gøre *(el* blive) flyvefærdig; sætte styrefjer på (en pil). **fledged** [fledʒd] *adj* flyvefærdig; *newly ~ graduates* nybagte kandidater. **fledg(e)ling** ['fledʒliŋ] *sb* lige flyvefærdig unge; *(fig)* nybegynder.

flee [fliː] *vb (fled, fled)* flygte; undgå; flygte fra.

fleece [fliːs] *sb* uld; skind, uldskind; *vb* plukke, flå, udsuge; *the Golden Fleece* den gyldne Vlies (en orden).

fleecy ['fliːsi] *adj* ulden; uldagtig; *a ~ sky* en himmel med lammeskyer.

fleer [fliə] *vb* spotte; le hånligt; *sb* spot, hånlatter.

I. fleet [fliːt] *sb* flåde (samling af skibe); *~ of cars* vognpark; kortege, lang række af biler.

II. Fleet [fliːt]; *the ~* (navnet på et tidligere vandløb og et fængsel i London).

III. fleet [fliːt] *adj (poet)* hurtig, let; flygtig; *vb* ile af sted; svæve.

fleet-footed ['fliːt'futid] *adj (poet)* rapfodet.

fleeting ['fliːtiŋ] *adj* henilende, flygtig.

Fleet Street (gade i London med bladhuse); *(fig)* pressen.

Fleming ['flemiŋ] *sb* flamlænder. **Flemish** ['flemiʃ] *adj, sb* flamsk; *the Flemish* flamlænderne; *flemish down vb (mar)* skive.

flench [flenʃ], **flense** [flens] *vb* flænse.

I. flesh [fleʃ] *sb* kød (også af frugt); huld; *(fig)* sanselig lyst, kødets lyst; *go the way of all ~* gå al kødets gang; *~ and blood* den menneskelige natur; *more than ~ and blood can endure* mere end et menneske kan holde til; *his own ~ and blood* hans eget kød og blod; *exact one's pound of ~* kræve sit skålpund kød (Shakespeare-citat fra *Merchant of Venice)*, ubarmhjertigt kræve en kontrakt overholdt til punkt og prikke; *be in ~* være ved godt huld; *in the ~* i levende live; i virkeligheden; *lose ~* blive tynd, tabe sig; *put on ~* blive fed, lægge sig ud; *recover one's ~* genvinde sit huld; *the spirit is willing but the ~ is weak* (bibelcitat:) ånden er redebon men kødet er skrøbeligt.

II. flesh [fleʃ] *vb* fodre med kød; give blod på tanden; indvie *(fx* et sværd); øve; hærde.

fleshings ['fleʃinz] *sb pl* trikot.

fleshly ['fleʃli] *adj* kødelig; sanselig.

flesh|pot kødgryde. **~ side** kødside (af skind). **~ wound** kødsår.

fleshy ['fleʃi] *adj* kødrig, kødfuld.

fleur-de-lis ['fləːdə'liː] *sb* fransk lilje.

fleuron ['fləːrən] *sb (arkit, typ)* fleuron (stiliseret blomst).

flew [fluː] *præt* af I. *fly.*

flews [fluːz] *sb pl* hængeflab (på hund).

flex [fleks] *vb* bøje; *sb (elekt)* ledningssnor, ledning; *~ one's muscles (fig)* spille med musklerne.

flexibility [fleksi'biliti] *sb* bøjelighed, smidighed, elasticitet.
flexible ['fleksibl] *adj* bøjelig, smidig, elastisk; ~ *cord* ledningssnor. **flexile** ['fleksil] *adj* bøjelig.
flexion ['flekʃən] *sb* bøjning.
flexional ['flekʃənəl] *adj* bøjnings-, bøjningsmæssig.
flexor ['fleksə] *sb* bøjemuskel.
flexuous ['flekʃuəs] *adj* bugtet; ustadig.
flexure ['flekʃə] *sb* bøjning.
flibbertigibbet ['flibəti'dʒibit] *sb* forfløjent pigebarn; (sladre)taske.
flick [flik] *vb* svippe, svirpe, snerte, knipse; *sb* svirp, smæk, knips; **S** film; *at the -s* **S** i biografen; *go to the -s* **S** gå i biografen.
flicker ['flikə] *vb* flagre, vifte; flimre; (om lys og flamme) blafre, flakke; *sb* flagren; flygtig opblussen; ~ *up* blusse op *(fx a faint hope -ed up and died away)*; *a weak* ~ *of hope* et svagt glimt af håb.
flick knife springkniv.
flier ['flaiə], se *flyer*.
flies [flaiz] *sb pl* af III. *fly; (teat)* loft over prosceniet; snoreloft.
flight [flait] *sb* flugt, flyven, flyvning, flyvetur; (om fugle) flok, sværm; (på væddeløbsbane) række forhindringer *(el.* hurdler); *(mil. flyv)* halveskadrille; ~ *of arrows* pileregn; ~ *of steps,* ~ *of stairs* trappe (mellem to afsatser), trappeløb; *take,(to)* ~ gribe flugten; *put (el. turn) to* ~ jage på flugt.
flight|**bag** flyvekuffert. ~ **data recorder** *(flyv)* båndoptager i fly til registrering af motorfunktion etc. ~ **deck** start- og landingsdæk. ~ **engineer** flyvemaskinist. ~ **lieutenant** *(omtr)* kaptajn. ~ **mechanic** flyvemekaniker. ~ **recorder** = ~ *data recorder.*
flighty ['flaiti] *adj* flygtig, forfløjen; fantastisk, overspændt; (om hest) sky, springsk.
flimflam ['flimflæm] *sb* kneb; vrøvl; *vb* snyde.
flimsy ['flimzi] *adj* tynd; svag; spinkel; usolid; løs, intetsigende; overfladisk; *sb* **T** gennemslagspapir; gennemslag; **S** pengeseddel.
I. flinch [flinʃ] *vb* vige tilbage *(from* for, *fx an unpleasant duty);* trække sig tilbage; krympe sig *(from* ved); *without -ing* uden at blinke.
II. flinch [flinʃ] *vb* flænse.
flinders ['flindəz] *sb pl* stumper, stykker, splinter.
I. fling [fliŋ] *vb (flung, flung)* kyle *(fx he flung a stone at me),* smide, slynge; kaste *(fx* ~ *him into prison);* slå *(fx one's arms out),* smække *(fx* ~ *one's legs up);* (om bryder) kaste; (om hest) kaste af *(fx the horse flung him);* (uden objekt) styrte, fare *(fx he flung out of the room),* (om hest) slå bagud;
~ *away* kyle bort; styrte af sted; ~ *down* smide fra sig; ~ *it in his teeth* slynge ham det i ansigtet; rive ham det i næsen; ~ *oneself into (fig)* kaste sig over *(fx a job);* ~ *off* kaste af; skifte sig af med; ryste af sig; udslynge, henkaste; styrte af sted; ~ *one's clothes on* fare i tøjet; ~ *open* smække op; ~ *out* slå bagud (om heste); udstøde, udslynge *(fx an assertion);* ~ *one's arms round his neck* slå armene om halsen på ham; ~ *caution to the winds* lægge alle forsigtighedshensyn til side; ~ *the door to* slå døren i.
II. fling [fliŋ] *sb* kast, slag; spark; *have one's* ~ slå sig rigtig løs; rase ud; *have (el. take) a* ~ *at* gøre et forsøg med, forsøge sig med; håne, stikle til.
flint [flint] *sb* flint; 'sten' i cigartænder; *skin a* ~ være nærig.
flintlock flintelås. **flintstone** flintesten.
flinty ['flinti] *adj* flint-, flinthård, stenhård.
I. flip [flip] *sb* æggetoddy.
II. flip [flip] *sb* dask, tjat, slag, knips; **S** lille tur, sviptur (i fly *el* bil); bagside af grammofonplade; *vb* daske, tjatte, svirpe, knipse; slå, smække; **S** begejstre; flippe ud; ~ *a coin* slå plat og krone; ~ *one's lid (am)* **S** gå inde i ubehersket; ryge helt op i loftet (af raseri); ~ *a pancake* vende en pandekage i luften; ~ *out* **S** flippe ud; blive helt ude af det.
III. flip [flip] *adj* respektløs, flabet, rapmundet, 'frisk'.
flip-flap ['flipflæp] *sb* klaprende lyd; en art fyrværkeri; *(gymn)* flik-flak.
flipflop ['flipflɔp] *sb* se *flipflap;* (i edb) bistabil multivibra-
tor; *-s* **T** (sko) klip-klapper, japansandaler.
flipover ['flipouvə] *sb* flipover (en samling illustrationer der er ophængt så man kan blade i dem ved at vende bladene bagover).
flippancy ['flipənsi] *sb* rapmundethed, flabethed.
flippant ['flipənt] *adj* rapmundet, flabet, næsvis; respektløs.
flipper ['flipə] *sb* luffe; **S** hånd; *-s pl* (frømands) svømmefødder.
flipping ['flipiŋ] *adj* **T** pokkers, sørens.
flip side **S** 'bagside' af grammofonplade.
flirt [fləːt] *vb* flirte, kokettere, kissemisse; smide; vifte med, svinge (med) *(fx the horse -ed its tail);* vimse; *sb* flirt, kokette; kast; ~ *with the idea* lege med tanken.
flirtation [fləː'teiʃən] *sb* flirt, koketteri.
flirtatious [fləː'teiʃəs], **flirty** ['fləːti] *adj* koket; flirtende; kurtiserende, indladende.
flit [flit] *vb* flyve, flagre; flytte om natten for at slippe for at betale husleje; *sb* hemmelig flytning.
flitch [flitʃ] *sb,* ~ *of bacon* flæskeside.
flitter ['flitə] *vb* flagre.
flitting ['flitiŋ] *adj* flygtig; *sb* hemmelig flytning.
flivver ['flivə] *sb (am* **S)** lille billig bil, 'sardindåse', smadrekasse; lille flyvemaskine; fiasko, fup; *vb* gøre fiasko.
flixweed ['flikswiːd] *sb (bot)* barberforstand.
I. float [flout] *vb* (på vand) flyde, drive, (om skib) være (, komme) flot; (i vand, luft) svæve, (om flag) vaje; *(fig)* svæve *(fx she -ed down the stairs);* drive, drysse *(fx he -ed around town);* (om valutakurs) flyde; (med objekt) oversvømme; få til at flyde (, svæve), bære oppe; (om tømmer) flåde, (om skib) bringe flot; *(merk)* sætte i gang, starte *(fx a new business company),* (om lån) stifte, (om papirer) emittere; (om valutakurs) lade flyde, lade være flydende; (om puds) rive, afrive.
II. float [flout] *sb* tømmerflåde; lav flad vogn; (i fisk) svømmeblære; (på fiskesnøre) kork, flåd; (på net) flyder; *(tekn)* svømmer, flyder; *(teat)* rampelys; (murerværktøj) rivebræt; *(flyv)* ponton.
floatage ['floutidʒ] *sb* flydning; flydende genstande; den del af et skib, der er over vandlinien.
floatation [flou'teiʃən] *sb* flyden; *(merk)* start; stiftelse (af lån); emission; (i metallurgi) flotation.
floater ['floutə] *sb* værdipapir, statsobligation; **S** bommert; *(am)* vælger der ulovligt stemmer flere gange.
floating ['floutiŋ] *adj* flydende.
floating| **anchor** *(mar)* drivanker. ~ **bridge** pontonbro. ~ **capital** likvid kapital. ~ **cargo** svømmende ladning. ~ **charge** *(merk)* generalpant. ~ **crane** flydekran. ~ **debt** løs *(el* svævende) gæld. ~ **dock** flydedok. ~ **kidney** vandrenyre. ~ **light** fyrskib. ~ **policy** abonnementsforsikring; generalpolice. ~ **power** flydende kraft. ~ **ribs** *pl* falske ribben. ~ **vote** marginalvælgere.
float plane pontonflyvemaskine.
flocculent ['flɔkjulənt] *adj* fnugget.
I. flock [flɔk] *sb* uldtot, tot.
II. flock [flɔk] *vb* flokkes, samle sig, strømme; *sb* flok; hob; hjord (især om får); ~ *to sby's standard* fylke sig om en.
flock paper fløjlstapet.
floe [flou] *sb* stor isflage.
flog [flɔg] *vb* piske, slå, banke, tampe; **S** sælge (noget brugt *el.* tyvegods). ~ *a dead horse,* se *horse.* **flogging** ['flɔgiŋ] *sb* pisk, bank; *(come in for) a good* ~ (få) en ordentlig gang klø.
flong [flɔŋ] *sb (typ)* matriceform.
flood [flʌd] *sb* højvande, flod (modsat ebbe); oversvømmelse; strøm *(fx of rain, of tears, of words); vb* oversvømme, overskylle, fylde med vand; *(med.)* have blødning; *the Flood* Syndfloden; *a* ~ *of light* et lyshav; *the -s are out* der er oversvømmelse; *-ed with light* badet i lys.
flood|**gate** sluseport. **-light** *sb* projektør, projektørlys, fladebelysning; *vb* projektørbelyse. **-mark** højvandsmærke. ~ **tide** højvande, flod, flodtid.
I. floor [flɔː] *sb* gulv; etage; bund; minimum; *(mar)* bundstok; 'dørk'; *(am)* kongressens sal; retten til at tale i kongressen; *ask for the* ~ bede om ordet; *have (, get) the* ~ have (, få) ordet; *keep a bill from the* ~ forhindre

at et lovforslag kommer til behandling; *take the ~* tage ordet; begynde at danse.

II. floor [flɔ:] *vb* lægge gulv i; slå i gulvet; slå af marken, bringe til tavshed, sætte til vægs; *~ a question (, a paper)* klare et eksamensspørgsmål (, en eksamensopgave); *be -ed* blive slået ud.

floorage ['flɔ:ridʒ] *sb* gulvareal, gulvflade.

floor|board gulvbræt; *-boards (mar)* bundbrædder, dørk. **-cloth** gulvbelægning; gulvklud.

floorer ['flɔ:rə] *sb* knusende slag; overrumplende argument.

flooring ['flɔ:riŋ] *sb* gulv; gulvbelægning, materiale til gulv.

floor| lamp standerlampe. *~* **leader** *(am pol)* person der styrer sit partis taktik under debatter og afstemninger; *(omtr)* gruppeformand. *~* **manager** scenemester ved TV udsendelse. *~* **polish** bonevoks. *~* **polisher** bonemaskine. *~* **price** minimumspris. *~* **show** kunstnerisk optræden mellem bordene *(el* på dansegulvet) i restaurant. **-walker** inspektør (i stormagasin).

floosie, floozie ['flu:zi] *sb* S pige; dulle, tøs.

flop [flɔp] *vb* baske, flagre; (hænge og) slaske; klaske; (om fisk) sprælle; (falde:) plumpe ned, lade sig dumpe ned; *(fig)* have fiasko, falde; (med objekt) lade plumpe; baske med (vingerne); *sb* tungt fald; klask; fiasko; *interj* pladask *(fx fall ~ on one's face);* bums!

flophouse *(am)* natteherberg (for hjemløse).

floppy ['flɔpi] *adj* slapt nedhængende; slatten.

flor. *fk floruit.*

flora ['flɔ:rə] *sb* flora (et bestemt landområdes planteverden).

floral ['flɔ:rəl] *adj* blomster-, blomstret; *~ receptacle* blomsterbund.

Florence ['flɔrəns] Firenze, Florens.

Florentine ['flɔrəntain] *sb* florentiner, florentinerinde; florentinersilke; *adj* florentinsk.

florescence [flɔ:'resəns] *sb* blomstring, blomstringstid.

florescent [flɔ:'resənt] *adj* blomstrende.

floret ['flɔ:rit] *sb (bot)* lille blomst (som del af blomsterstand); *the -s* småblomsterne.

floriated ['flɔ:rieitid] *adj* blomsterprydet.

flori|culture [flɔ:ri'kʌltʃə] *sb* blomsterdyrkning. **-culturist** [flɔ:ri'kʌltʃərist] *sb* blomsterdyrker.

florid ['flɔrid] *adj* blomstrende; overpyntet, overlæsset, udstafferet; (om ansigtsfarve) stærkt rød, rødmosset, rødblisset.

Florida ['flɔridə]

floridity [flɔ'riditi], **floridness** ['flɔridnis] *sb* kraftig rødme, rødmossethed, rødblissethed; (om stilart) overlæssethed, snirklethed.

floriferous [flɔ(:)'rifərəs] *adj* blomsterbærende.

florin ['flɔrin] *sb* florin *(glds* engelsk mønt: 2 *shillings).*

florist ['flɔrist] *sb* blomsterhandler; blomsterdyrker; blomstergartner.

floruit ['flɔ:ruit] *sb* historisk persons virkeperiode.

floss [flɔs] *sb* dun på planter; flos; floretsilke.

flossy ['flɔsi] *adj* dunet; silkeblød.

flotation [flɔ'teiʃən], se *floatation.*

flotilla [flɔ'tilə] *sb (mar)* flotille.

flotsam ['flɔtsəm] *sb (mar)* drivgods, flydende vraggods.

flounce [flauns] *vb* pjaske; sprælle; bevæge sig med heftighed; svanse *(fx she -d out of the room);* (om kjole) garnere; *sb* plask; ryk; spræl; (på kjole) garnering, flæse.

I. flounder ['flaundə] *sb zo* skrubbe, flynder.

II. flounder ['flaundə] *vb* sprælle, tumle, bevæge sig med besvær *(fx i* mudder); gøre fejl, hakke *(el* kludre) i det.

flour [flauə] *sb* mel; *vb* male til mel; mele.

I. flourish ['flʌriʃ] *vb* trives, blomstre *(fx his business is -ing),* florere; stå på sin magts *el* sin hæders tinde, have sin glanstid, virke; *(mus.)* fantasere; spille fanfare; (om stil) bruge blomstrende sprog; skrive med snirkler og sving; (med objekt) svinge (med) *(fx a sword);* prale med, stille til skue *(fx one's wealth);* udsmykke overdådigt.

II. flourish ['flʌriʃ] *sb* svingende bevægelse, sving *(fx with a ~ of his hat),* flot håndbevægelse; (i stil) forsiring, blomster, fraser; (i skrift) snirkel, sving, krusedulle; (i musik) fanfare; touche (fra orkestret).

floury ['flauəri] *adj* melet.

flout [flaut] *vb* spotte, håne; lade hånt om *(fx he -ed my advice);* *sb* spot, hån.

I. flow [flou] *vb* flyde, strømme; stige (om vandet) *(fx the tide is beginning to ~);* glide blidt af sted; flagre *(fx a -ing tie* slips; *with -ing locks);* hænge folderigt *(fx* om draperi); *~ from (fig)* komme af; udspringe af; *~ with milk and honey* flyde med mælk og honning.

II. flow [flou] *sb* flod (modsat ebbe); stigen; tilløb (af vand); *(fig)* strøm *(fx a ~ of abuse);* *he has a fine ~ of language* han er meget veltalende; *his great ~ of spirits (glds)* hans store livlighed.

flow chart, flow diagram arbejdsdiagram, diagram over en forretningsgang; (i edb) rutediagram.

flower ['flauə] *sb* blomst; blomstring; *(fig)* elite, det fineste, det bedste; *vb* blomstre, smykke med blomster; *be in ~* stå i blomst *(fx all the trees are in ~);* *the ~ of one's youth* ungdommens vår; *the ~ of the country's youth* blomsten af landets ungdom; *-s of speech* retoriske talemåder, digteriske billeder; *-s of sulphur* svovlblomst.

flower-de-luce [flauədi'lu:s] *sb (bot)* iris.

floweret ['flauərit] *sb* lille blomst.

flower girl blomstersælgerske.

floweriness ['flauərinis] *sb* blomstervrimmel; blomsterflor.

flower|piece blomsterstykke, blomsterbillede. **-pot** urtepotte. *~* **shop** blomsterforretning. *~* **show** blomsterudstilling.

flowery ['flauəri] *adj* blomsterrig; blomstrende.

flown [floun] *pp* af **I. fly.**

flow sheet = *flow diagram.*

flu [flu:] *the ~* T influenza.

fluctuate ['flʌktjueit] *vb* svinge, fluktuere, variere, være ustadig (om priser, temperatur *osv);* vakle; *(am)* få til at svinge *(etc).* **fluctuation** [flʌktju'eiʃən] *sb* vaklen, ubestemthed; fluktueren, stigen og falden; svingning; kursbevægelse, kurssvingning; *-s of the market* konjunktursvingninger.

I. flue [flu:] *sb* skorstensrør; røgkanal.

II. flue [flu:] *sb* fnug, dun, bløde hår.

III. flue, se *flu.*

fluency ['flu:ənsi] *sb* lethed, tungefærdighed, talefærdighed.

fluent ['flu:ənt] *adj* flydende.

fluff [flʌf] *sb* bløde hår, dun; fnug; *(teat)* fejl; *vb* kludre med; *bit of ~* **S** (smart) pige; *~ a pillow* ryste en pude; *the bird -ed (out) its feathers* fuglen pustede sig op.

fluffy ['flʌfi] *adj* dunagtig, dunet; (om hår) blødt; *(teat)* usikker.

fluid ['flu:id] *adj* flydende; *(fig)* flydende *(fx situation);* omskiftelig; så væske; fluidum.

fluid drive væskekobling.

fluidity [flu'iditi] *sb* flydende tilstand, omskiftelighed.

fluke [flu:k] *sb* ankerflig, modhage, spids med modhager; lykketræf, slumpetræf, (i billardspil:) svin; *(zo)* skrubbe, flynder; leverikte (indvoldsorm hos får); *vb* være svineheldig; opnå ved *el* lykketræf.

fluky ['flu:ki] *adj* heldig; befængt med leverikter; (om vind) skiftende.

flume [flu:m] *sb* (gravet) kanal, åben ledning; transportrende; *(am)* snæver kløft med flod.

flummery ['flʌməri] *sb (omtr)* budding; smiger; vrøvl.

flummox ['flʌməks] *vb* **S** forvirre; forbløffe; *-ed (også)* perpleks.

flump [flʌmp] *vb* **T** falde ned, dumpe, bumpe; *sb* bump.

flung [flʌŋ] *præt* og *pp* af *fling.*

flunk [flʌŋk] *vb (am)* **S** (lade) dumpe (til eksamen); *~ a subject* dumpe i et fag.

flunkey ['flʌŋki] *sb* lakaj; spytslikker.

flunkeyism ['flʌŋkiizm] *sb* lakajvæsen; spytslikkeri.

fluor ['flu:ɔ:] *sb* flusspat.

fluorescence [flu:ə'resəns] *sb* fluorescens.

fluorescent [flu:ə'resənt] *adj* fluorescerende; *~ lamp* lysstofrør.

fluoridate ['flu:ərideit] *vb* tilsætte fluor, fluoridere *(fx water).* **fluoridation** [flu:əri'deiʃən] *sb* tilsætning af fluor.

fluorine ['flu:əri:n] *sb* fluor.

fluoroscopy [flu:ə'rɔskəpi] *sb* røntgengennemlysning.

fluorspar ['flu:əspa:] *sb* flusspat.

flurried ['flʌrid] *adj* forfjamsket, befippet, altereret, nervøs.

flurry ['flʌri] *sb* vindstød; hastværk; uro, røre; forfjamskelse, befippelse; *vb* gøre befippet, gøre forfjamsket; *a* ~ *of activity* febrilsk *(el* hektisk) aktivitet.

I. flush [flʌʃ] *vb* strømme, skylle; skylle ud (om wc, kloak *etc);* rødme, få til at rødme, farve; opmuntre, opflamme; ~ *up* blive blussende rød; *-ed with joy* beruset af glæde.

II. flush [flʌʃ] *adj, adv* (om flod *etc)* fuld; svulmende; (om person) velbeslået, ved muffen; ødsel, gavmild; (om samling *etc)* jævn, glat; *money was* ~ der var overflod på penge; ~ *of money* velbeslået, ved muffen; *be* ~ *with one's money* være flot *(el* ødsel) med sine penge; *the windows are* ~ *with the wall* vinduerne er i plan *(el* flugt) med muren; *I came* ~ *upon him* jeg løb lige på ham.

III. flush [flʌʃ] *sb* pludselig rødme; glød; (af følelser) opbrusen, storm; (om wc, kloak) udskylning; (i kortspil) lang farve; *in the first* ~ *of victory* i den første sejrsrus; *in the first* ~ *of youth* i ungdommens vår.

I. flushing ['flʌʃiŋ] *sb* udskylning *etc* (se I. *flush).*

II. Flushing ['flʌʃiŋ] Vlissingen.

flush toilet wc.

fluster ['flʌstə] *sb* forfjamskelse; *vb* gøre (, være) forfjamsket *(el.* nervøs); gøre (, være) opstemt; gøre (, være) omtåget; *he was all in a* ~ han var helt forfjamsket.

I. flute [flu:t] *sb* fløjte, fløjtespiller; (fordybning:) fure; hulkel; *(arkit)* kannelure.

II. flute [flu:t] *vb* spille *(el* blæse) på fløjte; kannelere, rifle; pibe *(fx* en krave).

fluted ['flu:tid] *adj* riflet, (om søjle) kanneleret; ~ *moulding* hulkel.

fluting ['flu:tiŋ] *sb* fløjtespil; (på søjle) kannelering, kannelurer.

flutist ['flu:tist] *sb* fløjtespiller.

I. flutter ['flʌtə] *vb* blafre; flagre *(fx leaves -ing to the ground);* baske *(fx the wings of the bird -ed);* fare nervøst rundt *(fx she -ed about the room);* være nervøs *el.* ophidset, være i sindsbevægelse; skælve; (om hjerte) banke; (med objekt) sætte i bevægelse, få til at flagre; baske med *(fx the bird -ed its wings);* opskræmme; bringe i forvirring; ~ *the dovecot(e)s,* se *dovecot(e);* ~ *girlish hearts* få pigehjerter til at banke.

II. flutter ['flʌtə] *sb* flagren; basken *(fx of wings);* (om hjerte) banken; *(tekn)* vibration; (om person) nervøsitet, uro, forvirring, befippelse, ophidselse; *be in a* ~ være nervøs *(el* befippet); være helt ude af flippen; *have a* ~ S spekulere lidt (på børsen); spille lidt (på væddeløb *etc); have a* ~ *of bridge* få et slag bridge.

fluvial ['flu:vjəl] *adj* flod-.

flux [flʌks] *sb* flyden; strøm *(fx of words); (med.) flåd; (tekn)* flusmiddel, tilslag (ved støbning); vb smelte, bringe til at flyde; ~ *of words* ordstrøm; ~ *and reflux* ebbe og flod; *be in a state of* ~ stadig undergå forandringer.

fluxion ['flʌkʃən] *sb* flyden; flåd; blodoverfyldning.

I. fly [flai] *vb (flew, flown)* (se også *flying)* flyve; fare; (om flag) vaje, lade vaje, føre; ~ *at* fare løs på; (se også II. *let);* ~ *high* være ærgerrig, have højtflyvende planer; ~ *in the face of* fare løs på; gå stik imod, trodse; ~ *in the face of Providence* udfordre skæbnen; ~ *in pieces* (om glas *etc)* splintres; ~ *into a passion* fare op, ryge i flint; ~ *a kite,* se *kite; make the feathers (el. dust)* ~ få bølgerne til at gå højt; *make the money* ~ lade pengene rulle; *it is getting late, I must* ~ klokken er mange, jeg må skynde mig af sted; ~ *off the handle,* se II. *handle;* ~ *off at a tangent,* se *tangent;* ~ *out at* fare løs på; overfuse.

II. fly [flai] *vb (fled, fled)* flygte.

III. fly [flai] *sb* flyvetur; (af telt) teltdør, oversejl; (i bukser) gylp; *zo* flue; *(tekn)* svinghjul; *(glds)* drosche; (se også *flies);* break a ~ *on the wheel* skyde spurve med kanoner; *he would not hurt a* ~ han gør ikke en kat fortræd; *a* ~ *in the ointment* en skår i glæden; en hage ved sagen; *he had left his* ~ open han havde glemt at knappe *(etc)* bukserne; *there are no flies on him* han er ikke så tosset; han er ikke tabt bag af en vogn; *be on the* ~ *(am)* have styrtende travlt; *catch a ball on the* ~ *(am)* gribe en bold i luften.

IV. fly [flai] *adj* T fiffig, vågen, opvakt, dreven.

fly| ash(es) flyveaske. **-away** *adj* flygtig; flagrende; *(flyv)* i

flyveklar stand. **-blow** *sb* spy; *vb* lægge spy på, besudle. **-blown** *adj* belagt med spy; besudlet, (flue)plettet. ~ **book** (lystfiskers) flueæske, flueetui. ~ **-by-night** *sb* S nattesværmer; en der stikker af *(fx* fra sit logi) om natten uden at betale; *adj* usolid *(fx company).* **-catcher** fluefanger; *zo* fluesnapper. ~ **cop** *(am* S) detektiv.

flyer ['flaiə] *sb* flyver; flygtning; flyvespring; *(am)* løbeseddel, reklameseddel; S dristig spekulation på børsen, vovestykke;. (på trappe) lige trin; (på spolemaskine) vinge; *flyers* svævende partikler i vin *el* øl; grums.

fly|-fish *vb* fiske med flue. **-flap** fluesmækker. ~ **front** gylp. ~ **honeysuckle** *(bot)* dunet gedeblad.

flying ['flaiiŋ] *adj* flyvende, let, hurtig; flyve-, *sb* flyvning, flugt; se også *send.*

flying| boat flyvebåd. ~ **buttress** stræbebue, flyvende stræbepille. ~ **colours,** se I. *colour.* **Flying Dutchman** flyvende hollænder (spøgelsesskib). ~ **fish** *zo* flyvefisk. ~ **fortress** flyvende fæstning. ~ **fox** zo flyvende hund. ~ **instructor** flyvelærer. ~ **jib** *(mar)* jager (sejl). ~ **machine** flyvemaskine. ~ **officer** (gradsbetegnelse i flyvevåbnet svarende *omtr* til) premierløjtnant. ~ **range** (flys) rækkevidde. ~ **saucer** flyvende tallerken. **Flying Scotchman** eksprestog mellem London og Edinburgh. ~ **shot** flugtskud. ~ **squad** udrykningskolonne; (politi:) rejsehold. ~ **squirrel** zo flyveegern. ~ **start** flyvende start. ~ **visit** fransk (ɔ: hastig) visit.

fly|leaf forsatsblad. **-man** maskinmand (på teater); *(glds)* droschekusk. ~ **mushroom** fluesvamp. ~ **nut** fløjmøtrik. **-over** *['flaiouvə]* sb overføring (over vej); *(am)* forbiflyvning i formation. **-paper** fluepapir. **-paper memory** klæbehjerne. **-past** ['flaipa:st] *sb* forbiflyvning i formation. ~ **sheet** løbeseddel; oversejl (på telt). **-speck** flueplet. **-swatter** fluesmækker. ~ **tipping** hensætning af kasserede genstande på gaden. **-trap** fluefanger. **-weight** fluevægt. **-wheel** svinghjul.

F.M. *fk Field Marshal; frequency modulation.*

F.M.S. *fk Federated Malay States.*

F.O. *fk Foreign Office.*

fo. *fk folio.*

foal [foul] *sb* føl; *vb* fole, kaste føl; *in (el. with)* ~ drægtig.

foam [foum] *sb* skum, fråde; skumgummi; *vb* skumme, fråde; *a* ~ *of lace* et brus af kniplinger; *he was -ing at the mouth* fråden stod ham om munden.

foam| extinguisher skumslukker. ~ **rubber** skumgummi.

foamy ['foumi] *adj* skummende.

f.o.b. *fk free on board.*

I. fob [fɔb] *sb* lille lomme, urlomme.

II. fob [fɔb] *vb:* ~ *off on* prakke på; ~ *sby off with* spise én af med.

focal ['foukəl] *adj* fokal, brændpunkts-.

focalize ['foukəlaiz] *vb* = II. *focus.*

focal| length brændvidde. ~ **point** (også *fig)* brændpunkt.

foci ['fousai] *pl af focus.*

I. focus ['foukəs] *sb (pl foci el. focuses)* brændpunkt; fokus; *out of* ~ (om fotografi) uskarpt (på grund af forkert afstandsindstilling); *in* ~ skarp, klar; i brændpunktet, i centrum; *bring into* ~ bringe i fokus, indstille; *(fig)* rette søgelyset imod, sætte fokus på; samle sig om, lægge hovedvægten på.

II. focus ['foukəs] *vb* indstille, fokusere *(fx the lens of a microscope);* bringe i fokus; samle; koncentrere; ~ *on* indstille på; fokusere; rette blikket mod *(fx he -ed on a point to my right);* koncentrere sig om *(fx my mind would not* ~ *on these things); he -ed his attention on the subject* han koncentrerede sin opmærksomhed om emnet.

focusing screen *(fot)* matskive.

fodder ['fɔdə] *sb* (grov)foder; *vb* fodre.

foe [fou], **foeman** ['foumən] *sb (poet)* fjende.

foetal, foeticide, foetus se *fetal, feticide, fetus.*

I. fog [fɔg] *sb* tåge; *(fot)* slør; *vb* indhylle i tåge; blive indhyllet i tåge, dugge til; *(fot)* sløre; *(fig)* forvirre, bringe i forlegenhed; *in a* ~ forvirret, i vildrede.

II. fog [fɔg] *sb (el agr)* efterslæt.

fog|bank tågebanke. **-bound** (om skib, fly *etc)* forhindret i at sejle (, starte, komme videre) på grund af tåge.

fogey ['fougi] *sb, old* ~ gammel støder *(el* stabejs).

foggy ['fɔgi] *adj* tåget; omtåget; *(fot)* sløret; *I haven't the*

foggiest det har jeg ikke den fjerneste anelse om.
fog‖ horn tågehorn. ~ **lamp** tågelygte. ~ **signal** tågesignal.
fogy ['fougi] se *fogey*.
foible ['fɔibl] *sb* svaghed (i karakter), dårskab; (af sværd) svage.
I. foil [fɔil] *sb* folie (tyndt metalblad); spejlbelægning; (for ædelsten) folie; *(fig)* (flatterende) baggrund; (ved jagt) fært, spor (af vildt); (våben) fleuret (ɔ: kårde); *be a ~ to* tjene til at fremhæve.
II. foil [fɔil] *vb* forpurre *(fx the attempt was -ed)*; tilintetgøre, krydse (planer); narre; (om spejl) belægge, foliere; ~ *the scent* lede på vildspor.
foist [fɔist] *vb* indsmugle; ~ *sth on sby* prakke en noget på *(fx ~ worthless goods on a customer)*.
I. fold [fould] *sb* ombøjning, fold; fals; (til får) fold; (i *sms* med talord) -fold, -dobbelt *(fx ninefold* nifold, nidobbelt).
II. fold [fould] *vb* folde, lægge sammen *(fx one's hands, a letter)*; (uden objekt) kunne foldes; (i kortspil) gå ud; (om forretning *etc)* (måtte) lukke; ~ *one's arms* lægge armene overkors; ~ *one's arms about sby's neck* slå armene om halsen på en; ~ *down* ombøje; ~ *in* (i madlavning) folde i; *he -ed her in his arms* han omfavnede hende, han trykkede til sit bryst; ~ *up* folde *(el* lægge *el* klappe) sammen; false; (uden objekt, *fig)* bryde sammen; gå rabundus; (måtte) lukke *(fx the show -ed up after three nights)*; ~ *sth up in paper* pakke noget ind.
foldaway bed klapseng.
folder ['fouldə] *sb* sammenfoldet tryksag, folder; mappe (til papirer), charteque; *(bogb)* fals(e)ben, falsejern; falsemaskine.
folding ['fouldiŋ] *sb* sammenlægning; falsning.
folding‖ bed feltseng. ~ **boat** sammenfoldelig båd. ~ **camera** klapkamera. ~ **chair** feltstol, klapstol. ~ **door** fløjdør, dobbelt dør; foldedør, foldeport. ~ **machine** falsemaskine. ~ **stick** *(bogb)* falseben. ~ **table** klapbord.
fold-up bed feltseng.
foliaceous [fouli'eiʃəs] *adj* blad-, bladagtig.
foliage ['fouliidʒ] *sb* bladhang, blade, løv; løvværk; *vb* udsmykke med løvværk.
foliage green bladgrøn.
I. foliate ['fouliit] *vb* foliere (ɔ: nummerere blade); udsmykke med bladornamenter.
II. foliate ['fouliit] *adj* bladagtig, med blade.
foliation [fouli'eiʃən] *sb* bladudvikling, bladdannelse; bladornament(ering); skifret struktur; udhamring til blade; foliering.
folio ['fouliou] *sb* folio; foliant.
folk [fouk] *sb* folk, mennesker, godtfolk (også *-s); little -s* børn; *my -s* min familie; *the old -s* de gamle (far og mor).
Folkestone ['foukstən].
folklore ['fouklɔ:] *sb* folkemindeforskning, folklore, folkeminder; sagn, folketradition. **folklorist** ['fouklɔ:rist] *sb* folklorist, folkemindeforsker. **folkloristic** [fouklɔ:'ristik] *adj* folkloristisk.
folksy ['fouksi] *adj* T hyggelig; (anstrengt) folkelig.
folkways ['foukweiz] *sb pl* traditioner, skikke, livsmønster.
foll. *fk following.*
follicle ['fɔlikl] *sb* bælgkapsel; follikel, kirtelblære; *hair ~* hårsæk.
follow ['fɔlou] *vb* følge, komme *el.* gå efter; følge efter *(fx ~ that car!)*; efterfølge; *(fig)* følge med i, forstå *(fx I ~ your argument)*; stræbe efter *(fx et mål)*; adlyde *(fx en fører)*; bekende sig til *(fx en lære)*; (uden objekt) følge (efter); være en følge *(from* af);
~ *his advice* følge hans råd; *and to ~?* og bagefter; *as -s* som følger *(fx his arguments are as -s)*; ~ *the hounds* deltage i parforcejagt; *it -s that* heraf følger at; ~ *the law* (, *the medical profession, the sea) (glds)* være jurist (, læge, sømand); ~ *one's nose* gå lige efter næsen; ~ *out a plan* gennemføre en plan; ~ *suit* følge i kulør, *a trade* være håndværker; ~ *through* føre et slag til bunds; ~ *up* følge op; forfølge; ~ *up the victory* forfølge sejren, blive ved med at angribe for at gøre sejren fuldstændig.
follower ['fɔlouə] *sb* følgesvend, ledsager; tilhænger, medløber; (tjenestepiges) kæreste, madkæreste.
following ['fɔlouiŋ] *adj* følgende; *sb* følge; tilslutning;

parti, tilhængere; *præp* efter.
following wind medvind.
follow-my-leader (leg i hvilken de legende efterligner alle førerens bevægelser) 'Rolf og hans kæmper'.
follow-through ['fɔlou'θru:] *sb* eftersving (af ketsjer *el* boldtræ).
follow-up‖ advertising påmindelsesreklame; follow-up reklame. ~ **examination** efterundersøgelse. ~ **letter** follow-up brev.
folly ['fɔli] *sb* dårskab, dumhed; *(hist)* kunstig ruin *el* tempel; *follies* revy.
foment [fə'ment] *vb* bade (med varmt vand); lægge varmt omslag på; ophidse til, fremkalde, anstifte. **fomentation** [foumen'teiʃən] *sb* behandling med varme pakninger; varmt omslag; ophidselse *(fx til oprør)*, anstiftelse.
fond [fɔnd] *adj* kærlig, øm; svag (i sin ømhed); eftergivende *(fx father)*; *a ~ hope* en dristig forhåbning; *be ~ of* holde af, være glad for, være indtaget i, være forelsket i; *grow ~ of* komme til at holde af, fatte kærlighed til.
fondle ['fɔndl] *vb* kærtegne, kæle for.
fondly ['fɔndli] *adv* kærligt *(fx she looked ~ at her child)*; tåbeligt *(fx he ~ imagined that ...)*.
I. font [fɔnt] *sb (typ)* skriftsortiment, kasse med typer.
II. font [fɔnt] *sb (rel)* døbefont.
food [fu:d] *sb* føde, mad, næring; *adj* føde-, nærings-; ernærings-; *articles of ~* fødevarer; ~ *for powder* kanonføde; ~ *for reflection* stof til eftertanke; ~ *for worms* ormeføde.
food‖ chain *(biol)* fødekæde. ~ **conversion rate** forædlingsprocent. ~ **lift** køkkenelevator. **-stuffs** fødevarer. ~ **value** næringsværdi.
I. fool [fu:l] *sb* tosse, tåbe, fjols; nar, spasmager; *make a ~ of* holde for nar, gøre til nar, tage ved næsen; *make a ~ of oneself* gøre sig til grin; *go (, send) on a ~'s errand* (få til at) løbe med limstangen; *he is no (el. nobody's) ~* han er ikke dum; ham kan man ikke løbe om hjørner med; *no ~ like an old ~* hvis en oldring er fjas er han det til gavns; *you'll be a ~ for your pains* du får intet ud af dine anstrengelser; *live in a -'s paradise* leve i en indbildt lykkeverden; bilde sig ind at alt er såre godt.
II. fool [fu:l] *sb* (slags) frugtgrød *(fx gooseberry ~)*.
III. fool [fu:l] *vb* narre, bedrage; fjase, pjatte, pjanke, fjolle, lege *(fx stop -ing with that gun)*; ~ *about* fjolle rundt, dase omkring; ~ *her out of her money* narre hendes penge fra hende.
IV. fool [fu:l] *adj* tåbelig, fjollet.
foolery ['fu:ləri] *sb* narrestreger, fjanteri.
foolhardy ['fu:l:ha:di] *adj* dumdristig.
foolish ['fu:liʃ] *adj* dum, tåbelig, naragtig, fjollet, latterlig; flov.
foolproof ['fu:lpru:f] *adj* idiotsikker.
foolscap ['fu:lzkæp] *sb* folioark.
fool's errand, ~ paradise, se I. *fool.*
fool's parsley *(bot)* hundepersille.
I. foot [fut] *sb (pl feet)* fod; nederste del, fod *(fx the ~ of a page)*; sokkel, underlag; (af seng) fodende; (på sejl) underlig; *(mil.) (glds)* fodfolk; (længdemål) 30,48 cm *(omtr =* fod); *(pl foots)* bundfald;
at ~ forneden, nederst på siden; *have both feet on the ground (fig)* have begge ben på jorden; *drag one's feet,* se *drag; find one's feet* finde sig tilrette; *get a ~ in the door (fig)* få foden indenfor; vinde indpas; *keep one's feet* blive stående; holde sig på benene; *my ~!* S vrøvl! ikke tale om! *carry sby off his feet* vække ens begejstring, rive en med; *knock (el throw) sby off his feet* slå benene væk under én, vælte én; *on ~* til fods; *be on ~* være i gang; være på benene; *be on one's feet* 'stå op; *(fig)* være på benene igen; kunne klare sig; *catch sby on the wrong ~* overrumple en, komme bag på en; *fall on one's feet,* se I. *fall; get on one's feet* komme på benene; *get off on the wrong ~* komme skævt ind på det fra starten; *set (el. put) on ~* sætte i gang; *put one's ~ down* slå i bordet, være *(el* optræde) bestemt, sætte en stopper for det; *put one's best ~ forward* sætte det lange ben foran; *put one's ~ in it* træde i spinaten, brænde sig, komme galt af sted (med sine bemærkninger); *never set ~ in that house* aldrig sætte sine ben i det hus; *he helped her to her feet* han hjalp hende på benene; *she started to her feet*

F foot 158

hun for (, sprang) op; *tread* **under** ~ træde under fod; *wet under* ~ vådt føre.

II. foot [fut] *vb* betræde, vandre hen ad, danse hen over *(fx the floor)*; (om strømpe) forfødde; (om regnskab) = ~ *up*; ~ *the bill* betale regningen, betale hvad det koster; *(fig* også) betale gildet; ~ *it* gå, rejse til fods; danse; ~ *up* sammentælle *(fx* ~ *up an account)*; ~ *up to* løbe op til, beløbe sig til.

footage ['futidʒ] *sb* længde (i fod).

foot-and-mouth disease mund- og klovesyge. **-ball** fodbold; fodboldspil; se *American* ~, *Association* ~, *Rugby* ~; (NB *football (am)* = *American* ~). **-baller** fodboldspiller. **-ball pools** *pl* (svarer til:) tipning. **-board** fodbræt, trinbræt. **-boy** page, dreng i liberi. **-brake** fodbremse. **-bridge** gangbro.

footer ['futə] *sb* **S** fodbold(spil).

foot|fall fodtrin. **-fault** (i tennis) fodfejl. **-gear** fodbeklædning, **-hills** *pl* udløbere (af bjerg). **-hold** fodfæste; *get a -hold* vinde fodfæste; *(fig* også) få foden indenfor.

footing ['futiŋ] *sb* fodfæste; nederste del; (af mur *etc*) sokkel, murfod; (enkelt) fundament *(fx* for søjle), pladefundament; *(fig)* basis; *(cf II. foot)* dans; fodskifte; (af strømpe) forfødning; (af regnskab) sammentælling; *keep one's* ~ holde sig på benene; *on the same* ~ på lige fod; ligestillet; *on a friendly* ~ *with* på en venskabelig fod med; *obtain (el. gain) a* ~ *in society* vinde indpas i det bedre selskab.

footle ['fu:tl] *vb* pjatte, pjanke; *sb* pjat, pjank.

footlights ['futlaits] *sb pl (teat)* rampe(lys).

footling ['fu:tliŋ] *adj* ubetydelig, ringe; pjattet, fjollet.

foot|loose *adj* omstrejfende; fri og uafhængig. **-man** lakaj. **-mark** fodspor. **-muff** fodpose. **-note** *sb* fodnote; *vb* vedføje fodnote(r). **-pace** skridt(gang); *at a -pace* i skridtgang. **-pad** (glds) landevejsrøver, stimand. ~ **passenger** fodgænger, gående. **-path** gangsti, fortov. **-plate** dørk, gulv i lokomotiv. **-plate men** lokomotivfolk. **-print** fodspor. ~ **pump** fodpumpe. **-race** kapløb. **-rope** *(mar)* grundtov, underlig. ~ **rot** *(bot)* fodsyge. **-slogger** 'knoldesparker', 'fodtudse', infanterist; fodgænger. ~ **soldier** infanterist. **-sore** ømfodet. **-step** fodspor; *follow in sby's -steps* gå i ens fodspor. **-stock** *(tekn)* pinoldok. **-stool** fodskammel. **-way** fortov; gangsti. **-wear** fodtøj.

foozle ['fu:zl] *vb* kludre med; forkludre; *sb* kludren.

fop [fɔp] *sb* laps. **foppery** ['fɔp(ə)ri] *sb* affektation. **foppish** ['fɔpiʃ] *adj* affekteret; lapset.

for [(ubetonet) fə, (foran vokal) fər; (med eftertryk) fɔ:, (foran vokal) fɔ:r] *conj* for, thi; *præp* for, i stedet for; til bedste for, (til hjælp) mod *(fx a remedy* ~ *rheumatism)*; til *(fx a letter* ~ *you;* ~ *sale;* the reception was arranged (fastsat) ~ *eight o'clock)*; på *(fx a bill* ~ *£5)*; efter *(fx run* ~ *help, telephone* ~ *a doctor)*; som *(fx the box served* ~ *a table; it was meant* ~ *a joke)*; i (om tidsrum) *(fx he stayed there* ~ *three years)*; over en strækning af *(fx there are curves* ~ *three miles)*; af, på grund af *(fx* ~ *fear of;* ~ *this reason;* ~ *want of;* weep ~ *joy)*; om *(fx cry* ~ *help;* apply ~ *a post)*; til trods for, trods *(fx* ~ *all I do)*; i forhold til, (i betragtning) af *(fx clever* ~ *his age; well written* ~ *a boy of his age)*; *a fine day* ~ *the time of year* smukt vejr efter årstiden;

~ **all** *I do* trods alt hvad jeg gør, hvad jeg end gør; *he may stay here* ~ *all I care* for min skyld kan han godt blive her; lad ham bare blive her, jeg er da ligeglad; ~ *all (el. aught el. anything) I know* så vidt jeg ved; *he may be here* ~ *all I know* jeg aner ikke hvor han er; ~ *all that* trods alt, alligevel; intet desto mindre *(fx* ~ *all that, you should have done it)*; ~ *good and all* for bestandig; *if it had not been* ~ *him* hvis han ikke havde været; *he is* ~ **it S** han hænger på den; (se i øvrigt: *better, member, once, say, take etc)*.

(efter komparativ med *the)*: *her eyes were the brighter* ~ *having wept* hendes øjne var blevet endnu klarere fordi hun havde grædt; *he will be none the worse* ~ *it* han vil ikke have nogen skade af det; (se også *worse)*;

(foran et ord der er forbundet med infinitiv): ~ *him to do that would be the correct thing* det ville være rigtigt af ham at gøre det; *it is unnecessary* ~ *him to do it* det er unødvendigt at han gør det, han behøver ikke at gøre det; *it was too late* ~ *me to help* det var for sent til at jeg

kunne hjælpe; *he halted his carriage* ~ *me to jump in* han standsede sin vogn så at jeg kunne springe ind; *it's not* ~ *me to say* det tilkommer det ikke mig at sige; *I have brought the books* ~ *you to read* jeg har taget bøgerne med for at *(el* så) du kan læse dem;

(foran en *-ing* form): *an instrument* ~ *cutting* et instrument til at skære med; *she felt better* ~ *having done it* hun følge sig bedre tilpas da (, fordi) hun havde gjort det; *I am surprised at you* ~ *repeating it* jeg er forbavset over at du vil gentage det.

f.o.r. *fk* free on rail.

forage ['fɔridʒ] *sb* foder; *vb* furagere, skaffe foder; ~ *for* søge *(el* lede) efter, støve rundt efter.

forage cap *(mil.)* kasernehue.

foramen [fə'reimən] *sb (pl foramina) (anat)* lille hul.

forasmuch as [fərəz'mʌtʃæz] eftersom.

foray ['fɔrei] *sb* plyndringstogt; overfald, indfald; *vb* foretage plyndringstogt, plyndre, overfalde, gøre indfald i.

forbade [fə'bæd, fə'beid] *præt* af forbid.

forbear [fɔ:'bɛə] *vb (forbore, forborne)* lade være, undlade; afholde sig fra; have tålmodighed.

forbearance [fɔ:'bɛərəns] *sb* tålmodighed, overbærenhed; mildhed; ~ *from doing sth,* ~ *to do sth* undladelse af at gøre noget.

forbears ['fɔ:bɛəz] *sb pl* forfædre.

forbid [fə'bid] *vb (forbade, forbidden)* forbyde; hindre; bandlyse, forvise (fra); *God* ~ det forbyde Gud.

forbidden [fə'bidn] *pp* af forbid.

forbidding [fə'bidiŋ] *adj* frastødende, afskrækkende, uhyggelig.

forbore [fɔ:'bɔ:] *præt* af forbear.

forborne [fɔ:'bɔ:n] *pp* af forbear.

I. force [fɔ:s] *sb* kraft *(fx of a blow; subversive -s)*; styrke *(fx he argued with great* ~*)*, magt *(fx the* ~ *of public opinion; we had to use* ~*)*, tvang; (politi-, troppe- *etc)* styrke *(fx our armed -s; a labour* ~*)*; (i kortspil) kravmelding; (om ord) (præcis) betydning, indhold; *(dial)* vandfald;

brute ~, se II. *brute; by* ~ med magt; *by* ~ *of* i kraft af; *by* ~ *of arms* med våbenmagt; *he is a* ~ *for good* han virker for det godes sag; *in* ~ i stort tal; med store styrker *(fx the enemy attacked in* ~*)*; i kraft *(fx the regulations which are in* ~*)*; *now in* ~ (også) nugældende; *come in* ~ møde talstærkt op; *come in full* ~ møde fuldtalligt op; *come into* ~ træde i kraft; *balance of -s* magtbalance; *have the* ~ *of* have samme gyldighed som *(fx such a promise has the* ~ *of a contract)*; *the Force* politiet.

II. force [fɔ:s] *vb* (nøde *etc)* tvinge *(fx* ~ *him to do it)*, drive, presse; (med fysisk kraft) presse, trykke *(fx* ~ *the water out)*, drive; trænge *(fx* ~ *him into a corner)*; (overanstrenge) presse *(fx one's voice)*, forcere *(fx one's voice; the pace tempoet)*; (opnå ved magt) tiltvinge sig *(fx an entry* adgang), fremtvinge *(fx a confession; a smile)*; (åbne med magt) sprænge *(fx a lock en lås, a door)*, bryde op *(fx a door, a safe* et pengeskab), (komme igennem) forcere *(fx a mountain pass; the Navy tried to* ~ *the Dardanelles)*; (erobre) indtage (med storm), tage *(fx a castle)*; (om kvinde) voldtage; (i gartneri) fremdrive (frugter, blomster); (i kortspil) kravmelde;

~ *sth from sby* fravriste en noget, vriste noget fra en *(fx they tried to* ~ *the knife from him)*; ~ *his hand* tvinge ham til at handle for tidligt, lægge pres på ham; *his hand was -d* (også) han var i en tvangssituation; ~ *open* åbne med magt; ~ *upon* påtvinge, pånøde.

forced [fɔ:st] *adj* tvunget; forceret; anstrengt, unaturlig; tilkæmpet.

forced| draught kunstig træk. ~ **landing** nødlanding. **-ly** ['fɔ:sidli] tvungent. ~ **march** ilmarch. ~ **sale** tvangssalg, tvangsauktion.

forceful [fɔ:sful] *adj* kraftig, energisk; stærk *(fx personality)*; virkningsfuld, overbevisende *(fx argument)*.

forcemeat ['fɔ:smi:t] *sb* fars.

forceps ['fɔ:seps] *sb* tang (især kirurgisk); *delivery by* ~ tangforløsning.

force pump trykpumpe.

force-ripened ['fɔ:sraipənd] *adj* drivhusmodnet.

forcible ['fɔ:sibl] *adj* kraftig; virkningsfuld, overbevisende;

gennemtvunget med magt, tvangs-; ~ *measure* tvangsfor-anstaltning.
forcibly ['fɔ:sibli] *adv* med magt; *be ~ fed* blive tvangsfod-ret.
forcing| **bid** (i bridge) kravmelding. ~ **frame** mistbænk. ~ **house** drivhus.
ford [fɔ:d] *sb* vadested; *vb* vade over.
fordable ['fɔ:dəbl] *adj* som man kan vade over.
fordo [fɔ:'du:] *vb (fordid, fordone) (glds)* ødelægge; ud-matte.
fore [fɔ:] *adv* forrest; *to the ~* forud; i forgrunden; *come to the ~* vise sig, træde i forgrunden; blive berømt; ~ *and aft (mar)* forude og agterude, fra for til agter, lang-skibs.
I. forearm ['fɔ:ra:m] *sb* underarm.
II. forearm [fɔ:r'a:m] *vb* forud væbne; *forewarned is -ed (omtr)* når man blot ved besked kan man tage sine for-holdsregler; (undertiden:) så ved man hvad man har at rette sig efter.
forebears = *forbears.*
forebode [fɔ:'boud] *vb* varsle; ane.
foreboding [fɔ:'boudiŋ] *sb* varsel; forudanelse af noget ondt; *-s* bange anelser.
forebody ['fɔ:bɔdi] *sb (mar)* forskib.
I. forecast ['fɔ:ka:st] *sb* forudsigelse; prognose; *what's the weather ~ for today?* hvad er vejrudsigterne for i dag?
II. forecast [fɔ:'ka:st] *vb (forecast, forecast el. regelmæs-sigt)* forudberegne, forudsige, forudse.
forecastle ['fouksl] *sb (mar)* bak; folkelukaf.
foreclose [fɔ:'klouz] *vb* udelukke; *(jur)* overtage pant til eje.
foreclosure [fɔ:'klouʒə] *sb* udelukkelse; *(jur)* overtagelse af pant til eje.
forecourt ['fɔ:kɔ:t] *sb* forgård; (af tankstation) plads med benzinpumper *etc.*
foredoom [fɔ:'du:m] *vb* dømme (på forhånd); *the scheme was -ed to failure* planen var på forhånd dødsdømt.
fore edge (på bog) forsnit.
forefather ['fɔ:fa:ðə] *sb* forfader; *Forefathers' Day (am)* årsdagen for *the Pilgrim Fathers'* landgang d. 21. dec. 1620.
fore|**finger** pegefinger. **-foot** forfod. **-front** forgrund; forre-ste linie; *in the -front of the battle* forrest i kampen. **-gather** = *forgather.* **-go** = *forgo.*
foregoing [fɔ:'gouiŋ] *adj* føromtalt, forudgående.
foregone [fɔ:'gɔn] *adj* tidligere; på forhånd bestemt; *it was a ~ conclusion* det kunne man have sagt sig selv, det var en given sag.
foreground ['fɔ:graund] *sb* forgrund.
forehand ['fɔ:hænd] *sb* (hestens) forpart, forkrop; (i tennis *etc*) forhånd, forhåndsslag; ~ *stroke* forhåndsslag.
forehead ['fɔrid] *sb* pande.
foreign ['fɔrin] *adj* fremmed, udenlandsk; udenrigs- *(fx policy, trade); (fig)* uvedkommende *(fx the question is ~ to the matter in hand* spørgsmålet er den foreliggende sag uvedkommende); ~ *affairs* udenrigsanliggender; *Secre-tary of State for Foreign Affairs* udenrigsminister.
foreign| **body** fremmedlegeme. ~ **edition** udgave for udlan-det.
foreigner ['fɔrinə] *sb* fremmed, udlænding.
foreign| **exchange** fremmed valuta. ~ **legion** fremmedle-gion.
Foreign| **Missions** *pl* ydre mission, udlandsmission. ~ **Of-fice** udenrigsministeriet (i England). ~ **Secretary** uden-rigsminister.
forejudge [fɔ:'dʒʌdʒ] *vb* dømme forud.
foreknow [fɔ:'nou] *vb* vide forud.
foreknowledge [fɔ:'nɔlidʒ] *sb* forudviden.
forel ['fɔrəl] *sb* (en slags) pergament.
foreland ['fɔ:lənd] *sb* forbjerg, næs, pynt; kyststrækning, forland.
foreleg ['fɔ:leg] *sb* forben.
forelock ['fɔ:lɔk] *sb* forhår, pandehår; *take time by the ~* benytte tiden, gribe lejligheden, være om sig.
foreman ['fɔ:mən] *sb* formand; værkfører; *farm ~* forkarl; ~ *compositor* faktor (i trykkeri).
foremast ['fɔ:ma:st] *sb (mar)* fokkemast.
foremost ['fɔ:moust] *adv* forrest; først; *first and ~* først og

fremmest; *head ~* på hovedet, hovedkulds.
forenoon ['fɔ:nu:n] *sb* formiddag.
forensic [fə'rensik] *adj* juridisk, advokatorisk; ~ *medicine* retsmedicin.
foreordain ['fɔ:rɔ:'dein] *vb* bestemme forud.
fore|**part** forreste del. **-play** forspil.
forerunner ['fɔ:rʌnə] *sb* forløber; *-s of spring* forårsbebu-dere.
foresail ['fɔ:seil; fɔ:sl] *sb (mar)* forsejl, fok.
fore|**see** [fɔ:'si:] *(-saw, -seen)* forudse. **-seeable** til at for-udse; *in the -seeable future* inden for en overskuelig fremtid. **-shadow** [fɔ:'ʃædou] forudane, forud antyde, be-bude. **-sheet** ['fɔ:ʃi:t] *(mar)* fokkeskøde. **-ship** ['fɔ:ʃip] for-skib. **-shore** ['fɔ:ʃɔ:] forstrand. **-shorten** [fɔ:'ʃɔ:tn] forkorte (perspektivisk). **-show** [fɔ:'ʃou] forudsige, varsle. **-shroud** ['fɔ:ʃraud] *(mar)* fokkevant. **-sight** ['fɔ:sait] forudseenhed, fremsyn, forsynlighed, forudviden; forsigtighed; *(mil.)* sigtekorn. **-sighted** forudseende, fremsynet. **-skin** ['fɔ:skin] forhud.
forest ['fɔrist] *sb* (større) skov; kongeligt jagtdistrikt; *adj* forst- *(fx assistant, botany);* skov- *(fx district, fire, tree); vb* beplante med skov.
forestal ['fɔristəl] *adj* forstlig.
forestall [fɔ:'stɔ:l] *vb* komme i forkøbet *(fx ~ a competi-tor); (glds)* optage i forvejen, opkøbe forud, drive for-prang.
forestay ['fɔ:stei] *sb (mar)* stængestag, fokkestag.
forester ['fɔristə] *sb* forstmand, skovbruger; skovarbejder; *(austr) zo* kæmpekænguru. **forest guard** skovløber.
forestry ['fɔristri] *sb* forstvæsen, skovbrug; skov, skov-land; *master of ~* forstkandidat.
forest| **stand** skovbevoksning. ~ **supervisor** skovrider.
I. foretaste ['fɔ:teist] *sb* forsmag.
II. foretaste [fɔ:'teist] *vb* få en forsmag på.
fore|**tell** [fɔ:'tel] *vb* forudsige. **-thought** ['fɔ:θ:t] *sb* fremsyn, betænksomhed, forudseenhed.
I. foretoken [fɔ:'toukn] *sb* varsel.
II. foretoken [fɔ:'toukn] *vb* varsle.
foretop ['fɔ:tɔp] *sb (mar)* fokkemærs, forremærs.
forever [fə'revə] *adv* for altid, for stedse, i al evighed.
fore|**warn** [fɔ:'wɔ:n] advare; forudmeddele; (se også II. *forearm*). **-word** ['fɔ:wə:d] forord. **-yard** ['fɔ:ja:d] *(mar)* fokkerå.
forfeit ['fɔ:fit] *sb* genstand *el* gods, der er forbrudt; bøde, mulkt; pant (i panteleg); *-s pl* (også) panteleg; *adj* hjem-falden, forspildt, forbrudt; *vb* fortabe, miste (retten til); forskertse, forspilde, sætte overstyr; *(glds)* forbryde; ~ *one's credit* forspilde sit gode navn og rygte; *game of -s* panteleg; *pay the ~* give pant; betale bøden; *pay the ~ with one's life* bøde for det med livet.
forfeiture ['fɔ:fitʃə] *sb* fortabelse.
forgather [fɔ:'gæðə] *vb* mødes, komme sammen.
forgave [fə'geiv] *præt* af *forgive.*
forge [fɔ:dʒ] *sb* smedie; esse; smedeværksted; *vb* smede; *(fig)* skabe *(fx an alliance);* eftergøre, forfalske *(fx stamps; a document);* skrive falsk; ~ *ahead* arbejde sig fremad. **forger** ['fɔ:dʒə] *sb* falskner, forfalsker. **forgery** ['fɔ:dʒəri] *sb* forfalskning; falsum; falskneri; *(jur)* (dokument)falsk.
forget [fə'get] *vb (forgot, forgotten el. (am) forgot)* glemme; ikke huske, ikke kunne komme i tanker om, ikke kunne komme på, have glemt *(fx I ~ his name);* ~ *about* glemme; ikke tænke på; ~ *it!* (am) lad det være glemt! *T* skidt med det! (ofte =) å jeg be'r; *not -ting* ikke at forglemme; ~ *oneself* forglemme sig; forløbe sig.
forgetful [fə'getf(u)l] *adj* glemsom; efterladende; ~ *of* glemmende, uden at tænke på. **forgetfulness** [-nis] *sb* glemsomhed; forglemmelse; forsømmelse.
forget-me-not [fə'getminɔt] *sb (bot)* forglemmigej.
forgive [fə'giv] *vb (forgave, forgiven)* tilgive, forlade; efter-give (gæld *el* straf). **forgiven** [fə'givn] *pp* af *forgive.* **for-giveness** [-nis] *sb* tilgivelse, forladelse; eftergivelse; tilbø-jelighed *el* villighed til at tilgive. **forgiving** *adj* tilgivende, eftergivende, forsonlig, barmhjertig.
forgo [fɔ:'gou] *vb (forwent, forgone)* opgive, undvære, for-sage, give afkald på; afholde sig fra.
forgot [fə'gɔt] *præt* af *forget; (am) pp* af *forget.* **forgotten** [fə'gɔtn] *pp* af *forget.*
fork [fɔ:k] *sb* gaffel, *(agr)* fork, greb, høtyv; (af vej) vej-

gaffel, skillevej; (på legemet) skridt; (af flod *etc*) gren, arm; (af gren) tvege; kløft) (i musik) stemmegaffel; *-s pl* grene; **S** fingre; *vb* dele sig; forke; stikke op; grave med en greb; **~** *out* **T** punge ud, betale regningen; udlevere; **~** *over* vende med en greb (, fork); udlevere; **~** *right* (, *left*) tage vejen til højre (, venstre).

forked [fɔ:kt] *adj* gaffelformet, grenet, forgrenet; kløftet; **~** *lightning* siksaklyn.

fork-lift (truck) gaffeltruck.

forlorn [fə'lɔ:n] *adj* ulykkelig, hjælpeløs, fortvivlet; forladt (af guder og mennesker); **~** *hope* håbløst foretagende; svagt håb; gruppe soldater som sættes på en meget farlig opgave.

I. form [fɔ:m] *sb* form; skikkelse *(fx dim -s passing in the mist)*; høflighedsform, formalitet; (ordlyd:) formel, formular; (trykt:) formular, blanket, skema; (i skole) skolebænk; klasse; (hares) leje; *(typ)* form; *bad* **~** uhøflighed; dårlige manerer; *it is bad* **~** det er uhøfligt (, uopdragent); det er ikke god tone; det kan man ikke; *good* **~** god tone; gode manerer; *in due* **~** på behørig vis; i tilbørlig form; *in good* **~** (i sport) i god form; *(fig)* veloplagt; *at the top of one's* **~** i fineste form, i topform; *a mere* **~** *of words* en blot og bar talemåde; *a matter of* **~** en formssag; *as a matter of* **~** rent formelt, proforma; *I don't know what the* **~** *is* jeg kender ikke formaliteterne; jeg ved ikke hvordan man skal forholde sig *(el* hvad man gør).

II. form [fɔ:m] *vb* forme, danne; udgøre *(fx the colleges which* **~** *the university)*; indrette; udvikle, udkaste *(fx a plan)*, danne sig *(fx an opinion; a clear picture of it; an idea of it* et begreb om det); *(mil.)* formere, opstille; (uden objekt) (an)tage form, dannes, forme sig, udvikle sig; *(mil.)* formere sig, opstille sig; **~** *a friendship with* slutte venskab med.

formal [fɔ:məl] *adj* formel; i tilbørlig form, regelret, stiv, afmålt; ydre *(fx a* **~** *resemblance)*, tilsyneladende, skin-; **~** *call* formel visit, høflighedsvisit; *a* **~** *garden* en have i fransk stil.

formaldehyde [fɔ:'mældihaid] *sb* (kem) formaldehyd.

formalism ['fɔ:məlizm] *sb* formalisme.

formalist ['fɔ:məlist] *sb* formalist.

formality [fɔ:'mæliti] *sb* formel korrekthed; formalitet; form; højtidelighed; stivhed.

format ['fɔ:mæt, 'fɔ:ma:] *sb* format.

formation [fɔ:'meiʃən] *sb* dannelse; formation.

formative ['fɔ:mətiv] *sb* bøjnings- *el.* afledningspræfiks *el.* -suffiks; *adj* dannende; udviklings- *(fx* **~** *stage)*.

forme [fɔ:m] *sb (typ)* (tryk)form.

form entry (om skole): *one* **~** ensporet; *two* **~** tosporet.

I. former ['fɔ:mə] *sb* (ud)former; skaber.

II. former ['fɔ:mə] *adj* foregående, forrige, tidligere; forhenværende, fordums; *the* **~** førstnævnte, den første; *he looks more like his* **~** *self* han er begyndt at ligne sig selv igen; *in* **~** *time* i tidligere tid, i gamle dage.

formerly ['fɔ:məli] *adv* forhen, tidligere, fordum.

formic ['fɔ:mik] *adj* myre-; **~** *acid* myresyre. **formicary** ['fɔ:mikəri] *sb* myretue. **formication** [fɔ:mi'keiʃən] *sb* myrekryb(en) (i huden).

formidable ['fɔ:midəbl] *adj* frygtelig; frygtindgydende, formidabel, drabelig.

formless ['fɔ:mlis] *adj* formløs; uformelig.

form master klasselærer.

formula ['fɔ:mjulə] *(pl -s el. formulæ* [-li:]) *sb* formel, formular. **formulary** ['fɔ:mjuləri] *sb* formularbog.

formulate ['fɔ:mjuleit] *vb* formulere. **formulation** [fɔ:mju-'leiʃən] *sb* formulering.

fornicate ['fɔ:nikeit] *vb* bedrive utugt *(el* hor). **fornication** [fɔ:ni'keiʃən] *sb* utugt, hor. **fornicator** ['fɔ:nikeitə] *sb* utugtig person, horkarl.

forrader ['fɔrədə] *adv* **S:** *I can't get any* **~** jeg kan ikke komme videre.

forrel ['fɔrəl] *sb* (en slags) pergament.

forsake [fə'seik] *vb (forsook, forsaken)* svigte; forlade *(fx one's wife and children)*; opgive *(fx one's bad habits)*.

forsaken [fə'seikn] *pp* af *forsake*.

forsook [fə'suk] *præt* af *forsake*.

forsooth [fə'su:θ] *adv* (glds) i sandhed, tilvisse.

forswear [fɔ:'swɛə] *vb (forswore, forsworn)* forsværge, af-

sv**ærge** *(fx smoking)*; **~** *oneself* sværge falsk.

forswore [fɔ:'swɔ:] *præt* af *forswear*.

forsworn [fɔ:'swɔ:n] *pp* af *forswear*.

forsythia [fɔ:'saiθjə; *(am)* fə'siθi:ə] *sb (bot)* forsythia.

fort [fɔ:t] *sb* fort, fæstning, borg; *(hist)* befæstet handelsstation; *hold the* **~** *(fig)* holde stillingen; passe de løbende forretninger.

I. forte [fɔ:t] *sb* styrke, stærk side, force.

II. forte ['fɔ:ti] *adv (mus.)* forte.

forth [fɔ:θ] *adv* frem, fremad; videre; ud; *back and* **~** frem og tilbage; *from this time* **~** fra nu af; *and so* **~** og så videre; (se også *bring, put etc)*.

forthcoming [fɔ:θ'kʌmiŋ] *adj* kommende, forestående; forekommende, imødekommende; *be* **~** (også) foreligge; *the money was not* **~** pengene kom *(el* viste sig) ikke.

forthright [fɔ:'θrait] *adj* ligefrem; oprigtig; *adv* øjeblikkelig; straks.

forthwith [fɔ:θ'wiθ, -'wið] *adv* straks, uopholdelig.

fortieth ['fɔ:tiiθ] fyrretyvende(del).

fortification [fɔ:tifi'keiʃən] *sb* befæstning, fæstningsværk; befæstningskunst; forstærkning; (af vin) forstærkning.

fortify ['fɔ:tifai] *vb* styrke, forstærke, befæste; (vin) forskære.

fortitude ['fɔ:titju:d] *sb* mod; sjælsstyrke.

fortnight ['fɔ:tnait] *sb* fjorten dage; *every* **~** hver fjortende dag; *this* **~** de sidste fjorten dage; *this day* **~** i dag fjorten dage; i dag for fjorten dage siden.

fortnightly *adj* fjortendags-; *adv* hver fjortende dag.

fortress ['fɔ:tris] *sb* fæstning.

fortuitous [fɔ:'tju:itəs] *adj* tilfældig.

fortuity [fɔ:'tju:iti] *sb* tilfældighed.

fortunate ['fɔ:tʃənit] *adj* lykkelig; heldig *(in* med).

fortunately *adv* lykkeligvis, heldigvis.

I. fortune ['fɔ:tʃən] *sb* skæbne, lod; lykke; formue; *by good* **~** til alt held; *make a* **~** blive rig; tjene en formue; *a man of* **~** en formuende mand; *marry a* **~** gifte sig en formue til; *it was more by* **~** *than by design* det var snarere lykken end forstanden; *seek one's* **~** søge lykken; *he spent a small* **~** *on it* han ofrede en lille formue på det; *tell -s* spå.

II. Fortune ['fɔ:tju:n] Fortuna (lykkegudinden).

fortune| hunter en der søger at blive rigt gift, lykkejæger. **~ teller** spåmand, spåkone.

forty ['fɔ:ti] fyrre; *the forties* fyrrerne.

forty|-niner *(am)* guldgraver som var med i Californien i 1849. **~ winks:** *take* **~** *winks* tage sig en på øjet *(el* en lille lur).

forum ['fɔ:rəm] *sb* forum.

I. forward ['fɔ:wəd] *adv* fremad, videre; forlæns; forover; forud(e) i skibet; forrest, fremme *(fx we don't want the seats too far* **~***)*; *be* **~** være i gære; *carried (el. brought)* **~** overført; transport (i bogføring); *date* **~** post-datere (forsyne med en senere dato); *I can't get any -er* jeg kan ikke komme videre; *straight* **~** lige ud; *from this time* **~** fra nu af, fremover (se også *bring, I. come, I. look, put etc)*.

II. forward ['fɔ:wəd] *adj* forrest; fremrykket; tidlig *(fx a* **~** *spring)*; (om person) progressiv, radikal; imødekommende, ivrig; *(neds)* fræk, pågående; (om barn) fremmelig; *(merk)* på levering, til senere levering *(fx* **~** *buying)*, termins- *(fx order, purchase)*.

III. forward ['fɔ:wəd] *sb* forward; *-s* angrebskæde (i fodbold).

IV. forward ['fɔ:wəd] *vb* sende, forsende, befordre, ekspedere, fremsende; eftersende; fremskynde, fremme; begunstige, opmuntre; *to be -ed, el. please* **~** bedes eftersendt.

forwarder ['fɔ:wədə], **forwarding agent** speditør.

forwardness ['fɔ:wədnis] *sb* tidlig modenhed, tidlig udvikling; beredvillighed, iver; frækhed, pågåenhed.

forwards ['fɔ:wədz] *adv* fremad; *backwards and* **~** frem og tilbage; (se også I. *forward*).

forwent [fɔ:'went] *præt* af *forgo*.

fosse [fɔs] *sb* voldgrav.

fossil ['fɔsil] *adj* fossil; forstenet; *sb* fossil, forstening; *(fig omtr =)* oldtidslevning.

fossiliferous [fɔsi'lifərəs] *adj* som indeholder fossiler.

fossilization [fɔsilai'zeiʃən] *sb* forstening.

fossilize ['fɔsilaiz] *vb* forstene(s); *(fig)* forbene(s), stivne.
fossorial [fɔ'sɔ:riəl] *adj zo* gravende, grave-.
foster ['fɔstə] *vb* opfostre, pleje, nære; begunstige; fremme, støtte *(fx foreign trade); adj* pleje- *(fx brother, father).*
fosterage ['fɔstəridʒ] *sb* opfostring; fremme, støtte; begunstigelse.
foster| home plejehjem (hos plejeforældre). ~ **mother** plejemoder; *(agr)* rugemaskine.
F.O.T. *fk free on truck.*
fougasse [fu:'gæs] *sb (mil.)* fladdermine.
fought [fɔ:t] *præt* og *pp* af *fight.*
I. foul [faul] *sb* (i sport) ureglementeret spil (, slag, stød, tackling), ulovlighed.
II. foul [faul] *vb* snavse (, svine) til, forurene, tilsmudse, *(glds)* besudle *(fx it is an ill bird that -s its own nest);* forpeste *(fx the air),* plumre *(fx water);* spærre, blokere, tilstoppe *(fx a drain),* tilsode *(fx a chimney);* (om liner *etc)* vikle sig ind i; *(mar)* kollidere med, rage uklar af; (uden objekt) blive smudsig, plumret *etc;* blive indviklet *el* sammenfiltret; *(mar)* blive (, komme) uklar, bekníbe (ɔ: sætte sig fast); (om skibsbund) blive begroet; ~ *the anchor* få uklart anker.
III. foul [faul] *adj* skiden, modbydelig, beskidt, uhumsk, stinkende; rådden, fordærvet; *(fig* også) slet, ond; hæslig *(fx crime),* (om tale) svinsk, sjofel; **T** elendig, rædsom *(fx meal);* (om vej) mudret, (om vand også) plumret; (om rør) tilstoppet, (om skorsten) tilsodet, (om mave) overgroet med ukrudt; (også om mave) i uorden; (i sport) ureglementeret; (om vejr) dårlig, modbydelig; (især *mar)* uklar *(fx anchor, fishing line),* (om vind, strøm) kontrær, ugunstig, (om kyst) farlig;
fall ~ of *(mar)* løbe på *(el* mod), kollidere med, rage uklar af; *(fig)* rage uklar med; komme i klammeri *(el* konflikt) med; *by fair means or* ~ med det gode eller med det onde; *run* ~ *of* = *fall* ~ *of; through fair and (through)* ~ gennem tykt og tyndt.
foul| air dårlig luft. ~ **bottom** *(mar)* begroet bund. ~ **breath** dårlig ånde. ~ **brood** bipest. **-mouthed** grov i munden, plump. ~ **pipe** sur pibe. ~ **play** uærligt spil, forræderi; forbrydelse. ~ **proof** *(typ)* dårlig korrektur. ~ **-spoken,** ~ **-tongued** grov i munden, plump.
foumart ['fu:ma:t] *sb zo* ilder.
I. found [faund] *præt* og *pp* af *find; and all* ~ med fri station.
II. found [faund] *vb* grundlægge; grunde; oprette, stifte; bygge; indrette; *his theory was -ed on fact* hans teori byggede *(el* var baseret) på kendsgerninger; *be badly -ed* være dårligt underbygget, stå svagt; *a well -ed argument* et velunderbygget argument.
III. found [faund] *vb* støbe, smelte.
foundation [faun'deiʃən] *sb* grundlæggelse, oprettelse, stiftelse; (institution:) stiftelse; (penge:) fond *(fx the Rockefeller F.),* legat; (også *-s)* grund, fundament, *(fig)* grundlag; (om kosmetik) pudderunderlag; (se også ~ *garment); lay the -(s) of (fig)* lægge grunden til; *it has no* ~ *in fact* det har intet på sig; *be on the* ~ være stipendiat; *shake to its (very) -s* ryste i sin grundvold; *the rumour is entirely without* ~ rygtet savner ethvert grundlag.
Foundation Day *(austr)* 26. jan.
foundationer [faun'deiʃənə] *sb* stipendiat; gratist.
foundation| garment korsettering. ~ **school** legatskole. ~ **stone** grundsten.
I. founder ['faundə] *sb* grundlægger, stifter; støber; forfangenhed (en hestesygdom).
II. founder ['faundə] *vb* (om bygning) styrte sammen, synke sammen; (om skib) synke, gå til bunds; (om foretagende) strande, mislykkes; (om hest) styrte (af udmattelse), blive hængende i en mose *etc;* ~ *a horse* skamride en hest.
founder's share stamaktie, stifteraktie.
foundling ['faundliŋ] *sb* hittebarn.
foundress ['faundris] *sb* stifterinde.
foundry ['faundri] *sb* støberi; støberiarbejde.
fount [faunt] *sb* kilde, væld; *(typ)* skriftsortiment.
fountain ['fauntin] *sb* springvand; *(fig)* kilde, oprindelse.
fountainhead kildevæld; oprindelse, ophav.
fountain pen fyldepen.
four [fɔ:] *sb* fire; *sb* firtal; firer; hold på fire; firer, fireåret

båd; *-s* (også) kaproning for fireårede både; *by -s* fire og fire; *on all -s* på alle fire (ɔ: på hænder og knæ); *the simile is not on all -s* sammenligningen halter; *be on all -s with* stemme overens med; *within the* ~ *seas* ɔ: i Storbritannien.
four|flusher ['fɔ:flʌʃə] **S** pralhals, bluffmager. **-fold** firefold, firedobbelt. ~ **-handed** firhændet; (i musik) firhændig; (om kortspil) firemands. ~ **hundred** *(am)* de fornemme, de finere kredse. ~ **-in-hand** *adv* med fire heste; *sb* firspand; vogn med fire heste for; *(am)* bindeslips. ~ **-leaf clover** *(bot)* firkløver. **-legged** ['fɔ:legd] *adj* firbenet. ~ **-letter word** uartigt ord, tabuord. ~ **-o'clock** *(bot)* vidunderblomst. ~ **-part** firstemmig. ~ **-poster** himmelseng. **-score** *(glds)* fire snese, firsindstyve. ~ **-seater** firepersoners bil.
foursome ['fɔ:səm] *sb* spil mellem to par (i golf); **T** selskab på fire personer.
four|square firkantet; *(fig)* fast, urokkelig, standhaftig. ~ **-stroke engine** firetaktsmotor.
fourteen ['fɔ:'ti:n] fjorten. **fourteenth** ['fɔ:'ti:nθ] *adj* fjortende; *sb* fjortendedel.
fourth [fɔ:θ] *adj* fjerde; *sb* fjerdedel, kvart; fjerdemand; *the Fourth (of July)* (USA's frihedsdag); *the* ~ *estate* (ɔ: pressen). **fourthly** ['fɔ:θli] *adv* for det fjerde.
four|-wheel *adj* firehjuls- *(fx drive* træk); firhjulet. ~ **-wheeler** ['fɔ:'wi:lə] firhjulet drosche.
fowl [faul] *sb* høne, hane, stykke fjerkræ; *(glds)* fugl; *vb (glds)* drive fuglefangst, drive fuglejagt. **fowler** ['faulə] *sb* fuglefænger, fuglejæger.
fowling-piece ['fauliŋpi:s] haglbøsse (til fuglejagt).
fowl run fornegård.
fox [fɔks] *sb* ræv; *(fig)* ræv, snu person; *vb* snyde, narre, forvirre; spille komedie; (om øl) blive surt under gæringen; (se også *foxed); adj* ræverød.
fox| brush rævehale, lunte. ~ **earth** rævegrav.
foxed [fɔkst] *adj* (om papir) (fugt)plettet, (brun)skjoldet, jordslået.
fox|glove *(bot)* fingerbøl. **-hole** *(mil.)* skyttehul. **-hound** foxhound, engelsk rævehund. ~ **hunt** *sb* rævejagt. ~ **-hunt** *vb* gå på rævejagt. ~ **-marked** = *foxed.* **-tail (grass)** *(bot)* rævehale. ~ **terrier** foxterrier. **-trot** foxtrot.
foxy ['fɔksi] *adj* ræveagtig, ræve-; snedig, lumsk; (om farve) ræverød; (om drik) sur; (om papir) se *foxed.*
foyer ['fɔiei] *sb* foyer; *(am)* entré, hall.
f.p. *fk fire plug; flash point.*
f.p.a. *fk free of particular average.*
Fr. *fk Father, France, French, Friar.*
fr. *fk franc(s).*
frabjous ['fræbdʒəs] *adj* **T** strålende; glædelig.
fracas ['fræka:, *(am)* 'freikəs] *sb* skænderi, stormende optrin, sammenstød.
fraction ['frækʃən] *sb* brøk; brøkdel, smule; *he did not swerve from his principles by a* ~ han veg ikke en hårsbred fra sine principper.
fractional ['frækʃənəl] *adj* brøk-; ubetydelig; ~ *distillation* fraktioneret destillation.
fractionate ['frækʃəneit] *vb* fraktionere; opdele i mindre enheder.
fractious ['frækʃəs] *adj* gnaven, vanskelig.
fracture ['fræktʃə] *sb* brud; *vb* brække; ~ *of the skull* kraniebrud.
fraenum ['fri:nəm] *sb (anat)* ligament, bånd, tungebånd.
frag [fræg] *vb (am mil.* **S)** skyde (egne befalingsmænd) ned.
fragile ['frædʒail, *(am)* 'frædʒəl] *adj* skør; skrøbelig, spinkel.
fragility [frə'dʒiliti] *sb* skørhed, skrøbelighed, spinkelhed.
I. fragment ['frægmənt] *sb* fragment, brudstykke, stump.
II. fragment ['frægment] *vb* gå i (små stykker); slå i stykker; *(fig)* dele op, splitte (i små grupper).
fragmental [fræg'mentəl], **fragmentary** ['frægməntəri] *adj* fragmentarisk; brudstykkeagtig.
fragmentation [frægmen'teiʃən] *sb* sønderdeling, opdeling (, splittelse) i små grupper.
fragmentation bomb sprængbombe.
fragrance ['freigrəns] *sb* duft, vellugt.
fragrant ['freigrənt] *adj* duftende, vellugtende.
I. frail [freil] *adj* svag, skrøbelig; svagelig *(fx child).*

II. frail [freil] *sb* sivkurv (til figener, rosiner *etc*).
frailty ['freilti] *sb* svaghed, skrøbelighed.
F.R.A.M. *fk Fellow of the Royal Academy of Music.*
I. frame [freim] *sb* ramme, (for dør, vindue også) karm; (stel *etc*) skelet, stel, stativ, stillads; bygning; (af menneske) legeme, form, skikkelse; *(fig)* indretning, system; (af bil) chassisramme; *(flyv)* stel; *(mar)* spant; (i gartneri) mistbænk; (i TV) delbillede, *(am)* totalbillede; (i film) enkelt billede; (i edb) række; *(typ)* sættereol; S = *frame-up;* ~ *of mind* sindsstemning; ~ *of reference* referensramme, henførelsessystem; ~ *of an umbrella* paraplystativ.
II. frame [freim] *vb* indramme *(fx pictures)*; udtænke, udkaste *(fx a plan)* udforme *(fx a question, a reply),* opfinde *(fx a method);* danne, forme *(fx a figure, a sentence);* bygge; lave, indrette, tilpasse; T henlede uberettiget mistanke på, mistænkeliggøre, lave falske beviser (, falsk anklage) mod; (uden objekt) udvikle sig; (i film) indstille billedvinduet; ~ *an estimate* gøre et overslag; *his lips could hardly* ~ *the words* han kunne næsten ikke få ordene frem.
frame aerial rammeantenne.
frame| **house** træhus. ~ **saw** stillingssav.
frame-up ['freimʌp] *sb* T falsk anklage, falske beviser; aftalt spil, sammensværgelse.
framework ['freimwəːk] *sb* skelet *(fx of a building); (fig* også) struktur *(fx the* ~ *of society);* ramme.
framing ['freimiŋ] *sb* bygning; indramning *etc* (se *II. frame);* ramme, rammeværk; *(fot)* billedbegrænsning.
franc [fræŋk] *sb* franc (mønt).
France [traːns] Frankrig.
Frances ['fraːnsis] (kvindeligt fornavn).
franchise ['fræn(t)ʃaiz] *sb* frihed, rettighed, privilegium; fribrev; valgret, stemmeret; *(am* også) koncession *(for på, fx a bus service).*
Francis ['fraːnsis] (mandligt fornavn) Fran(t)s.
Franciscan [fræn'siskən] *sb* franciskaner(munk); *adj* franciskansk.
Franco-German ['fræŋkou'dʒəːmən] *adj* fransk-tysk.
francolin ['fræŋkəlin] *sb zo* frankolin (en hønsefugl).
Franconia [fræŋ'kounjə] Franken.
frangible ['frændʒibl] *adj* skrøbelig, skør.
frangipane, frangipani ['frændʒi'pæni, -'paːni] *sb* jasminparfume; (slags) mandelkage.
I. Frank [fræŋk] Frank (navn); *sb* franker.
II. frank [fræŋk] *sb* påskrift der i gamle dage attesterede et brevs portofrihed; brev med en sådan påskrift.
III. frank [fræŋk] *vb* frankere; *(glds)* attestere (et brev) som portofrit.
IV. frank [fræŋk] *adj* oprigtig, åben, åbenhjertig *(fx confession);* frimodig *(fx look);* ~ *ignorance* uvidenhed man åbent vedkender sig; ~ *poverty* usminket fattigdom.
frankfurter ['fræŋkfəːtə] *sb* bajersk pølse.
frankincense ['fræŋkinsens] *sb* virak, røgelse.
Frankish ['fræŋkiʃ] *sb, adj* frankisk.
frankly ['fræŋkli] *adv* rent ud sagt, ærlig talt.
frantic [fræntik] *adj* afsindig, vanvittig, rasende. **frantically** ['fræntikəli] *adv* afsindigt, vanvittigt, som rasende *(fx he wrote* ~*).*
frap [fræp] *sb (mar)* surre, sejse.
frappé ['fræpei] *adj* isafkølet; *sb* slags isdessert.
frass [fræs] *sb* larveekskrement, ormemel.
frat [fræt] *vb* S fraternisere.
fraternal [frə'təːnəl] *adj* broderlig *(fx love),* broder-, kollegial; ~ *twins* toæggede tvillinger.
fraternity [frə'təːniti] *sb* broderskab; broderlighed; brodersamfund; *(am)* studenterforening (se *Greek-letter* ~*); the medical (, legal)* ~ læge- (, jurist-)standen.
fraternization [frætənai'zeiʃən] *sb* fraterniseren; broderlighed, broderligt forhold. **fraternize** ['frætənaiz] *vb* omgås som brødre, fraternisere; nære broderlige følelser.
fratricide ['freitrisaid] *sb* brodermord; brodermorder.
fraud [frɔːd] *sb* bedrageri, *(jur)* svig; (om person) bedrager, svindler; *pious* ~ fromt bedrag.
fraudulence ['frɔːdjuləns] *sb* svigagtighed.
fraudulent ['frɔːdjulənt] *adj* svigagtig.
fraught [frɔːt] *adj:* ~ *with* fyldt af, ladet med, svanger med; ~ *with danger* som rummer stor fare, yderst farefuld.

I. fray [frei] *sb* slagsmål, kamp.
II. fray [frei] *vb* gnide; slide tynd; (uden objekt) gnides; flosse, blive flosset *(fx* ~ *at the edges);* sb tyndslidt sted, frynse (af slid); *be* -*ed* (også) hænge i frynser; -*ed cuffs* flossede manchetter; -*ed nerves* tyndslidte nerver.
frazzle ['fræzl] *vb* flosse, rive i pjalter; udmatte; (uden objekt) blive flosset, blive pjaltet; *beat to a* ~ slå sønder og sammen; -*d, worn to a* ~ slidt i laser; *(fig)* segnefærdig, udkørt, ødelagt.
F.R.C.P. (, S) *fk Fellow of the Royal College of Physicians (, Surgeons).*
freak [friːk] *sb* grille, lune; vanskabning; original *(fx a long-haired* ~*);* kuriositet; *adj* abnorm, usædvanlig; ~ *wave* forkert sø; *vb:* ~ *out* S få hallucinationer efter indtagelse af stof, blive skør, flippe ud.
freakish ['friːkiʃ] *adj* sær, besynderlig, lunefuld.
freckle ['frekl] *sb* fregne; *vb* blive fregnet.
freckled ['frekld], **freckly** ['frekli] *adj* fregnet; plettet.
Frederic(k), Frederik ['fredrik].
I. free [friː] *vb* befri, frigøre; *(mar)* lense.
II. free [friː] *adj* fri *(from, of* for); utvungen, tvangfri, åben, ligefrem; *(neds)* familiær *(fx he was too* ~ *with* (over for) *his secretary),* dristig, fræk, tøjlesløs; (uden betaling) gratis *(fx get in* ~*);* (ikke smålig) gavmild, rundhåndet *(fx be* ~ *with one's money);* rigelig; (ikke beskæftiget) fri, ledig; *(mar)* lens;
~ *and easy* utvungen, frejdig, ugenert, familiær; ukonventionel; tvangfri sammenkomst; ~ *as air* fri som fuglen i luften, frank og fri; *give sby (, have) a* ~ *hand* give en (, have) frie hænder (til at handle efter skøn); ~ *of* fri for; fritaget for; ~ *of debt* gældfri; ~ *of duty* toldfri; *be* ~ *of* (også) have fri adgang til; *we are not* ~ *of the harbour yet* vi er ikke klar af havnen endnu; *make sby* ~ *of* give en fri adgang til; *make sby* ~ *of a city* give en borgerret; gøre en til æresborger; *make him* ~ *of my house* lade ham komme og gå i mit hjem som han vil; ~ *on board* frit om bord; ~ *on truck* frit på banevogn; *set* ~ befri, løslade; *he is* ~ *to do so* det står ham frit for at gøre det; *make* ~ *use of sth* benytte sig af noget i stor udstrækning; *make* ~ *with sth* skalte og valte med noget; tage sig friheder med noget; forgribe sig på noget; blande sig i noget; *make* ~ *with sby* tage sig friheder over for en.
free|**board** *(mar)* fribord, dækshøjde. -**booter** fribytter. -**booting** fribytteri. -**born** *adj* fribåren. ~ **church** frikirke.
freedman ['friːdmæn] *sb* frigiven (slave).
freedom ['friːdəm] *sb (cf II. free)* frihed *(from* for), utvungenhed, tvangfrihed, åbenhed, ligefremhed; *(neds)* familiaritet, dristighed, frækhed, tøjlesløshed; (ret:) forrettighed, privilegium; ~ *from taxation* skattefrihed; *have (, receive) the* ~ *of a city* være (, blive udnævnt til) æresborger i en by; *I had (, he gave me) the* ~ *of the library* jeg havde (, han gav mig) fri adgang til biblioteket; jeg kunne frit benytte biblioteket; *the four* -*s* de fire frihedsgoder (frihed for mangel og frygt, talefrihed og religionsfrihed); *take* -*s with* tage sig friheder over for.
freedom fighter frihedskæmper.
free enterprise det private initiativ.
free fight, free-for-all *sb* T almindeligt håndgemæng, almindeligt slagsmål.
free|**hand** frihånds- *(fx* -*hand drawing* frihåndstegning). ~ -**handed** rundhåndet, gavmild. ~ -**hearted** åbenhjertig; ædelmodig. -**hold** selvejendom, selveje. -**hold flat** ejerlejlighed. ~ **house** værthus der ikke ejes af et bryggeri. ~ **kick** frispark (i fodbold). ~ **labour** uorganiseret arbejdskraft.
freelance ['friːlaːns] *sb* løsgænger; free-lance journalist; *(hist.)* lejsoldat.
free| **list** friliste. ~ **liver** bonvivant, levemand. -**loader** S nasser; snyltegæst, gratist; en der spiser (, rejser *etc)* for firmaets regning.
freely ['friːli] *adv* frit *(etc,* se II. *free); live too* ~ leve for flot; *he availed himself* ~ *of the permission* han benyttede sig i udstrakt grad af tilladelsen.
free|**man** ['friːmən] fri mand; (fuldberettiget) borger; æresborger. -**mason** ['friːmeisən] frimurer. -**masonry** frimureri.
free|**port** frihavn. ~ **speech** ytringsfrihed. ~ -**spoken** åben-

hjertig, fri i sin tale. **-stone** letbearbejdelig (kalk- *el.* sand)sten. **-style** fri svømning; fri brydning. **-thinker** fritænker. **-thinking** *adj* fritænkerisk; *sb* fritænkeri. ~ **thought** fritænkeri. ~ **trade** frihandel; ~ *trade area* frihandelsområde. ~ **trader** frihandelsmand. **-way** *(am)* (afgiftsfri) motorvej *(cf turnpike).* **-wheel** *sb* frihjul; *vb* køre på frihjul.

freeze [fri:z] *vb (froze, frozen)* fryse; stivne (af kulde), være (, blive) iskold; stivne, forholde sig helt ubevægelig; (med objekt) nedfryse; få til at fryse; bedøve ved hjælp af kulde, nedkøle; fastfryse *(fx prices);* indefryse, spærre (tilgodehavende); *sb* stop, stabilisering *(fx wage* ~*);* ~ *one's blood* få ens blod til at isne; ~ *on to* S hage sig fast i; ~ *sby out* fryse en ud; ~ *over* fryse til; ~ *to death* fryse ihjel.
freeze-dry ['fri:z'drai] *vb* frysetørre.
freezer ['fri:zə] *sb* fryseapparat, ismaskine; fryseboks: dybfryser.
freeze-up ['fri:zʌp] *sb* T frostperiode; tilfrysning.
freezing ['fri:ziŋ] *adj* iskold.
freezing| mixture kuldeblanding, fryseblanding. ~ **plant** fryseanlæg. ~ **point** frysepunkt.
freight [freit] *sb* fragt; ladning, gods; fragtpenge; befordring; *vb* laste, fragte.
freightage ['freitidʒ] *sb* fragt.
freight car *(am)* godsvogn.
freighter ['freitə] *sb* befragter, fragtmand; *(mar)* fragtskib; *(flyv)* transportfly(vemaskine).
freight train *(am)* godstog.
French [frenʃ] *sb, adj* fransk; *the* ~ franskmændene.
French| bean snittebønne, haricot vert. ~ **chalk** skrædderkridt. ~ **door** fransk dør. ~ **fried potatoes,** ~ **fries** pommes frites. ~ **horn** valdhorn.
frenchify ['frenʃifai] *vb* forfranske; danne efter fransk mønster.
French| leave: *take* ~ *leave* forsvinde i stilhed; stikke af uden at tage afsked. ~ **letter** kondom, fransk artikel. **-man** franskmand. ~ **polish** møbelpolitur. ~ **roll** *(omtr)* giffel. ~ **roof** mansardtag. ~ **rose** *(bot)* eddikerose. ~ **window** glasdør (ud til have *el.* altan). **-woman** fransk kvinde.
frenetic [fri'netik] *adj* = *frenzied.*
frenzied ['frenzid] *adj* drevet til vanvid, afsindig, rasende, vild. **frenzy** ['frenzi] *sb* vanvid, raseri, afsindighed; raserianfald; *a* ~ *of preparations* hektiske forberedelser.
frequency ['fri:kwənsi] *sb* hyppighed; frekvens.
frequency modulation frekvensmodulation.
I. frequent ['fri:kwənt] *adj* hyppig.
II. frequent [fri'kwent] *vb* besøge, søge (hyppigt), komme tit i (, på), holde til i (, på).
frequentation [fri:kwən'teiʃən] *sb* hyppigt gentagne besøg.
frequentative [fri'kwentətiv] *sb, adj (gram)* frekventativ.
frequently ['fri:kwəntli] *adv* tit, hyppigt.
fresco ['freskou] *sb* maling på våd kalk, freskomaleri; *vb* male al fresco; *paint in* ~ *(el. al* ~*)* male al fresco.
fresh [freʃ] *adj* frisk; ny *(fx facts, supplies);* sund, blomstrende *(fx beauty, complexion);* livlig; fersk *(fx water);* T uerfaren, 'grøn'; fræk; bedugget; *sb* bæk; oversvømmelse, højvande; *as* ~ *as a daisy, as* ~ *as paint* frisk, kvik, livlig; *begin a* ~ *chapter* begynde et ny kapitel; ~ *from* lige kommet fra; ~ *from school* lige fra skolebænken; *break* ~ *ground* bryde nye baner; ~ *meat* frisk (, fersk) kød; ~ *paint* våd maling, (på skilt) nymalet.
fresh breeze kuling.
freshen ['freʃən] *vb* friske op, stramme op; gøre fersk; udvande; blive frisk; blive fersk; *(mar)* (om reb) friske; ~ *up* friske op; friske sig op.
fresher ['freʃə] *sb* S rus (første års student).
freshet ['freʃit] *sb* pludselig oversvømmelse; bæk, å.
fresh gale hård kuling.
freshly ['freʃli] *adv (+ painted)* nymalet.
freshman ['freʃmən] *sb* rus (første års student).
freshwater ['freʃwɔːtə] *adj* ferskvands-; ~ *sailor* bolværksmatros.
I. fret [fret] *vb* ærgre, irritere, gøre bekymret *(fx the uncertainty -ted him);* ærgre sig, være irriteret (, bekymret) *(fx he -ted about the situation);* beklage sig; (om barn) klynke; (beskadige:) gnave på, gnide *(el* slide) i stykker

(fx the rope was -ted by the movement of the boat), (om reb også, *mar)* skamfile; gnides, slides; (især om syre) tære (på), æde (sig ind i); (om vand) kruse (sig), sætte(s) i bevægelse; ~ *for* længes utålmodigt efter; ~ *and fume* være ærgerlig (, nervøs, bekymret).
II. fret [fret] *sb (cf I. fret)* ærgrelse, irritation, uro, bekymring; gnaven, gniden, slid; tæren; hudløst sted, udslæt; (på vand) krusning; (mønster) a la grecque ornament; (på guitar *etc)* bånd.
fretful ['fretf(u)l] *adj* irritabel, pirrelig; irriteret, gnaven; (om barn) klynkende.
fret saw ['fretsɔ:] *sb* løvsav.
fretwork ['fretwəːk] *sb* løvsavsarbejde, udskåret arbejde.
Freudian ['frɔidiən] *adj* som angår Freud og hans værk, freudsk; *sb* freudianer.
F.R.G.S. *fk* Fellow of the Royal Geographical Society.
Fri. *fk* Friday.
friability [fraiə'biliti] *sb* løshed; sprødhed, skørhed.
friable ['fraiəbl] *adj* løs, sprød, skør; (om jord) smuldrende, bekvem.
friar ['fraiə] *sb* klosterbroder, (tigger)munk.
friar's balsam benzoetinktur.
friary ['fraiəri] *sb* munkekloster.
fribble ['fribl] *vb (glds)* fjase; *sb* nar; laps.
fricandeau ['frikəndou] *(pl fricandeaux* ['frikəndouz]) *sb* frikandeau.
fricassee [frikə'si:] *sb* frikassé.
fricative ['frikativ] *sb (fon)* frikativ, hæmmelyd.
friction ['frikʃən] *sb* gnidning, strygning, friktion; frottering; gnidningsmodstand. **frictional** ['frikʃənəl] *adj* gnidnings-, friktions-.
Friday ['fraidi, 'fraidei] fredag.
fridge [fridʒ] *sb* T køleskab (*af refrigerator).*
fried [fraid] *præt* og *pp af fry;* ~ *egg* spejlæg.
friend [frend] *sb* ven, veninde; bekendt, ledsager; forretningsforbindelse; *have a* ~ *at court* have sine forbindelser, T have fanden til morbroder; *make a* ~ *of* slutte venskab med; *make -s again* blive (, være) gode venner igen, forlige sig; *make -s easily* have let ved at få venner; *my honourable* ~ (svarer til) det ærede medlem (om et andet medlem af Underhuset); *my learned* ~ min ærede kollega (om en anden advokat); *a* ~ *of mine (, my father's)* en ven af mig (, af min far); *the Society of Friends* vennernes samfund, kvækerne; *he is no* ~ *to me* han er mig ikke venligsindet; *be -s with* være gode venner med; *make -s with* slutte venskab med.
friendless ['frendlis] *adj* venneløs.
friendly ['frendli] *adj* venskabelig; venligstemt; venlig; hjælpsom; gunstig *(fx a* ~ *breeze);* *the Friendly Islands* Venskabsøerne; *a* ~ *shower* en velgørende regn; ~ *Society* gensidig understøttelsesforening.
friendship ['fren(d)ʃip] *sb* venskab.
Friesic ['fri:zik] = *Frisian.*
frieze [fri:z] *sb (arkit)* frise; (groft uldstof:) fris, vadmel.
frig [frig] *vb (vulg)* onanere; kneppe.
frigate ['frigit] *sb (mar)* fregat. **frigate bird** *zo* fregatfugl.
fright [frait] *sb* skræk, frygt; forskrækkelse; *(fig)* rædsel *(fx that hat is a* ~*); he looks a perfect* ~ han ser frygtelig ud, han ligner et fugleskræmsel; *you gave me such a* ~ ih, hvor gjorde du mig bange; *take* ~ blive forskrækket.
frighten ['fraitn] *vb* forskrække, skræmme; gøre bange; ~ *him out of doing it* skræmme ham fra at gøre det; ~ *her out of her life* skræmme livet af hende; *-ed* (også) bange, forskræmt; *he was more -ed than hurt* han slap med skrækken; *be -ed of* være bange for.
frightful ['fraitf(u)l] *adj* skrækkelig.
frigid ['fridʒid] *adj* kold, iskold; *(fig)* kølig; formel *(fx politeness);* (seksuelt:) frigid; *the* ~ *zone* den kolde zone.
frigidity [fri'dʒiditi] *sb* kulde; frigiditet.
frill [fril] *sb* kruset *(el.* rynket) strimmel, pibestrimmel, flæse; kruset manchet; *vb* kruse, rynke, pibe; *-s* ekstra pynt, luksus; *(fig)* falbelader, dikkedarer; udenomssnak; *-s and furbelows* pynt og stads; *put on -s* gøre sig vigtig; skabe sig. **frilling** *sb* strimler *(etc, cf frill).*
frilly ['frili] *adj* kruset.
fringe [frin(d)ʒ] *sb* frynse; krans (af hår *etc),* pandehår; (yderste) rand, udkant; *(fig)* yderliggående *(el* perifer)

gruppe, 'overdrev'; *adj* marginal-; perifer *(fx occupation)*; *vb* ligge langs randen af *(fx villas that ~ the cliff)*; besætte med frynser; *on the ~ of the forest (,crowd)* i udkanten af skoven (, menneskemængden).

fringe| benefits *pl* indirekte løngoder, ydelser fra en arbejdsgiver ud over den egentlige løn *(fx pensionsbidrag, repræsentationstillæg, bil)*. **~ group** yderliggående gruppe. **-tail** *zo* slørhale.

frippery ['fripəri] *sb* tirader; dingeldangel.

'Frisco ['friskou] *fk San Francisco.*

Frisian ['friziən] *adj* frisisk; *sb* frisisk; friser.

frisk [frisk] *vb* springe, hoppe, boltre sig; vifte med; **S** kropsvisitere; gennemsøge; *sb* spring, hop; **~** *him of money* **S** stjæle penge op af lommen på ham.

frisky ['friski] *adj* overgiven, livlig, sprælsk.

frit [frit] *sb* fritte, glasmasse; *vb* fritte, smelte.

frith [friθ] *sb* fjord.

fritillary [fri'tiləri] *sb (bot)* vibeæg; *zo* perlemorsfugl.

I. fritter ['fritə] *sb: apple -s* æblesnitter indbagt i pandekagedej.

II. fritter ['fritə] *vb* fjase, fjase bort; **~** *away* formøble, klatte væk *(fx one's money)*, sløse bort *(fx one's time)*.

frivol ['frivl] *vb* pjanke; bortødsle.

frivolity [fri'voliti] *sb* tosseri, overfladiskhed, mangel på alvor.

frivolous ['frivələs] *adj* betydningsløs, overfladisk, intetsigende, pjanket, fjantet; *be* **~** (også) fjante, fjase.

friz(z) [friz] *sb* krøl, krus; *vb* krølle, kruse; sprutte, brase.

frizzle ['frizl] *vb* krølle, kruse; stege, brase; *sb* krøl.

frizzy ['frizi] *adj* kruset, purret; (om tøj) nopret.

fro [frou] *adv: to and* **~** frem og tilbage.

frock [frɔk] *sb* bluse, busseronne; kittel; blusekjole, barnekjole; (dame)kjole; munkekutte.

frock coat diplomatfrakke.

frog [frɔg] *sb zo* frø; kvast; snorebesætning; sværdtaske (til bajonet), sabelgehæng; (i hestehov) stråle; (på violinbue) frosch; *(jernb)* hjertestykke (ved krydsspor); **S** franskmand; *have a* **~** *in the throat* **T** have en tudse i halsen (ɔ: være hæs).

frog|bit *(bot)* frøbid. **-eater** *(neds)* franskmand. **-fish** *zo* tudsefisk.

frogged [frɔgd] *adj* snorebesat.

frog|hopper *zo* skumcikade. **-man** ['frɔgmən] frømand, svømmedykker. **-march** bære *(fx* en beruser) i arme og ben med ansigtet nedad.

frolic ['frɔlik] *sb* lystighed, spøg; *vb* være lystig, lave sjov; *adj (poet)* lystig.

frolicking ['frɔlikiŋ], **frolicsome** ['frɔliksəm] *adj* lystig.

from [frɔm, frəm] *præp* fra, ud fra; på grund af *(fx absent* **~** *illness)*, af *(fx learn* **~** *experience, cry* **~** *pain)*, (at dømme) efter; (se også *conclude, defend, II. draw, III. hide, II. judge, prevent etc)*; **~** *above* ovenfra; **~** *afar* langt borte fra; **~** *all he had heard* efter alt hvad han havde hørt; **~** *behind* bagfra; *he stepped out* **~** *behind the tree* han trådte frem fra træet (bag hvilket han havde været); **~** *beneath* nede fra; *fra undersiden af;* **~** *a child,* **~** *childhood* fra barndommen af; **~** *home* ikke hjemme, hjemmefra; **~** *outside* udefra; *safe* **~** sikker mod; **~** *time to time* fra tid til anden.

frond [frɔnd] *sb (bot)* bregneblad; palmeblad.

frondescence [frɔn'desəns] *sb* løvspring.

I. front [frʌnt] *sb* forside, front; forreste række; (af hus) facade, (ved badested) promenade; *(mil., meteorol etc)* front; (om beklædning:) (af skjorte) forstykke; løst skjortebryst; (i kjole) indsats; (om hår) falsk pandehår; *(fig)* ydre, mine *(fx a calm* **~**, *a brave* **~**), holdning; **T** fræhed, uforskammethed *(fx he had the* **~** *to deny everything)*; skalkeskjul *(fx the shop was a* **~** *for* (også: skulle dække over) *foreign agents)*, camouflage; *(am)* topfigur, stråmand; *(glds)* pande, ansigt;

change **~** *(mil.)* foretage en frontforandring; *(fig)* ændre signaler; *in* **~** fortil, foran, forrest; *in* **~** *of* foran; *in* **~** *of the children* i børnenes påhør *(el.* nærværelse); *put on (el. up) a* **~** stille sig an; *don't put on a* **~** *that is not your own* prøv ikke på at være anderledes end du er; *put on (el. keep up el. show) a bold* **~**, *put a bold* **~** *on it* lade som ingenting; lade ganske uberørt; *bring* **to** the **~** bringe frem i første række; *come to the* **~** komme frem i

første række, træde i forgrunden, slå igennem; *go to the* **~** tage til fronten (ɔ: krigsskuepladsen); *out* **~** *(teat)* i tilskuerrummet.

II. front [frʌnt] *vb* gøre front imod; vende facaden imod.

III. front [frʌnt] *adj* forrest, for- *(fx wheel)*, front-; *(fon)* fortunge-; *eyes* **~** *!* se lige ud!

frontage ['frʌntidʒ] *sb* facade.

I. frontal ['frʌntəl] *sb* facade; pandebånd; omslag på pande eller hoved; *(arkit)* frontale, alterbordsforside.

II. frontal ['frʌntl] *adj* frontal *(fx a* **~** *attack)*; front-; *(anat)* pande- *(fx bone)*.

front| bench; *the* **~** *bench* den forreste bænk (i Underhuset: ministerbænken). **~ door** gadedør, hoveddør. **~ fender** *(am)* forskærm. **~ garden** forhave. **~ gate** port; hovedport. **~ hair** forhår. **~ hall** forstue, entré.

frontier ['frʌntiə, *(am)* frʌn'tiə] *sb* grænse, statsgrænse; *the Frontier (am, hist.)* kolonisationsgrænsen (mod vest).

frontispiece ['frʌntispi:s] *sb (typ)* vignet; *(arkit)* frontispice.

frontlet ['frʌntlit] *sb* pandebånd.

front| man *(am)* stråmand, topfigur; udråber. **~ matter** *(typ)* titelark. **~ office** **S** administrationskontor, direktørkontor; *(fig)* ledelse. **~ -office** *adj* ledende; som stammer fra (, foretages af) ledelsen *(fx* **~***-office decisions)*. **~ page** forside. **~ -page copy** forsidestof. **~ parlour** stue ud til gaden. **~ rank** første række. **~ room** værelse til gaden. **~ stairs** hovedtrappe. **~ tooth** fortand. **~ wheel** forhjul; *(flyv)* næsehjul. **~ -wheel drive** forhjulstræk. **~ vowel** fortungevokal.

frost [frɔ(:)st] *sb* frost; rim; *(fig)* kulde, kølighed (i optræden); **T** skuffelse, fiasko *(fx the play turned out a* **~***)*; *vb* skade ved frost; brodde (hestesko); dække med rim; glasere (med sukker); mattere *(fx* glas); *-ed over* (om rude) opfrossen.

frost|bite *sb* forfrysning, frost (i føsderne *osv)*. **-bitten** angrebet af frost. **-bound** frosset (fast), indefrosset. **-ing** *sb* (på kage) glasur; (på glas) mattering. **~ nail** brodde (til hestesko). **~ pocket** *(forst)* frosthul. **-proof** *adj* frostfri. **-work** isblomster.

frosty ['frɔ(:)sti] *adj* frossen, frost-; kold; dækket med rim; *(fig)* køslig *(fx welcome)*; **~** *mist* rimtåge.

froth ['frɔθ] *sb* fråde, skum; *(fig)* tom snak, gas; *vb* få til at skumme; fråde; skumme.

frothblower ['frɔθblouə] *sb* **T** bægersvinger.

frothy ['frɔθi] *adj* skummende; *(fig)* tom, intetsigende.

Froude [fru:d].

frou-frou ['fru:fru:] *sb* raslen (af silke); overdreven pynt.

frow [frau] *sb* (hollandsk) kvinde.

froward ['frouəd] *adj (glds)* genstridig, egensindig.

I. frown [fraun] *vb* rynke panden, se mørk *el.* truende ud; **~** *on* misbillige *(fx gambling)*; **~** *at shy* se bistert på en.

II. frown [fraun] *sb* panderynken; rynket pande; mørk mine, truende blik.

frowningly ['frauniŋli] *adv* med rynket pande; med truende blik; vredt.

frowsty ['frausti] *adj* indelukket, beklumret.

frowsy, frowzy ['frauzi] *adj* snavset, sjusket; indelukket, beklumret.

froze [frouz] *præt* af *freeze.*

frozen ['frouzn] *pp* af *freeze;* **~** *zone* kold zone; **~** *credit* indefrossen kredit.

F.R.S. *fk Fellow of the Royal Society.*

F.R.S.A. *fk Fellow of the Royal Society of Arts.*

fructiferous [frʌk'tifərəs] *adj* frugtbærende.

fructification [frʌktifi'keiʃən] *sb* frugtsætning; befrugtningsorganer.

fructify ['frʌktifai] *vb* bære frugt; *(fig)* frugtbargøre.

fructose ['frʌktous] *sb* frugtsukker.

frugal ['fru:gəl] *adj* mådeholden, sparsommelig, økonomisk; beskeden, tarvelig, nøjsom.

frugality [fru'gæliti] *sb* sparsommelighed; beskedenhed, tarvelighed, nøjsomhed.

fruit [fru:t] *sb* frugt; *(fig)* udbytte, følge, resultat; *vb* bære frugt; *forbidden* **~** *is sweet* forbuden frugt smager bedst; *first -s* førstegrøde.

fruiter ['fru:tə] *sb* frugtskib; *a poor* **~** (frugt)træ der bærer dårligt.

fruiterer ['fru:tərə] *sb* frugthandler.

fruit| fly bananflue. **-ful** frugtbar *(fx soil; cooperation)*; frugtbringende; udbytterig; *-ful of (el. in)* rig på.

fruition [fru'iʃən] *sb* nydelse; brug; opfyldelse *(fx of hopes)*; virkeliggørelse *(fx of plans)*; *come to ~* sætte frugt; *the scheme did not come to ~* (også) planen blev ikke realiseret.

fruit|less ['fru:tlis] *adj* ufrugtbar; forgæves, frugtesløs. *~* **machine** T spilleautomat. *~* **salad** frugtsalat; S sildesalat (ɔ: ordner). *~* **tree** frugttræ.

fruity ['fru:ti] *adj* frugtagtig; med frugtsmag; (om vin) med druesmag; *(fig* T) 'saftig' *(fx anecdotes)*; (om stemme) klangfuld, blød, honningsød.

frumentaceous [fru:mən'teiʃəs] *adj* kornagtig, korn-.

frumenty ['fru:mənti] *sb* hvedevælling.

frump [frʌmp] *sb* dårligt (, ufikst, smagløst *el* gammeldags) klædt kvinde.

frustrate [frʌ'streit, 'frʌstreit] *vb* krydse, kuldkaste, tilintetgøre, forpurre (planer); modarbejde, bringe til at mislykkes; skuffe, narre; **-d** skuffet, utilfredsstillet; *(psyk)* frustreret.

frustration [frʌ'streiʃən] *sb* nederlag, tilintetgørelse, skuffelse; *(psyk)* frustration.

frustum ['frʌstəm] *sb* søjletromle; *~ of a cone* keglestub.

frutescent [fru:'tesənt] *adj (bot)* buskagtig.

fruticose [fru:'tikous] *adj (bot)* buskagtig.

I. fry [frai] *vb* stege på pande; blive stegt, brase; *sb* stegt mad; *(pig's ~)* stegt indmad.

II. fry [frai] *sb* fiskeyngel; småunger; *small ~* småfisk, ubetydeligheder; småfolk, børn.

frying pan stegepande; *out of the ~ into the fire* fra asken i ilden.

ft. *fk* **feet**, *foot*.

fubsy ['fʌbzi] *adj* T lille og tyk, kvabset; undersætsig.

fuchsia ['fju:ʃə] *sb (bot)* fuchsia, Kristi blodsdråbe.

fuchsine ['fu:ksi:n] *sb* fuchsin, rødt anilinfarvestof.

fuck [fʌk] *(vulg) vb* kneppe; *sb* kneppen; *I don't give a ~* det rager mig en skid; *~ it!* gid satan havde det; *~ off!* skrub af! gå ad helvede til! *~ up* (ødelægge, spolere).

fucker ['fʌkə] *sb* (skældsord, *vulg)* skiderik.

fucking ['fʌkiŋ] *adj (vulg)* satans, helvedes, forpulet.

fuddle ['fʌdl] *vb* drikke fuld; *sb* forvirring, omtåget tilstand. **fuddled** *adj* beruset, omtåget.

fuddy-duddy ['fʌdi'dʌdi] *sb* gammelt nussehoved.

fudge [fʌdʒ] *sb* løgn, sludder, humbug; sidste nyt indsat i avis på særlig plads; slags blød nougat; *vb* opdigte; forfalske, pynte på, snyde; fuske; udviske; gå udenom.

fuel ['fjuəl] *sb* brænde, brændsel, brændstof; *vb* forsyne med brændsel; indtage kul *el* brændstof; *add ~ to the flames* give ilden ny næring; *(fig)* puste til ilden, gyde olie i ilden.

fuel| cell brændselscelle. *~* **oil** brændselsolie. *~* **pump** benzinpumpe, brændstofpumpe.

fug [fʌg] *sb* indelukkethed, beklumrethed; dårlig luft, lugt, os, hørm.

fugacious [fju'geiʃəs] *adj* flygtig, forgængelig.

fuggy ['fʌgi] *adj* indelukket, beklumret, lugtende.

fugitive ['fju:dʒitiv] *adj* flygtet, bortløben; *(fig)* flygtig, kortvarig; efemer; (om farve) uægte; *sb* flygtning; rømningsmand; *~ verses* lejlighedsdigtning.

fugleman ['fju:glmæn] *sb* mønster, forbillede, leder.

fugue [fju:g] *sb* fuga; *(med.)* omflakken i en tågetilstand.

fulcra ['fʌlkrə] *pl af fulcrum*.

fulcrum ['fʌlkrəm] *sb* støtte; støttepunkt; (om)drejningspunkt, understøttelsespunkt (på vægtstang); underlag under løftestang.

fulfil [ful'fil] *vb* opfylde *(fx a promise, the conditions, a prayer)*; udføre *(fx a task, an order)*; fuldbyrde; *~ oneself* realisere alle sine muligheder; *~ a promise* indfri (el opfylde) et løfte.

fulfilment [ful'filmənt] *sb* opfyldelse, udførelse, fuldbyrdelse.

fulgent ['fʌldʒənt] *adj* glansfuld, strålende.

fulgurant ['fʌlgjurənt] *adj* glimtende, lynende.

fuliginous [fju:'lidʒinəs] *adj* sodet, mørk.

I. full [ful] *adj* fuld; opfyldt, T mæt; hel, fuldstændig, uindskrænket; fyldig *(fx figure)*; indholdsrig *(fx he leads a ~ life)*; (om tøj) vid; *adv* helt, fuldt; lige; *sb* fuldstændighed;

I like a coat made ~ across the chest jeg kan godt lide en frakke med god vidde over brystet; *~ brothers and sisters* helsøskende; *his heart was ~* han var overvældet; *a ~ hour* en hel time; *be ~ in the face* have et fyldigt ansigt; *look sby ~ in the face* se en lige i ansigtet; *in ~* fuldt ud; helt ud; *name in ~* fulde navn; *pay in ~* betale helt ud; *receipt in ~* saldokvittering; *a ~ meal* et rigeligt måltid; *~ of days* mæt af dage; *~ of one's subject* stærkt optaget af sit emne; *~ out* for fuld fart; *to the ~* i fuldt mål, fuldstændig, fuldt ud; *~ up* optaget, fuldt.

II. full [ful] *vb* (om tøj) valke, stampe; kunne valkes.

full| age myndighedsalder; *of ~ age* myndig. **-back** bak (i fodbold). *~* **binding** helbind. *~* **-blooded** fuldblodig, fuldblods; blodrig; kraftig; lidenskabelig. *~* **-blown** helt udsprunget, *(fig)* fyldig, moden; fuldt udviklet, færdig *(fx plans)*. *~* **board** helpension. *~* **-blown** helt udsprunget, *(fig)* fyldig, moden; fuldt udviklet, færdig *(fx plans)*. *~* **board** helpension. *~* **-bodied** svær; fyldig. *~* **-bottomed wig** allongeparyk. *~* **-bound** indbundet i helbind. *~* **-cream cheese** fuldfed ost. *~* **dress** galla, stort toilette, festdragt. *~* **-dress** *adj* galla-; *(fig* også) med alt hvad der hører sig til; gennemgribende *(fx investigation)*; *~ -dress debate* betydningsfuld (underhus)debat. **fuller** ['fulə] *sb* valker, stamper; *fuller's earth* valkejord.

fullery ['fuləri] *vb* valkeri, stampeværk.

full|eyed med store, noget fremstående øjne. *~* **-face** med ansigtet vendt mod tilskueren; en face; *(typ)* fed skrift. *~* **-faced** med rundt fyldigt ansigt. *~* **-fledged** ['ful'fledʒd] flyvefærdig; *(fig)* færdiguddannet; fuldt færdig. *~* **-grown** voksen, fuldt udvokset. *~* **house** optaget, alt udsolgt; (i poker) fuldt hus.

full-length ['ful'leŋθ] *adj* i hel figur *(fx a ~ portrait)*; i hele sin længde; uforkortet; *fall ~* falde så lang man er; *~ play* helaftensstykke.

full milk sødmælk.

fullness ['fulnis] *sb* fylde; mæthed; *in the ~ of time* når tidens fylde kommer; *~ under the eyes* opsvulmethed *el* hævelse under øjnene; *write with great ~* skrive meget udførligt.

full|-page helsides. *~* **-rigged** *(mar)* fuldrigget. *~* **-scale** i naturlig størrelse, i legemsstørrelse; *(fig)* total; fuldstændig. *~* **-size** i legemsstørrelse. *~* **-skirted** med vide skørter. *~* **-time** heltids-; heldags-. *~* **-timer** heltidsbeskæftiget, heldagsbeskæftiget.

fully ['fuli] *adv* fuldt, fuldstændigt, helt, ganske; udførligt; *~ ten days hele (el samfulde) ti dage.

fully-fashioned ['fuli'fæʃənd] *adj* fuldfashioneret.

fulmar ['fulmə] *sb* (zo) isstormfugl, mallemuk.

fulminant ['fʌlminənt] *adj (med.)* fulminant, pludselig og voldsom.

fulminate ['fʌlmineit] *vb* lyne og tordne; brage; eksplodere; lade eksplodere; *(fig)* rase, tordne, udslynge bandstråle (imod); *sb* knaldsalt; *~ of mercury* knaldkviksølv.

fulminating mercury knaldkviksølv.

fulmination [fʌlmi'neiʃən] *sb* lynen og tordnen, bragen, rasen, tordnen; fordømmelse, bandstråle; *-s pl* (også) tordentaler.

fulminic acid [fʌl'minik 'æsid] knaldsyre.

fulness *se fullness*.

fulsome ['fulsəm] *adj* overdreven, vammel; servil; *~ flattery* grov smiger.

fulvous ['fʌlvəs] *adj* gulbrun.

fumatory ['fju:mətəri] *sb* røgkammer, desinfektionsanstalt.

fumble ['fʌmbl] *vb* famle, fumle, rode (for efter); lege *(with* med), pille *(with* ved); (i talen) stamme; (med objekt) tage kluntet på, fumle med, kludre med, forkludre; tabe (en bold); *~ out* fremstamme.

fume [fju:m] *sb* røg; *-s pl* dampe, dunster; *vb* ryge; dampe, ose; *(fig)* rase, skumme, fnyse; (om træ) farve mørk; behandle med røgbejdse; *be in a ~* være opbragt, skumme, rase; *~ away* fordampe; dunste bort.

fume cupboard *(kem)* stinkskab.

fumigate ['fju:migeit] *vb* ryge, desinficere ved røg.

fumigation [fju:mi'geiʃən] *sb* desinfektion.

fuming ['fju:min] *adj* rygende *etc* (se *fume)*; rasende, skummende af raseri.

fumitory ['fju:mitəri] *sb (bot)* jordrøg.

fun [fʌn] *sb* morskab, sjov, løjer; *vb* lave sjov, lave skæg; spøge; *for ~, in ~* for spøg, for sjov; *like ~ I will!* S vel vil jeg ej! *I do not see the ~ of it* jeg kan ikke se det morsomme ved det; *have some* ~ more sig; *make* ~ *of sby, poke* ~ *at sby* gøre grin med en; *he is great* ~ han er vældig sjov.

funambulist [fju'næmbjulist] *sb* linedanser.

function [fʌŋ(k)ʃən] *sb* funktion, virksomhed, bestilling, hverv, embedspligt; fest, højtidelighed, officielt arrangement; *vb* fungere; virke.

functional ['fʌŋ(k)ʃənəl] *adj* funktions-, embedsmæssig; (også *med.*) funktionel; *(arkit)* funktionalistisk.

functionalism ['fʌŋ(k)ʃənəlizm] *sb* funktionalisme.

functionalist ['fʌŋ(k)ʃənəlist] *sb* funktionalist; *adj* funktionalistisk.

functionary ['fʌŋ(k)ʃənəri] *adj (med.)* funktionel; *sb* funktionær.

fund [fʌnd] *sb* fond, kapital; *vb* anbringe i statsobligationer; konvertere til langfristet lån, gøre uamortisabel; *-s* (også) statspapirer, obligationer; offentlige midler; *have money in the -s* have penge anbragt i statsobligationer; *be in -s* være godt beslået (med penge); *no -s* (om check) ingen dækning.

fundament ['fʌndəmənt] *sb* bagdel, ende.

fundamental [fʌndə'mentl] *adj* fundamental, principiel *(fx questions; of* ~ *importance)*, grundlæggende, grund-; *sb* grundlag, grundtræk; (i musik) grundtone; *-s* grundbegreber, grundprincipper.

fundamentalism [fʌndə'mentəlizm] *sb (rel)* fundamentalisme, den lære der anser Bibelen som guddommelig dikteret og derfor ufejlbarlig.

fundamentally [fʌndə'mentəli] *adj* i bund og grund, principielt, inderst inde.

funded ['fʌndid] *adj* anbragt i statsobligationer; ~ *debt* fast *(el* konsolideret) statsgæld.

Funen ['fju:nən] Fyn.

funeral ['fju:nərəl] *sb* begravelse; *adj* begravelses-, lig-; *that is his* ~ S det bliver hans sag.

funeral director indehaver af begravelsesforretning. ~ **home** = ~ *parlor.* ~ **march** sørgemarch. ~ **parlor** *(am)* begravelsesforretning (med lokaler til afholdelse af begravelser). ~ **pile,** ~ **pyre** ligbål. ~ **sermon** ligtale.

funereal [fju'niəriəl] *adj* begravelses-; trist, sørgelig.

funerary ['fju:nərəri] *adj* begravelses-; grav-.

fun fair (omrejsende) tivoli, forlystelsespark.

fungi ['fʌŋgai] *pl* af *fungus.*

fungible ['fʌndʒibl] *adj (jur)* ombyttelig.

fungicide ['fʌndʒisaid] *sb* svampedræbende middel.

fungiform ['fʌndʒifɔ:m] *adj* svampeformet.

fungoid ['fʌŋgoid], **fungous** ['fʌŋgəs] *adj* svampeagtig.

fungus ['fʌŋgəs] *(pl fungi el. funguses) sb* svamp.

funicular [fju'nikjulə] *adj:* ~ *railway* tovbane, kabelbane.

funk [fʌŋk] *sb* stor angst, skræk; fejhed; kryster, bangebuks; *vb* være bange (for); luske sig fra; *be in a (blue)* ~ være (angst og) bange, være hundeangst; ~ *out* trække sig fejt tilbage, stikke af.

fun kart *(am)* legebil med motor.

funk hole dækningsrum; *(fig)* sikkert skjul; *bolt into a* ~ krybe i et musehul.

funky ['fʌŋki] *adj* bange, hundeangst.

funnel ['fʌnl] *sb* tragt; skorsten (på dampskib og lokomotiv); *vb* lede (, passere) gennem en tragt; samle.

funnies ['fʌniz] *sb pl (am* S) tegneserier.

I. funny ['fʌni] *adj* morsom, sjov, pudsig; sær, besynderlig, løjerlig; mistænkelig; *sb* komisk person; *the* ~ *man* komikeren; klovnen (på teater og i cirkus); *what a* ~ *thing to say* det var da en underlig bemærkning; *there is sth* ~ *about it* der er noget muggent (o: mistænkeligt) ved det; *feel* ~, *go all* ~ få en underlig fornemmelse, være (, blive) utilpas.

II. funny ['fʌni] *sb* lille robåd; se også *funnies.*

funnybone ['fʌniboun] *sb* snurreben (i albuen).

funnyman ['fʌnimæn] *sb* komiker; klovn.

fur [fə:] *sb* pels, skind; pelsværk; pelsvildt; (på tungen) belægning; (i kedel) kedelsten; *vb* fore med skind; (om tungen) belægge, blive belagt; (i byggeri) påfore; *make the* ~ *fly* stifte splid, volde ufred; komme i totterne på hinanden; skændes så det ryger om ørerne.

furbelow ['fə:bilou] *sb* garnering på damekjole; *vb* pynte med garnering; *-s* falbelader.

furbish ['fə:biʃ] *vb* polere, pudse; ~ *up (fig)* friske op,

pudse op.

furcate ['fə:keit] *adj* gaffeldelt; *vb* blive gaffeldelt.

furcated ['fə:keitid] *adj* gaffeldelt.

furcation [fə:'keiʃən] *sb* gaffelform, forgrening.

fur coat pels, pelskåbe.

furious ['fjuəriəs] *adj* rasende.

furl [fə:l] *vb* beslå (sejl); rulle sammen, folde sammen, lukke (paraply, vifte).

furlong ['fə:lɔŋ] *sb* (vejmål, ⅛ engelsk mil).

furlough ['fə:lou] *sb* orlov, permission; *vb* give orlov.

furnace ['fə:nis] *sb* ovn, smelteovn; ildsted, fyr, fyrkanal; ~ *coke* cinders.

furnish ['fə:niʃ] *vb* forsyne, udruste *(fx soldiers with uniforms);* udstyre, møblere *(fx a room);* give *(fx particulars* detaljerede oplysninger; *that -ed me with the time I needed);* levere, skaffe *(fx proof of his innocence);* fremsætte *(fx an explanation);* yde *(fx such education as the local schools could* ~*); -ed flat* møbleret lejlighed.

furnisher ['fə:niʃə] *sb* indehaver af boligmonteringsforretning.

furnishing fabrics boligtekstiler.

furnishings ['fə:niʃiŋz] *sb pl* boligudstyr, møbler; *(metal* ~*)* beslag; *(men's* ~*)* herreekvipering.

furniture ['fə:nitʃə] *sb* møbler, møblement; udstyr; tilbehør, inventar; beslag (på vindue); *(typ)* formatsteg; *a piece of* ~ et møbel; *(typ)* en *(el* et) steg; *much* ~ mange møbler; *her mental* ~ hendes åndelige udrustning; ~ *van* flyttevogn.

furore [fjuə'rɔ:ri] *sb* begejstring; ophidselse, opstandelse.

furred [fə:d] *adj* pelsklædt; pelsforet; (om tungen) belagt; (om kedel) belagt med kedelsten.

furrier ['fʌriə] *sb* buntmager. **furriery** ['fʌriəri] *sb* pelsværk; pelshandel, buntmagerforretning.

furrow ['fʌrou] *sb* plovfure; (i ansigt) fure, (dyb) rynke; *vb* fure.

furry ['fə:ri] *adj* pels-, pelsagtig, lådden; se også *furred.*

fur seal *zo* pelssæl.

further ['fə:ðə] *adj, adv* fjernere, længere (borte); yderligere *(fx information); mere (fx what* ~*? nothing* ~*);* videre *(fx go* ~*);* endvidere *(fx I may* ~ *mention that ...); vb* fremme *(fx* ~ *this cause),* befordre; *demand a* ~ *explanation* forlange en nærmere forklaring; *this is to go no* ~ det bliver mellem os; (se også *II. fare); I'll see you* ~ *first* det kunne aldrig falde mig ind; du kan rende og hoppe; *until* ~ *notice* indtil videre; *wish him* ~ ønske ham hen hvor peberet gror.

furtherance ['fə:ðərəns] *sb* fremme *(fx the* ~ *of popular education).*

further education undervisning efter skolegangens afslutning, videregående uddannelse.

Further India Bagindien.

furthermore *adv* desuden, endvidere.

furthermost *adv* fjernest.

furthest ['fə:ðist] *adj, adv* fjernest; længst (borte).

furtive ['fə:tiv] *adj* stjålen *(fx glance),* hemmelig(hedsfuld); snigende *(fx steps);* lyssky; listig.

furuncle ['fjuərʌŋkl] *sb* byld.

fury ['fjuəri] *sb* raseri; *Fury (myt)* furie; *like* ~ som rasende.

furze [fə:z] *sb (bot)* tornblad.

fuscous ['fʌskəs] *adj* mørk; brun.

fuse [fju:z] *vb* smelte, brænde over; *(fig)* sammensmelte, sammenslutte; *sb* lunte, tændsnor; (i granat, bombe) brandrør; *(elekt)* (smelte)sikring, prop; smeltetråd; *the light has -d (omtr)* der er sket en kortslutning.

fuse box sikringskasse.

fusee [fju:'zi:] *sb* spindel, snekke (i ur); lunte, brandrør; stormtændstik.

fusel ['fju:zəl] ~ *oil* fuselolie.

fuselage ['fju:zilidʒ] *sb* flyvemaskines skrog.

fusibility [fju:zi'biliti] *sb* smeltelighed.

fusible ['fju:zibl] *adj* smeltelig.

fusiform ['fju:zifɔ:m] *adj* tenformet.

fusilier [fju:zi'liə] *sb* musketer; grenader.

fusillade [fju:zi'leid] *sb* geværsalve; *vb* skyde ned.

fusion ['fju:ʒən] *sb* smeltning; sammensmeltning; *(fys)* fusion; ~ *bomb* fusionsbombe (især: brintbombe).

I. fuss [fʌs] *sb* larm, kvalm, ståhej, blæst; unødvendige ophævelser; overdreven opmærksomhed; forvirring; *make a ~* gøre ophævelser, lave postyr, lave ballade; *make a ~ about trifles* hænge sig i bagateller; *make a great ~ of sby* gøre vældig stads af en.

II. fuss [fʌs] *vb* have travlt, vimse om; gøre ophævelser, lave vrøvl, bekymre sig om småting; gøre nervøs; *~ about* vimse omkring; *~ about (el. over) sby* pylre om en; gøre vældig stads af en; *~ about (el. over) sth* gøre et stort nummer ud af noget; bekymre sig om noget; *~ and fret* være nervøs og bekymret.

fuss|budget *(am* T), **-pot** T pernittengryn; nussehoved.

fussy ['fʌsi] *adj* nervøs, forvirret; travl, gæskæftig; nøjeregnende, overdreven pertentlig; overlæsset; gnidret *(fx ornament)*.

fust [fʌst] *sb* søjleskaft; muggen lugt.

fustian ['fʌstiən] *sb* (om tøj) bommesi; *(fig)* bombast, svulst; *adj* bombastisk, svulstig.

fustic ['fʌstik] *sb (bot)* gultræ.

fustigate ['fʌstigeit] *vb* prygle.

fustigation [fʌsti'geiʃən] *sb* prygl.

fusty ['fʌsti] *adj* muggen, skimlet; *(fig)* antikveret, støvet,

mosgroet.

fut *fk future.*

futile ['fju:tail] *adj* unyttig, frugtesløs, resultatløs, forgæves, ørkesløs, værdiløs; intetsigende, tom, indholdsløs.

futility [fju:'tiliti] *sb* unyttighed, frugtesløshed, resultatløshed, forgæveshed, ørkesløshed; indholdsløshed, tomhed *(fx the ~ of his life).*

futtock ['fʌtək] *sb (mar)* pytting; *~ shroud* pyttingvant.

future ['fju:tʃə] *adj* fremtidig, tilkommende; *sb* fremtid, *(gram også)* futurum; *-s pl (merk)* terminsforretninger; *~ prospects* fremtidsudsigter; *for the ~* for fremtiden; *in ~* i fremtiden.

futurism ['fju:tʃərizm] *sb* futurisme.

futurist ['fju:tʃərist] *sb* futurist.

futurity [fju:'tjuəriti] *sb* fremtid; fremtidig begivenhed; kommende tilstand.

futurology [fju:tə'rɔlədʒi] *sb* fremtidsforskning.

fuzz [fʌz] *sb* dun, småtrævler; **S** politibetjent.

fuzzy ['fʌzi] *adj* dunet, (om hår) kruset; udvisket, uklar, sløret.

fylfot ['filfɔt] *sb* hagekors.

G 168

G [dʒi:].
G., g. *fk genitive; German; Gospel; gram(me); guinea.*
Ga. *fk Georgia.*
G. A. *fk General Assembly.*
gab [gæb] *sb* snak, sludder; *vb* snakke løs, bruge mund; *he has got the gift of the ~* han har et godt snakketøj; *stop your ~!* hold mund!
gabardine ['gæbədi:n] *sb* (stof:) gabardine; *(glds:* jødes kappe) kaftan, talar.
gabble ['gæbl] *vb* sludre, plapre, jappe; *sb* sludren, plapren, jappen, japperi.
gabbler ['gæblə] *sb* sludrehoved.
gaberdine se *gabardine.*
gabfest ['gæbfest] *sb (am)* T snakkeselskab, komsammen.
gabion ['geibjən] *sb (mil.)* skansekurv.
gable ['geibl] *sb* gavl; gavlfelt; gavltrekant (over dør *el.* vindue). gabled ['geibld] *adj* med gavl(e).
gable end gavlmur.
Gabriel ['geibriəl].
gaby ['geibi] *sb* fjols, idiot.
I. Gad [gæd] *(glds)* S = God.
II. gad [gæd] *sb* brækstang; pigkæp; *vb* være på farten; (om kvæg) bisse; *~ about* farte om; *be on the ~* være på farten.
gadabout ['gædəbaut] *sb* rendemaske, flane; en der har bisselæder i sålerne.
gadfly ['gædflai] *sb zo* (okse)bremse; klæg; *(fig)* irriterende fyr.
gadget ['gædʒit] *sb* indretning, apparat, tingest, dippedut, finesse.
gadwall ['gædwɔ:l] *sb zo* knarand.
Gael [geil] *sb* gæler.
Gaelic ['geilik] *sb, adj* gælisk.
I. gaff [gæf] *sb* fangstkrog; *(mar)* gaffel; *vb* lande (fisk med fangstkrog).
II. gaff [gæf] *sb* S: *blow the ~* plapre ud med hemmeligheden.
III. gaff [gæf] *sb* S billigt forlystelsesetablissement; *(am)* trick, nummer; *he can't stand the ~* han kan ikke holde til det (ɔ: til strabadserne *etc).*
gaffe [gæf] *sb* fadæse, bommert.
gaffer ['gæfə] *sb* fatter; 'gammelfar'; arbejdsformanden.
gaff-topsail *(mar)* gaffeltopsejl.
I. gag [gæg] *sb* knebel (til mund), mundkurv; *(teat)* gag (ɔ: improviseret tilføjelse til en rolle, morsomt trick); fupnummer; spøg, vittighed.
II. gag [gæg] *vb* kneble; *(fig)* give mundkurv på, stoppe munden på; *(teat)* lave gags, improvisere; *(am)* give (, have) opkastningsfornemmelser.
gaga ['ga:ga:, 'gæga:; *(am)* 'gægæ] *adj* S skør; senil, lallende, gaga.
I. gage [geidʒ] se *gauge.*
II. gage [geidʒ] *sb* pant, sikkerhed; udfordring; *vb* udfordre; *throw down the ~* kaste sin handske (ɔ: udfordre).
gaggle ['gægl] *sb* flok gæs; *(fig)* (kaglende) flok, højrøstet kor; *vb* skræppe, gække, skvadre.
gaiety ['geiəti] *sb* munterhed; festlighed; pynt.
gaily ['geili] *adv* livligt, muntert *(etc cf gay).*
I. gain [gein] *sb* fremgang; forøgelse *(fx a ~ in weight);* stigning; vinding, profit; gevinst; *gains pl* fortjeneste, profit, gevinst; *clear ~* nettoindtægt.
II. gain [gein] *vb* vinde, opnå, få *(fx an advantage);* tjene, fortjene; nå (frem til) *(fx the other shore);* gå fremad (ɔ: gøre fremskridt) *(fx in knowledge);* tage til; (i vægt) tage på *(fx she -ed three pounds);* (om ur) vinde; *~ experience* høste erfaring; *~ a footing* vinde indpas; *~ ground* vinde terræn; *~ a living* tjene til livets ophold; *~ on sby* hale *(el.* vinde) ind på en; *~ on one's pursuers* få længere forspring for sine forfølgere, komme længere bort fra sine forfølgere; *the sea -s on the land* havet æder sig ind i

landet; *~ sby over to one's side* vinde én for sit parti; *we had -ed our point* vi havde nået vort mål, vi havde opnået vor hensigt; *~ strength* komme til kræfter.
gainful ['geinf(u)l] *adj* indbringende; lønnet *(fx occupations).*
gainings ['geiniŋz] *sb pl* indtægt, fortjeneste, gevinst.
gainsay [gein'sei] *vb* modsige, benægte.
Gainsborough ['geinzbərə].
'gainst [geinst] *fk against.*
gait [geit] *sb* gang, måde at gå på; gangart; holdning.
gaiter ['geitə] *sb* gamache.
gal [gæl] T pige.
gal. *fk gallon(s).*
gala ['ga:lə, 'geilə] *sb* fest; *in ~ dress* i galla, i festdragt.
galactic [gə'læktik] *adj* galaktisk, mælkevejs-; *a ~ figure (fig)* et astronomisk (ɔ: meget stort) tal.
galactometer [gælək'tɔmitə] *sb* mælkeprøver.
galago [gə'leigou] *sb zo* øremaki, øreabe.
galantine ['gælənti:n] *sb* kalve- *el.* hønsekød i gelé.
galanty [gə'lænti]: *~ show* skyggespil (komedie).
galaxy ['gæləksi] *sb* galakse, mælkevej; *(fig)* strålende forsamling.
I. gale [geil] *sb (bot)* pors.
II. gale [geil] *sb* blæst, kuling, storm; (se også *fresh ~, moderate ~, strong ~, whole ~); ~ of laughter* latterbrøl.
galeate(d) ['gælieit(id)] *adj zo, (bot)* hjelmformet.
galena [gə'li:nə] *sb* blyglans.
gale warning stormvarsel.
Galicia [gə'liʃiə] Galicien.
Galician [gə'liʃiən] *sb* galicier; (sprog) galicisk; *adj* galicisk.
Galilean [gæli'li:ən] *adj* galilæisk; *sb* galilæer; *the ~ telescope* Galileis kikkert.
Galilee ['gælili:] Galilæa.
galingale ['gæliŋgeil] *sb (bot)* fladaks.
galipot ['gælipɔt] *sb* fyrreharpiks.
I. gall [gɔ:l] *sb* galde; bitterhed, had, vrede; *(am* S) frækhed.
II. gall [gɔ:l] *sb (bot)* galæble.
III. gall [gɔ:l] *vb* gnide huden af, gnave, gøre hudløs; *(fig)* ærgre, forbitre; plage, genere; *sb* sår opstået ved gnidning, gnavsår, ømt sted.
I. gallant ['gælənt] *adj* kæk, tapper; ædelmodig, højmodig, ridderlig; prægtig, glimrende; galant.
II. gallant ['gælənt] *sb* flot ung mand; galant herre; elsker, galan.
gallantry ['gæləntri] *sb* kækhed, tapperhed; ridderlighed; galanteri; galanteri.
gallbladder ['gɔ:lblædə] *sb* galdeblære.
galled [gɔ:ld] *adj* hudløs.
galleon ['gæliən] *sb (mar) (hist)* galleon.
gallery ['gæləri] *sb* galleri; søjlehal; korridor; billedgalleri, malerisamling; (finere) kunsthandel; (underjordisk) gang, (i mine) stolle; (på hus) svalegang, (i kirke) pulpitur; *(teat)* galleri; *in the ~* på galleriet; *play to the ~* spille for galleriet (ɔ: bruge billige virkemidler).
galley ['gæli] *sb (mar)* galej; kabys; *(typ)* skib.
galley proof spaltekorrektur. *~ slave* galejslave.
gallfly ['gɔ:lflai] *sb zo* galhveps.
galliard ['gælja:d] *sb* gaillarde (munter dans).
I. gallic ['gælik] *adj* gallus-; *~ acid* gallussyre.
II. Gallic ['gælik] *adj* gallisk.
gallicism ['gælisizm] *sb* gallicisme, fransk sprogejendommelighed.
gallicize ['gælisaiz] *vb* forfranske.
galligaskins [gæli'gæskinz] *sb pl (hist)* pludderhoser; *(spøg)* vide bukser.
gallimaufry [gæli'mɔ:fri] *sb* miskmask.
gallinaceous [gæli'neiʃəs] *adj* hønse-.

galling ['gɔ:liŋ] *adj* irriterende.
gallinule ['gælinju:l] *sb zo* rørhøne; *purple* ~ sultanhøne.
gallipot ['gælipɔt] *sb* syltetøjskrukke.
gallivant [gæli'vænt] *vb* farte om, fjase.
gall| midge *zo* galmyg. ~ **mite** *zo* galmide. **-nut** galæble.
gallon ['gælən] *sb* gallon (ca. 4,5 l.; *(am)* ca. 3,8 l.); *imperial* ~ (den britiske ~, ca. 4,5 l.).
galloon [gə'lu:n] *sb* galon, tresse, snor; *-ed* galoneret.
gallop ['gæləp] *vb* galopere; få til at galopere; *sb* galop; *at a* ~ i galop.
gallows ['gæləuz] *sb* galge.
gallows| bird galgenfugl. ~ **tree** galge.
gallowses ['gæləsiz] *sb pl* T seler.
gallstone ['gɔ:lstoun] *sb* galdesten.
Gallup ['gæləp]: ~ *poll* Gallupundersøgelse.
galoot [gə'lu:t] *sb* S klodsmajor, døgenigt, fyr.
galop ['gæləp] *sb* galop (dansen); *vb* danse galop.
galore [gə'lɔ:] *adv* i massevis, masser af *(fx money* ~).
galosh [gə'lɔʃ] *sb* galoche.
Galsworthy ['gɔ:lzwɔːði; 'gælzwɔːði].
galumph [gə'lʌmf] *vb* spankulere, stoltsere.
galvanic [gæl'vænik] *adj* galvanisk; *(fig)* pludselig; krampagtig *(fx smile)*; opildnende, elektriserende *(fx speech)*; ~ *battery* galvanisk batteri; ~ *induction* galvanisk induktion.
galvanism ['gælvənizm] *sb* galvanisme.
galvanization [gælvənai'zeiʃən] *sb* galvanisering.
galvanize ['gælvənaiz] *vb* galvanisere; *(fig)* opildne, elektrisere, sætte fart i; ~ *sby into action* vække én til dåd.
galvanometer [gælvə'nɔmitə] *sb* galvanometer.
gam [gæm] *vb* udveksle besøg; (om hvaler) samles i flok; *sb* besøg; flok af hvaler; ~ *on* S lade som om.
gambade [gæm'beid], **gambado** [gæm'beidou] *sb* en hests spring op i luften; hop, spring.
gambit ['gæmbit] *sb* gambit (i skak); *(fig)* udspil, indledning; indledende manøvrer.
gamble ['gæmbl] *vb* spille, spille højt, spille hasard; ~ *with dice* spille terning; ~ *in stocks* spekulere i aktier; ~ *away a fortune* spille en formue væk, tabe en formue i spil.
gambler ['gæmblə] *sb* (hasard)spiller.
gambling ['gæmbliŋ] *sb* højt spil; hasard; ~ *hell*, ~ *den* spillebule.
gamboge [gæm'bu:ʒ] *sb* gummigut; stærk gul farve.
gambol ['gæmbəl] *sb* glædeshop, hop; *vb* hoppe; boltre sig.
gambrel ['gæmbrəl] *sb* hase (på en hest); hængejern til slagtekroppe. **gambrel roof** mansardtag.
I. game [geim] *sb* leg, spil; parti *(fx a* ~ *of chess, of billiards,* (i tennis:) *he won the three first -s)*; kamp; (med kort) spil, (i bridge) game; *(fig)* plan, hensigt, taktik; kneb, 'nummer' *(fx none of your little -s!)*; (ved jagt) vildt *(fx winged* ~ fuglevildt); *(let glds)* spøg, morskab; (i tyvesprog) tyveri; *-s pl* boldspil; (kamp)lege *(fx the Olympic Games)*;
  beat him at his own ~ slå ham med hans egne våben; *the* ~ *is four all* det står a fire; *40 points is* ~ 40 points betyder vundet spil; *fair* ~ se *fair game; I know his little* ~ jeg ved hvad han er ude på, jeg har gennemskuet ham; ~ *of chance* spil hvor det kommer an på heldet, hasardspil; ~ *of skill* spil hvor det kommer an på dygtighed; *make* ~ *of* gøre nar af; *he is* **off** his ~ han er ikke i form; **play** *the* ~ følge spillets regler; spille ærligt spil; *that's a* ~ *two can play at* hvis du gør det mod mig gør jeg det samme mod dig; *(omtr)* det bliver vi to om! *you are playing his* ~ du går hans ærinde (ɔ: hjælper ham uden at ville det); *play a good* ~ spille godt, spille en god kamp; *play a waiting* ~ forholde sig afventende; *the* ~ *is* **up** *(el.* han er tabt; *what* ~ *is he* **up** *to?* hvad er han ude på? *he is* **up** *to every* ~ han bruger alle kneb; *the* ~ *is not* **worth** *the candle* det er ikke umagen værd.
II. game [geim] *adj* modig, kampberedt; *be* ~ *for* være parat til, ville være med til; *he is* ~ *for anything* (også) han går med på den værste; *die* ~ dø kæmpende; ikke give sig; *have a* ~ *leg* være halt.
III. game [geim] *vb* (let *glds*) spille, doble; ~ *away* spille bort.
game| act jagtlov. ~ **bag** jagttaske. **-cock** kamphane. **-keeper** (herregårds)skytte; skovløber, jagtbetjent. ~ **law** jagtlov. ~ **licence** jagttegn. ~ **preserve** vildtreservat.

gamesmanship ['geimzmənʃip] *sb* (kunsten at vinde ved at forvirre modstanderen).
games| master gymnastiklærer. ~ **mistress** gymnastiklærerinde.
gamesome ['geimsəm] *adj* lystig, munter, kåd.
gamester ['geimstə] *sb* spiller.
gamete [gæ'mi:t] *sb* gamet (kønscelle).
game-tenant lejer af jagt- eller fiskeret.
gaming ['geimiŋ] *sb* (let *glds*) hasardspil.
gaming| house spillehus. ~ **table** spillebord.
gamma ['gæmə] *sb* gamma (græsk bogstav); ~ *radiation* gammastråling; ~ *rays* gammastråler.
gammer ['gæmə] *sb (glds)* gammel kone; mutter.
I. gammon ['gæmən] T *sb* sludder; humbug; *vb* narre.
II. gammon ['gæmən] *sb* røget skinke; *vb* salte og røge (skinke).
gammoner ['gæmənə] *sb* svindler.
gammy ['gæmi] *adj* T lemlæstet, halt.
gamp [gæmp] *sb* T bomuldspeter, paraply.
gamut ['gæmət] *sb (mus.)* skala; *(fig* også) omfang, række.
gamy ['geimi] *adj* modig; (om kød) som smager ligesom vildt der har hængt længe; som har en tanke; *(am)* S pikant, sensationel.
gander ['gændə] *sb zo* gase; *(fig)* tåbe, fæ; *what's good (el. sauce) for the goose is good (el. sauce) for the* ~ hvad den ene må det må den anden også; der skal være lige ret for alle; *take a* ~ *at* S kikke på.
I. gang [gæŋ] *sb* bande; hob; afdeling, hold, sjak; *vb (tekn)* sammenkoble (maskiner *etc*) så de arbejder sammen; ~ *of thieves* tyvebande; ~ *of workmen* sjak arbejdere; ~ *up* slutte sig sammen; ~ *up on* rotte sig sammen imod, overfalde i flok.
II. gang [gæŋ] (skotsk) *vb* gå; ~ *agley* gå galt.
gange [gændʒ] *vb* bevikle (især fiskesnøre).
ganger ['gæŋə] *sb* sjakformand, arbejdsformand.
Ganges ['gændʒi:z]. **Gangetic** [gæn'dʒetik] *adj* Ganges- *(fx the* ~ *Plain)*.
gangling ['gæŋgliŋ] *adj* ranglet; høj og spinkel.
ganglion ['gæŋgliən] *sb (anat)* ganglie, nervecentrum.
gangly ['gæŋgli] = *gangling.*
gangplank ['gæŋplæŋk] *sb (mar)* landgang(sbræt).
gangrene ['gæŋgri:n] *(med.) sb* koldbrand; *vb* fremkalde koldbrand i; gå over til koldbrand, blive gangrænøs.
gangrenous ['gæŋgrinəs] *adj* angrebet af koldbrand, gangrænøs.
gangster ['gæŋstə] *sb* gangster. **gangsterism** ['gæŋstərizm] *sb* bandituvæsen.
gangue [gæŋ] *sb (geol)* gangart.
gangway ['gæŋwei] *sb (mar)* landgang(sbro), falderebstrappe; (mellem stolerækker) midtergang; (i Underhuset) tværgang mellem bænkene; *members below the* ~ uafhængige medlemmer (af Underhuset).
gannet ['gænit] *sb zo* sule.
gantlet se *gauntlet.* **gantline** ['gæntlain] se *girtline.*
gantry ['gæntri] *sb* tøndelad; *(jernb)* signalbro; (til raket) servicetårn; (til kran) portal, kranbane.
gantry crane portalkran, brokran.
Ganymede ['gænimi:d] *(myt)* Ganymedes; T ung tjener; homoseksuel ung mand.
gaol [dʒeil] *sb* fængsel; *vb* sætte i fængsel, fængsle.
gaol| bird tugthuskandidat, vaneforbryder. ~ **bait** S pige under den kriminelle lavalder.
gaoler ['dʒeilə] *sb* fangevogter, arrestforvarer.
gap [gæp] *sb* åbning, spalte; kløft, (bjerg)pas; afbrydelse; hul *(fx in one's knowledge)*, lakune; *(fig* også) svælg *(fx between their views)*, kløft *(fx the generation* ~); *(mil.)* breche; *vb* åbne; *stop (el. fill, bridge, supply) a* ~ (også *fig)* udfylde et hul.
gape [geip] *vb* gabe, glo med åben mund, måbe; *sb* gaben, måben.
gapes [geips] *sb pl: the* ~ gabesyge.
garage ['gæra(:)dʒ; 'gæridʒ; *(am)*gə'rɑ:ʒ] *sb* garage; benzintank, servicestation, bilreparationsværksted; *vb* sætte i garage.
garb [gɑ:b] *sb* dragt, klædning; mode, snit; *(glds)* klædebon; *(fig)* iklædning; *vb* (i)klæde.
garbage ['gɑ:bidʒ] *sb* (køkken)affald, skrald.

garbage| can *(am)* affaldsspand, skraldespand. ~ **chute** affaldsskakt, nedstyrtningsskakt.

garble ['ga:bl] *vb* fordreje, forvanske, 'pynte på', forkludre.

garboard ['ga:bɔːd] *sb (mar)* kølrang.

garden ['ga:dn] *sb* have; ~ *vb* gøre havearbejde; *-s* have, anlæg, park; *common or* ~ **T** ganske almindelig; *everything in the* ~ *is lovely* **S** her går det godt; alt i orden; *think that everything in the* ~ *is lovely* (også) tro den hellige grav velforvaret; *lead sby up the* ~ **T** narre *(el.* snyde) en; tage en ved næsen; *be led up the* ~ gå i vandet. **garden| chafer** *zo* gåsebille. ~ **city** haveby.

gardener ['ga:dnə] *sb* gartner. **gardener bird** *zo* gartnerfugl.

garden| frame mistbænk, drivbed. ~ **glass** glasklokke til beskyttelse af planter.

gardenia [ga:'di:njə] *sb (bot)* gardenia.

gardening ['ga:dniŋ] *sb* havearbejde; havebrug.

garden| party havefest, selskab som holdes i det fri. ~ **plot** havelod, havestykke. ~ **spider** *zo* korsedderkop. ~ **stuff** haveprodukter, havesager. ~ **warbler** *zo* havesanger. ~ **white** *zo* kålsommerfugl.

garfish ['ga:fiʃ] *sb zo* hornfisk.

garganey ['ga:gəni] *sb zo* atlingand.

gargantuan [ga:'gæntjuən] *adj* kæmpemæssig.

garget ['ga:gət] *sb (agr)* yverbetændelse.

gargle ['ga:gl] *vb* gurgle; *sb* gurglevand.

gargoyle ['ga:gɔil] *sb* gargoil, vandspy, tud på tagrende (ofte formet som grotesk menneske- eller dyreskikkelse).

garibaldi [gæri'bɔːldi] *sb* garibaldibluse.

garish ['gɛəriʃ] *adj* pralende, prangende, grel.

garland ['ga:lənd] *sb* krans; *vb* bekranse.

garlic ['ga:lik] *sb* hvidløg.

garment ['ga:mənt] *sb* klædningsstykke; *-s* klæder.

garn [ga:n] *interj* **S** å gå væk; ih du store.

garner ['ga:nə] *sb* kornloft; magasin; *vb* magasinere, opsamle; hengemme.

garnet ['ga:nit] *sb* granat (halvædelsten); granatrød.

garnish ['ga:niʃ] *vb* pynte, garnere, besætte; *(jur, glds)* stævne (tredjepart); gøre udlæg *(el.* arrest) i (hos tredjepart). ~ *vb* pynt, garnering. **garnishment** [-mənt] *sb* garnering, pynt; *(jur)* stævning (til tredjepart); udlæg hos tredjepart.

garnishee [ga:ni'ʃi:] *sb (jur)* tredjepart hos hvem der gøres udlæg; *vb* gøre udlæg *(el.* arrest) i.

garniture ['ga:nitʃə] *sb* garniture; tilbehør.

garpike ['ga:paik] *sb zo* hornfisk.

garret ['gærət] *sb* loftskammer, kvistværelse; **S** øverste etage (ɔ: hovedet).

garrison ['gærisən] *sb* garnison, besætning; *vb* lægge i garnison, besætte; ligge som garnison i.

garrotte [gə'rɔt] *sb* kvælning, strangulering; garottering; *vb* kvæle, strangulere; garottere.

garrotter [gə'rɔtə] *sb* kvælertyv.

garrulity [gæ'ru:liti] *sb* snakkesalighed.

garrulous ['gærulos] *adj* snakkesalig.

garter ['ga:tə] *sb* strømpebånd; *(am)* sokkeholder, strømpeholder; *vb* udnævne til ridder af hosebåndsordenen; *the Order of the Garter* hosebåndsordenen (Englands højeste ridderorden); *Knight of the Garter* ridder af hosebåndsordenen.

garth [ga:θ] *sb* gård, have.

gas [gæs] *sb* luftart *(fx hydrogen and oxygen are -es);* gas; *(am* også) benzin; **T** gas, sludder, tom snak, floskler; brovten; *vb* behandle (, angribe) med gas, gasforgifte; gasbedøve; snakke, vrøvle; *turn on (, off) the* ~ åbne (, lukke) for gassen; *turn down (, up) the* ~ skrue gassen ned (, op); *step on the* ~ gi' den gas, sætte farten op; ~ *oneself* tage gas (ɔ: begå selvmord); ~ *up (am)* fylde tanken op.

gas|bag gasbeholder; (om person) vrøvlehoved. ~ **bracket** gasarm. ~ **burner** gasbrænder. ~ **chamber** gaskammer. ~ **cock** gashane. ~ **coke** gaskoks, gasværkskoks.

Gascon ['gæskən] *sb* gascogner; pralhals; *adj* fra Gascogne.

Gascony ['gæskəni] Gascogne.

gas cooker gaskomfur.

gaselier [gæsə'liə] *sb* gaslysekrone.

gas engine gasmotor.

gaseous ['gæsjəs] *adj* gasagtig; luftformig.

gas fitter gasmester; rørlægger.

I. gash [gæʃ] *sb* flænge, gabende sår; **S** mund; *vb* flænge.

II. gash [gæʃ] *adj* **S** ekstra, som er tilovers; *sb* ekstraportion; rester.

gas|holder gasbeholder. **-house** gasværk.

gasfication [gæsifi'keiʃən] *sb* gasudvikling.

gasify ['gæsifai] *vb* omdanne til gas; forgasse.

gas jet gasblus.

gasket ['gæskit] *sb* pakning (i stempel *etc);* tætning; *(mar)* beslagsejsing; *vb* tætte.

gas| lamp gaslampe. **-light** gasbelysning; gasblus. ~ **main** hovedgasledning. **-man** gasmålerkontrollør. ~ **mantle** gasnet. ~ **mask** gasmaske. ~ **meter** gasmåler.

gasolene = *gasoline.*

gasolier [gæsə'liə] *sb* gaskrone, gaslysekrone.

gasoline ['gæsəli:n] *sb* gasolin, petroleumsæter; *(am)* (motor)benzin.

gasometer [gæ'sɔmitə] *sb* gasbeholder.

gas oven gasovn; gaskammer.

gasp [ga:sp] *vb* gispe, stønne, snappe *(el.* hive) efter vejret; *sb* gisp, tungt åndedrag; ~ *for breath* snappe efter vejret; *be at one's last* ~ være ved 'at dø; være helt udpumpet; *give one's last* ~ opgive ånden, udstøde sit sidste suk; *to the last* ~ til (sit) sidste åndedrag.

gasper ['ga:spə] *sb* **S** (tarvelig) cigaret.

gas| pipe gasrør. **-proof** gassikker. ~ **range** gaskomfur. ~ **ring** gasapparat. ~ **station** *(am)* benzintank, servicestation. ~ **stove** gaskamin; gaskomfur.

gassy ['gæsi] *adj* gasfyldt; gasagtig; **T** snakkesalig, fuld af gas; tom, pralende.

gastric ['gæstrik] *adj* gastrisk, mave-; ~ *catarrh* mavekatar; ~ *fever (glds)* tyfus; ~ *juice* mavesaft; ~ *ulcer* mavesår.

gastritis [gæ'straitis] *sb (med.)* mavekatar.

gastronome ['gæstrənoum], **gastronomer** [gæ'strɔnəmə] *sb* gastronom, madkender. **gastronomic(al)** [gæstrə'nɔmik(l)] *adj* gastronomisk. **gastronomy** [gæ'strɔnəmi] *sb* gastronomi.

gastropod ['gæstrəpɔd] *sb* snegl.

gasworks ['gæswə:ks] *sb* gasværk.

gat [gæt] *sb (am)* **S** skyder, revolver.

I. gate [geit] *sb* port, led, låge; snæver gennemgang; bjergpas; vej, indgang; entré; (mennesker) tilstrømning, tilskuere, udstillingsgæster; (penge) entréindtægt; (i filmforeviser) billedkanal; *(jernb)* bom; *(tekn* : ved støbning) indløb; (i rørledning) spjæld; *free* ~ gratis adgang; *get the* ~ *(am* **S)** blive smidt ud.

II. gate [geit] *vb* (ved universiteter) nægte udgangstilladelse.

gate| bill liste over studenter der kommer hjem til kollegiet efter lukketid; bøde for denne forseelse. ~ **-crash** komme som selvbuden gæst, trænge sig ind. ~ **-crasher** selvbuden gæst. **-house** portnerhus; portbygning. **-keeper** portvagt, portner; kontrollør; *(jernb)* ledvogter. ~ **-legged table** (slags) klapbord. ~ **meeting** møde hvortil der kun er adgang mod entré. ~ **money** entré, billetindtægt. **-post** portstolpe; *between you and me and the -post* mellem os sagt. **-way** porthvælving, (indkørsels)port; *(fig)* vej *(fx to fame.).*

Gath [gæθ] (i biblen) Gat; *tell it not in* ~ **T** du må ikke bringe det videre.

gather ['gæðə] *vb* samle; indsamle *(fx information),* samle sammen; plukke *(fx roses, fruit);* (om håndarbejde, om pande) rynke; *(fig)* forstå *(fx I -ed that he was dead),* slutte, opfatte; (uden objekt) samles, samle sig *(fx the children -ed round him);* vokse *(fx -ing dangers);* (om byld) trække sammen;

~ *flesh* blive tyk; *I* ~ *from your letter that* ... jeg forstår af Deres brev at ...; *I -ed from what he said that* ... (også) jeg forstod på ham at ...; ~ **head** (om byld) trække sammen; (om skib) få fart fremover; *(fig)* tage til i styrke; ~ **in** *debts* indkassere udestående fordringer; ~ *in the grain* køre kornet ind; ~ *information* (også) indhente oplysninger; ~ *itself* (om dyr) samle sig til et spring; ~ *(ground)* **on** vinde *(el.* hale) ind på; ~ *speed* komme i fart, få mere og mere fart på; *be -ed to one's fathers* gå til sine fædre (ɔ: dø); ~ *oneself* **together** tage sig sammen; (efter chok) komme sig; **~ up** samle sammen, samle op, tage op *(fx a child in one's arms)* ; **~ way** *(mar)* få fart fremover.

gatherer ['gæðərə] *sb* (ind)samler, plukker.

gathering ['gæðəriŋ] *sb* samling; forsamling; (i håndarbejde) rynker; *(med.)* bullenskab, byld; *(bogb)* ark, læg; *adj* voksende, stigende; **~ gloom** frembrydende mørke.

gathering coal stort kulstykke der lægges på ¹¹den for at den ['gæðərə] brænde natten over.

gathers ['gæðəz] *sb pl* rynkning.

gatling ['gætliŋ] *sb (glds)* gatlingmaskingevær.

gauche [gouʃ] *adj* kejtet, klodset.

gaucherie ['gouʃəri:] *sb* kejtethed, klodsethed.

gaucho ['gautʃou] *sb* gaucho (sydamerikansk cowboy).

gaud [gɔ:d] *sb* stads, flitter; -s pomp og pragt.

gaudy ['gɔ:di] *adj* prangende; skrigende *(fx colour)*, (lidt for) spraglet *(fx dress)*; udmajet; *sb* fest, gilde (især: årlig fest på universitetskollegium).

gauffer = *goffer.*

gauge [geidʒ] *sb* mål, måleredskab, måleinstrument; -måler *(fx rain ~)*; *(fig)* målestok *(fx the report provides a* **~** *of his ability)*; omfang *(fx determine the* **~** *of his strength)* ; (snedkers) stregmål; *(tekn)* lære; skabelon (til at måle forarbejdnings nøjagtighed); pejlstok; tykkelse *(fx wire* **~** trådtykkelse); *(jernb)* sporvidde; hjulafstand; (af skydevåben) kaliber; *vb* måle; justere; *take the* **~** *of (fig)* tage mål af, måle, vurdere.

gauger ['geidʒə] *sb* måler; toldembedsmand der opkræver spiritusskat.

Gaul [gɔ:l] Gallien; *sb* galler, *(spøg)* franskmand.

Gaulish ['gɔ:liʃ] *adj* gallisk.

gaumless ['gɔ:mlis] *adj* upraktisk, klodset, tåbelig.

gaunt [gɔ:nt] *adj* mager, udtæret; barsk, øde; (om bygning:) streng i linjerne.

gauntlet ['gɔ:ntlit] *sb (hist.)* stridshandske; handske; kravehandske; spidsrod; *throw down the* **~** kaste sin handske (ɔ: udfordre); *take up the* **~** tage handsken op (ɔ: modtage udfordringen); *run the* **~** løbe spidsrod.

gauntry ['gɔ:ntri] = *gantry.*

gaur ['gauə] *sb zo* gaurokse.

gauze [gɔ:z] *sb* gaze, flor.

gauze bandage gazebind.

gauzy ['gɔ:zi] *adj* gazeagtig.

gave [geiv] *præt* af *give.*

gavel ['geivl] *sb* dirigents el. auktionsholders hammer.

gavial ['geivjəl] *sb zo* gavial (indisk krokodilleart).

gavotte [gə'vɔt] *sb* gavotte (en dans).

gawk [gɔ:k] *sb* klodset (el. kejtet) fyr; *vb* **T** glo (dumt), glane, måbe.

gawky ['gɔ:ki] *adj* kodset, kejtet, genert; *sb* klodrian.

gawp [gɔ:p] *vb* **S** glo (dumt), glane, måbe.

gay [gei] *adj* livlig, munter, lystig; strålende, broget; pyntet; udsvævende; **S** homoseksuel.

gaze [geiz] *vb* stirre, se stift *(at* på); *sb* stirren; blik.

gazebo [gə'zi:bou] *sb* udsigtspunkt; lille udsigtstårn; lysthus *(etc)* hvorfra der er vid udsigt; (på hustag også) kikkenborg.

gazelle [gə'zel] *sb zo* gazelle.

gazette [gə'zet] *sb* statstidende, officiel tidende; (i avisnavn) tidende, dagblad; *vb* bekendtgøre; *be -d* stå i statstidende (om: som udnævnt (, forflyttet).

gazetteer [gæzi'tiə] *sb* geografisk leksikon; navneregister til atlas; stedregister.

gazump [gə'zʌmp] *vb* skrue prisen op, hæve en allerede fastsat pris (især på et hus).

G. B. *fk Great Britain.*

G. B. E. *fk Knight (, Dame) Grand Cross of the Order of the British Empire.*

G.B.S. *fk George Bernard Shaw.*

G.C.B. *fk Knight Grand Cross of the Bath.*

G.C.E. *fk General Certificate of Education.*

G.C.M. *fk greatest common measure.*

G.C.M.G. *fk Knight Grand Cross of St. Michael and St. George.*

G.C.V.O. *fk Knight Grand Cross of the Royal Victorian Order.*

Gdns *fk Gardens.*

GDR *fk German Democratic Republic* DDR.

Gds. *fk Guards.*

I. gear [giə] *sb* udstyr, grejer *(fx fishing* **~** *)*; grej, sager, ting *(fx he moved all his* **~** *into my room)*; mekanisme, apparat *(fx steering* **~** *)*; tandhjul, udveksling; (til bil, cykel *etc)* gear; (til hest) seletøj; *be in* **~** være i gear, være koblet til; *(fig)* være i gang, være i orden, være klar til brug; *change into second* **~** sætte i andet gear; *move into high* **~** *(fig)* komme i fuld sving; *throw into* **~** bringe i indgreb; sætte i gear; *throw out of* **~** bringe ud af indgreb; sætte ud af gear; *(fig)* bringe i uorden (el. i ulave); *with a high (, low)* **~** højt (, lavt) gearet.

II. gear [giə] *vb* sætte i gear; forsyne med gear; være (, komme) i indgreb; **~** *down* sætte i lavere gear, geare ned; **~** *into* gribe ind i; **~** *to (fig)* indstille *(el.* indrette) efter, indstille på, afpasse efter; *-ed to* (også) beregnet til *(el.* på); **~** *to war production* omstille til krigsproduktion; **~** *up* sætte i højere gear, geare op; *(fig)* sætte fart i; **~** *with* (om tandhjul) gribe ind i; *(fig)* passe ind i.

gearbox gearkasse, hjulkasse.

gearing ['giəriŋ] *sb* tandhjulsforbindelse, (tandhjuls)udveksling; indgreb, indgribning.

gear| lever, -shift *(am)* gearstang. **~ wheel** tandhjul.

gecco, gecko ['gekou] *sb zo* gekko.

gee [dʒi:] *interj* hyp (til hest); *(am* **S)** ih! nå da da! ih du store!

gee-gee [dʒi:dʒi:] *sb* hyphest, hest (i barnesprog).

geese [gi:s] *pl* af *goose.*

geezer [gi:zə] *sb* gammel stabejs *(el.* knark); *that old* **~** 'det gamle liv'.

gee-up ['dʒi: ʌp] *interj* hyp (til hest).

Geiger counter ['gaigə 'kauntə] geigertæller.

geisha ['geiʃə] *sb* geisha.

gelatine [dʒelə'ti:n] *sb* gelatine; husblas; *blasting* **~** gelatinedynamit, sprænggelatine.

gelatinize [dʒi'lætinaiz] *vb* omdanne til gelatine; blive til gelatine; forklistre.

gelation [dʒi'leiʃən] *sb* frysning.

geld [geld] *vb* gilde, kastrere.

gelding ['geldiŋ] *sb* kastrering; kastrat; vallak.

gelid ['dʒelid] *adj* iskold.

gelignite ['dʒelignait] *sb* form for sprænggelatine.

gem [dʒem] *sb* ædelsten; *(fig)* perle *(fx the* **~** *of the collection)* ; *vb* pryde med ædelstene; *a perfect* **~** en sand perle.

I. geminate ['dʒeminit] *adj* par-, tvilling-.

II. geminate ['dʒemineit] *vb* fordoble, ordne parvis.

Gemini ['dʒeminai] Tvillingerne (stjernebilledet); *oh, gemini! (glds)* Gud fri os vel!

gemma ['dʒemə] *(pl gemmae* ['dʒemi:]) *sb* knop.

I. gemmate ['dʒemeit] *adj* med knopper; som formerer sig ved knopskydning.

II. gemmate ['dʒemeit] *vb* sætte knopper; formere sig ved knopskydning.

gemmation [dʒe'meiʃən] *sb* (formering ved) knopskydning.

gemmy ['dʒemi] *adj* ædelstensagtig; strålende.

gemsbok ['gemzbɔk] *sb zo* sabeloryx.

I. Gen. *fk General; Genesis.*

II. gen. *fk general; genitive.*

III. gen [dʒen] **S** *sb* (pålidelige) oplysninger; *vb:* **~** *up* tilegne sig, lære (i en fart).

gendarm ['ʒa:nda:m] *sb* gendarm; klippespids.

gender ['dʒendə] *sb* (grammatisk) køn.

gene [dʒi:n] *sb* gen, arveanlæg, arveelement.

genealogic(al) [dʒi:niə'lɔdʒik(l)] *adj* genealogisk; **~** *tree* stamtræ. **genealogist** [dʒi:ni'ælədʒist] *sb* genealog, slægtsforsker.

genealogy [dʒi:ni'ælədʒi] *sb* genealogi; afstamning; stamtavle.

genera ['dʒenərə] *pl* af *genus.*

I. general ['dʒen(ə)rəl] *adj* generel; almindelig *(fx opinion, amnesty)* ; almen; fremherskende, hoved- *(fx direction)* ; general-; *in* **~** i almindelighed; *in a* **~** *way* i almindelighed sagt, i al almindelighed; **~** *effect* totalvirkning; **~** *impression* hovedindtryk, helhedsindtryk.

II. general ['dʒen(ə)rəl] *sb* general; **T** enepige.

General Assembly *(i FN)* generalforsamling.

general| average groshavari. **~ cargo** stykgodsladning.

General Certificate (of Education): *(A level, omtr)* studen-

tereksamen; *(O level, omtr)* realeksamen.
general| class fællesklasse. **~ dealer** købmand. **~ delivery** *(am)* poste restante. **~ election** (i *Engl.)* valg til Underhuset. **~ goods** stykgods. **~ headquarters** *(mil.)* overkommando, generalkommando.
generalissimo [dʒenərə'lisimou] *sb* generalissimus.
generality [dʒenə'ræliti] *sb* hovedmængde, flertal; almindelighed; *generalities* almindelige bemærkninger, almindeligheder; *a rule of great* **~** en næsten generel regel.
generalization [dʒenərəl(a)i'zeiʃən] *sb* generalisering.
generalize ['dʒen(ə)rəlaiz] *vb* generalisere, almindeliggøre; udbrede; udtale sig i almene vendinger; **~** *a conclusion from* drage en almen slutning ud fra.
generally ['dʒen(ə)rəli] *adv* i almindelighed, sædvanligvis; i det hele taget; hyppigt; **~** *speaking* i det hele taget, stort set.
general| manager administrerende direktør. **~ meeting** generalforsamling.
General Post Office hovedpostkontor.
general| practitioner praktiserende læge (ikke specialist). **~ public:** *the* **~** *public* det store publikum. **~ -purpose** *adj* til alle formål. **~ servant** enepige.
generalship ['dʒen(ə)rəlʃip] *sb* generalsværdighed; feltherretalent; taktik, strategi; førerskab, ledelse.
general| shop købmandshandel. **~ staff** *(mil.)* generalstab. **~ store** landhandel. **~ strike** generalstrejke.
generate ['dʒenəreit] *vb* udvikle *(fx electricity, steam)*; frembringe; (om afkom) avle; *(fig)* frembringe, fremkalde, afføde.
generating| set generatoraggregat. **~ station** kraftstation.
generation [dʒenə'reiʃən] *sb* generation, slægtled; *(cf generate)* udvikling; avl; frembringelse; fremkaldelse; *the rising* **~** den opvoksende slægt.
generative ['dʒenərətiv] *adj* avlende; frugtbar; **~** *organs* forplantningsorganer.
generator ['dʒenəreitə] *sb* generator, dynamo; ophavsmand.
generic [dʒi'nerik] *adj* omfattende; slægts-, fælles-; **~** *name* slægtsnavn; fællesbetegnelse; **~** *term* fællesbetegnelse.
generically *adv* under ét, med et fælles navn.
generosity [dʒenə'rositi] *sb* ædelmodighed, højsindethed; gavmildhed, rundhåndethed.
generous ['dʒenərəs] *adj* ædelmodig, højsindet; gavmild, large, rundhåndet; rigelig, stor *(fx a* **~** *amount)*; (om vin) kraftig, fyldig; **~** *diet* rigelig ernæring; *put a* **~** *construction on a statement* fortolke en udtalelse på en elskværdig måde.
genesis ['dʒenisis] *sb* skabelse; tilblivelse; tilblivelseshistorie; *Genesis* I. Mosebog.
genet ['dʒenit] *sb zo* genette (slags desmerkat).
genetic [dʒi'netik] *adj* arveligheds-, tilblivelses-; **~** *code* genetisk kode.
geneticist [dʒi'netisist] *sb* arvelighedsforsker.
genetics [dʒi'netiks] *sb* arvelighedsforskning, arvelighedslære.
I. Geneva [dʒi'ni:və] Genève; *the* **~** *Convention* Genferkonventionen; *the* **~** *Cross* Genferkorset (Røde Kors' symbol).
II. geneva [dʒi'ni:və] *sb* genever.
Genevan [dʒi'ni:vən] *adj* genfer; kalvinist; *adj* genfisk.
Genevese [dʒeni'vi:z] *sb* genfer; *adj* genfisk.
I. genial [dʒi:njəl] *adj* (om person) gemytlig, elskværdig, hyggelig; (om klima *etc)* mild, lun.
II. genial [dʒi'naiəl] *adj* hage- *(fx muscle)*.
geniality [dʒi:ni'æliti]· *sb* gemytlighed, elskværdighed; (om klima etc) mildhed.
geniculate(d) [dʒi'nikjuleit(id)] *adj* leddet; bøjet som et knæ.
genie ['dʒi:ni] *sb* ånd (i østerlandske æventyr); *the* **~** *of the lamp* lampens ånd.
genii ['dʒi:niai] *sb pl* genier, skytsånder *(pl af genius)*.
genital ['dʒenit(ə)l] *adj* køns-; genital-; *-s sb pl* genitalia, (især ydre) kønsorganer.
genitive ['dʒenitiv] *adj: the* **~** *(case)* genitiv, ejefald.
genius ['dʒi:njəs] *sb (pl genii)* genius, skytsånd; *(pl geniuses)* geni; genialitet; *his evil* **~** *(fig)* hans onde ånd; *a man of* **~** en genial mand, et geni; *the* **~** *of a language* et sprogs ånd.

genius loci ['dʒi:njəs 'lousai] skytsånd; lokal atmosfære.
Genoa ['dʒenouə] Genua.
genocide ['dʒenəsaid] *sb* folkedrab.
Genoese [dʒenə'i:z] *adj* genuesisk; *sb* genueser.
genotype ['dʒenətaip] *sb (biol)* anlægspræg.
genre [ʒa:ŋr] *sb* genre; **~** *painting* genremaleri.
gens [dʒenz] *sb (pl gentes* ['dʒenti:z]) *(hist.)* slægt.
gent [dʒent] *fk gentleman; gents' outfitting* herreekvipering.
genteel [dʒen'ti:l] *adj* »fornem«, »darnet«; *(glds)* fin; *he is* **~** han har fine fornemmelser, han spiller fornem.
genteelism [dʒen'ti:lizm] *sb* 'dannet' udtryk.
gentian ['dʒenʃən] *sb (bot)* ensian.
gentile ['dʒentail] *sb* ikke-jøde, hedning; *adj* ikke-jødisk, hedensk.
gentility [dʒen'tiliti] *sb* (nu især) forloren finhed; fine fornemmelser, honnet ambition.
I. gentle ['dʒentl] *sb* spyfluemaddike.
II. gentle ['dʒentl] *adj* mild, venlig, blid; skikkelig *(fx dog)*; *(mods* kraftig, voldsom) mild, let virkende *(fx medicine)*; svag *(fx heat)*; let, næmsom *(fx touch)*; jævn *(fx slope)*; (om lyd) blid, sagte, dæmpet *(fx music)*; *(glds)* fornem; ædel *(fx of* **~** *birth)*; dannet, kultiveret; *a* **~** *breeze* en let brise; *the* **~** *passion* kærligheden; *the* **~** *reader* den ærede læser; *the* **~** *sex* det svage køn.
gentlefolk(s) ['dʒentlfouk(s)] *sb* fornemme folk; bedre folk, kultiverede mennesker.
gentleman ['dʒentlmən] *sb (pl gentlemen,* se også dette) herre, mand; dannet mand, mand af ære, gentleman; fornem mand; *(jur)* mand der lever af sine penge og ikke driver erhverv; *(mods:* professionel) amatør; *be born a* **~** være af god familie; *there is nothing of the* **~** *about him* han har ikke spor af levemåde; *independent* **~** rentier; *private* **~** privatmand; *gentleman's agreement* overenskomst hvor parterne stoler på hinanden uden skriftlig kontrakt; **~** *in waiting* jourhavende kavaler; *gentleman's gentleman* kammertjener.
gentleman-commoner *(glds)* student ved universitetet i Oxford eller Cambridge, i kraft af sin byrd nød visse forrettigheder. **~ farmer** velhavende mand der driver landbrug (for sin fornøjelse).
gentleman|like ['dʒentlmənlaik], **-ly** [-li] *adj* fin, dannet; beleven, ridderlig.
gentlemen ['dʒentlmən] *pl* af gentleman; *(ladies and)* **~***!* mine (damer og) herrer; *-'s* T herretoilet; *adj* herre- *(fx boots, lavatory)*.
gentlewoman ['dʒentlwumən] *sb* (fornem) dame.
gently ['dʒentli] *adv* mildt, blidt *(etc. cf II. gentle)*.
gentry ['dʒentri] *sb* lavadel; (brugt ironisk:) herrer, folk *(fx the light-fingered* **~***)*.
gents [dʒents] T herretoilet.
genual ['dʒenjuəl] *adj* knæ-.
genuflect ['dʒenjuflekt] *vb* bøje knæ, falde på knæ *(to* for).
genuflection [dʒenju'flekʃən] *sb* knæling, knæfald.
genuine ['dʒenjuin] *adj* ægte, uforfalsket; original; virkelig.
genus ['dʒi:nəs] *sb (pl genera)* slægt.
geocentric [dʒiə'sentrik] *adj* geocentrisk.
geodesic [dʒiə'desik] *adj* geodætisk; *sb* = **~** *line* geodætisk kurve. **geodesy** [dʒi'ɔdisi] *sb* geodæsi, landmåling.
geodetic [dʒiə'detik] *adj* geodætisk. **geodetics** geodæsi.
Geoffrey ['dʒefri].
geog. *fk geography.*
geognosy [dʒi'ɔgnəsi] *sb* geognosi, læren om jordskorpens dannelse.
geographer [dʒi'ɔgrəfə] *sb* geograf.
geographical [dʒiə'græfikl] *adj* geografisk; **~** *mile* sømil (1852 m.).
geography [dʒi'ɔgrəfi] *sb* geografi; *show sby the* **~** *of the house* (otest:) vise en hvor toilettet er.
geol. *fk geology.*
geologic(al) [dʒiə'lɔdʒik(l)] *adj* geologisk. **geologist** [dʒi'ɔlədʒist] *sb* geolog. **geology** [dʒi'ɔlədʒi] *sb* geologi.
geom. [dʒi'ɔm] *fk geometry* .
geometer [dʒi'ɔmitə] *sb* geometriker; *zo* måler.
geometric(al) [dʒiə'metrik(l)] *adj* geometrisk; **~** *drawing* geometrisk tegning, projektionstegning; **~** *progression* kvotientrække *(fx* 1,3,9,27 *etc)*.
geometrician [dʒiəme'triʃən] *sb* geometriker.

geometry [dʒi'ɔmitri] *sb* geometri.
geophysical [dʒiə'fizikəl] *adj* geofysisk.
geophysics [dʒiə'fiziks] *sb* geofysik.
geopolitics [dʒiə'pɔlitiks] *sb* geopolitik.
I. Geordie ['dʒɔ:di] diminutiv af *George.*
II. Geordie ['dʒɔ:di] *sb* sikkerhedslampe; kulminearbejder; T person fra Newcastle (og egnen omkring Tynefloden).
George [dʒɔ:dʒ] Georg; *sb* billede af St. Georg til hest, som hosebåndsridderne bærer; S automatisk pilot; *by ~* (mild ed, *omtr)* ved grød; *St. ~* St. Georg (Englands skytspatron).
georgette [dʒɔ'dʒet] *sb* georgette (tyndt silkecrepe).
Georgia ['dʒɔ:dʒiə].
Georgian ['dʒɔ:dʒiən] *sb* georgier; *adj* georgisk; georgiansk, fra *(el.* i) tiden 1714-1830 (kongerne George I-IV's regeringstid) *el.* 1910-36 (George V's regeringstid).
Georgie ['dʒɔ:dʒi] diminutiv af *George.*
geotropic [dʒiə'trɔpik] *adj (biol)* geotropisk. **geotropism** [dʒi'ɔtrəpizm] *sb (biol)* geotropisme.
Gerald ['dʒerəld].
geranium [dʒi'reinjəm] *sb (bot)* pelargonie, geranium.
Gerard ['dʒera:d, dʒe'ra:d].
gerfalcon ['dʒə:fɔ:lkən] *sb zo* jagtfalk.
geriatric [dʒeri'ætrik] *adj* geriatrisk, aldersmedicinsk.
geriatrics [dʒeri'ætriks], **geriatry** ['dʒeriətri] *sb* geriatri, læren om alderdommens sygdomme.
germ [dʒə:m] *sb* kim, spire; mikrobe, bakterie; *vb* fremspire.
I. german ['dʒə:mən] *adj* nærbeslægtet; kødelig *(fx brother ~* kødelig broder).
II. German ['dʒə:mən] *adj* tysk; *sb* tysk; tysker; (især *am, omtr =)* kotillon(bal).
germander [dʒə'mændə] *sb (bot)* kortlæbe.
germane [dʒə:'mein] *adj* nærbeslægtet; relevant; (sagen) vedkommende.
Germanic [dʒə:'mænik] *sb, adj (spr)* germansk.
Germanism ['dʒə:mənizm] *sb* germanisme.
Germanize ['dʒə:mənaiz] *vb* germanisere.
German measles *(med.)* røde hunde.
German silver nysølv.
Germany ['dʒə:məni] Tyskland.
germ cell kimcelle.
germen ['dʒə:mən] *sb (bot)* frugtknude, frøgemme.
germicidal ['dʒə:misaidəl] *adj* bakteriedræbende, desinficerende. **germicide** ['dʒə:misaid] *sb* desinfektionsmiddel.
germinal ['dʒə:minəl] *adj* kim-; spire-; *(fig)* uudviklet.
germinate ['dʒə:mineit] *vb* (få til at) spire, skyde.
germination [dʒə:mi'neiʃən] *sb* spiren.
germinative ['dʒə:minətiv] *adj* spire-; spiredygtig.
germ warfare bakteriologisk krigsførelse.
gerontology [dʒerən'tɔlədʒi] *sb* gerontologi, alderdomsforskning.
gerrymander ['dʒerimændə] *vb* lave fiduser, især ved partisk valgkredsordning; *sb =* **gerrymandering** *sb* valggeometri.
Gertie ['gə:ti] diminutiv af *Gertrude* ['gə:tru:d].
gerund ['dʒerənd] *sb (gram)* gerundium; verbalsubstantiv.
gerundive [dʒi'rʌndiv] *sb (gram)* gerundiv.
gesso ['dʒesou] *sb* gips.
gest [dʒest] *sb (glds)* bedrift; beretning, krønike.
gestation [dʒe'steiʃən] *sb* svangerskab, drægtighed, drægtighedsperiode.
gesticulate [dʒe'stikjuleit] *vb* gestikulere, fægte med armene.
gesticulation [dʒestikju'leiʃən] *sb* gestikuleren; fagter; håndbevægelse, gestus; *-s pl* (også) fagter.
gesticulatory [dʒe'stikjulətəri] *adj* gestikulerende.
gesture ['dʒestʃə] *sb* håndbevægelse, gestus; *-s pl* (også) fagter; *vb* gestikulere.
get [get] *vb (got, got)* få; få fat i, skaffe sig; skaffe *(fx ~ him a job),* hente *(fx let me ~ you your shawl)*; lave *(fx will you ~ tea?)*; T ramme *(fx the bullet got him in the leg)*; forstå *(fx we are beginning to ~ it; I don't ~ you),* opfatte, få fat i *(fx I didn't ~ the last word)*; (med *inf)* få (til at) *(fx ~ sby to do it)*; (med *pp)* få *(fx ~ him appointed)*; *(glds)* avle; (uden objekt) nå, komme *(fx ~ home),* T komme af sted *(fx well, I must be -ting),* skrubbe af *(fx he told them to ~)*; (med *adj, pp)* blive

(fx ~ angry, ~ killed); (med *inf)* komme (til at) *(fx we got to like him)*;
~ *one's bread* tjene sit brød; *he is out for what he can* ~ han er beregnende; ~ *dinner ready* gøre middagsmaden færdig; ~ *going* komme i gang; ~ *you gone!* forsvind! ~ *one's hair cut* lade sig klippe; *that's got him* nu er han færdig, den kan han ikke klare; *I* **have** *got no money* jeg har ingen penge; *he has got to do it* han må gøre det; ~ **it** opnå det; få ubehageligheder; *I have got it* jeg har forstået det; (se også ~ *(it) over* nedenfor); ~ *it hot* få sit fedt; ~ *a language* lære et sprog; *it -s* **me** T jeg kan ikke finde ud af det; det irriterer mig; jeg bliver rørt over det; ~ *your places (el. seats)* tag plads! stig ind! *they got talking* de faldt i snak;
(forb med *præp* og *adv)* ~ **about** komme omkring; bevæge sig omkring; komme i omløb *(fx the rumour has got about),* brede sig, komme ud, blive kendt; ~ **above** oneself være indbildsk, bilde sig noget ind; blive overstadig; ~ **abroad** brede sig (om rygte); ~ **across** komme over (på den anden side); slå an, blive en succes; T irritere; komme på kant med; (om skuespiller) komme i kontakt med publikum; ~ *an idea across* få en idé til at slå an; vinde gehør for en idé; *he can't ~ it across* han kan ikke komme i kontakt med sine tilhørere; ~ **along** bringe fremad; gøre fremskridt; klare sig; ~ *along!* å la' vær'! *how are you -ting along?* hvordan går det (med dig)? *they can only just ~ along on their small income* de kan kun lige klare sig med deres lille indtægt; ~ *along with you* å sted med dig! hold nu op! å la' vær'! gå væk! *I can't ~ along with that fellow* jeg kan ikke komme ud af det med den fyr; ~ **around** *(am* T) bevæge sig omkring; komme (meget) ud; narre; komme uden om, omgå *(fx ~ around the law)*; *he never got around to reading the book* det lykkedes ham aldrig *(el.* han nåede aldrig) at få læst bogen;
~ **at** komme til, nå, få fat i; stikle til *(fx he was -ting at me all the time)*; overfalde, få ram på; påvirke, bestikke; *what are you -ting at?* hvad sigter du til? ~ **away** slippe bort; *there's no -ting away from it* man kan ikke komme uden om det; ~ *away with it* komme godt fra det; *he would cheat you if he could ~ away with it* han ville snyde dig hvis han kunne komme af sted med det; ~ *away with you!* stik af med dig! å la' vær'! ~ **back** få tilbage; komme *(el.* vende) tilbage; ~ *one's own back* få hævn; ~ *back at (am)* få hævn over; ~ **behind** *(am)* støtte; ~ **by** komme forbi; komme i besiddelse af; T slippe godt fra det; klare sig; ~ **down** stå ned; gå fra bordet; ~ *sby down* T gøre én deprimeret, tage humøret fra én; ~ *it down* få det skrevet ned; ~ *down to* T tage fat på; ~ *down to it* (også) 'gå til makronerne'; ~ **even** *with* hævne sig på; *what can I ~* **for** *you?* (i butik) hvad ønsker De? ~ **home** komme hjem; *that remark got home!* den sad; ~ *home on sby* få ram på en;
~ **in** komme ind; ankomme; blive valgt; ~ *in with* indsmigre sig hos; blive gode venner med, komme i (lag) med; ~ **into** komme ind i; trænge ind i; bringe ind i; ~ *into one's clothes* komme i tøjet; ~ *into bad habits* lægge sig dårlige vaner til; ~ *sth into one's head* sætte sig noget i hovedet; indprente sig noget; *I can't ~ it into my head* jeg kan ikke få det ind i hovedet (ɔ: begribe det); *the wine got into his head* vinen steg ham til hovedet; *I don't know what got into him* jeg ved ikke, hvad der gik af ham; ~ *into a rage* blive rasende, ryge i flint; ~ **off** tage af (om tøj); sende af sted; skaffe bort; starte, tage af sted; løsrive sig fra; slippe bort; slippe fra det; stå af (toget *etc.)*; blive gift; *his counsel got him off* hans forsvarer reddede ham fra straf; *tell sby where to get off* S sætte en på plads; ~ *off the grass!* væk fra græsset; ~ *off to sleep* falde i søvn; ~ *off with a fright* slippe med skrækken; ~ *off with her* komme i lag med hende, starte en flirt med hende; ~ *off with you!* af sted med dig!
~ **on** tage på *(fx ~ on one's clothes)*, drive fremad, stige op; komme videre *(fx with one's studies)*; gøre fremskridt, blive til noget; ~ *on!* af sted! videre! ~ *on horseback* stige til hest; ~ *on one's bicycle* sætte sig op på cyklen; ~ *on one's feet* komme på benene; *how are you -ting on?* hvordan har De det? hvordan går det? *be -ting on (in years)* være ved at komme op i årene; *I told him to ~ on or ~ out* jeg sagde til ham at han ville få sin

afsked, hvis han ikke ville bestille noget mere; *it is -ting on for* 6 klokken er snart 6; *he is getting on for 60* han er på vej til de 60; ~ *on to* sætte sig i forbindelse med; komme efter, opdage, gennemskue; *don't keep -ting on to him* lad være med at være efter ham hele tiden; ~ *on together* komme ud af det med hinanden; ~ *on with him* komme ud af det med ham;

~ **out** få ud, få væk; få frem (om ytring); få udgivet (om bog); komme ud; slippe ud; stå ud (af vogn); ~ *out (with you)!* (også) sludder! ~ *out of* slippe for *(fx military service; paying one's taxes)*; ~ *out of bed on the wrong side* få det forkerte ben først ud af sengen; ~ *out of hand* blive ustyrlig; blive færdig med; ~ *out of here!* herut med dig! ~ *out of it* slippe godt fra det; ~ *a patience out* få en kabale til at gå op; ~ *over* overvinde; gøre ende på; komme over; komme udenom (kendsgerning); ~ *it over* få det overstået; *she has got it badly over him* T hun er helt væk i ham;

~ **rid** of blive fri for; rive sig løs fra; ~ **round** komme i omløb, komme ud; omgå, komme uden om; ~ *round sby* overtale en, komme om ved en; ~ *round a difficulty* klare sig uden om en vanskelighed; ~ *round to doing it* få taget sig sammen til at gøre det; ~ **there** nå frem; komme frem, blive til noget; ~ **through** komme igennem *(fx the wood, a book)*; slippe igennem, bestå *(fx an exam)*; (om lov) blive vedtaget; *(tlf)* få forbindelse *(to* med); ~ *through all one's money* bruge *(el.* formøble) alle sine penge; ~ *through with* gøre sig færdig med, få fra hånden; ~ **to** få; nå; bringe det til; komme til *(fx ~ to like him)*; ~ *to know* lære at kende; få at vide; ~ *to sleep* falde i søvn; ~ *to work* komme i gang;

~ **together** komme (, bringe) sammen; samle(s); finde hinanden; ~ **under** overvælde, bringe få under kontrol; ~ **up** få op; vække; indrette, sætte i værk, arrangere *(fx a concert)*; forberede; sætte i scene; udstyre (bøger); pynte, klæde ud; opmuntre; affatte; studere; læse op (til en eksamen); bearbejde; ophobe; stå op (af sengen); *the wind is -ting up* vinden tager til i styrke; ~ *up by heart* lære udenad; ~ *up courage* samle mod; ~ *up steam* få dampen op; ~ *oneself up* pynte sig, maje sig ud; ~ *up to* lave; blive indblandet i; *what is he -ting up to?* hvad er han ude på? ~ *up to (el. with) sby* indhente en; ~ **with** *child* gøre gravid, besvangre.

get-at-able [get'ætəbl] *adj* tilgængelig.
getaway ['getəwei] *sb* flugt; start.
Gethsemane [geθ'semən i].
getout ['getaut] *sb* T udvej, udflugt, måde at slippe på; *curious as all ~ (am)* T noget så nysgerrig.
get-together ['getəgeðə] *sb* komsammen.
getup ['getʌp] *sb* udstyr *(fx the attrative ~ of the book)*; påklædning, antræk, mundering *(fx where are you going in that ~?)*
gewgaw ['gju:gɔ:] *sb* stads, dingeldangel, unyttigt legetøj.
geyser ['gaizə] *sb* geyser, varm springkilde; ['gi:zə] gasbadeovn.
GFR *fk German Federal Republic.*
Ghana ['ga:nə]. **Ghanaian** [ga:'neiən] *sb* ghaneser; *adj* ghanesisk.
gharry ['gæri] *sb* (heste)vogn (i Indien).
ghastly ['ga:stli] *adj* forfærdelig, grufuld *(fx accident),* uhyggelig; ligbleg; dødlignende *(fx pallor);* T rædsom, gyselig *(fx hat).*
gha(u)t [gɔ:t] *sb* bjergpas; trappe ned til en flod (i Indien); landingsplads ved en floddbred.
ghee [gi:] *sb* slags smør (der bruges i Indien).
gherkin ['gə:kin] *sb* lille sylteagurk.
ghetto ['getəu] *sb* ghetto, jødekvarter.
Ghibeline ['gibilain] *(hist.) sb* ghibelliner; *adj* ghibellinsk.
ghost [goust] *sb* ånd, spøgelse; spor, skygge; (også = *ghost image, ghost writer); vb* være »neger« (for); *the Holy Ghost* Helligånden; *give (el. yield) up the ~* opgive ånden; *as pale as a ~* ligbleg; *I have not the ~ of a chance* jeg har ikke den ringeste chance, jeg har ikke gnist af chance; *the ~ walks (teat)* der udbetales gage.
ghost image (i TV) spøgelsesbillede, ekkobillede.
ghostlike ['goustlaik] *adj* spøgelsesagtig.
ghostly ['goustli] *adj* spøgelsesagtig; *(glds)* åndelig, sjælelig; ~ *hour* åndernes time.

ghost| word ord opstået ved fejllæsning *el.* trykfejl. ~ **writer** 'neger' (skribent hvis arbejde udkommer under en andens navn).
ghoul [gu:l] *sb* (i orientalsk overtro) en ond ånd der fortærer lig; *(fig)* gravskænder; pervers person.
ghoulish ['gu:liʃ] *adj* dæmonisk, uhyggelig.
G. H. Q. *fk General Headquarters.*
G. I. ['dʒi:'ai] *sb* menig (amerikansk) soldat.
giant ['dʒaiənt] *sb* kæmpe, gigant; *adj* kæmpemæssig, kæmpe-.
giantess ['dʒaiəntis] *sb* kæmpekvinde.
giant| panda stor panda, bambusbjørn. ~ **pangolin** steppeskældyr.
giant's-stride rundløb (gymnastikapparat).
giaour ['dʒauə] *sb* (tyrkisk ord for en) vantro, ikke-muhamedaner (især kristen).
gibber ['dʒibə] *vb* tale (hurtigt og) uforståeligt, plapre.
gibberish ['dʒibəriʃ; 'gib-] *sb* uforståelig tale, volapyk, kaudervælsk.
gibbet ['dʒibit] *sb* galge; *vb* hænge i galge; hænge ud offentligt *(fx be -ed in the press).*
I. Gibbon ['gibən].
II. gibbon ['gibən] *sb zo* gibbon (abeart).
gibbose ['gibous], **gibbous** ['gibəs] *adj* pukkelrygget; (om månen) mellem halv og fuld.
Gibbs [gibz].
gibe [dʒaib] *sb* spydighed, skose; *-s pl* (også) hån, spot; *vb:* ~ *at* komme med spydigheder til, håne, spotte.
giblets ['dʒiblits] *sb pl* kråser (og anden indmad af fugle).
giblet soup kråsesuppe.
Gibraltar [dʒi'brɔ:ltə]: *the Straits of* ~ Gibraltarstrædet.
Gibson ['gibsən].
gibus [dʒaibəs] *sb* klaphat, chapeau claque.
gid [gid] *sb* drejesyge (hos får).
giddy ['gidi] *adj* svimmel; svimlende *(fx soar to ~ heights);* flygtig; letsindig, fjantet, kåd, pjanket, forfløjen, vilter; *vb* gøre (, blive) svimmel; *my ~ aunt* S nej da; ih, du store; *I feel ~* det løber rundt for mig; *play the ~ goat* være pjanket, fjolle, pjatte; *turn ~* blive svimmel.
Gideon ['gidiən].
Gielgud ['gi:lgud].
gift [gift] *sb* gave; talent, begavelse; T let opgave, ren foræring; *vb* begave; *the living is in his ~* han har retten til at besætte præstekaldet; ~ *of tongues* evne til at tale i tunger; sprognemme; *deed of* ~ gavebrev; *never look a ~ horse in the mouth* man skal ikke skue given hest i munden; *I would not have it as a ~* jeg ville ikke have det om jeg så fik det forærende.
gift book gavebog.
gifted ['giftid] *adj* (højt) begavet. **giftedness** *sb* begavelse.
gift| shop gavebod. ~ **token,** ~ **voucher** gavekort. ~ **-wrap** *vb* pakke ind som gave.
gig [gig] *sb* (tohjulet vogn; let båd) gig; (i tekstilfabr.) rumaskine.
gigantic [dʒai'gæntik] *adj* enorm, kæmpemæssig, gigantisk.
gigantism [dʒai'gæntizm] *sb* kæmpevækst.
giggle ['gigl] *vb* fnise; *sb* fnisen; *get the -s* få et anfald af fnisen. **giggler** *sb* grinebider. **giggly** *adj* fnisende, fjantet.
gig|lamps S briller. ~ **mill** rumaskine (i tekstilfabr).
gigolo ['ʒigəlou] *sb* gigolo.
gigot ['dʒigət] *sb* bedekølle; skinkeærme.
Gila monster ['hi:lə 'mɔnstə] *zo* gila, perlepude, gilamonster.
Gilbert ['gilbət]. **Gilchrist** ['gilkrist].
gild [gild] *vb* (regelmæssigt *el. gilt, gilt)* forgylde; ~ *the pill (fig)* indsukre pillen; (se også *lily); Gilded Chamber* Overhus; *-ed youth* jeunesse d'orée, overklasseungdom.
gilder ['gildə] *sb* forgylder. **gilding** ['gildiŋ] *sb* forgyldning.
I. gill [gil] *sb* gælle; kødlap under fugles næb, hagelap, halslap; lamel (på svamp); ribbe (til afkøling af maskine); (på person) underansigt; *green about the -s* bleg om næbbet; *rosy about the -s* rødmosset; *grease one's -s* gøre sig til gode; *lick one's -s* slikke sig om munden.
II. gill [gil] *sb* bjergkløft, elv.
III. gill [dʒil] *sb* rummål = 0,142 l., *(am)* 0,118 l.
IV. gill [gil] *vb* rense (fisk).
gill| cleft gællespalte. ~ **cover** gællelåg.

gillie ['gili] *sb* (højskotsk) tjener, jagtbetjent.
gill | **net** hildingsgarn, nedgarn. **~ slit** gællespalte.
gillyflower ['dʒiliflauə] *sb (bot)* gyldenlak; levkøj; nellike.
I. gilt [gilt] *sb* forgyldning; *zo* gylt (ung so).
II. gilt [gilt] *præt* og *pp* af *gild*.
gilt edge (på bog) guldsnit.
gilt-edged ['gilted3d] med guldsnit; **~** securities guldrandede papirer.
gilthead ['gilthed] *sb zo* dorade, guldbrasen.
gilt leather gyldenlæder.
gimbals ['dʒimbəlz] *sb pl (mar)* slingrebøjle; *mounted on (el. hung in)* **~** kardansk ophængt.
gimcrack ['dʒimkræk] *sb* flitterstads; snurrepiberi; *adj* tarvelig, uægte; skrøbelig, gebrækkelig.
gimlet ['gimlit] *sb* vridbor; *vb* bore; *with eyes like -s,* **~** *-eyed* med et gennemborende blik, skarpsynet, med stikkende øjne.
gimme ['gimi] **S** = *give me*.
gimmick ['gimik] *sb* **S** dims, dingenot; fidus, kneb, trick; smart (reklame)påfund, reklametrick; noget der skal give særpræg.
gimp [gimp] *sb* gimp (med metaltråd overspundet fiskesnøre); møbelsnor; *(am)* halten.
gimpy ['gimpi] *adj* haltende.
I. gin [dʒin] *sb* gin; *(hollands ~)* genever; **~** *and It* gin og (italiensk) vermouth.
II. gin [dʒin] *sb* (i tekstilfabr) egreneringsmaskine; (til fuglefangst) snare, done; *vb* egrenere; fange i snare.
III. gin [gin] (på skotsk) hvis; *(glds)* begynde.
ginger ['dʒin(d)ʒə] *sb* ingefær; rødgult; (om hårfarve) rødt; **T** liv, fart, fut; *adj* rødgul; rødhåret; *vb* sætte fart i; krydre med ingefær; **~** *up* sætte fart i, loppe op.
ginger| **ale,** **~** **beer** sodavand med ingefærsmag; ingefærøl.
-bread ingefærkage; *(omtr)* honningkage; *(fig)* konditorornamentik; kransekagearkitektur; *take the gilt off the -bread* tage glansen af det; *the gilt is off the -bread* glansen er gået af St. Gertrud. **~** *group* aktivistgruppe inden for et parti (, en forening *etc)*; idégruppe, initiativgruppe.
gingerly ['dʒindʒəli] *adj* forsigtig, varsom; *adv* forsigtigt, varsomt.
ginger| **nut** lille ingefærkage. **~** **pop** = **~** *ale.* **~** **snap** = **~** *nut.*
gingery ['dʒindʒəri] *adj* ingefær-; krydret; rødbrun; *(fig)* sprælsk; hidsig, irritabel.
gingham ['giɳəm] *sb* gingham, zefyr (stribet *el.* ternet bomuldstøj); **T** paraply, 'bomuldspeter'.
gingival [dʒin'dʒaivəl] *adj* tandkøds-.
gingivitis [dʒindʒi'vaitis] *sb (med.)* tandkødsbetændelse.
gingko ['giɳkou] *sb (bot)* gingkotræ.
ginglymus ['dʒiɳglimǝs] *sb (anat)* hængselled.
ginned-up ['dʒind'ʌp], **ginny** ['dʒini] *adj* **S** fuld.
gin palace beværtning.
ginseng ['dʒinseɳ] *sb (bot)* ginseng, kraftrod.
gin-sling ['dʒinsliɳ] *sb* en kold drik der indeholder gin.
Giovanni [dʒiə'va:ni]: *Don* **~** Don Juan.
gipsy ['dʒipsi] *sb* sigøjner; sigøjnersprog; *(am* **S)** = **~** *cab; adj* sigøjneragtig; *vb* strejfe om i det frie; gøre en udflugt på landet.
gipsy| **bonnet** **~** *hat.* **~** **cab** *(am* **S)** taxi uden bevilling, pirat. **~** **hat** hat med bred skygge. **~** **moth** *zo* løvskovsnonne. **-wort** *(bot)* sværtevæld.
giraffe [dʒi'ra:f] *sb* giraf.
girandole ['dʒirəndoul] *sb* armstage; ildhjul (fyrværkeri); ørenring.
I. gird [gə:d] *vb* (regelmæssigt *el. girt, girt)* *(glds el. poet)* omgjorde; omgive; indhegne; udstyre; **~** *oneself* omgjorde sig *(fig:* gøre sig rede); **~** *on one's armour* iføre sig sin rustning; **~** *at* håne; **~** *up one's loins* omgjorde sin lænd *(fig:* gøre sig rede).
II. gird [gə:d] *vb* hån; *vb:* **~** *at* håne.
girder ['gə:də] *sb* bærebjælke, drager.
girdle ['gə:dl] *vb* omgjorde, ombælte, omgive; omsejle; *sb* bælte; (dameundertøj:) hofteholder, roll-on, (let) korset; (af træ) barkring; se også *griddle*.
girl [gə:l] *sb* pige; **S** *(am)* kokain; *his (best)* **~** hans kæreste; *old* **~** gamle tøs. **girl**| **Friday** betroet privatsekretær. **-friend** veninde. **~** **graduate** kvindelig kandidat. **~** **guide** pigespejder.
girlhood ['gə:lhud] *sb* pigeår; *she had grown from* **~** *into womanhood* hun var fra pige blevet kvinde.
girlie ['gə:li] **T** pigebarn; *adj* tøset; **T** med letpåklædte *(el.* bare) piger i *(fx magazine, show)*.
girlish ['gə:liʃ] *adj* ungpigeagtig, pigelig, pige-.
girl scout *(am)* pigespejder.
Giro ['dʒaiərou] *sb* giro; **~** *transfer form* girokort, gireringskort.
girn [gə:n] *vb* (skotsk) snærre; klynke.
Girondist [dʒi'rɔndist] *sb (hist.)* girondiner.
girth [gə:θ] *sb* (bug)gjord; omfang; livvidde; *vb* omgjorde, lægge gjord om, omgive; måle omfanget af; *a tree 20 feet in* **~** et træ der måler 20 *eng* fod i omkreds.
girtline ['gə:tlain] *sb (mar)* bærejolle, takkeljolle.
gist [dʒist] *sb: the* **~** det væsentlige, kernen *(fx the* **~** *of the matter)*.
I. give [giv] *vb (gave, given;* se også *given)* give, forære, skænke; smitte med *(fx you have -n me your cold)*; volde *(fx trouble, pain);* (synke *etc)* give efter *(fx this mattress does not* **~** *much; the ice gave under me)*; vige *(fx no one would* **~** *an inch)*, bryde sammen *(fx finally the old bridge gave);* (om vejr) mildnes, tø; (med ord) beskrive; udtrykke *(fx it is -n in the following formula);* (om lyd:) udstøde *(fx a loud laugh, a cry, a sigh);* (om bevægelse:) **~** *a lurch* vakle, **~** *a start* fare sammen; *(am* **T): ~**! spyt ud; ud med sproget;

(forskellige *forb,* se også *battle, I. head, I. mind, I. notice, I. way etc)* **~** *him (best)* indrømme at han har vundet; erklære sig overvundet af ham; **~** *countenance to* opmuntre, støtte; **~** *sby good morning* sige godmorgen til en; **~** *it him!* på ham! giv ham en omgang! *I'll* **~** *it you* jeg skal gi' dig; **~** *a lecture* holde et foredrag; **~** *like for like,* **~** *tit for tat,* **~** *as good as one gets* give lige for lige, give svar på tiltale; **~** *sby a look* tilkaste en et blik; **~** *one's love (el. kind regards) to* sende venlig hilsen til; **~** *me good old Dickens, any day* næ må jeg så be' om Dickens; *don't* **~** *me that* kom ikke her med det sludder; å gå væk; **~** *my respects to your mother* hils Deres moder fra mig; **~** *us a song* syng en sang for os; *he gave a start* (også) det gav et sæt i ham; **~** *thanks* takke; **~** *a toast* udbringe en skål; *I* **~** *you the ladies!* skål for damerne; *I* **~** *you the mayor! (am* også, sagt af konferencier) må jeg præsentere borgmesteren for Dem; her er borgmesteren; *I* **~** *you that point in the argument* på det punkt indrømmer jeg De har ret; *I'll* **~** *you this, you are not lazy* du er ikke doven, det vil jeg indrømme dig *(el.* det må man lade dig);

(forb med *adv* og *præp :)* **~** *away* give bort *(el.* væk), forære væk; røbe, udlevere, melde; **~** *away the bride* være brudens forlover; **~** *away a chance* forspilde en chance; **~** *the game away* røbe hemmeligheden; **~** *away in marriage* bortgifte; **~** *oneself away* udlevere sig *(fig);* **~** *away the prizes* overrække præmierne; **~** *back* give tilbage, give igen, gengælde; vige tilbage; **~** *forth* = **~** *out;* **~** *in* opgive; indlevere, overrække; give efter *(to* for); **~** *in one's name* melde sig; **~** *into* føre til (om vej); **~** *off* udsende *(fx smoke, steam);* afgive *(fx heat);* **~** *on to* føre ud til; vende ud til, have udsigt til (om vindue *etc);* **~** *out* uddele; bekendtgøre, meddele; udbrede *(fx rumours);* udsende *(fx smoke, heat);* slippe op *(fx the food began to* **~** *out);* bryde sammen; **~** *out the hymns* nævne hvad salmer der skal synges; **~** *it out* that lade sig forlyde med at; **~** *oneself out to be* give sig ud for (at være); **~** *over* overlade; opgive (en vane); holde op (med); reservere *(to* til); *she gave herself* **to** *him* hun hengav sig til ham; **~** *up* opgive; holde op med; afgive, give afkald på, renoncere på, afstå; udlevere, overlade *(to* til); tilstå, bevillige; **~** *up the ghost* opgive ånden; **~** *sth up for lost* anse noget for redningsløst fortabt, opgive håbet om at få noget tilbage; **~** *oneself* **up** *to* hellige sig, hengive sig helt til, gå helt op i; give sig hen i *(fx despair);* **~** *oneself up to the police* melde sig til politiet; *my mind was given up to* mit sind var optaget af *(el.* opfyldt) af.

II. give [giv] *sb* elasticitet; eftergivenhed, villighed til at gå på kompromis; **~** *and take* gensidig imødekommenhed; noget for noget.

giveaway ['givəwei] *sb* blottelse, afsløring; vareprøve (der gives væk som reklame), reklamepakke; *adj* (om TV-program *etc)* med præmieuddeling.

given ['givn] *(pp* af *give); * givet, forudsat; tilbøjelig, forfalden *(to* til); *be ~ to drink* være fordrukken; *be ~ over to evil courses* føre et slet levned; *~ good health he will be able to do it* forudsat han er rask vil han kunne gøre det; *~ name (am)* fornavn.

gizzard ['gizəd] *sb* (hos fugle) kråse; (hos visse andre dyr) mave; *it frets my ~* det ærgrer mig; *it stuck in his ~* det faldt ham for brystet.

Gk. *fk Greek.*

glabrous ['gleibrəs] *adj* glat, skallet, hårløs.

glacé ['glæsei] *adj* glacé-; glaseret.

glacial ['gleisjəl, -ʃl] *adj* krystalliseret; is-; iskold *(fx air, calm); ~ era (el. period)* istid; *a ~ look* et isnende blik.

glaciated ['gleisieitid] *adj* isdækket.

glaciation [glæsi'eiʃən] *sb* gletscherdannelse; is.

glacier ['glæsjə; *am:* 'gleiʃə] *sb* bræ, gletscher.

glacis ['glæsi(s)] *sb* glacis (skråning foran fæstningsværk).

glad [glæd] *adj* glad, fornøjet; *I am ~ to hear it* det glæder mig at høre det; *I am ~ of it* det glæder mig, jeg er glad for det; *I shall be ~ to come* jeg glæder mig til at komme; *give sby the ~ eye* S skyde med en; *give sby the ~ hand (am)* S stikke en på næven, hilse overstrømmende hjerteligt på en; give én en overstrømmende velkomst; *~ news* glædelig efterretning; *~ rags* S stadstøj, bedste tøj, kisteklæder.

gladden ['glædn] *vb* glæde.

glade [gleid] *sb* lysning, skovslette.

glad-hand ['glædhænd] *vb* stikke på næven, hilse overstrømmende hjerteligt på.

gladiate ['glædiit] *adj* sværdformet.

gladiator ['glædeitə] *sb* gladiator.

gladiatorial [glædiə'tɔ:riəl] *adj* gladiatoragtig.

gladiolus [glædi'ouləs] *sb (pl gladioli* [-lai]) *(bot)* gladiolus.

gladly ['glædli] *adv* med glæde, gerne.

gladness ['glædnis] *sb* glæde.

Gladstone ['glædstən]: *~ bag* håndkuffert, rejsetaske.

glair [glɛə] *sb* æggehvide; lim; *vb* bestryge med æggehvide.

glaive [gleiv] *sb (poet)* glavind, sværd.

glamorize ['glæməraiz] *vb* omgive med et strålende *(el. romantisk)* skær *(fig); * forherlige.

glamorous ['glæmərəs] *adj* betagende, fortryllende, blændende.

glamour ['glæmə] *sb* fortryllelse, glans, glamour; trylleskær; trolddom, blændværk; *vb* fortrylle; *~ girl* feteret (films)skønhed, glamour girl.

glance [gla:ns] *sb* øjekast, blik; glimt *(glds)* hentydning, antydning; (i mineralogi) glans; *vb* se, kikke; glimte; *at a ~*, *at the first ~* ved første øjekast; straks; *take (el. cast) a ~ at*, *~ at* se flygtigt på, kigge på; *(fig)* hentyde til, strejfe, berøre flygtigt; *~ aside*, *~ off* prelle af, glide af; *catch a ~ of* få et glimt af; *~ over (el. through)* kigge igennem.

gland [glænd] *sb* kirtel.

glandered ['glændəd] *adj* snivet. **glanders** ['glændəz] *sb pl* snive (sygdom hos heste).

glandular ['glændjulə] *adj* kirtel-; *~ fever* kirtelfeber, (især:) mononukleose.

I. glare [glɛə] *vb* skinne, blænde, udsende et blændende *(el. skarpt* lys); (om farver *etc)* være afstikkende, glo; (om person) stirre, glo, se skarpt *(at* på).

II. glare [glɛə] *sb* blændende *(el. skarpt)* lys, skin; gennemborende *(el.* olmt) blik; *in the full ~ of publicity* i fuld offentlighed, i offentlighedens søgelys.

glaring ['glɛəriŋ] *adj* blændende; gloende, stirrende; skrigende, skærende, afstikkende, grel; *a ~ blunder* en grov fejl; *a ~ contrast* en skrigende modsætning.

Glasgow ['gla:sgou, 'glæs-].

glass [gla:s] *sb* glas; timeglas; spejl *(fx look at oneself in the ~); * rude; glasting, glasservice; kikkert, lorgnet; barometer *(fx the ~ is falling); * termometer; *adj* glasagtig, glas-; *vb* sætte glas *(el.* ruder) i; dække med glas; spejle; *-es* (også) kikkert, briller; broken ~ glasskår; *a ~ of wine* et glas vin; *he is fond of his ~* han holder meget af at få sig et glas; *grown under ~* dyrket i drivhus.

glass|blower glaspuster. *~ case* glasklokke, montre, glas-

skab. *~ cloth* glasstykke; glaslærred. *~ -covered: ~ -covered bookcase* bogskab. *~ cutter* glassliber, glasskærer; *(værktøj:)* glasskærer, glasdiamant. *~ eye* glasøje. *-ful* glas; *a -ful of* gin et glas gin. **-house** glasværk; glasudsalg; vinterhave, drivhus; S vagtarrest; *those who live in -houses* should not throw stones man skal ikke kaste med sten, når man selv bor i et glashus.

glassine [gla:'si:n; glæ-] *sb* pergamyn.

glass|man glashandler, glarmester. *~ paper* glaspapir, sandpapir. **-ware** glasvarer, glassager. *~ wool* glasuld. **-work** glasarbejde, glasvarer; *-works* glasværk. **-wort** salturt.

glassy ['gla:si] *adj* glasagtig; spejlblank; spejlklar; (om øjne) udtryksløse, stive, glasagtige.

Glaswegian [glæs'wi:dʒiən] *sb* indbygger i Glasgow; *adj* Glasgow'sk.

Glauber ['glɔ:bə]; *-'s salt* glaubersalt.

glaucoma [glɔ:'koumə] *sb (med.)* grøn stær.

glaucous ['glɔ:kəs] *adj* blågrøn; dækket af blålig 'dug' (som blommer og druer); *~ gull* gråmåge.

glaze [gleiz] *vb* sætte glas i, sætte ruder i; give en glat, blank overflade; polere; (i keramik og madlavning) glasere; (om maleri) lasere (lægge gennemsigtig farve over); (om papir) glitte; (om øjne) få et glasagtigt udtryk, briste; *sb* glasur; glasering; politur; glans; lasering, *(am)* isslag. **glazed** [gleizd] *adj* med glas i; poleret *(etc, cf glaze); * blank, skinnende; (om øjne) udtryksløse, glasagtige, (hos en død) brustne; *~ onions* glaserede løg; *~ paper* glanspapir, satineret papir; *~ starch* glansstivelse.

glazer ['gleizə] *sb* glaserer, polerer *etc (cf glaze); * polerskive.

glazier ['gleiziə, 'gleiʒə] *sb* glarmester, (i keramik) glaserer; *you father wasn't a ~!* din fader er ikke glarmester; du er ikke gennemsigtig.

glazing ['gleiziŋ] *sb* glarmesterarbejde; glasering *etc* (se *glaze); * glasur; lasur(farver); *~ bar* (vindues)sprosse.

G L C *fk Greater London Council.*

gleam [gli:m] *sb* glimt *(fx of humour); * skær; lys; stråle; lynstråle; *vb* stråle, lyse, funkle, glimte; lyne. **gleamy** ['gli:mi] *adj* glimtende, funklende.

glean [gli:n] *vb* sanke *(fx* aks), indsamle; opsamle; samle sammen lidt efter lidt; erfare; bemærke; eftersankning; efterhøst; *what did you ~ from them?* hvad fik du ud af dem? **gleaner** *sb* eftersanker; indsamler. **gleaning** ['gli:niŋ] *sb* sankning; indsamling; *-s* kundskaber (, stof) man har samlet lidt efter lidt.

glebe [gli:b] *sb* præstegårdsjord.

glee [gli:] *sb* lystighed, glæde, munterhed; sang (sunget af tre eller flere solostemmer).

glee club sangforening.

gleeful ['gli:ful] *adj* glad, lystig; glædelig.

gleg [gleg] *adj* (skotsk) kvik, opvakt, hurtig i vendingen.

glen [glen] *sb* (skotsk) bjergkløft, fjelddal.

glengarry [glen'gæri] *sb* skottehue (skråhue).

glib [glib] *adj* glat, facil, mundrap; *~ speech* (lidt for) flydende tale; *have a ~ tongue, talk -ly* tale med (lidt for) stor tungefærdighed; have en glat tunge.

glide [glaid] *vb* glide, svæve; *(flyv)* bevæge sig i glideflugt; *(fig)* liste, snige sig; *sb* gliden, svæven; glideflugt; (i musik) glidetone; *(fon)* glidelyd.

glide | path *(flyv)* glidevej (nedstyringslinje). *~ path* beacon (radar:) glidevejsfyr. *~ path beam* (radar:) ledestråle til fastlæggelse af glidevej.

glider ['glaidə] *sb* svæveplan; *~ pilot* svæveflyver.

glim [glim] *sb* S lys, lampe; *douse the ~* slukke lyset.

glimmer ['glimə] *vb* skinne mat, glimte, flimre; *sb* glimten, flimren; svagt lys; *(fig)* antydning; anelse; svagt glimt *(fx of hope).*

glimpse [glim(p)s] *sb* glimt; flygtigt blik; *vb* se flygtigt, få et glimt af, skimte; *~ at* kaste et flygtigt blik på; *catch a ~ of* se et glimt af; skimte.

glint [glint] *sb* glimt, blink; skær; *(i* øjnene:) ondskabsfuldt *el.* farligt) skær *el.* glimt; *vb* glimte, funkle; (om øjne) have et ondskabsfuldt *el.* farligt skær *el.* glimt; skinne.

glissade [gli'sa:d, -'seid] *vb* glide; (ved bjergbestigning) lade sig glide (ned over sneklædt bjergside); (i dans) udføre glissade; *sb* gliden; glissade.

glisten ['glisn] *vb* glinse, funkle, skinne.

glitter ['glitə] *vb* glitre, glimre, stråle; funkle; *sb* glitren, glans; *all that -s is not gold* det er ikke guld alt der glimrer; *-ing promises* gyldne løfter.

gloaming ['gloumiŋ] *sb* (skotsk) skumring, tusmørke.

gloat [glout] *vb* fryde sig, gotte sig, hovere, være skadefro *(over el. on* over).

global ['gloubl] *adj* global, verdensomfattende.

globe [gloub] *sb* kugle; klode; globus; rigsæble; glaskugle; lampekuppel; guldfiskeglas; *(mar)* (sømærke:) ballon; *the* ~ verden; ~ *of the eye* øjeæble.

globe| **fish** *zo* kuglefisk. **-flower** engblomme. **-trotter** globetrotter.

globose ['gloubous] *adj* kugleformet.

globosity [glou'bɔsiti] *sb* kugleform.

globule ['glɔbju:l] *sb* lille kugle; dråbe, perle *(fig) (fx -s of fat, -s of sweat)*.

glomerate ['glɔmərit] *adj* viklet sammen; nøgleformet.

glomerule ['glɔmɔru:l] *sb (bot)* nøgle; *(anat)* glomerulus.

gloom [glu:m] *sb* mørke; tungsindighed, tristhed; *(am* **T)** trist person, lyseslukker; *vb (poet)* formørke; se mørk ud; formørkes.

gloomy ['glu:mi] *adj* mørk, dyster; (om person) tungsindig, trist, nedtrykt.

glorification [glɔ:rifi'keiʃən] *sb* forherligelse; lovprisning; *(rel)* forklarelse.

glorify ['glɔ:rifai] *vb* forherlige; lovprise; kaste glans over, glorificere; *(rel)* forklare; *(fig)* give et finere navn; *the hotel is only a glorified boardinghouse* hotellet er kun et bedre pensionat.

glorious ['glɔ:riəs] *adj* herlig, strålende, storartet; ærefuld, berømmelig.

glory ['glɔ:ri] *sb* ære, hæder; glans, herlighed, pragt; stolthed *(fx her hair was her* ~ *)*; glorie; *vb* glæde sig, være stolt; *in all his* ~ i al sin herlighed; *on the field of* ~ på ærens mark; *go to* ~ dø; *send to* ~ dræbe; *he is in his* ~ han er rigtig i sit es; ~ *in* sætte en ære i, være stolt *(el.* vigtig) af, fryde sig ved.

glory-hole (lille) pulterkammer, rodeskuffe; rodeskab; (i glasfabr) anfangshul; indvarmningsovn.

Glos. *fk Gloucestershire.*

I. gloss [glɔs] *sb* glans; *(neds)*. skin, skær; *vb* give glans, give en overfladisk glans; ~ *(over)* besmykke, dække over *(fx one's faults)*.

II. gloss [glɔs] *sb* glos(s)e, note, kommentar, anmærkning, forklaring; *(neds)* vildledende forklaring, snedig fordrejelse.

III. gloss [glɔs] *vb* kommentere; *(neds)* lægge en anden betydning i, bortforklare.

glossarist ['glɔsərist] *sb* kommentator.

glossary ['glɔsəri] *sb* glosar.

glossematic [glɔsi'mætik] *adj* glossematisk.

glossematics *sb* glossematik.

glosseme ['glɔsi:m] *sb* glossem.

glossiness ['glɔsinis] *sb* blankhed, glathed; glans.

glossy ['glɔsi] *adj* skinnende, blank, blankslidt, glat; prangende; *sb* dameblad, ugeblad, magasin med blankt farvestrålende omslag; ~ *paper* glanspapir.

glost | **firing** (i porcelænsfabr) blankbrænding. ~ **oven** blankovn. **-ware** blankbrændt porcelæn.

glottal ['glɔtl] *adj:* ~ *stop* stød (i sprog).

glottis ['glɔtis] *sb (anat)* stemmeridse.

Gloucester ['glɔstə] (stednavn); ost fra Gloucestershire; *double* ~ særlig fed ost fra G.

glove [glʌv] *sb* handske; *vb* give handske på; *hand in* ~ *with,* se I. *hand; excuse my* ~ *!* undskyld at jeg beholder handsken på! *fit like a* ~ passe som hånd i handske; *take off the -s to him, handle him without -s* ikke tage med fløjlshandsker *(fig),* ikke lægge fingrene imellem; *attack the problem with -s off* gå lige til sagen; *throw down the* ~ kaste sin handske (ɔ: udfordre); *take up the* ~ tage handsken op (ɔ: modtage udfordringen).

glove | **box** handskekasse (til behandling af fx radioaktivt materiale). ~ **compartment** handskerum.

glover ['glʌvə] *sb* handskemager.

glove stretcher handskeblok.

glow [glou] *vb* gløde; *sb* glød, rødme; skær; (behagelig) varme; *(fig)* glød, iver; *be all in a* ~ være (dejlig) varm;

~ *with health* strutte af sundhed.

glow discharge glimudladning.

glower ['glauə] *vb* stirre vredt, skule, glo; *sb* fjendtlig stirren, skulen.

glowing ['glouiŋ] *adj* glødende; blussende *(fx cheeks); (fig)* begejstret *(fx he described it in* ~ *terms);* ~ *with happiness* glædestrålende.

glow lamp glødelampe; *negative* ~ glimlampe.

glowworm ['glouwə:m] *sb zo* st. hansorm.

gloxinia [glɔk'sinjə] *sb zo (bot)* gloxinia.

gloze [glouz] *vb:* ~ *over* bortforklare, besmykke.

glucose ['glu:kous] *sb* glykose, druesukker.

glue [glu:] *sb* lim, klister; *vb* lime; (også *fig)* klæbe, klistre.

gluey ['glu:i] *adj* limagtig, klæbrig.

glum [glʌm] *adj* nedtrykt, mut, mørk, trist.

glume [glu:m] *sb* avne.

glut [glʌt] *sb* overflod; *vb* (over)mætte, overfylde; ~ *the market* oversvømme markedet; ~ *oneself with* forspise sig i.

gluten ['glu:tən] *sb* gluten (proteinstof i korn). **gluten bread** glutenbrød.

glutinous ['glu:tinəs] *adj* klæbrig.

glutton ['glʌtn] *sb* grovæder, frådser, slughals; *zo* jærv; *a* ~ *for work* en hund efter arbejde.

gluttonize ['glʌtənaiz] *vb* æde grådigt, frådse.

gluttonous ['glʌtənəs] *adj* grådig, forslugen.

gluttony ['glʌt(ə)ni] *sb* grådighed, forslugenhed; frådseri.

glycerin(e) [glisə'ri:n] *sb* glycerin.

glycol ['glaikɔl] *sb (kem)* glykol.

glyptic ['gliptik] *adj* glyptisk, vedrørende stenskærerkunst.

G. M. *fk Grand Master.*

gm. *fk gramme.*

G-man ['dʒi:mæn] *(am) fk Government man* medlem af statspolitet; kriminalbetjent.

G. M. B. *fk Grand Master of the Bath; good merchantable brand.* **G. M. M. G.** *fk Grand Master of St. Michael & St. George.*

G. M. T. *fk Greenwich Mean Time.*

gnarled ['na:ld], **gnarly** ['na:li] *adj* knastet, knudret, kroget.

gnash [næʃ] *vb:* ~ *one's teeth* skære tænder; *weeping (el. wailing) and -ing of teeth* gråd og tænders gnidsel.

gnat [næt] *sb zo* myg.

gnaw [nɔ:] *vb* gnave; nage.

gneiss [nais] *sb (geol)* gneiss.

I. gnome [noum] *sb* gnom, jordånd, bjergånd; dværg; *(fig)* hæslig mandsling; *the -s (of Zurich)* internationale valutaspekulanter hvis manipulationer hævdes at være skyld i Englands økonomiske vanskeligheder.

II. gnome [noumi] *sb* tankesprog, sentens, aforisme.

gnomic ['noumik] *adj* aforistisk.

gnomon ['noumɔn] *sb* viser på solur.

gnostic ['nɔstik] *adj* gnostisk; *sb* gnostiker.

G N P *fk gross national product.*

gnu [nu:] *sb zo* gnu.

I. go [gou] *vb (went gone)* (se også *going, gone)* rejse, begive sig, tage *(fx* ~ *to England;* ~ *on foot)*; gå *(fx this train -es to London; don't* ~ *yet)*; afgå *(fx the train has just gone);* forsvinde *(fx the clouds have gone),* knække, gå overbord *(fx the mast went),* gå i stykker *(fx the clutch has gone),* gå rabundus, krakke *(fx the bank may* ~ *any day);* dø; forløbe, gå *(fx how did the play* ~ *? everything went better than I expected);* være *(fx* ~ *armed);* blive *(fx* ~ *mad);* blive solgt, gå *(fx he let his house* ~ *too cheap);* lyde *(fx this is how the tune -es),* sige *(fx the clock -es tick-tock tick-tock);* kunne være *(fx the luggage won't* ~ *in the car),* blive anbragt, have sin plads *(fx where is this carpet to* ~ *?);* skulle til, være nødvendig *(fx all the things that* ~ *to rig out a ship);* gælde *(fx what he says -es);* (i kortspil) melde *(fx* ~ *two spades);*

(forskellige forbindelser:) *don't* ~ **and** ... gå nu ikke hen og ...; **anything** *-es* alt er tilladt; *it is a good house* **as** *houses* ~ nowadays det er et godt hus når man tager i betragtning hvordan huse ellers er nu om dage; ~ *fishing,* ~ *out fishing* tage ud og fiske; *he -es frightening people* han går og forskrækker folk; ~ *hunting, (glds)* ~ *ahunting* gå på jagt; ~ *it* handle energisk, klemme på, mase på; leve flot, flotte sig; fare afsted; ~ *it alone* klare det på egen hånd; ~ *metric* gå over til metersystemet; *it* **must** ~ det må forsvinde, det må afskaffes; *who -es there?* hvem der? *two in four -es twice* to i fire er to; ~ *a long* **way** slå godt til; *a little of him -es a long way* ham får man hurtigt nok af; ~ *a long way towards* bidrage meget til; *the money -es only a little way* der er ikke forslag i pengene; ~ *a great* **way** have stor indflydelse; *(forb med præp og adv)* ~ **about** gå omkring, løbe om; *(mar)* stagvende; ~ *about sth* tage fat på noget, give sig i lag *(el.* kast) med noget; ~ *about it in the right way* gribe det rigtigt an; ~ *about one's business* passe sine sager; ~ **after** være ude efter; *it -es* **against** *my principles* det er i strid med *(el.* strider mod) mine principper; ~ *ahead, se 'ahead;* ~ **along** gå bort, gå videre; ~ *along!* af sted med dig! det mener du ikke! å gå væk! *as you* ~ *along* efterhånden; undervejs; langs ad vejen; ~ *along with* gå med; følge (på vej); høre sammen med; være enig med, tilslutte sig; ~ *along with you!* = ~ *along!* ~ **around** cirkulere; nå rundt, være nok til alle; ~ *astray,* se *astray;* ~ **at** gå løs på, overfalde, angribe; gå i gang med, tage fat på; ~ **away** tage af sted; *I am -ing away for my holidays* jeg skal rejse i ferien; ~ **back on** svigte, bryde *(fx a promise),* forlade *(fx a principle);* ~ *back on a friend* forråde en ven; ~ *back on one's word* ikke holde sit ord; ~ *before* gå forud for; ~ **behind** undersøge nøjere, granske; ~ **between** gå imellem; være mellemmand mellem; mægle; ~ **beyond** overskride, gå ud over;

~ **by** gå forbi; gå hen, gå (om tiden); gå efter, rette sig efter, dømme efter; *that's a safe rule to* ~ *by* det er en regel man trygt kan rette sig efter; ~ *by the name of* gå under navnet, hedde; ~ *by train* tage *(el.* rejse) med toget; *in times gone by* i svundne tider;

~ **down** synke; gå ned (om solen *etc);* gå under (om skib); styrte ned (om fly); gå i gulvet (om bokser); falde (i pris); falde (politisk); lægge sig (om vind); forlade universitetet; glide ned (blive spist); vinde bifald, vinde tiltro, »glide ned«; blive husket; ~ *down in the world* blive deklasseret; ~ *down on one's knees* falde på knæ, knæle; *the account -es down to 1970* beretningen går helt til *(el.* er ført op til) 1970; *he will* ~ *down to history (el.* posterity) *as a traitor* han vil gå over i historien som en forræder; *that won't* ~ *down with him* det finder han sig ikke i; den tror *(el.* T: hopper) han ikke på; ~ *down well with* vinde bifald hos, blive vel modtaget af; ~ **far** slå godt til; (om person) blive til noget, drive det vidt *(fx he will* ~ *far);* he is far gone, se gone; *as far as it -es* for så vidt *(fx that is true as far as it -es); as far as that -es* hvad det angår; ~ **fast** leve flot; ~ **for** gå efter, prøve på at få; angribe, fare løs på, falde over; regnes for, gå for, sælges til; gå ind for, være en tilhænger af, kunne lide; *all his toil went for nothing* al hans slid var forgæves *(el.* spildt); *and that -es for him too* og det gælder også ham; ~ *for a walk* gå en tur; ~ *further,* se *further* og II. *fare;* ~ **in** indtræffe (om efterretning); ~ *in and win!* gå på! klem på! ~ *in for* give sig af med; lægge sig efter, befatte sig med; stræbe efter; gå ind for, støtte; ~ *in for a competition* melde sig til en konkurrence; ~ *in for an examination* indstille sig (, gå op) til en eksamen; ~ *in for dress* lægge stor vægt på sin påklædning; ~ *in for money* søge at tjene mange penge; ~ *in for sport* dyrke sport; ~ **into** *business* blive forretningsmand; ~ *into effect* træde i kraft; ~ *into a fit of laughter* få et latteranfald; *2 -es into 4* 2 går op i 4; *I shall* ~ *into the matter* jeg skal undersøge sagen; ~ *into mourning* anlægge sorg; ~ *into partnership with sby* gå i kompagni med en; *all your things won't* ~ *into this trunk* alle dine sager kan ikke være i den kuffert; *I don't want to* ~ *into that* det ønsker jeg ikke at komme nærmere ind på; *all the time he was speaking he went* **like** *this* medens han talte gjorde han hele tiden sådan (udtalelsen ledsages af illustrerende gestus eller mimik); ~ **near** være sig; være i begreb med; gå til hjertet; *I never went near his house* jeg har aldrig sat mine ben i hans hus;

~ **off** finde afsætning; gå af (om skydevåben); eksplodere; stikke af; blive ringere; (om kød) få en tanke, (om mælk) blive sur; falde i søvn, miste bevidstheden; gå, forløbe *(fx the performance went off well);* ~ *off gold* gå

fra *(el.* forlade) guldet; *Hamlet -es off* H. (går) ud; ~ *off one's head* T blive skør; ~ *off (to sleep)* falde i søvn; ~ *off with one's tail between one's legs* stikke halen mellem benene *(fig); Jonas has gone off with a friend's wife* J. er stukket af med en vens kone;

~ **on** fortsætte, drage videre, tage videre, gå videre; gå for sig, foregå *(fx what's -ing on here?);* blive ved, fortsætte; gå over *(to* til); opføre sig, skabe sig *(fx don't* ~ *on like that);* gå efter, støtte sig til *(fx the only evidence we have to* ~ *on);* ~ *on* fortsæt! å, gå væk! å, lad være! rend og hop! ~ *on about* skælde ud over; ~ *on at* skælde ud på; *all his money -es on books* alle hans penge går til bøger; ~ *on for* nærme sig *(fx he is -ing on for fifty, it is -ing on for five o'clock);* klare sig med hensyn til *(fx how do they* ~ *on for food?);* ~ *on horseback* ride; ~ *on in that way* bære sig sådan ad, tage sådan på vej; ~ *on one's knees* falde på knæ; ~ *on the stage* gå til scenen; ~ *on strike* gå i strejke; *he went on to describe the journey* han gik over til *(el.* fortsatte med) at beskrive rejsen; *he went on to say that …* han sagde dernæst *(el.* videre) at *…*; *she does not* ~ *on until Act two* hun kommer først på scenen i anden akt; *I must* ~ *on upon my journey* jeg må fortsætte min rejse;

~ **out** gå ud (også om lys *etc.);* gå af mode; dø; (om minister) gå af; (om arbejdere) gå i strejke; (om pige) få plads, tage arbejde; (om tidsrum) slutte; *Labour has gone out* arbejderpartiet er ikke længere ved magten; ~ *all out for,* se *all; our hearts went out to them we heart;* ~ *out of one's mind* gå fra forstanden; ~ *out of one's way to* gøre sig den ulejlighed at; gøre sig særlig umage for at; ~ **over** læse igennem, gennemgå; bese *(fx they went over the school),* undersøge; prøve *(fx let us* ~ *over the last act);* ~ *over (big)* T gøre lykke; *there is enough food to* ~ **round** der er mad nok til at det kan nå rundt; ~ *round to see him* gå hen for at besøge ham;

~ **through** gå igennem; gennemgå; undersøge nøje; bortødsle; *the book went through five editions* fem oplag af bogen blev udsolgt, bogen gik i fem oplag; ~ *through with it* gennemføre det; ~ **to!** *(glds)* nåda! kom! nej hør nu! ~ *to live in another town* flytte til en anden by; *I don't know where the money -es to* jeg ved ikke, hvor pengene bliver af; ~ *to pieces* gå i stykker, forfalde; bryde sammen; *I won't* ~ *to the price of it* så meget vil jeg ikke spendere; *the first prize went to Mr. Brown* hr. Brown fik *(el.* vandt) førstepræmien; *the property went to his son* sønnen arvede ejendommen; ~ *to see* besøge; *that -es to show (el.* prove) *that* det viser *(el.* beviser) at; *he went to great trouble to prove it* han gjorde sig stor umage for at bevise det; *the song -es to this tune* sangen går på den melodi; ~ **together** gå sammen, følges ad; passe sammen, stemme overens;

~ **under** gå under, bukke under, blive ødelagt; gå til bunds; ~ **up** gå op, stige; springe *(el.* ryge) i luften, blive ødelagt; *he went up to Oxford* han begyndte at studere ved universitetet i Oxford; *new houses are -ing up everywhere* nye huse bliver opført *(el.* skyder op) overalt; ~ **west** S forsvinde; falde, blive dræbt; ~ **with** ledsage; følge, være enig med; følge med *(fx the cupboards went with the house);* passe *(el.* stå) til; T gå med (om forelskede); ~ *well with* (om farve) stå godt til; *fish does not* ~ *well with tea* fisk og te passer ikke godt sammen; ~ **without** undvære, klare sig uden; *that goes without saying* det følger af sig selv, det siger sig selv.

II. go [gou] *sb* hændelse, affære, historie *(fx it was a rum* (sær) ~), redelighed *(fx here's a fine* ~*!);* energi, fart, appel, gåpåmod *(fx he is full of* ~*);* forsøg, chance; omgang; *adj (am)* parat; *(mht* raket) i orden *(fx all the systems are* ~*);* *that's all (el.* quite) *the* ~ det er stærkt på mode; *it was a* ~ *(am)* det lykkedes; *I read the book at one (el.* at a*)* ~ jeg læste bogen i et stræk; *have a* ~ gøre et forsøg; *have a* ~ *at* forsøge (sig med); *make a* ~ *of it (am)* have held med sig; *it was a near* ~ det var på et hængende hår, det var nær gået galt; *it is no* ~ det duer ikke, den går ikke, der er ikke noget at gøre; *be on the* ~ være i aktivitet; *he is always on the* ~ (også) han har bisselæder i skoene; *from the word* ~ T lige fra begyndelsen.

goad [goud] *sb* pigstav, brod; *(fig)* spore; *vb* drive fremad med pigstav; *(fig)* ophidse; anspore, ægge; ~ *sby into fury* drive en til raseri; *he was -ed by hunger into stealing* sulten drev ham til at stjæle.

go-ahead ['gouǝhed] *adj* fremadstræbende, energisk; *sb* startsignal, 'grønt lys'.

goal [goul] *sb* mål; *keep* ~ stå på mål; *reach one's* ~ nå sit mål; *score (el. make) a* ~ lave mål.

goal area målfelt.

goalie ['gouli] *sb* T målmand.

goal|keeper målmand. ~ **kick** målspark. ~ **line** mållinje. **-post** målstang.

go-as-you-please *adj* planløs, tilfældig, på må og få, på bedste beskub, vilkårlig; ~ **ticket** *(omtr)* partoutkort, ugebillet (til busser i London).

goat [gout] *sb* ged; liderlig person; *(am S)* syndebuk; *get sby's* ~ gøre en vred, irritere en; *separate the sheep from the -s* skille fårene fra bukkene.

goatee [gou'ti:] *sb* fipskæg.

goatherd ['gouthǝ:d] *sb* gedehyrde.

goatish ['goutiʃ] *adj* bukkeagtig; vellystig, liderlig.

goat| **moth** *zo* træborer. **-skin** gedeskind. **-sucker** *zo* natravn. ~ **willow** *(bot)* sieljepil.

gob [gɔb] *sb* klump; spytklat; S mund, flab, kæft; *(am* S) marinesoldat, sømand.

gobbet ['gɔbit] *sb* T tekststykke i eksamensopgave; *(glds)* stykke *(fx* kød), luns, mundfuld, klump.

gobble ['gɔbl] *vb* sluge begærligt, hugge *(el.* guffe) i sig; (om kalkun) pludre.

gobbledegook ['gɔbldigu:k] *sb* T højtravende officiel stil, kancellistil.

gobbler ['gɔblǝ] *sb* kalkunsk hane.

gobelin ['goubǝlin, 'gɔbǝlin] *sb* gobelin.

go-between ['goubitwi:n] *sb* mellemmand, mægler; ruffer.

goblet ['gɔblit] *sb* vinglas (på fod); *(glds)* bæger, pokal.

goblin ['gɔblin] *sb* trold, nisse.

goby ['goubi] *sb* zo kutling.

go-by ['goubai] *sb* T: *give him the* ~ lade som om man ikke ser ham, lade som om han er luft; undgå ham.

go-cart ['gouka:t] *sb* gangkurv; promenadevogn, klapvogn; trækvogn; se også *go-kart.*

god [gɔd] *sb* gud; *the gods* (de der sidder på) galleriet (i teatret); *God Almighty* den almægtige (Gud); *God bless her!* Gud velsigne hende! *God forbid!* det Gud forbyde! *God willing* om Gud vil; *I wish to God, would to God, God grant it!* Gud give! *God knows* Gud ved (ɔ: vi ved ikke); Gud skal vide (ɔ: det er sikkert); *a sight for the gods* et syn for guder; *thank God* Gud være lovet; *God's truth* den rene sandhed; *ye gods (and little fishes)!* ih du forbarmende!

god|child gudbarn. **-damn** *adj* fordømt, fandens. **-daughter** guddatter. **-dess** gudinde. **-father** gudfader; *be -father to* stå *(el.* være) fadder til. **-fearing** *adj* gudfrygtig. **-forsaken** gudsforladt; ryggesløs. **-given** himmelsendt. **-head** guddom(melighed). **-less** gudløs. **-like** guddommelig.

godliness ['gɔdlinis] *sb* gudfrygtighed; *cleanliness is next to* ~ *(omtr)* renlighed er en god ting.

godly ['gɔdli] *adj* gudfrygtig, gudelig; *(glds)* guddommelig.

godmother ['gɔdmʌðǝ] *sb* gudmoder.

godown ['goudaun] *sb* pakhus.

godparent ['gɔdpɛǝrǝnt] *sb* gudfader, gudmoder.

God's acre kirkegård.

godsend ['gɔdsend] *sb* uventet held; *it was a* ~ det kom som sendt fra himlen.

godson ['gɔdsʌn] *sb* gudsøn.

godspeed ['gɔd'spi:d] *(glds)* lykke på rejsen!

godwit ['gɔdwit] *sb* zo kobbersneppe.

goer ['gouǝ] *sb* gående; fodgænger; *comers and -s* ankommende og afrejsende; *he is a poor* ~ han er ikke god til at gå; *this horse is a good* ~ denne hest går godt.

goffer ['goufǝ] *vb* gaufrere (påføre mønster på tøj, papir); *(bogb)* ciselere; *sb* gaufrering.

go-getter ['gougetǝ] *sb* S gåpånatur, stræber, smart (forretnings)mand. **go-getting** *adj* foretagsom, emsig, entreprenant.

goggle ['gɔgl] *vb* rulle med øjnene, stirre med vidtopspilede eller udstående øjne; måbe; *sb* måbende stirren.

goggle-eyed ['gɔglaid] *adj* med udstående øjne.

goggles ['gɔglz] *sb pl* automobilbriller, S briller; 'brille-

---

slange'; (hos får) drejesyge.

goglet ['gɔglit] *sb* vandkøler.

Goidelic [gɔi'delik] *sb, adj* gælisk.

I. going ['gouiŋ] *adj* gående *osv;* i gang; til at få *(fx is there any tea* ~? *I'll take whatever is* ~); som findes, som er til *(fx the greatest rascal* ~); *let us be* ~ lad os komme af sted; *be* ~ *to* være i begreb med at, skulle til at; *I am* ~ *to read* jeg skal til at læse, jeg vil læse nu; *I am not* ~ *to tell him* jeg vil ikke sige ham det; *where are you* ~? hvor skal du hen? ~ *concern* igangværende virksomhed; *get* ~ sætte sig i bevægelse; ~, ~, *gone* (ved auktion) første, anden, tredje gang; *still* ~ *strong* stadig i fuld vigor.

II. going ['gouiŋ] *sb* gang, afrejse; *(fx om vej)* føre *(fx the* ~ *is good, the* ~ *is bad); -s* gerninger; færd; *stop while the* ~ *is good* holde op mens legen er god *(el.* mens tid er); *70 miles an hour is pretty good* ~ 70 miles i timen er en helt pæn fart; *the* ~ *was very hard and difficult over the mountain roads* bjergvejene var overordentlig vanskelige at passere.

goings-on ['gouiŋz'ɔn] *sb pl* leben; *pretty* ~! sikken redelighed!

goitre ['gɔitǝ] *sb (med.)* struma; *exophthalmic* ~ den basedowske syge.

go-kart ['gouka:t] *sb* go-kart (slags racervogn).

gold [gould] *sb* guld; rigdom; gylden farve; *(i skydeskive)* centrum; *be as good as* ~ være så god som dagen er lang, (om barn) opføre sig eksemplarisk; *he is worth his weight in* ~ han er sin vægt værd i guld; han er ikke til at veje op med guld.

gold| **backing** gulddækning. ~ **bearing** guldholdig. **-beater** guldslager. **-beater's skin** guldslagerhud. **-brick** *(am* S) soldat som afgives til særlig tjeneste; skulker; noget værdiløst der ser kostbart ud. **-crest** *zo* fuglekonge. ~ **digger** guldgraver; S kvinde som er ude efter mænds penge. ~ **dust** guldstøv.

golden ['gouldn] *adj* af guld, guld-, gylden, gyldenblond; *a* ~ *opportunity* en enestående lejlighed.

golden| **age** guldalder. ~ **calf:** *the* ~ *calf* guldkalven. ~ **-crested wren** *zo* fuglekonge. ~ **eagle** *zo* kongeørn. **-eye** *zo* hvinand. ~ **fleece** se *fleece.* ~ **handshake** godtgørelse for afsked i utide. ~ **mean:** *the* ~ *mean* den gyldne middelvej. ~ **oriole** *zo* guldpirol. ~ **pheasant** *zo* guldfasan. ~ **plover** *zo* hjejle. **-rod** *(bot)* guldenris. ~ **section:** *the* ~ *section* det gyldne snit. ~ **wedding** guldbryllup.

gold| **field** guldfelt. **-finch** *zo* stillids. **-fish** guldfisk. ~ **leaf** bladguld.

gold-of-pleasure *(bot)* hundehør. ~ **plate** guldservice. ~ **point** guldpunkt; ~ *import point* nedre guldpunkt; ~ *export point* øvre guldpunkt. ~ **rush** *(omtr)* guldfeber. **-smith** guldsmed. ~ **standard** guld(mønt)fod.

golf [gɔlf] *sb* golfspil; *vb* spille golf. **golf club** golfklub; golfkølle. **golf course** golfbane. **golfer** ['gɔlfǝ] *sb* golfspiller.

golf links golfbane.

Golgotha ['gɔlgǝθǝ] Golgata.

Goliath [gǝ'laiǝθ].

golliwog ['gɔliwɔg] *sb* grotesk (neger)kludedukke.

golly ['gɔli] *interj* den er mægtig! død og pine!

golosh [gǝ'lɔʃ] *sb* galoche.

G. O. M. *fk* Grand Old Man.

gombeen [gɔm'bi:n] *sb* (irsk:) åger.

gonad ['gɔnǝd] *sb (biol.)* kønskirtel, gonade.

gondola ['gɔndǝlǝ] *sb* gondol.

gondolier [gɔndǝ'liǝ] *sb* gondolfører.

gone [gɔn] *pp* af *go;* borte, væk; ødelagt, håbløs; (om klokkeslæt og alder) over *(fx he is* ~ *twenty-one; it is* ~ *five);* (om gravid) henne (i svangerskabet) *(fx she is six months* ~*);* S tosset; *he has* ~ han er gået; *where has it* ~? hvor er det blevet hen? *he is* ~ han er gået; det nu har du gået hen og ødelagt det hele; *he is* ~ han er borte; *be* ~, *get you* ~! af sted med dig! skrub af! *let us be* ~ lad os komme af sted; *in times* ~ *by* i svundne tider; *it is a* ~ *case with him* han er leveret; *dead and* ~ død og borte; *he is far* ~ han er langt nede *(el.* ude); han har det meget dårligt; han er ødelagt (økonomisk); *far* ~ *in drink* meget fuld; *far* ~ *in years* bedaget; *a* ~ *man* en færdig mand; ~ *on* væk i, forelsket i.

goner ['gɔnə] sb S: *he is a ~* det er sket med ham, han er færdig.

gonfalon ['gɔnfələn] sb banner.

gonfalonier [gɔnfələ'niə] sb fanebærer.

gong [gɔŋ] sb gongong; S medalje; vb slå på en gongong; *be -ed* (om motorkører) 'blive knaldet'.

goniometer [gouni'ɔmitə] sb vinkelmåler.

gonna (am) T = going to.

go-no-go ['gou'nougou] adj som kræver en afgørelse om hvorvidt man skal afbryde eller gå videre.

gonorrhoea [gɔnə'ri:ə] sb gonorré.

goo [gu:] sb T klistret (, vammelt) stads.

I. good [gud] adj (better, best, se også disse ord) god; dygtig (fx housewife), flink (fx pupil); sød, artig (fx have the children been ~ today?); rar (fx he is a ~ fellow), venlig; pæn (fx I am a ~ girl; your ~ clothes); sund; ufordærvet, som har holdt sig (fx the meat was still ~); rask (mods dårlig) (fx his ~ leg); ægte, gyldig (fx a ~ coin), pålidelig; passende, egnet, god (fx a ~ day for fishing); rigelig (fx a ~ supply);

(forsk forb, se også II. hold, I. make, I. mind, I. time etc) *a ~ five miles* (, three hours, two pounds etc) godt og vel fem miles (, tre timer, to pund etc); *~ and* (am) T rigtig, helt (fx ~ and warm, ~ and dry); *he as ~ as said so* han sagde det måske ikke med rene ord, men det var i al fald meningen; *will you be so ~ as to let me know* vil De være så venlig at lade mig det vide; *without ~ cause* uden gyldig grund; *a ~ deal, a ~ few, a ~ many* en hel del, ikke så få; *a ~ fire* en ordentlig ild; *he earns ~ money* han har en god løn; *her nose is rather ~* hun har en ret velformet næse; *that's a ~ one* (el. 'un) den er god (om en usandsynlig historie); *like a ~ one* så det kan batte; *and a ~ thing too* det var godt det samme; *too much of a ~ thing* for meget af det gode; *the ~ things in life* livets goder; *make a ~ thing (out) of* få noget ud af; *a ~ way* et godt stykke vej; *a ~ while* temmelig længe; *~ words* belærende ord; kærlige ord; god efterretning; *be as ~ as one's word* holde sit ord;

(forb med præp) *~ at* dygtig til, flink til; *be ~ at sums* kunne regne godt; *be no ~ at* ikke du til; *~ for you!* bravo! *milk is ~ for you* man har godt af mælk; *he is ~ for £ 5,000* han er god for £5.000; *~ for nothing* uduelig; *I'm ~ for another 10 miles* jeg kan godt klare 10 miles til; *my car is ~ for another ten years* min vogn kan godt holde ti år til; *he is ~ for another ten years* han kan leve ti år til; *the ticket is ~ for one month* billetten gælder en måned; *he was ~ to me* han var god ved mig; *be ~ with children* være flink til at passe børn.

II. good [gud] sb (se også good) noget godt, det gode; *do ~* gøre godt, udføre fortjenstfulde gerninger; *it will do him ~* det vil gøre ham godt (el. være til gavn for ham); *much ~ may it do you* det får du ikke megen glæde af; god fornøjelse! *for ~, for ~ and all* for bestandig; *for your (own) ~* til dit eget bedste; *it is no ~* det er ingen nytte til, det nytter ikke noget; *he will come to no ~* det ender galt med ham; *he is up to no ~* han har ondt i sinde, han har noget lumskeri for; *what is the ~ of ...?* hvad kan det nytte at ...? *that is all to the ~* det er jo udmærket; det er så meget des bedre; *we were £3 to the ~* vi havde £3 i overskud.

good afternoon goddag; farvel. **~ -bye** [gud'bai] farvel. **~ day** [gud'dei] goddag; ['gud'dei] farvel. **~ evening** goddag, godaften. **~ fellow** rart menneske, flink fyr. **~ -fellowship** kammeratskab, hyggeligt samvær.

good-for-nothing ['gudfə'nʌθiŋ] adj uduelig; unyttig; sb døgenigt, drog.

Good Friday langfredag.

good humour godmodighed, elskværdighed. **~ -humoured** ['gud'hju:məd] adj godmodig, elskværdig.

goodie ['gudi] sb T (i bog etc) helt; pænt (ɔ: sympatisk) menneske (mods baddie); -s (også:) slik, godter; *the -s and the baddies* (også:) de gode og de onde.

goodish ['gudiʃ] adj antagelig, passabel; ret betydelig.

good liver en der lever godt, levemand, livsnyder.

good-looking ['gud'lukiŋ] adj køn, nydelig.

goodly ['gudli] adj køn; præstig, glimrende; betydelig.

goodman ['gudmæn] sb (glds) husfader, husbond.

good nature godmodighed, godhjertethed, elskværdighed.

good-natured ['gud'neitʃəd] adj godmodig, godhjertet, elskværdig.

goodness ['gudnis] sb godhed; fortræffelighed; dyd; kraft (fx meat with the ~ boiled out); have the ~ to vær så elskværdig at; *Goodness knows* Gud ved (ɔ: jeg ved det ikke); *Gud skal vide* (fx that I have tried hard); *my Goodness! Goodness Gracious!* du store Gud! *for Goodness' sake* for Guds skyld.

good offices bona officia, venskabelig mellemkomst, mægling; (fig) vennetjenester.

goods [gudz] sb pl ejendele, ting (fx steal a man's ~); varer (fx leather ~); gods; *he has the ~* han har det der skal til; *a piece of ~* S en pige, en 'pakke', en 'godte'; *a saucy little piece of ~* en fræk lille tingest; *deliver the ~* (fig) gøre hvad man har påtaget sig, holde sit løfte; svare til forventningerne.

good sense sund fornuft; *he had the ~ sense to* han var så fornuftig at. **~ -sized** ret stor.

goods manager godsekspeditør. **~ office** godsekspedition.

good speed held og lykke.

goods service godsekspedition. **~ train** godstog; *send by ~ train* sende som fragtgods. **~ van** godsvogn. **~ yard** godsbaneterræn.

good-tempered ['gud'tempəd] adj godmodig.

Good-Templar [gud'templə] sb goodtemplar (medlem af en afholdsloge).

good time girl T pige som kun er ude på at more sig. **~ turn** tjeneste (fx do him a ~ turn); *one ~ turn deserves another* den ene tjeneste er den anden værd.

goodwife ['gudwaif] sb (glds) husmoder, madmoder.

goodwill ['gud'wil] sb velvilje, god vilje, gunst; (bibelsk:) kærlighed; (merk) goodwill, kundekreds; afståelsessum.

Goodwin ['gudwin]: *the ~ Sands* (sandbanke ved kysten af Kent).

good works gode gerninger.

goody ['gudi] sb lækkerbisken (se også goodie; goody-goody); (glds) mutter.

goody-goody ['gudi 'gudi] adj dydsiret, moraliserende, skinhellig; sb dydsmønster.

gooey ['gu:i] adj T klistret, nasset; vammel.

goof [gu:f] sb kvaj, fjog; vb kludre i det; spolere.

goof balls sb pl S barbitursyrepræparater.

go-off ['gouɔf] sb begyndelse; *he did it first ~* han klarede det ved første forsøg; *drink it at one ~* drikke det på en gang; *at the first ~* lige fra begyndelsen.

goofy ['gu:fi] adj S dum, tosset, fjoget.

googly ['gu:gli] sb (i kricket) bold der skruer modsat vej af hvad det synes ud fra kastet; (fig) finte.

gook [guk] sb (am) S (om kineser, koreaner, vietnameser etc) gul djævel.

goon [gu:n] sb (am) S muskelmand, gorilla; fjog.

goosander [gu:'sændə] sb zo stor skallesluger.

goose [gu:s] sb (pl geese) gås; (pl gooses) pressejern; *all his geese are swans* han har det med at overdrive; *cook his ~* gøre det af med ham, 'ordne' ham; *kill the ~ that lays the golden eggs* slagte hønen der lægger guldæg.

goose barnacle zo langhals (slags småkrebs).

gooseberry ['guzb(ə)ri] sb stikkelsbær; stikkelsbærvin; (mil. S) pigtråd; *play ~* være anstandsdame; være femte hjul til en vogn.

gooseberry fool (omtr) stikkelsbærgrød.

goose flesh gåsekød; (fig) gåsehud. **~ grass** (bot) gåsepotentil; burresnerre. **~ grey** skidengrå. **~ neck** (tekn) svanehals. **~ pimples** gåsehud. **~ quill** gåsefjer. **~ skin** gåsehud. **~ step** (mil.) strækmarch.

G.O.P. (am) fk Grand Old Party (se dette).

gopher ['goufə] sb zo gopher (egernagtig gnaver); sisel (art jordegern); gopherskildpadde.

Gordian ['gɔ:diən] adj gordisk; *cut the ~ knot* hugge den gordiske knude over.

I. gore [gɔ:] sb (størknet) blod; kile, bredde (i nederdel).

II. gore [gɔ:] vb indsætte en kile i; stange; gennembore.

gorge [gɔ:dʒ] sb snæver kløft, slugt; snævert pas; (glds) strube, svælg; (am) tyk masse, prop (fx of ice); vb sluge; proppe (sig), overfylde (sig); frådse; *my ~ rose at it, it made my ~ rise* jeg væmmedes ved det.

gorged [gɔ:dʒd] adj overmæt, overfyldt.

gorgeous ['gɔ:dʒəs] adj strålende, prægtig, pragtfuld, vid-

underlig.
gorget ['gɔ:dʒit] *sb* halskæde; farveplet på en fugls hals; *(glds)* brystdug; *(hist)* halskrave (på rustning).
gorgio ['gɔ:ʒiou] ikke-sigøjner (i sigøjnersprog).
Gorgon ['gɔ:gən] *sb (myt)* gorgo, medusa.
gorgonian [gɔ:'gounjən] *adj* gorgonisk, medusa-.
gorilla [gə'rilə] *sb zo* gorilla.
gormandize ['gɔ:məndaiz] *vb* frådse.
gormless = *gaumless*.
gorse [gɔ:s] *sb (bot)* tornblad.
gory ['gɔ:ri] *adj* blodig, bloddryppende.
gosh [gɔʃ] *interj* død og pine! orv!
goshawk ['gɔshɔ:k] *sb zo* duehøg.
Goshen ['gouʃən] Gosen.
gosling ['gɔzlin] *sb zo* gæsling.
go-slow ['gou'slou] *sb* go-slowstrejke (det at arbejde med nedsat tempo som pressionsmiddel).
gospel ['gɔspəl] *sb* evangelium; *take it for ~ se gospel truth.*
gospeller ['gɔspələ] *sb* evangelieoplæser; (omrejsende) prædikant.
gospel| oath: *I'll take my ~ oath on that* det tør jeg sværge højt og helligt på, det tør jeg aflægge ed på. **~ side** evangeliesiden, den nordlige side af alteret hvor evangeliet oplæses. **~ truth** den rene sandhed; *take it for ~ truth* tro fuldt og fast på det.
gossamer ['gɔsəmə] *sb* flyvende sommer; fint vævet stof, flor.
gossamery ['gɔsəməri] *adj* florlet.
gossip ['gɔsip] *sb* (hyggelig) snak, sludder; *(neds)* sladder; (om kvinde) sladresøster, sladrekælling; *vb* sladre, snakke, sludre.
gossip column sladrespalte, avisrubrik med fashionabelt nyt.
gossipy ['gɔsipi] *adj* sladderagtig, sladrende; fuld af sladder.
gossoon [gɔ'su:n] *sb* (irsk:) ung fyr.
got [gɔt] *præt* og *pp* af *get.*
Goth [gɔθ] *sb* goter; barbar, vandal.
Gotham ['goutəm] (by i England); *wise man of ~* tåbe, molbo; ['gɔθəm] **T** New York.
Gothenburg ['gɔθənbɔ:g] Göteborg.
Gothic ['gɔθik] *adj* gotisk; *(glds)* barbarisk; *sb (arkit)* gotik; (sprog) gotisk; *(typ)* = **Gothic type** gotisk skrift, *(am)* grotesk.
go-to-meeting *adj* (om tøj) fin, stads-.
gotten ['gɔtn] *(am) pp* af *get.*
gouache [gu'a:ʃ] *sb* gouache (slags vandfarvemaleri).
gouge [gaudʒ, gu:dʒ] *sb* hulmejsel; *vb* udhule; *(am)* snyde; *~ out an eye* klemme et øje ud af øjenhulen ved hjælp af tommelfingeren.
Goulard [gu'la:d]: *-'s extract, ~ water* blyvand.
goulash ['gu:læʃ] *sb* gullasch; (i kortspil) dallerød.
gourd [guəd] *sb* græskar; græskarflaske, kalabas.
gourmand ['guəmənd] *sb* gourmand; frådser.
gourmet ['guəmei] *sb* gourmet, feinschmecker.
gout [gaut] *sb* (arthritis urica) (ægte) gigt, podagra; dråbe, stænk, sprøjt; *~ of blood* (også) blodplet.
gout| fly *zo* bygflue. **-weed** *(bot)* skvalderkål.
gouty ['gauti] *adj* gigtsvag, gigtagtig, gigt-, podagristisk.
gov [gʌv] *om* **S** = *governor.*
Gov. *fk government; governor.*
govern ['gʌvən] *vb* styre, lede; regere; bestemme; beherske *(fx one's temper); the -ing body* styrelsen, bestyrelsen.
governess ['gʌvənis] *sb* lærerinde, guvernante.
governess cart jumbe.
government ['gʌvənmənt] *sb* styrelse, ledelse; regering, ministerium; *adj* regerings- *(fx party);* stats- *(fx property).*
government| grant statstilskud. **~ house** guvernørbolig. **~ office** regeringskontor, ministerialkontor. **~ securities** *pl* statsobligationer.
governor ['gʌvənə] *sb* styrer, leder, hersker; (i provins, koloni *etc; am:* i stat) guvernør; (i institution) bestyrelsesmedlem; (leder) direktør, (for fængsel) fængselsinspektør; (brugt i tiltale) mester, (af arbejdere overfor foresat, *omtr)* hr. direktør, hr. fabrikant *etc,* (overfor ens far) du gamle; *(tekn)* regulator (på dampmaskine); *board of -s* bestyrelse; *the ~* den gamle, mester, chefen.

governor-general generalguvernør.
Govt. *fk government.*
gowan ['gauən] *sb (bot)* (på skotsk) gåseurt, tusindfryd.
Gower ['gauə].
gowk [gauk] *sb* gøg; dumrian.
gown [gaun] *sb* embedskappe; advokatkappe; akademikers kappe; (dames) kjole; *vb* iklæde kappe; give kjole på; *town and ~* byen og universitetet; byens borgere og universitetsstuderende og lærere *(fx town and ~ rarely met).*
gownsman ['gaunzmən] *sb* akademiker.
G.P. *fk general practitioner.*
G.P.O. *fk General Post Office.*
G.R. *fk General Reserve; Georgius Rex* (kong Georg).
gr. *fk grain(s); grammar; gramme(s).*
grab [græb] *vb* gribe; snappe; snuppe, rage til sig, hugge; *sb* greb; snappen, ragen til sig; *(tekn)* grab, gribeskovl (på kran *etc); make a ~ at sth* gribe *(el.* snappe) efter noget.
grab bag gramsepose.
grabble ['græbl] *vb* famle, gramse; krybe; *~ for* (også) kravle rundt og lede efter.
I. grace [greis] *sb* ynde, gratie, elegance; elskværdighed; gunst, nåde; (især *jur, merk)* frist *(fx give him a week's ~);* henstand, respit; *(rel)* nåde; bordbøn; *(mus.)* figur, forsiring; *His Grace* Hans Nåde; *the Graces (myt)* Gratierne;
  *with a **bad** (el. an ill) ~* med slet dulgt ærgrelse, uvilligt, modstræbende; med en sur mine; **by** *the Grace of God* (i dronningens titel) af Guds nåde *(fx by the Grace of God Queen of Great Britain);* sue **for** ~ bede om nåde; *fall **from** ~* falde i unåde; *(rel)* falde fra nåden; **give** *oneself airs and -s* skabe sig, være affekteret; *with a* **good** ~ beredvilligt, uden at vise modvilje; *be in sby's good -s* være afholdt af en, nyde ens bevågenhed; **he had** *the ~ to apologize* han havde så megen anstændighedsfølelse at han bad om undskyldning; *would somebody have the ~ to help?* ville nogen være så elskværdig at hjælpe?
  act of ~ nådesbevisning; *days of ~* løbedage, respitdage; *state of ~* nådestand; *this year of ~* dette Herrens år; *say ~* bede bordbøn; *social -s* levemåde.
II. grace [greis] *vb* pryde, smykke; begunstige; udmærke, hædre; benåde; *the occasion was -d by the presence of the Queen* dronningen beærede dem (, os etc) ved sin nærværelse.
grace cup pokal; det sidste glas der tømmes før opbruddet.
graceful ['greisf(u)l] *adj* graciøs, yndefuld; elegant, fin, smuk.
graceless ['greislis] *adj* blottet for ynde, klodset, grov; fordærvet, lastefuld, gudsforgåen.
grace note *(mus.)* efterslag.
gracile ['græsil] *adj* gracil, slank, fin.
gracious ['greiʃəs] *adj* nådig; tiltalende; venlig, elskværdig *(fx it was ~ of her to come);* good *~!* du gode Gud! *most ~* allernådigst; *~ living* det at leve fornemt og i smukke omgivelser.
gradate [grə'deit] *vb* lade gå gradvis over i hinanden, nuancere; trindele, inddele i grader, gradere.
gradation [grə'deiʃən] *sb* gradation, gradvis overgang, nuancering; trindeling; *(gram)* aflyd.
grade [greid] *sb* grad, trin, rang, klasse; sort, kvalitet *(fx the best ~ of eggs);* (om kvæg) krydsning; *(am)* skråning, stigning, fald; (i skole *etc)* karakter; klasse (i underskolen); *vb* sortere; klassificere; krydse (om kvæg); *(am)* planere; give karakter(er); rette *(fx examination papers); Grade A* førsteklasses; *Grade A milk (omtr)* børnemælk; *at ~* (am) i niveau; *the -s (am)* underskolen; *make the ~* klare kravene, klare sig, have succes, klare den; *on the down ~* på retur, i nedgang; *for* nedadgående; *on the up ~* stigende, i opgang, for opadgående.
grade| book *(am)* karakterbog. **~ crossing** *(am)* niveauoverskæring. **~ school** *(am, omtr)* grundskole, underskole.
gradient ['greidjənt] *sb* hældning, hældningsvinkel; skråning; *upward ~* stigning; *downward ~* fald.
gradin(e) ['greidin] *sb* trin (som i amfiteater); alterhylde.
gradual ['grædʒuəl, -dj-] *adj* gradvis, trinvis; *sb (glds)* gra-

duale.
gradually ['grædʒuəli, -dʒ-] *adv* gradvis, efterhånden, lidt efter lidt.
I. graduate ['grædjueit, -dʒ-] *vb* tage (universitets)eksamen, tage embedseksamen; *(am* også) tage afgangseksamen, blive dimitteret; (med objekt) inddele (i grader), gradere; graduere; *(am)* dimittere; ~ *into* gå gradvis over til.
II. graduate ['grædʒuət, -dʒ-] *sb* en der har taget afsluttende eksamen (ved universitet, *(am)* også ved skole), kandidat.
graduated ['grædjueitid] *adj* gradueret; (om perlekæde *etc)* med forløb; ~ *cup* måleglas; ~ *income tax* progressiv indkomstskat. **graduated pension scheme** (svarer til) tillægspensionsordning.
graduation [grædju'eiʃən, -dʒ-] *sb* gradering; gradinddeling; (om perlekæde *etc)* forløb; tildeling af akademisk grad; afgang (fra læreanstalt); *(am)* dimission; dimissionsfest; *-s pl* gradinddeling.
I. graft [gra:ft] *sb* podning, 'podet plante; *(med.)* transplantering; transplanteret væv; *vb* pode; *(med.)* transplantere.
II. graft [gra:ft] *sb* T svindel; korruption; bestikkelse; S slid, hårdt arbejde; *vb* svindle.
Graham(e) ['greiəm].
Grail [greil]: *the Holy* ~ den hellige gral.
grain [grein] *sb* korn, frøkorn, kerne; (et) gran; (af læder) narv(side); (i træ) årer; *(fig)* struktur, fiber, inderste væsen; (vægtenhed =) 0,0648 g; *-s pl* (i bryggeri) mask; *vb* give en kornet overflade; ådre, åre; *against the* ~ imod spånen *(el.* årerne); *it goes against the* ~ *with me* det er mig imod; *in* ~ vaskeægte, helt igennem *(fx a rogue in* ~*);* *with a* ~ *of salt* cum grano salis, med et korn salt, med skønsomhed; med en vis skepsis; *his stories must be taken with a* ~ *of salt* når han fortæller en historie må man altid trække lidt fra.
grained [greind] *adj* kornet; (om træ) året, ådret; (om læder) narvet.
grains [greinz] *sb* (åle)lyster, harpun; (i bryggeri) mask.
gralloch ['grælək] *sb* indvolde af en hjort; *vb* udtage indvoldene af en hjort.
gram. *fk* grammar.
gram [græm] *sb* gram; T grammofon.
gramarye ['græməri] *sb (glds)* trolddom.
gramercy [grə'mə:si] *interj (glds)* ih, du fredsens! mange tak.
graminaceous [greimi'neiʃəs] *adj* græsagtig.
gramineous [grei'miniəs] *adj* græsagtig; ~ *plant* græsplante.
graminivorous [græmi'nivərəs] *adj* græsædende.
grammalogue ['græməlɔg] *sb* ordtegn (i stenografi).
grammar ['græmə] *sb* grammatik; begyndelsesgrunde; *bad* ~ grammatisk forkert; dårligt sprog; *speak (el.* use) *bad* ~ tale forkert i grammatisk henseende; *that is not* ~ det er grammatisk forkert; ~ *of political economy* ledetråd i statsøkonomi.
grammarian [grə'mɛəriən] *sb* grammatiker.
grammar school latinskole, (fra 1944) gymnasium, gymnasieskole; *(am)* underskole.
grammatical [grə'mætikl] *adj* grammatisk.
gramme [græm] *sb* gram. **gramme| atom** gramatom. ~ **molecule** grammolekyle.
gramophone ['græməfoun] *sb* grammofon.
Grampians ['græmpjənz]: *the* ~ Grampianbjergene.
grampus ['græmpəs] *sb zo* Risso's delfin; *(fig)* pustende og stønnende person.
Granada [grə'na:də].
granary ['grænəri] *sb* kornmagasin; *(fig)* kornkammer.
grand [grænd] *adj* stor; stor- *(fx Grand Vizier; Grand Inquisitor);* hoved- *(fx entrance);* storslået, herlig, prægtig *(fx view);* stolt; fornem *(fx personages),* fin; (ironisk:) fornem *(fx air* mine), stor *(el.* fin) på den *(fx she has become awfully* ~ *lately);* T storartet, glimrende *(fx that's* ~*);* *sb* flygel; *(am)* S tusind dollars.
grandam ['grændæm], **grandame** ['grændeim] *sb* gammel kone; bedstemoder; (om dyr) moders moder.
grand|aunt ['grænda:nt] grandtante. **-child** barnebarn. **-dad** bedstefader. **-daughter** sønnedatter, datterdatter.
Grand| Duchess storhertuginde; storfyrstinde. ~ **Duke** storhertug; storfyrste.

grandee [græn'di:] *sb* grande; fornem adelsmand, stormand.
grandeur ['grændʒə] *sb* storslåethed *(fx of the scenery),* ophøjethed; storhed *(fx moral* ~*);* pragt, glans.
grandfather ['græn(d)fa:ðə] *sb* bedstefader; *grandfather('s) clock* bornholmerur.
grandiloquence [græn'dilɔkwəns] *sb* svulstighed, ordskvalder. **grandiloquent** [græn'dilɔkwent] *adj* svulstig, bombastisk.
grandiose ['grændiəus] *adj* grandios, storslået, storstilet; *(neds)* svulstig, bombastisk. **grandiosity** [grændi'ɔsiti] *sb* storslåethed; grandiositet.
grand jury anklagejury (som undersøger om der er grundlag for tiltale).
grandma ['græn(d)ma:] *sb* bedstemoder.
Grand Master stormester.
grandmother ['græn(d)mʌðə] *sb* bedstemoder; (se også I. egg).
grand-nephew søn af ens nevø eller niece.
grand-niece datter af ens nevø eller niece.
Grand Old Party *(am)* det republikanske parti.
grand|pa ['græn(d)pa:], **-papa** ['græn(d)pəpa:] *sb* bedstefader. **-parents** *sb pl* bedsteforældre. ~ **piano** flygel.
grandsire ['græn(d)saiə] *sb* bedstefader; stormester; (om dyr) faders fader.
grand slam (i bridge) storeslem.
grandson ['græn(d)sʌn] *sb* sønnesøn, dattersøn.
grandstand ['græn(d)stænd] *sb* tilskuertribune på væddeløbsbane, fodboldplads *etc; (fig)* første parket; *vb* »optræde«; *adj (fig)* som i første parket, meget fin *(fx seats, view);* ~ *play* spil beregnet på at tækkes publikum, spil for galleriet.
grand total: *the* ~ det samlede resultat.
grand-uncle grandonkel.
grange [grein(d)ʒ] *sb* avlsgård; mindre landejendom.
grangerize ['grein(d)ʒəraiz] *vb* forsyne (en trykt bog) med illustrationer klippet ud af andre bøger; klippe illustrationer ud af (en bog); *-d* spækket, trufferet.
granite ['grænit] *sb* granit; *the* ~ *City* (Aberdeen); *the* ~ *State* (New Hampshire i De forenede Stater).
granivorous [grə'nivərəs] *adj* kornædende.
granny ['græni] *sb* bedstemoder; gammel kone. **granny('s) knot** kællingeknude.
grant [gra:nt] *vb* give *(fx permission),* skænke; bevillige; indrømme, tilstå; *(jur)* overdrage; *sb* indrømmelse; bevilling, (stats)tilskud, (til studier også) stipendium; *(jur)* overdragelse; gave; gavebrev; *God* ~*!* Gud give! *I* ~ *that* jeg indrømmer at; *-ing it to be true* hvis vi antager (el. sætter) at det er sandt; *-ed it had happened* forudsat at (, selv om) det var hændt; *take sth for -ed* anse noget for givet.
grant-aided *adj* med statstilskud *(fx* ~ *school).*
grantee [gra:n'ti:] *sb* en der har modtaget en bevilling (, et statstilskud); stipendiat.
grant-in-aid statstilskud.
granular ['grænjulə] *adj* kornet.
granulate ['grænjuleit] *vb* give *(fx* læder) en kornet overflade, granulere; få en kornet overflade.
granulated ['grænjuleitid] *adj* kornet; nopret, ru; ~ *cork* korksmuld; ~ *sugar* krystalmelis, 'syltesukker', 'tesukker'.
granulation [grænju'leiʃən] *sb* granulation (i sår).
granule ['grænju:l] *sb* lille korn.
granulous ['grænjuləs] *adj* kornet.
grape [greip] *sb* drue, vindrue; *(mil.)* kardæsk; *-s* (også) muk (en hestesygdom); *the -s are sour, sour -s* 'de er sure', sagde ræven om rønnebærrene.
grapefruit ['greipfru:t] *sb* grapefrugt.
grape hyacinth *(bot)* perlehyacint.
grapery ['greip(ə)ri] *sb* drivhus til vindyrkning.
grape|shot *(mil.)* kardæsk. ~ **sugar** druesukker. **-vine** vinranke; *-vine (telegraph) (omtr)* jungletelegraf; *learn it by -vine* (også) få det at vide ad hemmelige kanaler.
graph [græf] *sb* kurve; diagram; grafisk fremstilling; *vb* tegne en kurve, fremstille grafisk.
graphic(al) ['græfik(l)] *adj* grafisk; skrive-, skrift-; anskuelig, malende *(fx description),* livagtig; ~ *representation* grafisk fremstilling.

graphite ['græfit] *sb* grafit.
graphology [græ'fɔlədʒi] *sb* grafologi.
grapnel ['græpnəl] *sb (mar)* dræg; anker.
grapple ['græpl] *sb* entrehage, entredræg; griben, greb; brydning, kamp, håndgemæng; *vb* gribe; holde fast; klamre sig til; kæmpe, brydes; ~ *for (mar)* drægge efter; ~ *with* kæmpe med; *(fig)* tumle med *(fx a problem)*.
grappling-iron *(mar)* entrehage.
grapy ['greipi] *adj* drueagtig; drue-.
Grasmere ['gra:smiə].
I. grasp [gra:sp] *sb* greb, tag; *(fig)* magt, vold *(fx in the ~ of a merciless adversary)*; opfattelsesevne; (klar) forstå-else; *it is beyond my ~* det er uden for min rækkevidde; *(fig)* det overstiger min fatteevne; *get a good ~ of sth* få et godt tag i noget; *(fig)* få en klar opfattelse af noget; forstå noget helt; ~ *of iron, iron* ~ jernhårdt greb; *within (one's)* ~ inden for rækkevidde; *(fig)* som man kan for-stå *(el.* fatte).
II. grasp [gra:sp] *vb* gribe, tage *(el.* få) fat i, holde fast ved; begribe, fatte *(fx it is easy to ~); all ~, all lose* den der vil have alt får intet; *I didn't quite ~ it (fig)* jeg fik ikke rigtig fat i det.
grasper ['gra:spə] *sb* en der griber *(etc, cf II. grasp)*; gnier, grisk menneske.
grasping ['gra:spiŋ] *adj* gerrig, begærlig, grisk.
I. grass [gra:s] *sb* græs; engjord; græsgang; grønfoder; S marihuana; stikker; stridser; *at* ~ på græs; *(fig)* ledig; *put (out), send (out), turn to* ~ sætte på græs; *(fig)* af-skedige, sætte på pension; *go to* ~ gå på græs; *(fig)* dø, bide i græsset; vente, være ledig, holde fri, vente på be-skæftigelse; *while the* ~ *grows the steed starves* mens græsset gror dør horsemor; *piece of* ~ græsplet; *he did not let the* ~ *grow under his feet* han gik straks i gang med sit forehavende; han spildte ikke tiden.
II. grass [gra:s] *vb* dække med græs; fodre med frisk græs; drive ud på græsgang; lande (en fisk), skyde (en fugl), nedlægge; T slå i gulvet (, til jorden), besejre; S angive, stikke.
grass\cutter en der slår græs; slåmaskine. ~ **-grown** bevok-set med græs. **-hopper** *zo* græshoppe. **-hopper-warbler** *zo* græshoppesanger. ~ **parakeet** undulat. **-plot** græsplæne. ~ **roots** *(fig)* (dybeste) rødder; grundlag; *the* ~ *roots (am)* landbefolkningen; det jævne *(el.* menige) folk *(mods* de politiske ledere). ~ **-roots** *adj* som er udsprun-get af *(el.* har sin rod i) folket, folkelig; dybest, funda-mental *(fx the* ~ *-roots reality of the problem)*; ~*-roots democracy* nærdemokrati. ~ **snake** snog. ~ **widow** græs-enke. ~ **widower** græsenkemand. ~ **wrack** *(bot)* bændel-tang, ålegræs.
grassy ['gra:si] *adj* græsrig; græsagtig; græsbevokset.
I. grate [greit] *sb* gitter; rist; kaminrist; kamin; *(fx* tilgitre; forsyne med rist; *-d door* gitterdør.
II. grate [greit] *vb* gnide, rive, skure; knirke, skurre, rasle, hvine; irritere; ~ *on* skurre mod, *(fig)* irritere, gå på nerverne; ~ *on one's ears* skurre i ens ører; ~ *the teeth* skære tænder.
grateful ['greitf(u)l] *adj* taknemmelig; *(glds)* behagelig, glædelig.
grater ['greitə] *sb* rivejern.
gratification [grætifi'keiʃən] *sb* tilfredsstillelse; glæde, for-nøjelse, nydelse.
gratify ['grætifai] *vb* tilfredsstille; glæde, fornøje; *-ing* op-muntrende.
I. grating ['greitiŋ] *sb* gitter, gitterværk; rist.
II. grating ['greitiŋ] *adj* skurrende *(fx voice)*, raslende, hvinende; ubehagelig, irriterende.
gratis ['greitis] *adv* gratis.
gratitude ['grætitju:d] *sb* taknemmelighed.
gratuitous [grə'tju:itəs] *adj* gratis, frivillig; uberettiget, umotiveret, unødvendig *(fx the order was carried out with* ~ *brutality)*. **gratuitously** *adv* uden grund.
gratuity [grə'tju:iti] *sb* gratiale; drikkepenge; erkendtlig-hed; *(mil.)* hjemsendelsespenge.
gratulation [grætju'leiʃən] *sb* lykønskning.
gravamen [grə'veimən] *sb (pl* gravamina [grə'veiminə]) *(jur)* hovedpunkt (i anklage); klage, klagepunkt.
I. grave [greiv] *sb* grav; *bring sby to his* ~, *drive sby into his* ~ lægge en i graven; *have one foot in the* ~ gå på

gravens rand; *someone (el. a goose) walked over my* ~ (siges når man får en pludselig kuldegysning).
II. grave [greiv] *vb (mar)* skrabe og labsalve en skibs-bund; *(glds)* gravere, udskære; *(se også graven)*.
III. grave [greiv] *adj* alvorlig; værdig, højtidelig *(fx per-son)*; sørgelig *(fx news)*, dyster; betydningsfuld *(fx deci-sion)*, vægtig; *(om* farve) mørk; *(om* tone) dyb.
IV. grave [gra:v]: ~ *accent* accent grave.
grave\clothes ligklæder. **-digger** graver.
gravel ['grævəl] *sb* grus; ral; *(med.)* nyregrus, blæregrus; *vb* dække med grus, gruse; *(fig)* forvirre, bringe i forle-genhed; sætte til vægs.
gravelled ['grævəld] *adj* gruset, gruslagt; sat til vægs.
gravelly ['grævəli] *adj* gruset, grusholdig; *(om* stemme) ru, skurrende.
gravel\pit grusgrav. ~ **walk** grusgang.
graven ['greivən] *adj* udskåret; ~ *image* (bibelsk) udskåret billede (ɔ: afgudsbillede); *it is* ~ *on my memory* det står uudsletteligt indpræget i min erindring.
graver ['greivə] *sb* gravstik(ke).
Graves' disease ['greivziz di'zi:z] den basedowske syge.
grave\stone gravsten. **-yard** kirkegård.
gravid [grævid] *adj* gravid, svanger.
gravimeter [grə'vimitə] *sb* gravimeter, tyngdemåler.
graving ['greiviŋ] *sb* gravering, graveret arbejde; indpræg-ning; *(mar)* skrabning og labsalving af skibsbund.
graving\dock tørdok. ~ **tool** gravstik(ke).
gravisphere ['grævisfiə] *sb* (himmellegemes) tyngdefelt.
gravitate ['græviteit] *vb* stræbe mod tyngdepunktet, gravi-tere; synke; ~ *to* drages mod, bevæge sig hen imod.
gravitation [grævi'teiʃən] *sb* gravitation, tyngdekraft; *the law of* ~ tyngdeloven.
gravitational [grævi'teiʃnəl] *adj:* ~ *effect* tyngdevirkning; ~ *field* tyngdefelt.
gravity ['græviti] *sb* alvor, værdighed, højtidelighed; gravi-tet; betydning, vægt; *(om* tone) dybde; *(fys)* tyngde, tyngdekraft; *law of* ~ tyngdeloven; *centre of* ~ tyngde-punkt; *zero* ~ vægtløshed.
gravure [grə'vjuə] *sb* gravure *(fx photogravure)*.
gravy ['greivi] *sb* sovs; kødsaft, sky; S lettjente penge.
gravy boat sovseskål.
gray [grei] *adj (am)* = **grey**. **grayback** *(am, hist.)* syd-statssoldat; *zo* gråhval; ryle; lus.
grayling ['greiliŋ] *sb* zo stalling.
graze [greiz] *vb* græsse; (lade) afgræsse; sætte på græs, fodre med græs; (berøre:) strejfe; skrabe imod *(fx the wheels -d the kerb)*; skrabe *(fx he fell and -d his knee)*; *sb* græsning; strejfen; strejfsår, strejfskud; hudafskrab-ning.
grazier ['greiziə] *sb* kvægopdrætter; kvæghandler.
grazing ['greiziŋ] *sb* græsning, græsgang; strejfen, let berø-ring. **grazing ground** græsgang.
I. grease [gri:s] *sb* fedt; smørelse; vognsmørelse; (af får) urenset uld; (hestesygdom) muk; T bestikkelse; smiger; *in (pride of)* ~ jagtbar, tjenlig til at skydes *(fx om* hjort).
II. grease [gri:z] *vb* fedte, smøre; T bestikke; ~ *sby's palm (el. hand)* T bestikke en; ~ *the wheels (fig)* smøre godt (fremme en sag ved bestikkelse *etc)*; *like -d lightning* som et forsinket lyn.
grease\band [gri:sbænd] limring, limbælte. ~ **cup** smøre-kop. ~ **gun** fedtsprøjte, smørepistol. ~ **monkey** *(am)* smører; flyvemekaniker. ~ **paint** (teater)sminke. **-paper** pergamentpapir, smørrebrødspapir. **-proof** *(fx)* fedttæt. **-proof paper** smørrebrødspapir, pergamentpapir.
greaser ['gri:zə] *sb* smører; overfyrbøder (på skib); *(am, neds)* mexikaner.
greasy ['gri:zi] *adj* fedtet; glat; smattet; *(fig)* salvelsesfuld; slesk; *(om* hest) befængt med muk; ~ *weather* tåget, fug-tigt vejr.
great [greit] *adj* stor; betydelig, fremragende *(fx musi-cian)*; fornem *(fx lady)*; mægtig, vældig *(fx roar)*; stærk; betydningsfuld *(fx occasion)*; højmodig, ædel *(fx thoughts)*; yndet *(fx it was a ~ word with him)*; T mæg-tig god, herlig, storartet, dejlig *(fx wouldn't that be ~!)*; ~ *age* høj alder; *be* ~ *at* være meget dygtig til *(fx chess)*; være meget glad for *(fx reading aloud)*; ~ *big* vældig stor, mægtig stor *(fx see what a* ~ *big apple I*

found); *take ~ care* passe godt på; *a ~ deal* meget, en hel del; *he is a ~ one for* T han er vældig god til; *I have made ~ friends with him* han og jeg er blevet vældig fine venner; *the ~ majority* det overvejende flertal; *a ~ many* mange, en hel del, en hel mængde; *he is ~ on history* han er stærkt interesseret i (, meget dygtig til) historie; *in ~ pain* meget forpint; *a ~ way* en lang vej; *go a ~ way with sby* påvirke en stærkt; *a ~ while* et godt stykke tid; *the ~ world* de fornemme kredse.

great-aunt grandtante.

Great| Bear *(astr)* storebjørn. **~ Belt** Storebælt.

great bindweed *(bot.)* gærdesnerle.

Great Britain Storbritannien.

greatcoat ['greitkout] *sb (mil.)* kappe; (let *glds*) kavaj, overfrakke, vinterfrakke.

Great Dane grand danois.

Greater London Storlondon.

Greatest Common Measure største fælles mål.

great|grand-child barnebarnsbarn. **(~ -)great-grandfather** (tip)oldefader. **-hearted** højsindet. **-ly** *adv* i høj grad, meget. **~ -nephew** grandnevø. **greatness** ['greitnis] *sb* størrelse; betydning; høj værdighed; storhed; højsindethed; herlighed. **great-niece** grandniece.

Great| Powers stormagter. **~ Scott!** ih du store!

great snipe *zo* tredækker.

great-uncle grandonkel.

Great| Wall (of China) den kinesiske mur. **~ War** første verdenskrig. **~ White Way** *(am)* Broadway omkring Times Square.

greaves [gri:vz] *sb pl (omtr =)* fedtegrever; *(hist)* benskinner (på rustning).

grebe [gri:b] *sb zo* lappedykker.

Grecian ['gri:ʃən] *adj* græsk; *sb* græker(inde).

Greece [gri:s] Grækenland.

greed [gri:d] *sb* begærlighed, grådighed, havesyge.

greediness ['gri:dinis] *sb* begærlighed, grådighed.

greedy ['gri:di] *adj* begærlig, grådig; gerrig; *~ of (el. for) gain* begærlig efter vinding; *~ of (el. for) honour* ærgerrig.

Greek [gri:k] *sb* græker, grækerinde; græsk; *(glds)* bedrager, bondefanger; *adj* græsk; *that is ~ to me* det er det rene volapyk for mig.

Greek| cross græsk (ligearmet) kors. **~ -letter fraternity** amerikansk studenterklub eller elevsamfund der til navn har en kombination af bogstaver fra det græske alfabet, *fx* phi, beta, kappa.

I. green [gri:n] *sb* grønt (farven); grønning; grønt løv; 'green' (del af golfbane omkring et hul); *-s* grønsager; *(am)* grønt brugt til udsmykning; *do you see any ~ in my eye?* står der fjols på ryggen af mig?

II. green [gri:n] *vb* grønnes; gøre grønt.

III. green [gri:n] *adj* grøn; *(fig)* frisk; ung, ny; blomstrende, kraftig; umoden *(fx* om frugt); mild *(fx winter)*; (om person) uerfaren, umoden, grøn; naiv; *he is not so ~ as he is cabbage-looking* han er ikke så dum som han ser ud til; *~ old age* blomstrende alderdom; *a ~ wound* et frisk sår.

green|back *(am)* pengeseddel. **~ belt** grønt område (omkring by *el.* bebyggelse). **-bottle fly** *zo* guldflue.

greener ['gri:nə] *sb* uøvet arbejder; grønskolling; nyankommen immigrant.

greenery ['gri:n(ə)ri] *sb* grønt, grønt løv; grønne planter; grøn bevoksning.

green| -eyed ['gri:naid] *adj* grønøjet; skinsyg. **-finch** *zo* grønirisk. **~ fingers:** *she has ~ fingers* alting gror under hendes hænder. **-fly** bladlus. **-gage** *(bot)* reineclaude. **~ glass** glas af ringe kvalitet, flaskeglas (også om glas af andre farver). **~ goose** gås under 4 måneder gammel. **-grocer** grønthandler. **-grocery** grønthandel; frugt og grønsager. **-horn** grønskolling, naivt fjols; *(am* også) nyankommen immigrant. **-house** drivhus, væksthus.

greenish ['gri:niʃ] *adj* grønlig.

Greenland ['gri:nlənd] Grønland. **Greenlander** *sb* grønlænder.

Greenland halibut *zo* hellefisk.

Greenlandic [gri:n'lændik] *sb, adj* grønlandsk.

green| light grønt lys (også *fig:* tilladelse til at gå videre). **-room** skuespillerfoyer. **~ sandpiper** *zo* svaleklire. **-shank**

zo hvidklire. **-sick** blegsottig. **-sickness** blegsot. **-stuff** grønsager. **-sward** ['gri:nswɔ:d] grønsvær. **~ thumb** *(am)* = **~ fingers.**

Greenwich ['grinidʒ].

greenwood ['gri:nwud] *sb* grøn skov; *under the ~ tree* i den grønne skov.

greet [gri:t] *vb* hilse; (på skotsk) græde.

greeting ['gri:tiŋ] *sb* hilsen; (på skotsk) gråd; *-s telegram* lykønskningstelegram; *-s telegram form* festblanket.

gregarious [gri'gɛəriəs] *adj* som lever i flok, selskabelig.

Gregorian [gri'gɔ:riən] *adj* gregoriansk.

Gregory ['gregəri] Gregor.

gremlin ['gremlin] *sb* T drillenisse; *misprint ~* sætternisse.

grenade [gri'neid] *sb* (hånd-, gevær-) granat.

grenadier [grenə'diə] *sb* grenader.

grenadine [grenə'di:n] *sb* grenadine (fint, tyndt silke- *el.* uldstof; læskedrik).

grew [gru:] *præt* af *grow.*

grey [grei] *adj* grå; (om tøj *etc*) ubleget; (om ild) gået ud, slukket; (på gråt, grå farve; (hest) gråskimmel; S konventionel halvgammel person; hvid *(mods* neger); *the (Scots) Greys* (britisk dragonregiment); *it is turning him ~* det sætter ham grå hår i hovedet.

greybeard ['greibiəd] *sb* gråskæg; 'skæggemand' (stentøjskande). **Grey Friar** gråbroder.

grey|goose grågås. **~ hen** *zo* urhøne. **-hound** mynde. **-ish** grålig. **-lag** *zo* grågås. **-ling** *zo* stalling. **~ matter** hjerne(masse); *he's a bit deficient in the ~ matter* han er ikke videre begavet. **~ mould** drueskimmel. **~ mullet** *zo* multe. **~ plover** *zo* strandhjejle.

gribble ['gribl] *zo* pælekrebs.

grid [grid] *sb* rist; *(elekt)* ledningsnet; samlenet; (i radio) gitter; (på kort) gradnet. **grid current** gitterstrøm.

griddle ['gridl] *sb* bageplade.

gride [graid] *vb* gnide skurrende imod hinanden; skurre, knirke.

gridiron ['gridaiən] *sb* stegerist; rist; bjælkesystem til at støtte skib i dok; *(jernb)* sporrist; *(am)* fodboldbane (til *am* fodbold).

grief [gri:f] *sb* sorg; *come to ~* komme til skade; komme galt af sted, gå fallit, gå til grunde; *(mar)* forlise.

grievance ['gri:vəns] *sb* klage, klagepunkt, grund til klage; *nurse a ~* føle sig forfordelt; *what is his ~?* (også) hvad beklager han sig over?

grieve [gri:v] *vb* volde sorg, bedrøve; græmme sig, sørge; *what the eye doesn't see, the heart doesn't ~ for* hvad øjet ikke ser, har hjertet ikke ondt af.

grievous ['gri:vəs] *adj* svær, hård *(fx punishment)*; frygtelig, alvorlig, bitter.

I. griff(in) ['grifin] *sb* ny mand, nyankommen og derfor uerfaren (især i Indien); S vink, tip.

II. griffin ['grifin] *sb (myt)* grif (bevinget løve med ørnehoved).

griffon ['grifən] *sb (myt)* grif; (hunderace) griffon.

griffon vulture *zo* gåsegrib.

grig [grig] *sb* fårekylling; græshoppe; sandål; *as merry as a ~* sjæleglad.

grill [gril] *sb* gitter, rist; (se også *grille)*; grill; grilleret ret; grillering; *vb* grillere, stege (på rist); T krydsforhøre.

grillage ['grilidʒ] *sb* bjælkefundament til bygning.

grille [gril] *sb* gitter; gitterværk, tremmeværk; talegitter, billetluge; (på bil) kølergitter.

grill-room ['grilrum] *sb* grill-room, lokale i restaurant, hvor kød tilberedes og serveres.

grilse [grils] *sb zo* blanklaks, lille sommerlaks.

grim [grim] *adj* streng, ubarmhjertig, grum; bister, barsk; grusom, uhyggelig; *hold on like ~ death* klamre sig fast af alle kræfter.

grimace [gri'meis] *sb* grimasse; *vb* lave grimasser.

grimalkin [gri'mælkin] *sb* gammel hunkat; ondskabsfuld gammel kælling.

grime [graim] *sb* (specielt sodet eller fedtet) snavs, smuds; *vb* snavse til.

Grimsby ['grimzbi].

grimy ['graimi] *adj* grimet, snavset.

grin [grin] *vb* grine, vise tænder; le, smile; *sb* grin; *~ and bear it* gøre gode miner til slet spil.

I. grind [graind] *vb (ground, ground)* male (på en kværn) *(fx* ~ *corn into flour);* knuse; mase (og dreje rundt) *(fx he ground his knee into my stomach);* (gøre skarp) slibe, hvæsse *(fx a knife);* (farver *etc)* rive; (gøre glat) glatte, polere; slibe *(fx a lens);* (med håndsving) dreje, dreje på *(fx a barrel organ, a hand mill);* **T** plage, undertrykke, mishandle; herse med, terpe *(into* ind i); håne, gøre latterlig; (uden objekt) kunne males (, slibes); skure *(on, against* mod, *fx the wheel ground against the brake),* knase, skrabe; køre med besvær, mase sig *(fx the truck ground up the hill);* slide i det *(fx for an exam); (am* i dans) vrikke med hofterne;

~ *away at* slide med, terpe; *he has an axe to* ~, se *axe;* ~ *down* slibe, finmale, findele; *(fig)* underkue; mishandle; ~ *the faces of the poor* udnytte (, underkue) de fattige; ~ *glass* mattere glas; ~ *some grammar into his head* banke noget grammatik ind i hovedet på ham; ~ *out (fig)* frembringe med stort besvær; pine frem; ~ *out a tune on an organ* spille en melodi på en lirekasse; ~ *one's teeth* skære tænder; ~ *to a halt* langsomt gå i stå.

II. grind [graind] *sb* knusning, malen; slibning; hvæsning; skuren; **T** slid *(fx learning Latin is a* ~*);* hængen i; eksamenslæsning; eksamensterperi; *(am)* **T** slider, boger; hoftevrid; *take a* ~ gå (en lang, anstrengende) tur.

grinder ['graində] *sb* skærsliber; kindtand; den øverste møllesten; manuduktør, eksamensterper; streng arbejdsgiver; *(am)* lang sandwich (skåret på langs af brødet), *(omtr)* »landgangsbrød«.

grindery ['graindəri] *sb* sliberi; skomagermateriale.

grinding ['graindin] *adj* hård, tyngende *(fx poverty);* skurrende *(fx voice),* knasende.

grindstone ['grain(d)stoun] *sb* slibesten; *keep his nose to the* ~ holde ham til ilden; *keep one's nose to the* ~ slide i det.

gringo ['gringou] *sb* fremmed, englænder, angloamerikaner (i Sydamerika).

I. grip [grip] *vb* gribe, tage fat i; *(fig)* få tag i, gribe; fængsle *(fx* ~ *one's attention);* ~ *the audience* få tag i *(el.* gribe) tilhørerne.

II. grip [grip] *sb* (fast) tag, greb; *(fig)* magt *(fx be in his* ~*);* forståelse; overblik *(of* over, *fx a subject);* (til at holde på) greb *(fx* på kårde, pistol), håndtag; (pludselig smerte) jag; *(am)* rejsetaske; influenza; *be at -s with* være i heftig kamp med; *(fig)* bakse med *(fx a problem); come to -s with* komme i heftig kamp med; *(fig)* tage alvorligt fat på, komme ind på livet af *(fx a problem); lose one's* ~ miste sit tag; *(fig)* falde af på den.

gripe [graip] *sb (glds)* greb, tag; magt; greb, håndtag; *vb* klemme, pine; tynge; *(am* **S)** irritere; brokke sig; *(glds)* gribe; *be -d* (også) have mavekneb. **gripes** [graips] *sb pl* mavekneb, bugvrid; *(mar.)* fartøjssurring.

grippe [grip] *sb* influenza.

gripper ['gripə] *sb* griberedskab, griber.

gripsack ['gripsæk] *sb (am)* rejsetaske.

grisly ['grizli] *adj* uhyggelig; gruopvækkende.

grison ['grizən] *sb zo* grison (væsellignende dyr).

Grisons ['gri:zɔ:ŋ] Graubünden.

grist [grist] *sb* knust malt; korn som skal males; mel; *(fig)* fordel; *(am)* portion; *that brings* ~ *to the mill* det giver fortjeneste *(el.* penge i kassen); *that is* ~ *to his mill* det er vand på hans mølle; *all is* ~ *that comes to his mill* han forstår at udnytte enhver mulighed; han kan få noget ud af alting.

gristle ['grisl] *sb* brusk.

gristly ['grisli] *adj* brusket, bruskagtig.

I. grit [grit] *sb* sandsten; grus, sand; (stens) struktur *(fx a hone of good* ~*),* kornstørrelse; *(fig)* rygrad, ben i næsen; *he has plenty of* ~ ham er der krummer i.

II. grit [grit] *vb* frembringe en skurrende *el.* hvinende lyd; ~ *one's teeth* skære tænder; bide tænderne sammen.

grit cell *(bot)* stencelle.

grits [grits] *sb pl* gryn.

gritty ['griti] *adj* grynet; som sand, sandet; jordet *(fx om* bær); skurende, knasende; (om person) bestemt, energisk, karakterfast; ~ *pear* stenet pære.

I. grizzle ['grizl] *vb* jamre, beklage sig, klynke; (om baby også) være vrøvlet.

II. grizzle ['grizl] *sb* gråt, grå farve.

grizzled ['grizld] *adj* gråsprængt.

grizzly ['grizli] *adj* grålig; *sb* gråbjørn; ~ *bear* gråbjørn.

groan [groun] *vb* sukke *(for* efter); stønne; (om træ) knage; *sb* stønnen; mishagsytring; ~ *down a speaker* bringe en taler til tavshed ved mishagsytringer; *the table -ed with food* bordet bugnede af mad.

groat [grout] *sb: I don't care a* ~ *for him* jeg bryder mig ikke en døjt om ham.

groats [grouts] *sb pl* (større) gryn, havregryn.

grocer ['grousə] *sb* købmand, kolonialhandler; *(glds)* urtekræmmer; *-'s shop, (am) -'s store* købmandsforretning.

grocery ['grousəri] *sb* handel med købmandsvarer; *(am)* købmandsforretning; *groceries pl* købmandsvarer.

grog [grɔg] *sb* grog, toddy; *vb* drikke grog, drikke toddy.

grog blossom rubin på næsen.

groggy ['grɔgi] *adj* omtåget; usikker; svag (efter sygdom eller chok); *be* ~ (om bokser) være groggy, svømme; *that chair looks a bit* ~ den stol ser noget vakkelvorn ud.

grogram ['grɔgrəm] *sb* gros-grain (et stof).

grogshop ['grɔgʃɔp] *sb* knejpe.

groin [grɔin] *sb* lyske; *(arkit)* grat(bue), ribbe; *-ed vault* krydshvælving; se også *groyne.*

grommet ['grɔmit] *sb* øje, ring (i snørehul); *(mar)* grommetring, (tov)krans, strop.

gromwell ['grɔmwəl] *sb (bot)* stenfrø.

groom [grum] *sb* staldkarl; tjener, kongelig kammertjener; brudgom; *vb* passe, soignere, pleje; *(især am)* skole, (op)træne; ~ *a horse* strigle en hest; *well groomed* soigneret; ~ *of the stole* overkammerherre; ~ *of the great chamber* hofembedsmand der er ansvarlig for kongens sovegemak; ~ *in waiting* tjenstgørende kammerherre.

groomsman ['grumzmən] *sb (glds) (omtr)* forlover.

groove [gru:v] *sb* rende, fure; skure; fals, not, hulkel; (i grammofonplade) rille; *vb* fure, rifle, rille, danne rende i, grave; *get into a* ~ *(fig)* komme ind i en fast skure; *settle down in one's* ~ komme i de vante folder igen; *his mind works in a narrow* ~ han er åndelig smalsporet; *in the* ~ **S** i (den rette) stemning; helt rigtig; i fineste form; *-d and tongued boards* pløjede brædder.

groove punch (blikkenslagerværktøj) falsmejsel.

groover ['gru:və] *sb* falsejern.

groovy ['gru:vi] *adj* vanebundet; helt moderne, »in«; »høj« (på ferietabletter); se også: *in (the) groove.*

grope [group] *vb* famle *(for* efter), føle sig for; ~ *one's way* famle sig frem.

grosbeak ['grousbi:k] *sb zo* kernebider.

gross [grous] *adj* stor, tyk, uformelig; grov, plump; (om sanser) sløv; (om bevoksning) tæt, kraftig *(fx vegetation); (merk)* brutto- *(fx amount, income, weight); sb* hovedmasse, hovedstyrke; gros (tolv dusin); ~ *feeder* grovæder; ~ *injustice* skammelig uretfærdighed; ~ *insult* grov fornærmelse; *in (the)* ~ i det store; en gros; *dealer in (the)* ~ engroshandler; *the* ~ *of the people* folkets store masse.

gross| average *(assur)* groshavari. ~ **estate** *(jur)* bomasse. ~ **national product** *(økon)* bruttonationalprodukt. ~ **profit** *(merk)* bruttoavance.

Grosvenor ['grouvnə].

grotesque [grə'tesk] *adj* grotesk; barok, besynderlig; *sb* (i kunst) grotesk; groteske; *(typ) = sans serif.*

grotto ['grɔtou] *sb* grotte.

grotty ['grɔti] *adj* **S** snusket; rodet.

grouch [grautʃ] **T** *sb* gnavpotte; gnavenhed; *vb* mukke, surmule. **grouchy** ['grautʃi] *adj* **T** gnaven.

I. ground [graund] *præt* og *pp* af *grind.*

II. ground [graund] *sb* jord, grund *(fx holy* ~*),* terræn *(fx rising* ~*);* område, plads *(fx camping* ~*),* (i sport) bane *(fx football* ~*);* (i maleri, mønster *etc)* grund, bund *(fx a red cross on a white* ~*);* baggrund; bundfarve; *(elekt, am)* jordforbindelse, jordledning; *(mar)* grund, bund; *(fig, også -s)* grund, årsag, grundlag *(fx -s for complaint);* begrundelse, motivering, *(jur)* domspræmisser; **-s** (i væske) bundfald, bærme, grums *(fx coffee -s);* (til hus *etc)* have, park, anlæg;

(forb med *vb, adj)* break ~ *(am)* pløje; begynde at grave grunden ud (til hus); *(fig)* tage de indledende skridt, gå i gang; *break fresh (el. new)* ~ opdyrke ny jord; *(fig)* være banebrydende; *change one's* ~ = *shift one's* ~; *that's common* ~ *(fig)* det er vi enige om, der

kan vi mødes; *cover much* ~ komme et godt stykke videre *(el.* frem); *(fig* også) nå en hel del, komme meget stof igennem; *cover new* ~ *(fig)* tage nye emner op til behandling; *cut the* ~ *from under sby's feet* slå grunden væk under én; *forbidden* ~ tabu, forbudt område; *gain* ~ vinde terræn; *give* ~ vige, trække sig tilbage; *keep (el.* hold *el.* stand*) one's* ~ holde stand; holde sig (om priser); *lose* ~ miste indflydelse; miste terræn, vige; *shift one's* ~ skifte standpunkt, ændre signaler, ændre taktik; *take the* ~ *(mar)* løbe på grund;

(forb med *præp) above* ~ levende; *below* ~ død; *from the* ~ *up (fig)* fra grunden; *run it into the* ~ *(am* T) overdrive det, tærske langhalm på det, træde i det; *get off the* ~ *(fig)* komme i gang, blive til noget; *on the* ~ *of* på grund af; *on very good -s* af særdeles gode grunde; *this suits me down to the* ~ dette passer mig glimrende; *fall to the* ~ falde om; falde til jorden; slå fejl; *go under* ~ gå under jorden.

III. ground [graund] *vb* sætte *el.* lægge på jorden; grunde, grundlægge; basere *(on* på*, fx a theory -ed on new* facts*);* undervise i begyndelsesgrundene, indføre *(in* i, *fx* ~ *him in Latin); (mar)* sætte på grund; gå på grund; *(elekt)* lede ned i *el.* sætte i forbindelse med jorden; jorde; (ved maling) grunde; ~ *arms* nedlægge våbnene; *be -ed (flyv)* ikke (kunne) gå op, have startforbud; *be well -ed in* være velfunderet i, have gode kundskaber i *(fx history).*

ground aerial jordantenne.
groundage ['graundidʒ] *sb* havnepenge.
ground|ash ung ask; stok (af asketræ). ~ **bait** bundmading. ~ **bass** *(mus.)* ostinat bas, basso ostinato (stadig gentaget bastema). ~ **beetle** *zo* løbebille. ~ **connection** jordforbindelse. ~ **-control(led) approach** *(flyv)* landing ved hjælp af jordstationeret radar. ~ **crew** *(flyv)* jordpersonel. ~ **defences** antiluftskyts. ~ **effect machine** *(am)* luftpudefartøj. ~ **floor** stueetage; *get (el. be let) in on the* ~ *floor* få aktier i et selskab på samme betingelser som stifterne; være med fra begyndelsen. ~ **flora** bundflora. ~ **forces** landstridskræfter. ~ **game** harer og kaniner ~ **glass** matteret glas. **-hog** *(am) zo* skovmurmeldyr. **-ice** grundis.
grounding ['graundiŋ] *sb* grundstødning; grundlæggende undervisning, grundlag *(fx a good* ~ *in French);* (maling:) grunding.
ground ivy *(bot)* korsknap.
groundless ['graundlis] *adj* grundløs.
groundling ['graundliŋ] *sb zo* grundling (en fisk).
ground|nut jordnød; ~ **plan** grundrids, grundplan. ~ **rent** grundleje. ~ **rice** rismel. ~ **sea** underdønning.
groundsel ['graunsəl] *sb (bot)* brandbæger.
ground|sheet teltunderlag. ~ **speed** *(flyv)* beholden fart, distancefart. ~ **squirrel** *zo* jordegern; sisel. ~ **staff** *(flyv)* jordpersonale. ~ **swell** underdønning. ~ **-to-air** jord-tilluft *(fx missile).* **-water** grundvand. ~ **wave** jordbølge. ~ **wire** *(am)* jordledning. **-work** grundlag, fundament.
group [gru:p] *sb* gruppe; hold; *(merk)* koncern; *(flyv)* flyverregiment; *vb* gruppere; *the (Oxford)* ~ *movement* Oxfordbevægelsen. **group captain** oberst (i flyvevåbnet).
groupie ['gru:pi] *sb* **S** pige der render efter popmusikere; *(flyv)* = *group captain.*
grouping ['gru:piŋ] *sb* gruppering.
group therapy *(med.)* gruppeterapi.
I. grouse [graus] *sb* rype; *vb* skyde rype; *black ̄* ~ urfugl; (se også *hazel* ~*, red* ~ *etc).*
II. grouse [graus]· *vb* knurre, give ondt af sig, brokke sig, mukke, gøre vrøvl; *sb* mukken.
grout [graut] *sb* cementmørtel; *vb* udfylde med cementmørtel; udstøbe, understøbe; ~ *in* indstøbe.
grove [grouv] *sb* lund, lille skov; trælklynge.
grovel ['grɔvl] *vb* ligge i støvet; ~ *before* krybe for, ligge på maven for, kaste sig næsegrus for.
grovelling ['grɔvliŋ] *adj* krybende, slavg. gemen.
grow [grou] *vb (grew, grown)* (se også *growing, grown)* gro, vokse; tiltage; blive *(fx you are -ing old);* blive til; (med objekt) dyrke *(fx flowers);* ~ *a beard* anlægge skæg; ~ *a new branch* (om et træ) skyde en ny gren; ~ *a habit* lægge sig en vane til;

(forb med *præp* og *adv)* ~ *from* opstå af, følge af; ~

in *bulk* tiltage i omfang; ~ *in favour* vinde anseelse; ~ *in wisdom* blive klogere; ~ *into fashion* blive mode; ~ *into a habit* blive til vane; ~ *on sby* få magt over en; *bad habits* ~ *on one* dårlige vaner bliver til ens anden natur *(el.* tager overhånd); *a picture that -s on one* et billede man kommer til at holde mere og mere af; *he -s on you* han vinder ved nærmere bekendtskab; ~ *out of* opstå af, være en følge af; vokse fra *(fx one's clothes, a bad habit); you* ~ *out of it* (også:) det foretager sig med alderen; ~ *out of favour with* falde i unåde hos; ~ *out of all recognition* forandre sig så man *(, det etc)* ikke er til at kende igen; ~ *out of use* gå af brug; ~ **to** efterhånden komme til at *(fx I grew to like her);* ~ *to* be efterhånden blive; ~ **up** blive voksen, vokse op; vokse frem.
grower ['grouə] *sb* dyrker, producent; *rapid -s* hurtigt voksende blomster (, træer *etc); slow -s* langsomt voksende blomster (, træer *etc).*
growing ['grouiŋ] *adj* voksende, stigende, tiltagende; *sb* vækst; dyrkning, avl.
growing| pains voks(e)værk. ~ **point** vækstpunkt. ~ **season** væksttid. ~ **weather:** *it is* ~ *weather* der er grøde i luften.
growl [graul] *vb* knurre, brumme; rumle; *sb* knurren, brummen; rumlen. **growler** ['graulə] *sb* knurrende hund; brumbasse; *(glds)* firhjulet drosche.
grown [groun] *pp* af *grow;* voksen; *be* ~ *over* være tilgroet; *a* ~ *person* en voksen; ~ *people* voksne; *grown-up* voksen.
growth [grouθ] *sb* vækst, tiltagen, stigning, udvidelse *(fx of trade);* dyrkning, avl *(fx of foreign* ~*),* produktion; vegetation; *(med.)* svulst *(fx a cancerous* ~*);* ~ *of fruit* frugtavl; *of one's own* ~ hjemmeavlet; *young* ~ ungskov.
groyne [grɔin] *sb* høfde.
G.R.T. *fk Gross Register Tonnage* bruttoregistertonnage.
I. grub [grʌb] *vb* grave, rode; rydde, rense (jord for rødder etc), grubbe; *(fig)* pukle, slide; T æde; fodre; ~ *out (el. up)* grave *(el.* rode) op (af jorden); *(fig)* grave *(el.* rode) frem; ~ *through old files* gennemstøve gamle arkiver.
II. grub [grʌb] *sb* larve, (kål)orm, maddike; **S** mad, kost, æde, foder; slider; beskidt unge.
grub axe ryddehakke.
grubby ['grʌbi] *adj* snavset, beskidt; maddikebefængt.
grub hoe ryddehakke.
grubs [grʌbz] *sb pl (am)* cowboybukser med afskårne ben.
grubstake ['grʌbsteik] *sb (am)* T levnedsmidler leveret til guldgraver mod andel i det eventuelle fund; andel i guldfund opnået på denne måde; *vb* levere levnedsmidler (, opnå andel) på denne måde.
Grub Street (tidligere navn på gade i London); fattige forfattere, tredjerangs litteratur; ~ *author* forhutlet forfatter.
grudge [grʌdʒ] *vb* ikke unde; misunde; *sb* uvilje, vrede, nag; *bear (el.* owe*) sby a* ~*, have (el. cherish) a* ~ *against sby* bære nag til en, have et horn i siden på en; ~ *doing it* gøre det modstræbende, ikke være meget for at gøre det; *he -s me even the food I eat* han under mig ikke engang den mad jeg spiser; ~ *no effort* ikke spare nogen anstrengelse. **grudging** ['grʌdʒiŋ] *adj* modstræbende, uvillig; smålig; kneben, knapt tilmålt. **grudgingly** modstræbende.
gruel ['gruəl] *sb* havresuppe, vælling; *have (el. get) one's* ~ *(glds* T) få sin bekomst, få sin straf; *give him his* ~ *(glds* T) give ham hvad han har godt af.
gruelling ['gruəliŋ] *adj* hård, anstrengende, udmattende, enerverende; *submit him to a* ~ *examination* hegle ham igennem.
gruesome ['gru:səm] *adj* uhyggelig, makaber.
gruff [grʌf] *adj* barsk, brysk, bister, bøs, brøsig; *a* ~ *voice* en grov stemme.
grumble ['grʌmbl] *vb* knurre, brumme; gøre vrøvl, besvære sig, beklage sig, give ondt af sig, brokke sig, mukke; *sb* knurren, brummen; mukken. **grumbler** ['grʌmblə] *sb* gnavpotte, brumbasse, skumler.
grume [gru:m] *sb* blodklump.
grummet ['grʌmit] = *grommet.*
grumous ['gru:məs] *adj* klumpet.
grumpy ['grʌmpi] *adj* i dårligt humør, sur, gnaven.
Grundy ['grʌndi]: *Mrs* ~ (personifikation af snerpethed); *what will Mrs* ~ *say?* hvad vil folk sige?

Grundyism ['grʌndiizm] sb snerperi, snerpethed.
grunt [grʌnt] vb grynte; sb grynten, grynt.
Gruyere ['gru:jɛə] sb schweizerost.
gryphon ['grifən] sb grif (fabeldyr).
gs. fk guineas.
G.S. fk General Staff; General Service.
G.S.O. fk General Staff Officer.
G-suit ['dʒi:su:t] sb trykdragt.
G-string ['dʒi:striŋ] sb lændeklæde; korpiges minimale på-
klædning.
Guadalquivir [gwa:dəl'kwivə].
guan [gwa:n] sb zo hokko (en fugl).
guana ['gwa:na] sb zo leguan.
guano ['gwa:nou] sb guano, fuglegødning.
guarantee [gærən'ti:] sb garanti; kaution, sikkerhed (for
lån); en til hvem garanti gives; garant; vb garantere
(for), kautionere.
guarantor [gærən'tɔ:] sb garant, kautionist.
guaranty ['gærənti] sb garanti, kaution, sikkerhed (for
lån).
I. guard [ga:d] vb bevogte (fx prisoners), holde vagt ved,
våge over (against, forsvare; beherske (fx one's tem-
per), vogte (fx one's tongue); (i skak) dække; (tekn) af-
skærme; ~ against gardere (el. sikre) sig imod, fore-
bygge; tage sig i agt for.
II. guard [ga:d] sb vagt, livvagt, garde; bevogtning; be-
skyttelse; (i fængsel) fangevogter, fængselsbetjent;
(jernb) konduktør, togfører; (til lommeur) urkæde;
(bogb) fals; (beskyttelsesanordning:) rækværk, gitter,
skærm; (på kårde) parerplade; (på gevær) aftrækker-
bøjle; the Guards livgarden;
~ of honour æresvagt, æreskompagni; off one's ~ ufor-
sigtig, uopmærksom; be off one's ~ (også) ikke tage sig i
agt; catch him off his ~ overrumple ham; throw him off
his ~ bringe ham ud af fatning, få ham til at blotte sig;
on ~ på vagt, på post; (i fægtning) i dækstilling; dæk! be
(el. stand) on one's ~ være på sin post; tage sig i agt; go
on (el. mount) ~ stille sig (el. stå) på vagt; relax one's ~
give sig en blottelse; relieve the ~ afløse vagten; stand ~
stå skildvagt, stå på vagt; keep under a strong ~ bevogte
omhyggeligt.
guard boat bevogtningsfartøj. ~ chain urkæde.
guarded ['ga:did] adj bevogtet; forsigtig (fx optimism);
forbeholden (fx reply), reserveret.
guardhouse ['ga:dhaus] sb vagtbygning, vagt.
guardian ['ga:djən] sb beskytter; (jur) værge, formynder;
the -s of the law retfærdighedens håndhævere; natural ~
født værge; testamentary ~ testamentarisk værge; ~ ad
litem procesværge; Board of Guardians (glds) fattigkom-
mission.
guardian angel skytsengel. -ship formynderskab. ~ spirit
skytsånd.
guard less ['ga:dlis] adj værgeløs, ubeskyttet. ~ rail ræk-
værk, gelænder; autoværn. ~ ring beskyttelsesring. -room
vagtstue. ~ ship vagtskib.
guardsman ['ga:dzmən] sb garder, gardist.
guava ['gwa:və] sb (bot) guava (en frugt).
gubernatorial [gu:bənə'tɔ:riəl] adj (am) guvernør-.
gudgeon ['gʌdʒən] sb zo grundling (lille karpefisk); dum-
rian; tap, pind; (mar) rorløkke.
guelder rose ['geldə'rouz] sb (bot) snebolle(træ).
Guelf, Guelph [gwelf] sb (hist.) welfer.
guerdon ['gə:dən] sb belønning.
guereza [gɛ'rizə] sb zo guereza (en abeart).
guerilla [gə'rilə] sb guerillasoldat; ~ warfare guerillakrig.
I. Guernesey ['gə:nzi].
II. guernsey ['gə:nzi] sb jerseytrøje.
guerrilla se guerilla.
I. guess [ges] vb gætte; gætte på; ~ at gætte på; gætte; I
~ (especially. am) formodentlig, sikkert; I should ~ his age
at thirty el. I should ~ him to be thirty jeg gætter på at
han er 30 år.
II. guess [ges] sb gætning; gisning; it is anybody's ~ ingen
ved det med sikkerhed; give (el. make) a ~ gætte, for-
mode; I give you three -es du må gætte tre gange; that
was a good ~ det var godt gættet; my ~ is that jeg gæt-
ter på at; at a rough ~ efter et løst skøn; skønsmæssigt.
guesswork ['geswə:k] sb gætteri, gætteværk.

guest [gest] sb gæst; (zo i sms) parasit.
guest chamber gæsteværelse. -house (finere) pensionat, ho-
telpension. ~ room gæsteværelse. ~ rope (mar) vaterline
(langs skibssiden).
guff [gʌf] sb pladder, vrøvl; fup.
guffaw [gʌ'fɔ:] sb skraldende latter; vb le højrøstet, T
skraldgrine.
guggle ['gʌgl] se gurgle.
guidance ['gaidəns] sb ledelse, førelse; vejledning; (tekn)
styring, føring.
I. guide [gaid] sb fører; vejleder; (for turister) turistfører,
fremmedfører, (på museum etc) omviser; (bog) rejsefø-
rer, rejsehåndbog; vejledning; (i kartotek) fanekort;
(tekn) styr, styreskinne; (girl ~) pigespejder; a London
~ en rejsehåndbog (el. fører) over London.
II. guide [gaid] vb lede, føre, vise vej; styre (fx a boat);
(fig) vejlede; (tekn) styre; be -d by lade sig lede af, rette
sig efter.
guide book ['gaidbuk] sb rejsehåndbog, rejsefører. ~ card
fanekort.
guided missile fjernstyret missil, styrbart projektil.
guide lines pl retningslinjer. -post vejskilt. -way (tekn)
styreskinne, styreliste, styr.
guidon ['gaidən] sb standart; fanebærer.
guild [gild] sb gilde, lav.
guilder ['gildə] sb gylden (hollandsk mønt).
guildhall ['gildhɔ:l] sb gildehus, lavshus; the Guildhall råd-
huset i the City of London.
guild socialism form for socialisme, hvis mål var genindfø-
relsen af lavsvæsenet.
guile [gail] sb svig, falskhed; list. **guileful** ['gailful] adj svi-
gefuld. **guileless** ['gaillis] adj uden svig; troskyldig.
guillemot ['gilimot] sb zo lomvi; black ~ tejst.
guilloche [gi'louʃ] sb guillochering, slangeornament.
guillotine [gilə'ti:n] sb guillotine; skæremaskine (til papir);
(i Underhuset) en bestemmelse der fastsætter begrænset
tid til behandlingen af et lovforslag; vb guillotinere; (om
papir) (be)skære.
guilt [gilt] sb skyld; brøde.
guiltiness ['giltinis] sb skyld, strafværdighed.
guiltless ['giltlis] adj skyldfri, uskyldig; he is ~ of Greek
han har ikke begreb om græsk.
guilty ['gilti] adj skyldig; strafværdig; brødebetynget;
skyldbevidst; ~ of skyldig i.
I. Guinea ['gini] Guinea (på Afrikas vestkyst).
II. guinea ['gini] sb guinea (en ikke længere anvendt guld-
mønt; tidl. værdibetegnelse for 21 sh., nu 105 p.).
guinea corn (bot) durrha. ~ fowl, ~ hen perlehøne. ~ pig
marsvin; (fig) forsøgskanin; en der får 1 guinea i hono-
rar, (om bestyrelsesmedlem) pengegris.
guise [gaiz] sb dragt, påklædning; (fig) forklædning;
(glds) måde, skik; in the ~ of forklædt som, maskeret
som; under the ~ of friendship under venskabs maske.
guitar [gi'ta:] sb guitar.
guitarist [gi'ta:rist] sb guitarist, guitarspiller.
gulch [gʌlʃ] sb (am) (dyb og snæver) bjergkløft.
gulden ['guldən] sb gylden (hollandsk mønt).
gules [gju:lz] sb rødt (i heraldik).
gulf [gʌlf] sb golf, (hav)bugt; afgrund, svælg; malstrøm;
vb opsluge; the Gulf Stream golfstrømmen.
gulfweed ['gʌlfwi:d] sb (bot) sargassotang.
I. gull [gʌl] zo måge; common ~ stormmåge.
II. gull [gʌl] sb dumrian, tosse; vb narre; bedrage.
gullet ['gʌlit] sb spiserør, svælg.
gullibility [gʌli'biliti] sb dumhed, lettroenhed.
gullible ['gʌləbl] adj dum, lettroende, blåøjet.
Gulliver ['gʌlivə].
gully ['gʌli] sb regnkløft, erosionskløft; kloaknedløb,
rende, afløb; vb danne kløft i, udhule, fure.
gully trap vandlås.
gulp [gʌlp] sb slurk, drag, synkebevægelse; vb sluge, ned-
svælge, tylle i sig; at one ~ i en eneste mundfuld, i et
drag; ~ down synke, nedsvælge, sluge; ~ down a sob un-
dertrykke en hulken; ~ for breath gispe efter vejret; ~
out fremhulke.
I. gum [gʌm] sb gumme, tandkød.
II. gum [gʌm] sb gummi, klæbemiddel, lim; harpiks (især
af frugttræer); gummitræ; vingummi, (= chewing ~)

G gum

tyggegummi; *vb* gummiere; klæbe; udsvede harpiks; *-s (am)* galocher; ~ *up* S blokere, få til at gå i stå; ~ *up the works (fig)* stikke en kæp i hjulet, sabotere foretagendet.

III. gum [gʌm]: *by* ~ (vulgært for *'by God')*.

gum| arabic ['gʌm'ærəbik] gummi arabikum. **-boil** tandbyld. ~ **boot** gummistøvle. ~ **drop** *(am)* vingummi.

gummy ['gʌmi] *adj* gummiagtig; klæbrig.

gumption ['gʌm(p)ʃən] *sb* foretagsomhed, gåpåmod; omløb i hovedet; *he has no* ~ (også) der er ingen fut i ham.

gum| resin gummiharpiks. **-shoe** *sb (am)* galoche, gummisko; S detektiv, politibetjent; *vb* liste. ~ **tree** gummitræ; *be up a* ~ *tree* være i en fæl knibe.

gun [gʌn] *sb* kanon, gevær, bøsse; pistol, revolver; skydevåben; insektsprøjte; skud *(fx a salute of 21 -s); vb* skyde med bøsse, skyde ned; *(am)* T give gas; køre for fuld gas; ~ *down* skyde ned, pløkke ned; *be -ning for* være på jagt efter; være ude efter; prøve at få ram på; *a big (el. great)* ~ **T** en prominent person, en af de store kanoner; *it is blowing great -s* der blæser en brandstorm; *son of a* ~ slyngel; (se også *jump, stick (to), spike).*

gun| barrel bøsseløb; kanonløb. **-boat** kanonbåd. ~ **camera** *(mil.)* fotogevær. ~ **carriage** *(mil.)* affutage, lavet (understel til kanon). **-cotton** skydebomuld. ~ **crew** kanonbetjening, kanonmandskab. ~ **deck** batteridæk, kanondæk. ~ **dog** jagthund (til jagt med bøsse). **-fire** skydning, artilleriild, kanonild. **-lock** bøsselås, geværlås. **-man** bøssemager; *(am)* gangster, revolverrøver; revolvermand, lejet morder. **-metal** rødgods; mørkegråt.

gunnel ['gʌnl] *sb (mar)* ræling; *(zo)* tangspræl.

gunner ['gʌnə] *sb* artillerist; *(flyv)* maskingeværskytte; *(mar)* kanoner; (også) jæger; *kiss the -'s daughter* blive bundet til en kanon og få tamp.

gunnery ['gʌnəri] *sb* artilleri (som fag).

gunny ['gʌni] *sb* groft paklærred; sækkelærred (af jute).

gun| play skyderi. **-point:** *at -point* truet på livet med et skydevåben. **-port** kanonport.

gunpowder ['gʌnpaudə] *sb* krudt; ~ *factory* krudtværk; *the Gunpowder Plot* krudtsammensværgelsen (Nov. 5, 1605).

gun| room (i krigsskibe) kadetmesse. **-runner** våbensmugler. **-running** våbensmugleri. **-ship** *(am mil.)* bevæbnet helikopter. **-shot** skud; skudvidde. **-shot wound** skudsår. **-smith** bøssemager. **-stock** bøsseskæfte, geværskæfte. ~ **turret** kanontårn.

Gunter ['gʌntə] (engelsk matematiker); *-'s chain* landmålerkæde; *according to* ~ garanteret rigtigt.

gunwale ['gʌnl] *sb (mar)* essing, ræling.

gup [gʌp] *sb* S sludder, vås.

guppy ['gʌpi] *sb zo* guppy (en akvariefisk).

gurgitation [gə:dʒi'teiʃən] *sb* syden, kogen.

gurgle ['gə:gl] *vb* gurgle, klukke; skvulpe; *sb* gurglen, klukken; skvulpen.

Gurkha ['guəkə] *sb* (medlem af en hindustamme i Nepal).

gurnard ['gə:nəd], **gurnet** ['gə:nit] *sb zo* knurhane (en fisk).

guru ['gu(:)ru:] *sb* guru, åndelig vejleder *(el.* fører) (i Indien); *(fig)* guru, profet.

gush [gʌʃ] *vb* strømme, bruse; springe, fosse, vælde (frem); *(fig)* tale overspændt, strømme over i følelser, svømme hen; *sb* strøm; udgydelse, sentimentalitet.

gusher ['gʌʃə] *sb* noget der strømmer frem; oliekilde; overstrømmende *(el.* dumt, sentimentalt) menneske.

gushing ['gʌʃiŋ] *adj* overstrømmende; overstrømmende.

gushy ['gʌʃi] *adj* overstrømmende.

gusset ['gʌsit] *sb* spjæld, kile (i tøj); knudeplade (i jernkonstruktion).

gussy ['gʌsi] *vb:* ~ *up (am)* T stadse ud, pynte op.

gust [gʌst] *sb* vindstød; udbrud *(fx -s of rage).*

Gustavus [gu'sta:vəs] Gustav.

gusto ['gʌstou] *sb* velbehag, oplagthed.

gusty ['gʌsti] *adj* stormfuld, byget.

gut [gʌt] *sb* tarm; snævert pas; 'kattetarm' (egentlig fåretarm hvoraf der fremstilles violinstrenge); gut (en art silkeline, der *bl.a.* bruges som fiskeforfang); *vb* tage indvoldene ud (især af fisk); tømme; plyndre; ødelægge; rasere, udbombe; *a -ted house* et hus hvis indre er helt udbrændt *el.* nedrevet; **-s** (også) indvolde, indmad; *(fig)* indre; indhold, kraft, kerne; karakterstyrke, rygrad; initiativ.

gutta-percha ['gʌtə'pə:tʃə] *sb* guttaperka.

guttate ['gʌteit], **guttated** ['gʌteitid] *adj* dråbeformet; dråbeplettet, spættet.

gutter ['gʌtə] *sb* rende; tagrende; rendesten; fure; *(typ)* indermargin; *vb* lave rende i; udhule, fure; give afløb gennem en rende, (om lys) løbe; dryppe.

gutter| press smudspresse. **-snipe** gadedreng, rendestensunge.

guttural ['gʌt(ə)rəl] *adj* guttural, strube-; *sb* guttural, strubelyd.

I. guy [gai] *sb* Guy Fawkes-figur (som 5. nov. bliver båret omkring og senere brændt); fugleskræmsel; *(am)* fyr *(fx he is a regular* ~ han er en flink fyr); *vb* gøre grin med, gøre nar af, drille; S stikke af; *look a regular* ~ (også) se farlig ud.

II. guy [gai] *sb* bardun; *vb* fastgøre *(el.* sikre) med barduner.

Guy Fawkes ['gai 'fɔ:ks]: ~ *Day* 5. nov.

guy rope bardun.

guzzle ['gʌzl] *vb* drikke overdrevent, tylle *(el.* bælle) i sig; frådse, stoppe sig.

guzzler ['gʌzlə] *sb* dranker; grovæder.

gybe [dʒaib] *vb (mar)* gibbe, bomme, halse.

gyle [gail] *sb* bryg; ølurt; gærkar.

gym [dʒim] *sb* S gymnastiksal; gymnastik.

gymkhana [dʒim'ka:nə] *sb* idrætshus; sportsstævne; ridestævne.

gymnasium [dʒim'neizjəm] *sb* gymnastiksal, gymnastikhus; (i Tyskland *etc)* gymnasium.

gymnast ['dʒimnæst] *sb* gymnast. **gymnastic** [dʒim'næstik] *adj* gymnastisk. **gymnastics** [dʒim'næstiks] *sb* gymnastik.

gymnospermous [dʒimnə'spə:məs] *adj (bot)* nøgenfrøet.

gym| shoe gymnastiksko, gummisko. ~ **slip,** ~ **tunic** gymnastikdragt.

gynaecocracy [gaini'kɔkrəsi] *sb* kvindevælde.

gynaecologist [gaini'kɔlədʒist] *sb* gynækolog, specialist i kvindesygdomme.

gynaecology [gaini'kɔlədʒi] gynækologi.

gyp [dʒip] *sb* oppasser, tjener (ved et *college,* især i Cambridge); S svindler; svindel; *vb* snyde, stjæle; *give sby* ~ give en en omgang, give en kanel.

gypper ['dʒipə] *sb* S svindler.

gypsum ['dʒipsəm] *sb* gips.

gypsy ['dʒipsi] se *gipsy.*

gyrate [dʒai'reit] *vb* dreje sig i en kreds, rotere. **gyration** [dʒai'reiʃən] *sb* kredsbevægelse, kredsløb; kredsen; roteren. **gyratory** ['dʒairətəri] *adj* roterende; kredsende; ~ *traffic* rundkørsel.

gyrfalcon ['dʒə:fɔ:(l)kən] *sb* jagtfalk.

gyrocompass ['dʒaiərəkʌmpəs] *sb* gyrokompas.

gyroscope ['gaiərəskoup, 'dʒaiərə-] *sb* gyroskop. **gyroscopic** [gaiərə'skɔpik, dʒaiərə-] *adj* gyroskopisk; ~ *compass* gyrokompas.

gyve [dʒaiv] *sb* fodlænke; lænke; *vb* lænke.

H [eitʃ]; *drop one's h'es (aitches)* ikke udtale h'erne.
H., h. *fk harbour; hard; height; high; hot; hour(s); husband; hydrant.*
ha [ha:] *interj* ha! ah!
ha. *fk hectare.*
hab. *fk habitat (lat.)* = *he lives.*
habeas corpus ['heibjəs'kɔːpəs]: ~ *Act* (en lov fra 1679, der beskytter en engelsk borger imod at blive holdt fængslet uden undersøgelse og dom); *writ of* ~ ordre til at fremstille en anholdt for retten.
haberdasher ['hæbədæʃə] *sb* en der handler med sysager, bånd *osv;* (især *am)* herreekviperingshandler.
haberdashery ['hæbədæʃəri] *sb* sy- og besætningsartikler, 'småting' (sysager og bånd); *(am)* herreekvipering.
habergeon ['hæbədʒən] *sb (hist)* brystharnisk.
habiliments [hə'bilimənts] *sb pl* klædning, klæder.
habit ['hæbit] *sb* sædvane, vane; dragt, dameridedragt; *(glds)* ~ *of body)* legemskonstitution, *(~ of mind)* temperament; *vb* klæde, iføre; *be in the* ~ *of* have for vane at, pleje at; *he is in the* ~ *of doing it* han plejer at gøre det; *it is a* ~ *with him* det er en vane han har; *get (el. fall) into bad* -s tillægge sig *(el.* få) dårlige vaner; *get into the* ~ *of doing it* komme i vane med at gøre det; *out of (sheer)* ~ af (ren og skær) vane; *the force of* ~ vanens magt; *through (el. from) force of* ~ af gammel vane.
habitable ['hæbitəbl] *adj* beboelig.
habitant ['hæbitənt] *sb* indbygger; ['hæbitɔːŋ] (efterkommer af) fransk indbygger i Canada *el.* Louisiana.
habitat ['hæbitæt] *sb (biol)* findested, hjemsted, udbredelsesområde, *(bot,* også) voksested, *(zo,* også) bosted, opholdssted; *(fig)* opholdssted, miljø, omgivelser *(fx Danes in their natural* ~).
habitation [hæbi'teiʃ(ə)n] *sb* beboelse, bolig.
habitual [hə'bitjuəl] *adj* tilvant; vanemæssig; sædvanlig, almindelig; ~ *drunkard* vanedranker.
habituate [hə'bitjueit] *vb* vænne *(sby to sth* en til noget); *(am* T) være stamgæst i. **habituation** [həbitju'eiʃən] *sb* tilvænning.
habitude ['hæbitjuːd] *sb* vane; indstilling, temperament.
habitué [hə'bitjuei] *sb* stamgæst, hyppig gæst.
hachure [hæ'ʃjuə] *vb* skravere; *sb* skravering *(fx* på landkort).
hacienda [hæsi'endə] *sb* gård, plantage (i Sydamerika).
I. hack [hæk] *vb* hakke; lave hak i; flænse; (i fodbold) sparke over skinnebenet; *he hård tør hoste;* hakke; hakken; hak; spark over skinnebenet.
II. hack [hæk] *sb* lejet hest, krikke; skribent der udfører litterært rutinearbejde på bestilling, neger; *(am)* hyrevogn, taxi; *adj* leje- *(fx horse);* *vb* udleje; engagere til kedsommeligt rutinearbejde; *(am)* køre taxi; ~ *along* lunte af sted.
hacking cough hård tør hoste.
hackle ['hækl] *vb* (om hør) hegle; *sb* (til hør) hegle; (til fiskeri) flue; (på hane) halsfjer; *when his -s are up* når han rejser børster.
hackney ['hækni] *sb* ride- og kørehest; *(glds)* lejet hest; slave. **hackney coach** hyrevogn.
hackneyed ['hæknid] *adj* forslidt, fortærsket, banal.
hacksaw ['hæksɔː] *sb* nedstryger, jernsav.
hackwork ['hækwəːk] *sb* slavearbejde; litterært rutinearbejde.
hack writer skribent der udfører litterært rutinearbejde på bestilling.
had [hæd, (h)əd] *præt* og *pp* af *have.*
haddock ['hædək] *sb zo* kuller.
hade [heid] *sb* skråning; *vb* skråne.
Hades ['heidiːz] Hades.
hadji ['hædʒi:] *sb* pilgrim (som har været i Mekka).
hadn't ['hædnt] sammentrukket af *had not.*
hadst [hædst] *glds* 2. *pers sg præt* af *have.*

hae [hei] (skotsk) = *have.*
hae- se *he-*.
haft [ha:ft] *sb* håndtag, skaft; *vb* forsyne med skaft, skæfte.
hag [hæg] *sb* grim, gammel kone *(el.* kælling), heks; *(zo)* slimål.
hagberry ['hægbəri] *sb (bot)* hægebær.
hagfish ['hægfiʃ] *sb zo* slimål.
haggard ['hægəd] *adj* vild; uhyggelig; mager, udtæret; forgræmmet; *sb* utæmmet høg.
haggis ['hægis] *sb* (skotsk ret af hakket fåre- *el.* kalveindmad).
haggish ['hægiʃ] *adj* hekseagtig.
haggle ['hægl] *vb* tinge, prutte.
hagiocracy [hægi'ɔkrəsi] *sb* gejstligt herredømme.
hagio|grapher [hægi'ɔgrəfə] *sb* hagiograf, forfatter af helgenbeskrivelser. **-graphy** [hægi'ɔgrəfi] *sb* hagiografi, helgenbeskrivelse. **-logy** [hægi'ɔlədʒi] *sb* hagiologi, helgenlitteratur.
hag-ridden ['hægridn] *adj* plaget (af mareridt); *(fig* også) forpint, hærget.
Hague [heig]: *the* ~ Haag (byen).
ha-ha [ha:'ha:] *sb* (forsænket) gærde.
I. hail [heil] *sb* hagl; *(fig)* regn *(fx of arrows);* *vb* hagle; lade det hagle med.
II. hail [heil] *vb* hilse; praje; råbe; *sb* prajning, råb; *hail!* hil! vel mødt! ~ *from* komme fra; være hjemmehørende i; *be within* ~ være så nær at man kan tilkaldes ved et råb; være inden for hørevidde; *(mar)* være på prajehold.
hail-fellow-well-met ['heilfelou'wel'met] *sb* bonkammerat; *adj* jovial, bonkammeratlig.
Hail Mary Ave Maria.
hail|stone hagl. **-storm** haglvejr.
hair [hɛə] *sb* hår; *he has combed my* ~ *the wrong way* han har irriteret mig; *dress one's* ~ sætte sit hår; *get in sby's* ~ *(am)* irritere en, gå en på nerverne; *a fine head of* ~ smukt, kraftigt hår; *keep your* ~ *on!* bare rolig! ikke hidsig! *let one's* ~ *down* slå håret ud; *(fig)* slappe af, slå sig løs; lukke sig op, snakke lige ud af posen; *lose one's* ~ blive skaldet; T blive hidsig *(el.* gal i hovedet); *it made my* ~ *stand on end* det fik håret til at rejse sig på hovedet af mig; *put up one's* ~ sætte håret op; *have sby by the short -s* S have en i sin magt, have krammet på en; *split* -s være hårkløver, være ordkløver; *take a* ~ *of the dog that bit you (omtr* =) med ondt skal man ondt fordrive (især om at drikke mere spiritus som middel mod tømmermænd); *he did not turn a* ~ han fortrak ikke en mine.
hair|breadth hårsbred; *have a -breadth escape* undslippe med nød og næppe; *to a -breadth* nøjagtigt; på et hår; *know to a -breadth* kende ud og ind. **-brush** hårbørste. ~ **clip** hårspænde. **-cloth** hårdug. **-cut** klipning; frisure. **-do** frisure. **-dresser** frisør; barber; *ladies' -dresser* damefrisør(inde). **-dressing** frisering, håropsætning. ~ **follicle** *(anat)* hårsæk. ~ **grass** *(bot)* dværgbunke. ~ **grip** hårklemme. ~ **lead** [-led] *(typ)* hårspatie.
hairless ['hɛəlis] *adj* hårløs.
hair|line ['hɛəlain] *(typ)* hårstreg; (på hovedet) hårgrænse; *receding -line (omtr)* flenskaldethed. ~ **pencil** (fin) pensel. **-piece** top (paryk). **-pin** hårnål. **-pin bend** hårnålesving (på en vej). ~ **-raiser** T gyser. ~ **-raising** rædselsvækkende, hårrejsende. **-'s breadth**, se *hairbreadth*. ~ **seal** *zo* hårsæl. ~ **shirt** hårskjorte, bodsskjorte. ~ **space** *(typ)* hårspatie. **-splitter** ordkløver. **-splitting** ordkløveri. ~ **stroke** *(typ)* hårstreg. **-style** frisure. ~ **trigger** (i geværlås) snellert.
hairy ['hɛəri] *adj* håret, lådden; S besværlig, modbydelig, farlig; (om vittighed) gammel.
Haiti ['heiti] Haiti. **Haitian** ['heiʃən] *sb* haitianer; *adj* haitiansk.
hake [heik] *sb zo* kulmule (en fisk).

halation [hə'leiʃən] *sb (fot)* lysrefleks; (i TV) overstråling, halation.
halberd ['hælbəd] *sb (hist.)* hellebard.
halberdier [hælbə'diə] *sb (hist.)* hellebardist.
halcyon ['hælsiən] *sb* halcyon, isfugl; *adj* fredelig, stille; ~ *days* lykkelige dage.
I. hale [heil] *vb (glds)* hale; slæbe.
II. hale [heil] *adj* sund, rask, kraftig; ~ *and hearty* rask og rørig.
half [ha:f] *sb (pl halves)* halvdel; semester; (i fodbold) halvleg; **T** halv *pint* (øl); *adj* halv; *adv* halvt; ~ **a** *pound* et halvt pund; *I have* ~ *a mind to do it* jeg kunne godt have lyst til at gøre det; ~ *a moment* et lille øjeblik; *you could see it with* ~ *an eye* man kunne se det med et halvt øje; *an hour* **and a** ~ halvanden time; *that was a book and a* ~ det var vel nok en bog (ɔ: vældig god, stor *etc*); *three hours and a* ~ 3½ time; ~ **as** *much again* halvanden gang så meget; *my better* ~ min bedre halvdel; *he is too clever* **by** ~ han er morderlig dreven; *too kind by* ~ altfor venlig; *he does not do things by halves* han nøjes ikke med at gøre noget halvt; *cry halves* forlange at få det halve; *go halves with sby over sth* dele noget lige med en; *cut* **in** ~ skære midt over; *do you like beer?* **not** ~! S kan du lide øl? ja det kan du bande på! *not* ~ *bad* slet ikke dårlig, mægtig god; *you haven't got* ~ *a nerve* du er ikke så lidt fræk; *he didn't* ~ *swear* ih hvor han bandede; *at* ~ **past** 6 klokken halv syv.
half-a-crown *sb* (nu afskaffet mønt med værdien 2½ sh.).
half-a-dozen *(omtr)* en halv snes, nogle stykker.
half-and-half ['ha:fənd'ha:f] *sb* lige blanding *(fx af ale og porter); do sth on the* ~ *basis* dele lige.
half-back ['ha:f'bæk] *(i fodbold)* halfback.
half|-baked halvbagt; *(fig)* uudviklet, umoden, grøn; ungdommelig, uerfaren; indskrænket; ikke gennemtænkt, halvfordøjet *(fx ideas)*. ~ **belt** spændetamp (i frakke). ~ **binding** halvbind; (se også ~*-leather binding*). ~ **-blood** halvblod. ~ **board** halvpension. ~ **-bound** i halvbind *(el.* vælskbind). ~ **-bred** halvblods; halvdannet. ~ **-breed** halvblod, blandingsrace. ~ **brother** halvbroder. ~ **-caste** halvkaste, især et af medlem af en farvet race og europæer. ~ **cock:** *at* ~ *cock* (med hanen) i ro; *go off at* ~ *cock* handle overilet; gå for tidligt i gang. ~ **crown** (nu afskaffet mønt med en værdi af 2½ sh.). ~ **-dollar** halvdollar. ~ **-done** halvgjort; halvkogt, halvstegt. **-hearted** forsagt; halvhjertet, lunken, ligegyldig, uinteresseret, uden begejstring; *he worked only -heartedly* han arbejdede ikke for alvor. ~ **hitch** halvstik. ~ **-holiday** halv fridag. ~ **hose** sok. ~ **hour** halv time; *it wants ten minutes to the* ~ *hour* den mangler ti minutter i halv; *the clock strikes the* ~ *hours* uret slår halvtimeslag. ~ **hunter** dobbeltkapslet ur med et mindre glas i den yderste kapsel. ~ **-landing** mellemrepos. ~ **-leather binding** halvlæderbind, vælskbind. ~ **-length** brystbillede. ~ **-life (period)** (i atomfysik) halveringstid. ~ **-mast:** *at* ~ *-mast* på halv stang. ~ **-measures** *sb pl* halve forholdsregler. **-moon** halvmåne. ~ **mourning** halvsorg. ~ **nelson** (i brydning) halv nelson. **-pace** forhøjning; trappeafsats. ~ **pay** halv gage, pension, ventepenge.
halfpence ['heipəns] *sb* halvpence; *three* ~ 1½ penny.
halfpenny ['heipəni] *sb* halvpenny.
halfpennyworth ['heipəniwə:θ] *sb* for en halv penny.
half |-seas-over *adj* anløben, halvfuld. ~ **sister** halvsøster. ~ **-size** *adj* i halv størrelse. ~ **-sleeve** halvlangt ærme. ~ **step** *(mus.) (am)* halvtonetrin. ~ **ticket** barnebillet. ~ **-timbered house** bindingsværkshus. ~ **-timbering** bindingsværk. ~ **time** halvleg; *be on* ~ *time* kun arbejde den halve dag. ~ **title** smudstitel. **-tone** *(mus.) (am)* halvtonetrin; *(typ)* autotypi. ~ **-track** *(mil.)* halvbæltekøretøj. ~ **volley** *sb* halvflugtning; *vb* halvflugte.
halfway ['ha:f'wei] *adj, adv* på halvvejen; midtvejs; halvvejs; ~ *measures* halve forholdsregler; *meet sby* ~ *(fig)* møde en på halvvejen; *meet trouble* ~ tage bekymringerne på forskud.
half|-wit tåbe, åndssvag. ~ **-witted** tåbelig, åndssvag. ~ **-world** demimonde. ~ **year** halvår. ~ **-yearly** halvårlig.
halibut ['hælibət] *sb* helleflynder.
halite ['heilait] *sb* stensalt.
halitosis [hæli'tousis] *sb* dårlig ånde.

hall [hɔ:l] *sb* større (offentlig) bygning; herregård; (rum) hal, sal, (ved indgang) hall, vestibule, forstue, entré; (i universitetssprog) kollegium, kollegiespisesal, middagsmåltid dèr; *servants'* ~ tjenerskabets spise- og opholdsstue.
hallelujah [hæli'lu:jə] *sb, interj* hallelujah.
halliard ['hæljəd] *sb* = *halyard.*
hallmark ['hɔ:lma:k] *sb* stempel i guld- og sølvvarer, der garanterer metallets ægthed; guldmærke, sølvmærke, prøvemærke; *(fig)* tegn på ægthed eller fornemhed; kendemærke, særkende, adelsmærke; *vb* stemple med prøvemærke.
hallo, halloa [hə'lou] *interj* hallo! halløj! (udtryk for forbavselse, *omtr)* ih du store! (hilsen, svarende til) goddag, godmorgen, godaften.
halloo [hə'lu:] *vb* råbe (hallo); huje; råbe opmuntrende til; praje; *sb* hallo; *don't* ~ *till you are out of the wood* glæd dig ikke for tidligt.
hallow ['hælou] *vb* hellige, indvie.
Hallowe'en ['hælou'i:n] allehelgensaften, 31. okt.
Hallowmas ['hæloumæs] *(glds)* allehelgensdag, 1. nov.
hall tree *(am)* stumtjener.
hallucination [hælu:si'neiʃən] *sb* hallucination, sansebedrag.
hallucinogen [hə'lu:sinədʒen] *sb* hallucinogen, stof der fremkalder hallucinationer.
hallux ['hæləks] *sb (pl: hallaces* ['hæləsi:z]) *(anat)* storetå; *zo* bagtå.
halm [ha:m] *sb* halm, strå, stængel.
halma ['hælmə] *sb* halma.
halo ['heilou] *sb* glorie, stråleglans; ring (om solen *el.* månen); *vb* omgive med glorie.
halophyte ['hæləfait] *sb (bot)* saltplante.
I. halt [hɔ:lt] *vb* tøve, vakle; stamme; *(glds)* halte; *adj (glds)* halt.
II. halt [hɔ:lt] *sb* holdt; holdeplads; trinbræt (lille jernbanestation); *vb* holde, holde stille gøre holdt, standse; (med objekt) lade holde, lade gøre holdt, standse; *come to a* ~ standse, gå i stå; *make a* ~ gøre holdt.
halter ['hɔ:ltə] *sb* grime; (til hængning) strikke; *vb* lægge grime på.
halting ['hɔ:ltiŋ] *adj* haltende; usikker, tøvende, stammende.
halve [ha:v] *vb* halvere; dele i to lige store dele; ~ *a hole with him* (i golf) nå et hul med det samme antal slag som han.
halves [ha:vz] *pl* af *half.*
halyard ['hæljəd] *(mar)* fald (tov hvormed et sejl hejses).
I. Ham [hæm] Kam (i Bibelen).
II. ham [hæm] *sb* skinke; bagdel; S radioamatør; ~ *(actor)* S frikadelle, dårlig skuespiller; *vb* (om skuespiller) overspille, spille i frikadellestil; *squat on one's -s* sidde på hug.
hamadryad [hæmə'draiəd] *sb (myt)* hamadryade, skovnymfe.
Hamburg ['hæmbə:g]. **hamburger, Hamburg steak** *(am)* hakkebøf; bøfsandwich, hamburger.
Hamburgh ['hæmbərə] (druesort; hønserace).
hames [heimz] *sb pl* stavtræer (i seletøj).
ham|-fisted ~, **-handed** *adj* **T** klodset, tommelfingret.
Hamitic [hæ'mitik] *adj, sb* hamitisk.
hamlet ['hæmlit] *sb* lille landsby.
I. hammer ['hæmə] *sb* hammer; geværhane; *bring to the* ~ bringe under hammeren, sælge ved auktion; *come under the* ~ blive solgt ved auktion; *go (el. be) at it* ~ *and tongs* gå på med krum hals; arbejde af alle kræfter; slås så det ryger om ørene; ~ *and sickle* hammer og segl; *throwing the* ~ hammerkast.
II. hammer ['hæmə] *vb* hamre *(fx* ~ *nails into wood;* ~ *at* (på) *the door;* ~ *the idea into his head);* banke, slå; *(fig)* angribe hårdt, kritisere skarpt; banke, slå sønder og sammen, tromle flad; ~ *away at* sth slå løs på noget; *(fig)* blive ved med at arbejde på noget, slide med noget; *be -ed* (i børssprog) blive erklæret for insolvent; ~ *out* udhamre; *(fig)* udpønse, få stablet på benene, finde frem til (med møje og besvær) *(fx an agreement, a solution),* få udarbejdet, diskutere sig frem til; få udjævnet *(fx differences).*
hammer | beam stikbjælke. **-cloth** kuskebukkedækken.

-head hammerhoved; *zo* hammerhaj; (fugl) = **-kop** hammerfugl, skyggefugl. **-lock** (i brydning) backhammer. **-toe** *(anat)* hammertå.

hammock ['hæmək] *sb* hængekøje. **hammock| chair** liggestol. ~ **netting** *(mar)* finkenet.

I. **hamper** ['hæmpə] *sb* stor kurv, lågkurv; ~ *of food* madkurv.

II. **hamper** ['hæmpə] *vb* hæmme; hindre; genere.

Hampshire ['hæmpʃiə]. **Hampstead** ['hæm(p)stid].

Hampton ['hæm(p)tən]: ~ *Court* (slot i nærheden af London).

hamshackle ['hæmʃækl] *vb* binde et dyr med hovedet til det ene forben.

hamster ['hæmstə] *sb zo* hamster.

hamstring ['hæmstriŋ] *sb* hasesene; *vb* skære haserne over på; *(fig)* lamme, gøre virkningsløs.

hamstrung ['hæmstrʌŋ] *præt* og *pp* af *hamstring*.

I. **hand** [hænd] *sb* hånd, (hos visse dyr) fod, forpote; håndskrift *(fx he wrote in* (med) *a beautiful* ~*)*, underskrift; (om person) arbejder *(fx farm* ~*, factory* ~*)*, matros, mand *(fx all -s on deck)*; (af bananer) klase; (på ur) viser; (mål) håndsbred (4 *inches;* især om hests højde); (i kortspil) kort (som man har på hånden) *(fx I have got a wretched* ~ jeg har nogle elendige kort), parti, omgang *(fx play another* ~*)*, spiller; T klapsalve, bifald *(fx our chairman deserves a special* ~*)*;

(forskellige *hand;* se også *II. change, II. force, I. join, I. lay, I. shake, II. show)* **bind** *him* ~ **and foot** binde ham på hænder og fødder; *she waits on him* ~ *and foot* hun opvarter ham i alle ender og kanter; *bear him a* ~, se nedenfor: *lend him a* ~*; a cool* ~ T en fræk fyr; *he* **got** *a* ~ de klappede ad ham; han blev modtaget med klapsalver; *get one's* ~ *in* komme i øvelse; **give** *him a* ~ klappe ad ham, modtage ham med klapsalver; se også nedenfor: *lend him a* ~*; be* ~ **in glove** *with* være pot og pande med; være fine venner med; *work* ~ *in glove with* arbejde intimt sammen med; *be a* **good** ~ *at* være dygtig til; *he is a good* ~ *with a gun* han forstår at håndtere en bøsse (, pistol); *he has a good* ~ *with the horses* han forstår at behandle heste; *he plays a good* ~ (i kortspil) han er en dygtig spiller; **have** *a* ~ *in* have med at gøre, være med i, være blandet ind i; *he* **held** *his* ~ han stillede sig afventende; *she held his* ~ hun holdt ham i hånden; *they held -s* de holdt hinanden i hånden; **keep** *one's* ~ *in* holde sig i øvelse; *keep a firm (el. one's)* ~ *on* have hånd i hanke med; **lend** *him a (helping)* ~ hjælpe ham, gå ham til hånde, give ham en håndsrækning *(el.* en hjælpende hånd) *(fx with the luggage); he did not* **lift** *a* ~ han rørte ikke en finger *(fx to help me); lift one's* ~ *against (el. to)* (true med at) angribe, lægge hånd på; *an* **old** ~ *en* som har erfaring, 'en gammel rotte'; **play** *one's own* ~ pleje sine egne interesser; *be a* **poor** ~ *at* være dårlig til; *I could not see my* ~ *in front of me* jeg kunne ikke se en hånd for mig; **set** *(el. put) one's* ~ *to* tage fat på, gå i gang med; *set one's* ~ *to a document* underskrive et dokument; **strengthen** *(, weaken) his* ~ *(fig)* styrke (, svække) hans stilling (, forhandlingsposition); **take** *a* ~ tage en hånd i med; *take a* ~ *at bridge* spille bridge; **throw in** *one's* ~ opgive ævred; **try** *one's* ~ *at* forsøge sig med; *not do a -'s* **turn** ikke bestille et slag; se også I. *turn;*

(forb med præp og adv) **at** ~ nær ved, ved hånden, nær forestående; *be near at* ~ (også) stå for døren; *at first* ~ på første hånd; *hear sth at first* ~ få førstehåndsviden om noget; *at his* ~ *s* fra hans hånd, fra ham; **by** ~ ved håndkraft; i hånden *(fx sewn by* ~*); bring up by* ~ flaske op; *deliver by* ~ aflevere pr. bud; *made by* ~ håndgjort; *win -s* **down** komme ind som en flot nr. 1; *in* med lethed; *play* **for** *one's own* ~ *(fig)* handle ud fra egoistiske motiver; pleje sine egne interesser; *live* **from** ~ *to mouth* leve fra hånden i munden;

~ **in** ~ hånd i hånd; *a bird in the* ~, se *bird; cash in* ~ kassebeholdning; *in English -s* gå engelske hænder; *in the -s of moneylenders* i ågerkarlekløer; *the work is in* ~ arbejdet er under udførelse; *have in* ~ have lager af, ligge inde med; have krammet på, have magt over; *have sth in* ~ (også) have noget for; *apply in one's own* ~ indgive egenhændig ansøgning; *keep sby (, one's desires) well in*

~ holde styr på en (, på sine lidenskaber); *the situation is well in* ~ situationen er under kontrol; *put in* ~ sætte i arbejde; påbegynde; *take in* ~ tage sig (energisk) af; *fall into the -s of one's enemies* falde i sine fjenders hænder; *play into sby's -s* gå ens ærinde;

off ~ på stående fod, improviseret; *-s off!* fingrene af fadet! væk med fingrene! *get sth off one's -s* blive af med noget, få noget afsat; få noget fra hånden; *have sth off one's -s* være af med noget, være færdig med noget; **on** ~ på lager; til rådighed; ved hånden; forestående *(fx an election may be on* ~*); on all -s* til alle sider; *work on* ~ arbejde under udførelse; *time hangs heavy on my -s* tiden falder mig lang; jeg har svært ved at få tiden til at gå; *on one* ~ til *(el.* på) den ene side; *have sth on one's -s* have besværet med (og ansvaret for) noget *(fx I have two houses on my -s); on the other* ~ på den anden side; *on one's -s and knees* på alle fire;

out of ~ på stående fod, improviseret, straks; uden videre; fra hånden, færdig; *get out of* ~ blive ustyrlig, tage magten fra én; *settle the question out of* ~ gøre kort proces; *feed out of one's* ~ *(fig)* spise af hånden, være let at styre; ~ **over** ~, ~ *over fist* (støt og) hurtigt; *make money* ~ *over fist* skovle penge ind; **to** ~ ved hånden; *come to* ~ fremkomme, nå frem, ankomme, komme én i hænde; ~ *to* ~, se *hand-to-hand; ready to* ~ *one's -s* ved hånden; *yours to* ~ *(glds merk)* vi har modtaget Deres brev; *-s* **up!** hænderne op! *the ship was lost with all -s* skibet gik under med hele besætningen *(el.* med mand og mus); *with a heavy* ~ tungt, klodset; med hård hånd; *with a high* ~ egenmægtigt; *with one's own* ~ egenhændigt;

II. **hand** [hænd] *vb* (over)række; føre med hånden; ~ **down** *plates from a shelf* tage tallerkener ned fra en hylde og række dem til en anden; *I -ed her down to the carriage* jeg lizjote hende til vognen; ~ *down one's property to one's descendants* lade sin ejendom gå i arv til sine efterkommere; *it is said that acquired characters are not -ed down to offspring* det siges, at erhvervede karakteregenskaber ikke arves af afkommet; ~ **in** overrække; indlevere *(fx a telegram); in one's resignation* indgive afskedsbegæring; *when you have read this kindly* ~ *it* **on** *to your friends* når De har læst dette bedes De venligst lade det gå (, sende det) videre til Deres venner; ~ **out** udlevere, uddele; tildele; *I -ed her out of the carriage* jeg hjalp hende ud af vognen; *he is quite rich but he doesn't like -ing out* han er temmelig velhavende men er ikke meget for at give penge ud; ~ **over** aflevere; ~ *it to sby* S yde en anerkendelse, tage hatten af for én; *he is clever, you've got to* ~ *it to him* han er dygtig, det må man lade ham.

hand|bag håndtaske, (dame)taske; håndkuffert. **-ball** kastebold; art boldspil. **-barrow** bærebør; tohjulet trækvogn. **-bell** håndklokke. **-bill** løbeseddel, reklameseddel. **-book** håndbog. **-brake** håndbremse. **-breadth** håndsbred.

h. and c. *fk* hot and cold (water supply).

hand|cart trækvogn. **-clap** klappen; *a slow -clap* langsom rytmisk klappen (udtryk for mishag). **-cuff** *sb* håndjern; *vb* lægge håndjern på. ~ **drill** håndboremaskine.

Handel [hændl] Händel.

handful ['hæn(d)ful] *sb (pl handfuls)* håndfuld; *he is a bit of a* ~ han er ikke let at styre.

hand| gallop kort galop. ~ **glass** håndspejl; lup; (i havebrug) glasklokke. ~ **grenade** håndgranat. **-grip** håndtryk; håndtag; fæste, hjalte. **-hold** noget at holde sig fast ved; *get a -hold on* få tag i.

handicap ['hændikæp] *sb* handicap, hindring, vanskelighed, hæmning; (i sport:) handicap(løb); *(mar)* respit; *vb* handicappe; belaste, hæmme, hindre. **handicapped** ['hændikæpt] (om person også) erhvervshæmmet; *mentally ~ children* evnesvage børn.

handicapper ['hændikæpə] *sb* opmand som bestemmer betingelserne for handicapløbet.

handicraft ['hændikrɑ:ft] *sb* håndarbejde; håndværk. **handicraftsman** [-mən] *sb* håndværker.

handiwork ['hændiwə:k] *sb* værk, arbejde, kunstværk; *I suppose that is your* ~ *(fig)* det har du vist været mester for.

handkerchief ['hæŋkətʃif] *sb* lommetørklæde; tørklæde.

I. handle ['hændl] *vb* tage (fat) på, røre ved *(fx please do not ~ the goods on display)*; håndtere *(fx a tool, a weapon)*, manøvrere *(fx a ship)*, tumle *(fx a horse)*, styre, lede; behandle *(fx he knows how to ~ children; the book -s the problems of immigration)*; have at gøre med, omgås med *(fx dynamite is a dangerous stuff to ~)*; gribe an *(fx he -d the affair clumsily)*; klare, ordne *(fx a problem; she -s the household accounts)*; ekspedere *(fx the day's mail)*; afvikle *(fx traffic)*; *(merk)* handle med, forhandle *(fx used cars)*, omsætte *(fx we ~ 10,000 tons a year)*, ekspedere; (uden objekt): ~ *well (el. easily)* være let at styre (, manøvrere *etc)*; ~ *him* (også) ordne ham; *they were roughly -d by the mob* folkemængden gav dem en ublid medfart; ~ *stolen goods* begå hæleri, være hæler; (se også *glove)*.

II. handle ['hændl] *sb* håndtag, greb, skaft; hank; *your speech may give him a ~ against you* din tale kan give ham noget at hænge sin hat på *(el. et holdepunkt for et angreb mod dig)*; *take by the right ~* få fat i den rigtige ende; *fly off the ~* S fare op, komme helt ud af flippen, blive flintrende gal i hovedet; *a ~ to one's name* en titel.

handlebar ['hændlba:] *sb: -s pl* cykelstyr; ~ *basket* cykelkurv.

handline ['hændlain] *sb* håndsnøre.

handling ['hændliŋ] *sb* berøring; behandling; medfart; ekspedition *etc* (se I. *handle)*; penselføring; ~ *of traffic* færdselsregulering; *he takes some ~* han er ikke nem at klare *(el. styre)*.

hand | **luggage** håndbagage. **-made** *adj* håndsyet; *-made paper* håndgjort papir, bøttepapir.

handmaiden ['hændmeidn] *sb (poet el. fig)* tjenerinde; *be the ~ of (fig)* tjene *(fx the Church was the ~ of the established classes)*.

hand-me-downs ['hændmidaunz] *sb pl (am)* T færdigsyet tøj, stangtøj; tøj der går i arv til yngre søskende.

hand | **mill** håndkværn. ~ **organ** lirekasse.

handout ['hændaut] *sb* gave, almisse; tildeling *(fx they exist on government -s of rice)*; (skriftligt materiale:) pressemeddelelse; duplikat (som uddeles); reklamebrochure.

hand|**-picked** *adj* omhyggelig udvalgt, særlig udsøgt, håndplukket. **-rail** gelænder, håndliste. **-saw** håndsav.

hand's breadth håndsbred.

handsel ['hænsl] *sb (glds)* gave, nytårsgave, handsel; håndpenge; udbetaling 'på hånden'; forsmag; *vb* give handsel; indvie, bruge for første gang.

handset ['hændset] *sb (tlf)* mikrotelefon, T 'rør'; *adj (typ)* sat i halden, håndsat.

handshake ['hændʃeik] *sb* håndtryk.

handsome ['hænsəm] *adj* smuk, køn; pæn, anselig, betydelig, klækkelig *(fx reward, sum of money)*; ~ *is that ~ does* den er smuk som handler smukt.

hand|**spike** *(mar)* håndspage. **-spray** telefonbruser. **-spring** kraftspring. **-stand** håndstand; *do a -stand* stå på hænder. ~ **-to-hand** mand mod mand; ~ *-to-hand fight* nærkamp. ~ **-to-mouth** fra hånden og i munden. **-work** håndarbejde, arbejde lavet i hånden. **-writing** håndskrift; *the -writing on the wall* (bibelsk) skriften på væggen.

handy ['hændi] *adj* bekvem, nem, praktisk; som falder godt i hånden, handig; ved hånden, nær ved; (om person) behændig, fingernem; *he is ~ with an axe* han er flink til at bruge en økse; *come in ~* komme belejligt *(el. tilpas)*, komme til nytte.

handy-dandy ['hændi'dændi] *sb* (en leg: 'hvilken hånd vil du have?').

handyman ['hændimæn] *sb* altmuligmand.

I. hang [hæŋ] *vb (hung, hung)*; regelmæssigt i betydningen: aflive ved hængning; hænge; hænge op; behænge, udsmykke *(fx with flags)*; hænge (i galgen); bringe i galgen; (om kød) lade hænge; (om maleri også) udstille; (uden objekt) hænge, være hængt op; være i ligevægt; *I'll be -ed if I will* gu' vil jeg ej; *oh, ~ it!* pokkers også! ~ *a door* sætte en dør på hængslerne; ~ *fire* (om gevær) ikke straks gå af; *(fig)* ikke komme nogen vegne; *negotiations hung fire* det gik tungt med forhandlingerne; *let that go ~* blæse være med det, det bryder jeg mig ikke om; ~ *one's head* hænge med hovedet (af skam), bøje hovedet i skam; ~ *a jury* hindre nævningerne i at afgive en kendelse ved som nævning at nægte sit sam-

tykke til kendelsen; ~ *paper on a wall* tapetsere en væg; ~ *wallpaper* sætte tapet op, tapetsere;
    (med *præp adv)* ~ **about (el. around)** stå *(el.* gå) og hænge *(el.* drive); drive den af; holde til i, luske rundt i; ~ **back** tøve, have betænkeligheder; ~ **by** *a thread* hænge i en tråd; ~ **in** *the balance* stå hen i det uvisse; ~ **on** hænge ved; hænge fast; *(fig)* holde ud; vente; støtte sig til; være afhængig af *(fx everything hangs on your answer)*; lytte spændt til; *they seemed to ~ (up)on his lips (el. words)* (også) de hang ved hans læber; ~ **on** to holde, fast ved; ~ **out** læne sig ud *(fx don't ~ out of the window)*; S bo, holde til *(fx where do you ~ out?)*; ~ **together** hænge sammen; holde sammen; *his story does not ~ together* well der er ingen rigtig sammenhæng i hans historie; ~ **up** hænge op; opsætte, lade være uafgjort; forsinke *(fx the whole business was hung up owing to his dilatoriness)*; lægge røret på; ringe af; (se også *hung)*; ~ *up one's hat in a house (fig)* indrette sig hos en som om man er hjemme; *this material -s so* **well** dette stof falder så smukt; ~ *a room* **with** *paper* tapetsere et værelse.

II. hang [hæŋ] *sb* måde hvorpå noget hænger *el.* sidder, er sat sammen, virker; betydning; *notice the ~ of the coat* lægge mærke til hvordan frakken sidder; *the ~ of a dress (, curtain)* en kjoles (, gardins) fald; *the ~ of a machine* en maskines indretning, måden hvorpå den virker; *get the ~ of* forstå, få fat i, komme 'efter; *I don't care a ~* jeg bryder mig pokker om det.

hangar ['hæŋ(g)ə] *sb* hangar.

hangdog ['hæŋdɔg] *sb* fyr af et skurkagtigt udseende, skummel fyr; *adj* skummel; ~ *face* skurkefjæs.

hanger ['hæŋə] *sb* bøjle (til at hænge tøj på); strop; kedelkrog; (kort sværd) huggert; hirschfænger; *pothooks and -s* børns første skriveøvelser.

hanger bearing *(tekn)* hængeleje.

hanger-on ['hæŋər'ɔn] *sb (pl: hangers-on)* snylter; *pl* slæng, påhæng.

hangfire ['hæŋfaiə] *sb* efterbrænder (ɔ: skud som går noget sent af).

hanging ['hæŋiŋ] *adj* hængende; *sb* hængning; (senge)omhæng, gardin, draperi; *it is a ~ affair (el. matter)* det kan man blive hængt for.

hanging | **committee** censurkomité (ved udstilling). ~ **indention** *(typ)* fortsat indrykning. ~ **plant** hængeplante.

hang|**man** ['hæŋmən] bøddel. **-nail** neglerod. **-out** ['hæŋaut] S tilholdssted. **-over** ['hæŋouvə] rest, levn; (efter fuldskab) tømmermænd.

hangup ['hæŋʌp] *sb* fældet træ hvis krone er blevet indfiltret i andre træers grene; *(fig)* hindring; (hos person) kompleks *(about, on* med hensyn til, *fx he has a ~ about (el. on) Germans)*; tvangsforestilling, fiks idé, mani; (psykisk) blokering; *have a ~ about* (også:) være skør med.

hank [hæŋk] *sb* (om garn) dukke, *(merk)* streng; *(mar)* løjert.

hanker ['hæŋkə] *vb* hige, længes, plages af længsel *(after, for* efter), attrå. **hankering** ['hæŋkəriŋ] *sb* higen, længsel.

hanky ['hæŋki] *sb* T lommetørklæde.

hanky-panky ['hæŋki'pæŋki] *sb* S fiksfakserier, hokuspokus, luskeri, lumskeri.

Hanover ['hænəvə] Hannover. **Hanoverian** [hænə'viəriən] *adj* hannoveransk; *sb* hannoveraner.

Hansard ['hænsa:d; -səd] de trykte parlamentsforhandlinger; (svarer til) rigsdagstidende.

Hanse [hæns] Hansa; *the ~ towns* hansestæderne.

Hanseatic [hænsi'ætik] *adj (hist.)* hanseatisk, hanse-; *the ~ League* hanseforbundet.

hansel ['hænsəl] *sc handsel.*

hansom ['hænsəm], ~ **cab** tohjulet drosche.

Hants [hænts] *fk* Hampshire.

hap [hæp] *sb (glds)* hændelse, tilfælde; lykke; lykketræf; *vb* hænde; *it was my good ~ to meet him* jeg havde det held at træffe ham.

haphazard ['hæp'hæzəd] *sb* (ren og skær) tilfældighed, slumpetræf; *adj* tilfældig, vilkårlig; *at el. by ~* på må og få, på slump, på lykke og fromme.

hapless ['hæplis] *adj* ulykkelig.

haply ['hæpli] *adv* tilfældigvis; måske.

ha'p'orth ['heipəθ] = *halfpennyworth*.

happen ['hæpn] *vb* ske, hænde, hænde sig, træffe sig; (i dialekt:) *adv* måske, kanske; ~ *along*, ~ *in* T komme tilfældigt, komme dumpende, dumpe ind; *as it -s, it so -s* tilfældigvis; forresten *(fx as is -s (el. it so -s that) he is my brother)*; ~ *on* tilfældigvis træffe *(el.* finde), støde på; *I -ed to be there* jeg var der tilfældigvis; *he -ed to do it* (også) han kom til at gøre det; *if anything should* ~ *to him* hvis der skulle ske ham noget, (ɔ: hvis han dør) hvis der sker ham noget menneskeligt.

happening ['hæpəniŋ] *sb* hændelse, begivenhed; happening.

happily ['hæpili] *adv* lykkeligt; heldigvis.

happiness ['hæpinis] *sb* lykke; lyksalighed; (om udtryk) velvalgthed; *wish sby every* ~ ønske en alt godt.

happy ['hæpi] *adj* lykkelig; lyksalig; glad; T fuld, 'salig'; (om udtryk *etc)* heldig; velvalgt, træffende; *the story has a* ~ *ending* historien ender godt; *I don't feel quite* ~ *about it* jeg er noget bekymret over det, jeg er ikke rigtig glad *(el.* tryg) ved det; *in a* ~ *hour* i en heldig stund.

happy families firkort.

happy-go-lucky ['hæpigou'lʌki] *adj* ubekymret, sorgløs, ligeglad; *live in a* ~ *fashion* leve uden at bekymre sig om dagen og vejen.

happy hunting ground evige *(el.* lykkelige) jagtmarker (indianernes himmerig); *(fig)* ren guldgrube; tumleplads.

hara-kiri ['hærə'kiri] *sb* harakiri.

harangue [hə'ræŋ] *sb* tale, svada, tirade, præk; *vb* holde tale til, præke.

harass ['hærəs, *(am* også) hə'ræs] *vb* pine, plage, chikanere; hærge *(fx the Vikings -ed the coasts); (mil.)* forstyrre.

harassing | **attack** *(mil.)* forstyrrelsesangreb. ~ **fire** foruroligelsesild.

harassment ['hærəsmənt, *(am* også) hə'ræsmənt] *sb* plageri(er), chikaneri(er); hærgen; *(mil.)* forstyrrelse.

harbinger ['ha:bindʒə] *sb* varsel, forløber, bebuder *(fx* ~ *of spring* forårsbebuder).

harbor *(am)* = *harbour.*

harbour ['ha:bə] *sb* havn; *vb* huse, give ly; skjule *(fx an escaped criminal)*; rumme; (om følelser *etc)* nære *(fx suspicions, mistrust)*; (ved jagt) opspore; (uden objekt) søge ly, finde ly; finde havn, ankre i havn.

harbourage ['ha:bəridʒ] *sb* ly, ankerplads, havn(eplads).

harbour | **dues** *pl* havneafgifter. ~ **master** havnefoged. ~ **seal** *zo* spættet sæl.

I. hard [ha:d] *sb* landingssted; S strafarbejde; stiv penis.

II. hard [ha:d] *adj* hård; stærk, i form, i træning *(fx get* ~ *by taking regular exercise)*; voldsom, kraftig *(fx blow)*; streng *(fx discipline, winter)*; vanskelig, svær *(fx* ~ *to understand); (am)* spiritusholdig *(fx drink)*; S (om narkotika) hård;

~ *and fast,* se hard-and-fast; ~ *cheese* S = ~ *luck; in* ~ *condition* i fin form; *have* ~ *feelings* bære nag; *no* ~ *feelings?* du bærer vel ikke nag? skal vi lade det være glemt? ~ *lines* T = ~ *luck; have* ~ *luck* være uheldig; blive hårdt behandlet; *it is* ~ *luck (el. lines)* det er hårde betingelser; det er lige hårdt nok; *it is* ~ *luck (el. lines) on him* det er synd for ham; ~ *news* sikre efterretninger; ~ *of hearing* tunghør; *be* ~ *on sby* være hård *(el.* streng) mod en; ~ *to please* ikke nem at gøre tilpas; ~ *water* hårdt (kalkholdigt) vand; *he has learnt it the* ~ *way* han har måttet slide sig til det, han er ikke kommet let til det; ~ *words* hårde ord; svære ord; *it was* ~ *work* det holdt hårdt.

III. hard [ha:d] *adv* hårdt *(fx work* ~*)*; strengt *(fx it froze* ~*)*; kraftigt *(fx push* ~*)*, energisk, af al magt; skarpt, nøje, stift *(fx look* ~ *at)*; tæt, nær, umiddelbart *(fx follow* ~ *behind)*;

~ *by* tæt ved; *drink* ~ drikke tæt; *it will go* ~ *with them* det bliver slemt for dem; *it shall go* ~ *but I will find them* hvis jeg på nogen måde kan vil jeg finde dem; *look* ~ *at* se stift på; *be* ~ **put to** *it* være i forlegenhed, være vanskeligt stillet; *I was* ~ *put to it* to det kneb for mig at; *it was raining* ~ det skyllede ned; *take it too* ~ tage det for tungt; *think* ~ tænke sig godt om; tænke godt efter; *try* ~ prøve af al magt, gøre sig umage; ~ **up** i pengevanskeligheder, på knæene; *be* ~ *up for* være helt uden *(fx work)*; *it is* ~ *upon one* klokken er næsten et.

hard-and-fast *adj* streng, urokkelig, ufravigelig, rigoristisk *(fx rule)*.

hard | **back** indbunden bog. ~ **-bitted** (om hest) hårdmundet, stædig. ~ **-bitten** stædig, stejl; hærdet, forhærdet; *he is* ~ **-bitten** (også) han er en hård negl. **-board** hård (træ)-fiberplade. ~ **-boiled** hårdkogt. ~ **candy** *(am)* bolsjer. ~ **cash** kontanter, rede penge. ~ **cheese** se II. hard *(*~ *luck)*. ~ **cider** *(am)* cider der indeholder alkohol. ~ **copy** (i edb) klarskrift. ~ **-cover** *adj* (om bog) indbunden. ~ **currency** hård valuta. ~ **drugs** *pl* hårde stoffer. ~ **-earned** surt erhvervet, dyrekøbt.

harden ['ha:dn] *vb* gøre hård, hærde; *(fig)* bestyrke *(fx his conviction); (*om person) gøre forhærdet; (uden objekt) blive hård, hærdes; *(fig)* blive fast, fæstne sig; (om person) blive forhærdet.

hardened ['ha:dnd] *adj* hærdet; ufølsom *(to* overfor, *fx criticism)*; forhærdet *(fx a* ~ *criminal)*.

hardening ['ha:dniŋ] *sb* hærdning; forhærdelse; ~ *of the arteries* åreforkalkning.

hard | **-favoured,** ~ **-featured** med grove, frastødende træk; barsk. ~ **-fisted** gerrig; se også ~ *-handed.* **-fought:** ~ *-fought battle* hårdnakket kamp. ~ **-gloss paint** lakfarve. ~ **-gotten** surt erhvervet. ~ **-grained** (om træ) hårdt; *(fig)* hårdhjertet. ~ **-handed** hårdhændet, med barkede næver. ~ **hat** *(am)* beskyttelseshjelm; bygningsarbejder. ~ **-headed** nøgtern, praktisk, usentimental; kløgtig. **-heads** *(bot)* sorthovedknopurt. ~ **-hearted** hårdhjertet.

Hardicanute ['ha:dikənju:t] Hardeknud.

hardihood ['ha:dihud] *sb (glds)* dristighed.

hardily ['ha:dili] *adv (glds)* tappert, uforfærdet.

hardiness ['ha:dinis] *sb* udholdenhed, hårdførhed; robusthed; tapperhed, uforfærdethed; dristighed, frækhed.

hard | **labour** tvangsarbejde, strafarbejde. ~ **-liner** tilhænger af *(,* følger) en hård kurs. **-liner** tilhænger af hård kurs. ~ **lines** se II. hard *(*~ *luck)*. ~ **liquor** *(am)* spiritus.

hard luck se II. hard. **hard-luck story** tiggers *(etc)* fortælling om sin kranke skæbne, jeremiade, jammerhistorie.

hardly ['ha:dli] *adv* hårdt *(fx be* ~ *treated)*; næppe, næsten ikke, knap; ~ *anybody* næsten ingen; ~ *anything* næsten intet; ~ *ever* næsten aldrig; *hardly ... when* næppe ... før; *it is* ~ *enough* det er vist ikke nok.

hard-mouthed ['ha:dmauðd] *adj* hårdmundet, stivmundet (om hest); *(fig)* stædig; umedgørlig.

hardpan ['ha:dpæn] *sb* al (ɔ: hårdt jordlag).

hard rubber ebonit.

hards [ha:dz] *sb pl* blår.

hard-set *adj* stiv, stivnet; determineret, bestemt; streng, ubøjelig.

hardshell ['ha:dʃel] *adj* hårdskallet; streng, ubøjelig.

hardship ['ha:dʃip] *sb* genvordighed, besværlighed, lidelse, prøvelse; byrde; *-s* (også) strabadser; afsavn; *endure -s* (også) døje modgang; lide ondt.

hard | **solder** slaglod. **-tack** *(mar)* beskøjter. **-top** bil med metaltag (og ikke kaleche).

hardware ['ha:dwɛə] *sb* isenkram; *(fig)* maskiner, maskinel, materiel, udstyr *(mods* mandskab; i edb: *mods* program); *(mil.* også) våben. **hardwareman** ['ha:dwɛəmən] *sb* isenkræmmer.

hardwood ['ha:dwud] *sb* løvtræ; ~ *forest* løvskov.

hardworking *adj* flittig.

hardy ['ha:di] *adj* dristig; hårdfør, robust; modstandsdygtig; ~ *annual* hårdfør etårig plante; *(fig)* stående (samtale)emne, gammel traver; fast tilbagevendende begivenhed.

I. hare [hɛə] *sb* hare; ~ *and hounds* papirsjagt, sporleg; *mad as a (March)* ~ skrupgal; *first catch your* ~ *then cook him* man skal ikke sælge skindet, før bjørnen er skudt; *start a* ~ jage en hare op; *(fig)* bringe et helt uvedkommende emne på bane, afspore diskussionen; *run with the* ~ *and hunt with the hounds* bære kappen på begge skuldre.

II. hare *vb:* ~ *off* styrte af sted.

harebell ['hɛəbel] *sb (bot)* blåklokke.

hare-brained ['hɛəbreind] *adj* ubesindig, tankeløs, forfløjen.

harelip ['hɛəlip] *sb* hareskår.

harem ['hɛərəm] *sb* harem.

hare's | **-ear** *(bot)* hareøre. ~ **-foot (clover** *el.* **trefoil)** *(bot)*

harekløver.
haricot ['hærikou] *sb* snittebønne.
hark [ha:k] *vb* lytte, høre efter (især i tilråb til et hunde-kobbel); **~** *at him!* (ironisk) hør ham! **~** *back* løbe tilbage for at finde sporet igen; *(fig)* vende tilbage til sit udgangspunkt (, til et emne); **~** *to* høre på, lytte til.
harl [ha:l] *sb* trævl (af hør eller hamp); stråle (i fjer).
harlequin ['ha:likwin] Harlekin; *adj* broget.
harlequinade [ha:likwi'neid] *sb* harlekinade.
harlequin duck zo strømand.
Harley ['ha:li]; **~** *Street* gade i London, hvor mange speciallæger har konsultationslokaler.
harlot ['ha:lət] *sb (glds)* skøge.
harlotry ['ha:lətri] *sb (glds)* skørlevned.
harm [ha:m] *sb* skade, fortræd; *vb* skade, gøre fortræd; *where's the* **~** *in doing that?* hvad kan det skade (at gøre det)? *I meant no* **~** det var ikke så slemt ment; *there's no* **~** *done* der er ingen skade sket; *come to no* **~** ikke komme noget til; *out of -'s way* i sikkerhed; *that won't* **~** *him, that won't do him any* **~** det tager han ingen skade af.
harmful ['ha:mful] *adj* skadelig; ond.
harmless ['ha:mlis] *adj* uskadelig, harmløs, sagesløs.
harmonic [ha:'mɔnik] *adj* harmonisk; *sb (mus.)* overtone.
harmonica [ha:'mɔnikə] *sb* mundharmonika; glasharmonika.
harmonic | analysis *(mat.)* Fourier-analyse. **~** *mean (mat.)* harmonisk middeltal. **~** *motion (fys)* harmonisk bevægelse.
harmonics [ha:'mɔniks] *sb (mus.)* harmonilære.
harmonious [ha:'mounjəs] *adj* harmonisk; samdrægtig; fredelig, venskabelig.
harmonist ['ha:mɔnist] *sb* harmonist; komponist.
harmonium [ha:'mounjəm] *sb* harmonium, stueorgel.
harmonization [ha:mənai'zeiʃən] *sb (mus.* og om priser *etc)* harmonisering; *(fig)* samklang, harmoni. **harmonize** ['ha:mənaiz] *vb (mus.* og om priser *etc)* harmonisere; *(fig)* bringe i samklang; afstemme; (uden objekt) være i samklang, harmonere; stemme overens.
harmony ['ha:məni] *sb* harmoni; *(fig)* samdrægtighed, fredelighed; *be in* **~** *with* (også) harmonere med.
harness ['ha:nis] *sb* (til hest) seletøj; (til barn) sele; *vb* give seletøj på, spænde for; *die in* **~** dø under arbejdet; arbejde til det sidste; *work (, run) in double* **~** gå i spand sammen, arbejde sammen; **~** *the water power* udnytte vandkraften. **harness maker** sadelmager.
Harold ['hærəld] Harald.
harp ['ha:p] *sb* harpe; *vb* spille på harpe; **~** *on (fig)* altid komme tilbage til, evig og altid snakke om, tærske langhalm på; *he is always -ing on the same string* han synger altid den samme vise (ɔ: taler altid om det samme). **harper** ['ha:pə] *sb* harpespiller. **harpist** ['ha:pist] *sb* harpenist.
harpoon [ha:'pu:n] *sb* harpun; *vb* harpunere.
harpooner [ha:'pu:nə] *sb* harpunér.
harp seal zo grønlandssæl, svartside.
harpsichord ['ha:psikɔ:d] *sb* cembalo.
harpy ['ha:pi] *sb (myt)* harpy; *(fig)* grisk person, blodsuger; afrakket kælling.
harpy eagle zo harpy.
harquebus ['ha:kwibəs] *sb (glds)* hagebøsse.
harridan ['hæridən] *sb* pulverheks, gammel kælling.
harrier ['hæriə] *sb* harehund, støver; terrænsportsmand, terrænløber; zo kærhøg.
Harrovian [hə'rouvjən] *sb* harrovianer, elev af skolen i **Harrow** ['hærou].
harrow ['hærou] *sb* harve; *vb* harve; *(fig)* sønderrive; pine. **harrowing** *adj* oprivende.
I. Harry ['hæri] *= Henry; Old* **~** Fanden.
II. harry ['hæri] *vb* hærge, plyndre; plage.
harsh [ha:ʃ] *adj* (meget) hård *(el.* streng), skånselsløs *(fx critic, punishment, treatment)*, brutal *(fx ruler)*, skarp *(fx rebuke)*, barsk, rå *(fx climate)*, plump *(fx manners, features)*; (om lyd) skurrende *(fx voice)*, disharmonisk, (om farve *etc)* grel, skærende *(fx contrast)*, (om smag, lugt) besk, stram, *(mht* berøring) ru *(fx surface)*, grov.
harshen ['ha:ʃən] *vb* gøre hård, strammere (jvf *se harsh)*.
hart [ha:t] *sb* hanhjort; **~** *of ten* hjort med 10 takker på geviret; **~** *royal* en af kongen forgæves jaget hjort som

derefter er fredet.
hartal ['ha:ta:l] *sb* proteststrejke (i Indien).
hartebeest ['ha:tibi:st] *sb* zo hartebeest (art antilope).
hartshorn ['ha:tshɔ:n] *sb* hjortetak; hjortetakspiritus; *salt of* **~** hjortetaksalt.
hart's-tongue *(bot)* hjortetunge.
harum-scarum ['hɛərəm'skɛərəm] *adj* vild, ubesindig, forvirret, fremfusende; *sb* vild person, galning, fusentast.
Harvard ['ha:vəd] (kendt universitet i USA).
harvest ['ha:vist] *sb* høst, afgrøde; *vb* høste, indhøste; *reap the* **~** *of one's hard work (fig)* høste lønnen for sit slid. **harvest bug** zo augustmide. **harvester** ['ha:vistə] *sb* høstkarl; mejemaskine, selvbinder. **harvester thresher** mejetærsker.
harvest| festival høstfest; høstgudstjeneste. **~ fly** cikade. **~ home** afslutning på høsten; høstgilde. **-man** høstkarl; zo mejer. **~ mite** zo augustmide. **~ mouse** zo dværgmus.
Harwich ['hæridʒ].
has [hæz, (ubetonet:) (h)ez] har (3. *pers sg præs* af *have).*
has-been ['hæzbi:n] *sb* S person *(el.* ting) der hører fortiden til; *a* **~** en forhenværende, et fortidslevn.
hash [hæʃ] *vb* hakke, skære i stykker; forkludre; *sb* hakkemad; labskovs, biksemad, hachis, *(fig)* kludder, virvar; opkog; S hash; *he made a* **~** *of it* han forkludrede det hele; *I'll soon settle his* **~** ham skal jeg snart få gjort kål på *(el.* få ordnet).
hasheesh, hashish ['hæʃi:ʃ] *sb* haschisch, hash (euforiserende stof).
hash| house *(am* S) billig beværtning. **~ slinger** *(am* S) opvarter.
haslets ['heizlits] *sb pl* indmad (især af svin).
hasn't ['hæznt] = *has not.*
hasp [ha:sp] *sb* (til vindue) haspe, krog; (for hængelås) overfald; (på bog *etc)* spænde; (af garn) nøgle; (til rok) ten; *vb* (lukke med) haspe *el* spænde.
hassle ['hæsl] *(am)* *sb* skænderi; *vb* skændes.
hassock ['hæsək] *sb* græstue; bedeskammel; knælepude.
hast [hæst] har *(glds* 2. *pers sg* i *præs* af *have).*
hastate ['hæsteit] *adj* spydformet.
haste [heist] *sb* hast, hastværk, fart; *make* **~** skynde sig; *be in* **~** have hastværk; *more* **~**, *less speed* hastværk er lastværk; *act in* **~** handle overilet.
hasten ['heisn] *vb* haste, ile, skynde sig; fremskynde.
Hastings ['heistiŋz].
hasty ['heisti] *adj* hastig *(fx departure);* forhastet, overilet *(fx decision);* uovervejet *(fx words);* hastværks-; heftig, hidsig; **~** *pudding* grød.
hat [hæt] *sb* hat; **T:** *I'll eat my* **~** *first* jeg vil hellere lade mig hænge; *I'll eat my* **~** *if he doesn't* han gør det, det vil jeg æde min gamle hat på; *then I'll eat my* **~** (også:) så må du kalde mig Mads; *be in the* **~** S være i knibe; *send (el. pass) round the* **~** lade hatten gå rundt (ɔ: samle ind); *hang up one's* **~** slå sig ned for længere tid; *talk through one's* **~** vrøvle, snakke hen i vejret; *keep sth under one's* **~** tie stille med noget, holde noget hemmeligt; *my* **~**! ih, du store! nu har jeg aldrig set så galt! **hatband** ['hætbænd] *sb* hattebånd; *broad* **~** sørgeflor om hatten.
hatbox ['hætbɔks] *sb* hatteæske.
I. hatch [hætʃ] *sb* nederste halvdør; lem, luge; *(mar)* luge; (ved sluse) stigbord; *down the* **~**! T skål! *under -es (mar)* under dæk, i frivagt; indespærret under dæk; *(fig)* underkuet; død; nedtrykt.
II. hatch [hætʃ] *vb* udruge; udklække; ruge; udruges; udklækkes; *sb* udrugning; udklækning; yngel, kuld; *count one's chickens before they are -ed* sælge skindet før bjørnen er skudt.
III. hatch [hætʃ] *vb* skravere; *sb* skravering.
hatchery ['hætʃəri] *sb* udklækningsanstalt.
hatchet ['hætʃit] *sb* håndøkse, lille økse; *bury the* **~** begrave stridsøksen, slutte fred; *take (el. dig) up the* **~** grave stridsøksen op, begynde krig; *throw the* **~** overdrive.
hatchet| face smalt ansigt med skarpskårne træk, skarpt ansigt. **~ man** *(am)* gangster; håndlanger, 'vagthund'; revolverjournalist.
hatching ['hætʃiŋ] *sb* udrugning, udklækning; skravering.
hatchment ['hætʃmənt] *sb* våben, våbenskjold (afdøds vå-

ben som hængtes op på hans hus og senere i kirken).

hatchway ['hætʃwei] *sb (mar)* luge.

hate [heit] *vb* hade, afsky; **T** være meget ked af *(fx I ~ to trouble you),* ikke kunne fordrage *(fx I ~ being late); sb* had.

hateful ['heitf(u)l] *adj* afskyelig; forhadt.

hat guard hattesnor.

hath [hæθ, həθ] har *(glds 3 pers sg præs af have).*

Hathaway ['hæθəwei].

hat|less ['hætlis] *adj* uden hat. **-peg** hatteknage. **-pin** hattenål. **-rack** knagerække til hatte.

hatred ['heitrid] *sb* had *(of el. for* til).

hatstand ['hætstænd] *sb* stumtjener.

hatter ['hætə] *sb* hattemager; *mad as a ~* splittergal; *(am)* ustyrlig rasende.

hat trick: *do the ~* score tre mål i samme kamp; (i kricket) tage tre gærder med tre på hinanden følgende bolde.

hauberk ['hɔ:bə:k] *sb (hist.)* ringbrynje.

haughtiness ['hɔ:tinis] *sb* arrogance, hovmod, overlegenhed.

haughty ['hɔ:ti] *adj* arrogant, hovmodig, overlegen.

haul [hɔ:l] *vb* hale, slæbe, transportere; (om vind) dreje; *(mar)* gå tættere til vinden; *sb* halen, slæben, transport; (ved fiskeri) dræt, fangst, (også *fig)* udbytte; *get a fine ~* gøre et godt kup; *~ sby over the coals* skælde en ud, give en en overhaling *(el.* balle *el.* røffel); *~ down one's flag* stryge flaget; overgive sig; *~ sby up* bremse en (i hans vidtløftigheder, overdrivelser *etc); ~ up (mar)* gå tættere til vinden.

haulage ['hɔ:lidʒ] *sb* transport(omkostninger); arbejdskørsel. **haulage contractor** vognmand.

haulier ['hɔ:ljə] *sb* vognmand; mand der transporterer kul frem til skakten i en mine.

haulm [hɔ:m] *sb* halm, strå, stængel.

haunch [hɔ:n(t)ʃ] *sb* hofte; (af slagtet dyr) kølle; *-es* (også) bagfjerding; bagdel, ende; *~ of mutton* fårekølle; *~ of venison* dyrekølle.

haunt [hɔ:nt] *sb* tilholdssted; opholdssted; (om dyr også) hjemsted; *vb* besøge ofte, komme tit i *(fx a café);* hjemsøge, plage; (om spøgelse også) spøge i; *(fig)* stadig forfølge, plage *(fx -ed by fear); I am -ed by that idea* den tanke spøger stadig i mit hoved; *the house is -ed* det spøger i huset; *an -ed look* et jaget *(el.* plaget *el.* forpint) udtryk.

haunting ['hɔ:ntiŋ] *adj* uforglemmelig, ikke til at ryste af sig, som stadig forfølger en.

hautboy ['(h)oubɔi] *sb (mus.)* obo.

hautboy player oboist.

hauteur [ou'tə:, 'outə:] *sb* arrogance, hovmod.

Havana [hə'vænə] Havanna; *sb* havannacigar.

Havanese [hævə'ni:z] *adj* havannesisk; *sb* havanneser.

I. have [hæv, (h)əv] *vb (had, had)* have, være (som hjælpeverbum, *fx I ~ done my work; I ~ gone);* eje, besidde, have *(fx ~ a motorcar);* få *(fx ~ a baby; ~ an idea);* tage sig *(fx ~ a cigar),* spise, drikke *(fx ~ dinner; what will you ~?);* (om sprog) tale *(fx he has fluent German; I ~ no French);* **T** snyde, narre, 'tage' *(fx I think he is trying to ~ you; you ~ been had);* overvinde, slå af marken *(fx he had you completely in the first game);* (efterfulgt af *inf* med *to)* måtte, være nødt til *(fx I ~ to do my work);* (med *obj* og *inf)* have til at *(fx what will you ~ me do?);* få til at *(fx ~ him come at two);* (efterfulgt af *pp)* lade (på dansk efterfulgt af *inf, fx he had the table repaired* han lod bordet reparere);

(forskellige forbindelser) *I'm not having any* jeg skal ikke nyde noget; *~ at him* gå løs på ham; *~ done* holde op (med), være færdig med; *~ done with* være færdig med; *~ sby down* få en på besøg; *~ got* (også) have *(fx I ~ got a motor-car); ~ got to* være nødt til, måtte *(fx I ~ got to go); ~ a haircut* blive klippet, lade sig klippe; *~ sby in* have en på besøg, have besøg af en; *he has had it* han er færdig, det er sket med ham; han har haft sin sidste chance; han er led og ked af det *(fx he has been working like mad and now he has had it); ~ it* (også) sige, have *(fx he will ~ it that ...)* as Byron has it som der står hos Byron; *let him ~ it* **T** give ham en ordentlig omgang; *~ it in for him (am)* **T** være ude efter ham; *~ it in one to* være i stand til at; *~ on* have på *(fx*

~ a hat on); ~ sby on **T** lave grin med en, snyde en; *~ nothing on sby* se *nothing; ~ you anything on tonight?* har du noget for i aften? *~ one's sleep out* få sovet ud; *~ it out with him* få talt ud med ham, få gjort rent bord *(el.* gjort op) med ham; *~ a tooth out* få en tand trukket ud; *you will ~ to do it* du bliver nødt til at gøre det; *~ sby up* få en på besøg; *be had up* blive stillet for retten, blive taget med på stationen; *~ everything one's own* **way** få sin vilje i alt; *~ it your own way* (gør) som du vil; ja ja da! *~ one's wish* få sit ønske opfyldt.

II. have [hæv] *sb* **T** bedrageri, svindel; *the haves and the have-nots* ['hævnɔts] de rige og de fattige.

havelock ['hævlɔk] *sb* havelock (hvidt klæde over hat til at beskytte nakken mod solen).

haven ['heivn] *sb* havn, tilflugtssted; *tax ~* skattely.

haven't ['hævnt] sammentrukket af *have not.*

haver ['heivə] *vb* vrøvle; sige en masse sludder for at trække tiden ud.

haversack ['hævəsæk] *sb* (lærreds-)skuldertaske, tværsæk; rygsæk; *(mil.)* paksæk; *(glds)* brødpose.

havoc ['hævək] *sb* ødelæggelse; nederlag; blodbad; *terrible ~ was caused by the earthquake* jordskælvet anrettede frygtelige ødelæggelser; *wreak ~ on, play ~ with, make ~ of* anrette skade på, ødelægge.

I. haw [hɔ:] *sb (bot)* tjørn; kødbær; *zo* blinkhinde.

II. haw [hɔ:] (uartikuleret lyd svarende til:) øh, ømøh, øbøh; *hum and ~* hakke og stamme i det.

Hawaii [hɑ:'waii:, hə'waii:].

hawfinch ['hɔ:fin(t)ʃ] *sb zo* kirsebærfugl, kernebider.

haw-haw ['hɔ:hɔ:] *sb* støjende latter; *adj* affekteret (om *eng* udtale).

I. hawk [hɔ:k] *sb* høg (også *fig);* falskspiller, bedrager; *vb* jage med falk; jage.

II. hawk [hɔ:k] *vb* rømme sig, harke; *sb* rømmen, harken.

III. hawk [hɔ:k] *vb* drive gadehandel; høkre, sjakre; *~ about* udsprede *(fx news); ~ from door to door* handle ved dørene.

IV. hawk [hɔ:k] *sb* mørtelbræt, kalkbræt.

hawkbit ['hɔ:kbit] *sb (bot)* borst.

hawker ['hɔ:kə] *sb* gadesælger; bissekræmmer; falkejæger.

hawk-eyed *adj* med falkeblik; skarpsynet.

hawk|moth *zo* aftensværmer. *~* **owl** *zo* høgeugle.

hawse [hɔ:z] *sb (mar)* klys (hul i skibets bov); *a foul ~ (mar)* uklare kæder; *a clear ~ (mar)* klare kæder.

hawser ['hɔ:zə] *sb (mar)* trosse, kabeltov, pertline.

hawser-laid *adj* trosseslået.

hawthorn ['hɔ:θɔ:n] *sb (bot)* tjørn.

Hawthorne ['hɔ:θɔ:n].

hay [hei] *sb* hø; *get (el. make) ~ out of (am)* drage fordel af, udnytte til sin fordel; *hit the ~* **S** krybe til køjs; *look for a needle in a bundle of ~* lede efter en nål i en høstak; *make ~* bjærge hø; *make ~ of* forkludre, spolere; vende op og ned på; besejre overlegent; *make ~ while the sun shines* smede medens jernet er varmt; *it is not ~ (am)* det er ikke småpenge *(el.* pebernødder) (ɔ: det er mange penge).

hay|box høkasse. **-cock** høstak. **~ fever** høfeber. **-field** græsmark der bruges til høslæt. **-fork** høtyv. **-loft** høstænge. **-rick** (stor) høstak. **-seed** græsfrø; *(am* **S)** bonde-(knold). **-stack** høstak.

haywire ['heiwaiə] *sb* bindegarn; *adj: go ~* komme i uorden; blive skør, opføre sig som om man var skør.

hazard ['hæzəd] *sb* tilfælde, træf; risiko, fare, vovestykke; terningespil; (i billard) stød der sender bal'en i hul; *vb* vove, sætte på spil; *~ a remark* driste sig til at komme med en bemærkning; *at all -s* koste hvad det vil.

hazardous ['hæzədəs] *adj* vovelig, risikabel, hasarderet.

I. haze [heiz] *sb* tåge, dis.

II. haze [heiz] *vb* pine, plage (især: med arbejde); drille.

hazel ['heizl] *sb* hassel; *adj* nøddebrun.

hazel| grouse, ~ hen *zo* hjerpe.

hazelnut ['heizlnʌt] *sb* hasselnød.

hazy ['heizi] *adj* diset; *(fig)* vag, tåget, ubestemt; *be ~ about what to do* ikke rigtig vide hvad man skal gøre.

H.B. *fk* hard black (om blyant).

H.B.M. *fk* Her (, His) Britannic Majesty.

H-bomb ['eitʃbɔm] brintbombe.

H.C. *fk* House of Commons.

H H.C.F.   196

H.C.F. *fk highest common factor.*
he [hi:, (h)i] *pron* han; den, det; *sb* han; *he who, he that* den som.
H.E. *fk His Eminence; His Excellency; high explosive.*
I. head [hed] *sb* hoved; *(fig)* forstand; (om person) leder, chef, overhoved *(fx the ~ of a clan),* (i skole) rektor, (i klasse) duks; (del af ting, se også: ~ *of* nedenfor) top, (det) øverste *(fx the ~ of a page),* (på øl) skum, (af tønde) bund, (af mønt) krone *(mods* plat *tails),* (af op-tog *etc)* spids *(fx of a procession),* (af værktøj) hoved *(fx of an axe, of a hammer);* (i artikel, bog *etc)* over-skrift; (hoved)afsnit, (hoved)punkt; *(bogh,* af bog) over-snit; *(geogr)* pynt, forbjerg; *(mar)* stævn, forstavn, ga-lion, (på sejl) faldsbarm, S kloset, toilet; (om kvæg) stykke; *(mht* pumpe) løftehøjde; trykhøjde; S hoved-pine; en der har haft en psykedelisk oplevelse; bruger af narkotisk stof; (brugt som *adj)* over- *(fx ~ waiter* over-tjener);
(forb med *vb, sb) fall ~ first* falde på hovedet; *give him his ~* lade ham få sin vilje; give ham frie tøjler; *keep one's ~* holde hovedet koldt; *keep one's ~ above water (fig)* holde sig oven vande; *lose one's ~* tabe hovedet, blive forvirret; miste hovedet, blive halshugget; *make ~* gøre fremskridt; *make ~ against* gøre modstand mod; *I cannot make ~ or tail of it* jeg forstår ikke et ord *(el.* muk) af det (hele); *-s or tails* plat eller krone;
(forb med *præp* og *adv)* **above** *the -s of one's audience* hen over hovedet på sine tilhørere; *be ~ and shoulders above (fig)* rage langt op over; **at** *the ~ of* i spidsen for; *at the ~ of the table* for bordenden; *at the ~ of the list* først på listen, som nummer et; **by** *the ~* med forstavnen lavere i vandet end agterenden; *win by a ~* vinde med en hovedlængde; *have a good ~ for* figures være god til at huske tal (, til at regne); *put it* **into** *his ~* sætte ham det i hovedet; *take it into one's ~* sætte sig det i hovedet; *~* **of** *a bed* hovedgærde; *she has a beautiful ~ of hair* hun har et dejligt hår; *~ of a ladder* øverste trin på en stige; *~ of an office* kontorchef; *~ of a river* en flods udspring; *~ of water* vandtryk;
off *one's ~* fra forstanden; skør; *I can do that* **on** *my ~* det kan jeg gøre ligesom en mis; *be easy on that ~* du kan være rolig på det punkt *(el.* hvad det angår); *have sth on one's ~* have ansvaret for noget, have noget på sin samvittighed; *he has a (good) ~ on his shoulders* der sid-der et godt hoved på ham; **out** *of one's ~ (am)* **T** = *off one's ~; put it out of his ~* få ham til at glemme det, få ham fra det; **over** *~ and ears* = *over ears; be ~ over ears in debt (, love)* sidde i gæld (, være forelsket) til op over begge ører; *~ over heels* = *~ over ears; act over his ~* handle hen over hovedet på ham; *he lost over his ~* han tabte mere end han havde råd til; *he was promoted over the -s of his colleagues* han sprang forbi (ɔ: blev for-fremmet forud for) sine kolleger; **per** *~* pro persona; **T** pr. næse; *bring matters* **to** *a ~* fremtvinge en afgørelse; *come to a ~* (om byld) trække sammen; *(fig)* nærme sig krisen, nå et afgørende punkt; *it has gone to his ~* det er steget ham til hovedet; *they laid (el.* put*) their -s* **to-gether** de stak hovederne sammen; **under** *three -s* inddelt i tre afsnit *(el.* punkter).
II. head [hed] *vb* stå øverst på *(fx his name -ed the list);* lede *(fx a rebellion);* stå i spidsen for; gå i spidsen for, gå forrest i *(fx a procession);* (i fodbold) heade, nikke; *~ for* sætte kursen imod, styre imod; *be -ing for (fig)* være (godt) på vej til; *be -ing for disaster (el.* ruin*)* gå *(el.* ile) sin undergang i møde; *~ off* dirigere *(el.* lede*)* i en anden retning, dirigere væk; standse; *(fig)* afværge *(fx a quarrel).*
headache ['hedeik] *sb* hovedpine; S bekymring; problem; *that is your ~* det må du ordne, det bliver din sag, det bliver din hovedpine. .
head|band pandebånd; (på bogbind) kapitælbånd; (på hø-retelefon) bøjle. **-board** hovedgærde; *(mar)* flynder. **~ boy** duks. **-cheese** *(am, omtr)* (grise-)sylte. **~ clerk** fuld-mægtig, kontorchef. **-dress** hovedpynt, coiffure.
header ['hedə] *sb* dukkert; hovedkulds fald *el.* spring; ho-vedspring; hovedstød (i fodbold); (mursten:) binder, kop; *take a ~* (også) falde på hovedet; *take a ~ into a swimming pool* springe på hovedet ud i et svømmebassin.

head|fast ['hedfɑ:st] *sb (mar)* forvarp, fortrosse. **-gear** ho-vedtøj, hovedbeklædning. **~ -hunter** hovedjæger.
heading ['hediŋ] *sb* titel, hoved, overskrift, rubrik; afsnit; kategori; (i kartotek, register) opslagsord.
headlamp ['hedlæmp] *sb* forlygte.
headland ['hedlənd] *sb* pynt, odde, forbjerg; *(agr)* forpløj-ning.
headlight ['hedlait] *sb* (på bil) forlygte; (på lokomotiv) frontlanterne.
headline ['hedlain] *sb* (i avis) overskrift; (i bog) klummeti-tel; (i radio): *-s* kort nyhedsoversigt; se også II. *hit.*
head|long ['hedlɔŋ] *adv* hovedkulds, på hovedet; ubesin-digt; voldsomt. **-louse** *zo* hovedlus. **-man** ['hed'mæn] ho-vedmand, høvding; formand. **-master** ['hed'mɑ:stə] rek-tor; skolebestyrer; skoleinspektør. **-mistress** (kvindelig) rektor, skolebestyrerinde. **~ money** kopskat; pris der er udsat for hver tagen fange.
headmost ['hedmoust] *adv* forrest.
head nurse *sb* oversygeplejerske.
head-on ['hed'ɔn] *adj, adv: strike an iceberg ~* løbe stæv-nen lige ind i et isbjerg; *a ~ collision* et sammenstød kø-ler mod køler (, *(mar)* stævn mod stævn); et frontalt sammenstød; *(fig)* et direkte sammenstød, en direkte konfrontation.
headphones ['hedfounz] *sb pl* (til radio) hovedtelefon.
headpiece ['hedpi:s] *sb* hjelm; hovedbeklædning; (til hest *etc)* hovedtøj, grime; *(fig)* hoved, forstand *(fx he has a good ~);* *(typ)* foransat vignet.
headquarters ['hed'kwɔ:təz] *sb* hovedkvarter.
headrace ['hedreis] *sb* overvand(sledning) der driver vand-hjul.
head| register *(mus.)* hovedstemme, hovedregister (ɔ: fal-set). **-rest** nakkestøtte (på barberstol, i bil); (på læne-stol:) *-rests* ørenklapper. **-room** fri højde; *(arkit* også*)* loftshøjde. **-sail** forsejl. **~ sea** *(mar)* hovedsø. **-set** hoved-telefon. **-ship** førerstilling; rektorat. **-shrinker** S psykiater.
headsman ['hedzmən] *sb* skarpretter.
headspring ['hedspriŋ] *sb* kilde, udspring; (i gymnastik) hovedspring.
headstall ['hedstɔ:l] *sb* hovedtøj, hovedstol (på seletøj).
head start forspring; *give them a ~* (også) lade dem starte før de andre.
headstock ['hedstɔk] *sb* (på drejebænk)` spindeldok; (ved mine) *(omtr)* skakttårn.
headstone ['hedstoun] *sb* gravsten; hjørnesten.
headstrong ['hedstrɔŋ] *adj* stædig; hidsig, halsstarrig, egen-sindig.
headwaiter ['hed'weitə] *sb* overtjener.
headwaters ['hedwɔ:təz] *sb pl* udspring, kilder *pl (fx the ~ of the Nile).*
headway ['hedwei] *sb* bevægelse fremad; fremskridt; fart; fri højde (i dør, under brobue *osv); fetch ~, make ~* skyde fart; gøre fremskridt.
head| wind modvind. **-word** titelord, titelhoved; opslags-ord. **-work** tankearbejde.
heady ['hedi] *adj* stivsindet, egensindig; overilet, voldsom; berusende, som går til hovedet; ophidsende; (om tale også) opflammende.
heal [hi:l] *vb* læge, hele; kurere; læges *(fx the wound -ed).*
heald [hi:ld] *sb* sølle (i væv).
healer ['hi:lə] *sb* naturlæge; *time is the great ~* tiden læger alle sår.
healing ['hi:liŋ] *adj* lægende.
health [helθ] *sb* sundhed; helbred; *bill of ~* sundhedspas; *Ministry of Health* (kan gengives) sundhedsministerium; *be in good (, bad) ~* have det godt (, dårligt); *drink sby's ~* drikke ens skål; *your (good) ~!* Deres velgående *(el.* skål)! hører *~* to skål for.
health| centre helsehus (med konsultation for flere læger, fælles laboratorier *etc).* **~ exercises** *pl* sygegymnastik. **-ful** sund, god for helbredet. **~-giving** sund, helbredende. **~ insurance** sygeforsikring. **~ officer** *(omtr)* embedslæge; embedsmand i sundhedsstyrelsen. **~ resort** kursted, sana-torium.
healthy ['helθi] *adj* sund, rask.
heap [hi:p] *sb* hob, bunke, dynge; masse; *vb: ~ (up)* lægge *(el.* samle) i en bunke; *(fig)* ophobe, dynge sam-men *(fx riches); I am -s better* **T** jeg har det meget

bedre; *a* ~ **of** mange, en bunke; *I was struck (el.
knocked) all of a* ~ jeg var fuldstændig lamslået; *-s of
time* masser af tid; *-s of times* masser af gange; ~ *coals
of fire* **on** *sby's head* sanke gloende kul på ens hoved; *he
-ed potatoes on my plate* han fyldte min tallerken med
kartofler, han blev ved med at øse kartofler op til mig;
he -ed insults on me han overdængede mig med fornær-
melser; ~ *one's plate* **with** *potatoes,* se ovenfor: ~ *pota-
toes on …; he -ed me with favours* han overøste mig med
gunstbevisninger; *a -ed spoonful* en topskefuld.

hear [hiə] *vb (heard, heard)* høre; afhøre; erfare, få at
vide; høre på, lytte til *(fx his complaint);* ~ *the boy's
multiplication tables* høre drengen i gangetabellen; ~ *a
case* behandle en retssag; *Justice X -d the case* dommer
X var dommer i sagen; *he wouldn't* ~ **of** *it* han ville ikke
høre tale om det; *please* ~ *me* **out** vær så venlig at lade
mig tale ud; *the court -d the witnesses* retten påhørte vid-
nernes udsagn; ~ *witnesses* (også) afhøre vidner.

heard [hə:d] *præt* og *pp* af *hear.*
hearer ['hiərə] *sb* tilhører.
hearing ['hiəriŋ] *sb* hørelse; påhør; behandling (af retssag),
domsforhandling; høring; *gain a* ~ blive hørt, blive
hørt; *give him a (fair)* ~ give ham lejlighed til at blive
hørt, høre på hvad han har at fremføre *(el.* sige); *out of*
~ uden for hørevidde; *within* ~ inden for hørevidde.
hearing aid høreapparat.
hearken ['ha:kən] *vb (poet)* lytte.
hearsay ['hiəsei] *sb* forlydende, rygte; omtale; *by (el.
from)* ~ von hörensagen.
hearsay evidence vidneudsagn om noget man kun har
kendskab til på anden hånd.
hearse [hə:s] *sb* rustvogn, ligvogn; *(glds)* ligbåre; *(rel)*
kandelaber.
heart [ha:t] *sb* hjerte, mod; midte, centrum, kerne; (af ar-
tiskok) bund; **-s** (i kortspil) hjerter;
break his ~ knuse hans hjerte; **cry** *one's* ~ **out** græde
bitterligt, græmme sig; **eat** *one's* ~ *out,* se *I. eat;* **give**
one's ~ *to* skænke sit hjerte til; **have** *a* ~ *!* vær nu lidt rar!
vær ikke så hård! *not have the* ~ *to do it* ikke kunne
nænne at gøre det; *he has his* ~ *in his mouth* hjertet sid-
der i halsen på ham; *his* ~ **is** *in the right place* han har
hjertet på det rette sted; **lose** ~ tabe modet; *lose one's* ~
tabe sit hjerte, blive forelsket; **pluck** *up* ~ = tabe ~; **set**
one's ~ **on** være stærkt opsat på; *his* ~ **sinks** *into his
boots* hjertet synker ned i bukserne på ham; ~ *and* **soul**
af hele sit hjerte, med liv og sjæl; **take** ~ fatte mod;
skyde hjertet op i livet; **wear** *one's* ~ **on** *one's sleeve* bære
sine følelser til skue; *our -s* **went out** *to them* vi følte med
dem, vi havde den dybeste medfølelse med dem;
(forb med *præp)* **after** *one's own* ~ efter sit hjerte; *I
have your welfare* **at** ~ dit velfærd ligger mig på sinde; *at
(the bottom of one's)* ~ inderst inde *(fx at* ~ *she is ro-
mantic);* **by** ~ udenad; **from** *one's* ~ af hele sit hjerte; **in**
(good) ~ ved godt mod; (om jord) frugtbar; *in one's* ~
of -s inderst inde; *find it in one's* ~ *to* bringe det over sit
hjerte at; *in the* ~ *of Africa* midt inde i Afrika; *in his
secret* ~ i sit stille sind; *the* ~ **of** *the matter* sagens
kerne; ~ *of oak* kerneved af eg, stærkt egetømmer; *(fig)*
modig, karakterfast mand; *an affair of the* ~ et hjertean-
liggende; *a change of* ~ sindelagsskifte; **out of** ~ mod-
løs; ~ **to** ~ fortrolig; *lay to* ~ lægge sig på sinde; *take
to* ~ lægge sig på sinde, tage sig nær; *to one's -'s content*
af hjertens lyst, af godt hjerte; *love* **with** *all one's* ~
elske af hele sit hjerte; **with** *half a* ~ uvilligt, ugerne.
heart|ache ['ha:teik] hjertesorg. **-beat** hjerteslag; hjertetban-
ken. **-break** hjertesorg. **-breaking** hjerteskærende; fortviv-
lende. **-broken** med knust hjerte, sorgbetynget. **-burn**
halsbrænden, halsbrynde; kardialgi. **-burning** *sb* misfor-
nøjelse; nag; skinsyge.
heart failure hjertesvigt, hjertelammelse; *die of* ~ (også)
dø af et hjerteslag.
heart-felt ['ha:tfelt] *adj* inderlig, hjertelig.
hearth [ha:θ] *sb* arne, arnested; kamin; fyrsted; *(tekn)*
esse, herd.
hearth|rug kamintæppe. **-stone** arnesten; arne; skuresten.
heartily ['ha:tili] *adv* hjerteligt, varmt, ivrigt; kraftigt, so-
lidt, grundigt, inderligt; ~ *sick of* led og ked af.

heartland ['ha:tlænd] *sb* central del af et område.
heartless ['ha:tlis] *adj* hjerteløs.
heartrending ['ha:trendin] *adj* hjerteskærende.
heartsearching ['ha:tsə:tʃiŋ] *sb* grundig overvejelse, selvprø-
velse, selvransagelse.
heartsease ['ha:tsi:z] *sb (bot)* stedmoderblomst.
heartsick ['ha:tsik] *adj* hjertesyg.
heartsome ['ha:tsəm] *adj* opmuntrende; munter.
heartsore ['ha:tsɔ:] *adj* sorgbetynget; *sb* hjertesorg.
heartstrings ['ha:tstriŋz] *sb pl (fig)* hjerterødder, dybeste
følelse; *tug at his* ~ gribe ham om hjertet, røre ham
dybt.
heart| throb *(med.)* hjertebanken; **S** skat; ~ *throbs* (også)
ømme følelser. ~ **-to-heart** fortrolig *(fx talk).* ~ **trace**
elektrokardiogram. ~ **-whole** *adj* ikke forelsket; oprigtig,
af hele sit hjerte. **-wood** kerneved, kernetræ.
hearty ['ha:ti] *adj* hjertelig *(fx welcome),* varm; ivrig;
kraftig *(fx kick);* stærk; sund; solid, rigelig *(fx meal);*
T overstrømmende; jovial, friskfyragtig; sportstosset; *sb*
sportsidiot; *my hearties!* mine brave gutter!

heat [hi:t] *sb* hede, varme; stærk smag (som af peber, sen-
nep *o l);* *(fig)* ophidselse *(fx in the* ~ *of the moment);*
(om dyr) brunst; (i sport) heat, (enkelt) løb; *vb* varme,
opvarme; gøre hed; *(fig)* ophidse; (uden objekt) blive
hed, blive varm; *be in (, on, at)* ~ 'løbe', være brunstig;
final ~ afgørende løb; *the* ~ *is* on **S** politiet er efter ham
(, dem *etc);* *turn on the* ~ lukke op for varmen; *(fig)*
lægge stærkt pres på ham (, dem *etc).*
heat| apoplexy *(med.)* hedeslag. ~ **barrier** *(flyv)* varme-
mur.
heated ['hi:tid] *adj* opvarmet; ophedet; *(fig)* hidsig *(fx
discussion);* heftig.
heat engine varmekraftmaskine.
heater ['hi:tə] *sb* varmeapparat, ovn; *(glds)* strygebolt; **S**
pistol.
heat exchanger varmeveksler.
heath [hi:θ] *sb* hede; lyng. **heath|berry** (fællesbetegnelse for
bærsorter der vokser på heden). ~ **cock** urhane.
heathen ['hi:ðn] *sb* hedning; *adj* hedensk. **heathendom**
[-dəm] *sb* hedenskab. **heathenish** [-iʃ] hedensk; *(fig)* bar-
barisk. **heathenism** [-izm] *sb* hedenskab.
heather ['heðə] *sb* lyng; *take to the* ~ *(glds)* blive fredløs.
heathery ['heðəri] *adj* lyngagtig, lyng-; lyngbevokset.
heath-game ['hi:θgeim] urhøns.
Heath-Robinson ['hi:θ'rɔbinsn] *(adj,* om mekanik *etc)*
sindrig, kompliceret og praktisk uanvendelig; (svarer til)
Storm P'sk.
heathy ['hi:θi] *adj* lyngbevokset.
heating ['hi:tiŋ] *adj* varmende; ophidsende; *sb* opvarm-
ning.
heating value varmeværdi.
heat| lightning kornmod. ~ **shield** varmeskjold (på rum-
skib). ~ **-stable** varmebestandig. **-stroke** *(med.)* hedeslag.
~ **-treat** varmebehandle *(fx* mælk). ~ **unit** varmeenhed.
~ **wave** varmebølge.
heave [hi:v] *vb* hæve, løfte *(fx a heavy axe);* kaste, smide,
hive *(fx* ~ *it overboard);* *(mar.)* hive, hale, slæbe; (uden
objekt) stige og synke *(fx* om bryst); svulme; have ondt,
være lige ved at kaste op; ånde tungt, stønne; *sb* hæv-
ning; bølgen; pludselig tung ånden, sukken; stønnen; ~
ho! hiv ohoj! ~ *the lead,* se *I. lead;* ~ *a sigh* udstøde et
suk, sukke dybt; ~ *in sight* komme i sigte; dukke frem;
my stomach -d det vendte sig i mig; ~ *to (mar)* lægge bi,
dreje under.
heaven ['hevn] *sb* himmel(en), himmerige; (især i *pl* også)
himmelhvælving; *good -s* du milde himmel! ~ *knows* det
må himlen vide; *move* ~ *and earth* sætte himmel og jord
i bevægelse; *in the seventh* ~ *of delight* i den syvende
himmel.
heavenly ['hevnli] *adj* himmelsk; ~ *bodies* himmellegemer.
heavenward(s) ['hevnwəd(z)] *adv* mod himlen.
heaves [hi:vz] *sb pl* (lungesygdom hos heste) engbrystig-
hed.
heavily ['hevili] *adv* tungt *(fx a* ~ *loaded truck);* svært;
besværligt, langsomt; hårdt *(fx be punished* ~*);* stærkt,
heftigt, meget; *(glds)* tungsindigt, bedrøvet.
heavy ['hevi] *adj* tung; solid *(fx wall),* svær *(fx chains, ar-
tillery, losses),* stor *(fx expenses),* stærk *(fx rain, demand*

efterspørgsel), kraftig *(fx blow)*, heftig *(fx storm, fire skydning)*; besværlig, hård *(fx work)*, trættende; kedelig *(fx speech, style)*; plump *(fx features* træk); *(teat)* værdig, højtidelig; *(am)* stejl *(fx grade)*; a ~ *buyer (, smoker etc)* en der køber (, ryger *etc)* meget; ~ *bread* klægt brød; ~ *casualties* svære tab; ~ *cleaning* grovere rengøringsarbejde; ~ *debt* trykkende gæld; *play the* ~ *father (teat)* spille den strenge fader; ~ *industry* sværindustri; ~ *news* sørgelige nyheder; ~ *parts (teat)* anstandsfaget, anstandsroller; *a* ~ *sailer* en dårlig sejler, et dårligt sejlende skib; ~ *sea* svær sø, oprørt hav; ~ *taxes* tyngende *(el.* høje) skatter; ~ *to the stomach* tungt fordøjelig; ~ *with sleep* søvndrukken; ~ *workers* hårdtarbejdende.
heavy|-armed svært bevæbnet. ~ **going** tungt føre; *(fig)* kedsommeligt *el.* besværligt arbejde. ~ **-handed** kluntet, kejtet; håndfast; despotisk, tyrannisk. ~ **-laden** tungt ladet; som bærer på store byrder; med tungt hjerte. ~ **-set** svær, kraftig *(fx man)*. ~ **water** tungt vand. **-weight** sværvægtsbokser, sværvægtsbryder.
hebdomadal [heb'dɔmədəl] *adj* ugentlig; uge-.
Hebe ['hi:bi].
hebetude ['hebətju:d] *sb* sløvhed, afstumpethed.
Hebraic [hi'breiik] *adj* hebraisk. **Hebraism** ['hi:breiizm] *sb* hebraisk sprogejendommelighed.
Hebrew ['hi:bru(:)] *sb* hebræer; *adj* hebraisk.
Hebrides ['hebridi:z]: *the* ~ Hebriderne.
hecatomb ['hekətu:m] *sb* hekatombe.
heck [hek] *sb* T pokker(s); *a* ~ *of a fix* en pokkers knibe; *where the* ~ *is it?* hvor pokker er den?
heckle ['hekl] *vb* plage med spørgsmål, komme med forstyrrende tilråb; (om hør, se *hackle).*
heckler ['heklə] *sb* afbryder, ballademager (ved vælgermøde).
hectare ['hekta:] *sb* hektar.
hectic ['hektik] *adj* hektisk.
hecto|gram(me) ['hektəgræm] hektogram. **-graph** ['hektəgra:f] *sb* hektograf; *vb* hektografere. **-litre** ['hektəli:tə] hektoliter. **-metre** ['hektəmi:tə] hektometer.
hector ['hektə] *sb* pralhans, skryder; tyran; *vb* prale; true; tyrannisere.
he'd [hi:d] sammentrukket af: *he had el. he would.*
heddles ['hedlz] *sb pl* søller (i væv).
hedge [hedʒ] *sb* (levende) hegn, hæk; *vb* plante hegn om *(fx ~ a field)*; omhegne, omgærde; klippe (, plante) hæk; T tage forbehold, ikke (ville) tage klart standpunkt, ikke ville komme ud af busken, tøve, vakle; vædde på begge parter (i sport); dække sig ind, helgardere sig; *be on the wrong side of the* ~ *(fig)* tage fejl; ~ *sby about (el.* round, in) *with rules (, prohibitions)* indskrænke ens handlefrihed, binde en på hænder og fødder med regler (, forbud); ~ *round with care and affection* hæge om.
hedge bedstraw *(bot)* hvid snerre.
hedgehog ['hedʒ(h)ɔg] *sb zo* pindsvin; *(mil.)* pindsvinestilling.
hedgehop ['hedʒhɔp] *vb (flyv)* S flyve meget lavt (hen over).
hedge maple *(bot)* naur.
hedgerow ['hedʒrou] *sb* hæk; levende hegn.
hedge| school skole under åben himmel (tidligere i Irland); tarvelig skole. ~ **sparrow** *zo* jernspurv. ~ **stake** gærdestav.
hedonism ['hi:dənizm] *sb* hedonisme (læren om nydelsen som det højeste gode). **hedonist** ['hi:dənist] hedonist.
hedonistic [hi:də'nistik] *adj* hedonistisk.
heebie-jeebies ['hi:bi'dʒi:biz] *sb pl (am)* S dårligt humør, 'nerver'; delirium tremens.
heed [hi:d] *vb* agte, ænse, give agt på, bryde sig om; *sb* agt, opmærksomhed; omhu; forsigtighed; *give (el.* pay) ~ *to, take* ~ *of* ænse, passe på, lægge mærke til; *take* ~ vogte sig. **heedful** ['hi:df(u)l] *adj* opmærksom; forsigtig.
heedless ['hi:dlis] *adj* ligegyldig, uagtsom, ubetænksom, ubesindig.
heehaw ['hi:hɔ:] *vb* skryde (om et æsel); slå en skraldende latter op; *sb* skryden; skraldende latter.
I. heel [hi:l] *sb* hæl; endeskive (af brød, ost); rest, slat; S løjser, slyngel; *(mar)* slagside, krængningsvinkel; *maste-fod; heel!* (til hund) hinter!
come to ~ falde til føje; *cool one's -s* (måtte) vente; *dig*

in one's -s (fig) (kridte skoene og) stå fast; *down at* ~ (om sko) udtrådt, nedtrådt; (om person) derangeret, lurvet klædt; *follow at sby's -s (el. on sby's* ~*)* følge lige i hælene på; *leave the house -s foremost* blive båret ud af huset som død; *kick (up) one's -s* se *I. kick; lay by the -s* arrestere, pågribe; *turn on one's* ~ (pludselig) gøre omkring; *be out at (the)* ~ have hul på strømpehælen, være lurvet klædt; *show one's -s, show a clean pair of -s, take to one's -s* stikke af, flygte; *throw up sby's -s* overvinde en; *under* ~ underkuet.
II. heel [hi:l] *vb* bagflikke; sætte nye hæle på; *(am* S) følge i hælene på; forsyne (især med penge); *(mar)* krænge, hælde; *well-heeled* velbeslået; ~ *in* indslå planter; ~ *over (mar)* krænge, hælde.
heeler ['hi:lə] *sb (am)* S følgesvend, servil tilhænger af en politisk fører.
heel|piece bagflik. **-tap** bagflik; slat (i et glas); *no -taps!* drik ud!
heft [heft] *sb* løften; *vb* løfte (for at bedømme vægten); veje i hånden.
hefty ['hefti] *adj* T stærk, kraftig, muskuløs, håndfast; stor, velvoksen, 'solid', gevaldig *(fx profit, batch of letters).*
hegemony [hi'gemɔni, 'hedʒi-, 'hegi-] *sb* hegemoni, (over)herredømme *(fx world* ~*).*
he-goat ['hi:'gout] *sb* gedebuk.
heifer ['hefə] *sb* kvie.
heigh [hei] *interj* halløj.
heigh-ho ['hei'hou] *interj* ak! akja!
height [hait] *sb* højde; højdepunkt, toppunkt *(fx the* ~ *of folly; the* ~ *of his career)*; *-s pl* højder; *the* ~ *of fashion* højeste mode; *in the* ~ *of the storm* mens stormen er (, var) på sit højeste.
heighten ['haitn] *vb* forhøje, hæve; øge, overdrive; blive højere *(el.* stærkere), tage til.
Heinie ['haini] *sb (am* S) tysker.
heinous ['heinəs] *adj* afskyelig; frygtelig, grufuld.
heir [ɛə] *sb* arving. **heir| apparent** retmæssig arving, nærmeste arving, tronarving; *(fig)* arvtager, kronprins. ~ **-at-law** intestatarving.
heiress ['ɛəris] *sb* kvindelig arving; *(mht* ægteskab) godt parti; *marry an* ~ gøre et godt parti, gifte sig penge til.
heirloom ['ɛəlu:m] *sb* arvestykke.
heir presumptive præsumptiv arving, arving under forudsætning af, at der ikke fødes arveladeren nærmere; (til trone) arveprins(esse).
heist [haist] *vb* S stjæle biler.
held [held] *præt* og *pp* af *hold.*
Helen ['helin] Helene, Helena.
Helena ['helinə]; *St.* = [senti'li:nə] (øen).
heliborne ['helibɔ:n] *adj* helikoptertransporteret *(fx troops).*
helical ['helikl] *adj* skrueformet, spiral-.
helices *pl* af *helix.*
Helicon ['helikən] Helikon.
helicopter ['helikɔptə] *sb* helikopter.
Heligoland ['heligələnd] Helgoland.
helilift ['helilift] *vb* transportere med helikopter.
heliocentric [hi:ljə'sentrik] *adj* heliocentrisk, med solen i centrum.
heliograph ['hi:ljəgra:f] *sb* heliograf (apparat der sender signaler ved hjælp af spejle); *vb* heliografere.
heliometer [hi:li'ɔmitə] *sb* heliometer, solmåler.
Helios ['hi:liɔs] *(myt)* Helios (græsk solgud).
heliotrope ['heljətroup] *sb (bot)* heliotrop.
heliozoan [hi:liou'zouən] *sb zo* soldyr.
helipad ['helipæd] *sb* start- og landingsplads for helikoptere.
heliport ['helipɔ:t] *sb* start- og landingsplads for helikoptere, heliport.
helium ['hi:ljəm] *sb (kem)* helium.
helix ['hi:liks] *(pl helices* ['helisi:z]) spiral, skruelinje; det ydre øres kant; *(arkit)* volut.
he'll [hi:l] sammentrukket af: *he will.*
hell [hel] *sb* helvede; spillebule; *like* ~ som bare fanden *(fx run like* ~*); like* ~ *I will!* gu' vil jeg ej! *make one's life a* ~ gøre livet til et helvede for en; *ride* ~ *for leather* ride alt hvad remmer og tøj kan holde; *just for the* ~ *of*

it bare for sjov; *a* ~ *of a noise* et helvedes spektakel; *oh*
~! så for fanden! *if you are late there'll be* ~ *to pay* hvis
du kommer for sent, så er fanden løs *(el.* så bliver der et
helvedes vrøvl); *suffer* ~ *on earth* lide alle helvedes kva-
ler; *what the* ~ *do you want?* hvad fanden vil De?
Hellas ['helæs].
hellbender ['hel'bendə] *sb zo* amerikansk kæmpesalaman-
der, dynddjævel.
hellbent ['helbent] *adj (am)* fast besluttet, hårdnakket;
they are ~ *on doing it* de vil med djævelens vold og magt
gøre det.
hell box *(typ)* tøjkasse.
hellcat ['helkæt] *sb* furie.
hellebore ['helibɔ:] *sb (bot)* nyserod.
Hellene ['heli:n] *sb* hellener; *King George of the* -*s* kong
Georg af Grækenland. **Hellenic** [he'li:nik] *adj* hellensk,
græsk. **Hellenism** ['helinizm] *sb* hellenisme.
Hellenist ['helinist] *sb* hellenist, kender af græsk sprog;
græsk jøde. **Hellenistic** [heli'nistik] *adj* hellenistisk.
Hellenize ['helinaiz] *vb* hellenisere.
Hellespont ['helispɔnt].
hellfire ['hel'faiə] *sb* helvedes ild; svovlpølen.
hellhound ['helhaund] *sb* helvedeshund, djævel.
hellish ['heliʃ] *adj* helvedes, djævelsk.
hello ['he'lou] *se hallo.*
Hell's Kitchen (tidligere forbryderkvarter i New York).
helm [helm] *sb* ror, rorpind, rat.
helmet ['helmit] *sb* hjelm.
helmeted ['helmitid] *adj* hjelmklædt.
helminth ['helminθ] *sb* indvoldsorm.
helminthic [hel'minθik] *adj* som vedrører indvoldsorm; *sb*
ormdrivende middel.
helmsman ['helmzmən] *sb (mar)* rorgænger.
helot ['helət] *sb (hist.)* helot; træl.
I. help [help] *sb* hjælp, bistand; (om person) hjælper,
støtte; pige, hushjælp; (om ting) hjælpemiddel; *be of* ~
være til hjælp; *by the* ~ *of* ved hjælp af; *there's no* ~ *for
it* der er ikke noget at gøre ved det.
II. help [help] *vb* hjælpe; støtte; hjælpe til, bidrage til;
(især: ved bordet) forsyne, (se *ndf:* ~ *oneself,* ~ *to);
(med can(not))* forhindre, lade være med;
~ *the soup* øse suppen op; *I cannot* ~ *it* jeg kan ikke
gøre for det; *how can I* ~ *it?* hvad kan jeg gøre for det?
he could not ~ *himself* han kunne ikke dy sig; *I cannot* ~
laughing jeg kan ikke lade være med at le; *I cannot* ~
your being a fool jeg kan ikke gøre for, at du er et fæ; *it
won't happen again, if I can* ~ *it* det skal ikke ske igen,
hvis jeg kan forhindre det; *it can't be* ~*ed* der er ikke no-
get at gøre ved det; *don't tell him more than you can* ~
fortæl ham ikke mere end du er nødt til *(el.* end strengt
nødvendigt); *every little* -*s* lidt har også ret; *so* ~ *me
God!* så sandt hjælpe mig Gud! ~ *oneself* tage selv, for-
syne sig, tage for sig af retterne;
(forb med præp og adv) ~ *forward (fig)* fremme; ~ *on*
hjælpe frem; ~ *me on (, off) with my coat* hjælp mig
frakken på (, af); ~ *out* hjælpe ud; hjælpe gennem van-
skeligheder *osv;* understøtte; ~ *a lame dog over a stile*
hjælpe en med at komme ud af en forlegenhed; ~ *your-
self to some claret, please* å, tag (selv) noget rødvin; *he
-ed me to a glass of wine* han skænkede et glas vin til
mig; *may I* ~ *you to some more meat?* må jeg give Dem
lidt mere kød?
helper ['helpə] *sb* hjælper.
helpful ['helpf(u)l] *adj* hjælpsom; nyttig.
helping ['helpiŋ] *sb* forsyning, portion.
helpless ['helplis] *adj* hjælpeløs.
helpmate ['helpmeit], **helpmeet** ['helpmi:t] *sb* medhjælp;
hjælper(ske); (=æ ægtefælle).
helter-skelter ['heltə'skeltə] *adj, adv* (i vild forvirring; hul-
ter til bulter; over hals og hoved.
helve [helv] *sb* økseskaft, vb sætte skaft på.
helvella [hel'velə] *sb (bot)* foldhat (en svampeart).
Helvetia [hel'vi:ʃiə] Helvetien, Schweiz.
Helvetic [hel'vetik] *adj* helvetisk, schweizisk.
I. hem [hem] *sb* søm, kantning, kant; *vb* sømme, kante;
indeslutte; ~ *in (el. about, round)* omringe; omgærde,
indeslutte; *we are* -*med in by rules and regulations* vi kan
ikke røre os for reglementer og forskrifter.

II. hem [hem] *interj* hm! *sb* rømmen; *vb* rømme sig; ~ *and
haw* hakke og stamme.
hemal ['hi:məl] *adj* hæmal, blod-.
he-man ['hi:mæn] *sb* **T** rigtigt mandfolk, 100% mandfolk.
hematine ['hemətin] *sb* hæmatin.
hematite ['hemətait] *sb* blodsten, hæmatit.
hemicycle ['hemisaikl] *sb* halvkreds.
hemiplegia [hemi'pli:dʒə] *sb (med.)* hemiplegi, halvsidig
lammelse.
hemisphere ['hemisfiə] *sb* halvkugle, hemisfære.
hemispheric(al) [hemi'sferik(l)] *adj* halvkugleformet, hemi-
sfærisk.
hemistich ['hemistik] *sb* halvvers.
hemlock ['hemlɔk] *sb (bot)* skarntyde; skarntydeekstrakt;
(~ *spruce)* art tsuga (et granlignende træ), især Tsuga
canadensis. **hemlock spruce,** se *hemlock.*
hemoglobin [hi:mou'gloubin] *sb* hæmoglobin.
hemophilia [hi:mou'filiə] *sb* blødersygdom.
hemorrhage ['heməridʒ] *sb (med.)* blødning.
hemorrhoids ['hemərɔidz] *sb pl* hæmorroider.
hemp [hemp] *sb* hamp; *(glds, fig)* reb (til hængning).
hemp agrimony *(bot)* hjortetrøst.
hempen ['hempən] *adj* af hamp; *a* ~ *collar (glds, fig)* løk-
ken på bødlens reb; ~ *widow* enken efter en hængt.
hemp nettle *(bot)* hanekro.
hemstitch ['hemstitʃ] *sb* hulsøm; *vb* sy hulsøm i.
hen [hen] *sb* høne; hun (af fugl).
henbane ['henbein] *sb (bot)* bulmeurt.
hence [hens] *adv* fra nu af; heraf, derfor; *(glds)* herfra;
twenty-four hours ~ om fire og tyve timer.
henceforth ['hens'fɔ:θ], **henceforward** ['hens'fɔ:wəd] *adv* fra
nu af, for fremtiden.
henchman ['hen(t)ʃmən] *sb* trofast følgesvend, håndgangen
mand; *(neds)* lejesvend, drabant, kreatur, håndlanger.
hen coop hønsebur.
hendecagon [hen'dekəgən] *sb* ellevekant.
hendecasyllable ['hendekəsiləbl] *sb* ellevestavelsesvers.
hen harrier ['hen'hæriə] *zo* blå kærhøg.
hen house hønsehus.
henna ['henə] *sb* henna (farvestof).
hennaed ['henəd] *adj* hennafarvet.
hennery ['henəri] *sb* hønseri; hønsehus, hønsegård.
hen party T dameselskab.
henpeck ['henpek] *vb* have under tøflen; *a* -*ed husband* en
tøffelhelt.
Henry ['henri] Henry; Henrik.
hep [hep] *adj (am* **S)** med på den, med på noderne; jazzin-
teresseret, som har forstand på jazz; *be* ~ *to* være inde i.
hepatic [hi'pætik] *adj* hepatisk, lever-.
hepatica [hi'pætikə] *sb (bot)* leverurt.
hepatitis [hepə'taitis] *sb* leverbetændelse.
hepato- ['hepətə] lever-.
hep-cat, hepster *sb* jazzmusiker; jazzentusiast.
heptagon ['heptəgən] *sb* syvkant.
heptarchy ['hepta:ki] *(hist.)* heptarki, styre ved syv her-
skere.
her [hə:, hə] *pron* hende; sig; hendes; sin, sit, sine.
Heracles [he'rəkli:z] *(myt)* Herakles, Herkules.
herald ['herəld] *sb* herold; budbringer; våbenkyndig, he-
raldiker; *vb* forkynde; melde, indvarsle, bringe bud om,
bebude; hilse velkommen *(fig);* ~ *of spring* forårsbebu-
der.
heraldic [hi'rældik] *adj* heraldisk.
heraldry ['herəldri] *sb* heraldik; heroldværdighed.
herb [hə:b; *am* især ə:b] *sb* plante, urt; krydderplante, læ-
geplante.
herbaceous [hə:'beiʃəs; *am* også ə:-] *adj* urteagtig; ~ *border*
blomsterrabat, staudebed.
herbage ['hə:bidʒ, *am* også 'ə:-] *sb* urter, planter.
herbal ['hə:bəl, *am* også 'ə:-] *sb* plantebog, botanik; *adj*
urte-, urteagtig.
herbalist ['hə:bəlist, *am* også 'ə:-] *sb* plantekender; plante-
samler; forhandler af lægeurter.
herbarium [hə:'bɛəriəm, *am* også ə:-] *sb* herbarium.
herb bennet *(bot)* febernellikerod.
herbicide ['hə:bisaid, *am* også ə:-] *sb* ukrudtsmiddel.
herbivorous [hə:'bivərəs, *am* også ə:-] *adj* planteædende.
herb| Paris *(bot)* firblad. ~ **Robert** *(bot)* stinkende stor-

kenæb. ~ **tea** urtete.
Herculean [hə:kju'liən] *adj* herkulisk; bomstærk.
Hercules ['hə:kjuli:z] Herkules.
herd [hə:d] *sb* hjord, flok; mængde; *vb* vogte; drive, genne; samle i en flok, drive sammen; (uden objekt) gå i flok; samle sig, stuve sig sammen; *the common* ~ hoben, den store hob.
herd|book stambog. ~ **instinct** flokinstinkt.
herdsman ['hə:dzmən] *sb* hyrde, røgter.
here [hiə] *adv* her, herhen; ~! kom her! hør her! hør engang! *from* ~ herfra; *leave* ~ rejse herfra; ~ *and there* hist og her; ~ *below* her på jorden *(mods* i himmelen); ~ *you are* værsgo (når man rækker noget); *here's how! here's to you!* skål! *here's (a health) to Smith!* Smiths skål! skål for Smith! *that's neither* ~ *nor there* det hører ingen steder hjemme; det kommer ikke sagen ved; det har ikke noget at sige, det betyder ikke noget; ~ *goes!* så starter vi! nu skal du (, I) høre! *look* ~! hør engang! ~ *there and everywhere* overalt; alle (vidt) vegne.
hereabout(s) ['hiərəbaut(s)] *adv* her omkring.
hereafter [hiə'ra:ftə] *adv* herefter; *the* ~ det hinsides, livet efter dette.
hereby ['hiə'bai] *adv* herved, herigennem.
hereditable [hi'reditəbl] *adj* arvelig.
hereditament [heri'ditəmənt] *sb* arv, arvemasse, arvegods.
hereditary [hi'reditəri] *adj* arvelig, arve-.
heredity [hi'rediti] *sb (biol)* arvelighed.
Hereford ['herifəd]
herein ['hiə'rin] *adv* heri.
hereof ['hiə'rɔv] *adv* herom; heraf.
heresiarch [he'ri:zia:k] *sb* stifter af kættersk sekt.
heresy ['herəsi] *sb* kætteri. **heretic** ['herətik] *sb* kætter; *adj* kættersk. **heretical** [hi'retikl] *adj* kættersk.
here|to ['hiə'tu:] *adv* hertil. **-tofore** ['hiətu'fɔ:] *adv* hidtil, før; tidligere. **-upon** ['hiərə'pɔn] *adv* herpå, derpå. **-with** ['hiə'wið] *adv* hermed.
heritable ['heritəbl] *adj* arvelig; arveberettiget.
heritage ['heritidʒ] *sb* arv (især *fig*, *fx our cultural* ~).
herm [hə:m] *sb* herme.
hermaphrodite [hə:'mæfrədait] *sb* hermafrodit, tvekønnet væsen *el.* plante; *adj* hermafroditisk, tvekønnet.
hermaphroditic [hə:mæfrə'ditik] hermafroditisk, tvekønnet.
hermaphroditism [hə:'mæfrədaitizm] *sb* tvekønnethed.
hermeneutics [hə:mi'nju:tiks] *sb* hermeneutik (læren om fortolkning).
Hermes ['hə:mi:z] Hermes.
hermetic [hə:'metik] *adj* hermetisk, lufttæt; *the Hermetic art* alkymien; ~ *seal* hermetisk tillukning.
hermetically [hə:'metikəli] *adv* hermetisk, lufttæt.
hermit ['hə:mit] *sb* eremit.
hermitage ['hə:mitidʒ] *sb* eneboerhytte; eremitage; eremitagevin.
hermit crab *zo* eremitkrebs.
hernia ['hə:njə] *sb (med.)* brok. **hernial** ['hə:njəl] *adj* brok- *(fx bandage)*.
hero ['hiərou] *sb (pl -es)* helt; *(myt)* heros.
Herod ['herəd] Herodes.
heroic [hi'rouik] *adj* heroisk; heltemodig; helte-; (om stil) høj; højtravende; (i kunst) over legemsstørrelse; (om middel) drastisk; *sb* heltedigtning; heltedigtets versemål; ~ *couplet* heroisk kuplet, rimede 5-fodede jamber; ~ *treatment* hestekur. **heroically** [hi'rouikəli] *adv* heltemodigt.
heroics [hi'rouiks] *sb pl* heltestil, højtravende udtryksmåde.
heroin ['herouin] *sb (kem)* heroin.
heroine ['herouin] *sb* heltinde.
heroism ['herouizm] *sb* heltemod.
heron ['herən] *sb zo* hejre. **heronry** ['herənri] *sb* hejrekoloni.
hero worship heltedyrkelse.
herpes zoster ['hə:pi:z 'zɔstə] *(med.)* helvedesild.
herring ['heriŋ] *sb zo* sild; *red* ~ røget sild; *(fig)* falsk spor; *draw a red* ~ *across the track (el. trail)* afspore diskussionen, aflede opmærksomheden fra emnet; *neither fish, flesh, nor good red* ~ hverken fugl eller fisk.
herringbone ['heriŋboun] *sb* sildeben (også om vævning og syning); (i skisport) saksning. **herringbone stitch** heksesting.
herring gull *zo* sølvmåge.
herring pond: *the* ~ dammen (ɔ: Atlanterhavet).
hers [hə:z] *pron* hendes; sin, sit, sine.
herself [hə'self] *pron* hun selv, hende selv; sig selv; sig; selv; se også *himself.*
Hertfordshire ['ha:fədʃə]. **Herts.** [ha:ts, hə:ts] Hertfordshire.
he's [hi:z] *fk he is el. he has.*
hesitance ['hezitəns], **hesitancy** ['hezitənsi] *sb* tøven, betænkelighed; usikkerhed; ubeslutsomhed; stammen.
hesitant ['hezitənt] *adj* nølende; tøvende; usikker; ubeslutsom; stammende.
hesitate ['heziteit] *vb* vakle; tøve, nøle; nære betænkeligheder; stamme, hakke i det; udtrykke sig tøvende; ~ *about what to do* ikke rigtig vide *(el.* være i tvivl om) hvad man skal gøre; ~ *at* vige tilbage for; ~ *between* vakle mellem; ~ *to* nære betænkelighed ved at; være betænkelig ved at, ikke være glad for at; *he will not* ~ *to do it* han vil ikke tage i betænkning *(el.* betænke sig på) at gøre det.
hesitatingly ['heziteitiŋli] *adv* tøvende, vaklende; usikkert; stammende.
hesitation ['hezi'teiʃən] *sb* tøven, betænkelighed; usikkerhed; ubeslutsomhed; vaklen; stammen.
hesitative ['heziteitiv] *adj* tøvende; usikker.
Hesperian [he'spiəriən] *adj* hesperisk, vestlig.
Hesperides [he'speridi:z] *sb pl (myt)* Hesperider.
Hesperus ['hespərəs] Venus, aftenstjernen.
Hesse ['hesi] *(geogr)* Hessen. **Hessian** ['hesiən] *adj* hessisk; *sb* hesser; (om stof) hessian; ~ *boots el. Hessians* lange støvler; ~ *fly zo* hessisk flue.
hest [hest] *sb (glds)* befaling.
hetaera [he'tiərə], **hetaira** [he'taiərə] *sb* (græsk *hist)* hetære.
heteroclite ['hetərəklait] *adj* uregelmæssig; *sb* uregelmæssigt bøjet navneord.
heterodox ['hetərədɔks] *adj* heterodoks, anderledestænkende; kættersk. **heterodoxy** ['hetərədɔksi] *sb* heterodoksi; kætteri.
heterodyne ['hetərədain] *sb* (radio:) heterodyn.
heterogeneity [hetərədʒi'ni:iti] *sb* uensartethed.
heterogeneous [hetərə'dʒi:njəs] *adj* heterogen, uensartet.
heterosexual [hetərə'seksjuəl] *adj* heteroseksuel *(mods* homoseksuel).
hetman ['hetmən] *sb* hetman (polsk feltherre; kosakhøvding).
het-up ['het 'ʌp] *adj* T ophidset, ude af flippen.
heuristic [hjuə'ristik] *adj* heuristisk.
hew [hju:] *(hewed, hewed el. hewn) vb* hugge; udhugge; (i mine) bryde; ~ *out a career for oneself* arbejde sig op, bryde sig en karriere; ~ *to (am)* holde sig (nøje) til.
hex [heks] *(am) vb* forhekse; *sb* hekseri; heks.
hewn [hju:n] *pp* af *hew.*
hexagon ['heksəgən] *sb* sekskant. **hexagonal** [hek'sægənl] *adj* sekskantet. **hexahedral** ['heksə'hedrəl] *adj* sekssidet.
hexahedron ['heksə'hedrən] *sb* sekssidet figur.
hexameter [hek'sæmitə] *sb* heksameter.
hey [hei] *interj* hej! hvad! ~ *presto* vupti, vips.
heyday ['heidei] *sb* blomstringstid, bedste tid, velmagtsdage; *in the* ~ *of his power* på højdepunktet af sin magt; *in the* ~ *of youth* i ungdommens vår.
hf. *fk* half.
H.F. *fk* high-frequency.
hf. bd. *fk* half-bound.
H.G. *fk* High German; Home Guard; Horse Guards; His (, Her) Grace.
hg. *fk* hectogram.
H.H. *fk* His (, Her) Highness; His Holiness (the Pope).
hhd. *fk* hogshead.
H-hour ['eitʃ'auə] tidspunktet for planlagt militær aktion.
hi [hai] *interj* høj! hov! hør (De der)! pst!
hiatus [hai'eitəs] *sb* åbning, kløft, lakune; (ved vokaler) hiat.
Hiawatha [haiə'wɔθə]
hibernal [hai'bə:nəl] *adj* vinterlig.
hibernate ['haibəneit] *vb* ligge i vinterdvale; overvintre.
hibernation [haibə'neiʃən] *sb* overvintring; vinterdvale.
Hibernia [hai'bə:niə] Irland. **Hibernian** [hai'bə:njən] *adj*

irsk; *sb* irlænder.
hiccough, hiccup ['hikʌp] *sb*, *vb* hikke.
hic jacet ['hik 'dʒeisit] *(lat:)* her hviler; *sb* gravskrift.
hick [hik] *sb (am* **S)** bondeknold.
hickory ['hikəri] *sb* hickorytræ, nordamerikansk valnøddetræ.
hid [hid] *præt* og *pp* af *hide*.
hidalgo [hi'dælgou] *sb* hidalgo (spansk adelsmand).
hidden ['hidn] *pp* af III. *hide*.
I. hide [haid] *sb* hud, skind; *vb* flå; prygle, banke; *save one's* ~ redde *(el.* hytte) sit skind; *he hadn't seen* ~ *or hair of her* han havde ikke set det ringeste spor af hende; *have a thick* ~ være tykhudet (ɔ: ufølsom); (se også *tan)*.
II. hide [haid] *sb* jordareal (ca. 120 acres).
III. hide [haid] *(hid, hid(den))* *vb* skjule, gemme, skjule sig, gemme sig *(from* for); ~ *out* skjule sig, gemme sig, krybe i skjul.
hide-and-seek ['haidnsi:k] *sb* skjul (leg).
hideaway ['haidəwei] *sb* skjulested.
hidebound ['haidbaund] *adj* forbenet, forstokket, snæversynet, fuld af fordomme; bornert; (om træ) med barktrang.
hideous ['hidiəs] *adj* hæslig *(fx a* ~ *crime);* frygtelig, skrækkelig, grufuld; gyselig.
hideout ['haidaut] *sb* **T** skjulested.
I. hiding ['haidiŋ] *sb* prygl; *he gave him a good* ~ han gav ham en ordentlig dragt prygl *(el.* et ordentligt lag tæsk).
II. hiding ['haidiŋ] *sb: be in* ~ være (, holde sig) skjult; *go in_to* ~ skjule sig, krybe i skjul.
hiding place skjulested.
hie [hai] *vb (glds)* ile, skynde sig.
hierarch ['haiɑrɑ:k] *sb* hierark, kirkefyrste, ypperstepræst.
hierarchic(al) [haiə'rɑ:kik(l)] *adj* hierarkisk, rangordnet.
hierarchy ['haiərɑ:ki] *sb* hierarki, præstevælde; rangfølge, rangforordning.
hieratic [haiə'rætik] *adj* hieratisk (om en form for hieroglyffer kun forståelig for indviede); gejstlig, præstelig.
hieroglyph ['haiərəglif] *sb* hieroglyf. **hieroglyphic** [haiərə'glifik] *adj* hieroglyfisk; *-s sb pl* hieroglyffer.
hierophant ['haiərəfænt] *sb* mysteriefortolker; mysteriepræst.
hi-fi ['hai'fai] *fk* high *fidelity.*
higgle ['higl] *vb* sjakre, tinge.
higgledy-piggledy ['higldi'pigldi] *adv* hulter til bulter; i vild uorden.
high [hai] *adj* høj; høj- *(fx season; Gothic);* højtliggende; ophøjet *(fx position, ideals);* fornem; højtstående *(fx official);* stærk *(fx colour, wind);* stor *(fx speed);* (om kød) som har en tanke, (om vildt) overhængt; **T** fuld, højt oppe, **S** (påvirket af narkotika:) høj; *adv* højt *(fx play* ~*);* *sb* højdepunkt; *(meteorol)* højtryk; (om bil) højt gear; ~ *and dry* (om fartøj) på land; *(fig)* sat udenfor; hjælpeløs; ~ *and low* høj og lav; *adv* vidt og bredt; ~ *and mighty* stormægtig; hoven, stor på den; ~ *feeding* overdådig kost, fin mad; *with a* ~ *hand* egenmægtigt, despotisk, dominerende; ~ *hopes* store *(el.* højspændte) forventninger; ~ *living* luksustilværelse; ~ *looks* stolt mine; *on* ~ i det høje; *from* ~ fra det høje; ~ *sea* stærk søgang; *the* ~ *seas* det åbne hav; *smell* ~ have en tanke (om kød); *in* ~ *spirits,* se I. *spirit; the sun is* ~ solen står højt på himmelen; *it is* ~ *time for me to be off* det er på høje tid, at jeg kommer af sted; *a* ~ *Tory* en yderliggående konservativ; *wear one's hair* ~ have håret sat op; ~ *words* vrede ord.
high| **altar** højalter. ~ **-angle fire** krumbaneskydning. **-ball** *(am)* whiskysjus. **-binder** *(am* **S)** bølle, gangster. **-blown** opblæst. **-born** af fornem byrd. **-boy** højt skuffemøbel, chiffoniere. **-bred** af fin race, fin, dannet; fornem.
highbrow ['haibrau] *sb* intellektuel; åndsaristokrat; *(neds)* åndssnob; *adj* intellektuel, åndsaristokratisk; *(neds)* åndssnobbet.
high chair (barne)stol.
High Church *sb* højkirke; *adj* højkirkelig. **High Churchman** ['hai'tʃə:tʃmən] tilhænger af højkirken.
high| **-class** førsteklasses, fin. ~ **-coloured** stærkt farvet; overdreven.
High Command overkommando.

High Commissioner højkommissær.
High Court of Justice (engelsk overret).
high| **culture** finkultur. ~ **day** festdag, højtidsdag; *it was* ~ *day* det var højlys dag. ~ **-explosive** højeksplosiv; ~ *-explosive (bomb)* sprængbombe.
highfalutin ['haifə'lu:tin] *adj* højtravende, svulstig, affekteret, bombastisk.
high| **farming** intensivt landbrug. ~ **-fed** velnæret; forkælet. ~ **-fidelity** *adj* som gengiver støjfrit og uden forvrængning. ~ **-flier** ærgerrigt menneske; sværmer. **-flown** højtflyvende; højtravende. **-flying** (også *fig)* højtflyvende. ~ **forest** højskov. ~ **frequency** højfrekvens.
Highgate ['haigit].
High German højtysk.
high| **-grade** af høj kvalitet, førsteklasses. ~ **-handed** egenmægtig, dominerende, despotisk. ~ **-hat** *adj (am* **S)** høj i hatten, stor på det, storsnudet; *vb* være storsnudet (over for). ~ **-hatted,** ~ **-hatty** = ~ *-hat.* ~ **jump** højdespring.
highland ['hailənd] *sb* højland; *the Highlands* (især:) højlandene i Skotland. **Highlander** *sb* højlænder.
high-level *adj (fig)* på højt plan *(fx a* ~ *meeting).*
high-level bridge højbro.
high life den fornemme verden; livet i den fornemme verden, overklassetilværelse.
highlight ['hailait] *sb* lyseste sted (på billede), glanslys; *(fig)* højdepunkt *(fx the -s of the story);* hovedpunkt; *vb* kaste (et kraftigt) lys over; *(fig* også) fremhæve særligt, henlede opmærksomheden på.
highly ['haili] *adv* højt, i høj grad, højlig, højst, meget, stærkt; ~ *connected* med aristokratiske forbindelser, af fornem familie; ~ *recommended* stærkt anbefalet; *speak* ~ *of* tale i høje toner om, prise; *think* ~ *of* have høje tanker om; ~ *strung* højt-strung.
high| **-mettled** ['haimetld] *adj* tapper, fyrig, vælig. ~ **-minded** *adj* højsindet, ædelt tænkende, idealistisk. ~ **-neck(ed)** *adj* højhalset.
highness ['hainis] *sb* højhed; *His (Royal) Highness* hans (kongelige) højhed.
high| **-octane** (om benzin) med højt oktantal. ~ **-pitched** (om tone) høj, skinger; *(fig)* højstemt, ophøjet *(fx ambitions);* nervøs; (om tag etc) stejl; *a* ~ *-pitched aim* et højt mål. ~ **politics** storpolitik. ~ **-powered** *adj* stærk, kraftig *(fx engine; lense* linse); med kraftig motor (, linse) *(fx car; microscope); (fig)* dynamisk, energisk, pågående. ~ **-pressure** *sb* højtryk; *adj* højtryks-; *(fig)* pågående. ~ **-pressure gas** trykgas. ~ **-pressure gas holder** trykgasbeholder. ~ **-priced** dyr. ~ **priest** ypperstepræst. **-principled** med ædle grundsætninger, med høje etiske principper. ~ **-proof** med høj alkoholprocent. ~ **-ranking** højtstående.
high-rise ['hairaiz] *adj:* ~ *apartment building (am),* ~ *block* højhus; ~ *apartment (am),* ~ *flat* lejlighed i højhus. **high-riser** sb højhus.
highroad ['hairoud] *sb* landevej; *(fig)* slagen vej; *be on the* ~ *to* være godt på vej til; *be on the* ~ *to perdition* ile sin undergang i møde. **high school** *(omtr)* fagskole; højere skole; *(am omtr)* gymnasieskole.
high| **-seasoned** stærkt krydret. ~ **-souled** højsindet. ~ **-sounding** højtravende. ~ **-speed** *adj* hurtiggående, hurtigløbende; hurtig- *(fx drilling machine).* ~ **-speed steel** hurtig(dreje)stål. ~ **-spirited** højsindet, stolt; trodsig; fyrig, livlig. ~ **street** hovedgade.
highstrung ['haistrʌŋ] *adj* (især *am)* stærkt spændt; overspændt, nervøs; *jfr* ~ (også) hun har et nervøst temperament.
hight [hait] *(glds* og *poet)* hedder, hed, kaldes, kaldtes; kaldt, kaldet *(fx a maiden* ~ *Elaine); Childe Harold was he* ~ Childe Harold hed han.
hightail ['haiteil] *vb* **S:** ~ *it* stikke af i fuld fart.
high| **tea** større måltid med te sent på eftermiddagen. ~ **-tension** højspænding. ~ **-tension** *adj* højspændings-. ~ **tide** højvande. ~ **-toned** højstemt, ophøjet. ~ **treason** højforrræderi.
highty-tighty ['haiti'taiti] se *hoity-toity.*
high| **-up** ['hai'ʌp] **T** *adj* højtstående; *sb* højtstående person. ~ **voltage** *(elekt)* højspænding. ~ **water** højvande. ~ **-water mark** højvandsmærke; *(fig)* kulminationspunkt. **-way** ['haiwei] (hoved)landevej. **-wayman** landevejsrøver.

~ **wire** (særlig) høj line (til linedans). **~-wire** *adj* som foregår på høj line. **~-wire performer** linedanser. ~ **yellow** *(am* T) mulat (af meget lys hudfarve).

H.I.H. *fk His (, Her) Imperial Highness.*

hijack ['haidʒæk] *vb (am* S) (overfalde og) udplyndre en transport (især: af smuglersprit); bortføre, kapre (et fly).

hijacker ['haidʒækə] *sb* en der overfalder og udplyndrer en (smugler)transport; flybortfører, flykaprer, luftpirat.

hike [haik] *vb* vandre, være på travetur *(el.* fodtur); *(am)* sætte i vejret, hæve *(fx* taxes); ~ *up* hive op i *(fx she -d up her skirt).*

hilarious [hi'lɛəriəs] *adj* munter, lystig, overgiven, løssluppen.

hilarity [hi'læriti] *sb* (løssluppen) munterhed; (overgiven) lystighed.

hill [hil] *sb* høj, bakke, bjerg; *up* ~ *and down dale* (også) alle vegne, vidt og bredt.

hillbilly ['hilbili] *sb (am* T) bonde(knold) (fra de sydlige bjergegne).

hill country bakket *el.* bjergrigt højland.

hillo(a) [hi'lou] *interj* hallo! *vb* råbe hallo.

hillock ['hilək] *sb* lille høj; tue.

hillside ['hilsaid] *sb* skrænt, skråning.

hilly ['hili] *adj* bakket; kuperet; bjergfuld; bakke-; ~ *range* højdedrag.

hilt [hilt] *sb* kårdefæste; *(glds)* hjalte; *up to the* ~ *(fig)* fuldstændig, ubetinget; *prove up to the* ~ bevise fuldt ud.

him [him, im] *pron* ham; den, det; sig.

H.I.M. *fk His (el. Her) Imperial Majesty.*

Himalayas [himə'leiəz]: *the* ~ Himalaya(bjergene).

himself [(h)im'self] *pron* han selv, selv; sig selv; sig *(fx he washed ~);* by ~ alene, på egen hånd; *he is not* ~ han er ikke rigtig sig selv; *he says so* ~ han siger det selv; det er ham selv der siger det; *he came to* ~ han blev sig selv igen.

I. hind [haind] *sb zo* hind.

II. hind [haind] *adj* bagest, bag-.

III. hind [haind] *sb (glds)* bondeknøs; (i dialekt:) tjenestekarl; forvalter.

I. hinder ['haində] *adj* bageste, bag-.

II. hinder ['hində] *vb* hindre, hæmme, sinke, være til hinder.

hindermost ['haindəmoust] *adv* bagest.

hind leg ['haindleg] bagben; *talk the* ~ *off a donkey* snakke fanden et øre af; *get up on one's -s* rejse sig (og tale).

hindmost ['haindmoust] *adj* bagest.

hindquarters ['haind'kwɔːtəz] *sb pl* bagparti, bagfjerding.

hindrance ['hindrəns] *sb* hindring; *be a* ~ (også) være i vejen.

hindsight ['haindsait] *sb (mil.)* bageste sigtemiddel; *(spøg)* bagklogskab.

Hindu [hin'duː] *sb* hindu. **Hinduism** ['hinduizm] *sb* hinduisme. **Hindustan** [hindu'staːn] Hindustan. **Hindustani** [hindu'staːni] *adj* hindustansk; hindustani.

hinge [hin(d)ʒ] *sb* hængsel; *(bogb)* fals; *(fig)* hovedpunkt, hovedsag; *vb* forsyne med hængsel; *-d* (også) drejelig; ~ *on* afhænge af, komme an på; *off the -s (fig)* af lave; sindssyg; *go off the -s (fig,* også) gå over gevind.

hinny ['hini] *sb zo* mulæsel.

hint [hint] *sb* vink, antydning, hentydning; insinuation; *vb* antyde, *(neds)* insinuere; *take a* ~ forstå et vink, forstå en halvkvædet vise; ~ *at* hentyde til, antyde.

hinterland ['hintəlænd] *sb* bagland, opland.

I. hip [hip] *sb* hofte; *(bot)* hyben; *(arkit)* grat (i et tag); *smite* ~ *and thigh* (i biblen) slå sønder og sammen, slå skånselsløst; *have on the* ~ have krammet på.

II. hip [hip] *(am* **S)** = *hep.*

hip| bath siddebadekar. **-bone** hofteben. ~ **flask** lommelærke. ~ **joint** hofteled.

hipped ['hipt] *adj (am* **T):** ~ *on* optaget af, meget interesseret i; helt skør med.

hipped roof *(arkit)* valmtag.

hippie ['hipi] *sb* hippie.

hippo ['hipou] *sb zo* flodhest.

hip pocket baglomme (i benklæder).

hippocras ['hipəkræs] *sb* kryddervin.

Hippocratic [hipə'krætik] *adj: the* ~ *oath* lægeløftet.

hippodrome ['hipədroum] *sb* varieté; hippodrom, cirkus.

hippogriff, hippogryph ['hipəgrif] *sb (myt)* hippogryf, bevinget hest.

hippopotamus [hipə'pɔtəməs] *sb zo* flodhest.

hippy ['hipi] *sb* hippie.

hip | roof *(arkit)* valmtag. **-shot** *adj* med hoften af led; knækket sammen i hoften.

hipster ['hipstə] *adj* (om tøj) med lav linning *(fx* ~ *skirt,* ~ *pants); sb* = *hep cat; -s pl* bukser med lav linning.

hircine ['hɔːsain] *adj* gedeagtig; med gedelugt, med en ram lugt.

hire ['haiə] *vb* leje *(fx a car),* hyre *(fx a taxi);* (om person) fæste, ansætte; *sb* leje; løn; *for* ~ til leje; (om taxi) fri; ~ *out* udleje; ~ *(oneself) out* tage arbejde.

hired | girl *(am)* (tjeneste)pige (på landet). ~ **man** *(am)* (tjeneste)karl.

hireling ['haiəliŋ] *sb (neds)* lejesvend.

hire-purchase ['haiə'pɔːtʃis] *sb* afbetalingssystem; *adj* afbetalings-; *on the* ~ *(system)* på afbetaling.

hire service udlejningsforretning.

hirsute ['hɔːsuːt] *adj* (be)håret, lådden; ~ *beard* vildmandsskæg.

his [hiz; svagt ofte iz] *pron* hans; sin, sit, sine.

Hispano [hi'speinou] (i *sms)* spansk- *(fx* ~ *-American).*

hispid ['hispid] *adj* stridhåret.

hiss [his] *vb* hvisle, hvæse, syde; hysse, pibe; pibe ud; *sb* hvislen, hvæsen; hyssen, piben; hvislelyd.

hist [st; hist] *interj (glds)* hys! tys! pst!

histological [histə'lɔdʒikl] *adj* histologisk. **histology** [hi'stɔlədʒi] *sb* histologi, vævslære.

historian [hi'stɔːriən] *sb* historiker, historieskriver.

historic [hi'stɔrik] *adj* historisk *(fx day; place).*

historical [hi'stɔrikl] *adj* historisk *(fx novel, studies).*

historicity [histə'risiti] *sb* historisk korrekthed.

historiographer [histɔːri'ɔgrəfə] *sb* historiker, historiograf.

historiography [histɔːri'ɔgrəfi] *sb* historieskrivning; historiografi.

history ['hist(ə)ri] *sb* historie; beretning; *become* ~ gå over i historien; *that is now* det hører fortiden til; *make* ~ skabe historie; ~ *of the world* verdenshistorie.

histrionic [histri'ɔnik] *adj* skuespil-, skuespiller-, teater-; *(fig)* teatralsk. **histrionics** [histri'ɔniks] *sb pl* skuespilkunst; teaterforestillinger; *(fig)* teatralsk optræden.

I. hit [hit] *sb* stød, slag; træffer; *(fig)* hib *(at* til, *fx that was a* ~ *at me);* (om bog *etc)* succes, (om melodi) schlager, hit; *direct* ~ fuldtræffer; *a lucky* ~ et heldigt greb, et held; *his last novel was quite a* ~ (også) hans sidste roman gjorde lykke.

II. hit [hit] *vb (hit, hit)* støde, slå; træffe, ramme; finde; *(am)* nå *(fx prices ~ a new high),* komme til (, i, på) *(fx when will he* ~ *town? it* ~ *the papers);* (om motor) tænde; ~ *back* slå igen; *(fig)* bide fra sig; ~ *below the belt* ramme under bæltestedet; ~ *the books* S studere; ~ *the bottle* S drikke; ~ *a man when he is down* sparke til en falden modstander; skubbe til den hældende vogn; *it* ~ *his fancy* det tiltalte ham; ~ *the hay (am* S) krybe i kassen, gå i seng; ~ *the headlines* blive den store sensation, komme på forsiden; *you've* ~ *it* du har gættet rigtigt; du har fuldstændig ret; *that is meant to* ~ *me* det sigter til mig; ~ *off* efterligne (, skildre) træffende, tage på kornet; *they* ~ *it off well* de kommer godt ud af det sammen; ~ *on,* ~ *upon* komme på; tilfældigt træffe *(el.* opdage); ~ *out* lange ud, slå om sig; ~ *the right path* komme ind på den rigtige vej; ~ *the road* tage af sted; ~ *the spot (am)* være lige hvad man trænger til.

hit-and-run | driver flugtbilist. ~ **raid** lynangreb.

I. hitch [hitʃ] *vb* bevæge sig fremad i ryk; halte; hænge fast, blive hængende *(fx his coat -ed on a nail);* (med objekt) bevæge fremad i ryk, rykke *(fx he -ed his chair closer to the table);* hægte fast, spænde fast, koble *(to* til, *fx* ~ *a trailer to a car),* spænde *(to* for, *fx* ~ *a horse to a carriage);* tøjre *(fx a horse to a post);* ~ *a horse* spænde en hest for; ~ *one's wagon to a star (fig)* sætte sig høje mål; *-ed up* spændt for; S gift, splejset sammen; ~ *up one's trousers* hive op i bukserne.

II. hitch [hitʃ] *sb* ryk, stød; hindring, standsning; *(am)* (militær) tjenestetid; *(mar)* stik (ɔ: knude); *there is a* ~

somewhere der er slinger i valsen; **T** der er noget der hikker; *have a* ～ *in one's gait* halte; *everything went off without a* ～ det hele gik glat.

hitch|hike ['hitʃhaik] *vb* **S** blaffe, tomle, tage på stop, rejse på tommelfingeren. **-hiker S** blaffer.

hitching post pæl til at tøjre hest(e) ved.

hither ['hiðə] *adv* hid, herhen; ～ *and thither* hid og did.

hitherto ['hiðə'tu:] *adv* hidtil.

hit-or-miss [hitə'mis] *adj* tilfældig, skødesløs.

hit-skip = *hit-and-run.*

Hittite ['hitait] *adj, sb* hittitisk; *-s pl* hittitter.

hive [haiv] *sb* bikube; *vb* sætte (bier) i kube; (om bierne) samle (honning) i bikube; indsamle; bo sammen; ～ *off* (om bier) sværme; *(fig, merk)* overlade (en del af produktionen) til et underordnet firma; *(fig* også) skille sig ud.

hives [haivz] *sb pl* kløende udslæt.

hl *fk* hectolitre.

H.M. *fk Her (, His) Majesty.*

H.M.C. *fk Headmasters' Conference.*

H.M.G. *fk Her (, His) Majesty's Government.*

H.M.P. *fk (during) Her (, His) Majesty's Pleasure* på ubestemt tid.

H.M.S. *fk Her (, His) Majesty's Ship; Her (, His) Majesty's Service.*

H.M.S.O. *fk Her (, His) Majesty's Stationery Office.*

ho [hou] *interj* hej; halløj.

H.O. *fk Home Office.*

hoar [hɔ:] *sb* rimfrost; *adj (glds)* = *hoary.*

hoard [hɔ:d] *sb* forråd; skat; sammensparede penge; *(fig)* fond *(fx of witty stories)*; *(arkæol)* depotfund; *vb* samle sammen, ophobe, hamstre, samle til bunke, puge (penge) sammen; *(fig)* gemme på.

hoarder ['hɔ:də] *sb* pengepuger, hamstrer.

hoarding ['hɔ:diŋ] *sb* plankeværk.

hoarfrost ['hɔ:frɔ(:)st] *sb* rimfrost.

hoarse [hɔ:s] *adj* hæs.

hoary ['hɔ:ri] *adj* grå, hvid af ælde; grånet; hvidhåret; *(fig)* mosgroet *(fx joke)*; ældgammel *(fx* ～ *ruins)*; ～ *antiquity* den grå oldtid.

hoatzin [hou'ætsin] *sb zo* hoatzin, sigøjnerfugl.

hoax [houks] *sb* spøg, mystifikation; svindelnummer; skrøne, avisand; *vb* lave numre med, narre, mystificere.

hob [hɔb] *sb* hylde *el.* plade på kamin hvor ting sættes til varme; komfurplade.

Hobbes [hɔbz].

hobble ['hɔbl] *vb* humpe, halte; binde forbenene (på en hest) sammen; *sb* humpen; halten; fodreb (til en hests forben); *(glds)* forlegenhed, knibe.

hobbledehoy ['hɔbldi'hɔi] *sb* lemmedasker, kejtet ung fyr.

hobble skirt tøndebåndsnederdel.

I. hobby ['hɔbi] *sb zo* lærkefalk.

II. hobby ['hɔbi] *sb* hobby, fritidsinteresse; kæphest.

hobbyhorse ['hɔbi'hɔ:s] *sb* kæphest, gyngehest, karruselhest; *(fig)* kæphest.

hobgoblin ['hɔbgɔblin] *sb* (drilagtig) nisse; bussemand.

hobnail ['hɔbneil] *sb* skosøm; *(glds)* bondeknold; *vb* forsyne med skosøm; *a pair of -ed boots* et par sømbeslåede støvler.

hobnob ['hɔbnɔb] *vb* fraternisere, omgås fortroligt, snakke og drikke *(with* med).

hobo ['houbou] *sb (am* **S)** landstryger, vagabond; omvandrende sæsonarbejder.

Hobson ['hɔbsn]: *it is a case of -'s choice* der er intet valg; man må tage hvad der tilbydes eller undvære.

I. hock [hɔk] *sb* hase, haseled; skank.

II. hock [hɔk] *sb* rhinskvin.

III. hock [hɔk] *(am* **S)** *sb* pant; *vb* stampe, pantsætte; *in* ～ i gæld; stampet *(ɔ:* pantsat); i spjældet; *put into* ～ stampe.

hockey ['hɔki] *sb* hockey.

hock shop lånekontor.

hocus ['houkəs] *sb* vin tilsat noget bedøvende; *vb* bedrage, narre; komme bedøvende middel i.

hocus-pocus ['houkəs 'poukəs] *sb* hokuspokus, taskenspilleri, fup.

hod [hɔd] *sb* kalktrug; skulderbræt; kulkasse, kulspand.

hod carrier, se *hodman.*

hodden [hɔdn] *sb* groft uldent stof; ～ *grey* groft uldent stof vævet af sort og hvidt garn.

Hodge [hɔdʒ] landarbejderen, bonden.

hodge-podge ['hɔdʒpɔdʒ] *sb* ruskomsnusk.

hodiernal [hɔdi'ɔ:nəl] *adj* af i dag.

hodman ['hɔdmən] *sb* murerhåndlanger, murerarbejdsmand.

hodometer [hɔ'dɔmitə] *sb* kilometertæller.

hoe [hou] *sb* hakke; hyppejern, lugejern; *(Dutch* ～) skuffejern; *vb* hakke; hyppe; skuffe; *have a hard (el. long) row to* ～ have et vanskeligt arbejde for, have et hårdt job; ～ *one's own row* passe sig selv.

hoecake *(am)* majskage.

I. hog [hɔg] *sb* svin; orne, (kastreret:) galt; årgammelt får der endnu ikke er klippet; (om person) svin, gris; **S** godstogslokomotiv; *a* ～ *in armour* en simpel fyr med fine klæder på; *go the whole* ～ tage skridtet helt ud; løbe linen ud; *behave like a* ～ opføre sig som en tølper; *bring one's -s to the wrong market* komme til den forkerte; gå galt i byen.

II. hog [hɔg] *vb* studse, klippe; skyde ryg; **S** lægge beslag på mere end der kan tilkomme en af, rage til sig (af); ～ *down* hugge i sig.

Hogarth ['houga:θ].

hogback ['hɔgbæk] *sb* højdedrag med stejle sider; bakkekam.

hogg [hɔg] = *hogget.*

hogged [hɔgd] *adj* (om manke) kortklippet, (om vej) stærkt krummet; *(mar)* kølsprængt.

hogget ['hɔgit] *sb* årgammelt får, der endnu ikke er klippet.

hoggin ['hɔgin] *sb* (fint) vejgrus.

hoggish ['hɔgiʃ] *adj* svinsk; grådig.

hogmanay ['hɔgmə'nei] *sb* (skotsk) årets sidste dag, nytårsaften(sdag).

hogshead ['hɔgzhed] *sb* (rummål, *omtr)* oksehoved.

hog|skin svinelæder. **-sty** svinesti. **-tie** *(am)* (binde alle fire ben sammen på et dyr), svinebinde; krumslutte; *(fig)* binde på hænder og fødder. **-wash** svineføde; *(fig)* sprøjt; tom snak, pladder. **-weed** *(bot)* (især:) bjørneklo.

hoick [hɔik] *vb* stige brat; rykke op; hive op (med et ryk); tvinge flyvemaskine til pludselig stigning.

hoi polloi [hɔi'pɔlɔi; 'hɔipɔ'lɔi] den jævne befolkning, hoben.

hoist [hɔist] *vb* hejse; løfte; *sb* hejs; hejseapparat, spil; elevator; *give him a* ～ give ham et skub (for at hjælpe ham op); se også *petard.*

hoity-toity ['hɔiti'tɔiti] *adj* vigtig, arrogant, hovski-snovski.

hoke [houk] *vb (am* **S):** ～ *up* hitte på, digte.

hokey-pokey ['houki'pouki] *sb* (slags) iskage; **S** hokus pokus.

hokum ['houkəm] *sb* billigt teatertrick; sludder.

Holborn ['houbən] (gade i London).

I. hold [hould] *sb* hold, tag, greb; støttepunkt, støtte, fodfæste; (i brydning) greb, brydetag; *(mar)* lastrum; (ved raketaffyring) afbrydelse i nedtælling; *catch (el. lay el. seize el. take)* ～ *of* tage fat i; *get* ～ *of* få fat i *(el.* på); *have a* ～ *on (el. over) (fig)* have et fast greb om; have magt over *(el.* indflydelse på); have en klemme på; *let go one's* ～ slippe; *no -s (are) barred* alle kneb gælder.

II. hold [hould] *vb (held, held)* holde *(fx a child in one's arms)*, (af)holde *(fx a meeting)*; holde tilbage *(fx one's breath)*; fastholde *(fx the attention)*; bære *(fx this beam -s the next storey)*; (om indhold) rumme *(fx the room won't* ～ *more than a hundred persons)*; indeholde; beholde i sig *(fx he cannot* ～ *his food)*; (være i besiddelse af:) eje, besidde, have *(fx* ～ *shares in a company)*; indehave *(fx a record)*; beklæde *(fx a position; an office* et embede); forsvare, hævde besiddelsen af, holde *(fx a fortress)*; (om anskuelse) mene, anse for *(fx* ～ *sby to be a fool; I* ～ *it to be impossible)*; holde på; (uden objekt) holde, ikke gå i stykker *(fx the rope will* ～); gælde, stå ved magt *(fx the principle, the promise still -s)*; holde sig, vare, blive ved *(fx this weather won't* ～);

(forskellige *forb* se også *baby, brief, I. candle, I. hand, I. own etc).* ～ *a conversation* føre en samtale; ～ *good* gælde, holde stik; ～ *one's ground* holde stand, hævde sig, hævde stillingen; ～ *it!* **T** bliv stående sådan! stå stille!

your jaw (el. noise)! hold kæft! *~ land* eje jord; *~ land of the crown* have krongods i forpagtning; *~ the line* holde stand, ikke vige; *(tlf)* holde forbindelsen; *~ the line!* et øjeblik! *~ one's tongue* holde mund; *~ strange views* nære besynderlige anskuelser; *~ water* være vandtæt; *(fig)* holde stik, være logisk uangribelig, kunne stå for en nærmere prøvelse;

(forb med præp og adv) ~ it against him lægge ham det til last; *~ (oneself) aloof* holde sig for sig selv, holde sig (fornemt) tilbage; *~ back* holde igen; holde sig tilbage; *~ sby back* holde en tilbage; *~ back from* afholde sig fra; *~ back information* tilbageholde oplysninger; *~ by one's decision* holde fast ved *(el. blive ved)* sin beslutning; *~ by one's teachers* rette sig efter *(el.* holde sig til) hvad ens lærere har doceret; *~ down* holde nede; holde sig i; blive i (trods vanskeligheder) *(fx a job);* *~ forth* præke, holde tale, holde foredrag (ofte *neds); ~ forth a hope of sth* stille noget i udsigt; *~ hard!* stop lidt! *~ in contempt* foragte; *~ in great esteem* nære agtelse for; *~ in one's temper (el.* oneself) beherske sig; *~ off* holde (sig) borte (, tilbage); *(am)* udsætte, udskyde; *~ people off* holde folk på afstand; *~ off from (am)* holde sig fra, undlade; tøve med; *~ on* holde sig fast; holde ud, blive ved, fortsætte; *~ on!* stop lidt! *~ on to* holde fast på (i, ved), fastholde *(fx he held on to his explanation);*
~ out stille i udsigt, love; frembyde; holde stand, holde ud; S tilbageholde; *~ out a baby* holde et barn frem; *~ out one's hand* række hånden frem; *~ öneself out as (am)* give sig ud for at være; *~ out for* stå fast på sit krav om; *~ out on him* skjule noget for ham; *~ out on sth* holde noget tilbage (af) *(fx* pengesum); *~ over* udsætte; *~ sth over* lade noget stå hen *(fx ~ over a decision for a week);* (lade) blive siddende i et embede; prolongere; holde i reserve *(fx now we shall ~ over the rest of the goods); ~ it over him* stadig true ham med det; *~ to* one's *word* stå ved sit ord; *~ up* række op *(fx one's hand);* holde oppe, understøtte; fremholde; standse, holde tilbage, forsinke *(fx a traffic jam held me up);* holde op, holde i skak (med revolver *etc);* holde sig (oppe); holde ud; *~ up as an example* fremholde som eksempel; *~ up to ridicule* stille i gabestokken, latterliggøre; *~ up a train* standse et tog for at plyndre passagererne; *~ with* være enig med; billige, synes om; *I don't ~ with Sunday dancing* jeg synes ikke det er rigtigt at danse om søndagen.

holdall ['houldɔ:l] *sb* (lærreds)taske, vadsæk, rejsetaske, weekendtaske.
holden ['houldn] *glds pp* af hold.
holder ['houldə] *sb* forpagter; indehaver, besidder; cigaretrør; holder; (til lampe) fatning.
holdfast ['houldfa:st] *sb* krampe, jernkrog, *(tekn)* klo.
I. holding ['houldiŋ] *sb* beholdning; aktiepost; *(agr)* brug, (forpagtet) gård, landejendom; *small ~* husmandsbrug; *~ of shares* aktiepost.
II. holding ['houldiŋ] *adj: ~ attack* angreb der sættes ind for at binde fjenden; *~ company* holdingselskab.
holdup ['houldʌp] *sb* trafikstandsning; holdop, røverisk overfald.
hole [houl] *sb* hul; *vb* hulle, lave huller i; (i golf) få en bold i hul; (i billard) gøre en bal; *be in a ~* være i forlegenhed *(el.* i knibe); *put sby into a ~* bringe en i forlegenhed; *make a ~ in* (også) bruge en stor del af, gøre indhug i; *~ out* spille et hul færdigt; *~ up (am)* lukke *(el.* mure) sig inde *(fx in one's office);* gemme sig, afsondre sig.
hole-and-corner [houlən'kɔ:nə] *adj* lyssky; triviel.
holiday ['hɔlədi, -dei] *sb* fridag, ferie; *(rel)* helligdag, *-s* ferie; *go on a ~* tage på ferie.
holiday|maker turist, badegæst, feriegæst, ferierejsende. **~ resort** feriested.
holier-than-thou *adj* selvgod; farisæisk.
holiness ['houlinis] *sb* hellighed; fromhed.
Holinshed ['hɔlinʃed].
holla ['hɔlə; hɔ'la:] *interj* halløj! *vb* råbe; praje.
I. Holland ['hɔlənd].
II. holland ['hɔlənd] *sb* groft ubleget lærred.
hollands ['hɔləndz] *sb* genever.
holler ['hɔlə] *vb (am S)* skrige (op).

hollo(a) ['hɔlou], se *holla.*
hollow ['hɔlou] *sb* hulning; hulhed; hul, grube; *adj* hul, dump; falsk; *vb* gøre hul, udhule; *~ cheeks* indfaldne kinder; *the ~ of the hand* den hule hånd; *hold in the ~ of one's hand* holde i sin hule hånd, have i sin magt; *beat them ~* sejre overlegent over dem, banke dem sønder og sammen.
hollow| back *(bogb)* (bog el. bind med) løs ryg. **~ -eyed** huløjet. **~ -ground** hulslebet. **~ punch** *(tekn)* huggepibe, (blikkenslagers) udhugger. **-ware** fade, skåle, gryder; (af sølv, guld, *etc)* korpusarbejde.
holly ['hɔli] *sb (bot)* kristtorn.
hollyhock ['hɔlihɔk] *sb (bot)* stokrose.
Hollywood ['hɔliwud].
holm [houm] *sb* holm; engstrækning langs flod.
Holmes [houmz].
holm oak *(bot)* steneg.
holocaust ['hɔləkɔ:st] *sb* massakre, nedslagtning, massemyrderi; kæmpebrand (hvor der omkommer mange); masseødelæggelse; ragnarok; *(rel)* brændoffer.
holograph ['hɔləgra:f] *sb* egenhændigt skrevet dokument.
hols [hɔlz] *(fk holidays) sb pl* T ferie.
Holstein ['hɔlstain] Holsten; *adj* holstensk.
holster ['houlstə] *sb* pistolhylster.
holt [hoult] *sb (glds)* skov, lund; træbevokset høj.
holy ['houli] *adj* hellig; *the Holy of Holies* det allerhelligste.
holy day helligdag.
Holy Father: *the ~* paven. **Holy Ghost:** *the ~* Helligånden. **holy ground** indviet jord. **Holy Land:** *the ~* Det hellige Land. **Holy Office:** *the ~* inkvisitionen.
holy orders *pl* præsteembede, præsteindvielse; *take ~* lade sig ordinere.
holystone ['houlistoun] *sb* skuresten; *vb* skure (med skuresten).
holy terror frygtindgydende person; (om barn) rædselsfuld unge, plageånd; *he is a ~* han er ikke til at have med at gøre; *the boys regarded him as a ~* drengene nærede en sand rædsel for ham.
Holy Thursday Kristi himmelfartsdag. **holy water** vievand. **Holy Week:** *the ~* den stille uge (i påsken). **Holy Writ** den hellige skrift.
homage ['hɔmidʒ] *sb (hist.)* lenshylding; *(fig)* hyldest; tribut; *do (el. pay) ~* hylde, vise hyldest; *owe ~ to* stå i vasalforhold til.
I. home [houm] *sb* hjem; (i sport, *fx* baseball) mål; *adj* hjemlig; indenlandsk, indenrigs; indre; *adv* hjem; til målet; i mål;
at ~ hjemme; på hjemmebane; *be at ~ in (el. with) a subject* være godt hjemme i et emne, være fortrolig med et emne; *make oneself at ~* lade som man er hjemme; *Mrs Smith is at ~ on Tuesdays* fru Smith tager imod om tirsdagen; *from ~* hjemmefra; ikke hjemme, bortrejst; (i sport) på udebane;
arrive ~ komme hjem; *bring ~,* se *bring; it came ~ to me* jeg følte det dybt; det gik for alvor op for mig; *carry an argument ~* drage de yderste konsekvenser af en påstand; *drive a nail ~* slå et søm helt i; *drive a thrust ~* føre et stød til bunds; *go ~* ramme *(fx my remark went ~);* ramme *(el.* gå hjem i så slag ved i; *he pushes his inquiries ~* han går til bunds med sine undersøgelser; *screw ~* skrue fast; *see sby ~* følge en hjem; *strike ~* føre slaget til bunds; ramme sommet på hovedet; *take ~ (fig)* lægge sig på sinde; *nothing to write ~ about* ikke noget at råbe hurra for.
II. home [houm] *vb* finde hjem (især om brevduer); *(flyv)* vende tilbage til basen; *~ on* finde hjem (, finde målet) ved hjælp af, orientere sig ved hjælp af.
III. Home [houm; (adeligt navn) hju:m].
home| affairs indre anliggender. **-bird, -body** hjemmemenneske. **~ -brewed** hjemmebrygget. **~ -coming** hjemkomst; *(am)* årlig fest for gamle elever. **~ consumption** hjemmeforbrug.
home counties: *the ~* grevskaberne nærmest London, især Middlesex, Surrey, Kent og Essex.
Home Department = *Home Office.*
home| economics *(am)* husholdningslære, hjemmekundskab. **~ farm** avlsgård. **~ game** kamp på hjemmebane.

-grown hjemmeavlet, af egen avl. **~ guard** hjemmeværn.
~ help husmoderafløser; hjemmehjælper.
home|less hjemløs, husvild. **-like** hjemlig.
homely ['houmli] *adj* hjemlig, hyggelig *(fx atmosphere);*
dagligdags, jævn, beskeden *(fx food);* folkelig *(fx expression); (am)* ikke videre køn.
home-made ['houm'meid] *adj* hjemmelavet, hjemmebagt.
home match kamp på hjemmebane.
Home Missions *pl* indre mission.
Home Office *eng* ministerium, hvorunder politi, fængselsvæsen og civilforsvar sorterer; *(omtr)* indenrigsministerium.
homeopath ['houmiəpæθ] *sb* homøopat.
homeopathic [houmiə'pæθik] *adj* homøopatisk.
homeopathy [houmi'əpəθi] *sb* homøopati.
home| perm hjemmepermanent. **~ port** *(mar)* hjemsted.
I. homer ['houmə] *sb* brevdue; (baseball) = *home run.*
II. Homer ['houmə]. **Homeric** [hə'merik] *adj* homerisk.
Home Rule selvstyre (især Irlands).
home run (i baseball:) et slag der bringer bolden så langt
bort, at slåeren kan nå hele vejen rundt og hjem.
Home Secretary *(omtr)* indenrigsminister, se *Home Office.*
home|sick hjem syg. **-sickness** hjemve.
homespun ['houmspʌn] *sb* hjemmevævet tøj; *adj* hjemmespundet, hjemmevævet, hjemmegjort; *(fig)* folkelig,
jævn; hjemmestrikket *(fx philosophy);* **~** *philosopher*
lommefilosof.
homestead ['houmsted] *sb* hjem; bondegård, gård; *(am)*
selvstændigt småbrug (især en gård på 160 acres, overladt kolonister af statsjorden). **homesteader** *(am)* ejer af
et *homestead.*
home| straight, ~ stretch opløb (sidste stykke af væddeløbsbane). **~ thrust** velrettet (kårde)stød; velanbragt spydighed. **~ trade** indenrigshandel. **~ truth:** *I told him a
few ~ truths* jeg sagde ham et par drøje sandheder.
homeward(s) ['houmwəd(z)] *adv* hjem-; hjemad; **~** *bound*
(for) hjemgående.
homework ['houmwɔ:k] *sb* hjemmearbejde, lektier; *do
one's ~* læse lektier, **T** lave lektier; *(fig)* læse på sin lektie, forberede sig *(fx the Minister had not done his ~).*
homicidal [həmi'saidl] *adj* drabs-; morderisk.
homicide ['həmisaid] *sb* drab; drabsmand; **~** *squad* mordkommission.
homiletic [həmi'letik] *adj* homiletisk; opbyggelig; **~** *literature* opbyggelseslitteratur. **homiletics** *sb pl* homiletik
(gejstlig talekunst).
homily ['həmili] *sb* homili, prædiken; moralprædiken.
homing ['houmiŋ] *adj* med kurs mod hjemmet; som søger
hjem; (om raket) målsøgende; *sb (flyv)* målflyvning,
hjempejling; (om raket) målsøgning.
homing | device målsøgningsapparat. **~ pigeon** brevdue.
hominy ['həmini] *sb* majsgrød.
homo ['houmou] **T** = *homosexual.*
homo|geneity [həmədʒe'ni:iti] *sb* homogenitet, ensartethed.
-geneous [həmə'dʒi:njəs] *adj* homogen, ensartet.
homologous [hə'mɔləgəs] *adj* homolog, overensstemmende.
homo|nym ['həmənim] *sb* homonym, enslydende ord. **-nymous** [hə'mɔniməs] *adj* homonym, enslydende. **-nymy**
[hə'mɔnimi] *sb* homonymi. **-phone** ['həməfoun] *sb* **~**
-nym. **-phony** [hə'mɔfəni] *sb (mus.)* homofoni. **-sexual**
[houmə'seksjuəl] *adj* homoseksuel. **-sexuality** [houməseksju'æliti] *sb* homoseksualitet.
homunculus [hə'mʌŋkjuləs] *sb* mandsling; homunkulus.
homy ['houmi] *adj* hjemlig, hyggelig.
Hon. *fk honorary; honourable.*
Honduras [hɔn'djuərəs].
hone [houn] *sb* slibesten; *vb* hvæsse, skærpe, slibe.
honest ['ɔnist] *adj* ærlig, redelig, retskaffen, hæderlig, brav;
~ *broker* uvildig mellemmand; **~** *Injun!* ['ɔnist'indʒən]
på ære! *make an ~ woman of her* gifte sig med hende efter at have forført hende; *turn an ~ penny,* se *penny.*
honestly ['ɔnistli] *adv* ærligt, redeligt; ærlig talt; ærligt og
redeligt *(fx ~ it is all I know about it).*
honesty ['ɔnisti] *sb* ærlighed, redelighed; *(bot)* judaspenge;
~ *is the best policy* ærlighed varer længst.
honey ['hʌni] *sb* honning; (i tiltale) min ven! min skat! *vb*
søde med honning; smigre, snakke godt for.

honey| bag honningblære, honningmave (hos en bi). **-bee**
zo honningbi. **~ buzzard** *zo* hvepsevåge.
honeycomb ['hʌnikoum] *sb* bikage; flade dækket af sekskantede figurer; *vb* gennemhulle.
honeydew ['hʌnidju:] *sb* honningdug (udsondring af bladlus); sirupbehandlet tobak.
honeyed ['hʌnid] *adj* sødet med honning; sød som honning; *(fig)* honningsød, sukkersød.
honey| guide *zo* honninggøg. **-moon** *sb* hvedebrødsdage;
bryllupsrejse; *vb* tilbringe hvedebrødsdagene *(fx they
-mooned in Norway).* **-mouthed** [-mauðd] indsmigrende,
med sukkersøde ord.
honeysuckle ['hʌnisʌkl] *sb (bot)* gedeblad, kaprifolium.
honey-tongued ['hʌnitʌŋd] *adj* = *-mouthed.*
hong [hɔŋ] *sb* kinesisk pakhus; handelsplads i Kina; europæisk handelshus i Kina.
Hong Kong [hɔŋ'kɔŋ].
honk [hɔŋk] *sb* vildgåsens skrig; lyden af automobilhorn;
trutten (med bilhorn), dytten; *vb* trutte, dytte, tude.
honkie ['hɔŋki] *sb (neds)* hvid *(mods neger).*
honky-tonk ['hɔŋkitɔŋk] *sb (am)* tarvelig beværtning, bule.
Honolulu [hɔnə'lu:lu:].
honor *(am)* = *honour.*
honorarium '[(h)ɔnə'rɛəriəm] *sb* (frivilligt ydet) honorar.
honorary ['ɔnərəri] *adj* æres-, honorær; **~** *member* æresmedlem; **~** *secretary* ulønnet sekretær.
honorific [ɔnə'rifik] *adj* æres-; *sb* ærbødighedsfrase.
I. honour ['ɔnə] *sb* ære, hæder; **-s** *pl* æresbevisninger *(fx
military -s; -s were heaped upon him);* (i kortspil) honnører *(fx I have three -s);* (om universitetseksamen), se
honours degree;
~ *and glory* ære og berømmelse; **~** *bright!* på ære! *do
the -s* præsidere ved bordet, optræde som vært(inde);
meet with due ~ (om veksel) blive tilbørlig honoreret; **~**
where ~ is due give æren til den rette; *in ~ bound to*
æresforpligtet til (at), moralsk forpligtet til (at); *in ~ of*
til ære for; *in ~ of the occasion* i dagens anledning; *debt
of ~* æresgæld; *guest of ~* hædersgæst; *maid of ~* hofdame; *the -s of war* privilegier der indrømmes en slagen
fjende *(fx fri afmarch); pledge one's ~* give sit æresord;
put sby on his ~ tage ens æresord for at han vil opre *(el.
afstå fra at gøre) noget; he is an ~ to the school* skolen
har ære af ham; *get through the examination with full -s*
tage eksamen med glans; *Your Honour* Deres velbårenhed (især til dommere i *County Courts).*
II. honour ['ɔnə] *vb* ære; gøre ære, beære *(fx I felt -ed);*
hædre, udmærke; opfylde *(fx a contract, a promise);
(merk)* indfri, honorere (en veksel *etc).*
honourable ['ɔn(ə)rəbl] *adj* ærlig, hæderlig; ærefuld; velbåren, højvelbåren (titel for regeringsmedlemmer, visse
højtstående embedsmænd, børn af visse adelige *etc); the
~* *member for* det ærede medlem for (tiltaleform brugt i
Underhuset); *Most Honourable* højvelbårne (bruges om
marquess); *Right Honourable* højvelbårne (især om medlemmer af the Privy Council samt adelsmænd under *marquess); his intentions are ~* han har reelle hensigter (ɔ:
han vil gifte sig med pigen).
honour card honnørkort.
honours degree en B.A.-grad som tildeles efter et mere
specialiseret studium *(mods pass degree); first class honours degree (omtr)* første karakter (med udmærkelse).
honours examination eksamen til en *honours degree.*
honours list liste over dem og ordner der uddeles af regenten på dennes fødselsdag og ved nytår.
honours man en der studerer til *el.* har en *honours degree.*
honour trick honnørstik.
Hon. Sec. *fk Honorary Secretary.*
hooch [hu:tʃ] *sb (am* **S)** spiritus, 'sprut'; smuglersprit, ilsmuglet eller hjemmebrændt spiritus.
hood [hud] *sb* hætte; (på bil) kaleche, *(am)* motorhjelm,
kølerhjelm; (på skorsten) røghætte, røgfang; (på komfur)
emhætte; *vb* trække en hætte over; dække, tilsløre.
hooded ['hudid] *adj* med hætte; hætteformet; *(bot)* kappeformet; **~** *crow zo* gråkrage; **~** *seal zo* klapmydse; **~**
snake zo brilleslange.
hoodlum ['hudləm] *sb (am* **T)** bølle.
hoodoo ['hu:du:] *sb (am* **T)** ulykkesfugl; ulykke, uheld; *vb*
bringe ulykke over, forhekse.

hoodwink ['hudwiŋk] *vb* narre, bluffe, føre bag lyset.
hooey ['hu:i] *sb (am* S) vrøvl, sludder.
hoof [hu:f] *sb* hov, *(spøg)* fod; *vb* sparke; *on the* ~ (om kvæg) levende, uslagtet; ~ *him out* S sparke ham ud; ~ *it* S gå, traske; trampe; danse.
hoofbeat ['hu:fbi:t] *sb* hovslag.
hoofed [hu:ft] *adj:* ~ *mammal* hovdyr.
hooha ['hu:hə] *sb* T postyr, ståhej, ballade.
I. hook [huk] *sb* hage, krog, knage; (i kjole *etc)* hægte; (til fiskeri) (fiske)krog; (til hængsel) stabel; *(agr,* haveredskab) segl, krumkniv; (krum landtange) hage; (i golf, kricket, boksning) hook; ~ *and eye* hægte og malle; *by* ~ *or by crook* med ærlige eller uærlige midler; på den ene eller den anden måde; *get the* ~ T blive smidt ud; ~, *line, and sinker,* se *sinker; off the -s* T i uorden, af lave; færdig, leveret; væk; *drop (el.* go) *off the -s* skeje ud; blive skør, gå fra forstanden; dø; *get him off the* ~ S redde ham; *on the* ~ på krogen; *(fig)* T uhjælpelig fanget, leveret; *on one's own* ~ på egen hånd, for egen regning; *take (el.* sling) *your* ~ S stik af med dig.
II. hook [huk] *vb* få på krogen, få til at bide på; gøre fast med krog, (om tøj) hægte; bøje i krogform, krøge; S stjæle, hugge; fuppe; (uden objekt) bøje sig, kroge sig; S skynde sig; ~ *it* S stikke af, fordufte; ~ *a tackle (mar)* hugge en talje; ~ *on (mar)* hugge i; ~ *on* to hage sig fast i; ~ *up* hægte sammen; koble til *(el.* sammen), samle (et apparat); spænde for.
hooka(h) ['hukə] *sb* (orientalsk) vandpibe.
hooked [hukt] *adj* kroget, krum; S afhængig *(on* af, *fx hard drugs);* ~ *on* (også) vild med, skør med *(fx old cars).*
hooker ['hukə] *sb (mar)* huggert (lille fartøj); skude; (i rugby) hooker (midterste spiller i første række af en klynge); S luder.
hook|-up sammenkobling af radiostationer, der muliggør fælles transmission. **-worm** *(med.)* hageorm (tarmsnylter).
I. hooky ['huki] *adj* kroget.
II. hook(e)y ['huki] *sb* T: *play* ~ skulke (fra skolen), pjække.
hooligan ['hu:ligən] *sb* bølle, bisse, voldsmand. **hooliganism** bølleoptøjer.
I. hoop [hu:p] *sb* bånd, tøndebånd; ring; bøjle; fiskeben (i skørt); fiskebensskørt; *vb* lægge bånd *(el.* ring) om; indfatte; *croquet* ~ kroketbue.
II. hoop [hu:p] *vb* huje, råbe; *sb* hujen, råben.
hooper ['hu:pə] *sb* bødker.
hooping cough kighoste.
hoop iron båndjern.
hoop-la ['hu:pla:] *sb (omtr)* ringspil (markedsforlystelse: man kan vinde gevinster ved at kaste en ring ned over dem); T ståhej.
hoopoe ['hu:pu:] *sb zo* hærfugl.
hoop skirt fiskebensskørt.
hoose(e)gow ['hu:sgau] *sb (am* S) fængsel.
hoot [hu:t] *vb* skrige; tude; huje efter; hysse ad, pibe ud; *sb* hujen, skrig, tuden; *I don't care a* ~ jeg er revnende ligeglad; *you don't care two -s for me* du bryder dig ikke en døjt om mig; *it is not worth two -s* det er ikke en rød øre værd.
hootch = *hooch.*
hooter ['hu:tə] *sb* signalhorn, alarmhorn; bilhorn; fabriksfløjte, sirene.
hoots [hu:ts] *interj* (på skotsk) snak (om en ting)! visvas!
hoove ['hu:v] *sb* trommesyge (hos kvæg).
hoover ['hu:və] ® *sb* støvsuger; *vb* støvsuge.
hooves *sb (pl* af *hoof).*
I. hop [hɔp] *vb* hoppe (over); hinke; danse; *sb* hop; T dans, bal; S flyvetur (især: uden mellemlanding); ~ *it!* stik af! forsvind! *the twig* S stikke af (fra sin gæld); krepere; ~ *off (flyv)* gå på vingerne; *in three -s (flyv)* med kun to mellemlandinger; i tre etaper; *be always on the* ~ altid være i bevægelse *(el.* på stikkerne); *catch sby on the* ~ overraske en, komme bag på en; ~, *skip (, am: step) and jump* trespring.
II. hop [hɔp] *sb* humle; *vb* høste humle; sætte humle til; *hops* humle; S narkotisk middel, opium.
hopbine ['hɔpbain] *sb (bot)* humleranke.

hope [houp] *sb* håb; *vb* håbe; håbe på; ~ *against* ~ bevare håbet selv når det ser mørkest ud; ~ *for* håbe på; ~ *for the best* håbe det bedste; ~ *in God* stole på Gud; *he is past* ~ alt håb er ude for ham; han står ikke til at redde.
hope chest *(am)* kiste (, skuffe) med brudeudstyr.
hopeful ['houpf(u)l] *adj* forhåbningsfuld; fuld af håb, optimistisk *(fx the chances are small but he is still* ~), fortrøstningsfuld; lovende *(fx prospects; pupil); a young* ~ et håbefuldt ungt menneske; *he is* ~ *that* han nærer håb om at.
hopefully ['houpf(u)li] *adv* forhåbningsfuldt, fortrøstningsfuldt, optimistisk; (især *am)* forhåbentlig *(fx* ~, *we will meet again next year).*
hopeless ['houplis] *adj* håbløs.
hop garden humlehave.
hophead ['hɔphed] *sb (am* S) narkoman, stofbruger.
hoplite ['hɔplait] *sb (hist.)* hoplit (græsk soldat).
hop-o'my-thumb ['hɔpəmi'θʌm] *sb* dværg, pusling, tommeliden.
hopper ['hɔpə] *sb* humleplukker; tragt; selvtømmende muddermaskine; *zo* springer (ostefluens larve).
hop picker humleplukker.
hopping mad T edderspændt, rasende.
hopple ['hɔpl] *vb* binde en hests forben sammen; *sb* fodreb (til at binde en hests forben med).
hop| pole humlestang. **-scotch** hinkeleg, paradis (børnelegen). ~ *tree (bot)* læderkrone. ~ **vine** humleranke.
Horace ['hɔrəs, -is] Horats (romersk digter; personnavn).
Horatio [hə'reiʃiou].
horde [hɔ:d] *sb* horde, flok; *vb* leve i flok.
horehound ['hɔ:haund] *sb (bot): black* ~ tandbæger; *white* ~ kransbure.
horizon [hə'raizn] *sb* horisont, synskreds.
horizontal [hɔri'zɔntl] *adj* horisontal, vandret; ~ *bars (gymn)* reck.
hormonal ['hɔ:mounl, hɔ:'mounl] *adj* hormonal, hormon-.
hormone ['hɔ:moun] *sb (fysiol)* hormon.
I. horn [hɔ:n] *sb* horn; *take the bull by the -s* tage tyren ved hornene; *draw (el. pull) in one's -s* tage følehornene til sig; ~ *of plenty* overflødighedshorn; *on the -s of a dilemma* i et dilemma.
II. horn [hɔ:n] *vb* stange; ~ *in* trænge *(el.* mase) sig på; ~ *in on* trænge *(el.* mase) sig ind på, blande sig i.
horn|beam *(bot)* avnbøg. **-bill** *zo* næsehornsfugl. **-blende** ['hɔ:nblend] *(min.)* hornblende. **-book** *(glds)* hornbog, abc-tavle dækket af gennemsigtigt horn.
horned ‚['hɔ:nd; *(poet)* 'hɔ:nid] *adj* hornet; ~ *cattle* hornkvæg.
horned| owl *zo* hornugle. ~ **poppy** ['hɔ:n(i)d 'pɔpi] *(bot)* hornskulpe. ~ **toad** *zo* tudseleguan. ~ **viper** *zo* hornslange.
hornet ['hɔ:nit] *sb zo* hveps, gedehams; *bring (el. raise) a nest of -s about one's ears, poke one's head into a -s' nest, stir up a -s' nest* stikke hånden i en hvepserede.
hornless ['hɔ:nlis] *adj* uden horn, kullet.
horn| owl hornugle. **-pipe** (et gammeldags blæseinstrument); hornpipe (en sømandsdans).
horn-rimmed ['hɔ:n'rimd] *adj:* ~ *spectacles* hornbriller.
hornswoggle ['hɔ:nswɔgl] *vb* S svindle, snyde.
horntail ['hɔ:nteil] *sb zo* træhveps.
hornwork ['hɔ:nwə:k] *sb* hornarbejde; *(mil.)* hornværk.
hornwort ['hɔ:nwə:t] *sb (bot)* hornblad.
horny ['hɔ:ni] *adj* hornagtig; barket *(fx hands).* **horny-handed** med barkede næver.
horologer [hɔ'rɔlədʒə], **horologist** [hɔ'rɔlədʒist] *sb* urmager.
horology [hɔ'rɔlədʒi] *sb* urmagerkunst.
horoscope ['hɔrəskoup] *sb* horoskop; *cast sby's* ~ stille ens horoskop.
horrendous [hə'rendəs] *adj* T rædselsvækkende, forfærdelig.
horrible ['hɔribl] *adj* skrækkelig, grufuld; frygtelig, forfærdelig; T afskyelig, gyselig.
horrid ['hɔrid] *adj* rædselsfuld; afskyelig; gyselig, ækel, væmmelig, modbydelig.
horrific [hə'rifik] *adj* rædselsvækkende, skrækindjagende; (om film, litteratur *etc* også) rædsels-, skræk-.
horrify ['hɔrifai] *vb* forfærde, indjage skræk.
horror ['hɔrə] *sb* rædsel; afsky; afskyelighed, grufuldhed; *the -s* anfald af sygelige angstfornemmelser (især under

delirium tremens), delirium; *she is a* ~ hun er rædselsfuld; *have a* ~ *of sth* nære en sand rædsel for noget, afsky noget; *the* ~ *of it all!* hvor afskyeligt!
horror| **comic** (rædsels)tegneserie. ~ **film** gyser. ~ **-stricken,** ~ **-struck** rædselsslagen.
horse [hɔ:s] *sb* hest; hingst, vallak; *(mil.)* rytteri, kavaleri; (til støtte *etc)* buk, savbuk; stativ; *(mar)* løjbom; *(glds* strafferedskab) træhest; S heroin; *vb* forsyne med heste, spænde heste for; bedække (en hoppe); ~ *around (am* T) fjolle rundt;
   a ~ *of another colour* et helt andet spørgsmål, en helt anden sag; *flog a dead* ~ diskutere en sag, der allerede er afgjort; spilde sine kræfter; *eat like a* ~ æde som en tærsker; *get on (el. mount el. ride) the high* ~ sætte sig på den høje hest; *a tip straight from the -'s mouth* en oplysning fra første hånd *(el.* fra sikker kilde), et staldtip; *master of the* ~ staldmester; *a regiment of* ~ et kavaleriregiment; *take the* ~ stige til hest; *5000* ~ (let *glds)* 5000 mand kavaleri; *to* ~*!* sid op! *the -s are to* der er spændt for; *work like a* ~ slide som et bæst.
horse|**-and-buggy** *adj* fra før bilen *(etc)* blev opfundet; *(fig)* håbløst forældet. **-back** hesteryg; *on -back* til hest. **-bean** *(bot)* agerbønne; hestebønne. ~ **block** op- og afstigningsblok. ~ **box** hestetransportvogn. ~ **brass** seletøjsbeslag af messing. **-breaker** hesteafretter, berider. ~ **chestnut** hestekastanje. **-cloth** hestedækken. ~ **collar** kumte. ~ **coper** hestepranger. ~ **dealer** hestehandler. **-fair** hestemarked. **-flesh** hestekød; heste; *be a judge of -flesh* forstå sig på heste, være hestekender. **-fly** hesteflue.
Horse Guards hestgarde; *the Royal* ~ hestgardens hovedkvarter i London.
horse|**hair** krølhår, hestehår. **-hoe** radrenser. **-laugh** skraldende latter. **-leech** *zo* hesteigle; blodigle. ~ **litter** rosbåre, bærestol der bæres af heste.
horse| **mackerel** hestemakrel; tunfisk. **-man** ['hɔ:smən] rytter. **-manship** ridekunst; ridefærdighed. ~ **marines:** *tell that to the* ~ *marines* den må du længere ud på landet med. ~ **master** ridelærer og berider; hesteudlejer, vognmand. ~ **nail** hestekosøm. ~ **opera** S cowboy film. **-play** grove løjer; ballade; **-power** hestekraft; hestekræfter *(fx 60 horsepower)*. **-race** hestevæddeløb. **-radish** *(bot)* peberrod. ~ **sense** sund fornuft. **-shoe** hestesko. **-shoe crab** *zo* dolkhale. **-tail** hestehale; *(bot)* padderokke. ~ **trade** hestehandel; *(fig)* (politisk) studehandel. **-whip** sb ridepisk; *vb* give af ridepisken. **-whipping** prygl med ridepisken. **-woman** rytterske.
hors(e)y ['hɔ:si] *adj* heste-; hesteagtig; heste(sports)interesseret; præget (i påklædning, ydre, optræden) af interesse for *el.* beskæftigelse med heste.
hortative ['hɔ:tətiv], **hortatory** ['hɔ:tətəri] *adj* formanende, opmuntrende, tilskyndende.
horticultural [hɔ:ti'kʌltʃərəl] *adj* have-, havedyrknings-, havebrugs-; ~ *society* haveselskab. **horticulture** ['hɔ:tikʌltʃə] *sb* havedyrkning; havekunst. **horticulturist** [hɔ:ti'kʌltʃərist] *sb* gartner.
hortus siccus ['hɔ:təs 'sikəs] herbarium.
  hosanna [hə'zænə] hosianna.
hose [houz] *sb* haveslange, brandslange; *(glds el. merk)* strømper; *(glds* også) hoser; *vb* oversprøjte.
hosier ['houʒə] *sb* trikotagehandler.
hosiery ['houʒəri] *sb* trikotage(fabrik).
hospice ['hɔspis] *sb* hospits, gæstehjem, herberg, asyl.
hospitable ['hɔspitəbl] *adj* gæstfri; ~ *to (fig)* åben over for *(fx new ideas)*.
hospital ['hɔspitəl] *sb* hospital, sygehus; velgørenhedsinstitution; *in* ~ på hospital; *remove to a* ~ indlægge på et hospital.
hospital fever hospitalstyfus.
hospitality [hɔspi'tæliti] *sb* gæstfrihed; ~ *will be provided* der er frit ophold (ɔ: gratis kost & logi).
hospitalize ['hɔspitəlaiz] *sb* hospitalisere, indlægge på hospital.
hospitaller ['hɔspitələ] *sb* johanniterridder.
Hospital| **Saturday,** ~ **Sunday** (dage på hvilke der foretoges offentlig indsamling til hospitalerne).
  hoss [hɔs] **T** = *horse.*
I. host [houst] *sb* (også *biol)* vært; *reckon without one's* ~ gøre regning uden vært; *-s* værtsfolk.

II. host [houst] *sb* hær, krigshær; skare; hærskare, mængde; *Lord of Hosts* hærskarernes Herre.
III. host [houst] *sb (rel)* hostie.
hostage ['hɔstidʒ] *sb* gidsel.
hostel ['hɔst(ə)l] *sb* hjem (ofte af filantropisk karakter), sygehjem *(etc)*; *(youth* ~) vandrerherberg, vandrerhjem; (ved universitet) studenterkollegium; *(glds)* gæstgiveri.
hostelry ['hɔstlri] *sb (glds)* gæstgiveri, værtshus.
hostess ['houstis] *sb* værtinde; (i passagerflyver) stewardess; (i restaurant) pige der er ansat for at underholde mandlige gæster, taxigirl.
hostile ['hɔstail] *adj* fjendtlig; fjendtligsindet.
hostility [hɔ'stiliti] *sb* fjendskab; fjendtlighed; *open (, suspend)* hostilities begynde (, indstille) fjendtlighederne.
hostler ['ɔslə] *sb* staldkarl (i en kro).
I. hot [hɔt] *adj* hed, varm; (om smag) stærk, bidende, brændende, skarp, krydret, pebret; *(fig)* hidsig, heftig *(fx battle, temper)*, gal; lidenskabelig, ildfuld, stærkt sanselig, T ivrig *(for* efter); (om spor) nyt, frisk; *(elekt)* strømførende; T skrap, fræk (ɔ: uanstændig); *(am* også) populær *(fx he was a* ~ *singer 20 years ago)*; S dygtig, skrap *(fx pilot)*; spændende, sensationel, (om nyhed også) frisk; (om bil, fly) meget hurtig; (om musik) hot; (om tyvekoster) 'varme' (ɔ: efterlyste);
  ~ *and bothered* echaufferet, ophidset og forvirret; ~ *and* ~ (serveret) meget varmt; *give it him* ~ *and strong* T give ham en ordentlig omgang; *be* ~ *at sth* T være knippeldygtig *(el.* skrap) til noget; ~ *from the press* lige udkommet; *you are getting* ~ *(fig)* tampen brænder! keep *the telegraph wires* ~ få telegraftrådene til at gløde; not so ~ S ikke særlig god, ikke noget at råbe hurra for; *the place is getting* too ~ *to hold him* jorden begynder at brænde under fødderne på ham; *make the place too* ~ *for (el. to hold)* him gøre ham tilværelsen så broget at han må fortrække; *he is* ~ *on playing cricket* han er ivrig kricketspiller; ~ *on the track (el. heels) of* lige i hælene på, lige ved at indhente *(el.* op)nå); ~ *under the collar* T gal i hovedet.
II. hot [hɔt] *vb:* ~ *up* opvarme (mad); T peppe op, sætte mere knald på *(el.* fut i).
hot| **air** *sb (fig)* pral, tom snak, gas. ~ **-air** *adj* varmlufts-. **-bed** mistbænk; *(fig)* arnested. ~ **blast** indblæst varm luft. ~ **-blooded** varmblodig. ~ **brandy** varm cognacstoddy.
hotchpotch ['hɔtʃpɔt] *sb (jur)* samling under ét af afdøds efterladenskab for ligelig uddeling mellem arvinger.
hotchpot(ch) ['hɔtʃpɔt(ʃ)] *sb* miskmask, ruskomsnusk.
hot| **cockles** leg hvor en af deltagerne der har bind for øjnene skal gætte hvem der slår ham. ~ **cross bun** se *cross bun.* ~ **dog** *(am)* varm pølse (med brød); ~ *dog! (am* S) den er fin! ih du store! ~ **-dog stand** pølsevogn.
  hotel [hə'tel] *sb* hotel.
hotelier [hə'teliə] *sb* hotelejer, hoteldirektør.
hotel|**keeper** hotelejer, hoteldirektør. ~ **register** fremmedbog.
hot|**foot** *adv* i største hast; *vb (am): -foot it* skynde sig, ile. ~ **gospeller** vækkelsesprædikant. **-head** brushoved. **-headed** hidsig, opfarende. **-house** drivhus. ~ **line** *(tlf)* varm linie, direkte linie (især: mellem statsoverhoveder). ~ **news** friske nyheder; sensation. ~ **plate** (elektrisk) kogeplade; fyrfad (til bordbrug). **-pot** ragout af kød og kartofler. **-press** *vb* satinere; *sb* satineringsmaskine. ~ **rod** *(am)* gammel bil der er lavet om så den kan køre stærkt. ~ **-short** (om metal) rødskør (skør i glødende tilstand). **-spur** *sb* brushoved, fusentast; *adj* hidsig. ~ **stuff** S skrap fyr; (om ting) fantastisk; skrap. ~ **-tempered** hidsig, opfarende.
  Hottentot ['hɔtntɔt] *sb* hottentot.
hot| **water** varmt vand; *be in* ~ *water* være i en slem knibe. ~ **-water** *adj* varmtvands-. ~ **-water bottle** varmedunk. ~ **well** hed kilde; *(tekn)* varmtvandsbrønd.
hough [hɔk] *sb* hase; *vb* skære haserne over på.
hound [haund] *sb* jagthund (til rævejagt), støver; *vb* forfølge; jage *(fx he was -ed out of the town by his enemies)*; ~ *on* ophidse; *ride to (el. follow) -s* drive parforcejagt, drive rævejagt.
hound's|**-tongue** ['haundztʌŋ] *sb (bot)* hundetunge. ~ **-tooth check** hanefjedsmønster.

hour ['auə] *sb* time; tidspunkt, tid, stund; **-s** (også:) arbejdstid *(fx long (, short) -s* lang (, kort) arbejdstid); åbningstid; kontortid; (om læge *etc)* konsultationstid; *after -s* efter lukketid, efter arbejdstidens ophør; *the office -s are 10-5* kontoret er åbent fra 10-5, kontortiden er fra 10-5; **at** *this* ~ på dette tidspunkt; i denne time *(el.* stund); **by** *the* ~ pr. time *(fx hire a cab by the* ~*)*; ~ *by* ~ fra time til time; *his* ~ *has* **come** *(el. struck)* hans time er kommet (han skal dø); nu har han sin *(el.* sit livs store) chance; **for** *-s (and -s)* i timevis; *an* ~ *and a* **half** halvanden time; **in** *a good (, evil)* ~ i en heldig (, ulykkelig) stund; *in the* ~ *of danger* i farens stund; **keep** *good (el. early)* -s stå tidlig op og gå tidlig i seng; komme tidlig hjem (, på arbejde *etc); keep bad (el. late)* -s stå sent op og gå sent i seng; komme sent hjem (, på arbejde *etc); out* **of** *-s* uden for arbejdstiden; *a quarter of an* ~ et kvarter; **on** *the* ~ kl. hel; *buses leave every* ~ *on the* ~ busser afgår hver fulde time; *the* **small** *-s* de små timer (ɔ: timerne efter midnat); *please state the date and the* ~ vær så venlig at opgive dato og klokkeslæt; *the clock* **strikes** *the* ~ den slår hel.
hour|glass timeglas. ~ **hand** lille viser.
houri ['huəri] *sb* huri.
hourly ['auəli] *adj, adv* hver time; pr. time; ~ *wage* timeløn.
I. house [haus] *sb (pl* houses ['hauziz]) hus (også om kongehus, teater, firma); forestilling *(fx the second* ~*)*; sal, tilskuerplads, (især i diskussionsklub) forsamling *(fx this* ~ *finds that* …*)*; (del af skole) 'hus'; *the* House Tinget (Overhuset, Underhuset), *Christ Church* (i Oxford), børsen (i London); *(am)* Repræsentanternes Hus; **S** fattiggården;
a full ~ fuldt hus; *an Englishman's* ~ *is his castle* en englænders privatliv er ukrænkeligt; **keep** ~ holde hus, føre hus; *keep* ~ *with* bo sammen med; *keep the* ~ holde sig hjemme; *keep a good* ~ føre stort hus, beværte sine gæster godt; *it went like a* ~ *on fire* det gik strygende; *we got on like a* ~ *on fire* vi kom vældig godt ud af det; **play** ~ **T** lege far, mor og børn; *as* **safe** *as* ~ *s* helt sikker, ganske uden risiko, bombesikker; *set up* ~ *for oneself* sætte foden under eget bord; *set one's* ~ *in order* bringe orden i sine sager; ~ *of call* fragtmandscentral; kro (, hotel) hvor man gør ophold undervejs; ~ *of ill fame (glds)* berygtet *(el.* offentligt) hus, bordel; *the House of* **Commons** Underhuset; *the House of Lords* Overhuset; *the House of Representatives* Repræsentanternes Hus (førstekammeret i den amerikanske kongres); *the House rose at 9 o'clock* (parlaments)mødet hævedes kl. 9; *enter the House* blive medlem af parlamentet; *this is on the* ~ denne omgang er for værtens regning.
II. house [hauz] *vb* skaffe bolig til; skaffe tag over hovedet; bringe under tag, installere; huse; opbevare, have plads til; ~ *together* bo sammen.
house|agent indehaver af udlejningsbureau, ejendomsmægler. **-boat** husbåd. **-boy** tjener. **-breaker** indbrudstyv; nedrivningsentreprenør. **-breaking** indbrud; nedrivning af hus. **-broken** *(am)* stueren (om hund). **-carl** ['hauska:l] hirdmand (kriger af de angelsaksiske og nordiske kongers livvagt). ~ **charge** kuvertafgift. **-cleaning** hovedrengøring; *(fig)* udrensning. **-craft** husholdningslære, hjemmekundskab. ~ **flag** *(mar)* kontorflag; ejerstander.
housefly ['hausflai] *sb zo: biting* ~ stikflue; *common* ~ stueflue.
household ['haus(h)ould] *sb* husholdning; husstand; (om kongehuset) hofholdning; *adj* husholdnings-.
householder ['haushouldə] *sb* familiefader, en som fører eget hus; ejer (, lejer) af hus (, lejlighed).
household| goods *pl* husgeråd, penater. ~ **goods** *pl* husholdningsartikler. ~ **troops** *pl* livgarde. ~ **word** velkendt udtryk *el.* navn; *it has become a* ~ *word* (også:) det er blevet et begreb.
house|hunter boligsøgende. **-keeper** husmoder; husbestyrerinde. **-keeping** husholdning; husholdningspenge; *we started -keeping* vi begyndte at føre hus. **-keeping allowance** husholdningspenge. **-leek** *(bot)* husløg. **-less** husvild. **-line** *(mar)* hyssing.
house|maid stuepige; *-maid's knee (med.)* vand i knæet. **-man** *(med.)* kandidat (på et hospital). ~ **martin** *zo* by-

svale. **-master** (, **-mistress**) lærer(inde) der leder et 'hus' på en kostskole. ~ **officer** *(med.)* kandidat (på et hospital). ~ **organ** personaleblad. ~ **painter** maler (håndværker). ~ **party** selskab (på landet) af overnattende gæster. ~ **physician** kandidat (på et hospital). ~ **plant** stueplante. ~ **porter** portner. **-proud:** *she is -proud* (om husmoder) hun gør meget ud af sit hus; hun er meget huslig; *(neds)* hun har rengøringsvanvid. **-room** husrum, husly; *I would not give that table -room* jeg ville ikke have det bord i huset. ~ **sparrow** 'gråspurv. ~ **spider** *zo* husedderkop. ~ **surgeon** kandidat (på et hospital). **-top** hustag; *cry (el. proclaim) from the -tops (fig)* forkynde vidt og bredt. ~ **-trained** stueren (om hund). **-warming** indflytningsgilde.
house|wife *sb* ['hauswaif] husmoder; ['hʌzif] syetui. **-wifely** ['hauswaifli] *adj* husmoderlig. **-wifery** ['hauswaifri, 'hʌzifri] *sb* husmodergerning. **-work** husligt arbejde.
housey-housey ['hauzi 'hauzi] *sb* bankospil.
housing ['hauziŋ] *sb* (til hest) sadeldækken, skaberak; (af *house)* huse, lejligheder, boliger; *adj* bolig- *(fx conditions* forhold); *provide* ~ *for* skaffe boliger til; *Minister of Housing* boligminister.
housing| estate (typehus)bebyggelse. ~ **shortage** bolignød.
houting ['hautiŋ] *sb zo* snæbel (en fisk).
Houyhnhnms ['huinəmz] *sb pl* (fornuftvæsener i skikkelse af heste i Swifts *Gulliver's Travels).*
hove [houv] *præt* og *pp* af *heave;* ~ *to (mar)* underdrejet.
hovel ['hɔvl; 'hʌvl] *sb* skur; elendig hytte, rønne; niche til statue; kegleformet bygning der rummer keramisk ovn; *vb* anbringe i skur; bringe under tag.
hover ['hɔvə; 'hʌvə] *vb* (i luften:) svæve; (på jorden:) vandre, drive om; holde sig *(fx near her)*; *(fig)* tøve, vakle; ~ *about* drive om (i nærheden); ~ *about her* kredse om hende; *a smile -ed about his lips* der spillede et smil om hans læber; ~ *between life and death* svæve mellem liv og død.
hovercraft ['hɔvəkra:ft] *sb* luftpudefartøj.
I. how [hau] *adv* hvordan *(fx* ~ *did you do it?)*; hvor (ɔ: i hvilken grad) *(fx* ~ *big is it?)*; *conj* hvordan *(fx I don't know* ~ *it happened)*; som *(fx come* ~ *you like)*; så *(fx it is incredible* ~ *stupid he is)*;
and ~ **! S** ja det skal jeg love for han *(etc)* gjorde (, var *etc)!* ~ *are you?* hvordan har De det? ~ **come?** *(am* **S)** hvordan kan det være? ~ *do you do* ['haudju'du:] goddag! ~ *ever did you find it?* hvordan i alverden fandt du det? ~ **is** *he?* hvordan har han det? ~ *is it that* …*?* hvordan kan det være at …? ~ *hot it is* hvor er det varmt; ~ **many** *are there?* hvor mange er der? ~ *many there are!* hvor er der (dog) mange! ~ **much** *is that?* hvor meget bliver (, koster) det? ~ **so?** hvordan det? *how's* **that?** hvordan kan det være? hvad siger du til det? *well, that's* ~ *it is* sådan er det nu engang; *how's* **things**? **T** hvordan går det? *this is* ~*you ought to do it* det er sådan du skal gøre det; *he knows* ~ **to** *do it* han ved hvordan det skal gøres; han kan gøre det rigtigt.
II. how [hau] *sb* måde noget skal gøres på, metode *(fx he knows the* ~*).*
howbeit [hau'bi:it] *(glds)* alligevel, desuagtet.
howdah ['haudə] *sb* teltsæde på ryggen af en elefant.
howdy ['haudi] **T** davs! *vb* sige goddag til.
how-d'ye-do ['haudi'du:] goddag; *sb* **T** værre redelighed, slem suppedas.
however [hau'evə] *adv* hvorledes end; hvordan end; hvor end *(fx* ~ *fast he ran* hvor hurtigt han end løb); *conj* alligevel, dog, imidlertid.
howitzer ['hauitsə] *sb (mil.)* haubitzer.
howl [haul] *vb* hyle, tude, skråle, brøle; *sb* hyl, tuden, brøl, skrål.
howler ['haulə] *sb* brøler, bommert, buk; *zo* brøleabe; (person) grædekone.
howling ['hauliŋ] *adj* hylende; skrækkelig; dundrende *(fx* ~ *success)*; ~ *monkey zo* brøleabe.
howsoever [hausou'evə] *adv (glds)* hvordan end, hvor (meget) end.
hoy [hɔi] *interj* ohoj! stop!
hoyden ['hɔidn] *sb* viltert pigebarn, vildkat.
hoydenish ['hɔidəniʃ] *adj* vilter, vild, kåd.
Hoyle [hɔil] (forfatter af en bog om spil og sport); *according to* ~ efter reglerne.

H.P. *fk hire purchase; buy it on the H.P.* købe det på afbetaling.

h.p. *fk horse-power.*

H.Q. *fk headquarters.*

hr. *fk hour.*

H.R.H. *fk His (, Her) Royal Highness.*

hub [hʌb] *sb* hjulnav; *(fig)* centrum, center *(fx a ~ of industry)*; T ægtemand, mand; *the ~ of the universe (fig)* verdens navle.

hubble-bubble ['hʌblbʌbl] *sb* boblende lyd; snakken i munden på hverandre; virvar; vandpibe.

hubbub ['hʌbʌb] *sb* larm, ståhej, hurlumhej.

hubby ['hʌbi] *sb (fk husband)* T (ægte)mand.

hubris ['hju:bris] *sb* hybris, overmod.

hubristic [hju'bristik] *adj* overmodig.

huckaback ['hʌkəbæk] *sb* bygkornsdrejl (håndklædestof).

huckleberry ['hʌklberi] *sb (bot) (am)* blåbær.

huckster ['hʌkstə] *sb* gadehandler; *(neds)* høker; *(fig)* kræmmersjæl; *(am)* reklameagent; *vb* høkre.

huddle ['hʌdl] *vb* kaste uordentligt imellem hinanden; dynge sammen; sjuske med, jaske af; (uden objekt) stimle, flokke sig; *sb* hob, dynge; hurlumhej; stimmel; trængsel; rådslagning; *go into a ~* S holde (hemmelig) rådslagning; *he -d the children into the car* han stoppede i en fart børnene ind i vognen; *~ on (el. into) one's clothes* fare i tøjet, få tøjet på i en fart; *~ a job through* jaske et stykke arbejde af; *~ together* stimle sammen; trykke sig op ad hinanden; kaste i en dynge; få lavet sammen i en fart *(fx a novel)*; *~ together for warmth* (om flere) krybe sammen for at holde varmen; *~ up* få lavet sammen i en fart; krybe sammen; *lie -d up* ligge sammenkrøbet.

Hudson ['hʌdsən].

I. hue [hju:] *sb* farve, lød; anstrøg.

II. hue [hju:]: *~ and cry (glds)* efterlysning *el.* forfølgelse af forbryder; *raise a ~ and cry (fig)* skrige gevalt, gøre anskrig, starte en voldsom kampagne *(against* mod).

huff [hʌf] *vb* fornærme; larme, fnyse; mukke, give ondt af sig, vrisse; (i brætspillet 'dam') 'puste'; *(glds)* kujonere, tyrannisere; *sb* fornærmelse; fortørnelse; *~ and puff* puste og pruste; rase og regere; *in a ~* smækfornærmet.

huffed [hʌft] *adj* krænket, fornærmet, fortørnet, opbragt.

huffish ['hʌfiʃ] *adj* vranten, let at støde, prikken; se også *huffed.*

huffy ['hʌfi] *adj* se *huffed, huffish.*

hug [hʌg] *vb* omfavne, knuge *(el.* trykke) ind til sig; *(fig)* hænge ved, holde fast ved *(fx a belief);* holde sig tæt ved *(fx the side of the road); sb* favntag, omfavnelse; *~ oneself* gotte sig *(on sth* over noget), gnide sig i hænderne; *~ oneself in bed* krybe sammen i sengen af kulde; *~ the shore (mar)* holde sig tæt til kysten; *~ the wind (mar)* knibe tæt til vinden.

huge [hju:dʒ] *adj* vældig stor, uhyre, umådelig. **hugeness** ['hju:dʒnis] *sb* uhyre størrelse.

hugger-mugger ['hʌgəmʌgə] *sb* forvirring, rod(eri), uorden; *(glds)* hemmelighed; *adj* uordentlig; forvirret, rodet; hemmelig.

Hugh [hju:]. **Hughes** [hju:z].

hug-me-tight ['hʌgmi'tait] *sb* sjælevarmer.

Huguenot ['hju:gənɔt] *sb (hist.)* huguenot.

hula ['hu:lə] *sb* hula(-hula) (Hawaii-dans).

hulk [hʌlk] *sb* (aftaklet skib brugt som) logiskib, depotskib; (om person) kolos.

hulking ['hʌlkiŋ] *adj* stor, kluntet, klodset.

I. Hull [hʌl].

II. hull [hʌl] *sb* hylster; bælg; has *(fx på nød); (mar)* skrog (af skib); *vb* afbælge, pille (ærter), hase; *(mar)* ramme i skroget; *~ down* med skroget skjult under horisonten.

hullabaloo [hʌləbə'lu:] *sb* halløj, ståhej, rabalder.

hulled grain gryn.

hull insurance kaskoforsikring.

hullo ['hʌ'lou], **hulloa** ['hʌ'lou] *interj* hallo, halløj.

hum [hʌm] *vb* summe, surre, brumme; nynne; S lugte, stinke; *sb* summen, surren, brummen; nynnen; S lugt, stank; *interj* hm! *~ and haw,* se II. *haw; make things ~* sætte fart i tingene; sætte liv i kludene; *the ~ of the city* byens pulserende liv; *~ along* suse af sted (i bil, på mo-

torcykel *etc).*

human ['hju:mən] *adj* menneskelig, menneske-; human *(fx ~ geography); sb* menneske; *~ being* menneske.

humane [hju'mein] *adj* human, menneskekærlig; humanistisk; *the Humane Society* (et velgørenhedsselskab).

humanism ['hju:mənizm] *sb* humanisme.

humanist ['hju:mənist] *sb* humanist.

humanitarian [hjumæni'tɛəriən] *adj* humanitær, menneskekærlig, menneskevenlig; *sb* menneskeven.

humanity [hju'mæniti] *sb* menneskelighed; menneskehed, menneskeværd; humanitet, menneskekærlighed; *the humanities* de humanistiske fag, humaniora.

humanize ['hju:mənaiz] *vb* humanisere, menneskeliggøre, mildne(s); *-d milk* komælk der er behandlet så det ligner modermælk.

humankind ['hju:mən'kaind] *sb* menneskeslægten.

Humber ['hʌmbə].

humble ['hʌmbl] *adj* ydmyg, underdanig; beskeden, ringe, tarvelig; *vb* ydmyge; *I did my ~ best* jeg gjorde mit bedste efter fattig evne; *of ~ birth* af ringe byrd; *in ~ circumstances* i ringe kår; *in my ~ opinion* efter min ringe mening; *my ~ self* min ringhed.

humble-bee ['hʌmblbi:] *sb zo* humlebi.

humble pie: *eat ~* ydmyge sig, bede ydmygt om forladelse; krybe til korset.

humbly ['hʌmbli] *adv* ydmygt, beskedent.

humbug ['hʌmbʌg] *sb* humbug, svindel; humbugsmager; tom snak, vås; pebermyntebolsje; *vb* narre, bedrage.

humdinger ['hʌmdiŋə] *sb* S: *it's a ~* den er mægtig god; den er helt fantastisk.

humdrum ['hʌmdrʌm] *adj* kedelig, hverdagsagtig, hverdagsgrå, banal, ensformig, triviel.

Hume [hju:m].

humeral ['hju:mərəl] *adj (anat)* skulder-.

humic ['hju:mik] *adj (kem): ~ acid* humussyre.

humid ['hju:mid] *adj* fugtig. **humidifier** [hju:'midifaiə] *sb* befugter; befugtningskasse; (til radiator) vandfordamper.

humidify [hju:'midifai] *vb* befugte, fugte.

humidity [hju'miditi] *sb* fugtighed.

humiliate [hju'milieit] *vb* ydmyge.

humiliation [hjumili'eiʃən] *sb* ydmygelse.

humility [hju'militi] *sb* ydmyghed.

hummingbird ['hʌmiŋbə:d] *sb zo* kolibri.

hummock ['hʌmək] *sb* lille høj; tue.

hummocky ['hʌməki] *adj* ujævn, fuld af småhøje *(el.* tuer).

humor *(am) = humour.*

humorist ['hju:mərist] *sb* humorist.

humoristic [hju:mə'ristik] *adj* humoristisk.

humorous ['hju:mərəs] *adj* humoristisk.

I. humour ['hju:mə] *sb* humor; humør; lune; stemning; *(glds, med.)* legemsvæske; *in good (, bad) ~* i godt (, ondt) lune, i godt (, dårligt) humør; *be in the ~ for* være oplagt til; *please one's ~* følge sin lyst; *be out of ~* være i dårligt humør; være uoplagt; *put sby out of ~* sætte en i dårligt humør; *sense of ~* humoristisk sans; *when the ~ takes me* når det stikker mig; *take sby in the ~* benytte ens gode humør.

II. humour ['hju:mə] *vb* føje, rette sig efter; gå ind på; *children must not be -ed too much* man må ikke være for eftergivende mod børn; *I ~ his every whim* jeg føjer ham i alle hans luner.

hump [hʌmp] *sb* pukkel; lille høj, tue; S dårligt humør; *(jernb)* æselryg (til rangering); *(flyv)* bjerg(kæde) der skal passeres; *vb* S slæbe på, bære (især på ryggen); *get the ~* komme i dårligt humør; *give sby the ~* sætte en i dårligt humør, ærgre en; *over the ~ (fig)* over det værste; *~ up one's back* gøre sig skrutrygget; (om kat) skyde ryg.

humpback ['hʌmpbæk] *sb* pukkel, pukkelrygget person; *zo* knølhval.

humpbacked ['hʌmpbækt] *adj* pukkelrygget.

humph [mm, hʌmf] *interj* hm!; *vb* sige hm, brumme.

Humphrey ['hʌmfri].

humpty-dumpty ['hʌm(p)ti'dʌm(p)ti] *adj* lille og kluntet; *Humpty-dumpty sat on a wall* lille Trille lå på hylde (fra børnerim).

I. humpy ['hʌmpi] *adj* pukkelrygget, puklet; bulet.

II. humpy ['hʌmpi] *sb (austr)* (primitiv) hytte; rønne;

skur.
humus ['hju:məs] *sb* muldjord, humus.
Hun [hʌn] *sb* hunner; *(neds)* tysker.
I. hunch [hʌnʃ] *sb* pukkel; klump, humpel, luns; *I have a ~ that* T jeg har en anelse om at, jeg har på fornemmelsen at.
II. hunch [hʌnʃ] *vb* trække op; *~ up one's back (el. shoulders)* trække skuldrene op, gøre sig skrutrygget.
hunchback ['hʌnʃbæk] *sb* pukkel; pukkelrygget person.
hunchbacked ['hʌnʃbækt] *adj* pukkelrygget.
hunched [hʌntʃt] *adj* ludende.
hundred ['hʌndrəd] hundrede; (i klokkeslæt) nul nul *(fx at fifteen ~ hours* kl. 15.00); *by -s, by the ~* i hundredevis; *have a ~ and one things to do* have hundred og sytten ting at gøre.
hundredfold ['hʌndrədfould] *adv* hundredfold.
hundredth ['hʌndrədθ] *adj* hundrede (ordenstal); *sb* hundrededel.
hundredweight ['hʌndrədweit] *sb* centner (i England: 112 lbs. (50,802 kg); i Amerika: 100 lbs. (45,359 kg)).
hung [hʌŋ] *præt* og *pp* af *hang; be ~ over (am)* have tømmermænd; *~ up* forsinket; kørt fast; *be ~ (up) on* være besat af, være vild *(el.* skør) med; have et kompleks med; være slået ud af.
Hungarian [hʌŋ'gɛəriən] *sb* ungarsk; ungarer; *adj* ungarsk.
Hungary ['hʌŋgəri] Ungarn.
hunger ['hʌŋgə] *sb* sult *(fx die of ~); (fig)* hunger, dyb trang *(for* til); tørst *(for* efter, *fx a ~ for praise); vb* sulte, hungre *(for, after* efter, *fx ~ after the truth);* udsulte.
hunger| cure sultekur. **~ strike** sultestrejke.
hungrily ['hʌŋgrili] *adv* forsultent, begærligt.
hungry ['hʌŋgri] *adj* sulten; *be ~ for* være sulten efter, hungre efter.
hung-up ['hʌŋ'ʌp] *adj* se *hung.*
hunk [hʌŋk] *sb* stort stykke, humpel, luns.
hunkers ['hʌŋkəz] *sb pl: on one's ~* på hug.
hunks [hʌŋks] *sb* T gnier, ubehagelig fyr.
hunky ['hʌŋki] *(am* S) *sb* udenlandsk arbejder; *adj* i fin stand.
hunky-dory ['hʌŋki'dɔ:ri] *adj (am* T) udmærket; fint.
hunt [hʌnt] *vb* jage; jage efter, gå på jagt efter; (uden objekt) jage; gå på jagt; *(fig* også) søge, lede; *(tekn)* pendle; *sb* jagt (særlig de former for jagt, hvor man forfølger vildtet til hest og med hunde); storvildtjagt, rævejagt; forfølgelse; eftersøgning, søgen; jagtselskab; jagtrevier; *~ down* jage (og indhente) *~ down a criminal* forfølge og pågribe en forbryder; *~ for* lede efter *(fx we -ed high and low for the book);* gå på jagt efter; *~ up (el. out)* finde, opsnuse *(fx ~ out an old edition); ~ a country* ride på jagt i en egn; *~ a mare* bruge en hoppe til jagt; *he -s the hounds himself* han fører selv hundekoblet på jagten.
hunter ['hʌntə] *sb* jæger; jagthest; dobbeltkapslet ur; *(am)* jagthund; *-'s moon* fuldmåne i oktober.
hunting ['hʌntiŋ] *sb* jagt (især rævejagt til hest), støverjagt, parforcejagt; *(tekn)* pendling, pendulsvingning(er).
hunting| box jagthytte. **~ crop** kort ridepisk til jagt. **~ ground** jagtdistrikt; jagtmark, jagtområde; (se også *happy ~ ground).* **~ watch** dobbeltkapslet ur.
Hunts [hʌnts] *fk Huntingdonshire.*
Huntingdonshire ['hʌntiŋdənʃə].
huntsman ['hʌntsmən] *sb* jæger, pikør, jagtfører (ved parforcejagt).
hunt-the-slipper (en leg; *omtr =*) lad tøffelen gå.
hurdle ['hə:dl] *sb* risfletning; risgærde; (i sport) hæk, (i hestevæddeløb) hurdle, forhindring; *(fig)* forhindring, hurdle; *(glds)* rakkersluffe; *the -s* (i sport) hækkeløb.
hurdler ['hə:dlə] *sb* deltager i hækkeløb.
hurdle race hækkeløb; forhindringsløb.
hurdy-gurdy ['hə:digə:di] *sb* lirekasse.
hurl [hə:l] *vb* kaste, slynge, kyle.
hurly-burly ['hə:libə:li] *sb* larm, tummel, virvar.
hurrah [hu'ra:], **hurray** [hu'rei] *interj* hurra; *vb* råbe hurra.
hurricane ['hʌrikən] (især *am)* -kein] *sb* orkan (vindstyrke 12).
hurricane| deck stormdæk. **~ lamp, ~ lantern** stormlygte, flagermuslygte.

hurried ['hʌrid] *adj* skyndsom, hastig; hastværks-.
I. hurry ['hʌri] *sb* hast, hastværk; *in a ~* hastigt; i en fart; *be in a ~* have hastværk, have travlt; *he won't do that again in a ~* det varer noget, før han gør det igen; *you won't find a better one in a ~* det bliver svært at finde en bedre; *in the ~* i skyndingen; i farten; *there is no ~* det haster ikke.
II. hurry ['hʌri] *vb* skynde sig, ile, haste; (med objekt) føre hurtigt afsted; skynde på *(fx don't ~ me!);* forcere, fremskynde *(fx the work; the pace); ~ away (el. off)* skynde sig *(el.* ile) af sted; føre *(el.* sende, transportere) hurtigt bort *(el.* af sted); *he hurried on his clothes* han skyndte sig *(el.* for) i tøjet; *~ up* skynde sig; sætte fart i.
hurry-scurry ['hʌri'skʌri] *sb* huj og hast, forvirring, virvar; *adv* i huj og hast, i vild forvirring, hovedkulds; *vb* fare hovedkulds (af sted).
hurst [hə:st] *sb* (glds) skov, krat; skovbevokset høj.
hurt [hə:t] *vb (hurt, hurt)* skade *(fx his reputation, trade),* gøre fortræd; slå, støde, komme til skade med *(fx he fell and ~ his knee); (fig)* såre, krænke *(fx him, his feelings),* støde; (uden objekt) gøre ondt *(fx the wound still -s); sb* fortræd, skade; sår, stød; *be ~* komme noget til; komme til skade; *(fig)* være krænket; *~ oneself* slå sig; *I feel ~* jeg føler mig krænket; *my tooth still -s a little* det gør stadig lidt ondt i min tand; *that won't ~* (også) det er ingen skade til.
hurtful ['hə:tf(u)l] *adj* skadelig.
hurtle ['hə:tl] *vb* hvirvle, suse; svirre, fare; kaste, slynge.
husband ['hʌzbənd] *sb* ægtefælle, ægtemand, mand; *vb* holde godt hus med; spare på.
husbandage ['hʌzbəndidʒ] *sb* provision til skibsinspektør.
husbandman ['hʌzbən(d)mən] *sb (glds)* landmand.
husbandry ['hʌzbəndri] *sb* landbrug; økonomi, sparsommelighed; *(glds)* husførelse.
hush [hʌʃ] *interj* hys! stille! *adj* stille, rolig; *sb* stilhed; *vb* gøre stille; bringe til tavshed; berolige; (uden objekt) være *(el.* blive) stille, tie; *~ the baby to sleep* dysse barnet i søvn; *~ up* holde hemmelig, dysse ned.
hushaby ['hʌʃəbai] *interj* visselulle.
hush-hush ['hʌʃ'hʌʃ] *interj* tys-tys; *adj* hemmelig, som man ikke må tale om; *sb* hemmelighedskræmmeri; *~ system* fortielsessystem.
hush money penge der betales for at få noget dysset ned *el.* for at få en til at tie stille.
husk [hʌsk] *sb* skal, avne, has, kapsel; *(am* især) majskolbehylster; *vb* skrælle, pille.
I. husky ['hʌski] *adj* forsynet med skal *etc* (se *husk);* (om stemme) hæs, rusten, sløret, grødet; T kraftig, svær; *a fine ~ fellow* et rigtigt mandfolk, en kraftkarl.
II. husky ['hʌski] *sb* eskimo; eskimosprog; eskimohund, grønlandsk hund; kraftkarl, kleppert.
hussar [hu'za:] *sb* husar.
Hussite ['hʌsait] *sb (rel)* hussit.
hussy ['hʌsi] *sb* tøs, tøjte.
hustings ['hʌstiŋz] *sb pl (hist.)* talertribune; *(fig)* valgkampagne; valghandling.
hustle ['hʌsl] *vb* støde, trænge, skubbe; jage med; presse; (uden objekt) skynde sig, anstrenge sig; jage; S prøve at kapre kunder, (om prostitueret) trække; *sb* skub(ben), trængsel; *I won't be -d* jeg lader mig ikke jage med.
hustler ['hʌslə] *sb* (hurtig og energisk person:) gåpåfyr; S bondefanger, svindler; luder.
hut [hʌt] *sb* skur, hytte; barak; pavillonbygning; badehus; *vb* anbringe *(el.* bo) i skur (, hytte, barak).
hutch [hʌtʃ] *sb* kasse, bur *(fx* til kaniner); kasse, kiste (til mel); (i mine) transportvogn; vaskesold; T hytte, lille hus; *(am)* lavt porcelænsskab med hylder foroven.
hutment ['hʌtmənt] *sb* anbringelse i barakker; baraklejr, barak.
huzza [hu'za:] *interj* hurra; *vb* råbe hurra; hilse med hurra.
h.v. *fk high voltage.*
hyacinth ['haiəsinθ] *sb (bot)* hyacint.
hyacinthine [haiə'sinθain] *adj* hyacintagtig.
hyaena = *hyena.*
hyaline ['haiəl(a)in] *adj* glasklar, krystalklar, gennemsigtig; *sb* klar himmel; spejlblankt hav.
hyalite ['haiəlait] *sb* hyalit, glasopal.

hyaloid ['haiɔlɔid] *adj* gennemsigtig, glasagtig.
hybrid ['haibrid] *sb* bastard; hybrid; *adj* bastardagtig; ~ *race* blandet race.
hybridization [haibridai'zeiʃən] *sb* hybridation, krydsbefrugtning, krydsbestøvning.
Hyde Park ['haid 'pɑːk].
hydra ['haidrə] *sb (myt)* hydra (mangehovedet uhyre).
hydrangea [hai'dreindʒə] *sb (bot)* hortensia.
hydrant ['haidrənt] *sb* brandhane.
hydrate ['haidreit] *sb (kem)* hydrat; *vb* hydrere.
hydraulic [hai'drɔːlik] *adj* hydraulisk.
hydraulically [hai'drɔːlikəli] *adv* (ad) hydraulisk (vej).
hydraulics [hai'drɔːliks] *sb* hydraulik.
hydric ['haidrik] *adj (kem)* brint-.
hydride ['haidraid] -hydrid *(fx calcium ~ calciumhydrid)*; -brinte (kun i forbindelsen *boron ~* borbrinte).
I. hydro ['haidrou] *(fk hydropathic establishment)* *sb* badesanatorium, fysisk kuranstalt.
II. hydro- ['haidrou] -brinte *(fx hydrocarbon* kulbrinte).
hydro|cele ['haidrɔsiːl] *sb (med.)* vandbrok. **-cephalus** [haidrɔ'sefələs] *sb (med.)* vand i hovedet.
hydrochloric ['haidrɔ'klɔrik]: ~ *acid (kem)* saltsyre.
hydrodynamic [haidrədai'næmik] *adj* hydrodynamisk. **hydrodynamics** *sb* hydrodynamik.
hydroelectric ['haidrɔi'lektrik] *adj:* ~ *power* hydroelektrisk kraft, elektricitet frembragt ved vandkraft; ~ *(power) station* vandkraftværk.
hydrofoil ['haidrəfɔil] *sb* hydrofoil; ~ *boat* hydrofoilbåd, bæreplanbåd, flyvebåd.
hydrogen ['haidridʒən] *sb (kem)* brint; -brinte *(fx ~ sulphide* svovlbrinte).
hydrogenation [haidroudʒə'neiʃən] *sb* brintning.
hydrogen bomb brintbombe.
hydrogenize [hai'drɔdʒinaiz] *vb* brinte.
hydrogen peroxide brintoverilte.
hydroglider ['haidrəglaidə] *sb* glidebåd (se også *hydroplane)*.
hydrographer [hai'drɔgrəfə] *sb* hydrograf.
hydrographical [haidrɔ'græfikl] *adj* hydrografisk; ~ *survey* søopmåling; ~ *chart* søkort; ~ *department* søkortarkiv.
hydrography [hai'drɔgrəfi] *sb* hydrografi.
hydrolysis [hai'drɔlisis] *sb (kem)* hydrolyse.
hydrometer [hai'drɔmitə] *sb* flydevægt.
hydro|pathic [haidrɔ'pæθik] *sb* vandkur; vandkuranstalt. **-pathist** [hai'drɔpəθist] *sb* læge, som helbreder ved bade. **-pathy** [hai'drɔpəθi] *sb* vandkur.
hydrophile ['haidrəfail] *adj:* ~ *cotton* affedtet sygevat, vandsugende vat.
hydrophobia [haidrə'foubjə] *sb (med.)* vandskræk; rabies, hundegalskab.
hydrophone ['haidrəfoun] *sb* hydrofon (apparat til at opfange lyd i vand).
hydropic [hai'drɔpik] *adj* vattersottig.
hydroplane ['haidrəplein] *sb* flyvebåd, vandflyvemaskine; dybderor på ubåd; hydroplan (slags speedbåd); *vb* sejle i hydroplan; glide hen over vandets overflade; (om bil) glide på en hinde af vand (og miste bremseevnen).
hydroponics [haidrə'pɔniks] *sb pl* hydroponik, dyrkning af planter i næringsvæske uden jord.
hydropsy ['haidrɔpsi] *sb* vattersot.
hydrostatic [haidrə'stætik] *adj* hydrostatisk. **hydrostatics** *sb pl* hydrostatik, læren om væskers ligevægt.
hydrous ['haidrəs] *adj* vandholdig.
hyena [ha(i)'iːnə] *sb zo* hyæne.
hyetograph ['haiətəgrɑːf] *sb* regnkort.
hygiene ['haidʒiːn] *sb* hygiejne.
hygienic [hai'dʒiːnik] *adj* hygiejnisk. **hygienics** *sb* hygiejne.
hygienist ['haidʒiinist] *sb* hygiejniker.
hygrometer [hai'grɔmitə] *sb* hygrometer, fugtighedsmåler.

hygroscope ['haigrəskoup] *sb* hygroskop, fugtighedsviser.
hygroscopic [haigrə'skɔpik] *adj* hygroskopisk, vandsugende.
hymen ['haimen] *sb* mødomshinde; hymen, ægteskab.
hymeneal [haime'niːəl], **hymenean** [haime'niːən] *adj* bryllups-.
hymn [him] *sb* salme; hymne; *vb* lovprise.
hymnal ['himnəl] *adj* salmeagtig, salme-; hymneagtig, hymne-; *sb* salmebog.
hymnody ['himnədi] *sb* salmesang; salmesamling; salmedigtning; salmeforskning.
hymnology [him'nɔlədʒi] *sb* se *hymnody*.
hyperaemia [haipə'riːmjə] *sb* blodoverfyldning.
hyperbola [hai'pəːbələ] *sb (mat.)* hyperbel.
hyperbole [hai'pəːbəli] *sb* overdrivelse, hyperbol.
hyperborean [haipəbɔ'riː(ɔ)n, haipə'bɔːriən] *adj* nordlig; bidende kold; sb nordbo.
hypercritical ['haipə'kritikəl] *adj* overdrevent kritisk.
hypermetropia [haipəme'troupiə] *sb* overlangsynethed.
hypermetropic [haipəme'trɔpik] *adj* overlangsynet.
hypersensitive ['haipə'sensitiv] *adj* overfølsom.
hypersonic [haipə'sɔnik] *adj* som er mere end fem gange lydens hastighed.
hypertension [haipə'tenʃən] *sb (med.)* for højt blodtryk.
hypertrophy [hai'pəːtrəfi] *sb* hypertrofi, et organs overudvikling.
hyphen ['haifən] *sb* bindestreg: *vb* sætte bindestreg imellem.
hyphenate ['haifəneit] *vb* sætte bindestreg imellem; *-d American* irsk-amerikaner, dansk-amerikaner *etc.*
hypnosis [hip'nousis] *sb* hypnose.
hypnotic [hip'nɔtik] *adj* hypnotisk; søvndyssende; *sb* sovemiddel.
hypnotism ['hipnətizm] *sb* hypnotisme.
hypnotize ['hipnətaiz] *vb* hypnotisere.
hypo ['haipou] *sb (fot)* fiksersalt; T (injektions)sprøjte; indsprøjtning; S stiknarkoman.
hypochondria [haipə'kɔndriə] *sb* hypokondri; tungsind.
hypochondriac [haipə'kɔndriæk] *sb* hypokonder; hypokondrist.
hypocrisy [hi'pɔkrəsi] *sb* hykleri; skinhellighed.
hypocrite ['hipəkrit] *sb* hykler.
hypocritic(al) [hipə'kritik(l)] *adj* hyklerisk; skinhellig.
hypodermic [haipə'dəːmik] *adj* som ligger under huden; *sb* indsprøjtning under huden; ~ *needle (med.)* kanyle; ~ *syringe* lægesprøjte, injektionssprøjte.
hypogynous [hai'pɔdʒinəs] *adj (bot)* undersædig.
hypotaxis [haipə'tæksis] *sb (gram)* hypotakse, underordning.
hypotenuse [hai'pɔtinjuːz] *sb (geom)* hypotenuse.
hypothec [hai'pɔθek] *sb (skotsk jur)* hypotek, pant.
hypothecate [hai'pɔθikeit] *vb* pantsætte.
hypothetic(al) [haipə'θetik(l)] *adj* hypotetisk, antaget.
hypsometer [hip'sɔmitə] *sb* hypsometer (apparat til højdebestemmelse ved måling af vands kogepunkt).
hyrax ['hairæks] *sb zo* klippegrævling.
hyson ['haisən] *sb* grøn te.
hyssop ['hisəp] *sb (bot)* isop.
hysterectomy [histə'rektəmi] *sb (med.)* fjernelse af livmoderen.
hysteria [hi'stiəriə] *sb* hysteri.
hysteric(al) [hi'sterik(l)] *adj* hysterisk.
hysterics [hi'steriks] *sb pl* anfald af hysteri; *go into ~* blive hysterisk, få et hysterisk anfald.
hysteron proteron ['histərɔn'prɔtərɔn] udtryk hvor det sættes først, som normalt kommer sidst *(fx I die, I faint, I fail);* (i logik) cirkelslutning.
hysterotomy [histə'rɔtəmi] *sb* kejsersnit.

I, i [ai].
I. *fk Idaho; Imperator, Imperatrix; Island; Isle.*
I [ai] *pron* jeg.
i' [i] *fk in.*
Ia. *fk Iowa.*
Iago [i'a:gou].
iamb ['aiæm(b)] *sb* jambe. **iambic** [ai'æmbik] *adj* jambisk.
iambus [ai'æmbəs] *sb* jambe.
Iberian [ai'biəriən] *adj* iberisk; *sb* iberer; *the ~ Peninsula* Den iberiske halvø (ɔ: Spanien og Portugal).
ibex ['aibeks] *sb zo* stenbuk.
ibid. *fk* **ibidem** [i'baidəm] sammesteds.
ibis ['aibis] *sb zo* ibis.
Icarian [i'kɛəriən] *adj* ikarisk; højtflyvende.
Icarus ['aikərəs] Ikaros.
ICBM *fk intercontinental ballistic missile* interkontinental raket.
ice [ais] *sb* is; iskage, dessertis; S diamanter; *vb* dække med is, overtrække med is; lægge på is, isafkøle; glasere (med sukker); *break the ~* bryde isen; tage fat, gå i gang; *cut no ~* være uden virkning, ikke have nogen indflydelse, ikke gøre noget indtryk *(with* på); *that won't cut any ~* det får du ikke noget ud af, det kommer du ingen vegne med; *on ~ (fig)* i beredskab; *skate on thin ~ (fig)* komme på glatis, vove sig lovlig langt ud; *~ up* overises.
ice| age istid. *~ axe* isøkse. *~ bag* ispose. **-berg** ['aisbə:g] isbjerg. **-blink** isblink. **-bound** utilgængelig på grund af is, tilfrosset *(fx harbour);* indefrosset *(fx ship).* **-box** isskab; *(am* også) køleskab. **-breaker** isbryder. *~ cap* permanent isdække; indlandsis; is på en bjergtop. *~ cream* (fløde)is.
ice|field ismark. *~ floe* (stor) isflage, isskosse. *~ foot* isfod, isbælte langs kysten i polaregnene.
Iceland ['aislənd] Island; *adj* islandsk. **Icelander** ['aisləndə] *sb* islænding.
Iceland gull *zo* hvidvinget måge.
Icelandic [ais'lændik] *adj* islandsk.
Iceland| moss *(bot)* islandsk lav. *~ poppy (bot)* islandsk valmue.
ice| lolly sodavandsis. *~ pack* pakis; isomslag. *~ pantomime* is-show. *~ pick* isspyd. *~ rink* (kunstig) skøjtebane. *~ show* is-show. *~ tray* bakke til frysning af isterninger. *~ tub* isbæger.
ichneumon [ik'nju:mən] *sb zo* faraorotte.
ichneumon fly *zo* snyltehveps.
ichnography [ik'nɔgrəfi] *sb (arkit)* iknografi, grundplantegning.
ichor ['aikɔ:] *sb (myt)* gudernes blod; *(med.)* blodvæske.
ichthyo|graphy [ikθi'ɔgrəfi] *sb* iktyografi, beskrivelse af *(el.* afhandling om) fisk. **-logist** [ikθi'ɔlədʒist] *sb* iktyolog, fiskekyndig. **-logy** [ikθi'ɔlədʒi] *sb* iktyologi, læren om fiskene. **-saurus** [ikθiə'sɔ:rəs] *sb* fiskeøgle, iktyosaurus.
I.C.I. *fk Imperial Chemical Industries.*
icicle ['aisikl] *sb* istap.
icing ['aisiŋ] *sb* isdannelse, overisning; (på kage *etc)* (sukker)glasur.
icing| sugar flormelis. *~ -up* overisning.
I.C.J. *fk International Court of Justice.*
icon ['aikɔn] *sb* ikon, billede.
icono|clasm [ai'kɔnəklæzm] *sb* billedstorm. **-clast** [ai'kɔnəklæst] *sb* billedstormer. **-clastic** [aikɔnə'klæstik] *adj* billedstormende, revolutionær.
icteric [ik'terik] *adj* gulsottig.
icterine ['iktərain]; *~ warbler zo* gulbug.
icterus ['iktərəs] *sb (med.)* gulsot.
ictus ['iktəs] *sb* rytmisk accent.
icy ['aisi] *adj* iset; *(fig* også) iskold *(fx tone),* isnende *(fx look).*
id [id] *(psyk)* id (individets primitive impulser).
I.D. *fk Intelligence Department.*

I'd [aid] sammentrukket af *I had el. I would.*
Idaho ['aidəhou].
ide [aid] *sb zo* emde (en fisk).
idea [ai'diə] *sb* idé, begreb, forestilling; tanke; *an ~ strikes me* jeg får en idé; *I have an ~ he is not coming* jeg har på fornemmelsen at han ikke kommer; *the ~ (of such a thing)! what an ~!* det var da en vanvittig tanke! *put ~s into sby's head* sætte én fluer i hovedet; *that's the ~* sådan skal det være; der har vi det! *what's the (big) ~?* S hvad er meningen? *the young ~* barnesindet.
ideal [ai'diəl] *sb* ideal, forbillede; *adj* ideal, tanke-, tænkt; mønstergyldig, fuldendt, ideel.
idealism [ai'diəlizm] *sb* idealisme. **idealist** [ai'diəlist] *sb* idealist. **idealistic** [aidiə'listik] *adj* idealistisk; *~ motives* ideelle motiver. **ideality** [aidi'æliti] *sb* idealitet.
idealize [ai'diəlaiz] *vb* idealisere; danne sig idealer.
ideate [ai'di:eit] *vb* forestille sig.
ideation [aidi'eiʃən] *sb* forestillingsforløb; tankevirksomhed.
idée fixe ['i:dei'fiks] fiks idé, monomani.
identic [ai'dentik] *adj* (om dokument) identisk, enslydende.
identical [ai'dentikl] *adj* identisk, (nøjagtig) ens; sammenfaldende, ensbetydende *(with* med); T selv samme, præcis det (, den) *(fx this is the ~ room where he lived);* (se også *identic).* **identical twins** par enæggede tvillinger.
identification [aidentifi'keiʃən] *sb* identificering, genkendelse; klassificering, bestemmelse.
identify [ai'dentifai] *vb* identificere, (gen)kende; *(biol)* klassificere, bestemme; *it can easily be identified by* den er let kendelig på; *~ oneself* legitimere sig; *~ A with B* sætte A lig med B; betragte A som værende identisk med *(el.* et med) B; *~ oneself with* identificere sig med; gå op i *(fx a part* en rolle), indleve sig i *(fx a subject);* gå ind for, støtte, give sin tilslutning til *(fx this policy; their unconventional methods);* slutte sig til *(fx a party, a movement);* *~ with* identificere sig med.
identikit [ai'dentikit] *sb* udvalg af typiske ansigtstræk som kan sættes sammen til et billede af en eftersøgt på grundlag af vidners udsagn; *~ picture* konstrueret billede.
identity [ai'dentiti] *sb* identitet; *prove one's ~* legitimere sig.
identity card legitimationskort.
ideography [idi'ɔgrəfi] *sb* ideografi, begrebsskrift.
ideological [aidiə'lɔdʒikəl] *adj* ideologisk.
ideology [aidi'ɔlədʒi] *sb* ideologi.
Ides [aidz] idus (i den romerske kalender).
id est [id est] det vil sige.
idiocy ['idiəsi] *sb* idioti.
idiom ['idiəm] *sb* idiom, sprogejendommelighed; sprog; formsprog, udtryksform (i kunst).
idiomatic [idiə'mætik] *adj* idiomatisk; mundret.
idiosyncrasy [idiə'siŋkrəsi] *sb* idiosynkrasi.
idiot ['idiət] *sb* idiot; fæ.
idiotic [idi'ɔtik] *adj* idiotisk.
idiot light advarselslampe.
I. idle ['aidl] *adj* ledig *(fx moment),* ubeskæftiget, doven; tom *(fx talk, threat),* intetsigende, unyttig; grundløs *(fx fear, rumour);* ørkesløs, forgæves *(fx protest);* let henkastet *(fx remark),* tilfældig; *be ~* (om virksomhed) ligge stille.
II. idle ['aidl] *vb* drive, dovne; (om maskine) gå tomgang; *~ away one's time* drive tiden hen, sløse tiden bort.
idleness ['aidlnis] *sb* dovenskab, driveri, lediggang; stilstand.
idler ['aidlə] *sb* lediggænger; drivert; *(jernb)* tom vogn; *(tekn:)* (stillende) mellemhjul; (til transportbånd) lederulle.
idol ['aidl] *sb* afgudsbillede; afgud.
idolater [ai'dɔlətə] *sb* afgudsdyrker; tilbeder.
idolatrous [ai'dɔlətrəs] *adj* afguds-, afguderisk.

idolatry [ai'dɔlətri] *sb* afgudsdyrkelse; forgudelse, tilbedelse.

idolization [aidəlai'zeiʃən] *sb* forgudelse.

idolize ['aidəlaiz] *vb* forgude *(fx the actor was -d by women)*.

idyl(l) ['idil; 'aidil] *sb* idyl; hyrdedigt.

idyllic [ai'dilik] *adj* idyllisk.

i.e. ['ai'i:; 'ðæt'iz] *fk id est* det vil sige.

if [if] *conj* hvis *(fx if I were you; he'll do it if you ask him)*, dersom; om *(fx if necessary; I asked him if ...)*; selv om *(fx if they are poor, at least they are happy)*, om end; om også, om så *(fx I'll do it if it takes me a year)*; når *(fx if girls are more proficient than boys it is because ...)*;
the surplus if any det eventuelle overskud; *if anything* nærmest; snarere; *as if* som om; *it isn't as if I'm hungry* det er ikke fordi jeg er sulten; *he is thirty years if he is a day* han er mindst 30 år gammel; *even if* selv om; *if for no other reason* om ikke for andet; *if not* ellers, i modsat fald, i benægtende fald; om ikke *(fx good, if not elegant)*; *if it isn't John!* der har vi minsandten John! *if it was not that I knew you* hvis det ikke var fordi jeg kendte dig; *if I only knew* bare *(el. gid)* jeg vidste; ~ *only* to om ikke for andet så for at *(fx I'll do it, if only to annoy him)*; *if so* i så fald, i så tilfælde.

iffy ['ifi] *adj (am)* hypotetisk, usikker.

I.F.S. *fk Irish Free State.*

igloo ['iglu:] *sb* snehytte (hos eskimoerne).

igneous ['igniəs] *adj* ild-, af ild; *(geol)* vulkansk; ~ *rock (geol)* eruptivbjergart.

ignis ['ignis] *sb* ild; ~ *fatuus* ['fætjuəs] *(pl ignes fatui* ['ig-ni:z 'fætjuai]) lygtemand.

ignitable [ig'naitəbl] *adj* antændelig.

ignite [ig'nait] *vb* tænde, sætte i brand; fænge, komme i brand.

igniter [ig'naitə] *sb* tændsats, tændingsanordning.

ignition [ig'niʃən] *sb* tænding; antændelse; *retarded* ~ *lav (el.* sen) tænding.

ignoble [ig'noubl] *adj* lav, gemen, uværdig; *(glds)* af lav byrd.

ignominious [ignə'minjəs] *adj* forsmædelig, skændig, vanærende.

ignominy ['ignəmini] *sb* forsmædelighed, skændsel, vanære.

ignoramus [ignə'reiməs] *sb* ignorant, uvidende person.

ignorance ['ignərəns] *sb* uvidenhed.

ignorant ['ignərənt] *adj* uvidende *(of* om).

ignore [ig'nɔ:] *vb* ikke tage hensyn til, ignorere; ikke tænke på, overse, overhøre.

iguana [ig'wa:nə] *sb zo* leguan.

I.H.P. *fk* indicated horse-power indiceret hestekraft.

ike [aik] **S** = *iconoscope.*

I.L.E.A. *fk Inner London Education Authority.*

ileum ['iliəm] *sb (anat)* krumtarm.

ilex ['aileks] *sb (bot)* steneg; kristtorn.

Iliad ['iliæd] *sb* Iliade.

ilk [ilk] *sb* (på skotsk) samme; enhver; *of that* ~ fra godset af samme navn *(fx Guthrie of that* ~ Guthrie fra godset G.); **T** af samme slags.

I'll [ail] sammentrukket af *I shall el. I will.*

ill [il] *adj* syg; dårlig; ond, slet; *adv* dårligt, slet, ilde, ondt; *sb* onde; ulykke, lidelse;
we can ~ *afford it* vi har dårligt råd til det; ~ *at ease* ilde til mode; *be* ~ være syg; *be* ~ *in bed* ligge syg; *be taken* ~, *fall* ~ blive syg; *it* ~ *becomes you* det sømmer sig ikke for dig; det tilkommer ikke dig; *it will go* ~ *with him* det vil gå ham galt; *return* ~ *for good* gengælde godt med ondt; *speak* ~ *of* tale ondt om; *take sth* ~ tage noget ilde op; ~ *weeds grow apace* ukrudt forgår ikke så let; *it's an* ~ *wind that blows nobody any good* intet er så galt at det ikke er godt for noget.

Ill. *fk Illinois.*

ill|-advised [iləd'vaizd] ubetænksom; uklog; *you would be* ~ *-advised to do so* det ville være uklogt af Dem at gøre det. ~ *-affected* uvenlig stemt. ~ *-assorted* som passer dårligt sammen. ~ *-behaved* uartig, uopdragen. ~ **blood** ondt blod, had, fjendskab. ~ *-boding* ildevarslende. ~ **-bred** uopdragen, udannet, ukultiveret. ~ **breeding** uopdragenhed. ~ **-conditioned** ubehagelig (om mennesker),

ond(skabsfuld), tvær, nederdrægtig. ~ **-considered** uovervejet. ~ **-disposed** ondskabsfuld; uvenlig stemt.

illegal [i'li:gəl] *adj* ulovlig, illegal.

illegality [ili'gæliti] *sb* ulovlighed.

illegibility [iledʒi'biliti] *sb* ulæselighed.

illegible [i'ledʒibl] *adj* ulæselig.

illegitimacy [ili'dʒitiməsi] *sb* uretmæssighed, ugyldighed; fødsel uden for ægteskab.

I. illegitimate [ili'dʒitimit] *adj* illegitim, født uden for ægteskab *(fx an* ~ *child)*; uretmæssig, urigtig, uberettiget, ulogisk *(fx conclusion)*.
II. illegitimate [ili'dʒitimeit] *vb* erklære for illegitim.

ill|-fated ['il'feitid] ulykkelig, ulyksalig, skæbnesvanger. ~ **-favoured** *adj* grim, styg, hæslig. ~ **feeling** fjendskab, bitterhed. ~ **-gotten** erhvervet på uretmæssig vis *(fx gains)*. ~ **health** svagelighed. ~ **humour** ondt lune. ~ **-humoured** ubehagelig, irritabel.

illiberal [i'libərəl] *adj* smålig, snæversynet; gerrig.

illiberality [ilibə'ræliti] *sb* smålighed, snæversynethed; gerrighed.

illicit [i'lisit] *adj* utilladelig; ulovlig; ~ *union* fri (erotisk) forbindelse.

illimitable [i'limitəbl] *adj* ubegrænset, uindskrænket; grænseløs.

Illinois [ili'nɔi].

illiteracy [i'litərəsi] *sb* analfabetisme, uvidenhed, udannethed.

illiterate [i'litərit] *adj* analfabetisk, som ikke kan læse og skrive; uvidende; udannet; *sb* analfabet.

ill|-judged ubetænksom, ufornuftig, uklog, uoverlagt; malplaceret. ~ **luck** ulykke, uheld; *as* ~ *luck would have it* uheldigvis. ~ **-mannered** uopdragen. ~ **-natured** gnaven; ondskabsfuld.

illness ['ilnis] *sb* sygdom.

illogical [i'lɔdʒikəl] *adj* ulogisk.

ill|-omened [i'l'oumend] foretaget under ulykkelige varsler; se også *ill-fated.* ~ **-starred** født (, foretaget) under en uheldig stjerne, forfulgt af ulykken; se også *ill-fated.* ~ **temper** ondt lune. ~ **-tempered** gnaven, irritabel, opfarende. ~ **-timed** ubetimelig; som kommer ubelejligt; ilde anbragt, malplaceret. ~ **-treat** behandle dårligt, mishandle. ~ **treatment** mishandling.

illuminate [i'l(j)u:mineit] *vb* oplyse, belyse, (med festblus:) illuminere; *(fig)* belyse, kaste lys over, forklare; (om manuskript: illustrere) illuminere. **illuminating** *adj (fig)* oplysende; (ofte =) tankevækkende. ~ *engineer* belysningstekniker; ~ *engineering* belysningsteknik; ~ *gas* belysningsgas.

illumination [il(j)u:mi'neiʃ(ə)n] *sb* oplysning, belysning, (festblus:) illumination; lys, glans; *(mht* manuskript) illumination, bogmaleri.

illumine [i'l(j)u:min] *vb* oplyse, opklare, kaste lys over.

ill-usage ['il'ju:zidʒ] *sb* mishandling.

ill-use ['il'ju:z] *vb* mishandle.

illusion [i'l(j)u:ʒən] *sb* illusion, falsk forestilling, selvbedrag *(fx it is an* ~ *to think that you can manage all by yourself)*; blændværk, fantasifoster, sansebedrag *(fx the whole thing had only been an* ~*)*; *have -s about* nære illusioner om, gøre sig falske forestillinger om; *I had the* ~ *that* det forekom mig at; jeg bildte mig ind at.

illusionist [i'l(j)u:ʒənist] *sb* tryllekunstner, illusionist.

illusive [i'l(j)u:siv] *adj* illuderende, skuffende.

illusory [i'l(j)u:səri] *adj* illusorisk, skuffende.

illustrate ['iləstreit] *vb* illustrere; belyse.

illustration [iləs'treiʃən] *sb* illustration; eksempel; belysning.

illustrative ['iləstreitiv] *adj* oplysende, forklarende; illustrerende; *be* ~ *of* illustrere, belyse.

illustrious [i'lʌstriəs] *adj* strålende, udmærket, berømt, hæderkronet.

ill-will ['il'wil] *sb* uvilje; nag; fjendskab.

Illyria [i'liriə] Illyrien.

I.L.O. *fk International Labour Organization.*

I.L.P. *fk Independent Labour Party.*

I.L.S. *fk Instrument Landing System* (system til landing i usigtbart vejr).

I'm [aim] *fk I am.*

image ['imidʒ] *sb* billede; spejlbillede; statue; helgenbillede; *(psyk)* billede, forestillingsbillede; **T** image, billede som publikum danner sig af en offentlig person *etc; vb* afbilde; give en levende beskrivelse af; genspejle; forestille sig; *he is the ~ of his father* han er sin fader op ad dage, han er sin faders udtrykte billede; *he is the ~ of laziness* han er den personificerede dovenskab.

imagery ['imidʒri] *sb* (udskårne) billeder; statuer; *(lit)* billedstil, billedsprog; billedverden; *abundant ~* billedrigdom.

imaginable [i'mædʒinəbl] *adj* (op)tænkelig.

imaginary [i'mædʒinəri] *adj* indbildt; fingeret; imaginær (også i matematik).

imagination [imædʒi'neiʃən] *sb* indbildningskraft, fantasi; indbildning, forestilling.

imaginative [i'mædʒinətiv] *adj* fantasi-, indbildt; fantasirig; opfindsom; *~ literature* skønlitteratur.

imagine [i'mædʒin] *vb* forestille sig, tænke sig, tænke, tro, bilde sig ind; *I can't ~ why he did it* jeg begriber ikke, hvorfor han gjorde det; *just ~!* tænk engang!

imago [i'meigou] *sb (pl imagines* [i'meidʒini:z]) *zo* imago, fuldt udviklet insekt.

imam, imaum [i'ma:m] *sb* imam, muhamedansk præst, muhamedansk fyrste.

imbalance [im'bæləns] *sb* manglende balance, uligevægt; skævhed *(fx social ~ in education)*.

imbecile ['imbəsi:l] *adj (psyk)* imbecil; T åndssløv, tåbelig; *sb (psyk)* imbecil; T tåbe, **imbecility** [imbi'siliti] *sb (psyk)* imbecilitet; T tåbelighed.

imbed [im'bed] = *embed.*

imbibe [im'baib] *vb* drikke; indsuge, opsuge.

imbricate ['imbrikit] *adj* taglagt (som teglsten, delvis over hinanden); ['imbrikeit] *vb* anbringe taglagt.

imbrication [imbri'keiʃ(ə)n] *sb* overlapning; skælmønster.

imbroglio [im'brouliou] *sb* indviklet forhold *(el.* situation); knude (i drama *etc);* forvikling, roderi, virvar.

imbrue [im'bru:] *vb* væde, dyppe; farve.

imbue [im'bju:] *vb* imprægnere, mætte; farve; gennemtrænge, gennemsyre; *~ with* bibringe, indgive; *-ed with* (også:) besjælet af; *-ed with hatred* gennemsyret af had.

IMF *fk International Monetary Fund.*

imitable ['imitəbl] *adj* som kan efterlignes.

imitate ['imiteit] *vb* imitere, efterligne; ligne.

imitation [imi'teiʃ(ə)n] *sb* efterligning; imitation; *adj* imiteret, uægte *(fx ~ pearls); an example for ~* et eksempel til efterfølgelse; *in ~ of sby* efter ens eksempel; *~ leather* kunstlæder.

imitative ['imitətiv] *adj* efterlignende; efterlignet; *~ arts* bildende kunster.

imitator ['imiteitə] *sb* efterligner.

immaculate [i'mækjulit] *adj* uplettet, pletfri; ulastelig *(fx dress);* ubesmittet; *the Immaculate Conception* den ubesmittede undfangelse.

immanent ['imənənt] *adj* iboende, immanent.

immaterial [imə'tiəriəl] *adj* immateriel, ulegemlig; uvæsentlig, ubetydelig *(fx details); it is ~ to me* det er mig ligegyldigt, det er ganske uden betydning (for mig).

immaterialism [imə'tiəriəlizm] *sb (filos)* immaterialisme, læren om at alt eksisterende er af åndelig art.

immateriality [imətiəri'æliti] *sb* ulegemlighed.

immature [imə'tjuə] *adj* umoden.

immaturity [imə'tjuəriti] *sb* umodenhed.

immeasurable [i'meʒ(ə)rəbl] *adj* som ikke kan måles, umålelig; umådelig.

immediacy [i'mi:dʒəsi] *sb* umiddelbarhed; umiddelbar nærhed.

immediate [i'mi:dʒət] *adj* nærmest *(fx heir; superior* overordnet; *future; neighbourhood);* direkte *(fx cause, connection);* umiddelbar *(fx contact);* førstehånds *(fx information);* øjeblikkelig; omgående *(fx reply);* presserende, uopsættelig; (på brev) haster; *~ danger* overhængende fare.

immediately [i'mi:dʒtli] *adj* straks, øjeblikkelig; direkte, umiddelbart.

immemorial [imi'mɔ:riəl] *adj* umindelig; ældgammel; *from time ~* i umindelige tider, fra arilds tid; *~ usage* ældgammel skik og brug.

immense [i'mens] *adj* umådelig (stor), enorm, uendelig, vældig; S storartet. **immensely** [i'mensli] *adv* umådelig, overordentlig, vældig; *~ pleased* (også) yderst tilfreds.

immensity [i'mensiti] *sb* uendelighed, uhyre størrelse, uhyre udstrækning.

immensurable [i'menʃərəbl] *adj* som ikke kan måles, umådelig.

immerse [i'mə:s] *vb* neddyppe, sænke ned; dukke ned; *~ oneself in (fig)* fordybe sig i; *-d in a book* fordybet i en bog; *-d in debt* forgældet.

immersion [i'mə:ʃən] *sb* nedsænkning, neddypning; dåb ved fuldstændig neddykning; *(fig)* fordybelse; *(astr)* immersion. **immersion heater** elektrisk vandvarmer; dyppekoger.

immigrant ['imigrənt] *sb* indvandrer.

immigrate ['imigreit] *vb* indvandre.

immigration [imi'greiʃən] *sb* indvandring.

imminence ['iminəns] *sb* truende nærhed.

imminent ['iminənt] *adj* umiddelbart forestående *(fx departure* afrejse); overhængende, truende *(fx danger).*

immiscible [i'misibl] *adj* som ikke kan blandes.

immitigable [i'mitigəbl] *adj* uforsonlig; som ikke kan mildnes.

immobile [i'moubail] *adj* ubevægelig, urokkelig, rolig.

immobility [imo'biliti] *sb* ubevægelighed.

immobilize [i'moubilaiz] *vb* gøre ubevægelig, berøve bevægeligheden, *(med.)* immobilisere *(fx a broken leg);* indrage (mønt fra omsætningen).

immoderate [i'mɔd(ə)rit] *adj* umådeholden, overdreven; voldsom.

immodest [i'mɔdist] *adj* ubeskeden, ufin *(fx remarks);* usømmelig. **immodesty** [i'mɔdisti] *sb* ubeskedenhed; usømmelighed.

immolate ['iməleit] *vb* ofre. **immolation** [imə'leiʃən] *sb* ofring; offer; opofrelse.

immoral [i'mɔrəl] *adj* umoralsk, usædelig; utugtig.

immorality [imə'ræliti] *sb* umoralskhed, usædelighed, utugtighed.

immortal [i'mɔ:tl] *adj, sb* udødelig; *the -s* de udødelige (guder). **immortality** [imɔ:'tæliti] *sb* udødelighed.

immortalize [i'mɔ:təlaiz] *vb* gøre udødelig, forevige.

immortelle [imɔ:'tel] *sb (bot)* evighedsblomst.

immovability [imu:va'biliti] *sb* ubevægelighed.

immovable [i'mu:vəbl] *adj* ubevægelig; urokkelig *(fx purpose* forsæt); *sb: -s pl* immobilier, fast ejendom; urørligt gods.

immune [i'mju:n] *adj* immun *(from, against, to* over for, *fx ~ from smallpox), (fig)* uimodtagelig; *~ from* (også) sikret mod, sikker for *(fx attack, persecution);* fritaget for *(fx taxation).*

immunity [i'mju:niti] *sb* frihed (for visse forpligtelser, *fx ~ from taxation),* immunitet, uimodtagelighed.

immunization [imjunai'zeiʃən] *sb* immunisering.

immunize ['imjunaiz] *vb* immunisere, vaccinere.

immure [i'mjuə] *vb* mure inde, indeslutte.

immutability [imju:tə'biliti] *sb* uforanderlighed.

immutable [i'mju:təbl] *adj* uforanderlig.

Imogen ['imədʒen]

imp [imp] *sb* djævleunge, lille djævel; gavstrik, unge (om barn).

I. impact [im'pækt] *vb* presse ind; presse sammen.

II. impact ['impækt] *sb* stød, tryk, sammenstød; anslag *(fx* af projektil); *(fig)* (ind)virkning *(on* på); indtryk; *point of ~* anslagspunkt.

impair [im'pɛə] *vb* skade, forringe, svække *(fx ~ one's health).*

impairment [im'pɛəmənt] *sb* forringelse, svækkelse.

impale [im'peil] *vb* spidde; *(glds)* omgive med palisade; omhegne; indeslutte.

impalpability [impælpə'biliti] *sb* uhåndgribelighed, ulegemlighed, ufattelighed. **impalpable** [im'pælpəbl] *adj* ikke til at føle; uhåndgribelig; ulegemlig; vanskelig at fatte, ufattelig.

impanate [im'peinit] *adj* (om Kristi legeme efter brødets forvandling:) i brødet.

impanel [im'pænəl] *vb* opføre på (nævninge)liste; udfærdige en liste over (nævninger).

impart [im'pa:t] *vb* tildele, give; videregive; meddele; *~ knowledge to sby* bibringe en kundskaber.

impartial [im'pa:ʃəl] *adj* upartisk, uhildet, uvildig, saglig.

impartiality ['impa:ʃi'æliti] *sb* upartiskhed, uhildethed,

uvildighed, saglighed.
impartible [im'pɑːtibl] *adj* udelelig.
impassability [impɑːsə'biliti] *sb* ufremkommelighed; ufarbarhed; uoverstigelighed. **impassable** [im'pɑːsəbl] *adj* ufremkommelig; ufarbar, uvejsom, uoverstigelig.
impasse [æm'pɑːs] *sb* blindgyde; dødvande, dødt punkt *(fx* i forhandling); *reach an* ~ (også:) gå i hårdknude.
impassibility [impæsi'biliti] *sb* ufølsomhed, upåvirkelighed, uanfægtethed, apati. **impassible** [im'pæsibl] *adj* ufølsom, upåvirkelig, uanfægtet, apatisk.
impassioned [im'pæʃənd] *adj* lidenskabelig.
impassive [im'pæsiv] *adj* se *impassible.*
impassivity [impæ'siviti] *adj* se *impassibility.*
impatience [im'peiʃəns] *sb* utålmodighed; irritation.
impatient [im'peiʃənt] *adj* utålmodig *(at* over, *for* efter); ivrig; irriteret *(at, of* over, *with* på); *be* ~ *of* (også) ikke kunne tolerere, ikke ville finde sig i.
impawn [im'pɔːn] *vb* pantsætte.
impeach [im'piːtʃ] *vb* drage i tvivl, mistænkeliggøre *(fx his motives)*, bestride *(fx* et vidnes troværdighed); *(jur)* anklage (for embedsforbrydelse) *(fx* ~ *a judge for taking a bribe);* anklage for højforræderi; *(omtr* =) stille for rigsretten. **impeachable** [im'piːtʃəbl] *adj* som kan anklages; dadelværdig. **impeachment** [im'piːtʃmənt] *sb* anklage; anklage for højforræderi, højforræderisag; *(omtr)* rigsretssag.
impeccability [impekə'biliti] *sb* syndefrihed, ulastelighed, fejlfrihed. **impeccable** [im'pekəbl] *adj* syndefri, fejlfri; ulastelig *(fx dress, behaviour).*
impeccant [im'pekənt] *adj* syndefri.
impecuniosity [impikjuːni'ɔsiti] *sb* pengemangel; fattigdom.
impecunious [impi'kjuːnjəs] *adj* ubemidlet, fattig.
impedance [im'piːdəns] *sb (elekt)* impedans.
impede [im'piːd] *vb* hindre, hæmme, besværliggøre; ~ *traffic* (også) være til gene for trafikken.
impediment [im'pedimənt] *sb* hindring, forhindring; ~ *in one's speech* talefejl.
impedimenta [impedi'mentə] *sb pl* tros, bagage.
impel [im'pel] *vb* drive frem; tilskynde.
impellent [im'pelənt] *adj* drivende *(fx power);* tilskyndende; *sb* drivfjeder, drivende kraft.
impeller [im'pelə] *sb* skovlhjul; (i turbine) løbehjul; (i jetmotor) kompressorhjul.
impend [im'pend] *vb* stå for døren, true.
impending [im'pendiŋ] *adj* forestående *(fx their* ~ *marriage),* kommende; truende *(fx danger).*
impenetrability [impenitrə'biliti] *sb* uigennemtrængelighed.
impenetrable [im'penitrəbl] *adj* uigennemtrængelig, *(fig* også) uforståelig, uudgrundelig; ~ *to reason* utilgængelig for fornuft.
impenitence [im'penitəns] *sb* ubodfærdighed, forhærdelse.
impenitent [im'penitənt] *adj* ubodfærdig, forhærdet.
imperative [im'perətiv] *adj* bydende, befalende; bydende *(el.* tvingende) nødvendig; *(gram)* imperativisk; *sb (gram)* imperativ, bydemåde.
imperceptible [impə'septəbl] *adj* som ikke kan opfattes med sanserne, umærkbar; forsvindende lille.
imperfect [im'pəːfikt] *adj* ufuldkommen; ufuldstændig, mangelfuld; defekt; ukomplet, ufuldendt; *the* ~ *(tense)* den udvidede tid *(fx he was (, is, will be) reading);* (i latin) imperfektum.
imperfection [impə'fekʃən] *sb* ufuldkommenhed; mangelfuldhed; ufuldstændighed; svaghed, skrøbelighed.
imperforate(d) [im'pəːfərit, -reitid] *adj* uperforeret, uden huller; uden porer; *(anat)* tillukket, sammengroet; (om frimærker) utakket.
I. imperial [im'piəriəl] *adj* kejser-, kejserlig; rigs-; (før 1947) vedrørende det britiske rige, britisk, imperie-; *(fig)* majestætisk; fyrstelig *(fx generosity); Imperial Rome* Rom i kejsertiden.
II. imperial [im'piəriəl] *sb* imperial (et papirformat); fipskæg (som Napoleon III's).
imperial| **eagle** *zo* kejserørn. ~ **gallon,** se *gallon.*
imperialism [im'piəriəlizm] *sb* imperialisme. **imperialist** [im'piəriəlist] *sb* imperialist; *adj* imperialistisk.
imperil [im'peril] *vb* bringe i fare.
imperious [im'piəriəs] *adj* bydende *(fx gesture),* myndig, *(neds)* herskesyg; presserende, bydende *(el.* tvingende)

nødvendig.
imperishable [im'periʃəbl] *adj* uforgængelig.
impermament [im'pəːmənənt] *adj* ikke varig, midlertidig.
impermeability [impəːmiə'biliti] *sb* uigennemtrængelighed.
impermeable [im'pəːmjəbl] *adj* uigennemtrængelig *(to* for), tæt; fedttæt; ~ *to air* lufttæt; ~ *to water* vandtæt.
impermissible [impəː'misibl] *adj* utilladelig; utilstedelig.
impersonal [im'pəːsənl] *adj* upersonlig; *sb* upersonligt verbum.
impersonality [impəːsə'næliti] *sb* upersonlighed.
impersonate [im'pəːsəneit] *vb* personificere; udgive sig for; (på teater *etc,* om rolle) spille, fremstille; (om levende person) parodiere.
impersonation [impəːsə'neiʃən] *sb* personifikation; det at udgive sig for en anden; (på teater) (opfattelse og) fremstilling af en rolle; parodi; *give -s of well-known actors* parodiere kendte skuespillere.
impersonator [im'pəːsəneitə] *sb* en som udgiver sig for en anden; (på teater) skaber af en rolle; parodist; *female* ~ skuespiller der spiller kvinderoller.
impertinence [im'pəːtinəns] *sb* næsvished, uforskammethed, impertinens; irrelevans, noget der er sagen uvedkommende.
impertinent [im'pəːtinənt] *adj* næsvis, uforskammet, impertinent; irrelevant, sagen uvedkommende.
imperturbability [impətəːbə'biliti] *sb* uforstyrrelig ro, uanfægtethed. **imperturbable** [impə'təːbəbl] *adj* rolig, uanfægtet, uforstyrrelig.
impervious [im'pəːvjəs] *adj* uigennemtrængelig; *(fig)* uimodtagelig *(to* for); ~ *to air* lufttæt; ~ *to reason* uimodtagelig *(el.* utilgængelig) for fornuft; ~ *to water* vandtæt.
impetigo [impi'taigou] *sb (med.)* impetigo, børnesår.
impetuosity [impetju'ɔsiti] *sb* heftighed, voldsomhed.
impetuous [im'petjuəs] *adj* heftig, voldsom, fremfusende, opfarende, impulsiv.
impetus ['impitəs] *sb* drivkraft, fart; skub; *give an* ~ *to* sætte fart i.
impiety [im'paiəti] *sb* ugudelighed; ukærlighed over for forældre; pietetsløshed.
impinge [im'pin(d)ʒ] *vb:* ~ *(up)on* ramme *(fx light that -s on the eye),* støde imod, komme i kollision med; *(fig)* ramme, berøre *(fx the laws which -d upon them);* indvirke på, gribe ind i *(fx the forces that* ~ *on your daily life);* *(neds)* gøre indgreb i, krænke *(fx* ~ *on his rights).*
impious ['impiəs] *adj* ugudelig.
impish ['impiʃ] *adj* gavtyveagtig; drilsk; troldsk; ondskabsfuld, skadefro.
implacability [implækə'biliti] *sb* uforsonlighed.
implacable [im'plækəbl] *adj* uforsonlig.
I. implant [im'plɑːnt] *vb* indplante; sætte (grundigt) fast; *(fig)* indpode *(fx* ~ *sound principles in the child's mind); (med.)* implantere.
II. implant ['implɑːnt] *sb (med.)* implanteret væv; lægemiddel til implantering i væv; (i kræftbehandling) radiumnål (til implantering).
implantation [implɑːn'teiʃən] *sb* indplantning; *(fig)* indpodning; *(med.)* implantation, implantering.
implausible [im'plɔːzibl] *adj* ikke plausibel, usandsynlig.
I. implement ['implimənt] *sb* redskab *(fx farm -s); -s* (også) værktøj; *surgical -s* kirurgiske instrumenter.
II. implement ['impliment] *vb* udføre, virkeliggøre, gennemføre, føre ud i livet *(fx a resolution),* sætte i værk *(fx a scheme).*
implemental [impli'mentl] *adj* anvendt som værktøj; mekanisk.
implementation [implimen'teiʃ(ə)n] *sb* gennemførelse, udførelse, virkeliggørelse, iværksættelse.
implicate ['implikeit] *vb* inddrage, implicere, indblande *(fx be -d in a crime);* (i logik *etc)* se *imply.*
implication [impli'keiʃən] *sb* inddragning, indblanding *(fx in a crime);* underforståelse, stiltiende slutning; (af ord) bibetydning; (i logik) implikation; *the -s of his remark* hvad hans bemærkning indebærer, hvad der ligger i hans bemærkning.
implicit [im'plisit] *adj* implicit; stiltiende *(fx agreement),* medindbefattet, underforstået; ubetinget *(fx belief),* obedience).
implore [im'plɔː] *vb* anråbe, bønfalde, bede indtrængende

(fx ~ sby to do sth.).
imploringly *adv* bønligt, bønfaldende.
imply [im'plai] *vb* indebære i sig, rumme *(fx this statement implies a contradiction),* medføre; forudsætte *(fx speech implies a speaker);* antyde, lade forstå, lade formode *(fx his questions implied a lack of faith); implied* (også) indirekte; underforstået; tilhyllet; *it is implied in the words* det ligger i ordene.
impolicy [im'polisi] *sb* uklog (, dårlig) politik, uhensigtsmæssighed.
impolite [impə'lait] *adj* uhøflig.
impolitic [im'politik] *adj* (taktisk) uklog; uhensigtsmæssig.
imponderability [impondərə'biliti] *sb* det ikke at kunne vejes.
imponderable [im'pondərəbl] *adj* som ikke kan vejes og måles; uberegnelig; *sb* uberegnelig faktor; *-s pl* (også:) imponderabilier.
I. import [im'po:t] *vb* importere, indføre; betegne, betyde *(fx what does this news ~?); it -s us to know* det er vigtigt for os at vide.
II. import ['impo:t] *sb* importartikel, indførselsvare; import, indførsel; vigtighed *(fx it is a matter of great ~);* betydning, mening; *I am not sure of the ~ of his reply* jeg er ikke klar over hvor han egentlig vil(le) hen med sit svar.
importable [im'po:təbl] *adj* som kan importeres.
importance [im'po:təns] *sb* betydning, vigtighed *(fx it is a matter of great ~);* vigtigmageri; *of no ~* uden betydning; *give ~ to* lægge vægt på.
important [im'po:tənt] *adj* vigtig, af vigtighed, magtpåliggende, betydningsfuld, væsentlig; *(neds)* hoven, indbildsk.
importation [impo:'teiʃən] *sb* import, indførsel; importvare, importeret vare.
importer [im'po:tə] *sb* importør.
importunate [im'po:tjunit] *adj* påtrængende, besværlig, pågående.
importune [im'po:tju:n] *vb* plage, bestorme med bønner *(fx she -d him for money),* tigge; (om prostitueret) antaste, opfordre til utugt.
importunity [impo:'tju:niti] *sb* påtrængenhed, pågåenhed, plagsomhed.
impose [im'pouz] *vb* pålægge *(fx a tax);* påtvinge; *(typ:* sætte klummer på plads) udskyde; *~ on (el. upon) sby* narre en, føre en bag lyset; udnytte en; trænge sig ind på en, trænge sig på; *~ sth on sby* påtvinge en noget; *~ a fine on sby* idømme en en bøde; *~ oneself (el. one's company) on them* trænge sig ind på dem, pånøde dem sit selskab, trænge sig på.
imposing [im'pouziŋ] *adj* imponerende; statelig, monumental.
imposition [impə'ziʃən] *sb* pålægning; udskrivning (af skatter), skat; bedrageri, optrækkeri; (i skole) straffepensum, ekstraarbejde (pålagt som straf); *(typ)* udskydning; *~ of hands (rel)* håndspålæggelse.
impossibility [imposə'biliti] *sb* umulighed.
impossible [im'posəbl] *adj* umulig; håbløs; *~ of attainment* uopnåelig.
impost ['impoust] *sb* afgift, skat; *(arkit)* kæmfer.
impostor [im'postə] *sb* bedrager.
imposture [im'postʃə] *sb* bedrageri, bedrag, svindel.
impotence [im'potəns], **impotency** ['impotənsi] *sb* kraftløshed, svaghed; afmagt; (seksuelt:) impotens. **impotent** ['impotənt] *adj* kraftløs, svag; afmægtig *(fx we clenched our fists in ~ fury);* (seksuelt) impotent.
impound [im'paund] *vb* indelukke, indespærre; beslaglægge, konfiskere *(fx a passport);* (om vand) opstemme, stuve; *~ stray cattle (glds)* optage herreløst kvæg.
impoverish [im'povəriʃ] *vb* forarme; udpine *(fx land).* **impoverishment** [-mənt] *sb* forarmelse, udpining.
impracticability [impræktikə'biliti] *sb* uigennemførlighed *(etc,* se *impracticable).*
impracticable [im'præktikəbl] *adj* uigennemførlig, umulig *(fx plan);* umedgørlig *(fx person);* ufarbar *(fx road).*
impractical [im'præktikl] *adj* upraktisk, unyttig; se også *impracticable.*
imprecate ['imprikeit] *vb* ønske *(el.* nedkalde) ondt over;

forbande. **imprecation** [impri'keiʃən] *sb* forbandelse.
imprecatory ['imprikeitəri] *adj* forbandelses-.
inpregnability [impregnə'biliti] *sb* uindtagelighed, uovervindelighed.
impregnable [im'pregnəbl] *adj* uindtagelig *(fx fortress);* uovervindelig; *(fig)* uangribelig; *~ arguments* uigendrivelige argumenter.
impregnate ['impregneit, im'pregneit] *vb* befrugte; imprægnere; mætte; *(fig)* gennemtrænge. **impregnation** [impreg-'neiʃən] *sb* befrugtning, imprægnering; mættelse.
impresario [impre'sa:riou] *sb* impresario.
imprescriptible [impri'skriptibl] *adj* umistelig, ufortabelig *(fx right).*
I. impress [im'pres] *vb* påtrykke; (ind)præge, indprente; gøre indtryk på *(fx he -ed her favourably);* imponere *(fx I was -ed by his knowledge);* tvangsudskrive, tvangshverve, presse (til krigstjeneste); beslaglægge.
II. impress ['impres] *sb* aftryk, mærke, præg; *(fig)* præg, stempel *(fx his work bears the ~ of genius).*
impressible [im'presəbl] *adj* modtagelig.
impression [im'preʃən] *sb* aftryk, mærke, præg; *(fig)* indtryk, virkning, indflydelse; *(typ)* aftræk, aftryk; oplag (af bog *etc); (teat)* parodi; *be under the ~ that* tro at, have det indtryk at.
impressionable [im'preʃənəbl] *adj* modtagelig for indtryk, let påvirkelig, letbevægelig.
impressionism [im'preʃənizm] *sb* impressionisme. **impressionist** [-ist] *sb* impressionist; *adj* impressionistisk.
impressionistic [impreʃə'nistik] *adj* impressionistisk.
impressive [im'presiv] *adj* som gør indtryk; virkningsfuld, slående; imponerende, betagende.
impressment [im'presmənt] *sb* tvangsudskrivning; presning (til tjeneste i flåden).
imprest ['imprest] *sb* forskud, lån (af en offentlig kasse).
imprimatur [impr(a)i'meitə] *sb* imprimatur, trykketilladelse; *(fig)* godkendelse.
imprimis [im'praimis] *(adv)* først, frem for alt, især.
I. imprint [im'print] *vb* mærke, præge; (ind)trykke, prente.
II. imprint ['imprint] *sb* aftryk; mærke; præg; *(printer's ~)* angivelse af trykkested; *(publisher's ~)* forlæggermærke; *bear the ~ of sby (fig)* være præget af en, bære ens stempel; *leave one's ~ on (fig)* præge.
imprison [im'prizn] *vb* fængsle, sætte i fængsel; *(fig)* hindre, indsnævre (ens handlefrihed).
imprisonment [im'priznmənt] *sb* fængsling, fangenskab, fængsel *(fx two years' ~); serve a turn of ~* afsone en fængselsstraf; se også *false ~.*
improbability [improbə'biliti] *adj* usandsynlighed.
improbable [im'probəbl] *adj* usandsynlig.
improbity [im'proubiti] *sb* uredelighed.
impromptu [im'prom(p)tju:] *sb* impromptu; improvisation; *adj* improviseret *(fx an ~ speech); speak ~* holde en improviseret tale.
improper [im'propə] *adj* upassende *(fx dress),* uheldig; utilbørlig, usømmelig, uanstændig; urigtig, fejlagtig, forkert *(fx ~ treatment of disease);* uegentlig; *~ assault* voldtægtsforsøg; *~ fraction* uægte brøk.
impropriety [imprə'praiəti] *sb* usømmelighed; urigtighed; fejlagtighed.
improvable [im'pru:vəbl] *adj* som kan forbedres; som egner sig til kultur.
improve [im'pru:v] *vb* forbedre, forskønne, forædle; udnytte *(fx one's time),* benytte (sig af) *(fx the occasion);* (uden objekt) blive bedre *(fx his health is improving),* forbedre sig, gøre fremskridt; (om skib; *~ in health* komme sig, blive raskere; *~ in looks* komme til at se bedre ud, blive kønnere; *~ oneself, ~ one's mind* øge sine kundskaber, berige sin ånd; *~ (up)on* forbedre (på); *he -s on acquaintance* han vinder ved nærmere bekendtskab; *he -d upon my offer* han overbød mig.
improvement [im'pru:vmənt] *sb* forbedring; fremskridt; *~ on (el. upon)* forbedring af, fremskridt i forhold til *(el.* sammenlignet med).
improver [im'pru:və] *sb* forbedrer, fornyer; en der forbedrer (sig), en der arbejder for en ringe løn for at lære, praktikant.
improvidence [im'providəns] *sb* uforudseenhed, ubetænksomhed; letsindighed, sløsethed (især i pengesager).

improvident [im'prɔvidənt] *adj* uforudseende, ubetænksom; letsindig, sløset (især i pengesager).
improving [im'pru:viŋ] *adj* belærende, opbyggelig.
improvisation [imprəvai'zeiʃən] *sb* improvisation.
improvise ['imprəvaiz] *vb* improvisere. .
improviser ['imprəvaizə] *sb* improvisator.
imprudence [im'pru:dəns] *sb* mangel på klogskab, uklogskab; uforsigtighed; ubetænksomhed.
imprudent [im'pru:dənt] *adj* uklog; uforsigtig; ubetænksom.
impudence ['impjudəns] *sb* uforskammethed.
impudent ['impjudənt] *adj* uforskammet.
impugn [im'pju:n] *vb* angribe, bestride, drage i tvivl.
impuissance [im'pju(:)is(ə)ns] *sb* svaghed, magtesløshed.
impuissant [im'pju(:)is(ə)nt] *adj* svag, magtesløs.
impulse ['impʌls] *sb* stød, skub, *(elekt, fys)* impuls; *(fig)* impuls, tilskyndelse, (pludselig) indskydelse; pludselig lyst *(fx I was seized with an ~ to kick him); his first ~ was to* hans første indskydelse var at; *a man of ~* en impulsiv mand; *act on ~* handle spontant, handle efter en pludselig indskydelse. **impulse buying** impulskøb.
impulsion [im'pʌlʃən] *sb* stød, tilskyndelse; indskydelse.
impulsive [im'pʌlsiv] *adj* impulsiv.
impunity [im'pju:niti] *sb* frihed for straf; *with ~* ustraffet, uden risiko.
impure [im'pjuə] *adj* uren *(fx air, metal, thought);* forfalsket; ukysk. **impurity** [im'pjuəriti] *sb* urenhed *(fx impurities in milk).*
imputable [im'pju:təbl] *adj: ~ to sby* som kan tilskrives en.
imputation [impju'teiʃən] *sb* beskyldning.
impute [im'pju:t] *vb: ~ to* tillægge; tilskrive; *~ sth to sby* (også) beskylde en for noget; *I ~ no evil motives to him* jeg tillægger ham ikke slette motiver.
I. in [in] *præp* i, inde (, ude, oppe *etc)* i *(fx in April, in the church, in the rain, in the tree);* ind (, ud, ned *etc)* i *(fx put one's hands in one's pockets),* (især *am* også) ind ad *(fx he came in the door);* på *(fx in the country, in English),* om *(fx in the afternoon);* under *(fx in the reign of Elizabeth);* til *(fx in his defence, in honour of);* efter *(fx in my opinion, in all probability);* hos *(fx in Shakespeare);* med *(fx in ink, in a top hat);* ved *(fx in the University);*
(forskellige *forb.;* se også hovedordet, *fx all) in an accident* ude for et ulykkestilfælde; *in crossing the road* da han (, de *etc)* gik over vejen; *show what was in him* vise hvad han duede til; *in an hour* om en time *(fx be back in an hour),* på en time *(fx walk three miles in an hour); A isn't* in it with *B* A kan ikke måle sig med B; *in itself* i og for sig; *all citizens are equal in law* alle borgere er lige for loven; *in pairs* parvis, to og to; *there are 100 new pence in the pound* der går 100 *new pence* på et pund; *in so far as* for så vidt som; **in that** *(conj)* eftersom, fordi, derved at, idet; *one in a thousand* en af *(el.* blandt) tusinde; *he was in the war* han var med i krigen.
II. in [in] *adv* ind *(fx come in);* adj, adv inde, hjemme *(fx he is in);* ankommet *(fx the train is in);* på plads; (om korn) i hus; *(pol)* ved magten *(fx the Conservatives were in);* **T** med på noderne, moderne, smart, på mode, helt rigtig *(fx the ~ place to go);* be in (i kricket) være slåer; *strawberries are* in det er jordbærsæson; *be* **in for** kunne vente sig *(fx we are in for a hot summer);* have forpligtet sig til; have meldt sig til *(fx a competition); be in for it* sidde net i det; kunne vente sig; *be* **in on** *it (fig)* være indviet i det; være med i det; have en aktie i foretagendet; *be (, keep)* **in with** være (, holde sig) på en god fod med.
III. in [in] *sb: the ins* medlemmerne af regeringspartiet; *know the ins and outs of a subject* kende alle detaljer vedrørende emnet, kende et emne ud og ind; *have an in with* (især *am)* have en høj stjerne hos, have noget at sige *(el.* indflydelse) hos.
in. *fk inch(es).*
inability [inə'biliti] *sb* udygtighed; manglende evne; *the editor regrets his ~ to* redaktøren beklager ikke at kunne.
inaccessibility ['inæksesi'biliti] *sb* utilgængelighed; uopnåelighed; (om person) utilnærmelighed. **inaccessible** [inæk-'sesibl] *adj* utilgængelig; uopnåelig; (om person) utilnær-

inaccuracy [in'ækjurəsi] *sb* unøjagtighed.
inaccurate [in'ækjurit] *adj* unøjagtig.
inaction [in'ækʃən] *sb* uvirksomhed, træghed.
inactivate [in'æktiveit] *vb* sætte ud af virksomhed; *(med.)* inaktivere *(fx a serum).*
inactive [in'æktiv] *adj* uvirksom; træg; *(kem)* reaktionstræg; *(mil.) (am)* ikke i tjeneste.
inactivity [inæk'tiviti] *sb* uvirksomhed; træghed; lediggang.
inadaptable [inə'dæptəbl] *adj* som ikke lader sig tilpasse *(el.* tillempe).
inadequacy [in'ædikwəsi] *sb* utilstrækkelighed, mangelfuldhed.
inadequate [in'ædikwit] *adj* utilstrækkelig, mangelfuld.
inadmissibility ['inədmisə'biliti] *sb* utilstedelighed, uantagelighed. **inadmissible** [inəd'misibl] *adj* utilstedelig, uantagelig; *(jur)* som ikke kan godtages som bevis.
inadvertence [inəd'və:təns], **inadvertency** [-tənsi] *sb* uagtsomhed; fejl, fejltagelse.
inadvertent [inəd'və:tənt] *adj* uagtsom, uopmærksom, forsømmelig; utilsigtet. **inadvertently** *adv* af uagtsomhed, af vanvare, uforvarende.
inalienable [in'eiljənəbl] *adj* uafhændelig; umistelig *(fx right).*
inamorata [inæmə'ra:tə] *sb* elskede (om en kvinde).
inamorato [inæmə'ra:tou] *sb* elskede (om en mand).
in-and-in ['inən'in] *adj: ~ breeding* indavl.
in-and-out ['inən'aut] *adj* af vekslende kvalitet, skiftevis god og dårlig.
inane [i'nein] *adj* tom, åndløs, åndsforladt, indholdsløs, intetsigende, flad.
inanimate [in'ænimit] *adj* livløs, død; sløv. **inanimation** [inæni'meiʃən] *sb* livløshed; mangel på liv.
inanition [inə'niʃən] *sb* afkræftelse på grund af mangelfuld ernæring.
inanity [in'æniti] *sb* tomhed, åndløshed *(etc,* se *inane); inanities pl* intetsigende bemærkninger, banaliteter.
inappetence [in'æpitəns] *sb* mangel på appetit, madlede.
inapplicability ['inæplikə'biliti] *sb* uanvendelighed.
inapplicable [in'æplikəbl] *adj* uanvendelig.
inapposite [in'æpəzit] *adj* (sagen) uvedkommende, malplaceret.
inappreciable [inə'pri:ʃəbl] *adj* umærkelig *(fx difference);* ubetydelig, ringe.
inapproachable [inə'proutʃəbl] *adj* utilgængelig, utilnærmelig.
inappropriate [inə'proupriit] *adj* malplaceret, upassende.
inapt [in'æpt] *adj* upassende, malplaceret *(fx remark);* ubehændig, klodset; uegnet, uduelig.
inaptitude [in'æptitju:d] *sb* malplaceredhed; ubehændighed, klodsethed; uegnethed, uduelighed.
inarch [in'a:tʃ] *vb* afsuge (ɔ: pode uden overskæring).
inarticulate [ina:'tikjulit] *adj* uartikuleret; utydelig; som har vanskeligt ved at udtrykke sig; stum *(with* af, *fx excitement); (anat)* uleddet.
inartistic [ina:'tistik] *adj* ukunstnerisk; blottet for kunstsans.
inasmuch [inəz'mʌtʃ]: *~ as* for så vidt som; eftersom, da.
inattention [inə'tenʃən] *sb* uopmærksomhed, forsømmelighed.
inattentive [inə'tentiv] *adj* uopmærksom; forsømmelig.
inaudible [in'ɔ:dəbl] *adj* uhørlig.
inaugural [i'nɔ:gjurəl] *adj* indvielses-, åbnings-; indsættelses-; *sb (= address)* indvielsestale, åbningstale; *~ sermon* tiltrædelsesprædiken.
inaugurate [i'nɔ:gjureit] *vb* indvie *(fx a new school);* højtideligt indsætte; indvarsle *(fx a new era).*
inauguration [inɔ:gju'reiʃən] *sb* indvielse; højtidelig indsættelse. **Inauguration Day** den nyvalgte USA-præsidents tiltrædelsesdag (20. januar).
inauspicious [inɔ:'spiʃəs] *adj* ildevarslende, uheldig, ugunstig.
inboard ['inbɔ:d] *adv, adj* indenbords.
inborn ['inbɔ:n] *adj* medfødt.
inbred ['inbred] *adj* medfødt, naturlig; indavlet.
inbreed ['in'bri:d] *vb* indavle; *-ing* indavl.

inc. *fk incorporated; Smith & Co., Inc. (am)* A/S Smith & Co.

Inca ['iŋkə] *sb (hist.)* inka.

incalculable [in'kælkjuləbl] *adj* som ikke kan beregnes; utallig; *(fig)* uberegnelig.

incandescence [inkæn'desns] *sb* hvidglødende tilstand, hvidglødhede.

incandescent [inkæn'desnt] *adj* hvidglødende; *(fig)* strålende, blændende; ~ *lamp* glødelampe; ~ *mantle* glødenet.

incantation [inkæn'teiʃən] *sb* besværgelse; besværgelsesformular.

incapability [inkeipə'biliti] *sb* udygtighed, uduelighed, manglende evne.

incapable [in'keipəbl] *adj* udygtig, uduelig; *sb* undermåler; *be* ~ *of -ing* være ude af stand til at, ikke eje evnen til at *(fx he is* ~ *of appreciating music); drunk and* ~ stærkt beruset; **T** døddrukken.

incapacitate [inkə'pæsiteit] *vb* gøre uarbejdsdygtig; *(fig)* umuliggøre *(fx it inhibited, if not -d, the country's economic growth); (jur)* gøre inhabil; ~ *from (el. for)* sætte ud af stand til, berøve evnen til *(fx his weak health -d him from working (, for work)); (jur)* udelukke fra *(fx* ~ *him from voting).*

incapacity [inkə'pæsiti] *sb* udygtighed, uduelighed; *(jur)* inhabilitet; diskvalifikation.

incarcerate [in'ka:səreit] *vb* fængsle, indespærre.

incarceration [inka:sə'reiʃən] *sb* fængsling, indespærring.

incarnadine [in'ka:nədain] *adj* kødfarvet; blodrød; *vb* farve rød.

I. incarnate ['inka:neit] *vb* inkarnere; legemliggøre.

II. incarnate [in'ka:nit] *adj (rel)* menneskebleven *(fx the* ~ *God); (fig)* personificeret *(fx he is greed* ~*),* legemliggjort; skinbarlig *(fx the devil* ~*).*

incarnation [inka:'neiʃən] *sb* inkarnation; legemliggørelse.

incautious [in'kɔ:ʃəs] *adj* uforsigtig; ubesindig.

incendiarism [in'sendjərizm] *sb* brandstiftelse.

incendiary [in'sendjəri] *adj* brandstiftelses-; ophidsende, oprørsk; *sb* brandstifter; agitator; brandbombe; ~ *bomb* brandbombe; ~ *speech* brandtale.

I. incense [in'sens] *vb* ophidse, opirre; *-d at* opbragt *(el. ophidset)* over *(fx he was -d at those remarks).*

II. incense ['insens] *sb* røgelse, virak; *vb* afbrænde røgelse (i); *burn* ~ *before sby (fig)* smigre en.

incentive [in'sentiv] *adj* ansporende, som skal opmuntre til øget arbejdsindsats; *sb* spore, drivfjeder, opmuntring, tilskyndelse.

inception [in'sepʃən] *sb* (på)begyndelse; *from its* ~ fra det blev til, fra det opstod, fra første færd.

inceptive [in'septiv] *adj* begyndende; begyndelses-.

incertitude [in'sə:titju:d] *sb* uvished.

incessant [in'sesənt] *adj* uophørlig, uafladelig.

incest ['insest] *sb* blodskam. **incestuous** [in'sestjuəs] *blodskams-, skyldig i blodskam.*

inch [in(t)ʃ] *sb* (2,54 cm, *omtr* =) tomme; *(fig)* bagatel, hårsbred; *vb* indele i tommer; rykke tomme for tomme frem *(el. tilbage);*
by -es tommevis; *the stone missed my head by -es* stenen susede lige *(el.* tæt) forbi mit hoved; ~ *by* ~ tomme for tomme; *every* ~ *a gentleman* gentleman til fingerspidserne; *within an* ~ *of* ganske nær *(el.* tæt) ved, lige ved *(fx within an* ~ *of succeeding); flog sby within an* ~ *of his life* prygle en halvt ihjel.

inchoate [in'koueit] *adj* kun lige påbegyndt; begyndende, rudimentær, ufuldstændig, ufuldkommen.

inchoative [in'kouətiv] *adj (gram.)* inkoativ (om verber der betegner påbegyndelsen af en handling).

inch tape målebånd (inddelt i tommer).

incidence ['insidəns] *sb* virkning, fordeling; forekomst, udbredelse *(fx of a disease);* hyppighed; *angle of* ~ indfaldsvinkel; *the* ~ *of taxation* skatternes fordeling mellem forskellige befolkningsgrupper.

incident ['insidənt] *sb* begivenhed, tilfælde, hændelse, episode; *adj* ~ *to* som (naturligt) hører til, som følger med *(fx dangers* ~ *to his profession).*

incidental [insi'dentəl] *adj* tilfældig; bi-; ~ *to* som hører til, som følger med *(fx hardships* ~ *to his career);* ~ *earnings* bifortjeneste; ~ *expenses* tilfældige udgifter, di-

verse.

incidentally [insi'dentəli] *adv* tilfældigt, lejlighedsvis; for resten, i øvrigt, i forbigående (bemærket), i denne forbindelse.

incidental music ledsagemusik.

incidentals [insi'dentəlz] *sb pl* tilfældige udgifter, diverse.

incinerate [in'sinəreit] *vb* brænde til aske, destruere.

incineration [insinə'reiʃən] *sb* forbrænding til aske; ligbrænding. **incinerator** [in'sinəreitə] *sb* destruktionsovn; havebrænder.

incipience [in'sipiəns] *sb* (første) begyndelse.

incipient [in'sipiənt] *adj* begyndende, frembrydende *(fx madness),* spirende.

incise [in'sais] *vb* skære ind i, lave indsnit i, udskære; *-d wound* snitsår.

incision [in'siʒ(ə)n] *sb* indskæring, indsnit, snit; flænge.

incisive [in'saisiv] *adj* skærende, skarp; *(fig* også) skarpsindig, indtrængende, dybtborende; skarpt tegnet.

incisor [in'saizə] *sb* fortand.

incitation [insi'teiʃ(ə)n] *sb* tilskyndelse, spore, incitament, bevæggrund.

incite [in'sait] *vb* anspore, ægge, tilskynde; ophidse.

incitement [in'saitmənt] *sb* tilskyndelse; spore, incitament, bevæggrund.

incivility [insi'viliti] *sb* uhøflighed.

incl. *fk inclusive.*

inclemency [in'klemənsi] *sb* barskhed; strenghed, ubarmhjertighed.

inclement [in'klemənt] *adj* barsk, ublid *(fx weather); (glds)* streng, ubarmhjertig.

inclinable [in'klainəbl] *adj* tilbøjelig *(to* til); gunstig stemt *(to* over for); *(tekn)* som kan stilles skråt.

inclination [inkli'neiʃən] *sb* bøjning; hældning; *(fig)* tilbøjelighed; tendens; *(mat.)* hældningsvinkel; *(fys)* inklination; ~ *of the head* hovedbøjning.

incline [in'klain] *vb* stille skråt; bøje *(fx the head); (fig)* gøre tilbøjelig *(to* til (at), *fx this -s me to believe him);* (uden objekt) hælde, skråne; *(fig)* være tilbøjelig *(to* til (at), *fx I* ~ *to believe him);* have tilbøjelighed, have tendens *(to* til, *fx to fatness); be* ~ hældning, skråning; ~ *one's ear to* låne øre til, lytte velvilligt til; ~ *towards* tendere mod, hælde mod.

inclined [in'klaind] *adj* skrå; *(fig)* tilbøjelig *(fx I am* ~ *to believe you); be* ~ *to (el. for)* (også) have lyst til; ~ *plane* skråplan.

inclose, inclosure = *enclose, enclosure.*

include [in'klu:d] *vb* inkludere, iberegne *(fx everything -d),* medregne, medtage *(fx* ~ *tips in the bill);* omfatte, indbefatte *(fx the excursion will* ~ *a visit to the castle);* indeholde; ~ *in the bargain* give med i købet; *he was -d in the team* han kom med på holdet; *bags -d* inklusive sække, sække iberegnet.

including [in'klu:diŋ] *præp* inklusive, iberegnet *(fx* ~ *bags* inklusive sække, sække iberegnet); indbefattet; medregnet *(fx five in all,* ~ *you);* deriblandt *(fx several prominent people,* ~ *the Prime Minister).*

inclusion [in'klu:ʒən] *sb* indbefatning, medregning.

inclusive [in'klu:siv] *adj* inklusive *(fx from 1 to 5* ~*);* ~ *of* inklusive; ~ *terms* alt iberegnet; ~ *tour* akkordrejse; *an* ~ *charge of* £5 5 pund alt iberegnet.

incog [in'kɔg] *adv* **T** inkognito.

incognito [in'kɔgnitou] *adv* inkognito *(fx the prince travelled* ~*).*

incoherence [inkə'hiərəns] *sb* mangel på sammenhæng.

incoherent [inkə'hiərənt] *adj* usammenhængende.

incombustible [inkəm'bʌstəbl] *adj* ubrændbar, uforbrændelig; ~ *material* ildfast materiale.

income ['inkəm] *sb* indtægt; *live within one's* ~ ikke give mere ud end man tjener.

incomer ['inkʌmə] *sb* tiltrædende lejer *el.* forpagter; indvandrer; ubuden gæst; efterfølger.

income tax indkomstskat, statsskat; ~ *form* selvangivelsesblanket.

incoming ['inkʌmiŋ] *sb* indtræden, ankomst; *adj* indkommende, tiltrædende, ankommende; *-s* indkomster, indtægt.

incommensurable [inkə'menʃərəbl] *adj* inkommensurabel; som ikke kan sammenlignes.

incommensurate [inkə'menʃərit] *adj* som ikke står mål *(to* med); utilstrækkelig; også = *incommensurable.*
incommode [inkə'moud] *vb* ulejlige, volde besvær.
incommodious [inkə'moudjəs] *adj* ubekvem; besværlig; snæver, trang.
incommunicable [inkə'mju:nikəbl] *adj* umeddelelig; som ikke kan meddeles.
incommunicado [inkəmjuni'ka:dou] *adj* uden forbindelse med omverdenen; isoleret.
incommunicative [inkə'mju:nikətiv] *adj* umeddelsom; fåmælt.
incomparable [in'kɔmpərəbl] *adj* som ikke kan sammenlignes *(with* med); uforlignelig, enestående, mageløs.
imcompatibility ['inkəmpætə'biliti] *sb* uforenelighed; (især om blodtyper) uforligelighed; ~ *(of temper)* gemytternes uoverensstemmelse. **incompatible** [inkəm'pætəbl] *adj* uforenelig *(with* med); (om blodtyper) uforligelig.
incompetence [in'kɔmpitəns] *sb* inkompetence; udygtighed, uduelighed; *(jur)* inhabilitet.
incompetent [in'kɔmpitənt] *adj* inkompetent, ukvalificeret, uduelig; *(jur)* inhabil *(fx witness);* sb uduelig person, umulius.
incomplete [inkəm'pli:t] *adj* ufuldstændig, ufuldendt, mangelfuld, defekt. **incompletion** [inkəm'pli:ʃən] *sb* ufuldstændighed *osv.*
incomprehensibility [inkɔmprihensi'biliti] *sb* ubegribelighed, ufattelighed, uforståelighed. **incomprehensible** [inkɔmpri'hensibl] *adj* ubegribelig, ufattelig, uforståelig. **incomprehension** [inkɔmpri'henʃən] *sb* manglende forståelse; *with a look of* ~ med et uforstående udtryk (i ansigtet).
incompressible [inkəm'presibl] *adj* som ikke kan sammentrykkes *(el.* sammenpresses).
incomputable [inkəm'pju:təbl] *adj* som ikke kan beregnes; uhyre stor.
inconceivable [inkən'si:vəbl] *adj* ufattelig, ubegribelig, utænkelig; utrolig.
inconclusive [inkən'klu:siv] *adj* ikke afgørende, ikke overbevisende *(fx arguments);* resultatløs *(fx negotiations).*
incondite [in'kɔndit] *adj* dårligt udarbejdet *(el.* opbygget, konstrueret); plump.
incongruity [inkɔŋ'gruiti] *sb* uoverensstemmelse; inkongruens; urimelighed; modsigelse.
incongruous [in'kɔŋgruəs] *adj* uoverensstemmende, inkongruent, som ikke passer til omgivelserne, besynderlig, afstikkende; fornuftstridig, urimelig, selvmodsigende.
inconsequence [in'kɔnsikwəns] *sb* mangel på logisk forbindelse, mangel på logik. **inconsequent** [in'kɔnsikwənt], **inconsequential** [inkɔnsi'kwenʃəl] *adj* uden logisk forbindelse, ulogisk; uden sammenhæng, selvmodsigende; irrelevant, ligegyldig.
inconsiderable [inkən'sidərəbl] *adj* ubetydelig.
inconsiderate [inkən'sidərit] *adj* ubetænksom; lidet hensynsfuld, taktløs.
inconsistency [inkən'sistənsi] *sb* inkonsekvens, uoverensstemmelse, selvmodsigelse; uforenelighed.
inconsistent [inkən'sistənt] *adj* inkonsekvent, ulogisk, selvmodsigende *(fx story),* usammenhængende; (om person) inkonsekvent, ustadig; som ikke passer sammen:) uoverensstemmende, uforenelig; *be* ~ *with* (også) være i modstrid med, stride mod.
inconsolable [inkən'soulabl] *adj* utrøstelig.
inconsonance [in'kɔnsənəns] *sb* uoverensstemmelse; inkonsekvens; disharmoni, misklang. **inconsonant** [in'kɔnsənənt] *adj* uoverensstemmende; inkonsekvent; uharmonisk.
inconspicuous [inkən'spikjuəs] *adj* lidet iøjnefaldende, som man ikke lægger mærke til, uanselig.
inconstancy [in'kɔnstənsi] *sb* ubestandighed, ustadighed, flygtighed. **inconstant** [in'kɔnstənt] *adj* ubestandig, ustadig, flygtig.
incontestable [inkən'testəbl] *adj* ubestridelig.
incontinence [in'kɔntinəns] *sb* tøjlesløshed; ukyskhed; *(med.)* inkontinens; ~ *of urine* ufrivillig afgang af urin; ~ *of speech* snakkesalighed.
I. incontinent [in'kɔntinənt] *adj* tøjlesløs, ukysk; *(med.)* som lider af inkontinens.
II. incontinent [in'kɔntinənt] *adv (glds)* øjeblikkelig. **incontinently** *adv* straks, sporenstregs.

incontrovertible [inkɔntrə'və:təbl] *adj* uomtvistelig, ubestridelig.
inconvenience [inkən'vi:njəns] *sb* ulejlighed, besvær(lighed), gene, ulempe; *vb* ulejlige, besvære, genere, forstyrre.
inconvenient [inkən'vi:njənt] *adj* ubekvem, ubelejlig, besværlig.
inconvertible [inkən'və:təbl] *adj* som ikke kan udveksles med noget andet; (om papirpenge) uindløselig.
I. incorporate [in'kɔ:pəreit] *vb* indføje *(in(to)* i, *fx* ~ *the revisions into the text),* optage *(fx* ~ *these things in* (på) *the list),* inkorporere, (om land) indlemme; omfatte *(fx the book -s his earlier papers);* (glds) blande; *(am)* omdanne til aktieselskab; (uden objekt) forbinde sig, forene sig *(with* med).
II. incorporate [in'kɔ:pərit] *adj* inkorporeret, indlemmet i en korporation; dannende en korporation; forbundet; *(glds)* ulegemlig.
incorporation [inkɔ:pə'reiʃən] *sb* optagelse, indlemmelse; inkorporation; *(glds)* blanding.
incorporeal [inkɔ:'pɔ:riəl] *adj* ulegemlig.
incorporeity [inkɔ:pɔ'ri:iti] *sb* ulegemlighed.
incorrect [inkə'rekt] *adj* unøjagtig, urigtig, ukorrekt.
incorrigible [in'kɔridʒəbl] *adj* uforbederlig.
incorruptibility ['inkərʌpti'biliti] *sb* ufordærvelighed, uforgængelighed; ubestikkelighed.
incorruptible [inkə'rʌptəbl] *adj* ufordærvelig, uforgængelig; (om person) ubestikkelig; (bibelsk) uforkrænkelig.
incorruption [inkə'rʌpʃən] *sb* ufordærvet tilstand; (bibelsk) uforkrænkelighed.
I. increase [in'kri:s] *vb* tiltage, vokse, stige, øges; formere sig; (med objekt) (for)øge, forhøje, forstørre; ~ *speed* sætte farten op.
II. increase [in'kri:s] *sb* forøgelse, vækst, stigning; *be on the* ~ være stigende; tiltage, vokse.
increasingly [in'kri:siŋli] *adv* mere og mere, i stigende grad, i stadig større udstrækning.
incredibility [inkredi'biliti] *sb* utrolighed.
incredible [in'kredəbl] *adj* utrolig.
incredulity [inkri'dju:liti] *sb* vantro, skepsis.
incredulous [in'kredjuləs] *adj* vantro, skeptisk; *be* ~ *of the evidence of one's own eyes* ikke tro sine egne øjne.
increment [in'krimənt] *sb* tilvækst, forøgelse; løntillæg, alderstillæg; *two triennial* -s til alderstillæg med tre års mellemrum.
incremental [inkri'mentl] *adj* tilvækst-; som vokser efterhånden, gradvis stigende; ~ *costs (merk)* meromkostninger, differensomkostninger.
incriminate [in'krimineit] *vb* anklage, beskylde; inddrage (i en anklage), belaste.
incrust [in'krʌst] *vb* overtrække *(el.* belægge) (som) med en skorpe; danne skorpe; *-ed* med skorpe(r); med kedelsten.
incrustation [inkrʌ'steiʃən] *sb* skorpedannelse, belægning, kedelsten.
incubate ['inkjubeit] *vb* (ud)ruge, ligge på æg; udklække.
incubation [inkju'beiʃən] *sb* rugning, udklækning; inkubation; *period of* ~ inkubationstid. **incubator** ['inkjubeitə] *sb* udklækningsapparat, rugemaskine; *(med.)* kuvøse.
incubus ['inkjubəs] *sb* (i overto) mare, mareridt; *the* ~ *of the examination (fig)* eksamen der red ham som en mare.
inculcate ['inkʌlkeit, in'kʌlkeit] *vb* indprente, indskærpe.
inculcation [inkʌl'keiʃən] *sb* indprentning, indskærpelse.
inculpate ['inkʌlpeit, in'kʌlpeit] *vb* dadle, bebrejde; anklage; inddrage i anklage. **inculpation** [inkʌl'peiʃən] *sb* dadel; beskyldning.
incumbency [in'kʌmbənsi] *sb* gejstligt embede; præstekald.
incumbent [in'kʌmbənt] *sb* indehaver af et embede; *(am)* indehaver af et embede; *adj:* ~ *(up)on* som påhviler, påhvilende; *it is* ~ *on you* to det påhviler dig at, det er din pligt at.
incunabula [inkju'næbjulə] *sb pl* inkunabler, bogtryk fra før år 1500; begyndelsesstadier.
incur [in'kə:] *vb* udsætte sig for; pådrage sig; ~ *debts* stifte *(el.* komme i) gæld; ~ *losses* lide tab; ~ *an obligation* påtage sig en forpligtelse; ~ *a penalty* hjemfalde til straf.
incurability [inkjuərə'biliti] *sb* uhelbredelighed. **incurable** [in'kjuərəbl] *adj* uhelbredelig.

8*

incurious [in'kjuəriəs] *adj* ligegyldig, uopmærksom, uinteresseret; uinteressant; *not ~* ikke uinteressant, ikke uden interesse.
incursion [in'kə:ʃən] *sb* fjendtligt indfald, strejftog; indtrængen.
incursive [in'kə:siv] *adj* fjendtlig, angribende.
incurvation [inkə:'veiʃən] *sb* krumning.
incurve ['in'kə:v] *vb* krumme.
incus ['inkəs] *sb (anat)* ambolt (i øret).
incuse [in'kju:z] *adj* indstemplet, præget.
ind. *fk* independent; index; indicative.
Ind. *fk* India; Indian; Indiana.
indebted [in'detid] *adj: be ~ to* være *(el.* stå) i gæld til; *I am ~ to him for it* jeg skylder ham tak for det.
indebtedness [in'detidnis] *sb* det at være i gæld; gæld *(fx my ~ to my teachers).*
indecency [in'di:sənsi] *sb* usømmelighed; uanstændighed; *gross ~ (jur)* uterligt forhold.
indecent [in'di:sənt] *adj* usømmelig *(fx with ~ haste);* uanstændig, uterlig; *~ assault (jur,* især) voldtægtsforsøg; *expose oneself -ly* blotte sig; *~ exposure* krænkelse af blufærdigheden.
indeciduous [indi'sidjuəs] *adj* stedsegrøn; (om hjorte:) som ikke skifter gevir.
indecipherable [indi'saif(ə)rəbl] *adj* ikke til at tyde, ulæselig.
indecision [indi'siʒən] *sb* ubeslutsomhed, vaklen, rådvildhed.
indecisive [indi'saisiv] *adj* ikke afgørende, ubestemt; rådvild, vaklende, ubeslutsom.
indeclinable [indi'klainəbl] *adj (gram)* ubøjelig *(fx noun).*
indecomposable ['indi:kəm'pouzəbl] *adj* som ikke lader sig opløse i sine bestanddele.
indecorous [in'dekərəs] *adj* upassende, usømmelig, utilbørlig. **indecorum** [indi'kə:rəm] *sb* usømmelighed, uopdragenhed.
indeed [in'di:d] *adv* i virkeligheden, virkelig, faktisk; ja *(fx I felt, ~ I knew),* ja vist; ganske vist *(fx he may ~ be wrong); interj* nej virkelig! såh! *I am very glad ~* jeg er virkelig glad, jeg er meget glad; *~ it isn't!* vel er det ej! *~ if I was not chosen again* sandelig om jeg blev valgt igen; *thank you very much ~* mange mange tak; *yes, ~!* ja, absolut!
indefatigability ['indifætigə'biliti] *sb* utrættelighed.
indefatigable [indi'fætigəbl] *adj* utrættelig.
indefeasible [indi'fi:zəbl] *adj* uomstødelig; umistelig *(fx rights).*
indefectible [indi'fektibl] *adj* fejlfri; ufejlbarlig; uforgængelig.
indefensible [indi'fensəbl] *adj* som ikke kan forsvares; uholdbar *(fx argument);* uforsvarlig, utilgivelig *(fx error).*
indefinable [indi'fainəbl] *adj* udefinerlig.
indefinite [in'def(i)nit] *adj* utydelig; vag; ikke skarpt afgrænset; ubegrænset; ubestemt *(fx number); (gram)* ubestemt *(fx ~ article, ~ pronoun).* **indefinitely** *adv* på ubestemt tid *(fx defer the matter ~).*
indelible [in'delibl] *adj* uudslettelig; *~ ink* mærkeblæk; *~ pencil* blækstift.
indelicacy [in'delikəsi] *sb* ufinhed, taktløshed; uartighed.
indelicate [in'delikit] *adj* ufin, taktløs; uartig.
indemnification [indemnifi'keiʃən] *sb* sikkerhed; skadesløsholdelse, erstatning.
indemnify [in'demnifai] *vb* sikre *(against* imod); holde skadesløs; *~ sby for sth* (også) erstatte en noget.
indemnity [in'demniti] *sb* sikkerhed; erstatning; *(war ~)* krigsskadeserstatning; fritagelse for strafansvar, indemnitet.
I. indent [in'dent] *vb* skære takker i, lave hak (, tak(ker), bule(r)) i; *(jur)* udfærdige in duplo; *(merk)* afgive ordre (på varer), rekvirere; *(typ)* indrykke (en linie); *an -ed coastline* en indskåret kyst; *~ upon sby for goods* rekvirere varer hos en.
II. indent ['indent] *sb* hak, bule, fordybning; *(merk)* rekvisition, ordre på varer der afgives til et udenlandsk firma; *(jur)* dokument.
indentation [inden'teiʃən] *sb* indsnit, hak, indskæring *(fx coastal ~);* fordybning; *(typ)* indrykning.

indention [in'denʃən] *sb (typ)* indrykning.
indenture [in'dentʃə] *sb* gensidig skriftlig kontrakt, lærekontrakt; hak, bule; *vb* binde ved kontrakt; oprette lærekontrakt med.
independence [indi'pendəns] *sb* uafhængighed, selvstændighed; *(glds)* tilstrækkeligt udkomme; *(American) Independence Day* den amerikanske frihedsdag d. 4. juli; *the Declaration of Independence* uafhængighedserklæringen.
independency [indi'pendənsi] *sb* uafhængig stat.
independent [indi'pendənt] *adj* uafhængig *(of* af), selvstændig; formuende; *sb* (politisk) uafhængig, løsgænger; *(hist)* independent; *of ~ means* formuende, økonomisk uafhængig. **independently** *adv* uafhængigt, selvstændigt, på egen hånd.
indescribable [indi'skraibəbl] *adj* ubeskrivelig.
indestructibility ['indistrʌktə'biliti] *sb* uforgængelighed.
indestructible [indi'strʌktəbl] *adj* uforgængelig.
indeterminable [indi'tə:minəbl] *adj* ubestemmelig, som ikke kan afgøres.
indeterminate [indi'tə:minit] *adj* ubestemt, vag; *~ sentence* ikke-tidsbestemt straf, tidsubestemt straf.
indetermination ['indi:tə:mi'neiʃən] *sb* ubestemthed; ubeslutsomhed; vankelmodighed.
I. index ['indeks] *sb (pl -es el.* (i videnskabelige tekster) *indices* ['indisi:z]) pegefinger; viser; *(fig)* tegn, fingerpeg *(fx an ~ of his character);* (i bog) indeks, register; *(card ~)* kartotek, register; (i edb) indholdsfortegnelse, katalog; *(fys)* indeks; *(mat)* eksponent; *(økon)* pristal, indekstal; *the Index* index, den katolske kirkes liste over forbudte bøger.
II. index ['indeks] *vb* forsyne med register, udarbejde register til; indføre i et register; føre kartotek over; (i edb) indstille.
index| **card** kartotekkort. *~* **figure** = *~ number. ~* **finger** pegefinger. *~* **map** oversigtskort. *~* **number** pristal, indekstal. *~* **-tied** pristalsreguleret.
India [indjə] Indien; Ostindien, Forindien.
India ink tusch.
Indiaman ['indjəmən] *sb (mar)* ostindiefarer.
Indian ['indjən] *adj* indisk; indiansk; *sb* inder; indianer; *Red ~, American ~* indianer; *honest ~* **T** på ære!
Indiana [indi'ænə].
Indian| **blue** indiskblå. *~* **club** kølle til gymnastiske øvelser. *~* **corn** majs. *~* **cress** *(bot)* bærkarse. *~* **file** se *I. file. ~* **gift** *(am* **T**) gave som giveren venter at få rigelig gengæld for. *~* **hemp** hash, cannabis. *~* **ink** tusch. *~* **summer** periode med sommerligt vejr langt hen på efteråret; *(fig)* efterblomstring, genopblussen af livskraft i alderdommen.
India| **Office** (tidligere:) ministeriet for Indien. *~* **paper** indiapapir, bibelpapir (tyndt trykpapir).
indiarubber [indiə'rʌbə] *sb* gummi; viskelæder.
indicate ['indikeit] *vb* vise, angive, markere *(fx railways are -d by a black line);* tilkendegive *(fx they have -d their willingness to negotiate),* give udtryk for, antyde; vidne om, være et tegn på, tyde på *(fx this seems to ~ that he is guilty),* (også *med.)* indicere *(fx his symptoms ~ pneumonia ,* an operation); vise nødvendigheden af, gøre påkrævet, nødvendiggøre *(fx our findings ~ further research); a drink is -d* en drink er tiltrængt *(el.* ville være på sin plads).
indication [indi'keiʃən] *sb* tilkendegivelse; antydning; tegn; symptom; indikation; *there is every ~ that* alt tyder på at.
indicative [in'dikətiv] *adj: be ~ of* vise; være tegn på, tyde på; antyde; *sb (gram): the ~ (mood)* indikativ.
indicator ['indikeitə] *sb* viser; (apparat:) indikator, viserapparat, indicerende måleapparat; (ved ringesystem, fx på hospital) nummertavle; *(jernb)* togtidstavle; *(elekt)* signaltavle, tableau; *(kem)* indikator.
indices ['indisi:z] *pl* af *I. index.*
indict [in'dait] *vb* anklage, sætte under tiltale *(for* for).
indictable [in'daitəbl] *adj* som kan sættes under tiltale; *~ offence* kriminel forseelse.
indictment [in'daitmənt] *sb* tiltale, anklage; *(bill of) ~* anklageskrift.
Indies ['indiz] se *East ~ , West ~.*
indifference [in'dif(ə)rəns] *sb* ligegyldighed; middelmådig-

hed.

indifferent [in'dif(ə)rənt] *adj* ligegyldig; uanfægtet, ligeglad; neutral; (om kvalitet) middelmådig, tarvelig, ringe, *(fx* om helbred) så som så; *(kem)* indifferent.

indifferentism [in'difərəntizm] *sb* indifferentisme, ligegyldighed. **indifferentist** [in'difərəntist] *sb* indifferentist.

indigence ['indidʒəns] *sb* fattigdom, armod.

indigenous [in'didʒinəs] *adj* indfødt; indenlandsk; oprindelig hjemmehørende *(to* i); vildtvoksende.

indigent ['indidʒənt] *adj* trængende, fattig.

indigestible [indi'dʒestəbl] *adj* ufordøjelig.

indigestion [indi'dʒestʃən] *sb* dårlig fordøjelse; dårlig mave.

indignant [in'dignənt] *adj* indigneret, harmfuld, opbragt, vred; ~ *about,* ~ *at* vred over; ~ *with* vred på.

indignation [indig'neiʃən] *sb* indignation, harme, vrede, forbitrelse; ~ *meeting* protestmøde.

indignity [in'digniti] *sb* nedværdigende behandling, ydmygelse, krænkelse, nedværdigelse; *suffer the* ~ *of being* (også:) lide den tort at blive ...

indigo ['indigou] *sb* indigo(farve).

indirect [indi'rekt] *adj* indirekte *(fx proof; tax);* uærlig, som bruger krogveje; ~ *discourse (am)* = ~ *speech (gram)* indirekte tale; ~ *object* indirekte objekt, hensynsled; ~ *reply* undvigende svar; ~ *road,* ~ *route* omvej.

indirection [indi'rekʃən] *sb* uærlighed, svig(efuldhed), kneb, fif. **indirectly** [indi'rektli] *adv* ad omveje, indirekte,uærligt.

indiscernible [indi'sə:nəbl] *adj* umærkelig.

indiscreet [indi'skri:t] *adj* indiskret, åbenmundet, taktløs; ubetænksom, uklog, uforsigtig.

indiscretion [indi'skreʃən] *sb* indiskretion, åbenmundethed, taktløshed; ubetænksomhed, uforsigtighed.

indiscriminate [indis'kriminit] *adj* tilfældig, planløs, vilkårlig, ukritisk; *deal out* ~ *blows* slå løs i blinde; lange ud til højre og venstre; *give* ~ *praise* rose i flæng; *he is an* ~ *reader* han læser uden plan.

indiscriminately *adv* i flæng, uden forskel, planløst, kritikløst, på må og få.

indispensability ['indispensə'biliti] *sb* uundværlighed.

indispensable [indi'spensəbl] *adj* uundværlig, absolut nødvendig; *an* ~ *obligation* en absolut forpligtelse.

indispose [indi'spouz] *vb* gøre uskikket; gøre indisponeret; gøre utilbøjelig, stemme ugunstigt. **indisposed** [indi'spouzd] *adj* utilpas, uoplagt, indisponeret; ~ *to* utilbøjelig til (at). **indisposition** [indispə'ziʃən] *sb* (let) ildebefindende, utilpashed, indisposition; utilbøjelighed *(to* til (at)).

indisputable ['indis'pju:təbl, in'dispjutəbl] *adj* ubestridelig; uomtvistelig.

indissolubility [indisɔlju'biliti] *sb* uløselighed; uforgængelighed. **indissoluble** [indi'sɔljubl, in'disəljubl] *adj* uløselig; uforgængelig, ubrødelig *(fx* ~ *friendship).*

indistinct [indi'stiŋ(k)t] *adj* utydelig, uklar; *an* ~ *recollection* en svag erindring.

indistinctive [indi'stiŋ(k)tiv] *adj* ikke karakteriserende, ikke betegnende.

indistinguishable [indi'stiŋgwiʃəbl] *adj* ikke til at skelne (fra hinanden); utydelig.

indite [in'dait] *vb* forfatte, skrive.

individual [indi'vidjuəl] *adj* enkelt *(fx in the* ~ *case; each* ~ *member);* særskilt; individuel, personlig; særpræget; *sb* individ, enkeltperson; person, menneske; ~ *equipment (mil.)* personlig udrustning; ~ *fire (mil.)* fri skydning; *the liberty of the* ~ den personlige frihed.

individualism [indi'vidjuəlizm] *sb* individualisme, egoisme.

individualistic [individjuə'listik] *adj* individualistisk.

individuality [individju'æliti] *sb* individualitet; personlighed; særpræg, egenart.

individualize [indi'vidjuəlaiz] *vb* individualisere, kendetegne; specificere, angive nøjagtigt.

individually [indi'vidjuəli] *adv* individuelt, enkeltvis, (hver) for sig, hver især.

individuate [indi'vidjueit] *vb* udskille (sig) fra helheden.

indivisibility ['indivizi'biliti] *sb* udelelighed.

indivisible [indi'vizəbl] *adj* udelelig.

Indo- ['indou] indo-, indisk.

Indo-China Indokina.

indocile [in'dousail; *am:* in'dɔsil] *adj* ikke lærvillig, ikke modtagelig for belæring; tungnem; umedgørlig.

indocility [ində'siliti] *sb* manglende lærvillighed; tungnemhed; umedgørlighed.

indoctrinate [in'dɔktrineit] *vb* uddanne, oplære; indgive bestemte (især politiske) anskuelser, indoktrinere.

indoctrination [indɔktri'neiʃən] *sb* uddannelse, instruktion; indoktrinering.

Indo|-European ['indəjuərə'pi:ən] *adj* indoeuropæisk; *sb* indoeuropæisk; indoeuropæer. ~ **-Germanic** ['indədʒə:'mænik] *adj, sb* indogermansk, indoeuropæisk.

indolence ['indələns] *sb* ladhed, magelighed. **indolent** ['indələnt] *adj* lad, magelig; *(med.)* smertefri, som ikke gør ondt *(fx an* ~ *tumour);* som breder sig (, heles) langsomt.

indomitable [in'dɔmitəbl] *adj* utæmmelig, ukuelig *(fx an* ~ *will);* uovervindelig.

Indonesia [ində'ni:zjə] Indonesien. **Indonesian** [ində'ni:zjən] *adj* indonesisk; *sb* indonesisk; indoneser.

indoor ['indɔ:] *adj* inden døre, indendørs; indendørs(-).

indoor| aerial stueantenne. ~ **game** indendørslег. ~ **relief** understøttelse i form af ophold på fattiggården.

indoors ['in'dɔ:z] *adv* inden døre, inde *(fx be* ~, *stay* ~), ind *(fx go* ~).

indorse, indorsee *(etc) se* endorse, endorsee *(etc).*

indraught ['indra:ft] *sb* indtrækning; indadgående strøm.

indrawn ['in'drɔ:n] *adj* indsuget *(fx air);* (om person) indadvendt, indesluttet.

indubitable [in'dju:bitəbl] *adj* utvivlsom.

induce [in'dju:s] *vb* medføre, forårsage, bevirke; *(fys)* inducere; ~ *to* få til at, bevæge til at, formå til at *(fx I -d him to help us);* forlede til at.

induced| abortion provokeret abort, svangerskabsafbrydelse. ~ **current** induktionsstrøm. ~ **draught** sugetræk.

inducement [in'dju:smənt] *sb* foranledning, bevæggrund; lokkemiddel, overtalelsesmiddel.

induct [in'dʌkt] *vb* indsætte *(fx* ~ *sby into an office* et embede); *(am) (mil.)* indkalde; indrullere.

inductance [in'dʌktəns] *sb* induktans; *mutual* ~ gensidig induktionskoefficient.

inductee [indʌk'ti:] *sb (mil.)* indkaldt.

inductile [in'dʌktail] *adj* som ikke kan udhamres; ikke stræbar; upåvirkelig, umedgørlig.

induction [in'dʌkʃən] *sb* indsættelse; fremførelse; anførelse; *(tekn)* tilførsel, indsugning; *(elekt etc)* induktion; *(am) (mil.)* indkaldelse.

induction| coil induktionsspole; induktionsapparat. ~ **pipe** indsugningsrør.

inductive [in'dʌktiv] *adj* induktiv; ~ *circuit* induktiv strømkreds.

inductor [in'dʌktə] *sb (elekt)* induktionsspole.

inductor alternator *(elekt)* induktorgenerator.

indulge [in'dʌldʒ] *vb* forkæle, føje *(fx a sick child);* hengive sig til, give frit løb, give efter for *(fx one's inclinations),* tilfredsstille *(fx one's taste for adventure, one's curiosity);* ~ *sby (, oneself)* tillade sin (, sig) at tilfredsstille sin trang (, lyst); ~ *sby with sth* glæde en med noget; ~ *in* tillade sig, unde sig, nyde, flotte sig med *(fx* ~ *in a new suit, in a glass of wine);* forfalde til; være optaget af *(fx a hobby); I am afraid he -s too much* han drikker desværre.

indulgence [in'dʌldʒəns] *sb* overbærenhed; eftergivenhed, svaghed; tilfredsstillelse, glæde, fornøjelse; nydelse (*in* af); last *(fx his worst* ~ *was stamp collecting); (merk)* henstand; *(rel)* aflad; afladsbrev.

indulgent [in'dʌldʒənt] *adj* overbærende, mild, eftergivende.

indult [in'dʌlt] *sb* pavelig dispensation.

indurate ['indju(ə)reit] *vb* hærde; forhærde; blive forhærdet *(el.* hård).

induration [indju'reiʃən] *sb* hærdning; hårdhed; forhærdelse.

Indus ['indəs].

industrial [in'dʌstriəl] *adj* industriel; industri- *(fx area, exhibition);* fabriks- *(fx town),* fabriksmæssig *(fx production* fremstilling); arbejds- *(fx dispute* konflikt, *peace, unrest); sb:* -s *pl* industriaktier.

industrial | **accident** arbejdsulykke, ulykke på arbejdspladsen. **~ democracy** demokrati på arbejdspladsen. **~ disease** erhvervssygdom. **~ estate** industribebyggelse; (undertiden =) værkstedshus. **~ insurance** arbejderforsikring.
industrialism [in'dʌstriəlizm] *sb* industrialisme.
industrialist [in'dʌstriəlist] *sb* industridrivende, industrimand, fabrikant.
Industrial Relations Court (svarer til) arbejdsretten.
industrial revolution: *the* **~** *(hist.)* industriens gennembrud.
industrial school fagskole; ungdomshjem (for ungdomskriminelle).
industrious [in'dʌstriəs] *adj* flittig.
industry ['indəstri] *sb* flid, driftighed; industri; industrigren, erhverv, erhvervsgren.
indwell ['in'dwel] *vb* bo; bebo.
indwelling [in'dweliŋ] *adj* iboende.
I. inebriate [in'i:brieit] *vb* beruse, drikke fuld.
II. inebriate [in'i:briit] *adj* beruset; *sb* dranker.
inebriates' home drankerhjem.
inebriation [ini:bri'eiʃən] *sb* beruselse, fuldskab.
inebriety [ini'braiəti] *sb* drukkenskab, drikfældighed; beruselse; fuldskab.
inedible [in'edibl] *adj* uspiselig.
inedited [in'editid] *adj* utrykt, ikke udgivet; ubearbejdet.
ineffable [in'efəbl] *adj* uudsigelig; ubeskrivelig.
ineffaceable [ini'feisəbl] *adj* uudslettelig.
ineffective [ini'fektiv] *adj* virkningsløs, ineffektiv; udygtig, uduelig.
ineffectual [ini'fektʃuəl] *adj* virkningsløs, resultatløs, frugtesløs; unyttig.
inefficacious [inefi'keiʃəs] se *ineffectual.*
inefficacy [in'efikəsi] *sb* virkningsløshed, unyttighed.
inefficiency [ini'fiʃənsi] *sb* virkningsløshed, unyttighed, uduelighed, udygtighed.
inefficient [ini'fiʃənt] *adj* virkningsløs, som ikke virker; som ikke gør fyldest, uduelig, udygtig.
inelastic [ini'læstik] *adj* uelastisk.
inelegance [in'eligəns] *sb* mangel på elegance, smagløshed.
inelegant [in'eligənt] *adj* uelegant, smagløs.
ineligible [in'elidʒəbl] *adj* ikke valgbar; ikke kvalificeret; uegnet.
ineluctable [ini'lʌktəbl] *adj* uundgåelig.
inept [i'nept] *adj* malplaceret *(fx remark)*; tåbelig, urimelig; kejtet, kluntet. **ineptitude** [i'neptitju:d] *sb* tåbelighed; urimelighed; kejtethed, kluntethed.
inequality [ini'kwɔliti] *sb* ulighed; uoverensstemmelse; ujævnhed; utilstrækkelighed.
inequitable [in'ekwitəbl] *adj* uretfærdig.
inequity [in'ekwiti] *sb* uretfærdighed.
ineradicable [ini'rædikəbl] *adj* uudryddelig.
inert [i'nə:t] *adj* træg, uvirksom; (i kemi) inaktiv.
inertia [i'nə:ʃiə] *adj* inerti; træghed, slaphed.
inertial [in'ɔ:ʃəl] *adj* inerti-; **~ control** *(el. guidance)* inerti(al)styring (af raket).
inertia reel belt rullesele (i bil).
inescapable [ini'skeipəbl] *adj* uundgåelig, som man ikke kan slippe fra.
inessential ['ini'senʃəl] *adj* uvæsentlig.
inestimable [in'estiməbl] *adj* uvurderlig.
inevitability [inevitə'biliti] *sb* uundgåelighed.
inevitable [i'nevitəbl] *adj* uundgåelig. **inevitably** *adv* nødvendigvis, uvægerlig, uundgåeligt.
inexact [inig'zækt] *adj* unøjagtig.
inexactitude [inig'zæktitju:d] *sb* unøjagtighed.
inexcusable [iniks'kju:zəbl] *adj* utilgivelig.
inexecutable [inik'sekjutəbl] *adj* uudførlig.
inexhaustible [inig'zɔ:stəbl] *adj* uudtømmelig, utrættelig.
inexorable [in'eksərəbl] *adj* ubønhørlig.
inexpediency [inik'spi:djənsi] *sb* uhensigtsmæssighed.
inexpedient [inik'spi:djənt] *adj* uhensigtsmæssig; ikke tilrådelig.
inexpensive [inik'spensiv] *adj* (pris)billig.
inexperience [inik'spiəriəns] *sb* mangel på erfaring, uerfarenhed.
inexperienced [inik'spiəriənst] *adj* uerfaren.
inexpert [in'ekspə:t] *adj* ukyndig, udygtig; uøvet.

inexpiable [in'ekspiəbl] *adj* (om forbrydelse *etc)* som ikke kan sones; *(glds)* uforsonlig *(fx hatred).*
inexplicable [in'eksplikəbl] *adj* uforklarlig.
inexpressible [inik'spresəbl] *adj* ubeskrivelig, uudsigelig, usigelig.
inexpressive [inik'spresiv] *adj* udtryksløs.
inexpugnable [inik'spʌgnəbl] *adj* uindtagelig, uovervindelig.
inextinguishable [inik'stiŋwiʃəbl] *adj* uudslukkelig.
inextricable [in'ekstrikəbl] *adj* som ikke er til at slippe ud af *(fx maze* labyrint); uløselig *(fx knot);* som ikke kan redes ud; **~** *confusion* håbløs forvirring.
inf. *fk infantry; infra.*
infallibility [infælə'biliti] *sb* ufejlbarlighed.
infallible [in'fæləbl] *adj* ufejlbarlig.
infamous ['infəməs] *adj* skændig *(fx conduct),* infam *(fx lie);* berygtet *(fx tyrant, city); (jur)* vanærende; æreløs.
infamy ['infəmi] *sb* skændsel, vanære; skændselsgerning.
infancy ['infənsi] *sb* den spæde barnealder, barndom; *(fig)* (spæd) begyndelse; *(jur)* umyndighed, mindreårighed.
infant ['infənt] *sb* lille barn, spædbarn; *(jur)* umyndig, mindreårig; *adj* barne-, barnlig; se også *I. arm.*
infanta [in'fæntə] *sb* infantinde (spansk *el.* portugisisk prinsesse). **infante** [in'fænti] *sb* infant (spansk *el.* portugisisk prins).
infanticide [in'fæntisaid] *sb* barnemord; barnemorder(ske).
infantile [in'fæntail] *adj* barn-, børne-; barnlig, infantil; **~** *paralysis* børnelammelse.
infant mortality spædbørnsdødelighed.
infantry ['infəntri] *sb (mil.)* infanteri, fodfolk.
infantryman ['infəntrimən] *sb* infanterist.
infant school (skole for børn i alderen 5-7).
infatuate [in'fætjueit] *vb* bedåre, forblinde; *be -d with* være forgabet i. **infatuation** [infætju'eiʃən] *sb* forgabelse, blind forelskelse.
infeasible [in'fi:zəbl] *adj* ugørlig.
infect [in'fekt] *vb* smitte, inficere.
infection [in'fekʃən] *sb* smitte, infektion.
infectious [in'fekʃəs] *adj* smitsom; smittende; **~** *matter* smitstof.
infelicitous [infi'lisitəs] *adj* uheldig *(fx remark); (glds)* ulykkelig.
infer [in'fə:] *vb* slutte, drage en slutning; indebære; antyde; T gætte.
inference ['infərəns] *sb* (logisk) slutning.
inferential [infə'renʃəl] *adj* som man kan ræsonnere *(el.* har ræsonneret) sig til.
inferior [in'fiəriə] *adj* lavere, ringere *(to* end); tarvelig, dårlig *(fx an* **~** *product); (typ)* nedrykket, nedenforstående; *sb pl: his -s* hans underordnede.
inferiority [infiəri'ɔriti] *sb* lavere rang; underordning; tarvelig(ere) kvalitet; underlegenhed, (især *psyk)* mindreværd.
inferiority complex mindreværdskompleks.
infernal [in'fə:nəl] *adj* helvedes; hørende til underverdenen; T djævelsk, infernalsk, forbandet; **~** *machine* helvedesmaskine.
inferno [in'fə:nou] *sb* helvede.
infertile [in'fə:tail] *adj* ufrugtbar.
infertility [infə:'tiliti] *sb* ufrugtbarhed.
infest [in'fest] *vb* hjemsøge, plage; *be -ed with* være befængt med; myldre med.
infestation [infes'teiʃən] *sb* hjemsøgelse, befængthed.
infidel ['infidəl] *sb* vantro; ateist, hedning.
infidelity [infi'deliti] *sb* vantro; utroskab.
infighting ['infaitiŋ] *sb* (i boksning) kamp på nært hold.
infiltrate ['infiltreit] *vb* infiltrere, trænge ind i. **infiltration** [infil'treiʃən] *sb* infiltration, indtrængen; nedsivning (af vand).
infinite ['inf(i)nit] *adj* uendelig, grænseløs; *(gram)* infinit; *sb (mat.)* uendelig størrelse; *the* **~** uendeligheden, det uendelige rum; *the Infinite* Gud; *-ly* (også) i det uendelige.
infinitesimal [inf(i)ni'tesiməl] *adj* uendelig lille; *sb* uendelig lille størrelse.
infinitive [in'finitiv] *adj* infinitivisk; *sb* infinitiv, navnemåde.
infinitude [in'finitju:d], **infinity** [in'finiti] *sb* uendelighed.
infirm [in'fə:m] *adj* svag, svagelig, skrøbelig, usikker, vak-

lende; ~ *of purpose* ubeslutsom, viljesvag.
infirmary [in'fɔːməri] *sb* sygehus, sygeafdeling *(fx i en skole)*.
infirmity [in'fɔːmiti] *sb* svaghed, skavank; svagelighed, skrøbelighed.
infix [in'fiks] *vb* fæste, indprente; indsætte, indskyde.
inflame [in'fleim] *vb* ophidse *(fx his speeches -d the people)*, opflamme; blive ophidset; *(med.)* gøre (, blive) betændt; *-d betændt (fx -d eyes)*; ophidset.
inflammable [in'flæməbl] *adj* let antændelig, brandfarlig; *(fig)* eksplosiv *(fx situation)*; (om person) letbevægelig, let at ophidse. **inflammation** [inflə'meiʃən] *sb* antændelse; *(med.)* betændelse.
inflammatory [in'flæmətəri] *adj* betændelses-; ophidsende; ~ *speech* brandtale.
inflate [in'fleit] *vb* puste (, pumpe) op, fylde med luft; *(fig)* gøre opblæst; *(økon)* drive priserne i vejret.
inflated [in'fleitid] *adj* oppustet, oppumpet; *(fig)* opblæst; svulstig; *(økon)* oppustet; ~ *prices* opskruede priser.
inflation [in'fleiʃən] *sb* oppustning, oppumpning; *(fig)* opblæsthed; svulstighed; *(økon)* inflation.
inflationary [in'fleiʃənəri] *adj* inflations-; *the* ~ *spiral* 'skruen uden ende' (med stigende priser, lønninger *etc*).
inflator [in'fleitə] *sb* pumpe.
inflect [in'flekt] *vb* (om stemme) modulere; *(gram)* bøje.
inflection = *inflexion*. **inflective** [in'flektiv] *adj (gram)* bøjnings-.
inflexibility [infleksi'biliti] *sb* ubøjelighed.
inflexible [in'fleksibl] *adj* ubøjelig; ukuelig, urokkelig.
inflexion [in'flekʃən] *sb* (stemmes) modulation, tonefald; *(gram)* bøjning; *(mat.)*: ~ *point* vendepunkt. **inflexional** [in'flekʃənəl] *adj* bøjnings-.
inflict [in'flikt] *vb*: ~ *on* tildele *(fx* ~ *a penalty on him)*; påføre *(fx* ~ *losses (, war) on them)*; volde; bibringe; ~ *a defeat (, a wound, a blow) on sby* tilføje en et nederlag (, et sår, et slag); ~ *oneself (el. one's company) on sby* plage en med sit selskab. **infliction** [in'flikʃən] *sb* tildeling; plage, lidelse; straf.
inflorescence [inflə'resəns] *sb* opblomstren, blomstring; blomsterstand.
inflow ['inflou] *sb* indstrømmen, tilstrømmen; tilgang, tilførsel.
influence ['influəns] *sb* indflydelse; *vb* have indflydelse på, påvirke; *he got the job by* ~ han fik stillingen fordi han havde forbindelser; *under the* ~ *of (el. -d by)* under påvirkning af, påvirket af; *under the* ~ **T** (spiritus)påvirket.
influential [influ'enʃəl] *adj* inflydelsesrig.
influenza [influ'enzə] *sb* influenza.
influx ['inflʌks] *sb* indstrømmen, tilførsel; tilstrømning, tilgang.
info ['infou] *sb* **S** = *information*.
inform [in'fɔːm] *vb* underrette, oplyse; meddele *(fx he -ed me that it was all over)*; præge, gennemtrænge, fylde *(fx a love of nature -ed his poems)*; ~ *the police about it* melde det til politiet; ~ *against* melde, angive, **T** stikke; ~ *him of it* meddele ham det, underrette *(el.* oplyse) ham om det; se også *informed*.
informal [in'fɔːm(ə)l] *adj* uformel *(fx conversations, visit)*; tvangfri; formløs; jævn, folkelig; ~ *visit* (også) uofficielt besøg.
informality [infɔː'mæliti] *sb* uformel karakter; tvangfrihed, formløshed.
informant [in'fɔːmənt] *sb* hjemmelsmand, meddeler.
information [infə'meiʃ(ə)n] *sb* underretning, oplysning(er), meddelelse; viden, kundskab(er); *(jur)* anmeldelse, anklage; *for your* ~ til Deres orientering; *lay an* ~ *against* indgive anmeldelse mod; *much* ~ mange oplysninger; *a piece (el. bit) of* ~ en oplysning; *to the best of my* ~ efter hvad jeg har erfaret; så vidt jeg ved.
information| office oplysningskontor. ~ *retrieval* informationssøgning; litteratursøgning. ~ *theory* informationsteori.
informative [in'fɔːmətiv] *adj* oplysende, belærende, kundskabsmeddelende; ~ *label* varedeklaration.
informed [in'fɔːmd] *adj* oplyst, kultiveret; velunderrettet, velorienteret; indforstået *(fx criticism)*; gennemtrængt, opfyldt *(with* of); *well* ~ velunderrettet, velorienteret.
informer [in'fɔːmə] *sb* anmelder, angiver, **T** stikker.

infra ['infrə] *adv* nedenfor; ~ *dig* **T** under ens værdighed.
infraction [in'frækʃən] *sb* brud, krænkelse.
infrangible [in'frændʒibl] *adj* ubrydelig.
infrared ['infrəred] *adj* infrarød.
infrastructure ['infrə'strʌktʃə] *sb (mil.)* infrastruktur, underbygning, militære anlæg.
infrequency [in'friːkwənsi] *sb* sjældenhed, ualmindelighed.
infrequent [in'friːkwənt] *adj* sjælden, ualmindelig.
infringe [in'frin(d)ʒ] *vb* bryde *(fx an oath)*; overtræde *(fx a rule)*; krænke *(fx a patent)*; ~ *(on) sby's rights* gøre indgreb i ens rettigheder.
infringement [in'frin(d)ʒmənt] *sb* brud, overtrædelse, krænkelse; indgreb, overgreb.
infuriate [in'fjuərieit] *vb* gøre rasende *(against* på); *infuriating* til at blive rasende over.
infuse [in'fjuːz] *vb* hælde, gyde; lave et udtræk af; *(fig)* indgyde *(fx* ~ *enthusiasm into them)*; gennemtrænge *(fx he -d it with his own personality)*; ~ *fresh blood into* tilføre nyt blod; ~ *sby with new hope* indgyde en nyt håb; ~ *the tea (leaves)* hælde (kogende) vand på tebladene; *let the tea* ~ lade teen (stå og) trække.
infusible [in'fjuːzəbl] *adj* usmeltelig; tungtsmeltelig.
infusion [in'fjuːʒən] *sb* påhældning; indgydelse, tilførsel; udtræk; *(med.)* infusion; infusionsvæske.
infusoria [infjuː'zɔːriə] *sb pl* infusionsdyr, infusorier.
infusorian [infjuː'zɔːriən] *adj* infusorie-; *sb* infusionsdyr.
ingathering ['in'gæðərin] *sb* høst, bjærgning, indhøstning.
ingenious [in'dʒiːnjəs] *adj* sindrig *(fx machine)*, snedig *(fx theory)*, snild; (om person også) opfindsom, begavet.
ingénue [*fr el.* ænʒei'njuː] *sb (teat)* ingénue (naiv uskyldig pige).
ingenuity [indʒi'njuːiti] *adj* sindrighed, snildhed, snedighed; opfindsomhed *(fx with great* ~); genialitet, begavelse; snildt *(el.* snedigt) påfund, snild anordning.
ingenuous [in'dʒenjuəs] *adj* oprigtig, åbenhjertig, ærlig; naiv, troskyldig.
ingest [in'dʒest] *vb* spise, nedsvælge.
ingle [ingl] *sb* ild, arne. **inglenook** kaminkrog; kakkelovnskrog.
inglorious [in'glɔːriəs] *adj* ikke berømt, ubekendt; skammelig, skændig, vanærende *(fx an* ~ *defeat)*.
ingoing ['in'gouin] *adj* tiltrædende *(fx administration)*; *sb* tiltrædelse; penge der betales for overtagelse af forretning *etc*.
ingot ['ingət] *sb* barre (af metal), (metal)blok.
ingrain [in'grein] *vb* farve i uldne. **ingrained** [in'greind] *adj* rodfæstet, indgroet *(fx habit)*; gennemført *(fx pessimist)*.
ingratiate [in'greiʃieit] *vb*: ~ *oneself with* indynde sig hos.
ingratiating [in'greiʃieitin] *adj* indsmigrende.
ingratitude [in'grætitjuːd] *sb* utaknemlighed.
ingredient [in'griːdjənt] *sb* ingrediens, bestanddel *(fx the -s of a pudding)*.
ingress ['ingres] *sb* indtræden; indtrængen; *(jur)* adgang.
ingroup ['ingruːp] *sb* egengruppe.
ingrowing ['in'grouin] *(fx* om negl) indgroet.
inguinal ['ingwinəl] *adj* lyske-.
ingurgitate [in'gəːdʒiteit] *vb* nedsvælge, opsluge. **ingurgitation** [ingəːdʒi'teiʃən] *sb* nedsvælgen, opslugning.
inhabit [in'hæbit] *vb* bebo, bo i. **inhabitable** [in'hæbitəbl] *adj* bebolig. **inhabitancy** [in'hæbitənsi] *sb* beboelse, fast ophold.
inhabitant [in'hæbitənt] *sb* beboer; indbygger.
inhalation [inhə'leiʃ(ə)n] *sb* indånding; inhaleren.
inhale [in'heil] *vb* indånde; inhalere; *(fig)* nedsvælge.
inhaler [in'heilə] *sb* indåndingsapparat; inhalator.
inharmonious [inhɑː'mounjəs] *adj* uharmonisk.
inhere [in'hiə] *adj*: ~ *in* hænge ved; klæbe ved, høre til, være (uløselig) forbundet med.
inherence [in'hiərəns] *sb* vedhængen; vedklæben; (uløselig) forbindelse.
inherent [in'hiərənt] *adj* vedhængende; iboende, naturlig; *be* ~ *in*, se *inhere (in)*. **inherently** *adv* i følge sin natur.
inherit [in'herit] *vb* arve. **inheritable** [in'heritəbl] *adj* arvelig; *(jur)* arveberettiget.
inheritance [in'heritəns] *sb* arv; ~ *tax (am)* arveafgift.
inhibit [in'hibit] *vb* hindre, forhindre *(from* i); forbyde; hæmme. **inhibition** [in(h)i'biʃən] *sb* hindring, forbud,

hæmning. **inhibitory** [in'hibitəri] *adj* hindrende; forbuds-; hæmmende, hæmnings-.
inhospitable [in'hɔspitəbl] *adj* ugæstfri.
inhospitality ['inhɔspi'tæliti] *sb* ugæstfrihed.
in-house ['inhaus] *adj (am)* intern.
inhuman [in'hju:mən] *adj* umenneskelig, barbarisk, grusom.
inhumanity [inhju'mæniti] *sb* umenneskelighed.
inhumation [inhju'meiʃən] *sb* begravelse. **inhume** [in'hju:m] *vb* begrave, jorde.
inimical [i'nimikl] *adj* fjendtlig *(to* overfor); skadelig *(to* for).
inimitable [i'nimitəbl] *adj* uforlignelig; som ikke kan efterlignes.
iniquitous [i'nikwitəs] *adj* ubillig, uretfærdig; syndig, lastefuld.
iniquity [i'nikwiti] *sb* ubillighed, uretfærdighed; synd, forbrydelse, misgerning; *a sink of* ~ en lastens hule.
init. *fk initial.*
initial [i'niʃəl] *adj* begyndende, begyndelses- *(fx letter);* indledende, først *(fx the* ~ *stages); sb* begyndelsesbogstav, forbogstav, initial; *vb* sætte forbogstav ved; undertegne med forbogstav (som tegn på (foreløbig) godkendelse), parafere *(fx the ambassadors have -led the agreement).*
initial costs anskaffelsesomkostninger.
initially [i'niʃəli] *adv* til at begynde med; *(fon)* i forlyd.
initial word initialord *(fx* NATO).
I. initiate [i'niʃieit] *vb* indvie *(into* i); optage *(into* i, *fx a society);* ~ *lnto* (også) indføre i (ɔ: lære); ~ *a question* rejse et spørgsmål.
II. initiate [i'niʃiit] *sb, adj* indviet.
initiation [iniʃi'eiʃ(ə)n] *sb* begyndelse; indvielse; optagelse; indførelse *(into* i); optagelsesceremoni.
initiative [i'niʃiətiv] *adj* første, begyndelses-, indlednings-; *sb* initiativ; *take the* ~ *in doing it* tage initiativet til at gøre det; *have the* ~ have ret til at tage initiativet, have ret til at fremsætte lovforslag.
initiator [i'niʃieitə] *sb* initiativtager; *(mil.)* tændladning.
initiatory [i'niʃiətəri] *adj* første, begyndelses-, indlednings-; indledende *(fx some* ~ *remarks);* indvielses-; optagelses-*(fx ceremonies).*
inject [in'dʒekt] *vb (tekn, med.)* indsprøjte *(fx petrol; vaccine); (fig)* tilføre *(fx new capital),* indgyde *(fx enthusiasm into them);* ~ *into orbit* (om satellit) placere (el. sætte) i kredsløb.
injection [in'dʒekʃ(ə)n] *sb (med., tekn)* indsprøjtning; *(med.* også) injektion; *(fig)* tilførsel *(fx of new capital);* indgydelse; ~ *into orbit* (om satellit) placering i kredsløb.
injection moulding sprøjtestøbning.
injoke [indʒouk] *sb* vittighed beregnet for de indviede.
injudicious [indʒu'diʃəs] *adj* uforstandig, uklog, uoverlagt.
injun ['indʒən] *sb* S indianer; se også *honest.*
injunction [in'dʒʌŋ(k)ʃ(ə)n] *sb* pålæg, påbud, formaning *(fx parental -s); (jur)* tilhold, forbud.
injure ['in(d)ʒə] *vb* beskadige *(fx several houses were -d in the storm; a bullet -d the eye);* såre, kvæste *(fx three people were -d in the car crash);* skade *(fx one's health);* gøre uret, forurette, såre, krænke.
injurious [in'dʒuəriəs] *adj* skadelig, ødelæggende *(to* for); fornærmelig, sårende.
injury ['in(d)ʒəri] *sb* skade, beskadigelse, overlast, fortræd; kvæstelse, uret, krænkelse, fornærmelse; *you are doing him an* ~ du gør ham uret; *without* ~ uden at tage skade, uden men. helskindet.
injustice [in'dʒʌstis] *sb* uretfærdighed; uret.
ink [iŋk] *sb* blæk; *(typ)* tryksværte, farve; *(Indian* ~*)* tusch; *vb* besmøre med blæk *(el.* sværte *el.* tusch); *(typ)* indfarve; ~ *one's fingers* få blæk på fingrene; ~ *in* trække op med blæk *el.* tusch *(fx a drawing); written in* ~ skrevet med blæk.
ink| **bag** *zo* blækkirtel (hos blæksprutte). ~ **bottle** blækflaske, blækhus. **-horn** *(glds)* blækhorn.
inkling ['iŋkliŋ] *sb* antydning, mistanke, anelse; *get an* ~ *of what is happening* (også) få færten af hvad der foregår.
ink| **pad** sværtepude. **-pot** blækhus. ~ **roller** farvevalse. ~ **slab** farvebord. ~ **slinger** blæksmører. **-stand** skrivetøj.

-**well** *(fast)* blækhus.
inky ['iŋki] *adj* blækagtig, sort som blæk, blækplettet; blækket *(fx fingers).*
inlaid ['in'leid] *adj* indlagt; ~ *work* indlagt arbejde.
I. inland ['inlənd] *adj* indlands-, indre, (som er, som ligger *osv)* inde i landet, i det indre af landet; indenlandsk, indenrigsk *(fx trade).*
II. inland [in'lænd] *adv* ind(e) i landet.
inlander ['inləndə] *sb* en som bor i det indre af landet.
inland revenue statsindtægter hidrørende fra skatter og afgifter; *the Board of Inland Revenue* (svarer til) skattedepartementet.
in-laws ['in'lɔ:z] *sb pl* svigerfamilie; S lovlydige borgere.
inlay ['in'lei] *vb* indlægge; *sb* indlæg; indlagt arbejde, mosaik.
inlet ['inlet] *sb* fjord, vig; indlagt *(el.* indføjet) stykke; *(tekn.)* indløb; luftventil. **inlet**| **pipe** indløbsrør, tilstrømningsrør. ~ **valve** indsugningsventil.
inly ['inli] *sb (poet)* i sit indre, i sit stille sind; inderligt, nøje.
inmate ['inmeit] *sb* beboer; alumne; (på sindssygehospital) patient, (i fængsel) indsat; *(glds)* lem.
in memoriam [in mi'mɔ:riəm] til minde.
inmost ['inmoust] *adj* inderst; *one's* ~ *thoughts* (også) ens lønligste tanker.
inn [in] *sb* kro, gæstgiveri, herberg; *Inns of Court* juristkollegier, hvor jurister uddannes.
innards ['inədz] *sb pl* T indvolde; indvendige dele.
innate ['in'eit] *adj* medfødt; instinktiv.
innavigable [i'nævigəbl] *adj* ufarbar, usejlbar.
inner ['inə] *adj* indre, indvendig; *sb* (i bueskydning) (skud der rammer) ringen uden om pletten; ~ *circle* inderkreds; *the* ~ *man* det indre *(el. glds* : indvortes) menneske (ɔ: sjælen, *(spøg)* maven); *satisfy the* ~ *man* stille sin sult.
innermost ['inəmoust] *adj* inderst.
inner| **sanctum** *(fig)* allerhelligste; lønkammer. ~ **sole** bindsål. ~ **tube** slange (i dæk).
innervate ['inə:veit, i'nə:veit] *vb* innervere, forsyne med nerveforbindelser, sende impulser til; stimulere.
innings ['iniŋz] *sb* inning, indleg (i kricket *etc);* tur (til at have magten), magtperiode; chance *(fx you have had your* ~*); it is your* ~ *now* nu er det din tur; vis nu hvad du duer til.
innkeeper ['inki:pə] *sb* krovært.
innocence ['inəsəns] *sb* uskyld(ighed); harmløshed; troskyldighed; enfoldighed.
innocent ['inəsənt] *adj* uskyldig; uskadelig, harmløs; troskyldig, enfoldig, naiv; *little* ~ et uskyldigt barn; *the massacre of the Innocents* barnemordet i Bethlehem; henlæggelse af lovforslag der ikke er blevet færdigbehandlet inden parlamentssamlingens udløb; ~ *of* uskyldig i *(fx a crime);* T helt uden, aldeles blottet for (kendskab til); komplet uvidende om.
innocuity [inə'kju:iti] *sb* uskadelighed.
innocuous [i'nɔkjuəs] *adj* uskadelig, ufarlig, harmløs.
innovate ['inəveit] *vb* indføre ny metoder.
innovation [inə'veiʃən] *sb* indførelse af ny metoder, fornyelse; nyhed, forandring, nyskabelse.
innovator ['inəveitə] *sb* fornyer, reformator.
innuendo [inju'endou] *sb (pl -es)* antydning; hentydning, insinuation.
innumerable [i'nju:mərəbl] *adj* utallig.
inobservance [inəb'zə:vəns] *sb* uopmærksomhed; undladelse af at overholde *(el.* rette sig efter); ~ *of* tilsidesættelse af.
inoculate [i'nɔkjuleit] *vb* (i gartneri) pode; *(med.)* vaccinere; ~ *with (fig)* indpode.
inoculation [inɔkju'leiʃən] *sb* indpodning; vaccination.
inodorous [in'oudərəs] *adj* lugtløs, lugtfri.
inoffensive [inə'fensiv] *adj* uskadelig, harmløs, skikkelig.
inofficious [inə'fiʃəs] *adj* : ~ *testament* testamente den tilsidesætter de arvinger der ellers ville være nærmest til at arve.
inoperable [in'ɔpərəbl] *adj (med.)* som ikke kan opereres.
inoperative [in'ɔpərətiv] *adj* ude af kraft; virkningsløs; uvirksom; *be* ~ (også) ligge stille.
inopportune [in'ɔptju:n] *adj* ubelejlig.

inordinate [i'nɔ:dinit] *adj* overdreven *(fx pride)*, overvættes; ubehersket *(fx passions)*.
inorganic [inɔ:'gænik] *adj* uorganisk; ~ *chemistry* uorganisk kemi.
inorganized [in'ɔ:gənaizd] *adj* uorganiseret.
inpatient ['inpeiʃ(ə)nt] *sb* hospitalspatient.
input ['input] *sb (tekn)* den kraft der tilføres en maskine, tilførsel; tilført mængde; (i edb) indlæsning; inddata; (i radio) indgangseffekt; *vb* (i edb) indlæse.
inquest ['inkwest] *sb* undersøgelse; retslig undersøgelse; ligsyn; *(fig)* rivegilde.
inquietude [in'kwaiətju:d] *sb* uro.
inquire [in'kwaiə] *vb* spørge, forhøre sig; spørge om *(fx ~ his name, the way)*; ~ *of sby about sth* spørge en om noget; ~ *after him* spørge til ham; ~ *for him* spørge efter ham; ~ *into* udforske, undersøge.
inquiring [in'kwaiərin] *adj* spørgende; videbegærlig.
inquiry [in'kwaiəri, *(am* også*)* 'inkwiri] *sb* spørgsmål; forespørgsel *(fx on ~ we learned that ...)*; efterforskning, undersøgelse; efterlysning; »Inquiries« »oplysningen«; *directory inquiries (tlf)* nummerkontoret; *make inquiries* indhente oplysninger, forhøre sig; anstille efterforskninger.
inquiry| **agent** privatdetektiv. ~ **office** oplysningskontor.
inquisition [inkwi'ziʃən] *sb* (retslig *el.* offentlig) undersøgelse; *(rel.)* inkvisition.
inquisitive [in'kwizitiv] *adj* spørgelysten; nysgerrig. **inquisitiveness** [-nis] *sb* spørgelyst; nysgerrighed.
inquisitor [in'kwizitə] *sb* undersøgelsesdommer; *(rel)* inkvisitor.
inquisitorial [inkwizi'tɔ:riəl] *adj* undersøgelses-; inkvisitions-; inkvisitorisk.
inroad ['inroud] *sb* fjendtligt indfald, strejftog, overfald; *make -s on* gøre indhug i; *make -s on sby's time* lægge beslag på ens tid; *make -s on one's capital* bruge (løs) af sin kapital.
inrush ['inrʌʃ] *sb* tilstrømning, indtrængen.
insalivate [in'sæliveit] *vb* blande (maden) med spyt.
insalubrious [insə'l(j)u:briəs] *adj* usund.
insalubrity [insə'l(j)u:briti] *sb* usundhed.
insane [in'sein] *adj* sindssyg; ~ *asylum* sindssygeanstalt.
insanitary [in'sænitəri] *adj* usund, sundhedsfarlig, uhygiejnisk.
insanity [in'sæniti] *sb* sindssyge, vanvid.
insatiable [in'seiʃəbl], **insatiate** [in'seiʃiit] *adj* umættelig.
inscribe [in'skraib] *vb* indskrive; indgravere; indhugge; indføre (på en liste); forsyne med påskrift; *(geom)* indskrive; *-d copy* dedikationseksemplar.
inscription [in'skripʃən] *sb* inskription; indskrivning; indførelse; indskrift, påskrift; (i bog *etc)* dedikation.
inscrutability [inskru:tə'biliti] *sb* uudgrundelighed, uransagelighed. **inscrutable** [in'skru:təbl] *adj* uudgrundelig, uransagelig.
insect [in'sekt] *sb zo* insekt; *(fig)* kryb, lus.
insecticide [in'sektisaid] *sb* insekticid, insektdræbende middel.
insectivorous [insek'tivərəs] *adj* insektædende.
insecure [insi'kjuə] *adj* usikker, utryg.
insecurity [insi'kjuəriti] *sb* usikkerhed, utryghed.
inseminate [in'semineit] *vb* inseminere.
insemination [insemi'neiʃən] *sb* insemination; *artificial* ~ kunstig sædoverføring.
insensate [in'sensit] *adj* ufornuftig, tåbelig *(fx risks)*; blind *(fx hatred)*; ufølsom; livløs.
insensibility [insensi'biliti] *sb* følsesløshed; ufølsomhed; uimodtagelighed, sløvhed; bevidstløshed.
insensible [in'sensibl] *adj* følsesløs; ufølsom *(to* over for, *fx cold)*; ligegyldig *(to* over for); umærkelig *(fx transitions)*; bevidstløs; *by ~ degrees* umærkeligt, lidt efter lidt; *become ~* miste bevidstheden; *he was ~ of his danger* han var ikke opmærksom på den fare som truede ham.
insensitive [in'sensitiv] *adj* ufølsom, uimodtagelig *(to* for).
inseparable [in'sep(ə)rəbl] *adj* uadskillelig; *sb pl -s* uadskillelige venner.
I. insert [in'sə:t] *vb* indskyde, indføre, indsætte; stikke ind (, ned) *(fx a key in a lock, a card in a file)*, (om mønt) indkaste; (i tekst) indføje *(fx a clause in a contract)*, in-

terpolere; (om annonce) indrykke; *(tekn* også*)* indlægge, indspænde; *-ed* (også) løs.
II. insert [in'sə:t] *sb* noget indføjet (, indskudt, indsat); (i bog) indklæbning; *(tekn)* indsats; (i avis, især *am)* tillæg, bilag.
insertion [in'sə:ʃ(ə)n] *sb* indførelse, indsættelse, (i tekst) indføjelse, interpolation, (i avis) indsendt stykke, notits, (annonce) inserat; indrykning (af annonce); (i håndarbejde) mellemværk; (om muskel) tilhæftning. **insertion mark** se *caret*.
in-service training efteruddannelse.
inset ['inset] *sb* noget der indsættes, (i tøj) indlæg, (i kort) bikort (ɔ: kort indsat i større), *(typ)* indskudsark, (i bog) indklæbning, (til avis) tillæg, bilag; *vb* sætte ind, lægge ind, indføje, indklæbe.
inshore [in'ʃɔ:] *adj* og *adv* inde ved land; hen imod land; kyst-; ~ *fisheries* strandfiskeri; ~ *of* nærmere kysten end.
inside ['in'said] *sb* inderside, indvendig del, det indvendige; indvendig passager (i en vogn); **T** mave(n); *adj* indvendig; indre; adv indeni, indenfor, inde; ind; *præp* ind i, inde i, inden for; *from the ~* indefra; ~ *of a week* inden for en uge, på mindre end en uge; *examine ~ and out* undersøge i alle ender og kanter; *the umbrella is blown ~ out* paraplyen vender sig; *know it ~ out* kende det ud og ind; *put on one's socks ~ out* tage sokkerne på med vrangen udad; *turn ~ out* krænge, vende vrangen ud på; gennemrode, vende op og ned på.
inside| **calipers** se *calipers*. ~ **edge** (i skøjteløb) damesving; *do the ~ edge* slå damesving. ~ **information** oplysninger der kun kendes af en indviet kreds.
insider ['in'saidə, in'saidə] *sb* indviet, person der har førstehåndskendskab til sagen.
inside| **right** højre innerwing. ~ **track** inderbane.
insidious [in'sidjəs] *adj* lumsk *(fx attack)*, snigende *(fx illness)*.
insight ['insait] *sb* indblik; indsigt.
insignia [in'signiə] *sb pl* insignier, værdighedstegn; mærke, emblem; ~ *of rank (mil.)* gradstegn, distinktioner; *regimental ~ (mil.)* regimentsmærke.
insignificance [insig'nifikəns] *sb* ubetydelighed, betydningsløshed. **insignificant** [insig'nifikənt] *adj* ubetydelig, betydningsløs.
insincere [insin'siə] *adj* uoprigtig, falsk; hyklerisk.
insincerity [insin'seriti] *sb* uoprigtighed, falskhed.
insinuate [in'sinjueit] *sb* insinuere; antyde *(fx he -d that you are a liar)*; ~ *oneself into* (snige sig, trænge) ind i; ~ *oneself into his favour* indynde sig hos ham.
insinuating [in'sinjueitin] *adj* indsmigrende, kælen, slesk.
insinuation [insinju'eiʃən] *sb* antydning, insinuation; indtrængen.
insipid [in'sipid] *adj* flov, uden smag *(fx food)*; fad; åndsforladt, åndløs *(fx conversation)*. **insipidity** [insi'piditi] *sb* flovhed, åndsforladthed, åndløshed.
insist [in'sist] *vb* hævde, påstå; ~ *on* hævde, holde på, fastholde *(fx a claim)*; (bestemt) kræve, fordre *(fx immediate payment)*; *he -s on going* han vil absolut gå, han insisterer på at gå; ~ *that* hævde (, kræve *etc)* at.
insistence [in'sist(ə)ns], **insistency** [in'sist(ə)nsi] *sb* hævden, holden på; vedholdenhed, fastholdelse *(on* af).
insistent [in'sist(ə)nt] *adj* vedholdende, pågående, ihærdig.
insobriety [insə'braiəti] *sb* drikfældighed.
insofar [insou'fa:] *adv:* ~ *as* for så vidt som.
insolation [insə'leiʃən] *sb* solbestråling; *(med.)* hedeslag.
insole [in'soul] *sb* bindsål; indlægssål.
insolence ['insələns] *sb* uforskammethed.
insolent ['insələnt] *adj* uforskammet.
insolubility [insɔlju'biliti] *sb* u(op)løselighed.
insoluble [in'sɔljubl] *adj* uopløselig *(fx chalk is ~ in water)*; uløselig *(fx mystery)*, uforklarlig.
insolvency [in'sɔlv(ə)nsi] *sb* insolvens.
insolvent [in'sɔlv(ə)nt] *adj* insolvent.
insomnia [in'sɔmniə] *sb* søvnløshed.
insomuch [insou'mʌtʃ] *adv:* ~ *that* i en sådan grad, at.
insouciance [in'su:sjəns] *sb* sorgløshed, ubekymrethed.
insouciant [in'su:sjənt] *adj* sorgløs, ubekymret.
inspan [in'spæn] *vb* spænde for.
inspect [in'spekt] *vb* have opsyn med; undersøge nøje, in-

spicere, efterse; besigtige, mønstre, bese.
inspection [in'spekʃən] *sb* opsyn; undersøgelse, inspektion, eftersyn; gennemsyn; mønstring, besigtigelse; ~ *of the ground* åstedsforretning; ~ *invited* grunden *etc* kan beses; *on* ~ ved nærmere eftersyn.
inspection copy gennemsynseksemplar.
inspector [in'spektə] *sb* inspektør; *(police* ~*)* overbetjent.
inspectress [in'spektris] *sb* inspektrice.
inspiration [inspə'reiʃ(ə)n] *sb* inspiration; indskydelse *(fx a sudden* ~*)*; indånden.
inspire [in'spaiə] *vb* indånde; indgive, indgyde *(fx confidence)*; inspirere; ~ *him with confidence*, ~ *confidence in him* indgyde ham tillid; *-d article* (avis)artikel der bygger på underhåndsoplysninger; 'bestilt arbejde'; *-d leak* bevidst indiskretion.
inspirit [in'spirit] *vb* opflamme, oplive.
inspissate [in'spiseit] *vb* fortykke.
inspissation [inspi'seiʃən] *sb* fortykkelse.
inst. *fk instant* dennes (ɔ: i denne måned) *(fx the 7th* ~*)*.
instability [instə'biliti] *sb* ustadighed, ustabilitet, usikkerhed.
install [in'stɔːl] *vb* anbringe, indrette, stille op, installere, indbygge; (i embede *etc)* indsætte.
installation [instə'leiʃən] *sb* indsættelse; anbringelse; installering, opstilling; anlæg *(fx military -s)*.
installment *(am)* = *instalment*.
instalment [in'stɔːlmənt] *sb* rate, afdrag; afsnit (af føljeton *etc)*; hæfte (af større værk), nummer, levering; portion; *on the* ~ *system (el. plan)* på afbetaling.
I. instance ['instəns] *sb* tilfælde, eksempel; instans; foranledning; *at the* ~ *of* foranlediget af, på foranledning af; *for* ~ for eksempel; *in the first* ~ til begynde med, først, i første instans; *court of first* ~ *(jur)* første instans.
II. instance ['instəns] *vb* anføre som eksempel.
I. instant ['instənt] *adj* øjeblikkelig; indstændig, indtrængende; (om mad) som kan tilberedes i løbet af et øjeblik; ~ *coffee* pulverkaffe.
II. instant ['instənt] *sb* øjeblik; *the* ~ *you come* så snart (*el.* i samme øjeblik som) De kommer; *in an* ~ om et øjeblik; *on the* ~ straks; *at that very* ~ i det selvsamme øjeblik.
instantaneous [inst(ə)n'teinjəs] *adj* øjeblikkelig; øjebliks-, momentan.
instanter [in'stæntə] *adv* øjeblikkeligt.
instantly ['instəntli] *adv* øjeblikkeligt, straks.
instead [in'sted] *adv* i stedet *(fx give me that* ~*)*; ~ *of* i stedet for.
instep ['instep] *sb* vrist.
instigate ['instigeit] *vb* tilskynde, anspore, ophidse *(fx* ~ *sby to do sth)*; ophidse til, anstifte *(fx* ~ *rebellion)*.
instigation [insti'geiʃ(ə)n] *sb* tilskyndelse, ophidselse; anstiftelse.
instigator ['instigeitə] *sb* ophidser; anstifter.
instil [in'stil] *vb* inddryppe, hælde dråbevis; *(fig)* indgyde, bibringe *(fx* ~ *certain ideas into his mind)*. **instillation** [insti'leiʃ(ə)n] *sb* inddrypning; indgyden, bibringelse.
I. instinct ['instiŋ(k)t] *sb* instinkt, naturdrift.
II. instinct [in'stiŋ(k)t] *adj* præget, besjælet *(with* af).
instinctive [in'stiŋ(k)tiv] *adj* instinktmæssig, uvilkårlig.
I. institute ['institjuːt] *vb* stifte, oprette; indføre, anordne, fastsætte *(fx rules)*; indsætte *(into, to* i (et embede)); indlede *(fx an investigation)*; ~ *legal proceedings against* indlede retsforfølgning mod, anlægge sag mod.
II. institute ['institjuːt] *sb* institut; *(am også)* kursus, seminar; *-s pl* (også) (værk der indeholder en kort redegørelse for) en videnskabs grundprincipper; oversigt.
institution [insti'tjuːʃ(ə)n] *sb (cf I. institute)* stiftelse, oprettelse, fastsættelse, *(mht* embede) indsættelse, kaldelse; (bygning *etc)* institution, anstalt; ~ *of higher education* højere læreanstalt.
institutional [insti'tjuːʃənl] *adj* institutions-, institutionsmæssig; institutionspræget; ~ *advertising* goodwill-reklame, prestigereklame.
institutionalize [insti'tjuːʃənəlaiz] *vb* gøre til en institution, anbringe på en institution, institutionalisere.
instruct [in'strʌkt] *vb* undervise, belære, vejlede; instruere, give besked *(el.* pålæg) *(to* om at); underrette.
instructed [in'strʌktid] *adj* oplyst, kultiveret *(fx taste)*;

forsynet med instruks, instrueret.
instruction [in'strʌkʃ(ə)n] *sb* undervisning, belæring; (i edb) ordre; *-s pl* vejledning, anvisning(er), forskrift(er), instruktioner; instruks, besked, pålæg.
instructional [in'strʌkʃənl] *adj* undervisnings-, pædagogisk, belærende; ~ *film* undervisningsfilm, instruktionsfilm.
instructive [in'strʌktiv] *adj* instruktiv, belærende, lærerig.
instructor [in'strʌktə] *sb* lærer, instruktør; *(am)* instruktor, undervisningsassistent.
instrument ['instrumənt] *sb* redskab; instrument; *(jur)* dokument; *vb* udstyre med instrumenter *(fx the cars are specially -ed)*; (i musik) instrumentere.
instrumental [instru'mentəl] *adj* medvirkende, behjælpelig *(fx be* ~ *in finding him a job)*; instrumental *(fx music)*; instrument- *(fx error)*; ~ *case (gram)* instrumentalis.
instrumentalist [instru'mentəlist] *sb* instrumentalist.
instrumentality [instrumen'tæliti] *sb* virksomhed, medvirken, hjælp; *by the* ~ *of* ved hjælp af.
instrumentally [instru'mentəli] *adv* som redskab, som middel; med instrumenter.
instrumentation [instrumen'teiʃən] *sb* instrumentering.
instrument flying blindflyvning, instrumentflyvning.
insubordinate [insə'bɔːdnit] *adj* ulydig, opsætsig.
insubordination [insəbɔːdi'neiʃən] *sb* insubordination, ulydighed, opsætsighed.
insubstantial [insəb'stænʃl] *adj* uvirkelig, illusorisk *(fx fears)*; tynd, svag *(fx arguments)*.
insufferable [in'sʌf(ə)rəbl] *adj* utålelig, ulidelig.
insufficiency [insə'fiʃənsi] *sb* utilstrækkelighed; uduelighed, udygtighed; *(med.)* insufficiens.
insufficient [insə'fiʃənt] *adj* utilstrækkelig; uduelig, uskikket.
insufflate ['insʌfleit] *vb* indblæse; *(med.)* puste.
insufflation [insə'fleiʃən] *sb* indblæsning; *(med.)* insufflation (ɔ: indførelse af luft *fx* i lungesækken), pustning.
insular ['insjulə] *adj* ø-; *(fig)* afsondret, isoleret; snæversynet.
insularity [insju'læriti] *sb (fig)* afsondrethed, isolerthed, snæversynethed.
insulate ['insjuleit] *vb* isolere. **insulation** [insju'leiʃən] *sb* isolation. **insulator** ['insjuleitə] *sb* isolator; isolering(smateriale).
insulin ['insjulin] *sb* insulin; ~ *shock* insulinchok.
I. insult ['insʌlt] *sb* fornærmelse, forhånelse; *add* ~ *to injury* føje spot til skade.
II. insult [in'sʌlt] *vb* fornærme, forhåne.
insuperability [insju:pərə'biliti] *sb* uovervindelighed.
insuperable [in'sjuːpərəbl] *adj* uovervindelig.
insupportable [insə'pɔːtəbl] *adj* uudholdelig; som ikke kan underbygges *(fx accusation)*.
insurable [in'ʃuərəbl] *adj* som kan forsikres; ~ *interest* forsikringsmæssig interesse; ~ *value* forsikringsværdi.
insurance [in'ʃuərəns] *sb* forsikring, assurance; forsikringssum; forsikringspræmie; *effect an* ~ tegne forsikring.
insurance| agent akkvisitør. ~ **broker** assurandør, assurancemægler. ~ **company** forsikringsselskab. ~ **policy** forsikringspolice. ~ **premium** forsikringspræmie.
insurant [in'ʃuərənt] *sb* forsikringstager.
insure [in'ʃuə] *sb* forsikre, assurere.
insurer [in'ʃuərə] *sb* assurandør.
insurgency [in'sɜːdʒ(ə)nsi] *sb* oprør(skhed).
insurgent [in'sɜːdʒ(ə)nt] *adj* oprørsk; *sb* oprører.
insurmountable [insəː'mauntəbl] *adj* uoverstigelig; uovervindelig *(fx difficulty)*.
insurrection [insə'rekʃən] *sb* oprør, opstand. **insurrectional** [-əl], **insurrectionary** [-əri] *adj* oprørsk, oprørs-. **insurrectionist** [-ist] *sb* oprører.
insusceptibility ['insəsepti'biliti] *sb* uimodtagelighed, upåvirkelighed, ufølsomhed.
insusceptible [insə'septibl] *adj* uimodtagelig, upåvirkelig, ufølsom.
int. *fk interest,• interior, interjection*.
intact [in'tækt] *adj* intakt; uberørt; ubeskadiget, ubrudt.
intaglio [in'tæljeitid] *vb* indgraveret. **intaglio** [in'taːljou, in'tæljou] *sb* indgraveret arbejde; (en) gemme; *(typ)* dybtryk.
intake ['inteik] *sb* tilgang *(fx of new students)*; optagelse; tilførsel; *(mil.)* hold (af rekrutter); *(tekn)* indsugning (fx

i motor), indsugningsåbning, indtag, indløb; (i mine) ventilationsskakt.

intake| manifold indsugningsgrenrør. ~ **valve** indsugningsventil.

intangible [in'tændʒibl] adj ulegemlig, uhåndgribelig.

integer ['intidʒə] sb hele, helhed; helt tal.

integral ['intigrəl] adj hel, udelt; uløselig, uadskillelig; integrerende; indbygget; sb hele, helhed, (mat.) integral; ~ calculus integralregning; ~ with (bygget, støbt) i ét med; sammenhængende med.

integrate ['intigreit] vb fuldstændiggøre, integrere; indordne, indpasse (fx immigrants into the community); ophæve raceskellet i (, mellem, for); bygge i ét; an -d school en skole hvor raceskellet er ophævet. **integration** [inti-'greiʃən] sb fuldstændiggørelse, integrering; indordning, indpasning; ophævelse af raceskel.

integrity [in'tegriti] sb integritet; helhed, fuldstændighed; ufordærvethed, renhed; retskaffenhed, ærlighed, hæderlighed; I respect his ~ of scholarship jeg respekterer hans videnskabelige hæderlighed.

integument [in'tegjumənt] sb dække, hud, hinde.

intellect ['intilekt] sb forstand, fornuft; intelligens, intellekt.

intellection [inti'lekʃ(ə)n] sb forståelse, opfattelse; tankevirksomhed.

intellectual [inti'lektjuəl; intə'lektʃuəl] adj intellektuel, forstandsmæssig, forstands-; åndelig, ånds- (fx life); sb intellektuel.

intellectuality ['intilektju'æliti] sb forstand, intelligens; forstandsmæssig indstilling.

intelligence [in'telidʒəns] sb intelligens, forstand; indsigt; (især mil.) efterretning(er), underretning, meddelelse(r), oplysninger; efterretningsarbejde (fx ~ is improving); efterretningsvæsen.

intelligence| department militært (og politi-)efterretningsvæsen. ~ **quotient** intelligenskvotient.

intelligencer [in'telidʒənsə] sb agent, spion.

intelligence| service (mil.) efterretningstjeneste. ~ **test** intelligensprøve.

intelligent [in'telidʒənt] adj forstandig, klog, intelligent.

intelligentsia [inteli'dʒentsiə] sb: the ~ 'intelligensen', de intellektuelle (som samfundsklasse betragtet).

intelligibility [intelidʒi'biliti] sb forståelighed, tydelighed.

intelligible [in'telidʒəbl] adj forståelig, tydelig.

intemperance [in'temp(ə)rəns] sb umådeholdenhed (i drik); drikfældighed.

intemperate [in'temp(ə)rit] adj umådeholden (i drik); drikfældig; ubehersket, voldsom.

intend [in'tend] vb have i sinde, have til hensigt; agte (fx what do you ~ to do?); tilsigte, mene (fx what do you ~ by that word?); bestemme; was it -ed? var det med vilje? the gift was -ed for you gaven var tiltænkt dig; is that sketch -ed to be me? skal den tegning forestille mig? -ing buyer liebhaver.

intended [in'tendid] adj påtænkt; tilsigtet; sb T tilkommende, forlovede.

intense [in'tens] adj intens, voldsom, stærk (fx cold), inderlig (fx happiness), heftig (fx pain); (om person) med stærke følelser, stærkt følelsespræget.

intensification ['intensi'keiʃ(ə)n] sb (cf intensify) intensivering; forstærkelse, forøgelse; skærpelse.

intensifier [in'tensifaiə] sb (fot, kem etc) forstærker.

intensify [in'tensifai] vb intensivere; forstærke, forøge (fx the effect, the pressure); skærpe (fx the sanctions); (fot) forstærke; (uden objekt) intensiveres (etc).

intension [in'tenʃən] sb (voldsom åndelig) anstrengelse; styrke, heftighed, intensitet; (filos) begrebsindhold, konnotation.

intensity [in'tensiti] sb intensitet, styrke; heftighed; iver.

intensive [in'tensiv] adj intensiv, stærk, kraftig, indgående; (gram) forstærkende.

intent [in'tent] sb agt, hensigt; adj begærlig (on efter), opsat (on på, fx ~ on doing his best); spændt, anspændt (fx expression); ~ on (også) (stærkt) optaget af (fx one's studies); to all -s and purposes praktisk talt, i virkeligheden; with ~ to i den hensigt at; with ~ to defraud i bedragerisk hensigt.

intention [in'tenʃ(ə)n] sb hensigt, forsæt; his -s are good

---

han har de bedste hensigter; my ~ was to (også) det var min mening at.

intentional [in'tenʃənəl] adj forsætlig, tilsigtet.

intentioned [in'tenʃənd] adj -menende, -sindet; ill- ~ ildesindet; seriously ~ med alvorlige hensigter, alvorligt ment; well- ~ velmenende.

I. inter [in'tə:] vb begrave.

II. inter- ['intə] (forstavelse:) mellem-.

interact [intə'rækt] vb virke gensidigt; påvirke hinanden.

interaction [intə'rækʃən] sb vekselvirkning.

Interbank fk International Bank for Reconstruction and Development.

interbreed ['intə'bri:d] vb (biol) krydse(s).

intercalary [in'tə:kələri] adj indskudt; ~ day skuddag; ~ year skudår.

intercalate [in'tə:kəleit] vb indskyde, interpolere. **intercalation** [intəkə'leiʃ(ə)n] sb indskud, interpolation.

intercede [intə'si:d] vb gå i forbøn; she -d for him with the king hun gik i forbøn for ham hos kongen.

intercept [intə'sept] vb opsnappe, opfange (fx a letter, enemy messages); afskære, afbryde; hindre, standse (fx an attack).

interception [intə'sepʃən] sb opsnappen; afskæring; hindring, standsning.

interceptor [intə'septə] sb (mil. flyv) hurtiggående jager til nærforsvar.

intercession [intə'seʃən] sb mellemkomst; forbøn.

intercessor [intə'sesə] sb mægler, talsmand; en der går i forbøn.

intercessory [intə'sesəri] adj mæglende; ~ prayer forbøn.

I. interchange [intə'tʃein(d)ʒ] vb veksle, udveksle; ombytte, udskifte.

II. interchange ['intətʃein(d)ʒ] sb udveksling; ombytning; udskiftning; veksling, skifte; (ved motorvej) udfletningsanlæg, tilslutningsanlæg.

interchangeable [intə'tʃein(d)ʒəbl] adj udskiftelig, som kan udveksles; ombyttelig; (om ord etc også) ensbetydende.

intercollegiate [intəkə'li:dʒiit] adj mellem kollegierne (fx ~ games).

intercolonial ['intəkə'lounjəl] adj mellem kolonierne (fx ~ trade).

intercom ['intəkɔm] sb samtaleanlæg.

intercommunicate [intəkə'mju:nikeit] vb stå i forbindelse med hinanden, meddele sig til hinanden.

intercommunication ['intəkəmju:ni'keiʃən] sb indbyrdes forbindelse; indbyrdes meddelelse; samkvem; ~ system samtaleanlæg.

intercontinental ['intəkɔnti'nentəl] adj interkontinental (fx ballistic missile).

intercostal [intə'kɔstəl] adj (anat) mellem ribbenene; (bot) mellem ribberne i et blad; sb pl -s (mar) intercostaler, indskudsplader.

intercourse ['intəkɔ:s] sb samkvem; forbindelse; omgang; (sexual ~) kønslig omgang; samleje.

intercrop [intə'krɔp] sb mellemafgrøde.

intercurrent [intə'kʌrənt] adj som kommer imellem, tilstødende; (med.) interkurrent, som opstår under forløbet af en anden sygdom.

inter|depend [intədi'pend] vb være indbyrdes afhængige. **-dependence, -dependency** [intədi'pendəns(i)] sb indbyrdes afhængighed. **-dependent** [intədi'pendənt] adj indbyrdes afhængige.

I. interdict [intə'dikt] vb forbyde; belægge med interdikt; (mil. flyv) nedkæmpe, ødelægge, afskære.

II. interdict [in'tə:dikt] sb forbud; interdikt; put an ~ upon forbyde; lay (el. put) under an ~ belægge med interdikt. **interdiction** [intə'dikʃən] sb forbud; udstedelse af interdikt; interdikt.

interdisciplinary [intə'disiplinəri] adj som vedrører flere fag, tværfaglig.

I. interest ['intrist] sb interesse; (merk også) andel (fx have an ~ in a firm); (af kapital) rente(r); (let glds) indflydelse (om agriculture the ~ agricultural ~ landbruget; the shipping ~ skibsfarten; (se også landed ~); bear ~ at the rate of 5 per cent, bear 5 per cent ~ give 5 procent i rente; the common ~ (også) det fælles bedste; have an ~ in have andel i; have interesse for; in the -s of sby i ens interesse, til ens fordel (el. bedste); travel in the

-s of a firm rejse for et firma; *lend out money at* ~ låne penge ud mod renter; *lose* ~ *in* tabe interessen for; *the book soon loses* ~ man taber hurtigt interessen for bogen; *put out money at* ~ sætte penge på rente; *rate of* ~ rentesats, rentefod; *take (an)* ~ *in* vise interesse for, interessere sig for; *it is to your* ~ det er i din interesse, det er til din fordel; *use one's* ~ gøre sin indflydelse gældende; *return a blow with* ~ give en lussing igen med renter.

II. interest ['intrist] *vb* interessere.

interested ['intristid] *adj* interesseret *(fx he is* ~ *in history)*; egennyttig *(fx motives)*.

interesting ['intristiŋ] *adj* interessant.

interface ['intəfeis] *sb* grænseflade.

interfere [intə'fiə] *vb* støde sammen, kollidere, komme i kollision; lægge sig imellem, gribe ind; (om hest) stryge skank; *don't* ~ pas dig selv; ~ *in* blande sig i; ~ **with** blande sig i, gribe ind i; pille ved *(fx don't* ~ *with that machine)*; forstyrre *(fx don't* ~ *with him)*; skade *(fx* ~ *with health)*; vanskeliggøre, være til hindring *(el* i vejen) for, genere *(fx the tree -s with the view)*; (seksuelt:) forgribe sig på (ɔ: være uterlig over for).

interference [intə'fiərəns] *sb* indblanding, indgreb *(with* i); mellemkomst; interferens, forstyrrelse, *fx* i radio el. radar.

interflow [intə'flou] *vb* glide over i hinanden.

interfluent [in'tə:fluənt] *adj* sammenflydende.

interfuse [intə'fju:z] *vb* blande(s).

interfusion [intə'fju:ʒ(ə)n] *sb* blanding.

interim ['intərim] *adj* foreløbig, midlertidig; *sb: in the* ~ i mellemtiden.

interior [in'tiəriə] *adj* indre, indvendig; indenrigs-; *sb* indre; interiør; *Department of the Interior (am)* indenrigsministerium; *Secretary of the Interior (am)* indenrigsminister.

interior| decorator boligmontør, maler og tapetserer; indretningsarkitekt, boligkonsulent, indendørsarkitekt. ~ **design** indendørsarkitektur.

interjacent [intə'dʒeisnt] *adj* mellemliggende.

interject [intə'dʒekt] *vb* indskyde.

interjection [intə'dʒekʃ(ə)n] *sb* udråb, udbrud, *(gram)* interjektion, udråbsord.

interlace [intə'leis] *vb* sammenflette, sammenslynge; blande; indflette; være sammenflettet *(el.* sammenslynget).

interlacing [intə'leisiŋ] *sb* sammenfletning, sammenslyngning; (i TV) springskandering; *-s pl* båndslyng, båndmønster.

interlard [intə'la:d] *vb* spække; ~ *with foreign words* spække med fremmedord.

interleaf ['intəli:f] *sb* indskudt (hvidt) blad.

interleave [intə'li:v] *vb* gennemskyde med hvide blade.

inter-library lending mellemlån.

interline [intə'lain] *vb* skrive (, trykke) mellem linjerne; (i tøj) mellemfore.

interlinear [intə'linjə] *adj* skrevet (, trykt) mellem linierne, interlinear.

interlining [intə'lainiŋ] *sb* mellemfoer.

interlink [intə'liŋk] *sb* sammenkæde.

interlock [intə'lɔk] *vb* gribe ind i hinanden; lade gribe ind i hinanden, sammenføje; *(tekn)* sammenlåse; *-ing* indbyrdes låsende; aflåsnings- *(fx contact)*; *be -ed* (om film) løbe synkront.

interlocution [intəli'kju:ʃ(ə)n] *sb* samtale.

interlocutor [intə'lɔkjutə] *sb* deltager i en samtale, samtalepartner.

interlocutory [intə'lɔkjutəri] *adj* som har form af en samtale *(fx* ~ *instruction)*.

interlope [intə'loup] *vb* blande sig i andres forhold; trodse et handelsmonopol; drive smughandel.

interloper ['intəloupə, intə'loupə] *sb* en der blander sig i andres forhold *el.* trodser et handelsmonopol; smughandler.

interlude ['intəl(j)u:d] *sb* mellemspil; *(fig)* episode; *there were -s of bright weather* det var klart vejr ind imellem.

intermarriage [intə'mæridʒ] *sb* indbyrdes giftermål (mellem medlemmer af to stammer eller familier); indgifte.

intermarry [intə'mæri] *vb* gifte sig indbyrdes.

intermeddle [intə'medl] *vb* blande sig *(with, in* i).

intermediary [intə'mi:djəri] *sb* mellemled; mellemmand, formidler, mægler; *adj* mellemliggende; *(tekn)* mellem-*(fx tube* rør).

intermediate [intə'mi:djit] *adj* mellemliggende, mellem-.

intermediate| host *zo* mellemvært. ~ **-range** mellemdistance-*(fx ballistic missiles)*.

interment [in'tə:mənt] *sb* begravelse.

intermezzo [intə'metsou] *sb* intermezzo.

interminable [in'tə:minəbl] *adj* uendelig, endeløs.

intermingle [intə'miŋgl] *vb* blande (sig).

intermission [intə'miʃ(ə)n] *sb* afbrydelse, standsning, pause; *without* ~ uafbrudt.

intermit [intə'mit] *vb* afbryde, standse, lade holde op for en tid; (uden objekt) blive afbrudt, standse, holde op for en tid.

intermittent [intə'mit(ə)nt] *adj* periodisk optrædende; uregelmæssig *(fx pulse)*; afbrudt.

intermittent light blinkfyr, blinklys.

intermittently [intə'mit(ə)ntli] *adv* med mellemrum, med afbrydelser, ind imellem.

intermix [intə'miks] *vb* blande.

intermixture [intə'mikstʃə] *sb* blanding.

I. intern [in'tə:n] *(am) sb* kandidat (på hospital); *vb* være kandidat.

II. intern [in'tə:n] *vb* internere.

internal [in'tə:nl] *adj* indre; indvendig; indenlandsk, indenrigsk; ~ *angle* indvendig vinkel; ~ *combustion engine* forbrændingsmotor, eksplosionsmotor; ~ *medicine* intern medicin; ~ *revenue (am)* = *inland revenue;* ~ *secretion* intern (ɔ: indre) sekretion; *for* ~ *use (med.)* til indvortes brug.

I. international [intə'næʃənl] *adj* international, ⁄mellemfolkelig.

II. International [intə'næʃənl] *sb* Internationale (socialistisk organisation).

Internationale [intənæʃə'na:l] *sb* Internationale (socialistisk slagsang).

internationalize [intə'næʃnəlaiz] *vb* internationalisere, gøre international.

international| law folkeret. ~ **match** landskamp.

internecine [intə'ni:sain] *adj* gensidigt ødelæggende; dødbringende.

internee [intə'ni:] *sb* interneret.

internment [in'tə:nmənt] *sb* internering.

internment camp interneringslejr.

internode [in'tənoud] *sb (bot)* stængelled.

interpellate [in'tə:peleit] *vb* interpellere, stille spørgsmål til.

interpellation [intə:pe'leiʃ(ə)n] *sb* interpellation.

interpenetrate [intə'penitreit] *vb* trænge helt ind i; trænge ind i hinanden.

interphone [in'təfoun] *(am)* = *intercom.*

interplanetary [intə'plænitəri] *adj* interplanetarisk.

interplay ['intəplei] *sb* samspil.

interpolate [in'tə:poleit] *vb* indskyde, indføje (ord i tekst); interpolere; (om hulkort) indsortere.

interpolation [intə:pə'leiʃən] *sb* indskyden; interpolation; indskud.

interposal [intə'pouzl] *sb* mellemkomst.

interpose [intə'pouz] *vb* sætte *(el.* lægge) imellem; lægge sig imellem, intervenere, mægle; afbryde, indskyde.

interposition [intəpə'ziʃən] *sb* mellemstilling; mellemkomst, intervention, mægling.

interpret [in'tə:prit] *vb* fortolke, forklare, udlægge; tolke; være tolk.

interpretation [intə:pri'teiʃ(ə)n] *sb* fortolkning, forklaring, tydning; tolkning, oversættelse.

interpretative [in'tə:pritətiv] *adj* fortolkende, forklarende.

interpreter [in'tə:pritə] *sb* fortolker, tolk; *(mht* hulkort) kantskriver, kortskriver (hulkortoversætter).

interracial [intə'reiʃ(ə)l] *adj* mellem *(el.* for) to el. flere racer.

interregnum [intə'regnəm] *sb* interregnum (tidsrum hvor der ikke er nogen ledelse).

interrelation(ship) [intə:ri'leiʃ(ə)n(ʃip)] *sb* indbyrdes forhold.

interrogate [in'tərəgeit] *vb* spørge; afhøre, forhøre.

interrogation [intərə'geiʃən] *vb* spørgen; afhøring, forhør; spørgsmål; spørgsmåltegn; *mark (el. note el. point) of* ~

spørgsmålstegn.

interrogative [intə'rɔgətiv] *adj* spørgende; *sb* spørgende ord.

interrogator [in'terəgeitə] *sb* spørger.

interrogatory [intə'rɔgətri] *adj* spørgende; *sb (jur)* spørgsmål.

interrupt [intə'rʌpt] *vb* afbryde; forstyrre; ~ *the view* spærre for udsigten.

interrupter [intə'rʌptə] *sb (elekt)* afbryder, (i bil) knikser.

interruption [intə'rʌpʃən] *sb* afbrydelse; forstyrrelse.

intersect [intə'sekt] *vb* gennemskære, overskære, gennembryde, dele; krydse; krydse *(el.* skære) hinanden.

intersection [intə'sekʃən] *sb* gennemskæring, vejkryds, korsvej; *line of* ~ *(geom)* skæringslinie.

intersectional [intə'sekʃənl] *adj* skærings-.

interspace ['intə'speis] *sb* mellemrum; *vb* spatiere.

intersperse [intə'spə:s] *vb* indstrø, indflette; anbringe spredt *(el.* rundt omkring) *(between* mellem, *in* i).

interstate [intə'steit] *adj (am)* mellemstatlig (ɔ: mellem enkeltstaterne) *(fx railways, commerce).*

interstellar ['intə'stelə] *adj* interstellar, mellem stjernerne.

interstice [in'tə:stis] *sb* mellemrum, sprække.

interstitial [intə'stiʃəl] *adj* mellemrums-; mellem-; mellemliggende.

intertribal [intə'traibl] *adj* mellem stammer; ~ *wars* stammekrige.

intertwine [intə'twain] *vb* sammenflette, sammenslynge; slynge sig om hinanden.

interurban ['intər'ə:bən] *adj* mellembys-, mellem (to) byer.

interval ['intəvl] *sb* mellemrum, (mellem toner) interval; (om tid) mellemtid; (i teater) pause, (i skole) frikvarter; *at* -s med visse mellemrum, her og der, nu og da; *at -s of three minutes* med tre minutters mellemrum; *at -s of ten feet* med ti fods mellemrum; ~ *signal* (i radio) pausesignal.

intervene [intə'vi:n] *vb* intervenere, gribe ind, lægge sig imellem, tage affære; ske *(el.* forekomme) i mellemtiden, komme imellem; *the intervening period* den mellemliggende tid. **intervenient** [intə'vi:niənt] *adj* som kommer imellem, griber ind *osv*

intervention [intə'venʃ(ə)n] *sb* mellemkomst, indskriden, intervention.

interview ['intəvju:] *sb* møde, samtale; (journalistisk:) interview; *vb* have en samtale med; interviewe; udspørge, afhøre.

interviewer ['intəvju:ə] *sb* interviewer.

interwar ['intə'wɔ:] *adj: the* ~ *years* mellemkrigsårene.

interweave [intə'wi:v] *vb* sammenvæve; *(fig)* sammenblande, sammenfiltre.

interwind [intə'waind] *vb* sammensno, sammenslynge, sammenfiltre.

interzonal [intə'zounəl] *adj* (i Tyskland) interzone- *(fx traffic);* mellem zoner(ne).

intestacy [in'testəsi] *sb* det at der ikke findes noget testamente efter en afdød.

intestate [in'testit] *sb* person der er død uden at efterlade sig testamente; *adj* som ikke er testamenteret; *die* ~ dø uden at efterlade sig testamente; ~ *succession (jur)* intestatarv.

intestinal [in'testinl] *adj* tarm- *(fx hemorrhage* blødning); indvolds-.

intestine [in'testin] *sb* tarm; -s (også) indvolde; *the large* ~ tyktarmen; *the small* ~ tyndtarmen.

intimacy ['intiməsi] *sb* intimitet, fortrolighed, fortroligt forhold; intimt (ɔ: seksuelt) forhold, samleje.

I. intimate ['intimit] *adj* fortrolig, intim *(fx friendship);* indgående *(fx knowledge);* indre, inderst; *sb* fortrolig ven; *be on* ~ *terms with* stå på en fortrolig fod med; *be* ~ *with* (også) stå i forhold til (ɔ: seksuelt).

II. intimate [in'timeit] *vb* lade forstå, antyde, tilkendegive.

intimately ['intimitli] *adv* intimt, fortroligt; nøje.

intimation [inti'meiʃ(ə)n] *sb* antydning, vink; tilkendegivelse.

intimidate [in'timideit] *vb* intimidere, skræmme.

intimidation [in'timideiʃ(ə)n] *sb* intimidering, skræmmen.

into ['intu (foran vokallyd), 'intə (foran konsonantlyd)] *præp* ind i, i; ud i, ud på, på; op i; ned i; over i; til; ~ *the bargain* oven i købet; *we have been* ~ *that* det har vi

drøftet *(el.* været igennem); *far* ~ *the night* (til) langt ud på natten; *flatter him* ~ *doing it* ved smiger få ham til at gøre det; *two* ~ *four goes twice* to i fire er to; *grow* ~ *a habit* blive til en vane; *translate* ~ *English* oversætte til engelsk.

in-toed ['intoud] *adj* med tæerne indad.

intolerable [in'tɔl(ə)rəbl] *adj* utålelig, ulidelig.

intolerance [in'tɔlərəns] *sb* intolerance, utålsomhed.

intolerant [in'tɔlərənt] *adj* intolerant, utålsom *(of, towards* over for).

intonate ['intəneit] *vb* istemme, intonere; messe.

intonation [intə'neiʃ(ə)n] *sb* (om stemme) intonation; tonegang; *(mht* sang) intonering; messen.

intone [in'toun] = *intonate.*

intoxicant [in'tɔksikənt] *sb* berusende middel (, drik).

intoxicate [in'tɔksikeit] *vb* beruse; drikke fuld; *-d with* beruset af. **intoxication** [intɔksi'keiʃ(ə)n] *sb* beruselse, fuldskab, rus.

intr. *fk* intransitive.

intractability [intræktə'biliti] *sb* uregerlighed, umedgørlighed, stridighed. **intractable** [in'træktəbl] *adj* uregerlig, umedgørlig, ustyrlig *(fx children);* ikke let at bearbejde.

intramural ['intrə'mjuərəl] *adj* inden for murene.

intransigent [in'trænsidʒənt] *adj* stejl, som nægter at gå på akkord, uforsonlig.

intransitive [in'trænsitiv, -'tra:n-] *adj (gram)* intransitiv.

intrauterine [intrə'ju:tərain] *adj (med.)* i livmoderen; ~ *device* polygon, spiral (til svangerskabsforebyggelse).

intravenous [intrə'vi:nəs] *adj (med.)* intravenøs, i en blodåre.

intrench(ment) = *entrench(ment).*

intrepid [in'trepid] *adj* uforfærdet, frygtløs.

intrepidity [intri'piditi] *sb* uforfærdethed, frygtløshed.

intricacy ['intrikəsi] *sb* indviklethed; *intricacies* indviklede detaljer, finesser; forviklinger.

intricate ['intrikit] *adj* indviklet, kompliceret; forvirrende.

intrigue [in'tri:g] *sb* intrige, rænke; (hemmelig) kærlighedsforbindelse; *vb* intrigere; smede rænker; have en (hemmelig) kærlighedsforbindelse *(with* med); vække interesse *(el.* nysgerrighed) hos, tiltrække, fængsle; forvirre; *be* -*d by* være tiltrukket *(el.* fængslet) af; ikke kunne stå for; *he was* -*d by this* (også:) han kunne ikke rigtig forklare sig dette.

intriguer [in'tri:gə] *sb* intrigant person, rænkesmed.

intriguing [in'tri:giŋ] *adj* interessant, fængslende, pikant; *sb* intrigeren.

intrinsic [in'trinsik] *adj* indre, væsentlig; som kommer indefra, indefra virkende; ~ *factor (fysiol)* enzym der af sondres i maven; ~ *value* egenværdi, reel værd, værdi i handel og vandel *(mods* affektionsværdi).

intro(d). *fk* introduction.

introduce [intrə'dju:s] *vb* indlede *(fx he -d his speech with an anecdote);* præsentere, forestille *(to* for, *fx he -d me to his father);* indføje *(into* i); indføre *(into,* to i, *fx they -d the potato into Denmark,* ~ *a tube into the trachea),* lancere *(fx a new fashion (, soap, theory);* be -*d* (også) komme frem, komme i brug; ~ *a Bill before Parliament* forelægge et lovforslag; ~ *a subject into the conversation* bringe et emne på bane; ~ *him to the subject* indføre *(el.* undervise) ham i emnet.

introduction [intrə'dʌkʃen] *sb* indførelse; forestilling, præsentation; anbefaling; indledning; *letter of* ~ introduktionsskrivelse.

introductory [intrə'dʌktəri] *adj* indledende.

introit ['intrɔit, in'trouit] *sb* introitus, indgangssalme.

introspect [intrə'spekt] *vb* analysere sine egne tanker og følelser.

introspection [intrə'spekʃ(ə)n] *sb* selvbeskuelse, selvanalyse, selviagttagelse, introspektion.

introspective [intrə'spektiv] *adj* selvbeskuende, selvransagende, selvanalyserende; indadvendt.

I. introvert [intrə'və:t] *vb* vende indad.

II. introvert ['intrəvə:t] *sb* indadvendt person.

intrude [in'tru:d] *vb* trænge sig på; komme til besvær, forstyrre; ~ *on him* forstyrre ham; trænge sig ind på ham; ~ *sth on sby* pånøde en noget; ~ *oneself on* trænge sig ind på.

intruder [in'tru:də] *sb* påtrængende menneske, ubuden

gæst; ~ *(aircraft)* fly der trænger ind over fjendtligt territorium.
intrusion [in'tru:ʒən] *sb* indtrængen, forstyrrelse; pånøden; *(geol)* intrusion.
intrusive [in'tru:siv] *adj* påtrængende, som trænger sig ind.
intubate ['intjubeit] *vb* anbringe kateter (, rør) i.
intuit [in'tjuit] *vb* vide intuitivt.
intuition [intju'iʃən] *sb* intuition, anskuelse, umiddelbar opfattelse; *know by* ~ vide intuitivt.
intuitional [intju'iʃənəl], **intuitive** [in'tju:itiv] *adj* intuitiv, umiddelbart erkendende.
intumesce [intju'mes] *vb* svulme op.
intumescence [intju'mesns] *sb* opsvulmen.
inunction [in'ʌnkʃən] *sb (med.)* indgnidning (af salve).
inundate ['inʌndeit] *vb* oversvømme, *(fig* også) overvælde.
inundation [inʌn'deiʃ(ə)n] *sb* oversvømmelse.
inure [in'juə] *vb* hærde *(to* imod), vænne *(to* til); (uden objekt) komme til anvendelse, træde i kraft *(fx the benefits ~ from the first day of disability)*.
inurn [in'ə:n] *vb* lægge i urne.
inutility [inju'tiliti] *sb* unyttighed.
invade [in'veid] *vb* overfalde, angribe, falde ind i, gøre indfald i *(fx a country)*, trænge ind i, invadere *(fx a country, his home)*; *(fig* også) oversvømme; (om rettigheder) krænke, gøre indgreb i; ~ *their privacy* forstyrre dem i deres privatliv, krænke deres privatlivs fred.
invader [in'veidə] *sb* angriber, indtrængende fjende; en der gør indgreb (, krænker).
I. invalid [in'vælid] *adj* ugyldig *(fx cheque, marriage)*.
II. invalid [in'vəli:d], *(am:)* 'invəlid] *adj* (kronisk) syg, svagelig; *sb* kronisk syg, patient, svagelig person.
III. invalid [invə'li:d] *vb* sætte på sygelisten, fjerne fra aktiv tjeneste som utjenstdygtig; ~ *him home* hjemsende ham som utjenstdygtig.
invalidate [in'vælideit] *vb* afkræfte; gøre ugyldig. **invalidation** [invæli'deiʃ(ə)n] *sb* ugyldiggørelse.
invalid| **chair** rullestol, kørestol. ~ **diet** sygekost.
invalidism ['invəlidizm] *sb* kronisk sygdom; (neurotisk overdrevet) svagelighed; utjenstdygtighed.
invalidity [invə'liditi] *sb* ugyldighed; (se også *invalidism*).
invaluable [in'vælju(ə)bl] *sb* uvurderlig.
invariability [invεəriə'biliti] *sb* uforanderlighed. **invariable** [in'vεəriəbl] *adj* uforanderlig; ufravigelig, gængs; *(mat.)* konstant. **invariably** *adv* uvægerlig; altid.
invasion [in'veiʒən] *sb* overfald, angreb, indfald; invasion; indtrængen; ~ *of my rights* indgreb i mine rettigheder; ~ *of privacy* krænkelse af privatlivets fred.
invective [in'vektiv] *sb* skældsord.
inveigh [in'vei] *vb* : ~ *against* skælde voldsomt ud på, rase mod.
inveigle [in'vi:gl] *vb* forlede, lokke *(into* til). **inveiglement** [in'vi:glmənt] *sb* forlokkelse.
invent [in'vent] *vb* opfinde; opdigte, finde på.
invention [in'venʃ(ə)n] *sb* opfindelse; påfund, påhit; løgn, løgnehistorie; opfindsomhed.
inventive [in'ventiv] *adj* opfindsom.
inventor [in'ventə] *sb* opfinder.
inventory ['invəntri] *sb* opgørelse, inventarieliste, inventarfortegnelse, lageropgørelse; katalog; *make (el. take el. draw up) an* ~ optage en fortegnelse.
inveracity [invə'ræsiti] *sb* usandfærdighed, usandhed.
Inverness [invə'nes].
inverse [in'və:s] *adj* omvendt; *(mat.* også) invers; *be in* ~ *ratio to, be -ly proportionate to,* vary *-ly as (mat.)* stå i omvendt forhold til, være omvendt proportional med.
inversion [in'və:ʃ(ə)n] *sb* det at vende om på, omvending, spejlvending; omstilling; (seksuelt:) homoseksualitet; *(gram)* inversion, omvendt ordstilling; *(mus.)* omvending; *(kem)* invertering; *(meteorol)* inversion; *(mat.)* oversættelse.
I. invert [in'və:t] *sb* homoseksuel.
II. invert [in'və:t] *vb* vende, vende op og ned på; spejlvende.
invertebrate [in'və:tibrit] *adj zo* hvirvelløs; (om person) uden rygrad; holdningsløs; *sb* hvirvelløst dyr; holdningsløs person.
inverted [in'və:tid] *adj* omvendt; spejlvendt.
inverted| **commas** anførselstegn, citationstegn, T gåseøjne.

~ **pleat** indvendigt wienerlæg.
inverter [in'və:tə] *sb (elekt)* vekselretter.
invert sugar invertsukker.
invest [in'vest] *vb* (om kapital) anbringe, investere *(fx ~ money in stocks)*; (om person) indsætte (i et embede); *(mil.)* indeslutte, belejre *(fx a fortress)*; ~ **in** investere i, sætte penge i; **T** købe, spendere på sig selv *(fx ~ in a new dress)*; ~ **with** indhylle i, omgive med *(fx mystery)*; give, skænke, forlene med, udstyre med *(fx absolute power)*; iklæde, iføre.
investigate [in'vestigeit] *vb* udforske; undersøge.
investigation [investi'geiʃ(ə)n] *sb* udforskning; undersøgelse.
investigator [in'vestigeitə] *sb* forsker, undersøger; detektiv.
investiture [in'vestitʃə] *sb* indsættelse (i et embede); investitur, indsættelsesret.
investment [in'ves(t)mənt] *sb* investering, pengeanbringelse; anbragt kapital; indsættelse (i embede); belejring, blokade; klædning. **investment trust** investeringsselskab.
investor [in'vestə] *sb* en som har penge at anbringe *el.* har anbragt penge i noget.
inveteracy [in'vetrəsi] *sb* indgroethed, hårdnakkethed, rodfæstethed.
inveterate [in'vet(ə)rit] *adj* indgroet *(fx dislike)*; forhærdet *(fx liar)*; uforbederlig *(fx drunkard, gambler)*.
invidious [in'vidiəs] *adj* odiøs; uheldig; som vækker uvilje (særlig på grund af vilkårlighed, uretfærdighed), uretfærdig; stødende *(fx remarks)*.
invigilate [in'vidʒileit] *vb* føre tilsyn (ved skriftlig eksamen); overvåge, inspicere.
invigilation [invidʒi'leiʃ(ə)n] *sb* eksamenstilsyn.
invigilator [in'vidʒileitə] *sb* (person som har) eksamenstilsyn.
invigorate [in'vigəreit] *vb* give kraft, styrke, stramme op.
invigoration [invigə'reiʃ(ə)n] *sb* styrkelse, ny kraft; opstramning, opstrammende virkning.
invincibility [invinsi'biliti] *sb* uovervindelighed. **invincible** [in'vins(ə)bl] *adj* uovervindelig; urokkelig; (ofte:) håbløs *(fx ignorance, incompetence)*.
inviolability [invaiələ'biliti] *sb* ukrænkelighed; ubrødelighed.
inviolable [in'vaiələbl] *adj* ukrænkelig; ubrødelig.
inviolate [in'vaiəlit] *adj* ukrænket; ubrudt.
invisibility [invizə'biliti] *sb* usynlighed.
invisible [in'vizibl] *adj* usynlig; *sb*: *invisibles* = ~ *exports* usynlig eksport; ~ *mending* kunststopning.
invitation [invi'teiʃ(ə)n] *sb* indbydelse, invitation; opfordring, anmodning.
invite [in'vait] *vb* indbyde, invitere *(fx ~ him to a party)*; opfordre *(fx ~ him to join)*, bede; bede om, udbede sig *(fx suggestions)*; opfordre til *(fx to be defenceless is simply to ~ attack)*, udsætte sig for *(fx attack, failure)*; ~ *attention* påkalde sig opmærksomhed; *it -s reflection* det maner til eftertanke; *it -s the smile* det kalder på smilet.
inviting [in'vaitiŋ] *adj* indbydende, fristende.
invocation [invə'keiʃən] *sb (cf invoke)* påkaldelse, anråbelse; nedkaldelse, fremmanen; påberåbelse.
invocatory [in'vɔkətəri] *adj* påkaldende; anråbelses-.
invoice ['invɔis] *sb* faktura; *vb* fakturere, udfærdige faktura over.
invoke [in'vouk] *vb* påkalde, anråbe *(fx God)*; nedkalde *(fx vengeance on* (over) *them)*; fremmane *(fx a spectre)*; påberåbe sig.
involucre [in'volu:kə] *sb (bot)* svøb (om blomsterstand), sporegemme.
involuntary [in'vɔləntəri] *adj* ufrivillig; uvilkårlig.
involute [in'vəl(j)u:t] *adj* indviklet; spiraldrejet; *(bot)* (om blad) indadrullet.
involution [invə'l(j)u:ʃ(ə)n] *sb* indvikling; forvikling; indviklethed; *(mat.)* potensopløftning; *(biol, med.)* involution.
involve [in'vɔlv] *vb* medføre, involvere, være forbundet med *(fx it -s great expenses)*; indvikle, indblande, inddrage *(fx ~ him in the conflict)*; engagere, implicere, omfatte *(fx a problem that -s us all)*, indvirke på.
involved [in'vɔlvd] *adj* indviklet, kompliceret *(fx affair)*; ~ *in* impliceret i *(fx a crime)*, engageret i *(fx an undertaking)*; optaget af; ~ *in debt* forgældet; *there is too much*

~ der står for meget på spil; *be* ~ *with* være optaget af *(fx a problem)*; have forbindelse med, være engageret med *(fx gangsters)*.

involvement [in'vɔlvmənt] *sb* indvikling, indblanding, inddragelse *(fx avoid* ~ *in the conflict)*; engagement *(fx a sense of personal* ~*; their* ~ *in the Middle East)*.

invulnerability [invʌlnərə'biliti] *sb* usårlighed.

invulnerable [in'vʌlnərəbl] *adj* usårlig.

inward ['inwəd] *adj* indre; indvendig, indvortes; ind(ad)gående; *adv* indad; ~ *bound (mar)* for indgående.

inwardly ['inwədli] *adv* indvendigt, inadtil, i ens stille sind.

inwardness ['inwədnis] *sb* egentlig beskaffenhed *(el.* natur); *true* ~ dybere mening; *the true* ~ *of the case* den dybere sammenhæng.

I. inwards ['inwədz] *sb pl* indvolde; indvendige dele.

II. inwards ['inwədz] *adv* indad, i ens indre; *turned* ~ indadvendt.

inwrought ['inrɔ:t] *adj* indvævet; indvirket; mønstret; ~ *with (fig)* indvævet *(el.* indflettet) i; tæt forbundet med.

iodic [ai'ɔdik] *adj* jodholdig; ~ *acid* jodsyre.

iodide ['aiədaid] *sb* jodforbindelse; *potassium* ~ jodkalium; *sodium* ~ jodnatrium.

iodine ['aiədi:n, -dain] *sb* jod.

iodism ['aiədizm] *sb* jodforgiftning.

iodize ['aiədaiz] *sb* behandle *(el.* præparere) med jod.

iodoform [ai'ɔdəfɔ:m] *sb* jodoform.

I. of M. *fk Isle of Man.*

I. of W. *fk Isle of Wight.*

ion ['aiən] *sb (fys) ion.*

ion| exchange ionbytning. ~ **exchanger** ionbytter.

Ionia [ai'ounjə] Jonien.

Ionian [ai'ounjən] *adj* jonisk; *sb* joner.

ionization [aiənai'zeiʃən] *sb* ionisering; ~ *chamber* ioniseringskammer.

iota [ai'outə] *sb* jota; bagatel, tøddel.

IOU ['aiou'ju:] *(= I owe you)* gældsbrev.

Iowa ['aiəwə].

ipecac ['ipikæk], **ipecacuanha** [ipikækju'ænə] *sb (bot)* ipecacuanha, brækrod.

Iphigenia [ifidʒi'naiə]. **Ipswich** ['ipswitʃ].

IQ *fk* intelligence quotient.

IRA *fk Irish Republican Army.*

Irak [i'ra:k] Irak, Mesopotamien.

Iran [i(ə)'ra:n] Iran, Persien.

Iranian [i'reinjən] *sb, adj* iransk, persisk.

Iraq [i'ra:k] Irak, Mesopotamien.

irascibility [(ə)ræsi'biliti] *sb* hidsighed.

irascible [(a)i'ræsibl] *adj* opfarende, hidsig.

irate [ai'reit] *adj* vred, opbragt, forbitret.

IRBM *fk intermediate-range ballistic missile.*

IRC *fk International Red Cross.*

ire [aiə] *sb* vrede, forbitrelse.

ireful ['aiəf(u)l] *adj* vred, forbitret.

Ireland ['aiələnd] Irland.

Irene ['airi:n; ai'ri:ni].

irenic(al) [ai'ri:nik(l)] *adj* fredelig, fredsommelig; fredsstiftende.

iridescence [iri'desns] *sb* iriseren, spillen i regnbuens farver.

iridescent [iri'desnt] *adj* iriserende, spillende i regnbuens farver.

iridium [ai'ridiəm] *sb* iridium (et metal).

iris ['aiəris] *sb (anat)* iris, regnbuehinde; *(bot)* sværdlilje.

Irish [ai'(ə)riʃ] *sb, adj* irsk; *the* ~ irlænderne, irerne.

Irish bull komisk selvmodsigelse, bommert *(fx I do as much work as anyone else, only it takes me longer)*.

Irishism ['ai(ə)riʃizm] *sb* irsk sprogejendommelighed.

Irishman ['ai(ə)riʃmən] *sb* irlænder, irer.

Irishry ['ai(ə)riʃri] *sb* irsk befolkning.

Irish stew irsk stuvning (sammenkogt ret af bedekød med kartofler og løg).

Irishwoman ['ai(ə)riʃwumən] *sb* irlænderinde.

iritis [aiə'raitis] *sb (med.)* regnbuehindebetændelse.

irk [ə:k] *vb* trætte; kede *(fx it -s me to do that)*.

irksome ['ə:ksəm] *adj* trættende; kedsommelig.

IRO ['airou] *fk International Refugee Organization.*

I. iron ['aiən] *sb* jern; *(fig)* kraft, styrke; hårdhed, grusomhed; strygejern; **S** pistol, skyder; *-s pl* lænker; *adj* af

jern; *(fig)* fast, urokkelig; hård, grusom; *the* ~ *entered his soul* han blev fyldt af bitter sorg; der gik noget i stykker i ham; *have too many -s in the fire* have for mange jern i ilden; *a man of* ~ en hård (, ubøjelig, ubarmhjertig) mand; *rule with an* ~ *rod* regere med jernhånd; *strike while the* ~ *is hot* smede mens jernet er varmt.

II. iron ['aiən] *vb* lægge i lænker; beklæde med jern; stryge (med strygejern); ~ *out* udjævne, udglatte; fjerne, bringe ud af verden.

iron|bound jernbeslået; (om kyst) klippefuld; *(fig)* hård, ubøjelig. **-clad** *adj* pansret; *sb (hist.)* panserskib. ~ **curtain:** *the* ~ *curtain* jerntæppet.

Iron Duke: *the* ~ (et tilnavn til Wellington).

iron| filings jernfilspåner. ~ **founder** jernstøber.

ironical [ai'rɔnikl] *adj* ironisk; *-ly enough* ved skæbnens ironi.

ironing ['aiənin] *sb* strygning; presning; strygetøj. **ironing| board** strygebræt. ~ **room** strygestue.

ironist ['aiərənist] *sb* ironiker.

iron| lung jernlunge. **-master** jernværksejer. **-monger** ['aiənmʌngə] isenkræmmer. **-mongery** ['aiənmʌng(ə)ri] *sb* isenkramvarer. ~ **mould** rustplet, blækplet. ~ **pyrites** jernkis. ~ **ration** nødration. **-work** jernarbejde. **-works** *sg el. pl* jernværk.

I. irony ['aiəni] *adj* jernhård; jern-.

II. irony ['aiərəni] *sb* ironi.

Iroquois ['irəkwɔi] *sb* irokeser.

irradiant [i'reidjənt] *adj* lysende, strålende.

irradiate [i'reidieit] *vb* belyse, kaste *(el.* sprede) lys over; oplyse; *(fig)* udstråle *(fx happiness)*; *(med.)* bestråle.

irradiation [ireidi'eiʃ(ə)n] *sb* strålen, udstrålen; stråleglans; *(fig)* oplysning, belysning.

irrational [i'ræʃ(ə)nəl] *adj* ufornuftig; urimelig, irrationel; *(mat.)* irrational *(fx numbers)*. **irrationality** [iræʃə'næliti] *sb* ufornuft, urimelighed; irrationalitet.

irreclaimable [iri'kleimabl] *adj* uigenkaldelig; uforbederlig; (om landområde) som ikke kan bringes under kultur.

irreconcilability [irekənsailə'biliti] *sb* uforsonlighed; uforenelighed. **irreconcilable** [i'rekənsailəbl] *adj* uforsonlig, uforenelig.

irrecoverable [iri'kʌv(ə)rəbl] *adj* som der ikke kan rådes bod på *(fx mistake)*, uoprettelig; uerstattelig *(fx losses)*; ~ *debt* uerholdelig fordring.

irrecusable [iri'kju:zəbl] *adj* uafviselig.

irredeemable [iri'di:məbl] *adj* uigenkaldelig; uerstattelig *(fx loss)*; uforbederlig; *(økon)* uopsigelig *(fx loan)*; uindløselig *(fx paper money)*.

irredentist [iri'dentist] *adj* forkæmper for genforening med moderlandet af områder under fremmed herredømme.

irreducible [iri'dju:səbl] *adj* som ikke kan reduceres yderligere.

irrefragable [i'refrəgəbl] *adj* uomstødelig, uigendrivelig *(fx argument)*.

irrefrangible [iri'frændʒəbl] *adj* ubrydelig.

irrefutable [iri'fju:təbl, i'refjutəbl] *adj* uigendrivelig.

irregular [i'regjulə] *adj* uregelmæssig *(fx visits, teeth)*; ikke i overensstemmelse med forskrifterne, ukorrekt *(fx procedure)*, ureglementeret; (om livsførelse) uordentlig, udsvævende; *(gram, bot)* uregelmæssig; *(mil.)* irregulær. **irregularity** [iregju'læriti] *sb* uregelmæssighed. **irregulars** [i'regjuləz] *sb pl* irregulære tropper.

irrelevance [i'relivəns], **irrelevancy** [i'relivənsi] *sb* irrelevans, det at være sagen uvedkommende; uvedkommende bemærkning.

irrelevant [i'relivənt] *adj* irrelevant, (sagen) uvedkommende.

irreligion [iri'lidʒən] *sb* religionsløshed; irreligøsitet.

irreligious [iri'lidʒəs] *adj* religionsløs; irreligiøs.

irremediable [iri'mi:diəbl] *adj* som ulbehredelig, uafhjælpelig; ubodelig.

irremissible [iri'misəbl] *adj* utilgivelig *(fx sin)*; som man ikke kan slippe for *(fx duty, punishment)*; som ikke kan eftergives.

irremovability ['irimu:və'biliti] *sb* uafsættelighed.

irremovable [iri'mu:vəbl] *adj* uafsættelig; som ikke kan fjernes eller flyttes.

irreparable [i'rep(ə)rəbl] *adj* uoprettelig; ubodelig.

irreplaceable [iri'pleisəbl] *adj* uerstattelig.
irrepressible [iri'presəbl] *adj* ukuelig, ubetvingelig.
irreproachable [iri'prouʧəbl] *adj* udadlelig, ulastelig, upåklagelig.
irresistibility ['irizistə'biliti] *sb* uimodståelighed.
irresistible [iri'zistəbl] *adj* uimodståelig.
irresolute [i'rezəl(j)u:t] *adj* tvivlrådig, ubeslutsom, vankelmodig. **irresolution** [irezə'l(j)u:ʃən] *sb* ubeslutsomhed, vaklen.
irresolvable [iri'zɔlvəbl] *adj* uopløselig.
irrespective [iri'spektiv] *adj:* ~ *of* uden hensyn til, uanset.
irresponsibility ['irispɔnsə'biliti] *sb* ansvarsfrihed; uansvarlighed, ansvarløshed, letsindighed.
irresponsible [iri'spɔnsəbl] *adj* ansvarsfri; uansvarlig, ansvarsløs, letsindig.
irresponsive [iri'spɔnsiv] *adj* uforstående, som ikke reagerer *(to* over for).
irretentive [iri'tentiv] *adj* som savner evne til at fastholde (indtryk, *etc).*
irretrievable [iri'tri:vəbl] *adj* uoprettelig *(fx loss).* **irretrievably** *adv* uopretteligt, uigenkaldeligt, redningsløst *(fx lost).*
irreverence [i'rev(ə)rəns] *sb* uærbødighed, pietetsløshed *(of* for). **irreverent** [i'rev(ə)rənt] *adj* uærbødig; pietetsløs.
irreversible [iri'və:səbl] *adj* uomstødelig; som ikke kan vendes; (om maskine) ikke omstyrbar; *(kem etc)* irreversibel.
irrevocable [i'revəkəbl] *adj* uigenkaldelig *(fx decision).*
irrigate [i'irigeit] *vb* overrisle, vande; *(med.)* udskylle.
irrigation [iri'geiʃ(ə)n] *sb* overrisling; (kunstig) vanding; *(med.)* udskylning. **irrigator** [i'irigeitə] *sb* overrislingsapparat; *(med.)* irrigator, udskylningsapparat.
irritability [iritə'biliti] *sb* pirrelighed, irritabilitet.
irritable [i'iritəbl] *adj* pirrelig, irritabel.
irritant [i'iritənt] *adj* pirrende; *sb* pirringsmiddel; årsag til irritation. **irritate** [i'iriteit] *vb* pirre, irritere; drille.
irritation [iri'teiʃ(ə)n] *sb* pirring, irritation; ophidselse.
irruption [i'rʌpʃ(ə)n] *sb* pludselig indtrængen; indfald (i et land), invasion.
is [iz] er, 3. *pers sg præs* af *be.*
Isaac ['aizək] Isak.
isabella [izə'belə] *sb* isabellafarve; *adj* isabellafarvet.
isagogics [aisə'gɔdʒiks] *sb* isagogik, indledning.
Isaiah [ai'zaiə] Jesaias, Esajas.
ischiadic [iski'ædik], **ischiatic** [iski'ætik] *adj* hofte-, ischias-.
-ish -agtig *(fx childish* barnagtig); -lig *(fx greenish* grønlig); ret, temmelig *(fx coldish* temmelig kold); omkring *(fx he is fortyish* han er omkring de fyrre); *it is eightish* klokken er cirka 8.
Ishmael ['iʃmeiəl] Ismael; en som er i krig med samfundet; fredløs. **Ishmaelite** ['iʃmiəlait] *sb* ismaelit; en som er i krig med samfundet; fredløs.
isinglass ['aiziŋglɑ:s] *sb* husblas; glimmer; marieglas.
Isis ['aisis] *the* ~ Themsen ved Oxford.
Islam ['izlɑ:m, iz'lɑ:m] Islam. **Islamic** [iz'læmik] *adj* islamitisk, muhamedansk. **Islamism** ['izləmizm] *sb* muhamedanisme.
island ['ailənd] *sb* ø; (på kørebane: *traffic* ~) helle; *in the* ~ på øen. **islander** ['ailəndə] *sb* øbo.
isle [ail] *sb* (især *poet el.* i faste *forb)* ø *(fx the Isle of Man; the British Isles).*
islet ['ailit] *sb* lille ø, holm.
Islington ['izliŋtən].
ism [izm] *sb* (ironisk) -isme, teori, lære.
isn't = *is not.*
isobar ['aisəbɑ:] *sb (meteorol)* isobar, linie gennem steder med samme lufttryk.
isocheim ['aisəkaim] *sb (meteorol)* vinterisoterm, linie gennem steder der har samme middeltemperatur om vinteren.
isochromatic [aisəkrə'mætik] *adj* ensfarvet; isokrom.
isogonic [aisə'gɔnik] *adj :* ~ *line* isogon, linie gennem steder med samme magnetiske misvisning.
isolate ['aisəleit] *vb* isolere, afsondre; udskille; (om bakteriekultur) rendyrke. **isolation** [aisə'leiʃ(ə)n] *sb* isolering, afsondring; (af bakteriekultur) rendyrkning; ~ *hospital* epidemihospital. **isolationism** [aisə'leiʃ(ə)nizm] *sb* isolationisme. **isolationist** [aisə'leiʃ(ə)nist] *sb* isolationist.

isomeric [aisə'merik] *adj (kem)* isomer.
isopod ['aisəpɔd] *sb zo* isopode (et krebsdyr).
isosceles [ai'sɔsili:z] *adj* ligebenet (om trekant).
isotherm ['aisəθə:m] *sb (meteorol)* isoterm, linie gennem steder med samme middeltemperatur om sommeren.
isothermal [aisə'θə:ml] *sb* isoterm.
isotope ['aisətoup] *sb (kem)* isotop.
Ispahan [ispə'hɑ:n].
Israel ['izreiəl] Israel. **Israeli** [iz'reili] *adj* israelisk; *sb* israeler. **Israelite** ['izriəlait] *sb* israelit.
issuance ['iʃuəns] *sb* udstedelse, udsendelse.
I. issue ['iʃu:, 'isju:] *sb* problem, spørgsmål *(fx debate an* ~*),* stridspunkt; resultat, udfald *(fx let us await the* ~*),* afslutning, udgang; *(mht* væske) udløb, afløb, (især *med.)* udstrømning *(fx of blood); (cf II. issue)* udlevering *(fx of rations),* udsendelse, udstedelse *(fx of a decree, a passport),* (af aktier *etc* også) emission; (om bog *etc)* udgivelse, udsendelse *(fx of new stamps),* (udgivet antal) oplag, (del af værk) hæfte, levering; (af avis, tidsskrift) nummer *(fx it will appear in our next* ~*); (bibl)* udlån; *(jur)* børn, afkom, efterkommer(e) *(fx die without* ~*); -s pl* indtægter;
be at ~ være uenige; *the matter (el. point) at* ~ den sag der er under debat, stridsspørgsmålet; *bring (el. put) the matter to an* ~ bringe sagen til afslutning; *join (el. take)* ~ *with* erklære sig uenig med; indlade sig i diskussion med; *shirk (el. dodge) the* ~ gå uden om spørgsmålet (el. sagen).
II. issue ['iʃu:, 'isju:] *vb* udlevere *(fx rifles);* udsende; udstede *(fx a decree, a passport),* (om aktier *etc* også) emittere; (om bog *etc)* udsende, udgive; (i bibliotek) udlåne; ~ *from* komme (ud) fra, udgå fra; *(el.* strømme) ud fra *(fx blood issuing from the wound);* stamme fra, hidrøre fra; ~ *in (glds)* ende med; *be -d with sth* få noget udleveret *(fx they were -d with rifles).*
isthmus ['isməs] *sb* landtange *(fx the Isthmus of Panama).*
it [it] *pron* den, det; **S** sex-appeal, charme;
(som subjekt:) *it is all right* det er i orden; *it is very far der* er meget langt (derhen); *it is late (, two o'clock)* klokken er mange (, to); *it is 6 miles (, a long way, no way) to Oxford* der er 6 miles (, langt, ikke ret langt) til Oxford; *it is said that* ... man siger at; *it says in the paper that* ... der står i avisen at ...;
(som prædikat:) *I thought I was absolutely 'it' in my new blouse* jeg syntes jeg var vældig fiks i mine nye bluse; *for impudence he is really it* han er noget af det frækkeste; *that's it* det er rigtigt *(fx that's it, give us a song);* ja netop; *that's probably it* det er nok forklaringen; det er nok derfor; *that hat is simply it* den hat er helt rigtig; *this is it!* nu kommer det! nu sker det! *what is it?* hvad er der? *who is it?* hvem er det?
(som objekt:) *se* verbet, fx *II. foot, get, give, I. go, lord, III. rough; we had a good time of it* vi morede os godt.
Italian [i'tæljən] *adj* italiensk; *sb* italiensk; italiener; ~ *iron* pibejern. **Italianism** [i'tæljənizm] *sb* italiensk (sprog)-ejendommelighed. **Italianize** [i'tæljənaiz] *vb* italienisere; spille italiener.
I. Italic [i'tælik] *adj* italisk.
II. italic [i'tælik] *adj* kursiv; *sb pl: italics* kursiv; *the -s are ours* fremhævet af os.
italicize [i'tælisaiz] *vb* kursivere.
Italy ['itəli] Italien.
itch [iʧ] *vb* klø; *sb* kløe; fnat, skab; *(fig)* stærk lyst, længsel; *be -ing to* brænde efter at; *my fingers* ~ *to box his ears* mine fingre klør efter at give ham en lussing; *have an* ~ *for money,* have an -ing palm være pengebegærlig.
itch mite fnatmide.
itchy ['itʃi] *adj* kløende; fnattet, skabet.
I. item ['aitəm] *sb* (enkelt) artikel, punkt, post; (i edb) element; *vb* optegne, notere; ~ *of information* oplysning; ~ *of-news* nyhed.
II. item ['aitəm] *adv* item, ligeledes.
itemize ['aitəmaiz] *vb* opføre de enkelte poster, specificere (en regning).
iterate ['itəreit] *vb* gentage.

I.T.A. *fk Independent Television Authority.*
i.t.a. *fk initial training alphabet.*

iteration [itəˈreiʃ(ə)n] *sb* gentagelse.
iterative [ˈitərətiv] *adj* iterativ, gentagende.
itineracy = *itinerancy*.
itinerancy [iˈtinərənsi] *sb* det at drage fra sted til sted; omvandren.
itinerant [iˈtinərənt] *adj* (om)rejsende, (om)vandrende.
itinerary [iˈtinərəri] *sb* rejsebeskrivelse; rejseplan, rute; rejsehåndbog. **itinerate** [iˈtinəreit] *vb* rejse om, vandre om.
its [its] *pron* dens, dets; sin, sit, sine.
it's [its] sammentrukket af: *it is, it has.*
itself [itˈself] *pron* den selv, det selv; sig selv, sig; selv; selve; *by* ~ af sig selv; for sig selv, alene; *she is kindness* ~ hun er godheden selv.
ITV *fk Independent Television.*
Ivanhoe [ˈaiv(ə)nhou].
I've [aiv] sammentrukket af: *I have.*

ivied [ˈaivid] *adj* dækket af vedbend; vedbendklædt.
I. ivory [ˈaiv(ə)ri] *sb* elfenben; ting af elfenben; *ivories* elefanttænder; terninger; billardballer; pianotangenter; tænder; *black* ~ negerslaver; *tickle the ivories* S spille klaver.
II. ivory [ˈaiv(ə)ri] *adj* af elfenben, elfenbens-; elfenbensgul, elfenbenshvid.
ivory black *adj* elfenbenssort.
Ivory Coast: *the* ~ elfenbenskysten.
ivory| gull *zo* ismåge. ~ **nut** elfenbensnød.
ivy [ˈaivi] *sb (bot)* vedbend, efeu.
Ivy League de kendteste universiteter i det nordøstlige USA (Yale, Harvard, Princeton, Columbia, Cornell m. fl.).
I.W. *fk Isle of Wight.*
izard [ˈizəd] *sb zo* den pyrenæiske gemse.

J, j [dʒei].
J. *fk Judge; Julius; Justice.*
Ja. *fk James.*
jab [dʒæb] *vb* støde, stikke; pirke; *sb* stød; stik; **S** vaccination; indsprøjtning.
jabber ['dʒæbə] *vb* pludre, plapre; lire af; *sb* pludren, plapren.
jabiru ['dʒæbiru:] *sb zo* jabiru, kæmpestork.
jacana ['dʒækənə] *sb zo* jakana; bladhøne.
jacaranda ['dʒækə'rændə] *sb (bot)* jakaranda.
jacinth ['dʒæsinθ] *sb (min.)* hyacinth.
I. Jack, jack [dʒæk] *sb* savbuk; trækile; (i klaver) støder; (i kortspil) knægt; (i køkken) stegevender; *(tekn.)* donkraft; *(tlf)* jack; *zo* lille gedde; *(mar)* gøs (lille flag); *(~ -tar)* menig sømand, søulk; **S** penge; kogesprit; **T** (i tiltale) kammerat, makker; *(adj* om dyr) han- *(fx ~ monkey);* *-s* terrespil; *every man ~* hver moders sjæl, hver eneste en; *before you could say ~ Robinson* før man vidste et ord af det; før man kunne tælle til tre.
II. jack [dʒæk] *vb: ~ up* løfte med (, på) donkraft *(fx a car);* **T** hæve *(fx prices),* sætte i vejret; højne, forbedre; **S** opgive; *~ him up* **T** give ham en balle; *~ off* **S** onanere.
jackal ['dʒækɔ:l] *sb zo* sjakal; (om person) håndlanger, 'kreatur'.
jackanapes ['dʒækəneips] *sb* næbbet unge, Per Næsvis; laps, spradebasse.
jackaroo [dʒækə'ru:] *sb (austr)* **T** elev på fåre- el. kvægfarm.
jackass ['dʒækæs] *sb* hanæsel; *(fig)* ['dʒæka:s] fæ, fjols; (se også *laughing ~).*
jackboot ['dʒækbu:t] *sb* skaftestøvle; (fiskers) vandstøvle; *(glds)* kravestøvle.
jackbox ['dʒækbɔks] *sb* stikdåse.
jackdaw ['dʒækdɔ:] *sb zo* allike.
jacket ['dʒækit] *sb* jakke, trøje; (på bog) (smuds)omslag; *(tekn.)* kappe; *vb* give jakke *(el.* trøje) på; **T** klø, banke; *potatoes in their -s* kartofler med skræl på.
jacketing ['dʒækitiŋ] *sb* **T** klø, bank.
Jack Frost frosten (personificeret).
jack|-in-office storsnudet embedsmand, bureaukrat, kontorius. *~ -in-the-box* trold i en æske. *~ -in-the-green* (en figur, om hvilken der danses ved majfest).
Jack Ketch bøddelen.
jackknife ['dʒæknaif] *sb* (stor) foldekniv; (udspring) hoftebøjet spring; tyskerspring.
jack-of-all-trades altmuligmand, tusindkunstner.
jack|-o'-lantern lygtemand. *~ pine (bot)* banksfyr. *~ plane* skrubhøvl. *-pot* pulje (i poker); (i lotteri) den store gevinst; *hit the -pot* (også *fig)* vinde den store gevinst. *~ rabbit (am)* præriehare.
Jack Robinson se *Jack.*
jack|screw donkraft. *-snipe zo* enkeltbekkasin. *-stones* terrespil. *-straws* skrabnæsespil. *~ -tar* **T** sømand, søulk. *~ towel* rullehåndklæde.
Jacob [dʒeikəb]; *sb* **S** stige.
Jacobean [dʒækə'bi:ən] *adj* som hører til *(el.* stammer fra) Jakob I's regeringstid (1603-25).
I. Jacobin [dʒækəbin] *sb* jakobiner.
II. jacobin [dʒækəbin] *sb zo* parykdue.
Jacobite ['dʒækəbait] *sb* jakobit (tilhænger af Jakob II og hans slægt).
Jacob's ladder *sb (bot* og bibelsk) jakobsstige; *(mar)* jakobslejder, faldereb.
jaconet ['dʒækənit] *sb* jaconet (hvidt bomuldstøj).
jacquerie [dʒækə'ri:] *sb* bondeopstand.
I. jade [dʒeid] *sb* øg, krikke; *(neds* om kvinde) tøs, mær.
II. jade [dʒeid] *sb* nefrit, jade (en grøn sten).
jaded ['dʒeidid] *adj* udmattet, udkørt, træt; *a ~ appetite* en sløvet appetit.

Jaeger ['jeigə] *sb* (fint uldstof, *bl a* brugt til undertøj).
jag [dʒæg] *sb* tak, spids, tand; skår, hak; flænge (i tøj); **S** brandert *(fx have a ~ on);* soldetur; tur, omgang, anfald *(fx a crying ~);* dosis narkotika; indsprøjtning, 'skud'; *vb* gøre takket, lave takker i.
jagged ['dʒægid] *adj* takket, forrevet.
jagger ['dʒægə] *sb* kagespore.
jaggy ['dʒægi] *adj* savtakket.
jaguar ['dʒægjuə] *sb zo* jaguar.
jail [dʒeil], **jailer** *(am)* = *gaol (etc).*
jake [dʒeik] *sb (am* **T**) bondeknold; grønskolling; *adj* fin, førsteklasses.
jakes [dʒeiks] *sb* **S** lokum, das.
jalap ['dʒæləp] *sb (bot)* jalaprod.
jalop(p)y [dʒæ'lɔpi] *sb* **T** gammel smadderkasse, bilvrag.
jalousie ['ʒælu:zi:] *sb* persienne.
I. jam [dʒæm] *sb* syltetøj; *(fig)* en fornøjelse, en ren svir; en lækkerbisken *(fx ~ for the Press);* some people get all the ~ der er nogen der er heldige; *money for ~* let tjente penge.
II. jam [dʒæm] *sb* trængsel, stimmel; (trafik)standsning, trafikknude; *get into a ~* komme i knibe.
III. jam [dʒæm] *vb* trykke, presse, klemme *(fx he -med his finger in the door);* mase, proppe *(fx one's clothes into a suitcase);* blokere *(fx the river was -med with logs);* (radio:) forstyrre (sendelse) med støjsender; (uden objekt) binde, gå trangt, sidde fast (om dør *etc);* sætte sig fast *(fx the car horn had -med),* blive blokeret, gå i baglås; **S** (i jazz) improvisere; *~ the brakes on* hugge bremserne i.
Jamaica [dʒə'meikə] Jamaica; *sb* jamaicarom.
Jamaican [dʒə'meik(ə)n] *sb* jamaicaner; *adj* jamaicansk.
jamb [dʒæm] *sb* dørstolpe; (i vindue) sidekarm.
jamboree [dʒæmbə'ri:] *sb* spejderstævne, jamboree; **T** gilde, fest.
James [dʒeimz] *(hist., bibelsk)* Jakob; *scallop of St. ~* ibsskal.
jammer ['dʒæmə], **jamming station** *sb* støjsender.
jam pot syltetøjskrukke.
jam session sammenkomst af jazz-musikere hvor man spiller *el.* improviserer for egen fornøjelse; jam-session.
I. Jane [dʒein].
II. jane [dʒein] *sb* (**S**, *neds)* kvinde.
Janeiro [dʒə'niərou].
Janet ['dʒænit].
jangle ['dʒæŋgl] *vb* skændes; skurre, skramle, klirre, rasle; (med objekt) skramle (, rasle *etc)* med; *sb* kævl, strid; raslen, klirren, skramlen.
Janissary ['dʒænizəri] *sb* = *Janizary.*
janitor ['dʒænitə] *sb* portner; skolebetjent, pedel; *(am)* vicevært.
Janizary ['dʒænizəri] *sb* janitschar (tyrkisk soldat).
jankers ['dʒæŋkəz] *sb pl* **S** straffeexsercits, arrest.
jannock ['dʒænək] *adj (dial)* ægte, ærlig, ligefrem; fin.
January ['dʒænjuəri] januar.
Jap [dʒæp] **T** = *Japanese.*
I. Japan [dʒə'pæn] Japan.
II. japan [dʒə'pæn] *sb* lakarbejde; japanlak; *vb* lakere (med japanlak).
Japanese [dʒæpə'ni:z] *sb* japaner, japansk; *adj* japansk.
jape [dʒeip] *sb (glds)* spøg, hib; *vb* spøge; gøre nar af; håne.
I. jar [dʒa:] *vb* (om lyd) skurre, hvine *(fx the chalk -red against the blackboard),* skratte; (om bevægelse) vibrere, ryste *(fx the window -red in the frame);* *(fig)* være i modstrid med hinanden, ikke harmonere *(fx our opinions -red);* skændes; (med objekt) ryste, chokere *(fx she was -red by the burglary);* *~ on sby* irritere en, støde en; *~ on sby's ears* skurre i ens ører; *~ on sby's nerves* gå en på nerverne; *~ with (el. against)* skurre mod; være i

modstrid med, disharmonere med; (om farver) skrige mod.

II. jar [dʒa:] *sb* skurren, hvinen, skratten; vibration; stød, bump, rystelse; *(fig)* chok; sammenstød, skænderi.

III. jar [dʒa:] *sb* lerkrukke, stentøjskrukke; glas *(fx jam ~ sylte(tøjs)glas)*.

IV. jar [dʒa:]: *on the ~* på klem.

jardinière [ʒa:din'jɛə] *sb* urtepotteskjuler; blomsteropsats; blomsterstativ, jardiniere.

jargon ['dʒa:gən] *sb* jargon; fagsprog; *(neds)* kaudervælsk; opstyltet sprog.

jargonelle [dʒa:gə'nel] *sb* kejserindepære.

jarring ['dʒa:riŋ] *adj* skurrende, disharmonisk, grel; rystende, stødende *(fx motion)*; *(fig)* rystende, chokerende; stødende, irriterende.

jarvey ['dʒa:vi] *sb* (irsk:) hyrekusk.

jasmine ['dʒæzmin, 'dʒæs-] *sb (bot)* jasmin.

jasper ['dʒæspə] *sb (min.)* jaspis; *~ red* jaspisrød.

jaundice ['dʒɔ:ndis] *sb* gulsot; skinsyge, mistænksomhed, misundelse.

jaundiced ['dʒɔ:ndist] *adj* syg af gulsot; misundelig, skinsyg; *~ with envy* gul og grøn af misundelse.

jaunt [dʒɔ:nt] *vb* foretage udflugter, strejfe om; *sb* fornøjelsestur, udflugt.

jaunty ['dʒɔ:nti] *adj* munter, flot, kæk; forsoren, friskfyragtig; *wear one's hat at a ~ angle* gå med hatten kækt på snur.

Java ['dʒa:və] Java. **Javanese** [dʒa:və'ni:z] *adj* javanesisk, javansk; *sb* javaneser, javaner.

javelin ['dʒævlin] *sb* kastespyd; *throwing the ~* spydkast.

I. jaw [dʒɔ:] *sb* kæbe; T snakken, skælden; kæft; moralpræken; *(tekn)* klo, *-s* bakker (på skruestik, tang); *-s* (også) mund, gab; *the -s of death* dødens gab; *his ~ dropped* han blev lang i ansigtet, han fik et måbende udtryk i ansigtet; *his -s were set* han bed tænderne sammen (havde et udtryk af sammenbidt energi); *hold your ~* hold kæft; *there is too much ~ about him* han kæfter for meget op; *none of your ~!* ingen mukken.

II. jaw [dʒɔ:] *vb* T bruge kæften, skræppe op, skælde ud; præke, holde moralpræken (for); sludre, snakke.

jawbation [dʒɔ:'beiʃən] *sb* tirade, moralprædiken.

jaw|bone (under)kæbeben. **-breaker** ord der er svært at udtale; *it is a -breaker* det er lige til at brække tungen på; det er en hel spiritusprøve.

jay [dʒei] *sb zo* skovskade; *(fig)* sludrechatol, vrøvlehoved; nar.

jaywalk ['dʒeiwɔ:k] *vb* T gå over gaden i strid med færdselsreglerne. **jaywalker** ['dʒeiwɔ:kə] *sb* T fumlegænger.

jazz [dʒæz] *sb* jazz; halløj, ballade; praleri, fup; *vb* jazze; spille i jazzstil; lave halløj; *~ up* sætte fut i (, fart) i, fiffe op; *and all that ~* S og alt det (sædvanlige) gas.

jazz|band jazzband, jazzorkester. **-man** jazzmusiker.

jazzy ['dʒæzi] *adj* jazzagtig; med fut i; grel, med de grelle farver.

jealous ['dʒeləs] *adj* jaloux, skinsyg *(of* på); nidkær; *be ~ of one's rights* våge skinsygt over sine rettigheder; *keep a ~ eye on his movements* holde et vågent øje med hans bevægelser.

jealousy ['dʒeləsi] *sb* skinsyge, jalousi; (skinsyg) årvågenhed; nidkærhed.

jeans [dʒi:nz] *sb pl* cowboybukser.

jeep [dʒi:p] *sb (mil.)* jeep.

jeer [dʒiə] *vb* håne, spotte; vrænge *(at* ad); *sb* hån, spot.

Jehova [dʒi'houvə].

jejune [dʒi'dʒu:n] *adj* gold, mager, tør, åndløs, indholdsløs *(fx novel)*; *(am)* ungdommelig, umoden *(fx behaviour)*.

jell [dʒel] *vb* T stivne (til gelé); *(fig)* antage fast form; (med objekt) give fast form; fastfryse.

jellied ['dʒelid] *adj* geléagtig; i gelé *(fx ~ eels)*.

jelly ['dʒeli] *sb* gelé; tyk saft; *beat sby into a ~* slå en til plukfisk.

jellyfish ['dʒelifiʃ] *zo* vandmand; T skvat, karklud.

jemimas [dʒi'maiməz] *sb pl (glds.)* fjederstøvler.

jemmy ['dʒemi] *sb* (kort) brækjern.

jennet ['dʒenit] *sb* lille spansk hest.

jenneting ['dʒenitiŋ] *sb* (tidligt) sommeræble.

jenny ['dʒeni] *sb* løbekran; spindemaskine; (om dyr) hun; *adj* hun- *(fx. ~ monkey, ~ wren)*.

---

jeopardize ['dʒepədaiz] *vb* bringe i fare, sætte på spil.

jeopardy ['dʒepədi] *sb* fare.

jerboa [dʒə:'bouə] *sb zo* springmus.

jeremiad [dʒeri'maiəd] *sb* jeremiade.

Jeremiah [dʒeri'maiə] Jeremias.

Jericho ['dʒerikou] Jeriko; *go to ~!* gå pokker i vold; *I wish you were in (el. at) ~* gid du sad på Bloksbjerg.

I. jerk [dʒə:k] *vb* støde (pludselig), rykke, kaste; give et sæt, gøre et ryk; spjætte; så pludseligt stød; ryk, puf, kast; spjæt; *(am* S) fjols, skvat; *(physical) -s* T gymnastik, *~* bevæge sig (, køre) i ryk; *by -s* i sæt; *~ out one's words* støde ordene frem.

II. jerk [dʒə:k] *vb* soltørre (kød).

jerkin ['dʒə:kin] *sb* ærmeløs trøje; *(hist.)* vams.

jerky ['dʒə:ki] *adj* stødvis, rykvis *(fx motion)*, i ryk; rystende, skumplende; (om person) som farer nervøst sammen.

jeroboam [dʒerə'bouəm] *sb* flaske der rummer ca. 3 l.

Jerome [dʒə'roum]; som efternavn også ['dʒerəm].

jerrican ['dʒerikæn] *sb = jerry can*.

I. jerry ['dʒeri] *sb* S (nat)potte.

II. Jerry ['dʒeri] *sb* S tysker.

jerry|-builder ['dʒeribildə] byggespekulant. **~ -built** bygget på spekulation, dårligt bygget. **~ can** jerrycan, kanister, flad dunk til benzin *el.* vand.

jersey ['dʒə:zi] *sb* jerseytrøje; sweater, (langærmet ulden) bluse; *zo* jerseyko.

Jerusalem [dʒə'ru:sələm]; *~ artichoke* jordskok; *~ oak* drueurt; *~ pony* æsel.

jessamine ['dʒesəmin] *sb (bot)* jasmin.

jest [dʒest] *vb* spøge, sige i spøg; *sb* spøg, vittighed, morsomhed; *~ about (el. with)* spøge med; *in ~ for (el. i)* spøg; *take a ~* forstå spøg.

jestbook ['dʒestbuk] *sb* anekdotesamling.

jester ['dʒestə] *sb* spøgefugl; *(hist.)* hofnar; *he is a licensed ~* han har frisprog.

jestingly ['dʒestiŋli] *adv* i spøg.

Jesuit ['dʒezjuit] *sb* jesuit.

jesuitic(al) [dʒezju'itik(l)] *adj* jesuitisk.

Jesus ['dʒi:zəs].

I. jet [dʒet] *sb* jet, gagat.

II. jet [dʒet] *vb* springe frem, vælde frem; (med objekt) udspy; *(tekn.)* nedskylle (pæle).

III. jet [dʒet] *sb* stråle *(fx of water)*, sprøjt *(fx -s of blood spurted out)*; (på slange) strålerør; (gas:) gasbrænder; gasflamme, gasblus; (ved støbning) indløbstap; *(flyv)* jetfly; jetmotor, reaktionsmotor.

jet-black *adj* kulsort.

jet| engine jetmotor, reaktionsmotor. **~ fighter** jetjager. **~ plane** jetfly(vemaskine). **~ -propelled** reaktionsdreven. **~ propulsion** reaktionsdrift.

jetsam ['dʒetsəm] *sb* strandingsgods; gods der kastes over bord for at lette skibet; *(fig)* menneske der er viljeløst bytte for skæbnen; (stykke) vraggods.

jet set klasse af fashionable velhavere der rejser rundt mellem verdens feriesteder i jetfly.

jettison ['dʒetisn] *sb* udkastning af gods for at lette skib (, fly); afkastning (el. det af raket); *vb* udkaste (gods for at lette skib (, fly)); kaste over bord; (om fly også) lette sig for *(fx bombs)*; (om raket, rumskib) afkaste; *(fig)* afkaste (en byrde), befri sig for, lette sig for.

I. jetty ['dʒeti] *sb* gagatlignende, kulsort.

II. jetty ['dʒeti] *sb* mole, anløbsbro.

jeune premier *[fr.]* førsteelsker.

Jew [dʒu:] *sb* jøde; *vb* snyde, overliste. **Jew-baiting** *sb* jødeforfølgelse.

jewel ['dʒu:əl] *sb* juvel, ædelsten; smykke; (i ur) sten; *(fig)* klenodie, perle; *vb* smykke med juveler.

jewel case juvelskrin; smykkeskrin.

jeweller ['dʒu:ələ] *sb* juvelér, guldsmed.

jewellery, jewelry ['dʒu:əlri] *sb* ædelstene, kostbarheder; smykker.

Jewess ['dʒuis] *sb* jødinde.

Jewish ['dʒuiʃ] *adj* jødisk.

Jewry ['dʒuəri] *sb* jødefolket; jødekvarter.

jew's-ear *(bot)* judasøre (en svampeart).

jew's harp jødeharpe.

Jezebel ['dʒezəbl] Jesabel; *sb* skamløs kvinde.

I. jib [dʒib] *vb* (om hest) blive sky *(at* for), stejle; standse brat, være stædig; *(fig)* protestere, være uvillig; *(mar)* gibbe, bomme; ~ *at (fig)* vægre sig ved, protestere imod; vige tilbage for.

II. jib [dʒib] *sb* udligger, kranarm; *(mar)* klyver; (på lyst-fartøjer også) fok; *the cut of one's* ~ ens ydre apparition, ens påklædning.

jibber ['dʒibə] *sb* sky hest, stædig hest.

jib|boom *(mar)* klyverbom; fokkebom. ~ **door** tapetdør.

I. jibe [dʒaib] *sb* spydighed, skose; *-s pl* (også) hån, spot; *vb:* ~ *at* komme med spydigheder til, håne, spotte; *(mar)* se *gybe.*

II. jibe [dʒaib] *vb (am* T) stemme overens.

jiff [dʒif], **jiffy** ['dʒifi] *sb* T øjeblik *(fx wait a* ~).

I. jig [dʒig] *sb* jig, gigue (en livlig dans); pilk (fiskered-skab); *(tekn)* borelære, borekasse; *the* ~ *is up* S spillet er ude.

II. jig [dʒig] *vb* vippe, danse, hoppe, bevæge (sig) hurtigt op og ned; sigte *(fx* erts) ved at ryste et sold op og ned under vandet; (fiske:) pilke.

jigger ['dʒigə] *sb* en der danser *jig;* en der sigter *(fx* erts); (ryste)sold; jigger (løsthængende dametrøje); *(zo)* sand-loppe; *(mar)* papegøje(sejl); talje; (i billard) maskine; S dør; fængsel(scelle); tingest, dims; løjerlig fyr; *(am)* mål til spiritus (44,3 ml); dram; *vb* lave fiduser med; *well, I'm -ed!* det var som pokker; ~ *up* S spolere; lave rod i.

jiggermast ['dʒigəma:st] *sb (mar)* papegøjemast.

jiggery-pokery [dʒigəri'poukəri] *sb* T fup, fidusmageri.

jiggle ['dʒigl] *vb* ryste let, rokke.

jigsaw ['dʒigsɔ:] *sb* dekuporsav.

jigsaw puzzle puslespil.

jilt [dʒilt] *vb:* ~ *him* svigte ham, slå op med ham (efter at have opmuntret ham); *sb (omtr =)* kokette.

Jim [dʒim] *fk* James.

Jim Crow ['dʒim'krou] *(am* S) neger; racediskrimination; forskelsbehandling over for negre; ~ *car* jernbanevogn *(el.* sporvogn) der er reserveret negre.

jim-jams ['dʒimdʒæmz] *sb pl* S delirium tremens, dille; nervøsitet; *it gives me the* ~ det går mig på nerverne.

jimmy ['dʒimi] *sb* (kort) brækjern; *vb* åbne med brækjern, brække op.

jimp [dʒimp] *adj* elegant, slank; knap, utilstrækkelig.

jimsonweed ['dʒimsn'wi:d] *sb (am)* pigæble.

jingle ['dʒiŋgl] *vb* ringle, klirre, rasle; lade klirre, rasle med; *sb* ringlen, klirren, raslen; remse; klingklang.

Jingo ['dʒiŋgou] *sb* chauvinist; *adj* chauvinistisk; *by* ~ ved Gud; død og pine.

jingoism ['dʒiŋgouizm] *sb* chauvinisme.

jink [dʒiŋk] *vb* løbe i siksak (, ud og ind) for at undgå for-følger; *(flyv)* flyve i siksak for at undgå beskydning; fo-retage undvigelsesmanøvrer; *sb* undvigelsesmanøvre.

jinks [dʒiŋks] *sb pl: high* ~ skæg og ballade, fest, sjov.

jinn [dʒin], **jinnee** ['dʒini:] *sb* ånd (i muhamedansk tro).

jinricksha, jinrikisha [dʒin'rik(i)ʃə] *sb* rickshaw.

jinx [dʒiŋks] *sb* ulykkesfugl, ting der bringer ulykke.

jitney ['dʒitni] *(am* S) *sb* 5 cent(stykke); bus med billig takst; *adj* billig.

jitter ['dʒitə] S *vb* ryste, skælve, dirre; *sb* rysten, skælven, dirren; *have the -s* dirre af nervøsitet, være rystende ner-vøs, være skrupnervøs.

jitterbug ['dʒitəbʌg] *sb* jitterbug; en der danser jitterbug.

jittery ['dʒitəri] *adj* S nervøs; skælvende, dirrende (af ner-vøsitet).

jiu-jitsu se *jujitsu.*

jive [dʒaiv] *sb (am)* (hot) jazz; jitterbug; *vb* danse jitter-bug.

jn *fk junction.* **Jno** *fk John.*

Joan [dʒoun]: ~ *of Arc* Jeanne d'Arc.

I. Job [dʒoub] Job.

II. job [dʒɔb] *sb* job, stilling *(fx he has a* ~ *in my firm),* arbejde *(fx it is his* ~ *to see to that),* (også i edb) op-gave; akkordarbejde, *(typ)* accidensarbejde; T besværligt arbejde, mas, slid *(fx it was a* ~ *to get it all ready);* of-fentlig stilling som udnyttes til egen fordel; S affære, hi-storie; bræk, røveri; (om pige) tingest, sag *(fx look at that blonde* ~ *in the red dress);* se også *jab;*
  it was a (put-up) ~, se *put-up; it was a bad (, good)* ~

that det var ærgerligt (, et held) at; *do his* ~ *for him (fig)* ødelægge ham, ruinere ham; *do a* ~ *on* spolere, ødelægge; *give sth. up as a bad* ~ opgive noget som håb-løst; *have a* ~ *doing it* have besvær med at få det gjort; *make a good* ~ *of it* klare det fint; *make the best of a bad* ~ prøve at få det bedste ud af det (selvom det er gået skævt); *odd -s* tilfældigt arbejde; *be on the* ~ have meget travlt; være parat, være vågen, være på tæerne; *be out of a* ~ være arbejdsløs; *paid by the* ~ akkordlønnet; *payment by the* ~ akkordløn; *it was a tough* ~ det var et drøjt stykke arbejde; *work by the* ~ arbejde på akkord.

III. job [dʒɔb] *vb* udføre arbejde (på akkord); spekulere, jobbe, handle med aktier; misbruge en offentlig stilling til egen fordel; ~ *him into the post* putte ham ind i stil-lingen, skaffe ham stillingen ved protektion; (se også *jab).*

jobation [dʒou'beiʃ(ə)n] *sb* balle, moralpræken.

jobber ['dʒɔbə] *sb* børsspekulant, aktiehandler; akkordar-bejder; mellemhandler; en der misbruger offentlig stilling til egen fordel.

jobbery ['dʒɔbəri] *sb* jobberi; misbrug af politisk magt til egen fordel; korruption, nepotisme.

jobbing gardener havemand.

job|-hopper *(am)* flakke. ~ **-hopping** *sb (am)* flakkeri, det at skifte stilling hyppigt.

jobless ['dʒɔblis] *adj* arbejdsløs.

job lot blandet vareparti; *(fig)* blandet selskab.

jobmaster udlejer af vogne og heste.

Job's comforter dårlig trøster (der kun gør ondt værre).

job satisfaction *(omtr)* trivsel på arbejdspladsen.

job work akkordarbejde; *(typ)* accidensarbejde.

jock [dʒɔk] *sb (am* S) sportsmand; også = *jockey, disc jockey, jockstrap.*

jockey ['dʒɔki] *sb* jockey, rideknægt; *vb* tage ved næsen; snyde; manøvrere; ~ *for position* prøve at manøvrere sig ind i en gunstig position; prøve at luske sig til en fordel; ~ *sby out of his money* snyde en for hans penge; ~ *sby into doing sth* narre en til at gøre noget.

jockstrap ['dʒɔkstræp] *sb* skridtbind; *(am* S) sportsidiot.

jocose [dʒə'kous] *adj* (ofte anstrengt) spøgefuld.

jocular ['dʒɔkjulə] *adj* munter, spøgefuld. **jocularity** [dʒɔ-kju'læriti] *sb* munterhed, spøgefuldhed.

jocund ['dʒɔkənd] *adj* lystig.

jocundity [dʒə'kanditi] *sb* lystighed.

Jodhpurs ['dʒɔdpuəz] *sb pl* jodhpurs, stramme ridebenklæ-der, der når til anklerne.

Joe [dʒou] *fk Joseph; a* ~ *Miller* en gammel vittighed.

jog [dʒɔg] *vb* ryste, skumple; lunte, traske; støde til, puffe; *sb* stød, skub, puf; ~ *along* lunte af sted, tage den med ro; *matters* ~ *along* det går som det bedst kan; *we man-age to* ~ *along somehow* vi klarer os lige; ~ *sby's mem-ory* opfriske ens hukommelse; *we must be -ging* vi må af sted.

joggle ['dʒɔgl] *vb* skubbe, ryste, støde; blive skubbet, skumple af sted; (i edb) støde; *(tekn)* forkrøppe; for-tande; *sb* stød, skub; *(tekn)* forkrøpning; fortanding; *of frame* forkrøppet rammetræ.

jogtrot ['dʒɔg'trɔt] *sb* luntetrav; gammel slendrian.

Johannesburg [dʒou'hænisbɔ:g].

I. John [dʒɔn] *(hist.)* Johan (se *Lackland);* (i Bibelen) Jo-hannes *(fx* ~ *the Baptist);* S fyr.

II. john [dʒɔn] *sb (am* S) wc.

John| Bull englænderen som type. ~ **Doe** *(jur)* N.N. ~ **Dory** *zo* st. petersfisk.

Johne's disease ['jounəz-] (kvægsygdom, svarende til) den lollandske syge.

johnny ['dʒɔni] *sb* S fyr, laps; wc.

johnnycake ['dʒɔnikeik] *sb (am)* majskage; *(austr)* hvede-kage.

johnny-come-lately *sb* nyankommen.

Johnson ['dʒɔns(ə)n]. **Johnsonese** ['dʒɔnsə'ni:z] *sb* (litterær stil som ligner Samuel Johnsons).

I. join [dʒɔin] *vb* forbinde *(fx* ~ *the two towns by a rail-way),* forene; sammenføje, samle *(fx* ~ *two pieces of wood),* sy (, somme *etc)* sammen; melde sig ind i *(fx a club);* slutte sig til *(fx a church),* gå hen (, ind) til *(fx let us* ~ *the ladies),* forene sig med *(fx my wife -s me in thanking you),* mødes med; (om land) støde op til *(fx his*

garden -s mine); (uden objekt) deltage, være med; forene sig *(fx I ~ with him in offering you help)*, mødes, (om floder også) flyde sammen; (om land) støde sammen;
   what God hath -ed together, let no man put asunder hvad Gud har sammenføjet, skal mennesker ikke adskille; *~ the army* gå ind i hæren; *~ battle* begynde kampen, indlede slag; *will you ~ us for dinner?* vil De spise middag sammen med os? *~ forces with* gøre fælles sag med; slå sig sammen med; *they -ed fortunes* de slog sig (, **T** deres pjalter) sammen; *~ hands* tage hinanden i hånden; *(fig)* slutte sig sammen, løfte i flok; *~ in* deltage (i), være med (i); falde i, stemme i; *~ in the game* (også:) spille med; *~ up* **T** melde sig som frivillig; se også *I. issue.*
II. join [dʒɔin] *sb* sammenføjning.
joinder ['dʒɔində] *sb* forbindelse, forening.
joiner ['dʒɔinə] *sb* snedker, bygningssnedker.
joinery ['dʒɔinəri] *sb* snedkerarbejde.
I. joint [dʒɔint] *sb* sammenføjning; samling; (i mur) fuge; *(anat)* led *(fx finger -s); (bogb)* fals; *(bot)* knæ; *(jernb)* skinnestød; (madlavning) steg *(fx a ~ of beef);* **S** beværtning, bule; hus; marihuanacigaret;
   put out of ~ bringe af led; *put his nose out of ~* stikke ham ud, fortrænge ham; *the time is out of ~* tiden er af lave; *be out of ~ with* ikke passe sammen *(el.* harmonere) med; være utilfreds med.
II. joint [dʒɔint] *adj* forenet, fælles, samlet; *on (el. for) ~ account* for fælles regning; a meta; *~ action* fælles optræden; *~ and several* solidarisk *fx responsibility); ~ author* medforfatter; *~ concern* fælles anliggende; *by ~ efforts* ved forenede anstrengelser; *during their ~ lives* så længe de begge *(el.* alle) er i live. ·
III. joint [dʒɔint] *vb* sammenpasse, forbinde; passe ind i; (om mur) fuge.
jointed ['dʒɔintid] *adj* forbundet; leddet.
jointer ['dʒɔintə] *sb* rubank, langhøvl; (murers) fugejern, fugeskraber; (af plov) forplov.
jointing plane = *jointer.*
jointly ['dʒɔintli] *adv* fælles; solidarisk; *be ~ and severally responsible* hæfte solidarisk *(el.* in solidum).
joint mice mus i knæet.
joint stock aktiekapital.
joint-stock ['dʒɔintstɔk]: *~ bank* aktiebank; *~ company* aktieselskab.
jointure ['dʒɔintʃə] *sb* enkesæde, enkelod; livgeding.
joist [dʒɔist] *sb* gulvbjælke, loftsbjælke; gulvstrø; underlag.
joke [dʒouk] *sb* spøg, vittighed; *vb* spøge, spøge med; *carry the ~ too far* drive spøgen for vidt; *crack (el. cut) a ~* rive en vittighed af sig; *the ~ of it* det morsomme *(el.* komiske) ved det; *he is the ~ of the town* han er til grin for hele byen; *it is really past (el. beyond) a ~* det er ikke morsomt længere; *and that's a ~* forstå spøg; *I was only joking* det var kun min spøg.
joker ['dʒoukə] *sb* spøgefugl, spasmager; (i kortspil) joker; *(fig)* ukendt faktor, uforudset vanskelighed; *(am)* indsmuglet sætning der helt ændrer indholdet af lov *el.* kontrakt.
joking ['dʒoukiŋ] *sb* spøg; *~ apart* spøg til side.
jokingly ['dʒoukiŋli] *adv* for spøg.
jollification [dʒɔlifi'keiʃ(ə)n] *sb* lystighed; muntert lag.
jollity ['dʒɔliti] *sb* jovialitet, lystighed; fest.
I. jolly ['dʒɔli] *adj* jovial, gemytlig; fornøjelig, munter; i løftet stemning; **T** herlig *(fx weather);* stor *(fx it is a ~ shame; he is a ~ fool); adv* vældig *(fx he is ~ clever); he is in a ~ mess* **T** han er kommet godt op at køre; *~ good!* fint! *take ~ good care* passe gevaldig på; *he is ~ well right* han har skam ret.
II. jolly ['dʒɔli] *vb* **T** smådrille, smigre, snakke godt for; *~ him along* snakke godt for ham, opmuntre ham.
jolly boat *(mar)* jolle. **Jolly Roger** *(hist.)* piratflag.
jolt [dʒoult] *vb* støde, ryste; bumpe; skumple; *(fig)* ryste, give et chok; *sb* stød, rysten, bump; *(fig)* rystelse, chok.
Jonah ['dʒounə] Jonas; *sb* ulykkesfugl.
Jonathan ['dʒɔnəð(ə)n] *sb* jonathanæble; *Brother ~* (benævnelse for en amerikaner).
Jones ['dʒounz] *keep up with the -es* ikke stå tilbage for naboerne *(mht* at have bil, fjernsyn *etc).*
Jordan ['dʒɔ:dn]; *~ almond* jordanmandel, krakmandel;

(am også) fransk mandel.
Jordanian [dʒɔ:'deinjən] *sb* jordaner; *adj* jordansk.
jorum ['dʒɔ:rəm] *sb* stort drikkekar, punchebolle; punch.
Jos. *fk* **Joseph** ['dʒouzif].
josh [dʒɔʃ] *(am* **S**) *sb* spøg, drilleri; *vb* holde sjov (med), smådrille.
joss [dʒɔs] *sb* kinesisk gudebillede.
josser ['dʒɔsə] *sb* **S** fyr.
joss| house kinesisk tempel. *~ stick* røgelsespind.
jostle ['dʒɔsl] *vb* skubbe, støde, puffe (til); trænges; *~ against* støde imod; *~ through* mase sig igennem.
jot [dʒɔt] *sb* jota; prik, punkt; *vb* notere, optegne;*'not a ~* ikke den mindste smule; ikke en tøddel; *~ down* kradse *(el.* notere, skrive) ned.
jotter ['dʒɔtə] *sb* notesbog, notesblok.
jottings ['dʒɔtinz] *sb pl* (hastigt nedkradsede) notater.
joule [dʒu:l] *sb (fys)* joule.
jounce [dʒauns] *vb* ryste, støde, skumple.
journal ['dʒə:n(ə)l] *sb* journal, dagbog; dagblad, tidsskrift; magasin; *(mar)* skibsjournal, logbog; *(tekn)* akseltap, lejesøle.
journalese [dʒə:nə'li:z] *sb* dårligt avissprog.
journalism ['dʒə:nəlizm] *sb* journalistik.
journalist ['dʒə:nəlist] *sb* journalist.
journalistic [dʒə:nə'listik] *adj* journalistisk; dagblads-.
journalize ['dʒə:nəlaiz] *vb* føre dagbog; bogføre.
journey ['dʒə:ni] *sb* rejse (mest til lands); ekspedition; tur *(fx this bus goes ten -s a day); reach one's -'s end* komme til vejs ende; *go on (el. make) a ~* foretage en rejse; *a pleasant ~!* god rejse!
journeyman ['dʒə:nimən] *sb* svend, håndværkssvend; *~ painter* malersvend.
joust [dʒaust, dʒu:st] *sb (hist.)* dyst, turnering; *vb* dyste, deltage i turnering.
Jove [dʒouv] Jupiter; *by ~* ih du milde; ved Gud; minsandten;
jovial ['dʒouvjəl] *adj* gemytlig, jovial; munter, livlig, selskabelig anlagt.
joviality [dʒouvi'æliti] *sb* munterhed.
jowl [dʒaul] *sb* kæbe, kind; (på kvæg) doglæp, løs hud under halsen, (på fugl) kødlap; *with a heavy ~* med et kødfuldt hageparti; se også *cheek.*
joy [dʒɔi] *sb* glæde, fryd, lykke; *~ of living* livsglæde; *wish him ~* ønske ham til lykke; *I wish you ~ of it* (ironisk) god fornøjelse.
joyful ['dʒɔif(u)l] *adj* lystig, glad.
joyless ['dʒɔilis] *adj* glædesløs.
joyous ['dʒɔiəs] *adj* glad, munter; glædebringende.
joy|ride T *sb* fornøjelsestur (især uden tilladelse); *vb* køre en tur for sin fornøjelse. *-stick (flyv glds* **S**) styrepind.
J. P. [dʒei'pi:] *fk Justice of the Peace.*
Jr. *fk junior.*
jubilant ['dʒu:bilənt] *adj* jublende, triumferende, hoverende.
jubilee ['dʒu:bili:] *sb* (halvtredsårs)jubilæum; jubelfest; (i den katolske kirke) jubelår.
judaic [dʒu:'deiik] *adj* jødisk.
Judaism ['dʒu:deiizm] *sb* jødedom.
I. Judas ['dʒu:dəs] Judas; *sb* forræder.
II. judas ['dʒu:dəs] *sb* kighul i en dør; spion.
judder ['dʒʌdə] *vb* vibrere; (om sanger også) bævre.
I. judge [dʒʌdʒ] *sb* dommer; kender; sagkyndig; *Book of Judges* (i biblen) Dommernes Bog; *~ of pictures* have forstand på malerier; *he is no ~ (of that)* det har han ikke forstand på.
II. judge [dʒʌdʒ] *vb* dømme, fælde dom; være dommer *(fx ~ at a flower show);* bedømme *(fx horses; a debate);* anse for *(fx the book as a whole must be -d pretty boring),* skønne *(fx he -d it prudent to wait); ~ for yourself* du kan selv dømme; *~ from appearances* dømme efter det ydre; *judging from his conduct* efter hans opførsel at dømme; *~ not that ye be not judged* dømmer ikke, at I ikke selv skal dømmes; *you may ~ (of) my astonishment* De kan forestille Dem min forbavselse.
judg(e)ment ['dʒʌdʒmənt] *sb* dom, kendelse; bedømmelse, mening, vurdering, skøn *(fx in my ~* efter mit skøn); omdømme *(fx sound ~),* dømmekraft; (Guds) straffedom, straf; *day of ~* dommedag; *deliver (el. give) ~ af-*

sige dom; *deliver (el. give) one's* ~ udtale sin mening *(el.* sin dom); *set oneself up in* ~ *on* opkaste sig til dommer over; *sit in* ~ *on* sidde til doms over; *(se også I. pass).*

judg(e)ment| creditor rekvirent, domhaver. ~ **day** dommedag. ~ **debtor** rekvisitus, domfældte. ~ **seat** dommersæde.

judicature ['dʒu:dikətʃə, -tjuə] *sb* retspleje; domstol; *the* ~ den dømmende magt.

judicial [dʒu'diʃəl] *adj (jur)* retslig *(fx inquiry)*; rets- *(fx decision* kendelse); dommer- *(fx bench* sæde); *(fig)* kritisk; kølig; upartisk.

judicial| act retshandling. ~ **murder** justitsmord. ~ **power** dømmende magt. ~ **separation** separation.

judiciary [dʒu'diʃiəri] *sb: the* ~ den dømmende myndighed *(el.* magt); domstolene; dommerne, dommerstanden; *adj* rets-, doms-, dømmende.

judicious [dʒu'diʃəs] *adj* klog, skønsom.

Judith ['dʒu:diθ].

judo ['dʒu:dou] *sb* judo.

I. Judy ['dʒu:di] **(Mr.** Punchs kone i marionetkomedien).

II. judy ['dʒu:di] *sb* S pigebarn; fjols; *make a* ~ *of oneself* gøre sig til grin.

jug [dʒʌg] *sb* kande; S fængsel, »spjældet«; *vb* sætte i spjældet.

jug-eared ['dʒʌgiəd] *adj (am* T) med udstående ører.

Juggernaut ['dʒʌgənɔ:t] Jagannatha, indisk guddom og gudebillede, kørt i en enorm vogn under hvis hjul, efter sigende, mange kastede sig og knustes; *(fig)* en uimodståelig kraft som ødelægger alt på sin vej; noget man blindt ofrer sig for; molok; T stor lastvogn (til fjerntrafik).

juggins ['dʒʌginz] *sb* T fæhoved.

juggle ['dʒʌgl] *vb* gøre tryllekunster; jonglere *(fx with words)*; narre; lave fiksfakserier med, forfalske; *sb* tryllekunst; bedrageri; ~ *the accounts* pille ved regnskaberne; ~ *the figures* manipulere med tallene; ~ *people out of their money* franarre folk deres penge.

juggler ['dʒʌglə] *sb* tryllekunstner, taskenspiller, jonglør; gøgler.

jugglery ['dʒʌgləri] *sb* taskenspillerkunst; bedrageri.

Jugoslav ['ju:gə'sla:v] *sb* jugoslaver; *adj* jugoslavisk.

Jugoslavia ['ju:gə'sla:vjə] Jugoslavien.

jugular ['dʒʌgjulə, 'dʒu:gjulə] *adj* hals-; *sb* hals(blod)åre.

juice [dʒu:s] *sb* saft; væske; S benzin, olie, elektrisk strøm; *tobacco* ~ tobakssovs.

juiceless ['dʒu:slis] *adj* saftløs. **juicer** ['dʒu:sə] *sb* saftpresser.

juicy ['dʒu:si] *adj* saftfuld, saftig, fugtig; (om pibe) sovset, sur; T indbringende; saftig *(fx story)*.

ju-jitsu [dʒu:'dʒitsu:] *sb* jiujitsu (japansk brydning).

juju ['dʒu:dʒu:] *sb* amulet; magi.

jujube ['dʒu:dʒu:b] *sb (bot)* jødetorn; (frugt:) brystbær; bolsje, brystsukker.

ju-jutsu [dʒu:'dʒutsu:] = *ju-jitsu.*

jukebox ['dʒu:kbɔks] *sb* jukebox, grammofonautomat.

julep ['dʒu:lep] *sb* (en læskedrik).

Julia ['dʒu:ljə].

Julian ['dʒu:ljən] *adj* juliansk; ~ *calendar* juliansk tidsregning.

Juliet ['dʒu:ljət]. **Julius** ['dʒu:ljəs].

July [dʒu'lai] juli.

jumble ['dʒʌmbl] *vb* rode sammen, blande sammen; *sb* broget blanding, virvar, roderi, sammensurium, miskmask.

jumble sale loppemarked (som led i indsamling af penge).

jumbo ['dʒʌmbou] *sb* kæmpe, stor klods; *adj* kæmpe-; jumbo- *(fx jet).*

jump [dʒʌmp] *vb* hoppe, springe *(fx* ~ *out of the window)*; (om priser *etc)* springe *(el.* jage i) vejret, (om person også:) fare sammen; (om bil) hugge; (med objekt:) springe over *(fx a fence, a chapter in a book)*; lade avancere (pludseligt); sætte (priser) i vejret; stikke af fra; the -*ed* (også:) det gibbede *(el.* gav et sæt) i ham; *(forb* med *sb:)* ~ *one's bail* S stikke af mens man er løsladt mod kaution; ~ *the bus* springe af (, på) bussen; ~ *a claim* sætte sig i besiddelse af jord som en anden har fået tildelt; krænke en andens rettigheder; ~ *the gun* tyv-

starte; ~ *the queue* springe 'over i køen; mase sig frem; ~ *the track* løbe af sporet; *(forb* med *præp:)* ~ *at* gribe efter med begge hænder, modtage med begejstring; ~ *down shy's throat* falde 'over en; ~ *for joy* springe i vejret af glæde; ~ *'in (fig)* springe til; ~ *off* springe af; starte, gå i gang; ~ *on (fig)* slå ned på; falde 'over; ~ *to conclusions* drage forhastede slutninger; ~ *to one's feet* springe op med et sæt; ~ *with* stemme overens med.

II. jump [dʒʌmp] *sb* hop, spring; sæt; (krampe)trækning; (ved væddeløb) forhindring; (i edb) hop; S knald (ɔ: samleje); røveri; *the -s* S nervøse trækninger; delirium tremens; *get the* ~ *on (am* S) få et forspring frem for, komme i forkøbet; *be all of a* ~ være nervøs; *be on the* ~ T have forrygende travlt; være nervøs.

jump bid (i kortspil) springmelding.

jumped-up ['dʒʌmptʌp] *adj* som pludselig er kommet frem; parvenuagtig; hoven, indbildsk; *they are a* ~ *lot* de er opkomlinge.

jumper ['dʒʌmpə] *sb* springer; løstsiddende lang bluse *el.* trøje; matrosbluse; (strikket:) jumper; *(am)* spencerkjole; T konduktør; *(mar:* på mast) strut; *(tekn)* borestang, stødstang.

jumper stay *(mar)* strut.

jumping| bean *(bot)* springende bønne. ~ **jack** sprællemand. ~ **-off ground** *(fig)* springbræt. ~ **pit** springgrav. ~ **sheet** springlagen, redningslagen.

jumpy ['dʒʌmpi] *adj* hoppende; springende; skumplende; urolig, nervøs.

jun. *fk* junior.

junction ['dʒʌn(k)ʃən] *sb* forening, forbindelse; jernbaneknudepunkt; skiftestation; trafikknudepunkt.

junction box *(elekt)* samledåse.

juncture ['dʒʌn(k)tʃə] *sb* afgørende tidspunkt, kritisk øjeblik; *at this* ~ netop nu *(el.* da), i denne situation, under disse omstændigheder.

June [dʒu:n] juni.

Juneberry ['dʒu:nberi] *sb (bot)* bærmispel; druepære.

jungle ['dʒʌŋgl] *sb* jungle; *(fig* også) vildnis; *(am* S) vagabondlejr. **jungle| fever** slags malaria. ~ **gym** klatrestativ.

jungly ['dʒʌŋgli] *adj* jungleagtig; kratbevokset.

junior ['dʒu:njə] *adj* yngre, yngst, junior; *barrister* som ikke er *King's Counsel; (am)* student i næstsidste studieår; *he is my* ~ *by some years* han er nogle år yngre end jeg.

junior| high school *(am)* (skole der omfatter 7., 8., og 9. skoleår). ~ **school** (skole for børn i alderen 7-11 år).

juniper ['dʒu:nipə] *sb* enebær; ~ *berry* (frugten) enebær.

I. junk [dʒʌŋk] *sb* bras, ragelse, skrammel; sludder; *(mar)* gammelt tovværk; salt kød; junke (kinesisk fartøj); S stof (ɔ: narkotika).

II. junk [dʒʌŋk] *vb* S kassere; smide på lossepladsen.

junket ['dʒʌŋkit] *sb* slags tykmælk; lystighed, kalas; *vb* feste, holde gilde.

junketing ['dʒʌŋkitiŋ] *sb* kalas, fest(er), festlighed(er); *(am)* rejse (, middag etc) på det offentliges regning.

junkie ['dʒʌŋki] *sb* S stofmisbruger.

junk| mail postomdelte reklametryksager. **-man** marskandiser, produkthandler. ~ **playground** skrammellegeplads. ~ **shop** marskandiserbutik.

Juno ['dʒu:nou].

Junoesque [dʒu:nou'esk] *adj* statelig, frodig.

junta ['dʒʌntə] *sb* rådsforsamling i Spanien; (se også *junto).*

junto ['dʒʌntou] *sb* hemmelig forsamling, politisk sammensværgelse; klike, junta.

Jupiter ['dʒu:pitə].

Jurassic [dʒuə'ræsik] *adj (geol)* jura-; ~ *period* juratiden.

juridical [dʒuə'ridikl] *adj* juridisk, retslig.

jurisconsult [dʒuəriskənsʌlt] *sb* retslærd; jurist.

jurisdiction [dʒuəris'dikʃən] *sb* jurisdiktion; retskreds, domsmyndighed.

jurisprudence [dʒuəris'pru:dəns] *sb* jurisprudens, retsvidenskab, retsfilosofi. **jurisprudent** [dʒuəris'pru:dənt] *sb* jurist, retslærd.

jurisprudential [dʒuərispru'denʃəl] *adj* retsvidenskabelig.

jurist ['dʒuərist] *sb* jurist, retslærd.

juristic(al) [dʒu'ristik(l)] *sb* juridisk.

juror ['dʒuərə] *sb* nævning.

jury ['dʒuəri] *sb (jur)* nævninge, jury; (ved udstilling etc) bedømmelseskomité, dommerkomité; *be (el. sit) on the ~ (jur)* være nævning.

jury| box nævningeaflukke. **-man** nævning. **~ mast** *(mar)* nødmast. **~ -rigged** *(mar)* nødrigget. **~ rudder** *(mar)* nødror.

I. just [dʒʌst] *adj* retfærdig *(to* imod); retskaffen, redelig; rigtig *(fx proportion)*; rimelig; tilbørlig, velfortjent *(fx punishment)*; berettiget *(fx suspicion)*; nøjagtig *(fx scales* vægt); *to be ~* (også:) retfærdigvis.

II. just [dʒʌst] *adv* lige, netop *(fx he has ~ arrived)*, (let *glds)* just; lige akkurat *(fx he ~ managed to get through)*; bare, kun *(fx she is ~ a child)*; T simpelthen *(fx I ~ had to see you)*, (ved *adj* også) noget så, aldeles *(fx it's ~ splendid)*, (ved *imper)* bare *(fx ~ listen* hør bare; *~ (you)* wait), lige *(fx ~ tell me his address)*; *~ about* på det nærmeste, sådan omtrent *(fx ~ about a* hundred*; it was ~ about here)*; *~ about to go* lige ved at gå; *~ as* netop *(el.* lige *el.* (let *glds)* bedst) som *(fx ~ as he* came); præcis som *(fx ~ as I said)*; *~ as good* akkurat lige så god; *~ now* lige nu; lige før *(fx he was here ~* now); *~ so* ganske rigtigt, netop; *it is ~ the thing for you* det er lige noget for dig; *~ under fifty per cent* knap 50 %.

III. just [dʒʌst] *(hist.)* = *joust*.

justice [dʒʌstis] *sb* retfærdighed, ret, billighed; berettigelse *(fx I must admit the ~ of his claim)*; (om person) dommer; **do** *him ~*, *do ~ to him* yde ham retfærdighed, give ham hvad der tilkommer ham; *do ~ to the dinner* lade middagen vederfares retfærdighed; *do oneself ~* udnytte sine evner fuldt ud, yde sit bedste; *here he can do himself ~* (også) her kan hans dygtighed komme til sin ret; *do ~ to everybody* gøre ret og skel til alle sider; *~ was done to him* der skete ham hans ret; *let ~ be done* lade retfærdigheden ske fyldest, lade retten gå sin gang; *to do him ~ (el.* **in ~** *)* we must admit that he is industrious man må

lade ham at han er flittig; vi skylder retfærdigheden at sige at han er flittig; *in ~* (også) retfærdigvis; *the ~ of his claim* (også) det berettigede i hans fordring; *Justice of the Peace* fredsdommer (ulønnet dommer uden juridisk uddannelse); **with ~** med rette.

justiceship ['dʒʌstisʃip] *sb* dommerembede, dommerværdighed.

justifiable ['dʒʌstifaiəbl] *adj* forsvarlig, berettiget; *~ homicide* drab som ikke straffes efter loven; (ofte =) nødværgedrab.

justification [dʒʌstifi'keiʃən] *sb* retfærdiggørelse (også *rel)*; forsvar, motivering *(of* for); berettigelse; *(typ)* justering, udslutning.

justify ['dʒʌstifai] *vb* retfærdiggøre, forsvare; begrunde, motivere, berettige *(fx nothing can ~ such conduct)*; *(typ)* justere, udslutte; *~ our existence* bevise vor eksistensberettigelse.

justly ['dʒʌstli] *adv* med rette, med grund; retfærdigt.

jut [dʒʌt] *vb:* *~ out* rage frem, springe frem; *sb* fremspring.

jute [dʒuːt] *sb* jute.

Jutland ['dʒʌtlənd] Jylland; *adj* jysk. **Jutlander** ['dʒʌtləndə] *sb* jyde.

jutting ['dʒʌtiŋ] *adj* fremspringende.

juvenescence [dʒuvi'nesəns] *sb* første *(el.* begyndende) ungdom.

juvenile ['dʒuːvinail] *adj* ungdommelig; ungdoms-; *sb* ungt menneske; børne- *el.* ungdomsbog; *(jur)* barn under 14 år; ungt menneske 14-17 år; *(teat)* = *~ lead.*

juvenile| court børnedomstol. **~ delinquency** ungdomskriminalitet. **~ delinquent** ungdomsforbryder; *~ delinquents* (også) ungdomskriminelle. **~ lead** *sb (teat)* førsteelsker, elsker (om rollefaget); elskerrolle.

juxtapose ['dʒʌkstəpouz] *vb* sammenstille, stille side om side; *-d* sidestillet; *-d to* sidestillet med, side om side med.

juxtaposition [dʒʌkstəpə'ziʃən] *sb* sidestilling.

K, k [kei] K, k.
K. *fk King; Knight.*
Kabyle [kɔ'bail] *sb* kabyler.
Kaffir ['kæfə] *sb* kaffer; *-s* (også) sydafrikanske guldmine-
aktier.
kail [keil] *sb* grønkål.
kailyard ['keilja:d] *sb* kålhave, køkkenhave; *the Kailyard
School* (en skotsk forfattergruppe).
Kaiser ['kaizə] *sb* (tysk) kejser.
kale [keil] *sb* grønkål; *(am* **S)** penge.
kaleidoscope [kɔ'laidəskoup] *sb* kalejdoskop. **kaleidoscopic**
[kɔlaidə'skɔpik] *adj* kalejdoskopisk.
kali ['keili] *sb (bot)* salturt.
Kanaka ['kænəkə, kə'nækə] *sb* indfødt på Sydhavsøerne.
kangaroo [kæŋgə'ru:] *sb zo* kænguru.
kangaroo court T uofficiel domstol; domstol der lader
hånt om almindelige retsprincipper.
Kans. *fk* **Kansas** ['kænzəs].
kaolin ['keiəlin] *sb* kaolin, porcelænsler.
kapok ['keipɔk] *sb* kapok.
karate [kə'ra:ti] *sb* karate (japansk selvforsvarsteknik); *~
blow* (ofte =) håndkantslag.
kart [ka:t] *sb (am)* legebil med motor; gokart.
karting ['ka:tiŋ] *sb* racerløb med gokarts.
katabatic [kætə'bætik] *adj:* *~ wind* fladvind.
Kate [keit]. **Katherine** ['kæθərin].
Kathleen ['kæθli:n].
kayo ['keiou] **S** *sb* knockout; *vb* slå ud.
K. B. *fk King's Bench.*
K. B. E. *fk Knight Commander of the British Empire.*
K. C. *fk Kings's Counsel; Kings's College.*
K.C.B. *fk Knight Commander of the Bath.*
Keble ['ki:bl].
keck [kek] *vb:* *~ at* få kvalme af; være ved at brække sig
over.
kedge ['kedʒ] *(mar) sb* varpanker; *vb* varpe. **kedge anchor**
(mar) varpanker.
kedgeree [kedʒə'ri:] *sb* (slags plukfisk med ris og æg).
I. keel [ki:l] *sb* køl; kulpram; *on an even ~* på ret køl;
(fig) roligt, støt; *lay (down) the ~ for* lægge kølen til.
II. keel [ki:l] *vb* forsyne med køl; vende kølen i vejret; *~
over* kuldsejle; **T** falde *(el.* dratte) om.
keelhaul [ki:lhɔ:l] *vb* kølhale; *(fig)* give en overhaling.
keelson ['kelsn] *sb (mar)* kølsvin.
keen [ki:n] *adj* skarp *(fx edge; competition; observer);*
hvas; bidende, gennemtrængende *(fx east wind);* intens,
stærk *(fx hunger);* skrap; energisk; ivrig *(fx tennis
player);* a *~ ear* et fint øre; *have a ~ eye for* have et
skarpt blik for; *~ on* opsat på *(fx he is ~ on going
away),* meget interesseret i *(fx games, a girl);* ivrig efter;
(se også *mustard).*
keen-sighted *adj* skarpsynet.
I. keep [ki:p] *vb (kept, kept)* holde *(fx a car, the ba-
lance);* bevare, beholde *(fx you may ~ this);* gemme,
opbevare *(fx will you ~ this for me?);* (have på lager)
føre *(fx the shop does not ~ this brand);* (sørge for) un-
derholde, forsørge *(fx she -s the whole family);* (skrive)
føre *(fx a diary, accounts);* (lede) drive *(fx a shop, a
school);* (rette sig efter etc) holde *(fx a promise, Christ-
mas, the law),* overholde *(fx one's obligations, the law);*
(forsinke) opholde *(fx I must not ~ you);* (uden objekt)
holde sig *(fx ~ ready; will this meat ~?);*
   (med **-ing**) blive ved med *(fx she kept crying* hun blev
ved med at græde); *~ the fire burning* holde ilden ved-
lige; *~ him waiting* lade ham vente; *~ going* holde sig i
gang, blive ved; *~ sby going* understøtte en økonomisk;
(om læge) holde en på benene, holde en i gang; *will £5 ~
you going?* kan du klare dig med £5?
   (forskellige *forb)* *~ goal* stå i mål; *~ hold of (el.* on)
holde fast på; *~ house* føre hus; *~ pace with* holde trit

med; *~ the peace* holde fred; *~ quiet* forholde sig rolig;
~ silent tie stille; *~ straight* (om straffet person) holde
sig på den rette vej; *~ time* holde takt; gå rigtigt, gå
præcist (om ur); *what can be -ing him?* hvor bliver han
af?
   (forb med præp og adv) ~ aloof holde sig på afstand;
at *it!* bliv ved! hæng i! *~ him at it* holde ham til ilden (ɔ:
til arbejdet); *~ at him* blive ved med at plage ham; *~
away (from)* holde sig borte (fra); *~* **back** holde (sig) til-
bage; tilbageholde *(fx £3 from his pay);* *~ sth back from
sby* skjule noget for en (ɔ: ikke fortælle det); *~ nothing
nothing down* han kunne ikke holde mad i sig; *~* **from**
(af)holde sig fra; *I couldn't ~ from laughing* jeg kunne
ikke lade være med at le; *~ him from doing it* forhindre
ham i *(el.* afholde ham fra) at gøre det; *~ it from him*
skjule det for ham; *~* **in** holde inde, (i skole) lade sidde
over; betvinge *(fx one's indignation);* *~ the fire in* holde
ilden vedlige; *~ sby in clothes* holde en med tøj; *~ in
repair* vedligeholde; *~ in with* **T** holde sig gode venner
med; *~* **off** holde (sig) borte; *~ off!* bliv mig fra livet! *~
off that subject* hold dig fra det emne; *~ off your hands*
fingrene væk;
   ~ **on** blive ved; *~ your hair (el. shirt) on* **S** bare rolig;
~ straight on blive ved lige ud; *~ on at sby* hele tiden
plage en; *~* **out** holde sig borte; *~* **to** holde sig til *(fx the
main roads; the point* sagen); *~ to oneself* (be)holde
noget for sig selv; *we will ~ it to ourselves* (også:) det
bliver mellem os; *he -s himself to himself* han holder sig
for sig selv, han passer sig selv; *~ to the left* holde til
venstre; *~* **under** holde nede, holde under kontrol; *she -s
him under (fig)* hun sidder på ham; *~* **up** holde oppe *(fx
one's courage);* bevare, opretholde *(fx the standard);*
vedligeholde *(fx one's house);* blive ved *(fx the rain kept
up all day);* *how long did you ~ it up last night?* hvor
længe holdt I ud i aftes? *~ it up* (også) holde spillet gå-
ende; *~ up with* holde trit med; (se også *Jones).*
II. keep [ki:p] *sb* borgtårn; underhold, kost; *earn one's ~*
tjene til sit underhold *(el.* til føden); *he doesn't earn his
~* han gør ikke gavn for føden; *for -s* for alvor; for be-
standig; til evig arv og eje; *is it mine for -s?* må jeg be-
holde den?
keeper ['ki:pə] *sb* vogter, (i zoo) dyrepasser, (i fængsel)
fangevogter, *(glds)* slutter; (i museum) museumsinspek-
tør; (i boldspil) målmand, (i kricket) keeper; *am I my
brother's ~?* er jeg min broders vogter? *Keeper of the
Great Seal* seglbevarer.
keeping ['ki:piŋ] *sb* forvaring, varetægt, besiddelse; under-
hold; overensstemmelse; *the ~ of bees* bihold; *be in ~
with* stemme overens med, svare til *(fx his acts are not in
~ with his words).*
keepsake ['ki:pseik] *sb* erindring, minde, souvenir; *as a ~*
til erindring.
keg [keg] *sb* lille tønde, lille fad, fustage.
kelp [kelp] *sb* kelp (aske af tang).
kelson = **keelson.**
I. Kelt, se *Celt.*
II. kelt [kelt] *sb zo* nedfaldslaks.
I. ken [ken] *sb* kendskab; *(glds)* synsfelt; *it is out of (el.
beyond) my ~* det forstår jeg mig ikke på,
II. ken [ken] *vb (glds* og *dial)* vide, kende.
kennel ['kenl] *sb* hundehus, *(-s pl)* kennel; rendesten; *vb*
have (, sætte) i et hundehus; bringe hundene tilbage til
hundehusene efter jagten.
Kentish ['kentiʃ] *adj* kentisk, fra Kent.
Kentish plover *zo* hvidbrystet præstekrave.
Kentucky [ken'tʌki].
Kenya ['kenjə, 'ki:njə].
kepi ['keipi] *sb* kepi, militærkasket.
kept [kept] *præt* og *pp* af *keep;* *~ woman* holdt kvinde.
keratin ['kerətin] *sb* keratin, hornstof.

keratitis [kerə'taitis] *sb (med.)* hornhindebetændelse.
kerb [kə:b] *sb* kantsten; *business done on the* ~ efterbørsforretninger.
kerb|-crawling S (det at køre sin bil langsomt langs fortovskanten for at finde en prostitueret). ~ **drill** færdselsundervisning. **-stone** kantsten; *-stone market* efterbørs. ~ **weight** (om bil) vægt i ubelastet stand.
kerchief ['kə:tʃif] *sb* (hoved)tørklæde.
kerfuffle [kə:'fʌfl] *sb* **T** uro, ballade, opstandelse.
kermes ['kə:miz] *sb* kermes (rødt farvestof).
kermess, kermis ['kə:mis] *sb* kermesse (kirkefest, marked).
kern [kə:n] *sb (typ)* overhæng, overhængende del af bogstav; *(hist.)* infanterist i den gamle irske hær; irsk bonde; *-ed letter* overhængende bogstav.
kernel ['kə:nl] *sb* kerne; *vb* sætte kerne.
kerosene, kerosine ['kerəsi:n] *sb* petroleum.
kersey ['kə:zi] *sb* kirsej, kersej (groft uldent stof).
kerseymere ['kə:zimiə] *sb* kashmir; *-s* kashmirsbenklæder.
kestrel ['kestrəl] *sb zo* tårnfalk.
Keswick ['kezik].
ketch [ketʃ] *sb* ketch (tomastet fartøj).
ketchup ['ketʃəp] *sb* ketchup.
kettle ['ketl] *sb* kedel, (især *am)* (stor) gryde; *a fine (el. pretty)* ~ *of fish* en køn historie, 'en køn kop te'; *hark at the pot calling the* ~ *black!* du (, han *etc)* er ikke en hår bedre! du skulle nødig snakke om nogen! I har ikke noget at lade hinanden høre!
kettledrum ['ketldrʌm] *sb* pauke. **kettledrummer** *sb* paukeslager.
kettle holder grydelap.
Kew [kju:].
I. key [ki:] *sb* nøgle (også *fig) (fx the* ~ *to the door, to success);* (til kode og i edb) nøgle, (til kort, udtale *etc)* (tegn-, signatur-) forklaring, (til regnebog) facitliste; (til skrivemaskine *etc)* tangent, tast, (på klaver *etc)* tangent, (på blæseinstrument) klap; (i musik) toneart, *(fig* også) tone *(fx in a plaintive* ~); (af træ, metal) kile; (ved pudsning) pudsbærer; *have the* ~ *of the street* stå på gaden, stå uden tag over hovedet; *the House of Keys* Underhuset på øen Man; *power of the -s* (pavens) nøglemagt; *and much more in the same* ~ og så videre i samme dur.
II. key [ki:] *vb* fæste, kile fast; (om instrument og *fig)* stemme; ~ *up* (om instrument) stemme højere; *(fig)* stramme op; gøre anspændt; *-ed up (fig)* anspændt, nervøs.
key|board nøglebræt; (på klaver) klaviatur, (på orgel) manual, (på skrivemaskine *etc)* tastatur, *(typ* også) tastbord. **-board punch** (i edb) hullemaskine. ~ **bugle** klaphorn. **-hole** nøglehul. ~ **industry** nøgleindustri. ~ **man** person i nøglestilling, central skikkelse. ~ **money** ekstrabetaling som forlanges ved indgåelse af lejemål. **-note** grundtone. **-punch** hullemaskine. ~ **ring** nøglering. **-stone** slutsten (i bue); hovedprincip. ~ **word** nøgleord; stikord.
K. G. *fk Knight of the Garter.*
kg. *fk* kilogramme.
khaki ['ka:ki] *sb* kaki (gulbrunt uniformsstof); *adj* kakifarvet.
khamsin ['kɔmsin] *sb* chamsin (ægyptisk ørkenvind).
khan [ka:n] *sb* kan (fyrstetitel; karavanserai, herberg for karavaner).
Khartum [ka:'tu:m].
Khedive [ki'di:v] *sb (hist.)* vicekonge af Ægypten.
kibbutz [ki'bu:ts] *sb (pl -im)* kibbutz.
kibe [kaib] *sb* frostknude; *tread on sby's -s* trænge sig ind på en.
kibitzer ['kibitsə] *sb* tilskuer til kortspil *etc,* der blander sig i spillet; 'ugle'.
kibosh ['kaibɔʃ] *sb* **S** vrøvl; *put the* ~ *on* gøre det af med; sætte en stopper for.
I. kick [kik] *vb* sparke; (om heste) slå bagud; (om gevær) støde, slå; **T** protestere, gøre vrøvl, stritte imod; ~ *the bucket* krepere, dø; ~ *the habit* vænne sig af med det, (især:) holde op med at bruge narkotika; ~ *one's heels* vente utålmodigt; spilde tiden med at vente; ~ *oneself* ærgre sig gul og grøn;
(forb med præp og adv) ~ *about (el. (am) around)* **S** koste med; mishandle; drøfte frem og tilbage *(fx an*

idea); drive omkring; ~ *against,* ~ *at (fig)* gøre vrøvl over, stritte imod; ~ *against the pricks* stampe mod brodden; ~ *at* sparke efter; ~ *in* **S** yde bidrag; krepere; ~ *off* give bolden op; *(fig)* starte, sætte i gang; *(am* **S)** krepere; ~ *out* smide ud; (i fodbold) sparke bolden ud af banen; ~ *over the traces* slå til skaglerne, skeje ud; ~ *up one's heels* more sig, slå sig løs; **S** dø, smække stængerne i vejret; ~ *up a row* larme; lave et farligt hus; ~ *sby upstairs* blive af med en ved at forfremme ham (ofte om parlamentsmedlemmer der adles og får sæde i overhuset).
II. kick [kik] *sb* spark, slag, (geværs) tilbageslag; **S** fornøjelse, spænding; indvending; grund til klage; *(am* **S)** lomme, pung; **S:** *for -s* for sjov, for skægs skyld; *I get a lot of* ~ *out of it* jeg har meget fornøjelse af det; jeg nyder det; *get more -s than ha'pence* få mere skænd end ros, få en ublid medfart; *get the* ~ blive smidt ud; *he has not much* ~ *left in him* der er ikke meget spræl *(el.* krudt) i ham mere; *there is a* ~ *in it* (om spiritus) den strammer op, den slår.
kickback ['kikbæk] *sb* tilbageslag; *(fig)* heftig *(el.* skarp) reaktion; **S** returkommission; tilbagelevering af tyvekoster.
kickball ['kikbɔ:l] *sb (am)* (slags baseball spillet med en fodbold).
kicker ['kikə] *sb* hest *(etc)* der vil sparke; *(am)* kværulant.
kick|off ['kik'ɔf] *sb* opgiverspark (i fodbold); *from the -off* lige fra bolden blev givet op; *(fig)* lige fra begyndelsen. ~ **pleats** *pl* gålæg. **-shaw** ['kikʃɔ:] lille lækkeri; tarveligt smykke; *pl* dingeldangel. **-stand** støtteben (til cykel). ~ **starter** kickstarter (på motorcykel). **-up** ['kik'ʌp] **T** ballade.
kid [kid] *sb* (gede)kid; barn, unge, rolling; kidskind; *vb* narre; gøre nar af; drille; *don't* ~ *yourself about that* tag ikke fejl af det.
kiddie ['kidi] *sb* **S** barn.
kid glove glacéhandske; *handle with -s (fig)* tage på med fløjlshandsker.
kidnap ['kidnæp] *vb* kidnappe. **kidnapper** ['kidnæpə] *sb* kidnapper, barnerøver.
kidney ['kidni] *sb (anat)* nyre; *(fig)* art, slags; natur, gemyt.
kidney| bean *(bot)* snittebønne. ~ **machine** kunstig nyre. ~ **vetch** *(bot)* rundbælg.
kike [kaik] *sb (am)* **S** jøde.
I. kill [kil] *vb* dræbe; slagte; *(fig)* tilintetgøre, ødelægge, kvæle; *(elekt)* slukke for; (om motor) få til at gå i stå; ~ *a ball* (i fodbold) lægge en bold død; *be -ed* (også) falde (i krigen); ~ *a Bill* vælte et lovforslag; *-ed in action* faldet i kamp; ~ *off* rydde af vejen, udrydde; gøre det af med; *it's* ~ *or cure* det må briste eller bære; *he was got up to* ~ han var flot udhalet; *that baby absolutely -s me* dette barn er slet ikke til at stå for; *his jokes nearly -ed us* vi var lige ved at dø af grin over hans vittigheder.
II. kill [kil] *sb* (ved jagt) nedlæggelsen af byttet; jagtudbytte *(fx a plentiful* ~); *be in at the* ~ *(fig)* være med i det afgørende øjeblik, være med når der det sker.
Killarney [ki'la:ni].
killer ['kilə] *sb* morder; *zo* spækhugger.
killer whale *zo* spækhugger.
killing ['kiliŋ] *sb* drab, slagtning; **T** mægtigt held; fin forretning; *adj* dræbende; dødelig; **T** vældig; uimodståelig; vældig sjov.
killjoy ['kildʒɔi] *sb* dødbider, glædesforstyrrer, 'lyseslukker'.
kiln [kil(n)] *sb* kølle, tørreovn; ovn.
kiln-dry *vb* ovntørre.
kilo ['ki:lou], **kilogram(me)** ['kiləgræm] *sb* kilogram.
kilometer *(am)* = **kilometre** ['kiləmi:tə] *sb* kilometer.
kilowatt ['kiləwɔt] *sb* kilowatt. **kilowatt-hour** kilowatt-time.
kilt [kilt] *sb* kilt, skotteskørt; *vb* opkilte, lægge i plisser.
kilter ['kiltə] *sb (am): out of* ~ i uorden; ude af balance.
kimono [ki'mounou] *sb* kimono; slåbrok.
kin [kin] *sb* slægt, slægtning, slægtskab; art; *adj* beslægtet; ~ *to* beslægtet med; *the next of* ~ de nærmeste pårørende, den nærmeste familie.
I. kind [kaind] *sb* art, slags; natur; *a difference* **in** ~ en

artsforskel; *pay in* ~ betale i naturalier; *repay in* ~, *reply in* ~ give igen med samme mønt; *Communion in both* -s nadveren i begge skikkelser; *I'm not the marrying* ~ jeg er ikke den type der gifter sig; *coffee* of *a* ~ en slags kaffe, noget der skulle forestille kaffe; *two of a* ~ to af samme slags; *things of every* ~ alle mulige ting; *what* ~ *of a man is he?* hvordan er han? *sth of that* ~ noget i den retning; *he said nothing of the* ~ det sagde han aldeles ikke; *those (el. these)* ~ *of things, that* ~ *of thing* den slags ting; *the room was* ~ *of dark* værelset var nærmest *(el.* ligesom lidt) mørkt; *I* ~ *of expected it* jeg ventede det næsten; *I* ~ *of thought this would happen* jeg havde ligesom på fornemmelsen, at det ville ske.
II. kind [kaind] *adj* god, venlig, kærlig; velvillig; velment; *be so* ~ *as to, be* ~ *enough to* være så venlig at; *it is really too* ~ *of you* det er alt for galt.
kinda ['kaində] *(am)* = *kind of,* se *I. kind.*
kindergarten ['kində,ga:tn] *sb* børnehave.
kind-hearted ['kaind'ha:tid] *adj* kærlig, venlig.
kindle ['kindl] *vb* tænde, fænge; *(fig)* vække, ophidse, sætte i brand, (få til at) blusse, stråle.
kindling ['kindliŋ] *sb* noget til at tænde op med *(fx paper makes good* ~ papir er godt at tænde op med); optændingsbrænde, pindebrænde.
kindling| temperature antændelsestemperatur. ~ **wood** optændingsbrænde.
kindly ['kaindli] *adj* venlig *(fx a* ~ *man); adv* venligt *(fx speak* ~*); will you* ~ *help me* vær så venlig at hjælpe mig; *take it* ~ optage det godt *(el.* i en god mening); *take* ~ *to* se på med velvilje *(fx a new idea);* have let ved at vænne sig til *(el.* finde sig (til rette) i) *(fx a new job).*
kindness ['kaindnis] *sb* venlighed, godhed, imødekommenhed; *do sby a* ~ gøre en en tjeneste, vise en en venlighed.
kindred ['kindrid] *sb* slægtskab, slægtninge, familieskab; lighed; *adj* beslægtet *(fx languages);* ~ *soul* åndsfrænde.
kine [kain] *sb pl (poet)* køer.
kinetic [kai'netik] *adj* kinetisk; ~ *art* (svarer til) bevægelse i kunsten; ~ *energy* bevægelsesenergi. **kinetics** [kai'netiks] *sb* kinetik.
I. king [kiŋ] *sb* konge; dam (i damspil); *the Kings* Kongernes Bog; *King's ...* se nedenfor; ~ *of diamonds (, of hearts)* ruder- (, hjerter-)konge.
II. king [kiŋ] *vb:* ~ *it* spille konge.
king|bolt hovedbolt, styrebolt. ~ **crab** *zo* dolkhale. **-craft** regeringskunst. **-cup** *(bot)* engkabbeleje.
kingdom ['kiŋdəm] *sb* kongerige; *the* ~ *of God* Guds rige; *the animal* ~ dyreriget; *thy* ~ *come* komme dit rige; *send him to* ~ *come* ekspedere ham over i evigheden.
kingfisher ['kiŋfiʃə] *zo* isfugl.
kingly ['kiŋli] *adj* kongelig.
kingmaker ['kiŋmeikə] *sb (fig)* indflydelsesrig person der bringer en anden til magten.
King-of-Arms overherold.
king|pin konge (i keglespil); *(fig)* hovedmand; *(am)* = -bolt. ~ **plank** *(mar)* fisk. ~ **post** (i tagkonstruktion) hængestolpe, konge. ~ **post truss** hængeværk.
King's Bench Division overrettens hovedafdeling.
King's| Counsel, se *Counsel.* ~ **English** dannet sprogbrug; standardengelsk. ~ **evidence** kronvidne (der tidligere ved at angive sine medskyldige blev fri for straf). ~ **evil** skrofulose, kirtelsyge.
king|ship kongeværdighed. ~ **-size** *adj* ekstra stor.
kink [kiŋk] *sb* kinke (bugt på tov); (i hår) krus; *(fig)* karakterbrist, skævhed; særhed; *vb* slå bugter, danne bugter på.
kinkajou ['kiŋkədʒu:] *sb zo* snohalebjørn.
kinky ['kiŋki] *adj* fuld af bugter; (om hår *etc)* kruset, filtret; (om person) sær, som er ладt til en side.
kinsfolk ['kinzfouk] *sb pl* slægtninge. **kinship** ['kinʃip] *sb* slægtskab. **kinsman** ['kinzmən] *sb* slægtning. **kinswoman** ['kinzwumən] *sb* kvindelig slægtning.
kiosk ['ki:ɔsk] *sb* kiosk.
kip [kip] **S** *vb* sove; *sb* søvn; logi; logihus; ~ *down* (også) lægge sig (til at sove).
kiphouse ['kiphaus] *sb* logihus, natherberge.
kipper ['kipə] *sb* saltet, flækket og røget sild; laks i gydetiden.

Kirghiz ['kə:giz; *(am)* kiə'gi:z] *sb* kirgiser; *adj* kirgisisk.
kirk [kə:k] *sb* (på skotsk) kirke; *the Kirk* den skotske kirke.
kirkman ['kə:kmən] *sb* medlem af den skotske kirke.
kismet ['kismet] *sb* skæbne.
kiss [kis] *sb* kys; *vb* kysse, kysses; ~ *the book* kysse Biblen (ved edsaflæggelse i retten); ~ *the dust (el. ground)* bide i græsset; *kiss it to støvet;* ~ *hands* kysse på hånden; (også ~ *the Queen's hand)* modtage sin officielle udnævnelse af dronningen (til ministerpost *etc);* ~ *one's hand to her* sende hende et fingerkys; ~ *of life* genoplivning ved mund-til-mund metoden; ~ *the rod* kysse riset; underkaste sig en straf.
kisser ['kisə] *sb* **S** ansigt; kyssetøj.
kiss-proof *adj* kyssægte.
I. kit [kit] *sb* udstyr, (især soldats) mundering, tøj, kluns; (håndværkers) værktøj; (beholder) tønde, kar, balje (af træ).
II. kit [kit] *vb:* ~ *out,* ~ *up* **T** udstyre.
kit bag køjesæk, kitbag, rejsetaske; *(mil.)* paksæk.
kitchen ['kitʃin] *sb* køkken. **kitchener** ['kitʃənə] komfur.
kitchenette [kitʃi'net] *sb* tekøkken.
kitchen| garden køkkenhave. **-maid** køkkenpige. ~ **midden** køkkenmødding. ~ **police T** (soldater der er afgivet til) køkkentjeneste. ~ **range** komfur. ~ **sink** køkkenvask. ~ **-sink** *adj* hverdagsrealistisk *(fx play).* ~ **unit** køkkenelement (med vask, skab *etc.).*
kite [kait] *sb zo* glente; (legetøj:) drage; *(merk)* akkommodationsveksel; dækningsløs check; *fly a* ~ lege med drage, sætte en drage op; *(fig)* sende en prøveballon op; *(merk)* udgive dækningsløs check; udstede akkommodationsveksel, drive vekselrytteri.
kite| balloon drageballon. **-flier** vekselrytter.
kith [kiθ] *sb:* ~ *and kin* slægt og venner.
kit inspection *(mil.)* munderingseftersyn.
kitten ['kitn] *sb* kattekilling; *vb* få killinger; *I was having* -s **S** jeg var ved at få en prop.
kittenish ['kitəniʃ] *adj* killingeagtig; kælen, legesyg.
kittiwake ['kitiweik] *sb zo* ride, tretået måge.
kittle ['kitl] *adj* (skotsk) kilden, vanskelig; ~ *cattle* kvæg der er vanskeligt at drive; *(fig)* 'et vanskeligt folkefærd'.
kitty ['kiti] *sb* pulje (i spil); **T** (fælles) kasse.
kiwi ['ki:wi] *sb zo* kivi (en fugl).
klaxon ['klæks(ə)n] *sb* kraftigt automobilhorn.
kleenex ['kli:neks] *sb* renseserviet.
kleptomania [kleptə'meiniə] *sb* kleptomani.
kleptomaniac [kleptə'meiniæk] *sb* kleptoman.
Klondike ['klɔndaik].
km *fk* kilometre.
knack [næk] *sb* tag, håndelag, færdighed; kneb; *there is a* ~ *in it* man skal kende taget; *he has the* ~ *of it* han kender taget; *have a* ~ *of* have en vis evne til.
knacker ['nækə] *sb* hestehandler; hesteslagter; opkøber og ophugger af skibe; en der opkøber og nedriver gamle huse, nedrivningsentreprenør; *-s pl* **S** testikler.
knag [næg] *sb* knast, knude.
knap [næp] *vb* hugge (skærver); **S** hugge, stjæle.
knapper ['næpə] *sb* skærvehugger.
knapsack ['næpsæk] *sb* ransel, rygsæk, tornyster.
knave [neiv] *sb* knægt, bonde (i kortspil); svindler, kæltring. **knavery** ['neiv(ə)ri] *sb* svindel, kæltringestreg.
knavish ['neiviʃ] *adj* kæltringeagtig.
knead [ni:d] *vb* ælte (dej).
kneading trough dejtrug.
knee [ni:] *sb* knæ; *(tekn)* rørknæ; (på maskine) konsol; *gone at the -s* **T** affældig; *sit on sby's* ~ (også:) sidde på ens skød, sidde på skødet af en; *go on one's* ~ *falde på knæ; it is on the -s of the gods* det ligger i fremtidens skød; *bring (el. force) him to his -s* tvinge ham i knæ; *bend one's -s to* falde på knæ for.
knee| breeches knæbukser. ~ **cap** knæskal. **~-deep** (som når) til knæene *(fx snow); he was ~-deep in water* han stod i vand til knæene. ~ **joint** knæled.
kneel [ni:l] *vb (knelt, knelt)* knæle.
kneeler ['ni:lər] *sb* en knælende; knælepude, knæleskammel.
knee pan knæskal.
knell [nel] *vb* ringe (til begravelse), klemte; *sb* ringning (til

begravelse).
knelt [nelt] *præt* og *pp* af *kneel.*
knew [nju:] *præt* af *know.*
Knickerbocker ['nikəbɔkə] *sb* New Yorker.
knickerbockers *sb* pl knæbukser, knickers.
knickers ['nikəz] *sb* pl damebenklæder; knæbukser, knickers.
knick-knack ['niknæk] *sb* nipsgenstand.
knife [naif] *sb* (*pl knives*) kniv; *vb* stikke (, myrde) med kniv; *before you could say* ~ lige pludselig; i løbet af nul komma fem; *he has got his* ~ *into me* han har et horn i siden på mig; han er ude efter mig; *war to the* ~ krig på kniven; *play a good* ~ *and fork* have en god appetit.
knife| board knivbræt. ~ **edge** knivsæg. ~ **-edged** knivskarp. ~ **grinder** skærslipper. ~ **rest** knivbuk. ~ **switch** (*elekt*) knivafbryder.
knight [nait] *sb* ridder; (nu:) en som har rang nærmest under *baronet* og ret til titlen *Sir*; (i skakspil) springer; *vb* slå til ridder, udnævne til ridder; ~ *of the pen* journalist; ~ *of the road* farende svend, vagabond.
Knight Commander kommandør (i ridderorden).
knight-errant ['nait'erənt] *sb* (*glds*) vandrende ridder.
knighthood ['naithud] *sb* ridderskab (*fx all the* ~ *of France*); titel af *knight; confer a* ~ *on sby* slå (, udnævne) en til ridder; *order of* ~ ridderorden.
knightly ['naitli] *adj* ridderlig.
Knight Templar ['nait'templə] tempelherre.
knit [nit] *vb* (*knit*(*ted*), *knit*(*ted*)) strikke, knytte, binde; sammenknytte, forene; (om brækket ben *etc*) vokse sammen; ~ *the brows* rynke panden; ~ *together* (også) holde sammen; sammenknytte; forene; ~ *up* knytte sammen; reparere (ved at strikke); (*fig*) afslutte.
knitting ['nitiŋ] *sb* strikning, strikketøj. **knitting machine** strikkemaskine. **knitting needle** strikkepind.
knitwear ['nitwɛə] *sb* strikvarer.
knives [naivz] *pl* af *knife.*
knob [nɔb] *sb* knop, dup, kugle; knude; (på radio) knap; (på dør) kuglegreb, dørknap; **S** se *I. nob; with -s on* og mere til; og meget værre (*fx we have the same problem with -s on*).
knobby ['nɔbi] *adj* knudret; knoppet, ru.
knobkerrie ['nɔbkeri] *sb* kastekølle.
knobstick ['nɔbstik] *sb* kastekølle; skruebrækker.
I. knock [nɔk] *sb* slag; stød; banken; **T** (i kricket) inning; *take a* ~ (*fig*) få et smæk; *there is a* ~ *at the door* det banker.
II. knock [nɔk] *vb* banke, hamre, slå; (om motor) banke; **T** dupere; **S** overvælde: gå i seng med, bolle; (*am* **S**) rakke ned (på), kritisere; *sby* -s det banker;
~ **about** strejfe om, flakke om; slå løs på, mishandle, ramponere; *be* -*ed about* (også) få nogle knubs; ~ **against** støde på; (*fig*) rende på; træffe; ~ *one's head against a brick wall* (*fig*) rende panden mod en mur; ~ **at** *the door* banke på døren; ~ **back** hælde i sig (*fx a drink*); ~ *him* **cold** slå ham ud; ~ **down** slå til jorden; vælte; rive ned (*fx a house*); skille ad (*fx a machine*); (*am* **S**) tjene; ~ *the price down* prutte prisen ned; *it was -ed down to him* han fik hammerslag på det; ~ **off** slå af; slå af på (pris); indstille arbejdet, holde fri, holde fyrarten; holde op med; gøre færdig i en fart, rable af sig; hælde i sig (*fx a drink*); (*am* **S**) slå ihjel, 'ekspedere'; stjæle; krepere; ~ *him off his feet* slå benene væk under ham; ~ **on** *the head* slå oven i hovedet; (*fig*) få sat en stopper for; ~ **out** banke ud (*fx a pipe*); slå ud; udkaste (*fx an idea for a play*); **T** rable af sig, få fra hånden; ~ *out a living* tjene til dagen og vejen; ~ **under** to give efter for; ~ **up** vække ved at banke på døren, banke op; lave sammen i en fart (*fx he -ed up a meal*); (i kricket) score; (*am* **S**) gøre gravid, lave med barn.
knock-about ['nɔkəbaut] *adj* larmende; (om tøj) som kan tåle lidt af hvert; ~ (*performance*) knockabout nummer, klovnenummer med grove virkemidler; ~ *comedy* falde-på-halen komedie.
knockdown ['nɔkdaun] *adj* knusende (*fx blow*); (*am*) til at skille ad; ~ *price* (ved auktion) minimumspris.
knocked-up ['nɔkt'ʌp] *adj* udkørt; (*am* **S**) gravid, »tyk«.
knocker ['nɔkə] *sb* en som banker; dørhammer; (*am*) kværulant; *muffled* ~ omviklet dørhammer (til tegn på,

at der er en syg i huset); *up to the* ~ ekstra god(t); helt i orden; perfekt.
knock-kneed ['nɔk'ni:d] *adj* kalveknæet.
knockout ['nɔk'aut] *sb* (i boksning) knockout; **S** knaldsucces; *it is a* ~ (også) den er fantastisk god.
knock shop S bordel.
knoll [noul] *sb* lille høj; top af en bakke.
knot [nɔt] *sb* knude; (af mennesker) gruppe, klynge, samling; (*fig*) forvikling, vanskelighed; (som pynt) sløjfe; roset, kokarde, kvast; (i træ) knast; (*mar*) knob; *zo* islandsk ryle; *vb* knytte, binde i knude; danne knuder; *tie oneself in -s* vikle sig ind i selvmodsigelser.
knotgrass ['nɔtgra:s] *sb* (*bot*) vejpileurt, skedeknæ.
knotted ['nɔtid] *adj* knudret, knortet.
knotty ['nɔti] *adj* knudret, knastet; indviklet, vanskelig.
knot|weed (*bot*) vejpileurt. **-wort** (*bot*) bruskbæger.
knout [naut] *sb* knut, russisk pisk.
I. know [nou] *vb* (*knew, known*) vide, kende, kende igen; kunne (*fx a language, a lesson*); forstå sig på; ~ *about* kende til; vide noget om; *that's all you* ~ *about it* det er noget du tror; *he -s all the answers* han er inde i sagerne; han kan det hele; *for all I* ~ så vidt jeg ved; *he may be dead for all I* ~ han kan godt være død, jeg ved ikke noget om det; *be -n as* være kendt som; gå under navnet …; *you ought to* ~ *better than to do that* du burde være alt for fornuftig til at gøre det; ~ *sby by sight* kende en af udseende; ~ *him by his voice* kende ham på stemmen; *come to* ~ erfare; *don't you* ~ du forstår nok, du ved nok (NB bruges også som fyldeord uden nogen egentlig betydning); *get to* ~ *sby* lære en at kende; ~ *one's own mind* vide hvad man vil; *not if I* ~ *it* ikke med min gode vilje; jeg skal ikke nyde noget; *there is no -ing, you never* ~ man kan aldrig vide; ~ *of* kende til; *not that we* ~ *of* ikke så vidt vi ved; *what do you* ~! det må jeg sige! det siger du ikke! *I wouldn't* ~ det kan jeg ikke kunne sige; det ved jeg ikke; *you* ~ ved du; jo; skam (*fx he is not so old, you* ~), (se også *known*).
II. know [nou] *sb: be in the* ~ vide besked, være indviet.
knowable ['nouəbl] *adj* som kan vides; omgængelig.
know-all ['nouɔ:l] *sb* **T** bedrevidende person, en der tror han ved alt.
know-how ['nouhau] *sb* sagkundskab, teknisk dygtighed, ekspertviden, ekspertise.
knowing ['nouiŋ] *adj* kundskabsrig, kyndig, erfaren; snu; medvidende (*fx smile*); meget sigende (*fx look* blik); *a* ~ *bird* en snu fyr. **knowingly** *adv* med forsæt, med vilje; *look* ~ *at him* sende ham et meget sigende blik.
knowledge ['nɔlidʒ] *sb* kundskab, kendskab, erfaring; lærdom; viden; vidende (*fx he did it without my* ~); *to my* ~ så vidt jeg ved; *he had to my* (*certain*) ~ *been bribed* jeg vidste (med sikkerhed) at han var blevet bestukket; *much* ~ mange kundskaber; ~ *of* kendskab til.
knowledgeable ['nɔlidʒəbl] *adj* velinformeret, kyndig; *be* ~ *about* have god forstand på, være godt inde i, vide meget om.
known [noun] *pp* af *know; make it* ~ bekendtgøre det; *make oneself* ~ *to* præsentere sig for; *he is* ~ *to the police* han er en gammel kending af politiet.
Knox [nɔks].
knuckle ['nʌkl] *sb* kno; skank (af en kalv); *vb* banke; slå med knoerne; underkaste sig; ~ *down* falde til føje, give efter; ~ *down to work* tage energisk fat på arbejdet; *near the* ~ lige på stregen (ɔ: vovet); *give him a rap over* (*el. on*) *the* -*s* give ham (et rap) over fingrene; ~ *under* falde til føje, give efter (*to* for).
knuckleduster ['nʌkldʌstə] *sb* knojern.
knucklehead ['nʌklhed] *sb* fæhoved.
knurl [nə:l] *sb* rifle, roulettere; *sb* rifling, roulettering; (værktøj) rouletterhjul.
K.O. *fk* knockout.
koala [kou'a:lə] *sb* zo pungbjørn.
kodak ['koudæk] *sb* ® kodak (fotografiapparat).
Koh-i-noor ['kouinuə] kohinoor (en brillant).
kohlrabi [koul'ra:bi] *sb* (*bot*) kålrabi.
kook [ku:k] *sb* (*am*) skør rad.
kopje ['kɔpi] *sb* lille høj.
Koran [kɔ'ra:n]: *the* ~ koranen.
Korea [kə'riə] Korea. **Korean** [kə'riən] *sb* koreaner; *sb, adj*

K kosh

koreansk.
kosh = *cosh*.
kosher ['kouʃə] *adj* (om jødisk mad *etc*) koscher, rituelt forskriftmæssig; **T** uangribelig.
kotow, kowtow ['kou'tau; 'kau'tau] *sb* ydmyg hilsen *(egl ved at kaste sig næsegrus ned)*; *vb* hilse ydmygt; ~ *to (fig)* ligge på maven for.
koumiss = *kumis*.
K.P. *(mil.) fk kitchen police*.
kraal [kraːl] *sb* kral, sydafrikansk landsby.
kraut [kraut] *sb (am S)* tysker.
Kremlin ['kremlin]: *the* ~ Kreml.
kris [kriːs] *sb* kris, malajisk dolk.

Kruger ['kruːgə] Krüger.
K.T. *fk Knight of the Thistle; Knight Templar*.
Kt. *fk knight*.
kudos ['kjuːdɔs] *sb (spøg.)* hæder; ære; ry, berømmelse.
Ku-Klux-Klan ['kjuː'klʌks'klæn] Ku-Klux-Klan (hemmeligt selskab i sydstaterne med det formål at holde negrene nede).
kumiss ['kuːmis] *sb* kumys (drik af gæret hoppemælk).
Kurd [kəːd] *sb* kurder(inde).
Kurdistan [kəːdi'staːn] Kurdistan.
kw. *fk* kilowatt.
Ky. *fk.* Kentucky.

L [el].

£ *fk libra* ɔ: *pound(s) sterling (fx £ 25)*.

L. *fk Lake, Left, Liberal,* (på bil) *Learner.*

l. *fk left; lira; litre(s).*

La. *fk Louisiana.*

laager ['laːgə] *sb* vognlejr, vognborg; *vb* sætte i vognlejr *(el.* vognborg), slå lejr.

Lab. *fk Labrador; Labour (party).*

lab. [læb] *fk laboratory.*

label ['leibl] *sb* seddel, mærkeseddel, mærke, (især på flaske, i edb) etiket, (på maskine, skuffe) skilt, (på bogbind) rygskilt; *(fig)* stempel, betegnelse, etiket; *vb* mærke; etikettere, forsyne med seddel *(etc); (fig)* rubricere, stemple; ~ *him, pin a* ~ *on him* (også) sætte ham i bås; ~ *him as a hippy* (også) hæfte betegnelsen hippie på ham.

labial ['leibiəl] *adj* læbe-, labial; *sb* læbelyd.

labialize ['leibiəlaiz] *vb* labialisere.

labiate ['leibieit, 'leibiit] *adj* læbeblomstret; *sb* læbeblomst.

labile ['leibil] *adj* labil, ustabil.

labiodental ['leibiou'dentl] *adj* labiodental; *sb* læbetandlyd.

labium ['leibiəm] *sb (pl labia)* læbe, skamlæbe.

labor *(am)* = *labour.*

laboratory [lə'bɔrət(ə)ri, 'læb(ə)rətəri] laboratorium.

Labor Day (en årlig fridag i de fleste stater i USA, *alm* første mandag i september).

laborious [lə'bɔːriəs] *adj* møjsommelig, anstrengende, brydsom *(fx undertaking);* anstrengt, tung *(fx style);* (om person) flittig, arbejdsom.

laborite ['leibərait] *sb (am)* medlem af et arbejderparti.

labor union *(am)* fagforening.

I. labour ['leibə] *sb* (hårdt) arbejde; anstrengelse, besvær, møje *(fx løst* ~ spildt møje); (om personer) arbejdskraft *(fx skilled* ~ faglært a.); *(pol)* arbejderne; arbejderklassen, arbejderpartiet, arbejderbevægelsen; *(med.)* fødselsveer *(fx be in* ~ have fødselsveer); *Ministry of Labour* arbejdsministerium; ~ *of Hercules* herkulesarbejde, kæmpearbejde; ~ *of love* arbejde man gør for sin fornøjelse, kært arbejde; arbejde man gør for at glæde en anden.

II. labour ['leibə] *vb* arbejde *(at* på); stræbe, slide, anstrenge sig *(fx to* (for at) *get finished);* arbejde *(el.* kæmpe) sig frem (, op etc) *(fx he -ed along the road (, up the hill));* (om skib) hugge (i søen); *(neds)* udpensle; *(glds,* om kvinde) have fødselsveer; ~ *for breath* kæmpe for at få vejret; ~ *under* lide under, have at kæmpe med; ~ *under a delusion* svæve i en vildfarelse.

labour| **camp** arbejdslejr. ~ **conflict** arbejdskonflikt. ~ **demonstration** arbejderdemonstration.

laboured ['leibəd] *adj* besværlig, anstrengt; kunstlet, fortænkt.

labourer ['leibərə] *sb* arbejder, arbejdsmand; *(agricultural* ~) landarbejder.

labour| **exchange** arbejdsanvisningskontor, arbejdsformidling. ~ **government** arbejderregering.

labourite ['leibərait] *sb* medlem af et arbejderpartiet, tilhænger af arbejderbevægelsen.

labour| **leader** arbejderfører. ~ **market** arbejdsmarked. ~ **movement** arbejderbevægelse.

Labour Office: *the International* ~ det internationale arbejdsbureau (i Genève).

Labour Party: *the* ~ arbejderpartiet.

labour-saving *adj* arbejdsbesparende.

Labrador ['læbrədɔː]; ~ *dog (el. retriever)* labrador-retriever.

labret ['leibrit] *sb* læbesmykke.

laburnum [lə'bəːnəm] *sb (bot)* guldregn.

labyrinth ['læbərinθ] *sb* labyrint.

labyrinthine [læbə'rinθain] *adj* labyrintisk, kompliceret, snoet.

lac [læk] *sb* gummilak; se også *lakh.*

lace [leis] *sb* snor, lidse, (i fodtøj) snørebånd; (pynt:) knipling; blonde; *vb* snøre *(fx one's boots);* (om tøj) bræmme, besætte med kniplinger; (om mælk, kaffe *etc)* blande spiritus i; *T* piske, slå løs på, prygle; ~ *into* slå løs på; skælde huden fuld; *make* ~ kniple; *-(d) boots* snørestøvler; ~ *sby's jacket* give en en dragt prygl.

lace-curtain *adj* fornem, skidtvigtig.

Lacedaemon [læsi'diːmən].

lace pillow kniplepude.

lacerate ['læsəreit] *vb* sønderrive, flænge.

laceration [læsə'reiʃ(ə)n] *sb* sønderrivelse; rift, flænge.

lacewing ['leiswiŋ] *sb zo* florflue.

lacework ['leiswəːk] *sb* kniplingsmønster.

laches ['leitʃiz] *sb (jur)* forsømmelse (af at hævde en ret i tide).

lachrymal ['lækrim(ə)l] *adj* tåre-. **lachrymal**| **duct** tårekanal. ~ **gland** tårekirtel. ~ **sac** tåresæk.

lachrymator ['lækrimeitə] *sb (mil.)* tåregas.

lachrymatory ['lækrimətəri] *sb* tåreflaske (fra antikke grave); *adj* tåre-. **lachrymatory**| **gas** tåregas. ~ **shell** tåregasbombe.

lachrymose ['lækrimous] *adj* grædende; begrædelig; *be* ~ (også) være en tåreperse; have let til tårer.

lacing ['leisiŋ] *sb* snore, snørebånd; borter, tresser; *(mar)* lidse; *T* omgang klø.

laciniate [læ'siniit] *adj (bot)* fliget.

lack [læk] *sb* mangel, trang, nød; *vb* mangle, lide mangel på; *for* ~ *of* af mangel på; *there is no* ~ *of* det skorter ikke på; *be -ing* mangle, savnes; *be -ing in* mangle; *-ing in ideas* idéforladt.

lackadaisical [lækə'deizikl] *adj* affekteret, smægtende, sentimental.

lackadaisy ['lækə'deizi], **lackaday** ['lækədei] *interj* ak! o ve!

lacker ['lækə] se *lacquer.*

lackey ['læki] *sb* lakaj; *(fig)* spytslikker; *vb* opvarte; *(fig)* vise sig som lydig slave af.

lackey (moth) *zo* ringspinder.

Lackland ['læklænd]: *John* ~ Johan uden Land.

lack-lustre ['læklʌstə] *adj* glansløs, mat, trist.

laconic [lə'kɔnik] *adj* lakonisk; kort og fyndig.

lacquer ['lækə] *sb* lakfernis, lakering; lakarbejder, lakerede arbejder; *vb* fernisere, lakere.

lacquey ['læki] se *lackey.*

lacrosse [lə'krɔs] *sb* la krosse (et boldspil).

lactate ['lækteit] *sb (kem)* mælkesurt salt; *vb* give die.

lactation [læk'teiʃ(ə)n] *sb* diegivning; (om ko) mælkeydelse.

lacteal ['læktiəl] *adj* mælkeagtig; mælke-, lymfe-; ~ *vessel* lymfekar.

lactescent [læk'tesənt] *adj* mælkeagtig; mælkeafsondrende.

lactic ['læktik] *adj* mælke- *(fx acid).*

lactometer [læk'tɔmitə] *sb* mælkeprøver.

lactose ['læktous] *sb* laktose, mælkesukker.

lacuna [lə'kjuːnə] *sb (pl -ae, -as* [-iː,-əz]) lakune, hul.

lacustrine [lə'kʌstrain] *adj* indsø-.

lacy ['leisi] *adj* kniplingagtig.

lad [læd] *sb* knægt, (halvvoksen) dreng; knøs; *T* fyr; kernekarl, guttermand.

I. ladder ['lædə] *sb* stige; *(mar)* lejder; (på strømpe) nedløben maske; *the* ~ *of success (omtr)* vejen til succes; *get one's foot on the* ~ gøre en begyndelse; *the social* ~ den sociale rangstige.

II. ladder ['lædə] *vb: the stocking -ed* der løb en maske på strømpen.

ladder|**proof** maskefast. ~ **repair needle** opmaskningsnål.

laddie ['lædi] *sb* kæleform af *lad;* (i tiltale:) lille ven, gamle ven.

lade [leid] *vb (laded; laden el. laded)* lade, læsse, laste, belæsse; (om vand *etc)* øse.

laden ['leidn] *pp* af *lade;* (også) besværet, tynget *(with* af).
la-di-da ['la:di'da:] S *sb* krukket person, krukke; *adj* krukket, affekteret, 'fin', 'fornem'.
ladies ['leidiz] *pl* af *lady; Ladies* dametoilet; *ladies'* dame-*(fx compartment* kupé; *page* side; *room* toilet); *ladies' man* dameven; kavaler.
lading ['leidiŋ] *sb* ladning.
ladle ['leidl] *sb* stor ske, slev, potageske; (i støberi) støbeske; *(mar)* øse; (på møllehjul) skovl; *vb* øse; ~ *out* øse op *(fx* ~ *out soup); (fig)* øse ud, uddele til højre og venstre.
lady ['leidi] *sb* dame; frue, hustru; lady; *adj* kvindelig *(fx* ~ *doctor,* ~ *secretary); Lady* titel for damer af en vis rang; *Our Lady* Vor Frue, den hellige Jomfru; *his young* ~ T hans kæreste; *ladies and gentlemen!* mine damer og herrer! ~ *of pleasure (glds)* kurtisane, skøge; *the Old Lady of Threadneedle Street (spøg.)* Bank of England.
lady|bird, *(am:)* **-bug** *zo* mariehøne. ~ **bountiful** veldædig (og patroniserende) dame. ~ **chair** guldstol.
Lady Day Mariæ bebudelsesdag (25. marts).
lady| friend veninde, damebekendtskab. ~ **help** ung pige i huset (med familiær stilling). ~ **-in-waiting** hofdame. ~ **-killer** *(glds)* hjerteknuser, Don Juan, dameven.
ladylike ['leidilaik] *adj* fin, elegant, dannet, fornem; *(neds)* kvindagtig.
lady|love kæreste; elskede. ~ **nurse** barnefrøken.
lady's bedstraw *(bot)* gul snerre.
lady's-delight *(bot)* vild stedmodersblomst.
ladyship ['leidiʃip] *sb* rang som *Lady; her Ladyship* hendes nåde.
lady's| maid kammerjomfru. ~ **man** dameven. ~ **mantle** *(bot)* løvefod. ~ **slipper** *(bot)* fruesko. ~ **smock** *(bot)* engkarse. ~ **tresses** *(bot)* skrueaks.
ladytide ['leiditaid] *sb* tiden omkring *Lady Day.*
I. lag [læg] *vb* komme bagefter; bevæge sig langsomt, smøle; *sb* forsinkelse; det man er bagefter; efterslæb; ~ *behind* komme (, være) bagefter.
II. lag [læg] *sb* straffefange, deporteret forbryder; straffetid, deportationsperiode; *old* ~ recidivist, vaneforbryder.
III. lag [læg] *vb* pågribe, fængsle, deportere.
IV. lag [læg] *vb* beklæde, isolere.
lager (beer) ['la:gə(biə)] pilsner; *dark lager* lagerøl.
laggard ['lægəd] *sb* efternøler, smøl, snøvl; *adj* langsom, træg.
I. lagging ['lægiŋ] *adj* langsom, nølende.
II. lagging ['lægiŋ] *sb* beklædning, isolation.
lag-goose ['læggu:s] *grey* ~ grågås.
lagoon [lə'gu:n] *sb* strandsø, lagune.
laic ['leiik] *adj* læg; *sb* lægmand.
laid [leid] *præt* og *pp* af *lay;* ~ *paper* papir med vandmærkelinier.
laid-up ['leidʌp] *adj* (syg og) sengeliggende.
lain [lein] *pp* af *lie.*
lair [lɛə] *sb* leje, hule; tilflugtssted.
laird [lɛəd] *sb* (på skotsk) godsejer, herremand.
laissez-faire ['leisei'fɛə] laissez-faire, kræfternes frie spil (i det økonomiske liv).
laity ['leiiti] *sb* lægfolk.
I. lake [leik] *sb* lakfarve.
II. lake [leik] *sb* sø, indsø.
Lake District: *the* ~ sødistriktet i Nordvest-England.
lake dwelling pælebygning.
Lake Poet sødigter, forfatter af søskolen (se *Lake School).*
lake red lakrød.
Lake School: *the* ~ søskolen (romantisk digterskole, hvortil hører: Wordsworth, Coleridge og Southey).
Lake Superior Øvresøen.
lakh [la:k] *sb* (100.000 rupi).
Lallans ['lælənz] *sb* det skotsk der tales i *the Lowlands.*
lam [læm] *vb* S slå, prygle; *(am)* stikke af; *sb: on the* ~ på flugt.
I. lama ['la:mə] *sb* lama (præst i Tibet).
II. lama ['la:mə] *sb* *zo* lama; (farve) skidengrå.
lamb [læm] *sb* lam, lammekød; *(fig)* troskyldig, naiv fyr; sød ung mand; *vb* læmme; *I may as well be hanged for a sheep as for a* ~ *(omtr)* jeg kan lige så godt løbe linen ud.

lambaste [læm'beist] *vb* S klø, tæve; skælde ud; gennemhegle.
lambent ['læmbənt] *adj* (om ild) slikkende, spillende; (om vid, øjne) lysende, klar, legende, spillende.
Lambeth ['læmbəθ]: ~ *Palace* (residens i London for ærkebiskoppen af Canterbury); ~ *walk* (en dans der var populær i trediverne).
lambkin ['læmkin] *sb* ungt lam, lille lam.
lamblike ['læmlaik] *adj* lammeagtig; spag.
lambrequin ['læmbəkin] *sb (glds)* hjelmklæde; *(am)* gardinkappe.
lambskin ['læmskin] *sb* lammeskind.
lamb's-lettuce *(bot)* vårsalat.
lamb's-wool lammeuld; drik lavet af varmt øl blandet med kødet af stegte æbler og tilsat forskellige krydderier.
lame [leim] *adj* halt; *(fig)* haltende, mangelfuld, utilfredsstillende; *vb* gøre halt; skamslå; ~ *excuse* dårlig undskyldning.
lame duck *(fig)* hjælpeløs person; insolvent spekulant; *(am)* politiker i slutningen af sin embedsperiode efter et valg hvor han ikke er blevet genvalgt.
lamell|a [lə'melə] *sb (pl -ae [-i:])* lamel (tynd plade).
lament [lə'ment] *vb* jamre, klage, sørge *(for* over); (med objekt) sørge over, beklage; begræde; *sb* klage, jammerklage; sørgesang; *(late) lamented* afdød, salig.
lamentable ['læməntəbl] *adj* beklagelig, sørgelig; jammerlig, ynkelig.
lamentation [læmen'teiʃ(ə)n] *sb* klage, jammer; sorg.
lamina ['læminə] *sb (pl laminae* ['læmini:]) tynd plade, tynd hinde; *(bot)* bladplade.
I. laminate ['læmineit] *vb* udvalse; kløve(s) i skiver; laminere.
II. laminate ['læminit] *adj* lagdannet.
laminated| glass splintfrit glas. ~ **plastic** plastiklaminat. ~ **spring** bladfjeder. ~ **wood** lamineret træ.
lamination [læmi'neiʃ(ə)n] *sb* lameldannelse; laminering.
laminboard ['læminbɔ:d] *sb* lamellimet møbelplade.
Lammas ['læməs] *sb* en fest for brød af den nye høst, 1. august; *at latter* ~ *(spøg)* aldrig.
lamp [læmp] *sb* lampe, (gade)lygte; *(fig)* lys; *-s* T øjne, glugger; *smell of the* ~ *(fig* om stil) være kunstlet *(el.* anstrengt); *hand 'on the* ~ *(fig)* række faklen videre.
lampblack ['læmp'blæk] *sb* lampesod; kønrøg; *vb* sværte (med kønrøg).
lamp| chimney lampeglas. ~ **holder** (lampe)fatning. **-light** lampelys, kunstigt lys. **-lighter** lygtetænder.
lampoon [læm'pu:n] *sb* smædedigt, smædeskrift; *vb* forfatte smædeskrift(er) om.
lampooner [læm'pu:nə], **lampoonist** [læm'pu:nist] *sb* smædedigter; pamflettist.
lamppost ['læmppoust] *sb* lygtepæl.
lamprey ['læmpri] *sb zo* lampret.
lampshade ['læmpʃeid] *sb* lampeskærm.
Lancashire ['læŋkəʃ(i)ə].
Lancaster ['læŋkəstə].
lance [la:ns] *sb* lanse, spyd; *(med.)* lancet, sneppert; *(mil.)* lansenér; *vb* perforere; gennembore; åbne med lancet; kaste, slynge, udsende; *break a* ~ *with (fig)* bryde en lanse med (ɔ: indlade sig i debat med).
lance corporal *(mil.)* underkorporal.
lancelet ['la:nslit] *sb zo* lancetfisk.
lanceolate ['la:nʃəleit] *adj (bot)* lancetbladet.
lancer ['la:nsə] *sb* lansenér.
lancers ['la:nsəz] *sb* lanciers (en dans).
lancet ['la:nsit] *sb (med.)* lancet.
lancet| arch spidsbue. ~ **window** (smalt) spidsbuevindue.
lancinating ['lænsineitiŋ] *adj* skærende, jagende (om smerte).
Lancs. *fk Lancashire.*
I. land [lænd] *sb* land (modsat vand); jord, grundejendom, jordegods; (især *poet)* land, rige; *(tekn)* frigang, styrekant, styreflade; *by* ~ over land, til lands; *go on the* ~ blive landarbejder; *work on the* ~ være landarbejder.
II. land [lænd] *vb* lande; landsætte, bringe i land, sætte af *(fx* ~ *me at the station);* få til at lande *(el.* havne), anbringe; bringe *(fx* ~ *oneself in difficulties); (om fly)* lande med, bringe til landing; (om fisk) fange, tage på land, lande; *(fig)* kapre *(fx a husband),* vinde *(fx a*

prize); skaffe sig *(fx a job)*; redde i land; **T** lange, give *(fx ~ sby a blow)*; (uden objekt) lande, havne, ankomme, ende, komme ned; *be nicely -ed* sidde net i det; *be -ed with* være belemret med, have fået på halsen.
land agent ejendomsmægler; godsforvalter.
landau ['lændɔ:] *sb (glds)* landauer (hestevogn); bil med kaleche over bagsædet.
land breeze fralandsbrise.
landed ['lændid] *adj* bestående i landejendom; jordejende; jord-, grund-, gods-, godsejer-.
landed| gentry landadel. **~ interest:** *the ~ interest* det store hartkorn; godsejerne. **~ property** jordejendom, fast ejendom. **~ proprietor** godsejer, jordbesidder.
land|fall ['lændfɔ:l] *(mar)* landkending; *make a -fall* få landkending. **-fall mark** *(mar)* anduvningsmærke. **~ forces** landstyrker. **~ girl** 'terne', ung pige der gør frivillig hjælpetjeneste ved landbrug. **-holder** *sb* forpagter; grundejer, jordbesidder.
landing ['lændiŋ] *sb* landing; landgang; landingsplads; (på trappe) trappeafsats, repos.
landing| craft landgangsfartøj. **~ field** *(flyv)* (start- og) landingsplads, flyveplads. **~ flap** *(flyv)* landingsklap. **~ gear** (flyvemaskines) understel. **~ net** fangstnet. **~ party** *(mil.)* landgangskorps. **~ place** landingsplads. **~ stage** anlægsbro, anløbsbro. **~ strip** landingsplads.
land jobber grundspekulant.
landlady ['læn(d)leidi] *sb* værtinde (som udlejer værelser), hotelværtinde; kvindelig godsejer.
landlocked ['lændlɔkt] *adj* helt eller næsten helt omgivet af land.
landloper ['lændloupə] *sb* vagabond, landstryger.
landlord ['læn(d)lɔ:d] *sb* godsejer; vært (husvært *el.* hotelvært). **landlordism** ['læn(d)z:dizm] *sb* godsejersystemet, godsejervælde.
land|lubber *(neds.)* landkrabbe. **-mark** grænseskel; landmærke, orienteringspunkt; *(fig)* milepæl. **-mine** landmine. **-owner** godsejer, grundejer. **-owning** *sb* jordbesiddelse; *adj* jordejende; jordejer-. **-rail** *zo* engsnarre.
landscape ['læn(d)skeip] *sb* landskab; landskabsmaleri.
landscape| architect havearkitekt. **~ gardener** havearkitekt, anlægsgartner. **~ painter** landskabsmaler.
landscapist ['læn(d)skeipist] *sb* landskabsmaler.
Land's End ['læn(d)z'end] (sydvestligste spids af England i Cornwall).
landslide ['læn(d)slaid] *sb* jordskred, bjergskred; *(fig,* ved valg) stor stemmeforskydning, stort omsving, stemmeskred; stor valgsejr.
landslip ['læn(d)slip] *sb* mindre jordskred, mindre bjergskred.
land|spout skypumpe. **~ steward** godsforvalter. **~ tax** grundskyld. **~ value** grundværdi.
landward ['lændwəd] *adj* mod land, land-.
land wind fralandsvind.
lane [lein] *sb* smal vej *(fx* mellem hegn); (i by) stræde, smal gade; (mellem mennesker) gang; (til biler) vognbane; (i sport) bane; *(mar)* sejlrute; *(flyv)* luftrute; *form a ~* danne spalier.
lang syne ['læŋ'sain] (skotsk) for længe siden, (i) gamle dage.
language ['læŋgwidʒ] *sb* sprog; *(vulg)* skældsord, eder; *in a foreign ~* på et fremmed sprog; **~** *of flowers* blomstersprog; *use bad ~* bande; *strong ~* kraftudtryk, eder; *use strong ~* bruge stærke udtryk; føre et kraftigt sprog.
languid ['læŋgwid] *adj* mat, svag, træt; doven, sløv, ligegyldig, blasert; *(merk* om handel) flov.
languish ['læŋgwiʃ] *vb* blive mat, sygne hen, sløves, slappes *(fx his interest -ed)*; se smægtende ud, smægte *(for* efter); vansmægte *(fx in prison)*. **languishing** smægtende *(fx look)*.
languor ['læŋgə] *sb* smægten; mathed, kraftesløshed; slaphed, sløvhed, døsighed; (trykkende) stilhed.
languorous ['læŋgərəs] *adj* mat; som forårsager mathed; smægtende *(fx tones)*.
langur [ləŋ'guə] *sb zo* langur, hulman (abeart).
lank [læŋk] *adj* høj og tynd *(el.* mager); indskrumpet; slap, slatten; (om hår) glat.
lanky ['læŋki] *adj* ranglet, opløben.
lanner ['lænə] *sb zo* feldeggsfalk (hun).

lanneret ['lænərət] *sb* feldeggsfalk (han).
lanolin(e) ['lænəli:n] *sb* lanolin.
lansquenet ['lænskənet] *sb (hist.)* landsknægt; slags kortspil.
lantern ['læntən] *sb* lygte, lanterne.
lantern| fly *zo* lyscikade. **~ -jawed** hulkindet. **~ jaws** hule kinder. **~ lecture** lysbilledforedrag. **~ slide** lysbillede.
lanyard ['lænjəd] *sb* snor (til at bære pistol *el.* fløjte i); *(mar)* taljereb; *(mil.)* aftrækkersnor.
I. lap [læp] *vb* labbe, slikke; skvulpe; *sb* labben; skvulpen; **S** (om drik) tyndt sprøjt; **~** *up* labbe i sig; *(fig)* lytte ivrigt *(el.* begærligt) til, sluge råt.
II. lap [læp] *sb* skød; (af tøj) flig, snip; (i sport) omgang, etape, runde; *be in fortune's ~* være tilsmilet af lykken; *be in the ~ of luxury* være omgivet af luksus.
III. lap [læp] *vb* indhylle, indsvøbe, omgive *(in* med); *-ped in* omgivet af *(fx luxury; peace)*; **~** *over* overlappe, ligge ud over; lægge ud over.
IV. lap [læp] *sb* (i snedkeri) polérskive; *vb* finpolere.
lap dog skødehund.
lap dovetail (i snedkeri) fordækt sinke.
lapel [lə'pel] *sb* opslag på frakke, revers.
lapidary ['læpidəri] *sb* kender af ædle stene; stenskærer; *adj* sten-; ædelstens-; hugget i sten; (om udtryksform) lapidarisk; kort og træffende, fyndig; **~** *style* lapidarstil.
lapis-lazuli ['læpis'læzjulai] *sb (min.)* lapis lazuli, lasursten.
lapis-lazuli blue lapisblå.
Lapland ['læplænd] Lapland. **Lapland bunting** *zo* laplandsværling. **Laplander** ['læplændə] *sb* laplænder. **Lapland longspur** *(am)* = Lapland bunting.
Lapp [læp] *sb* laplænder, lap; *adj* lappisk.
lappet ['læpit] *sb* flig, snip, lap.
Lappish ['læpiʃ] *sb, adj* lappisk.
I. lapse [læps] *sb* (mindre) fejl, lapsus, forsømmelse; (moralsk:) fejltrin; afvigelse, frafald *(fx from true belief)*; (om tid) forløb; (især *jur*) udløb *(fx of a contract)*; bortfald; forældelse; **~** *of memory* erindringsforskydning; **~** *of the pen* skrivefejl; *a ~ of time* et stykke tid; *a ~ of two years* et tidsrum af to år.
II. lapse [læps] *vb* forse sig, begå en fejl; (om tid) (hen)gå, (hen)glide, henrinde; *(fx* om skik) ophøre; *(jur)* bortfalde, forældes; (om kontrakt *etc*) udløbe *(fx the policy will ~ after 30 days)*; (om ejendom) hjemfalde *(fx to the Crown)*; **~** *into* henfalde til *(fx heresy)*, falde tilbage til *(fx the tribes soon -d into savagery)*, glide over i.
lapstrake ['læpstreik] *(am)*, **lapstreak** ['læpstri:k] *(mar) adj* klinkbygget; *sb* klinkbygget fartøj.
lapwing ['læpwin] *sb zo* vibe.
larboard ['la:bəd] *(mar) (glds) sb* bagbord; *adj* bagbords-.
larceny ['la:sni] *sb (jur)* tyveri; **~** *by finding* ulovlig omgang med hittegods.
larch [la:tʃ] *sb (bot)* lærketræ, lærk.
lard [la:d] *sb* svinefedt; fedt flæsk; spæk; *vb* spække *(fx ~ meat; a speech -ed with quotations)*.
larder ['la:də] *sb* spisekammer.
lardon ['la:dn], **lardoon** [la:'du:n] *sb* spækkestrimmel.
lardy-dardy ['la:di'da:di] *adj* **S** affekteret.
large [la:dʒ] *adj* stor; rummelig *(fx house)*; udstrakt, omfattende *(fx domains)*; vidtrækkende *(fx powers)*; (om person) storsindet, ædel, large; *(neds)* pralende; (om vind) rum; (om virksomhed *etc*) i stor stil, stor- *(fx consumer, farmer, producer)*; *at ~* i frihed, løs, på fri fod *(fx the murderer is at ~)*; (i det hele, i almindelighed *(fx the country at ~)*; udførligt *(fx discuss it at ~)*; *talk at ~* tale vidt og bredt; **~** *of limb* sværlemmet; *on a ~ scale* i stor målestok; *sail ~* sejle rumskøds; *talk ~* prale, være stor i munden.
large| calorie kilogramkalorie. **~ -handed** gavmild, rundhåndet. **~ -hearted** næstekærlig, højsindet, storsindet. **~ intestine** *(anat)* tyktarm.
largely ['la:dʒli] *adv* i stor udstrækning, i høj grad; i det store og hele *(fx it was ~ true)*, overvejende; *live ~* leve flot.
large-minded storsindet.
largeness ['la:dʒnis] *sb* betydelig størrelse, stor udstrækning; storhed, storsindethed.
large-scale ['la:dʒ'skeil] *adj* omfattende, storstilet, i stort omfang (, format), i stor målestok; **~** *industry* storindu-

stri.
largess [la:'dʒes] *sb (glds)* rundhåndethed; gave.
lariat ['læriət] *sb* lasso; *vb* lassoe, indfange med lasso.
I. lark [la:k] *sb* lærke; *vb* fange lærker.
II. lark [la:k] *sb* løjer, sjov; *vb = have a ~; have a ~* lave sjov, gøre løjer; *for a ~* for spøg, i sjov; *~ about* løbe om og lave halløj, pjanke.
larkspur ['la:kspə:] *sb (bot)* ridderspore.
larn [la:n] **T** = *learn*.
larrikin ['lærikin] *sb* bølle.
larrup ['lærəp] *vb* slå, prygle.
larva ['la:və] *sb (pl larvae* ['la:vi:]*)* larve. **larval** ['la:vl] *adj* larve-; *in the ~ stage* på larvestadiet.
laryngeal [lærin'dʒi(:)əl] *adj* strube- *(fx mirror* spejl*)*.
laryngoscope [lə'ringəskoup] *sb* laryngoskop, strubespejl.
larynx ['læriŋks] *sb (anat)* strubehoved.
lascar ['læskə] *sb* indisk sømand (på europæisk skib).
lascivious [lə'siviəs] *adj* lysten, vellystig, liderlig.
laser ['leizə] *sb* laser; *~ beam* laserstråle.
laserwort ['leisəwə:t] *sb* foldfrø.
I. lash [læʃ] *sb* piskesnert; piskeslag; snert; bidende satire; se også *eyelashes.*
II. lash [læʃ] *vb* piske, slå, slå med *(fx the lion -ed its tail); (fig)* snerte, gennemhegle; *(mar)* binde, surre, naje; *~ into* hidse op til; *~ out* sparke, lange ud; fare op; øse penge ud, flotte sig; *~ out at* lange ud efter, angribe voldsomt.
lashing ['læʃiŋ] *sb* prygl; *(mar)* surring; *-s of* (også) masser af.
lash-up ['læʃʌp] *sb* improviseret arrangement.
lass [læs] *sb* pige; tøs (kærtegnende). **lassie** ['læsi] *sb* (lille) pige.
lassitude ['læsitju:d] *sb* udmattelse, træthed.
lasso [læ'su:, 'læsou] *sb* lasso; *vb* lassoe, fange med lasso.
I. last [la:st] *sb* (skomagers) læst; (rummål) læst; *stick to one's ~* blive ved sin læst.
II. last [la:st] *adv, adj* sidst; yderst; foregående, forrige; *~ of all* allersidst; *at ~* til sidst; endelig, omsider; *at long ~* langt om længe; *~ but* one næstsidst; *~ but two* tredjesidst; *~ (but) not least* sidst men ikke mindst; *the ~ day* den sidste dag, den yderste dag; *the ~ ditch (fig)* den sidste skanse; *die in the ~ ditch* kæmpe til det sidste; sælge sit liv dyrt; *of the ~ importance* af yderste vigtighed; *be on one's ~ legs* gå på gravens rand, ikke have langt igen, ligge på sit yderste; *(fig* også*)* synge på det sidste vers; *~ night* i aftes; i nat, sidste nat; *you will never hear the ~ of it* det vil du komme til at høre for; *you will never see the ~ of him* ham bliver du aldrig kvit; *that was the ~ thing one would expect* det var det sidste man skulle vente; *the ~ thing (el.* **word***) in hats* det sidste ny *(el.* skrig*)* i hatte; *his ~ word* hans sidste ord *(el.* ord *~ word has not been said on the matter* det afgørende ord er ikke sagt i den sag; sagen er ikke uddebatteret; *~ year* i fjor; *this time ~ year* i fjor på denne tid.
III. last [la:st] *vb* vare, vedvare, holde sig *(fx as long as the weather -s);* slå til *(fx how long will our money ~);* he cannot ~ *much longer* (om syg:) han gør det sikkert ikke længe; *this coat will ~ me for years* den frakke kan holde *(el.* kan jeg klare mig med*)* i mange år; *~ out the winter* slå til vinteren over, vare vinteren ud; (om person) klare sig igennem vinteren, holde ud til vinteren er forbi.
last-ditch *adj* (en) sidste fortvivlet *(fx fight, resistance).*
lasting [la:stiŋ] *adj* varig; holdbar; *sb* lasting (et tætvævet, stærkt stof).
lastly ['la:stli] *adv* endelig; til sidst (i opregning) *(fx ~, I must explain ...).*
last-minute *adj* som foretages (, sker *etc)* i sidste sekund *(el.* øjeblik*)*.
last post *(mil.)* retræte (hornsignal).
Last Supper *(rel): the ~* den sidste nadver.
Lat. *fk Latin.*
lat. *fk Latitude.*
latch [lætʃ] *sb* klinke; smæklås; *vb* lukke med klinke; smække (med smæklås); *on the ~* lukket til men ikke låst; *~ on to* få fingre i, få fat i; blive klar over.
latchet ['lætʃit] *sb (glds)* skorem, skotvinge.
latchkey ['lætʃki:] *sb (glds)* gadedørsnøgle, entrénøgle.

latchkey children nøglebørn.
late [leit] *adj, adv* (se også *later, latest)* sen, sent; sildig *(fx fruits);* forsinket *(fx the train was ~)*, for sent *(for til, fx he was* (kom) *~ for dinner);* nylig (overstået) *(fx the ~ political unrest);* forhenværende *(fx Dr. M., ~ headmaster of Eton);* afdød *(fx my ~ husband), (glds)* salig; *it is ~* klokken er mange; *~ dinner* middag om eftenen; *early and ~* tidlig og silde; *keep ~ hours* gå sent i seng (og stå sent op); *(rather) ~ in the day (fig)* noget sent, lovlig sent; *~ in life* i en fremrykket alder; *in the ~ 19th century* i slutningen af det 19. århundrede; *in the ~ spring* sent (el. langt hen) på foråret; *in the ~ twenties* sidst i tyverne; *the ~ Mr. N* afdøde hr. N.; *the ~ Prime Minister* 1. den afdøde statsminister; 2. den forhenværende *(el.* afgåede*)* s.; *of ~* nylig, for kort tid siden; i den senere tid; *~ of ~ years* i de senere år; *sit (up) ~* sidde længe oppe.
late-comer *sb* efternøler; nyankommen, nytilkommen.
lateen [lə'ti:n] *sb (mar)* latinerrigget fartøj; latinersejl; *~ sail* latinersejl.
lately ['leitli] *adv* nylig; i den senere tid.
latency ['leit(ə)nsi] *sb* latens, det at være latent *el.* bunden.
latent ['leitənt] *adj* skjult; latent, bunden *(fx heat).*
late-pass *sb* nattegn.
later ['leitə] *adj* senere, nyere; yngre *(fx the ~ stone age); I saw him no ~ than yesterday* jeg så ham så sent som i går; *~ on* senere (hen); *sooner or ~* før eller siden.
lateral ['læt(ə)rəl] *adj* side-; *sb (bot)* sideskud (på en plante), sideknop; *~ branch* sidegren; (af slægt) sidelinje;·*~ root* rodgren, birod, siderod.
laterally ['læt(ə)rəli] *adv* sidelæns; i sideretningen.
laterite ['lætərait] *sb* laterit (slags rødt ler).
latest ['leitist] *adj* senest, sildigst; nyest; *by 10 at (the) ~* senest kl. 10; *~ news* nyeste *(el.* sidste*)* nyt; *the ~ thing* det sidste ny, det sidste skrig.
latex ['leiteks] *sb* latex, saft (især af gummitræet), mælkesaft.
lath [la:θ] *sb* lægte; (ved pudsning *etc)* forskallingsbræt; pudsunderlag; *(fx i persienne)* liste, tremme; *vb* belægge med lægter; *thin as a ~* tynd som en streg; *~ and plaster wall* pudset væg.
lathe [leið] *sb (tekn)* drejebænk.
lathe| carrier, ~ dog *(tekn)* medbringer.
lather ['la:ðə] *vb* skumme; indsæbe; svede; **T** prygle; *sb* skummen, skum; sæbeskum; (stærk) sved; *in a ~* svede *(el.* være våd*)* af nervøsitet), svedende; *(fig)* helt ude af sig *(el.* af nervøsitet*)*.
Latin ['lætin] *sb* latin; latiner; *adj* latinsk; *~ America* Latinamerika (den del af Amerika syd for USA, hvor det officielle sprog er spansk *el.* portugisisk); *~ peoples* de romanske folk. **Latinism** ['lætinizm] *sb* latinisme, latinsk udtryk. **Latinist** ['lætinist] *sb* latiner. **Latinity** [lə'tiniti] *sb* kendskab til og brug af latin. **latinize** ['lætinaiz] *vb* latinisere. **Latin Quarter** latinerkvarter.
latitude ['lætitju:d] *sb* frihed, spillerum *(fx allow him greater ~); (geogr)* breddegrad, bredde; *degree of ~* breddegrad; *in the ~ of 30° N* 30 grader nordlig bredde.
latitudinarian ['lætitju:di'nɛəriən] *adj* frisindet, tolerant, liberal; *sb* frisindet *(etc)* person.
latitudinarianism ['lætitju:di'nɛəriənizm] *sb* tolerance.
latrine [lə'tri:n] *sb* latrin.
latter ['lætə] *adj* sidst (af to) *(fx the ~ half); the ~ (mods former)* sidstnævnte, denne, dette, disse; *the ~ end* slutningen, døden; *in these ~ days* i nyere tid; i vor tid.
latterday ['lætədei] *adj* nutids-.
Latter Day Saints: *the ~* de sidste dages hellige, mormonerne.
latterly ['lætəli] *adv* i den senere tid, nutildags, nylig.
lattice ['lætis] *sb* tremmeværk, (også *fys)* gitter; gittervindue; *vb* forsyne med gitter. **latticed** ['lætist] *adj* tilgitret, med gitter for.
lattice| girder gitterdrager. **~ window** gittervindue; blyindfattet vindue. **-work** gitterværk.
Latvia ['lætviə] Letland. **Latvian** *adj* lettisk; *sb* lettisk; lette.
laud [lɔ:d] *vb* prise, lovprise, berømme; *sb* pris, lovprisning.
laudable ['lɔ:dəbl] *adj* rosværdig, prisværdig.

laudanum ['lɔ(:)dnəm] *sb* laudanum, opiumsdråber.
laudatory ['lɔ:dət(ə)ri] *adj* lovprisende, rosende.
I. **laugh** [la:f] *vb* le; smile; sige leende; ~ *at* le ad; udle,
gøre sig lystig over; ~ *down* udle, lade drukne i latter,
slå hen i latter; ~ *in sby's face* le en op i ansigtet; ~ *in
(el. up) one's sleeve* le i skægget; ~ *off* le ad, slå hen i
latter; *I'll make him ~ on the wrong (el. other) side of
his mouth (el. face)* jeg skal nok tage pippet fra ham,
han er vist ikke så kæphøj når jeg er færdig med ham; ~
him out of court gøre ham fuldstændig til grin; ~ *to
scorn* udle, hånle ad; *it is enough to make a cat ~* det er
til at dø af grin over.
II. **laugh** [la:f] *sb* latter; *have a good ~ at* få sig en ordent-
lig latter over; *have the ~ of* triumfere over; *the ~ was
on (el. against) him* han blev til latter *(el.* grin); *there is
a ~ on every page* på hver side er der noget morsomt *(el.*
noget at le ad); *I had (el. got) the ~ on him* jeg fik latte-
ren på min side; *raise a ~* vække munterhed.
laughable ['la:fəbl] *adj* lattervækkende, morsom.
laughing ['la:fiŋ] *sb* latter; *adj* leende; smilende.
laughing| gas lattergas. ~ **jackass** *zo* latterfugl. ~ **matter:**
no ~ matter ikke noget at le ad, en alvorlig sag. **-stock**
skive for latter; *be a -stock to* være til latter for.
laughter ['la:ftə] *sb* latter.
I. **launch** [lɔ:nʃ] *vb* sætte i gang, starte, begynde, indlede
(fx an attack); sætte i vandet, lade løbe af stabelen, sø-
sætte *(fx a ship);* udskyde *(fx a torpedo);* opsende *(fx a
rocket);* slynge, kaste *(fx a spear);* udslynge *(fx
threats);* ~ *him in(to) business* sætte ham i gang med en
forretning; ~ *(out) into* kaste sig ud i, vove sig ud i *(el.*
på); ~ *out* øse penge ud.
II. **launch** [lɔ:nʃ] *sb* raketopsendelse; *(mar)* stabelafløb-
ning, søsætning; barkasse, stor båd.
launcher ['lɔ:nʃə] *sb* udskydningsapparat; (på gevær) gra-
natstol. **launch(ing) pad** (raket)afskydningsrampe.
launder ['lɔ:ndə] *vb* vaske (og rulle *el.* stryge); kunne va-
skes *(fx it -s well).*
launderette [lɔ:ndə'ret] *sb* selvbetjeningsvaskeri; møntvask.
laundress ['lɔ:ndris] *sb* vaskekone.
laundromat ['lɔ:ndrəmæt] *sb (am)* = *launderette.*
laundry ['lɔ:ndri] *sb* vaskerum; vaskeri *(fx send clothes to
the ~);* vasketøj *(fx the ~ has come back).*
laureate ['lɔ:riit] *adj* kronet med laurbærkrans; *Poet Laur-
eate* hofdigter.
laurel ['lɔrəl] *sb (bot)* laurbær, laurbærtræ; *vb* laurbær-
kranse; *gain (el. win)* -s høste laurbær; *rest on one's -s*
hvile på sine laurbær; *look to one's -s* passe på at man
ikke bliver overgået af en rival, våge skinsygt over sit ry.
lav [læv] **T** = *lavatory.*
lava ['la:və] *sb* lava.
lavage [lə'va:ʒ] *sb (med.)* udskylning.
lavaret ['lævərit] *sb* zo helt (en fisk).
lavatory ['lævət(ə)ri] *sb* toilet, wc, vaskerum; håndvask,
vaskekumme; ~ *joke* latrinær vittighed; ~ *pan* wc-
kumme.
lave [leiv] *vb (glds)* bade; beskylle.
lavement ['leivmənt] *vb* udskylning, lavement.
lavender ['lævində] *sb (bot)* lavendel; (farve) lavendelblå;
vb parfumere med lavendel; lægge lavendler mellem; *lay
up in ~ (fig)* gemme omhyggeligt til senere brug.
lavender grey lavendelgrå.
lavish ['læviʃ] *adj* ødsel *(in, of* med), rundhåndet, flot; ri-
gelig; overdådig; *vb* ødsle med, strø om sig med, bortød-
sle; ~ *one's affection on sby* øde sin kærlighed på en, ka-
ste al sin kærlighed på.
lavishly ['læviʃli] *adv* ødselt, med rund hånd.
I. **law** [lɔ:] *interj* Gud Fader bevares!
II. **law** [lɔ:] *sb* lov; ret; retsvidenskab, jura; (i sport) for-
spring; *the ~* loven; **T** politiet; *the Law (rel)* moselo-
ven; ~ *and order* lov og orden; retsikkerheden; *be at ~*
føre proces; *follow the ~* studere jura; *go to ~* anlægge
sag; *have the ~* on anlægge sag mod; *lay down the ~* ud-
tale sig myndigt og selvsikkert, docere; *lay down the ~
to him* foreskrive *(el.* diktere) ham hvad han skal gøre,
give ham ordentlig besked; *make a ~* lovfæste det; *prac-
tise the ~* drive advokatvirksomhed; *take the ~ into
one's own hands* tage sig selv til rette; *be a ~ unto oneself*
sætte sig ud over alle hensyn *(el.* bestemmelser), gøre

hvad der passer én.
law|-abiding ['lɔ:əbaidiŋ] *adj* lovlydig. **-breaker** lovovertræ-
der. **-court** domstol, ret; *the Law Courts* (især retsbygnin-
gen i London).
lawful ['lɔ:f(u)l] *adj* lovlig, retmæssig *(fx the ~ owner);*
lovformelig, retsgyldig *(fx marriage);* legitim *(fx child);*
~ *age* fuldmyndighed; ~ *business* lovligt ærinde; ~
money lovligt betalingsmiddel.
law|giver *sb* lovgiver. **-giving** *adj* lovgivende; *sb* lovgivning.
lawk(s) [lɔ:k(s)] *interj* S Gud Fader bevares!
lawless ['lɔ:lis] *adj* ulovlig *(fx a ~ act);* lovløs *(fx a ~
country);* retsløs.
law| lord juridisk kyndigt medlem af Overhuset. **-maker**
lovgiver.
law merchant: *the ~* lovene vedrørende handelsforhold.
I. **lawn** [lɔ:n] *sb* lawn (en slags fint lærred); lawnærmer (på
biskops ornat); bispeembede.
II. **lawn** [lɔ:n] *sb* græsplæne, plæne; lysning, åben plet mel-
lem træer.
lawn| mower plæneklipper, græsslåmaskine. ~ **sprinkler**
plænevander. ~ **tennis** lawntennis, tennis.
law student juridisk student, jurist.
lawsuit ['lɔ:s(j)u:t] *sb (jur)* proces, retssag, søgsmål; *carry
on a ~* føre proces; *be involved in a ~ with* ligge i proces
med.
lawyer ['lɔ:jə] *sb* jurist; advokat.
lax [læks] *adj* løs, slap *(fx morals);* efterladende.
laxative ['læksətiv] *adj* afførende; *sb* laksativ, afførende
middel; ~ *pill* afføringspille.
laxity ['læksiti] *sb* slaphed, løshed; ubestemthed.
I. **lay** [lei] *vb (laid, laid)* lægge, sætte *(fx a snare, a trap);*
stille; få til at lægge sig, dæmpe *(fx the dust, the waves);*
slå ned *(fx crops laid by the storm);* mane i jorden *(fx a
ghost);* (anbringe, også:) lægge på *(fx linoleum);* lægge
til rette; nedlægge *(fx a cable, pipes);* anlægge *(fx a
road);* (om flade) dække *(fx the floor was laid with a
carpet);* (ved væddemål) vædde, holde *(fx I'll ~ ten to
one that he wins);* (om tovværk) slå; (om høne) lægge
æg; *(mil.)* indstille *(fx a gun);* S gå i seng med, bolle
(fx a girl);
(med *sb)* ~ *one's bones* blive begravet; ~ *claim to* frem-
sætte krav om, gøre krav på; ~ *a course for* sætte kurs
mod; ~ *a fire,* se I. *fire;* ~ *one's finger on* sætte fingeren
på; *don't dare to ~ a finger on me* vov ikke at
røre mig; ~ *hands on* lægge hænderne på, ordinere,
indvi; (voldeligt:) lægge hånd på; (om ting) få fat på, få
fingre i, bemægtige sig; *I can't ~ my hand(s) on it now*
jeg kan ikke finde det lige nu; ~ *hold of* tage fat i, gribe;
~ *siege to* belejre; ~ *the table* dække bord;
(med *præp, adj, adv)* ~ **about** *one* slå om sig; ~ **aside**
lægge til side; lægge op *(fx money);* henlægge, skrin-
lægge *(fx a plan);* opgive; aflægge *(fx a habit);* svigte
(fx old friends); kassere; ~ **bare** blotlægge, afsløre; ~
one's case before forelægge *(el.* fremlægge) sin sag for; ~
by lægge til side, lægge op *(fx money); (mar)* dreje un-
der; ~ **down** lægge ned; nedlægge *(fx one's arms);* fast-
lægge *(fx the main outlines of a scheme),* fastsætte; op-
stille; anlægge, konstruere, bygge *(fx a railway); (agr)*
udlægge *(in* til), tilså *(in* med); ~ *down the condition that*
stille den betingelse at; ~ *down the law,* se II. *law;* ~
down one's life ofre sit liv; ~ *down one's office* nedlægge
sit hverv; ~ *in* forsyne sig med, indtage; *the scene is laid
in London* scenen er henlagt til London; ~ **into** klø løs
på; ~ **low** slå ned; tvinge til at holde sengen; *be laid low*
ligge i sengen; *laid low* (også) sengeliggende; ~ **off** af-
mærke, afmåle; afskedige (midlertidigt); lade være, holde
op; *(mar)* lægge fra; (især *am)* holde pause, holde fri; ~
off him lade ham slippe, lade ham være i fred;
~ **on** lægge på, pålægge *(fx ~ a tax on sth);* smøre på,
påstryge *(fx paint);* indlægge *(fx electricity);* arrangere,
ordne; tildele; angribe, slå, banke; *everything was laid on*
alt var ordnet; der var sørget for alt; *a job with a car
laid on* et job hvor der følger bil med; ~ *it on thick* give
én en ordentlig dragt prygl; smøre tykt på; ~ **open** åbne,
blotlægge *(fx skin),* afsløre, røbe; ~ *oneself open to* ud-
sætte sig for *(fx criticism);* ~ **out** lægge frem; klæde (lig)
og lægge (det) i kiste; tilrettelægge; arrangere; anlægge;
(om person) slå ned; slå ud; (om penge) give ud; ~ *one-*

L lay over

250

self out anstrenge sig; ~ **over** udsætte, opsætte; *(am)* gøre ophold; ~ **to** tage fat; slå løs; (om skib) dreje under; ~ *to the oars* ro 'til; ~ *sby* under *the necessity of doing sth* tvinge én til at gøre noget; ~ **up** lægge op *(fx a ship)*; samle *(fx treasures)*; tvinge til at holde sengen; *be laid up* ligge i sengen; ~ *up a car* klodse en bil op; ~ *up for* sætte kurs mod.
II. lay [lei] *præt* af *lie.*

III. lay [lei] *sb* retning, stilling; andel, part; (af tov) slåning; S arbejde, forretning, fag, specialitet; *(am)* pris; S pige (som man går i seng med); *she is an easy* ~ hun er let at komme i seng med; *the* ~ *of the land* terrænforholdene; *(fig)* 'hvordan landet ligger'.
IV. lay [lei] *vb* sang, kvad, digt.
V. lay [lei] *adj* læg; lægmands-.
layabout ['leiəbaut] *sb* dagdriver, arbejdssky person.
lay brother lægbroder.
layby ['leibai] *sb* rastplads (ved motorvej); vigeplads; *(jernb)* vigespor.
lay days *pl (mar)* liggedage.
I. layer ['leiə] *sb* æglægger; deltager i væddemål.
II. layer ['leiə] *sb* lag; (i havebrug) aflægger.
III. layer [lɛə] *vb* (i havebrug) aflægge, nedkroge, formere ved aflægning.
layer cake lagkage.
layer-on ['leiərɔn] *sb (typ)* pålægger.
layette [lei'et] *sb* babyudstyr.
lay figure *sb* lededukke, gliedermann; *(fig)* marionet.
laying on of hands håndspålæggelse.
lay lord overhusmedlem som ikke er *law lord.*
layman ['leimən] *sb* lægmand.
layoff ['leiɔf] *sb* (midlertidig) afskedigelse; ledighed, arbejdsløshed.
layout ['leiaut] *sb* anlægning, anlæg, plan, indretning; (om bog) opsætning, udstyr; *(typ)* satsskitse; (reklame *etc)* layout.
layover ['leiouvə] *sb (am)* ophold.
layshaft ['leiʃa:ft] *sb (tekn)* forlagsaksel, mellemaksel.
lazar ['læzə] *sb (glds)* spedalsk.
lazaretto [læzə'retou] *sb* spedalskhedshospital, epidemihospital; karantænebygning; karantæneskib.
laze [leiz] *vb* dovne, drive.
lazuli ['læzjulai]: *lapis* ~ lapis lazuli.
lazy ['leizi] *adj* doven, lad.
lazy|bones ['leizibounz] dovenlars. ~ **Susan** *(am)* drejeligt fad. ~ **-tongs** vinduessaks (redskab hvormed genstande udenfor rækkevidde kan nås).
lb. [paund] *fk libra* (engelsk) pund (454 g.).
lbs. [paundz] *pl* af *lb.*
l.b.w. (i kricket) *fk leg before wicket* ben for.
l/c *fk letter of credit.*
L.C.J. *fk Lord Chief Justice.*
l.c.m., L.C.M. *fk lowest (el. least) common multiple.*
Ld. *fk Lord; limited.*
LEA *fk Local Education Authority.*
lea [li:] *sb (glds)* eng, mark (der ligger hen som græsgang); (om garn) fed.
leach [li:tʃ] *vb* væde, fugte; filtrere; udvaske; udlude.
I. lead [led] *sb* bly; *(mar)* blylod, lod; (i blyant) stift; *(min.)* grafit; (maling:) mønje; *(typ)* steg, reglet; *-s pl* (også) blyplader, blytag, blytækning, blyindfatning; *(typ)* skydelinier, skydning; *vb* overtrække *(el.* indfatte) med bly; *(typ):* ~ *out* skyde; *cast of the* ~ lodskud; *heave the* ~ *(mar)* hive loddet; *swing the* ~ skulke, pjække den.
II. lead [li:d] *vb (led, led)* føre, lede, anføre; stå i spidsen for *(fx an army)*; (orkester) være koncertmester i, *(am)* dirigere; (i kortspil) spille ud *(fx* ~ *the king);* (ved jagt) sigte foran (et mål der er i bevægelse) *(fx* ~ *a duck);* (uden objekt) føre *(fx England -s by 40 runs);* være foran, være førstemand, føre an, gå foran; føre hen *(fx where does this road* ~*?);* (i kortspil) spille ud *(jur)* åbne sagen *(fx Mr Marshall led for the Prosecution);* ~ *astray* føre på vildspor, føre på afveje, forføre; ~ *sby a dance,* se *I. dance;* ~ *a double life* føre en dobbelttilværelse; ~ *a happy life* leve et lykkeligt liv; ~ *sby a dog's life* gøre en livet surt; ~ *off* begynde, indlede, lægge for; ~ *on* opmuntre *(el.* lokke) til at fortsætte; forlede; ~ *out*

of ligge ved, støde op til *(fx my room -s out of the hall);* ~ **to** føre til; få 'til at *(fx what led you to think so?);* bevæge til at, forlede til at; *I am led to believe* jeg må tro; *South to* ~ (i bridgeopgave) syd spiller ud; ~ *up the garden (path),* se *garden;* ~ *up to* forberede; lægge op til; efterhånden føre til; ~ *the way* gå foran, føre an, vise vejen.
III. lead [li:d] *sb* ledelse, anførsel, førerskab; (i konkurrence) føring *(fx he lost the* ~*)*; forspring; *(fig)* vink, fingerpeg *(fx could you give him a* ~*?)*, eksempel *(fx they followed the* ~ *of the students in their demonstrations);* (i avis) resumé som indledning til artikel; *(teat)* hovedrolle; indehaver af hovedrolle, helt(inde); (til hund *etc)* snor, rem; (i is) rende; *(elekt)* ledning, leder; (i kortspil) forhånd, udspil; *(mar:* rebs) visning;
give him a ~ (også) sætte ham på sporet; vise ham et godt eksempel; *have the* ~ (i konkurrence) føre, ligge i spidsen; (i kortspil) sidde i forhånd, have udspillet; *have a* ~ *of a yard* føre med en yard, have et forspring på en yard; *keep a dog on the* ~ føre en hund i snor; *return one's partner's* ~ (i bridge) svare på sin makkers invitation; *take the* ~ tage føringen, gå i spidsen.
leaded ['ledid] *adj* blyindfattet.
leaden ['ledn] *adj* bly-; (farve) blygrå; *(fig)* blytung *(fx limbs),* knugende *(fx atmosphere),* tung og kedelig *(fx style).*
leader ['li:də] *sb* fører, anfører, leder, førstemand; forsanger, fordanser; (for orkester) koncertmester, *(am)* orkesterleder; (i kortspil) den der spiller ud; *(jur, mods junior)* førsteadvokat; (i avis) ledende artikel, leder; (film) førestrimmel; (i firspand *etc)* forløber; *(anat)* sene; *(bot)* lederen, ledeskud; (fra fagende) nedløbsrør; *(am:* på snøre) forfang; *-s pl (typ)* registerpunkter, udprikning; (se også *leading question).*
leaderette [li:də'ret] *sb* kort ledende artikel.
leadership ['li:dəʃip] *sb* førerskab, ledelse; lederevner.
lead-in [li:'din] *sb* indføring (til radio *etc);* annoncering (af radioudsendelse); oplæg, introduktion.
I. leading ['lediŋ] *sb* blyindfatning; *(typ)* skydning.
II. leading [li:diŋ] *sb* ledelse, førerskab; *adj* ledende, førende; hoved-; vigtigste.
leading| article leder (i avis), ledende artikel. ~ **case** *(jur)* retssag hvis afgørelse tjener som præcedens. ~ **edge** *(flyv)* forkant. ~ **fashion** herskende mode. ~ **hand** (i kortspil) forhånd. ~ **lady** *(teat)* primadonna. ~ **light** *(mar)* ledefyr; *(fig)* ledende skikkelse. ~ **man** *(teat)* førsteskuespiller, hovedrolles indehaver. ~ **mark** *(mar)* ledemærke. ~ **motive** ledemotiv. ~ **part** *(teat)* hovedrolle. ~ **question** suggestivt spørgsmål; spørgsmål der er sådan formuleret at det lægger den adspurgte *(fx* vidnet) svaret i munden. ~ **strings** *pl* gåsele; *(fig)* ledebånd; *be in* ~ *strings* gå i ledebånd; ledes ved.
lead| line ['ledlain] *(mar)* lodline. ~ **monoxide** *(kem)* blyilte, sølverglød.
leadoff ['li:dɔf] *sb* begyndelse, start; *adj* indledende, første.
lead pencil ['led'pensl] blyant.
leadsman ['ledzmən] *sb (mar)* lodhiver.
I. leaf [li:f] *sb (pl leaves) (bot)* blad, løv; (i bog) blad; (af metal) tynd plade; (til bord) plade, udtræk, (på hængsler) klap; (af hængsel) blad, plade; (af dør) fløj; (af bro) klap; *in* ~ med udsprungne blade; *come into* ~ springe ud, få blade; *take a* ~ *out of his book* efterligne ham; tage ham til forbillede; tage ved lære af ham; *turn over a new* ~ tage skeen i den anden hånd, begynde et nyt og bedre levned.
II. leaf [li:f] *vb* få blade; springe ud; ~ *through a book* blade en bog igennem.
leafage ['li:fidʒ] *sb* løv.
leaf| fat flomme. ~ **fungus** bladsvamp.
leafing ['li:fiŋ] *sb* bladspring.
leaf| insect *zo* vandrende blad. ~ **lard** flommefedt. **-less** ['li:flis] *adj* bladløs.
leaflet ['li:flit] *sb* lille blad, *(bot)* småblad; (tryksag) folder, brochure, pjece; småtryk.
leaf| mould bladjord; (plantesygdom) fløjlsplet. **-roll** *(bot)* bladrullesyge. ~ **stripe** *(bot)* stribesyge (hos byg). **-work** løvværk.
leafy ['li:fi] *adj* bladrig, bladlignende; løv-.

I. league [li:g] *sb (glds)* (et længdemål =) ca. 3 engelske mil; *seven-league boots* syvmilestøvler.
II. league [li:g] *sb* forbund, liga; *vb* indgå forbund; forene; alliere sig *(with* med); *the League (of Nations) (hist.)* Folkenes Forbund, Folkeforbundet.
leaguer ['li:gə] *sb* forbundsmedlem.

leak [li:k] *sb* læk; *(mar* også) lækage; utæthed; *(fig)* indiskretion; *vb* lække, være læk; være utæt *(fx the tent -s);* *(fig)* røbe; **S** tisse; *start (el. spring) a ~* springe læk; *~ in* sive ind; *~ out* (også *fig)* sive ud; *~ it to the press* lade det sive ud til pressen; give pressen besked om det under hånden.
leakage ['li:kidʒ] *sb* læk; lækage; udsivning; *(fig)* indiskretion; det at oplysninger slipper ud; *~ of current (elekt)* strømtab.
leaky ['li:ki] *adj* læk, utæt.

leal [li:l] *adj* (på skotsk) tro, trofast, ærlig; *the land of the ~ ɔ:* himlen.

I. lean [li:n] *sb* hældning.
II. lean [li:n] *vb (præt* og *pp leant* [lent] *el. leaned)* hælde; støtte (sig), læne (sig); *~ against* læne sig til *(el.* op ad) *(fx the door); ~ backwards* læne sig tilbage; *~ on* støtte sig til *(fx the table; his advice); ~ on his arm* (også) tage ham under armen; *~ over backwards (fig)* gøre sig overdreven (, den yderste) umage, gøre sig vældige anstrengelser, »stå på hovedet«.
III. lean [li:n] *sb* magert kød; *adj* mager; *you must take the ~ with the fat* man må tage det onde med det gode.
lean-faced *adj (typ)* mager.
leaning ['li:niŋ] *sb* tendens, hældning, tilbøjelighed.
Leaning Tower: *the ~ of Pisa* det skæve tårn i Pisa.
leant [lent] *præt* og *pp* af *lean.*
lean-to ['li:ntu:] *sb* skur (med halvtag); halvtag.

I. leap [li:p] *vb (præt* og *pp leapt* [lept] *el. leaped)* springe, hoppe; springe over, hoppe over; lade springe; *look before you ~* tænk dig godt om, før du handler.
II. leap [li:p] *sb* spring; *advance by -s and bounds* rykke frem med stormskridt *(el.* syvmileskridt); *a ~ in the dark (fig)* et spring ud i det uvisse; *take the ~* vove springet.
leap day skuddag.
leap-frog ['li:pfrɔg] *sb* springen buk; *vb* springe buk; *(fig)* skiftevis passere hinanden; *play ~* springe buk.
leapt [lept] *præt* og *pp* af *leap.*
leap year skudår.

learn [lə:n] *vb (præt* og *pp learned el. learnt)* lære; få at vide, erfare, høre; *~ by heart* lære udenad; *~ by rote* lære på ramse.
learned ['lə:nid] *adj* lærd; *~ journal* videnskabeligt tidsskrift; *~ library* videnskabeligt bibliotek.
learner ['lə:nə] *sb* elev *(fx* i en forretning); *Learner* (kendemærke på bil:) skolevogn; *he is a quick ~* han er hurtig til at (tage ved) lære.
learning ['lə:niŋ] *sb* lærdom.

I. lease [li:s] *sb* leje, forpagtning; langtidsleje; lejemål; forpagtningskontrakt, lejekontrakt; forpagtningstid; frist; (i vævning) skel; *a long ~* forpagtning på langt åremål; *give a new ~ of life* indgyde nyt liv; *take a new ~ of life* få nyt liv, leve op igen, forynges; *take on ~* leje; *(merk)* langtidsleje.
II. lease [li:s] *vb* udleje, bortforpagte, bortfæste; forpagte, leje; *(merk)* langtidsleje.
leasehold ['li:s(h)ould] *sb* forpagtning; lejet *el.* forpagtet ejendom; *adj* lejet, forpagtet.
leaseholder ['li:s(h)ouldə] *sb* lejer, forpagter, fæster.
lease-lend se *lend-lease.* **lease rod** skelkæp.
leash [li:ʃ] *sb* kobbel; rem, snor; *vb* holde *(el.* føre) i snor, binde sammen; binde; koble; *a ~ of hounds, hares, etc* tre hunde, harer osv; *on a ~* i bånd; i snor; *hold in ~* beherske; tøjle, holde i ave *(el.* i tømme); *strain at the ~ (fig)* være ivrig efter at komme til, vente utålmodigt.
least [li:st] *adj* mindst, ringest; *at ~* i det mindste; mindst; (indledende en berigtigelse) det vil (da) sige, eller rettere sagt; *not in the ~* ikke spor, ikke i mindste måde; *to say the ~ (of) it* mildest talt; (se også **I**. *mend).*
least common multiple mindste fælles mangefold.
leastways ['li:stweiz] *adv* **S** i det mindste.
leat [li:t] *sb* mølle-rende.
leather ['leðə] *sb* læder, skind; læderstykke, læderrem; fod-

bold, kricketbold; (i *pl* også) skindbukser; *vb* beklæde med læder; tampe, bearbejde ens ryg; *nothing like ~* éns egne varer er altid bedst.
leatherback ['leðəbæk] *sb zo* læderskildpadde.
leatherette [leðə'ret] *sb* kunstlæder.
leatherjacket ['leðədʒækit] *sb zo* stankelbenslarve.
leathern ['leðən] *adj* af læder; læder-.
leatherneck ['leðənek] *sb (am)* marineinfanterist, 'læderhals'.
leathery ['leðəri] *adj* læderagtig, sej (som læder).

I. leave [li:v] *sb* tilladelse; permission; orlov; frihed; afsked; *~ ashore* landlov; *ask ~* bede om lov; *beg ~ to* bede om lov til at; *by your ~* med Deres tilladelse; *~ of absence* orlov; *home on ~* hjemme på orlov; *~ out* tilladelse til at gå ud; *take one's ~* tage afsked; *take ~ of one's children* tage afsked med sine børn; *take ~ of one's senses* gå fra forstanden; *take ~ to* tillade sig at.
II. leave [li:v] *vb (left, left)* forlade, gå fra *(fx I can't possibly ~ him);* efterlade, glemme *(fx I left my gloves in the pub),* lade ligge (, stå, være etc) *(fx he left his luggage at the station; can't you ~ those letters till tomorrow?),* lægge, stille, anbringe *(fx the milkman -s his cans outside the customers' houses);* lade være tilbage, levne *(fx don't ~ any of your dinner);* gøre til *(fx polio had left him a wreck);* aflevere, overlade (fx *~ that to me);* (efter døden) efterlade sig *(fx he -s a wife and six children),* testamentere *(fx he left her a fortune); (glds)* ophøre med *(fx he left drinking for two years);* (uden objekt) tage af sted, rejse, afrejse; (om befordringsmiddel) (af)gå *(fx when does the train ~?);*
(forsk forb) **be left** blive forladt *(etc);* være tilbage *(el.* tilovers) *(fx there is not much money left);* sidde tilbage *(fx he was left with a child to support; she was left with a feeling of frustration); she was left a widow* hun blev enke; *be (nicely) left* blive taget grundigt ved næsen; *~ go (el. hold) of* lade slip på, slippe *(fx her hand); ~ much to be desired* lade meget tilbage at ønske; *six from seven -s one* seks fra syv er en; *~ the table* rejse sig fra bordet; *~ word with* lægge besked hos;
(forb med adj, adv, præp) ~ the books about lade bøgerne ligge og flyde; *~ alone* lade være i fred; holde sig fra; *we had better ~ well alone* vi må hellere lade det være som det er; det er godt nok som det er; *~ it at that* lade det være nok; nøjes med det; *~ behind* lægge bag sig, forlade *(fx when I ~ this world behind);* efterlade sig, lade (blive) tilbage; glemme; *~ for* rejse til *(fx he left for Spain yesterday),* afgå til; *~ off* holde op *(fx the rain left off);* holde op med *(fx he left off smoking),* (om tøj) aflægge, holde op med at gå med; *~ the church on your left* gå højre om kirken; *~ the door open* lade døren stå; *~ the matter open* lade det stå hen; *~ out* forbigå, udelade, springe over, glemme; *he was left out of the team* han kom ikke med på holdet; *~ it over* lade det vente, gemme det; *~ it to me* lad mig om det; *~ it to chance* (også) lade tilfældet råde; *he left all his money to her* han testamenterede hende alle sine penge; *I'll ~ that to you* det må du selv bestemme; (som svar på spørgsmål om pris også) det er efter behag.
leaved [li:vd] *adj* med blade; med fløje.
leaven ['levn] *sb* surdej; *vb* syre, gennemsyre.
leaves [li:vz] *pl* af *leaf.*
leave-taking ['li:vteikiŋ] *sb* afsked.
leaving certificate afgangsbevis.
leaving examination afgangseksamen.
leavings ['li:viŋz] *sb pl* levninger, madrester.
Lebanese ['lebəni:z] *sb* libaneser; *adj* libanesisk.
Lebanon ['lebənən] Libanon.
lech [letʃ] *sb* **T:** *have a ~ for* være varm på, være lysten efter.
lecher ['letʃə] *sb* liderlig person, vellystning.
lecherous ['letʃ(ə)rəs] *adj* vellystig, liderlig.
lechery ['letʃəri] *sb* liderlighed.
lectern ['lektən] *sb* læsepult, pult (i kirke); (i universitet) kateder, talerstol.
lection ['lekʃ(ə)n] *sb* lektie (forelæst stykke af Bibelen); læsemåde, variant (i tekst).
lecture ['lektʃə] *sb* foredrag, forelæsning; straffepræken; *vb* holde forelæsning; *~ him, read him a ~* skælde ham ud,

læse ham teksten.
lecture list lektionskatalog.
lecturer ['lektʃ(ə)rə] *sb* foredragsholder; forelæser; (ved universitet) lektor.
lecture room auditorium.
lectureship ['lektʃəʃip] *sb* lektorat.
led [led] *præt* og *pp* af *II.* lead.
ledge [ledʒ] *sb* fremspringende kant; liste; smal hylde; revle (på dør); klipperev; klippeafsats.
ledger ['ledʒə] *sb (merk)* hovedbog, *(bibl)* protokol; (på gravsted) stor, flad sten; (i stillads) ridebræt; *balance the* ~ afslutte hovedbogen.
ledger line bilinie (i nodesystem).
lee [li:] *sb* ly, læ; læside; *under the* ~ *of* i læ af.
leeboard ['li:bɔ:d] *sb (mar)* sværd (plade på skibsside, til at forhindre afdrift).
I. leech [li:tʃ] *sb* igle; *(fig)* blodsuger; *(glds)* læge; *vb* årelade ved igler; *he sticks like a* ~ han suger sig fast som en igle; han er ikke til at ryste af.
II. leech [li:tʃ] *sb (mar)* lig, agterlig (på sejl).
leech rope *(mar)* stående lig.
Leeds [li:dz].
leek [li:k] *sb (bot)* porre; (Wales' nationalsymbol).
leer [liə] *sb* sideblik, (ondt *el.* lystent, sjofelt) blik; *vb* skæve, skotte, smiske *(at* til); ~ *at her* (også) sende hende et sjofelt blik.
leery ['liəri] *adj* S snu, snedig; forsigtig.
lees [li:z] *sb pl* bundfald, bærme; *drain to the* ~ tømme til sidste dråbe.
leeward ['li:wəd; *(mar)* 'l(j)u(:)əd] *sb, adj* læ; *adv* i læ; *the Leeward Islands* (den nordligste gruppe af de små Antiller).
leeway ['li:wei] *sb (mar, flyv)* afdrift; *(fig)* forsinkelse; T spillerum, (sikkerheds)margin; *make up* ~ indhente det forsømte; *have much* ~ *to make up* være langt bagefter med sit arbejde.
I. left [left] *adj* venstre; *adv* til venstre; *sb* venstre side; venstre fløj *(fx he belonged to the extreme* ~ *of the Labour party);* venstreparti; (i boksning) venstrehåndsstød; *a straight* ~ en lige venstre; *to the* ~ til venstre.
II. left [left] *præt* og *pp* af leave.
left-hand drive venstrestyring (i bil).
left-handed ['left'hændid] *adj* venstrehånds- *(fx blow),* til venstre hånd *(fx a* ~ *golf club);* (om person) kejthåndet, venstrehåndet; *(fig)* kejtet, kluntet, tvivlsom *(fx compliment);* (om tovværk) venstresnoet; ~ *marriage* ægteskab til venstre hånd, morganatisk ægteskab.
left-hander ['lefthændə] *sb* kejthåndet person; slag med venstre hånd.
leftism *sb* venstreorientering, venstreorienteret indstilling.
leftist ['leftist] *sb, adj* venstreorienteret.
left-luggage office garderobe (på jernbanestation).
left-over ['leftouvə] *sb* levn, rest; *-s* (også) levninger.
left wing venstre fløj; (i fodbold) venstre wing. **left-wing** *adj* som tilhører (, er på) venstre fløj; venstreorienteret.
I. leg [leg] *sb* ben; (om steg) kølle *(fx a* ~ *of mutton);* lår; (støvle-, strømpe-) skaft; (af rejse) etape, (af stafetløb) delstrækning; *(mar)* slag; ~ *before wicket* (i kricket) ben for; *on one's last -s,* se II. *last; fall on one's -s* falde ned på benene; slippe heldigt fra det; feel *(el. find) one's -s* begynde at kunne støtte på benene; *(fig)* begynde at føle sig sikker, finde sig til rette; *get on one's -s* rejse sig (for at tage ordet); *give sby a* ~ *up* give en en håndsrækning; *keep one's -s* holde sig på benene; *make a* ~ gøre skrabud; *pull sby's* ~ bilde én noget ind, gøre grin *(el.* lave sjov) med én; *put one's best* ~ *foremost* sætte det lange ben foran; *run off one's -s* udaset; *set sby on his -s (again)* bringe en på fode *(el.* så grundigt til); *shake a* ~ S få sig en svingom, danse; *show a* ~ *!* se på at komme ud af fjerene! *stand on one's own -s* stå på egne ben; *not have a* ~ *to stand on* ikke have noget at støtte sig til; stå meget svagt (i debat, retssag); ikke have nogen (gyldig) undskyldning; *take to one's -s* tage benene på nakken; *walk sby off his -s* gå en sønder og sammen, gøre en helt udmattet.
II. leg [leg] *vb:* ~ *it* T gå på sine ben; bene af, stikke af.
legacy ['legəsi] *sb* arv.
legacy hunter testamentjæger.

legal ['li:gl] *adj* lovlig, legal, retsgyldig, lovformelig; tilladt *(fx speed* hastighed); lovbestemt, lovbefalet; juridisk *(fx adviser),* retslig, rets- *(fx document); take* ~ *action* gå rettens vej; *the* ~ *profession* juristerne, advokatstanden.
legal| aid (svarer til) (ved retssag) fri proces; (rådgivning) retshjælp for ubemidlede. ~ **deposit** pligtaflevering (af bøger).
legalism ['li:gəlizm] *sb* streng fastholden ved *(el.* overholdelse af) loven; juristeri; *(rel)* lovtrældom.
legalistic [li:gə'listik] *adj* som holder sig strengt til lovens bogstav; som vedrører (, er optaget af) juridiske finesser; spidsfindig.
legality [li'gæliti] *sb* lovlighed; lovgyldighed.
legalize ['li:gəlaiz] *vb* legalisere, gøre lovgyldig; tillade; ~ *pot* (også) frigive marihuana.
legal reserve lovmæssig reservefond.
legal tender lovligt betalingsmiddel.
legate ['legit] *sb* legat, sendebud.
legatee [legə'ti:] *sb* arving.
legation [li'geiʃ(ə)n] *sb* legation; legationskontor.
legator [li'geitə] *sb* testator.
legend ['ledʒənd] *sb* legende, sagn; (kollektivt:) sagnlitteratur *(fx a popular hero in Danish* ~*); (fig)* fabel, myte; (på mønt) indskrift, inskription; (til billede) underskrift, tekst; *become a* ~ (om person) blive en fabel *(el.* myte), blive en sagnskikkelse.
legendary ['ledʒəndəri] *adj* legende-; legendarisk, sagnagtig; *sb* legendesamling; *the* ~ *age* sagntiden.
legerdemain ['ledʒədə'mein] *sb* taskenspillerkunst.
leger line ['ledʒə'lain] bilinie (i nodesystem).
legging ['legin] *sb* lang gamache; *-s* (også) gamachebukser.
leggo ['legou] T = *let go* giv slip.
leggy ['legi] *adj* langbenet; ranglet; med pæne ben.
I. Leghorn ['leg'hɔ:n] Livorno.
II. leghorn [le'gɔ:n] *sb* italiener (om høne).
III. leghorn ['leghɔ:n] *sb* slags stråhat.
legibility ['ledʒi'biliti] *sb* læselighed.
legible ['ledʒəbl] *adj* (let) læselig, tydelig.
legion ['li:dʒən] *sb* legion; mængde; *their name is* ~ deres tal er legio; *the Legion of Honour* æreslegionen.
legionary ['li:dʒənəri] *sb* legionær; *adj* legions-.
legislate ['ledʒisleit] *vb* lovgive, give love.
legislation [ledʒis'leiʃ(ə)n] *sb* lovgivning.
legislative ['ledʒislətiv] *adj* lovgivende *(fx* ~ *power);* lovgivnings-.
legislator ['ledʒisleitə] *sb* lovgiver.
legislature ['ledʒisleitʃə] *sb* lovgivningsmagt, lovgivende forsamling.
legist ['li:dʒist] *sb* lovkyndig, retslærd.
legit [lə'dʒit] *adj* S = II. *legitimate.*
legitim cy [li'dʒitiməsi] *sb* lovlighed, retmæssighed, legitimitet; (om barn) ægtefødsel; *(el.* æthed; (om logisk slutning *etc)* rimelighed, berettigelse.
I. legitimate [li'dʒitimeit] *vb* gøre lovlig, erklære ægte, legitimere, lyse i kuld og køn.
II. legitimate [li'dʒitimit] *adj* retmæssig; lovlig; legitim, (om barn også) ægtefødt; (logisk *etc)* berettiget, rimelig *(fx reason);* -*ly* (også) med rette, med føje.
legitimate drama *(el.* theatre): *the* ~ talescenen; det egentlige teater.
legitimation [lidʒiti'meiʃən] *sb* legitimation, lovliggørelse, gyldighedserklæring.
legman ['legmən] *sb (am* S) reporter.
leg-of-mutton bedekølle, fårelår; ~ *sleeve* skinkeærme.
leg-pull ['legpul] *sb* nummer, drilleri.
leg show forestilling hvor der optræder let påklædte piger.
legume ['legju:m] *sb* bælgplante; bælgfrugt.
leguminous [le'gju:minəs] *adj* bælg-; ~ *plant* bælgplante.
leg-up ['legʌp] *sb: give sby a* ~ T give en en håndsrækning.
legwork ['legwə:k] *sb* S reportage.
Leicester ['lestə].
Leics. *fk* Leicestershire.
leister ['li:stə] *sb* lyster (fiskeredskab).
leisure ['leʒə, *(am* især) 'li:-] *sb* fritid, (god) tid; *at* ~ i ro og mag; *be at* ~ have tid; have fri; *at his* ~ når han får tid; når det er ham belejligt; ~ *hour* ledig stund; ~ *time* fritid.

leisured ['leʒəd] *adj* økonomisk uafhængig, magelig; *the ~ class(es)* den besiddende *(el.* privilegerede) klasse.

leisurely ['leʒəli] *adj* magelig; rolig; *adv* i ro og mag.

Leith [li:θ].

leitmotif ['laitmouti:f] *sb* ledemotiv.

LEM, lem *fk lunar excursion module* månelandingsfartøj.

leman ['lemən] *sb (glds)* elsker(inde).

lemma ['lemə] *sb* spidsord, opslagsord; (i logik) præmis; *(mat.)* lemma, hjælpesætning.

lemming ['lemiŋ] *sb zo* lemming.

lemon ['lemən] *sb (bot)* citron; citrontræ; S noget ubehageligt; tarveligt trick; *adj* citrongul; *she is a ~* hende er der ikke noget ved; hun er et kedeligt løg.

lemonade [lemə'neid] *sb* citronsodavand, limonade.

lemon|-coloured citrongul. **~ drop** citronbolsje. **~ sole** *zo* rødtunge. **~ squeezer** citronpresser.

lemur ['li:mə] *sb zo* halvabe; lemur; maki.

lend [lend] *vb (lent, lent)* udlåne, låne; give; *~ countenance to* give (sin) støtte til, støtte; gå med til; *~ an ear* låne øre; *~ a (helping) hand* to *;* I. *hand; ~ oneself to* lade sig bruge til, gå med til; *~ itself to* være velegnet til; *it -s itself to abuse* det kan let give anledning til misbrug; *~ probability to the story* tjene til at sandsynliggøre historien, kaste et skær af sandsynlighed over historien.

lender ['lendə] *sb* långiver.

lending-library udlånsbibliotek.

lend-lease: *the Lend-Lease Act (hist.)* låne-og-leje loven.

length [leŋθ] *sb* længde, (om tid også) varighed *(fx the ~ of the visit);* (stykke:) længde, stykke *(fx a ~ of rope),* (af tapet, tæppe) bane, (af vej *etc)* strækning;
  at ~ omsider, langt om længe, til sidst *(fx at ~ she came);* udførligt *(fx he described her at ~)*; længe *(fx he spoke at ~); at full ~* i hele sin længde *(fx he told the story at full ~); fall (at) full ~* falde så lang man er; *at great ~* meget udførligt, meget længe; *at some ~* ret udførligt, temmelig længe; *at arm's ~, se* I. *arm; win by three -s* vinde med tre (båds-, heste- *etc)* længder; *ten foot in ~* ti fod i længden; *throughout the ~ and breadth of the country* over hele landet; *travel the ~ and breadth of the country* gennemrejse landet på kryds og tværs; *their fear was carried to ridiculous -s* deres frygt blev drevet ud i det latterlige *(el.* gav sig latterlige udslag); *he went to the ~ of* han strakte sig så vidt at han; (især *neds)* han gik så vidt at han; *go to great ~* strække sig meget vidt *(fx to please her); be prepared to go all -s (el. any ~)* være parat til at gøre hvad det skal være; ikke sky noget middel.

lengthen ['leŋθ(ə)n] *vb* forlænge, udvide; gøre (, blive) længere; (om tøj) lægge ned; *-ed* længere, langvarig.

lengthways ['leŋθweiz], **lengthwise** [-waiz] *adv* på langs.

lengthy ['leŋθi] *adj* længere *(fx journey);* langtrukken *(fx speech),* omstændelig.

leniency ['li:njənsi] *sb* mildhed, lemfældighed; skånsomhed.

lenient ['li:njənt] *adj* mild; lemfældig; skånsom.

Lenin ['lenin].

Leninism ['leninizm] *sb* leninisme.

lenity ['leniti], se *leniency.*

lens [lenz] *sb* linse; *(fot* også) objektiv.

I. Lent [lent] faste, fastetid.

II. lent [lent] *præt* og *pp* af *lend.*

Lenten ['lentən] *adj* faste-; *(fig)* alvorlig, dyster, bedrøvelig; *~ fare* tarvelig kost.

lentil ['lent(i)l] *sb (bot)* linse.

Lent| lily *(bot)* påskelilje. **~ term** forårssemester.

Leo ['li:(:)ou] Leo; stjernebilledet Løven.

Leonard ['lenəd].

leonine ['li:(:)ənain] *adj* løve-; løveagtig.

leopard ['lepəd] *sb zo* leopard.

leopard's-bane *(bot)* gemserod.

leotard ['li:əta:d] *sb (am)* trikot.

leper ['lepə] *sb* spedalsk.

leprechaun ['leprəkɔ:n] *sb* nisse, dværg.

leprosy ['leprəsi] *sb* spedalskhed.

leprous ['leprəs] *adj* spedalsk.

lesbian ['lezbiən] *adj* lesbisk; *sb* lesbisk kvinde.

lese-majesty ['li:z 'mædʒisti] *sb* majestætsforbrydelse, majestætsfornærmelse; højforræderi.

lesion ['li:ʒ(ə)n] *sb* skade, læsion.

less [les] *adj* mindre, ringere; færre; *præp* minus, med fradrag af; *på nær (fx a month ~ two days); in ~ than no time* på et øjeblik, i løbet af nul komma fem; *none the ~* ikke desto mindre; *no ~ than £100* hele 100 pund; *not ~ than £100* mindst 100 pund; *no ~ a person than* ingen ringere end.

-less -løs *(fx moneyless* pengeløs), uden.

lessee [le'si:] *sb* lejer, forpagter, fæster.

lessen ['lesn] *vb* formindske, nedsætte; undervurdere; (uden objekt) (for)mindskes, aftage, blive svagere.

lesser ['lesə] *adj* mindre, ringere; *choose the ~ evil* vælge det mindste af to onder.

lesser| bindweed *(bot)* agersnerle. **~ celandine** *(bot)* vorterod. **~ spearwort** *(bot)* kærranunkel. **~ spelt** *(bot)* enkorn.

lesson ['lesn] *sb* (hjemmearbejde) lektie; (i skole) time, lektion; (i kirke) lektie (bibelstykke); *(fig)* lektion; lærestreg *(fx let this be a ~ to you),* lærepenge *(fx it was a dear ~); -s* (også) undervisning; *do (el.* prepare) *one's -s* læse lektier; *give -s in* undervise i; *take -s from (el.* of *el.* with) *sby* tage timer hos en, gå til undervisning hos en; *take -s in* tage timer i, tage *(el.* gå til) undervisning i; *read sby a ~* holde en straffepræken for én, læse én teksten.

lessor [le'sɔ:, 'lesɔ:] *sb* bortforpagter, udlejer.

lest [lest] *conj* for at ikke; af frygt for at *(fx I hid it ~ he should see it);* for det tilfælde at; (efter frygtsverber *etc)* at, for at *(fx we were afraid ~ he should come).*

I. let [let] *sb (glds)* hindring; (i tennis) netbold; *vb* hindre; *without ~ or hindrance* uhindret.

II. let [let] *vb (let, let)* lade (ɔ: tillade); bortforpagte, udleje; *(am:* om arbejde) lade få, overdrage; (uden objekt) udlejes;
  ~ alone lade være (i fred); endsige, for ikke at tale om *(fx he can't even walk, ~ alone run); ~ well alone!* lad det være som det er; det er godt nok som det er; *apartments to (be) ~* værelser til leje; *~ blood* årelade; *~ me by* lad mig komme forbi; *~ down* (ned)sænke, lade gå ned, fire ned, slå ned; skuffe, svigte, lade i stikken *(fx a friend);* (om tøj) lægge ned *(ɔ:* forlænge); *~ him down gently (fig)* ikke være streng ved ham, tage blidt på ham (ɔ: ved irettesættelse); *~ the side down* svigte sit parti; *~ down the tyres of a bike* lukke luften ud af en cykel, T pifte en cykel; *~ drive at* lange ud efter, kaste efter; *~ fly* afskyde, affyre, fyre løs *(at* på); *~ fly at (fig)* skælde ud på, angribe voldsomt; *~ go* slippe, give slip (på); *(mar)* lade gå, kaste los; *~ go the anchor* lade ankeret falde; *~ oneself go* slå sig løs, ikke lægge bånd på sig; give sine følelser frit løb; snakke løs; *~ go with a pistol* fyre løs; *~ go with a loud yell* udstøde et højt skrig; *~ it go at that* lade det blive ved det; *let's go!* lad os gå! kom så gå vi! *(am)* hæng i!
  ~ him have it skælde ham bælgen fuld; lange ham en ud; fyre løs på ham; *~ in* lukke ind, (lade) slippe ind; indføie, indlægge; *~ (oneself) in for* udsætte (sig) for; *~ in on* indvie i; *~ into* (lade) slippe ind i, lukke ind i *(fx ~ him into the house);* indføje i; indsætte i *(fx ~ a window into a wall); ~ sby into a secret* indvie en i en hemmelighed; *~ loose* slippe løs; *~ off* lade slippe *(fx they ~ him off with a caution);* affyre *(fx a gun);* (om tøj etc) leje ud i mindre afdelinger; *~ on* sladre; røbe (noget), lade sig mærke med (noget) *(fx he knows but he will never ~ on);* foregive; *~ out* lukke ud; løslade, lade slippe; røbe *(fx a secret);* udstøde *(fx a laugh, an oath);* leje ud *(fx a room);* (om tøj) lægge ud; *(am:* om arbejde) lade få, overdrage *~ out at* lange ud efter; *~ up* T tage af *(fx the rain is -ting up);* høre op; slappe af; *~ up on* tage lempeligere på.

III. -let [-lit] (diminutivendelse, *fx flowerlet* lille blomst, *leaflet* lille blad).

letdown ['letdaun] *sb* nedsættelse af tempoet; mindskelse af arbejdsindsatsen; afslappelse, afspænding; antiklimaks, fald; skuffelse, 'afbrænder'; *(flyv)* nedstigning (før landing).

letdown procedure *(flyv)* nedstigningsprocedure, landingsprocedure.

lethal ['li:θ(ə)l] *adj* dødelig, dødbringende *(fx dose); ~*

gene (biol) letalgen.
lethality [li'θæliti] *sb* dødbringende evne, evne til at dræbe.
lethargic [le'θa:dʒik] *adj* letargisk; døsig; dorsk, sløv.
lethargy ['leθədʒi] *sb* døsighed; letargi; sløvhed.
Lethe ['li:θi] *(myt)* Lethe; *(fig)* glemsel, død.
let-off ['letɔf] *sb* løsladelse, frigivelse.
Lett [let] *sb* lette (person fra Letland).
I. letter ['letə] *sb* udlejer.
II. letter ['letə] *sb* bogstav; brev; *(am)* skoles initial båret som hæderstegn for sportspræstation; *vb* mærke med bogstaver; sætte titel på (en bog *etc)*; *to the* ~ bogstavelig, til punkt og prikke; -s litteratur, lærdom; *man of* -s litterat, skribent; lærd.
letter| bag postsæk. ~ **book** kopibog. ~ **box** brevkasse; postkasse. **-card** lukket brevkort, korrespondancekort. ~ **carrier** postbud. ~ **case** brevtaske, lommebog.
lettered ['letəd] *adj* mærket med bogstaver; (om bog) med rygtitel; (om person) boglærd, litterær, dannet.
letter| file brevordner; arkivskab; dokumentkasse. **-gram** brevtelegram. **-head** brevhoved; brevpapir med påtrykt hoved, firmabrevpapir.
lettering ['letəriŋ] *sb* indskrift; bogstaver; ~ *panel (bogb)* titelfelt, rygskilt.
letter| paper brevpapir. ~ **-perfect**: *be* ~ *-perfect* kunne sin rolle (, lektie *etc)* perfekt. **-press** tekst (modsat illustrationer). ~ **press** kopipresse, håndpresse. **-press printing** bogtryk. **-space** *vb* spatiere. **-s patent** ['pætnt] *pl* patent, (åbent) brev. ~ **weight** brevpresser. ~ **writer** brevskriver; brev- og formularbog.
Lettic ['letik], **Lettish** ['letiʃ] *adj, sb* lettisk.
lettuce ['letis] *sb (bot)* (hoved)salat.
let-up ['letʌp] *sb* ophør, ophold, pause; aftagen, afslapning.
leucocyte ['lju:kəsait] *sb* hvidt blodlegeme.
leukaemia [lju:'ki:mjə] *sb (med.)* leukæmi.
I. Levant [li'vænt]: *the* ~ Levanten, de østlige middelhavslande.
II. levant [li'vænt] *vb* stikke af, fordufte.
levantine ['levəntain] *sb* levantiner; *adj* levantisk.
levator (muscle) [lə'veitə(mʌsl)] *sb* løftemuskel.
I. levee ['levi; 'levei] *sb* morgenaudiens; kur.
II. levee ['levi, le'vi:] *sb* floddige, dæmning.
I. level [levl] *sb* højde, niveau, plan; flade, slette; (til landmåling) nivellerinstrument; *(spirit* ~ *)* vaterpas; *5000 feet above the* ~ *of the sea* 5000 fod over havet; ~ *of aspiration (psyk)* kravniveau; *find one's own* ~ finde finde sit naturlige leje *(el.* sit rette element *el.* sin rette plads); *things will find their* ~ *again* det ordner sig nok; *high* ~ højt niveau, højt plan, høj standard; *at the highest* ~ *(fig)* på højeste plan; *on a* ~ *with* på højde med, på samme niveau som; i samme plan som; *on the* ~ T ærlig(t), oprigtig(t), regulær(t).
II. level [levl] *adj* jævn, flad, plan *(fx field)*; vandret; (om tone) jævn; ensformig; (om person) nøgtern, sindig; *(mht* præstation *etc)* jævnbyrdig; *I will do my* ~ *best* jeg skal gøre alt hvad jeg kan; *one* ~ *teaspoonful* en strøget teskefuld; *make* ~ jævne; ~ *with* i flugt med, i niveau med; *(fig)* på højde med; jævnbyrdig med.
III. level [levl] *vb* planere, nivellere, jævne; jævne med jorden *(fx a fire -led the house)*; gøre lige, stille lige; sigte; rette *(at* mod); ~ *an accusation against sby* rette en anklage mod en; ~ *one's gun at sby* rette sin bøsse mod en, sigte på en med sin bøsse; ~ *down* nivellere nedefter, sænke; ~ *off* jævne, planere; *(flyv)* overgå til horisontal flyvning, plane ud; ~ *up* nivellere opefter, hæve; ~ *sth with the ground* jævne noget med jorden.
level| country sletteland. ~ **crossing** jernbaneoverskæring (i niveau). ~ **-headed** ['levl'hedid] besindig, rolig, fornuftig.
leveller ['lev(ə)lə] *sb* nivellør; forkæmper for social udjævning; noget som udjævner (sociale) forskelle.
levelling ['lev(ə)liŋ] *sb* planering, udjævning; nivellement; *line of* ~ nivelleringslinie; ~ *rod,* ~ *staff* nivellerlægte.
level stress lige stærkt tryk på de (to) vigtigste stavelser.
I. lever ['li:və, *(am)* 'levə] *sb* vægtstang; løftestang; håndtag; stang *(fx gear* ~ *gearstang)*; greb, arm.
II. lever ['li:və, *(am)* 'levə] *vb* løfte (med løftestang).
leverage ['li:v(ə)ridʒ, *(am)* 'lev-] *sb* vægtstangsanordning, vægtstangssystem; vægtstangsvirkning; *(fig)* indflydelse.

leveret ['lev(ə)rit] *sb* harekilling.
leviable ['leviəbl] *adj* som kan udskrives *(fx tax)*; som kan beskattes *(fx goods)*.
leviathan [li'vaiəθ(ə)n] *sb* leviathan, vældigt havuhyre, kolossalt skib.
levigate ['levigeit] *vb* pulverisere.
levis ['li:vaiz] *sb pl* Ⓡ cowboybukser.
levitate ['leviteit] *vb* lette, løfte; løfte sig, svæve opad.
levitation [levi'teiʃ(ə)n] *sb* levitation (det spiritistiske fænomen at genstande af sig selv løfter sig og svæver i luften).
Levite ['li:vait] *sb* levit.
Leviticus [li'vitikəs] 3. Mosebog.
levity ['leviti] *sb* letsindighed, overfladiskhed, letfærdighed.
I. levy ['levi] *vb* rejse *(fx an army)*; udskrive *(fx troops, taxes)*; pålægge *(fx a fine, taxes)*; opkræve *(fx taxes)*; ~ *on sby's property* foretage udlæg i ens ejendom; ~ *blackmail* on presse penge af; ~ *war on* (forberede og) indlede krig mod.
II. levy ['levi] *sb* udskrivning (af tropper), opbud (af tropper), udskrevne tropper; *(mht* skat) udskrivning, pålægning, opkrævning; (udskreven) skat; *capital* ~ formuekonfiskation, engangsskat.
lewd [l(j)u:d] *adj* utugtig, uanstændig, sjofel; liderlig.
lexical ['leksikl] *adj* leksikalsk.
lexicographer [leksi'kɔgrəfə] *sb* leksikograf, ordbogsforfatter; *the Great L.* (om dr. Samuel Johnson).
lexicon ['leksikən] *sb* (især oldgræsk *el.* hebraisk) leksikon, ordbog; ordforråd.
Leyden ['laidn]; ~ *jar* leydenerflaske.
L. G. *fk Low German; Life Guards; Landing Ground.*
liability [laiə'biliti] *sb* tilbøjelighed; ansvarlighed; ansvar *(fx criminal* ~ strafansvar); *(mods asset:)* passiv, *(fig)* belastning; *liabilities* forpligtelser; passiver; ~ *for military service* værnepligt; ~ *to pay damages* erstatningsansvar, erstatningspligt; ~ *to pay taxes* skattepligt.
liability insurance: *third party* ~ ansvarsforsikring.
liable ['laiəbl] *adj* tilbøjelig *(to* til (at), *fx I am* ~ *to catch colds)*, udsat *(to* for); *(jur)* ansvarlig; hæftende; pligtig, forpligtet; *be* ~ *to (jur)* være pligtig til (at) *(fx to pay)*; ifalde, kunne idømmes *(fx failing that, he is* ~ *to a fine)*; ~ *in damages* erstatningspligtig *(to* over for); ~ *to duty* toldpligtig; *your words are* ~ *to misconstruction* dine ord kan let opfattes forkert; *make oneself* ~ *to* udsætte sig for.
liaise [li'eiz] *vb (mil.)* fungere som forbindelsesofficer; ~ *with* etablere kontakt med.
liaison [li'eizn, li'eizɔ:ŋ] *sb (mil. etc)* forbindelse; (kærligheds-) illegitimt forhold, fri forbindelse; *(fon)* overtrækning (af konsonant til ord der begynder med vokal); ~ *officer* forbindelsesofficer.
liana [li'a:nə] *sb (bot)* lian.
liar ['laiə] *sb* løgner, løgnerske.
lib. *fk liberation (fx women's* ~ *)*.
libation [lai'beiʃ(ə)n] *sb (rel)* drikoffer; T drik, drikkegilde.
I. libel ['laibl] *sb (jur)* injurie(r), æresfornærmelse (i skriftlig form); bagvaskelse; smædeskrift; *(fig)* T fornærmelse *(fx the portrait is a* ~ *on him)*.
II. libel ['laibl] *vb* skrive smædeskrift om, injuriere, bagvaske.
libellous ['laib(ə)ləs] *adj* ærekrænkende, ærerørig, injurierende.
liberal ['lib(ə)rəl] *adj (mods* snæversynet) liberal, frisindet; fordomsfri; *(mods* nærig) gavmild, rundhåndet, flot; rigelig *(fx reward)*; *Liberal sb* liberal; *a* ~ *construction* en fri fortolkning; ~ *education* almendannelse; *a* ~ *table* et velforsynet bord; et gæstfrit bord; *take a* ~ *view of* se stort på.
liberalism ['lib(ə)rəlizm] *sb* liberalisme, frisind.
liberality [libə'ræliti] *sb* gavmildhed; frisindethed; fordomsfrihed.
liberalization [libərəlai'zeiʃən] *sb* liberalisering.
liberalize ['lib(ə)rəlaiz] *vb* frigøre for fordomme, gøre liberal; blive liberal; liberalisere.
liberate ['libəreit] *vb* frigive, sætte i frihed; befri *(from* for); *(kem)* frigøre, afgive; S hugge, stjæle, 'organisere'.
liberation [libə'reiʃ(ə)n] *sb* frigivelse; befrielse; frigørelse *(fx women's* ~ *)*; *(kem)* frigørelse, afgivelse.

liberator ['libəreitə] sb befrier.
Liberia [lai'biəriə].
libertine ['libəti:n] adj udsvævende; sb udsvævende menneske, libertiner; (hist.) fritænker.
libertinism ['libətinizm] sb ryggesløshed, usædelighed; (hist.) fritænkeri.
liberty ['libəti] sb frihed; liberties (også) privilegier; at ~ fri, ledig; you are at ~ to do so det står dig frit for at gøre det; I am not at ~ to tell you det har jeg ikke lov til at sige; set prisoners (, slaves) at ~ sætte fanger (, slaver) på fri fod; ~ of conscience religionsfrihed; ~ of the press trykkefrihed; take the ~ of doing sth tage sig den frihed at gøre noget; take liberties with tage sig friheder over for; this is ~ hall her kan De gøre lige hvad der passer Dem.
libertyman ['libətimæn] sb matros med landlov.
libidinous [li'bidinəs] adj vellystig; liderlig; (psyk) libidinøs.
I. Libra ['laibrə] (astr) Vægten.
II. libra ['laibrə] sb pund.
librarian [lai'brɛəriən] sb bibliotekar.
librarianship [lai'brɛəriənʃip] sb bibliotekarstilling.
library ['laibrəri] sb bibliotek; bogserie; walking ~ (fig) levende (el. omvandrende) leksikon.
libretto [li'bretou] sb (pl -tos el. -ti) libretto, operatekst.
lice [lais] pl af louse.
I. licence, (am: **license**) ['lais(ə)ns] sb bevilling, tilladelse; autorisation; licens; (mht spiritus) udskænkningsret; (til bil) kørekort; (mere generelt:) frihed, handlefrihed; (neds) tøjlesløshed; liderlighed, vellystighed; doctor's ~ jus practicandi; poetic ~ digterisk frihed; be married by (special) ~ blive gift på kongebrev; take (out) a ~ løse bevilling el. licens; trade ~ næringsbevis.
II. licence, license ['lais(ə)ns] vb autorisere, give bevilling (fx ~ sby to sell alcoholic liquor).
licensed ['lais(ə)nst] adj autoriseret, privilegeret; ~ buffoon, ~ jester (omtr) en der nyder frisprog; ~ hotel hotel med spiritusbevilling; ~ listener licensbetalende lytter.
licensee [laisən'si:] sb bevillingshaver.
licenser ['laisənsə] sb udsteder af et privilegium.
licentiate [lai'senʃiit] sb autoriseret udøver af en vis virksomhed; (akademisk titel:) licentiat.
licentious [lai'senʃəs] adj tøjlesløs, ryggesløs; udsvævende, liderlig, vellystig.
lichen ['laikən, 'litʃən] sb (bot) lav.
lichgate ['litʃgeit] = lychgate.
licit ['lisit] adj lovlig, tilladt.
I. lick [lik] vb slikke, slikke på; T prygle, slå, (give) klø (fx the boy was -ed by the headmaster); vinde over (fx i sportskamp); ~ sby at his own game slå en på hans eget felt (el. med hans egne våben); ~ sby's boots (el. shoes) krybe for en; slikke én op ad ryggen; ~ the dust bide i græsset; ~ one's lips (el. chops) slikke sig om munden; that -s everything, that -s creation det overgår alt; it -s me det går over min forstand; go as hard as one can ~ løbe så hurtigt man kan; ~ into shape sætte skik på, give form.
II. lick [lik] sb slikken, slik; (til vildt) saltslikke; T slag; fart (fx at full ~); a ~ and a promise kattevask; give it a ~ and a promise kun lige gøre det nødvendigste ved det; we were going at a tremendous ~ vi havde mægtig skub på.
lickerish ['likəriʃ] adj lækkersulten, slikvorn; grådig, begærlig; sanselig, liderlig, lysten.
licketysplit ['likətisplit] adj (am S) i en mægtig fart; huhej.
licking ['likiŋ] sb slikken; dragt prygl, klø, tæv, bank; get a ~ få klø (etc).
lickspittle ['likspitl] sb spytslikker.
licorice ['likəris] sb lakrids.
lid [lid] sb låg, (tekn) dæksel, (anat) øjenlåg; T låg (hue); put the ~ on (fig) sætte en stopper for; take (el. blow) the ~ off (fig) afsløre, åbenbare. **lidless** ['lidlis] adj uden låg; uden øjenlåg.
lido ['li:dou] sb (el. lido): badestrand, friluftsbad; the Lido Lidoen (ved Venezia).
I. lie [lai] sb løgn, usandhed; vb lyve; give sby the ~ beskylde en for at lyve; give sth the ~ (be)vise at noget er

løgn, modbevise noget; tell -s lyve; white ~ nødløgn, hvid løgn; ~ in one's teeth (el. throat) lyve groft (el. frækt); ~ oneself out of sth lyve sig fra noget.
II. lie [lai] vb (lay, lain) ligge; være beliggende; (om afdød) hvile, være begravet (fx here lies ...); her talents do not ~ that way hendes evner går ikke i den retning; ~ about ligge og flyde; ~ back læne sig tilbage; ~ by ligge hen, hvile; ~ down lægge sig ned; ligge ned; hvile sig, lægge sig; take it lying down, ~ down under it finde sig i det uden at kny; ~ in sove længe (om morgenen); (glds) ligge i barselseng; as far as in me lies så vidt som det står i min magt; ~ low (fig) ligge i støvet, være kastet til jorden; holde sig skjult, skjule sine virkelige hensigter; ~ on påhvile; tynge; afhænge af; ~ on the bed one has made ligge som man har redt; ~ over opsættes, udsættes; stå hen; ~ to (mar) ligge underdrejet; an appeal -s to ... sagen kan appelleres til ...; ~ under være genstand for, være underkastet; ~ up holde sengen; (mar) gå i dok; ~ with tilkomme (fx it -s with you to decide it), påhvile; bero på, ligge hos (fx the fault -s with him); (glds) ligge hos, sove hos.
III. lie [lai] sb leje; beliggenhed; (dyrs) tilholdssted; the ~ of the land situationen, terrænet; know the ~ of the land vide hvordan landet ligger.
lie-a-bed ['laiəbed] sb syvsover.
lie-by ['laibai] sb vigespor.
lie detector løgnedetektor.
lie-down ['laidaun] sb: have a ~ tage sig et hvil, lægge sig lidt.
lief [li:f] adv gerne.
liege [li:dʒ] adj lens-; lenspligtig; vasal-; sb vasal; fyrste, lensherre. **liegeman** ['li:dʒmən] sb vasal.
lie-in ['laiin] sb: have a ~ sove længe.
lien ['liən] sb retentionsret, tilbageholdelsesret.
lieu [l(j)u:] sb: in ~ of i stedet for.
Lieut.-Col. fk lieutenant colonel.
lieutenancy [lef'tenənsi; (am) le'tenənsi; (am) lu:'tenənsi] sb løjtnantsstilling, løjtnantsrang; statholderskab.
lieutenant [lef'tenənt; (mar) le'tenənt; (am) lu:'tenənt] sb (mil.) løjtnant, (mar) søløjtnant; statholder, stedfortræder; first ~ premierløjtnant; second ~ sekondløjtnant; L. of the Tower kommandant i Tower.
lieutenant | **colonel** oberstløjtnant. ~ **commander** (mar) kaptajnløjtnant. ~ **general** generalløjtnant. ~ **governor** viceguvernør.
Lieut. Gen. fk lieutenant general.
life [laif] sb (pl lives) liv, levned; levnedsbeskrivelse, biografi (fx a ~ of Milton); levetid; after (el. from) the ~ efter naturen, efter levende model; as large as ~ i legemsstørrelse (fx a statue as large as ~); (fig) i egen høje person, lyslevende, ikke til at tage fejl af; for ~ for (hele) livet; for livstid (fx an appointment for ~); imprisonment for ~ livsvarigt fængsel, fængsel på livstid; for (dear el. very) ~ som om det gjaldt livet, af alle livsens kræfter, det bedste man har lært (fx run for dear ~); not for the ~ of me, not on my ~ ikke for alt i verden, ikke om så det gjaldt mit liv; from the ~ efter levende model, efter naturen; many lives were lost mange menneskeliv gik tabt; it is a matter of ~ and death det er et spørgsmål om liv eller død; at my time of ~ i min alder; I'm having the time of my ~ jeg har aldrig moret mig så godt; not on your ~ du kan tro nej; ikke tale om; not to save my ~ ikke om det så gjaldt mit liv; see (sth) of ~ lære livet at kende; he was the ~ and soul of the party han underholdt hele selskabet; han var selskabets midtpunkt; such ~ is sådan er livet; larger than ~ i overstørrelse; over naturlig størrelse; (fig) overdreven; to the ~ (aldeles) livagtig; bring to ~ blive levende (igen), komme til sig selv; the ~ to come det kommende liv, livet efter døden; true to ~ virkelighedstro; their ~ together deres samliv.
life| **annuitant** livrentenyder(ske). ~ **annuity** livrente. ~ **assurance** livsforsikring. ~ **belt** redningsbælte. **-blood** hjerteblod. **-boat** redningsbåd. ~ **buoy** redningsbøje, redningskrans. ~ **certificate** livsattest. ~ **expectancy** forventet levealder. ~ **guard** livredder (ved badestrand). ~ **guards** (mil.) livgarde. ~ **insurance** livsforsikring. ~ **interest** livrente, livsvarig brugsret. ~ **jacket** redningsvest. **-less** liv-

løs; **død**; *(fig)* uden liv, trist, kedsommelig. **-like** livagtig. **-line** redningsline; *(mar)* livline; *(fig)* livsvigtig forsyningslinie *(el.* forbindelseslinie). **-long** livsvarig, der varer hele livet igennem; *a -long friend* en ven for livet. ~ **net** *(am)* springlagen. ~ **office** livsforsikringsselskab. ~ **peer** livsvarigt medlem af Overhuset. ~ **-preserver** totenschläger; *(am)* redningsvest, redningsbælte.

lifer ['laifə] *sb* livsfange.

life| raft redningsflåde. **-saver** livredder, redningsmand. ~ **-saving** *adj* rednings- *(fx apparatus).* ~ **sentence** dom på livsvarigt fængsel. ~ **-size(d)** i legemsstørrelse. ~ **table** dødelighedstabel. ~ **tenant** fæster på livstid. **-time** levetid; *a -time* (også) et helt liv; *the chance of a -time* alle tiders chance. **-work** livsværk.

I. lift [lift] *vb* løfte, hæve; ophæve *(fx a blockade);* tage op, grave op *(fx potatoes);* stjæle *(fx cattle),* hugge, plagiere; *(am)* udbetale; indfri *(fx a mortgage);* (uden objekt) lette *(fx the fog -ed);* (om sejl) leve; (om gulv *etc)* slå sig; ~ *the ban* hæve forbudet; ~ *up one's voice* opløfte sin røst.

II. lift [lift] *sb* elevator; løfteapparat (til biler); løften, hævning; stigning; *(mht* vand) løftehøjde; *(flyv)* opdrift; *(fig)* håndsrækning, hjælp; (tur i bil) lift, blaf; (i skohæl) flik; (se også *airlift);* give *sby a* ~ lade én køre med (sig); give én en håndsrækning; sætte ens humør i vejret; styrke ens selvtillid *(fx new clothes gave the shy girl a* ~*).*

lift|car elevatorstol. **-man** elevatorfører. **-off** (lodret) raketstart. **-shaft, -well** elevatorskakt.

ligament ['ligəmənt] *sb (anat)* (sene)bånd, ligament.

ligate ['laigeit] *vb (med.)* afsnøre *(fx* en vorte); underbinde. **ligation** *sb (med.)* underbinding.

ligature ['ligətʃuə] *sb* bånd, bind; *(med.)* underbinding; *(typ)* ligatur.

I. light [lait] *sb* lys; dagslys, dag; lyskilde; belysning, oplysning; ild; tændstik; (i mur) lysåbning, vindue, vinduesrude; *(mar)* fyr, fyrtårn;
according to one's -s efter bedste evne, så godt man formår; *beat (el. knock) his -s out* slå ham halvt fordærvet; *bring to* ~ bringe for dagen; *come to* ~ komme for dagen; *he is no great* ~ han er ikke noget lys, han har ikke opfundet krudtet; *in the* ~ *of* i lyset af, under hensyn til, i betragtning af; *put a person in a false* ~ stille én i et falsk lys; **see** *the* ~ se dagens lys, blive til; fødes; *(fig)* komme til sandheds erkendelse, blive omvendt, se sin overbevise; *come to see the matter in another* ~ se sagen i et nyt lys, få et andet syn på sagen; *he* **stands** *in my* ~ han står mig i lyset; *stand in one's own* ~ stå sig selv i lyset; *strike a* ~ stryge en tændstik; slå ild; **throw** *(el. shed)* ~ on kaste lys over; *may I trouble you for a* ~? De har vel ikke en tændstik? kunne De ikke give mig lidt ild?

II. light [lait] *vb (præt* og *pp* lighted *el. lit)* lyse; tænde; oplyse; lyse for *(fx* ~ *him through the garden);* ~ *a fire* tænde op; ~ *up* tænde; lyse op i *(fx the fire lit up the room);* tændes; lyse op *(fx his face lit up);* T få ild på piben (, cigaretten *etc).*

III. light [lait] *vb:* ~ **into** falde 'over, angribe; ~ *(up)***on** falde på, sætte sig på *(fx the bird -ed upon the roof);* dale *(el.* slå) ned på, ramme; træffe på, støde på; ~ **out** stikke af.

IV. light [lait] *adj* lys; ~ *brown* lysebrun.

V. light [lait] *adj* let; undervægtig; *(fig)* ubetydelig; letbenet; (om drik) mild, let; (om person) munter, sorgløs; *(neds)* letsindig, letfærdig; *(mar)* flov, lade *(om vind);* ~ *breeze* let brise; ~ *in the head,* se *light-headed;* ~ *losses* små tab; *make* ~ *of* tage sig let, lade hånt om, bagatellisere; ~ *music* let musik, underholdningsmusik; ~ *programme* (i radioen) underholdningsprogram; ~ *reading* morskabslæsning; *be a* ~ *sleeper* sove let; ~ *soil* løs jord.

VI. light [lait] *adv* let *(fx sleep* ~*); travel* ~ rejse med lille bagage; (se også *lightly).*

light-armed *adj* letbevæbnet.

light buoy lystønde.

light-draft ['laitdra:ft] *adj (mar)* med ringe dybgående.

I. lighten ['laitn] *vb* oplyse; lysne; lyne, blinke.

II. lighten ['laitn] *vb* lette, opmuntre; blive lettere; blive opmuntret.

I. lighter ['laitə] *sb* tænder, cigartænder, lighter.

II. lighter ['laitə] *sb* pram, lægter; *vb* transportere med pram eller lægter.

lighterage ['laitəridʒ] *sb* prampenge, lægterpenge.

lighterman ['laitəmən] *sb* pramfører, lægterfører.

light|face *adj (typ)* mager (om skrift). **~-fingered** fingernem; langfingret, tyvagtig. ~ **fog** *(fot)* falsk lys. ~ **-footed** let til bens. ~ **-handed** som har en let hånd; ikke fuldt bemandet. ~ **-headed** forstyrret i hovedet, uklar, svimmel; tankeløs, kåd. **-hearted** munter, sorgløs. **-house** fyrtårn. **-house keeper** fyrpasser.

lighting ['laitiŋ] *sb* belysning.

lighting-up time lygtetændingstid.

lightly ['laitli] *adv* let; letsindigt, skødesløst, uden grundig overvejelse *(fx this award is not given* ~*);* muntert; mildt; ~ *come,* ~ *go* hvad der kommer let, går let; *get off* ~ slippe billigt (fra det).

light-minded ['lait'maindid] *adj* letsindig, ustadig, flygtig.

lightning ['laitniŋ] *sb* lyn; *flash of* ~ lynglimt; *like (greased)* ~ som et (forsinket) lyn; *with* ~ *speed* med lynets fart.

lightning| arrester *(elekt)* overspændingsafleder. ~ **bug** ildflue. ~ **conductor,** ~ **rod** lynafleder. ~ **strike** overrumplingsstrejke, uvarslet strejke. ~ **war** lynkrig.

light-o'-love ['laitəlʌv] *sb* flane, kokette.

lights [laits] *sb pl* lunger (af slagtede svin, får *etc* især som kattefoder *etc);* (se også I. *light).*

light sail *(mar)* letvejrssejl, flyversejl.

light shaft lyskasse.

lightship ['laitʃip] *sb* fyrskib.

lightsome ['laitsəm] *adj* lys, munter, glad.

light-struck *adj (fot)* med falsk lys. **light wave** lysbølge.

lightweight ['laitweit] *sb* letvægt; letvægter; *adj* let-vægts-*(fx boxer, coat, paper); (fig)* overfladisk; ~ *concrete* letbeton.

light well lyskasse.

light-year lysår.

lignaloe [lai'næləu] *sb* aloetræ, paradistræ.

ligneous ['ligniəs] *adj* træ-, træagtig.

lignite ['lignait] *sb* brunkul.

lignum vitae ['lignəm 'vaiti:] *(bot)* pokkenholt.

ligule ['ligju:l] *sb (bot)* skedehinde.

likable ['laikəbl] *adj* sympatisk, tiltalende.

I. like [laik] *adj* lig, lige, lignende; samme, lige så stor; *(glds)* sandsynlig; *adv* ligesom, som;
is she anything ~ *her mother?* ligner hun overhovedet *(el.* på nogen måde) sin mor? *as* ~ *as not* sandsynligvis; højst sandsynligt; *they are as* ~ *as two peas* de ligner hinanden som to dråber vand; **be** ~ ligne *(fx the picture is not* ~*); what is he* ~? hvordan er han? hvordan ser han ud? *that is just* ~ *him!* hvor det ligner ham! det er netop hvad man kunne vente af ham! ~ *enough* sandsynligvis; ~ *father* ~ *son* æblet falder ikke langt fra stammen; ~ *master* ~ *man* som herren er så følger ham hans svende; *something* ~ sådan noget som, noget i retning af, henad; *that's something* ~ det lader sig høre; *something* ~ *a dinner!* en knippel middag! ~ *that* sådan, på den måde *(fx don't shout* ~ *that);* ~ *man* ~ *that* sådan en mand; ~ *this* sådan, på denne (her) måde.

II. like [laik] *sb* lige, mage; *the* ~ (noget) lignende, sligt; *and the* ~ og så videre; og den slags; *did you ever hear the* ~ *(of that)?* har De nogen sinde hørt mage? *I never saw the* ~ *of you* et menneske som dig har jeg aldrig truffet; ~ *will to* ~ krage søger mage; *the -s of me* T folk af min slags, mine lige.

III. like [laik] *vb* kunne lide, holde af, synes om; gerne ville have; bryde sig om; *he does not* ~ *me to see it* han bryder sig ikke om at jeg ser det; *as you* ~! som De ønsker! *I* **rather** ~ *him* jeg synes ganske godt om ham; *I* **should** ~ *to know* jeg gad vide; *I should not* ~ *to* jeg ville nødig; *I* ~ **that!** det er godt for galt! nej hør nu! *I should* ~ *a bottle of beer* jeg vil gerne have en flaske øl; *what would you* ~? hvad skal det være?

IV. like [laik] *sb: likes and dislikes* sympatier og antipatier.

likelihood ['laiklihud] *sb* sandsynlighed; *in all* ~ højst sandsynligt.

likely ['laikli] *adj* sandsynlig, rimelig, trolig *(fx story)*; lovende *(fx young man)*; egnet *(fx a ~ place to fish)*; passende; *a ~ story!* (ironisk) den tror jeg ikke på! *there is ~ to be some trouble* der bliver rimeligvis en del besvær; *he is ~ to come* han kommer sandsynligvis; *as ~ as not* højst sandsynligt; *not bloody ~!* *(vulg)* gu' vil jeg ej!
like-minded ['laik'maindid] *adj* ligesindet.
liken ['laikən] *vb* sammenligne *(to* med); ligne *(to* ved).
likeness ['laiknis] *sb* lighed; billede, portræt; *the portrait is a good ~* portrættet er meget vellignende; *in the ~ of a friend* under venskabs maske; *the god appeared in the ~ of a swan* guden viste sig i en svanes skikkelse *(el.* i skikkelse af en svane); *have one's ~ taken* lade sig portrættere, blive fotograferet, malet *etc.*
likewise ['laikwaiz] *adj* ligeså, ligeledes.
liking ['laikiŋ] *sb* smag, behag, forkærlighed; *have a ~ for* holde af, synes om; *take a ~ to* komme til at synes om, få sympati for; *to my ~* efter min smag.
lilac ['lailək] *sb (bot)* syren; *adj* lilla.
Lilliput ['liliput] (lilleputternes land i *Gulliver's Travels*).
Lilliputian [lili'pju:ʃiən] *sb* lilleput; *adj* lilleputiansk; lille bitte, lilleput-.
lilt [lilt] *vb* tralle, synge muntert; *sb* munter vise; rytme, liv, sving; *with a ~ (in the voice)* med melodisk stemme.
lily ['lili] *sb (bot)* lilje; *paint (el. gild) the ~* prøve at forbedre på noget der i sig selv er fuldkomment.
lily-livered ['lili'livəd] *adj* fej.
lily of the valley *(pl: lilies of the valley) (bot)* liljekonval.
lily-white *adj* liljehvid; *(fig)* uskyldsren; *(am)* som kæmper for raceadskillelse.
I. limb [lim] *sb* rand, kant.
II. limb [lim] *sb* lem; ben; tilhørende del; (hoved)gren; *~ of the devil, ~ of Satan* uartigt barn; skarnsunge; *~ of the law* advokat, politimand *(etc)*; *be torn ~ from ~* blive sønderrevet; *be out on a ~* (fig) være isoleret; *(især am)* være i en farlig situation; *go out on a ~* (også) vove sig for langt ud, løbe en risiko; *escape with life and ~* komme levende *(el.* godt) fra det; komme fra det med liv og lemmer i behold.
I. limber ['limbə] *adj* bøjelig, smidig; *vb* gøre bøjelig, gøre smidig; *~ (oneself) up* varme op *(fig, fx* før et kapløb).
II. limber ['limbə] *sb* forstilling (til kanon); *vb: ~ up* prodse på.
limbo ['limbou] *sb* limbus, helvedes forgård (hvor de afdøde tænktes at opholde sig, der uden egen skyld var udelukket fra at komme i himlen); *(fig)* glemsel; fængsel; *descend into ~* gå i glemmebogen; *dismiss sth into ~* overgive noget til glemselen.
I. lime [laim] *sb (bot)* lind, lindetræ.
II. lime [laim] *sb* kalk; kalksten; fuglelim; *adj* ravgul; *vb* behandle med kalk; overstryge med lim; fange.
III. lime [laim] *sb* (lille, grønlig, tyndskallet) citron.
lime juice lime-juice (slags citronsaft, se *III. lime)*. *~-juicer = limey.*
limekiln ['laimkiln] *sb* kalkbrænderi, kalkovn.
limelight ['laimlait] *sb* kalklys; *(teat* og *fig)* rampelys; *in the ~* i rampelyset; *come into the ~* komme frem, blive kendt.
limen ['laimən] *sb (psyk)* (bevidsthedens) tærskel.
lime pit kalkbrud; kalkkule.
limerick ['limərik] *sb* limerick, humoristisk femliniet vers.
lime stone kalksten. *-tree* lindetræ. *~ -twig* limpind (til fuglefangst); *(fig)* snare. *-wash* *sb* hvidtekalk; *vb* kalke, hvidte. *-water* kalkvand.
limey ['laimi] *sb (am* **S**) britisk sømand, englænder.
limit ['limit] *sb* grænse; yderste grænse; begrænsning; *(merk)* prisgrænse, limitum; *(mat.)* grænseværdi; *vb* begrænse, indskrænke; *-s pl* grænse *(fx confine* (holde) *it within narrow -s)*; *off -s (am)* forbudt område (for militært personel); *within -s* indenfor rimelige grænser; til en vis grad *(fx you can trust him, within -s)*; *without ~* ubegrænset, grænseløs; *set -s to* begrænse; *that is the ~* **T** det er højdepunktet; det er dog den stiveste.
limitary ['limitəri] *adj* grænse-; begrænset; begrænsende.
limitation [limi'teiʃ(ə)n] *sb* begrænsning, indskrænkning; *(jur)* forældelse (af fordring *o l)*.
limited ['limitid] *adj* begrænset, indskrænket; snæver; *~*

liability begrænset ansvar; *~ (liability) company* aktieselskab; *~ monarchy* indskrænket monarki; *~ partnership* kommanditselskab.
limitless ['limitlis] *adj* ubegrænset, grænseløs.
limn [lim] *vb* tegne, male; aftegne; skildre.
limner ['limnə] *sb* tegner, maler.
limnology [lim'nɔlədʒi] *sb* ferskvandsbiologi.
limonite ['laimənait] *sb (min)* brunjernsten.
limousine ['limuzi:n] *sb* limousine (biltype).
I. limp [limp] *vb* halte, humpe; *(fig,* om beskadiget skib) slæbe sig afsted, sejle langsomt og tungt; *sb* halten; *walk with a ~* halte.
II. limp [limp] *adj* svag; kraftesløs; slap, blød, slatten *(fx handshake)*; (om bogbind) bøjelig; *~ binding (el. covers)* blød kartonnage.
limpet ['limpit] *sb zo* albueskæl; *(fig)* en som ikke er til at ryste af, *(mht* embede) taburetklæber; *stick like a ~* holde ihærdigt fast *(fx* på et embede), suge sig fast som en igle.
limpet mine *(mil.)* skildpadde (mine der kan klæbes fast til skibsside *etc)*.
limpid ['limpid] *adj* (glas)klar.
limpidity [lim'piditi] *sb* klarhed.
limpkin ['limpkin] *sb zo* riksetrane.
limy ['laimi] *adj* kalk-, kalkholdig, kalkagtig; klæbrig.
linage ['lainidʒ] *sb* linietal; liniebetaling.
linchpin ['lin(t)ʃpin] *sb* lundstikke (på hjul); *the ~ in (el. of) his plan (fig)* det som hele hans plan står og falder med.
Lincoln ['liŋkən].
Lincs. *fk Lincolnshire* ['liŋkənʃ(j)ə].
linctus ['liŋktəs] *sb* brystdråber, hostesaft.
linden ['lindən] *sb (bot)* lind, lindetræ.
I. line [lain] *sb* (til at binde *etc* med) line, snor, (til fiskeri) snøre; *(tlf, gas- etc)* ledning; *(typ, mil., mat.,* sport *etc)* linie; (tegnet *etc)* linie, streg, (kunstners) streg *(fx his clearness of ~* hans klare streg); (som deler:) grænse *(between* mellem); (i haven) rynke, fure; (i digt) verslinie; (opstilling, følge) række *(fx of soldiers, of trees, a long ~ of distinguished public servants), (am:* af ventende) kø; *(litt)* slægt *(fx he comes of a good ~)*; *(jernb)* spor, banelinie; (bus-, flyv) rute, linie; *(merk)* vare(art), varegruppe, vareparti, (område:) branche *(fx his ~ is hardware)*, (uden for handel også) specialitet, særlig interesse, særligt felt *(fx gardening is not my ~)*; *-s pl* (også) retningslinier; (i skole) linier til afskrift (som straf); *(teat)* replik(ker), rolle;
(forskellige *forb)* *cross the ~* gå over grænsen *(fx to Canada)*; *(mar)* passere linien (ɔ: ækvator); *draw the ~,* se II. *draw; drop me a ~* send mig et par ord; *get a ~ on* få noget vi at vide om; *be hard; hold the ~,* se II. *hold; shoot a ~* **T** prale; *take such a ~* følge en sådan fremgangsmåde, gå frem på en sådan måde; *take a high ~ with* sætte sig på den høje hest over for; *take a strong ~* vise fasthed; *take a tough ~* anlægge en hård kurs *(with* overfor); *toe the ~,* se *toe;*
(forb med *præp)* **all along** *the ~* over hele linien *(fx success all along the ~)*; i *(a)* på linie, på række; *(mar)* over ét; *what ~ are you in?* hvad er Deres fag? *that's not (in) my ~* det falder ikke inden for mit område; det giver jeg mig ikke af med, det er ikke min vej; *stand in (a) ~* stå i række, stå i kø; *bring* **into** *~ with* rette ind efter; bringe på linie med; *fall (el. come)* **into** *~ with* stille sig på linie med, være enig med, arbejde sammen med; rette sig ind efter; *fall* **into** *~ (with the others)* følge trop; *~* **of** *conduct* handlemåde; holdning; *~* **of** *depths* dybdekurve (på søkort); *the ~* **of** *duty* pligtens vej; *~* **of** *march* marchretning; *~* **of** *skirmishers* skyttekæde; *~* **of** *soundings* pejlingslinie, pejleline; *ship of the ~* linieskib; **out of** *~* ikke på linie, *(fig* også) ude af trit; *a* **direct** *~ to* i lige linie med; *on these -s* efter disse retningslinier.
II. line [lain] *vb* linere, trække linier i; fure *(fx a face -d with care)*; opstille på linie; kante; stå i rækker langs, stå opstillet langs *(fx thousands -d the route)*; (anbringe indvendig i) fore, beklæde; i tegne omridset af; *~ out* skitsere; *~ one's pockets* **S** fylde lommerne, tjene tykt; *~ one's stomach* fylde sig; *~ through* gennemstrege, over-

strege; ~ up opstille på linie; stille sig i kø; arrangere, sørge for; ~ the roads with troops opstille tropper langs vejene.

I. lineage ['liniidʒ] sb afstamning, slægt.

II. lineage ['lainidʒ] sb linietal; liniebetaling.

lineal ['linial] adj linie-, nedstammende i lige linie, direkte.

lineament ['liniəmənt] sb træk, ansigtstræk.

linear ['liniə] adj linieformig, linie-; lineær; ~ accelerator (fys) lineær accelerator; ~ measure længdemål; ~ motion retliniet bevægelse.

line|block, -cut stregkliché. **~ drawing** sb stregtegning.

lineman sb (am) telefonmontør.

linen ['linin] sb lærred, linned, (merk) hvidevarer; (beklædning) undertøj, lingeri; (til bord) dækketøj, (til seng) sengelinned; (papir) lærredspapir; adj linned, lærreds-; wash one's dirty ~ in public (fig) holde opgør for åbent tæppe.

linen|draper (glds) hvidevarehandler. **-drapery** hvidevarer. **~ paper** lærredspapir. **~ press** linnedskab.

I. liner ['lainə] sb (mar) liner, rutebåd; (flyv) rutemaskine, rutefly.

II. liner ['lainə] sb indsats (fx i skuffe); (i frakke) (løst) foer; (tekn) foring; mellemlæg; udfyldningsplade; (til grammofonplade) hylster, omslag.

liner train (jernb) hurtigt godstog i fast fart, især med containere.

line-shooter sb pralhals.

linesman ['lainzmən] sb (i fodbold etc) linievogter, (i tennis) liniedommer; (mil.) liniesoldat; (tlf) telefonmontør.

lineup ['lainʌp] sb opstilling, gruppering; (ved konfrontation) den række af personer hvori den mistænkte anbringes for identifikation.

ling [liŋ] sb (bot) lyng; zo lange (art fisk).

linger ['liŋgə] vb blive (stående, siddende etc) (fx they -ed awhile after the party), tøve, (især poet) dvæle (fx at her grave); (om skik etc) holde sig (fx the practice still -s); (om syg) holde sig i live; (bevæge sig langsomt) slentre, lunte; ~ on (for)blive; vedblive at leve, holde sig i live (fx the patient -ed on for some years); ~ out one's life henslæbe sit liv; ~ over smøle med, (i beretning) dvæle ved.

lingerer ['liŋgərə] sb efternøler.

lingerie [fr.; 'lænʒəri:] sb lingeri, dameundertøj.

lingering ['liŋgəriŋ] adj langvarig; dvælende; sb tøven; any ~ doubt(s) were removed enhver rest af tvivl blev fjernet.

lingo ['liŋgou] sb (pl lingoes) (fremmed) sprog, uforståeligt sprog, kaudervælsk, volapyk.

lingua franca ['liŋgwə 'fræŋkə] blandingssprog; (ofte:) fællessprog.

lingual ['liŋgw(ə)l] adj tunge- (fx bone); sprog- (fx studies).

linguist ['liŋgwist] sb lingvist; sprogkyndig person; he is a good ~ han har gode sprogkundskaber.

linguistic [liŋ'gwistik] adj lingvistisk, sproglig, sprogvidenskabelig.

linguistics [liŋ'gwistiks] sb lingvistik, sprogvidenskab.

liniment ['linimənt] sb liniment, flydende salve.

lining ['lainiŋ] sb indvendig beklædning, belægning, foring; (muret:) udmuring; (i tøj) foer; every cloud has a silver ~ oven over skyerne er himlen altid blå; enhver sag har sine lyse sider.

I. link [liŋk] sb (i kæde) led, ring; (fig) forbindelse, forbindelsesled; bånd; the -s of brotherhood broderskabets bånd.

II. link [liŋk] vb sammenkæde, sammenlænke; forbinde, forbindes; he -ed his arm in hers, he -ed arms with her han tog hende under armen; ~ hands danne kæde; ~ together sammenkoble; ~ up tilslutte, forbinde; forbindes.

III. link [liŋk] sb (glds) fakkel.

linkage ['liŋkidʒ] sb sammenkædning; (biol) kobling; (kem) binding; (tekn) forbindelsesled.

link|boy, -man (glds) fakkeldrager (som lyste folk hjem).

links [liŋks] sb pl golfbane.

linkup ['liŋkʌp] sb forbindelse, sammenkædning.

Linnaeus [li'ni:(:)əs] Linné.

linnet ['linit] sb zo tornirisk.

lino ['lainou] T linoleum; (typ) linotype.

linocut ['lainoukʌt] sb linoleumssnit.

linoleum [li'nouljəm] sb linoleum.

linotype ['lainətaip] sb (typ) linotype (sættemaskine der støber hele linier).

linseed ['linsi:d] sb hørfrø.

linseed| cake hørfrøkage. **~ oil** linolie.

linsey-woolsey ['linzi'wulzi] sb (stof af uld og bomuld), (omtr) hvergarn.

lint [lint] sb charpi (optrævlet linned til forbinding); trævler; (på gulv) nullermænd, ulder.

lintel ['lintl] sb overligger (over dør el. vindue), dæksten.

lion ['laiən] sb zo løve; (fig) berømthed; berømt mand; the ~'s share broderparten; the British ~ (symbol for) Storbritannien; a ~ in the path en (indbildt) hindring (el. fare) (som undskyldning for ikke at handle); walk into the ~'s mouth gå lige i løvens gab.

lioness ['laiənis] sb løvinde.

lion|hearted ['laiən'ha:tid] adj modig som en løve; Richard the L. Rikard Løvehjerte. **~ -hunter** løvejæger; (fig) en der er ivrig efter at omgås berømte personer, snob.

lionize ['laiənaiz] vb gøre stads af; fejre som en berømthed; fetere.

lion-tamer løvetæmmer.

lip [lip] sb læbe; kant, rand; lille tud; S næsvished, næsvise bemærkninger; (på værktøj) skær; vb kysse; it escaped my -s det slap mig ud af munden; keep a stiff upper ~, se I. stiff; lick one's -s slikke sig om munden; I heard it from his own -s jeg hørte det af hans egen mund; none of your ~! ikke næsvis!

lipped [lipt] adj med kant, rand, med ... læber, -læbet (fx thick-lipped).

lip|-reading mundaflæsning. **~ salve** læbepomade. **~ service** tomme ord, mundsvejr; do (, pay, show) ~ service to hylde i ord men ikke i gerning; hykle respekt for. **-stick** læbestift.

liquate [li'kweit] vb sejgre.

liquefaction [likwi'fækʃ(ə)n] sb smeltning; fortætning; omdannelse til væske; smeltet tilstand. **liquefy** ['likwifai] vb gøre flydende; bringe i flydende tilstand, (om luft) fortætte; (uden objekt) fortættes; blive flydende.

liqueur [li'kjuə] sb likør.

liquid ['likwid] sb væske; (i fonetik) likvid; adj flydende; klar (fx air), (om toner etc) ren, smeltende; (om pengemidler etc) likvid, let realisabel; ~ air frostklar luft; (kem) flydende luft; ~ eyes (fugtig-)blanke øjne.

liquidate ['likwideit] vb (merk) afvikle, likvidere; betale (en gæld); (fig) likvidere, udrydde.

liquidation [likwi'deiʃ(ə)n] sb afvikling, likvidation; go into ~, træde i likvidation.

liquidator ['likwideitə] sb likvidator.

liquidity [li'kwiditi] sb likviditet; flydende tilstand.

liquidize ['likwidaiz] vb presse (frugt) til mos. **liquidizer** ['likwidaizə] sb blenderglas.

liquid| manure ajle. **~ paraffin** paraffinolie.

liquor ['likə] sb spirituøs drik, spiritus, brændevin; væske; (af kød) saft, kraft, sky; (med.) liquor, slags mikstur; be the worse for ~ være fuld; under the influence of ~ spirituspåvirket; vb: ~ (up) S drikke; ~ him up drikke ham fuld.

liquorice ['likəris] sb lakrids; ~ allsorts lakridskonfekt.

lira ['liərə] sb lire (italiensk mønt).

Lisbon ['lizbən] Lissabon.

lisle [lail] ~ glove trådhandske; ~ stocking trådstrømpe.

lisp [lisp] vb læspe; fremlæspe; sb læspen.

lisping ['lispiŋ] sb læspen; lallen, pludren.

lissom(e) ['lisəm] adj smidig.

I. list [list] sb liste, fortegnelse, rulle; (på stof) æg; (af stof) strimmel, liste, (af træ) liste; (af farve) stribe; (se også lists); vb opføre på en liste, lave en liste over; katalogisere; (glds) = enlist.

II. list [list] sb (mar) slagside; vb have slagside.

III. list [list] vb (glds) lyste, have lyst.

listen ['lisn] vb lytte, høre efter; (am T) lyde (fx it does not ~ right); ~ in høre radio; lytte (til noget som man ikke har ret til at høre); ~ to lytte til, høre på, høre efter; ~ to reason tage imod fornuft.

listener ['lisnə] sb tilhører; (radio)lytter; good ~ opmærksom tilhører.

listening post lyttepost.

listless ['listlis] *adj* ligegyldig, ugidelig, udeltagende, uinteresseret; slap, sløv.
list price katalogpris.
lists [lists] *sb pl (hist.)* kampplads; *enter the* ~ *against (fig)* bryde en lanse med, vove en dyst med; *enter the* ~ *for (fig)* træde i skranken for.
lit [lit] *præt* og *pp* af II. *light; he was well* ~ der var blus på lampen; han var fuld.
litany ['litəni] *sb* litani.
literacy ['lit(ə)rəsi] *sb* det at kunne læse og skrive *(mods* analfabetisme).
literal ['lit(ə)rəl] *adj* bogstavelig, (om oversættelse) ordret; (om person) prosaisk; *(typ)* bogstav-; ~ *error* trykfejl; *in a* ~ *sense* bogstavelig talt; *in the* ~ *sense of the word* i ordets bogstavelige *(el.* egentlige) betydning; ~ *translation* ordret oversættelse.
literalism ['lit(ə)rəlizm] *sb* bogstavtrældom, bogstavdyrkelse, bogstavtro; tør realisme.
literally ['litərəli] *adv* bogstaveligt; ordret *(fx translate sth* ~*)*; T bogstavelig talt, formelig *(fx he was* ~ *torn to pieces)*.
literary ['lit(ə)rəri] *adj* boglig, litterær; litteratur- *(fx history)*; ~ *man* litterat.
literate ['litərit] *adj* en som kan læse og skrive *(mods* analfabet); boglig dannet person; *adj: be* ~ kunne læse og skrive; være boglig dannet.
literatim [litə'ra:tim] *adv* bogstav for bogstav, efter bogstaven.
literature ['lit(ə)ritʃə] *sb* litteratur.
litharge [li'θa:dʒ] *sb (kem)* sølverglød, blyoxid.
lithe [laið] *adj* smidig.
lithograph ['liθəgra:f] *sb* (billede:) litografi; *vb* litografere.
lithographer [li'θɔgrəfə] *sb* litograf. **lithographic** [liθə'græfik] *adj* litografisk. **lithography** [li'θɔgrəfi] *sb* (processen:) stentryk, litografi.
Lithuania [liθju'einjə] Litauen.
Lithuanian [liθju'einjən] *sb* litauer; litauisk; *adj* litauisk.
litigant ['litigənt] *adj* procederende, procesførende; *sb* procederende part.
litigate ['litigeit] *vb* føre proces (om).
litigation [liti'geiʃ(ə)n] *sb* retstrætte, proces.
litigious [li'tidʒəs] *adj* trættekær, proceslysten; omtvistelig.
litmus ['litməs] *sb* lakmus (farvestof).
litmus paper lakmuspapir.
litotes ['laitəti:z] *sb* litote(s) ('underdrivelse').
litre ['li:tə] *sb* liter.
I. litter ['litə] *sb* uorden, roderi; affald, efterladt madpapir *etc;* (til dyr, planter) strøelse, halm; (af dyr, *fx* grise) kuld; (til transport) bærebør, (for sårede) båre, *(hist.)* bærestol; *(bot)* (på skovbund) førn.
II. litter ['litə] *vb* lave roderi i (, på); bestrø, ligge strøet udover; (om dyr) få unger; ~ *down the horse* strø under hesten; *his desk was -ed with books* hans skrivebord flød med bøger.
litter bin affaldsbeholder, affaldsspand.
litter lout en der efterlader affald, (i skov) skovsvin.
little ['litl] *adj (less el. lesser; least)* lille, liden, lidet, (kun) lidt; kort *(fx way, while)*; *(neds)* smålig; *sb* smule; *a* ~ lidt; et lille øjeblik; ~ *better* lidet *(el.* ikke stort) bedre; *a* ~ *better* lidt *(el.* noget) bedre; ~ **by** ~, *by* ~ *and* ~ lidt efter lidt; **in** ~ i det små, i lille format, en miniature; **make** ~ *of* ikke regne for noget særligt, bagatellisere; ~ *things please* ~ *minds* 'små ånder interesserer sig for små ting; *no* ~, *not a* ~ ikke så lidt, en hel del; *a* ~ **one** en lille, et barn; ~ *ones,* ~ *people* børn; ~ *or nothing* så godt som ingenting; *the* ~ *people* alferne; *think* ~ *of,* se *think; he has his* ~ **ways** han har sine små særheder; **what** ~ *I get* den smule jeg får.
Little| Belt Lillebælt. ~ **-Englander** *(hist.)* anti-imperialist. ~ **Mary** T maven, mavsen.
littleness ['litlnis] *sb* lidenhed.
little slam (i bridge) lilleslem.
little theatre *(omtr)* eksperimentalscene, intimteater.
littoral ['litər(ə)l] *sb* kyststrækning, strandegn; *adj* kyst-*(fx the* ~ *region)*; ~ *drift* materialevandring (langs kysten).
lit-up *adj: he was* ~ der var blus på lampen; han var fuld.
liturgic [li'tə:dʒik] *adj* liturgisk.
liturgy ['litədʒi] *sb* liturgi.

livable ['livəbl] *adj* værd at leve *(fx a* ~ *life)*, beboelig *(fx a* ~ *house)*; let at omgås *(fx a* ~ *person)*.
I. live [liv] *vb* leve; bo; klare sig *(fx no boat could* ~ *in such a sea)*; gennemleve; praktisere, leve efter *(fx one's philosophy)*;
~ by ernære sig ved, leve af; *he -s by himself* han bor alene; *he -s by his pen* han lever af sin pen, han lever af at skrive; ~ down bringe i forglemmelse; komme over, overvinde; ~ *hard* leve stærkt, føre et vildt liv; leve under hårde vilkår; ~ *in* bo i *(fx a cottage)*; ~ *'in* bo på sin arbejdsplads; ~ *in a small way* leve tarveligt, leve fattigt; *we* ~ *and learn!* man skal lære så længe man lever; ~ *and let* ~ være tolerant; ~ *like a lord* leve fyrsteligt; *'on* leve videre; ~ *on £6 a week* leve af £6 om ugen; ~ *on vegetables* leve af grøntsager; ~ *out* overleve; bo ude (ikke på arbejdspladsen), 'ligge hjemme'; *(psyk)* udleve; ~ *rough* leve tarveligt, leve under hårde vilkår; ~ *through* gennemleve, overleve; ~ *to do sth* leve længe nok til at kunne gøre noget *(fx no one -d to tell what had happened)*; ~ *to see* opleve (at se); ~ *to be old,* ~ *to a great age* opnå en høj alder; ~ *up to* leve op til *(fx one's reputation, one's ideals)*; leve i overensstemmelse med, komme på højde med; ~ *up to one's income* bruge hele sin indtægt; ~ *it up* leve flot, leve stærkt; ~ *with* bo hos; (erotisk) leve sammen med.
II. live [laiv] *adj* levende *(fx cattle; a real* ~ *lord)*; glødende; *(elekt)* strømførende *(fx rail)*; *(mil.)* skarp *(fx cartridge, ammunition)*; ueksploderet *(fx bomb)*; (i radio, TV) direkte *(fx transmission)*, direkte transmitteret *(fx match)*; *(tekn)* bevægelig, roterende, medløbende *(etc)*; (om person) levende, livlig, energisk; *(am)* aktuel; *(typ)* ikke færdigsat (, trykt); ~ *matter* sats for trykningen; ~ *coals* gløder; ~ *match* ubrugt tændstik.
livelihood ['laivlihud] *sb* udkomme; levebrød; *earn (el. gain) one's* ~ (også) tjene til livets ophold; *earn an honest* ~ skaffe sig udkommet ved hæderligt arbejde.
livelong ['livlɔŋ] *adj: the* ~ *day* hele den udslagne dag.
lively ['laivli] *adj* livlig, levende; *the demonstrators gave the police a* ~ *time (el. made things* ~ *for the police)* demonstranterne gjorde det broget for politiet *(el.* gav p. nok at bestille).
liven ['laivn] *vb:* ~ *up* sætte liv i; blive livlig.
I. liver ['livə] *sb (anat)* lever; *adj* leverbrun; *white* ~ fejhed.
II. liver ['livə] *sb: a* ~ *in Brooklyn* en, der bor i Brooklyn; *a loose* ~ en der fører et udsvævende liv.
liver fluke *zo* fåreflynder, leverikte.
liveried ['livərid] *adj* livréklædt.
liverish ['livəriʃ] *adj* leversyg; T: *feel* ~ være i dårligt humør.
Liverpool ['livəpu:l].
Liverpudlian [livə'pʌdliən] *sb* indbygger i Liverpool; *adj* liverpoolsk.
liverwort ['livəwə:t] *sb (bot)* halvmos, levermos.
livery ['livəri] *sb* tjenerdragt, livré; lavsdragt; *(jur)* overdragelse, overdragelsesdokument; *(am)* udlejningsforretning (for køretøjer *etc)* *(fx automobile* ~*)*; se også *livery stable.*
livery| company lav i *the City of London.* ~ **horse** hest der lejes ud. **-man** medlem af et ~ *company*; ejer af *livery stable,* fodervært. ~ **stable** vognmandsforretning; lejestald, hestepension.
lives [laivz] *pl* af *life;* [livz] 3. person *sing. præs* af I. *live.*
livestock ['laivstɔk] *sb* besætning, kreaturer.
live wire *(elekt)* strømførende ledning; *(fig)* krudtkarl; livstykke.
livid ['livid] *adj* blyfarvet, blygrå; blå (som følge af slag); ligbleg; bleg af raseri, rasende, edderspændt.
living ['liviŋ] *adj* levende; livagtig; *sb* liv, levned; levebrød; udkomme; (præste)kald; *earn (el. make) a (el. one's)* ~ tjene til føden, tjene sit brød, tjene til livets ophold; ernære sig *(as som)*; *he is the* ~ *image of his father* han er faderen op ad dage; se også *memory.*
living| picture tableau vivant. ~ **room** opholdsstue, dagligstue. ~ **space** livsrum, lebensraum. ~ **wage** løn som man kan leve af.
Livonia [li'vounjə] Livland.
Livy ['livi] Livius.

lixiviate [lik'sivieit] *vb* udlude.
lizard ['lizəd] *sb zo* firben.
ll. *fk lines.*
llama ['la:mə] *sb zo* lama.
LL.D. *fk legum doctor* dr. juris.
Lloyd's [lɔidz] (skibsassurancekontor i London).
Lloyd's List (skibsfartstidende, der udgives i London).
Lloyd's Register (årlig skibsfortegnelse).
lo [lou] *interj (glds)* se!
L.O. *fk liaison officer.*
loach [loutʃ] *sb zo* smerling.
I. load [loud] *sb* byrde, vægt; (som transporteres) læs, ladning; *(glds:* i skydevåben) ladning; *(tekn)* belastning; T masse, mængde *(fx a ~ of troubles, -s of money); get z ~ of* S lægge mærke til; *get a ~ on* S drikke sig fuld; *it took a ~ off my mind* det lettede *(el.* der faldt) en sten fra mit hjerte.
II. load [loud] *vb* (se også *loaded)* belæsse, læsse på, laste; bebyrde, belaste, overlæsse, overfylde *(fx ~ one's stomach with food);* tynge (ned); overøse *(fx ~ him with gifts);* (om skydevåben) lade, (om kamera) sætte film i; (om terninger, stok) komme bly i; (om vin) forfalske; *~ the dice* forfalske terningerne; *~ the dice against him (fig)* stille ham særlig ugunstigt; *~ the question* formulere spørgsmålet således at man får det ønskede svar; lægge den adspurgte svaret i munden; *~ up* lade, laste; T skovle i sig, tage for sig af retterne.
load-bearing ['loudbɛəriŋ] *adj* bærende *(fx construction, wall).*
loaded ['loudid] *adj* belæsset *(etc,* af II. *load);* (om tunge) belagt; *(fig)* belastet *(fx word),* ladet, farlig; som har fået en bestemt drejning *(fx the phrase is ~);* S rig, fuld af penge; fuld, beruset; *~ dice* falske terninger; *~ paper* kunsttrykpapir; *~ question* spørgsmål der skal fremlokke et bestemt svar; *~ silk* betynget silke; *~ table* bugnende bord.
load| line *(mar)* lastelinie. **~ -shedding** fordeling af belastning. **-star** ledestjerne. **-stone** magnet(jernsten). **~ test** belastningsprøve.
I. loaf [louf] *sb (pl loaves)* brød; sukkertop; S hoved *(fx use your ~); a ~ of bread* et brød; *half a ~ is better than no bread* smuler er også brød; *loaves and fishes (fig)* materielle goder.
II. loaf [louf] *vb* drive, dovne.
loafer ['loufə] *sb* dagdriver, drivert; *(am omtr)* hyttesko.
loaf| pan *(am)* aflang bageform. **~ sugar** topsukker.
loam [loum] *sb* lermuld, ler; muldholdig sammenblandet lerjord; (ved støbning) kernemasse; *vb* dække med ler.
loamy ['loumi] *adj* leret, lermuldet.
loan [loun] *sb* lån; *vb* udlåne; *on ~* som et lån, til låns.
loanword ['lounwə:d] *sb* låneord.
loath [louθ] *adj* uvillig; *we were ~ to part* vi ville så nødig skilles; vi var bedrøvede over at skulle skilles; *nothing ~* meget villig.
loathe [louð] *vb* være led ved, føle modbydelighed *el.* væmmelse for, hade, afsky, væmmes ved.
loathing ['louðiŋ] *sb* lede, væmmelse, afsky.
loathsome ['louðsəm] *adj* hæslig, modbydelig.
loaves [louvz] *pl* af *loaf.*
lob [lɔb] *sb* (i tennis) langsom og høj bold; *(zo)* sandorm; *vb* (i tennis *etc)* lobbe (slå bolden over modspillerens hoved, (i kricket) kaste langsomt og højt; *(fig)* S kaste (, sende) ganske roligt, lunte.
I. lobby ['lɔbi] *sb* forværelse; vestibule, forhal, foyer; korridor; (i Underhuset) vandrehal; *(fig)* pressionsgruppe (der prøver at øve indflydelse på lovgivningsmagten); *division ~* afstemningskorridor; *they went into the same ~ (fig)* de stemte ens.
II. lobby ['lɔbi] *vb* påvirke hemmeligt, forsøge at påvirke (parlamentsmedlem) privat til fordel for en bestemt politik.
lobbyist ['lɔbiist] *sb* bagtrappepolitiker.
lobe [loub] *sb* lap, flig; øreflip.
lobster ['lɔbstə] *sb zo* hummer; S (om soldat) rødkjole.
lobster| moth *zo* bøgespinder. **~ pot** hummertejne. **~ pot playpen** rund kravlegård med net omkring.
local ['loukl] *adj* stedlig, lokal; lokal-; *sb* lokaltog; lokal nyhed; person, der hører hjemme på stedet, 'indfødt';

(am) lokalafdeling; *the ~* T den lokale pub (, biograf); *(am)* den lokale fagforening.
local colour lokalkolorit.
locale [lou'ka:l] *sb* sted (hvor begivenhed udspiller sig); baggrund *(fx* for roman).
local government kommunalstyre, lokalt selvstyre.
localism ['loukəlizm] *sb* lokal ejendommelighed; stedlig betegnelse; lokalpatriotisme.
locality [lə'kæliti] *sb* sted, lokalitet, egn; beliggenhed; *sense (el. bump) of ~* stedsans.
localization [loukəlai'zeiʃ(ə)n] *sb* lokalisering, stedfæstelse.
localize ['loukəlaiz] *vb* lokalisere, stedfæste.
localizer ['loukəlaizə] *sb (flyv)* anflyvningsbåke.
localizer beam ledestråle.
locally ['loukəli] *adv* lokalt; stedvis.
local train lokaltog.
locate [lə'keit] *vb* anbringe, placere; bestemme stedet for, lokalisere, stedfæste; *(am* også) slå sig ned; *be -d* være beliggende; *~ a town on a map* finde (, vise) en by på et kort.
location [lə'keiʃ(ə)n] *sb* sted; plads; placering, beliggenhed; stedfæstelse, lokalisering; sted (uden for filmstudie) hvor en scene optages; udeoptagelse, udendørsscene.
loch [lɔk] *sb* (skotsk) sø, fjord.
I. lock [lɔk] *sb* lås, lukke; (i flod *etc)* sluse; (af hår) lok, tot; (i så) åregaffel; *keep under ~ and key* forvare under lås og lukke, gemme omhyggeligt; *~, stock, and barrel* altsammen; rub og stub.
II. lock [lɔk] *vb* låse; låse inde *(fx ~ him in a cell),* indeslutte; (om hjul) blokere; (uden objekt) låses *(fx the door -s with a key),* lukke *(fx the door -s automatically); ~ in* låse inde; *-ed in each other's arms* tæt omslynget; *~ into* låse inde i; *~ out* låse ude; (om arbejdsgiver) lockoute; *~ up* låse af; låse inde; spærre inde; (om kapital) binde.
lockage ['lɔkidʒ] *sb* slusepenge; sluseværker; slusehøjde, slusefald.
lock chamber slusekammer.
Locke [lɔk].
locker ['lɔkə] *sb* (væg)skab; rum; *(am)* fryserum der kan lejes.
locker room omklædningsrum.
locket ['lɔkit] *sb* medaljon, kapsel.
lock| gate sluseport, dokport. **-jaw** *(med.)* trismus, mundklemme, krampe i tyggemusklerne (ved stivkrampe). **-keeper** slusevogter. **~ nut** kontramøtrik. **-out** ['lɔkaut] *sb* lockout. **-smith** låsesmed, klejnsmed. **-step** gåsegang. **-stitch** stikkesting (på symaskine).
lockup ['lɔkʌp] *sb* lukketid; arrest.
lockup | garage lejet garage. **~ shop** forretning uden beboelse.
lock washer kontraskive.
locomotion [loukə'mouʃ(ə)n] *sb* bevægelse; bevægelsesevne; befordring, befordringsmåde; *means of ~* befordringsmiddel.
locomotive ['loukəmoutiv] *adj* som kan bevæge sig, bevægelig; *sb* lokomotiv.
locum ['loukəm] = *locum-tenency; locum tenens.*
locum-tenency ['loukəm'ti:nənsi] *sb* vikariat.
locum tenens ['loukəm'ti:nənz] *sb* vikar (især for læge *el.* præst).
locus ['loukəs] *sb* geometrisk sted.
locust ['loukəst] *sb zo* (vandre)græshoppe; *(bot)* = *~ tree.*
locust| bean *(bot)* johannesbrød. **~ bird** *zo* rosenstær. **~ tree** *(bot)* johannesbrødtræ, falsk akacie.
locution [lə'kju:ʃn] *sb* udtryksmåde, talemåde.
lode [loud] *sb* (mineral)gang, åre. **lode| gold** gangguld. **-star** ledestjerne. **-stone** magnet(jernsten).
I. lodge [lɔdʒ] *sb* hytte, hus; jagthytte; portnerhus, portnerbolig; (frimurer)loge; (dyrs:) leje, hule; *(am)* lokalafdeling af fagforening; wigwam.
II. lodge [lɔdʒ] *vb* tage i leje, huse, indlogere, indkvartere *(fx ~ the soldiers in the school);* anbringe, plante *(fx a bullet in his brain);* give i forvaring, deponere *(fx an application),* indgive *(fx a protest);* (om korn) slå ned; (uden objekt) logere, bo, bo til leje *(with* hos); blive siddende, sætte sig fast *(fx a bullet -d in his leg);* (om korn) blive

slået ned, gå i leje; **~** *a complaint against them with the council* indgive en klage over dem til rådet, indklage dem for rådet.

lodge| keeper, -man portner.

lodgement ['lɔdʒmənt] *sb* anbringelse, deponering; indgivelse, indsendelse; ophobning, ansamling *(fx of water)*; *find a* **~** få fodfæste, sætte sig fast; (om vand *etc*) samle sig.

lodger ['lɔdʒə] *sb* logerende, lejer; *take in* -s leje værelser ud.

lodging ['lɔdʒiŋ] *sb* logi *(fx pay for board and* **~**; *seek* **~** *for the night)*; -s logi, lejet værelse, lejede værelser; *live in* -s bo til leje; *take* -s *with* leje værelser hos, leje sig ind hos.

lodging house logihus,'natteherberge.

lodgment = lodgement.

loess ['loues] *sb (geol)* løs.

loft [lɔft] *sb* loft, loftsrum; galleri; dueslag; (i kirke) pulpitur.

lofty ['lɔfti] *adj* (meget) høj, knejsende *(fx spire)*; *(fig)* ophøjet *(fx aims)*; ædel; stolt, overlegen.

log [lɔg] *sb* tømmerstok, bjælke; brændeknude; *(mar)* (fartmåler) log; (journal) logbog, dagbog; *vb* hugge tømmer; rydde (skov); fælde; *(mar)* indføre i logbog; notere *(fx please* **~** *my order for ...)*; tilbagelægge *(fx* **~** *10,000 miles)*; gennemføre; *heave the* **~** *(mar)* logge; *sleep like a* **~** sove som en sten.

log. *fk* logarithm.

loganberry ['lougənberi] *sb (bot)* loganbær (krydsning mellem hindbær og brombær).

logan-stone ['lɔgənstoun] *sb* rokkesten.

logarithm ['lɔgəriθm] *sb* logaritme.

logarithmic [lɔgə'riθmik] *adj* logaritmisk.

logbook ['lɔgbuk] *sb* logbog, skibsjournal, *(flyv* også**)** luftfartøjsjournal; (for bil, svarer til) registreringsattest, indregistreringspapirer.

log cabin bjælkehytte.

logger ['lɔgə] *sb* skovhugger.

loggerhead ['lɔgəhed] *sb (glds)* klodrian, fæ; *zo* **~** = *turtle; be at* -s *(with each other)* være i totterne på hinanden.

loggerhead turtle *zo* karetteskildpadde.

loggia ['lɔdʒə] *sb* loggia.

logging ['lɔgiŋ] *sb* skovning; skovarbejde.

log house bjælkehus.

logic ['lɔdʒik] *sb* logik; *adj* logisk.

logical ['lɔdʒikl] *adj* logisk.

logician [lə'dʒiʃ(ə)n] *sb* logiker.

logistic [lə'dʒistik] *sb* logistik, symbolsk logik.

logistics [lə'dʒistiks] *sb (mil.)* forsyningstjeneste (troppernes beklædning, bespisning, transport og indkvartering; logistik).

logjam ['lɔgdʒæm] *sb* »prop« af tømmerstokke i vandløb; *(fig)* hårdknude (i forhandlinger), dødvande; *break the* **~** *(fig)* komme ud af dødvandet.

log line *(mar)* logline.

logogram ['lɔgougræm] *sb* stenografisk ordbillede; *(typ)* sigel.

log reel *(mar)* logrulle.

logroll ['lɔgroul] *vb* rose hinandens arbejde; *(am)* være sammenspist; lave studehandel(er).

logrolling ['lɔgrouliŋ] *sb* gensidig ros og reklame; (i politik) studehandel.

logwood ['lɔgwud] *sb* blåtræ, kampechetræ.

loin [lɔin] *sb* lænd; (kød *omtr*) nyrestykke, mørbradstykke; (på hest) kryds; *kidney end of* **~** nyrestykke; **~** *of veal* kalvenyresteg.

loincloth ['lɔinkləθ] *sb* lændeklæde.

loiter ['lɔitə] *vb* drive, slentre, nøle; give sig god tid; stå og drive *(el.* hænge); *(jur, omtr)* opholde sig ulovligt *(fx girls seen -ing on the pavements were warned by the police)*; *-ing prohibited* 'ophold forbudt' *(fx* i en port); **~** *about,* **~** *around* drive om.

loiterer ['lɔitərə] *sb* efternøler, pladderhoved.

loll [lɔl] *vb* læne sig magelig, 'ligge og dovne'; sidde *(el.* ligge) henslængt, sidde og hænge; (om hoved) hænge slapt; (om hunds tunge:) **~** *out* (lade) hænge ud af munden.

Lollard ['lɔləd] *sb (hist.)* (øgenavn på) tilhænger af Wyclif.

lollipop ['lɔlipɔp] *sb* slikkepind.

lollipop man folkepensionist der med stopskilt fungerer som skolepatrulje.

lollop ['lɔləp] *vb* lunte afsted; daske afsted; bevæge sig afsted i kluntede spring.

lolly ['lɔli] *sb* T slikkepind; S penge.

Lombard ['lɔmbəd] *sb* longobarder, lombarder; *adj* lombardisk; **~** *Street* (centrum for Londons pengemarked).

Lombardic [lɔm'ba:dik] *adj* lombardisk.

Lombardy ['lɔmbədi] Lombardiet.

Lombardy poplar *(bot)* pyramidepoppel.

Lomond ['loumənd].

London ['lʌndən] London; *adj* london-, londoner-; londonsk.

Londoner ['lʌndənə] *sb* londoner.

London| particular Londontågen. **~** *pride (bot)* porcelænsblomst.

lone [loun] *adj* ene, enlig, ensom; *play a* **~** *hand* arbejde på egen hånd.

lonely ['lounli] *adj* ensom; **~** *heart's bureau* ægteskabsbureau.

loner ['lounə] *sb* S enegænger, enspændernatur.

lonesome ['lounsəm] *adj* ensom; *be on one's* **~** være alene.

lone wolf ensom ulv; *(fig)* enspændernatur.

I. long [lɔŋ] *adj* lang; langvarig *(fx debate)*; *adv* længe; *sb* lang stavelse; lang lyd; *the Long* T sommerferien; *all day* **~** hele dagen lang; *a week at (the)* -est højst en uge; *don't be* **~** bliv ikke for længe væk; vær ikke for længe om det; *he won't be* **~** (også) han kommer snart; *be* **~** *in doing sth* være længe om at gøre noget; *before* **~** inden længe; *by a* **~** *chalk,* se *chalk*; *a* **~** *custom (, tradition)* en gammel skik (, tradition); **~** *face,* se I. *face*; *for* **~** længe, i lang tid; *he is not* **~** *for this world* han har ikke langt igen, han gør det ikke længe; *have a* **~** *head* være snu *(el.* klog); *he has gone to his* **~** *home* han er afgået ved døden; *no* -er ikke længere, ikke mere; *make a* **~** *nose* række næse; *be* **~** *on* have nok af; *a* **~** *purse* en velspækket pung; *in the* **~** *run* i det lange løb; *the* **~** *and (the) short of it is that he is coming* kort og godt: han kommer; *so* **~**! farvel (så længe); *I don't care so* **~** *as I get the money* jeg er lige glad, når bare jeg får pengene; *have a* **~** *tongue* være snakkesalig; *go a* **~** *way,* se I. *go*.

II. long [lɔŋ] *vb* længes *(for* efter; *to* efter at).

long. *fk* longitude.

long|boat ['lɔŋbout] *(mar) (hist.)* storbåd. **-bow** [-bou] bue; *draw the -bow* spinde en ende. **~** *cloth* (fintrådet) medium (et bomuldsstof); *(am)* (slags) musselin. **~** **-clothes** *pl* bæreklude. **~** **-dated** langfristet. **~** **-distance** fjern; (i sport) distance- *(fx race)*; *(tlf)* udenbys- *(fx call)*; **~** *-distance weather forecast* langtidsforudsigelse. **~** **dozen** 13 stk.

long-drawn-out ['lɔŋdrɔ:n'aut] *adj* langtrukken, langvarig.

long-eared ['lɔŋiəd] *adj* langøret; **~** *bat zo* langøret flagermus; **~** *fox zo* ørehund; **~** *owl zo* skovhornugle.

longed-for ['lɔŋdfɔ:] *adj* ønsket, attrået.

longeron ['lɔndʒərən] *sb (flyv)* længdedrager, længdeliste.

longevity [lɔn'dʒeviti] *sb* lang levetid.

long|-haired langhåret; *(fig)* (hyper)intellektuel; verdensfjern. **-hand** almindelig skrift *(mods* stenografi). **~** **-headed** langskallet; *(fig)* snu, klog. **~** **-horn beetle** *zo* træbuk. **~** **hundred** 120 stk.

longicorn ['lɔndʒikɔ:n] *sb zo* træbuk.

longing ['lɔŋiŋ] *adj* længselsfuld; *sb* længsel.

longish ['lɔŋiʃ] *adj* temmelig lang, langagtig.

longitude ['lɔndʒitju:d] *sb (geografisk)* længde.

longitudinal [lɔndʒi'tju:dinəl] *adj* længde- *(fx section* snit); på langs.

long| johns *pl* lange underbukser. **~** **jump** (i atletik) længdespring. **-lived** ['lɔŋ'livd] længe levende; længe varende, (lang)varig. **~** **primer** *(typ, glds)* korpus. **~** **-range** ['lɔŋ'reindʒ] *adj* langtrækkende *(fx artillery)*; langdistance- *(fx rockets)*. **-shoreman** ['lɔŋʃɔ:mən] havnearbejder, dokarbejder. **~** **shot** usikker chance (som kan give stort udbytte); risikabelt foretagende; (i film) total; *not by a* **~** *shot* ikke på langt nær. **~** **-sighted** langsynet; vidtskuende. **-spun** langtrukken, vidtløftig. **~** **-standing** *adj* mangeårig, gammel *(fx friendship)*. **~** **-suffering** *adj* langmo-

dig. ~ **suit** lang farve (i bridge); **T** (éns) stærke side.
long-tailed| duck zo havlit. ~ **field mouse** zo skovmus. ~
tit zo halemejse.
long|-term adj langfristet; langsigtet, på langt sigt. ~ **vaca-
tion** sommerferie. ~ **waves** langbølger. **-ways** ['lɔŋweiz]
på langs. ~ **-winded** ['lɔŋ'windid] langtrukken, vidtløftig;
som ikke let taber vejret. **-wise** ['lɔŋwaiz] på langs.
loo [lu:] sb (slags) kortspil; **S** wc.
loofah ['lu:fə:] sb frottersvamp.
I. look [luk] vb se (fx ~ the other way); se ud (fx he -s
tired); se ud til at være (fx he -s fifty; he -s a rascal);
vente (fx he -s to be promoted); vende mod (fx the room
-s north);
  he -ed merriness itself han så ud som munterheden selv
(el. den personificerede munterhed); she does not ~ her
age hun ser yngre ud end hun er; hun holder sig godt;
he -s himself again han ligner sig selv igen; he -s the part
(el. the role) (om skuespiller) han har udseendet til rol-
len, han passer til rollen;
  ~ **about** one se sig om; ~ about for sth se sig om efter
noget (fx he was -ing about for a job); ~ **after** følge med
øjnene; se efter; tage sig af, drage omsorg for, passe (fx
his wife -s after the shop); the devil -s after his own Fan-
den hytter sine; he needs -ing after han trænger til at no-
gen tager sig af ham; I am able to ~ after myself jeg kan
klare mig selv; jeg behøver ingen barnepige; ~ **ahead** se
frem(ad); (fig) være forudseende, tænke på fremtiden; ~
ahead! (også) pas på! forsigtig! ~ **alive!** skynd dig! se at
få lidt fart på! ~ **as** if se ud som om (fx you ~ as if you
were ill), se ud til at (fx it -s as if he misunderstood); ~
at se på, betragte, overveje, tage i betragtning (fx let
us ~ at his motives); it is not much to ~ at det syner
ikke af meget; to ~ at him you wouldn't guess he was 50
når man ser ham tror man ikke han er 50; ~ **away** se
bort; ~ **back** se tilbage; tænke tilbage; længes tilbage;
komme igen (fx I'll ~ back later); since then he has ne-
ver -ed back siden da er det uafbrudt gået fremad for
ham; ~ **down** on sby se ned på en, ringeagte en; (se også
I. nose); ~ **for** søge efter, se efter (fx go and ~ for him);
vente (fx I am not looking for profit); ~ for a job søge
arbejde; ~ **forward** se fremad, tænke på fremtiden; ~
forward to se frem til; glæde sig til; ~ **here!** hør (her-
gang)! se her! ~ **in** se indenfor (fx I shall ~ in again to-
morrow); ~ in again se ind til én; ~ in to a transmission
se en fjernsynsudsendelse; ~ **into** sth undersøge noget;
kigge ind (el. ned) i noget; ~ into a book kigge (lidt) i en
bog; ~ **like** se ud til (at være), se ud som; what does he
~ like? hvordan ser han ud? it -s like rain det ser ud til
regn; ~ **nearer home** gribe i sin egen barm;
  ~ **'on** være tilskuer, se 'til (fx ~ on and do nothing); ~
on sth as anse noget for, betragte noget som (fx ~ on
him as a benefactor); be well -ed on være vel anskrevet,
have et godt rygte; the room -s on to the garden værelset
vender ud til haven; ~ **out** se ud (fx ~ out of the win-
dow); passe på (fx you will have to ~ out); finde frem
(fx some old clothes for a rummage sale); ~ out for
holde udkig efter; tage sig i agt for (fx snakes); ~ out
on vende ud til (fx the room -s out on the park); ~ **over**
bese, besigtige; gennemse (fx ~ over some papers); se
gennem fingre med; overse; ~ **round** se sig om; (fig)
tænke sig (godt) om; ~ **sharp** skynde sig; ~ **through** se
gennem, se i (fx a telescope); gennemse; gennemgå; ~
to sth passe på noget, tage sig af noget; ~ to it that
sørge for at (fx ~ to it that this doesn't happen again); ~
to sby to do sth vente at en vil gøre noget; I ~ to you for
help el. I ~ to you to help me jeg venter at du vil hjælpe
mig; ~ **towards** vende mod (fx the house -s towards the
south); ~ **up** se opad, løfte hovedet; tage opsving (fx
trade was -ing up); opsøge, finde; slå op (el. efter) (fx ~
up a word in a dictionary); ~ sby up besøge en, opsøge
en; ~ up to se op til; beundre; he -ed me up and down
han 'målte' mig; ~ upon = ~ on; ~ **where** you are go-
ing! se dig for!
II. look [luk] sb blik; udtryk, mine, udseende; (good) -s
skønhed (fx she has lost her -s); have a ~ at kaste et
blik på, se på; I don't like the ~ of it det ser jo ikke så
godt ud.
looker ['lukə] sb (fjernsyns)seer; she is a (good) ~ **S** hun

ser godt ud.
looker-on ['lukər'ɔn] sb (pl lookers-on) tilskuer.
look-in ['lukin] sb hastigt blik; kort visit; **S** chance; andel
i hvad der planlægges eller foregår; have a ~ 'have en
aktie med'; have a chance (for at vinde).
-looking ['lukin] (i sammensætninger) som ser ... ud, med
et ... udseende (fx suspicious-looking).
looking glass spejl.
lookout ['lukaut] sb udkig (for efter); udsigt; udkigsmand;
udkigstårn; (mar) udkigstønde; it is a poor ~ for us det
ser trist ud for os; that is his ~ det må han selv sørge
for, det bliver hans sag.
look-see ['luksi:] sb **T**: have a ~ se 'efter; have a ~ at
kigge lidt på.
I. loom [lu:m] sb vævestol; ~ (of an oar) årelomme.
II. loom [lu:m] vb vise sig utydeligt, dukke (el tone) frem
(gennem tåge, regntykning osv); rejse sig truende; ~
large indtage en alt for fremtrædende plads; dominere;
tårne sig op; ~ large in sby's mind helt optage ens tan-
ker.
loon [lu:n] sb **T** lømmel, tølper; zo lom (en fugl).
loony ['lu:ni] sb og adj **T** sindssyg, tosset, skør; ~ bin gale-
anstalt.
loop [lu:p] sb løkke; strop; sløjfe; krumning; bugtning;
(jernb) = ~ line; (med.) spiral (til antikonception); vb
slå løkke på; danne en løkke; ~ the ~ (flyv) loope; -ing
the ~ looping; knock him for a ~ (am **S**) forbløffe ham;
lamslå ham.
looper ['lu:pə] sb zo målerlarve.
loophole ['lu:phoul] sb skydeskår, (fig) smutvej, smuthul;
udvej; a ~ in the law et hul i loven.
loop line sløjfe (på jernbane), vigespor.
loopy ['lu:pi] adj **S** skør.
I. loose [lu:s] vb løse, løse op, åbne; slippe løs, slippe,
løsne; ~ (off) affyre, afskyde.
II. loose [lu:s] adj løs; slap (fx reins); ledeløs (fx gait);
(om tøj) vid, løstsiddende (fx coat); (neds) slap (fx
morals), løsagtig, letfærdig (fx woman, talk); udsvæ-
vende (fx life); løs, unøjagtig, upræcis (fx thinking, defi-
nition); (merk) i løskøb, i løs vægt; break ~ bryde ud;
come ~ gå løs; cut ~ skære fri; let ~ slippe løs.
III. loose [lu:s] sb: be on the ~ være på fri fod, strejfe frit
omkring; (fig) være udsvævende, skeje ud; give a ~ to
give frit løb.
loose| bowels (med.) tyndt liv. ~ **box** (til hest) boks. ~
end løs (tov-, garn-) ende; ~ ends (fig) løse ender, små-
ting som ikke er gjort færdige; be at a ~ end ikke have
noget særligt at gøre, ikke have bestemte planer, ikke
vide hvad man skal tage sig til. ~ **-jointed** ledeløs. ~ **-leaf**
adj løsblad-(fx system); ~ **-leaf** notebook ringbog.
loosen ['lu:sn] vb løsne, gøre løs, løse op; blive løs; (mar)
slække, opgå; get one's tongue -ed få tungen på gled; ~
up slappe af; slække på; ~ up the muscles smidiggøre
musklerne.
looseness ['lu:snis] sb løshed; løsagtighed; ~ of the bowels
tyndt liv.
loosestrife ['lu:sstraif] sb (bot) fredløs.
loot [lu:t] sb bytte, rov; **T** udbytte; penge; vb plyndre,
røve.
lop [lɔp] vb hugge af (fx ~ branches from a tree); kappe,
beskære; (om hunds ører) hænge ned; daske; (om søen)
blive krap; ~ off afhugget top, afhuggede kviste; afhugning,
beskæring.
lope [loup] vb løbe med lange fjedrende skridt; ~ in (også)
S ankomme, arrivere.
lop-eared ['lɔpiəd] adj med hængende ører.
loppings ['lɔpinz] sb pl afhuggede grene.
lopsided ['lɔp'saidid] adj skæv, usymmetrisk; med slagside.
loquacious [lə'kweiʃəs] adj snaksom, snakkesalig.
loquacity [lə'kwæsiti] sb snaksomhed, snakkesalighed.
loquat ['loukwæt] sb (bot) japansk mispel.
Lor [lɔ:] interj jøsses!
Loraine [lɔ'rein] Lothringen, Lorraine.
loran ['lɔ:ræn] fk long range navigation loran, navigation
ved hjælp af radiobølger.
lord [lɔ:d] sb herre, hersker, overherre; lord, medlem af
Overhuset; lensherre, godsejer; vb: ~ it spille herre(r); ~
it over tyrannisere; the (House of) Lords Overhuset; the

-s of (the) creation skabningens herrer, det stærke køn; ~ *of the soil* godsejer; *the Lord* Vorherre Jesus; *in the year of our Lord* i det Herrens år; *O Lord! Gud! Gud! Good Lord!* du gode Gud! *the Lord knows who* Gud ved hvem; *my* ~ Deres Excellence; (i retten) [mi'lʌd, mi'lɔːd] hr. dommer; (se også *drunk, live).*

Lord Chancellor lordkansler (præsident i Overhuset og i Kanslerretten).

Lord Chief Justice retspræsident i Queen's Bench Division.

Lord-Lieutenant generalguvernør for Ulster; (tidligere) vicekonge i Irland; i et *county* en højtstående embedsmand, hvis opgaver er af rent repræsentativ karakter.

lordling ['lɔːdliŋ] *sb* lille herre, ubetydelig *lord.*

lordly ['lɔːdli] *adj* fornem; prægtig, overdådig; hovmodig.

Lord Mayor borgmester (i visse større byer); *Lord Mayor's Day* 9. november (hvor Londons borgmester tiltræder sit embede); *Lord Mayor's Show* optog på *L.M.'s Day.*

Lord President of the Council præsident for *the Privy Council;* kabinetsminister uden portefølje.

Lord Privy Seal lordseglbevarer.

Lord's (kricketbane i London).

lords and ladies *(bot)* aronsstav, dansk ingefær.

Lord's Day: *the* ~ søndag.

lordship ['lɔːdʃip] *sb* herredømme; domæne; *his (, your)* ~ hans (, Deres) Excellence.

Lord's Prayer: *the* ~ fadervor.

lords spiritual gejstlige medlemmer af Overhuset.

Lord's Supper: *the* ~ nadveren, nadverens sakramente.

Lord's Table: *the* ~ nadverbordet, alterbordet.

lords temporal verdslige medlemmer af Overhuset.

lore [lɔː] *sb* kendskab (ofte til et særligt område, og ofte baseret på tradition, *fx herbal lore);* tradition, overlevering.

lorgnette [lɔː'njet] *sb* stanglorgnet.

loris ['lɔːris] *sb zo* dovenabe, lori.

lorn [lɔːn] *adj* forladt, ensom.

Lorraine [lɔ'rein] Lothringen, Lorraine.

lorry ['lɔri] *sb* lastvogn, lastbil.

lorry-hop ['lɔrihɔp] *vb* S blaffe med lastbiler.

Los Angeles [lɔs'ændʒili:z].

lose [luːz] *vb (lost, lost;* se også *lost)* tabe *(fx a game, one's balance, money, one's hair);* miste *(fx one's wife, a finger, one's balance),* fortabe *(fx a right);* gå glip af *(fx I lost most of the sermon; I hate to* ~ *a day together with you;* ~ *a chance),* forspilde *(fx a chance);* blive af med *(fx one's fear);* skille af med, koste *(fx it lost him a lot of money; it may* ~ *you your job);* (om tid) spilde *(fx there is not a moment to* ~ *);* (om befordringsmiddel) komme for sent til *(fx the train);* (uden objekt) tabe *(fx you'll* ~ *by it; my watch is losing),* lide tab;

(forb med sb: se *I. ground, grip, I. interest, I. head, heart, patience, I. place, I. sight, II. temper, I. track, I. way etc);* *the story lost nothing in the telling* historien blev ikke kedeligere af at blive fortalt; ~ *no time in doing sth* gøre noget ufortøvet; ~ *oneself* fare vild; fortabe sig; ~ *oneself* in fordybe sig i *(fx a book),* fortabe sig i.

loser ['luːzə] *sb* taber; *be a good* ~ (forstå at) tage et nederlag med godt humør; *you will be the* ~ du vil tabe derved.

losing ['luːziŋ] *adj* tabende; tabbringende; håbløs *(fx fight a* ~ *battle* kæmpe en håbløs kamp); *play a* ~ *game* være sikker på at tabe; *losings sb pl* tab.

loss ['lɔ(ː)s] *sb* tab; spild; skibbrud; bortgang (= død); *at a* ~ rådvild; *be at a* ~ *(how) to* være i vildrede med hvordan man skal; ikke vide hvordan man skal; *I am at a* ~ *to understand* jeg begriber overhovedet ikke; *be at a* ~ *for* ikke kunne finde (på); *sell at a* ~ sælge med tab; *cut the* ~ begrænse tabet ved at springe fra i tide; *total* ~ totalskade, totalforlis; *without* ~ *of life* uden tab af menneskeliv.

loss adjuster skadestaksator.

loss leader *(merk)* lokkevare.

lost [lɔ(ː)st] *præt* og *pp* af *lose; adj* tabt, mistet, bortkommet; som er faret vild; forsvundet *(fx* ~ *in the crowd);* spildt *(fx time);* forspildt *(fx opportunity);* fortabt *(fx* she felt ~ *);* glemt *(fx it is a* ~ *art);* all *hands* ~ hele be-

sætningen omkommet; **be** ~ mistes, gå tabt; være gået tabt, være blevet væk *(fx the watch seems to be* ~ *);* fare vild; forlise; gå til grunde; *the bill was* ~ lovforslaget blev forkastet; *be* ~ *in thought* være hensunken i tanker; *be* ~ *on* være spildt på; *it was* ~ *on her* det var spildt på hende; det gik hen over hovedet på hende; *be* ~ *to* være uimodtagelig for, være tabt for; *he is* ~ *to all sense of shame* han ejer ikke skam i livet; *a* ~ *cause* en allerede tabt sag, et håbløst foretagende; **get** ~! S skrub af!

lost property office hittegodskontor.

I. lot [lɔt] *sb* mængde, masse; *(merk)* parti (varer), sending, (ved auktion) nummer; (af jord) parcel, byggegrund, (jord)lod; (i lotteri) lod; (i livet) lod, skæbne; **-s** *of* masser af *(fx horses, whisky);* *the* ~ det hele *(fx that's the* ~ *);* hele redeligheden, dem allesammen, (om personer også) hele banden, hele bundtet *(fx she's the best of the* ~ *);*

a ~ en mængde, en masse *(fx he knows a* ~ *);* meget *(fx a* ~ *too small);* **a** ~ *of* en mængde, en masse *(fx horses, whisky);* *you will like it a* ~ du vil komme til at synes vældig godt om det; *he is a* **bad** ~ han er en skidt fyr; **by** *-s* lod ud(trækning) *(fx small -s cmen)* i små partier; **cast** *-s* kaste lod; **draw** *-s* trække lod; *it* **fell** *to his* ~ det faldt i hans lod; *they are sold* **in** *one* ~ de sælges under ét; **throw** *in one's* ~ *with them* gøre fælles sag med dem; stille sig på deres side.

II. lot [lɔt] *vb* fordele i lodder, udstykke.

loth [louθ] *adj,* se *loath.*

Lothian ['louðiən].

lotion ['louʃ(ə)n] *sb* lotion (kosmetisk badevand) *(fx for the eyes); boracic* ~ borvand.

lottery ['lɔtəri] *sb* lotteri(spil).

lottery| bond præmieobligation. ~ **ticket** lodseddel. ~ **wheel** lykkehjul.

lotto ['lɔtou] *sb* lotto, tallotteri.

lotus ['loutəs] *sb (bot)* vandlilje, lotus, lotustræ.

lotus-eater lotofag, lotusspiser (som drømmer sin tid bort); dagdrømmer.

loud [laud] *adj* høj; lydelig, kraftig, stærk *(fx a* ~ *sound); (neds)* højrøstet, larmende, støjende; (om farve) skrigende, påfaldende; *adv* højt; højt og lydeligt; *be* ~ *in his praises* rose ham i høje toner.

loud|-hailer *(mar)* megafon. ~ **-mouthed** højrøstet; opkæftende. **-speaker** højttaler.

lough [lɔk] *sb* sø, indsø (i Irland).

Louisiana [lu:izi'ænə].

I. lounge [laun(d)ʒ] *vb* slentre, drive omkring; drive; ligge magelig henslængt, læne sig mageligt; stå (, sidde) og hænge *(fx on a corner; in a bar);* ~ *away one's time* drive tiden hen.

II. lounge [laun(d)ʒ] *sb* slentren, driven; (magelig) spadseretur; (værelse:) opholdsstue, dagligstue, (i hotel) salon, hall, vestibule; (møbel:) lille sofa; chaiselong; *(~ chair)* lænestol.

lounge| bed drømmeseng. ~ **chair** lænestol. ~ **lizard** S gigolo.

lounger ['laun(d)ʒə] *sb* drivert, dagdrømmer; (se også *lounge bed, lounge chair).*

lounge suit jakkesæt.

lour ['lauə] *vb* se truende ud, formørkes.

I. louse [laus] *sb (pl lice)* lus.

II. louse [lauz] *vb* afluse.

lousewort ['lauswɔːt] *sb (bot)* troldurt.

lousy ['lauzi] *adj* luset; infam, gemen; ~ *with* smækfuld af *(fx money).*

lout [laut] *sb* lømmel, tølper, drønnert; bondeknold.

loutish ['lautiʃ] *adj* lømmelagtig, tølperagtig.

louver ['luːvə] *sb* (til ventilation) jalousilamel, jalousispjæld, lamelvindue; *(hist.)* lyre; ~ *door* jalousidør.

louvre = *louver.*

lovable ['lʌvəbl] *adj* værd at elske, indtagende, henrivende, elskelig.

lovage ['lʌvidʒ] *sb (bot)* løvstikke.

lovat ['lʌvət] *sb* blågrønt (tweedfarve).

I. love [lʌv] *sb* kærlighed *(for, of, to* til), *(poet)* elskov; (om person) elskede, hjertenskær; **T** (i tiltale:) 'skat'; 'lille ven'; (i brev) kærlig hilsen *(fx* ~ *from Alice);* (i tennis) ingenting, nul *(fx fifteen* ~ 15-0); *Love* kærlighe-

~ all (i tennis) nul-nul; *there is no ~ lost between them* de kan ikke lide hinanden; *play* **for ~** spille om ingenting (uden indsats); *do sth for* **~** gøre noget gratis; *it is not to be had for* **~** *or money* det er ikke til at opdrive; *he would not do it for* **~** *or money* han ville ikke gøre det for nogen pris; *marry for* **~** gifte sig af kærlighed; **in ~** *with* forelsket i; *fall in* **~** *with* forelske sig i; **~** *in a cottage* kærlighed og kildevand; *make* **~** elske (fysisk), gå i seng med hinanden; *make* **~** *to* (også:) kysse, kærtegne, kæle med, gøre tilnærmelser *(el.* kur) til; *my* **~** min elskede, min skat; *a* **~ of** *a kitten* en henrivende *(el.* allerkæreste, yndig) killing; *give my* **~ to** *her, give her my* **~** hils hende fra mig; *send one's* **~** *to* sende kærlige hilsener til.

II. love [lʌv] *vb* elske, holde (meget) af; *I* **~** *to read* jeg elsker *(el.* holder meget af) at læse; *will you come? I should* **~** *to but I cannot* tager De med? det ville jeg forfærdelig gerne men jeg kan ikke.

love| affair kærlighedsaffære. **-bird** dværgpapegøje; *a couple of -birds* S et par turtelduer, et elskende par. **~ child** elskovsbarn. **~ -feast** kærlighedsmåltid. **~ -in-a-mist** *(bot)* jomfru i det grønne. **-less** uelsket; ukærlig, uden kærlighed. **~ letter** kærlighedsbrev, kærestebrev. **~ -lies-bleeding** *(bot)* rævehale.

lovelorn ['lʌvlɔːn] *adj* forladt af sin elskede; elskovssyg.

lovely ['lʌvli] *adj* yndig, dejlig, smuk; herlig, storartet.

love|making kurmageri, kæleri, kyssen og krammen; samleje. **~ match** inklinationsparti. **~ philtre, ~ potion** elskovsdrik.

lover ['lʌvə] *sb* elsker, tilbeder; kæreste; beundrer; *-s* (også) elskende *(fx a pair of -s).*

love| seat S-formet sofa, sladresofa, tête-à-tête. **-sick** elskovssyg. **~ story** kærlighedsroman. **~ token** kærlighedspant.

loving ['lʌvin] *adj* kærlig, øm; hengiven.

loving| cup festpokal (som går fra mund til mund i et selskab). **~ -kindness** ['lʌviŋ'kaindnis] *sb* kærlig hensyntagen; (i biblen) miskundhed.

I. low [lou] *adj* lav; *(mods* kraftig) svag *(fx pulse)*; (om lyd) lav, svag, sagte, dæmpet *(fx voice)*, (om tone(leje)) dyb; (om humør) lav, nedtrykt, sløj *(fx she felt* **~***)*; (om kvalitet *etc)* ringe *(fx visibility; of* **~** *birth* af ringe herkomst); (stærkt *neds)* simpel, tarvelig *(fx taste),* lav, ussel, nedrig *(fx trick);* (om beklædning) nedringet *(fx dress),* udringet *(fx shoe),* (fon, om vokal) åben; *(rel)* lavkirkelig; *adv* lavt; sagte; dybt *(fx he would never sink so* **~***);* billigt *(fx buy* **~***);*

a **~** *bow* et dybt buk; *brought* **~** ydmyget; *cut* **~** gøre nedringet; **~** *down* langt nede; **~** *in the list* langt nede på listen; *lay* **~** strække til jorden; vælte; ydmyge; kaste på sygelejet; dræbe; lægge i graven; *lie* **~** ligge på jorden; holde sig skjult; *run* **~** være ved at slippe op; **~** *spirits,* se I. *spirit.*

II. low [lou] *sb (meteorol)* lavtryk; *(fig)* lavpunkt; *reach a new* **~** stå lavere end nogensinde, sætte bundrekord.

III. low [lou] *vb* brøle (om kvæg); *sb* brøl.

low|born af ringe herkomst. **-boy** toiletbord. **-bred** uopdragen, simpel. **-brow** *adj* T lavpandet; ikke-intellektuel; *sb* person uden intellektuelle ambitioner. **-browed** lavpandet; *(fig,* om hus) lav; skummel, dyster.

Low Church *sb* lavkirke; *adj* lavkirkelig.

low comedy farce.

Low Countries: *the* **~** Nederlandene.

low-cut *adj* nedringet *(fx dress);* udringet *(fx shoe).*

I. low-down ['loudaun] *adj* T tarvelig, simpel; *play it* **~** lave en svinestreg *(on* mod).

II. low-down ['loudaun] *sb* S virkelige kendsgerninger; *give sby the* **~** *on it* (også) fortælle en hvordan det (i virkeligheden) hænger sammen.

I. lower ['lauə] *vb* se truende ud, formørkes; *-ing clouds* truende skyer.

II. lower ['louə] *vb* gøre lavere; sænke *(fx the price, one's voice);* nedsætte *(fx the rent* huslejen), moderere, slå af på *(fx the price);* (mht kvalitet) forringe, svække *(fx one's bodily condition);* (om person) ydmyge; (ved hjælp af tov) hejse ned, sænke ned, *(mar)* hale ned; fire ned; affire *(fx a boat);* (uden objekt) synke, dale; aftage; *-ed*

bayonet fældet bajonet; **~** *a boat* sætte en båd i vandet; **~** *one's head* bøje hovedet; **~** *him in their estimation* nedsætte ham i deres omdømme; **~** *oneself* nedværdige sig; **~** *a sail (mar)* stryge et sejl; **~** *a window* trække et vindue ned *(fx* i kupé: åbne det).

III. lower ['louə] *adj* lavere, nedre, under-; laverestående *(fx animals).*

lower| boy dreng i en af de nederste klasser. **~ case (letters)** *(typ)* små bogstaver. **~ classes** underklasse. **~ deck** *(mar)* underdæk; *(fig)* underofficerer og menige. **~ house** underhus. **~ jaw** underkæbe. **~ lip** underlæbe. **~ middle class** (den) lavere middelstand. **-most** ['louəmoust] lavest. **~ orders** *pl (glds)* underklasse.

lowest common multiple mindste fælles multiplum.

Low German nedertysk, plattysk.

low-grade *adj* af ringe kvalitet.

lowland ['loulənd] *sb* lavland; *the Lowlands* det skotske lavland.

Lowlander ['louləndə] *sb* indbygger i det skotske lavland; lavlandsbeboer.

low latitudes *pl* tropiske breddegrader.

Low Latin vulgærlatin.

lowly ['louli] *adj* beskeden, ydmyg; simpel, ringe; *adv* beskedent, i det små; ydmygt.

low|-lying lavtliggende. **~ Mass** *(rel)* stille messe. **~ -minded** lavsindet. **~ -necked** nedringet. **~ -pitched** (om tag) med lav rejsning; (om tone) dyb. **~ -pressure** *(tekn)* lavtryks- *(fx engine, steam); (fig)* rolig, afdæmpet, behersket. **~ -rise** *adj* (om hus) lav (ikke over to etager). **~ -priced** (pris)billig. **~ -relief** basrelief. **~ -slung** lav; lavbenet. **~ -spirited** nedslået, nedtrykt.

Low Sunday 1. søndag efter påske.

low water lavvande; *be in* **~** *(fig)* være i vanskeligheder; være langt nede; have ebbe i kassen, have småt med penge.

low-water mark lavvandsmærke.

lox [lɔks] *(fx liquid oxygen) sb* flydende ilt (raketdrivstof).

loyal ['lɔi(ə)l] *adj* loyal, tro (mod bestående myndigheder); trofast, redelig, ærlig.

loyalist ['lɔiəlist] *sb* tro undersåt, lovlydig borger.

loyalty. ['lɔi(ə)lti] *sb* loyalitet; trofasthed.

lozenge ['lɔzin(d)ʒ] *sb* (figur:) rude, *(geom)* rombe; *(med.)* pastil.

L.P. *fk* Labour Party; long-playing.

L.P.S. *fk* Lord Privy Seal.

LSD ['eles'di:] *(stærk* rusgift).

£.s.d., l.s.d. L.S.D. ['eles'di:] *fk libra, pl librae* (ɔ: *pound(s)), solidus, pl solidi* (ɔ: *shilling(s)), denarius, pl denarii* (ɔ: *penny, pence)* penge; *it is a question of* **~** det er et pengespørgsmål.

L.S.E. *fk London School of Economics.*

L-shaped *adj* vinkelformet.

Lt. *fk* Lieutenant.

L.T.A. *fk London Teachers' Association; Lawn Tennis Association.*

L.T.B. *fk London Transport Board; London Tourist Board.*

ltd., Ltd. *fk limited* A/S.

lubber ['lʌbə] *sb* klodset fyr, klodrian; dårlig sømand.

lubberly ['lʌbəli] *adj* klodset.

lubber('s) line styrestreg.

lube [lu:b] *sb* T smøreolie; *vb* smøre.

lubricant ['lu:brikənt] *sb* smøremiddel, smørelse.

lubricate ['lu:brikeit] *vb* smøre; S bestikke; drikke fuld; *lubricating oil* smøreolie. **lubrication** [lu:bri'keiʃ(ə)n] *sb* smøring. **lubricator** ['lu:brikeitə] *sb* smøreapparat.

lubricious [lu:'briʃəs] *adj* glat; lysten, liderlig, slibrig.

lubricity [lu:'brisiti] *sb* glathed; slibrighed; liderlighed; (om olie) smøreevne.

luce [lu:s] *sb zo* gedde.

lucerne [lu:'səːn] *sb (bot)* lucerne.

lucid ['lu:sid] *adj* klar *(fx explanation, style); (poet)* lysende, skinnende; **~** *interval* lyst øjeblik.

lucidity [lu:'siditi] *sb* klarhed.

Lucifer ['lu:sifə] morgenstjernen; Lucifer, Satan.

lucifer (match) *(glds)* svovlstik, tændstik.

luck [lʌk] *sb* (gunstig:) lykketræf; held, lykke; (neutral:) *bad* **~**, *ill* **~** ulykke, uheld; *good* **~** lykke, held; *for* **~** for at det skal bringe (dig) lykke; i tilgift; *you*

have *all the* ~ du er da også altid heldig; *be* **in** ~ have held med sig; *a great piece* **of** ~ et stort held; *a piece of bad* ~ et uheld; *be off one's* ~ have uheld; *be down on one's* ~ være inde i en uheldig periode; *that's my usual* ~, *that's just my* ~ jeg er da også altid heldig; *try one's* ~ forsøge lykken; *worse* ~! desværre! *as* ~ **would have** *it* they met tilfældet ville at de skulle mødes; til alt (u)held *(el.* (u)heldigvis) mødtes de.

luckily ['lʌkili] *adv* heldigvis, til alt held.

Lucknow ['lʌknau].

lucky ['lʌki] *adj* lykkelig, heldig; lykkebringende, lykke- *(fx star, stone);* ~ *bag* = ~ *dip;* ~ *coin* lykkeskilling; ~ *dip* lykkepose; gramsepose; *you're a* ~ *dog (el. devil)* du kan sagtens; *a* ~ *hit* et lykketræf.

lucrative ['lu:krɔtiv] *adj* indbringende, lukrativ.

lucre ['lu:kɔ] *sb: filthy* ~ usselt mammon.

lucubrate ['lu:kjubreit] *vb* studere ved lys (om natten).

lucubration [lu:kju'breiʃ(ɔ)n] *sb* (natligt) studium; *-s pl* åndsprodukter, lærde værker.

Lucullan [lu:'kʌlɔn], **Lucullian** [-iɔn] lukullisk.

Lucy ['lu:si].

Luddite ['lʌdait] *sb* (medlem af en arbejdersammenslutning (1811-16) som ødelagde maskiner for at hindre industrialiseringen).

ludicrous ['lu:dikrɔs] *adj* latterlig, naragtig, løjerlig.

ludo ['lu:dou] *sb* ludo.

lues ['lu:i:z] *sb (med.)* syfilis.

luff [lʌf] *sb (mar)* forlig; *vb* luffe.

l. lug [lʌg] *sb* (på krukke) hank, øre; *(dial)* øre; S fyr; drønnert, klodrian, dumrian; *(mar)* luggersejl; *zo* sandorm.

ll. lug [lʌg] *vb* hale, slæbe, trække, rykke.

luggage ['lʌgidʒ] *sb* bagage, rejsegods.

luggage| rack bagagenet. ~ **ticket** garantiseddel. ~ **van** bagagevogn.

lugger ['lʌgɔ] *sb (mar)* lugger (lille skib).

lugsail ['lʌgseil, 'lʌgsl] *sb (mar)* luggersejl.

lugubrious [l(j)u:'gu:briɔs] *adj* sorgfuld, trist; dyster; ~ *face* bedemandsansigt.

lugworm ['lʌgwɔ:m] *sb zo* sandorm.

Luke [lu:k] Lukas.

lukewarm ['lu:kwɔ:m] *adj* lunken.

l. lull [lʌl] *vb* (om barn) dysse i søvn, bringe til ro; *(fig)* dæmpe ned, dysse til ro, få til at forsvinde (på listig vis) *(fx* ~ *his fears;* ~ *his suspicions by a plausible story;* (om smerte) dæmpe, dulme; (uden objekt, om vind) løje af, (også *fig)* tage af; ~ *a child to sleep* dysse *(el.* lulle) et barn i søvn; *let oneself be -ed by (fig)* lulle sig ind i *(fx illusions).*

ll. lull [lʌl] *sb (mar)* (kortvarig) vindstille, afløjning; *(fig)* ophold, pause *(fx in the conversation),* roligt øjeblik *(fx in a busy day),* stille periode, afmatning *(fx in business).*

lullaby ['lʌlɔbai] *sb* vuggevise; visselulle.

lumbago [lʌm'beigou] *sb (med.)* lændegigt, lumbago.

lumbar ['lʌmbɔ] *adj* lænde-, lumbal.

lumber ['lʌmbɔ] *sb* skrammel; *(am)* tømmer; *vb* fylde op, fylde med skrammel (også ~ *up);* ligge og fylde op *(el.* flyde); bevæge sig tungt af sted, humpe; rumle; *(am)* gøre skovarbejde.

lumbering ['lʌmbɔriŋ] *adj* tung, klodset; *sb* rumlen; *(am)* skovhugst; tømmerhandel.

lumber|jack, -man *(am)* skovhugger, skovarbejder. ~ **room** pulterkammer. ~ **yard** *(am)* tømmerplads.

lumen ['lu:mɔn] *sb* (lysenhed:) lumen.

luminary ['lu:minɔri] *sb* lysende legeme, himmellegeme; *(fig,* om person) ledende skikkelse; stort navn.

luminosity [lu:mi'nɔsiti] *sb* klarhed; *(astr)* lysstyrke.

luminous ['lu:minɔs] *adj* lysende, strålende; selvlysende *(fx dial);* klart oplyst; *(fig)* lysende klar *(fx prose, report);* ~ *flux* lysstrøm; ~ *intensity* lysstyrke; ~ *paint* selvlysende farve, lysfarve.

lumme ['lʌmi] *interj* T ih du store!

lummox ['lʌmɔks] *sb (am)* klodsmajor; fjog.

lummy ['lʌmi] *adj* S førsteklasses; (se også *lumme).*

l. lump [lʌmp] *sb* klump *(fx a* ~ *of clay; a* ~ *in the throat);* knude *(fx she had a* ~ *in her breast);* (efter slag) bule; (om person) stor tamp, klods, drog; *by the* ~, *in the* ~ under et, en bloc, på en gang, på et bræt; *a* ~

of sugar et stykke sukker; *a* ~ *on the forehead* en bule i panden.

ll. lump [lʌmp] *vb* slå sammen, tage under ét; (uden objekt) danne klumper, klumpe; ~ *along* lunte af sted; *if you don't like it you can* ~ *it* hvis du ikke synes om det kan du lade være (ɔ: det bliver ikke anderledes); du bliver nødt til at finde dig i det; ~ *together* slå sammen (under ét), skære over én kam.

lumper ['lʌmpɔ] *sb* havnearbejder.

lumpfish ['lʌmpfiʃ] *sb zo* stenbider.

lumpish ['lʌmpiʃ] *adj* kluntet; svær, træg, dorsk.

lump|sucker ['lʌmpsʌkɔ] *zo* stenbider. ~ **sugar** hugget sukker. ~ **sum** sum udbetalt en gang for alle.

lumpy ['lʌmpi] *adj* klumpet; ~ *sea* krap sø.

lunacy ['lu:nɔsi] *sb* sindssyge, vanvid; T (også) galskab.

lunar ['lu:nɔ] *adj* måne- *(fx crater; eclipse* formørkelse; *probe* sonde); ~ *caustic* helvedessten; ~ *(excursion) module* månelandingsfartøj; ~ *orbit* kredsløb omkring månen.

lunate ['lu:nit] *adj* halvmåneformet.

lunatic ['lu:nɔtik] *sb, adj* sindssyg, vanvittig.

lunatic| asylum *(glds)* sindssygehospital. ~ **fringe** rabiat · *(el.* fanatisk) yderfløj (af parti *etc).*

lunch [lʌnʃ] *sb* lunch, frokost; *(am)* let måltid; *vb* spise lunch; ~ *sby* traktere en med lunch.

luncheon ['lʌnʃɔn] = *lunch.*

luncheonette [lʌnʃɔ'net] *sb* frokostrestaurant, lille restaurant.

luncheon| mat dækkeserviet. ~ **voucher** middagsbillet.

lunch hour middagspause.

lune [lu:n] *sb* halvmåne.

lunette [lu:'net] *sb* lynette (befæstningsværk; lyshul i hvælvet tag).

lung [lʌŋ] *sb* lunge; *(fig* om park *etc)* åndehul *(fx the -s of London).*

lunge [lʌndʒ] *sb* stød, udfald; *vb* gøre udfald; kaste sig fremad.

lunged [lʌŋd] *adj* med lunger.

lungwort ['lʌŋwɔ:t] *sb (bot)* lungeurt.

lupin(e) ['lu:pin] *sb (bot)* lupin.

lupine ['lu:pain] *adj* ulveagtig.

lupus ['lu:pɔs] *(med.)* lupus.

lurch [lɔ:tʃ] *sb* slingren, dinglen; krængning; svajen; pludseligt ryk *vb* krænge over, svaje; slingre, dingle, tumle; *leave sby in the* ~ lade en i stikken.

lurcher ['lɔ:tʃɔ] *sb* krybskyttehund.

l. lure [ljuɔ] *sb* lokkemad; lokkemiddel; (til fiskeri) agn; *(fig)* tillokkelse; tiltrækning, dragende magt; *vb* lokke.

ll. lure [ljuɔ] *sb* horn til ·at kalde kvæget sammen med; *(hist.)* lur.

lurid ['ljuɔrid] *adj* (om lys) brandrød, glødende, som ild der ses igennem *el.* sammen med skyer *el.* røg; skummel, uhyggelig; (mindre hyppigt:) bleg, gusten; *(fig)* uhyggelig, makaber *(fx tell all the* ~ *details of the accident);* som bruger billige virkemidler; *cast a* ~ *light on* kaste et uhyggeligt skær over; *(fig)* stille i et uhyggeligt lys.

lurk [lɔ:k] *vb* ligge på lur, lure, ligge skjult.

luscious ['lʌʃɔs] *adj* sød og saftig *(fx pear);* lækker, delikat; fyldig; *(fig* også) overdådig, rig, som vidner om sanseglæde *(fx imagery);* T (om pige) frodig, yppig *(fx a* ~ *blonde).*

lush [lʌʃ] *adj* saftig, frodig, yppig; overdådig.

l. lust [lʌst] *sb* lyst, begær, liderlighed; *the* ~*s of the flesh* kødets lyst; ~ *of gain* havesyge.

ll. lust [lʌst] *vb* føle begær; ~ *after,* ~ *for* begære; tørste efter.

lustful *adj* vellystig, liderlig.

lustration [lʌ'streiʃ(ɔ)n] *sb* (rituel) renselse.

l. lustre ['lʌstɔ] *sb* glans, metalglans; *(fig)* glans, berømmelse; pragt; prisme (til lysekrone); lysekrone; lustre (blankt stof vævet af uld og bomuld); *lend* ~ *to* kaste glans over.

ll. lustre ['lʌstɔ] *vb* give glans; stråle, skinne.

lll. lustre ['lʌstɔ] = *lustrum.*

lustrous ['lʌstrɔs] *adj* blank, skinnende, strålende.

lustr|um ['lʌstrɔm] *sb (pl -a, -ums)* femårsperiode.

lusty ['lʌsti] *adj* kraftig, stærk, sund.

lutanist ['lu:tɔnist] *sb* lutspiller.

L lute

I. lute [lu:t] *sb* lut.
II. lute [lu:t] *sb* lerkit; *vb* kitte, tætte.
Luther ['lu:θə].
Lutheran ['lu:θ(ə)rən] *adj* luthersk; *sb* lutheraner.
Lutheranism ['lu:θ(ə)rənizm] *sb* lutheranisme.
luting ['lu:tiŋ] *sb* lerkit; kitning.
lux [lʌks] *sb* (enhed:) lux.
luxate ['lʌkseit] *sb* forvride, bringe af led.
luxation [lʌk'seiʃən] *sb* forvridning.
luxe [luks]: *de ~ luksus- (fx train de ~; de ~ car)*.
Luxemburg ['lʌks(ə)mbə:g].
luxuriance [lʌg'zjuəriəns] *sb* yppighed, frodighed.
luxuriant [lʌg'zjuəriənt] *adj* yppig, frodig; overdådig, rig.
luxuriate [lʌg'zjuərieit] *vb* vokse frodigt; frådse, svælge; gasse sig *(fx in the sunshine); ~ in* (også:) nyde *(fx a good cigar)*.
luxurious [lʌg'zjuəriəs] *adj* luksuriøs, yppig, overdådig; *~ feeling* følelse af velbehag. **luxuriously** *adv* luksuriøst, overdådigt; med velbehag, velbehageligt.
luxury ['lʌkʃ(ə)ri] *sb* overdådighed, luksus, behagelighed; vellevned; nydelse; *live in ~* leve omgivet af luksus.
lyceum [lai'siəm] *sb* lyceum; forelæsningssal, litterært sel-
skab; et litterært selskabs bygning.
lych-gate ['litʃgeit] *sb* tagdækket kirkegårdslåge.
lye [lai] *sb* lud.
I. lying ['laiiŋ] *adj* løgnagtig; falsk; *sb* løgn.
II. lying ['laiiŋ] *sb* liggen; leje; *adj* liggende.
lying-in ['laiiŋ'in] *sb* barselsseng; barsel; *lying-in hospital (glds)* fødselsstiftelse.
lyme-grass ['laimgra:s] *sb (bot)* marehalm.
lymph [limf] *sb* lymfe; vaccine.
lymphatic [lim'fætik] *adj* lymfe- *(fx vessel* kar); *(fig)* træg, sløv.
lynch [linʃ] *vb* lynche. **lynch law** lynchjustits.
lynx [liŋks] *sb zo* los. **lynx-eyed** *adj* skarpsynet.
Lyons ['laiənz] (navn); *(geogr)* Lyon.
lyre ['laiə] *sb* lyre. **lyrebird** *zo* lyrehale.
lyric ['lirik] *adj* lyrisk; *sb* lyrisk digt; (til revysang *etc)* sangtekst; *-s* lyrisk digtning; *~ poet* lyriker.
lyrical ['lirikl] *adj* lyrisk.
lyricist ['lirisist] *sb* tekstforfatter; lyriker.
lyrist ['lirist] *sb* lyriker; ['laiərist] lyrespiller.
lysol ['laisɔl] *sb* lysol.

M [em].
m. *fk married, masculine, metre(s), mile(s), million(s), minute(s)*.
M. *fk Monsieur; motorway*.
'm *fk madam, am*.
M' *fk Mac*.
M.A. ['em'ei] *fk Master of Arts*.
ma [ma:] T *mor*.
ma'am [məm] frue (brugt i tiltale af hushjælp *etc*); *[mæm]* (tiltale til damer af den kongelige familie).
Mab [mæb] *fk Mabel; Queen* ~ fedronningen.
I. Mac, M', Mc [mək, mæk] forstavelse i navne *(fx Mac-Arthur* [mək'a:θə], *M'Kay* [mə'kai, mə'kei], *Mac Intyre* ['mækintaiə].
II. mac [mæk] T *fk mackintosh*.
macabre [mə'ka:br] *adj* makaber.
macadam ['mækədəm]: ~ *road* makadamiseret vej.
macadamization [məkædəmai'zeiʃ(ə)n] *sb* makadamisering.
macadamize [mə'kædəmaiz] *vb* makadamisere.
macaque [mə'ka:k] *sb zo* makak (abe).
macaroni [mækə'rouni] *sb* makaroni; **S** italiener, 'spagetti'; *(glds)* spradebasse.
macaronics [mækə'rɔniks] *sb pl* makaroniske vers.
macaroon [mækə'ru:n] *sb* makron.
macassar [mə'kæsə]: ~ *oil* makassarolie.
Macaulay [mə'kɔ:li].
macaw [mə'kɔ:] *sb* ara (papegøjeart).
Macbeth [mæk'beθ].
Mac Carthy [mə'ka:θi].
McCoy [mə'kɔi]: *the real* ~ *(am)* **S** se *Mackay*.
MacDonald [mək'dɔn(ə)ld].
I. mace [meis] *sb* stav, scepter; *(hist.)* stridskølle; *spiked* ~ morgenstjerne.
II. mace [meis] *sb* (krydderi:) muskatblomme; *(am også)* (form for) tåregas.
macebearer ['meisbɛərə] *sb* scepterbærer.
Macedonia [mæsi'dounjə] Makedonien.
Macedonian *sb* makedoner; *adj* makedonisk.
macerate ['mæsəreit] *vb* udbløde(s), blødgøre(s); afmagre, blive afmagret.
maceration [mæsə'reiʃən] *sb* udblødning; afmagring.
mach [mæk]: ~ *two* to gange lydens hastighed; se også *mach|meter, ~ number*.
machete [mə'tʃeiti] *sb* machete (en lang kniv der bruges i Sydamerika).
Machiavelli [mækiə'veli]. **Machiavellian** [mækiə'veljən] *adj* machiavellistisk.
machicolated [mæ'tʃikəleitid] *adj* forsynet med skoldehuller.
machicolation [mətʃikə'leiʃn] *sb* skoldehul; galleri med skoldehuller.
machinate ['mækineit] *vb* smede rænker, intrigere.
machination [mæki'neiʃ(ə)n] *sb* intrige, hemmeligt anslag; rænkespil, komplot.
machine [mə'ʃi:n] *sb* maskine; indretning; *(fig)* maskine; maskineri; *vb* maskinforarbejde, bearbejde med maskine; sv på maskine.
machine|-finished paper maskinglittet papir. ~ **gun** maskingevær. **-gun** *vb* beskyde med maskingevær. ~ **gunner** maskingeværskytte. **-like** maskinmæssig. ~ **-made** *adj* lavet på maskine, maskinfremstillet. ~ **minder** maskinpasser. ~ **room** maskinhal; (til elevator) spilrum.
machinery [mə'ʃi:nəri] *sb* maskineri; maskinel, maskiner, maskinpark; *(fig)* maskineri.
machine| shop maskinværksted. ~ **tool** værktøjsmaskine. ~ **translation** (i edb) maskinel oversættelse.
machinist [mə'ʃi:nist] *sb* maskinarbejder, maskinist; maskinbygger; maskinsyer(ske).
mach|meter machmåler. ~ **number** machtal (angiver forholdet mellem et flys hastighed og lydens).

mack [mæk] **T** = *mackintosh*.
Mackay [mə'kai, *(am* især) mə'kei]; *the real* ~ **T** den ægte vare.
mackerel ['mækrəl] *sb zo* makrel.
mackerel sky himmel med makrelskyer *(el.* lammeskyer).
mackintosh ['mækintɔʃ] *sb* (et (gummi)imprægneret stof); gummifrakke, regnfrakke.
mackle, macle [mækl] *sb (typ)* makulaturark; *vb* makulere, smitte af.
macramé [mə'kra:mi] *sb* knytning.
macrocosm ['mækrəkɔzm] *sb* makrokosmos, verdensaltet.
macul|a ['mækjulə] *sb (pl -ae* [-i:]) plet. **maculate** ['mækjulit] *adj* plettet; ['mækjuleit] *vb* plette. **maculation** [mækju-'leiʃən] *sb* plet(ter).
mad [mæd] *adj* vanvittig, afsindig, gal; *(am* **T)** gal, rasende *(with, at* på; *about, at* over); ude af sig selv *(with* af); fjollet, tosset, skør *(for, after, about, on* efter, med, *fx he is* ~ *about pop music)*; (om hund) gal; *like* ~ som en forrykt, som en vild, af alle kræfter; *drive (el. send) him* ~ gøre ham skør; *go* ~ blive skør.
madam ['mædəm] *sb* frue, frøken (i tiltale); **T** bordelværtinde; *she is a bit of a* ~ *(fig)* hun er herskesyg *(el.* dominerende).
Madame Tussaud's [tə'souz] (vokskabinet i London).
madcap ['mædkæp] *sb* vildkat, brushoved.
madden ['mædn] *vb* gøre rasende; gøre vanvittig.
maddening ['mædniŋ] *adj* irriterende; som kan gøre én vanvittig *(el.* rasende).
madder ['mædə] *sb (bot)* krap; *adj* kraprød.
made [meid] *adj* vanvittig *(præt* og *pp* af *make) adj* lavet; fabriksfremstillet; opdigtet; bygget *(fx he is well* ~ *)*; ~ *dish* sammensat ret; ~ *in Denmark* dansk fabrikat, dansk arbejde; *he is a* ~ *man* hans lykke er gjort.
Madeira [mə'diərə] Madeira; *sb* madeira(vin).
Madeira cake sandkage.
mademoiselle [mædəm'zel] *sb* frk. (titel brugt om fransk dame, ofte en fransk guvernante).
made-to-|measure syet efter mål. ~ **-order** lavet på bestilling.
made-up ['meidʌp] *adj* kunstig, lavet; opdigtet; sminket; sammensat; (om tøj) konfektioneret, færdigsyet.
made-up| goods færdigvarer. ~ **tie** maskinbundet *(el.* færdigbundet) slips.
madhouse ['mædhaus] *sb* **T** galeanstalt.
Madison ['mædisn]: ~ *Avenue* (gade i New York hvor mange reklamebureauer har kontorer); *(fig)* reklameindustrien.
madman ['mædmən] *sb* sindssyg person, gal.
madness ['mædnis] *sb* sindssyge, vanvid.
Madras [mə'dra:s, -æs]. **Madrid** [mə'drid].
madrigal ['mædrig(ə)l] *sb* madrigal; elskovsdigt.
madwoman ['mædwumən] *sb* sindssyg kvinde.
madwort ['mædwɔ:t] *sb (bot)* river.
Maecenas [mi'si:næs] *sb* mæcen.
maelstrom ['meilstroum] *sb* malstrøm.
maestro [ma:'estrou; 'maistrou] *sb* mester (især om fremtrædende dirigent).
Mae West ['mei 'west] *sb (flyv)* oppustelig redningsvest.
maffick ['mæfik] *vb* juble, foranstalte støjende glædesdemonstrationer (over sejrsbulletin).
mag [mæg] *fk magneto; sb* **S** magasin; halvpenny.
magazine [mægə'zi:n] *sb* magasin; tidsskrift.
magazine rifle magasingevær.
Magdalen ['mægdəlin] Magdalene; ~ *College* ['mɔ:dlin 'kɔlidʒ] (i Oxford); ~ *hospital* magdalenehjem.
Magdalene [mægdə'li:ni]; ~ *College* ['mɔ:dlin'kɔlidʒ] (i Cambridge).
Magellan [mə'gelən]: *Strait of* ~ Magellanstrædet.
magenta [mə'dʒentə] *sb* magentarød.

maggot ['mægət] *sb* larve, maddike; T indfald, lune, grille.

maggoty ['mægəti] *adj* fuld af larver; T som har mange (sære) indfald, lunefuld.

magi ['meidʒai] *sb (pl* af *magus); the Magi* de hellige tre konger.

magic ['mædʒik] *sb* magi, trolddom; trylleri; *adj* magisk; *black* ~ sort magi.

magical ['mædʒikl] *adj* magisk.

magician [mə'dʒiʃən] *sb* tryllekunstner; troldmand.

magic| lantern lysbilledapparat. ~ **wand** tryllestav.

magisterial [mædʒi'stiəriəl] *adj* øvriglheds-; fredsdommer-; *(fig)* myndig, autoritativ; *(neds)* skolemesteragtig.

magistracy ['mædʒistrəsi] *sb* stilling som fredsdommer; øvrighed; fredsdommere.

magistral [mə'dʒistrəl] *adj* (om lægemiddel) efter recept.

magistrate ['mædʒistreit] *sb* (underrets)dommer; fredsdommer; *-'s court* underret; laveste retsinstans.

Magna C(h)arta ['mægnə'ka:tə] *(hist.)* det store friheds-brev.

magnanimity [mægnə'nimiti] *sb* storsindethed, ædelmodighed.

magnanimous [mæg'næniməs] *adj* storsindet, ædelmodig, højsindet.

magnate ['mægneit] *sb* stormand, magnat.

magnesia [mæg'ni:ʃə] *sb (kem)* magnesia.

magnesium [mæg'ni:ziəm] *sb (kem)* magnium, magnesium; ~ *light* magniumslys.

magnet ['mægnit] *sb* magnet.

magnetic [mæg'netik] *adj* magnetisk, magnet-; *(fig)* som øver en uimodståelig tiltrækning, betagende.

magnetic| catch magnetlås. ~ **course** *(mar)* misvisende kurs. ~ **needle** magnetnål. ~ **tape** magnetbånd; lydbånd; (fjernsyn:) billedbånd. ~ **tape unit** (i edb) magnetbåndsstation.

magnetism ['mægnitizm] *sb* magnetisme, tiltrækningskraft.

magnetize ['mægnitaiz] *vb* magnetisere; *(fig)* øve en uimodståelig tiltrækning på, betage.

magneto [mæg'ni:tou] *sb* magnet (i bil *etc)*.

magnetron ['mægnitrɔn] *sb* (i radio) magnetron.

magnification [mægnifi'keiʃən] *sb* forstørrelse.

magnificence [mæg'nifisns] *sb* pragt, herlighed.

magnificent [mæg'nifisnt] *adj* storslået, pragtfuld; T storartet, herlig; (om måltid) overdådig; ~ *specimen* pragteksemplar.

magnificent frigate bird *zo* amerikansk fregatfugl, 'man-o'-war-fugl'.

magnifier ['mægnifaiə] *sb* forstørrelsesglas, lup; forstørrelsesapparat.

magnify ['mægnifai] *vb* forstørre; *(fig* også) overdrive; *(glds)* lovprise. **magnifying glass** forstørrelsesglas, lup.

magniloquence [mæg'niləkwəns] *sb* pralen, svulstighed.

magniloquent [mæg'niləkwənt] *adj* stortalende, pralende, svulstig.

magnitude ['mægnitju:d] *sb* størrelse; storhed; vigtighed; *(astr)* størrelsesorden; størrelse *(fx star of the first* ~).

magnolia [mæg'nouljə] *sb (bot)* magnolia.

magnum ['mægnəm] *sb* magnumflaske (rummende 1½ l); (særlig kraftig riffel, *omtr)* storvildtriffel.

magnum opus ['mægnəm 'ɔpəs *(el.* 'oupəs)] *sb* storværk, hovedværk.

magpie ['mægpai] *sb zo* skade; *(fig)* sludrebøtte; rapser; *steal like a* ~ stjæle som en ravn.

magpie moth *zo* stikkelsbærmåler.

magus ['meigəs] *sb (pl magi* ['meidʒai]) *sb* mager, troldmand; se også *magi*.

Magyar ['mægja:] *sb* magyar; (også *adj)* magyarisk.

Maharaja(h) [ma:(h)ə'ra:dʒə] *sb* maharaja, indisk fyrste.

Maharanee [ma:(h)ə'ra:ni] *sb* maharajas hustru.

Mahatma [mə'ha:tmə] *sb* mahatma (indisk titel som gives til store åndelige førere).

Mahdi ['ma:di] *sb* mahdi (muhamedansk messias).

mah-jong(g) ['ma:'dʒɔŋ] *sb* mah-jong (kinesisk selskabsspil).

mahlstick ['mɔ:lstik] *sb* malerstok.

mahogany [mə'hɔgəni] *sb* mahogni; mahognitræ; mahognifarve; mahognispisebord.

Mahomet(an) [mə'hɔmit(ən)] se *Mohammed(an)*.

mahout [mə'haut] *sb* elefantfører.

maid [meid] *sb* husassistent, (tjeneste)pige; *(poet)* pige, mø, jomfru.

maiden ['meidn] *(poet) sb* jomfru, pige; *adj* ugift *(fx aunt);* jomfru-; *(fig)* jomfruelig, uberørt, ren.

maiden|hair *(bot)* venushår (en bregne). **-head** mødom, jomfruhinde, jomfrudom. **-hood** jomfruelighed, jomfrustand; ungpigetid.

maidenly ['meidnli] *adj* jomfruelig, bly.

maiden| name pigenavn (ɔ: før ægteskabet). ~ **over** (i cricket) over hvor der ikke bliver scoret. ~ **speech** jomfrutale. ~ **voyage** jomfrurejse.

maid|-of-all-work enepige. ~ **-of-honour** hofdame; slags kage. **-servant** husassistent.

I. mail [meil] *sb* panser, *(chain* ~) ringbrynje; *vb* pansre *(fx the -ed fist); coat of* ~ panserskjorte.

II. mail [meil] *sb* postsæk, brevsæk; brevpost, post; *vb* (især *am)* sende med posten, poste, lægge i postkassen.

mail|bag postsæk; *sew -bags* sy postsække (alm beskæftigelse for straffefanger). **-box** *(am)* postkasse; brevkasse. ~ **cart** postvogn; promenadevogn. **-clad** i panser og plade. ~ **coach** postvogn.

mailing-list adressekartotek; kundekartotek.

mail|man *(am)* postbud. ~ **-order firm** postordrefirma. ~ **slot** brevsprække; (beslag) brevskilt. ~ **train** posttog. ~ **van** postbil.

maim [meim] *vb* lemlæste; ødelægge.

I. main [mein] *sb* hovedledning; *(poet)* åbent hav, verdenshav; *with might and* ~ af al magt, af alle kræfter; *in the* ~ for største delen; i hovedsagen.

II. main [mein] *adj* hoved- *(fx point, road, street)*, væsentligst, vigtigst.

main| chance egen fordel, egne interesser; *have an eye to the* ~ *chance* være om sig. ~ **deck** hoveddæk; øverste dæk. ~ **force:** *by* ~ *force* med magt. ~ **hatch** storluge. **-land** ['meinlənd] fastland. ~ **line** hovedledning; S blodåre. *-line vb* S indsprøjte narkotisk middel i blodåre. **-liner** S *(omtr)* stiknarkoman.

mainly ['meinli] *adv* hovedsagelig.

mainmast ['meinma:st, *(mar)* -məst] *sb (mar)* stormast.

mains [meinz] *sb pl (elekt)* lysnet, ledningsnet.

main|sail ['meinseil, *(mar)* -səl] *(mar)* storsejl. **-sheet** *(mar)* storskøde. **-spring** hovedfjeder, drivfjeder.

mains receiver lysnetmodtager.

mainstay ['meinstei] *sb (mar)* storstag; *(fig)* væsentligste støtte, fast holdepunkt, grundpille.

Main Street *(am)* hovedgaden.

maintain [mein'tein] *vb* holde, opretholde *(fx order in the town);* vedligeholde, bevare; hævde, fastholde *(fx that one is innocent);* forsvare *(fx one's rights);* ernære, underholde *(fx one's family)*.

maintenance ['meintinəns] *sb* vedligeholdelse; opretholdelse *(fx* ~ *of good order);* hævdelse, forsvar; underhold; (til ansatte) kostpenge, (til fraskilt hustru) underholdsbidrag, (til børn uden for ægteskab) alimentationsbidrag.

main|top *(mar)* storemærs. **-yard** storrå.

maisonette [meizə'net] *sb* mindre hus; lejlighed i to eller tre etager.

maize [meiz] *sb (bot)* majs.

maizena [mei'zi:nə] ® maizena, majsmel.

majestic [mə'dʒestik] *adj* majestætisk.

majesty [mə'dʒesti] *sb* majestæt; *His (, Her) Majesty* Hans (, Hendes) Majestæt; *during Her Majesty's pleasure* (om fængselsstraf) på ubestemt tid.

Maj. *fk Major.* **Maj. Gen.** *fk Major General.*

majolica [mə'jɔlikə] *sb* majolika (slags fajance).

major ['meidʒə] *adj* større, ældre; størst, vigtigst (af to); stor; (i musik) dur-; *sb (mus.)* dur; *(mil.)* major; *(jur)* fuldmyndig person; *(am)* hovedfag; *vb (am)* in *-history* have historie som hovedfag; *Brown* ~ store B., den ældste af brødrene B. eller af drengene ved navn B. i skolesprog); *C* ~ C-dur; *the* ~ *part* størstedelen.

majordomo ['meidʒə'doumou] *sb* hovmester, majordomus.

major general *sb (mil.)* generalmajor.

majority [mə'dʒɔriti] *sb* flertal, majoritet; *(mil.)* majorrang; *(jur)* fuldmyndighed; *the* ~ *of* de fleste (af); ~ *of shares,* ~ *holding* aktiemajoritet; *attain (el. arrive el. el. reach) one's* ~ blive fuldmyndig; *gain a* ~ få flertal; *join* *the* ~ gå al kødets gang, dø.

major|premise oversættning (i en syllogisme). ~ **prophets:** *the* ~ *prophets* de store profeter.

major|suit majorfarve, høj farve (i bridge: spar *el.* hjerter). ~ **term** (i logik) overbegreb.

majuscule ['mædʒəskju:l] *sb* majuskel, stort bogstav.

I. make [meik] *vb (made, made)* (se også *made)* lave *(fx* ~ *tea; what is it made of?)* udføre, foretage *(fx alterations);* fremstille, fabrikere *(fx paper, cars);* skabe *(fx God made man);* skaffe sig *(fx enemies);* spise *(fx I made a good breakfast);* tilberede *(fx a dinner);* gøre *(fx* ~ *a good impression;* ~ *him happy);* fremsætte, (frem)-komme med *(fx accusations; an offer);* gøre til, udnævne til *(fx* ~ *him a colonel);* være *(fx will you* ~ *a fourth at bridge?);* (vise sig at) være, blive *(fx she made him a good wife);* (ved sammentælling *etc)* være *(fx two and two -s four),* blive *(fx that -s £63 in all),* udgøre *(fx two pints* ~ *a quart);* (om penge: løn) tjene *(fx* ~ *£3000 a year),* (pris) indbringe, opnå en pris af *(fx an envelope bearing two rare stamps made £100);* (om strækning) tilbagelægge *(fx 50 miles);* (om retning) bevæge sig, styre, sætte kursen *(towards* mod, *fx he made towards the church),* (om mål) nå *(fx the harbour, the top, the train);* (om særlig ære) opnå at komme på (, i *etc) (fx* ~ *the front page);* (i kortspil) blande, 'vaske', (om stik) vinde, få, tage hjem; (i sport) score; *(gram)* hedde *(fx 'mouse' -s 'mice' in the plural);* (med *inf)* få til at *(fx* ~ *him understand);* tvinge til at; lade *(fx the author -s him say that ...);* gøre mine til at, så småt begynde at *(fx he made to go);* S hugge, stjæle; gå i seng med;

(forb med *vb,* se også *bone, difference, I. face, I. love, III. mark, shift etc) (N.B.* ~ + *sb* har ofte samme betydning som det tilsvarende *vb, fx* ~ *a bow* bukke; ~ *reply* svare, ~ *a start* begynde); ~ *a bed* rede en seng; ~ *conditions* stille betingelser; ~ *a confession* aflægge en tilståelse; ~ *a fire* tænde op; ~ *a mistake* tage fejl; *he will never* ~ *an officer* der bliver aldrig nogen officer ud af ham; ~ *a road* anlægge en vej; ~ *sail* sætte sejl; ~ *a speech* holde en tale; ~ *terms* stille betingelser; ~ *time* holde den fastsatte fart; køre stærkt; *what time do you* ~ *it?* hvad er klokken efter Deres ur? *he made her his wife* han giftede sig med hende;

(forb med *vb* og *adj,* se også *bold, II. free, V. light, little, merry, ready etc);* ~ **believe** bilde ind; foregive, lade som om; (om børn) lege *(fx let's* ~ *believe that we're Red Indians);* ~ *it* **do,** ~ *do with* it klare *(el.* hjælpe) sig med det; ~ *do and mend* klare sig med og reparere på det man har (i stedet for at købe nyt); ~ **good** erstatte *(fx a loss),* (efter reparation *etc)* retablere; godtgøre, bevise *(fx a charge);* virkeliggøre, udføre, gøre alvor af *(fx a threat);* opfylde, holde *(fx a promise);* få (, have) succes, klare sig godt; blive til noget; ~ *oneself* **heard** skaffe sig ørenlyd; ~ *oneself heard above the noise* overdøve larmen;

(andre forbindelser): ~ **after** sætte efter; ~ **against** tale imod *(fx it -s against his theory);* skade; ~ **as** *if one had* lade som om man havde; ~ *as if to go* gøre mine til at gå; *he is as wise (, ugly etc) as they make 'em* han er noget af det klogeste (, grimmeste *etc)* man kan tænke sig; ~ **at** true ad; stikke (, lange ud) efter *(fx he made at me with a knife);* ~ **away** skynde sig bort; ~ *away with* stjæle, stikke af med; ødsle bort; skaffe sig af med, ødelægge, dræbe; (om mad) sætte til livs; ~ *away with oneself* gøre en ulykke på sig selv, begå selvmord; ~ **for** sætte kursen mod *(fx* ~ *for home);* styre *(el.* fare) hen imod *(fx* ~ *for the door);* (fig) pege i retning af, være til gunst for, gavne; bidrage til (at skabe) *(fx this will* ~ *for better newspapers); he is made for the job* han er som skabt til det arbejde; ~ **it** klare den; nå frem; *come if you can* ~ *it* kom hvis du kan (nå det); ~ *an enemy of him* gøre ham til sin fjende; ~ *a habit of it* gøre det til en vane; ~ *a night of it* se night; *what do you* ~ *it?* hvad får du ud af det? hvordan mener du det skal forstås? ~ *the best (, the most, much, nothing) of,* se *best, most, much, nothing;* ~ **off** stikke af, løbe sin vej;

~ **out** skelne, tyde; finde ud af, forstå, blive klog på *(fx I cannot* ~ *out what happened);* udfærdige; udstede *(fx a cheque);* udfylde *(fx a form);* foregive, give indtryk af,

give det udseende af *(fx he made out that he had been busy);* bevise; T klare sig; *how are things making out?* hvordan går det; *he is not so bad as he is made out (to be)* han er ikke så slem som man vil gøre ham til; *how do you* ~ *that out?* hvordan kommer du til det resultat? ~ **over** overdrage; *(am)* lave om, forandre *(fx a dress);* ~ **up** lave, sammensætte, opstille *(fx a list);* samle, ordne; pakke ind; tilberede, tillave, blande; sy *(fx a suit);* opdigte *(fx it is a made-up story);* erstatte *(fx you must* ~ *it up to him);* indhente (noget forsømt); bøde på, udfylde *(fx the deficiency);* bilægge *(fx a quarrel);* danne, udgøre *(fx the branches which* ~ *up the organization);* lægge teint; sminke sig, (om skuespiller også) lægge maske; *(typ)* ombryde; ~ *up a bed* rede op; ~ *up the fire* lægge (brændsel) på ilden; ~ *up a fourth* være fjerdemand *(fx* til en bridge); *we made it up* vi blev gode venner igen; ~ *up for* bøde på; opveje; ~ *up for lost time* indhente det forsømte; ~ *up for a part* sminke sig til en rolle; *be made up of* bestå af; ~ *up to* give erstatning, holde skadesløs; T indynde sig hos, gøre sig lækker for, fedte for; lægge an på; ~ *up one's mind to do it* beslutte sig til at gøre det; ~ *it up with* slutte fred med.

II. make [meik] *sb* tilvirkning; forarbejdning, snit *(fx a coat of first-class* ~ *);* fabrikat, mærke *(fx cars of all -s);* (om person) bygning, *(fig)* støbning; *is this your own* ~ *?* har du selv lavet dette her? *be on the* ~ være om sig, være beregnende.

make-believe ['meikbili:v] *sb* leg; skin; foregivende, påskud.

maker ['meikə] *sb* fabrikant; *the Maker* skaberen.

makeshift ['meikʃift] *sb* nødhjælp; surrogat, erstatning; *adj* midlertidig, provisorisk; improviseret *(fx dinner); the box was a* ~ *for a table* kassen gjorde det ud for bord.

makeup ['meikʌp] *sb* make-up, sminke *(fx that lady uses too much* ~ *);* sminkning, maskering, maske *(fx skuespillers);* (det noget består af) sammensætning *(fx the* ~ *of the team);* (om person) personlighed, habitus *(fx his mental* ~ *);* (om vare) indpakning, udstyr *(fx an attractive* ~ *); (am)* sygeeksamen; *(typ)* ombrydning.

makeup|examination *(am)* sygeeksamen. ~ **man** (på teater) sminkør; *(typ)* ombryder.

makeweight ['meikweit] *sb* tilgift; fyldekalk; (om person) en som kun er med for at fylde op.

making ['meikiŋ] *sb* fremstilling, fabrikation, forarbejdning, tilvirkning; skabelse, tilblivelse, udvikling; *in the* ~ som er ved at blive til, som er ved at blive skabt *(fx we see history in the* ~ *),* i sin vorden; *that was the* ~ *of him* det blev afgørende for hans udvikling, det lagde grunden til hans succes; *a mistake of his* ~ en fejl som han er mester for; *-s pl* indtægt, fortjeneste; bestanddele; materialer, stof; *he has in him the -s of a great statesman* der er stof i ham til en stor statsmand.

mal- [mæl] dårlig(t); mis- *(fx maltreat);* u-.

I. Malacca [mə'lækə] Malakka.

II. malacca (cane) spanskrørsstok.

malachite ['mæləkait] *sb (min.)* malakit.

maladjusted ['mælə'dʒʌstid] *adj* dårligt tilpasset; *(psyk)* miljøskadet.

maladjustment ['mælə'dʒʌs(t)mənt] *sb* dårlig ordning; manglende tilpasning; misforhold; *(psyk)* miljøskade.

maladministration ['mælədmini'streiʃ(ə)n] *sb* dårlig forvaltning *(el.* styrelse); misrøgt (af et embede).

maladroit ['mælədrɔit] *adj* ubehændig.

malady ['mælədi] *sb* sygdom.

Malagasy [mælə'gæsi] *sb* madagasser (indbygger på Madagascar); *adj* madagassisk.

malaise [mæ'leiz] *sb* utilpashed; *(fig* også) ubehag; utryghed; lurende utilfredshed, gærende uro; onde, misere.

malapropism ['mæləprɔpizm] *sb* forkert brug *(el.* forveksling) af (fremmed)ord.

malapropos ['mæl'æprəpou] *adj* og *adv* malplaceret; ubelejlig, uheldig, i utide.

malar ['meilə] *sb* kindben; *adj* kind-.

malaria [mə'lɛəriə] *sb (med.)* malaria, sumpfeber.

malarial [mə'lɛəriəl] *adj* malaria- *(fx patient).*

malarkey [mə'la:ki] *sb* S pladder, bavl.

Malay [mə'lei] *sb* malaj; malajisk; *adj* malajisk.

Malaya [mə'lei(i)ə]. **Malayan** [mə'leiən] *sb, adj* malajisk.

Malaysia [məˈleiʃə].

Malcolm [ˈmælkəm].

malcontent [ˈmælkəntent] *adj, sb* (især politisk) utilfreds, misfornøjet (med det bestående styre); *-s (pl)* utilfredse, misfornøjede; (ofte ⁓) oprørske elementer.

male [meil] *adj* mandlig *(fx heir)*, han- *(fx animal)*; mands-, herre- *(fx choir)*; (om præg) mandig, maskulin; *sb* mandfolk; (om dyr) han; ⁓ *child* drengebarn.

malediction [mæliˈdikʃ(ə)n] *sb* forbandelse.

malefactor [ˈmælifæktə] *sb* forbryder, misdæder.

maleficent [mæˈlefis(ə)nt] *adj* forbryderisk; skadelig; ond, som volder ondt.

male| screw skrue ⁓ med udvendigt gevind, hanskrue. ⁓ **thread** udvendigt gevind.

malevolence [məˈlevələns] *sb* uvilje, ondskab; ondsindethed, ondskabsfuldhed.

malevolent [məˈlevələnt] *adj* ondsindet, ondskabsfuld.

malfeasance [mælˈfiːz(ə)ns] *sb* ulovlig handling; mislighed, embedsforbrydelse, myndighedsmisbrug.

malformation [ˈmælfɔːˈmeiʃ(ə)n] *sb* vanskabthed; misdannelse.

malformed [mælˈfɔːmd] *adj* vanskabt, misdannet.

malfunction [ˈmælˈfʌŋ(k)ʃ(ə)n] *sb* funktionsfejl; (i edb) maskinfejl.

malice [ˈmælis] *sb* ondskab, had, nag; *(jur)* forbryderisk hensigt; *with* ⁓ *aforethought (el. prepense)* med fuldt overlæg, forsætligt.

malicious [məˈliʃəs] *adj* ondskabsfuld.

malign [məˈlain] *adj* ondskabsfuld, ond; skadelig; *vb* tale ondt om, bagtale.

malignancy [məˈlignənsi] *sb* ondskab, *(med.)* ondartethed.

malignant [məˈlignənt] *adj* ondskabsfuld; *(med.)* ondartet.

malignity [məˈligniti] *sb* ondskab, had; *(med.)* ondartethed.

malinger [məˈliŋgə] *vb* simulere.

malingerer [məˈliŋgərə] *sb* simulant.

I. Mall [mæl]: *the* ⁓ (promenade i St. James's Park, London).

II. mall [mɔːl] = *maul*.

mallard [ˈmæləd] *sb zo* gråand, stokand.

malleable [ˈmæliəbl] *adj* smedelig, hammerbar *(fx iron)*; *(fig)* eftergivende, føjelig; påvirkelig.

mallet [ˈmælit] *sb* træhammer, kølle, mukkert; (til kroket) kroketkølle.

mallow [ˈmælou] *sb (bot)* katost; (om farve) mauve.

malmsey [ˈmaːmzi] *sb* malvasier (vin).

malnutrition [ˈmælnjuː(ː)triʃ(ə)n] *sb* underernæring, fejlernæring.

malodorous [mæˈloudərəs] *adj* ildelugtende.

malpractice [ˈmælˈpræktis] *sb* fejlgreb; ulovlighed; mislighed, embedsmisbrug; *(med.)* uforsvarlig behandling.

malt [mɔ(ː)lt] *sb* malt; *vb* malte; blive til malt.

Malta [ˈmɔ(ː)ltə].

malt bread (mørkt sødt brød (, kage) med rosiner).

Maltese [ˈmɔːlˈtiːz, mɔlˈtiːz] *adj* maltesisk; malteser- *(fx cross)*; *sb* malteser.

malt-house malteri.

malting [ˈmɔ(ː)ltiŋ] *sb* maltning.

maltreat [mælˈtriːt] *vb* mishandle, maltraktere.

maltreatment [mælˈtriːtmənt] *sb* mishandling.

maltster [ˈmɔ(ː)ltstə] *sb* maltgører.

malversation [mælvəːˈseiʃ(ə)n] *sb* underslæb (især med offentlige midler), uredelighed.

mam [mæm] = I. *mam(m)a*.

mamba [ˈmæmbə] *sb zo* mamba (art giftslange).

mamilla [məˈmilə] *sb* brystvorte.

I. mam(m)a [məˈmaː] *sb* mama, mor.

II. mamm|a [ˈmæmə] *sb (pl -ae* [-iː]*)* (kvinde)bryst, brystvorte, brystkirtel.

mammal [ˈmæm(ə)l] *sb* pattedyr.

mammary [ˈmæməri] *adj* bryst-; ⁓ *gland* brystkirtel, mælkekirtel.

mammon [ˈmæmən] *sb* mammon, rigdom.

mammoth [ˈmæməθ] *sb zo* mammut; *adj* kæmpe- *(fx a* ⁓ *enterprise)*.

mammy [ˈmæmi] *sb* moder, mama; (gammel) negerkvinde, sort barnepige. **mammy| cloth** afrikansk kvindes farverige gevandt. ⁓ **wagon** åben bus (i Vestafrika).

I. man [mæn] *sb (pl men)* menneske; mand; tjener; (på fabrik) arbejder, *(pl men* (også:) folk), *(mil.)* menig *(pl men* (også:) mandskab); (i spil) brik; *(hist.)* vasal; *adj* mandlig; ⁓ *about town* levemand; ⁓ *and boy* fra dreng af *(fx I have worked here,* ⁓ *and boy, for forty years)*; *as a* ⁓ som menneske (betragtet); *he's my* ⁓ det er den rette mand (til at gøre det); *the* ⁓ *in the street* menigmand, den jævne mand; *one's* ⁓ *of business* ens advokat; ⁓ *of his word* mand, som man kan stole på; ⁓ *of the world* mand, der kender livet, erfaren, praktisk mand; verdensmand; *be one's own* ⁓ være sin egen herre; være herre over sig selv; *to a* ⁓ alle som en.

II. man [mæn] *vb* bemande *(fx a ship)*; ⁓ *oneself* mande sig op; ⁓ *the yards* mande ræer.

III. Man [mæn]: *the Isle of* ⁓ øen Man.

manacle [ˈmænəkl] *sb* håndlænke(r), håndjern; *vb* belægge med håndlænke(r) (, håndjern); *(fig)* hæmme, hindre.

manage [ˈmænidʒ] *vb* håndtere *(fx a tool, a rifle)*, behandle; manøvrere, styre *(fx a boat)*; bestyre *(fx a business)*, lede *(fx an institution)*; kunne magte, tumle *(fx a horse, a flock of boys)*, klare, ordne *(fx I suppose it can be -d)*, overkomme *(fx I can't* ⁓ *it alone)*; bære sig ad med *(fx how did you* ⁓ *that?)*; (uden objekt) klare sig *(fx can you* ⁓ *on your own? I shall* ⁓ *somehow; he can* ⁓ *on (for, med) £10 a week); can you* ⁓ *another piece of cake?* **T** kan du spise et stykke kage til? *he -d* **to** det lykkedes ham at *(fx see the manager)*, han nåede at *(fx get out in time); can you* ⁓ **with** *both the parcels?* kan du have begge pakkerne?

manageable [ˈmænidʒəbl] *adj* medgørlig; let at styre *(etc, cf manage); -* size overkommelig størrelse.

management [ˈmænidʒmənt] *sb* (personer:) ledelse, direktion; *(cf manage)* behandling; manøvrering; styring; (virksomheds-, arbejds-)ledelse; (klog:) takt, klogskab; *it was more by good luck than by good* ⁓ *(omtr)* lykken var bedre end forstanden.

manager [ˈmænidʒə] *sb* leder, chef, direktør; bestyrer, driftsleder, disponent; (for artist *etc*) manager; *good* ⁓ god økonom, sparsommelig husmoder.

managerial [mænəˈdʒiəriəl] *adj* bestyrelses-, direktør-, leder-.

managing [ˈmænidʒiŋ] *adj* ledende, bestyrende; *(neds)* herskesyg; geskæftig; sparsommelig, gerrig; ⁓ *clerk* disponent; ⁓ *director* administrerende direktør.

manakin [ˈmænəkin] *sb zo* manakin (en spurvefugl).

manalive [ˈmænəlaiv] *interj* (men) menneske dog!

man-at-arms [ˈmænətˈaːmz] *sb (hist.)* bevæbnet rytter.

manatee [mænəˈtiː] *sb zo* søko.

Manchester [ˈmæntʃistə]: *the* ⁓ *School (økon)* Manchesterskolen; ⁓ *goods* bomuldsvarer.

man-child drengebarn.

Manchuria [mænˈtʃuəriə] Manchuriet.

Manchurian [mænˈtʃuəriən] *adj* manchurisk.

Mancunian [mænˈkjuːnjən] *sb* indbygger i Manchester.

mandamus [mænˈdeiməs] *sb (jur)* ordre.

mandarin [ˈmændərin] *sb* mandarin (kinesisk embedsmand; frugt). **mandarin collar** kineserflip.

mandatary [ˈmændət(ə)ri] *sb* mandatar, fuldmægtig; mandatamagt.

mandate [ˈmændeit] *sb* mandat, fuldmagt; befaling; *vb* overdrage til mandatar(magt); *-d territory* mandatområde.

mandatory [ˈmændət(ə)ri] *sb* mandatar(magt); *adj* mandat-, mandatar-; befalende; påbudt, obligatorisk *(on* for).

mandible [ˈmændibl] *sb* (under)kæbe; kindbakke.

mandolin(e) [ˈmændəli(ː)n] *sb* mandolin.

mandragora [mænˈdrægərə], **mandrake** [ˈmændreik] *sb* alrune.

mandrel [ˈmændrəl] *sb (tekn)* spindel (på drejebænk); dorn, patron.

mandril [ˈmændril] *sb zo* mandril.

mane [mein] *sb* manke.

man-eater [ˈmæniːtə] *sb* menneskeæder; menneskeædende tiger (, løve, haj).

manège [mæˈneiʒ] *sb* ridekunst; ridebane; rideskole.

manes [ˈmaːneiz, ˈmeiniːz] *sb pl* (latin:) manes (afdødes ånder).

Man Friday betroet sekretær, chefstøtte, højre hånd.
manful ['mænf(u)l] *adj* mandig, tapper.
manganese [mæŋgə'ni:z] *sb (kem)* mangan.
mange ['mein(d)ʒ] *sb (med.)* skab (udslæt).
mangel-wurzel ['mæŋgəl'wə:zl] *sb (bot)* runkelroe.
manger ['mein(d)ʒə] *sb* krybbe; *a dog in the ~* en der ikke engang under andre noget som han ikke selv kan bruge.
I. mangle ['mæŋgl] *vb* sønderrive, lemlæste; *(fig)* ødelægge, radbrække *(fx a piece of music)*.
II. mangle ['mæŋgl] *sb* rulle; *vb* rulle *(fx the washing)*.
mango ['mæŋgou] *sb (bot)* mango (indisk frugt); mangotræ.
mangold ['mæŋgəld] *sb (bot)* runkelroe.
mangonel ['mæŋgənel] *sb (hist.)* blide (ɔ: kastemaskine).
mangosteen ['mæŋgəsti:n] *sb (bot)* garciniatræ, mangostan.
mangrove ['mæŋgrouv] *sb (bot)* .mangrovetræ.
mangy ['mein(d)ʒi] *adj* skabet; *(fig)* lurvet, ussel.
manhandle ['mænhændl] *vb* mishandle, (gennem)prygle *(fx they -d the demonstrators)*; bevæge ved håndkraft, bakse med *(fx we -d the huge oars)*.
manhole ['mænhoul] *sb* mandehul.
manhood ['mænhud] *sb* manddom, manddomsalder; mandighed, mod; *(især poet)* mænd; *~ suffrage* valgret for mænd.
man|-hour arbejdstime. **-hunt** *sb* menneskejagt. **-hunting** *adj (om kvinde)* giftesyg.
mania ['meinjə] *sb* vanvid, galskab; mani.
maniac ['meiniæk] *sb, adj* vanvittig, gal, sindssyg (person).
maniacal [mə'naiəkl] *adj* vanvittig, gal, sindssyg.
manic ['mænik] *adj* manisk.
manic-depressive ['mænikdi'presiv] *adj* maniodepressiv.
manicure ['mænikjuə] *sb* manicure, pleje af hænder og negle; *vb* manicurere.
manicurist ['mænikjuərist] *sb* manicurist, manicuredame.
manifest ['mænifest] *adj* tydelig, klar, åbenbar *(fx truth, failure)*; *sb (mar)* manifest, fortegnelse over et skibs ladning, ladningsliste; *vb* røbe, vise, tilkendegive *(fx some impatience)*; bevise; *(mar)* opføre på ladningsliste; *~ itself* manifestere sig, vise sig; give sig udslag.
manifestation [mænifes'teiʃ(ə)n] *sb* tilkendegivelse, ytring, manifestation; fænomen *(fx such -s as revivalism)*; demonstration; udslag; *-s of life* livsytringer.
manifesto [mæni'festou] *sb* manifest, (program)erklæring.
manifold ['mænifould] *adj* mangfoldig; mangeartet; *vb* mangfoldiggøre; duplikere; *sb (tekn)* grenrør, forgreningsrør, (i dieselmotor) samlerør; *(til skrivemaskine)* gennemslagspapir (tyndt papir).
manikin ['mænikin] *sb* mandsling; kunstners leddedukke; anatomisk model.
Manila [mə'nilə] Manila; *sb* manilacigar; *~ (hemp)* manilahamp; *~ paper* manilapapir.
maniple ['mænipl] *sb (hist.)* manipel (romersk hærafdeling).
manipulate [mə'nipjuleit] *vb* behandle, håndtere, manipulere; *(fig)* manipulere med, behændigt påvirke *el.* lede; bearbejde *(fx the electors)*; (i bedragerisk hensigt:) manipulere med *(fx election results)*, forfalske, rette i *(fx a report)*.
manipulation [mənipju'leiʃən] *sb* håndteren, behandling, manipulation.
man jack *every ~ of you* hver eneste af jer.
mankind [mæn'kaind] *sb* menneskeheden, menneskeslægten; ['mænkaind] mandkønnet.
manlike ['mænlaik] *adj* som en mand, mandig; menneskelignende *(fx creatures)*.
manly ['mænli] *adj* mandig.
man-made ['mænmeid] *adj* skabt af mennesker; kunstig *(fx island)*; syntetisk fremstillet; *~ fibres* kunstfibre.
manna ['mænə] *sb* manna. **manna grass** *(bot)* sødgræs.
mannequin ['mænikin] *sb* mannequin.
manner ['mænə] *sb* måde; (om person) væsen, optræden, væremåde; (i kunst) manér, stil *(fx in the futurist ~)*; *(neds)* (kunstler) manér *(fx -s) pl* slags; *~s pl* (person) optræden, manerer *(fx bad -s, good -s)*, levemåde *(fx he has no -s)*; (i samfund) livsform, sæder *(fx the -s of that age)*; sæder og skikke;
   adverb of ~ mådesbiord; *all ~ of things* alle mulige ting; *it is bad -s to* det er uopdragent at, det er ikke god

tone at; *by no ~ of means* på ingen måde, under ingen omstændigheder; *in a ~ of* på en måde, i nogen grad; *in a ~ of speaking* så at sige; *in (el. after) this ~* på denne måde; *no ~ of* aldeles ingen; *he has no -s* (også:) han ved ikke hvordan man skal opføre sig; *as to the ~ born* som var han *(el. hun etc)* skabt *(el. født)* til det.
mannered ['mænəd] *adj (neds)* manieret, affekteret; *well ~* velopdragen.
mannerism ['mænərizm] *sb* maner, manierethed; (i kunst) manierisme.
mannerist ['mænərist] *sb* manieret person; (i kunst) manierist.
mannerly ['mænəli] *adj* høflig, velopdragen.
mannish ['mæniʃ] *adj (neds)* mandhaftig.
manoeuvre [mə'nu:və] *sb* manøvre; *vb* manøvrere; manøvrere med; *(neds)* manøvrere; lempe *(fx ~ him out of office)*; få udvirket (ved snedige manøvrer) *(fx they -d his resignation)*; *~ for position* prøve at bringe sig i en gunstig stilling.
man-of-all-work faktotum, altmuligmand.
man-of-war ['mænəv'wɔ:] *sb* krigsskib, *(glds)* orlogsmand.
manometer [mə'nɔmitə] *sb* manometer, trykmåler.
manor ['mænə] *sb* gods; *lord of the ~* godsejer.
manor house herregård (hovedbygningen).
manorial [mə'nɔ:riəl] *adj* gods-, herregårds-.
man-o'-war bird ['mænəwɔ:'bə:d] *sb* fregatfugl.
manpower ['mænpauə] *sb* arbejdskraft, (disponibelt) menneskemateriale.
manqué [ma:ŋ'kei] *adj* mislykket (ɔ: som ikke er blevet det han har drømt om) *(fx an artist ~)*.
manrope ['mænroup] *sb (mar)* faldrebstov.
mansard ['mænsa:d] *sb* mansardtag; mansard(etage).
mansard roof mansardtag; brudt tag.
manse [mæns] *sb* (på skotsk) præstegård.
mansion ['mænʃən] *sb* palæ, herskabshus; *mansions pl* (ofte) stor ejendom med flere lejligheder.
mansion house palæ; herregårds hovedbygning; *the Mansion House* (embedsbolig i London for Lord Mayor).
man-size(d) ['mænsaiz(d)] *adj* S beregnet for en voksen mand; stor, gevaldig.
manslaughter ['mænslɔ:tə] *sb (omtr)* (uagtsomt) manddrab; vold *(el. legemsbeskadigelse)* med døden til følge.
manslayer ['mænsle(i)ə] *sb* drabsmand.
mansuetude ['mænswitju:d] *sb* mildhed, blidhed.
mantel ['mænt] = *mantelpiece*.
mantelet ['mæntilet, 'mæntlit] *sb* let kappe, overstykke; *(glds mil.)* stormtag.
mantel|piece kamingesims; kaminindfatning. **-shelf** kamingesims, kaminhylde.
mantilla [mæn'tilə] *sb* mantille (spansk hovedtørklæde; kort slag).
mantis ['mæntis] *sb zo* knæler.
mantissa [mæn'tisə] *sb (mat.)* mantisse.
mantle ['mæntl] *sb* kappe, kåbe; (i gaslampe) glødenet; *(fig)* tæppe, dække *(fx of snow)*; *vb* tildække, dække, indhylle; skjule; rødme; *~ on* brede sig over, dække; *Gladstone's ~ fell on him* han tog arven op efter G.
mantlet ['mæntlit] = *mantelet*.
mantrap ['mæntræp] *sb* fodangel; saks; faldgrube.
manual ['mænjuəl] *adj* manuel, hånd-; *sb* håndbog; (i orgel) manual; *~ alphabet* fingeralfabet; *~ exercise* geværgreb; *~ labour* legemligt arbejde, kropsarbejde; *sign ~* egenhændig underskrift; *~ training* undervisning i praktiske fag (i skole); *~ work* = *labour*; *~ worker* kropsarbejder.
manufactory [mænju'fækt(ə)ri] *sb* fabrik.
manufacture [mænju'fæktʃə] *sb* produktion, fremstilling, fabrikation; industri; industrivare, fabrikat, produkt; *vb* fabrikere, fremstille, tilvirke; *(fig)* opdigte *(fx an excuse)*; *-d articles, -d goods* fabriksvarer, færdigvarer.
manufacturer [mænju'fæktʃ(ə)rə] *sb* fabrikant, producent.
manufacturing [mænju'fæktʃ(ə)riŋ] *sb* fabrikation; *adj* fabriks-; industri-.
manumission [mænju'miʃən] *sb (hist.)* frigivelse (af slave).
manumit [mænju'mit] *vb (hist.)* frigive (en slave).
manure [mə'njuə] *vb* gøde; gødning; *liquid ~* ajle.
manuscript ['mænjuskript] *adj* håndskreven. i manuskript; *sb* håndskrift, manuskript.

Manx [mæŋks] *adj* mansk, hørende til øen Man; *sb* det manske sprog; ~ *cat* haleløs kat.

Manxman ['mæŋksmən] *sb* beboer af øen Man.

Manx shearwater *zo* skråpe.

many ['meni] *adj* mange; mangen; *sb* mængde; *this* ~ *a day, for* ~ *a long day* i lange tider; ~ *a time* ofte, mangen en gang; *as* ~ *again* lige så mange til; *a good (el. great)* ~ en mængde; **one too** ~ en for meget; (om person) tilovers, ikke ønsket; *he is one too* ~ *for me* ham kan jeg ikke magte *(el.* klare *el.* hamle op med); **so** ~ så mange; (ubestemt antal) så og så mange; *they behaved like so* ~ *guttersnipes* de opførte sig som rene gadedrenge; *say in so* ~ *words* sige med rene ord; **the** ~ de mange, mængden.

many|-headed mangehovedet. ~ **-sided** mangesidet; mangesidig.

Maori ['mauri] *sb* maori.

Maoism ['mauizm] *sb* maoisme. **Maoist** ['mauist] *sb* maoist; *adj* maoistisk.

map [mæp] *sb* kort *(of* over), landkort; *vb* tegne kort over, kortlægge; *off the* ~ *(fig)* uden for lands lov og ret; glemt, forældet, ikke aktuel, betydningsløs; *wipe off the* ~ udslette totalt; *put on the* ~ *(fig)* bringe i forgrunden, gøre kendt, give betydning; ~ *out* kortlægge i detaljer; *(fig)* planlægge nøje *(fx one's holiday),* tilrettelægge.

maple ['meipl] *sb (bot)* ahorn, løn; *common (el. English)* ~ navr. **maple sugar** ahornsukker.

maquis ['mæki:] *sb* krat (på Korsika); korsikansk fredløs; *the* ~ maquisen (den franske modstandsbevægelse i den anden verdenskrig).

mar [ma:] *vb* spolere, ødelægge; *it's make or* ~ det er knald eller fald.

marabou ['mærəbu:] *sb zo* marabustork.

maraschino [mærə'ski:nou] *sb* maraschino (en kirsebærlikør).

marasmic [mə'ræzmik] *adj (med.)* hentæret, angrebet af marasmus. **marasmus** [mə'ræzməs] *sb (med.)* marasmus, atrofi, afkræftelse.

Marathon ['mærəθ(ə)n] *(geogr)* Marathon. **marathon** *sb* udholdenhedskonkurrence; *dance* ~ marathondans; ~ *race* marathonløb.

maraud [mə'rɔ:d] *vb* marodere, strejfe om på rov; *sb* plyndringstogt.

marauder [mə'rɔ:də] *sb* marodør.

I. marble ['ma:bl] *sb* marmor; kunstværk af marmor; (marmor-, glas-, ler-) kugle (til leg); *-s* (også) skulptursamling; *play -s* spille kugler.

II. marble ['ma:bl] *adj* marmor-, marmorhård, marmorhvid, marmoreret.

III. marble ['ma:bl] *vb* marmorere; *-d edges* marmoreret snit (på bog); *-d paper* marmorpapir.

marble-topped med marmorplade.

marc [ma:k] *sb* kvas (rester efter druepresning).

I. March [ma:tʃ] marts.

II. march [ma:tʃ] *sb* grænse; grænsedistrikt; *vb* grænse *(with* til).

III. march [ma:tʃ] *vb* marchere; rykke frem, *(fig)* udvikle sig *(fx events are beginning to* ~*);* (med objekt) lade marchere, føre *(fx they -ed the prisoner away);* ~ *upon* rykke frem mod.

IV. march [ma:tʃ] *sb* march; *(fig)* gang, udvikling *(fx the* ~ *of events);* be on the ~ være på march; *(fig)* stadig gå frem; *steal a* ~ *upon sby* overliste én, (ubemærket) komme én i forkøbet, snige sig til en fordel frem for én. **March hare:** *as mad as a* ~ splittergal.

marching ['ma:tʃiŋ] *adj* march-; ~ *orders* marchordre; *(fig)* afsked; *get one's* ~ *orders (fig)* blive fyret.

marchioness ['ma:ʃ(ə)nis] *sb (marquess'* hustru:) markise.

marchpane ['ma:tʃpein] *sb* marcipan.

march-past ['ma:tʃpa:st] *sb* forbidefilering.

Mardi Gras ['ma:di'gra:] hvidetirsdag (hvor der holdes fest med karnevalsoptog *etc).*

mardy ['ma:di] *adj (dial)* uartig; trodsig; pylret.

mare [mɛə] *sb zo* hoppe; *the grey* ~ *is the better horse* det er konen, der regerer; *money makes the* ~ *to go* den er smører godt kører godt.

mare's nest: *find a* ~ få en lang næse; *it was a* ~ det var en vildmand; det var en skrøne.

mare's tail lang fjersky; *(bot)* hestehale.

Margaret ['ma:g(ə)rit].

margarine [ma:dʒə'ri:n, 'ma:dʒərin: -ge-] *sb* margarine.

Margate ['ma:git].

marge [ma:dʒ] *sb* rand, kant; **T** *fk margarine.*

margin ['ma:dʒin] *sb* rand, kant, bred; (på bogside *etc)* margen; *(fig)* spillerum, margen *(fx we must give him a certain* ~*),* overskud; grænse *(fx go beyond the* ~ *of decency),* rand, kant *(fx on the* ~ *of respectability); (merk* =. ~ *of profit)* forskel mellem indkøbs- og udsalgspris, gevinstmargen, fortjeneste; *vb* forsyne med rand *(el.* margen); forsyne med randbemærkninger; skrive i margenen; *allow (el. leave) a* ~ give et vist spillerum, lade en margen stå åben; *pay a* ~ *(merk)* indbetale margen; *win by a narrow* ~ vinde en knben sejr.

marginal ['ma:dʒin(ə)l] *adj* marginal-, rand- *(fx notes);* (økon) grænse- *(fx costs); (fig)* marginal, underordnet, periferisk.

marginalia [ma:dʒi'neiljə] *sb pl* marginalnoter; randbemærkninger.

marginal| income grænseindtægt. ~ **land** jord som det vanskeligt betaler sig at dyrke. ~ **note** randnote, marginalnote, randbemærkning. ~ **seat** usikkert mandat (ved parlamentsvalg).

margrave ['ma:greiv] *sb (hist.)* markgreve. **margravine** ['ma:grəvi:n] *sb (hist.)* markgrevinde.

marguerite [ma:gə'ri:t] *sb (bot)* margerit.

Maria [mə'raiə; (latinsk navn) mə'ri:ə].

Marian ['mɛəriən] *adj* Maria-; som vedrører Maria Stuart.

Marie ['ma:ri] ~ *biscuit* mariekiks.

marigold ['mærigould] *sb (bot)* morgenfrue; *African* ~ fløjlsblomst.

marihuana [mæri'hwa:nə] *sb* marihuana; ~ *cigarette* marihuanacigaret.

marina [mə'ri:nə] *sb* marina (lystbådehavn med faciliteter for overnatning m.m.).

marinade [mæri'neid] *vb* marinere; *sb* marinade.

marinate ['mærineit] *vb* marinere.

marine [mə'ri:n] *adj* som hører til havet, søen; hav- *(fx animal),* sø- *(fx insurance);* marine- *(fx painter);* skibs- *(fx chronometer);* *sb* flåde; marine; (maleri) marine, søstykke; *-s* (også) landgangstropper, marineinfanteri; *tell that to the -s* den må du længere ud på landet med.

mariner ['mærinə] *sb* sømand.

marine stores skibsekvipering; skibsprovianteringshandel; forretning der handler med gammelt skibsinventar.

mariolatry [mɛəri'ɔlətri] *sb* mariadyrkelse.

marionette [mæriə'net] *sb* marionetdukke.

marital ['mæritl] *adj* ægteskabelig; ~ *status* ægteskabelig stilling.

maritime ['mæritaim] *adj* maritim, sø-; søfarts-; søfarende; kyst-, strand-, som lever ved kysten.

maritime| court søret. ~ **law** sølov, søret. ~ **trade** søhandel.

marjoram ['ma:dʒ(ə)rəm] *sb (bot)* merian.

I. Mark [ma:k] Markus.

II. mark [ma:k] *sb* mark (mønt).

III. mark [ma:k] *sb* mærke; tegn *(of* på); kendetegn *(fx he had the usual -s of a gentleman); (mar)* mærke; (på vare) fabriksmærke, stempel; (i skole *etc)* karakter; (ved målskydning) mål, *(fig)* skydeskive, offer *(fx he was an easy* ~*);* (ved kapløb) plads ved startlinie; *(mil.* og af bil, fly) model, type;

(forskellige *forb)* bad ~ anmærkning (i skolen); *bear -s (el. the* ~*) of* være præget af, bære præg *(el.* spor) af; *get good (l. high) -s* få gode karakterer; *hit the* ~ nå målet, ramme i centrum; *leave one's* ~ *on* sætte sit præg på; *make one's* ~ skabe sig en karriere; blive kendt; sætte sig spor, gøre indtryk;

(forb med *præp) below the* ~ utilfredsstillende, ikke fyldestgørende; *beside the* ~ (også *fig)* ved siden af; *be beside the* ~ (også) skyde forbi, ikke ramme; *(fig)* ikke komme sagen ved; ~ *of exclamation* udråbstegn; ~ *of interrogation* spørgsmålstegn; *a man of* ~ en betydelig *(el.* fremtrædende) mand; *fall short of the* ~ forfejle målet; *wide of the* ~ helt ved siden af; *be wide of the* ~ være vild på kareten, ramme helt ved siden af; **off** *the* ~, se *beside the* ~; *be quick (, slow) off the* ~ komme hur-

tigt (, langsomt) fra start; *get off the* ~ starte; **on** *your -s!*
(ved løb) på pladserne! **up to** *the* ~ tilfredsstillende, fyldestgørende; *bring sby up to the* ~ få en til at makke ret; *I don't feel quite up to the* ~ jeg føler mig ikke rigtig rask; *keep sby up to the* ~ holde en til ilden.

IV. mark [ma:k] *vb* mærke, sætte mærke på (, i, ved); efterlade mærke(r) (, spor, pletter) på; afmærke *(fx* ~ *the place with a cross),* markere, betegne *(fx his speech -s a switch in our policy);* kendetegne, præge, karakterisere *(fx the qualities which* ~ *a leader);* mærke sig, lægge mærke til *(fx* ~ *my words);* (i skolen) notere (i protokollen); rette, bedømme *(fx the essay is difficult to* ~*),* give karakter for;
~ *down* mærke med lavere pris, nedsætte prisen på; notere sig, mærke sig; ~ *trees for cutting* udvise træer; ~ *off* afmærke, afgrænse; *(tekn)* opmærke; ~ *out* afmærke, afgrænse; udvælge, udpege *(for* til); *(tekn)* opmærke; ~ *time* marchere på stedet; *(fig)* stå i stampe, ikke komme af stedet; ~ *it up* forhøje prisen på det; **T** skrive det (ɔ: give kredit).
mark book karakterbog.
marked [ma:kt] *adj* mærket; markeret; udpræget, tydelig *(fx a* ~ *improvement).*
markedly ['ma:kidli] *adv* udpræget, tydeligt.
marker ['ma:kə] *sb* mærke; skilt (, pæl, etiket *etc)* til at mærke (, afmærke) noget med; (i bog) bogmærke; *(flyv)* båke; (person) markør.
I. market ['ma:kit] *sb* torv; marked; *black* ~ sort børs; *dull* ~ flovt marked; *be in the* ~ for være køber til; *come into the* ~ komme i handelen; *put on the* ~ bringe i handelen; *find (el. meet with) a ready* ~ finde god afsætning; *the* ~ *rose* priserne steg.
II. market ['ma:kit] *vb* afsætte, sælge, sende til torvs, bringe på markedet; handle (på torvet); *(merk)* markedsføre.
marketable ['ma:kitəbl] *adj* sælgelig, salgbar; kurant.
market analysis markedsanalyse.
marketer ['ma:kitə] *sb* torvegæst.
market| garden handelsgartneri. ~ **gardener** handelsgartner. ~ **hall** torvehal.
marketing ['ma:kitiŋ] *sb* torvehandel; torveindkøb; afsætning, salg; *(merk)* markedsføring; ~ *analysis* salgsanalyse; ~ *possibilities* afsætningsmuligheder.
market|place torv(eplads), markedsplads. ~ **price** markedspris, dagspris. ~ **report** markedsberetning. ~ **research** markedsforskning. ~ **town** købstad. ~ **value** værdi i handel og vandel, salgsværdi.
marking ['ma:kiŋ] *sb* mærkning; afmærkning; (af opgaver) (stile)retning, bedømmelse, karaktergivning; *(forst)* udvisning; (plet *etc)* aftegning; -s *pl* mærker, aftegninger; (på fly) kendingsmærker, nationalitetsmærker.
marking| gauge stregmål. ~ **hammer** skovhammer, stempelhammer. ~ **ink** mærkeblæk. ~ **iron** *(forst)* stempeljern.
marksman ['ma:ksmən] *sb* skarpskytte, finskytte. **marksmanship** skydefærdighed.
marl [ma:l] *sb* mergel; *vb* mergle.
Marlborough ['mɔ:lbrə].
marlin [ma:lin] *sb zo* marlin, sejlfisk.
marline ['ma:lin] *sb* (tovværk:) merling.
marlinespike ['ma:linspaik] *sb (mar)* merlespiger.
Marlow ['ma:lou].
marlpit ['ma:lpit] *sb* mergelgrav.
marmalade ['ma:m(ə)leid] *sb* orangemarmelade.
Marmora ['ma:m(ə)rə] *the Sea of* ~ Marmarahavet.
marmoreal [ma:'mɔ:riəl] *adj* marmoragtig.
marmoset ['ma:məzet] *sb zo* egernabe, silkeabe.
marmot ['ma:mət] *sb zo* murmeldyr.
marocain ['mærəkein] *sb* marocain (et kjolestof).
I. maroon [mə'ru:n] *adj* rødbrun.
II. maroon [mə'ru:n] *sb* kanonslag.
III. maroon [mə'ru:n] *sb* maronneger, (efterkommer efter) flygtet negerslave; *vb* lade tilbage på en øde ø eller kyst; *(fig)* lade i stikken, efterlade (uden transportmidler); *-ed (fig)* (også) strandet.
marque [ma:k] *sb: letter(s) of* ~ kaperbrev.
marquee [ma:'ki:] *sb* stort telt (ved fester *etc); (am)* baldakin (foran teaterindgang *etc).*

Marquesas [ma:'keisæs]: *the* ~ Marquesasøerne.
marquess ['ma:kwis] *sb* (adelstitel:) markis (med rang under *duke* og over *earl).*
marquetry ['ma:kitri] *sb* dekupørarbejde, indlagt arbejde.
marquis ['ma:kwis] *sb* se *marquess.*
marquisate ['ma:kwizit] *sb* markisværdighed.
marram grass ['mærəm'gra:s] *(bot)* klittag, hjælme.
marriage ['mæridʒ] *sb* giftermål, ægteskab; vielse, bryllup; *(fig)* nær *(el.* intim) forbindelse, forening; (i kortspil) konge og dame i samme farve; *ask in* ~ fri til; *give in* ~ bortgifte; *take in* ~ tage til ægte, gifte sig med.
marriageable ['mæridʒəbl] *adj* giftefærdig.
marriage| articles ægtepagt. ~ **bed** ægteseng, brudeseng. ~ **lines** *pl* vielsesattest. ~ **portion** medgift; ~ *portion insurance* brudeudstyrsforsikring. ~ **settlement** ægtepagt.
married ['mærid] *adj* gift; ægteskabelig; ~ *couple* ægtepar; ~ *life* ægteskab; ægteskabeligt samliv; *her* ~ *name* hendes navn som gift; *the* ~ *state* ægtestanden; ~ *to* gift med.
marrow ['mærou] *sb* marv; indre kraft; inderste; *(bot) (vegetable)* ~ mandelgræskar; *he was chilled to the* ~ han var gennemfrossen, kulden gik ham gennem marv og ben.
marrowbone ['mærouboun] *sb* marvben; *on your -s!* på knæ!
marrowfat ['mæroufæt] *sb (bot)* (blå) marvært.
marrow squash *(am)* = *(vegetable) marrow.*
I. marry ['mæri] *vb* gifte sig; gifte sig med; vie; bortgifte; *(fig)* forbinde, forene; ~ *below oneself* gifte sig under sin stand; ~ *a fortune,* ~ *money* gifte sig penge til; ~ *off one's daughter* få sin datter gift; *he is not a -ing man* han er ikke den type der gifter sig.
II. marry ['mæri] *interj (glds)* død og pine! det må jeg sige!
Mars [ma:z] Mars.
Marseillaise [ma:sə'leiz]: *the* ~ Marseillaisen.
Marseilles [ma:'seilz] Marseille.
marsh [ma:ʃ] *sb* mose, sump, morads; (ved havet: *salt* ~) marsk.
marshall ['ma:ʃəl] *sb* marskal; ordensmarskal; ceremonimester; *(am* også) politimester, sheriff, brandchef; *vb* opstille (i den rigtige orden), ordne (systematisk); føre.
marshalling yard *(jernb)* rangerbanegård.
marshalship ['ma:ʃlʃip] *sb* marskalstilling, marskallat.
marsh| gas sumpgas. ~ **harrier** *zo* rørhøg. **-mallow** lægestokrose, altæa; form for slik lavet heraf. ~ **marigold** engkabbeleje. ~ **plant** sumpplante. ~ **sandpiper** *zo* damklire. ~ **titmouse** *zo* sumpmejse. ~ **warbler** *zo* kærsanger.
marshy ['ma:ʃi] *adj* sumpet.
marsupial [ma:'s(j)u:pjəl] *sb zo* pungdyr.
mart [ma:t] *sb* handelscentrum; mart; *(glds)* marked; torv.
martello [ma:'telou]: ~ *tower* (lille befæstet tårn).
marten ['ma:tin] *zo* mår.
Martha ['ma:θə].
martial ['ma:ʃl] *adj* krigs-, militær; krigerisk, martialsk; ~ *law* militær undtagelsestilstand, krigsretstilstand; ~ *spirit* krigsbegejstring.
Martian ['ma:ʃjən] *sb* Marsbeboer; *adj* Mars-.
I. martin ['ma:tin] *sb zo* bysvale.
II. Martin ['ma:tin] Martin, Morten.
martinet [ma:ti'net] *sb* streng officer, rekrutplager; tyran.
martingale ['ma:tiŋgeil] *sb* springrem (på ridehest); fordobling af indsats; *(mar)* pyntenet.
Martinmas ['ma:tinməs] mortensdag, 11. november.
I. martyr ['ma:tə] *sb* martyr; offer *(to* for); *be a* ~ *to* (også) lide (frygteligt) af, være plaget af *(fx rheumatism).*
II. martyr ['ma:tə] *vb* gøre til martyr; pine, martre; *be -ed* (også) lide martyrdøden.
martyrdom ['ma:tədəm] *sb* martyrium.
marvel ['ma:vəl] *sb* vidunder; *(glds)* forundring; *vb* forundres, forbavses, undre sig *(at* over); *the pills worked -s* pillerne gjorde underværker.
marvellous ['ma:vələs] *adj* ganske mærkværdig, utrolig; eventyrlig; vidunderlig, storslået.
Marxian ['ma:ksiən], **Marxist** ['ma:ksist] *adj* marxistisk; *sb* marxist.
Mary ['mɛəri] Maria, Marie, Mary; se også *little* ~

Marylebone ['mærələbən; 'mærəbən].
Mary Queen of Scots Marie Stuart.
marzipan [ma:zi'pæn] *sb* marcipan.
mascara [mæs'ka:rə] *sb* mascara (til farvning af øjenbryn og -vipper).
mascot ['mæskət] *sb* maskot.
masculine ['mæskjulin] *adj* mandlig, maskulin; mandig; *(neds)* mandhaftig; *(gram)* hankøns-; *sb* hankøn, maskulinum.
Masefield ['meisfi:ld].
I. mash [mæʃ] *sb* mos, kartoffelmos; (i brygning) mæsk.
II. mash [mæʃ] *vb* mose (ud); mase; (i brygning) mæske; T flirte med, lægge an på; *be* -ed *on sby* T være skudt i én; -ed *potatoes* kartoffelmos; ~ *the tea* hælde (kogende) vand på tebladene.
masher ['mæʃə] *sb (am)* en der er nærgående over for piger.
mashie ['mæʃi] *sb* slags golfkølle.
mash tub (i brygning) mæskekar.
mask [ma:sk] *sb* maske; maskeret person; *(fot* og på hund) maske; *(fig)* camouflage; *vb* maskere; maskere sig; *(fig)* tilsløre, camouflere; *(mil.)* maskere, foretage skinangreb mod; *throw off one's* ~ (også *fig*) kaste masken; -ed *ball* maskerade.
masker ['ma:skə] *sb* maskeret person, maske.
masochism ['mæzəkizm] *sb* masochisme.
mason ['meisn] *sb* murer; stenhugger; frimurer; *vb* mure.
masonic [mə'sɔnik] *adj* frimurer-.
masonry ['meisnri] *sb* murerarbejde; murerhåndværk; frimureri.
masque [ma:sk] *sb* maskespil.
masquerade [mæskə'reid] *sb* maskerade; *(fig)* komediespil; forstillelse; *vb* deltage i en maskerade; være forklædt; ~ *as* give sig ud for, klæde sig ud som, forklæde sig som.
I. mass [mæs] *sb* masse; mængde; *vb* ophobe(s), hobe (sig) sammen; *the* ~ størstedelen, flertallet; *the -es* masserne, de brede lag; *be a* ~ *of* være fuld af; *he was a* ~ *of bruises* han var forslået over hele kroppen; *in the* ~ som helhed; alt i alt; for størstedelen.
II. Mass [mæs] *sb (rel)* messe; *say* ~ læse messe.
III. Mass. *fk Massachusetts.*
Massa ['mæsə] *sb* herre (i negersprog).
Massachusetts [mæsə'tʃu:sits].
massacre ['mæsəkə] *sb* massakre; blodbad, nedsabling; *vb* massakrere, nedsable, myrde; *the* ~ *of the Innocents,* se *innocent.*
massage ['mæsa:ʒ] *sb* massage; *vb* massere.
masseur [mæ'sə:] *sb* massør.
masseuse [mæ'sə:z] *sb* massøse.
massif ['mæsi:f] *sb* (bjerg)massiv, bjergmasse, gruppe bjerge.
massive ['mæsiv] *adj* massiv, svær; omfattende *(fx price increase),* vældig.
mass media massemeddelelsesmidler. ~ **meeting** massemøde. ~ **-produce** masseproducere, massefremstille. ~ **production** masseproduktion.
massy ['mæsi] *adj* massiv, svær.
I. mast [ma:st] *sb* mast; *at full (, half)* ~ (om flag) på hel (, halv) stang; *before the* ~ forude; *ship before the* ~ tage hyre som menig sømand.
II. mast [ma:st] *sb* olden (agern og bog).
I. master ['ma:stə] *sb* mester *(of* i); herre *(of* over);· hersker; (på arbejdsplads) principal, arbejdsgiver; (om håndværker) håndværksmester; (underviser) lærer *(fx dancing ~), (fig)* læremester; *(mar)* kaptajn, (skibs)fører; (foran drengenavn brugt især af tjenestefolk) unge hr. *(fx Master John Brown);* (universitetsgrad, *omtr =)* magister *(of* i); *the Master* Mesteren, Herren, Kristus; *-'s certificate* skibsførerbevis; *-'s desk* kateder; *the old -s* de gamle mestre; *be a* ~ være herre over; eje; beherske, mestre, være mester i; *Master af Arts (omtr)* cand. mag., mag. art.; *Master of Ceremonies* (over)ceremonimester; (ved radioudsendelse) konferencier; ~ *of foxhounds* jagtleder_(ved rævejagt); *Master of the Horse* hofstaldmester; *make oneself* ~ *of a language* tilegne sig et sprog; *Master of Science (omtr)* cand. mag., mag. scient.
II. master ['ma:stə] *vb* mestre *(fx a language),* beherske; tilegne sig, lære sig *(fx it took him some time to* ~ *the*

French irregular verbs); blive herre over, betvinge *(fx one's fear),* få bugt med, tømme.
III. master ['ma:stə] (i *sms)* mesterlig *(fx pianist);* mester-; over-, ledende; (om håndværker) -mester *(fx* ~ *carpenter* tømrermester); (om ting) hoved- *(fx plan).*
master-builder bygmester.
masterful ['ma:stəf(u)l] *adj* bydende, dominerende, tyrannisk; myndig; *(am* også) mesterlig.
master-hand mesterhånd, mester. ~ **key** hovednøgle.
masterly ['ma:stəli] *adj* mesterlig, virtuosmæssig; mester-*(fx shot).*
master mariner kaptajn, skipper. ~ **mason** stenhuggermester; frimurer af 3. grad.
mastermind ['ma:stəmaind] *sb* (hemmelig) leder, 'hjerne' *(fx he was the* ~ *behind it all);* vb lede (i det skjulte); stå bag, være hjernen bag *(fx he -ed the operations in Africa).*
master piece mesterværk; mesterstykke. ~ **race** herrefolk. **-ship** herredømme; lærerstilling. **-stroke** mestertræk; mesterstykke.
mastery ['ma:stəri] *sb* herredømme; overtag; beherskelse *(fx* ~ *of the technique).*
masthead ['ma:sthed] *sb* mastetop; *(am)* avishoved; *vb* sende op i mastetoppen; hejse til tops.
masthead light toplanterne.
mast hoop *(mar)* mastebånd.
mastic ['mæstik] *sb (bot)* mastiksstræ; (harpiks heraf:) mastiks; (til fugning) fugekit; (asfalt) asfaltmastiks, støbeasfalt; slags cement.
masticate ['mæstikeit] *vb* tygge. **mastication** [mæsti'keiʃən] *sb* tygning.
mastiff ['mæstif, 'ma:stif] *sb* mastiff, dogge.
mastodon(t) ['mæstədən(t)] *sb* mastodont.
mast partners *pl (mar)* mastefisk. ~ **step** mastespor.
masturbation [mæstə'beiʃən] *sb* masturbation, onani.
I. mat [mæt] *sb* måtte; lille tæppe, sengeforligger; (på bord) bordskåner; (til brydning) madras; (om *hår etc)* sammenfiltret masse; *leave on the* ~ nægte at modtage; *put on the* ~ give en røffel, skælde ud; *go to the* ~ *with* give sig i kamp med, indlede polemik mod.
II. mat [mæt] *vb* dække med måtter (, tæpper); (om hår *etc)* sammenfiltre(s).
III. mat(t) [mæt] *adj* mat; *sb* mat overflade; mat guldkant; *vb* mattere.
matador ['mætədɔ:] *sb* matador (i tyrekamp; i kortspil).
mat board karton, pap (til opklæbning).
I. match [mætʃ] *sb* lige, ligemand, jævnbyrdig; værdig modstander; (om ting) mage, ting der passer sammen (med en anden), modstykke, pendant; (om giftermål) ægteskab, (også om person) parti *(fx she is a good ~);* (i sport) match, (sports)kamp; *they are a bad* ~ de passer dårligt sammen; *be a* ~ *for* kunne måle sig med; være jævnbyrdig med; *he is more than a* ~ *for you, you are no* ~ *for him* han er dig overlegen, han kan du ikke klare *(el.* hamle op med); *he has not his* ~ han har ikke sin lige; *make a* ~ *of it* gifte sig; *meet (el. find) one's* ~ finde sin ligemand; få kam til sit hår.
II. match [mætʃ] *vb* kunne måle sig med, komme (op) på siden af *(fx nobody can* ~ *him at tennis);* sætte op, prøve *(fx* ~ *your strength against his);* passe til, stå til *(fx her skirt does not* ~ *her blouse);* finde (, skaffe, præstere) magen til *(fx can you* ~ *this glove? he cannot* ~ *his first success),* finde noget der passer til; (let *glds,* om pige) gifte bort; *(am)* slå plat og krone med; (uden objekt) passe sammen, være mage *(fx the gloves do not ~); (am)* slå plat og krone; *they are ill (, well)* -ed de passer dårligt (, godt) sammen; *to* ~ som passer til, som står dertil *(fx a dress with a hat and gloves to ~);* ~ *up to* kunne måle sig med.
III. match [mætʃ] *sb* tændstik; lunte; *strike a* ~ stryge en tændstik.
match board pløjet bræt. **-book** tændstikmappe. **-box** tændstikæske.
matchet ['mætʃət] = *machete.*
matching ['mætʃiŋ] *adj* tilsvarende.
matchless ['mætʃlis] *adj* mageløs.
matchlock ['mætʃlɔk] *sb (hist.)* luntebøsse; luntelås.
matchmaker ['mætʃmeikə] *sb* Kirsten Giftekniv (en som

stifter partier).
matchwood ['mætʃwud] *sb* tændstiktræ; *reduce to* ~ slå i stumper og stykker, slå til pindebrænde.
I. mate [meit] *sb* kammerat, makker, medhjælper; ægtefælle, mage; *(mar)* styrmand; -mat *(fx boatswain's* ~ bådsmandsmat).
II. mate [meit] *vb* gifte (bort), gifte sig med; gifte sig; (om dyr) parre; parre sig.
III. mate [meit] (i skak) *sb* mat; *vb* gøre mat.
maté ['mætei] *sb* maté, paraguayte.
matelot ['mætlou] *sb* sømand, matros.
mater ['meitə] *sb* (i skoledrengesprog) moder.
material [mə'tiəriəl] *adj* legemlig, materiel, fysisk *(fx needs, means);* væsentlig *(fx risk, difference),* betydningsfuld *(to* for), af væsentlig betydning; *sb* emne, materiale, stof *(fx for a thesis);* (tøj) stof *(fx for a dress).*
materialism [mə'tiəriəlizm] *sb* materialisme.
materialist [mə'tiəriəlist] *sb* materialist; *adj* = **materialistic** [mətiəriə'listik] *adj* materialistisk.
materialize [mə'tiəriəlaiz] *vb* legemliggøre; (om ånder) åbenbare sig, materialisere sig; *(fig)* blive til noget *(fx our plan did not* ~), blive til virkelighed *(fx if our fears* ~).
matériel [mətiəri'el] *sb* materiel.
maternal [mə'tə:nəl] *adj* moderlig, moder-; (om slægtskab) på mødrene side; ~ *grandfather* morfader.
maternity [mə'tə:niti] *sb* moderskab; moderværdighed, moderlighed; *adj* barsel-, føde-; (om tøj) vente- *(fx clothes* tøj, *frock),* omstændigheds-.
maternity| benefit barselhjælp. ~ **home** fødeklinik. ~ **hospital** fødselsstiftelse. ~ **leave** barselorlov. ~ **nurse** jordemoder. ~ **ward** fødeafdeling. ~ **work** barselpleje.
matey ['meiti] *adj* kammeratlig, intim; *sb* kammerat, makker.
matgrass ['mætgra:s] *sb (bot)* katteskæg.
mathematical [mæθi'mætikl] *adj* matematisk.
mathematician [mæθimə'tiʃ(ə)n] *sb* matematiker.
mathematics [mæθi'mætiks] *sb* matematik.
maths [mæθs] *sb pl* T matematik.
matinée ['mætinei] *sb* matiné, eftermiddagsforestilling.
mating| call parringsskrig. ~ **season** parringstid.
matins ['mætinz] *sb pl* morgengudstjeneste; (i kloster) matutin (første tidebøn).
matriarch ['meitria:k] *sb* kvindeligt familieoverhoved; værdig gammel kvinde.
matriarchy ['meitria:ki] *sb* matriarkat (samfundsform hvor moderen er den dominerende i familien).
matric. *fk* **matriculation** *(examination).*
matricide ['meitrisaid] *sb* modermord; modermorder.
matriculate [mə'trikjuleit] *vb* immatrikulere; blive immatrikuleret. **matriculation** [mətrikju'leiʃ(ə)n] *sb* immatrikulation; ~ *(examination) (omtr)* adgangseksamen, studentereksamen.
matrimonial [mætri'mounjəl] *adj* ægteskabelig, ægteskabs-.
matrimony ['mætriməni] *sb* ægteskab, ægtestand.
matr|ix ['meitriks, 'mæt-] *sb (pl -ixes, -ices)* matrice; støbeform; skruemøtrik; *(geol)* grundmasse, indlejringsmasse; *(glds)* livmoder; *(fig)* oprindelse.
matron ['meitrən] *sb* gift kone, matrone; (på institution) oldfrue, økonoma; (på hospital, for sygeplejersker) plejemoder, oversygeplejerske, forstanderinde.
matronly ['meitrənli] *adj* matroneagtig, sat, værdig; frue-.
Matt. *fk* Matthew.
I. matter ['mætə] *sb* anliggende, sag, emne, spørgsmål *(of* om); indhold *(fx the form and the* ~); stof, materiale; (i filosofi) stof, materie(n); *(med.)* pus, materie; *(typ)* manuskript; sats; -**s** forholdene; situationen; tingene, sagerne *(fx he came to discuss* -s *with me)*;
    for *that* ~, *for the* ~ *of that* for den sags skyld; *it is a* ~ *for* det giver anledning til *(fx regret, surprise);* **in** *the* ~ *of* når det drejer sig om, hvad angår; *the* ~ *in hand* den foreliggende sag; **no** ~! det gør ingenting! bryd Dem ikke om det! *it is no laughing* ~ det er ikke noget at le ad; det er en alvorlig sag; *no* ~ *what* (, *where) it* is lige meget *(el.* ligegyldigt, uanset) hvad (, hvor) det er; hvad (, hvor) det end måtte være; *a* ~ *of* (foran talord) sådan noget som, omtrent *(fx a* ~ *of 7 miles); it is a* ~ *of* ... (også) det gælder ..., det drejer sig om ...; ~ *of business*

forretningsanliggende; ~ *of consequence* vigtig sag; ~ *of course* selvfølge; ~ *of dispute* stridsspørgsmål; ~ *of doubt* tvivlsom sag; ~ *of fact* kendsgerning, realitet; *adj* nøgtern, prosaisk, saglig; *as a* ~ *of fact* i virkeligheden, faktisk; ~ *of habit* vanesag; *it is a* ~ *of opinion* det kommer an på hvordan man ser på det; *it is a* ~ *of regret* det er meget beklageligt; ~ *of taste* smagssag; **what** ~? hvad gør det? det gør ingenting; *what's the* ~? hvad er der i vejen? *what's the* ~ **with** *him?* hvad fejler han? *there is something the* ~ *with it* der er noget i vejen med den.
II. matter ['mætə] *vb* være af betydning, betyde noget, gøre noget; *(med.,* om sår) afsondre materie; *it does not* ~ det gør ikke noget; det har ikke noget at betyde; *what does it* ~? hvad gør det? *it -ed little whether* det betød kun lidt om; *not that it -s* ikke fordi det betyder noget; *it is character that -s* det er karakteren det kommer an på.
matter-of-course *adj* selvfølgelig.
matter-of-fact *adj* prosaisk, nøgtern, saglig.
Matthew ['mæθju:] Matthæus.
I. matting ['mætiŋ] *sb* måtte(r), måttebelægning, måttemateriale, måttefremstilling.
II. matting ['mætiŋ] *sb* mattering.
mattock ['mætək] *sb* hakke, rydhakke.
mattress ['mætris] *sb* madras.
maturation [mætju'reiʃən] *sb* modning.
mature [mə'tjuə] *adj* moden, fuldstændig udviklet, udvokset; *(merk)* forfalden til betaling; *vb* modne, udvikle, lagre; (uden objekt) modnes; lagres; *(merk)* forfalde til betaling.
maturity [mə'tjuəriti] *sb* modenhed; *(merk)* forfaldstid; *at* ~ på forfaldsdagen.
matutinal [mætju'tainl; mə'tju:tin(ə)l] *adj* morgen-, tidlig.
Maud [mɔ:d].
maudlin ['mɔ:dlin] *adj* drivende sentimental, rørstrømsk; halvfuld.
maugre ['mɔ:gə] *præp (glds)* til trods for.
maul [mɔ:l] *sb* knippel, kølle; mukkert; *vb* mishandle, maltraktere *(fx the lion -ed him),* (ved slag) gennemprygle, skamslå; (især om pige) tage klodset på, befamle; *(fig)* kritisere sønder og sammen.
maulstick ['mɔ:lstik] *sb* malerstok.
maunder ['mɔ:ndə] *vb* tale usammenhængende, væve, fortabe sig i vrøvl; ~ *about* vandre om uden mål og med.
Maundy Thursday ['mɔ:ndi 'θə:zdi] skærtorsdag.
mausoleum [mɔ:sə'li:əm] *sb* mausoleum.
mauve [mouv] *sb, adj* mauve (grålilla).
maverick ['mævərik] *sb (am)* kalv som ikke er brændemærket; (om person) individualist, enegænger, uortodoks partitilhænger.
mavis ['meivis] *sb zo* sangdrossel.
mavourneen [mə'vuəni:n] *(irsk)* min elskede.
maw [mɔ:] *sb* mave; kro (hos fugle); svælg.
mawkish ['mɔ:kiʃ] *adj* vammel; sentimental, rørstrømsk.
maxi ['mæksi] T i fuld størrelse; (om kjolelængde) maxi.
maxillary [mæk'siləri] *adj* kæbe-.
maxim ['mæksim] *sb* grundsætning, (leve)regel.
maximize ['mæksimaiz] *vb* maksimere, gøre så stor som mulig.
maximum ['mæksiməm] *sb (pl maxima)* maksimum, højdepunkt; *adj* maksimal-, højeste; ~ *price* maksimalpris.
I. May [mei] maj; vår.
II. may [mei] *sb (bot)* hvidtjørn(blomster).
III. may [mei] *vb (præt might)* kan, kan måske *(fx the young* ~ *die, but the old must* børn kan dø, gamle folk skal dø); må (gerne), må have lov til *(fx you* ~ *go);* gid ... må, måtte *(fx* ~ *you live long* gid du må leve længe);
    it ~ **be** måske; det er nok muligt; *as soon as* ~ *be* så snart som muligt; *as the case* ~ *be* alt efter omstændighederne; *be that as it* ~, *however that* ~ *be* hvordan det end forholder sig dermed; *that is as it* ~ *be* but det er nok muligt men; *I* ~ *be mistaken* det er muligt at jeg tager fejl; *he* ~ **not** *be very old but* han er måske nok ikke særlig gammel men; han er ganske vist ikke særlig gammel men; *they* ~ *not sell the goods* de måtte måske ikke sælge varerne; de må ikke sælge varerne; ~ *I trouble you for the bread* vil De være så venlig at række mig brødet; *you*

~ well *say so* det må du nok sige; *you ~ well look astonished* jeg kan godt forstå du ser forbavset ud; *come* **what ~ ske** hvad der vil; *go where you ~* hvor du end går; *who ~ you be?* hvem er så De? *who ~ that be?* hvem mon det er? hvem kan det være?

that they **might** *not* for at de ikke skulle; at de måske ikke ville *(fx I told them that they might not see me again)*; *they might have offered to help us* (også) de kunne nu godt have tilbudt at hjælpe os; *might I ask a question?* må jeg have lov til at stille et spørgsmål? *call himself what he might* hvad han end kaldte sig.

maybe ['meibi:] *adv* måske.

may beetle, may bug *zo* oldenborre.

I. May Day majdag, den første maj.

II. mayday (det internationale radiotelefoniske nødsignal).

Mayfair ['meifɛə] (kvarter i Londons Westend).

mayfly ['maiflai] *sb zo* døgnflue.

mayhem ['mei(h)əm] *sb* lemlæstelse; *(jur)* grov legemsbeskadigelse.

may lily *(bot)* majblomst.

mayonnaise [meiə'neiz] *sb* mayonnaise; *salmon ~* laks i mayonnaise.

mayor [mɛə] *sb* borgmester. **mayoralty** ['mɛərəlti] *sb* borgmesterembede; borgmestertid.

mayoress ['mɛəris] *sb* borgmesterinde.

maypole ['meipoul] *sb* majstang.

May Queen majdronning.

mayweed ['meiwi:d] *sb (bot)* stinkende gåseurt.

maze [meiz] *sb* labyrint; forvirring; *in a ~* forvirret, ør i hovedet.

mazurka [mə'zɔ:kə] *sb* mazurka.

mazy ['meizi] *adj* forvirret, labyrintisk, indviklet.

M.B.E. *fk Member of the Order of the British Empire.*

MBFR *fk mutual balanced force reductions.*

M.C. *fk Master of Ceremonies; Member of Congress; Military Cross.*

M.D. *fk Medicinae Doctor (= Doctor of Medicine)* dr. med.

Md. *fk Maryland.*

Mddx., Mdx., Mx *fk Middlesex.*

me [mi:, mi] *pron* mig; *cardigans are not particularly me* cardigans er ikke det der klæder mig bedst.

Me. *fk Maine.*

M.E. *fk Middle English.*

I. mead [mi:d] *sb* mjød.

II. mead [mi:d] *sb (poet)* eng, vang.

meadow ['medou] *sb* eng.

meadow bittercress engkarse. **~ foxtail** *(bot)* engrævehale. **~ pipit** *zo* engpiber. **~ rue** *(bot)*frøstjerne. **~ saffron** *(bot)* tidløs. **-sweet** *(bot)* mjødurt.

meadowy ['medoui] *adj* eng-; engagtig.

meagre ['mi:gə] *adj* mager; dårlig, ringe, tarvelig.

I. meal [mi:l] *sb* måltid; *a hot ~* (også) varm mad.

II. meal [mi:l] *sb* (usigtet) mel.

mealies ['mi:liz] *sb pl* (i Sydafrika) majs.

meal ticket spisebillet. **-time** spisetid. **-worm** *zo* melorm.

mealy ['mi:li] *adj* melet; bleg; (om hest) plettet.

mealybug ['mi:libʌg] *sb zo* skjoldlus.

mealymouthed ['mi:limauðd] *adj* forsigtig i sine udtalelser, som ikke siger tingene lige ud, ulden; slesk, glat; *~ words* forblommede ord.

I. mean [mi:n] *adj (mht* kvalitet) dårlig *(fx he is no ~ author)*, ringe *(fx of no ~ ability)*, tarvelig, ussel *(fx a row of ~ houses)*; *(mht* rang) lav, simpel *(mht* karakter, handling) lumpen, gemen *(fx a ~ trick)*, nedrig, lav, ondskabsfuld, *(am* også) besværlig *(fx job)*, arrig, uomgængelig, *(mht* penge *etc)* smålig, nærig, gerrig; **T** *(mht* befindende) sløj, utilpas; *feel ~* **T** (også, *fig)* føle sig lille *(el.* flov), føle sig ilde tilpas.

II. mean [mi:n] *adj* middel-, mellem-, gennemsnitlig; gennemsnits- *(fx ~ temperature)*; *sb* mellemting, middelvej; gennemsnit; *(mat.)* middeltal; *the golden (el. happy) ~* den gyldne middelvej.

III. mean [mi:n] *vb (meant, meant)* betyde; have i sinde *(fx do you ~ to stay long; he -s no harm)*, agte; mene *(by* med, *fx what do you ~ by that?)*, ville sige, sigte til; bestemme *(for* for, til); mønte *(for* på); mene, tænke *(for* som, *fx it was -t for a tablecloth)*; *~ ill* **by** *sby* ikke

mene en det godt; *~ well by sby* mene en det godt; *you don't ~ it* (også) det er ikke dit alvor; *it is -t for you* det er tiltænkt dig; *is this picture -t for me?* skal det billede forestille mig? *he was -t for an architect* det var meningen at han skulle være arkitekt; han var bestemt til at blive arkitekt; *~ it for the best* gøre det i bedste mening; *I didn't ~ to hurt you* det var ikke min mening at såre dig; *you don't ~ to say* De mener da vel ikke; De vil da vel ikke sige.

mean-born *adj* af ringe herkomst.

meander [mi'ændə] *sb* bugtning; à la grecque (bort); *vb* (om vandløb, vej) bugte sig; (om person) vandre (omkring), slentre afsted; *(fig)* lave svinkeærinder, gøre sidespring (i en fortælling); *-ing* bugtet, snoet *(fx paths)*.

mean draught *(mar)* middeldybgang.

I. meaning ['mi:niŋ] *adj* betydningsfuld; (meget) sigende *(fx a ~ smile)*.

II. meaning ['mi:niŋ] *sb* betydning, mening; hensigt; *what is the ~ of* hvad betyder, hvad er meningen med; *with ~* betydningsfuldt, meget sigende; *within the ~ of the act* i lovens forstand.

meaningful *adj* meningsfuld. **meaningless** *adj* meningsløs, blottet for mening, intetsigende.

mean proportional mellemproportional.

means [mi:nz] *sb (pl ds)* middel; (penge:) midler, formue; *ways and -s* udveje *(fx for regeringen til at skaffe penge)*, økonomisk udvej; *by all ~* naturligvis, så gerne; endelig, for alt i verden; *by mechanical ~* ad mekanisk vej; *by no ~* på ingen måde; *by this ~* på denne måde, ved dette middel, herigennem; *by fair ~ or foul* med det gode eller med det onde; *by ~ of* ved hjælp af; *live beyond one's ~* leve over evne; *live within one's ~* ikke leve over evne, sætte tæring efter næring; *~ of communication* samfærdselsmiddel; *~ of payment* betalingsmiddel; (se også I. *end).*

mean-spirited fej, forsagt.

means test trangsbedømmelse.

meant [ment] *præt og pp af III. mean.*

meantime ['mi:n'taim], **meanwhile** ['mi:n'wail] *adv* imidlertid, i mellemtiden; *sb: in the ~* imidlertid, i mellemtiden.

measles ['mi:zlz] *sb pl* mæslinger; (hos svin) tinter; *German ~* røde hunde.

measly ['mi:zli] *adj* (om kød) befængt med tinter; (om børn) syg af mæslinger; **T** elendig, jammerlig, luset, sølle, snoldet.

measurable ['meʒərəbl] *adj* målelig, som kan måles; *within ~ distance of* nær ved, ikke langt fra.

I. measure ['meʒə] *sb* mål; målebånd, måleredskab, målesystem; forholdsregel *(fx half -s will not do any longer)*, *(parl)* lovforslag; (mængde:) grad *(fx they enjoy a certain ~ of freedom)*, mål, omfang; (i musik) takt, (i poesi) versemål; *(typ)* liniebredde; *-s pl (geol)* (kul)lejer;

be the ~ of danne, vise; *A is the ~ of B* (også) B kan måles på A *(fx his discontent is the ~ of his ambition)*; *a chain's weakest link is the ~ of its strength* en kædes styrke kan måles på det svageste led; en kæde er så stærk som det svageste led; *dry (, liquid) ~* mål for tørre (, flydende) varer; have *sby's ~ (fig)* have taget mål af en, vide hvad en duer til; have gennemskuet en; *know no ~* ikke kende nogen grænser; *set -s to* begrænse; **take** *the ~ of* opmåle; *(fig)* danne sig et skøn over; *take sby's ~, take the ~ of sby (fig)* tage mål af en, finde ud af hvad en dur til, danne sig et skøn over ens karakter; *take -s* tage forholdsregler; tage skridt, træffe foranstaltninger *(to* til at);

(forb med præp) beyond ~ overordentlig, over al måde; *~ for ~* lige for lige; *for good ~* i tilgift; *in a ~* til en vis grad, delvis; *in ~ as* i samme grad som, alt eftersom; *in a great ~* i høj grad, i stor udstrækning; *in some ~* til en vis grad, i nogen måde; i et vist omfang; *a ~ of* et mål for *(fx it is difficult to find a ~ of intelligence)*; et vist mål af *(fx we have achieved a ~ of success)*; *made to ~* syet efter mål; *without ~* umådelig.

II. measure ['meʒə] *vb* måle, opmåle; tage mål af *(fx the tailor -d him for a suit of clothes; he -d me with his eye)*; afpasse *(to* efter); *(glds)* tilbagelægge; *by one's own yard* dømme efter sig selv; bedømme i forhold til sig selv; *he -d his length* han faldt så lang han var; *~ out* udmåle, måle af *(fx he -d out two yards of cloth)*; uddele *(fx rum)*; ~ up have de fornødne kvalifikationer; ~ up *to* komme på højde med, stå mål med.

measured ['meʒəd] *adj* taktfast, rytmisk; afmålt *(fx steps)*; mådeholden, begrænset; velovervejet *(fx words)*; nøjagtigt udmålt *(fx a ~ mile)*.

measureless ['meʒəlis] *adj* uendelig, umådelig.

measurement ['meʒəmənt] *sb* måling; mål *(fx the -s of a room)*.

measurement certificate målebrev.

measurer ['meʒərə] *sb* måler, justerer.

measuring| tape målebånd. **~ worm** *zo* måler(larve).

meat [mi:t] *sb* kød; *(fig)* stof, vægtigt indhold *(fx a book full of ~)*; *(især glds* og i visse *forb)* mad, måltid *(fx before ~, after ~)*; *sit at ~* sidde til bords; *butcher's ~* kød; *~ and drink* mad og drikke; *it was ~ and drink to him* det var noget der passede i hans kram; det var lige noget han kunne bruge; *green ~* grønsager; *one man's ~ is another man's poison* hvad der kurerer en smed slår en skrædder ihjel.

meat|ball frikadelle.' **~ grinder** *(am)* kødhakkemaskine. **~ pie** kødpostej. **~ safe** flueskab. **~ tea** te og koldt bord, aftensmad.

meaty ['mi:ti] *adj* kødfuld; kød-; *(fig)* indholdsrig, vægtig.

Mecca ['mekə] Mekka; *sb (fig)* valfartssted.

meccano [me'ka:nou] *sb* meccano.

mechanic [mi'kænik] *sb* maskinarbejder; mekaniker; *(glds)* håndværker; *adj* mekanisk.

mechanical [mi'kænikl] *adj* mekanisk, maskinmæssig, maskin-; *(glds)* som har med legemligt arbejde at gøre.

mechanical engineer maskiningeniør.

mechanician [mekə'niʃ(ə)n] *sb* mekaniker.

mechanics [mi'kæniks] *sb pl* mekanik; *(fig)* teknik, 'den tekniske side' *(fx the ~ of play-writing)*.

mechanism ['mekənizm] *sb* mekanisme; *(fig)* mekanik, teknik.

mechanization [mekənai'zeiʃ(ə)n] *sb* mekanisering.

mechanize ['mekənaiz] *vb* mekanisere, gøre mekanisk.

med. *fk* medicine.

medal ['medl] *sb* medalje. **medalled** ['medld] *adj* belønnet med medalje, prisbelønnet, dekoreret.

medallion [mi'dæljən] *sb* medaljon.

medal(l)ist ['medəlist] *sb* medaljør; medaljekender; medaljevinder.

meddle ['medl] *vb;* blande sig i ting der ikke kommer en ved; ~ *in* blande sig i *(fx don't ~ in my affairs)*; ~ *with* blande sig i; befatte sig med; røre ved, pille ved, rode med (, i).

meddler ['medlə] *sb* pilfinger, geskæftig person.

meddlesome ['medlsəm] *adj* geskæftig, som blander sig i alt.

Mede [mi:d] *sb* meder.
I. Media ['mi:djə] Medien.
II. media *pl* af *medium*.

mediaeval se *medieval*.

medial ['mi:djəl] *adj* middel-; midt-; *(fon)* som står i indlyd.

I. Median ['mi:djən] *adj* medisk; *sb* meder.
II. median ['mi:djən] *adj* midter-; *sb* median; ~ *strip* midterrabat.

I. mediate ['mi:diit] *adj* indirekte, middelbar, andenhånds; mellemliggende, mellem.
II. mediate ['mi:dieit] *vb* mægle *(between* imellem); formidle, bringe i stand (ved mægling) *(fx ~ a settlement)*.

mediation [mi:di'eiʃ(ə)n] *sb* mægling; formidling, mellemkomst.

mediator ['mi:dieitə] *sb* mægler, mellemmand.

mediatory ['mi:diətri] *adj* mægler-; mæglings- *(fx effort* forsøg).

medicaid ['medikeid] *sb (am)* offentlig finansieret lægelig forsorg for ubemidlede.

medical ['medikl] *adj* medicinsk, læge-; *sb* T mediciner, lægestuderende; lægeundersøgelse, helbredsundersøgelse.

medical| attendance lægehjælp, lægetilsyn. **~ jurisprudence** retsmedicin. **~ man** læge. **~ officer** *(mil.)* militærlæge; (på fabrik *etc)* bedriftslæge; *(~ officer of health)* embedslæge. **~ orderly** *(mil.)* sygepasser. **~ practitioner** praktiserende læge. **~ superintendent** overlæge.

medicament [me'dikəmənt] *sb* medikament, lægemiddel.

medicare ['medikɛə] *sb (am)* offentlig finansieret sygeforsikring for ældre.

medicate ['medikeit] *vb* behandle medicinsk; præparere til medicinsk brug; *-d cottonwool* sygevat.

medication [medi'keiʃ(ə)n] *sb* medicinsk behandling; medicinsk præparering.

Medicean [medi'tʃi(:)ən] *adj (hist.)* mediceisk.

medicinal [me'disinəl] *adj* lægende, medicinsk *(fx baths)*; *take beer -ly* tage øl som medicin.

medicine ['medsin] *sb* medicin; lægevidenskab; *take one's ~ (fig)* tage sine øretæver, tage følgerne af hvad man har gjort.

medicine| chest husapotek. **~ man** medicinmand, heksedoktor.

medick ['medik] *sb (bot)* sneglebælg.

medico ['medikou] *sb* T læge, mediciner.

medico-legal ['medikə'li:g(ə)l] *adj* retsmedicinsk.

medieval [medi'i:vl, mi:d-] *adj* middelalderlig; ~ *history* middelalderhistorie, middelalderens historie.

medievalism [medi'i:vəlizm] *sb* begejstring for middelalderen, middelalderlig ånd.

medievalist [medi'i:vəlist] *sb* specialist i middelalderens historie.

mediocre [mi:di'oukə] *adj* middelmådig.

mediocrity [mi:di'ɔkriti] *sb* middelmådighed.

meditate ['mediteit] *vb* gruble, anstille betragtninger, meditere; tænke på, pønse på *(fx revenge)*; omgås med planer om. **meditated** påtænkt.

meditation [medi'teiʃ(ə)n] *sb* grublen, betragtninger, meditation; *book of -s* andagtsbog.

meditative ['meditətiv] *adj* meditativ, tænksom, spekulativ.

mediterranean [medita'reinjən] *adj* (om hav) helt eller delvis omsluttet af land; *sb* indhav. **Mediterranean** middelhavs-; *the M.* Middelhavet.

I. medium ['mi:djəm] *sb (pl* media, *mediums)* medium, middel; udtryksmiddel, meddelelsesmiddel; *(kunstners* også) materiale; (for farver) bindemiddel; (miljø *etc)* miljø, omgivelser; (for bakteriekultur) (nærings)substrat; (spiritistisk) medium; *by (el. through) the ~ of* ved hjælp af *(fx through the ~ of the press)*; ~ *of circulation (el. exchange)* omsætningsmiddel; ~ *of instruction* undervisningssprog.

II. medium ['mi:djəm] *adj* mellem-; middel- *(fx ~ height)*; middelstor, middelsvær *(fx artillery)*; middelgod.

medium-face type *(typ)* halvfed.

medium-sized [-saizd] *adj* af middelstørrelse.

medium wave mellembølge.

medlar ['medlə] *(bot)* almindelig mispel.

medley ['medli] *sb* blanding, miskmask, sammensurium; blandet selskab; (af musik) potpourri; (af tekster) antologi.

medulla [me'dʌlə] *sb* marv.

medullary [me'dʌləri] *adj* marv-.

I. Medusa [mi'dju:zə] Medusa.

II. medus|a [mi'dju:zə] *sb (pl -ae, -as)* vandmand.

meed [mi:d] *sb* (især *poet)* løn, belønning, pris; *one's ~ of praise* den ros der tilkommer en.

meek [mi:k] *adj* ydmyg, spagfærdig, spag, sagtmodig.

meerschaum ['miəʃəm] *sb* merskum, merskumspibe.

I. meet [mi:t] *vb (met, met)* møde *(fx we met each other in the street)*; træffe sammen med, komme i berøring med, træffe på, lære at kende; komme sammen med; holde møde med; *(fig)* efterkomme, imødekomme *(fx his wish)*; opfylde, tilfredsstille *(fx a demand et behov)*, svare til; klare *(fx a problem)*; besvare, gendrive, imødegå *(fx criticism, objections)*; dække *(fx expenses)*; honorere (krav, efterspørgsel, veksel); (uden objekt) mødes *(fx we met in the street)*; komme sammen, ses; holde møde; (om tøj) nå sammen, nå om en *(fx his coat won't ~)*;

till we ~ again! på gensyn! ~ *sby at the station* tage imod *(el.* hente) en på stationen; *that won't ~ my case* det er jeg ikke hjulpet med; det forslår ikke; *will £5 ~ the case?* kan £5 gøre det? ~ *one's death* finde døden; *make (both) ends ~* få sine indtægter til at slå til; få det til at løbe rundt; ~ *Mr Brown (am)* må jeg præsentere

Dem for hr. B.; *I'll ~ your train* jeg henter dig ved toget; *~ up with* (især *am)* træffe, støde på; *~ with* møde, træffe, støde på *(fx I met with him in the train);* få, lide, komme ud for, opleve; *~ with an accident* have *(el.* komme ud for) et uheld; *~ with approval* vinde bifald; *I have never met with that word before* jeg er aldrig stødt på den glose før; *I have never met with such treatment before* jeg har aldrig før været ude for sådan en behandling.

II. meet [mi:t] *sb* møde, mødested, samlingssted (for deltagere i rævejagt); *(am)* (sports)stævne.

III. meet [mi:t] *adj (glds)* passende, tilbørlig.

meeting ['mi:tiŋ] *sb* møde; forsamling; (sports)stævne. **meeting| house** forsamlingshus; bedehus; bygning, hvor *dissenters* holder andagtsmøder; *(am)* kirke. **~ place** mødested.

Meg [meg] *fk Margaret.*

megacycle ['megəsaikl] *sb* megacycle, megahertz.

megadeath ['megədeθ] *sb* en million døde.

megalith ['megəliθ] *sb* megalit, utilhugget sten brugt til forhistoriske mindesmærker.

megalomania ['megələ'meinjə] *sb* storhedsvanvid.

megalopolis [megə'ləpəlis] *sb* kæmpeby.

megaphone ['megəfoun] *sb* råber, megafon.

megaton ['megətʌn] *sb* megaton, 1 million tons; *~ bomb* megatonbombe (med en sprængkraft svarende til 1 mill. tons trotyl).

megrim ['mi:grim] *sb (glds)* migræne, hovedpine; *the -s* dårligt humør; kuller.

melancholia [melən'kouljə] *sb* melankoli.

melancholic [melən'kɔlik] *adj* melankolsk, tungsindig.

melancholy ['melənkəli] *adj* melankolsk, sørgmodig, tungsindig; trist; *sb* melankoli, tungsindighed.

Melanesia [melə'ni:zjə] *(geogr)* Melanesien.

melanin ['melənin] *sb* melanin (mørkt pigment i huden).

Melbourne ['melbən].

mélée ['melei] *sb* håndgemæng; broget blanding.

melic ['melik] *adj* melisk; lyrisk; *sb = melick.*

melick ['melik] *sb, ~ grass (bot)* flitteraks.

melilot ['melilɔt] *sb (bot)* stenkløver.

meliorate ['mi:liəreit] *vb* forbedre(s), forædle(s).

melliferous [me'lifərəs] *adj* honningførende.

mellifluous [me'lifluəs] *adj* (om tone, stemme) honningsød, smeltende, blid.

mellow ['melou] *adj* (om frugt) moden (og lækker), saftig, blød, (om ost *etc)* vellagret, moden, (om vin) fyldig, (om lys, lyd) dæmpet (og fyldig); (om person) mildnet af tiden, afklaret, modnet, afdæmpet; (om stemning) mild, vennesæl, gemytlig, (af spiritus) let beruset, bedugget; *vb* modne(s), gøre (, blive) fyldig; *(fx* om hus) give (, få) patina; (om person) mildne(s), afdæmpe(s); (af spiritus) gøre (, blive) mild (, vennesæl, gemytlig); *a ~ old house* et hus med patina. **mellowness** ['melounis] *sb* blødhed, modenhed; fylde; afdæmpet farve; 'bedugget' tilstand.

melodic [mi'lɔdik] *adj* melodi-; melodisk. **melodious** [mi-'loudjəs] *adj* melodisk, velklingende. **melodist** ['melədist] *sb* sanger, komponist.

melodrama ['melədra:mə] *sb* melodrama.

melodramatic [melədrə'mætik] *adj* melodramatisk.

melody ['melədi] *sb* melodi, velklang, musik.

melon ['melən] *sb* melon.

Melpomene [mel'pɔmini] (tragediens muse).

melt [melt] *vb* smelte; (forsvinde:) smelte bort, opløses; *(fig)* røre; røres; lade sig røre; *~ away* smelte bort; *(fig)* svinde ind (, bort); *~ down* omsmelte; *~ into* smelte sammen med; gå over i; *~ into tears* smelte hen i tårer.

melting| point 'smeltepunkt. **~ pot** smeltedigel, smeltegryde, støbegryde, støbeske; *in the ~ pot (fig)* i støbeskeen.

mem. *fk memento; memorandum.*

member ['membə] *sb* medlem, repræsentant (for en valgkreds); lem; del, led; *(tekn etc)* konstruktionsdel, led; *he is ~ for Leeds* han repræsenterer Leeds i underhuset; *~ of Christ* kristen; *M. of Parliament* parlamentsmedlem.

membership ['membəʃip] *sb* medlemskab; medlemmer, medlemstal *(fx the union has a large ~).*

membrane ['membrein] *sb* hinde; pergamentblad.

membranous [mem'breinəs] *adj* hindeagtig.

memento *sb* [mi'mentou] *sb* souvenir, minde, erindring; mindelse; memento.

memo ['memou] *= memorandum.*

memoir ['memwa:] *sb* biografi, mindeskrift; monografi, afhandling; *-s* (også) memoirer, erindringer.

memorabilia [memərə'biliə] *sb pl* mindeværdige ting (, begivenheder).

memorable ['mem(ə)rəbl] *adj* mindeværdig.

memorand|um [memə'rændəm] *sb (pl -a, -ums)* notat, notits, optegnelse; memorandum; (skriftlig) fremstilling; *~ of association* (aktieselskabs) stiftelsesoverenskomst.

I. memorial [mi'mɔ:riəl] *adj* minde- *(fx ~ service* mindegudstjeneste).

II. memorial [mi'mɔ:riəl] *sb* mindesmærke, (om bog) mindeskrift; (til regering:) petition, bønskrift, andragende; *-s pl* beretning, optegnelse.

Memorial Day (i USA) mindedag for dem der er faldet i krig.

memorialize [mi'mɔ:riəlaiz] *vb* indgive andragende til; fejre *(el.* bevare) mindet om, minde.

memorize ['meməraiz] *vb* fæstne i hukommelsen, memorere, lære udenad; *(glds)* optegne.

memory ['meməri] *sb* hukommelse; minde, erindring; eftermæle; *I have a bad ~ for dates* jeg er ikke god til at huske datoer; *of blessed ~* salig ihukommelse; *from ~* efter hukommelsen; *in ~ of* til minde om; *slip of the ~* huskefejl; *if my ~ serves me (right)* om jeg husker ret; *to the best of my ~* så vidt jeg husker; *call to ~* mindes; *commit a poem to ~* lære et digt udenad; *within my own ~* i den tid jeg kan huske; *within the ~ of man, within living ~* i mands minde; *a weak ~ makes weary legs* hvad man ikke har i hovedet må man have i benene.

mem-sahib ['memsa:ib] (indisk tiltale til europæisk) frue.

men [men] *pl* af *man.*

menace ['menəs] *vb* true; true med; *sb* trussel.

ménage [me'na:ʒ] *sb* husholdning.

menagerie [mi'nædʒəri] *sb* menageri.

I. mend [mend] *vb* istandsætte, reparere, udbedre, (punkteret cykel, tøj) lappe, (strømper) stoppe; (fejl) rette; *(fig)* forbedre; (uden objekt) bedres, komme sig *(fx the patient is -ing);* forbedre sig *(fx it is never too late to ~); ~ the fire* lægge mere brændsel på; *it doesn't ~ matters* det gør ikke sagen bedre; *~ one's pace* fremskynde sin gang, øge farten; *~ one's ways* forbedre sig, blive et bedre menneske; *least said soonest -ed* jo mindre man taler om sagen, des bedre er det.

II. mend [mend] *sb* bedring; reparation, udbedret sted; lap, stopning; *be on the ~* være i bedring; (om vanskeligheder *etc)* være et ordne sig.

mendacious [men'deiʃəs] *adj* løgnagtig.

mendacity [men'dæsiti] *sb* løgnagtighed.

Mendelian [men'di:ljən] *adj* Mendelsk, vedrørende Mendels arvelighedslove.

mendicancy ['mendikənsi] *sb* tiggeri.

mendicant ['mendikənt] *sb* tigger; tiggermunk; *adj* tigger-*(fx friar, order).*

menfolk ['menfouk] *sb pl* mandfolk.

menhir ['menhiə] *sb* stor opretstående råt tilhugget sten, bautasten.

menial ['mi:niəl] *adj* tjenende; tjener-; tarvelig, simpel *(fx tasks);* beskeden, ussel, mindreværdig *(fx occupation); sb* tjenestepige, tjener, tyende.

meningitis [menin'dʒaitis] *sb (med.)* meningitis; hjernehindebetændelse.

menopause ['menəpo:z] *sb* klimakterium, overgangsalder.

menses ['mensi:z] *sb pl* menstruation.

menstrual ['menstruəl] *adj* menstruations-; *(astr)* månedlig.

menstruate ['menstrueit] *vb* menstruere, have menstruation. **menstruation** [menstru'eiʃən] *sb* menstruation.

mensurable ['menʃurəbl] *adj* målelig.

mensuration [menʃuə'reiʃ(ə)n] *sb* måling.

men's wear herreekvipering.

mental [mentl] *adj* mental, sinds- *(fx condition* tilstand), intellektuel; ånds- *(fx faculties* evner), åndelig *(fx cruelty),* sjæle- *(fx anguish* kval); (udført) i hovedet *(fx* *make a ~ calculation),* hoved- *(fx arithmetic* regning), hjerne-*(fx activity* virksomhed); *(mht* sygdom) sindssyge-*(fx hospital, patient);* **T** skør; *he is a bit ~* (også:) han er lidt til en side; *make a ~ note of it* skrive sig det bag øret.

mental|age *(omtr)* intelligensalder. **~ deficiency** psykisk udviklingshæmning, evnesvaghed, åndssvaghed.

mentality [men'tæliti] *sb* mentalitet.

mentally ['mentli] *adv* mentalt, intellektuelt, åndeligt; **~ deficient** psykisk udviklingshæmmet, evnesvag, åndssvag.

mental reservation stiltiende forbehold.

menthol ['menθɒl] *sb* mentol.

mention ['menʃ(ə)n] *sb* omtale; *vb* omtale, nævne, anføre; *make ~ of* omtale; *don't ~ it* (også) ingen årsag, ikke noget at takke for; alt forladt; *not to ~* for ikke at tale om.

mentor ['mentɔ:] *sb* mentor, vejleder.

menu ['menju:] *sb* spiseseddel, menu, spisekort.

Mephistophelean [mefistɔ'fi:liən] *adj* mefistofelisk.

Mephistopheles [mefi'stɔfili:z] Mefistofeles.

mercantile ['mə:k(ə)ntail] *adj* merkantil, købmands-, handels-; **~ marine** handelsflåde; *the ~ system (hist.)* merkantilismen.

mercantilism ['mə:kəntilizm] *sb (hist.)* merkantilisme.

mercantilist ['mə:kəntilist] *sb (hist.)* merkantilist.

mercenary ['mə:sinəri] *adj* pengebegærlig, kommercielt indstillet, beregnende; (let *glds)* kræmmeragtig; lejet, til fals; *sb* lejesoldat; *mercenaries* lejetropper.

mercer ['mə:sə] *sb* manufakturhandler.

mercerize ['mə:səraiz] *vb* mercerisere.

mercery ['mə:səri] *sb* manufakturvarer.

merchandise ['mə:tʃəndaiz] *sb* (handels)varer.

merchant ['mə:tʃənt] *sb* købmand, grosserer.

merchantable ['mə:tʃəntəbl] *adj* salgbar, kurant.

merchant|man ['mə:tʃəntmən] handelsskib, *(glds)* koffardiskib. **~ marine** handelsflåde. **~ prince** handelsfyrste. **~ service** handelsflåde. **~ ship, ~ vessel** handelsskib, *(glds)* koffardiskib.

Mercia ['mə:ʃiə].

merciful ['mə:sif(u)l] *adj* barmhjertig, nådig; *-ly* (også) heldigvis, gudskelov.

merciless ['mə:silis] *adj* ubarmhjertig.

mercurial [mə:'kjuəriəl] *adj* livlig, fuld af liv; letbevægelig; urolig; *(kem)* kviksølv-; *sb* kviksølvpræparat.

mercuric [mə:'kjuərik] *adj (kem)* merkuri-; **~ fulminate** knaldkviksølv.

mercurous ['mə:kjurəs] *adj* merkuro-.

I. Mercury ['mə:kjuri] Merkur.

II. mercury ['mə:kjuri] *sb* kviksølv.

mercy ['mə:si] *sb* barmhjertighed *(fx they showed no ~),* skånsel, medlidenhed *(on* med); benådning (for dødsstraf) *(fx petition for ~; recommend* (indstille) *him for ~);* **T** Guds lykke, held *(fx it is a ~ that he did not come); ~!* nåde! Gud forbarme sig! *be at the ~ of sby* være i ens magt *(el.* vold); *ask (, beg, cry)* **for ~** bede om nåde; *for -'s sake* for Guds skyld; *sister of ~* barmhjertig søster; **~ on us!** Gud forbarme sig! *have ~ on sby* forbarme sig over en; være én nådig; *be thankful for small mercies* være taknemmelig for lidt; *left to the tender mercies of* overgivet på nåde og unåde til, i kløerne på.

mercy killing medlidenhedsdrab.

mercy seat *(rel) the ~* nådestolen.

I. mere [miə] *sb* dam, lille sø.

II. mere [miə] *adj* blot og bar, slet og ret, ren *(fx he is a ~ boy; it is a ~ trifle);* lutter; *he is a ~ child* (også) han er kun et barn; *by ~ chance* ved et rent tilfælde; *for the ~ purpose of* ene og alene for at; *~ words* (tom) snak.

merely ['miəli] *adv* kun, alene, blot.

meretricious [meri'triʃəs] *adj* uægte, forloren; udstafferet, prangende, skrigende; *(glds)* skøge-, skøgeagtig.

merganser [mə:'gænsə] *sb zo* skallesluger.

merge [mə:dʒ] *vb* slutte sammen *(fx two firms),* slå sammen *(in(to)* til, *fx ~ the two branch offices into one),* forene; lade gå op i en højere enhed; (uden objekt) slutte sig sammen *(fx the two firms -d);* falde sammen, gå op i en højere enhed; **~ in(to),** *be -d in(to)* (også) gå op i, smelte sammen med; glide over i *(fx twilight -d into darkness).*

merger ['mə:dʒə] *sb* sammensmeltning, sammenslutning (af handelsselskaber).

meridian [mə'ridiən] *sb (geogr, astr)* meridian; *(fig)* højdepunkt, kulmination; *adj* middags-; højeste; **~ altitude** middagshøjde.

meridional [mə'ridiənl] *adj* meridian-; sydlig, sydeuropæisk; *sb* sydlænding.

meringue [mə'ræŋ] *sb* marengs.

merino [mə'ri:nou] *sb* merinofår; merino (et uldent stof). **merinogarn.**

meristem ['meristem] *sb (bot)* dannelsesvæv.

I. merit ['merit] *sb* fortjenstfuldhed, fortjeneste *(fx opinions of his ~ vary),* værd(i) *(fx artistic ~);* dyd, fortrin *(fx the -s of this encyclopedia),* fordel; *-s pl* (også) fortjeneste, værd; *-s and demerits* fortrin og mangler; *judge a case on its -s* bedømme en sag ud fra de foreliggende kendsgerninger; *each case is decided on its -s* (også) sagerne afgøres fra gang til gang; *make a ~ of sth* regne sig noget til fortjeneste; *I claim no ~ for it* jeg regner mig det ikke til fortjeneste.

II. merit ['merit] *vb* fortjene *(fx a reward).*

meritocracy [meri'tɔkrəsi] *sb* meritokrati, elitestyre.

meritorious [meri'tɔ:riəs] *adj* fortjenstfuld.

merlin ['mə:lin] *sb zo* dværgfalk.

merlon ['mə:lən] *sb (arkit)* murtak, murtinde.

mermaid ['mə:meid] *sb* havfrue.

merman ['mə:mæn] *sb* havmand.

merriment ['merimənt] *sb* munterhed, lystighed.

merry ['meri] *adj* munter, lystig, glad; *a ~ Christmas (to you!)* glædelig jul; *make ~* more sig, feste; *make ~ over* gøre sig lystig over, gøre nar af.

merry -andrew klovn, bajads. **~ -go-round** *sb* karrusel. **~ -making** sig lystighed, fest(lighed). **~ -thought** *sb (glds)* (på en fugl) ønskeben.

mésalliance [me'zæljəns] *sb* mesalliance.

meseems [mi'si:mz] *(glds)* det synes mig.

I. mesh [meʃ] *sb* maske (i et net); *(tekn)* indgreb; *-es pl* masker, tråde; *(fig)* net, garn *(fx caught in her -es);* snare; *in ~* i indgreb (tilkoblet); *throw into ~* bringe i indgreb.

II. mesh [meʃ] *vb* fange (i garn); indvikle; (om tandhjul *etc)* være i indgreb, gribe ind i hinanden; bringe i indgreb *(with* med); **~ with** *(fig)* passe sammen med, harmonere med.

mesmerism ['mezmərizm] *sb (glds)* mesmerisme, hypnotisme, dyrisk magnetisme. **mesmerize** ['mezməraiz] *vb* hypnotisere.

mesne [mi:n] *adj (jur)* mellem-; **~ lord** underlensherre.

Mesopotamia [mesəpə'teimjə] Mesopotamien.

I. mess [mes] *sb* (rodet:) roderi, rod, uorden, kludder; forvirret masse, rodebunke; (snavset:) svineri, griseri, søle; (uappetitlig:) rodsammen, snask; *in a ~* snavset, rodet, forvirret; i knibe; *the house was in a pretty ~* huset lå i ét rod; *be in a pretty ~* sidde net i det; *get into a ~* komme (, bringe) i fedtefadet, komme (, bringe) i knibe; *get oneself oneself into a ~* (også) svine (, grise) sig til; *make a ~ of* bringe forvirring i, kludre med, forkludre; *make a ~ of! sikke noget rod* (, svineri)!

II. mess [mes] *vb:* **~ (up)** forkludre, ødelægge, spolere; snavse *(el.* svine, grise) til; **~** *one's pants* lave i bukserne; **~ about** fjolle rundt; daske rundt; mishandle; **~ about with** fjolle rundt med; gå og rode med, svine med; omgås; (seksuelt) være nærgående over for, forgribe sig på.

III. mess [mes] *sb* mad, ret, fælles bord; *(mar)* bakke; *(glds)* ret; **~** *of pottage* ret linser.

IV. mess [mes] *vb* spise; *(mar)* skaffe.

message ['mesidʒ] *sb* budskab, meddelelse, besked, hilsen; telegram; *go -s* gå ærinder; *on a ~* i et ærinde; *go on a ~* gå et ærinde.

message form telegramblanket.

messenger ['mesindʒə] *sb* bud, sendebud, kurér.

messenger boy bud, bydreng.

mess gear = *mess kit.*

Messiah [mi'saiə] Messias.

mess|jacket messejakke. **~ kit** kogegrejer; kogekar, spisebestik; *(mar)* skaffegrejer. **-mate** (messe)kammerat. **-room** messe.

Messrs. ['mesəz] *fk Messieurs* de herrer; d'hrr.; ~ *Smith & Brown* herrer Smith & Brown.

mess tin *(mil.)* kogekar.

messuage ['meswidʒ] *sb (jur)* (land)ejendom.

messy ['mesi] *adj* rodet; snavset *(fx job)*; griset.

mestizo [me'sti:zou] *sb* mestits (afkom af hvid og indianer).

met [met] *præt* og *pp* af I. *meet.*

Met. *fk meteorological.*

metabolic [metə'bɔlik] *adj* stofskifte- *(fx ~ disorder* stofskiftesygdom).

metabolism [me'tæbəlizm] *sb* stofskifte.

metacarpus [metə'ka:pəs] *sb (anat)* mellemhånd.

I. metal ['metl] *sb* metal; *(typ)* bly; sats; (i glasfabr) glasmasse; (til vej) skærver, *(jernb* også) ballast; *(fig)* stof, (se også *mettle)*; *-s (jernb)* skinner; *leave (el. run off) the -s* løbe af sporet.

II. metal ['metl] *vb* metalforhude; makadamisere.

metallic [mi'tælik] *adj* metallisk, metal-.

metalliferous [metə'lif(ə)rəs] *adj* metalholdig.

metalloid ['metəlɔid] *sb (kem)* metalloid.

metallurgy [me'tælədʒi] *sb* metallurgi.

metalwork ['metlwə:k] *sb* metalsløjd.

metamorphic [metə'mɔ:fik] *adj* metamorfisk: forvandlings-; *(geol)* metamorf.

metamorphose [metə'mɔ:fouz] *vb* forvandle.

metamorpho|sis [metə'mɔ:fəsis] *sb (pl -ses* [-si:z]) metamorfose, forvandling.

metaphor ['metəfə] *sb* metafor.

metaphoric(al) [metə'fɔrik(l)] *adj* metaforisk, billedlig.

metaphysic(al) [metə'fizik(l)] *adj* metafysisk.

metaphysics [metə'fiziks] *sb* metafysik.

metatarsus [metə'ta:səs] *sb (anat)* mellemfod.

metathe|sis [me'tæθəsis] *sb (pl -ses* [-si:z]) metatese.

metcast ['metka:st] *sb* vejrmelding.

I. mete [mi:t] *vb:* ~ *(out) (glds)* udmåle, tildele.

II. mete [mi:t] *sb* grænse.

metempsychosis [metempsi'kousis] *sb* sjælevandring.

meteor ['mi:tjə] *sb* meteor; *(fig)* noget strålende men kortvarigt, »komet«. **meteoric** [mi:ti'ɔrik] *adj* meteorisk, meteorlignende; *(fig)* strålende men kortvarig; *a ~ career* en kometagtig karriere. **meteorite** ['mi:tjərait] *sb* meteorsten.

meteoro|logical [mi:tjərə'lɔdʒikl] *adj* meteorologisk. **-logist** [mi:tjə'rɔlədʒist] *sb* meteorolog. **-logy** [mi:tjə'rɔlədʒi] *sb* meteorologi.

meter ['mi:tə] *sb* måler; *(am)* = *metre.*

methane ['mi:θein] *sb (kem)* metan.

methinks [mi'θiŋks] *(glds)* det synes mig.

method ['meθəd] *sb* måde, fremgangsmåde, metode; system; *reduce to ~* bringe metode i; *there is ~ in his madness* der er metode i galskaben.

methodic(al) [mi'θɔdik(l)] *adj* metodisk, systematisk, planmæssig.

Methodism ['meθədizm] *sb (rel)* metodisme. **Methodist** ['meθədist] *sb* metodist; *adj* metodistisk. **methodistic** [meθə'distik] *adj* metodistisk.

methodize ['meθədaiz] *vb* bringe metode (el. system) i, systematisere.

methought [mi'θɔ:t] *(glds)* det syntes mig.

meths [meθs] *sb pl* T = *methylated spirits.*

meths drinker T spritter.

Methuselah [mi'θju:sələ] Methusalem.

methyl ['meθil] *sb (kem)* metyl.

methylate ['meθileit] *vb* denaturere. **methylated spirits** denatureret sprit, kogesprit.

meticulous [mi'tikjuləs] *adj* (pedantisk) omhyggelig, pertentlig; ~ *order* pinlig orden.

metonymy [mi'tɔnimi] *sb* metonymi.

metre ['mi:tə] *sb* meter; metrum, versmål.

metric ['metrik] *adj* meter-; vers-, på vers; *go ~* gå over til metersystemet; *the ~ system* metersystemet.

metrical ['metrikl] *adj* metrisk.

metrication [metri'keiʃn] *sb* overgang til metersystemet.

metrics ['metriks] *sb* metrik.

metric ton meterton (1000 kg).

metro ['metrou] *sb* undergrundsbane.

Metroland ['metroulænd] Londons yderdistrikter.

metronome ['metrənoum] *sb* metronom, taktmåler.

metropolis [mi'trɔpəlis] *sb (pl -es* [-iz]) hovedstad; ærkebispesæde; *the ~* (især) London, Storlondon.

metropolitan [metrə'pɔlitən] *adj* hovedstads-; *sb* hovedstadsbeboer; *(rel)* metropolit, ærkebiskop.

mettle ['metl] *sb* liv, mod, fyrighed, iver; stof, natur, temperament; *be on one's ~* være parat til at gøre sit bedste; *put sby on his ~* anspore en til at gøre sit bedste.

mettlesome ['metlsəm] *adj* (især om hest) livlig, modig, fyrig; vælig.

I. mew [mju:] *sb* måge.

II. mew [mju:] *vb (glds)* fælde, skifte fjer *el.* ham.

III. mew [mju:] *sb* (falke)bur; *vb* sætte i bur; ~ *up (fig)* spærre inde; ~ *oneself up* (også) mure sig inde.

IV. mew [mju:] *vb* mjave; *sb* mjaven.

mewl [mju:l] *vb* klynke; mjave.

mews [mju:z] *sb pl* staldbygninger (ofte samlet omkring en gård *el.* gyde; nu ofte ombygget til beboelse).

Mexican ['meksikən] *adj* mexikansk; *sb* mexikaner.

Mexico ['meksikou] Mexiko.

mezzanine ['metsəni:n] *sb* mezzanin(etage).

mezzotint ['medzoutint] *sb* mezzotintotryk, sortkunst (en særlig kobberstikteknik).

mfd. *fk* manufactured.

M.F.H. *fk Master of Foxhounds (omtr)* jagtleder.

m.g. *fk machine gun.*

mg. *fk* milligram.

M.G.C. *fk Machine-Gun Corps.*

Mgr. *fk Monseigneur; Monsignor.*

M.I. *fk military intelligence;* ~ *5* den afdeling der har med kontraspionage at gøre.

Miami [mai'æmi].

miaow [mi'au] *vb* mjave; *sb* mjaven.

miasma [mi'æzmə] *sb* miasma, smitstof.

mica ['maikə] *sb* glimmer, marieglas.

Micawber [mi'kɔ:bə].

mice [mais] *pl* af *mouse.*

Mich. *fk Michigan.*

Michael ['maikl].

Michaelmas ['miklməs] mikkelsdag, d. 29. septbr.

Michaelmas| daisy *(bot)* strandasters. ~ **term** efterårssemester.

Michigan ['miʃigən].

Mick [mik] *sb* S irlænder.

mickey ['miki] *sb* S irlænder; *(am* S) spiritus med sovemiddel i; *take the ~ out* of lave grin med, holde for nar.

mickle [mikl]: *many a little makes a ~* mange bække små gør en stor å.

microbe ['maikroub] *sb* mikrobe, bakterie.

micro|biologist ['maikrəbai'ɔlədʒist] mikrobiolog. **-climate** ['maikrə'klaimit] mikroklima. **-cosm** ['maikrəkɔzm] mikrokosmos, lilleverden. **-film** ['maikrəfilm] *sb* mikrofilm; *vb* mikrofotografere, affotografere (på mikrofilm). **-groove** ['maikrəgru:v] mikrorille. **-meter** [mai'krɔmitə] mikrometer. **-phone** ['maikrəfoun] mikrofon. **-scope** ['maikrəskoup] *sb* mikroskop. **-scopic(al)** [maikrə'skɔpik(l)] *adj* mikroskopisk. **-watt** ['maikrəwɔt] mikrowatt. **-wave** ['maikrəweiv] mikrobølge.

micturition [miktʃə'riʃən] *sb (med.)* (sygelig trang til) vandladning.

I. mid [mid] *adj* midt-; *from ~ April to ~ May* fra midt i april til midt i maj; *in mid(-)* midt i *(fx in mid(-) July)*; *be suspended in ~ air* svæve i luften; *in ~ ocean* midt ude på det åbne hav.

II. 'mid, mid [mid] *præp* midt iblandt, under.

Midas ['maidæs].

midday ['middei] *sb* middag, kl. 12; *adj* middags-.

midden ['midn] *sb (arkæol)* køkkenmødding.

middle ['midl] *sb* midte; liv (midje); *adj* mellem-, middel-, midt-, midterst; *vb* anbringe i midten; (i fodbold) sende bolden ind mod midten, centre; *-s* mellemkvaliteter; *in the ~ of* midt i (, på, under, om) *(fx the lecture, the night)*; *she was in her ~ forties* hun var midt i fyrrerne; *the Middle Ages* middelalderen.

middle| age alder mellem 40 og 60; *a man of ~ age* en midaldrende mand; *the Middle Ages* middelalderen. ~ **-aged** ['midl'eidʒd] midaldrende. ~ **-bracket** *adj* som tilhører midtergruppen. ~**class** *adj* middelstands-, bourgeoisi-. ~ **classes:** *the ~ classes* middelstanden. ~ **distance** mellemgrund; (ved kapløb) mellemdistance. ~ **ear**

mellemøre.
Middle East: *the* ~ Det mellemste Østen.
middle| finger langfinger, T langemand. ~ **ground** mellemgrund; *(mar)* middelgrund; *(fig)* mellemstandpunkt, mellemvej.
Middle Kingdom: *the* ~ Riget i Midten (Kina).
middle|man ['midlmæn] mellemhandler. **-most** midterst, mellemst. ~ **-of-the-road** *adj* som indtager et mellemstandpunkt, moderat, midter- *(fx party)*. ~ **sized** middelstor, mellemstor. ~ **tint** mellemfarve. ~ **watch** (vagten mellem midnat og kl. 4), hundevagt. **-weight** mellemvægt; *adj* mellemvægts-.
Middle West: *the* ~ *(am)* det mellemste vesten *(omtr =* Iowa og de omkringliggende stater).
middling ['midliŋ] *adj* middelgod, jævn, andenklasses; middelmådig; *adv* nogenlunde, temmelig; *sb (am* af svinekød) mellemstykke.
middlings ['midliŋz] *sb pl* mellemkvalitet(er) *(fx* af mel).
middy ['midi] *sb* T kadet; ~ *blouse* matrosbluse.
midge [midʒ] *sb zo* dansemyg; *(biting* ~*)* mitte; (om person) se *midget*.
midget ['midʒit] *sb* dværg, purk, gnom, mandsling; *(fot)* fotografi i mindste format; *adj* dværg- *(fx submarine)*; lilleput-; ~ *car* midgetbil; ~ *golf* minigolf.
midi ['midi:] (om kjolelængde) midi.
midland ['midlənd] *sb* indre land; *adj* indre; indlands-; *the Midlands, the Midland Counties* Midtengland.
midmost ['midmoust] *adj* midterst.
midnight ['midnait] *sb* midnat; *adj* midnats-; *dark (el. black)* as ~ bælgmørk; *burn the* ~ *oil* arbejde til langt ud på natten.
midriff ['midrif] *sb* mellemgulv.
midship ['midʃip] *sb* den midterste del af et skib; *adj* midtskibs-. **-shipman** kadet.
midships ['midʃips] *adv* midtskibs.
midst [midst] *sb* midte; *præp (glds)* midt i, midt iblandt; *in the* ~ *of* midt i; *in the* ~ *of the fray* der hvor det gik hedest til; *in our* ~ midt iblandt os, i vor midte.
midstream ['midstri:m] *sb: in* ~ midtstrøms, midt i strømmen; se også *swop*.
midsummer ['midsʌmə] *sb* midsommer; *Midsummer Day* midsommerdag, st. hansdag; ~ *madness* toppunktet af galskab, det glade vanvid; *A Midsummer Night's Dream* En Skærsommernatsdrøm.
midterm ['midtə:m] *sb* midten af terminen (, semesteret, embedstiden); *(am)* T eksamen midt i semesteret; ~ *election (am)* midtvejsvalg.
midway ['mid'wei] *adv* midtvejs, halvvejs; *sb (am)* den del af marked *el.* udstilling hvor der er forlystelser (skydetelte, karusseller *etc*).
Midwest = *Middle West*.
midwife ['midwaif] *sb* jordemoder.
midwifery ['midwifri] *sb* fødselshjælp, obstetrik.
midwinter ['mid'wintə] *sb* midvinter, vintersolhverv.
mien [mi:n] *sb* væsen, optræden, holdning, udseende.
miff [mif] *sb* fornærmethed; uenighed; *vb* fornærme, sætte i dårligt humør; surmule; *they have had a* ~ der er kommet en kurre på tråden.
I. might [mait] *præt* af *may*.
II. might [mait] *sb* magt, kraft, evne; *with* ~ *and main, with all his* ~ af al magt, af alle kræfter.
might-have-been *sb: the* ~ det der kunne være sket; *a* ~ en der kunne være blevet noget stort (, større); en mislykket eksistens.
mightily ['maitili] *adv (litt)* mægtig, kraftig; T vældig, meget, svært.
mighty ['maiti] *adj (litt)* mægtig, kraftig, vældig; T *adj, adv* mægtig, vældig, gevaldig *(fx* ~ *fine)*; *high and* ~ stor på den, hoven; (i titel) højmægtig.
mignonette [minjə'net] *sb (bot)* reseda.
migraine ['mi:grein] *sb* migræne.
migrant ['maigrənt] *adj* (om)vandrende; *sb* trækfugl.
migrate [mai'greit] *vb* (om person, til et andet land) udvandre; (til et andet sted) vandre bort, flytte; (om fugl) trække (bort), drage bort; *(kem etc)* vandre.
migration [mai'greiʃ(ə)n] *sb* udvandring, bortvandring; flytning; (fugles) træk; *the period of the great -s* folkevandringstiden.

migratory ['maigrət(ə)ri] *adj* (om)vandrende, nomadisk, nomade-.
migratory| bird trækfugl. ~ **locust** vandregræshoppe.
Mikado [mi'ka:dou] mikado.
I. Mike [maik] *fk Michael*.
II. mike [maik] S = *microphone*.
III. mike [maik] *vb* S drive, dovne, skulke; *sb: be on the* ~ drive den af.
mil. *fk military*.
Milan [mi'læn] Milano; (by i USA) ['mailən].
milch [miltʃ]: ~ *cow* malkeko.
mild [maild] *adj* mild; blid, sagtmodig; let *(fx cigar)*; forsigtig, spagfærdig *(fx protest)*; en lettere ølsort; *draw it* ~ overdriv nu ikke, tag den med ro, små slag.
mildew ['mildju:] *sb* meldug, skimmel, mug; *vb* blive angrebet af meldug, blive skimlet *(el.* muggen). **mildewed, mildewy** *adj* angrebet af meldug, overtrukket med skimmel, jordslået.
mildly ['maildli] *adv* mildt, blidt, sagtmodigt; let *(fx* ~ *democratic)*; forsigtigt, spagfærdigt *(fx protest* ~*)*; *to put it* ~ mildest talt, med et mildt udtryk.
mild steel blødt stål.
mile [mail] *sb* (engelsk) mil (1609 m); *for -s* milevidt, i miles omkreds; *-s better* T hundrede gange bedre; *it is -s from anywhere* det ligger langt pokker i vold; *it did not come within a* ~ *of succeeding* det var milevidt fra at lykkes; *there's no one within -s of him* (fig T) der er slet ingen der kan måle op med ham; *it sticks out a* ~ (fig T) det kan ses på lang afstand.
mileage ['mailidʒ] *sb* antal mil, afstand i mil; (om bil, svarer til) kilometerstand; befordringsgodtgørelse pr. mil.
milepost ['mailpoust] *sb* milepæl.
milestone ['mailstoun] *sb* milesten; (især *fig)* milepæl.
milfoil ['milfoil] *sb (bot)* røllike.
milieu ['mi:ljə:] *sb* milieu.
militant ['militənt] *adj* kamplysten, krigerisk, stridbar; militant, som kæmper med voldelige midler; stridende, kæmpende; *sb* krigerisk (, militant) person.
militarism ['militərizm] *sb* militarisme.
militarist ['militərist] *sb* militarist; *adj* militaristisk.
military ['milit(ə)ri] *adj* militær, militær-, krigs-; *sb: the* ~ militæret; ~ *academy* officersskole; ~ *heel* officershæl; ~ *man* militær; *compulsory* ~ *service* almindelig værnepligt.
militate ['militeit] *vb* kæmpe; ~ *against* modvirke, modarbejde, stride mod, bekæmpe.
militia [mi'liʃə] *sb* milits, landeværn.
militiaman [mi'liʃəmən] *sb* landeværnssoldat.
milk [milk] *sb* mælk; *vb* give mælk *(fx the cows are -ing well)*; malke, *(fig* også) tappe; opsnappe (et telegram); ~ *a cow dry* malke en ko ren; *it is no use crying over spilt* ~ det nytter ikke at græde over spildt mælk; ~ *of sulphur* svovlmælk.
milk-and-water *adj* udvandet, flov.
milk chocolate flødechokolade.
milker ['milkə] *sb* malker, malkepige, malkemaskine; malkeko.
milk| float mælkevogn. ~ **glass** mælkeglas (hvidt glas). **-maid** malkepige. **-man** mælkemand. ~ **parsley** *(bot)* kær-svovlrod. ~ **powder** tørmælk. ~ **run** mælketur; *(mil. flyv)* rutineflyvning. ~ **shake** (drik af mælk, is og frugtsaft). **-sop** blødagtig person, mors dreng. ~ **thistle** *(bot)* marietidsel. ~ **tooth** mælketand. ~ **vetch** *(bot)* astragel. ~ **white** mælkehvid. ~ **wort** *(bot)* mælkeurt.
milky ['milki] *adj* mælkeagtig, mælke-; *the Milky Way (astr)* Mælkevejen.
I. mill [mil] *sb* mølle; kværn; fabrik, spinderi, værk; maskine; *(tekn)* fræsemaskine; S boksekamp; *he has been through the* ~ han har prøvet lidt af hvert; han kender rummelen; han har gennemgået en hård skole; *put through the* ~ lade gennemgå en hård skole.
II. mill [mil] *vb* (om korn *etc)* male; (om metal: presse) (ud)valse, (skære:) fræse, (om mønt) rifle, rande; (om tøj) valke; S bokse, bearbejde med næverne; ~ *about,* ~ *around* mase rundt, male rundt; (hurtigere:) hvirvle rundt.
millboard ['milbo:d] *sb* tykt pap.
milldam ['mildæm] *sb* mølledam, mølledæmning.
millenarian [mili'nɛəriən] *adj* tusindårig; *sb* en som tror på

tusindårsriget.
millenary [mi'lenəri] *adj* tusindfoldig; tusindårig; *sb* årtusinde; tusindårsfest; en som tror på tusindårsriget.
millenial [mi'leniəl] *adj* tusindårs-; som tilhører eller vedrører tusindårsriget.
millennium [mi'leniəm] *sb* årtusinde; tusindårsrige.
millepede ['milipi:d] *sb zo* tusindben.
miller ['milə] *sb* møller; *(tekn)* fræsemaskine.
miller's thumb *zo* ferskvandsulk, grødeulk.
millesimal [mi'lesim(ə)l] (ordenstallet) tusinde; *sb* tusindedel; *adj* tusindedels.
millet ['milit] *sb (bot)* hirse.
millet grass miliegræs.
mill hand fabriksarbejder.
milliard ['milja:d] *sb* milliard.
milli|bar ['mili-] millibar. **-gram(me)** milligram. **-litre** milliliter. **-metre** millimeter.
mill-in ['milin] *sb* demonstration der består i at sætte sig ned på kørebanen og derved spærre vejen.
milliner ['milinə] *sb* modehandler(inde).
millinery ['milin(ə)ri] *sb* modevarer, modepynt; modehandel.
milling| cutter fræser. **~ machine** fræsemaskine.
million ['miljən] *sb* million; *the ~* (også) de brede lag.
millionaire [miljə'neə] *sb* millionær.
millionairess [miljə'neəris] *sb* millionøse.
millionth ['miljənθ] (ordenstal) millionte; *sb* milliontedel.
millipede ['milipi:d] *sb* tusindben.
mill|owner mølleejer; fabrikant. **-pond** mølledam; *(spøg)* Atlanterhavet; *the sea was calm as a -pond* havet var blankt som et spejl. **-race** møllerende, møllebæk. **-stone** møllesten; *hard as the nether -stone* hård som flint, ubarmhjertig; *he can see far into a -stone* (ironisk:) han er skarpsindig. **-stream** møllebæk. **~ tail** spildevand (fra møllehjul). **~ wheel** møllehjul.
millwright ['milrait] *sb* møllebygger; *(am)* montør.
milt [milt] *sb* milt; mælke (hos hanfisk); *vb* befrugte.
milter ['miltə] *sb* hanfisk.
Milton ['milt(ə)n].
Milwaukee [mil'wɔ:ki(:)].
mime [maim] *sb* mime (slags skuespil); komiker; *vb* mime, parodiere.
mimeograph ['mimiəgra:f, -græf] *sb* ® duplikator; duplikeret eksemplar; *vb* duplikere.
I. mimic ['mimik] *adj* efterlignet, efterabet; imaginær, skin-; efterlignende, efterabende; *sb* imitator, parodist, efteraber; mimiker.
II. mimic ['mimik] *vb (mimicked, mimicked)* efterligne, efterabe, parodiere, vrænge ad.
mimicry ['mimikri] *sb* efterligning, efterabelse, parodiering; *(biol: protective ~)* beskyttelseslighed.
mimosa [mi'mouzə] *sb* mimose.
min. *fk* mineralogy, minimum, mining, minute.
minaret ['minərit] *sb* minaret.
minatory ['minət(ə)ri] *adj* truende.
mince [mins] *vb* hakke småt, skære fint; tale affekteret; småtrippe; *sb* fars; farsret; *not ~ matters, not ~ one's words* tage bladet fra munden; tale lige ud af posen, sige sin mening rent ud.
minced| meat fint hakket kød. **~ pork** flæskefars.
mincemeat ['minsmi:t] *sb* blanding af rosiner, korender, æbler *etc* (serveret i postej); *make ~ of* hakke til pluksisk, gøre kål på.
mincepie ['mins'pai] *sb* postej, indeholdende *mincemeat*.
mincer ['minsə] *sb* kød(hakke)maskine.
mincing ['minsiŋ] *adj* affekteret, jomfrunalsk; *(om gang)* trippende.
I. mind [maind] *sb* sind; sindelag, gemyt, indstilling; tankegang *(fx he has a dirty ~; a liberal ~)*; mening *(fx let me know your ~ tomorrow)*; tilbøjelighed, lyst (se *ndf: have a ~ to)*; *(mods legeme)* sjæl *(fx sound in ~ and body)*, *(filos, mods materie, stof)* ånd *(fx ~ and matter)*; *(psyk)* psyke; bevidsthed; (sund:) forstand *(fx lose one's ~)*; *(om person)* ånd *(fx he was one of the greatest -s of the time)*;
absence of ~ åndsfraværelse; *at the back of his ~ he knew that there was sth wrong* han havde en uklar fornemmelse af at der var noget galt; *bear in ~* huske på;

bring *(el. call) to ~* erindre; minde om; **change** *one's ~* komme på andre tanker, ombestemme sig; skifte mening; *it crossed my ~* det strejfede mig, det faldt mig ind; **give** *one's ~ to sth* koncentrere sig om noget; *give sby a piece (el. bit) of one's ~* sige én sin mening; give én ren besked; skælde én huden fuld; **have** *in ~* huske; tænke på; have i sinde; *have sth on one's ~* være bekymret over noget; have noget på hjerte; *have a good (el. great) ~ to* have stor lyst til (at); *I have half a ~ to* jeg kunne næsten have lyst til (at); **keep** *in ~* huske på; *keep one's ~ on* koncentrere sin opmærksomhed om; **know** *one's ~* vide hvad man vil; *he does not know his own ~* han ved ikke hvad han selv vil; **make up** *one's ~* to beslutte sig til at;
be of a ~ to have lyst til at, være tilbøjelig til at; *be of* **one** *~ with sby* dele ens anskuelser; *an open ~* et modtageligt sind; *have an open ~ on the matter* ikke have lagt sig fast på en bestemt anskuelse om sagen, ikke have nogen forudfattet mening om sagen; *keep an open ~* ikke lægge sig fast på en bestemt anskuelse, vente med at beslutte sig; *out of sight out of ~* ude af øje ude af sind; *be out of one's ~* være fra forstanden; *pass out of ~* blive glemt; *presence of ~* åndsnærværelse; *put sby in ~ of* minde en om; *put sth out of one's ~* slå noget af hovedet; *read sby's ~* læse ens tanker; *be in one's right ~* være ved sine fulde fem; *be of the* **same** *~* være af samme mening; **speak** *one's ~* sige sin mening; **take** *sby's ~ off* bortlede ens opmærksomhed fra; **to my** *~* efter min mening; efter min smag, efter mit hoved; **turn** *one's ~ to* vende sine tanker mod; *two -s with but a single thought* to sjæle én tanke; *he in two -s* være i syv sind, ikke kunne beslutte sig; ikke være enig med sig selv *(about* om).
II. mind [maind] *vb* passe *(fx a baby, a machine)*; passe på, lægge mærke til *(fx ~ what I say!)*, (let *glds*) give agt på; tage sig i agt for, passe på *(fx ~ the step! ~ what you say!)*; bekymre sig om, bryde sig om *(fx you must not ~ the mess everywhere)*; have noget imod *(fx do you ~ my smoking a cigar; if nobody -s I'll do it)*; *(am* også) adlyde *(fx a dog must learn to ~)*; (især dialekt) huske *(fx ~ that!)*; *~ and come in good time!* sørg for at komme i god tid! *~ you don't forget!* glem det endelig ikke!
~ about bekymre sig om, bryde sig om *(fx don't ~ about their gossip)*; *never ~ about putting on your gloves* du behøver ikke tage handskerne på; *if you* **don't** *~* hvis du ikke har noget imod det; *I don't ~ if I do* ja, hvorfor ikke; ja, tak mig bare det; *I don't ~ a few pounds more or less* jeg tager det ikke så nøje med et par pund mere eller mindre; *I don't ~ telling you* jeg kan godt fortælle dig det; **never** *~ him* bryd dig ikke om ham; *never ~!* bryd Dem ikke om det! det gør ikke noget; jeg be'r; ingen årsag; *~ one's p's and q's* optræde forsigtigt og korrekt; passe på hvad man siger; *I shouldn't ~ a glass of beer* jeg kunne godt tænke mig et glas øl.
minded ['maindid] *adj* til sinds; (i *sms:)* af karakter *(fx strong-minded)*; -sindet *(fx German-minded)*; -interesseret *(fx air-minded* flyveinteresseret); indstillet *(fx liberal-minded)*; *if you are so ~* hvis du har lyst til det. **-minder** ['maində] -vogter, -passer.
mind-expanding *adj* bevidsthedsudvidende.
mindful ['maindf(u)l] *adj: be ~ of* være opmærksom på; tænke på, være optaget af *(fx one's duties)*.
mindless ['maindlis] *adj: be ~ of* ikke ænse, ikke tænke på, være ligeglad med *(fx danger)*.
mind reader tankelæser.
I. mine [main] *pron* min, mit, mine (brugt substantivisk, *fx this book is ~)*; *a friend of ~* en ven af mig.
II. mine [main] *sb* grube, bjergværk, mine; *(fig)* guldgrube *(fx this book is a ~ of information)*; *(mar, mil.)* mine; *spring a ~* *on sby* overrumple en.
III. mine [main] *vb* grave i *(fx the earth)*, grave gruber (i), drive bjergværksdrift; *(om kul etc)* bryde, udvinde; *(mil., mar)* udlægge miner i, lægge miner ud; lægge mine(r) under; *(glds mil.)* minere, undergrave, lægge mine(r) under, sprænge i luften ved hjælp af miner; *the ship was -d* skibet blev minesprængt.
mine| barrage *(mar)* minespærring. **~ detector** minesøger.

-field minefelt. **-layer** mine(ud)lægger.
miner ['mainə] *sb* minearbejder; *(mil.)* minør.
mineral ['min(ə)rəl] *sb* mineral; *adj* mineralsk, mineral-; *-s* (også) mineralvand.
mineral kingdom: *the* ~ mineralriget.
mineralogical [min(ə)rə'lɔdʒikl] *adj mineralogisk*.
mineralogist [minə'rælədʒist] *sb* mineralog.
mineralogy [minə'rælədʒi] *sb* mineralogi.
mineral oil mineralolie. ~ **water** mineralvand. ~ **wool** mineraluld, slaggeuld.
miner's lamp grubelampe.
Minerva [mi'nɔ:və].
mine|**sweeper** minestryger. **-sweeping** minestrygning. **-thrower** minekaster.
mingle ['miŋgl] *vb* blande, blande sig *(fx they -d with the crowd)*.
mingy ['mindʒi] *adj* **T** gerrig, nærig.
miniate ['minieit] *vb* give mønje, mønjere.
miniature ['minjətʃə, 'minitʃə] *sb* miniatur, miniaturportræt; *adj* miniatur-; *vb* fremstille en miniature; *in* ~ i miniatur(format), en miniature.
miniature| **camera** småbilledkamera. ~ **film** småbilledfilm.
minibus ['minibʌs] *sb* minibus. **minicab** ['minikæb] *sb* minicab, lille og billig taxi.
minim ['minim] *sb* halvnode; dråbe; bagatel; (i bogstav) nedstreg.
minimal ['miniml] *adj* minimal.
minimize ['minimaiz] *vb* bringe ned til det mindst mulige; begrænse til et minimum; bagatellisere, ringeagte, undervurdere, forklejne.
minimum ['miniməm] *sb (pl minima)* minimum; *adj* minimums- *(fx thermometer)*; minimal- *(fx rate* sats; *wage* løn); mindste-; *reduce to a* ~ nedsætte til det mindst mulige.
mining ['mainiŋ] *sb* grubedrift, bjergværksdrift; minedrift, mineudlægning, minering; *adj* mine- *(fx engineer, industry)*.
minion ['minjən] *sb* yndling, favorit (især om homoseksuels ven); *(neds)* håndlanger, kreatur; servil underordnet; *(typ)* kolonel; mignon; *the -s of the law* lovens håndhævere.
miniskirt ['miniskɔ:t] lårkort kjole (, nederdel), miniskørt.
minister ['ministə] *sb* (regeringsmedlem, gesandt:) minister; *(rel)* præst (især for en frikirke), (skotsk:) (sogne)præst, *(am)* (protestantisk) præst; (hjælper:) tjener, redskab *(of, to* for); *vb* tjene; ~ *to* hjælpe, tjene; pleje *(fx the sick)*; sørge for; (om præst) være præst for, betjene; *(fig)* bidrage til.
ministerial [mini'stiəriəl] *adj* minister-, ministeriel; regerings-; præstelig, præste-; bidragende, medvirkende *(to* til); udøvende.
ministrant ['ministrənt] *adj* tjenende; *sb* tjener, hjælper; *(rel)* ministrant, messetjener.
ministration [mini'streiʃ(ə)n] *sb* tjeneste, hjælp; præstetjeneste; *-s* (også) kirkelige forretninger *el.* handlinger.
ministry ['ministri] *sb* ministerium; ministerstilling, ministertid; *(rel)* præsteembede; præstegerning; præsteskab; *enter the* ~ blive præst; *through the* ~ *of N.* ved N.'s hjælp.
minium ['miniəm] *sb* mønje.
miniver ['minivə] *sb* gråværk, hermelin.
mink [miŋk] *sb (zo*, pelsværk) mink, nertz.
Minn. *fk Minnesota*.
Minneapolis [mini'æpəlis].
Minnesota [mini'soutə].
minnow ['minou] *sb zo* elritse (lille ferskvandsfisk).
minor ['mainə] *adj* mindre *(fx poet. operation)*, mindre betydningsfuld, mindre væsentlig, underordnet; (i musik) mol-; mol *(fx A* ~ a-mol); *(jur sb, adj)* mindreårig, umyndig; *Brown* ~ den yngste af brødrene B. (i skolesprog).
minority [m(a)i'nɔriti] *sb* minoritet, mindretal; *(jur)* mindreårighed, umyndighed; *be in the* ~ være i mindretal; *be in a* ~ *of one* stå helt alene med sit synspunkt; ~ *report* mindretalsbetænkning.
minor| **key** mol, moltoneart; *in a* ~ *key* i mol; *(fig)* nedtrykt, melankolsk; i mindre målestok. ~ **premise** undersætning (i syllogisme). ~ **prophets:** *the* ~ *prophets* de små

profeter. ~ **suit** (i bridge) minorfarve, lav farve (ruder *el.* klør).
minster ['minstə] *sb* domkirke, klosterkirke.
minstrel ['minstrəl] *sb (hist.)* trubadur, skjald, sanger, folkesanger; (nu:) deltager i et ~ *show* optræden af musikanter og komikere, sværtede for at ligne negre.
minstrelsy ['minstrəlsi] *sb (glds)* sang, skjaldekunst; sangerskare.
I. mint [mint] *sb* mønt (ɔ: hvor mønter præges); *(fig)* formue *(fx it cost me a* ~); *a* ~ *of* en mængde; *he is worth a* ~ *of money* han er hovedrig.
II. mint [mint] *vb* (ud)mønte, præge; *(fig* også) opfinde, lave, danne, skabe *(fx a new word)*.
III. mint [mint] *adj: in* ~ *condition (el. state)* ubrugt og fejlfri; ~ *copy* frisk *(el.* uberørt) eksemplar.
IV. mint [mint] *sb (bot)* mynte; pebermynte(bolsje); pebermyntetyggegummi.
mintage ['mintidʒ] *sb* møntning; mønt, penge; møntpræg, præg; prægningsomkostninger; *a word of new* ~ et nydannet ord, en nydannelse.
mint master møntdirektør. ~ **sauce** (marinade af eddike og sukker tilsat krusemynteblaɑe).
minuet [minju'et] *sb* menuet.
minus ['mainəs] *præp* minus *(fx 8 minus 2 is 6)*; **T** uden *(fx he came* ~ *his hat)*; *adj* negativ *(fx a* ~ *quantity* en negativ størrelse); *sb* minustegn.
minuscule ['minəskju:l] *sb* minuskel, lille bogstav; *adj* ganske lille, ubetydelig.
I. minute [mai'nju:t] *adj* ganske lille, ubetydelig *(fx difference)*; nøjagtig, minutiøs *(fx description)*.
II. minute ['minit] *sb* (tidsrum) minut; **T** øjeblik *(fx wait a* ~; *at that* ~); (dokument *etc)* notat, optegnelse; *-s pl* (også) referat, forhandlingsprotokol;
I won't be a ~ jeg kommer straks, jeg er straks færdig; *half a* ~ et lille øjeblik; *this* ~ straks; *I knew him the* ~ *I saw him* jeg kendte ham straks *(el.* i samme øjeblik) jeg så ham; *to the* ~ præcis, på minuttet.
III. minute ['minit] *vb* optegne, protokollere, referere; måle nøjagtigt, tage tid *(fx på et arbejdes varighed)*; ~ *down* notere.
minute| **book** ['minitbuk] forhandlingsprotokol. ~ **gun** minutskud. ~ **hand** minutviser, den store viser.
minutely [mai'nju:tli] *adv* meget nøje, minutiøst.
minutiae [mai'nju:ʃii] *sb* bitte små ting, ubetydelige detaljer, (de) mindste detaljer.
minx [miŋks] *sb* næbbet tøs, fræk tøs.
miracle ['mirəkl] *sb* mirakel, vidunder, underværk; *(hist.)* mirakelspil; *work -s* gøre mirakler; *(fig)* gøre underværker.
miraculous [mi'rækjuləs] *adj* mirakuløs, vidunderlig.
mirage ['mira:ʒ] *sb* luftspejling, fata morgana; *(fig)* blændværk; illusion, indbildning.
mire ['maiə] *sb* mose, sump; mudder, dynd; *vb* tilsøle; sidde *(el.* køre) fast i dynd; *be -d in (fig)* sidde fast i; *be in the* ~ *(fig)* være i klemme, være i vanskeligheder; *drag sbv (el. sbv's name) through the* ~ tilsøle ens rygte, en til.
mirror ['mirə] *sb* spejl; *(fig)* afspejling; mønster, eksempel; *vb* afspejle, spejle.
mirror| **carp** *zo* spejlkarpe. ~ **finish** højglanspolering. ~ **writing** spejlskrift.
mirth [mə:θ] *sb* munterhed, latter.
mirth|**ful** ['mə:θf(u)l] lystig. **-less** glædesløs, trist.
MIRV *fk multiple independently targetable re-entry vehicles*, raket med flere ladninger der kan styres mod hver sit mål.
miry ['maiəri] *adj* dyndet, mudret.
misadventure ['misəd'ventʃə] *sb* uheld; ulykke; *death by* ~ død som skyldes et ulykkestilfælde; *homicide by* ~ uagtsomt manddrab.
misalliance [misə'laiəns] *sb* mesalliance (ulige ægteskabelig forbindelse).
misanthrope ['miznθroup] *sb* misantrop, menneskehader.
misanthropic [mizn'θrɔpik] *adj* misantropisk, menneskefjendsk. **misanthropy** [miz'ænθrəpi] *sb* misantropi.
misapplication ['misæpli'keiʃ(ə)n] *sb* misbrug, urigtig anvendelse. **misapply** [misə'plai] *vb* anvende forkert, misbruge.

misapprehend ['misæpri'hend] *vb* misforstå. **misapprehension** ['misæpri'henʃ(ə)n] *sb* misforståelse.
misappropriate ['misə'prouprieit] *vb* tilegne *(el.* tilvende) sig uretmæssigt; misbruge. **misappropriation** ['misəproupri'eiʃ(ə)n] *sb* uretmæssig tilegnelse, underslæb.
misbecome ['misbi'kʌm] *vb* misklæde, ikke passe (sig) for.
misbegotten ['misbi'gɔtn] *adj* uægte født; *(fig,* T) elendig.
misbehave ['misbi'heiv] *vb:* ~ *(oneself)* opføre sig dårligt *(el.* forkert), (om barn også) være uartig. **misbehaviour** ['misbi'heivjə] *sb* dårlig *(el.* forkert) opførsel; uartighed.
misbelief ['misbi'li:f] *sb* falsk tro, vantro.
misbeliever ['misbi'li:və] *sb* (om person) vantro.
miscalculate ['mis'kælkjuleit] *vb* beregne forkert; fejlvurdere; forregne sig. **miscalculation** ['miskælkju'leiʃ(ə)n] *sb* fejlregning, regnefejl; fejlvurdering.
miscall ['mis'kɔ:l] *vb* med urette kalde *(fx these changes -ed improvements).*
miscarriage [mis'kæridʒ] *sb* dårligt udfald; uheld; det at noget mislykkes; (brevs) bortkomst (under forsendelsen); *(med.)* for tidlig fødsel, abort; *have a* ~ abortere; ~ *of justice* justitsmord.
miscarry [mis'kæri] *vb* slå fejl; mislykkes, strande *(fx the scheme miscarried);* gå tabt (undervejs) *(fx the letter miscarried);* føde for tidligt *(fx the woman miscarried),* abortere.
miscast [mis'ka:st] *adj: be* ~ (om skuespiller) få en rolle man ikke egner sig til, blive forkert placeret (i et stykke); *the play is* ~ rollebesætningen er forkert.
miscegenation ['misidʒi'neiʃ(ə)n] *sb* raceblanding.
miscellanea [misi'leinjə] *sb pl* blandede skrifter.
miscellaneous [misi'leinjəs] *adj* blandet *(fx writings* skrifter), af blandet indhold; diverse.
miscellany [mi'seləni] *sb* blanding; samling af blandet indhold.
mischance [mis'tʃa:ns] *sb* ulykke, uheld.
mischief ['mistʃif] *sb* fortræd, skade; (mere uskyldigt:) gale streger, spilopper; skælmeri *(fx her eyes were full of* ~*);* (om person) gavtyv, skælm;
~ *is brewing* der er ugler i mosen; *do sby a* ~ gøre en fortræd; skade en; *Satan finds some* ~ *still for idle hands to do (omtr)* lediggang er roden til alt ondt; *get into* ~ komme på gale veje; *keep out of* ~ holde sig i skindet; forhindre (en) i at lave gale streger; *make* ~ stifte ufred; *mean* ~ have ondt i sinde; varsle ilde; *play the* ~ *with* skade, gøre fortræd; ødelægge; bringe i forvirring; *suspect* ~ ane uråd; *what the* ~ *are you doing?* hvad pokker bestiller du? *be up to* ~ have spilopper for.
mischief-maker urostifter.
mischievous ['mistʃivəs] *adj* skadelig; ondsindet *(fx rumour);* (uskyldigt:) gavtyveagtig, fuld af spilopper; drilagtig, skælmsk; ~ *child* lille spilopmager.
miscible ['misibl] *adj* blandbar; *be* ~ *with* kunne blandes med.
misconceive ['miskən'si:v] *vb* opfatte forkert, misforstå.
misconception ['miskən'sepʃ(ə)n] *sb* misforståelse.
I. misconduct [mis'kɔndʌkt] *sb (=* ~ *in office)* uredelig embedsførelse, embedsmisbrug; embedsmisbrug; *(= matrimonial* ~*)* utroskab, ægteskabsbrud, utilladeligt forhold.
II. misconduct ['miskən'dʌkt] *vb* administrere dårligt; ~ *oneself* opføre sig dårligt; begå ægteskabsbrud.
misconstruction ['miskən'strʌkʃ(ə)n] *sb* mistydning; misforståelse.
misconstrue ['miskən'stru:] *vb* mistyde, misforstå.
miscount ['mis'kaunt] *vb* tælle fejl; regne fejl; *sb* fejltælling; fejlregning.
miscreant ['miskriənt] *sb* skurk.
miscue ['mis'kju:] (i billard) *vb* støde fejl; kikse; *sb* fejlstød, skævt stød, kikser.
misdate ['mis'deit] *vb* fejldatere.
misdeal ['mis'di:l] (i kortspil) *sb* fejlgivning; *vb* give forkert.
misdeed ['mis'di:d] *sb* misgerning, ugerning, udåd.
misdemeanour ['misdi'mi:nə] *sb (jur)* forseelse; lovovertrædelse (mindre alvorlig end *felony).*
misdirect ['misdi'rekt] *vb* vildlede; vise forkert vej; anvende forkert, misbruge *(fx one's abilities);* (om et slag) give en forkert retning; (om et brev) fejladressere, adres-

sere forkert. **misdirection** ['misdi'rekʃən] *sb* vildledelse; fejlagtig retsbelæring; forkert anvendelse, misbrug; fejladressering.
misdoings [mis'du(:)iŋz] *sb pl* misgerninger, forsyndelser.
mise-en-scène ['mi:za:n'sein] *sb* iscenesættelse, opsætning; *(fig)* skueplads, omgivelser.
misentry ['mis'entri] *sb* fejlpostering.
miser ['maizə] *sb* gnier.
miserable ['miz(ə)rəbl] *adj* elendig, ynkelig, sørgelig, ulykkelig; (om kvalitet) elendig *(fx performance, dinner),* jammerlig, ussel.
miserere [mizə'riəri] *sb (rel)* miserere, bodssalme.
miserly ['maizəli] *adj* gnieragtig, gerrig.
misery ['miz(ə)ri] *sb* elendighed, ulykke, lidelse; sorg, fortvivlelse; *you six foot of* ~ dit lange, sure spektakel.
misfeasance [mis'fi:zns] *sb (jur)* myndighedsmisbrug, embedsmisbrug, forseelse.
misfire ['mis'faiə] *vb* (om skydevåben) klikke, ikke gå af; (om motor) ikke starte; sætte ud; *(fig)* falde til jorden *(fx the joke -d),* ikke gøre virkning; mislykkes *(fx the attempt -d); sb* (om motor) fejltænding, udsætter; (om skydevåben) svigtende affyring; klikken; *(fig)* fiasko.
misfit ['misfit] *vb* passe dårligt, sidde dårligt *(fx* om tøj); *sb: his suit was a* ~ hans tøj sad dårligt; *he is a* ~ han er kommet på en forkert hylde.
misfortune [mis'fɔ:tʃ(ə)n] *sb* ulykke, uheld.
misgive [mis'giv] *vb: his mind (el. heart)* misgave *him* han fik bange anelser; han blev bange *(el.* tvivlrådig).
misgiving [mis'giviŋ] *sb* tvivl, bekymring; *-s* (også) bange anelser.
misgovern ['mis'gʌvən] *vb* misregere, regere dårligt.
misgovernment ['mis'gʌvənmənt] *sb* misregimente, dårlig regering.
misguide ['mis'gaid] *vb* vildlede. **misguided** *adj* vildledt, vildført; forkert anvendt, misforstået *(fx kindness; zeal* iver).
mishandle ['mis'hændl] *vb* håndtere klodset; mishandle; forkludre, lede dårligt *(fx negotiations).*
mishap ['mishæp] *sb* uheld; ulykke.
mishear ['mis'hiə] *vb* høre fejl.
misinform ['misin'fɔ:m] *vb* underrette forkert.
misinformation ['misinfɔ:'meiʃ(ə)n] *sb* forkert underretning.
misinterpret ['misin'tə:prit] *vb* mistyde.
misinterpretation ['misintə:pri'teiʃ(ə)n] *sb* mistydning.
misjudge ['mis'dʒʌdʒ] *vb* bedømme forkert, fejlbedømme *(fx the distance);* undervurdere, miskende *(fx you* ~ *him).* **misjudgment** [mis'dʒʌdʒmənt] *sb* fejlskøn, fejlbedømmelse, forkert dom.
mislay [mis'lei] *vb:* ~ *sth* forlægge noget.
mislead [mis'li:d] *vb* vildlede; (moralsk:) forlede; *-ing* vildledende, misvisende.
misled [mis'led] *præt* og *pp* af *mislead.*
mismanage ['mis'mænidʒ] *vb* lede dårligt, ordne dårligt, forkludre. **mismanagement** ['mis'mænidʒmənt] *sb* dårlig ledelse.
misname [mis'neim] *vb* benævne fejlagtig; give et forkert navn.
misnomer [mis'noumə] *sb* misvisende *el.* forkert benævnelse.
misogynist [mai'sɔdʒinist] *sb* kvindehader.
misplace ['mis'pleis] *vb* anbringe forkert; *-d* ilde anbragt, malplaceret, uheldig, skænket til en som ikke er den (, det) værdig *(fx -d confidence).* **misplacement** *sb* forkert anbringelse.
misprint ['mis'print] *sb* trykfejl; *vb* [mis'print] lave trykfejl.
misprision [mis'priʒ(ə)n] *sb (jur)* embedsforbrydelse, tjenesteforsømmelse; undladelse af at anmelde forbrydelse.
misprize [mis'praiz] *vb* ikke synes om, foragte.
mispronounce ['misprə'nauns] *vb* udtale forkert.
mispronunciation ['misprənʌnsi'eiʃ(ə)n] *sb* forkert udtale.
misquotation ['miskwou'teiʃ(ə)n] *sb* forkert citat.
misquote ['mis'kwout] *vb* citere forkert.
misread ['mis'ri:d] *vb* læse forkert, misforstå.
misrepresent ['misrepri'zent] *vb* fremstille urigtigt, fordreje, give et falsk billede af. **misrepresentation** ['misreprizen'teiʃ(ə)n] *sb* urigtig fremstilling, fordrejelse.
misrule ['mis'ru:l] *sb* misregimente, dårligt styre; *vb* misregere; styre dårligt.

I. miss [mis] *sb* frøken; (ung) pige, skolepige; *(neds)* pigebarn *(fx a saucy ~)*; *Miss Robinson* (den ældste) frøken R.; *the Misses Smith, the Miss Smiths* frøknerne Smith.
II. miss [mis] *vb* (se også *missing)* savne *(fx he -ed her very much)*; forfejle (sit mål); ikke træffe; ramme ved siden af, skyde forbi; ikke nå *(fx one's aim)*, gå glip af, ikke få, lade slippe fra sig, forpasse *(fx an opportunity)*; komme for sent til *(fx the train)*; miste; forsømme; ikke opfatte *(fx he -ed the point of the joke)*; ikke få øje på, overse; overhøre; springe over, udelade *(fx the pianist -ed a couple of bars)*; undgå *(fx I just -ed hitting the other car)*; gå fejl af *(fx we -ed each other at the station)*;
~ *the boat*, ~ *the bus (fig)* forpasse lejligheden, ikke gribe chancen mens den er der; ~ *fire, se misfire; just ~ being* være lige ved at være; ~ *the* mark skyde forbi; ~ *one's mark* træffe sit mål; *a film* not *to be -ed* en film som De ikke bør snyde Dem selv for; en film som De 'må se; *an experience I would not have -ed* en oplevelse jeg ikke ville have undværet; ~ out springe over, udelade; ~ *out on (am)* gå glip af; ~ *stays (mar)* nægte at vende; ~ *one's way* fare vild.
III. miss [mis] *sb* fejlskud, forbier; fejlkast, fejlstød, fejlslag, kikser; T abort; *feel the ~ of* T føle savnet af; *give sby a ~* undgå en; *give sth a ~* holde sig fra noget; undlade at gøre (, høre, se, spise *osv)* noget; *that was a lucky ~* det var et held jeg slap fra det; *a ~ is as good as a mile* nærved og næsten slår ingen mand af hesten; nærved skyder ingen hare.
IV. Miss. *fk* Mississippi.
missal ['misəl] *sb* missale, messebog.
missel thrush *zo* misteldrossel.
misshapen ['mis'ʃeip(ə)n] *adj* vanskabt, misdannet.
missile ['misail; *(am)* 'misil] *sb* kastevåben; projektil; missil, raket; ~ *base* raketbase.
missing ['misiŋ] *adj* forsvunden, manglende; fraværende; som savnes, savnet; *be ~* savnes; mangle *(from i, på, fx there is a page ~ from the* book *der mangler* en side i bogen; *there is a* book *~ from the shelf)*; *the ~* de savnede; *the ~ link* det manglende mellemled mellem abe og menneske.
mission ['miʃən] *sb* mission, sendelse, ærinde; hverv, kald, opgave *(fx his ~ in life* hans livsopgave); (diplomatisk:) mission *(fx military ~)*, gesandtskab, delegation; *(mil.)* togt, opgave, flyvning; *(rel)* missionsvirksomhed; missionsmark; missionsstation; række af vækkelsesmøder; *Missions to Seamen* sømandsmission; *on a ~* i en sendelse, i et ærinde.
missionary ['miʃənri] *(rel) sb* missionær, lægprædikant; *adj* missions- *(fx college* skole).
missis ['misiz] *sb* frue(n) (brugt af hushjælp *etc)*; T kone *(fx my ~)*.
Mississippi [misi'sipi].
missive ['misiv] *sb* officiel skrivelse, brev.
Missouri [mi'zuəri].
misspell ['mis'spel] *vb* stave forkert.
misspelling ['mis'speliŋ] *sb* stavefejl.
misspend ['mis'spend] *vb* forøde, anvende dårligt; *misspent youth* forspildt ungdom.
misstate ['mis'steit] *vb* fremstille (, opgive) forkert.
missus ['misəz] *se* missis.
missy ['misi] *sb* lille frøken.
I. mist [mist] *sb* let tåge, (tåge)dis; *(fig* også) slør *(fx a ~ of tears)*; *in a ~* omtåget, forvirret.
II. mist [mist] *vb* blive tåget; dugge; *(fig* også) sløre.
I. mistake [mis'teik] *sb* fejltagelse; fejl; fejlgreb; misforståelse, forveksling; *and no ~* det er ikke til at tage fejl af, det kan der ikke være tvivl om; T så det kan batte noget; *make a ~* gøre en fejl; tage fejl; *make no ~!* T tag ikke fejl af det! *by ~* ved en fejltagelse.
II. mistake [mis'teik] *vb (mistook, mistaken)* tage fejl af, misforstå, forveksle *(for* med); *there is no mistaking it* det er ikke til at tage fejl af.
mistaken [mis'teikn] *adj* misforstået; forfejlet; *be ~* tage fejl; *not to be ~* (også) som ikke er til at tage fejl af, umiskendelig; **mistakenly** *adv* fejlagtigt, med urette.
mister ['mistə] *sb (vulg)* hr.
mistime ['mis'taim] *vb* vælge en ubelejlig tid til; lade ind-

træffe på et forkert tidspunkt.
mistimed *adj* ubetimelig, uheldig.
mistle thrush ['misl-] *zo* misteldrossel.
mistletoe ['misltou, 'mizltou] *sb (bot)* mistelten.
mistook [mis'tuk] *præt af mistake.*
mistral ['mistrəl] *sb* mistral, nordvestvind (i Sydfrankrig).
mistranslate ['mistræns'leit] *vb* oversætte forkert.
mistreat ['mis'tri:t] *vb* behandle dårligt.
mistress ['mistris] *vb* (husets) frue, madmoder; lærerinde; herskerinde, herre *(of* over); mester *(of* i); elskerinde; kæreste, elskede; *M. of the Robes* overhofmesterinde.
mistrust ['mis'trʌst] *vb* nære mistillid til, mistro; *sb* mistillid, mistro.
mistrustful ['mis'trʌstf(u)l] *adj* mistroisk.
misty ['misti] *adj* tåget; diset; sløret; *(fig)* tåget, vag.
misunderstand ['misʌndə'stænd] *vb* misforstå.
misunderstanding ['misʌndə'stændiŋ] *sb* misforståelse, uenighed.
I. misuse ['mis'ju:z] *vb* misbruge, mishandle.
II. misuse ['mis'ju:s] *sb* misbrug, forkert brug.
mite [mait] *sb zo* mide; *(hist.)* skærv *(fx the widow's ~)*; *(fig)* lille smule; lille pus, lille kræ.
miter *se mitre.*
mitigate ['mitigeit] *vb* formilde; dæmpe, lindre *(fx his grief)*; *-d* mildnet, mild, afdæmpet; *mitigating cirumstances* formildende omstændigheder.
mitigation [miti'geiʃ(ə)n] *sb* formildelse, lindring; formildende omstændighed; (om straf) nedsættelse.
mitrailleuse [mitrai'ə:z] *sb (mil., glds)* mitrailleuse, maskingevær.
mitre ['maitə] *sb* bispehue, bispeværdighed; (i snedkersprog) gering [hjørnesamling i ramme *etc)*; *vb* samle på gering, gere sammen; *confer a ~ upon* gøre til biskop.
mitre box skærekasse. ~ **gate** stemmeport (i sluse). ~ **gear** vinkeldrev. ~ **joint** gering (se *mitre)*. ~ **wheel** konisk tandhjul.
mitt [mit] *sb se mitten;* baseballhandske; S næve; *-s* S boksehandsker.
mitten ['mitn] *sb* bælgvante, vante; muffedise; halvhandske; *-s* S boksehandsker; *give the ~* T give en kurv, afskedige; *get the ~* T få løbepas; *handle without -s* ikke tage med fløjlshandsker på.
mitten crab *zo* uldhåndskrabbe.
mittimus ['mitiməs] *sb (jur)* arrestordre; T afskedigelse.
mix [miks] *vb* blande; blande sammen; forene *(fx business and pleasure)*; tilberede, lave, røre *(fx a cake)*; lade komme sammen; (uden objekt) blande sig, blandes; omgås; komme (godt) ud af det; (i film) overtone; *sb* blanding; (i film) overtoning; T rod, kludder, forvirring; S slagsmål; ~ *up* blande sammen; rode sammen, forveksle; forbytte; ~ *up in* indblande; rode ind i; *T give* S slås; *get -ed up with* blive indblandet i; komme i lag med, indlade sig med *(fx a girl)*; *he doesn't ~ well* han forstår ikke at omgås folk; ~ *with* omgås; ~ *with the world* færdes ude blandt folk.
mixed [mikst] *adj* blandet *(fx drink)*, blandings- *(fx language)*; (for begge køn) fælles *(fx bathing, school)*, blandet *(fx company)*; *(fig)* blandet *(fx pleasure)*, tvivlsom; forvirret.
mixed bag broget samling. ~ **breed** blandet race. ~ **doubles** *pl* mixed double. ~ **marriage** blandet ægteskab *(mht* religion el. race). ~ **number** blandet tal. ~ **-up** forvirret.
mixer ['miksə] *sb* blander; *(fx* til beton) blandemaskine; (til husholdning) røremaskine; *(am)* bartender; *a good ~* en der har let ved at omgås folk.
mixer tap blandingsbatteri (til brusebad *etc)*.
mixing ['miksiŋ] *sb* blanding; (i film) overtoning; *adj* blandings-, blande-; ~ **bowl** røreskål; ~ **valve** blandingsbatteri (til brusebad *etc)*.
mixture ['mikstʃə] *sb* blanding, mikstur; (om tøj) meleret stof; *the ~ as before (fig)* det sædvanlige; ~ *stop* (i orgel) mikstur.
mix-up ['miksʌp] *sb* forvirring, roderi; slagsmål.
mizen, mizzen ['mizn] *sb (mar)* mesanmast.
mizzen mast mesanmast. **-sail** mesan.
mizzle ['mizl] *se drizzle;* S stikke af, fordufte.
ml. *fk millilitre.*

Mlle. *fk Mademoiselle.*
M.M. *fk military medal.*
mm. *fk millimetre.*
Mme. *fk Madame.*
mnemonic [ni'mɔnik] *adj* mnemoteknisk, som understøtter hukommelsen; *sb* huskeramse, huskevers.
mnemonics [ni'mɔniks] *sb pl* hukommelseskunst; mnemoteknik.
mo [mou] *sb* S øjeblik; *half a* ~ et lille øjeblik.
mo. *fk month.*
M.O. *fk medical officer; money order.*
moan [moun] *vb* klage (sig), stønne, jamre (sig) (sagte); *(poet)* jamre over, begræde; T brokke sig, beklage sig; *sb* klage, stønnen, (sagte) jamren; (om vinden) klagende lyd; T beklagelse.
moat [mout] *sb* voldgrav, fæstningsgrav.
mob [mɔb] *sb* pøbel; flok; bande; *vb* stimle sammen; stimle sammen om, omringe *(fx the prince was -bed by sight-seers);* overfalde i flok.
mobcap ['mɔbkæp] *sb (hist., omtr)* kappe (hovedbeklædning).
mobile ['moubail, *(am)* 'moubl] *adj* bevægelig, mobil; letbevægelig, livlig, levende; *sb* mobile, uro.
mobile crane mobilkran.
mobile unit reportagevogn; røntgenvogn, kørende klinik.
mobility [mə'biliti] *sb* bevægelighed.
mobilization [moubilai'zeiʃ(ə)n] *sb* mobilisering.
mobilize ['moubilaiz] *vb* mobilisere.
mob| law lynchjustits. ~ **rule** pøbelherredømme, pøbelregimente.
mobster ['mɔbʃtə] *sb (am)* bandemedlem.
moccasin ['mɔkəsin] *sb* mokkasin; *zo* mokkasinslange.
mocha ['mɔkə; 'moukə] *sb* mokka(kaffe).
I. mock [mɔk] *vb* håne, spotte; latterliggøre, gøre nar af; efterabe; narre; skuffe *(fx their hopes);* trodse *(fx the door -ed every attempt at opening it);* ~ *at* spotte over, gøre nar af; ~ *up* T improvisere; lave en efterligning (, model) af.
II. mock [mɔk] *sb (glds)* (dårlig) efterligning; spot, latterliggørelse; *make a* ~ *of* gøre nar af.
III. mock [mɔk] *adj* forloren, uægte; forstilt, påtaget *(fx friendliness);* fingeret *(fx debate);* ~ *attack* skinangreb.
mocker ['mɔkə] *sb* spotter.
mockery ['mɔkəri] ~ spot, latterliggørelse, hån; dårlig efterligning, vrængbillede, parodi; spilfægteri; farce, (tom) komedie; *make a* ~ *of* gøre nar af; forhåne; være en hån mod; *hold up to* ~ latterliggøre.
mock-heroic *adj :* ~ *poem* komisk heltedigt.
mockingbird ['mɔkiŋbɑːd] *sb* zo spottedrossel, spottefugl.
mock orange *(bot)* uægte jasmin, pibeved.
mock turtle forloren skildpadde.
mock-up ['mɔkʌp] *sb* model i naturlig størrelse *(fx a* ~ *of an aeroplane).*
mod. *fk modern.*
modal ['moudl] *adj* formel; *(gram)* modal; ~ *auxiliary* modalverbum.
modality [mə'dæliti] *sb* modalitet.
mode [moud] *sb* måde *(fx* ~ *of payment* betalingsmåde); mode; skik, brug; (i musik) toneart; *(filos)* fremtrædelsesform; (i statistik) typeværdi; (radio) svingningstype; *(gram,* logik), se *mood;* ~ *of address* tiltaleform; ~ *of life* livsform.
I. model ['mɔdl] *sb* model, mønster *(of* på, *fx she was a* ~ *of a wife),* forbillede; (ens) udtrykte billede *(fx he is a perfect* ~ *of his father);* (fotografs, kunstners) model; (som viser tøj) model, mannequin; *adj* model- *(fx plane, railway);* eksemplarisk, mønster, mønstergyldig *(fx a* ~ *husband); on the* ~ *of* efter (mønster af).
II. model ['mɔdl] *vb* modellere; forme *(on* efter); anlægge, indrette, udforme; (for kunstner *etc)* være (, stå) model; (vise tøj) gå mannequin; (om tøj) fremvise; ~ *oneself on sby* efterligne en, tage en til forbillede.
modeller ['mɔdlə] *sb* modellør.
I. moderate ['mɔd(ə)rit] *adj* mådeholden *(fx in drinking),* moderat; rimelig *(fx price);* ikke videre stor (, god, dygtig *etc);* middelmådig, nogenlunde.
II. moderate ['mɔdəreit] *vb* lægge bånd på, betvinge, beherske *(fx one's anger);* nedsætte, moderere *(fx one's de-*

mands), mildne, dæmpe; (uden objekt) tage af, dæmpes; føre forsædet ved forhandlinger; være diskussionsleder *(el.* ordstyrer).
moderate| breeze frisk brise. ~ **gale** stiv kuling.
moderately ['mɔd(ə)ritli] *adv* med måde, jævnt, nogenlunde.
moderation [mɔdə'reiʃ(ə)n] *sb* mådehold, moderation; sindighed, sindsligevægt, beherskelse; *Moderations* første offentlige eksamen ved Oxford til opnåelse af B. A. graden; *in* ~ med måde.
moderator ['mɔdəreitə] *sb* mægler; presbyteriansk præst (med særlig bemyndigelse); diskussionsleder, ordstyrer *(fx* ved radiodiskussion); (i atomreaktor) moderator, bremsestof.
modern ['mɔd(ə)n] *adj* moderne, nyere, ny, nutids-; *sb pl the* -s nutidens forfattere, komponister *osv;* nutidens mennesker; ~ *English* nyengelsk; ~ *history* den nyere tids historie.
modernism ['mɔdənizm] *sb* modernisme; moderne tidsånd, ny skik, nyere smag.
modernist ['mɔdənist] *sb* modernist; *adj* modernistisk.
modernistic [mɔdə'nistik] *adj* modernistisk.
modernity [mɔ'dɔ:niti] *sb* modernitet, moderne præg, nyhed.
modernization [mɔdənai'zeiʃ(ə)n] *sb* modernisering.
modernize ['mɔdənaiz] *vb* modernisere.
modest ['mɔdist] *adj* beskeden, fordringsløs; (moralsk:) sømmelig, anstændig, ærbar, blufærdig; (lille:) beskeden *(fx house, success),* moderat.
modesty ['mɔdisti] *sb* beskedenhed, fordringsløshed; anstændighed, ærbarhed; blufærdighed.
modicum ['mɔdikəm] *sb* lille smule *(fx a* ~ *of effort);* minimum.
modification [mɔdifi'keiʃ(ə)n] *sb (cf modify)* modifikation, omformning, omdannelse, ændring; begrænsning, indskrænkning, mildnelse; *(gram)* bestemmelse; omlyd.
modify ['mɔdifai] *vb* modificere, omforme, omdanne, ændre *(fx a plan);* begrænse, mildne *(fx a punishment);* moderere *(fx one's demands); (gram)* nærmere bestemme *(fx adjectives* ~ *nouns);* (om vokal) forandre ved omlyd.
modish ['moudiʃ] *adj* moderne, nymodens.
modiste [mɔ'di:st] *sb* modehandlerinde, dameskrædderinde.
Mods. [mɔdz] S *fk Moderations.*
modulate ['mɔdjuleit] *vb* (i musik, radio *etc)* modulere.
modulating valve moduleringsrør.
modulation [mɔdju'leiʃən] *sb* modulation.
module ['mɔdju:l] *sb (arkit)* modul; (af rumskib) modul, sektion, selvstændig enhed og del.
modus ['moudəs] *sb* måde; ~ *vivendi* modus vivendi, foreløbig ordning.
I. Mogul [mou'gʌl]: *the Great* ~ stormogulen.
II. mogul [mou'gʌl] *sb* magnat, storhed.
mohair ['mouhɛə] *sb* mohair, angorauld.
Mohammed [mə'hæmed] Muhamed.
Mohammedan [mə'hæmid(ə)n] *adj* muhammedansk; *sb* muhamedaner.
Mohammedanism [mə'hæmidənizm] *sb* muhamedanisme.
Mohawk [mə'hɔ:k] *sb* mohawkindianer.
Mohican [mə'mouikən] *sb* mohikaner; *the last of the* -s den sidste mohikaner.
Mohocks ['mouhɔks] *sb pl (hist.)* londonbøller (i 18. årh).
moiety ['mɔiəti] *sb* halvdel; del.
moil [mɔil] *vb: toil and* ~ slide og slæbe.
moire [mwa:] *sb* (silke)moiré.
moiré [mwa'rei] *sb* (silke)moiré; *adj* moireret, vatret.
moist [mɔist] *adj* fugtig. **moisten** ['mɔisn] *vb* fugte; blive fugtig.
moisture ['mɔistʃə] fugt(ighed).
moisturize ['mɔistʃəraiz] *vb* fugte *(fx* ~ *the skin with cream).*
moisturizer ['mɔistʃəraizə] *sb* fugtighedscreme.
moke [mouk] *sb* S æsel.
molar ['moulə] *sb* kindtand; *adj :* ~ *tooth = molar sb.*
molasses [mə'læsiz] *sb* sirup; melasse.
mold [mould] se *mould.*
Moldavia [mɔl'deivjə] Moldau.

mole [moul] *sb* mole, havnedæmning, stendæmning; *zo* muldvarp; *(anat,* på huden) modermærke, skønhedsplet.
mole cricket *zo* jordkrebs.
molecular [mə'lekjulə] *adj* molekylær; ~ *weight* molekylvægt.
molecule ['mɔlikju:l] *sb* molekyle.
molehill ['moulhil] *sb* muldvarpeskud; *make a mountain out of a* ~ gøre en myg til en elefant.
moleskin ['moulskin] *sb* muldvarpeskind; molskind (slags tykt bomuldstøj); *-s* (også) molskindsbukser.
molest [mə'lest] *vb* besvære, plage, forulempe, antaste; *be -ed* (også:) lide overlast.
molestation [moule'steiʃ(ə)n] *sb* overlast, forulempelse.
moll [mɔl] *sb* **S** tøs, prostitueret; gangsterpige.
mollify ['mɔlifai] *vb* blødgøre, formilde.
mollusc ['mɔləsk] *sb* zo bløddyr.
mollycoddle ['mɔlikɔdl] *sb* slapsvans, skvat, pylrehoved; *vb* pylre om, forkæle.
Moloch ['moulɔk] Molok.
molt [moult] = *moult.*
molten ['moultən] *adj* smeltet.
Moluccas [mə'lʌkəz] *pl (geogr)* : *the* ~ Molukkerne.
molybdenum [mə'libdinəm] *sb* molybdæn.
moment ['moumənt] *sb* øjeblik; vigtighed, betydning *(fx an event of great* ~*); (fys)* moment *(fx* ~ *of force* kraftmoment; ~ *of inertia* inertimoment); *half (el. just) a* ~*!* et lille øjeblik! *the* ~ *I saw him* straks *(el.* i samme øjeblik) jeg så ham; *this* ~ på øjeblikket, straks, øjeblikkelig *(fx go this* ~*!);* for et øjeblik siden, i dette øjeblik *(fx I only heard it this* ~*);*
(forb med *præp)* at *any* ~ hvad øjeblik det skal være; *at the* ~ for øjeblikket; *I was busy at the* ~ jeg havde travlt netop da; *at the same* ~ i samme øjeblik; *at that very* ~ i det samme; *from* ~ *to* ~ hvert øjeblik, når som helst; *of* ~ af vigtighed, betydningsfuld; *it is of no* ~ det er uden betydning; *of the* ~ øjeblikkets, aktuel; *the man of the* ~ dagens mand; ~ *of truth* det øjeblik da tyren får dødsstødet ved en tyrefægtning; *(fig)* afgørende øjeblik; sandhedens øjeblik; *to the* ~ på minutten, præcis.
momentarily ['moumənt(ə)rili] *adv* (for) et øjeblik *(fx he paused* ~*);* fra øjeblik til øjeblik, fra det ene øjeblik til det andet *(fx the danger is increasing* ~*);* hvad øjeblik det skal være, hvert øjeblik *(fx it is expected to happen* ~*);* momentvis.
momentary ['moumənt(ə)ri] *adj* øjeblikkelig, som varer et øjeblik, momentan, forbigående *(fx owing to a* ~ *indisposition); in* ~ *expectation of his arrival* mens vi *(etc)* hvert øjeblik ventede hans komme.
momently ['mouməntli] *adv* se *momentarily.*
momentous [mə'mentəs] *adj* betydningsfuld, vigtig; kritisk, skæbnesvanger.
moment|um [mə'mentəm] *sb (pl -a) (fys)* bevægelsesmængde; impuls, drivende kraft; **T** fart, fremdrift; styrke.
Mon. *fk Monmouthshire, Monday.*
Monaco ['mɔnəkou].
monad ['mɔnæd] *sb (filos)* monade.
monarch ['mɔnək] *sb* monark, hersker, fyrste; konge.
monarchic(al) [mɔ'na:kik(l)] *adj* monarkisk.
monarchist ['mɔnəkist] *sb* monarkist.
monarchy ['mɔnəki] *sb* monarki (kongedømme, kejserdømme).
monastery ['mɔnəst(ə)ri] *sb* kloster.
monastic [mə'næstik] *adj* klosterlig, kloster-, munke- *(fx vows* løfter).
monasticism [mə'næstisizm] *sb* munkevæsen; klosterliv.
monatomic ['mɔnətɔmik] *adj (fys)* enatomig.
Monday ['mʌndi, 'mʌndei] *sb* mandag.
monetary ['mʌnit(ə)ri] *adj* mønt- *(fx unit* enhed; *standard* fod; *union);* penge- *(fx policy);* valuta- *(fx crisis; fund).*
money ['mʌni] *sb* penge, mønt; *-s pl* pengesummer; valutaer; *throw good* ~ *after bad* ofre flere penge på et tvivlsomt foretagende; *make (el. coin)* ~ tjene (mange) penge; *much* ~ mange penge;
(forb med *præp) cheap* at *(el. for) the* ~ billig til prisen; *be in the* ~ **S** være styrtende rig; *keep sby in* ~ forsyne en med penge; *come into* ~ komme til penge; *he thinks I am made of* ~ han tror jeg har penge som græs,

han tror jeg er en ren Krøsus; *man of* ~ pengemand, kapitalist; *out of* ~ læns for penge; *piece of* ~ pengestykke.
money|bag pengesæk; *-bags* **S** penge, rigdomme; rig person. ~ **bill** lovforslag der drejer sig om statsudgifter eller statsindtægter. ~ **box** sparebøsse; indsamlingsbøsse; pengeskrin. ~ **changer** valutahandler; (chaufførs *etc)* møntboks.
moneyed ['mʌnid] *adj* bemidlet, velhavende; penge-; *the* ~ *interest* kapitalen, kapitalisterne; ~ *man* pengestærk mand, velhavende mand.
money|grubber pengepuger. **-lender** pengeudlåner, ågerkarl. **-lending** udlån af penge, åger. **-making** *adj* indbringende, som tjener penge. ~ **market** pengemarked. ~ **order** postanvisning (for beløb ind til £50 *(, am:* $100)). ~ **-spinner** indbringende foretagende; bog (, stykke) som giver kasse. **-wort** *(bot)* pengebladet fredløs.
-monger ['mʌngə] **-handler** *(fx fishmonger); (neds)* **-mager** *(fx miracle monger, warmonger)* en der spekulerer i ... *(fx scandalmonger).*
Mongol ['mɔngɔl] *sb* mongol; *adj* mongolsk.
Mongolia [mɔŋ'goulia] Mongoliet.
Mongolian [mɔŋ'goulian] *sb* mongol; *adj* mongolsk.
mongoloid ['mɔŋgələid] *adj* mongoloid.
mongoose ['mɔŋgu:s] *sb* mangust (slags desmerdyr).
mongrel ['mʌngrəl] *adj* blandet, af blandet race, uægte; *sb* køter, bastard.
monism ['mɔnizm] *sb (filos)* monisme. **monist** ['mɔnist] *sb* monist. **monistic** [mɔ'nistik] *adj* monistisk.
monition [mə'niʃən] *sb* advarsel, påmindelse.
I. monitor ['mɔnitə] *sb* en der advarer *el.* formaner; (i skole) præfekt; ordensduks, *(hist.)* elev der midlertidigt fører tilsyn med og underviser sine kammerater; *(hist.:* krigsskibstype) monitor; (radio:) én hvis hverv det er at aflytte udenlandske radioudsendelser; (i radio og TV) monitor, kontrolmodtager; *(fys)* monitor, strålingsdetektor (til måling af radioaktivitet); zo varan.
II. monitor ['mɔnitə] *vb* overvåge; aflytte (udenlandske) radioudsendelser; overvåge radioudsendelses kvalitet *(etc);* afprøve for radioaktivitet; spore (raket *etc); -ing service* lyttetjeneste.
monitor screen (i TV) kontrolmodtager.
monitory ['mɔnit(ə)ri] *adj* advarende, formanende.
monk [mʌŋk] *sb* munk.
I. monkey ['mʌŋki] *sb* abe; (om barn) abekat; spilopmager; *(tekn)* faldhammer, ramslag, rambukklods; £ £500; *(am* **S**) $500; *get one's* ~ *up* **S** blive gal i hovedet; *put his* ~ *up* **S** gøre ham gal i hovedet; *have a* ~ *on one's back* **S** være narkoman; bære nag.
II. monkey ['mʌŋki] *vb* lave abekattestreger; ~ *with sth* pille ved noget *(fx don't* ~ *with the saw);* lave grin med.
monkey|bread frugt af abebrødstræet. ~ **bridge** *(mar)* øverste kommandobro. ~ **business** abekattestreger; fup, svindel. ~ **engine** rambuk. ~ **flower** *(bot)* abeblomst. ~ **jacket** (kort, tætsluttende) sømandstrøje. ~ **-nut** jordnød. ~ **puzzle** *(bot)* araucaria, abetræ. ~ **wrench** universal-(skrue)nøgle, svensk nøgle.
monkfish ['mʌŋkfiʃ] *sb* zo havengel.
monkish ['mʌŋkiʃ] *adj (neds)* munkeagtig.
monkshood ['mʌŋkshud] *sb (bot)* venusvogn.
Monmouth ['mɔnməθ].
mono- ['mɔnə] en-, ene-; mono-.
monochrome ['mɔnəkroum] *adj* monokrom, ensfarvet, med kun én farve; ~ *television* sort-hvid fjernsyn.
monocle ['mɔnəkl] *sb* monokel.
monocotyledon ['mɔnəkɔti'li:dn] *sb (bot)* enkimbladet.
monocotyledonous ['mɔnəkɔti'li:dənəs] *adj* enkimbladet.
monocular [mɔ'nɔkjulə] *adj* enøjet; for ét øje.
monody ['mɔnədi] *sb* sørgesang.
monoecious [mɔ'ni:ʃəs] *adj* enbo, sambo.
monogamous [mɔ'nɔgəməs] *adj* monogam.
monogamy [mɔ'nɔgəmi] *sb* monogami, engifte.
monogram ['mɔnəgræm] *sb* monogram, navnetræk.
monograph ['mɔnəgra:f, -græf] *sb* monografi.
monolith ['mɔnəliθ] *sb* monolit, støtte uhugget af én sten.
monolithic [mɔnə'liθik] *adj* monolitisk; (om beton) støbt i ét, sammenhængende, sammenstøbt *(with* med); *(fig)* som udgør en massiv blok, massiv.
monologue ['mɔnələg] *sb* monolog. enetale.

monomania ['mɔnə'meinjə] *sb* fiks idé; monomani.
monomaniac ['mɔnə'meiniæk] *sb* monomant individ; en der er besat af en fiks idé.
monometallism [mɔnə'metəlizm] *sb* enkelt møntfod.
monoplane ['mɔnəplein] *sb* monoplan, endækker.
monopolist [mə'nɔpəlist] *sb* indehaver af et monopol; monopoltilhænger.
monopolize [mə'nɔpəlaiz] *vb* få monopol på, have eneret til; monopolisere, lægge beslag på, tiltage sig eneherredømmet over; ~ *the conversation* ikke lade nogen anden få et ord indført.
monopoly [mə'nɔpəli] *sb* monopol, eneret; (spil) matador ℟; *have a* ~ *of* have monopol på.
monorail ['mɔnəreil] *sb* énskinnet jernbane.
monosyllabic ['mɔnəsi'læbik] *adj* enstavelses-; som svarer med enstavelsesord, fåmælt.
monosyllable ['mɔnəsiləbl] *sb* enstavelsesord.
monotheism ['mɔnəθi:izm] *sb* monoteisme, læren om og troen på én gud. **monotheist** ['mɔnəθi:ist] *sb* monoteist.
monotone ['mɔnətoun] *sb* ensformig tone; monotoni, ensformighed; *vb* foredrage monotont.
monotonous [mə'nɔtənəs] *vb* monoton, enstonig, ensformig.
monotony [mə'nɔtəni] *sb* ensformighed, monotoni.
monotreme ['mɔnətri:m] *sb zo* kloakdyr.
monotype ['mɔnətaip] *sb (typ)* monotype (sættemaskine der støber enkelte typer og ikke hele linier).
monovalent ['mɔnəveilənt] *adj (kem)* monovalent; éngyldig.
monoxide [mə'nɔksaid] *sb (kem): carbon* ~ kulilte.
Monroe [mən'rou] : *the* ~ *doctrine (am hist.)* Monroe-doktrinen.
monsieur [mə'sjə(:)] monsieur, hr.
monsoon [mɔn'su:n] *sb* monsun (vind); regntid (i Indien).
monster ['mɔnstə] *sb* uhyre; monstrum, misfoster, vanskabning; fabeldyr; *(fig)* uhyre, afskum, umenneske; *adj* kæmpemæssig; ~ *meeting* massemøde.
monstrance ['mɔnstrəns] *sb (rel)* monstrans (til fremvisning af hostien).
monstrosity [mɔn'strɔsiti] *sb* vanskabthed, afskyelighed, uhyrlighed; vanskabning, misfoster, uhyre, *(fig også)* skrummel.
monstrous ['mɔnstrəs] *adj* uhyre, unaturlig stor; afskyelig; vanskabt; uhyrlig.
Mont. *fk Montana* [mɔn'tænə].
montage [mɔn'ta:ʒ] *sb* (foto)montage.
Montagu(e) ['mɔntəgju:].
Montagu's harrier *zo* hedehøg.
Montenegrin [mɔnti'ni:grin] *adj* montenegrinsk; *sb* montenegriner. **Montenegro** [mɔnti'ni:grou].
month [mʌnθ] *sb* måned; *this day* ~, *a* ~ *from today* i dag om en måned; *for -s* i månedsvis; *the* ~ *of July* juli måned.
monthly ['mʌnθli] *adj* månedlig; måneds-; *adv* en gang om måneden; *sb* månedsblad, månedsskrift; *monthlies pl* (også:) menstruation.
Montreal [mɔntri'ɔ:l].
monument ['mɔnjumənt] *sb* monument, mindesmærke; mindesten; kulturmindesmærke; *(fig)* evigt minde *(of* om); (om bog) værk af varig betydning; *(am, jur)* skel; skelmærke; *the Monument* (en søjle i London til minde om branden 1666).
monumental [mɔnju'mentl] *adj* monument-, minde-; monumental; storslået; kolossal; ~ *mason* stenhugger.
moo [mu:] *vb* sige bu (som en ko), brøle; af brøl(en).
mooch [mu:tʃ] *vb* S drive, slentre; luske; drive den af; skulke; stjæle, 'nuppe'; nasse sig til; ~ *around* drive omkring.
moo-cow ['mu:kau] *sb* bu-ko.
I. mood [mu:d] *sb (gram)* måde, modus; (i logik) modus.
II. mood [mu:d] *sb* (sinds)stemning, humør; *in the* ~ *for* oplagt til; *in the* ~ *to* oplagt til at; *be in a drinking* ~ være oplagt til at drikke; *man of -s* lunefuld person, stemningsmenneske.
moody ['mu:di] *adj* gnaven, irritabel; nedslået, tungsindig; lunefuld.
I. moon [mu:n] *sb* måne; *there is a* ~ *tonight* det er måneskin i aften; *the* ~ *is new* det er nymåne; *ask (el. cry) for the* ~ forlange urimeligheder; ønske det uopnåelige;

promise sby the ~ love en guld og grønne skove; *once in a blue* ~ yderst sjældent; en sjælden gang.
II. moon [mu:n] *vb:* ~ *about,* ~ *along* slentre *(el. drive)* omkring; ~ *away one's time* drømme tiden bort.
moon|beam månestråle. **-bug** månelandingsfartøj. **-calf** idiot; mæhæ. ~ **-faced** med fuldmåneansigt. **-fish** *zo* glansfisk. **-less** uden måneskin.
moonlight ['mu:nlait] *sb* måneskin; *adj* måneskins-; månelys; *vb* have ekstrajob *(el.* bijob), have to jobs på en gang; (om håndværker) udføre arbejde om søndagen *(el.* efter lukketid), lave 'måneskinsarbejde'.
moonlighter ['mu:nlaitə] *sb* en som begår overfald om natten; *(am)* hjemmebrænder.
moonlight flit(ting) natlig flytning for at undgå at betale husleje.
moonlighting ['mu:nlaitiŋ] *sb (am)* det at have bijob *(el.* ekstrajob); 'sortbørsarbejde', 'måneskinsarbejde'.
moonlight school *(am)* aftenskole på landet (hvor der undervises i læsning og skrivning).
moonlit ['mu:nlit] *adj* månelys, måneklar, månebelyst.
moon|raker (svarer *omtr* til) molbo. **-rise** måneopgang. **-seed** *(bot)* månefrø. **-set** månenedgang.
moonshine ['mu:nʃain] *sb* snak, sludder; *(am)* hjemmebrændt spiritus (især whisky), smuglersprit; måneskin.
moonshiner ['mu:nʃainə] *sb* spritsmugler, hjemmebrænder.
moonstone ['mu:nstoun] *sb* månesten (slags feldspat).
moonstrike ['mu:nstraik] *sb* månelanding.
moonstruck ['mu:nstrʌk] *adj* vanvittig, tosset, månesyg; (om fisk) uegnet til føde.
moony ['mu:ni] *adj* måneagtig; månebelyst, månelys; drømmende; S skør, tosset.
I. Moor [muə] *sb* maurer; mor, morian.
II. moor [muə] *sb* (lyng)hede; *vb (mar)* fortøje, lægge for anker.
moorage ['muərid3] *sb* fortøjning(splads); fortøjningsafgift.
moor|cock skotsk hanrype. **-fowl** skotsk rype. **-game** skotske ryper. **-hen** rørhøne; skotsk hunrype.
mooring mast fortøjningsmast (for luftskib).
moorings ['muəriŋz] *sb pl* fortøjning; fortøjningsbøje, fortøjningsplads; *let go the* ~ kaste fortøjningen los.
I. Moorish ['muəriʃ] *adj* maurisk.
II. moorish ['muəriʃ] *adj* hedeagtig.
moorland ['muələnd] *sb* (lyng)hede; højmose.
moose [mu:s] *sb zo* (amerikansk) elg, elsdyr.
moot [mu:t] *vb* bringe på bane, sætte under debat; *adj* omstridt *(fx question); sb (jur)* fingeret retssag (som øvelse for studerende), øvelsesdiskussion; *(hist.)* tingmøde; *a* ~ *point* et omstridt punkt; *a* ~ *question* (også) et åbent spørgsmål; *it was -ed that* der blev ymtet om at.
I. mop [mɔp] *sb: -s and mows* grimasser; *vb:* ~ *and mow* lave grimasser.
II. mop [mɔp] *sb* mop, svaber, opvaskebørste; T *(fig)* uredt hår, 'paryk', manke; ~ *of* mopped; tørre; ~ *one's brow* tørre (sveden af) sin pande; ~ *the floor with sby* gøre det helt af med én; nedgøre en fuldstændigt; ~ *up* tørre op; T afslutte, gøre kål på, få til side *(fx arrears of work)*; samle sammen, skovle ind *(fx money)*; absorbere; opsuge *(fx loose money* ledige penge); sluge, hælde i sig *(fx a drink); (mil.)* udrense (et erobret terræn for fjender).
mope [moup] *vb* være forknyt, hænge med næbbet; være sløv; *about* gå og hænge med næbbet; *sb: the -s* melankoli; *get the -s* blive i dårligt humør.
moped ['mouped] *sb* knallert (cykel med motor).
mopedallist [mou'pedəlist] *sb* knallertkører.
mopish ['moupiʃ] *adj* nedslået, forknyt, sløv.
moppet ['mɔpit] *sb* (kæleord for) barn, unge.
mopping-up (operations) *(mil.)* udrensning.
moquette [mɔ'ket] *sb* opskåren mekka; *uncut* ~ uopskåren mekka.
moraine [mɔ'rein] *sb (geol)* moræne.
I. moral ['mɔr(ə)l] *adj* moralsk; moral-; dydig, sædelig; *a* ~ *certainty* en til vished grænsende sandsynlighed.
II. moral ['mɔr(ə)l] *sb* moral *(fx the* ~ *of the story); -s* moral *(fx her lax -s),* vandel; (se også *II. point).*
morale [mɔ'ra:l] *sb* moral *(fx the* ~ *of the troops is excellent);* kampånd.
moralist ['mɔrəlist] *sb* moralist, moralprædikant.

morality [mə'ræliti] *sb* moral, dyd; sædelighed; *(hist)* moralitet (ɔ: allegorisk skuespil).
moralize ['mɔrəlaiz] *vb* moralisere; uddrage en moral af; forbedre moralsk.
morally ['mɔrəli] *adv* moralsk; praktisk talt *(fx certain)*.
moral| **philosophy** etik. **~ rearmament** moralsk oprustning. **~ science** etik.
morass [mə'ræs] *sb* morads, mose, sump.
moratorium [mɔrə'tɔːriəm] *sb* moratorium; *(fig)* udsættelse *(on* af, *fx a strike)*. foreløbigt forbud *(on* mod); (foreløbig) standsning, (vedtagen) pause.
Moravia [mə'reivjə] Mähren.
Moravian [mə'reivjən] *adj* mährisk; herrnhutisk; **~ brethren** mähriske brødre, herrnhutere.
morbid ['mɔːbid] *adj* sygelig, morbid; patologisk; makaber *(fx details)*.
morbidity [mɔː'biditi] *sb* sygelighed.
mordacious [mɔː'deiʃəs] *adj* skarp, bidende, sarkastisk.
mordacity [mɔː'dæsiti] *sb* bidskhed, skarphed.
mordant ['mɔːd(ə)nt] *adj* bidende; skarp *(fx criticism)*; *vb* bejdse, ætse; *sb* bejdse, ætsende væske.
more [mɔː] *adj, adv* mere; mer, flere; (ved sammenligning mellem to) mest; (bruges til at omskrive komparativ, *fx* **~ numerous** talrigere; **~ easily** lettere);
all the **~** så mange flere, så meget desto mere; *as much* **~** dobbelt så meget; *no* **~** ikke mere, aldrig mere; *we can do no* **~** vi kan ikke gøre mere; *no* **~** *can you* det kan du lige så lidt *(el.* heller ikke); *no (el. not any)* **~** *than* lige så lidt som; *say no* **~** så er vi enige; så er den sag afgjort; *once* **~** en gang til; *one pound* **~**, *one* **~** *pound* et pund til; **~** *or less* mer eller mindre; omtrent *(fx it is an hour's walk* **~** *or less);* so much the **~** så meget desto mere; *the* **~** *so as* så meget mere som; *(the)* **~** *fool you to marry* hvor kunne du være så dum at gifte dig; *(the)* **~** *'s the pity* så meget desto værre; desværre; *(and) what is* **~**, *(and)* **~** *than that* (og) hvad mere er.
moreen [mɔː'riːn] *sb* uldmoiré.
moreish ['mɔːriʃ] *adj: it's got a* **~** *taste* S det smager efter mere.
morel [mɔ'rel] *sb (bot)* natskygge; (svampeslægten) morkel.
morello [mə'relou] *sb (bot)* morel.
moreover [mɔː'rouvə] *adv* desuden, endvidere.
mores ['mɔːriz] *sb pl (lat)* skikke, sæder.
Moresque [mɔː'resk] *adj* maurisk.
morganatic [mɔːgə'nætik] *adj* morganatisk; **~ marriage** (også) ægteskab til venstre hånd.
morgue [mɔːg] *sb* lighus; avisredaktions arkiv.
moribund ['mɔribʌnd] *adj* døende.
Mormon ['mɔːmən] *sb* mormon.
Mormonism ['mɔːmənizm] *sb* mormonisme.
morn [mɔːn] *sb (poet)* morgen.
morning ['mɔːniŋ] *sb* morgen, formiddag; *the* **~** *after (the day before)* dagen derpå; *in the* **~** om morgenen, om formiddagen; *on the* **~** *of Nov. 9th* den 9. nov. om morgenen; *tomorrow* **~** i morgen tidlig, i morgen formiddag; *this* **~** i morges, nu til morgen, (nu) i formiddag.
morning-afterish *adj* T : *feel* **~** have tømmermænd.
morning| **call** visit (aflagt om eftermiddagen). **~ coat** jaket. **~ dress** formiddagsdragt. **~ gift** morgengave. **~ glory** *(bot)* snerle. **~ prayer** morgengudstjeneste. **~ room** spisestue til servering af morgenmad. **~ service** morgengudstjeneste. **~ star** morgenstjerne. **~ watch** *(mar)* morgenvagt, vagt fra 4 til 8 morgen.
Moroccan [mə'rɔkən] *adj* marokkansk; *sb* marokkaner.
I. Morocco [mə'rɔkou] Marokko.
II. morocco [mə'rɔkou] *sb* safian; maroquin, (til bogbind også) oaseged.
moron ['mɔːrɔn] *sb* lettere åndssvag person, sinke.
morose [mə'rous] *adj* gnaven, vranten.
morpheme ['mɔːfiːm] *sb (gram.)* morfem (bøjningselement).
Morpheus ['mɔːfjuːs, -fiəs] Morpheus.
morphia ['mɔːfjə], **morphine** ['mɔːfiːn] *sb* morfin.
morphine addict morfinist.
morphinism ['mɔːfinizm] *sb* morfinisme.
morphology [mɔː'fɔlədʒi] *sb (gram.)* morfologi; formlære.
morris dance ['mɔris'daːns] (en folkedans).

morrow ['mɔrou] *sb* følgende dag, morgendag; tiden lige efter; *on the* **~** *of* umiddelbart efter.
Morse [mɔːs]: *the* **~** *alphabet* morsealfabetet.
morsel ['mɔːsl] *sb* bid; lille stykke.
mortal ['mɔːtl] *adj* dødelig; dødbringende; døds- *(fx agony, sin);* jordisk; T forfærdelig; *sb* dødelig, menneske; **~** *enemy* dødsfjende; **~** *fear* dødsangst; **~** *fight* kamp på liv og død; *his* **~** *frame* hans jordiske hylster; *four* **~** *hours* T fire stive (klokke)timer; *be in a* **~** *hurry* T have forfærdelig travlt; *no* **~** *reason* ingen verdens *(el.* ingen som helst) grund; *his* **~** *remains* hans jordiske levninger; *any* **~** *thing* T alt muligt, hvad som helst, meget som helst.
mortality [mɔː'tæliti] *sb* dødelighed; menneskehed.
mortality table dødelighedstabel.
I. mortar ['mɔːtə] *sb* mørtel, kalk; *vb* mure.
II. mortar ['mɔːtə] *sb* morter (til stødning); *(mil.)* mortér; *vb* beskyde med morter.
mortarboard ['mɔːtəbɔːd] *sb* mørtelbræt; firkantet, flad akademisk hovedbeklædning.
mortgage ['mɔːgidʒ] *sb* pant, panteret, (i fast ejendom) prioritet; (se også **~** *deed);* *vb* belåne, *(fig)* sætte i pant; **~** *oneself to a cause* gå (helt) ind for en sag; *-d to* forpligtet over for.
mortgage deed pantebrev, panteobligation.
mortgagee [mɔːgə'dʒiː] *sb* panthaver.
mortgagor [mɔːgə'dʒɔː] *sb* pantsætter; panteskyldner.
mortice, se *mortise.*
mortician [mɔː'tiʃən] *sb (am)* bedemand.
mortification [mɔːtifi'keiʃ(ə)n] *sb* ydmygelse, krænkelse; skuffelse, sorg; spægelse *(fx* **~** *of the flesh); (med.)* koldbrand; *have the* **~** *of being* (også) lide den tort at blive.
mortify ['mɔːtifai] *vb* krænke, ydmyge *(fx he felt mortified when he was passed over); (med.)* fremkalde koldbrand i; angribes af koldbrand; **~** *the flesh* spæge sig, spæge sit kød.
mortise ['mɔːtis] *sb* taphul; *vb* sammentappe, indtappe.
mortise| **chisel** stemmejern. **~ joint** tapsamling.
mortmain ['mɔːtmein] *sb (jur, hist.)* den døde hånd; *hold in* **~** besidde som uafhændeligt gods.
mortuary ['mɔːtjuəri] *sb* ligkapel; *adj* begravelses-, grav- *(fx urn);* døds-.
I. Mosaic [mə'zeiik] *adj* mosaisk; *the* **~** *Law* Moseloven.
II. mosaic [mə'zeiik] *sb* mosaik; (ved luftfotografering) mosaikkort; *(bot)* mosaiksyge.
moschatel ['mɔskətel] *sb (bot)* desmerurt.
Moscow ['mɔskou] Moskva.
moselle [mə'zel] *sb* moselvin.
Moses ['mouziz].
Moslem ['mɔzlem] *sb* muhamedaner; *adj* muhamedansk.
mosque [mɔsk] *sb* moské.
mosquito [mə'skiːtou] *sb (pl -es)* moskito; myg.
mosquito| **boat** motortorpedobåd. **~ net** moskitonet.
I. moss [mɔs] *sb* mos, tørvemose.
II. moss [mɔs] *sb (bot)* mos; *a rolling stone gathers no* **~** rullende sten samler ikke mos; den der flyver og farer fra det ene til det andet bliver aldrig velhavende.
moss|**back** *(am)* stokkonservativ. **-berry** tranebær. **~-grown** mosbevokset; *(fig)* forældet, mosgroet. **~ rose** mosrose. **~ stitch** perlestrikning. **~ -troopers** *(hist.)* røvere i grænseegnene mellem England og Skotland i det 17. årh.
mossy ['mɔsi] *adj* mosklædt; mosagtig.
most [moust] *adj* mest, flest; det meste, størstedelen; de fleste *(fx* **~** *people* de fleste mennesker); *adv* højst, i høj grad, særdeles *(fx a* **~** *tedious fellow)* ; (bruges til at omskrive superlativ, *fx the* **~** *tedious* (den kedeligste) *fellow I know);* *ask the* **~** *possible for it* forlange det mest mulige for det; *at (the)* **~** i det højeste; høist; **~** *certainly* aldeles sikkert; *the Most High* Gud; *make the* **~** *of* drage størst mulig nytte af; få det mest mulige ud af; overdrive betydningen af; **~** *of all* allermest; *for the* **~** *part* for størstedelen; **~** *willingly* særdeles gerne.
most-favoured-nation *adj* mestbegunstigelses- *(fx clause* klausul; *principle; treatment).*
mostly ['moustli] *adv* for største delen, mest, hovedsagelig; for det meste.

mot [mou] *sb* vittighed, bonmot.
mote [mout] *sb* støvgran, sandskorn; (bibelsk:) *why beholdest thou the ~ that is in thy brother's eye?* hvi ser du skæven i din broders øje?
motel [mou'tel] *sb* motel, hotel for bilister.
motet [mou'tet] *sb* motet.
noth [mɔθ] *sb* zo møl; natsommerfugl.
mothball ['mɔθbɔːl] *sb* mølkugle; møltablet; *in -s* (om skib) oplagt; 'i mølpose' (ɔ: beskyttet af et plasticovertræk); *(fig)* i reserve.
moth-eaten ['mɔθiːtn] *adj* mølædt; forældet; medtaget.
I. mother ['mʌðə] *sb* moder, mor; *(agr)* kyllingemoder; (~ *of vinegar)* eddikemoder; *vb* være moder for, tage sig moderligt af; adoptere, anerkende som sit barn; ~ *of two children* moder til to børn; *every mother's son* hver eneste mors sjæl.
Mother Cary's chicken zo stormsvale.
mother | **church** moderkirke. ~ **country** moderland. **-craft** moderkundskab; barnepleje. ~ **fixation** *(psyk)* moderbinding.
motherhood ['mʌðəhud] *sb* moderskab.
mother-in-law ['mʌðə(ə)rinlɔː] *sb* svigermoder.
motherly ['mʌðəli] *adj* moderlig.
mother-of-pearl ['mʌðə(ə)rə(v)'pɔːl] *sb* perlemor.
mother's | **boy** *(neds)* mors dreng. ~ **help** ung pige i huset (til børnepasning og lettere husarbejde).
mother | **ship** moderskib. ~ **superior** abedisse. ~ **tongue** modersmål. ~ **wit** *(glds)* sund fornuft, medfødt vid, mutterwitz.
mothproof ['mɔθpruːf] *adj* mølægte, mølbehandlet; *vb* mølbehandle.
motif [mou'tiːf] *sb* (i kunst) motiv; tema; hovedtanke.
I. motion ['mouʃ(ə)n] *sb* bevægelse; (henstilling:) vink, tegn *(fx he made a ~ to her to go); (parl etc)* forslag *(fx the ~ was rejected); (jur)* andragende; *(med.)* afføring; *(tekn)* mekanisme; *in ~* i bevægelse, i gang; *in three -s* i tre tempi; *of one's own ~* af egen drift; *go through the -s* (mekanisk) udføre de bevægelser der hører til *(fx she went through the -s of singing without uttering a sound); go through the -s of working* lade som om man arbejder.
II. motion ['mouʃ(ə)n] *vb* give tegn (til), vinke (til); ~ *him away* vinke ham bort; ~ *him to a seat,* ~ *(to) him to sit down* give tegn til ham at han skal sætte sig.
motionless ['mouʃ(ə)nlis] *adj* ubevægelig.
motion picture *(am)* film.
motion sickness *(med.)* bevægelsessyge, transportsyge (fællesbetegnelse for køresyge, luftsyge *etc).*
motivate ['moutiveit] *vb* motivere; tilskynde; skabe interesse hos.
motivation [mouti'veiʃ(ə)n] *sb* motivation, bevæggrund(e).
motivational [mouti'veiʃənl] *adj* motiv-; ~ *research* motivanalyse (i reklame).
motive ['moutiv] *sb* bevæggrund, motiv *(of* til); (se også *motif);* (*adj* driv-, bevægelses-; ~ *force,* ~ *power* drivkraft.
motivity [mou'tiviti] *sb* bevægkraft, drivkraft.
motley ['mɔtli] *adj* broget, spraglet, mangefarvet; blandet; *sb* broget dragt, narredragt; broget blanding.
motor ['moutə] *sb* motor; (automo)bil; *(anat)* bevægemuskel, bevægenerve; *adj* bevægende, motorisk; motor-; bil-; *vb* køre i automobil, bile.
motorail ['moutəreil] *sb* (jernb) biltransporttog.
motor|-**assisted** med hjælpemotor. ~ **bicycle,** -**bike** motorcykel; *(am* især) knallert, let motorcykel. -**boat** *sb* motorbåd; *vb* sejle i motorbåd. ~ **bus** (motor)omnibus. -**cade** [-keid] *am* bilkortege. -**car** bil, automobil. ~ **coach** turistbil, rutebil. ~ **converter** *(elekt)* kaskadeomformer. ~ **court** *(am)* motel. -**cycle** *sb* motorcykel; *vb* køre på m. -**drome** [-droum] motorvæddeløbsbane.
motored ['moutəd] *adj* med motor.
motor home selvkørende beboelsesvogn.
motoring ['moutəriŋ] *sb* bilkørsel, bilisme; *adj* bil-; ~ *accident* biluheld; ~ *school* køreskole; ~ *trip,* ~ *tour* biltur.
motorism ['moutərizm] *sb* bilisme.
motorist ['moutərist] *sb* bilist.
motorization ['moutərai'zeiʃn] *sb* motorisering.
motorize ['moutəraiz] *vb* motorisere.

motor| **launch** motorbåd. ~ **lorry** (åben) lastbil. -**man** vognstyrer, togfører, chauffør. ~ **muscle** bevægemuskel. ~ **nerve** bevægenerve. ~ **race** bilvæddeløb. ~ **scooter** scooter. ~ **ship** motorskib. ~ **show** (automo)bududstilling. ~ **spirit** benzin. -**van** (lukket) lastbil. ~ **vehicle** motorkøretøj. ~ **vessel** motorskib. -**way** motorvej.
mottle ['mɔtl] *sb* plet; spraglethed; marmorering.
mottled ['mɔtl] *adj* broget, spraglet, marmoreret; ~ *iron* halveret jern.
motto ['mɔtou] *sb (pl -es)* valgsprog, devise, motto.
moujik ['muːʒik] *sb* musjik, russisk bonde.
I. mould [mould] *sb* form; *(tekn)* støbeform; skabelon; (i madlavning) budding *o l* der er lavet i en form; (persons:) skikkelse; *(fig)* støbning, type, præg; *vb* forme *(upon* efter); danne, støbe; (uden objekt) tage form, forme sig, danne sig.
II. mould [mould] *sb* muld; jord; *vb:* ~ *(up)* dække med muld.
III. mould [mould] *sb* skimmel, mug, skimmelsvamp; *vb* mugne, blive skimlet.
mouldboard ['mouldbɔːd] *sb (agr)* muldfjæl (på plov).
I. moulder ['mouldə] *vb* smuldre, hensmuldre.
II. moulder ['mouldə] *sb* former.
moulding ['mouldiŋ] *sb* støbning, formning; (i snedkeri) kelliste, profileret liste; pynteliste; (til billedramme) billedliste; *(arkit)* profil, gesims; (s-formet:) karnis.
moulding | **machine** fræsemaskine (til træ). ~ **sand** formsand.
mouldy ['mouldi] *adj* muggen; *(fig)* T forældet, gammeldags *(fx ideas);* S elendig, 'rådden', 'skaldet' *(fx this ~ school).*
moult [moult] *vb* fælde, skifte ham; afkaste.
moulting ['moultiŋ] *sb* hudskifte, fældning (af fjer).
mound [maund] *sb* vold; høj, tue; dynge *(fx of stones); vb* beskytte med en vold; dynge op.
I. mount [maunt] *sb* bjerg (især bibelsk, *poet el.* i forb med egennavne, *fx Mount Etna); the Sermon on the Mount* Bjergprædikenen.
II. mount [maunt] *sb* (til opklæbning af billede, kort) karton, papir, (til diapositiv) maske, ramme; (ved mikroskopering) objektglas; (til frimærke) hængsel; (til montering af maskine og til møbler *etc)* beslag; (til ædelsten) indfatning; (til ridning) (ride)dyr *(fx the pony was a neat little ~),* (ride)hest.
III. mount [maunt] *vb* stige, vokse *(fx -ing debts; -ing protest);* (om rytter) stige til hest, sidde 'op; (med objekt) stige op ad (, på), gå op ad (, på) *(fx the ladder, the platform);* bestige *(fx the throne);* (om rytter) hjælpe i sadlen, sætte på en hest; forsyne med hest; (om ting) anbringe; (om maskiner, våben) montere, opstille; (om billede, kort) montere, klæbe op; (om frimærke) klæbe ind; (om ædelsten) indfatte; (forsyne med beslag) beslå; (om teaterstykke) sætte op; *(mil.)* iværksætte *(fx an attack, an operation), (fig)* arrangere *(fx an exhibition);* (om dyr) bedække; *her colour -ed* hun rødmede; ~ *guard* stille sig (, stå) på vagt; ~ *guard over* bevogte; beskytte; ~ *the high horse* sætte sig på den høje hest; *the troops were miserably -ed* tropperne havde elendige heste; ~ *up* hobe sig op, løbe op.
mountain ['mauntin] *sb* bjerg; *(fig)* (enorm) mængde; *the M.* Bjerget (under den franske revolution); *a ~ of flesh* (om person) en kødbjerg.
mountain| **ash** *(bot)* røn. ~ **avens** [-'ævənz] *(bot)* dryas, fjeldsimmer. ~ **cranberry** *(bot)* tyttebær. ~ **dew** skotsk whisky (der er brændt i smug).
mountaineer [maunti'niə] *sb* bjergboer; bjergbestiger; *vb* foretage bjergbestigning(er).
mountaineering [maunti'niəriŋ] *sb* bjergbestigning.
mountain| **hare** snehare. ~ **lion** puma; kuguar.
mountainous ['mauntinəs] *adj* bjergfuld; enorm.
mountain| **pine** *(bot)* bjergfyr. ~ **range** bjergkæde.
mountebank ['mauntibæŋk] *sb* kvaksalver; charlatan; humbugsmager; gøgler.
mounted ['mauntid] *adj* ridende, bereden *(fx police),* til hest; opstillet, monteret, opklæbet, indfattet *(etc, cf III. mount).*
mounting ['mauntiŋ] *sb (cf III. mount)* montering, opstilling, opklæbning, indfatning; se også *II. mount.*

mourn [mɔ:n] *vb* sørge *(for, over* over); bære sorg; (med objekt) sørge over, begræde.

mourner ['mɔ:nə] *sb* sørgende; deltager i begravelse; *the -s* de efterladte; følget; *the chief* ~ den nærmeste pårørende (ved begravelse).

mournful ['mɔ:nf(u)l] *adj* sorgfuld, sørgmodig, sørgelig.

mourning ['mɔ:niŋ] *sb* sorg, sørgedragt; *adj* sørgende, sørge-; *be in* ~ sørge, bære sorg; *go into* ~ anlægge sorg; *go out of* ~ lægge sorgen; *year of* ~ sørgeår.

I. mouse [maus] *sb (pl mice)* mus; *(fig)* forsagt og tilbageholdende person; **S** blåt øje; *when the cat's away, the mice will play* når katten er ude spiller musene på bordet.

II. mouse [mauz] *vb* fange mus; jage mus; *(fig)* liste om, snuse rundt; ~ *about* være på musejagt; liste om; ~ *a hook (mar)* muse en hage; ~ *out (am)* opsnuse.

mouse-coloured *adj* musegrå.

mousetrap ['maustræp] *sb* musefælde; **T** kedelig ost.

mousse [mu:s] *sb* mousse (en dessert).

mousseline ['mu:sli:n] *sb* musselin.

moustache [mə'sta:ʃ] *sb* moustache, overskæg.

moustached [mə'sta:ʃt] *adj* med overskæg, med moustache.

mousy ['mausi] *adj* museagtig; fuld af mus; som lugter af mus; musegrå; *(fig)* stille som en mus; sky, uanselig.

I. mouth [mauθ] *sb* mund; munding *(fx the* ~ *of the river)*; åbning; *by word of* ~ mundtlig; *be down in the* ~ være nedslået, hænge med hovedet; *give* ~ give hals; *make -s* skære ansigt, lave grimasser; *put the words into his* ~ lægge ham ordene i munden; påstå at han har sagt det; *take the words out of his* ~ tage ordet *(el.* brødet) ud af munden på ham.

II. mouth [mauð] *vb* deklamere; forme (ord) lydløst med læberne; tage i munden, spise; (uden objekt) skære ansigt, lave grimasser; ~ *a horse* vænne en hest til bidslet, køre en hest til.

mouthful ['mauθful] *sb* mundfuld; *you said a* ~ *(am)* **T** der sagde du virkelig noget; det er ordentlig snak.

mouth | **mirror** mundspejl. ~ **organ** mundharmonika. **-piece** mundstykke; (af pibe) spids; *(tlf)* telefontragt; (boksers) tandbeskytter; *(fig* om person) talerør. **-wash** mundvand (til at skylle munden med).

movability [mu:və'biliti] *sb* bevægelighed.

movable ['mu:vəbl] *adj* bevægelig, flytbar; forskydelig; *sb: -s* rørligt gods, løsøre; *a* ~ *feast* en forskydelig højtid.

I. move [mu:v] *vb* flytte *(fx they have -d to Hull)*; flytte sig; bevæge sig; gøre en bevægelse; *(fig)* udvikle sig *(fx events had -d rapidly)*; (om person) foretage sig noget, tage affære *(fx we had better* ~ *at once in this matter)*; bevæge sig, færdes *(fx he -s in the best circles)*; (med objekt) flytte; bevæge *(fx one's lips)*, sætte i bevægelse; *(fig)* røre *(fx I was -d to tears)*; tilskynde, bevæge *(fx nothing could* ~ *him to change his mind)*; (især jur, jur) foreslå, fremsætte forslag *(for* om); (i brætspil) trække *(fx black (is) to* ~ sort skal trække);. flytte *(fx a piece* en brik); *(merk)* finde købere;

~ *an amendment* stille et ændringsforslag; *have your bowels -d?* har De haft afføring? ~ *heaven and earth* sætte himmel og jord i bevægelse; ~ *house* flytte; ~ *in* flytte ind; rykke ind; ~ *in society* komme *(el.* gå) meget ud; *the train -d slowly into the station* toget rullede langsomt ind på stationen; ~ *on* give ordre til at gå videre; sprede (opløb); gå videre, sprede sig; ~ *on!* passér gaden! *feel -d to* have lyst til at; ~ *with the times* følge med tiden.

II. move [mu:v] *sb* bevægelse; flytning; (i brætspil) træk; *(fig)* skridt, skaktræk; *make a* ~ (også) røre på sig, bryde op; *you must make a* ~ *soon* du må snart foretage dig noget; *the next* ~ *is up to the Western powers (fig)* det er Vestmagterne der har udspillet; *be on the* ~ være i bevægelse; være på farten; *get a* ~ *on* få fart på, rubbe sig; *a wrong* ~ et fejltræk; et misgreb.

movement ['mu:vmənt] *sb* bevægelse; gang; udvikling, liv(lighed); *(merk)* omsætning; prisbevægelse, kursbevægelse; (i musik) sats; *(med.)* afføring; (i ur) værk; **-s** *pl* (også) færden; *let me know your -s* lad mig vide hvor du opholder dig *(el.* hvad du foretager dig); *watch sby's -s* holde et vågent øje med en; *a* ~ *of impatience* en utålmodig bevægelse.

mover ['mu:və] *sb* forslagsstiller; drivkraft, ophavsmand; *(am* også) flyttemand; se også *prime mover*.

movie ['mu:vi] *sb (am)* film; biograf; *adj* film-, biograf-; *the -s* film(en); *go to the -s* gå i biografen.

movie | **goer** biografgænger. **-house** biograf(teater). **-land** filmverdenen. ~ **star** filmstjerne. ~ **theatre** biograf(teater).

moving ['mu:viŋ] *adj* bevægende, driv-, drivende; som bevæger sig; *(fig)* rørende, gribende; *the* ~ *spirit of the enterprise* sjælen i foretagendet.

moving | **coil** drejespole. ~ **pictures** *pl* levende billeder, film. ~ **staircase** rullende trappe, escalator.

I. mow [mau] *(glds) sb* grimasse; *vb* skære ansigt.

II. mow [mou] *sb (am)* høbunke, høstak (i lade); høgulv.

III. mow [mou] *vb (mowed; mown el. mowed)* slå, meje.

mower ['mouə] *sb* mejer, høstkarl; slåmaskine; plæneklipper.

mowing ['mouiŋ] *adj :* ~ *machine* slåmaskine.

mown [moun] *pp* af III. *mow; new-mown hay* nyslået hø.

moxie ['mɔksi] *sb (am)* **S** fut, gåpåmod.

M.P. ['em'pi:] *fk Member of Parliament; Military Police.*

m.p.g. *fk miles per gallon.*

m.p.h. *fk miles per hour.*

M.P.S. *fk Member of the Pharmaceutical Society.*

M.R. *fk Master of the Rolls.*

Mr ['mistə] hr. *(fx* ~ *Jones;* ~ *President)*.

M R A *fk Moral Rearmament* Moralsk Oprustning.

MRCA *fk multi-role combat aircraft.*

M.R.C.P. *fk Member of the Royal College of Physicians.*

M.R.C.S. *fk Member of the Royal College of Surgeons.*

Mrs ['misiz] fru; *Colonel and Mrs. B.* oberst B. og frue; (se også *Grundy*).

Ms. [miz] *fk Miss el. Mrs.*

MS. *fk manuscript.* **M/S** *fk motor ship.*

MSS. *fk manuscripts.*

Mt *fk Mount (fx Mt Everest).*

much [mʌtʃ] *adj adv* megen, meget; omtrent, nogenlunde *(fx in* ~ *the same way,* ~ *as usual)*; (foran *sup*) langt, absolut *(fx* ~ *the best plan)*;

as ~ lige så meget; det samme *(fx I would do as* ~ *for you)*; *he said as* ~ det var netop hvad han sagde; det var meningen med hans ord; *I feared as* ~ det var det, jeg var bange for; *I thought as* ~ jeg tænkte det jo nok; *as* ~ *as to say* som om man ville sige; *we did not get so* ~ *as a cup of tea* vi fik ikke så meget som en kop te; *it is as* ~ *as he can do* det er alt hvad han kan præstere; *it is as* ~ *as my job is worth* det kan koste mig min stilling; jeg kan blive fyret for det; ~ *as I like him* hvor godt jeg end kan lide ham, så ... ~ *'you care about it* som om du brød dig det mindste om det; det brydet du dig jo ikke spor om; ~ *cry and little wool* viel Geschrei og wenig Wolle, stor ståhej for ingenting; *it wasn't* ~ *good* det var ikke meget bevendt, det var ikke meget ved det; (se også *II. good)*; *how* ~ *is this?* hvad koster denne? ~ *less* endsige, langt mindre;

make ~ **of** gøre meget ud af, forkæle, gøre stads af; *I didn't make* ~ *of that play* jeg fik ikke meget ud af det stykke (ɔ: forstod det ikke); *it does not matter* ~ det spiller ikke nogen videre rolle; *not* ~ *of a* ikke nogen videre god *(fx teacher)*; *nothing* ~ ikke noget videre, ikke meget; ~ *of a size* omtrent lige store; *pretty* ~ *alike* omtrent ens; **so** ~ så meget; (ubestemt mængde) så og så meget; *so* ~ *for that* det var det; færdig med det; det er alt hvad der kan siges om det; *so* ~ *for the plot of the play* så vidt stykkets handling; *so* ~ *for the present* det er tilstrækkeligt for øjeblikket, det er alt hvad der er at sige for øjeblikket; *it was all so* ~ *nonsense* det var bare vrøvl; *so* ~ *so* og det i den grad; *so* ~ *the better* så meget desto bedre; *I know this (el. thus)* ~ *that* så meget ved jeg, at; ~ *to my delight* til min store glæde; *he was too* ~ *for me* ham kunne jeg ikke klare; *too* ~ *of a good thing* for meget af det gode; *not up to* ~ ikke meget bevendt; *without* ~ *difficulty* uden større vanskelighed.

muchness ['mʌtʃnis] *sb: much of a* ~ omtrent det samme, hip som hap, næsten ens.

mucilage ['mju:silidʒ] *sb* slim; planteslim.

mucilaginous [mju:si'lædʒinəs] *adj* slimet, klæbrig.

muck [mʌk] *sb* møg, gødning; skarn, snavs; *(fig)* møg, bras; roderi; *vb* gøde; snavse *(el.* svine) til; spolere; ~ *about* drive *(el.* nusse *el.* fjolle) omkring; ~ *about with* rode med; ~ *in* S dele *(with* med); tage sin del af slæbet (ɔ: arbejdet); *make a* ~ *of* svine til; *(fig)* spolere; ~ *out* muge ud (i); ~ *up* spolere; svine til.

mucker ['mʌkə] *sb* møgspreder; kammerat; S bølle, børste; fald (i sølen); slemt uheld; *come a* ~ falde; være meget uheldig.

muckrake ['mʌkreik] *vb* rakke politiske modstandere *(etc)* til; drive skandalejournalistik; afsløre korruption. **muckraker** ['mʌkreikə] *sb* skandalejournalist; en der afslører korruption *etc.*

muck-raking paper skandaleblad, smudsblad.

mucky ['mʌki] *adj* snavset, beskidt.

mucous ['mju:kəs] *adj* slimet; ~ *membrane* slimhinde.

mucus ['mju:kəs] *sb* slim.

mud [mʌd] *sb* mudder, dynd, slam; (om byggemateriale også *omtr)* ler; *consider sby as* ~ foragte en, ikke regne en for noget; *his name is* ~ han er i unåde, han regnes ikke for det skidt man træder på; *throw* ~ *at* bagtale; *here's* ~ *in your eye!* S skål!

mud|bath gytjebad, slambad. ~ **-built** *adj* lerklinet.

muddle ['mʌdl] *sb* forvirring, roderi; *vb* forvirre; forplumre, forkludre; lave rod i; (om spiritus) gøre omtåget; *make a* ~ *of* forplumre, forkludre; ~ *away* sløse bort, forøde; ~ *on* gå frem på bedste beskub; ~ *along*, ~ *through* klare sig igennem på bedste beskub. **muddleheaded** ['mʌdlhedid] *adj* forvirret.

muddy ['mʌdi] *adj* mudret, snavset, sølet; mørk; grumset *(fx complexion),* (om lyd) uklar, sløret; *vb* tilsøle, plumre.

mud|flap stænklap. ~ **flat** muddergrund; slikvade. **-guard** skærm (over hjul).

Mudie's ['mju:diz] *(glds)* (et lejebibliotek i London).

mud|lark gadeunge, hjemløst barn. **-pack** slampakning. ~ **pie** mudderkage (lavet af barn i leg). ~ **puppy** *zo (am)* (om forskellige salamandre, især) dynddjævel; axolotl; hulepadde. **-skipper** *zo* dyndspringer. **-slinging** *sb* bagtalelse, tilrakning. ~ **volcano** dyndvulkan. ~ **wall** lervæg, lerklinet væg. **-wort** *(bot)* dyndurt.

muezzin [mu(:)'ezin] *sb* muezzin (udråber af tiderne for bøn for muhamedanere).

I. muff [mʌf] *sb* muffe (til hænderne).

II. muff [mʌf] *sb* fæ, klodsmajor; *vb* kludre i det; forkludre; (i boldspil) ikke gribe *(fx he -ed the ball);* ~ *a chance* misbruge *(el.* brænde) en chance; *make a* ~ *of* forkludre, forfuske.

muffin ['mʌfiŋ] *sb* (te)bolle.

I. muffle ['mʌfl] *vb* indhylle *(fx -d in silk);* omvikle for at dæmpe lyden *(fx oars);* dæmpe *(fx a -d sound);* ~ *up* indhylle, indsvøbe, 'pakke ind' *(fx* ~ *yourself up well against the cold);* a *-d* figure (også) en formummet skikkelse.

II. muffle ['mʌfl] *sb* jorddækning; (i keramisk ovn) muffel; (= ~ *furnace)* muffelovn.

muffler ['mʌflə] *sb* halstørklæde; *(tekn)* lyddæmper, lydpotte; (i klaver) dæmper.

mufti ['mʌfti] *sb* mufti (muhamedansk retslærd); civilt tøj; *in* ~ civilklædt, i civil.

I. mug [mʌg] *sb* krus, *(mar)* mugge; S fjæs, ansigt; mund; tosse, fæ; *vb* skære ansigter; fotografere (til forbryderalbum); S tage kværertag på bagfra, slå ned (und i røveri); *two -s can play at that game* S *(omtr =)* hvis du slår, så slår jeg igen; *it is a mug's game* S det er det rene pip, det får du *(etc)* ikke spor ud af.

II. mug [mʌg] T *sb* slider, boger; *vb* slide med (for at lære); slide i det, pukle; ~ *up* slide med for at finde ud af (,lære); ~ *up on* møjsommeligt sætte sig ind i; ~ *up a subject* læse et fag op (før eksamen).

mugger ['mʌgə] *sb zo* indisk krokodille; S røver (der tager kværtag), voldsmand.

muggins ['mʌginz] *sb* S fjols, tåbe.

muggy ['mʌgi] *adj* fugtig, lummer(varm), tung.

mughouse ['mʌghaus] *sb* knejpe, snask.

mug's game se *I. mug.*

mugwort ['mʌgwɔ:t] *sb (bot)* gråbynke.

mugwump ['mʌgwʌmp] *sb (am S)* politisk løsgænger, en der holder sig fra partipolitik.

mulatto [mju'lætou] *sb* mulat.

mulberry ['mʌlb(ə)ri] *sb (bot)* morbær; morbærtræ; morbærfarve.

mulch [mʌl(t)ʃ] *sb* dækningsmateriale (halm *etc)* for at hindre udtørring af jord; jorddækning; *vb* dække med sådant materiale.

mulct [mʌlkt] *sb* bøde, mulkt; *vb* mulktere; ~ *sby (in)* £10 idømme én en bøde på £10; ~ *of* bedrage for, berøve, plyndre for.

mule [mju:l] *sb zo* muldyr; *(fig)* bastard, blanding; stædig person; (fodtøj:) tøffel uden bagkappe, *-s (omtr)* smutters; (i tekstilfabr) mulemaskine (slags spindemaskine); *as obstinate as a* ~ så stædig som et æsel.

muleteer [mju:li'tiə] *sb* muldyrdriver.

mulish ['mju:liʃ] *adj* muldyragtig; stædig.

I. mull [mʌl] *sb: make a* ~ *of* forkludre, spolere; ~ *over* S spekulere *(el.* gruble) over.

II. mull [mʌl] *sb* moll (slags tøj); *(bogb)* (hæfte)gaze, jaconet.

III. mull [mʌl] *vb* opvarme og krydre (øl, vin); *-ed wine* afbrændt vin, kryddervin.

IV. mull [mʌl] *sb* (på skotsk) pynt, forbjerg.

mullein ['mʌlin] *sb (bot)* kongelys.

mullet ['mʌlit] *sb zo: grey* ~ multe; *red* ~ (gulstribet) mulle.

mulligatawny [mʌligə'tɔ:ni] *sb* stærkt krydret karrysuppe.

mullion ['mʌliən] *sb* vinduespost (lodret og især af sten), midterpost.

mullock ['mʌlək] *sb* affald (fra gulduddvinding).

multi- ['mʌlti] mange-, fler-.

multi|-engined flermotoret. **-farious** [-'feəriəs] *adj* mangeartet. **-form** mangeartet. **-lateral** [-'lætərəl] flersidig *(fx treaty);* mangesidet, mangesidig. **-lingual** [-'liŋgjuəl] flersproget. **-millionaire** [-miljə'neə] mangemillionær. **-nucleate** [-'nju:kliit] *adj (biol)* flerkernet. **-partite** [-'pa:tait] *adj* flersidig.

multiple ['mʌltipl] *adj* mangeartet *(fx interests),* mangfoldig; *sb* mangefold; *least (el. lowest) common* ~ mindste fælles fold; ~ *(car)* crash harmonikasammenstød.

multiple-choice test flervalgsopgave (hvor man skal udpege det rigtige svar blandt flere opgivne).

multiple| expansion engine flergangsmaskine. ~ **fruit** *(bot)* samfrugt. ~ **grid valve** flergitterrør. ~ **shop** kædeforretning. ~ **-stage amplifier** flertrinsforstærker. ~ **store** kædeforretning.

multiplex ['mʌltipleks] *adj* mangfoldig.

multiplicand [mʌltipli'kænd] *sb* multiplikand.

multiplication [mʌltipli'keiʃ(ə)n] *sb* mangfoldiggørelse; forøgelse; *(mat.)* multiplikation; ~ *sign* multiplikationstegn.

multiplicity [mʌlti'plisiti] *sb* mangfoldighed.

multiplier ['mʌltiplaiə] *sb* multiplikator.

multiply ['mʌltiplai] *vb* forøge *(fx one's efforts),* mangedoble, mangfoldiggøre; formere sig *(fx mice* ~ *rapidly); (mat.)* multiplicere, gange *(by* med).

multi|racial ['mʌlti'reiʃəl] som omfatter flere racer. **-stage** ['mʌlti'steidʒ] flertrins- *(fx compressor, rocket).* **-storey** fleretages; *-storey carpark* parkeringshus.

multitude ['mʌltitju:d] *sb* mængde, masse, mangfoldighed; *the* ~ den store hob; *charity covers a* ~ *of sins* (bibelsk citat) kærlighed skjuler en mangfoldighed af synder.

multitudinous [mʌlti'tju:dinəs] *adj* talrig, mangfoldig; masse-.

I. mum [mʌm] *adj* tavs, stille; *(interj)* hyss; *keep* ~ *about it (el. mum's the word)* sig det ikke til nogen!

II. mum [mʌm] *sb* mumme (ølsort).

III. mum [mʌm] *vb* gøgle, spille pantomime.

IV. mum [məm] *sb (vulg)* frue; [mʌm] (barnesprog) mor.

mumble ['mʌmbl] *vb* mumle; fremmumle; gumle (på); *sb* mumlen.

mumbo-jumbo ['mʌmbou 'dʒʌmbou] *sb* afgud; hokuspokus; volapyk.

mummer ['mʌmə] *sb* skuespiller (i pantomime).

mummery ['mʌməri] *sb* gøgl, pantomime, maskeradeopdtog; *(fig)* tomt komediespil, narrespil, mummespil.

mummify ['mʌmifai] *vb* mumificere, balsamere; blive mumificeret; tørre ind.

I. mummy ['mʌmi] *sb* mumie.

II. mummy ['mʌmi] *sb* (i barnesprog) mor.
mumps [mʌmps] *sb pl (med.)* fåresyge; surmuleri.
munch [mʌn(t)ʃ] *vb* gumle, tygge, gnaske.
mundane ['mʌndein] *adj* verdens-, verdslig, jordisk; jordbunden, prosaisk.
mungoose se *mongoose.*
Munich ['mju:nik] München; *the ~ Agreement (el. Pact)* Münchenaftalen (1938).
municipal [mju'nisipl] *adj* kommunal, by-; *~ town* købstad.
municipality [mjunisi'pæliti] *sb* kommune; kommunal myndighed, magistrat.
munificence [mju'nifisns] *sb* gavmildhed, rundhåndethed.
munificent [mju'nifisnt] *adj* gavmild, rundhåndet.
muniments ['mju:nimənts] *sb pl (jur)* adkomstdokumenter.
munition [mju'niʃ(ə)n] *vb* forsyne med ammunition.
munitions [mju'niʃ(ə)nz] *sb pl* krigsmateriel; våben, ammunition og anden udrustning.
munnion ['mʌniən], se *mullion.*
mural ['mjuərəl] *sb* vægmaleri, fresko; *adj* mur-, væg-; *~ crown* (heraldisk) murkrone; *~ painting* vægmaleri, fresko.
murder ['mə:də] *sb* mord; *vb* myrde; *(fig)* mishandle, radbrække (sprog *etc); ~ will out* enhver forbrydelse bliver opdaget før eller senere; *alt kommer for en dag; the ~ is out* hemmeligheden er røbet, mysteriet er opklaret.
murderer ['mə:dərə] *sb* morder.
murderess ['mə:dəris] *sb* morderske.
murderous ['mə:d(ə)rəs] *adj* morderisk; mord- *(fx weapon);* blodtørstig; dræbende; T frygtelig, utålelig *(fx heat).*
muriatic acid [mjuəri'ætik 'æsid] saltsyre.
murk [mə:k] *sb (litt)* mørke.
murky ['mə:ki] *adj* mørk, skummel.
murmur ['mə:mə] *vb* mumle; fremmumle, sige lavmælt (el. sagte); *(fig:* protestere) knurre *(at, against* over); (om vandløb) risle, bruse, (om vind) suse; *sb* mumlen, knurren, rislen, brusen, susen; *(med.)* (hjerte)mislyd; *he paid without a ~* han betalte uden at kny.
murmurous ['mə:m(ə)rəs] *adj (cf murmur)* mumlende, knurrende, rislende, brusende, susende.
murmur vowel *(fon)* mumlevokal.
murphy ['mə:fi] *sb* S kartoffel.
murrain ['mʌrən] *sb* kvægpest.
mus. *fk* music
muscadel [mʌskə'del], **muscatel** [mʌskə'tel] *sb* muskatvin, muskateller; muskatellerdrue.
muscle ['mʌsl] *sb* muskel; muskler, muskelkraft; *vb ∶ ~ in on* nase sig ind på.
muscle-bound *adj* stiv i musklerne, overtrænet.
Muscovite ['mʌskəvait] *(glds) sb* moskovit, russer; *adj* russisk; *~ glass* marieglas.
Muscovy ['mʌskəvi] *(glds)* Rusland.
muscovy duck *zo* moskusand.
muscular ['mʌskjulə] *adj* muskuløs; muskel-; *~ dystrophy* muskelsvind.
I. Muse [mju:z] *sb* muse (gudinde).
II. muse [mju:z] *vb* gruble, grunde, fundere, spekulere *(upon, over* over); *-ing* (også) tankefuld; *sb (glds): lost in a ~* i dybe tanker.
museum [mju'ziəm] *sb* museum.
museum piece museumsgenstand; *(fig* også) oldsag.
I. mush [mʌʃ] *sb* blød masse; (majs)grød; T sentimentalitet; S kæft, fjæs.
II. mush [mʌʃ] *sb* tur med hundeslæde; *vb* køre med hundeslæde.
mushroom ['mʌʃrum] *sb* svamp, paddehat; champignon; *adj* svampeagtig; *(fig)* hastig opvokset *(fx ~ suburb); vb* plukke svampe; *(fig)* skyde ud som paddehat(te); brede sig hastigt; antage form som en paddehat; *go -ing* tage på svampetur.
mushy ['mʌʃi] *adj* grødagtig, blød som grød; T sentimental, rørstrømsk.
music ['mju:zik] *sb* musik; noder; *piece of ~* musikstykke; *play from ~* spille efter noder; *sheet of ~* nodeblad; *face the ~* se *II. face; set a poem to ~* sætte musik til et digt.
musical ['mju:zikl] *sb* musical, operettefilm; *adj* musikalsk; melodisk *(fx voice);* musik-.

musical box spilledåse. *~ chairs* 'Jerusalem brænder' (selskabsleg). *~ comedy* se *musical.*
musicale [mjuzi'ka:l] *sb* musikaften, koncert i privat hjem.
musical glasses glasharmonika.
musicality [mjuzi'kæliti] *sb* musikalitet.
musical score partitur.
music book nodebog. *~ box (am)* spilledåse. *~ case* nodemappe. *~ hall* varieté.
musician [mju'ziʃ(ə)n] *sb* musiker, komponist, musikkyndig.
music paper nodepapir. *~ reading* nodelæsning. *~ rest* nodestol. *~ stand* nodestativ. *~ stool* klaverstol.
musk [mʌsk] *sb* moskus.
musk deer moskushjort. *~ duck zo* bisamand.
muskellunge ['mʌskələndʒ] *sb zo (am)* muskellunge (geddeart).
musket ['mʌskit] *sb* gevær, musket.
musketeer [mʌski'tiə] *sb* musketer.
musketry ['mʌskitri] *sb* geværskydning; geværild; *school of ~* skydeskole.
musk melon *(bot)* muskatmelon. *~ ox* moskusokse. *-rat* bisamrotte. *~ rose* moskusrose. *~ seed* desmerkorn.
musky ['mʌski] *adj* moskusagtig, moskusduftende.
Muslim ['muslim; 'mʌzlim] *sb* muhamedaner; *adj* muhamedansk.
muslin ['mʌzlin] *sb* musselin.
musquash ['mʌskwɔʃ] *sb* bisamrotte; bisamskind.
muss [mʌs] *(am)* T *sb* virvar, rod; ballade; *vb* bringe i ulave, krølle.
mussel ['mʌsl] *sb zo* blåmusling; ferskvandsmusling.
Mussulman ['mʌslmən] *sb* muselmand, muhamedaner; *adj* muhamedansk.
I. must [mʌst] *vb (præt must el.* had to, *perf* have been obliged to) må, måtte (nødvendigvis); skal (, skulle) absolut; er (, var) nødt til; er absolut nødvendighed; livsbetingelse; noget man ikke kommer uden om, ikke må gå glip af *(fx this book is a ~); ~ you go?* skal du absolut gå? *if you ~ know* hvis du endelig vil vide det; *you ~ not smoke here* du må ikke ryge her.
II. must [mʌst] *sb* ugæret druesaft, most.
III. must [mʌst] *adj* gal, rasende; *sb* rasende elefant; vildskab, (hanelefants) raseri.
IV. must [mʌst] *sb* skimmel, mug.
mustache [mu'sta:ʃ], **mustachio** [mu'sta:ʃou] se *moustache.*
mustang ['mʌstæŋ] *sb* mustang, halvvild præriehest.
mustard ['mʌstəd] *sb* sennep; *keen as ~* meget ivrig; fyr og flamme; *he is as keen as ~* (også) han er vældig skrap.
mustard gas sennepsgas. *~ plaster* sennepsplaster. *~ pot* sennepskrukke; hidsig person. *~ poultice* sennepsomslag. *~ seed* sennepskorn.
muster ['mʌstə] *vb* mønstre, samle; opdrive *(fx I cannot ~ fifty pence); sb* mønstring, revy; mandskabsrulle; *~ in (mil.) (am)* indrullere, hverve, indkalde; *~ out (mil.) (am)* hjemsende; *~ up* opbyde, samle; *~ all one's strength* opbyde alle sine kræfter; *pass ~,* se *I. pass.*
muster book, ~ roll *(mar)* bemandingsliste, mandskabsfortegnelse, mandskabsrulle; *(mil.)* styrkeliste.
musty ['mʌsti] *adj* muggen; *(fig)* forældet, umoderne.
mutability [mju:tə'biliti] *sb* foranderlighed, ustadighed.
mutable ['mju:təbl] *adj* foranderlig, omskiftelig, skiftende; ustadig.
mutant ['mju:tənt] *sb (biol)* mutant (ny form opstået ved mutation).
mutation [mju:'teiʃ(ə)n] *sb* forandring, omskiftelse; *(biol)* mutation; *(gram)* omlyd.
I. mute [mju:t] *adj* stum; *sb* stum person; døvstum; *(teat)* statist; (ved begravelse) bedemands medhjælper; *(fon)* stumt bogstav; (til musikinstrument) sordin, dæmper; *vb* dæmpe.
II. mute [mju:t] *sb* fugleskarn; *vb* (om fugle) klatte.
mute swan *zo* knopsvane.
mutilate ['mju:tileit] *vb* lemlæste; skamfere.
mutilation [mju:ti'leiʃ(ə)n] *sb* lemlæstelse, skamfering.
mutineer [mju:ti'niə] *sb* mytterist, deltager i mytteri; *vb* gøre mytteri.
mutinous ['mju:tinəs] *adj* oprørsk.
mutiny ['mju:tini] *sb* mytteri; *vb* gøre mytteri; *raise a ~*

anstifte mytteri.
mutism ['mju:tizm] *sb* stumhed.
mutt [mʌt] *sb* S fjols, skvat.
mutter ['mʌtə] *vb* mumle vredt; brumme; fremmumle; (om torden) rumle; *sb* (vred) mumlen; brummen, rumlen.
mutton ['mʌtn] *sb* fårekød, bedekød; *dead as* ~ stendød.
muttonchop ['mʌtn'tʃɔp] *sb* (omtr) lammekotelet; *-s pl,* ~ *whiskers* rundt afklippede bakkenbarter.
mutton|fist tyk, rød næve. **-head** *sb* kødhoved, dumrian. **-headed** *adj* dum.
mutual ['mju:tʃuəl] *adj* gensidig, indbyrdes; fælles *(fx our* ~ *friend);* ~ *admiration society* roseklub.
mutuality [mju:tju'æliti] *sb* gensidighed.
I. muzzle ['mʌzl] *sb* mule *(fx of a horse),* snude; (til hund) mundkurv; (på skydevåben) mundingsstykke, munding.
II. muzzle ['mʌzl] *vb* give mundkurv på, *(fig* også) lukke munden på; afskære *(fx criticism);* (mar) tage (sejl) ind.
muzzle-loader forlader (om gevær, kanon).
muzzler ['mʌzlə] *sb* (i boksning) slag på munden; *(mar)* modvind.
muzzle velocity *(mil.)* mundingshastighed; udgangshastighed.
muzzy ['mʌzi] *adj* omtåget, sløv, forvirret.
M. V. *fk motor vessel; muzzle velocity.*
M. V. O. *fk Member of the Royal Victorian Order.*
Mx. *fk Middlesex.*
my [mai] *pron* min, mit, mine; *my!* ih, du store; *Oh my!* men dog!
mycelium [mai'si:ljəm] *sb (bot)* mycelium.
Mycenae [mai'si:ni] Mykenae.
Mycenaean [maisi'ni:ən] *sb* mykener; *adj* mykensk.
mycology [mai'kɔlədʒi] *sb* mykologi, svampelære.
myelin ['maiəlin] *sb* marvskede.
mynheer [main'hiə] *sb* hollænder.
myopia [mai'oupiə] *sb* nærsynethed.

myopic [mai'ɔpik] *adj* nærsynet.
myosotis [maiə'soutis] *sb (bot)* forglemmigej.
myriad ['miriəd] *sb* myriade; utal; *adj* talløs, utallig.
myriapod ['miriəpɔd] *sb zo* tusindben.
myrmidon ['mɔ:midən] *sb* (lydig) følgesvend, (servil) håndlanger.
myrrh [mɔ:] *sb* myrra.
myrtle ['mɔ:tl] *sb (bot)* myrte.
myself [mai'self] *pron* jeg selv *(fx my brother and* ~*)*; selv *(fx I did not believe it* ~*)*; mig selv *(fx I am not* ~*)*; mig *(fx I wash* ~*)*; *by* ~ alene; *I like to find out for* ~ jeg holder af at finde ud af tingene på egen hånd.
mysterious [mi'stiəriəs] *adj* hemmelighedsfuld, mystisk, gådefuld.
mystery ['mist(ə)ri] *sb* mysterium, hemmelighed, gåde; hemmelighedsfuldhed, mystik; *(hist.)* mysterieskuespil; *make a* ~ *of* indhylle i mystik; *the* ~ *of the thing* det mystiske ved sagen.
mystery| play *(hist.)* mysterieskuespil. ~ **religion** mysterie-religion. ~ **ship** armeret handelsskib, camoufleret krigsskib. ~ **train** '(ud i det) blå tog'.
mystic ['mistik] *adj* mystisk, hemmelighedsfuld; *sb* mystiker. **mystical** ['mistikl] *adj* mystisk. **mysticism** ['mistisizm] *sb (rel)* mystik, mysticisme.
mystification [mistifi'keiʃ(ə)n] *sb* mystifikation.
mystify ['mistifai] *vb* mystificere.
mystique [mi'sti:k] *sb: the* ~ *of sth* det skær af mystik som omgiver noget.
myth [miθ] *sb* myte. **mythic(al)** ['miθik(l)] *adj* mytisk.
mythological [miθə'lɔdʒikl] *adj* mytologisk.
mythologist [mi'θɔlədʒist] *sb* mytolog.
mythology [mi'θɔlədʒi] *sb* mytologi.
myxoedema [miksi'di:mə] *sb (med.)* myxødem.
myxomatosis [miksəmə'tousis] *sb* myxomatosis (smitsom sygdom hos kaniner).

N [en].
N. *fk* New; North, Northern.
n. *fk* neuter; noon; noun; number.
Na. *fk* Nebraska.
Naafi, NAAFI *fk* Navy, Army, Air Force Institutes *(omtr* = soldaterhjem).
nab [næb] *vb* **S** snuppe, nappe; arrestere.
nabob ['neibɔb] *sb* nabob; statholder; rigmand (som berigede sig i Indien).
nabs [næbz] **S:** *my* ~ min gode mand, min ven.
nacelle [nɔ'sel] *sb* motorgondol; (til luftskib) gondol.
nacre ['neikɔ] *sb* perlemor.
nacreous ['neikriɔs] *adj* perlemors-.
nadir ['neidiɔ] *sb* nadir; laveste punkt.
I. nag [næg] *sb* lille hest, pony; *(neds)* krikke, øg.
II. nag [næg] *vb* : ~ *(at)* (ustandselig) skænde på; hakke på, stikke til; plage; *sb* skænden, hakken på; *-ging* (også) nagende *(fx fear).*
nagger ['nægɔ] *sb* rappenskralde.
naiad ['naiæd] *sb (myt)* najade, vandnymfe.
I. nail [neil] *sb* negl, *zo* klo; (i snedkeri *etc)* søm, (især *rel)* nagle; *as hard as -s* jernhård; i udmærket form; *hit the* ~ *on the head* ramme hovedet på sømmet; *-s in mourning* 'sørgerand', sorte negle; *that was a* ~ *in his coffin* det var en pind til hans ligkiste; *pay on the* ~ betale straks.
II. nail [neil] *vb* sømme, spire: nagle: beslå med søm: **S** fange, gribe; 'hugge', 'negle', opdage: ~ *down* sømme fast: *(fig)* afgøre endeligt, sikre *(fx that contract will* ~ *down their agreement)*: ~ *sby down to a promise* holde en fast ved et løfte; ~ *on to* sømme fast på; ~ *(a lie) to the counter* afsløre (en løgn); ~ *one's colours to the mast* fastholde sit standpunkt, ikke ville give sig (el. kapitulere); ~ *up* tilspigre; sømme til.
nail brush neglebørste. ~ file neglefil. ~ polish neglelak. ~ puller sømudtrækker. ~ scissors neglesaks. ~ set dyknagle. ~ varnish neglelak.
naïve [na:'i:v] *adj* naiv, troskyldig; naturlig; ligefrem.
naiveté [na:'i:vtei], **naivety** [na:'i:vti] *sb* naivitet: naturlighed.
naked ['neikid] *adj* nøgen, blottet, bar; *(fig)* nøgen *(fx facts, truth);* utilsløret; *the* ~ *eye* det blotte øje; ~ *light* åbent (, uafskærmet) lys; ~ *sword* draget sværd. **nakedness** *sb* nøgenhed; (bibelsk:) blusel.
namable ['neimɔbl] *adj* nævneværdig.
namby-pamby ['næmbi'pæmbi] *adj* affekteret, sentimental: *sb* sentimentalt sludder; sentimental person: blødagtig person.
I. name [neim] *sb* navn: betegnelse, benævnelse: rygte, ry, berømmelse:
(forskellige *forb) call sby -s* skælde en ud; *give it a* ~ **T** sig hvad du vil have (at drikke); *have a* ~ *for* have ry *(el.* ord) for; *have the* ~ *of a miser* have ord for at være en gnier; *have a lazy* ~ have ry for at være doven; *keep one's* ~ *on the books* vedblive at være medlem; *lend one's* ~ *to* lægge navn til; *make one's* ~, *make a* ~ *for oneself* skabe sig et navn; *put one's* ~ *down* indmelde sig, indskrive sig, tegne sig; *send in one's* ~ lade sig melde: *take one's* ~ *off the books* ophøre med at være medlem, melde sig ud;
(forb med præp) by ~, *by the* ~ *of* ved navn; *go by (el. under) the* ~ *of* gå under navnet; *know by* ~ kende af navn; kende ved navn; *in* ~ *only* kun af navn; *what's in a* ~? hvad gør navnet til sagen? *what in the* ~ *of fortune?* hvad i alverden? *a man of* ~ en berømt mand; *of the* ~ *of* ved navn; *he has not got a penny to his* ~ han ejer ikke en rød øre.
II. name [neim] *vb* nævne (ved navn), give navn, opkalde *(after, (am) for* efter); udnævne *(for* til); bestemme *(fx you may* ~ *your weapon); (parl)* kalde til orden; ~ *the*

day bestemme bryllupsdagen.
III. name [neim] (brugt som *adj)* navne- *(fx sign);* **T** kendt, berømt.
nameable ['neimɔbl] *adj* nævneværdig, som kan nævnes.
name | **brand** mærkevare. ~ **day** navnedag.
nameless ['neimlis] *adj* navnløs; anonym, ukendt; unævnelig *(fx crimes); a man who must be* ~ en mand hvis navn jeg ikke har lov til at røbe.
namely ['neimli] *adv* nemlig.
name | **part** titelrolle. **-sake** ['neimseik] *sb* navne, navnefætter. ~ **tape** navnebånd (til at sy i tøj).
nance [næns] *sb* **S** = *nancy.*
Nancy ['nænsi].
nancy ['nænsi] *sb* **S** homoseksuel, bøsse.
nankeen [næŋ'ki:n] *sb* nankin; *-s* nankinsbukser.
nanny ['næni] *sb* barnepige. **nanny goat** hunged.
I. nap [næp] *sb* lur, lille blund, skraber; *vb* blunde, sove; *have a* ~ *after dinner* tage sig en middagslur; *catch sby -ping* overrumple en; komme bag på en.
II. nap [næp] *sb* luv (på tøj).
III. nap [næp] *sb* (navn på et kortspil); *vb* tippe som vinder.
napalm ['neipa:m, 'næpa:m] *sb* napalm, benzingelé (brugt i bomber).
nape [neip] *sb* nakke; ~ *of the neck* nakke.
napery ['neipɔri] *sb (glds)* dækketøj.
naphtha ['næfθɔ, 'næpθɔ] *sb* nafta.
naphthalene ['næfθɔli:n, 'næpθɔli:n] *sb* naftalin.
napkin ['næpkin] *sb* serviet; ble; *(sanitary* ~) menstruationsbind.
napkin ring serviettring.
Naples ['neiplz] Napoli.
Napoleon [nɔ'pouljɔn].
Napoleonic [nɔpouli'ɔnik] *adj* napoleonisk, Napoleons-.
napoo [na:'pu:] *adj, interj* **S** *(mil.)* færdig, forbi, nytter ikke; (af: il n'y en a plus).
I. nappy ['næpi] *adj* forsynet med luv; (om drik) stærk.
II. nappy ['næpi] *sb* ble.
narcissism ['na:sisizm] *sb* narcissisme.
narcis|us [na:'sisɔs] *sb (pl -i* [-ai], *-uses) (bot)* narcis; pinselilje.
narcosis [na:'kousis] *sb* bedøvelse, bedøvelsestilstand.
narcotic [na:'kɔtik] *adj* bedøvende, narkotisk; *sb* bedøvende middel; *-s* narkotika. **narcotism** ['na:kɔtizm] *sb* bedøvelse. **narcotize** ['na:kɔtaiz] *sb* bedøve.
narghile ['na:gili] *sb* tyrkisk vandpibe.
I. nark [na:k] **S** *sb* stikker; angiver; *vb* stikke, angive.
II. nark [na:k] *vb* **T** irritere.
narrate [næ'reit] *vb* fortælle, berette.
narration [næ'rei∫(ɔ)n] *sb* fortælling.
narrative ['nærɔtiv] *adj* fortællende, berettende; *sb* fortælling, beretning.
narrator [næ'reitɔ] *sb* fortæller; beretter.
I. narrow ['nærou] *vb* indsnævre; indsnævres; ~ *down* indskrænke, sammentrænge.
II. narrow ['nærou] *adj* snæver, smal, trang, lille, kneben *(fx majority* flertal; *victory);* snæversynet; smålig; nøje *(fx examination* undersøgelse); ~ *circumstances* trange kår; *have a* ~ *escape (el. shave)* slippe fra det med nød _og næppe; *it was a* ~ *escape* det kneb; det var på et hængende hår; det var nær; *a* ~ *gauge* smal sporvidde.
narrow-gauge ['nærougeidʒ] *adj* smalsporet.
narrow-hearted ['nærouha:tid] *adj* snæverhjertet.
narrowly ['nærouli] *adv* snævert, knebent, med nød og næppe; nøje *(fx look* ~ *at it); she* ~ *escaped drowning* hun var lige ved at drukne.
narrow-minded ['nærou'maindid] *adj* smålig, snæversynet, bornert.
narrows ['nærouz] *sb pl* snævring, snævert farvand, snævert stræde; *the Narrows (geogr)* (mellem *Staten Island*

og *Long Island).*
narwhal ['na:w(ə)l] *sb zo* narhval.
NASA *fk (am) National Aeronautic and Space Administration.*
nasal ['neizl] *adj* næse-, nasal; *sb (fon)* nasal, næselyd; ~ *twang* snøvlen.
nasalize ['neizəlaiz] *vb* nasalere.
nascency ['næsnsi] *sb* tilblivelse(sstadium), oprindelse; fødsel. **nascent** ['næsnt] *adj* begyndende, spirende, opdukkende.
Naseby ['neizbi].
nasturtium [nə'stə:ʃəm] *sb (bot)* nasturtium.
nasty ['na:sti] *adj* ækel, væmmelig, modbydelig *(fx taste);* grim, styg *(fx sight);* ubehagelig *(fx he was very* ~*);* gemen *(fx trick);* griset, uhumsk, uanstændig; *that dog has a* ~ *temper* den hund er ondskabsfuld; *a* ~ *piece of work* en grim streg; T en kedelig ka'l.
natal ['neitl] *adj* føde- *(fx place);* fødsels- *(fx day).*
Natal [nə'tæl].
natality [nə'tæliti] *sb* fødsel; fødselsprocent.
nation ['neiʃ(ə)n] *sb* nation, folk, folkeslag.
national ['næʃnəl] *adj* national, national- *(fx bank);* lands-*(fx congress);* folke- *(fx will);* stats- *(fx property* ejendom); patriotisk; landsomfattende; landsdækkende *(fx the* ~ *dailies, the* ~ *press);* sb statsborger.
national| anthem nationalsang. ~ **church** statskirke. ~ **debt** statsgæld. ~ **government** national samlingsregering. ~ **guard** *(am. omtr)* hjemmeværn. ~ **insurance** folkeforsikring (tvungen forsikring mod sygdom og arbejdsløshed).
nationalism ['næʃnəlizm] *sb* nationalisme.
nationalist ['næʃnəlist] *sb* nationalist; *adj* nationalistisk.
nationality [næʃə'næliti] *sb* nationalitet.
nationalization [næʃnəlai'zeiʃ(ə)n] *sb* nationalisering.
nationalize ['næʃnəlaiz] *vb* nationalisere, gøre til statseje.
national service almindelig værnepligt.
national serviceman værnepligtig.
nation-wide ['neiʃənwaid] *adj* landsomfattende.
native ['neitiv] *adj* indfødt; hjem- *(fx district* egn; *town),* hjemlig, national *(fx the Romans had a* ~ *sculptural art);* hjemmehørende *(to* i, *fx animals* ~ *to England);* medfødt, naturlig *(fx her* ~ *modesty);* (om metaller) ren, ublandet, gedigen, nativ *(fx gold);* sb indfødt; indfødt borger *(of* i); indenlandsk plante *(el. dyr);* østers fra østersbanker i engelske farvande; *his* ~ *Devonshire* hans hjemegn *(el.* fødeegn) Devonshire; ~ *country,* ~ *land,* ~ *soil* fædreland, fødeland, fædrene jord; *go* ~ begynde at leve som en indfødt; ~ *language* modersmål; *be a* ~ *of London* være indfødt londoner, være født i London; ~ *prince* indfødt fyrste (især i de tidligere indiske vasalstater).
nativity ['tiviti] *sb* fødsel; horoskop; *calculate (el. cast) his* ~ stille hans horoskop; *the Nativity* Kristi fødsel; juledag.
NATO ['neitou] *fk North Atlantic Treaty Organization.*
natron ['neitrən] *sb* kulsurt natron, soda.
natter ['nætə] *vb* T snakke, knevre, plapre; mukke, gøre vrøvl.
natty ['næti] *adj* fiks, smart; ferm, flink.
I. natural ['nætʃrəl] *sb* (i musik) hvid tangent; opløsningstegn; *(glds)* idiot; *he is a* ~ *for the job* han er som skabt til det arbejde.
II. natural ['nætʃrəl] *adj* naturlig; natur- *(fx forces; gas; state* tilstand); medfødt *(fx abilities);* naturfarvet; (om barn) naturlig, illegitim, uægte *(fx his* ~ *son);* (mus.) som er uden fortegn, i C-dur; *it does not come* ~ *to me* det falder mig ikke naturligt; *he is a* ~ *orator* han er den fødte taler; *be a* ~ *poet* have medfødte digteriske evner, være digter af naturen.
natural|-born fra fødselen, født. ~ **frequency** (radio) egenfrekvens. ~ **history** naturhistorie.
naturalism ['nætʃrəlizm] *sb* naturalisme.
naturalist ['nætʃrəlist] *sb* naturforsker; naturalist.
naturalistic [nætʃrə'listik] *adj* naturalistisk.
naturalization [nætʃrəlai'zeiʃ(ə)n] *sb* naturalisation.
naturalization papers *pl* statsborgerbrev.
naturalize ['nætʃrəlaiz] *vb* naturalisere; give indfødsret; give statsborgerret; akklimatisere; blive naturaliseret.
naturally ['nætʃrəli] *adv* naturligt; naturligvis; som natur-

ligt er; af naturen, i følge naturens orden; ~ *gifted* veludrustet fra naturens hånd.
natural| monuments *pl* naturskønheder, naturskønne steder. ~ **note** (radio) egentone. ~ **philosopher** fysiker. ~ **philosophy** fysik. ~ **science** naturvidenskab. ~ **selection** naturlig udvælgelse. ~ **wavelength** egenbølgelængde.
nature ['neitʃə] *sb* natur, naturen; art, slags, beskaffenhed; (se også *good nature); by* ~ af naturen; *draw from* ~ tegne efter naturen; *from the* ~ *of the case* ifølge sagens natur; *be one of Nature's gentlemen* have hjertets dannelse; *in the* ~ *of* i retning af, af samme slags som; *in the* ~ *of things* ifølge tingenes natur; *it has become part of his* ~ det er gået ham i blodet; *in the course of* ~ efter naturens gang; *in the order of* ~ efter naturens orden; *state of* ~ naturtilstand; *in a state of* ~ (også) splitternøgen; *pay one's debt to* ~ dø.
nature study naturkundskab.
naturist ['neitʃ(ə)rist] *sb* naturist, nudist.
naturopath ['neitʃərəpæθ] *sb* naturlæge.
naught [nɔ:t] *(glds)* se **nought.**
naughty ['nɔ:ti] *adj* uartig.
nausea ['nɔ:sjə] *sb* kvalme, væmmelse; *ad -m* til bevidstløshed, til trivialitet.
nauseate ['nɔ:sieit] *vb* fremkalde kvalme hos; fylde med væmmelse.
nauseous ['nɔ:sjəs] *adj* kvalmende; væmmelig.
nautch [nɔ:tʃ] *sb* indisk ballet udført af kvinder; ~ *girl* indisk danserinde, dansepige.
nautical ['nɔ:tikl] *adj* nautisk; sø-, sømandsmæssig; ~ *mile* sømil; ~ *table* navigationstabel; ~ *term* sømandsudtryk. maritimt (fag)udtryk.
nautilus ['nɔ:tiləs] *sb zo* nautil, papirsnekke.
naval ['neiv(ə)l] *adj* flåde- *(fx base);* skibs- *(fx gun);* sø-*(fx battle; hero);* ~ *architect* skibskonstruktør; ~ *architecture* skibsbygningskunst; ~ *college, (am:)* ~ *academy* søofficersskole; ~ *dockyard,* ~ *shipyard* orlogsværft; ~ *officer* søofficer.
nave [neiv] *sb* (i kirke) (midter)skib; (i hjul) nav.
navel ['neiv(ə)l] *sb* navle.
navel| orange navelappelsin ~ **string** navlestreng.
navigable ['nævigəbl] *adj* farbar, sejlbar *(fx river);* styrbar *(fx ship).*
navigate ['nævigeit] *vb* sejle, besejle, befare; navigere, styre; *(fig)* styre, bugsere, lodse *(fx a Bill through Parliament).*
navigation [nævi'geiʃ(ə)n] *sb* sejlads; navigation. **navigation light** *(mar)* lanterne; *(flyv)* positionslys.
navigator ['nævigeitə] *sb (mar, flyv)* navigatør; *(glds)* søfarer.
navvy ['nævi] *sb* jord- og betonarbejder, vejarbejder; jernbanearbejder; *(steam)* ~ gravemaskine.
navy ['neivi] *sb* flåde; krigsflåde, marine; marineblåt.
navy| blue marineblå(t). ~ **yard** orlogsværft.
nay [nei] *adv (glds)* ja, ja endog *(fx this remedy is useless,* ~ *dangerous);* sb nej, nejstemme; *say sby* ~ sige nej til én, modsige én.
Nazarene [næzə'ri:n] *sb* nazaræer.
Nazareth ['næzəriθ].
naze [neiz] *sb* næs.
Nazi ['na:tsi] *sb* nazist; *adj* nazistisk; *the* ~ *movement* nazismen.
N.B. *fk North Britain* (ɔ: Skotland); *North British; New Brunswick;* nota bene.
N.B.C. *fk National Broadcasting Company.*
N.B.G. *fk no bloody good* S til ingen verdens nytte, ikke en skid værd.
N.C. *fk North Carolina.*
NCB *fk National Coal Board.*
NCCI *fk National Committee for Commonwealth Immigrants.*
N.C.O. ['ensi:'ou] *fk non-commissioned officer.*
n.d. *fk no date* uden år(stal).
N.D. *fk North Dakota.*
N.E. *fk north-east.*
neap [ni:p] *sb* (om tidevand) nipflod, niptid; *vb* nærme sig niptid.
Neapolitan [niə'pɔlit(ə)n] *adj* neapolitansk; *sb* neapolitaner.

neap tide nipflod, niptid.

I. near [niə] *adv, præp* nær *(to, upon* ved); nær ved; nærved, i nærheden af; tæt ved, pr. *(fx X-town near (fk nr.)* Oxford X-town pr. Oxford); ~ *by* (lige) i nærheden; *bring* ~ *(el. nearer)* to nærme; *come (el. draw, get)* ~ *(el. nearer)* nærme sig; *come* ~ *(to) being run over* være lige ved at blive kørt over; *it will go* ~ *to ruining him* det vil næsten ruinere ham.

II. near [niə] *adj* nær, nærliggende; nær, nærstående, kær *(fx friend)*; som berører en stærkt *(fx affairs)*; nøjagtig, som holder sig nær til originalen *(fx translation)*; *(mht* hestekøretøj) nærmer, venstre *(fx horse; side)*; *(neds)* nærig, påholdende; *have a* ~ *escape (el. shave)* slippe fra det med nød og næppe; *it was a* ~ *thing* det var nær ved at gå galt, det var på et hængende hår, det var tæt på; ~ *is my shirt, but -er is my skin* enhver er sig selv nærmest.

III. near [niə] *vb* nærme sig.

near- (som forstavelse) næsten; som ligner; imiteret *(fx near-leather)*; som er lige ved at være *(fx a* ~ *failure)*.

near-beer *(am)* afholdsøl.

nearby ['niəbai] *adj* nærliggende, tilstødende.

Near East: *the* ~ Den nære Orient.

nearly ['niəli] *adv* nær(t) *(fx related* beslægtet); næsten, omtrent *(fx they are* ~ *identical)*; *it concerns me* ~ det berører mig stærkt; *not* ~ *langt fra*; *not* ~ *so good* (også) ikke nær så god.

near miss *(mil.)* bombe som rammer nær nok til at beskadige målet; *it was a* ~ *(fig)* det var tæt på; det var lige ved.

nearness ['niənis] *sb* nærhed; nært forhold, nært slægtskab; T nærgående.

nearside ['niəsaid] *sb* (af bil) side nærmest vejkanten (i England: venstre side); (af hestevogn) nærmer side; ~ *lane* inderste vognbane.

nearsighted ['niə'saitid] *adj* nærsynet.

I. neat [ni:t] *adj* net, ren; proper *(fx housewife)*; ordentlig, ryddelig *(fx desk)*; pæn, nydelig *(fx dress)*, sirlig *(fx handwriting)*; fiks, elegant *(fx conjuring trick; definition; solution)*; behændig *(fx theft)*; flink, ferm *(fx worker)*; (om stof *etc*) ren *(fx silk)*, (om drik) ren, ublandet; *a whisky* ~ en tør whisky (ɔ: uden vand).

II. neat [ni:t] *sb* kvæg, hornkvæg.

'neath [ni:θ] *præp (poet)* under.

neat-handed ['ni:t'hændid] *adj* behændig.

neat-herd ['ni:thə:d] kvæghyrde.

neatness ['ni:tnis] *sb* nethed *etc* (se I. *neat)*; (i skole) orden.

neat's|-foot oil klovolie. ~ **tongue** oksetunge.

I. neb [neb] *sb* næb, tud; spids.

II. Neb. *fk* **Nebraska** [ni'bræskə].

nebul|a ['nebjulə] *sb (pl -ae* [-i:]) tågeplet, stjernetåge; *(anat)* plet på hornhinden.

nebular ['nebjulə] *adj* stjernetåge-.

nebulosity [nebju'lɔsiti] *sb* tågethed.

nebulous ['nebjuləs] *adj* tåget; uklar; skyet.

necessarily ['nesisərili] *adv* nødvendigvis.

necessary ['nesis(ə)ri] *adj* nødvendig *(to* for); fornøden; *sb* fornødenhed; *if* ~ om fornødent; til nød; *necessaries of life* livsfornødenheder; *they lack the very necessaries of life* de mangler endog det allernødvendigste.

necessitarian [nisesi'tɛəriən] *sb* determinist; *adj* deterministisk.

necessitate [ni'sesiteit] *sb* nødvendiggøre.

necessitous [ni'sesitəs] *adj* nødlidende, fattig, trængende.

necessity [ni'sesiti] *sb* nødvendighed; fornødenhed, nødvendighedsartikel; nød, trang; ~ *knows no law* nød bryder alle love; ~ *is the mother of invention* nød lærer nøgen kvinde at spinde; *there is no* ~ *to* det er ikke nødvendigt at; *of* ~ nødvendigvis; *only in case of* ~ kun i nødstilfælde *(el.* nødsfald); *make a virtue of* ~ gøre en dyd af nødvendigheden; *be under the* ~ *of* være tvunget til, se sig nødsaget til.

I. neck [nek] *sb* hals, (på kjole) halsudskæring; (af kød) halsstykke; *(geogr)* landtange; S *frækhed; break one's* ~ brække halsen; *he broke his* ~ *to help her* T *(fig)* han stod på hovedet for at hjælpe hende; *break the* ~ *of it* få det værste (af det) overstået; ~ *and crop* med hud og hår, helt og holdent; *he'll get it in the* ~ S der er til ham

i en god mening; han vil få kærligheden at føle; ~ *and* ~ side om side, ganske lige, ganske jævnbyrdig; ~ *or nothing* koste hvad det vil; *it is* ~ *or nothing* det er knald eller fald; *he is a pain in the* ~ S han er en prøvelse; han er en plage for sine omgivelser; *save one's* ~ redde livet, redde sig; *stick one's* ~ *out* S vove sig (for langt) frem; udsætte sig for ubehageligheder; *stiff* ~ halsstarrighed; *win by a* ~ vinde med en halslængde.

II. neck [nek] *vb* T kæle intimt for *(el.* med); kæle (for hinanden).

neckband ['nekbænd] *sb* halslinning.

neckerchief ['nekətʃif] *sb (glds)* halstørklæde.

necking ['nekiŋ] *sb* T kæleri; (på søjle) halsled.

neck|lace ['neklis] halsbånd. **-let** ['neklit] halsbånd; boa. **-tie** slips. **-wear** halstørklæder, slips og flipper.

necro|mancer ['nekrəmænsə] *sb* åndemaner, troldmand. **-mancy** ['nekrəmænsi] *sb* åndemanen, trolddom. **-mantic** [nekrə'mæntik] *adj* trolddoms-.

necropolis [ne'krɔpəlis] *sb* (stor) begravelsesplads.

necrosis [ne'krousis] *sb (med.)* nekrose, vævshenfald.

nectar ['nektə] *sb (myt)* nektar, *(fig* også) gudedrik; (i blomst) nektar, honning.

nectareous [nek'tɛəriəs] *adj* nektarsød, liflig.

nectarine ['nekt(ə)rin] *sb (bot)* nektarin (art fersken).

nectary ['nektəri] *sb (bot)* nektarie, honninggemme, honningkirtel.

Ned [ned] (kælenavn:) Edward, Edmund.

N.E.D. *fk* New English Dictionary.

Neddy ['nedi] *sb* æsel; se også *Ned.*

née [nei] *adj* født (foran gift kvindes pigenavn, *fx* Mrs. Smith, née Brown).

I. need [ni:d] *sb* nød, mangel, trang; savn; behov, brug *(of* for); nødvendighed; *(psyk)* behov; *-s -pl* (også) fornødenheder *(fx my -s are few)*; *at* ~ i en nødssituation; *if* ~ *be* hvis det behøves, i nødsfald; *a friend in* ~ *is a friend indeed* det er i nøden man skal kende sine venner; *in case of* ~ i nødsfald; *in the hour of* ~ i nødens stund; *be (, stand) in* ~ *of, have* ~ *of* behøve, have nødig; have brug for, trænge til *(fx this flat is in* ~ *of repair)*; *is there any* ~ *to hurry?* er det nødvendigt at skynde sig? *there's no* ~ *for you to go* du behøver ikke at gå.

II. need [ni:d] *vb (præt:* needed *el.* need) behøve, trænge til; måtte *(fx this -s to be explained in detail)*; være nødt til; *(glds)* behøves.

needful [ni:df(u)l] *adj (glds)* nødvendig, fornøden; *the* ~ det fornødne *(fx I have done it,* ~*)*; T (kontante) penge.

I. needle ['ni:dl] *sb* nål; (til håndarbejde) synål, hæklenål, strikkepind; (på instrument) viser; (i kompas) magnetnål; (til grammofon) stift; *(med.,* til sprøjte) kanyle; (på bjerg) tinde; spids klippe; (udhugget:) obelisk; *as sharp as a* ~ meget skarpsindig, meget kvik, 'vaks', hurtig i opfattelsen; *be on the* ~ S være stiknarkoman, være på sprøjten.

II. needle ['ni:dl] *vb* sy (, prikke hul på) med en nål; *(fig)* stikke til, drille; tirre, provokere; ~ *one's way through the crowd* forsigtigt bane sig vej *(el.* sno sig frem) gennem mængden.

needle| book nålebog. ~ **case** nålehus. **-ful** ende garn. ~ **furze,** ~ **gorse** *(bot)* visse. ~ **gun** *(glds)* tændnålsgevær. **-point** nålespids; syet knipling.

needless ['ni:dlis] *adj* unødvendig, unødig; ~ *to say* selvfølgelig.

needle| valve *(tekn)* nåleventil. **-woman** syerske. **-work** håndarbejde, sytøj.

needs [ni:dz] *adv* nødvendigvis, absolut, endelig; ~ *must when the devil drives* der er ting man må gøre hvad enten man bryder sig om det eller ej.

ne'er [nɛə] *adv (poet)* aldrig.

ne'er-do-well ['nɛədu(:)wel] *sb* døgenigt.

nefarious [ni'fɛəriəs] *adj* forbryderisk, afskyelig, skændig.

negate [ni'geit] *vb* negere, (be)nægte; ophæve.

negation [ni'geiʃ(ə)n] *sb* nægtelse, benægtelse; negation.

I. negative ['negətiv] *adj* negativ; nægtende *(fx sentence* sætning), benægtende *(fx answer)*; *maintain a* ~ *attitude* forholde sig passiv; ~ *voice* nejstemme.

II. negative ['negətiv] *sb* benægtelse, afslag; *(fot)* negativ;

(mat.) negativ størrelse; *(gram.)* nægtende *(el. nege-rende)* ord; *answer in the ~* svare benægtende; *the answer is in the ~* svaret er benægtende.

III. negative ['negətiv] *vb* forkaste, stemme ned *(fx a Labour amendment was -d)*; afslå, sige nej til; modbevise *(fx experience -s the theory)*; neutralisere *(fx an acid)*; gøre virkningsløs *(fx it -d his efforts)*.

neglect [ni'glekt] *vb* forsømme *(fx one's duty)*; negligere, tilsidesætte, ringeagte; *sb* forsømmelse, ligegyldighed *(of for)*, efterladenhed; vanrøgt; forsømthed; *fall into ~* blive forsømt; (om ord *etc)* gå af brug; *state of ~* forsømt tilstand; *~ of duty* pligtforsømmelse; *~ to do it* undlade *(el. forsømme)* at gøre det.

neglectful [ni'glektf(u)l] *adj* forsømmelig, ligegyldig.

negligé, negligee ['negliʒei] *sb* negligé, morgendragt, morgenkjole.

negligence ['neglidʒ(ə)ns] *sb* forsømmelighed, skødesløshed; forsømmelse; *(jur)* uagtsomhed.

negligent ['neglidʒ(ə)nt] *adj* forsømmelig, skødesløs, efterladende; *be ~ of* være ligegyldig med, forsømme *(fx he was ~ of his duties)*.

negligible ['neglidʒəbl] *adj* som man kan se bort fra, ubetydelig, forsvindende lille.

negotiable [ni'gouʃjəbl] *adj* som der kan forhandles om *(fx this question is not ~)*; *(merk)* omsættelig *(fx cheque, bill)*; **T** farbar *(fx road)*; *~ instruments* omsætningspapirer.

negotiate [ni'gouʃieit] *vb* forhandle (om); bringe i stand (ved forhandling) *(fx a treaty)*; opnå ved forhandling, forhandle sig frem til, udvirke, afslutte, slutte; *(merk)* afhænde, omsætte; **T** komme over; klare *(fx a difficult road)*; passere; klare sig uden om *(fx pitfalls)*; (om mad) sætte til livs; *-d peace* forhandlingsfred.

negotiation [nigouʃi'eiʃən] *sb* forhandling, underhandling; afslutning (af lån, traktater); salg.

negotiator [ni'gouʃieitə] *sb* underhandler; forhandler.

negress ['ni:gris] *sb* negerkvinde, negerinde.

negrillo [ne'grilou] *sb* (afrikansk) pygmæ.

negrito [ne'gri:tou] *sb (pl -es)* polynesisk dværgneger.

negro ['ni:grou] *sb (pl -es)* neger.

negroid ['ni:grɔid] *sb* negroid, negeragtig.

negus ['ni:gəs] *sb* vintoddy.

neigh [nei] *vb* vrinske; *sb* vrinsken.

neighbour ['neibə] *sb* nabo, naboerske; sidemand, sidekammerat; (bibelsk) næste; *opposite ~* genbo.

neighbourhood ['neibəhud] *sb* naboskab, nabolag, nærhed; (om)egn, bydel, kvarter, strøg; naboer; *in the ~ of £1000* sådan noget som £1000.

neighbouring ['neib(ə)riŋ] *adj* nærliggende, tilgrænsende, nabo- *(fx country, town)*; om(kring)liggende, omkringboende.

neighbourly ['neibəli] *adj* omgængelig, elskværdig; nabo-; nabovenlig; *be ~* optræde som en god nabo.

neither ['naiðə, (især am)* 'ni:ðə] *pron*, ingen (af to), ingen af delene, hverken den ene eller den anden; *conj* (og) heller ikke; *she does not like him, and ~ do I* hun kan ikke lide ham og det kan jeg heller ikke; *~ ... nor* hverken ... eller; *that is ~ here nor there* det har ikke noget med sagen at gøre; det hører ingen steder hjemme; *I am on ~ side* jeg er neutral.

nelson ['nelsn] *sb* (i brydning): *full ~* hel nelson; *half ~* halv nelson.

nematode ['nematoud] *sb zo* rundorm.

nem. con. *fk nemine contradicente* enstemmig.

nem. dis. *fk nemine dissentiente* enstemmig; forudsat at ingen stemmer *(el. siger)* imod.

nemesis ['nemisis] *sb* nemesis.

nenuphar ['nenjufa:] *sb (bot)* åkande, nøkkerose.

neo- ['niou] (forstavelse) neo-, ny- *(fx neo-Fascism)*.

neolithic [niou'liθik] *adj* neolitisk, fra den yngre stenalder; *the ~ age* den yngre stenalder.

neologism [ni'ɔlədʒizm] *sb* (om ord) neologisme, nydannelse.

neon ['ni:ən] *sb* neon; *~ light* neonlys; *~ sign* lysreklame.

neophyte ['ni:əfait] *sb* nyomvendt; begynder; novice.

Nepal [ni'pɔ:l] Nepal.

nephew ['nevju(:)*; (især am)* 'nefju:] *sb* nevø, brodersøn, søstersøn.

nephrite ['nefrait] *sb (geol)* nefrit, nyresten.

nephritic [ne'fritik] *adj* nyre-.

nephritis [ne'fraitis] *sb (med.)* nyrebetændelse.

nepotism ['nepətizm] *sb* nepotisme, begunstigelse af slægt og venner.

Neptune ['neptju:n] Neptun.

nereid ['niəriid] *sb (myt)* nereide, havnymfe.

Nero ['niərou].

I. nerve [nə:v] *sb* nerve; kraft, fasthed, mod, gode nerver; **T** frækhed; *(bot)* bladnerve, bladåre, bladstreng; *-s* (også) nervøsitet; *be all -s* være meget nervøs; *you 'have a ~!* hvor er du fræk; *have the ~ to* have mod til at; **T** være fræk nok til at; *get on sby's -s* gå en på nerverne, gøre en nervøs; *lose one's ~* blive usikker; tabe modet; *strain every ~* anstrenge sig til det yderste.

II. nerve [nə:v] *vb* styrke, stålsætte, give kraft *(fx her words had -d him for the fight)*; *~ oneself for* samle mod til.

nerveless ['nə:vlis] *adj* kraftløs, slap.

nerve-racking *adj* som tager hårdt på nerverne, enerverende.

nervine ['nə:vi:n] *adj* nervestyrkende; *sb* nervestyrkende middel.

nervous ['nə:vəs] *adj* nerve- *(fx system)*; nervøs, nervesvag; *(glds)* kraftig, kraftfuld; *~ breakdown* nervesammenbrud; *~ strain* nervepres.

nervy ['nə:vi] *adj* **T** nervøs; **S** fræk; enerverende.

nescience ['nesiəns] *sb* uvidenhed.

nescient ['nesiənt] *adj* uvidende.

ness [nes] *sb* næs, forbjerg, pynt.

I. nest [nest] *sb* (dyrs) rede, bo, *(fig)* tilholdssted, hule, bo; flok, sværm; sæt (af genstande der kan sættes ind i hinanden: skuffer, æsker *etc)*; *~ of tables* indskudsborde; *~ of thieves* tyverede; *~ of vice* lastens hule.

II. nest [nest] *vb* bygge rede; søge efter fuglereder; anbringe (inden i hinanden).

nest egg redeæg; spareskilling.

nestle ['nesl] *vb* ligge lunt; putte sig ned; putte (, trykke) (sig) *(against* ind til, *fx she -d against his shoulder; she -d her head against his shoulder)*.

nestling ['nes(t)liŋ] *sb* nyudklækket fugleunge, dununge.

I. net [net] *adj* netto, netto- *(fx income, price, profit)*; *vb* indbringe netto; *(tjene* netto *(fx they ~ £9000 a year)*.

II. net [net] *sb* net, (til fiskeri også) garn, *(fig* også) snare; netværk; *vb* fange i net, *(fig)* fange i sit garn; sætte net om *(el.* i); knytte net, filere; (i boldspil) sende (bolden) i nettet.

net ball (i tennis) netbold.

netball spil der ligner basketball.

net| capital egenkapital. *~ curtain* stores.

nether ['neðə] *adj* nedre, underste, under-; *~ garments* benklæder; *the ~ man* benene; *the ~ world* underverdenen, helvede; (se også *millstone)*.

Netherlander ['neðələndə] *sb* hollænder, nederlænder.

Netherlandish ['neðələndiʃ] *adj* nederlandsk.

Netherlands ['neðələndz] *sb: the ~* Nederlandene, Holland.

nethermost ['neðəmoust] *adj* nederst, dybest.

netting ['netiŋ] *sb* net, netværk; netfiskeri; netknytning; filering.

netting needle filernål.

nettle ['netl] *sb (bot)* nælde, brændenælde; *vb* brænde (som en nælde), *(fig)* irritere, ærgre, pikere; tirre, provokere; *grasp the ~* tage fast om nælden.

nettle rash nældefeber.

net weight egenvægt.

network ['netwə:k] *sb* netværk; net; telenet; *(fig)* net, væv *(fx of alliances, of falsehoods)*; (af radiostationer *etc)* kæde; (af personer) vidt forgrenet gruppe der holder sammen og hjælper hinanden.

neural ['njuər(ə)l] *adj* nerve-.

neuralgia [njuə'rældʒə] *sb* neuralgi, nervesmerter, nervegigt.

neuralgic [njuə'rældʒik] *adj* neuralgisk.

neurasthenia [njuərəs'θi:niə] *sb* neurasteni, nervesvækkelse.

neurasthenic [njuərəs'θenik] *adj* neurastenisk; nervesvag; *sb* neurasteniker.

neuritis [njuə'raitis] *sb (med.)* nervebetændelse.

neurologist [njuə'rɔlədʒist] *sb* neurolog, nervespecialist.

neurology [njuə'rɔlədʒi] *sb (med.)* neurologi.
neurosis [njuə'rousis] *sb* neurose.
neurotic [njuə'rɔtik] *adj (med.)* neurotisk; T nerve-; nervesvækket; *sb (med.)* neurotiker.
neuter ['nju:tə] *sb (gram)* neutrum, intetkøn; intetkønsord, *zo* kønsløst insekt; (om person) kastrat; *adj* intetkøns-; kønsløs; *(bot)* gold; *stand ~* forholde sig neutral.
neutral ['nju:trəl] *adj* neutral; *sb* frigear; *change into ~* sætte i frigear.
neutralism ['nju:trəlizm] *sb* neutralisme, neutralitetspolitik.
neutrality [nju'træliti] *sb* neutralitet.
neutralization [nju:trəl(a)i'zeiʃən] *sb* neutralisering; modvirkning.
neutralize ['nju:trəlaiz] *vb* neutralisere; erklære neutral; modvirke, ophæve virkningen af; *(mil.)* nedkæmpe, tilintetgøre.
neutron ['nju:trɔn] *sb (fys)* neutron.
Nev. *fk* Nevada [ne'va:də].
never ['nevə] *adv* aldrig; slet ikke, ikke spor *(fx ~ the wiser)*; (som udråb) det mener du ikke! *(fx »He's gone« »Never!«)*; *well, I ~!* nu har jeg aldrig hørt så galt! *~ heard of* uhørt; *~ a one* ikke en eneste; *~ is a long day* man skal aldrig sige aldrig; *be it ~ so bad* om det så er aldrig så dårligt; *he ~ so much as spoke* han sagde ikke et ord; *you were ~ such a fool as to do that!* du har da vel aldrig været så dum at gøre det!
never|-ceasing, ~ -ending *adj* uophørlig. **~ -fading** *adj* uvisnelig.
nevermore ['nevə'mɔ:] *adv* aldrig mere.
never-never [nevə'nevə] *sb* T: *the ~ (system)* afbetalingssystemet; *buy on the ~* købe på afbetaling; *the ~ (land)* fjernt, utilgængeligt område (især om den nordlige del af Queensland i Australien); *(fig)* drømmeland.
never-say-die *adj* ukuelig *(fx a ~ spirit)*.
nevertheless [nevəðə'les] *adv* ikke desto mindre.
new [nju:] *adj* ny; frisk; nymodens, moderne; *~ bread* frisk brød; *~ milk* nymalket mælk; *the ~ woman* den moderne kvinde; *feel a ~ man* føle sig som et nyt (og bedre) menneske; *~ from school* lige kommet ud af skolen; *~ to the work* uvant med arbejdet, ny i tjenesten.
newborn ['nju:bɔ:n] *adj* nyfødt.
Newcastle ['nju:ka:sl].
newcomer ['nju:'kʌmə] *sb* nyankommen.
New Deal (præsident F.D.Roosevelts politik i treverne for at modvirke den økonomiske krise).
newel ['nju:əl] *sb* trappesøjle, mæglersøjle (i trappe).
newfangled ['nju:fæŋgld] *adj* nymodens.
Newfoundland [nju:f(ə)nd'lænd, nju'faundlənd]; *~ dog* [nju'faundlənd dɔg] newfoundlænder.
Newgate ['nju:git] (til 1902 fængsel i London).
Newgate frill, Newgate fringe skipperskæg.
newish ['nju:iʃ] *adj* temmelig ny.
new-laid ['nju:leid] *adj* nylagt (om æg).
new look (mode fra omkring 1947 med længere og videre kjoler); T moderne udseende.
newly ['nju:li] *adv* nylig, netop, ny-; på en ny måde.
newly married nygift; *~ couple* brudepar.
newlyweds ['nju:liwedz] *sb pl* nygifte, brudepar.
Newman ['nju:mən]. **Newmarket** ['nju:ma:kit].
new-mown ['nju:moun] *adj* nyslået.
New Orleans [nju:'ɔ:liənz].
newpenny ['nju:peni] *sb (pl newpence* om værdien; *newpennies* om mønterne) engelsk kobbermønt, ¹⁄₁₀₀ af et pund sterling.
news [nju:z] *sb* nyhed, nyheder; efterretning; nyhedsstof; *the ~* (i radioen, svarer til) radioavisen; *a piece (el. bit el. an item) of ~* en nyhed; *no ~ is good ~* intet nyt er godt nyt; *he is in the ~ today* han er i avisen i dag; *this is ~ to me* dette er nyt for mig.
news| agency telegrambureau. **-agent** bladhandler. **-bill** løbeseddel. **-boy** avisdreng. **~ bulletin, -cast** nyhedsudsendelse. **-caster** speaker der oplæser nyheder. **~ cinema** biograf der kun viser ugerevyer og kortfilm. **-dealer** *(am)* bladhandler. **-hawk, T -hound** *(am)* bladsmører, journalist. **~ item** avisnyhed. **-letter** internt meddelelsesblad. **-man** avisbud; avissælger. **~ media** *pl* nyhedsmedier (ɔ: presse, radio, TV). **-monger** nyhedskræmmer.
newspaper ['nju:speipə] *sb* avis, blad.

newspaper man bladmand, pressemand.
newspaper round: *do a ~* gå med aviser.
news|print avispapir. **~ reader** speaker der oplæser nyheder. **-reel** filmsjournal, ugerevy. **-room** avislæsestue. **~ service** nyhedstjeneste. **-stand** aviskiosk. **~ theatre** = *~ cinema*.
New Style efter den gregorianske kalender.
news| vendor avissælger, bladhandler. **-woman** aviskone.
newsy ['nju:zi] *adj* T fuld af nyheder *(fx letter)*; sladderagtig; *sb (am)* avisdreng.
newt [nju:t] *sb* zo salamander.
New Year ['nju:jiə] nytår, årsskifte; *a happy ~* glædeligt nytår;
New Year's *(am)* nytårsdag.
New Year's| Day nytårsdag. **~ Eve** nytårsaften.
New York ['nju:'jɔ:k].
New Zealand [nju:'zi:lənd].
I. next [nekst] *adj* næste *(fx train; year)*; nærmest *(fx my ~ neighbour)*; tilstødende, nabo- *(fx house)*; førstkommende, næste *(fx Sunday)*; følgende, næste *(fx day)*; *sb* næste brev *(fx I will tell you in my ~)*; næste nummer *(fx to be concluded* (sluttes) *in our ~)*;
the ~ day (også) dagen efter; *~ door,* se på alfabetisk plads; *the ~ house* (også) huset ved siden af; *in the ~ place* desuden, endvidere; *he is in the ~ room* han er i værelset ved siden af; *~ to* næst efter *(fx the best player ~ to you)*; nærmest ved; ved siden af *(fx his room is ~ to mine)*; næsten *(fx to impossible; ~ to nothing)*; *he lives ~ to me* (også) han er min nærmeste nabo; *get ~ to sby (am)* blive gode venner med en.
II. next [nekst] *adv* dernæst, derefter, derpå, så *(fx what shall I do ~? who comes ~?* hvem kommer så?); næste gang *(fx when I see you ~)*; *præp* (nærmest) ved *(fx the table ~ the fire)*; *the gentleman ~ me at table* min sidemand ved bordet; *the ~ best thing* det næstbedste; *what ~?* nu har jeg hørt det med!
I. next door (lige) ved siden af, i huset ved siden af *(fx he lives ~)*; *~ but one* det andet hus herfra; *~ to* ved siden af, den om dør med *(fx he lives ~ to us)*; *(fig)* næsten *(fx it is ~ to impossible)*.
II. next-door *adj* nærmest *(fx our ~ neighbours)*; *we are ~ neighbours* vi bor dør om dør.
next-of-kin [nekstəv'kin] *sb* nærmeste pårørende.
nexus ['neksəs] *sb* sammenhæng; forbindelse; bindeled; kæde, række, gruppe; *(gram)* nexus.
NFFC *f National Film Finance Corporation.*
N.G. *fk no good.*
NHS *fk National Health Service.*
Niagara [nai'ægərə].
nib [nib] *sb* spids, pennespids; pen; (se også *nibs).*
nibble ['nibl] *vb : ~ at* nippe til; bide forsigtigt i, (også *fig)* være ved at bide på; *(fig)* hakke på, kritisere.
niblick ['niblik] *sb* slags golfkølle.
nibs [nibz] *sb pl: cocao ~* knuste kakaobønner; *his ~* S nævnte person; kalorius; hans stormægtighed.
Nicaragua [nikə'rægwə].
I. Nice [ni:s] Nice, Nizza.
II. nice [nais] *adj* pæn *(fx a ~ girl; how ~ of you!)*, net *(fx dress)*; rar, flink, tiltalende *(fx fellow)*, elskværdig; lækker *(fx dinner)*, dejlig *(fx day)*; fin *(fx sense of tact)*, fintmærkende, skarp *(fx observer)*, fintskelnende; kræsen (in med (hensyn til)); nøjagtig *(fx balance)*; delikat, vanskelig *(fx question)*, kilden; (ironisk:) køn, nydelig *(fx a ~ sort of friend you are!)*; *~ and ...* (bruges forstærkende: *fx ~ and cool* dejlig køligt).
nicely ['naisli] *adv* pænt, rart *(etc,* se *nice)*; T udmærket; *be doing ~* klare sig godt, have det godt; være i god bedring.
nice Nelly *(am)* S sin snerpe; *adj* snerpet.
nicety ['naisəti] *sb* nøjagtighed, akkuratesse; (en distinktion, ubetydelig forskel; finesse, spidsfindighed *(fx legal niceties)*; lille detalje; *~ of judgment* fin dømmekraft; *a problem of some ~* et ret vanskeligt *(el.* vanskeligt) problem; *stand (up)on niceties* hænge sig i uvæsentlige detaljer, være overpertentlig, være en pernittengryn; *to a ~* nøjagtigt, på en prik; lige tilpas.
niche [nitʃ, ni:ʃ] *sb* niche; *(fig)* plads i tilværelsen; *vb* anbringe i en niche; *he has found the right ~ for himself*

(også) han er kommet på den rette hylde.
Nicholas ['nikələs] Nikolaj.

I. nick [nik] *sb* hak, (ind)snit; (i porcelæn *etc*) skår; (i skrue) kærv; *(typ:* på type) signatur; S stridser, politibetjent; fængsel; *in the* ~ S i fængsel, i spjældet, »i skyggen«; *in the* ~ *of time* netop i rette øjeblik, i sidste øjeblik; *in poor* ~ S i en elendig forfatning.
II. nick [nik] *vb* skære hak i, lave skår i; nå lige i rette tid *(fx* ~ *the train);* få fat i, snuppe; ramme, træffe, gætte; snyde; S hugge, stjæle; nappe, arrestere; (om hestehale) anglisere: ~ *in* smutte ind (i stedet for en anden).
III. Nick [nik]: *Old* ~ fanden.
nickel ['nikl] *sb* nikkel; *(am)* femcentstykke; *vb* fornikle.
nickelodeon [nikə'loudiən] *sb (am)* jukebox, grammofonautomat.
nickel-plate ['niklpleit] *vb* fornikle.
nicker ['nikə] *vb* vrinske; *sb* vrinsken; S et pund sterling.
nick-nack ['niknæk] *sb* nipsgenstand.
nickname ['nikneim] *sb* øgenavn; *vb* give øgenavn *(fx he was -d Fatty).*
nicotine ['nikəti:n] *sb* nikotin.
nicotinism ['nikəti:nizm] *sb* nikotinforgiftning.
NICR *fk* National Industrial Relations Court arbejdsretten.
nictate ['nikteit], **nictitate** ['niktiteit] *vb* blinke med øjnene.
nic(ti)tating membrane *zo* blinkhinde.
niece [ni:s] *sb* niece, broderdatter, søsterdatter.
niff [nif] *sb* S ubehagelig lugt, odeur.
nifty ['nifti] *adj* S smart; flot, fin; hurtig, rask; ildelugtende.
Nigeria [nai'dʒiəriə].
niggard ['nigəd] *sb* gnier, *adj* gerrig *(of* med), gnieragtig.
niggardly ['nigədli] *adj* gnieragtig, gerrig.
nigger ['nigə] *sb* (stærkt *neds)* nigger; (farve:) chokoladebrun; *work like a* ~ slide som et bæst; *there is a* ~ *in the woodpile* der stikker noget under, der er noget muggent ved det; *the* ~ *heaven (am)* galleriet (i et teater).
niggle ['nigl] *vb* ærgre, irritere; ~ *at* nusse med, pille med; *(fig)* hakke på, kritisere (småligt). **niggling** ['nigliŋ] *adj* pertentlig, sirlig; gnidret; smålig.
nigh [nai] *adj (poet)* nær, næsten, nær ved; *winter is* ~ *at hand* vinteren står for døren; *draw* ~ rykke nærmere.
night [nait] *sb* nat, aften; mørke; *all* ~ hele natten; *at (, by, in the)* ~ om natten; ~ *and day* dag og nat; *late at* ~ sent om aftenen; *first* ~ premiere; *last* ~ i aftes, i nat; *-'s lodging* nattekvarter; *make a* ~ *of it* få en aften ud af det, få sig en glad aften; svire hele natten; *o'nights* om natten; *the piece had a run of 100 -s* stykket gik 100 gange, *on the* ~ *of the 11th* natten mellem den 11. og 12.; *have a* ~ *off* have en friaften; *have a* ~ *out* være ude en aften; *stay over* ~, *stop the* ~ overnatte, blive natten over; *this* ~ i aften, i nat.
night|bird natfugl; (om person) natteravn. ~ **blindness** natteblindhed. ~ **-blooming cereus** *(bot)* nattens dronning. **-cap** nathue; aftendodty, aftendrik. ~ **cart** renovationsvogn. **-club** natklub. **-dress** natkjole, natdragt. **-fall** mørkets frembrud, mørkning. ~ **fighter** *(flyv)* natjager. ~ **-flowering catchfly** *(bot)* natlimurt. ~ **glass** natkikkert. **-gown** natkjole. **-hawk** *(am)* nathøg; natravn. ~ **heron** nathejre.
nightie ['naiti] = *nighty.*
nightingale ['naitiŋgeil] *sb zo* nattergal.
night|jar *zo* natravn. **-light** vågelys, natlampe.
nightly ['naitli] *adj* natlig, nat-; *adv* hver nat, hver aften.
night|man renovationsmand. **-mare** mareridt. ~ **nursery** børnenes soveværelse. ~ **owl** *zo* natugle; (om person) natteravn. ~ **piece** (om kunstværk) natstykke; nattestemning. ~ **rocket** *(bot)* aftenstjerne, natviol. ~ **safe** døgnboks. ~ **school** aftenskole. **-shade** *(bot)* natskygge. **-shift** nathold, natarbejde. **-shirt** natskjorte. ~ **soil** latrin. **-stand** natbord. **-stick** *(am)* politistav. **-stool** natstol. **-time** nat, nattetid. **-walker** prostitueret; tyv. ~ **watch** nattevagt. ~ **watchman** natvægter, nattevagt.
nighty ['naiti] *sb* T natkjole.
nigrescent [nai'gresənt] *adj* sortladen, næsten sort.
nihilism ['naiilizm] *sb* nihilisme. **nihilist** ['naiilist] *sb* nihilist.
nihilistic [naii'listik] *adj* nihilistisk.
nil [nil] *sb* intet, nul *(fx three goals to* ~*).*

Nile [nail]: *the* ~ Nilen.
nilgai ['nilgai] *sb zo* nilgai (art indisk antilope).
nimble ['nimbl] *adj* letfodet, rapfodet, rask, adræt; (åndeligt:) kvik, hurtig.
nimble|-fingered fingernem. ~ **-footed** rapfodet.
nimbo-stratus ['nimbou'streitəs] *sb* regnsky.
nimbus ['nimbəs] *sb* nimbus, glorie.
niminy-piminy ['nimini'pimini] *adj* pertentlig; affekteret; sippet, snerpet; blødsøden.
nincompoop ['ninkəmpu:p] *sb* fjols, fæ, mæhæ, nathue.
nine [nain] *ni; sb* nital; nier; *the Nine* de 9 muser; *a* ~ *days' wonder* en sensation der hurtigt er glemt; ~ *times out of ten* i ni af ti tilfælde; *dressed up to the* -s overdreven elegant klædt; udstafferet; i stiveste puds.
ninefold ['nainfould] *adj, adv* nidobbelt.
ninepins ['nainpinz] *sb* kegler.
nineteen ['nain'ti:n] nitten; *talk* ~ *to the dozen* snakke op ad døre og ned ad stolper; snakke Fanden et øre af; *he chatters away* ~ *to the dozen* (også:) munden går på ham som kæp i et hjul.
nineteenth ['nain'ti:nθ] *adj* nittende; *sb* nittendedel.
ninetieth ['naintiiθ] *adj* halvfemsindstyvende; *sb* halvfemsindtyvendedel.
ninety ['nainti] halvfems; *in the nineties* i halvfemserne.
ninny ['nini] *sb* dumrian, dosmer.
ninth [nainθ] *adj* niende; *sb* niendedel; *in the* ~ *place* for det niende.
ninthly ['nainθli] *adv* for det niende.
Niobe ['naiəbi].
I. nip [nip] *vb* nippe, nappe; knibe, klemme *(fx one's finger in a door);* nippe 'af *(fx side shoots);* svide, bide, angribe *(fx -ped by the frost); (fig)* sætte en stopper for; (drikke) nippe, smådrikke; (løbe:) skynde sig, svippe, smutte, 'stikke' *(fx across the street);* S negle, hugge; ~ *in* afbryde, blande sig i en samtale; smutte ind (i stedet for en anden); ~ *in the bud (fig)* kvæle i fødslen.
II. nip [nip] *sb* bid, nap; skarphed, bidende kulde *(el.* vind); (af drik) slurk, tår.
nip and tuck *(am)* jævnbyrdig; *it was* ~ det var lige på vippen.
nipper ['nipə] *sb* (hests) fortand; (krabbes) klo; S lille dreng, purk, *-s* (også) småfyre.
nippers ['nipəz] *sb pl* bidetang, niptang; (til negle) negletang; *(glds* briller) lorgnet, næseklemmer; *a pair of* ~ en bidetang *(etc).*
nipping ['nipiŋ] *adj* (om vind) bidende kold.
nipple ['nipl] *sb* brystvorte; sut (på sutteflaske); *(fx* til smøring:) nippel.
nipplewort ['niplwɔ:t] *sb (bot)* haremad.
Nippon ['nipɔn] Japan.
Nipponese [nipə'ni:z] *adj* japansk.
nippy ['nipi] *adj* skarp, bidende; hurtig, rap; *sb* serveringsdame (især i Lyons' restauranter).
Nirvana [niə'va:nə] Nirvana.
Nissen hut ['nisənhʌt] tøndeformet barak.
nit [nit] *sb* luseæg; S fjols.
nite *(am* variant af) *night.*
nit-picking *sb* smålig kritik; pedanteri; *adj* smålig, pedantisk.
nitrate ['naitreit] *sb* nitrat, salpetersurt salt.
nitre ['naitə] *sb* salpeter.
nitric ['naitrik] *adj* salpeter-; ~ *acid* salpetersyre.
nitrobacteria ['naitrəbæk'tiəriə] *sb pl* salpeterbakterier.
nitrocellulose ['naitrə'seljulous] *sb* nitrocellulose (et sprængstof).
nitrogen ['naitrədʒən] *sb* kvælstof.
nitroglycerin ['naitrəglisə'ri:n] *sb* nitroglycerin.
nitrous ['naitrəs] *adj* salpeterholdig; ~ *oxide* kvælstofforilte, lattergas.
nitwit ['nitwit] *sb* S skvadderhoved, fjols, tåbe.
I. nix [niks] S nej, nix; *sb* intet, (om person) 'nul'.
II. nix [niks], **nixie** ['niksi] *sb* nøkke.
N.J. *fk* New Jersey [nju: 'dʒə:zi].
N.M. *fk* New Mexico [nju: 'meksikou].
N.N.E. *fk* north north-east.
N.N.W. *fk* north north-west.
I. no [nou] *adv* nej; ikke; *sb (pl -es)* nej(stemme); *pron* ingen, ikke nogen; intet, ikke noget; *cold or* ~ *you must go*

hvad enten det er koldt eller ej så må du af sted; (se også *whether*); *is your mother ~ better?* har din moder det ikke bedre? *~ can do* S umuligt; *~ go*, se II. *go; the noes have it* forslaget er forkastet; *there is ~ denying that* ... man kan ikke nægte at ...; *there is ~ knowing (, saying etc) what he may do next* det er ikke til at vide (, sige etc) hvad han nu kan finde på; *~ less than ten* hele ti; *~ more* ikke mere, aldrig mere; (se også *more); ~ one* ingen; *~ one man could have done it* ingen kunne have gjort *(el.* klaret) det alene; *in ~ small degree* i ikke ringe grad; *~ smoking* tobaksrygning forbudt; *I will not take ~ for an answer* det nytter ikke du siger nej; *in ~ time* på et øjeblik

II. No. ['nʌmbə] *fk number.*

Noah ['nouə,'nɔ:ə].

I. nob [nɔb] S *sb* knold, hoved; (let *glds)* burgøjser, storborger; *the nobs* 'de fine'.

II. nob [nɔb] *vb* S ramme i hovedet; indsamle (penge); indsamle penge hos.

no ball (i kricket) fejlbold.

nobble ['nɔbl] *vb* S bedrage; tilsvindle sig; hugge, stjæle; få fat i; vinde for sig (ved bestikkelse, smiger); lave fiksfakserier med (væddeløbshest for at hindre den i at vinde).

nobbler ['nɔblə] *sb* bedrager; slag i hovedet; *(omtr)* priest (lystfiskers kølle til aflivning af fisk).

nobbut ['nɔbʌt] *(dial.)* kun; lige.

nobby ['nɔbi] *adj* S flot, smart, elegant; *sb (omtr)* priest (se *nobbler).*

Nobel [nou'bel]; *the ~* ['noubel] *Prize* Nobelprisen.

nobility [nou'biliti] *sb* adel, højadel; adelstand; adelskab; *(fig)* ædelhed, storhed; *~ of mind* sjælsadel, en ædel karakter.

noble ['noubl] *adj* ædel, ophøjet; fornem; prægtig, storslået; (om rang) adelig; *sb* adelsmand.

noble| fir sølvgran, 'nobilisgran'. **-man** [-mən] adelsmand. **~ -minded** højsindet.

noblesse [nou'bles] *sb* adel; *~ oblige* [ə'bli:ʒ] adel forpligter.

noblewoman *sb* adelig dame.

nobody ['noubədi, -bɔdi] *pron* ingen; *sb* (om person) ubetydelighed, nul; *a mere ~* et rent nul.

nock [nɔk] *sb* (i bue *el.* pil) kærv.

nocturnal [nɔk'tə:nl] *adj* natlig, natte-; *~ animal* natdyr.

nocturne ['nɔktə:n] *sb* nocturne, nattestemning (om kunstværk).

I. nod [nɔd] *sb* nik; *the land of Nod* søvnens rige; *on the ~* S uden formaliteter; på kredit; underhånden; *a ~ is a good as a wink to a blind horse* han forstår *(el.* undertiden: forstår ikke) en halvkvædet vise.

II. nod [nɔd] *vb* nikke; sidde og nikke (af søvnighed), (også *fig)* halvsove, begå en fejl; (med objekt) tilkendegive ved et nik; *~ approval* nikke bifaldende; *~ assent* nikke samtykkende; *~ him* velkommen hilse ham velkommen med et nik; *~ one's head* nikke med hovedet; *Homer sometimes -s (omtr)* selv den klogeste kan begå fejl.

nodal ['noudl] *adj: ~ point (fys)* knude(punkt); *(fig)* knudepunkt.

nodding acquaintance: *have a ~ with sby* kende en flygtigt, (let *glds)* være på hat med en.

noddle ['nɔdl] *sb* T knold, hoved; *vb* nikke.

noddy ['nɔdi] *sb* tåbe, dumrian; *zo ~* **noddy tern** *zo* noddi (en fugl).

node [noud] *sb* knude; *(fys)* knude(punkt); *(med.)* knude; *(bot)* knæ, led, bladfæste; (radio, ved antenne) strømknude, spændingsknude.

nodose [nou'dous] *adj* knudret.

nodular ['nɔdjulə] *adj* småknudet.

nodule ['nɔdju:l] *sb* lille knude.

nodulous ['nɔdjuləs] *adj* småknudet.

Noel ['nouəl] (navn); [nou'el] *sb* jul; *interj* (fryderåb).

nog [nɔg] *sb* træpløk; se også *eggnog.*

noggin ['nɔgin] *sb* lille krus; lille mål (¼ *pint*, ca. ⅛ l.).

no go se II. *go.*

nohow ['nouhau] *adv* S på ingen måde; *feel ~* føle sig utilpas; *look ~* se forkommen ud.

noise [nɔiz] *sb* støj, larm, spektakel; lyd *(fx we heard strange -s); vb : ~ (abroad)* udbasunere, forkynde vidt

og bredt; *when it became -d abroad* da det rygtedes; *a big ~* T en af de store kanoner; *make a ~* gøre støj, støje *(fx make such a ~); make a ~ about* råbe op om, udbrede sig om; *make a ~ in the world* vække opsigt, blive bekendt; *-s off* (radio) lydkulisse; *(teat)* støj i kulissen; baggrundsstøj; *(fig)* murren i baggrunden.

noise abatement støjbekæmpelse, bekæmpelse af støjplagen.

noiseless ['nɔizlis] *adj* lydløs; støjfri.

noisemaker ['nɔizmeikə] *sb (am)* støjinstrument.

noisiness ['nɔizinis] *sb* larmen, støjen, støjende opførsel.

noisome ['nɔisəm] *adj* skadelig, usund; modbydelig; ildelugtende.

noisy ['nɔizi] *adj* støjende, larmende, højrøstet, højlydt; *(fig)* påfaldende *(fx suit, tie).*

nomad ['nouməd] *sb* nomade.

nomadic [nɔ'mædik] *adj* nomadisk, nomade- *(fx peoples).*

no-load *adj* tomgangs-.

no man's land ['noumænzlænd] *sb (mil.* og *fig)* ingenmandsland.

nom de plume ['nɔ:m də 'plu:m] *sb* (påtaget) forfatternavn, pseudonym.

nomenclature [nou'menklətʃə] *sb* nomenklatur.

nominal ['nɔminl] *adj* nominel *(fx fee; damages* (skades)erstatning); ubetydelig *(fx difference);* pålydende *(fx the ~ value is 1,000, but the market price is 950);* navne- *(fx list); he was both the ~ and the real ruler* han var hersker både af navn og af gavn.

nominate ['nɔmineit] *vb* nominere; opstille (valgkandidat); indstille *(fx ~ sby for an advancement);* foreslå; udpege; udnævne.

nomination [nɔmi'neiʃ(ə)n] *sb* nominering, opstilling, indstilling, forslag; indstillingsret; udnævnelse.

nominative ['nɔm(i)nətiv]; *the ~ case* nævneform, nominativ.

nominator ['nɔmineitə] *sb* en som nominerer *etc,* se *nominate.*

nominee [nɔmi'ni:] *sb* en som er nomineret *etc,* se *nominate;* kandidat.

non- [nɔn] (forstavelse:) ikke-, u-, in-.

non-acceptance ['nɔnək'sept(ə)ns] *sb* manglende accept (af veksel).

nonage ['nounidʒ] *sb* mindreårighed, umyndighed.

nonagenarian [nounədʒi'nɛəriən] *adj* halvfemsindstyveårig; én der er i halvfemserne.

non-aggression pact *sb* ikke-angrebspagt.

nonagon ['nɔnəgɔn] *sb* nikant.

non|alcoholic alkoholfri. **-aligned** *adj* som ikke tilhører nogen (politisk) blok, uforpligtet, alliancefri. **-alignment** uforpligtethed, alliancefrihed. **-appearance** udeblivelse. **-attendance** fraværelse.

nonce [nɔns]; *for the ~* for lejligheden, midlertidigt.

nonce word sb* ord som er dannet til en bestemt lejlighed, engangsord, øjebliksdannelse.

nonchalance ['nɔnʃ(ə)ləns] *sb* ligegyldighed; uinteresserethed, nonchalance, skødesløshed.

nonchalant ['nɔnʃ(ə)lənt] *adj* ligegyldig, uinteresseret, nonchalant, skødesløs.

noncollegiate ['nɔnkə'li:dʒiit] *adj* (om student) som ikke hører til et *college;* (om universitet) som ikke består af *colleges.*

non com. *fk non-commissioned officer.*

noncombatant ['nɔn'kɔmbətənt] *sb* nonkombattant.

noncommissioned ['nɔnkə'miʃ(ə)nd] *adj: ~ officer* underofficer.

noncommittal ['nɔnkə'mitl] *adj* uforbindende, uforpligtende, forbeholden *(fx answer);* neutral *(fx attitude);* uvillig til at tage standpunkt.

noncommitted ['nɔnkə'mitid] *adj* neutral, alliancefri.

non compos mentis ['nɔn 'kɔmpɔs 'mentis] *(jur)* sindssyg.

nonconducting ['nɔnkən'dʌktiŋ] *adj* ikke ledende, isolerende.

nonconductor ['nɔnkən'dʌktə] *sb (fys)* isolator.

non|conforming afvigende, dissenter-. **-conformist** medlem af et andet kirkesamfund end statskirken, dissenter. **-conformity** uoverensstemmelse med statskirken; separatisme; uoverensstemmelse *(to, with* med).

non-content ['nɔnkən'tent] *sb* nej, nejstemme (ved afstemning i Overhuset).

non-cooperation ['nɔnkouɔpə'reiʃn] *sb* passiv modstand, borgerlig ulydighed (skattenægtelse *etc,* især om Gandhis politik).

nondescript ['nɔndiskript] *adj* ubestemmelig; *sb* ubestemmelig person *el.* ting.

nondisclosure ['nɔndisklouʒə] *sb* fortielse.

none [nʌn] *pron* ingen, ikke nogen; intet; (foran *the* fulgt af komparativ, og foran *too:)* (slet) ikke, ikke spor *(fx he is ~ the better; the pay is ~ too high)* ; *it is ~ of your business* det kommer ikke dig ved; *his health is ~ of the best* hans helbred er just ikke det bedste; *he would have ~ of it* han ville ikke vide af det; *~ of your impudence!* nu ikke fræk! *~ of that!* hold op med det! *~ the less* ikke desto mindre; *I am ~ the wiser for it* det bliver jeg ikke klogere af; *~ too* (også) ikke altfor, ikke særlig *(fx the conversation flowed ~ too easily)* ; *~ too soon* ikke et minut for tidligt.

noneffective ['nɔni'fektiv] *adj, sb (mil.)* kasseret.

nonentity [nɔ'nentiti] *sb* (om person) nul, ubetydelighed; (om ting *etc)* noget ikke-eksisterende, fantasifoster.

nonessential ['nɔni'senʃ(ə)l] *adj, sb* uvæsentlig (ting).

nonesuch ['nʌnsʌtʃ] *sb* uforlignelig person *el.* ting.

nonetheless ['nʌnðə'les] *adv (am)* ikke desto mindre.

nonexistence ['nɔnig'zistəns] *sb* ikke-væren, ikke-eksistens; ikke eksisterende ting. **nonexistent** [nɔnig'zistənt] *adj* ikke eksisterende; *it is ~* det eksisterer ikke.

nonfiction [nɔn'fikʃn] *sb* faglitteratur samt skuespil og digte.

nonflammable [nɔn'flæməbl] *adj* ikke brændbar, uantændelig.

nonfulfilment ['nɔnful'filmənt] *sb* ikke-opfyldelse, misligholdelse.

nonintervention ['nɔnitə'venʃn] *sb* ikke-indblanding.

noniron ['nɔnaiən] *adj* strygefri *(fx shirt)*.

non|juring ['nɔn'dʒuərin] *adj* som ikke har svoret troskab (nemlig til William og Mary), jakobitisk. **-juror** ['nɔn'dʒuərə] jakobit.

nonmoral [nɔn'mɔr(ə)l] *adj* amoralsk; uden morale.

nonnuclear [nɔn'nju:kliə] *adj* som ikke har atomvåben.

nonpareil ['nɔnp(ə)rel] *adj* uforlignelig, mageløs; *sb (typ)* nonpareille.

non|partisan, -party *adj* ikke partibundet; upartisk. **-payment** manglende betaling; uopfyldt betalingsforpligtelse. **-performance** ikke-opfyldelse, misligholdelse.

nonplus ['nɔn'plʌs] *sb* rådvildhed, forlegenhed; klemme; *vb* gøre rådvild, forbløffe.

nonprofit ['nɔn'prɔfit] *adj* almennyttig; *on a ~ basis* på ikke-erhvervsmæssig basis.

nonproliferation treaty traktat om forbud mod spredning af atomvåben.

nonresidence *sb* fraværelse fra embedskreds *el.* ejendom.

nonresident *adj* udensogns; udenfor boende.

nonsense ['nɔns(ə)ns] *sb* vrøvl, vås; dumheder; pjat; *talk ~* vrøvle; *make ~ of sth* berøve noget sin mening.

nonsensical [nɔn'sensikl] *adj* urimelig, tåbelig.

non sequitur ['nɔn'sekwitə] *sb* fejlslutning, slutning som ikke er begrundet i præmisserne.

nonskid ['nɔn'skid] *adj* skridfast, skridsikker; *~ groove* skridrille.

nonsmoker ['nɔn'smoukə] *sb* ikke-ryger(kupé).

nonsmoking: *~ compartment* kupé for ikke-rygere.

nonstarter ['nɔn'sta:tə] *sb* hest der trækkes tilbage fra et løb; *(fig)* en der ikke har en chance; plan der viser sig at være uigennemførlig; teori der viser sig at være uholdbar.

nonstick ['nɔn'stik] *adj* slip-let.

nonstop ['nɔn'stɔp] *adj* som foretages uden ophold undervejs; uden ophold; nonstop *(fx performance)* ; *~ flight* flyvning uden mellemlanding; *~ train* gennemgående tog.

nonsuch se *nonesuch.*

nonsuit ['nɔn's(j)u:t] *sb* afvisning af en proces; *vb* afvise.

non-U ['nɔn'ju:] *adj* som ikke tilhører overklassen, ikke dannet.

nonunion ['nɔn'ju:njən] *adj* som ikke er medlem af en fagforening; som ikke respekterer fagforeningsbestemmelser; *~ labour* uorganiseret arbejdskraft.

nonuser ['nɔn'ju:zə] *sb (jur)* ikke-benyttelse (af en rettighed).

nonviolence ['nɔn'vaiələns] *sb* ikke-vold.

nonvoting ['nɔn'voutin] *adj* som ikke stemmer; (især om aktier) uden stemmeret.

I. noodle ['nu:dl] *sb* tosse, fæ; **S** hoved, 'knold'.

II. noodle ['nu:dl] *sb* nudel.

nook [nuk] *sb* krog, hjørne; *-s (and corners)* krinkelkroge; *search every ~ and cranny (omtr)* gennemsøge de fjerneste kroge.

noon [nu:n] *sb* middag, kl. 12; *at ~* (også) midt på dagen.

noon|day, -tide middag; *(fig)* middagshøjde, højdepunkt.

noose [nu:s] *sb* løkke, løbeknude; *vb* fange (med snare); forsyne med løbeknude; *put one's head in(to) the ~* lægge strikken om sin egen hals, lade sig fange.

nor [nɔ:] *conj* heller ikke; ej heller, og heller ikke, og ... ikke; (efter *neither*) eller *(fx neither gold nor silver* hverken guld eller sølv); *she has no money and ~ has he* hun har ingen penge, og det har han heller ikke; *I thought of him, ~ did I forget you* jeg tænkte på ham, og jeg glemte heller ikke dig.

nor' = *north.*

Nordic ['nɔ:dik] *adj* nordisk.

Norfolk ['nɔ:fək]; *~ jacket* norfolkjakke, sportsjakke (med bælte).

norm [nɔ:m] *sb* norm, rettesnor.

normal ['nɔ:m(ə)l] *adj* normal, regelmæssig; almindelig; normal- *(fx temperature)* ; *(geom)* vinkelret; *sb: above (, below) ~* over (, under) normalen.

normalcy ['nɔ:m(ə)lsi] *sb* normal tilstand; *return to ~* vende tilbage til normale tilstande, blive normal igen.

normalization [nɔ:məlai'zeiʃ(ə)n] *sb* normalisering.

normalize ['nɔ:məlaiz] *vb* normalisere.

normal school *(am etc)* seminarium.

Norman ['nɔ:mən] *sb* normanner; *adj* normannisk, *(arkit, omtr)* romansk, i rundbuestil; *the ~ Conquest* normannernes erobring af England.

Normandy ['nɔ:məndi] Normandiet.

Norn [nɔ:n] *sb (myt)* norne.

Norse [nɔ:s] *adj* norsk; nordisk; *Old ~* oldnordisk; *the ~* nordboerne; nordmændene.

Norseman ['nɔ:smən] *sb* nordboer, skandinav.

north, North [nɔ:θ] *sb* nord; nordlig del; *adj* nordlig, nord-; norden-; *adv* mod nord, nordpå; *the ~* Nor North-den; *(am)* nordstaterne; *~ by east* nord til øst; *in the ~ of England* i det nordlige England, i Nordengland; *to the ~ of* nord for.

Northampton [nɔ:'θæm(p)tən].

Northants. *fk Northamptonshire.*

northbound [nɔ:'θbaund] *adj* nordgående, mod nord.

North Britain Skotland. **North Briton** skotte.

North Country Nordengland. **north-country** *adj* nordengelsk.

north|east ['nɔ:'θ'i:st] nordøst; *adj* nordøstlig. **-easter** *sb* nordøstvind. **-easterly, -eastern** *adj* nordøstlig. **-eastward** mod nordøst; nordøstlig.

northerly ['nɔ:ðəli] *adj* nordlig, mod nord.

northern ['nɔ:ð(ə)n] *adj* nordisk; nordlig, nord-.

northerner ['nɔ:ð(ə)nə] *sb* nordbo; beboer i den nordlige del af landet, *(am)* nordstatsmand.

northern lights *pl* nordlys.

northernmost ['nɔ:ðənmoust] *adj* nordligst.

northing ['nɔ:θin] *sb (mar)* sejlads nordpå; forandret nordlig bredde.

north light vindue mod nord; lys fra nord.

Northman ['nɔ:θmən] *sb* nordbo, skandinav.

northmost *adj* nordligst.

north-north|east ['nɔ:'θnɔ:'θ'i:st] nord-nord-ost *(of* for). **-west** [-'west] nord-nord-vest *(of* for).

north-polar *adj* nordpols-.

North Sea: *the ~* Nordsøen, Vesterhavet.

North Star: *the ~* Nordstjernen.

Northumberland [nɔ:'θʌmbələnd].

Northumbrian [nɔ:'θʌmbriən] *sb, adj* northumbrisk.

north|ward(s) ['nɔ:θwəd(z)] mod nord, nordpå; *-wards of* nord for. **-west** ['nɔ:θ'west] nordvest; nordvestlig. **-wester** *sb* nordvestvind. **-westerly, -western** *adj* nordvestlig. **-westward** mod nordvest, nordvestlig.

Norway ['nɔ:wei] Norge.
Norway| **haddock** *zo* rødfisk. ~ **lobster** *zo* jomfruhummer.
~ **spruce** *(bot)* rødgran.
Norwegian [nɔ:'wi:dʒ(ə)n] *adj* norsk; *sb* norsk; nordmand.
Norwich ['nɔridʒ].
nos., Nos. ['nʌmbəz] *fk numbers.*

I. nose [nouz] *sb* næse, (på dyr) snude; (på ting) næse, spids, tud; *(fig)* næse, lugtesans, sporsans; **S** spion; *bleed from the* ~ have næseblod; *blow one's* ~ pudse næsen; *count* -s foretage en optælling; *he will cut off his* ~ *to spite his face* det bliver værst for ham selv; *follow one's* ~ gå lige efter næsen; *lead by the* ~ trække om ved næsen, få til at gøre hvad man vil; *look down one's* ~ *at* se ned på, rynke på næsen ad; *on the* ~ *(am* **T**) præcis, nøjagtig; (om væddemål) som vinder *(fx bet* $ *10 on the favourite on the* ~*); pay through the* ~ betale i dyre domme, blive trukket op; *as plain as the* ~ *on one's face* soleklart; *snap (el. bite) sby's* ~ *off* snerre *(el.* bide) ad én; *speak through the* ~ snøvle; *turn up one's* ~ *at* rynke på næsen ad; *under one's very* ~ lige for næsen af en; (se også *grindstone, I. joint, I. poke).*

II. nose [nouz] *vb* lugte, vejre, snuse; trykke næsen mod; bevæge sig forsigtigt frem, liste sig; ~ *about* snuse rundt; støve rundt *(for* efter); ~ *into* stikke sin næse i; snage i; ~ *on sby* angive *(el.* stikke) en; ~ *out* (også *fig)* opsnuse; *(am)* vinde knebent over.
nose|bag mulepose. **-band** næsebånd (på hest). **-bleed** næseblod; *(bot)* røllike. ~ **cone** raketspids.
-nosed ['nouzd] **-næset** *(fx broad-nosed).*
nose-dive ['nouzdaiv] *(flyv)* *sb* (brat) dykning; styrtdykning; *(fig)* brat fald *(fx* i priser); *vb* dykke (brat).
nose|gay ['nouzgei] *sb* buket. ~ **-heavy** (om flyvemaskine) næsetung. ~ **rag** lommeklud. ~ **ring** næsering.
nosey se *nosy.*
nosh [nɔʃ] **S** *sb* mad, ædelse; *vb* æde.
nosing ['nouziŋ] *sb* trinforkant.
nosology [nɔ'sɔlədʒi] *sb* sygdomslære.
nostalgia [nɔ'stældʒiə] *sb* hjemve; nostalgi, sentimental længsel (efter en svunden tid).
nostril ['nɔstr(i)l] *sb* næsebor; *it stinks in his* -s det er ham en vederstyggelighed.
nostrum ['nɔstrəm] *sb (neds)* vidundermedicin, patentmedicin.
nosy ['nouzi] *adj* nysgerrig.
Nosy Parker S nysgerrigper, posekigger.
not [nɔt] *adv* ikke; ~ *at all* slet aldeles ikke, på ingen måde; (svar på tak:) å jeg be'r; *I could* ~ *but* jeg kunne ikke lade være at; se også *but;* ~ *half,* se *half; if* ~, se *if;* ~ *that* ikke fordi *(fx* ~ *that it matters* ikke fordi det gør noget); *I think* ~ jeg mener nej; *I should think* ~ (også) det skulle bare mangle; *I'm just Vorherre bevares; he won't pay,* ~ *he!* man kan være sikker på at *han* ikke betaler; se også *two, yet.*
nota bene ['noutə'bi:ni] nota bene, vel at mærke.
notability [noutə'biliti] *sb* bemærkelsesværdighed, mærkværdighed; (om person) dignitar, notabilitet.
notable ['noutəbl] *adj* bemærkelsesværdig, betydningsfuld *(fx achievement);* mærkbar, tydelig *(fx difference);* bekendt; *sb* dignitar, notabilitet.
notably ['noutəbli] *adv* især, navnlig.
notarial [nou'tɛəriəl] *adj* notarial, udfærdiget af en notarius, notarial-.
notarized ['noutəraizd] *adj (am)* notarialt bekræftet.
notary ['noutəri] *sb* notar(ius); ~ *public* notarius publicus.
notation [nə'teiʃ(ə)n] *sb* tegnsystem; (i musik) nodesystem; *(am)* note, notat.
notch [nɔtʃ] *sb* hak; indsnit, indskæring, rille; udskæring; (ved træfældning, i metal, i sigtemiddel) kærv; *(am)* snævert bas; *(fig)* lave hak (, indsnit *etc)* i; (i sport) score *(fx points);* *(fig)* score *(fx he -ed yet another victory);* notere; *a* ~ *above* **T** en tak bedre end.
I. note [nout] *sb* notits, optegnelse; (i tekst) note, anmærkning; (meddelelse:) lille brev, billet, seddel, (diplomatisk:) note; *(mht gæld)* gældsbevis, forskrivning; *(mht* penge) pengeseddel, banknote; *(merk)* nota, regning; (papir:) brevpapir; *(mus.)* node; tone; tangent; *(fig)* tone *(fx he changed his* ~ han anlagde en anden tone); anstrøg *(fx there was a* ~ *of impudence in his answers);*

as per ~ *(merk)* ifølge nota; *compare* -s, se *compare; exchange of* -s noteudveksling; *a man of* ~ en anset mand; *a town of* ~ en betydningsfuld (el. vigtig) by, en by af betydning; ~ *of interrogation* spørgsmålstegn; *make a* ~ *of* notere, mærke sig; *on a* ~ *of optimism* i en optimistisk stemning, i en atmosfære af optimisme *(fx the meeting ended on a* ~ *of optimism); sound (el. strike) a* ~ anslå en tone *(fx strike a false (, the right)* ~; *the reviewer sounded a sour* ~*); take* ~ *of* bemærke, notere, mærke sig; tage til efterretning; *take -s of* tage notater af, notere, skrive ned; *speak without -s* tale uden manuskript.
II. note [nout] *vb* lægge mærke til, tage notits af, notere sig, mærke sig, bemærke; gøre opmærksom på, omtale specielt; notere, skrive op.
note|book notesbog; kollegiehæfte. **-case** seddelmappe. ~ **circulation** seddelcirkulation; seddelmængde, seddelmasse.
noted ['noutid] *adj* bekendt.
note|pad notesblok. **-paper** brevpapir. **-worthy** værd at lægge mærke til, bemærkelsesværdig.
nothing ['nʌθiŋ] *pron* intet, ikke noget; slet ikke, ikke spor af *(fx I have been fortunate; I've had a number of offers ... Fortunate nothing! They were damned lucky to get you);* *sb* ubetydelighed, nul; *a mere* ~ en ren bagatel; ~ *at all* slet intet; ~ *(else) but* intet andet end, kun; ~ *doing* **T** der er ikke noget at gøre; du kan tro nej; det bliver der ikke noget af; *I have* ~ **on** *tonight* jeg har ikke noget for i aften; *the police has* ~ *on him* politiet har ikke noget på ham (ɔ: intet anklagemateriale); *they have* ~ *on us (am* **T**) de har ikke noget at lade os høre; *she is* ~ *if not pretty* hun er meget smuk; smuk det er hun; ~ *like as large* ikke nær så stor; langt fra så stor; **make** ~ *of* ikke regne for noget; bagatellisere; ikke få noget ud af; *I can make* ~ *of it* jeg kan ikke blive klog på det; *he made* ~ *of the opportunity* han udnyttede ikke lejligheden; ~ *short* af intet mindre end; *think* ~ *of* ikke regne for noget; ~ *venture,* ~ *have* hvo intet vover, intet vinder;
(forb med præp) for ~ gratis *(fx I got it for* ~*); forgæves (fx he had all the trouble for* ~*);* uden grund *(fx they quarrelled for* ~*); there is* ~ *for it but to* der er ikke andet at gøre end at; *there's* ~ **in** *it* det har ikke noget på sig; **T** der er ingen penge i det; *come to* ~ ikke blive til noget, mislykkes; *there is* ~ *to it* det er der ingen kunst ved; det er let nok; *it is* ~ *to me* det betyder ikke noget for mig, det er mig ligegyldigt; det er en bagatel for mig; *my trouble is* ~ *to theirs* mine vanskeligheder er intet mod deres.
nothingness ['nʌθiŋnis] *sb* intethed, betydningsløshed; bagatel; *vanish into* ~ blive til intet.
I. notice ['noutis] *sb* opmærksomhed *(fx it escaped (undgik) his* ~*);* meddelelse, underretning, (officiel:) bekendtgørelse; (som sættes op) opslag; (i avis) notits, artikel; kortere anmeldelse; (forhåndsmeddelelse:) varsel *(fx prices are subject to alteration without* ~*),* (til ansat) opsigelse;
give ~ *(to quit)* sige op; *give* ~ *of* meddele, underrette om; give varsel om; *this is to give* ~ *that* herved bekendtgøres at; *receive* ~ blive sagt op; *serve* ~ meddele (officielt); *take* ~ iagttage; (om barn) skønne, lægge mærke til omgivelserne; *take* ~ *of* lægge mærke til, bekymre sig om, tage notits af; tage til efterretning; *sit up and take* ~ blive opmærksom, spidse ører; *he is sitting up and taking* ~ **T** *(omtr* =) han er i bedring;
(forb med præp) at short ~ med kort varsel, på kort sigt; *at six months'* ~ med et halvt års varsel; **beneath** *sby's* ~ ikke ens opmærksomhed værd; *bring* **into** ~ henlede opmærksomheden på; *come into* ~ vække opmærksomhed; *term of* ~ opsigelsesfrist; *be on* ~ *(am)* = *be under* ~; *bring* to *sby's* ~ henlede ens opmærksomhed på; ~ *to mariners* efterretninger for søfarende; *subject to* ~ som kan opsiges; *be under* ~ *(to leave)* være sagt op; *it has come (el. fallen) under my* ~ *that* jeg har bragt i erfaring at; *leave without* ~ rejse (fra sin stilling) uden varsel; *pass without* ~ gå upåagtet hen.
II. notice ['noutis] *vb* bemærke, lægge mærke til, mærke sig, tage notits af; omtale.

noticeable ['noutisǝbl] *adj* værd at lægge mærke til, bemærkelsesværdig; mærkbar.
notice board opslagstavle.
notifiable ['noutifaiǝbl] *adj* (om sygdom) som skal anmeldes til sundhedsmyndighederne.
notification [noutifi'keiʃ(ǝ)n] *sb* kundgørelse, bekendtgørelse; anmeldelse.
notify ['noutifai] *vb* bekendtgøre, anmelde *(fx ~ change of address)*; underrette *(of* om); tilkendegive.
notion ['nouʃn] *sb* (vag, uklar:) idé *(fx the queer -s they have about Americans)*, forestilling *(fx she had a (vague) ~ of how it should be done)*, anelse *(fx he sold because he had a ~ that prices would go down)*; (urimelig:) grille; (mere klar:) begreb, opfattelse *(fx our ~ of right and wrong)*; *-s pl (am)* syartikler, småartikler; *I haven't a ~ of what he means* jeg har ikke idé *(el.* begreb *el.* anelse) om hvad han mener; *he has no ~ of doing it* han tænker ikke på at gøre det; det kunne ikke falde ham ind at gøre det; *take a ~ to do sth* få den idé *(el.* grille *el.* det indfald) at gøre noget.
notional ['nouʃǝnl] *adj* tænkt, teoretisk, indbildt, abstrakt; som kun eksisterer i fantasien; (især *am)* fantastisk, lunefuld.
notoriety [noutǝ'raiǝti] *sb* berygtethed, det at være velkendt; kendt person.
notorious [nou'tɔ:riǝs] *adj* almindelig bekendt, vitterlig, notorisk; berygtet. **notoriously** *adv* vitterligt, notorisk, erfaringsmæssigt *(fx it is ~ difficult)*.
no-trump(s) [nou'trʌmp(s)] sans (i bridge).
Nottingham ['nɔtiŋǝm].
Notts. *fk Nottinghamshire.*
notwithstanding [nɔtwiθ'stændiŋ] *præp* trods, til trods (for); *adv* desuagtet, ikke desto mindre; *conj* uagtet, endskønt, uanset.
nougat ['nu:ga:] *sb* nougat.
nought [nɔ:t] *pron* intet; *sb* nul; *adj* værdiløs; *set at ~* ikke regne for noget; ikke ænse, tilsidesætte, trodse; *care ~ for* ikke bryde sig spor om; *bring to ~* tilintetgøre; ødelægge; *come to ~* kuldkastes, ikke blive til noget.
noughts-and-crosses 'kryds-og-bolle' (leg hvor det gælder om at få tre krydser eller boller på rad i et ni kvadrater stort felt).
noun [naun] *sb* substantiv, navneord.
nourish ['nʌriʃ] *vb* nære, give næring.
nourishment ['nʌriʃmǝnt] *sb* næring.
nous [naus] *sb (filos)* nous, nus; **T** (sund) fornuft, omløb.
nouveau riche ['nu:vou'ri:ʃ] opkomling; parvenu.
Nov. *fk November.*
Nova Scotia ['nouvǝ'skouʃǝ].
novel ['nɔv(ǝ)l] *adj* ny, ualmindelig, hidtil ukendt; *sb* roman.
novelette [nɔvǝ'let] *sb* kortere roman; *(neds)* sentimental roman, ugebladsroman, sypigeroman.
novelist ['nɔv(ǝ)list] *sb* romanforfatter.
novelty ['nɔvlti] *sb* nyhed; *novelties* nipsting; festartikler, spøg- og skæmtartikler.
November [nǝ'vembǝ] *sb* november.
novice ['nɔvis] *sb* novice; begynder; nyomvendt.
noviciate, novitiate [nǝ'viʃiit] *sb* prøvetid; læretid; noviciat.
now [nau] *adv* nu; (forklarende:) se *(fx ~, this was not very wise of him for ...)*; *(every) ~ and again, (every) ~ and then* nu og da; *before ~* tidligere, før; *by ~* nu, ved denne tid, allerede; *how ~?* hvad nu? *just ~* lige nu, for et øjeblik siden; lige straks; *now ... now* snart ... snart *(fx ~ hot, ~ cold)*; *~ that* nu da *(fx ~ that the weather is warmer)*; *~ then* nå, nå; nå; så; hov, hov; pas nu på (hvad du gør eller siger); kan du nære dig; *~ there!* se så! *till ~, up to ~* indtil nu, hidtil.
nowadays ['nauǝdeiz] *adv* nutildags, nuomstunder.
noway(s) ['nouwei(z)] *adv* på ingen måde.
nowhere ['nouwɛǝ] *adv* intetsteds; *be ~* (også) ikke blive placeret (ved væddeløb); falde rent igennem, mislykkes fuldstændig; *that will get you ~* det kommer du ingen vegne med; *~ near* slet ikke i nærheden af *(fx he lives ~ near London)*; ikke på langt nær, langt fra *(fx ~ near as difficult)*.
nowise ['nouwaiz] *adv* på ingen måde.
noxious ['nɔkʃǝs] *adj* skadelig, usund.

nozzle ['nɔzl] *sb* spids, tud; *(fx* på støvsugerslange) mundstykke; *(fx* i jetmotor, i forstøver) dyse; *(spray ~)* strålespids, strålerør; **S** tud, næse.
N.P. *fk Notary Public.*
nr. *fk near.*
N.S. *fk Nova Scotia.*
N.S.P.C.C. *fk National Society for the Prevention of Cruelty to Children.*
N.S.W. *fk New South Wales.*
N.T. *fk New Testament; Northern Territory* (i Australien).
-n't [nt] *fk not* (især efter hjælpeverber, *fx don't)*.
nth [enθ] *adj* n'te *(fx the ~ power* n'te potens); *to the ~ degree (fig)* i allerhøjeste grad.
nuance [*fr;* nju'a:ns] *sb* nuance.
nub [nʌb] *sb* klump, stump; *(fig)* kerne, hovedpunkt *(fx the ~ of the problem)*.
nubile ['nju:bil] *adj* giftefærdig.
nuclear ['nju:kliǝ] *adj* atom-, kerne- *(fx energy; fission spaltning; physics; reactor, weapon)*; *~ disarmer* atomdemonstrant.
nuclear|-powered atomdreven. **~ power station** atomkraftværk. **~ test** atomforsøg. **~ test ban** atomstop.
nucleus ['nju:kliǝs] *sb (pl nuclei* ['nju:kliai]) kerne; *(biol)* cellekerne, *(fys)* atomkerne; *(fig)* kerne, grundstamme.
nude [nju:d] *adj* nøgen, blottet; *(jur)* ikke lovformelig, ugyldig; *sb* nøgen pige; (i kunst) nøgen figur, nøgenstudie; *from the ~* efter nøgen model; *pose in the ~* stå nøgen model.
nudge [nʌdʒ] *vb* puffe til (med albuen); *sb* puf.
nudism ['nju:dizm] *sb* nudisme, nøgenkultur.
nudist ['nju:dist] *sb* nudist.
nudity ['nju:diti] *sb* nøgenhed.
nugacity [nju'gæsiti] *sb* intetsigenhed, betydningsløshed, værdiløshed, virkningsløshed.
nugatory ['nju:gǝt(ǝ)ri] *adj* intetsigende, betydningsløs, værdiløs, virkningsløs.
nugget ['nʌgit] *sb* klump, guldklump.
nuisance ['nju:sns] *sb* ulempe, gene, onde, pestilens, plage; (i sammensætning) -plage *(fx the noise ~); he is a ~* han er irriterende, han er en plage; *that's a ~* det er kedeligt; *don't be a ~* plag mig dog ikke; *commit no ~* urenlighed forbydes; *a public ~* noget der strider mod den offentlige orden; **T** en landeplage, en pestilens; *make a ~ of oneself* være utålelig, gøre sig utilbeds.
null [nʌl] *adj* ugyldig; intetsigende; værdiløs; *~ and void (jur)* ugyldig; død og magtesløs; *declare ~ and void* (også) mortificere.
nullification [nʌlifi'keiʃ(ǝ)n] *sb* ophævelse.
nullify ['nʌlifai] *vb* ophæve, gøre ugyldig, annullere.
nullity ['nʌliti] *sb* ugyldighed; annullering.
numb [nʌm] *adj* følelsesløs, død (af kulde), valen, stiv; *(fig)* lammet, stivnet; *vb* gøre stiv; gøre følelsesløs; *(fig* også) lamme.
I. number ['nʌmbǝ] *sb* tal; nummer; antal, mængde; (af tidsskrift *etc)* hæfte, nummer; *-s* (også) regning *(fx he is not good at -s)*; vers;
  among the ~ deriblandt; *by (el. in) ~*, *to the ~ of* i et antal af; *double the ~* det dobbelte antal; *I have got his ~ (fig,* **T)** jeg kender ham, jeg ved hvordan han er, jeg har gennemskuet ham; *be published in -s* udkomme hæftevis; *in great -s* i stort antal; *~ one* nummer et; *(fig)* én selv, sig selv *(fx he always thought first of ~ one)*; *take care of (el. look after) ~ one* se på sin egen fordel, mele sin kage; *the science of -s* regning; *a ~ of* et antal, en del; en række (af) *(fx he has written a ~ of plays)*; *-s of* en mængde, utallige; *of their ~* af dem; *out of ~ = without ~; his ~ is up* det er ude med ham; *without ~* utallig, talløs *(fx times without ~)*.
II. number ['nʌmbǝ] *vb* nummerere; regne *(fx he is -ed among our enemies)*; beløbe sig til, tælle *(fx they -ed 30 in all)*; *~ in succession* forsyne med fortløbende numre; *~ off* råbe numrene op på; dele ind (i gymnastik).
numberless ['nʌmbǝlis] *adj* utallig, talløs.
number plate (på bil) nummerplade.
Numbers ['nʌmbǝz] fjerde Mosebog.
numeral ['nju:m(ǝ)r(ǝ)l] *adj* tal-; *sb* talord; taltegn, tal *(fx Arabic -s)*.
numeration [nju:mǝ'reiʃ(ǝ)n] *sb* tælling; nummerering; tal-

læsning.
numerator ['nju:məreitə] *sb* tæller (i brøk); en der indsamler statistiske oplysninger, *fx* til folketælling.
numerical [nju'merikl] *adj* numerisk, tal-; *in ~ order* i nummerorden.
numerically [nju'merikli] *adv* i talmæssig henseende, talmæssigt.
numerous ['nju:m(ə)rəs] *adj* mangfoldig, talrig, mandstærk.
numinous ['nju:minəs] *adj* numinøs, som indgyder religiøs ærefrygt.
numismatic [nju:miz'mætik] *.adj* numismatisk; mønt-. **numismatics** *sb* numismatik (møntvidenskab).
numismatist [nju(:)'mizmətist] *sb* numismatiker, møntkender; møntsamler.
numskull ['nʌmskʌl] *sb* dosmer, fæ.
nun [nʌn] *sb* nonne.
nun buoy spidstønde.
nuncio ['nʌnʃiou] *sb* nuntius, pavelig gesandt.
nuncupative ['nʌnkju:peitiv] *adj* mundtlig *(fx will* testamente).
nun moth *zo* nonne.
nunnery ['nʌnəri] *sb* nonnekloster.
nuptial ['nʌpʃ(ə)l] *adj* bryllups- *(fx the ~ day* bryllupsdagen); ægteskabelig *(fx happiness).* **nuptials** *sb* bryllup.
N.U.R. *fk National Union of Railwaymen.*
Nuremberg ['njuərəmbə:g] Nürnberg.
I. nurse [nə:s] *sb* (også *sick ~)* sygeplejerske; (også *children's ~)* nurse, barnepige; barneplejerske; *(glds: wet ~)* amme; *(forst)* ammetræ; *(fig)* fostermoder, beskytter; *the ~ of liberty* frihedens vugge; *put to ~* sætte i pleje.
II. nurse [nə:s] *vb* amme *(fx the mothers ~ their own babies);* passe, pleje *(fx ~ sbv back to health);* værne om, hæge om, pusle om, fremelske *(fx a plant);* nære, have *(fx hopes, hatred);* holde i sine hænder, holde (blidt) om; kæle for *(fx a kitten); ~ a child* (også) sidde med et barn på skødet; *~ a cold* pleje en forkølelse; *~ the fire* sidde ved ilden; *~ a constituency* tage sig omhyggeligt af sin valgkreds (lige forud for valg); *~ a glass of wine* sidde længe over et glas vin; *~ one's strength* økonomisere med kræfterne.
nurse -child plejebarn. *~* **crop** skærmbevoksning, ammekultur. **-ling** spædbarn. **-maid** barnepige.
nursery ['nə:sri] *sb* børneværelse, barnekammer; planteskole.
nursery garden planteskole. *~* **governess** lærerinde for små børn, barnefrøken. **-maid** barnepige. **-man** planteskoleejer. *~* **rhyme** børnerim. *~* **school** børnehave. *~* **slope** begynderbakke (til skiløb). *~* **tale** ammestuefortælling.
nursing ['nə:siŋ] *sb* sygepleje; barnepleje; *adj* diende; ammende; *~ auxiliary* sygehjælper; *~ home* privatklinik; plejehjem.
nursling ['nə:sliŋ] *sb* spædbarn.
nurture ['nə:tʃə] *sb* næring; opfostring, opdragelse; *vb* nære; opfostre, opdrage.
nut [nʌt] *sb* nød; *(fig)* vanskeligt problem; *(tekn)* møtrik; (på violin) sadel; (på bue) frosch; S knold, hoved; *vb* plukke nødder; *-s* (også) nøddekul; S nosser; sludder; *he is -s* han er skør; *for -s* T om så jeg (han *etc)* fik guld for det, om jeg stod på hovedet *(fx I can't play golf for -s); be off one's ~* være tosset; være skør i bolden; *be -s on* være helt væk i *(fx a girl),* være skør efter (, med) *(fx all of us were -s on flying); -s to you!* rend og hop! *-s to him!* skidt med ham! *a hard ~ to crack* en hård nød at knække; (se også *nuts and bolts).*
N.U.T. *fk National Union of Teachers.*
nut|-brown ['nʌtbraun] nøddebrun. *~* **case** *sb* S skør kugle. **-cracker** *zo* nøddekrige. **-cracker(s)** nøddeknækker. **-gall** *(bot)* galæble. **-hatch** *zo* spætmejse. *~* **house** S galeanstalt.
nutmeg ['nʌtmeg] *sb (bot)* muskat, muskatnød.
nutria ['nju:triə] *sb* nutria, bæverrotteskind.
nutrient ['nju:triənt] *adj* nærende; *sb* næringsstof.
nutriment ['nju:trimənt] *sb* næring.
nutrition [nju'triʃən] *sb* ernæring.
nutritional [nju'triʃənl] *adj* ernærings-.
nutritious [nju'triʃəs] *adj* nærende.
nutritive ['nju:tritiv] *adj* nærende; nærings-; *~ value* næringsværdi.
nuts se *nut.* **nuts and bolts** *pl* møtrikker og bolte; *(fig)* praktiske ting; praktiske detaljer (, forhold).
nutshell ['nʌtʃel] *sb* nøddeskal.
nutting ['nʌtiŋ] *sb* nøddeplukning, nøddetur; *go ~* tage på nøddetur.
nutty ['nʌti] *adj* med nøddesmag; S tosset, skør.
nut weevil *zo* nøddesnudebille.
nuzzle ['nʌzl] *vb* trykke næsen mod; smyge sig ind til; stikke snuden i; ligge lunt.
N.W. *fk north-west.*
NVA *fk North Vietnamese Army.*
N.Y. *fk New York.*
nyctalopia [niktə'loupiə] *sb* natteblindhed.
nylghau ['nilgɔ:] *sb zo* nilgaiantilope.
nylon ['nailən] *sb* nylon; *-s* nylonstrømper.
nymph [nimf] *sb* nymfe; *zo* puppe.
nymphal ['nimfəl] *adj* nymfe-; puppe-.
nymphet [nim'fet] *sb* ung nymfe; meget ung og sexet pige (der er let på tråden).
N.Z. *fk New Zealand.*

O

306

I. O [ou] O; nul.
II. O [ou] *interj* å! o! ak! *O for* ... åh havde jeg blot ...;
åh, hvem der havde ...
O' [ou, ə] forstavelse i irske navne; søn af *(fx O'Brien).*
o' [ə] *fk of* eller *on.*
O. *fk Officer, Order; Ohio.*
o/a *fk on account of.*
oaf [ouf] *sb* fjols; fjog; klodrian; *(glds)* skifting.
oafish ['oufiʃ] *adj* dum, klodset.
oak [ouk] *sb (bot)* eg, egetræ; yderdør (for studenternes
værelser i et kollegium); *sport* one's ~ stænge yderdøren
og frabede sig visitter.
oak| apple galæble. ~ **brush** egepur.
oaken ['oukn] *adj (litt)* af egetræ, ege-.
oak gall galæble.
Oaks [ouks]: *the* ~ hestevæddeløb ved Epsom.
oakum ['oukəm] *sb (mar)* værk (opplukket tovværk).
oakum-picking værkplukning (tidligere *alm* beskæftigelse
for fanger og fattiglemmer).
O & M. *fk organization and methods.*
oar [ɔ:] *sb* åre; roer; *vb (poet)* ro; *put in one's* ~ *(fig)*
blande sig i andre folks sager, blande sig i en samtale; *-s
out!* årerne ud! *-s ready!* klar ved årerne! *toss -s!* rejs
årerne! *ship your -s!* årerne ind; *rest (el. lie) (up)on
one's -s (fig)* hvile på årerne; hvile på sine laurbær.
oarfish ['ɔ:fiʃ] *sb zo* sildekonge.
oarsman ['ɔ:zmən] *sb* roer. **oarsmanship** dygtighed til ro-
ning.
oas|is [ou'eisis] *sb (pl -es* [-i:z]) oase.
oast [oust], **oasthouse** *sb* kølle, tørreovn (til humle).
oat [out] *sb* (oftest i *pl)* havre; *feel one's -s* T være kåd,
være opfyldt af ubændigt livsmod; føle sig; være ind-
bildsk; se også *wild* ~
oatcake ['outkeik] *sb* havrekiks.
oaten ['outn] *adj* havre-, af havre.
oath [ouθ] *sb (pl -s* [ou ðz]) ed; *take an* ~, *make* ~ aflægge
ed; *on (one's)* ~ under ed; *put sby on* ~ tage en i ed.
oatmeal ['outmi:l] *sb* havremel, havregryn; *(am)* havre-
grød.
oatmeal porridge havregrød.
ob. *fk obiit* ['ɔbiit] *(lat)* døde.
obduracy ['ɔbdjurəsi] *adj* forstokkethed, stædighed *(etc,* se
obdurate). **obdurate** ['ɔbdjurit] *adj* forstokket *(fx an* ~
sinner), stiv(sindet), stædig, halsstarrig, umedgørlig;
hård.
O.B.E. *fk Officer of the Order of the British Empire.*
obeah ['oubiə] *sb* form for trolddom *(el.* magi); amulet;
fetich.
obedience [ə'bi:djəns] *sb* lydighed *(to* mod).
obedient [ə'bi:djənt] *adj* lydig *(to* imod); *your* ~ *servant* (i
brev) ærbødigst, med højagtelse.
obeisance [ə'beis(ə)ns] *sb* reverens, dybt buk; *do* ~ *to*
hylde; adlyde, bøje sig for.
obelisk ['ɔbilisk] *sb* obelisk; *(typ)* kors.
Oberon ['oubərən].
obese [ə'bi:s] *adj* (meget) fed, lasket.
obesity [ə'bi:siti] *sb* fedme, laskethed.
obey [ə'bei] *vb* adlyde.
obfuscate ['ɔbfʌskeit] *vb* formørke; forvirre, gøre uforståe-
lig.
obfuscation [ɔbfʌs'keiʃ(ə)n] *sb* formørkelse; forvirring.
obi = *obeah.*
obiter dicta ['ɔbitə'diktə] *pl (lat) (omtr)* strøtanker;
spredte bemærkninger.
obituary [ə'bitjuəri] *sb* avisnotits om dødsfald; (kort) ne-
krolog; mindeord; ~ *notice* nekrolog.
obj. *fk object.*
I. object ['ɔbdʒikt, -ekt] *sb* genstand *(of* for, *fx an* ~ *of
admiration);* hensigt, mål; *(gram)* objekt, genstandsled;
what an ~ *he looks!* hvor 'ser han dog ud! sikken han ser

ud! *salary (is) no* ~ lønnen er underordnet.
II. object [əb'dʒekt] *vb* indvende, komme med indvendin-
ger, gøre indsigelse, protestere *(to* imod, *fx a sugges-
tion);* have noget at indvende *(to* imod); ~ *to* (også)
have modvilje mod, misbillige, ikke kunne lide; *if you
don't* ~ hvis du ikke har noget imod det.
object glass objektiv (i kikkert etc.).
objection [əb'dʒekʃ(ə)n] *sb* indvending, indsigelse, protest
(to mod); misbilligelse *(to* af), modvilje *(to* mod); hin-
dring *(to* for); *I have no* ~ *to your going* jeg har ikke
noget imod at du går; *take* ~ *to* gøre indsigelse mod.
objectionable [əb'dʒekʃnəbl] *adj* ubehagelig *(fx smell);* stø-
dende *(fx remark);* forkastelig.
objective [əb'dʒektiv] *sb* objektiv; *(mil.)* mål *(fx military
-s);* formål; *adj* objektiv, saglig; *the* ~ *case* akkusativ; ~
point mål, formål, angrebsmål.
objectivity [ɔbdʒek'tiviti] *sb* objektivitet.
object lesson (time i) anskuelsesundervisning; (også *fig)*
praktisk illustration, levende eksempel, skoleeksempel.
objector [əb'dʒektə] *sb* modstander, opponent.
objurgate ['ɔbdʒə:geit] *vb* skænde på, irettesætte.
objurgation [ɔbdʒə:'geiʃ(ə)n] *sb* skænd, irettesættelse, be-
brejdelse, straffetale.
oblate ['ɔbleit] *sb (rel)* oblat (barn der er givet til kloster-
opdragelse); *adj (geom)* fladtrykt ved polerne.
oblation [ɔ'bleiʃ(ə)n] *sb* offer (i kirkelig betydning); gave
(til kirke).
obligate ['ɔbligeit] *vb* forpligte.
obligation [ɔbli'geiʃ(ə)n] *sb* forpligtelse; taknemmeligheds-
gæld; *be under an* ~ *to* være forpligtet til; stå i taknem-
melighedsgæld til; ~ *to buy* købetvang; *without* ~ uden
forbindtlig.
obligatory [ə'bligətəri] *adj* tvungen, obligatorisk, bindende.
oblige [ə'blaidʒ] *vb* nøde, tvinge; vise sig imødekom-
mende; *(mht* optræden) give et nummer *(fx nobody was
willing to* ~); ~ *sby* gøre én en tjeneste, vise én en ven-
lighed; vise sig imødekommende mod en; T arbejde for
én; *an answer by return of post will* ~*(me)* De bedes ven-
ligst svare omgående; ~ *me by leaving the room* vær så
venlig at forlade værelset; *be -d to* være nødt til, måtte; *I
am much -d to you* jeg er Dem meget forbunden, mange
tak; ~ *with a song* give en sang til bedste, (være så elsk-
værdig at) synge *(el.* optræde med) en sang; *could you* ~
me with a match? De kunne vel ikke låne mig en tænd-
stik?
obligee [ɔbli'dʒi:] *sb (jur)* fordringshaver.
obliging [ə'blaidʒiŋ] *adj* imødekommende, forekommende,
tjenstvillig, elskværdig.
obligor [ɔbli'gɔ:] *sb* skyldner.
oblique [ə'bli:k] *adj* hældende; skrå, (især *geom)* skæv;
(fig) indirekte, forblommet; *in* ~ *terms* i forblommede
vendinger.
oblique| angle skæv vinkel. ~ *case* oblik kasus, afhængig-
hedsfald. ~ **fire** *(mil.)* skråild.
obliquity [ə'blikwiti] *sb* skævhed; uredelighed.
obliterate [ə'blitəreit] *vb* udslette, tilintetgøre. **obliteration**
[əblitə'reiʃ(ə)n] *sb* udslettelse, tilintetgørelse.
oblivion [ə'blivian] *sb* forglemmelse, glemsel; *act of* ~ am-
nesti; *fall (el.* sink) *into* ~ gå i glemme; gå i glemmebo-
gen; *save from* ~ bevare for efterverdenen.
oblivious [ə'blivias] *adj: be* ~ *of* glemme, være ligeglad
med, ikke ænse.
oblong ['ɔblɔŋ] *adj* aflang; *(om* format) tvær- *(fx folio,
quarto);* *sb* aflang figur, rektangel.
obloquy ['ɔblakwi] *sb* dadel, bebrejdelse; bagvaskelse, ned-
rakning; vanry.
obnoxious [əb'nɔkʃəs] *adj* utiltalende, ubehagelig, afskyelig
(fx smell); anstødelig, stødende *(fx remarks);* ~ *to* for-
hadt af; *(glds)* udsat for *(fx actions* ~ *to censure).*
oboe ['oubou] *sb* obo. **oboist** ['oubouist] *sb* oboist.

O'Brien [ə'braiən].
obs. *fk observation, obsolete.*
obscene [əb'si:n] *adj* obskøn, uanstændig, slibrig; modbydelig; *(især jur)* pornografisk *(fx books, publications)*; ~ *libel (jur)* udbredelse af utugtige skrifter; ~ *literature* pornografi.
obscenity [əb'si:niti] *sb* obskønitet, uanstændighed, slibrighed; modbydelighed; *(især jur)* utugtighed, pornografi.
obscurantism [ɔbskjuə'ræntizm] *sb* obskurantisme, fjendtlighed over for oplysning, kulturfjendtlighed.
obscurantist [ɔbskjuə'ræntist] *sb* obskurant, mørkemand, fjende af oplysning; *adj* obskurantisk, kulturfjendtlig.
obscuration [ɔbskjuə'reiʃn] *sb* formørkelse.
I. obscure [əb'skjuə] *adj* mørk *(fx corner)*; utydelig *(fx the path grew more and more ~)*, *(fig.:* vanskeligt forståelig) dunkel, uklar *(fx text)*; (ikke fremtrædende) skjult, ubemærket, afsides, uanselig, ukendt; *of ~ origin* af ringe herkomst; *he lives an ~ life* han fører en tilbagetrukken tilværelse.
II. obscure [əb'skjuə] *vb* formørke, skjule; *(fig)* fordunkle, tilsløre; gøre uklar.
obscurity [əb'skjuəriti] *sb* mørke, dunkelhed, uklarhed; ubemærkethed.
obsecration [ɔbsi'kreiʃ(ə)n] *sb* indtrængende bøn, anråbelse.
obsequies ['ɔbsikwiz] *sb pl* begravelse, ligbegængelse.
obsequious [əb'si:kwiəs] *adj* slesk, servil, underdanig, krybende.
observable [əb'zə:vəbl] *adj* mærkbar, bemærkelsesværdig; som kan iagttages.
observance [əb'zə:v(ə)ns] *sb* overholdelse *(fx of a law)*; iagttagelse *(fx of two minutes' silence)*; helligholdelse *(fx of the Lord's Day)*; højtideligholdelse *(fx of the Queen's birthday)*; skik, form, ceremoni; *according to old ~* efter gammel vedtægt.
observant [əb'zə:v(ə)nt] *adj* opmærksom, agtpågivende; omhyggelig med overholdelsen *(of af)*.
observation [ɔbzə'veiʃ(ə)n] *sb* iagttagelse, *(fx astr)* observation; iagttagelsesevne; (ytring:) bemærkning; *escape ~* undgå at blive set.
observational [ɔbzə'veiʃ(ə)nl] *adj* observations-.
observation car udsigtsvogn, turistvogn (i tog).
observation post observationspost.
observatory [əb'zə:vətri] *sb* observatorium.
observe [əb'zə:v] *vb* iagttage, lægge mærke til, bemærke, observere; (om lov *etc*) overholde, følge *(fx rules)*; (om fest *etc*) højtidelighholde, holde, fejre *(fx a birthday)*; helligholde *(fx the Sabbath)*; *(sige:)* bemærke, ytre; ~ *silence* forholde sig tavs.
observer [əb'zə:və] *sb* iagttager, betragter; en som overholder (en lov, skik); observatør; *(astr)* observator.
observing [əb'zə:viŋ] *adj* opmærksom.
obsess [əb'ses] *vb* besætte, stadig plage, `forfølge; -*ed with* besat af, helt optaget af *(fx an idea)*.
obsession [əb'seʃ(ə)n] *sb* besættelse; *(psyk)* tvangstanke, tvangsforestilling; **T** fiks idé.
obsessional [əb'seʃənl] *adj* som har karakter af en tvangstanke.
obsolescence [ɔbsə'lesns] *sb* forældethed, forældelse.
obsolescent [ɔbsə'lesnt] *adj* som er ved at gå af brug *(el. blive forældet) (fx words)*.
obsolete ['ɔbsəli:t] *adj* gået af brug, forældet.
obstacle ['ɔbstəkl] *sb* hindring; (i sport) forhindring.
obstacle| course *(mil.)* feltbane. ~ **race** forhindringsløb.
obstetric(al) [ɔb'stetrik(l)] *adj* hørende til fødselsvidenskaben. **obstetrician** [ɔbste'triʃ(ə)n] *sb* obstetriker, fødselslæge. **obstetrics** [əb'stetriks] *sb* obstetrik, fødselsvidenskab.
obstinacy ['ɔbstinəsi] *sb* egensindighed, stædighed; hårdnakkethed. **obstinate** ['ɔbstinit] *adj* egensindig, stædig, genstridig, hårdnakket.
obstreperous [əb'strep(ə)rəs] *adj* støjende, larmende, højrøstet; uregerlig.
obstruct [əb'strʌkt] *vb* spærre *(fx the road)*, (om rør *etc*) tilstoppe; spærre for, være i vejen for *(fx traffic, the view)*; hindre, hæmme, forsinke, sinke *(fx legislation, progress)*, *(parl* også) lave obstruktion (mod).
obstruction [əb'strʌkʃ(ə)n] *sb* spærring, tilstopning; hin-

dring, forsinkelse; *(parl)* obstruktion.
obstructionist [əb'strʌkʃnist] *sb* obstruktionsmager.
obstructive [əb'strʌktiv] *adj* spærrende, hindrende, hæmmende, sinkende.
obtain [əb'tein] *vb* få, opnå *(fx good results)*, nå *(fx one's purpose)*, vinde *(fx his confidence, influence)*, skaffe sig *(fx influence, justice)*; (uden objekt) gælde *(fx the rates* (takster) *-ing in 1969)*, herske *(fx the conditions* (forhold) *-ing in many mental hospitals)*, findes, være tilstede *(fx the political conditions for a coup no longer ~)*, bestå *(fx the tragic situation -ing in this country)*, holde sig *(fx the custom still -s)*, (stadig) være i brug.
obtainable [əb'teinəbl] *adj* opnåelig; til at skaffe *(el. få)*.
obtrude [əb'tru:d, əb-] *vb* påtvinge, pånøde *(sth upon sby* en noget, *fx he -s his opinions upon others)*; trænge sig på, være påtrængende.
obtrusion [əb'tru:ʒ(ə)n] *sb* påtrængenhed, pånøden.
obtrusive [əb'tru:siv] *adj* påtrængende.
obturate ['ɔbtjuəreit] *vb* tætte.
obtuse [əb'tju:s] *adj* sløv, stump, *(fig)* tykhovedet, dum; ~ *angle* stump vinkel.
I. obverse ['ɔbvə:s] *adj (bot)* omvendt (om bladform).
II. obverse ['ɔbvə:s] *sb* avers, forside (af en mønt); modstykke.
obviate ['ɔbvieit] *vb* forebygge, undgå *(fx a misunderstanding)*, imødegå; fjerne *(fx ~ the necessity of ...)*, rydde af vejen *(fx a difficulty)*.
obvious ['ɔbviəs] *adj* iøjnefaldende, umiskendelig, tydelig, åbenbar *(fx an ~ advantage)*; oplagt *(fx chance)*, selvfølgelig, indlysende; mest nærliggende *(fx the ~ explanation is ...; that was the ~ solution)*; *(neds)* for iøjnefaldende, påfaldende; for nærliggende, billig, letkøbt *(fx joke)*; *for ~ reasons* af let forståelige grunde; *for no ~ reason* uden nogen påviselig grund.
O. C. *fk Officer Commanding.*
ocarina [ɔkə'ri:nə] *sb* okarina (musikinstrument).
I. occasion [ə'keiʒ(ə)n] *sb* lejlighed, anledning *(for, of* til, *fx it was the ~ rather than the cause of the war)*; foranledning; grund *(for, of* til, *fx there is no ~ for alarm)*; (stor) begivenhed, højtidelig anledning, fest; -*s* (også, *glds)* (nødvendige) forretninger; *on ~* ved lejlighed; lejlighedsvis; *on that ~* ved den lejlighed; *on the ~ of his marriage* ved hans bryllup; i anledning af hans b.; *on the slightest ~* ved mindste foranledning; *rise (el. be equal) to the ~* være situationen voksen; *take ~ to say* benytte lejligheden til at sige.
II. occasion [ə'keiʒ(ə)n] *vb* foranledige, forårsage, give anledning til.
occasional [ə'keiʒ(ə)nl] *adj* som forekommer nu og da *(fx thunderstorms)*, som kommer nu og da *(fx visitor)*, tilfældig; lavet for anledningen, lejligheds- *(fx ~ poem)*; (som er) til specielt brug; ~ *table* mindre bord, rygebord *osv.* **occasionally** *adv* af og til, lejlighedsvis.
Occident ['ɔksid(ə)nt] *sb: the ~* Vesten, Occidenten, Europa og Amerika (modsat *the Orient)*. **Occidental** [ɔksi'dentl] *adj* vestlig, vesterlandsk.
occipital [ɔk'sipitl] *adj* baghoved-, nakke-.
occiput ['ɔksipæt] *sb* baghoved, nakke.
occlude [ɔ'klu:d] *vb* lukke, tilstoppe; udelukke, spærre for *(fx light)*; *(meteorol, kem)* okkludere.
occlusion [ɔ'klu:ʒ(ə)n] *sb* lukning, tillukning, okklusion.
occult [ɔ'kʌlt] *adj* skjult, hemmelig, okkult; *vb* skjule, *(astr)* formørke. **occultation** [ɔkəl'teiʃ(ə)n] *sb (astr)* formørkelse, okkultation. **occulting light** *(mar)* blinklys.
occultism ['ɔkʌltizm] *sb* okkultisme.
occupancy ['ɔkjupənsi] *sb* tagen i besiddelse; okkupation; besiddelse.
occupant ['ɔkjupənt] *sb* beboer; besidder, indehaver; *the -s of the carriage* de der sad *(el. sidder)* i vognen.
occupation [ɔkju'peiʃ(ə)n] *sb* beskæftigelse; erhverv; besiddelse; tagen i besiddelse, *(mil.)* okkupation, besættelse, indtagelse; *ready for immediate ~* klar til indflytning.
occupational [ɔkju'peiʃ(ə)nl] *adj* erhvervs-, erhvervsmæssig, faglig; ~ *disease* erhvervssygdom; ~ *therapy* beskæftigelsesterapi, ergoterapi.
occupier ['ɔkjupaiə] *sb* beboer, lejer, besidder, indehaver.
occupy ['ɔkjupai] *vb* tage i besiddelse, beside, (om hus *etc*) bebo, (om stilling) indehave, beklæde, (om plads)

optage *(fx a seat, a lot of space)*, dække *(fx 120 acres)*, (om tid) tage, vare *(fx two hours)*, (om sind) optage, beskæftige, sysselsætte; *(mil.)* besætte, okkupere *(fx a country)*, (være i besiddelse af:) indtage *(fx a strategic position)*.

occur [ə'kʌ:] *vb* forekomme, hænde, indtræffe; (om plante, dyr *etc)* findes, forekomme; ~ *to sby* falde en ind; *it -red to me that* det faldt mig ind at; jeg kom til at tænke på at.

occurrence [ə'kʌrəns] *sb* hændelse, begivenhed; forekomst.

ocean ['ouʃ(ə)n] *sb* ocean, hav, verdenshav; *-s of* T oceaner af *(fx time)*; masser af.

ocean green havgrøn. ~ **greyhound** hurtiggående oceandamper.

Oceania [ouʃi'einjə] Oceanien.

oceanic [ouʃi'ænik] *adj* ocean-, hav-; stor som et ocean.

ocean lane dampskibsrute over oceanet.

oceanography [ouʃiə'nɔgrəfi] *sb* havforskning.

ocellus [ə'seləs] *sb (pl ocelli* [ə'selai]) *zo* punktøje; (på fjer) øje(plet).

ocelot ['ousilɔt] *sb zo* ozelot (sydam. vildkat).

ochre ['oukə] *sb* okker; *brown* ~, ~ *brown* mørk okker.

ochreous ['oukriəs] *adj* okkeragtig, okkergul.

o'clock [ə'klɔk] klokken; *at five* ~ klokken fem, *it is five* ~ klokken er fem; *he knows what* ~ *it is* han er vaks; *what* ~ *is it?* hvad er klokken?

Oct. *fk October*. **oct.** *fk octavo*.

octagon ['ɔktəgən] *sb* ottekant.

octagonal [ɔk'tægənəl] *adj* ottekantet.

octane ['ɔktein] *sb (kem)* oktan; ~ *number (el. rating)* oktantal.

octave ['ɔktiv] *sb* oktav.

octavo [ɔk'teivou] *sb* oktav(format); bog i oktav.

octennial [ɔk'tenjəl] *adj* som varer otte år; som indtræffer hver ottende år.

octet [ɔk'tet] *sb* (i musik) oktet.

October [ɔk'toubə] oktober.

octogenarian [ɔktədʒi'nɛəriən] *sb, adj* firsårig, (en der er) i firserne.

octopus ['ɔktəpəs] *sb* blæksprutte; *(fig)* mangearmet uhyre.

octoroon [ɔktə'ru:n] *sb* afkom af hvid og kvartneger.

octosyllabic ['ɔktousi'læbik] *adj* ottestavelses-.

octosyllable ['ɔktousiləbl] *sb* ord *(el. verslinie)* med otte stavelser.

octroi ['ɔktrwa:] *sb* accise; accisebod; accisebetjente.

O.C.T.U., Octu ['ɔktu:] *fk Officer Cadets Training Unit.*

octuple ['ɔktjupl] *adj* ottefold.

ocular ['ɔkjulə] *sb* (i mikroskop *etc)* okular; *adj* øje(n)- *(fx defect)*; synlig, som man ser med sine egne øjne; ~ *demonstration* synligt bevis, syn for sagen; ~ *witness* øjenvidne.

oculist ['ɔkjulist] *sb* øjenlæge.

odalisque ['oudəlisk] *sb* odalisk (haremskvinde).

odd [ɔd] *adj* ulige *(fx dates, numbers, pages)*; umage *(fx glove, shoe, stockings)*; overskydende, som er tilovers, enkelt *(fx an* ~ *volume* et enkelt bind af et værk); tilfældig, spredt; (afvigende fra normen) mærkelig, sær, underlig, besynderlig *(fx habit, behaviour)*;

an ~ *amount* et skævt beløb; *play at* ~ *or even* spille effen eller ueffen; *eighty* ~ *years* nogle og firs; *twenty* ~ *pounds* nogle og tyve pund; *twenty pounds* ~ tyve pund og noget (ɔ: og nogle pence); *three hundred* ~ trehundrede og noget; ~ *jobs* tilfældigt arbejde, forefaldende arbejde; ~ *hand* reservemand; ~ *man* reservemand; altmuligmand; den der har den afgørende stemme (ved afstemning); ~ *man out* en der er tilovers; T enspændernatur; ~ *moments* ledige stunder.

oddball ['ɔdbɔ:l] *sb (am* S) original, skør kugle.

Oddfellow ['ɔdfelou] *sb* medlem af Oddfellowordenen.

oddity ['ɔditi] *sb* særhed, besynderlighed; underlig person *(el.* ting), original; sjældenhed, kuriositet.

odd-job man mand der udfører alt forefaldende arbejde, altmuligmand.

odd man se *odd*.

oddments ['ɔdmənts] *sb pl* rester, uensartede stykker, snurrepiberier.

odds [ɔdz] *sb pl* (tilstået) fordel, begunstigelse; forskel,

ulighed, overmagt; chancer; (ved væddemål) odds (forholdet mellem indsats og gevinst); ~ *and ends* rester, (forskellige) småting, småpillerier, tilfældigt ragelse; *the* ~ *are* 10-1 odds er 10; *the* ~ *are that* sandsynligheden taler for at; det er overvejende sandsynligt at; *the* ~ *are against us* vi har chancerne imod os; *fight against heavy* ~ kæmpe en ulige kamp; kæmpe mod en overmagt; *be at* ~ *with* være uenig med, kives med; *by all (el. long)* ~ i enhver henseende; langt *(fx by all* ~ *the best)*; *the* ~ *are in his favour* han har de bedste chancer; *give (el. lay)* ~ *of 3-1 (omtr)* holde 3 mod 1; *lay* ~ holde større sum mod mindre; *I'll lay you any* ~ jeg vil holde hvad det skal være; *make the* ~ *even* udjævne forskellen; *it makes no* ~ det betyder ikke noget; det gør ingen forskel; *over the* ~ alt for meget; *split the* ~ mødes på halvvejen; *what's the* ~*?* T hvad gør det?

odds-on [ɔdz'ɔn] *adj* som har overvejende chance for at vinde; *an* ~ *chance* en overvejende chance; *an* ~ *favourite* en klar favorit.

ode [oud] *sb* ode.

odious ['oudjəs] *adj* forhadt; afskyelig, modbydelig, frastødende.

odium ['oudjəm] *sb* had, modvilje, uvilje; *be in* ~ være forhadt; *bring* ~ *on sby* lægge en for had.

odometer [ə'dɔmitə] *sb* kilometertæller.

odontology [ɔdɔn'tɔlədʒi] *sb* tandlægevidenskab.

odoriferous [oudə'rifərəs] *adj* duftende, vellugtende; ildelugtende.

odorous ['oudərəs] *adj* duftende, vellugtende; T ildelugtende.

odour ['oudə] *sb* lugt, duft, vellugt; *(fig)* ry *(of* for); *body* ~ armsved; *be in good (, bad)* ~ have godt (, dårligt) ry; *be in bad* ~ *with* være ilde anskrevet hos; *lend an* ~ *of sanctity to sth* dække over noget ved at anlægge en hellig mine; *die in the* ~ *of sanctity* få en salig ende.

Odysseus [ə'disju:s]. **Odyssey** ['ɔdisi] *sb* Odyssé.

O.E. *fk Old English.*

OECD *fk Organization for Economic Co-operation and Development.*

oecumenical [i:kju'menikl] *adj* økumenisk.

O.E.D. *fk Oxford English Dictionary.*

oedema [i'di:mə] *sb (med.)* ødem, væskeansamling.

Oedipus ['i:dipəs].

o'er ['ouə, ɔ:] *(poet)* = *over.*

oesophagus [i:'sɔfəgəs] *sb* spiserør.

oestrogen ['i:strədʒən] *sb* østrogen (et hormon).

oestrus ['i:strəs] *sb* brunst, parringslyst.

of [ɔv, əv] *præp* 1. udtrykker genitiv *(fx the roof* ~ *the house* husets tag; *the work* ~ *an enemy* en fjendes værk);

2. af *(fx some* ~ *them;* ~ *good family)*;

3. om *(fx read* ~, *hear* ~*)*;

4. for *(fx south* ~*; cure sby of sth; free* ~*; glad* ~*)*;

5. fra *(fx within 10 miles* ~*)*;

6. i *(fx professor* ~ *Greek; quilty* ~ *theft)*;

7. på *(fx envious* ~*; a boy* ~ *ten* en dreng på ti år)*;

8. over *(fx complain* ~*; make lists* ~*)*;

9. oversættes ikke *(fx a glass* ~ *water; the kingdom* ~ *Sweden; the name* ~ *John; the winter* ~ *1973; the third* ~ *January; I dont' understand a word* ~ *English)*;

10. (am, om klokkeslæt) i *(fx a quarter of three)*;

11. andre oversættelser: *2 cases* ~ *25 bottles* 2 kasser à 25 flasker; *a man* ~ *ability* en dygtig mand; *50 years* ~ *age* 50 år gammel; *all* ~ *them all;* *the battle* ~ *Naseby* slaget ved N.; *be* ~ *the party* høre til selskabet; *we were only four* ~ *us* vi var kun fire; *the three* ~ *you* I tre; ~ *an evening* om aftenen; *the size* ~ på størrelse med.

ofay ['oufei] *sb (am)* S hvid, ikke-neger.

off [ɔ(:)f] *adv* bort, afsted *(fx march* ~*);* borte *(fx five miles* ~*);* af *(fx fall* ~*);* uden for scenen, i kulissen *(fx noises* ~*);* færdig, helt;

adj side- *(fx* ~ *road,* ~ *street);* fjern, fjerneste, modsat *(fx the* ~ *side of the house);* højre, fjermer *(fx the* ~ *hind leg);* dårlig;

præp bort *(el.* ned, op) fra *(fx fall* ~ *a ladder);* af; borte fra *(fx keep* ~ *the grass); (mar)* fra land; ud for, på højden af *(fx* ~ *the Cape);*

~ *and on, on and* ~ se II. *on;* **be** ~ være borte; tage af sted, være på vej; have fri, (om maskine *etc)* være af-

brudt; være forbi, være hævet *(fx the engagement is* ~
forlovelsen er hævet); sove; *be* ~*!* af sted med dig! pil af!
they are ~*!* (i væddeløbssprog) nu starter de! *I'm* ~ nu
stikker jeg af; *I must be* ~ jeg må af sted; *that dish is* ~
den ret er udgået (på restaurant); *the hot water is* ~ der
er lukket for det varme vand; *be badly* ~ være dårligt
stillet; *be well* ~ være godt stillet, være velstående; *be
well* ~ *for tea* have te nok; ~ *colour,* ~ *day* se nedenfor;
be ~ *sth* have mistet lysten til noget *(fx she is* ~ *sweets
(, detective stories));* *be* ~ *drugs* være vænnet af med at
bruge narkotika; være stoffri; *be* ~ *one's feed* ingen ap-
petit have; se også II *feed; finish* ~ afslutte; *he is* ~ *his
head* T han er ikke rigtig klog; *I was never* ~ *my legs* jeg
var hele tiden på benene; ~ *the map* T ude af verden;
afsides, fjerntliggende; ~ *the mark* ved siden af; *a month*
~ en måned frem i tiden; *take a month* ~ *from the office*
tage en måned fri fra kontoret; *the* ~ *season* den stille
årstid; ~ *side,* se *offside; where are you* ~ *to?* hvor skal
du hen; *a street* ~ *Oxford Street* en sidegade til O.S.; *a
little parlour* ~ *his bedroom* en lille dagligstue ved siden
af hans soveværelse.

offal ['ɔfl] *sb* affald; indmad (af slagtekvæg).

off-beat *adj* T utraditionel. **off-chance** svag mulighed; *on
the* ~ *that (omtr)* i det svage håb at, for det tilfældes
skyld at. **off-colour** *adj* med forkert farve; *(fig)* sløj, træt,
uoplagt, ikke rigtig i vigør; tvivlsom *(fx joke).*

off-day *sb* fridag; uheldig dag, dag hvor man ikke er på
højde med situationen *(fx this is one of my -s).*

offence [ə'fens] *sb* fornærmelse, krænkelse; anstød, forar-
gelse; *(mil.)* angreb; (især *jur)* lovovertrædelse, forse-
else; *it is an* ~ *to* det er strafbart at; *give* ~ vække an-
stød, fornærme; *no* ~ *meant* det var ikke ment som en
fornærmelse; *take* ~ *at* blive fornærmet over; tage an-
stød af; *quick to take* ~ let at fornærme, sårbar; *weapons
of* ~ angrebsvåben.

offend [ə'fend] *vb* fornærme, støde, krænke; *(fig)* støde
(fx it -s the eye), krænke *(fx one's sense of justice);*
(uden objekt) forsynde sig, forse sig *(against* imod),
støde an *(against* mod).

offended [ə'fendid] *adj* fornærmet *(at* over; *with* på);
stødt.

offender [ə'fendə] *sb* lovovertræder, forbryder; *old* ~ vane-
forbryder, recidivist.

offense *(am)* = *offence.*

offensive [ə'fensiv] *adj* offensiv, angrebs- *(fx weapon);* for-
nærmelig, uforskammet, anstødelig *(fx language);* mod-
bydelig *(fx smell);* *sb* offensiv, angreb; *act on (el. take)
the* ~ tage offensiven.

I. offer ['ɔfə] *vb* tilbyde *(fx I -ed to help him);* byde *(fx* ~
him a cigar); udsætte, udlove *(fx a reward);* yde, gøre
(fx resistance); fremføre, fremsætte *(fx an opinion);*
gøre mine til, forsøge *(fx he -ed to strike me);* (til eksa-
men) gå op i *(fx a subject);* opgive *(fx a text);* *(rel)* op-
sende *(fx a prayer);* (for synet) frembyde *(fx a magnifi-
cent view),* danne *(fx a contrast);* (uden objekt) tilbyde
sig; frembyde sig; ~ *for sale* udbyde til salg, falbyde; ~
up a sacrifice frembære et offer, ofre; ~ *one's hand*
række hånden frem (til håndtryk); *(fig)* tilbyde sin hånd,
fri; *as occasion -s, when an opportunity -s* når lejlighed
byder sig.

II. offer ['ɔfə] *sb* tilbud *(of* om; *to* om at); bud; *make an*
~ *for sth* gøre *(el.* give) et bud på noget; byde på noget;
make an ~ *of sth to sby* tilbyde en noget; *I ignored the* ~
of his hand jeg overså hans fremstrakte hånd; *on* ~ ud-
budt til salg; ~ *of marriage* ægteskabstilbud.

offering ['ɔf(ə)riŋ] *sb* offer, gave.

offertory ['ɔfət(ə)ri] *sb (rel)* kollekt; (i katolsk messe) of-
fertorium.

offhand ['ɔf'hænd] *adj* improviseret; uovervejet, rask hen-
kastet *(fx remark);* skødesløs, uhøjtidelig *(fx manners);*
affejende, affærdigende; *(tekn)* frihånds- *(fx grinding*
slibning); *adv* improviseret, på stedet, uden forberedelse.

office ['ɔfis] *sb* kontor *(fx a lawyer's* ~), (offentligt også)
styrelse, direktorat; ministerium *(fx the War Office),*
(am) konsultationsværelse; (arbejde *etc)* embede; hverv
(fx the ~ *of chairman);* funktion, bestilling *(fx it was his*
~ *to advise them);* tjeneste (man yder en); pligt *(fx little
domestic -s); (rel)* gudstjeneste, ritual; **-s** (også) økono-

mirum (ɔ: køkken, bryggers *ol);* udenomsbekvemmelig-
heder;
be in ~ have regeringsmagten, være ved magten *(fx the
Labour Party is in* ~); være minister; *the government in*
~ den siddende regering; *remain in* ~ (om regering) blive
siddende, fungere videre; *come into* ~ (om parti) over-
tage *(el.* tiltræde) regeringen; *be out of* ~ (om parti)
være i opposition; *do the* ~ *of* gøre tjeneste som, fungere
som; *give him the* ~ **S** give ham et vink; *good -s,* se *good
offices; hold* ~ (om parti) være ved magten; *hold an* ~
beklæde et embede; *the last -s* begravelsesritualet; *resign*
~ gå af.

office|-bearer embedsmand. ~ **block** kontorbygning. ~ **boy**
kontorbud. **-holder** embedsmand. ~ **hours** *pl* kontortid;
the ~ *hours are 10-5* (også) kontoret er åbent 10-5. ~
proof huskorrektur.

officer ['ɔfisə] *sb* officer; embedsmand *(fx a customs* ~);
funktionær; politibetjent; (i forening) bestyrelsesmedlem;
first ~ *(mar)* overstyrmand; *second* ~ *(mar)* anden styr-
mand; *the army was well -ed* hæren havde gode officerer;
~ *of the day (mil.)* vagthavende officer; ~ *of health* em-
bedslæge; se også *medical* ~.

official [ə'fiʃ(ə)l] *adj* offentlig, officiel *(fx the* ~ *religion);*
embedsmæssig; embeds- *(fx duties, residence);* (om læge-
middel) officinel; optaget i farmakopeen; *sb* embeds-
mand, tjenestemand *(fx he is a government* ~); funktio-
nær *(fx a bank* ~).

officialdom [ə'fiʃ(ə)ldəm] *sb* embedsmandsstanden; em-
bedsmænd; *(neds)* bureaukrati, bureaukratisme.

officialese [əfiʃə'li:z] *sb* kancellistil, ministeriel kontorjar-
gon.

officialism [ə'fiʃəlizm] *sb* bureaukratisme, kontorpedanteri.

official list *(merk)* kursliste.

officially [ə'fiʃəli] *adv* officielt; på embeds vegne.

official| quotation *(merk)* kursnotering. ~ **receiver** midler-
tidig bestyrer af konkursbo (indsat af retten).

officiate [ə'fiʃieit] *vb* virke, optræde, fungere *(fx he -d as
chairman);* *(rel)* forrette gudstjeneste; ~ *at a marriage*
forrette en vielse.

officious [ə'fiʃəs] *adj* (alt for) tjenstvillig, geskæftig, næve-
nyttig; overlegen, kommanderende; (i diplomati) offi-
ciøs; uformel *(fx talks).*

offing ['ɔfiŋ] *sb* rum sø; *gain (el.* get) *an* ~ komme ud i
rum sø; *stand for the* ~ stå til havs; *in the* ~ *(fig)* i far-
vandet, i sigte, under opsejling, på trapperne; *elections
are in the* ~ (også) der er udsigt til et valg; det trækker
op til et valg.

offish ['ɔfiʃ] *adj* T tilbageholdende, reserveret.

off|-key *adj* falsk; forkert. ~ **-licence** (butik, værtshus
med) tilladelse til at sælge spirituosa der ikke nydes på
stedet; (ofte =) vinforretning. ~ **-line** (i edb) indirekte
styret. ~ **-peak** *adj* uden for spidsbelastning, stille
(fx period); ~ *-peak flights* flyverejser i stille perioder
(til nedsat takst). **-print** særtryk.

offscourings ['ɔfskauəriŋz] *sb pl* affald; *(fig)* bærme, ud-
skud *(fx the* ~ *of humanity).*

I. offset ['ɔfset] *sb (bot)* rodskud, sideskud, aflægger;
(også af bjerg) udløber; *(arkit)* murafsats, terrasse;
(merk) modkrav; *(fig)* modvægt; (i landmåling) afsæt-
ning; (tør:) etagebøjning; *(typ)* offset; afsmitning.

II. offset ['ɔfset] *vb* erstatte, opveje; *(merk)* modregne.

III. offset ['ɔfset] *adj* forskudt (i sideretningen), forsat;
(typ) offset-.

off|shoot *sb* udløber, sidegren. **-shore** *adj* fra land, fra-
lands-; ud for kysten *(fx islands),* kyst-; udlands-. **-side**
(af bil) side nærmest vejmidten, (af hestevogn) fjermer
side; (i sport) offside. **-spring** afkom, efterkommer(e);
(fig) resultat, produkt. **-stage** uden for scenen; i kulis-
sen. ~ **-the-cuff** *adj* improviseret. ~ **-the-record** uofficiel,
som ikke må refereres i pressen. ~ **-the-shoulder** skulder-
fri (om kjole). ~ **-white** tonet (ɔ: ikke helt hvid), gråligg-
hvid, off-white.

O.F.S. *fk Orange Free State.*

oft [ɔ(:)ft] *adv (poet)* ofte; *many a time and* ~ tit og
mange gange.

often ['ɔ(:)fn; ɔ(:)ftən] *adv* ofte, tit; *as* ~ *as I tried* hver
gang jeg prøvede; *as* ~ *as not, more* ~ *than not* som of-
test, i de fleste tilfælde; *once too* ~ én gang for meget.

oftentimes ['ɔ(:)fntaimz] *adv (glds)* ofte.
ogee ['oudʒi:] *sb* karnis, s-formet profil.
ogival [ou'dʒaiv(ə)l] *adj* spidsbueformet, gotisk.
ogive ['oudʒaiv] *sb* spidsbue.
ogle ['ougl] *vb* kokettere (med), kaste forelskede blikke til, lave øjne til; *sb* forelsket blik.
ogre ['ougə] *sb* trold, menneskeæder; uhyre, umenneske.
ogreish ['ougəriʃ] *adj* menneskeædende, skrækindjagende.
ogress ['ougris] *sb* troldkælling.
oh [ou] *interj* åh! ak!
Ohio [ə'haiou].
ohm [oum] *sb (elekt)* ohm.
I. oil [ɔil] *sb* olie; *-s pl* (også:) oliefarver, olietøj; *painting in -s* oliemaleri; *pour ~ on the flames (fig)* gyde olie i ilden, puste til ilden; *pour ~ on troubled waters (fig)* gyde olie på bølgerne; *strike ~* finde olie (ved boring); *(fig)* gøre et godt kup; blive pludselig rig.
II. oil [ɔil] *vb* smøre, oliere, overstryge med olie, imprægnere med olie; *~ sby's palm* bestikke en; *~ one's tongue (el. words)* tale indsmigrende, bruge smiger; *~ the wheels (fig)* få det til at glide.
oil|bird *zo* fedtfugl. **-burner** oliefyr. **~ cake** oliekage, foderkage. **-can** smørekande; oliekande; oliedunk. **-cloth** voksdug. **~ -colour** oliefarve.
oiled [ɔild] *adj* olieret; smurt; T fuld.
oiler ['ɔilə] *sb* oliekande, smørekande; smører; olietanker; oliefyret skib.
oil|field oliefelt. **~ heater** oliefyr. **-man** oliehandler. **~ paint** oliefarve. **~ painting** oliemaleri. **-paper** olieret papir, oliepapir. **~ rig** boreplatform. **~ separator** olieudskiller. **~ seal** olietætning. **~ silk** olieret silke. **-skin** olietøj (imprægneret stof), oilskin. **~ -skins** *pl* olietøj. **~ slick** olieplet (på vand). **~ -stone** oliesten, fin slibesten. **-stove** petroleumsovn. **~ strike** *sb* oliefund. **~ tanning** oliegarvning, semsgarvning. **~ well** oliekilde.
oily ['ɔili] *adj* oliet, olieagtig, olieret, olieglat, fedtet af olie; *(fig)* slesk; salvelsesfuld.
ointment ['ɔintmənt] *sb* salve (se også III. *fly*).
O.K. okay, okeh ['ou'kei] *interj, adj* rigtig, i orden, all right; *vb* godkende *(fx that has been O.K.'ed)*; *be ~* (også) have det godt.
okapi [ou'ka:pi] *zo* okapi.
Okie ['ouki] *sb (am)* omvandrende landarbejder fra Oklahoma.
Okla. *fk* **Oklahoma** [oukla'houmə].
old [ould] *adj (older, oldest el. elder, eldest)* gammel; *(fig)* erfaren, sikker, dreven; *(spr)* old- *(fx Old English, Old High German)*; T (brugt som fyldeord, *fx have a rare ~ time* more sig glimrende); *~ as the hills* ældgammel; *give me any ~ book* give mig bare en eller anden bog; *poor ~ Peter* gode gamle Peter; *my ~ woman* T min kone; *of ~*, *in times of ~*, *in days of ~* i gamle dage, fordum; *from of ~* fra gammel tid; *grow ~* blive gammel, ældes.
old age alderdom. **old-age| pension** (svarer til) folkepension. **~ pensioner** (svarer til) folkepensionist.
old boy tidligere elev; (i tiltale) gamle dreng, gamle ven.
old-boy| network sammenhold mellem tidligere publicschool elever der hjælper og protegerer hinanden.
old-clothes man marskandiser.
olden ['ouldn] *adj (glds)*: *in ~ days* i gamle dage, fordum.
old-established *adj* gammel, hævdvunden.
old face *(typ)* gammelantikva.
old-fashioned ['ould'fæʃənd] *adj* gammeldags, antikveret; af den gamle skole, konservativ; (om barn) gammelklog; *an ~ look* et strengt (i, kritisk, mistænksomt) blik.
old-fogyish ['ould'fougiʃ] *adj* stokkonservativ.
Old Glory *(am)* stjernebanneret.
old hand en der har erfaring, 'gammel rotte'.
old-hat *adj (am* T) konservativ, gammeldags, antikveret.
oldish ['ouldiʃ] *adj* ældre, aldrende.
old| lag vaneforbryder, recidivist. **~ -line** *(am)* erfaren; grundfæstet; konservativ, gammeldags. **~ maid** gammel jomfru, pebermø **-maidish** *adj* jomfrunalsk, gammel-jomfruagtig.
old man (i tiltale) du gamle, gamle ven; *the ~* den gamle (ɔ: éns far, chefen, *(mar)* kaptajnen *etc)*; *~ Smith* fatter Smith.
old rose (farve) gammelrosa.

old school tie skoleslips; *(fig* som symbol på den indstilling og det sammenhold der menes at præge gamle elever fra *public schools)*.
old soldier gammel soldat, *(fig)* »gammel rotte«; tom flaske; cigarstump.
old squaw *zo* havlit.
oldster ['ouldstə] *sb* T gamling.
Old Style efter den julianske kalender; *(am)* = *old face.*
old|-time *adj* gammeldags, gammel. **~ timer** veteran, en der er gammel i gårde; *(am)* gamling. **~ -womanish** kællingeagtig.
old-world ['ouldwɔ:ld] *adj* fra gammel tid, gammel; charmerende gammeldags; af den gamle skole; som hører til den gamle verden.
oleaginous [ouli'ædʒinəs] *adj* olieagtig, olieholdig; *(fig)* salvelsesfuld.
oleander [ouli'ændə] *sb (bot)* oleander, nerium.
oleaster [ouli'æstə] *sb (bot)* sølvblad.
oleic [ou'li:ik] *adj (kem)*: *~ acid* oliesyre.
oleiferous [ouli'ifərəs] *adj* olieholdig.
oleograph ['ouliəgra:f] *sb* olietryk.
olfactory [ɔl'fæktəri] *adj* lugte- *(fx organ).*
oligarchy ['ɔliga:ki] *sb* oligarki, fåmandsherredømme.
oligopoly [ɔli'gɔpəli] *sb (merk)* (markedssituation hvor markedet domineres af en lille gruppe producenter).
olio ['ouliou] *sb* labskovs, ruskomsnusk; *(fig)* broget blanding; sammensurium.
olivaceous [ɔli'veiʃəs] *adj* olivengrøn.
olive ['ɔliv] *sb* oliventræ, olietræ; oliven; olivenfarve; *adj* oliven-, olivenfarvet; oliven (kødret:) 'bankede fugle'.
olive branch oliegren (også *fig*: symbol på fred); *(fig* også) barn; *hold out the ~* tilbyde fred.
Oliver ['ɔlivə]. **Olivia** [ɔ'liviə]. **Olivier** [ə'liviei].
olm [ɔlm] *sb zo* hulepadde.
'ologies ['ɔlədʒiz]: *the ~* T videnskaberne.
Olympia [ə'limpiə] Olympia. **Olympiad** [ə'limpiæd] *sb* olympiade. **Olympian** [ə'limpiən] *adj* olympisk.
Olympic [ə'limpik] *adj* olympisk; *~ games* olympiske lege.
Olympus [ə'limpəs] Olympen.
O.M. *fk Order of Merit.*
Omaha ['ouməha:].
omasum [ou'meism] *sb* foldemave (hos drøvtygger).
ombre ['ɔmbə] *sb* l'hombre.
ombudsman ['ɔmbudzmən] *sb* ombudsmand.
omega ['oumigə] *sb* omega.
omelet ['ɔmlit] *sb* omelet, æggekage; *sweet ~* omelet med syltetøj.
omen ['oumen] *sb* varsel; *vb* varsle (om); *be of good ~* være et godt varsel, varsle godt; *bird of ill ~* ulykkesfugl.
omentum [ou'mentəm] *sb (anat)* tarmnet.
ominous ['ɔminəs] *adj* ildevarslende, uheldsvanger.
omissible [ə'misibl] *adj* som kan undlades *(el.* udelades).
omission [ə'miʃ(ə)n] *sb* undladelse, udeladelse, forsømmelse; *sin of ~* undladelsessynd.
omit [ə'mit] *vb* undlade, forsømme; udelade, springe over.
omnibus ['ɔmnibəs] *sb* omnibus; *adj* som omfatter mange forskellige ting, omfattende.
omnibus| book etbindsudgave, omnibusbog. **~ box** stor loge (i teater). **~ clause** generalklausul. **~ review** samleanmeldelse. **~ volume** = *book*. **~ wire** hovedledning.
omni|farious [ɔmni'fɛəriəs] *adj* af alle slags, allehånde. **-potence** [ɔm'nipət(ə)ns] *sb* almagt. **-potent** [ɔm'nipət(ə)nt] *adj* almægtig. **-present** [ɔmni'prez(ə)nt] *adj* allestedsnærværende. **-science** [ɔm'nisiəns] *sb* alvidenhed. **-scient** [ɔm'nisiənt] *adj* alvidende.
omnium gatherum ['ɔmniəm'gæðərəm] sammensurium, broget blanding; større komsammen.
omnivorous [ɔm'niv(ə)rəs] *adj* altædende.
I. on [ɔn] *præp* på, op på; over, om *(fx a book ~ a subject, talk ~, write ~)*; ved *(fx a house ~ the river)*; (umiddelbart) efter, ved *(fx ~ her arrival; ~ second thoughts* ved nærmere eftertanke); i *(fx a blow ~ the head; ~ fire* i brand; *he is here ~ business)*; af *(fx live ~ fruit; interest ~ a capital)*; mod *(fx he drew his knife ~ me; march ~ the town)*; til *(fx ~ my right til højre for mig; smile ~ him)*; ud fra *(fx ~ this theory; ~ this principle)*; i sammenligning med, i forhold til *(fx sales were 4 per cent down* (lavere) *on last year)*; for næsen af

(ɔ: mens én taler *etc*) *(fx walk out ~ him; shut the door
~ him)*; (om narkotika) forfalden til, afhængig af;
be ~ *a committee (, the town council)* sidde i *(el.
være
medlem af)* et udvalg (, byrådet); **be ~** *(the staff of) a
newspaper* være medarbejder ved en avis; *this (one) is ~
me, have this (one) ~ me* jeg giver denne omgang; *this
(one) is ~ the house* det er værtens omgang; *~ the first
of April* den 1. april; *~ the morning of the first of April*
den 1. april om morgenen; *~ Friday* i fredags, om freda-
gen, på fredag; *~ Friday next* på fredag; *~ Friday last* i
fredags; *~ Fridays* om fredagen; *I have it ~ good auth-
ority* jeg har det fra pålidelig kilde; *~ returning home* da
han var kommet hjem, ved sin hjemkomst; *~ sale* til
salg.

[I. on [ɔn] *adv* på *(fx keep one's hat ~)*; for *(fx have you
anything ~ tonight?)*; videre *(fx go ~, read ~)*; **be ~**
være i virksomhed; være i drift *(fx the machine is ~)*;
være sat til; være åben *(fx the tap is ~, the wireless is
~)*; være tændt *(fx the light is ~)*; være i gang *(fx the
battle is now ~)*; være på færde, foregå; være på pro-
grammet; være aktuel, være påtænkt *(fx the treaty is not
~ any longer)*; *(teat)* være inde på scenen; (i skole) være
oppe, blive hørt (ɔ: blive eksamineret); **T** have lyst til at
være med; *breakfast is ~ from 8 to 10* der serveres mor-
genmad fra 8 til 10; *the case was ~* sagen var for; *Ham-
let is now ~* Hamlet opføres nu; *the light is ~* (også) ly-
set brænder;

~ and *off* nu og da, fra tid til anden; *~ and ~* videre
og videre, uophørligt, i det uendelige; *he played ~ and ~*
han spillede og spillede; *and so ~* og så videre; og så
fremdeles; *be ~ at him* være efter ham hele tiden, være
på nakken af ham; **from** *that day ~* fra den dag (af);
further ~ længere frem(me), længere henne; **go ~** *talking
blive ved med at tale; *later ~* senere hen; *send ~
(ahead)* sende i forvejen; *sit ~* blive siddende; *~ to* op
(, ned, over, ud, ind) på *(fx he climbed ~ to the roof)*; *be
(, get) ~ to (fig)* være (, blive) klar over; *I'm ~ to him*
jeg ved godt hvad han er ude på; **well ~** *in the day* langt
hen på dagen.
O.N. *fk Old Norse*.
onager ['ɔnədʒə] *sb* zo vildæsel.
once [wʌns] *adv* en gang; engang; én gang; *conj* når først,
så snart, bare *(fx ~ you hesitate you are lost)*; *adj* tidli-
gere;

~ a year en gang om året; *~ again* en gang til, endnu
en gang; *~ and again* af og til; **at ~** straks; på en gang
(samtidig) *(fx you can't do two things at ~; he is at ~
stupid and impudent)*; *all at ~* med et, pludselig; på en
gang; *~ bitten twice shy* brændt barn skyer ilden; **for ~**
for én gangs skyld, undtagelsesvis; *~ for all* én gang for
alle; *for this ~* for denne ene gangs skyld; *~ in a way
(el. while)* af og til; *~ more* en gang til, endnu en gang;
not ~ aldrig, ikke en eneste gang, slet ikke; *this ~* denne
ene gang; *~ or twice* et par gange.
once-over ['wʌnsouvə] *sb: give sby the ~* **T** kaste et hastigt
undersøgende blik på én, lade blikket glide hen over én,
lige kigge på én; gennemprygle en.
on-coming ['ɔnkʌmiŋ] *adj* som nærmer sig, som er i an-
march *(fx the ~ danger)*; forestående; kommende; mod-
gående *(fx blinded by an ~ car)*; **S** venlig; påtrængende.
one [wʌn] (talord:) én, et; *adj* den *(el.* det) ene *(fx carry-
ing his head on ~ side; from ~ end to the other)*; eneste
(fx the ~ way to do it); en vis *(fx ~ Mr. Brown)*; *pron
en, nogen, man; *sb* ettal, etter; (brugt som støtteord
oversættes det ikke, *fx a big house and a small ~* et stort
hus og et lille, et stort hus og et lille; *the little -s* de små,
børnene); *-'s* ens, sin, sit, sine *(fx be on -'s guard* være
på sin post);

you are a ~ du er vist en værre én; *~ and all* alle og
enhver, alle som en; *it is all ~ to me* det er mig ganske
det samme; *~ and six (glds)* en shilling og sixpence; *~
another* hinanden; *~ fine day (, morning)* en skønne
dag; *the nobleman, for he looked ~* adelsmanden, for det
så han ud til at være; *number ~,* se I. **number**; *make ~
(of the party)* være med; **be made ~** blive forenet; blive
gift; **the ~** den, det, han, hun *(fx he is the ~ I mean; the
~ in the glass)*; den (, det) eneste *(fx the ~ thing they
agreed on)*; *this ~* denne her; *that ~* den der;

(forb med præp) be at ~ with være enig med; *~ by ~*
en og en (ad gangen), en efter en, enkeltvis; *by -s and
twos* en og to ad gangen; *I for ~* jeg for min del; jeg for
mit vedkommende; *he is a ~ for* han er helt vild med; *in
~* på én gang; *~ of these days* en skønne dag, en af da-
gene, en dag, en gang i fremtiden; *my career has been ~
of difficulties* min løbebane har været fuld af vanskelig-
heder; *he is ~ of the gang* han hører til banden; *that's ~
on you* (om en skose:) der fik du den; *be ~ up on sby* **T**
demonstrere sin overlegenhed over for en; hævde sig
over for en; være en tak foran en; *~ up to you* et point
til dig; *be ~ with* være enig med; *~ with another* gen-
nemsnitlig, i det store og hele.
one- en- *(fx one-celled* encellet).
one|-armed *adj* enarmet. **~ -armed bandit** enarmet tyve-
knægt, spilleautomat. **~ -eyed** *adj* enøjet; *(fig)* enøjet,
snæversynet; **T** se *one-horse*. **~ -horse** *adj* enspænder-; **T**
ubetydelig, tarvelig, sølle, andenrangs. **~ -horse town**
provinshul. **~ -legged** ['wʌn'legd] *adj* enbenet; *(fig)* ensi-
dig, utilstrækkelig. **-ness** enhed, harmoni; enshed, identi-
tet. **~ -price store** enhedsprisforretning.
oner ['wʌnə] *sb* **S** brillant fyr, kernekarl, knop *(at* til); or-
dentligt slag; dundrende løgn.
onerous ['ɔnərəs] *adj* byrdefuld, besværlig.
oneself [wʌn'self] *pron* sig, sig selv; en; en selv; *by ~* alene,
for sig selv.
one|-sided ensidig. **~ -step** *sb* onestep (en dans); *vb* danse
onestep. **~ -time** *adj* **T** tidligere, forhenværende.
one-to-one *adj (mat.)* en-til-en, injektiv; **~** *correspondence*
en-entydig korrespondance; *(fig)* fuldstændig overens-
stemmelse.
one-track *adj* ensporet; *a ~ mind* en ensporet tankegang.
one-way *adj*: *~ street* gade med ensrettet færdsel; *~ traf-
fic* ensrettet færdsel.
ongoing ['ɔngouiŋ] *adj* igangværende.
onion ['ʌnjən] *sb* løg; rødløg; *off one's ~* **S** fra forstanden;
know one's -s **T** kunne sit kram, vide besked.
on-line ['ɔnlain] *adj* med direkte jernbaneforbindelse; (i
edb) direkte styret.
onlooker ['ɔnlukə] *sb* tilskuer.
only ['ounli] 1. *adj:* eneste; 2. *adv.:* kun, blot, bare, alene;
(om tid) først, ikke før, endnu (så sent som), for ikke
længere siden end; 3. *conj:* men ... bare;
(eksempler) 1. *adj:* *an ~ child* enebarn, eneste barn;
God's ~ begotten Son Guds enbårne søn; 2. *adv.:* *~ you
can guess* kun du kan gætte; *you can ~ guess* du kan kun
gætte (ikke gøre andet); *if ~* hvis bare, gid; (se også *if*);
it was ~ too true det var kun alt for sandt; *I shall be ~
too pleased* det vil være mig en meget stor glæde; *~ lately* først for nylig; *he came ~ yesterday* han kom først
i går; *I saw him ~ this morning* jeg så ham endnu (så
sent som) i morges; *it was ~ last week* det er ikke læn-
gere siden end i sidste uge; *~ just* kun lige akkurat *(fx
he ~ just managed to lift it)*; først lige *(fx she ~ just
bought it)*; lige nu; 3. *conj: he is a nice chap ~ he talks
too much* han er en flink fyr men han taler bare for me-
get.
onomatopoeic [ɔnəmætə'pi:ik], **onomatopoetic** [ɔnəmæt-
əpou'etik] *adj* onomatopoietisk, lydmalende.
onrush ['ɔnrʌʃ] *sb* fremstød, fremstormen.
onset ['ɔnset] *sb* angreb, anfald; begyndelse.
onslaught ['ɔnslɔ:t] *sb* voldsomt angreb, stormløb.
onto ['ɔntu, -tə] *præp* op (, ned, over, ud, ind) på; (se også
on).
ontology [ɔn'tɔlədʒi] *sb* ontologi.
onus ['ounəs] *sb* byrde, pligt, ansvar; *~ of proof, ~ pro-
bandi* bevisbyrde.
onward ['ɔnwəd] *adj* fremadgående.
onward(s) ['ɔnwəd(z)] *adv* fremad, videre frem; *from today
~* fra i dag af.
onyx ['ɔniks, 'ouniks] *sb* onyks.
oodles ['u:dlz] *sb pl: ~ of* **T** masser af.
oof [u:f] *sb* **T** penge, gysser. **oofy** ['u:fi] *adj* **T** ved muffen,
rig, velbeslået.
ooze [u:z] *vb* sive, pible frem; (med objekt) udsondre, af-
give; *sb* flydende dynd, mudder; (ved garvning) bry, gar-
verlud; *~ away (fig)* forsvinde lidt efter lidt, svinde
bort; *the secret -d out* hemmeligheden sivede ud; *~ with*

dryppe af.

oozy ['u:zi] *adj* mudret, dyndet; dryppende.

O.P. *fk (teat) opposite prompt; (typ) out of print* udsolgt.

opacity [ə'pæsiti] *sb* uigennemsigtighed; dunkelhed; uklarhed; træghed i opfattelsen.

opal ['oup(ə)l] *sb* opal.

opalescence [oupə'lesns] *sb* farvespil.

opalescent [oupə'lesnt] *adj* opaliserende, spillende i alle regnbuens farver.

opaque [ou'peik] *adj* uigennemsigtig; dunkel; træg i opfattelsen, sløv; *sb (fot)* dækfarve; *vb (fot)* dække ud.

ope [oup] *(poet) vb* åbne; *adj* åben.

I. open ['oupn] *vb* åbne, lukke op; begynde, indlede *(fx a debate);* åbenbare; (uden objekt) åbnes, åbne sig, springe ud *(fx the flower -ed);* begynde *(fx the book -s with a description of ...);* ~ *an account* åbne en konto; ~ *one's eyes* slå øjnene op; spærre øjnene op (af forbavselse); ~ *fire* åbne ild; ~ *trenches* grave skyttegrave;

(forb med præp) ~ *into* føre ind *(el.* ud) til; have dør ind *(el.* ud) til; *two rooms -ing into each other* to værelser med dør imellem; ~ *on to* vende ud til; føre ud til; ~ *out* udfolde; brede ud *(fx a map);* udvikle; åbenbare; udbrede sig *(fx the view -ed out before us);* (om kørende) trykke på speederen; sætte farten op; ~ *up* gøre tilgængelig, åbne; lukke op, blive tilgængelig; (om kørende) = ~ *out;* ~ *up on* åbne ild mod, fyre løs på.

II. open ['oupn] *adj* åben, fri; offentlig *(fx secret);* åbenbar *(fx scandal);* åbenlys, utilsløret *(fx hostility, contempt, curiosity),* åbenhjertig, uforbeholden; (om sag *etc)* ikke afgjort, åbentstående; åben *(fx question);* (om vejr) mild *(fx weather, winter);* ~ *and shut* ganske ligetil; *in* ~ *court* for åbne døre; ~ *exhaust* fri udblæsning; *give with (an)* ~ *hand* give med rund hånd; *keep* ~ *house* holde åbent hus, føre et gæstfrit hus; *an* ~ *mind* et modtageligt sind; *have (, keep) an* ~ *mind,* se I. *mind;* ~ *scholarship* stipendium der kan søges af alle;

(forb med *præp) in the* ~ *(air)* i fri luft, under åben himmel; *come into the* ~ kaste masken, afsløre sine planer, komme ud af busken; ~ **to** åben for, tilgængelig for *(fx the public);* modtagelig for *(fx suggestions);* udsat for *(fx criticism);* ~ *to doubt (el. question)* tvivl underkastet; *be* ~ *to offers* være villig til at modtage tilbud; ~ *to persuasion* til at overtale; *there are two courses* ~ *to you* to veje står dig åbne; *lay oneself* ~ to udsætte sig for *(fx attack); be* ~ **with** *sby* være oprigtig mod en.

open| access fri adgang. ~ **-access library** bibliotek med åbne hylder. ~ **account** løbende konto. ~ **-air** frilufts-*(fx life; theatre).* ~ **-and-shut** *adj* ganske ligetil. ~ **-armed** *adj* med åbne arme; *an* ~ *-armed welcome* en hjertelig velkomst. **-bill** *zo* gadenæb.

opencast ['oupnka:st] *adj:* ~ *coal* kul der er brudt fra jordoverfladen; ~ *mining* dagbrydning.

open cheque check der ikke er crosset.

open circuit *(elekt)* åben strømkreds.

opener ['oupnə] *sb* indleder; (dåse)åbner, oplukker.

open|-ended *adj* ikke fastlagt, ikke begrænset. ~ **-eyed** *adj* med åbne øjne, årvågen; forbavset. ~ **-field system** *(hist.)* fællesdrift. ~ **-handed** *adj* rundhåndet, gavmild. **-hearted** *adj* åbenhjertig; varmhjertet. ~ **-hearth** *adj* Siemens-Martin *(fx furnace, process).*

opening ['oupniŋ] *adj* åbnings- *(fx day, price, speech);* indledende *(fx remarks),* indlednings-, begyndelses-; første; *sb* åbning, hul *(fx in a hedge);* begyndelse, indledning; chance, lovende mulighed, udvej; (ledig) stilling; ~ *bid,* ~ *call* åbningsmelding.

open|-minded fordomsfri. ~ **-mouthed** ['oupn'mauðd] med åben mund; måbende; larmende, højrøstet. ~ **-neck(ed)** med byronkrave. ~ **order** *(mil.)* spredt orden. ~ **-plan** *adj* åbenplan. ~ **season** tid hvor jagt og fiskeri er tilladt; *in the* ~ *season* (også:) uden for fredningstiden. ~ **shop** virksomhed der beskæftiger både organiserede og uorganiserede arbejdere. ~ **verdict** kendelse afsagt efter retsligt ligsyn og som lader spørgsmålet om dødsårsagen stå åbent. **-work** *sb* gennembrudt arbejde; *adj* gennembrudt *(fx stockings).*

opera [ˈɔp(ə)rə] *sb* opera.

operable ['ɔpərəbl] *adj* anvendelig, som kan bringes til at fungere; *an* ~ *patient* en patient der kan opereres.

opera| cloak aftenkåbe. ~ **glass(es)** teaterkikkert. ~ **hat** klaphat, chapeaubas. ~ **house** opera, operabygning.

operate ['ɔpəreit] *vb* virke *(fx the drug is not operating yet);* arbejde, være i gang; bevirke *(fx his illness was -d a change in him);* sætte i gang, iværksætte *(fx a reorganization);* betjene *(fx a machine, a gun);* drive *(fx a coal mine),* lede; *(merk)* drive finansoperationer; *(mil., med.)* operere; ~ *on* virke på; *(med.)* operere.

operatic [ɔpə'rætik] *adj* opera- *(fx music, singer).*

operating ['ɔpəreitiŋ] *adj* drifts- *(fx costs; profits* overskud); betjenings- *(fx personnel);* operations- *(fx table* bord; *room, theatre* stue).

operating 'ɔpəreitiŋ] *adj*

operation [ɔpə'reiʃ(ə)n] *sb* virksomhed, funktion; gang, arbejdsoperation, (arbejds)proces; betjening *(fx a switch),* virkning; *(mil., med.)* operation; *have an* ~ *(med.)* blive opereret; *in one* ~ på én gang; i én omgang; *in two -s* ad to gange; i to omgange; *be in* ~ være i drift *(el.* funktion); være i kraft; *come into* ~ træde i funktion; påbegynde driften; træde i kraft.

operational [ɔpə'reiʃənl] *adj* drifts- *(fx costs);* driftsmæssig, driftsklar; *(mil.)* operationsklar *(fx the new jet fighter will be* ~ *in three months);* operativ *(fx command, reserve); become* ~ (også) blive sat i drift, blive taget i brug.

operational *(, am: operations) research* operationsanalyse; målforskning.

operative ['ɔp(ə)rətiv] *adj* virkende, virksom; kraftig; gyldig; arbejdende, arbejder-, praktisk; *(med.)* operativ *(fx treatment);* *sb* arbejder; *(am)* privatdetektiv; *become* ~ træde i kraft; *the* ~ *word* det afgørende ord.

operator ['ɔpəreitə] *sb* en der betjener en maskine, maskinarbejder; fører (af fx kran); operatør; *(merk)* spekulant, *(am)* ejer, leder (af af et foretagende); **T** smart forretningsmand *(etc);* *(mat.)* operator; *telegraph* ~ telegrafist; *telephone* ~ telefonist(inde); *wireless* ~ radiotelegrafist.

operetta [ɔpə'retə] *sb* operette; kort opera.

Ophelia [ə'fi:ljə].

ophthal|mia [ɔf'θælmiə] *sb* øjenbetændelse. **-mic** [ɔf'θælmik] *adj* øjen-; *-mic optician* optometrist, optiker der foretager synsprøver og udsteder recepter til briller *(cf dispensing optician).* **-mologist** [ɔfθæl'mɔlədʒist] *sb* øjenlæge. **-mology** [-'mɔlədʒi] oftalmologi.

I. opiate ['oupiit] *sb* opiat, (opiumholdigt) sovemiddel; beroligende middel; *adj* opiumholdig.

II. opiate ['oupieit] *vb* bedøve ved opium, dysse i søvn, få til at sove.

opine [ou'pain] *vb* mene.

opinion [ə'pinjən] *sb* mening; anskuelse *(of* om); opfattelse; (sagkyndigt) skøn, udtalelse *(on* om); *give one's* ~ sige sin mening *(of, on* om); *hold an* ~ nære en anskuelse; *in my* ~ efter min mening; *it is a matter of* ~ det er en skønssag; *public* ~ den offentlige mening; *be of (the)* ~ *that* være af den mening at; *I have no (el. a low)* ~ *of* jeg nærer ikke høje tanker om.

opinionated [ə'pinjəneitid] *adj* påståelig.

opinion poll opinionsundersøgelse.

opisometer [oupi'sɔmitə] *sb* kortmåler.

opium ['oupjəm] *sb* opium.

opossum [ə'pɔsəm] *sb zo* opossum.

oppidan ['ɔpid(ə)n] *sb* dagelev på Eton.

opponent [ə'pounənt] *sb* modstander.

opportune ['ɔpətju:n] *adj* betimelig, belejlig *(fx moment);* opportun; som kommer i rette øjeblik.

opportunism [ɔpə'tju:nizm] *sb* opportunisme.

opportunist ['ɔpətju:nist] *sb* opportunist.

opportunity [ɔpə'tju:niti] *sb* (gunstig) lejlighed *(of, for* til); chance; belejlig tid, rette øjeblik; *at the first* ~ ved første lejlighed; *take (el. seize) the* ~ benytte lejligheden; *miss (el. lose) the* ~ lade lejligheden slippe sig af hænde.

oppose [ə'pouz] *vb* modstå, gøre modstand mod, modsætte sig *(fx a suggestion),* bekæmpe, opponere mod *(fx a motion in a debate);* stille op mod hinanden *(fx advantages and disadvantages);* stille op, sætte op *(to, with imod);* (uden objekt) opponere, komme med *(el.* gøre) indvendinger. **opposed** [ə'pouzd] *adj* modstillet, modsat; fjendtlig; *be* ~ *to* være imod, være modstander af; ~ *pistons pl (tekn)* dobbeltstempler.

opposite ['ɔpəzit] *adj* modsat *(to, from* af); lige overfor liggende, på den modsatte side; *adv* overfor *(fx the house* ~*)*; *præp* over for *(fx the house* ~ *mine)*; *sb* modsætning; *on the* ~ *side of the river* på den anden side af floden; ~ *to* (også) over for; *play* ~ spille sammen med (i film *etc)*.
opposite| neighbour genbo. ~ **number** person i tilsvarende stilling, kollega. ~ **prompt** *(teat)* (i England oftest) kongeside; *(am* oftest) dameside.
oppositionα[ɔpə'ziʃ(ə)n] *sb* modstand; modsætning, modsætningsforhold; (især *pol)* opposition; oppositionsparti; *adj* oppositions-, oppositionspartiets *(fx the* ~ *benches)*; *Her (, His) Majesty's O.* oppositionen (i parlamentet); *in* ~ *to* i modsætning til; i opposition til; lige over for.
oppress [ə'pres] *vb* (politisk:) undertrykke; (om følelser *etc)* tynge, knuge *(fx -ed with grief)*; overvælde; *feel -ed with heat* føle varmen trykkende.
oppression [ə'preʃ(ə)n] *sb* undertrykkelse; nedtrykthed; *(med.)* trykken.
oppressive [ə'presiv] *adj* trykkende *(fx weather)*; hård, tung, tyngende *(fx taxes)*; tyrannisk.
oppressor [ə'presə] *sb* undertrykker.
opprobrious [ə'proubriəs] *adj* fornærmelig, hånende, forsmædelig, vanærende; ~ *language* ukvemsord.
opprobrium [ə'proubriəm] *sb* vanære, skam; ukvemsord.
oppugn [ɔ'pju:n] *vb* bekæmpe, bestride.
opt [ɔpt] *vb* vælge; ~ *for* optere for, vælge; ~ *out* T bakke ud, trække sig ud, stå af.
optative ['ɔptətiv] *(gram) sb* optativ, ønskemåde; *adj* optativ, ønske-.
optic ['ɔptik] *adj* syns- *(fx nerve)*.
optical ['ɔptik(ə)l] *adj* optisk, syns-; ~ *illusion* synsbedrag.
optician [ɔp'tiʃ(ə)n] *sb* optiker. **optics** ['ɔptiks] *sb* optik.
optimism ['ɔptimizm] *sb* optimisme, lyst syn på tilværelsen.
optimist ['ɔptimist] *sb* optimist.
optimistic [ɔpti'mistik] *adj* optimistisk.
optimize ['ɔptimaiz] *vb* være optimist; få det bedst mulige ud af.
optimum ['ɔptiməm] *sb* optimum; *adj* optimal, gunstigst mulig.
option ['ɔpʃ(ə)n] *sb* valg; *(merk)* option, forkøbsret; (på børsen) præmieforretning; *at* ~ efter eget valg; *have an* ~ *on sth* have noget på hånden; have forkøbsret til noget; *with the* ~ *of a fine* subsidiært en bøde; *without the* ~ *of a fine* (om straf) som ikke kan forvandles til en bøde.
optional ['ɔpʃənəl] *adj* valgfri; frivillig.
opto|metrist ['ɔp'tɔmitrist] *sb* optometrist (person der måler synsevnen). **-metry** [ɔp'tɔmitri] *sb* optometri, måling af synsevnen.
opulence ['ɔpjuləns] *sb* velstand, rigdom; overflod.
opulent ['ɔpjulənt] *adj* velstående, rig; overdådig, yppig *(fx vegetation)*.
opus ['oupəs] *sb* opus, arbejde.
opuscule [ɔ'pʌskju:l] *sb* mindre arbejde *(el. værk)*.
or [ɔ:] *conj* eller; ellers; *one or two* én à to; *two or three* to-tre; *make haste, or (else) you will be late* skynd dig ellers kommer du for sent.
orach ['ɔritʃ] *sb (bot)* (have)mælde.
oracle ['ɔrəkl] *sb* orakel; orakelsvar; *work the* ~ tilvejebringe det ønskede resultat ved hemmelig indflydelse; S rejse penge.
oracular [ɔ'rækjulə] *adj* orakel-, gådefuld.
oral ['ɔ:rəl] *adj* mundtlig; *(anat)* oral, mund-; (om medicin) som indtages gennem munden; *sb* T mundtlig eksamen.
I. Orange ['ɔrin(d)ʒ] Oranien; *the House of* ~ huset Oranien.
II. orange ['ɔrin(d)ʒ] *sb* appelsin, orange; appelsintræ; *adj* orangegult; orange.
orangeade ['ɔrin(d)ʒeid] *sb* orangeade.
orange| blossom orangeblomst (anvendes i England i brudekranse). ~ **-coloured** orangegul.
Orange Free State: *the* ~ Oranjefristaten.
Orangeman ['ɔrin(d)ʒmən] *sb* orangist (medlem af et protestantisk selskab i Irland).
orange peel appelsinskal. **orange-peel** *adj* appelsinfarvet.
Orange River: *the* ~ Oranjefloden.

orangery ['ɔrin(d)ʒəri] *sb* orangeri.
orange| stick neglepind (til manicure). ~ **tip** *zo* aurorasommerfugl. ~ **-tree** appelsintræ, orangetræ.
orang-outan(g) [ɔ:'rɔŋ'u:tæn, -tæŋ] *sb zo* orangutang.
orate [ɔ:'reit] *vb* T holde (højtravende) tale(r).
oration [ɔ:'reiʃ(ə)n] *sb* (højtidelig) tale; *(gram): direct* ~ direkte tale; *indirect* ~ indirekte tale.
orator ['ɔrətə] *sb* taler. **oratorical** [ɔrə'tɔrikl] *adj* oratorisk, taler-.
oratorio [ɔrə'tɔ:riou] *sb* oratorium.
oratory ['ɔrət(ə)ri] *sb* talekunst, veltalenhed; bedekammer; kapel.
orb [ɔ:b] *sb* klode, kugle, sfære; himmellegeme; (regents) rigsæble; (især *poet)* øje; *vb* give form som en cirkel *el.* kugle; *(poet)* omgive.
orbed [ɔ:bd], **orbicular** [ɔ:'bikjulə] *adj* klodeformig, kugleformet, rund.
I. orbit ['ɔ:bit] *sb* (himmellegemes *el.* satellits) bane; *(anat)* øjenhule; *zo* huden omkring en fugls øje; *(fig)* virkefelt, sfære; *in* ~ (om satellit) inde i sin bane, i kredsløb.
II. orbit ['ɔ:bit] *vb* bevæge sig i en bane omkring *(fx the earth)*; sende ud i en bane, sætte i kredsløb; kredse.
orb| weaver *zo* hjulspinder. ~ **web** hjulspind.
orc [ɔ:k] *zo* spækhugger.
Orcadian [ɔ:'keidjən] *adj* fra *(el.* hørende til) Orkneyøerne; *sb* beboer af Orkneyøerne.
orchard ['ɔ:tʃəd] *sb* frugthave, frugtplantage. **orchardman** frugtavler.
orchestra ['ɔ:kistrə] *sb* orkester; *(teat)* orkestergrav; *(am)* orkesterplads. **orchestral** [ɔ:'kestr(ə)l] *adj* orkester- *(fx music)*.
orchestra| pit *(teat)* orkestergarv. ~ **stalls** *pl (teat)* orkesterplads.
orchestrate ['ɔ:kistreit] *vb* instrumentere.
orchestration [ɔ:ke'streiʃ(ə)n] *sb* instrumentering.
orchid ['ɔ:kid] *(bot)* orkidé, gøgeurt.
orchis ['ɔ:kis] *sb (bot)* gøgeurt.
ordain [ɔ:'dein] *vb* forordne, fastsætte, bestemme; (om præst) ordinere, præstevie. **ordainment** [ɔ:'deinmənt] *sb* ordning, anordning, bestemmelse; (præsts) ordination.
ordeal [ɔ:'di:l] *sb* (hård) prøvelse; *(hist)* gudsdom; ~ *by fire* ildprøve, jernbyrd.
I. order ['ɔ:də] *sb* orden *(fx the President bestowed an* ~ *on him)*, ordensstegn, *(* ~ *of chivalry)* ridderorden, *(rel)* munkeorden; *(mods* uorden) ro, (god) orden *(fx he had difficulty in maintaining* ~*)*; (system:) orden, rækkefølge *(fx in alphabetical* ~, *in* ~ *of seniority)*, opstilling; (i samfundet:) samfundsorden *(fx the medieval* ~, *the established* ~*)*; stand, rang, klasse *(fx the lower -s)*; *(biol)* orden; *(* ~ *of magnitude)* størrelsesorden; *(mil. etc)* ordre, befaling, *(merk etc)* ordre, bestilling, *(mht* penge) anvisning til udbetaling, (pr. post) postanvisning; *(jur)* kendelse; (officiel:) bekendtgørelse, forordning, anordning; *(mht procedure)* forretningsorden, *(rel)* ritual; (som giver adgang) adgangskort, fribillet;
by ~ *of* efter ordre fra, på befaling af; **doctor's** *-s* anvisning *(el.* forskrift) fra lægen; *I am on doctor's -s not to smoke* min læge har forbudt mig at ryge; ~ **for** bestilling på; *of a* **high** ~ af høj kvalitet *(el.* rang); *the higher -s of society* samfundets øverste klasser; *confer* **(holy)** *-s on* ordinere; *be in (holy) -s* tilhøre den gejstlige stand; *take (holy) -s* indtræde i den gejstlige stand, blive ordineret; **in** ~ i orden; i overensstemmelse med forretningsordenen; *in good* ~ i orden; i god stand; *put in* ~ bringe i orden, ordne; *in short* ~ *(am)* meget hurtigt; straks; *in* ~ *that, in* ~ *to* for at; ~ *of battle* slagorden; ~ *of the day* dagsorden; *(mil.)* dagsbefaling; *(fig)* tidens løsen; *be on* ~ *(merk)* være i ordre; *sth on the* ~ *of* noget i retning af; **out of** ~ i uorden; utilpas; ikke i overensstemmelse med forretningsordenen; *a* **tall** ~ *(fig,* T*)* et skrapt forlangende; *made to* ~ lavet på bestilling; *call to* ~ kalde til orden; *he rose to a point of* ~ han tog ordet til forretningsordenen; **under** *the -s of* kommanderet af; *be under -s to* have ordre til at.
II. order ['ɔ:də] *vb* ordne *(fx one's affairs)*; indrette, bestemme, lede; *(mil. etc)* give ordre til, beordre, befale; *(med. etc)* foreskrive, ordinere; *(merk etc)* bestille *(fx a*

taxi); ~ *arms!* gevær ved fod! ~ *about* jage med, koste med; ~ *away* sende bort.
order book ordrebog.
order form ordreseddel, bestillingsseddel.
order-in-council (svarer til) kongelig anordning; bekendtgørelse.
orderly ['ɔ:dəli] *adj* ordentlig, velordnet, metodisk; fredelig, lovlydig, stille, rolig *(fx an* ~ *crowd); sb (mil.)* ordonnans; *(medical* ~*)* sygepasser; (på hospital) portør.
orderly| officer *(mil.)* vagthavende officer. ~ **room** kompagnikontor.
order paper dagsorden (i parlamentet).
ordinal ['ɔ:dinl] *adj* ordens-; *sb* ordenstal.
ordinance ['ɔ:dinəns] *sb* forordning, bestemmelse, anordning; *(rel)* ritual.
ordinarily ['ɔ:dnrili] *adv* ordinært *etc* (se *ordinary);* sædvanligvis, i reglen.
ordinary ['ɔ:dnri] *adj* ordinær, ordentlig; almindelig, sædvanlig; *(neds)* tarvelig, ubetydelig, middelmådig; *sb* ordinær dommer; spisehus, kro; dagens ret, table-d'hôte; **in** ~ ordinær, ordentlig, regelmæssig; hof-, liv- (modsat *extraordinary* = tilkaldt, eller *honorary* = titulær) *(fx physician-in* ~ livlæge; *surgeon-in-* ~ *to the King* kongens livlæge; *chaplain-in-* ~ hofprædikant); **out of** *the* ~ usædvanlig, uden for det sædvanlige.
ordinary| seaman jungmand, letmatros, halvbefaren matros. ~ **share** *(merk)* stamaktie.
ordinate ['ɔ:dinit] *sb* (i matematik) ordinat.
ordination [ɔ:di'neiʃ(ə)n] *sb* ordning; ordination, præstevielse.
ordnance ['ɔ:dnəns] *sb (mil.)* svært skyts, artilleri; materiel; *piece of* ~ kanon; *Royal Army Ordnance Corps* (svarer til) Hærens tekniske Korps.
ordnance map *(omtr)* generalstabskort, Geodætisk Instituts kort.
Ordance Survey Department *(omtr)* Geodætisk Institut.
ordure ['ɔ:djuə] *sb* skarn, snavs, smuds.
ore [ɔ:] *sb* erts, malm; metal.
Ore., Oreg. *fk* **Oregon** ['ɔriɡən].
Oregon| fir, ~ **pine** *(bot)* douglasgran.
organ ['ɔ:ɡən] *sb* organ; *(zo etc* også), redskab, (om avis også) avis, blad; *(mus.)* orgel, *(barrel* ~*)* lirekasse; ~ *of taste* smagsorgan.
organ|-blower bælgetræder. ~ **-builder** orgelbygger.
organdie ['ɔ:ɡəndi] *sb* organdie (let, gennemsigtigt stof).
organ-grinder lirekassemand.
organic [ɔ:'ɡænik] *adj* organisk.
organism ['ɔ:ɡənizm] *sb* organisme.
organist ['ɔ:ɡənist] *sb* organist.
organization [ɔ:ɡən(a)i'zeiʃ(ə)n] *sb* organisering, organisation; organisme.
organize ['ɔ:ɡənaiz] *vb* organisere, arrangere, indrette, ordne; tilrettelægge, disponere; (uden objekt) organisere sig; *-d* (også) organisk.
organizer ['ɔ:ɡənaizə] *sb* organisator, arrangør.
organ| loft orgelpulpitur. ~ **pipe** orgelpibe. ~ **stop** orgelregister.
orgasm ['ɔ:ɡæzm] *sb* orgasme.
orgiastic [ɔ:dʒi'æstik] *adj* orgiastisk, vild.
orgy ['ɔ:dʒi] *sb* orgie.
oriel ['ɔ:riəl] *sb* karnap, karnapvindue.
I. Orient ['ɔ:riənt]: *the* ~ Østen, Orienten.
II. orient ['ɔ:riənt] *adj (litt)* strålende; *(poet)* østlig, østerlandsk; *vb* se *orientate.*
Oriental [ɔ:ri'entl] *sb* orientaler, østerlænding; *adj* orientalsk, østerlandsk. **orientalism** [ɔ:ri'entəlizm] *sb* orientalisme.
orientate ['ɔ:riənteit] *vb* orientere *(fx* ~ *a house north-south;* ~ *the new employees;* ~ *oneself);* vende mod øst; *(fig)* tilpasse *(to* efter), indstille; *become -d towards (fig)* blive indstillet på *(fx the British are becoming -d towards joining the EEC).*
orientation [ɔ:riən'teiʃ(ə)n] *sb* orientering, beliggenhed; *(fig)* indstilling, hældning.
orienteering [ɔ:riən'tiəriŋ] *sb* orientering (om sport).
orifice ['ɔrifis] *sb* munding, åbning.
orig. *fk* *original(ly);* origin.
origin ['ɔridʒin] *sb* oprindelse, kilde *(of* til); (især *-s pl)*

herkomst; *(mat.,* i kurve) begyndelsespunkt; *(anat,* om muskel) udspring.
original [ə'ridʒənl] *adj* oprindelig, original; første; ægte; original-, grund- *(fx language, text);* sb original, originalværk; grundsprog, originalsprog *(fx read Homer in the* ~*);* (om person) original, særling; ~ bid (i kortspil) åbningsmelding.
originality [əridʒi'næliti] *sb* originalitet.
originally [ə'ridʒin(ə)li] *adv* originalt *(fx think* ~*);* oprindelig, fra først af.
original sin arvesynd.
originate [ə'ridʒineit] *vb* grundlægge, skabe, være skaberen af *(fx a new theory, a new system);* give anledning til; ~ *from (el. in)* hidrøre fra, udspringe *(el.* opstå) af, have sin oprindelse i; *the scheme -s with (el. from) the government* planen stammer fra regeringen *eller* er regeringen der står bag planen; *the fire -d in the basement* ilden opstod i kælderen.
origination [əridʒi'neiʃ(ə)n] *sb* skabelse, opståen, oprindelse, fremkomst.
originator [ə'ridʒineitə] *sb* skaber, ophavsmand; forslagsstiller.
oriole ['ɔ:rioul] *sb zo* pirol *(fx golden* ~ guldpirol); *(am)* trupial *(fx Baltimore* ~ Baltimore trupial).
Orion [ə'raiən] Orion.
orison ['ɔriz(ə)n] *sb (glds)* bøn.
Orkney ['ɔ:kni]: *the* ~ *Islands* Orkneyøerne.
Orleans [ɔ:'liənz] (i Frankrig); *(am)* se *New Orleans.*
orlop ['ɔ:ləp] *sb (mar)* = **orlop deck** banjerdæk (nederste dæk på orlogsskib).
ormer ['ɔ:mə] *sb zo* søøre.
ormolu ['ɔ:məlu:] *sb* guldbronze.
I. ornament ['ɔ:nəmənt] *sb* ornament, prydelse, smykke, pynt; nipsgenstand; *(fig)* pryd *(to* for).
II. ornament ['ɔ:nəment] *vb* smykke, pryde, udsmykke, dekorere.
ornamental [ɔ:nə'mentl] *adj* ornamental, dekorativ, som tjener til pynt; ~ *painter* dekorationsmaler; ~ *shrub* sirbusk.
ornamentation [ɔ:nəmen'teiʃ(ə)n] *sb* udsmykning, dekoration, pynt.
ornate [ɔ:'neit, 'ɔ:-] *adj* (overdrevent) udsmykket, 'overbroderet', pyntet.
ornery ['ɔ:nəri] *adj (am)* umedgørlig, stædig; **T** smålig, lav, ussel.
ornithological [ɔ:niθə'lɔdʒikl] *adj* ornitologisk.
ornithologist [ɔ:ni'θɔlədʒist] *sb sb* ornitolog, fuglekender.
ornithology [ɔ:ni'θɔlədʒi] *sb* ornitologi, læren om fugle.
orotund ['ɔrətʌnd] *adj* klangfuld, fuldtonende *(fx voice);* værdig; højstemt, bombastisk.
orphan ['ɔ:f(ə)n] *adj* forældreløs; *sb* forældreløst barn; *vb* gøre forældreløs *(fx children -ed by the war).*
orphanage ['ɔ:fənidʒ] *sb* forældreløshed; vajsenhus.
Orpheus ['ɔ:fju:s] Orfeus.
orpiment ['ɔ:pimənt] *sb* auripigment (et farvestof).
orpine ['ɔ:pin] *sb (bot)* st. hansurt.
orris ['ɔris] *sb (bot)* sværdlilje; violrod.
ortho|dontic [ɔ:θə'dɔntik] *adj* tandregulerende. **-dox** ['ɔ:θədɔks] *adj* ortodoks, rettroende; vedtægtsmæssig, almindelig anerkendt. **-doxy** ['ɔ:θədɔksi] *sb* rettroenhed, ortodoksi. **-gonal** [ɔ'θɔɡənl] *adj* retvinklet. **-graphic(al)** [ɔ:θə-'ɡræfik(l)] *adj* ortografisk, vedrørende retskrivning. **-graphy** [ɔ:'θɔɡrəfi] *sb* ortografi, retskrivning. **-p(a)edic** [ɔ:θə'pi:dik] *adj* ortopædisk. **-p(a)edy** ['ɔ:θəpi:di] *sb* ortopædi.
ortolan ['ɔ:tələn] *sb zo* hortulan (en fugl).
O.S. *fk* *old style; ordinary seaman; Ordnance Survey; Old School; outsize.*
o.s. *fk* *only son.* **o/s** *outstanding; out of stock.*
oscillate ['ɔsileit] *vb* svinge; oscillere; (om radio) hyle.
oscillation [ɔsi'leiʃən] *sb* oscillation, svingning; hylen (i radio).
oscillator ['ɔsileitə] *sb* oscillator, svingningsgenerator.
oscillatory ['ɔsilətəri] *adj* svingende; ~ *circuit (elekt)* svingningskreds.
oscillograf [ɔ'siləɡra:f] *sb* oscillograf.
osculant ['ɔskjulənt] *adj (biol)* tæt sammenhængende; som danner mellemled mellem to arter.

osculate ['ɔskjuleit] *vb* røre hinanden, *(mat.)* oskulere; *(biol)* være nært beslægtet; *(litt)* kysse. **osculation** [ɔskju-'leiʃn] *sb* berøring; *(mat.)* oskulation; *(litt)* kyssen.
osier ['ouʒə] *sb* vidje; pil; *common* ~ båndpil.
osier bed pileplantning.
Osiris [ou'saiəris].
osmium ['ɔzmiəm] *sb (kem)* osmium.
osmosis [ɔz'mousis] *sb* osmose (ɔ: gennemsivning).
osmotic [ɔz'moutik] *adj* osmotisk.
osprey ['ɔspri] *sb* esprit (ɔ: fjer til hattepynt); *zo* fiskeørn.
OSS *fk (am) Office of Strategic Services.*
osseous ['ɔsjəs] *adj* benet, benagtig; knogle-.
Ossian ['ɔsiən]. **Ossianic** [ɔsi'ænik] *adj* Ossiansk.
ossicle ['ɔsikl] *sb* lille knogle.
ossification [ɔsifi'keiʃən] *sb* forbening.
ossify ['ɔsifai] *vb* forbene; forbenes; *(fig)* blive forbenet, stivne.
ostensible [ɔ'stensəbl] *adj* tilsyneladende, skin-; påstået, angiven *(fx purpose)*, angivelig.
ostentation [ɔsten'teiʃ(ə)n] *sb* stillen til skue, pralen, praleri.
ostentatious [ɔsten'teiʃəs] *adj* pralende, demonstrativ.
osteo|logy [ɔsti'ɔlədʒi] knoglelære. **-ma** [ɔsti'oumə] knoglesvulst. **-path** ['ɔstiəpæθ] *sb* osteopat (hvis behandlingsmåde ligner en kiropraktors).
ostler ['ɔslə] *sb* staldkarl, stalddreng.
ostracism ['ɔstrəsizm] *sb* ostrakisme, forvisning ved folkeafstemning (i det gamle Athen); boykotning.
ostracise ['ɔstrəsaiz] *vb* forvise; boykotte, 'fryse ud'.
ostrich ['ɔstritʃ] *sb* struds. **ostrich feather** strudsfjer.
ostrichism ['ɔstritʃizm] *sb* strudsepolitik.
O.T. *fk Old Testament.*
O.T.C. *fk Officers' Training Corps.*
Othello [ə'θelou].
other ['ʌðə] *adj* anden, andet, andre; *the* ~ *day* forleden dag; *every* ~ *day* hver anden dag; *of all* -s frem for alle; *why should he do it of all* -s hvorfor skulle netop han gøre det; *some* book **or** ~ en eller anden bog; *some time or* ~ en gang, på et eller andet tidspunkt; *something or* ~ et eller andet; *somehow or* ~ på den ene eller anden måde; ~ **than** anderledes end *(fx if he had been* ~ *than he was)*; anden (andet, andre) end; ud over, på nær, bortset fra, med undtagelse af *(fx teachers* ~ *than university teachers)*.
otherwise ['ʌðəwaiz] *adv* anderledes, på anden måde; ellers, i anden henseender; iøvrigt; i modsat fald; *unless you are* ~ *engaged* hvis De ikke er optaget på anden måde; *such as think* ~ anderledes tænkende.
otherworldly ['ʌðə'wə:ldli] *adj* overjordisk; som lever i en anden verden, verdensfjern; æterisk.
otiose ['ouʃious, 'outious] *adj* overflødig, unyttig.
otitis [ou'taitis] *sb (med.)* ørebetændelse.
otology [ou'tɔlədʒi] *sb (med.)* otologi, læren om øresygdomme.
Ottawa ['ɔtəwə].
otter ['ɔtə] *sb zo* odder. **otter trawl** skovltrawl.
I. Ottoman ['ɔtəmən] *adj* osmannisk, tyrkisk; *sb* osmanner, tyrk.
II. ottoman ['ɔtəmən] *sb* ottoman; (i soveværelse) puf; (til lænestol) fodskammel.
oubliette [u:bli'et] *sb (glds)* oubliette, fangehul.
ouch [autʃ] *interj* av!
O.U.D.S. [audʒ] *fk Oxford University Dramatic Society.*
ought [ɔ:t] *vb (præt ought)* bør, burde, skulle; (om det sandsynlige) skulle, skal nok *(fx that lecture* ~ *to be interesting)*; *you* ~ *to do it* du bør *(el.* burde) gøre det.
I. ounce [auns] *sb* unse (28,35 gram i *alm* handelsvægt); *not an* ~ *of (fig)* ikke en smule, ikke gran af.
II. ounce [auns] *sb zo* sneleopard; *(glds)* los.
our [auə] *pron* (attributivt) vores, vor, vort, vore; *our home vort (el.* vores) hjem.
Our Lady *(rel)* jomfru Maria, Vor Frue.
Our Lord *(rel)* Jesus.
ours [auəz] *pron* (prædikativt) vores, vor, vort, vore; *this is* ~ dette tilhører os, *(litt)* dette er vort, T det er vores; *a friend of* ~ en ven af os; *this country of* ~ vort land.
ourself [auə'self] *pron* (pluralis majestatis) (vi) selv *(fx we ourself know)*, os selv, os.

ourselves [auə'selvz] *pron* (forstærkende) selv *(fx we did it* ~*)*; (refleksivt) os *(fx we enjoyed* ~*)*; *we are all by* ~ vi er helt alene; *we did it by* ~ vi gjorde det uden hjælp.
oust [aust] *vb* drive ud, fordrive, fortrænge *(fx a rival)*.
ouster ['austə] *sb (jur)* fordrivelse, udsættelse.
I. out [aut] *adv* ude, ud, udenfor; frem, op (af lommen *etc)*; fremme; oppe; sluppet op, opbrugt *(fx my strength is* ~*)*; til ende *(fx before the day is* ~*)*, forbi, omme *(fx before the year is* ~*)*; udløbet *(fx the lease is* ~*)*; gået ud, slukket *(fx the fire is* ~*)*; gået af, ikke længere ved magten *(fx the Whigs are* ~*)*; gået af mode *(fx frock coats are* ~*)*; udkommet *(fx the new book is* ~*)*; udsprungen *(fx the rose is* ~*)*; udruget *(fx the chickens are* ~*)*; gået over sine bredder *(fx the river is* ~*)*; (gået) i strejke *(fx the miners are* ~*)*; gået af led *(fx my arm is* ~*)*; udkommanderet *(fx the regiment is* ~*)*; røbet *(fx the secret is* ~*)*; *there, now it's* ~ (også) nu er det sagt; *(am) præp* ud af *(fx jump* ~ *the window)*;
(forskellige *forb;* se også *fx all, come, I. fall, get, go, I. have, put, way)*; ~ *and about* igen oppe igen, på benene igen (efter sygdom); ~ *and away,* ~ *and* ~, se på alfab. plads; **be** ~ (også) tage fejl, regne forkert *(fx I was only five years* ~ jeg havde kun regnet fem år forkert); *he is* ~ *there* han er derude; (med en anden intonation) der tager han fejl; *you are not far* ~ du tager ikke meget fejl; *my watch is five minutes* ~ mit ur går fem minutter forkert; *I am* ~ *ten dollars (am)* jeg har tabt ti dollars på det; det har kostet mig ti dollars; *she is* ~ hun har haft sin debut i selskabslivet; *the moon is* ~ det er måneskin; *the sun is* ~ det er solskin; *be* ~ *hunting* være ude at jage, være på jagt; *her day* ~ hendes fridag; ~ *you go* herut med dig; *hear me* ~ lad mig tale ud; *the* ~ *side* det parti der er ude (i spil); det parti der ikke er ved magten; oppositionen;
(forb med *præp)* *be* ~ **for** være ude efter *(fx he is* ~ *for your money)*; *be* ~ *for a walk* være ude at spadsere; *three days* ~ *from (mar)* efter tre dages sejlads fra; *get* ~ *from under (am)* T komme ud af kniben; komme i sikkerhed; *I was* ~ **in** *my calculations* jeg tog fejl i mine beregninger, jeg har forregnet mig; ~ **of** uden for *(fx remain* ~ *of the house)*; ud af *(, fra) (fx come* ~ *of the house)*; ude af *(fx out of sight,* ~ *of herself with joy)*; uden *(fx* ~ *of money)*; af *(fx drink* ~ *of a glass)*; (på grund) af *(fx he asked* ~ *of curiosity)*; fra *(fx an advertisement* ~ *of a newspaper)*; blandt *(fx one instance* ~ *of several)*; ~ *of round (tekn)* urund; *be* ~ *of* være udgået for *(fx tobacco)*; *be* ~ *of patience* have tabt tålmodigheden; *be* ~ *of work* være arbejdsløs; (se også *I. mind, I. number, II. print, I. sort. II. temper)*; *be (, feel)* ~ *of it* være (, føle sig) tilovers; *you are absolutely* ~ *of it* du tager fuldstændig fejl, du er helt forkert på den; *50 miles out of London* 50 miles fra London; *three days* ~ *of (mar)* (efter) tre dages sejlads fra; ~ **on** *its own* S enestående; ~ **to** ude efter at, ude på at *(fx make money)*; ~ **upon** *you! (glds)* tvi dig! du burde skamme sig; *be* ~ **with** være uenig (, uvenner) med; *fall* ~ *with* blive uenig (, uvenner) med; ~ *with it!* ud med sproget!
II. out [aut] *vb* tage ud; komme frem *(with* med); slå ud; smide ud.
III. out [aut] *sb* udvej; *(typ)* udeladelse, noget der er faldet ud, T begravelse; *the* -s (i spil) det parti der er ude; (i politik) det parti der ikke er ved magten; oppositionen; *be at* -s *with* T være på kant med.
out-and-away ['autəndə'wei] *adv* uden sammenligning, langt *(fx he is* ~ *the best)*.
out-and-out [aut'ənd'aut] *adj, adv* helt igennem, i alle henseender; ubetinget, absolut, vaskeægte *(fig)*; fuldstændig, gennemført; *an* ~ *Yankee* en fuldblods yankee.
out-and-outer *sb* T en der klart tager standpunkt; en der gør tingene grundigt; vældig dygtig fyr; yderliggående person.
out|back ['autbæk] *sb (austr): the* -back de mere afsides og tyndt befolkede egne, ødemarken. **-balance** [aut-'bæləns] *vb* veje mere end, opveje. **-bid** [aut'bid] *vb* overbyde. **-board** ['autbɔ:d] *adj* udenbords; *-board motor* påhængsmotor. **-bound** ['autbaund] *adj* for udgående. **-brave** [aut'breiv] *vb* trodse; overgå (i mod). **-break** ['autbreik] *sb* udbrud; rejsning, oprør. **-buildings** ['autbildiŋz]

sb pl udhuse. **-burst** ['autbə:st] *sb* udbrud.

out|cast ['autka:st] *sb* forstødt; hjemløs, udstødt (af samfundet). **-caste** ['autka:st] *sb* kasteløs. **-class** [aut'kla:s] *vb* overgå, rage op over, være overlegen. **-come** ['autkʌm] *sb* resultat, udfald; udslag *(of* of). **-crop** ['autkrɔp] *sb (geol)* lag der rager op over jordskorpen; dagforekomst; *(fig)* forekomst, opdukken. **-cry** ['autkrai] *sb* skrig, råb, nødskrig; ramaskrig.

out|dated [aut'deitid] *adj* forældet. **-distance** [aut'distəns] *vb* distancere, løbe fra. **-do** [-'du:] *vb* overgå; stikke ud. **-door** ['autdɔ:] *adj* udendørs; frilufts-; *-door relief (glds)* fattighjælp til personer der ikke bor på fattiggården. **-doors** ['aut'dɔ:z] *adv* udendørs, under åben himmel, i fri luft, ude i det fri. **-draw** [aut'drɔ:] *vb* trække flere tilskuere end; trække revolveren hurtigere end.

outer ['autə] *adj* ydre, yder-; udvendig; *sb* yderste ring på skydeskive; skud der rammer den yderste ring; *~ space* det ydre rum.

outermost ['autəmoust] *adj* yderst.

out|face [aut'feis] *vb* få til at slå øjnene ned; trodse. **-fall** ['autfɔ:l] *sb* udløb, afløb; flodmunding. **-field** ['autfi:ld] *sb* (i kricket): *the -field* marken. **-fielder** *sb* markspiller. **-fit** ['autfit] *sb* udstyr, ekvipering; udrustning; S gruppe, hold, flok; *vb* udstyre, udruste. **-fitter** *sb: gentlemen's -fitter* herreekviperingshandler. **-flank** [aut'flæŋk] *vb* omgå (i flanken); *(fig)* overliste. **-flow** ['autflou] *sb* udstrømning; *(fig)* strøm *(fx of bad language)*. **-general** [aut'dʒen(ə)rəl] *vb* overgå i feltherredygtighed; overliste. **-go** [aut'gou] *sb* udgift, udgifter; [aut'gou] *vb* overgå. **-goer** ['autgouə] *sb* afgående *(el.* fratrædende) person. **-going** ['autgouiŋ] *adj* afgående, fratrædende; udgående; åben, udadvendt; *sb* afgang, fratræden. **-goings** *sb pl* udgifter. **-group** fremmedgruppe. **-grow** [aut'grou] *vb* overgå i vækst, vokse hurtigere end, vokse fra; blive for stor til *(fx one's clothes)*; *-grow one's strength* vokse for stærkt. **-growth** ['autgrouθ] *sb* udvækst *(fx on a tree)*; produkt, følge, resultat.

outhaul ['authɔ:l] *sb (mar)* udhaler.

out-Herod [aut'herəd] *vb: ~ Herod* overgå Herodes (i grusomheder).

outhouse ['authaus] *sb* udhus.

outing ['autiŋ] *sb* udflugt.

outlander ['autlændə] *sb* udlænding, fremmed.

outlandish [aut'lændiʃ] *adj* aparte, fremmedartet, sær, besynderlig; fjern, eksotisk *(fx an ~ place like Borneo)*.

outlast [aut'la:st] *vb* vare længere end, overleve.

outlaw ['autlɔ:] *sb* fredløs; *vb* sætte uden for loven; gøre fredløs; forvise; gøre ulovlig, forbyde ved lov.

outlawry ['autlɔ:ri] *sb* fredløshed.

outlay ['autlei] *sb* udlæg, udgifter

outlet ['autlet] *sb* udløb, afløb; *(fig)* afløb; *(merk)* afsætningssted, butik; afsætningsmarked; *(elekt)* stikkontakt; *an ~ to the sea* adgang til havet.

outline ['autlain] *sb* omrids, kontur; *(fig)* resumé; rids, skitse, oversigt; **-s** *pl* grundtræk, oversigt; hovedtræk; *vb* tegne i omrids, give omrids af, skitsere, angive hovedtrækkene i; *be -d (også)* tegne sig, tegne sin silhouet.

outline map konturkort.

outlive [aut'liv] *vb* overleve; komme over, overvinde.

outlook ['autluk] *sb* udsigt; udsigtspunkt, udkigssted; (fremtids)udsigter *(fx a bad ~ for agriculture)*; syn (på tingene) *(fx have a narrow ~)*; livssyn, livsanskuelse.

out|lying ['autlaiiŋ] *adj* afsidesliggende, fjerntliggende; *(fig)* perifer, underordnet. **-manoeuvre** [autmə'nu:və] *vb* udmanøvrere, overliste. **-match** [aut'mætʃ] *vb: -match sby* overgå en, være en overlegen, overtræffe en. **-moded** [aut-'moudid] *adj* forældet, gået af mode, passé. **-most** ['autmoust] *adj* yderst.

outnumber [aut'nʌmbə] *vb* være overlegen i antal; *-ed* talmæssig underlegen.

out-of-date ['autəv'deit] *adj* umoderne, gammeldags, forældet; ikke længere gyldig.

out-of-door ['autəv'dɔ:] = *outdoor.*

out-of-pocket ['autəv'pɔkit] *adj: ~ expenses* direkte (kontante) udgifter.

out-of-the-way ['autəv'ðə'wei] *adj* afsides, afsidesliggende; usædvanlig; T (om pris) skyhøj.

out-of-work ['autəv'wə:k] *adj* arbejdsløs.

outpace [aut'peis] *vb* gå hurtigere end, løbe fra.

out-patient ['autpeiʃ(ə)nt] *sb* ambulant patient; *-s department* poliklinik.

out|play [aut'plei] *vb* (i sport) spille bedre end; *be -played by* blive udspillet af. **-port** ['autpɔ:t] *sb* udhavn. **-post** ['autpoust] *sb* forpost, fremskudt post *el.* stilling. **-pouring** ['autpɔ:riŋ] udgydelse; *-pouring of the heart* hjertesuk. **-put** ['autput] *sb* produktion; udbytte *(fx of a mine)*; (arbejds)ydelse; *(elekt)* udgangseffekt; (i edb) udlæsning, uddata; *vb* udlæse.

outrage ['autreidʒ, 'autridʒ] *vb* øve vold imod; krænke, forsynde sig mod; *sb* vold; voldshandling, skændselsgerning, overgreb *(fx the -s committed by the troops)*; grov fornærmelse, krænkelse; skandaløs handling; skandale *(fx a public ~)*; *do ~ to* krænke.

outrageous [aut'reidʒəs] *adj* skandaløs, oprørende; skammelig, skændig; uhyrlig.

outrange [aut'rein(d)ʒ] *vb* række længere end.

outrank [aut'ræŋk] *vb* have højere rang end.

outré [u:trei] *adj* excentrisk, aparte, outreret *(fx dress)*; upassende *(fx behaviour)*.

out|reach [aut'ri:tʃ] *vb* strække sig ud over, nå længere end. **-ride** [aut'raid] *vb* ride fra; ride bedre end; *-ride the storm* ride stormen af. **-rider** ['autraidə] *sb* forrider; *-riders* (også) motorcykleeskorte (af politi). **-rigger** ['autrigə] (arm til kran, sejl) udligger; (til kaproningsbåd) udrigger; *(båd)* udriggerbåd; (til kran, for stabilitet) bremsedrager.

outright [aut'rait] *adv* straks, på stedet *(fx killed ~)*; helt og holdent, fuldstændigt *(fx destroy it ~)*; direkte, rent ud *(fx tell him ~)*, uforbeholdent; ['autrait] *adj* fuldstændig, absolut, gennemført *(fx scoundrel)*; direkte *(fx denial; opposition)*; *buy ~* købe kontant.

out|rival [aut'raivl] *vb* fordunkle, stille i skyggen. **-run** [aut'rʌn] *vb* løbe fra, løbe hurtigere end; *(fig)* overgå. **-sail** [-'seil] *vb* sejle fra. **-sell** [-'sel] *vb* sælge mere end; (om vare) gå bedre end. **-set** ['autset] *sb* begyndelse: *from the -set* fra første færd. **-shine** *vb* [-'ʃain] *vb* overstråle.

I. outside ['aut'said] *sb* yderside; ydre; udvendig passager (på diligence); *at the (very) ~* højest, i det højeste *(fx it will take a year at the ~)*; *open the door from the ~* åbne døren udefra; *the ~ of the house* det udvendige af huset; *on the ~* udenpå, udenfor.

II. outside ['aut'said] *adj* udvendig *(fx measurements)*, ydre; yderst *(fx limit)*, højest *(fx price)*, maksimal *(fx estimate)*; udefra kommende *(fx help)*, udenforstående; udendørs; *adv* udenpå, ovenpå; udenfor *(fx wait ~)*; udendørs; *præp* uden for; undtagen, ud over;

~ broadcast reportage, direkte transmission; *an ~ chance* en meget lille chance; *~ job* udenarbejde, *~ of* uden for, *(am)* undtagen; *get ~ of* S sætte til livs; *(am)* fatte, begribe; *~ of a horse* T til hest; *~ pressure* pres udefra; *the ~ world* verden udenfor.

outside| callipers *pl* krumpasser. *~ edge* (i skøjteløb) herresving; *do the ~ edge* slå herresving; *that is the ~ edge (fig)* T det er dog den stiveste. *~ left* (i fodbold) venstre yderwing.

outsider ['aut'saidə] *sb* fremmed; udenforstående; uindviet; (også om hest) outsider.

outside right (i fodbold) højre yderwing.

out|sit [aut'sit] *vb* sidde længere end, blive længere end. **-size** ['autsaiz] *sb* stor størrelse; *adj* ekstra stor, usædvanlig stor; i overstørrelse; *-size gown* fruekjole. **-skirts** ['autska:ts] *sb pl* udkant; *on the -skirts of the town* i udkanten af byen. **-smart** [aut'sma:t] *vb (am)* narre, overliste. **-span** [aut'spæn] *vb* spænde fra; udspænde. **-spoken** [aut'spoukn] *adj* frimodig, dristig, djærv, åbenhjertig. **-spread** ['aut'spred] *adj* udbredt *(fx with -spread wings)*. **-standing** [aut'stændiŋ] *adj* fremtrædende, iøjnefaldende *(fx characteristic)*; fremragende *(fx bravery, personality)*; udestående, ubetalt *(fx accounts, debts)*; ['autstændiŋ] *adj* udstående *(fx ears)*. **-stay** [aut'stei] *vb* blive længere end; *-stay one's welcome* blive længere end man er velkommen; trække for store veksler på folks gæstfrihed. **-stretched** [aut-'stretʃt; foran *sb* 'autstretʃt] *adj* udstrakt. **-strip** [aut'strip] *vb* distancere, løbe forbi, løbe fra; *(fig også)* overgå, slå *(fx a previous record)*.

out|talk [aut'tɔ:k] *vb* overgå i tungefærdighed, bringe til tavshed. **-vote** [aut'vout] *vb* overstemme, nedstemme; *be -voted* (også) komme i mindretal.

outward ['autwəd] *adj* ydre *(fx appearance)*, udvendig, *(glds)* udvortes; udgående *(fx correspondence)*; *adv* udad, ud; *sb* ydre. **outward bound** for udgående (om skib). **outwardly** *adv* i det ydre; udadtil *(fx ~ calm)*; udvendigt, uden på *(fx ~ visible)*. **outwards** ['autwədz] *adv* udad, ud, udefter.

out\wear [aut'wɛə] *vb* vare længere end; slide op. **-weigh** [-'wei] *vb* veje tungere end, gælde mere end. **-wit** [-'wit] *vb* overliste, narre.

I. outwork [aut'wəːk] *vb* arbejde bedre end.

II. outwork ['autwəːk] *sb* udenværk; udearbejde.

outworn ['autwɔːn] *adj* slidt op; udslidt; *(fig)* forslidt, fortærsket *(fx quotation)*; forældet *(fx method)*.

ouzel ['uːzl] *sb zo* ringdrossel.

ova ['ouvə] *sb (pl af ovum)* æg.

oval ['ouvl] *adj* oval, ægformet; *sb* oval; oval plads; *the Oval* (en kricketbane i London).

ovary ['ouvəri] *sb (anat)* ovarium, æggestok; *(bot)* frugtknude.

ovation [ou'veiʃ(ə)n] *sb* ovation, hyldest.

oven [ʌvn] *sb* ovn; (se også *bun)*.

ovenbird ['ʌvnbɔːd] *sb zo* ovnfugl.

I. over ['ouvə] *præp* over, ud over; på den anden side af *(fx the river)*; ved *(fx let us discuss it ~ a cup of tea; they sat ~ a glass of wine)*, med; (om grund, anledning) på grund af *(fx risk a war ~ Berlin)*, i anledning af, med hensyn til, om *(fx they disagreed (, quarrelled) ~ the colour)*; (om tid) igennem *(fx ~ the last year or two)*; over *(fx can you stay ~ Christmas* (julen over)?), med *(fx you must stay ~ my birthday* (min fødselsdag med)); *(am* også) frem for *(fx he chose the shorter route ~ the more beautiful)*; *adv* over *(fx ~ to England)*; derover *(fx children of 14 and ~)*; ovre *(fx ~ in England)*; forbi *(fx those days are ~)*, omme; tilovers, tilbage *(fx if you have money ~)*; omkuld *(fx fall ~)*, over ende; om, rundt *(fx turn ~)*; igennem *(fx read the letter ~; talk the matter ~)*; igen, om, om igen *(fx count the money ~)*; alt for, overdrevent, over- *(fx polite)*, særlig *(fx not ~ punctual)*; *over!* (i radiotelefoni:) skifter! (i kricket) skift!

~ again om igen; *~ against* lige over for, i sammenligning med; *all ~* over det hele; forbi; (se også *all)*; *~ and above* ud over; *~ and ~ (again)* atter og atter, gang på gang, om og om igen; *roll ~ and ~* rulle rundt og rundt; *~ here* her ovre, her over; *knock ~* vælte; *~ the night* natten igennem, natten over; *~ a period of three years* gennem *(el.* over) et tidsrum af tre år; *~ the signature Smith* underskrevet Smith; *~ there* der ovre, der over.

II. over ['ouvə] *sb* skud der går over målet; langt skud; (i kricket) over; *-s (typ)* overskud.

overact [ouvə'rækt] *vb: ~ (in) a part* overspille en rolle.

I. overall ['ouvərɔːl] *adj* total, samlet *(fx the ~ membership is 83)*, generel; *adv* [ouvər'ɔːl] alt i alt; over alt; *be dressed ~ (mar)* flage over top(pene).

II. overall [ouvər'ɔːl] *sb* kittel; (se også *overalls)*.

overalls ['ouvərɔːlz] *sb pl* overall, overtræksbukser.

over\anxious ['ouvə(r)'æŋ(k)ʃəs] *adj* overdrevent ængstelig; overdrevent ivrig. **-arch** [ouvə(r)'aːtʃ] *vb* hvælve sig over *(fx trees -arch the road)*. **-awe** [ouvə(r)'ɔː] *vb* skræmme, imponere, indgyde ærefrygt. **-balance** [ouvə'bæləns] *vb* veje mere end; mer end opveje; bringe ud af ligevægt, vippe op; (uden objekt) få overbalance; *sb* overvægt, overskud.

overbear [ouvə'bɛə] *vb* undertrykke, kue, overvælde, nedslå, overvinde.

overbearing [ouvə'bɛəriŋ] *adj* bydende, myndig; overlegen, hovmodig, anmassende.

overbid [ouvə'bid] *vb* overbyde; (i kortspil) melde over; *sb* ['ouvəbid] overbud; overmelding.

overblown [ouvə'bloun] *adj* afblomstret; (om storm, fare) drevet over; (om kvinde) tyk og grov; (om stil) højtravende og hul.

overboard ['ouvəbɔːd] *adv* over bord; udenbords; *go ~ about (el. for)* **T** være vildt begejstret for.

overbold ['ouvə'bould] *adj* dumdristig; fræk.

overbrim [ouvə'brim] *vb* flyde over.

overbuild ['ouvə'bild] *vb* (be)bygge for tæt; *~ oneself* forbygge sig.

overburden ['ouvəbəːdn] *sb* overliggende lag (, jord); [ouvə'bəːdn] *vb* overlæsse, overbebyrde; *-ed* (også) tynget ned.

overcall [ouvə'kɔːl] *vb* (i kortspil) melde over; melde for højt.

overcapitalize ['ouvəkə'pitəlaiz] *vb* overkapitalisere.

overcast *adj* ['ouvəkaːst] overtrukket, overskyet; *vb* [ouvə-'kaːst] formørke; (i håndarbejde) sy kastesting over, kaste over; *(bogb)*: *-ing* sidehæftning.

overcautious ['ouvə'kɔːʃəs] *adj* for forsigtig, overforsigtig.

I. overcharge ['ouvə(')tʃaːdʒ] *vb* for stor byrde, for stort læs; overpris, for høj pris.

II. overcharge [(')ouvə'tʃaːdʒ] *vb* belaste for meget; overlæsse; tage overpris af; forlange *(el.* beregne sig) for høj pris af *(fx the landlord -d me £2; I was -d for the meal)*.

over\cloud [ouvə'klaud] *vb* blive overskyet; formørke. **-coat** ['ouvəkout] *sb* overfrakke. **-come** [ouvə'kʌm] *vb* overvinde, få bugt med *(fx difficulties)*, besejre; (uden objekt) sejre; *-come by* overvældet af *(fx grief)*; overmandet af *(fx illness)*; udmattet af *(fx hunger)*. **-crop** ['-'krɔp] *vb* (om jord) udpine. **-crowd** ['-'kraud] *vb* overfylde, overbefolke.

over\do [ouvə'duː] *vb* gøre for meget ud af, overdrive; koge (, stege) for længe; overanstrenge; *-do it* (også) gå for vidt, overdrive, spænde buen for højt; overanstrenge sig. **-dose** [ouvə'dous] *sb* for stor dosis; *vb* give for stor dosis, overdosere. **-draft** ['ouvədraːft] *sb* overtræk (på konto); kassekredit. **-draw** ['ouvə'drɔː] *vb* overtrække, hæve for meget (på en konto); overdrive. **-dressed** ['ouvə'drest] *adj* for fint klædt på, for velklædt, overpyntet. **-drive** ['ouvə-'draiv] *vb* overanstrenge; køre for hurtigt *(el.* for langt); *sb* ['ouvədraiv] overgear.

overdue ['ouvə'djuː] *adj* for længst forfalden *(fx bill)*; forsinket *(fx the train is ~)*; *a reform is ~* en reform burde for længst være gennemført; *~ book* bog der er beholdt for længe (fra biblotek).

over\eat ['ouvə'riːt] *vb* forspise sig. *~ -estimate* ['ouvər'estimit] *sb* overvurdering; ['ouvər'estimeit] *vb* overvurdere. **-expose** ['ouvəriks'pouz] *vb (fot)* overeksponere, overbelyse.

over\fatigue ['ouvəfə'tiːg] *sb* overtræthed; *vb* gøre overtræt. **-feed** ['ouvə'fiːd] fodre for stærkt.

I. overflow [ouvə'flou] *vb* flyde over; gå over sine bredder; oversvømme; løbe over, strømme over; *be -ing with* strømme over af *(fx a heart -ing with gratitude)*, være fuld af.

II. overflow ['ouvəflou] *sb* oversvømmelse, (tekn) overløb; *(fig)* overflod; overskud; *~ meeting* møde for dem der ikke er plads til ved hovedmødet; *~ pipe* overløbsrør.

overground ['ouvəgraund] *adj* som befinder sig på *el.* over jordoverfladen *(fx the ~ portion of a plant)*; *still ~* endnu i live,

overgrow ['ouvə'grou] *vb* blive overgroet; vokse for meget; (se også *outgrow)*; *~ oneself (el. one's strength)* vokse for stærkt. **overgrown** ['ouvə'groun] *adj* overgroet; opløben *(fx an ~ boy)*. **overgrowth** ['ouvəgrouθ] *sb* for stærk vækst; yppighed, overflod.

overhand ['ouvəhænd] *adj* (især *am)* (i sport) overhånds-, overarms- *(fx throw)*.

I. overhang [ouvə'hæŋ] *vb* hænge ud over, rage op over; *(fig)* hænge over hovedet på, true.

II. overhang ['ouvəhæŋ] *sb* fremspring; *(mar)* overhæng; *(tekn* på boremaskine) udladning.

overhanging ['ouvə'hæŋiŋ] *adj* hængende, ludende; fremspringende; *(fig)* overhængende.

I. overhaul [ouvə'hɔːl] *vb* (om maskine *etc)* efterse grundigt og reparere, *(~ completely)* hovedreparere; (om person) undersøge (nøje) *(fx be -ed by a doctor)*; *(fig* også) gennemgå nøje, gennemarbejde; *(mar)* sejle op, (også *fig)* hale ind på, indhente *(fx the Dutch have -ed us in tennis)*.

II. overhaul ['ouvəhɔːl] *sb* (grundigt) eftersyn og reparation, overhaling, (grundig) undersøgelse; *(fig* også) nøje gennemgang, gennemarbejdning; *complete ~* hovedreparation.

I. overhead ['ouvə'hed] *adv,* ['ouvəhed] *adj* over hovedet,

ovenover, ovenpå, oppe i luften; luft- *(fx line, wire led-*
ning).

II. overhead ['ouvəhed] *sb: -s pl (merk)* generalomkost-
ninger, faste udgifter.

overhead| charges *pl,* se *II. overhead.* ~ **door** vippeport. ~
expenses *pl,* se *II. overhead.* ~ **projector** overhead projec-
tor. ~ **railway** højbane. ~ **suspension** loftsophængning. ~
valve topventil. ~ **weld** underopsvejsning.

overhear [ouvə'hiə] *vb* høre (tilfældigt, ubemærket),
komme til at høre; lytte til, udspionere.

overheat [ouvə'hi:t] *vb* overhede; overophede; (uden ob-
jekt *fx* om leje) løbe varm.

overindulge ['ouvə(r)in'dʌldʒ] *vb (mht børn)* være for svag
over for, forkæle; *(mht mad etc)* spise (, drikke, ryge)
for meget. **overindulgence** ['ouvə(r)in'dʌldʒəns] *sb (mht
børn)* svaghed, forkælelse; *(mht mad etc)* overdreven ny-
delse *(in af)*, frådsen, fylderi.

over|joyed [ouvə'dʒɔid] *adj* henrykt. **-laden** ['ouvə'leidn] *adj*
lastet for tungt; *(fig)* overlæsset.

overkill ['ouvəkil] *sb* ødelæggelseskraft (i form af atomvå-
ben) som er større end hvad der kræves for helt at ud-
slette en fjendtlig magt.

I. overland [ouvə'lænd] *adv* til lands, over land *(fx travel
~).*

II. overland ['ouvə'lænd] *adj* land- *(fx the ~ route).*

I. overlap ['ouvəlæp] *sb* delvis dækning.

II. overlap [ouvə'læp] *vb* delvis dække, overlappe; (delvis)
falde sammen *(fx our visits -ped); -ping adj* (også) tag-
lagt.

I. overlay ['ouvə'lei] *vb* belægge, dække, overtrække;
(geol) overlejre.

II. overlay ['ouvəlei] *sb* dække; lille dug, lysedug.

over|leaf ['ouvə'li:f] *adv* omstående, på næste side. **-leap**
[ouvə'li:p] *vb* springe over; ['ouvə'li:p] springe for langt;
-leap oneself forløfte sig, spænde buen for højt. **-lie**
[ouvə'lai] *vb* ligge hen over; ligge ihjel. **-load** ['ouvaloud]
sb overlæs; ['ouvə'loud] *vb* overlæsse, overbelaste.

overlook [ouvə'luk] *vb* overse, ikke bemærke *(fx you have
-ed several mistakes);* se gennem fingre med *(fx I'll ~
it this time!),* ignorere, lade passere *(fx I cannot ~ that
kind of behaviour);* give udsigt over, vende ud mod *(fx
the room -s a garden);* se ud over, skue ud over; gen-
nemse, se på *(fx a map);* føre opsyn med, overvåge;
(glds, i overtro:) se på med onde øjne; *-ing the sea* med
udsigt over havet.

overlord ['ouvələ:d] *sb* lensherre, overherre.

overly ['ouvəli] *adv (am)* alt for, over- *(fx anxious).*

over|man ['ouvəmæn] *sb* arbejdsformand (især i mine);
[ouvə'mæn] *vb* overbemande. **-master** [ouvə'ma:stə] *vb* be-
sejre, kue, overvælde. **-match** [ouvə'mætʃ] *vb* være for
stærk for; overtræffe, overgå. **-much** ['ouvə'mʌtʃ] *adj* i alt
for høj grad.

overnight ['ouvə'nait] *adv* den foregående aften *(fx he told
a story he heard ~);* natten over *(fx stay ~);* i nattens
løb *(fx the mushrooms sprang up ~); (fig)* fra den ene
dag til den anden *(fx such reforms cannot be made ~);
~ bag (el. case)* weekendkuffert.

over|pass [ouvə'pa:s] *vb* passere, overskride; overgå; ['ou-
və-pa:s] *sb* (over vej) overføring. **-pay** ['ouvə'pei] *vb* be-
tale for meget (for). **-peopled** ['ouvə'pi:pld] *adj* overbefol-
ket. **-play** [ouvə'plei] *vb* overspille (en rolle); overdrive
betydningen af; *-play one's hand (fig)* spille for højt spil,
vove sig for langt ud. **-pleased** ['ouvə'pli:zd] *adj: not ~*
mellemfornøjet. **-plus** ['ouvəplʌs] *sb* overskud. **-power**
[ouvə'pauə] *vb* overvælde, overmande. **-pressure** ['ouvə-
'preʃə] *sb* alt for stærkt tryk; overanstrengelse.

overprint ['ouvə'print] *(på* frimærke) overstemple;
(typ) trykke oveni; trykke i for mange eksemplarer;
(fot) overeksponere (en kopi); ['ouvəprint] *sb* (om fri-
mærke) overstempling, påtryk; frimærke med påtryk;
(typ) ord trykt oveni et andet.

overrate ['ouvə'reit] *vb* overvurdere; vurdere for højt.

overreach [ouvə'ri:tʃ] *vb* strække sig ud over; overliste,
narre, bedrage; (om heste) smede (slå med baghovene
mod forhovene under galop); ~ *oneself (fig)* forløfte sig
(på noget), spænde buen for højt.

overreact ['ouvəri'ækt] *vb* reagere for voldsomt.

over|ride [ouvə'raid] *vb* nedtrampe; *(fig)* negligere, tilside-

sætte, sætte sig ud over *(fx his wishes);* underkende *(fx
his decision);* have forret frem for; (om hest) skamride;
-riding (også) altovervejende, altoverskyggende. **-ripe**
['ouvə'raip] *adj* overmoden. **-rule** [-'ru:l] *vb (jur etc)* un-
derkende.

overrun [ouvə'rʌn] *vb* overgro *(fx ~ with weeds);* sprede
sig over, oversvømme *(fx ~ with rats);* strømme over;
besejre, løbe over ende; (om taletid) overskride; *(typ)*
ombryde, bryde om (i linjerne).

over|sea(s) [ouvə'si:(z)] *adj, adv* oversøisk; over havet,
hinsides havet, udenlands. **-see** ['ouvə'si:] *vb* føre opsyn
med, efterse, tilse. **-seer** ['ouvəsiə] *sb* arbejdsformand,
værkfører; *(typ)* faktor; tilsynsførende; *(glds)* fattigfor-
stander.

oversell [ouvə'sel] *vb* sælge mere end man kan levere; *(fig)*
gøre for meget ud af.

oversew ['ouvəsou, ouvə'sou] *vb* kaste over (en søm);
(bogb) sidehæfte.

overshade [ouvə'ʃeid] *vb* overskygge.

overshadow [ouvə'ʃædou] *vb* overskygge, dække *(fx clouds
~ the sky);* fordunkle.

overshoe ['ouvəʃu:] *sb* galoche, overtræksstøvle.

overshoot ['ouvə'ʃu:t] *vb* skyde forbi *(el.* over); ødelægge
(jagtområde) ved for hyppige jagter; *(flyv)* flyve for
langt, komme ud over landingsbanen; ~ *oneself (el. the
mark)* skyde over målet; gå for vidt, vove sig for langt
ud.

overshot wheel (til vandmølle) overfaldshjul.

over|sight ['ouvəsait] *sb* uagtsomhed, forsømmelse, for-
glemmelse; opsyn, tilsyn. **-size** ['ouvə'saiz] *adj* i stor stør-
relse, ekstra stor, i overstørrelse; usædvanlig stor, overdi-
mensioneret; (om bog) i stort format; *sb* stor størrelse;
overstørrelse; stort format. **-sleep** ['ouvə'sli:p] *vb: -sleep
(oneself)* sove over sig, sove for længe. **-spill** ['ouvəspil]
sb overskud; befolkningsoverskud. **-spread** [ouvə'spred]
vb brede sig over, strække sig over. **-state** ['ouvə'steit] *vb*
angive for højt; overdrive. **-stay** [ouvə'stei], se *outstay.*
-step [ouvə'step] *vb* overskride. **-stock** ['ouvə'stɔk] *vb*
overfylde; tage for mange varer på lager; *-stock a farm*
holde for stor besætning på en gård. **-strain** [ouvəstrein]
sb overanstrengelse; ['ouvə'strein] *vb* overanstrenge,
-strung ['ouvə'strʌn] *adj* overanstrengt, overnervøs, eksal-
teret; (om klaver) krydsstrenget. **-stuffed** [ouvə'stʌft] *adj*
overfyldt; (om møbler) overpolstret. **-subscribe** ['ouvə-
səb'skraib] *vb* overtegne *(lån etc).*

overt ['ouvə:t] *adj* åbenlys; åbenbar; åben.

over|take [ouvə'teik] *vb* indhente; overhale (bil); overra-
ske, overrumple; (om straf *etc)* ramme, komme over;
(om følelser) gribe, overvælde. **-task** ['ouvə'ta:sk] *vb* over-
læsse, overanstrenge; stille for store krav til. **-tax** [-'tæks]
vb overbelaste; trække for store veksler på *(fx his pa-
tience);* beskatte for højt.

I. overthrow [ouvə'θrou] *vb* kaste omkuld; kuldkaste, øde-
lægge; vælte, styrte *(fx a government).*

II. overthrow ['ouvəθrou] *sb* kuldkastelse, omstyrtelse; un-
dergang, fald.

over|time ['ouvətaim] *sb* overarbejde, overtid; (i sport)
omkamp; *adv* over tiden; *work -time* arbejde over. **-top**
[ouvə'tɔp] *vb* rage op over; overgå; besejre. **-train**
['ouvə'trein] *vb* overtræne. **-trick** [ouvə'trik] *sb* (i kortspil)
overtræk. **-trump** ['ouvə'trʌmp] *vb* stikke med højere
trumf.

overture ['ouvətjuə] *sb* forslag, tilbud; tilnærmelse; *(mus.)*
ouverture; *make -s* søge en tilnærmelse; træde i forhand-
linger, indlede underhandlinger *(to* med); *peace -s* freds-
følere.

over|turn [ouvə'tə:n] *vb* vælte *(fx a table);* kæntre. **-value**
['ouvə'vælju(:)] *vb* overvurdere. **-watched** [ouvə'wɔtʃt] *adj*
forvåget. **-weening** [ouvə'wi:nin] *adj* indbildsk, anmas-
sende, overmodig; overdreven. **-weight** ['ouvəweit] *sb*
overvægt; *adj* overvægtig; *vb* ['ouvə'weit] overbelaste,
overlæsse. **-whelm** [ouvə'welm] *vb* vælte ud over, over-
svømme; overvælde; overmande. **-wind** [ouvə(')waind] *vb*
trække (et ur) for stærkt op.

I. overwork ['ouvə'wə:k] *vb* overanstrenge, overanstrenge
sig; slide for meget på.

II. overwork ['ouvə'wə:k] *sb* overanstrengelse; ['ouvəwə:k]
ekstraarbejde, overarbejde.

over|worn ['ouvə'wɔːn] *adj* udmattet. **-wrought** ['ouvə'rɔːt] *adj* overanstrengt; eksalteret, overspændt; (om stil) overlæsset; udpenslet.

Ovid ['ɔvid].

oviduct ['ouvidʌkt] *sb (anat, zo)* ægleder.

oviform ['ouvifɔːm] *adj* ægformet.

ovine ['ouvain] *adj* fåreagtig, fåret; fåre-.

oviparous [ou'vipərəs] *adj* æglæggende.

ovipositor ['ouvi'pɔzitə] *sb zo* læggebrod.

ovoid ['ouvɔid] *adj* ægformet; *sb* ægformet genstand; ægbriket.

ovulation [ouvju'leiʃ(ə)n] *sb* ovulation, ægdannelse, ægløsning.

ovule ['ouvjuːl] *sb (bot)* frøanlæg.

ovum ['ouvəm] *sb (pl ova* ['ouvə]*)* æg, ægcelle.

owe [ou] *vb* skylde; være skyldig; have at takke for; ~ *him £50* skylde ham £50; ~ *a debt of gratitude to* stå i taknemmelighedsgæld til.

owing ['ouiŋ] *adj* skyldig, udestående, som skal betales; *he paid all that was* ~ han betalte alt hvad der skyldtes; ~ **to** på grund af, som følge af *(fx* ~ *to a mistake we were not informed); be* ~ *to* skyldes; *it is* ~ *to him that* det skyldes ham at.

owl [aul] *sb zo* ugle; *(fig)* (om person) en der gerne vil give indtryk af at være klog; fjols; *drunk as an* ~ fuld som en allike.

owlet ['aulit] *sb zo* lille ugle; kirkeugle.

owlet moth *zo* ugle (natsværmer).

owlish ['auliʃ] *adj* ugleagtig; *(fig)* dum-højtidelig; fiffigdum.

I. own [oun] *adj* egen, eget, egne; kødelig *(fx* ~ *brother* kødelig broder, helbroder *(mods halfbrother)); the town has a character all its* ~ byen har et ganske særligt præg; *come into one's* ~ få sin ret, få hvad der tilkommer en; *he cooks his* ~ *meals* han laver selv sin mad; *may I have it for my very* ~? må jeg få det helt alene? *get one's* ~ *back* få revanche; *hold one's* ~ holde stand, stå fast; klare sig; hævde sig, stå sig; *in (el. at) your* ~ *(good) time* når der er dig belejligt; når det passer dig; *make sth one's* ~ tilegne sig noget; *of one's* ~ sin egen, sit eget *(fx she has a room of her* ~*); I have reasons of my* ~ jeg har mine særlige grunde; *she has a fortune of her* ~ hun har privat formue; *on one's* ~ på egen hånd; *he is on his* ~ (også) han er sin egen mand, han er selvstændig (forretningsmand *osv); he stands in his* ~ *light* han står sig selv i lyset.

II. own [oun] *vb* eje; anerkende, vedkende sig, kendes ved

(fx a child); erkende, indrømme *(fx one's faults);* ~ *to* bekende, indrømme, vedkende sig; ~ *up* **T** melde sig *(fx the one who did it had better* ~ *up);* tilstå, gå til bekendelse.

owner ['ounə] *sb* ejer; (ved byggeri) bygherre; *(mar)* reder; *-s pl* (også) rederi.

owner|-driver bilejer der selv kører sin vogn, selvejer. **-less** herreløs. **~-occupier** selvejer, husejer, indehaver af ejerlejlighed. **-ship** ejendomsret.

ox [ɔks] *sb (pl -en)* okse.

oxalic [ɔk'sælik] *adj:* ~ *acid* oksalsyre.

oxbow ['ɔksbou] *sb (am)* åg (til okseforspand); *(geol)* slangebugtning i flod; ~ *lake* hesteskoformet sø.

Oxbridge ['ɔksbridʒ] (fiktivt universitetsnavn, af Oxford og Cambridge).

oxeye ['ɔksai] *(bot)* hvid okseøje, marguerit.

ox-eyed *adj* kvieøjet.

oxeye daisy = *oxeye.*

Oxfam *fk Oxford Committee for Famine Relief.*

Oxford ['ɔksfəd]; ~ *bags* meget rummelige benklæder; *the* ~ *group movement* Oxford(gruppe)bevægelsen (udgået fra Buchman); *the* ~ *movement* Oxfordbevægelsen (højkirkelig retning i den anglikanske kirke); *oxfords pl* kraftige snøresko.

oxhide ['ɔkshaid] *sb* oksehud, okselæder.

oxidation [ɔksi'deiʃ(ə)n] *sb* iltning, forbrændingsproces, oksydering.

oxide ['ɔksaid] *sb (kem)* oksyd, oxid. **oxidize** ['ɔksidaiz] *vb* ilte, oksydere; (uden objekt) iltes, oksyderes; anløbe.

oxlip ['ɔkslip] *sb (bot)* fladkravet kodriver.

Oxon. *fk Oxfordshire; Oxford.*

Oxonian [ɔk'sounjən] *adj* fra Oxford; *sb* oxforder.

oxtail ['ɔksteil] *sb* oksehale.

oxy-acetylene ['ɔksiə'setiliːn] autogen- *(fx torch* brænder; *welding* svejsning).

oxygen ['ɔksidʒən] *sb* ilt.

oxygenate [ɔk'sidʒineit] *vb* oksydere, ilte.

oxygen cylinder iltflaske.

oxygenize [ɔk'sidʒinaiz] *vb* oksydere, ilte.

oxygen tent ilttelt.

oyes, oyez [ou'jes] hør! (retsbetjents *el.* udråbers råb for at påbyde stilhed).

oyster ['ɔistə] *sb* østers.

oyster| bed østersbanke. **~ catcher** *zo* strandskade. **~ dive** østerskælder. **~ knife** østerskniv.

oz. *fk ounce(s).*

ozone ['ouzoun] *sb* ozon.

P

320

P [pi:]; *mind one's p's and q's* passe godt på hvad man siger og gør.
p. *fk page; participle; past; (new) penny.*
P. & O. ['pi:ənd'ou] *fk Peninsular and Oriental Steam Navigation Company.*
Pa. *fk Pennsylvania.*
p.a. *fk per annum* årlig.
pa [pa:] *sb* T papa.
pabulum ['pæbjuləm] *sb* føde; næring; *mental* ~ åndelig føde.
I. pace [peis] *sb* skridt; fart; gang, måde at gå på; pasgang; *at a great* ~ med stærk fart; *go the* ~ fare af sted; *(fig)* leve i sus og dus; *keep* ~ *with* holde trit med; *put him through his* -s prøve *(el.* lade ham vise) hvad han dur til; *set the* ~ bestemme farten; give tonen an.
II. pace [peis] *vb* gå, skride, gå pasgang; (med objekt) gå hen over, gå frem og tilbage i *(el.* på); (i sport) pace; ~ *(out)* afskridte, afmåle med skridt.
III. pace [peisi]: ~ *Smith* med al respekt for Smith, med Smiths tilladelse.
pacemaker ['peismeikə] *sb* (i sport) pacer; *(anat.,* i hjertet) *(fx (med.,* kunstig) pacemaker.
pacer ['peisə] *sb* (om hest) pasgænger; (i sport) pacer.
pachyderm ['pækidə:m] *sb* tykhudet dyr; tykhud.
pacific [pə'sifik] *adj* fredelig, forsonlig; freds- *(fx policy);* beroligende; *the Pacific (Ocean)* Stillehavet.
pacifically [pə'sifik(ə)li] *adv* ad fredelig vej.
pacification [pæsifi'keiʃ(ə)n] *sb* pacificering, beroligelse, genoprettelse af fred.
pacificatory [pə'sifikətəri] *adj* fredsstiftende.
pacifier ['pæsifaiə] *sb* fredsstifter; *(am)* (narre)sut.
pacifism ['pæsifizm] *sb* fredsvenlighed, pacifisme.
pacifist ['pæsifist] *sb* fredsven, pacifist.
pacify ['pæsifai] *vb* stille tilfreds, tilfredsstille; berolige; pacificere, skabe fred i.
I. pack [pæk] *sb* bylt; (om varer) pakke, balle; indpakning, emballage; (om dyr) flok, (hunde:) kobbel, *(neds* om mennesker) bande *(fx of thieves),* flok, samling; (om is) pakis; *(med.)* pakning, omslag *(fx cold* ~, *hot* ~), *(ice* ~*)* ispose; *(mil. etc)* rygsæk, oppakning; (i rugby) angrebskæde; *a* ~ *of cards* et spil kort; *a* ~ *of cigarettes (am)* en pakke cigaretter; *a* ~ *of lies* lutter løgn.
II. pack [pæk] *vb* (se også *packed)* pakke; pakke ned *(fx have you -ed your toothbrush?);* (for forsendelse) pakke ind, emballere; (om fødevarer) pakke, nedlægge *(fx meat in barrels),* lægge i dåse; (på snæver plads) (over)fylde, proppe, sammenstuve; (om kort: for at snyde) pakke, (om udvalg *etc)* sammensætte partisk, besætte med sine meningsfæller; *(am)* bære, gå med *(fx he -s a gun);* (uden objekt) pakke *(fx have you -ed?);* kunne pakkes *(fx this suit will* ~ *without creasing);* (blive fast:) pakke *(fx the ice -s),* sætte sig; (om mennesker, dyr) stimle sammen, samle sig i flok; *books* ~ *easily* bøger er lette at pakke; ~ *a jury* samle en jury af partiske medlemmer; *send -ing* se *send;* ~ *it in (el. up)* opgive det; holde op med det; ~ *off* jage bort, sætte på porten; sende af sted (i en fart) *(fx* ~ *the boy off to school);* ~ *oneself off* forsvinde, se at komme af sted; ~ *up* pakke (ned), pakke ind, pakke sammen; T gøre færdig; standse; gå i stå; dø.
package ['pækidʒ] *sb* pakning, emballage; *(merk etc)* pakke, balle, kollo; *(fig)* pakke; samling; buket *(fx af lovforslag);* *(am)* samlet *(fx wage increase).*
packaged ['pækidʒd] *adj:* ~ *tour* T færdigpakket rejse.
package deal samlet overenskomst.
package tour færdigpakket rejse.
pack animal lastdyr.
pack drill *(mil.)* stroppetur (med fuld oppakning).
packed [pækt] *adj* pakket, indpakket, emballeret; nedpakket *(fx meat);* stuvende fuld; *(neds)* partisk *(fx jury);* a ~ *house* fuldt hus; *a* ~ *lunch* en frokostpakke, en mad-

pakke.
packer ['pækə] *sb* pakker, pakkemaskine; konservesfabrikant.
packet ['pækit] *sb* (lille) pakke, bundt; paketbåd, postskib; *a* ~ **S** en masse penge; et voldsomt slag; *make a* ~ **S** tjene tykt; *a* ~ *of needles* et brev nåle; *stop a* ~ *(mil.)* blive alvorligt såret.
packet boat paketbåd.
pack| **horse** pakhest. ~ **ice** pakis.
packing ['pækiŋ] *sb* pakning, emballering, nedlægning *(cf II. pack);* emballage; tætningsmiddel.
packing | **case** pakkasse. ~ **needle** sækkenål. ~ **paper** indpakningspapir. ~ **ring** tætningsring. ~ **slip** paksedel, følgeseddel.
pack|**man** *(glds)* bissekræmmer. **-saddle** paksaddel; kløvsaddel. **-thread** sejlgarn.
pact [pækt] *sb* pakt, overenskomst.
I. pad [pæd] *sb* (til at afbøde tryk *etc)* underlag, pude, måtte, (til at sidde på) hynde, (i seng) underlag, tynd madras; (under sadelbom) sadelpude; *(mar)* skamfilingsmåtte; (til stempel) (knæ)beskytter, benskinne; *zo* trædepude; (til udfyldning) indlæg *(fx i brystholder);* (af hår) valk; (til stempel) stempelpude; (på bord *etc)* filt, (på skrivebord) skriveunderlag; (af tegne-, skrivepapir) blok; (til raket) afskydningsrampe; *(am) (bot)* åkandeblad; *(med., omtr)* kompres; **S** sted at bo; tilholdssted; værelse; seng.
II. pad [pæd] *vb* polstre, udstoppe; belægge (med filt); ~ *out* fylde ud (med overflødigt stof); komme fyldekalk i.
III. pad [pæd] *vb* gå, traske, lunte, trave; liste; *sb* lyd af fodtrin; (i dialekt) vej, sti; *knight of the* ~ *(glds)* landevejsrøver.
padded ['pædid] *adj* polstret, udstoppet; ~ *cell* gummicelle; ~ *shoulders* vatskuldre.
padding ['pædiŋ] *sb* udstopning; belægning; polstring; *(fig)* fyldekalk, spaltefyld (i avis *etc).*
I. paddle ['pædl] *vb* pagaje, padle; soppe, vade, pjaske; fingerere; *(am)* T smække, give smæk; ~ *one's own canoe (fig)* være uafhængig, selv bestemme farten, køre sit eget løb; klare sig selv.
II. paddle ['pædl] *sb* padleåre; (af vandhjul) skovl; *(am:* til bordtennis) bat; (til vasketøj) banketræ; (på sæl) luffe; *double* ~ pagaj, tobladet åre.
paddle| **board** skovl på et vandhjul. ~ **box** *(mar)* hjulkasse. ~ **steamer** hjuldamper. ~ **wheel** *(mar)* skovlhjul.
paddling pool soppedam, soppebassin.
paddock ['pædək] *sb* vænge; indhegning (for heste); sadleplads (ved væddeløbsbane).
I. Paddy ['pædi] *(af Patrick)* (øgenavn for irlænder).
II. paddy ['pædi] *sb* anfald af hidsighed; raserianfald.
III. paddy ['pædi] *sb* ris (på roden); uafskallet ris.
paddyfield ['pædi:ld] *sb* rismark.
paddy wagon **S** salatfad (politibil).
padlock ['pædlɔk] *sb* hængelås; *vb* lukke med hængelås.
padre ['pa:dri] *sb* T præst, feltpræst.
Padua ['pædjuə].
paean ['pi:ən] *sb* festhymne; sejrssang.
paede|**rast** ['pi:dəræst] *sb* pæderast. **-rasty** *sb* pæderasti.
paedi|**atrician** [pi:diə'triʃən] *sb* pædiater, børnelæge. **-atrics** [pi:di'ætriks] *sb* pædiatri, læren om børnesygdomme.
pagan ['peigən] *adj* hedensk; *sb* hedning. **paganism** ['peigənizm] *sb* hedenskab. **paganize** ['peigənaiz] *vb* gøre hedensk; afkristne.
I. page [peidʒ] *sb* piccolo; *(am* også) bud; *(glds)* page; *vb:* ~ *a guest* sende en piccolo ud i lokalerne for at kalde på en gæst.
II. page [peidʒ] *sb* side, blad *(fx both sides of the* ~*)*; *vb* paginere.
pageant ['pædʒ(ə)nt] *sb* festoptog; (historisk) festspil; tom pragt, prunk.

pageantry ['pædʒ(ə)ntri] *sb* pomp og pragt; tom pragt.
page boy piccolo.
page proof ombrudt korrektur.
paginal ['pædʒinl] *adj* side-; side for side.
paginate ['pædʒineit] *vb* paginere. **pagination** [pædʒi'nei-ʃ(ə)n] *sb* paginering.
pagoda [pə'goudə] *sb* pagode; *(glds)* (indisk guldmønt).
pah [pa:] *interj* pyt! uf! æv! føj!
paid [peid] *præt* og *pp* af *pay*; ~ *holiday* ferie med løn; *put* ~ *to* gøre en ende på, gøre det af med.
paid-up capital indbetalt kapital.
pail [peil] *sb* spand. **pailful** ['peilful] *sb* spandfuld.
paillasse ['pæliæs] *sb* halmmadras.
I. pain [pein] *sb* smerte, lidelse; **-s** *pl* smerter, lidelser; fødselsveer; umage, ulejlighed, møje; *give* ~ gøre ondt, smerte; *be in* ~ have ondt, føle smerte, lide; *be in great* ~ lide stærkt, være meget forpint; *have a* ~ *in* have ondt i *(fx the stomach)*; *put him out of* ~ gøre ende på hans lidelser; S slå ham ihjel; *under (el. on)* ~ *of* under straf af; *under (el. on)* ~ *of death* under dødsstraf; *take pains* gøre sig umage; (se også *I. neck*).
II. pain [pein] *vb* gøre ondt, smerte; bedrøve.
pained [peind] *adj (fig)* såret, krænket; forpint; smertelig.
painful ['peinf(u)l] *adj* smertelig, pinefuld, tung, pinlig. ~ **-killer** smertestillende middel. **-less** ['peinlis] *adj* smertefri.
pains, se I. *pain*.
painstaking ['peinzteikiŋ] *adj* flittig, samvittighedsfuld.
I. paint [peint] *sb* maling, farve; T sminke.
II. paint [peint] *vb* male; sminke, sminke sig; *(med.)* pensle *(fx* ~ *the gums with iodine); (fig)* male, skildre, beskrive; ~ *well* male godt; være et egnet motiv (til maleri); *wet* ~! *fresh -ed!* malet (plakat til advarsel); *he is not so black as he is -ed* han er bedre end sit rygte; ~ *in* indføje (i maleri); ~ *out* male over; se også *lily*.
paint\box farvelade; malerkasse. **-brush** pensel; malerkost.
painted lady *zo* tidselsommerfugl.
I. painter ['peintə] *sb* maler; kunstmaler; *(fig)* skildrer.
II. painter ['peintə] *sb (mar)* fangline, slæbeline; *cut the* ~ *(fig)* bryde forbindelsen.
painting ['peintiŋ] *sb* malerkunst; maleri; maling.
paintress ['peintris] *sb* malerinde.
paint roller malerulle.
painty ['peinti] *adj* oversmurt med maling; farvelagt for tykt; *a* ~ *smell* lugt af maling.
I. pair [pɛə] *sb* par (om to sammenhørende); (for vogn) tospand; *a* ~ *of boots* et par støvler; *that's another* ~ *of shoes (el. boots)* det er en anden historie; *a* ~ *of scissors* en saks; *a* ~ *of shrouds (mar)* et spænd vant; *a* ~ *of stairs* en trappe; *up one* ~ *of stairs* en trappe op; på første sal; *up two -s of stairs* på anden sal; *a two* ~ *room* et værelse på anden sal; *in -s* to og to; parvis.
II. pair [pɛə] *vb* parre; *(parl)* lave clearingaftale (ɔ: om medlemmer af modsatte partier: aftale at begge udeblive fra en afstemning); ~ *off* parre; slå sig sammen to og to.
pajamas [pə'dʒa:məs] *sb pl (am)* pyjamas.
Pakistan [pa:ki'sta:n]. **Pakistani** [pa:ki:'sta:ni] *sb* pakistaner; *adj* pakistansk.
pal [pæl] *sb* S kammerat, god ven; *vb:* ~ *(up) with* blive gode venner med.
palace ['pælis] *sb* palads, slot; bispegård.
palace car *(jernb)* salonvogn.
paladin ['pælədin] *sb (hist.)* omstrejfende ridder, eventyrer; helt; ridder i Karl den Stores følge.
palaeography [pæli'ɔgrəfi] *sb* palæografi, oldskrifttydning.
palaeolithic [pæliə'liθik] *adj: the* ~ *age* den ældre stenalder.
palaeontology [pæliɔn'tɔlədʒi] *sb* palæontologi, læren om uddøde dyr og planter.
palanquin [pælən'ki:n] *sb* (i Østen) bærestol, palankin.
palatable ['pælətəbl] *adj* velsmagende; tiltalende, velkommen, som man synes om.
palatal ['pælətl] *adj* gane-, palatal; *sb* palatal, ganelyd. **palatalize** ['pælətəlaiz] *vb* palatalisere; mouillere.
palate ['pælit] *sb* gane, *(fig* også) smag.
palatial [pə'leiʃəl] *adj* paladsagtig.
palatinate [pə'lætinit] *sb* pfalzgrevskab; *the Palatinate* Pfalz.

palatine ['pælətain] *adj* pfalzgrevelig; *count* ~ pfalzgreve.
palaver [pə'la:və] *sb* palaver, forhandling (særlig mellem afrikanske indfødte og europæere); *(fig)* tom snak; smiger; *vb* snakke vidt og bredt, smigre.
I. pale [peil] *sb* pæl, stolpe; grænse; enemærke; (i heraldik) pæl; *be beyond the* ~ have gjort sig socialt umulig, have sat sig uden for det gode selskab.
II. pale [peil] *adj* bleg; *vb* blegne, blive bleg; gøre bleg; *as* ~ *as death* dødbleg; *turn* ~ blegne.
pale ale (en lys alkoholholdig ølsort).
paleface ['peilfeis] *sb* blegansigt, hvid mand.
Palestine ['pælistain] Palæstina.
palette ['pælit] *sb* palet. **palette knife** paletkniv.
palfrey ['pɔ(:)lfri] *sb (glds)* ridehest (især for damer); *(poet)* ganger.
Pali ['pa:li] *sb* pali (sproget i buddhisternes hellige bøger).
palimpsest ['pælimpsest] *sb* palimpsest, håndskrift hvis oprindelige tekst er slettet for at give plads for en ny.
palindrome ['pælindroum] *sb* palindrom (ord, udtryk der er ens læst forfra og bagfra).
paling ['peiliŋ] *sb* stakit; pæle, pæleværk.
palisade [pæli'seid] *sb* palisade, pæleværk; *vb* omgive med palisade.
I. pall [pɔ:l] *sb* ligklæde, sort klæde over en kiste; *(fig)* dække, tæppe; *(kat.* ærkebiskops) pallium; (over alterkalk) palla; *a* ~ *of smoke* et røgtæppe.
II. pall [pɔ:l] *vb* blive kedelig, miste sin tiltrækning *(upon* for); *it -ed upon me* (også) jeg tabte efterhånden interessen for det, det begyndte at kede mig.
Palladian [pə'leidjən] *adj (arkit)* palladisk (italiensk renæssancestil).
palladium [pə'leidiəm] *sb* palladium; billede af Pallas Athene; *(fig)* bolværk, værn, beskyttelsesmiddel; *(kem)* palladium.
Pallas Athene ['pæləs ə'θi:ni] Pallas Athene.
Pallas's sand grouse *zo* steppehøne.
pallbearer ['pɔ:lbɛərə] *sb* sørgemarskal; *(am)* ligbærer.
pallet ['pælit] *sb* halmleje; modellerpind; *(tekn)* pal; lastpalle (til gaffeltruck); *(~ of straw)* halmmadras.
pallet truck *(am)* gaffeltruck.
palliasse ['pæliæs] *sb* halmmadras.
palliate ['pælieit] *vb* besmykke, undskylde; lindre.
palliation [pæli'eiʃ(ə)n] *sb* undskyldning, besmykkelse; lindring.
palliative ['pæliətiv] *adj* undskyldende; besmykkende; lindrende; *sb* lindrende middel.
pallid ['pælid] *adj* bleg, gusten.
pallid harrier *zo* steppehøg.
pallium ['pæliəm] *sb (kat.* ærkebiskops) pallium.
Pall Mall ['pæl'mæl; 'pel'mel] (gade i London).
pallor ['pælə] *sb* bleghed.
pally ['pæli] *adj* T kammeratlig, intim, fidél.
I. palm [pa:m] *sb* håndflade, flad hånd; *(mar)* ankerflig; sejlmagerhandske; *vb* berøre med håndfladen, beføle; (om tryllekunstner *etc)* palmere, gemme i hånden; *grease sby's* ~ bestikke en; *have an itching* ~ være grisk; *have sby in the* ~ *of one's hand (fig)* have én i sin hule hånd; ~ *sth off upon sby* prakke en noget på; ~ *off as* udgive for.
II. palm [pa:m] *sb* palme; palmegren; *(fig)* sejr; *bear (el. carry off) the* ~ gå af med sejren, bære prisen; *yield the* ~ *to sby* indrømme at være besejret af én.
palmate ['pælmit], **palmated** ['pælmeitid] *adj (bot)* håndformet.
palm civit *zo* palmeruller.
palmer ['pa:mə] *sb (poet)* pilgrim.
Palmerston ['pa:məst(ə)n].
palmetto [pæl'metou] *sb* viftepalme; dværgpalme.
palmist ['pa:mist] *sb* kiromant, en der spår efter håndens linjer. **palmistry** ['pa:mistri] *sb* kiromanti.
palm oil palmeolie; S bestikkelse.
Palm Sunday palmesøndag.
palmy ['pa:mi] *adj* palmebevokset, palmelignende; sejrrig, lykkelig; ~ *days* glansperiode.
palmyra [pæl'maiərə] *sb (bot)* palmyrapalme.
palp [pælp] *sb* føletråd, følehorn.
palpability [pælpə'biliti] *sb* håndgribelighed.
palpable ['pælpəbl] *adj* håndgribelig; som er til at tage og

føle på; tydelig, åbenbar.
palpate ['pælpeit] *vb* beføle; *(med.)* palpere.
palpitate ['pælpiteit] *vb* banke (heftigt), skælve.
palpitation [pælpi'teiʃ(ə)n] *sb* hjertebanken.
palsgrave ['pɔ:lzgreiv] *sb* pfalzgreve.
palsied ['pɔ:lzid] *adj* rystende; lam, værkbruden.
palsy ['pɔ:lzi] *sb* lamhed; *vb* lamme; ryste, skælve; *shaking* ~ rystelammelse.
palter ['pɔ(:)ltə] *vb* bruge kneb, komme med udflugter; tinge, prutte.
paltry ['pɔ(:)ltri] *adj* ussel *(fx for a ~ three hundred pounds)*, elendig, ubetydelig, sølle.
paludal [pæ'lu:dl] *adj* sumpet, sump- *(fx fever)*.
paly ['peili] *adj (poet)* bleg, gusten.
pampas ['pæmpəs] *sb* pampas (øde sletter i Sydamerika).
pamper ['pæmpə] *vb* forvænne, forkæle.
pamphlet ['pæmflit] *sb* pjece, brochure, (let *glds)* flyveskrift; (polemisk:) polemisk skrift, stridsskrift; (smædende:) smædeskrift, pamflet.
pamphleteer [pæmfli'tiə] *sb (cf pamphlet)* forfatter af stridsskrifter (, smædeskrifter *etc)*, pamflettist; *vb* forfatte stridsskrifter (, smædeskrifter *etc)*.
I. Pan [pæn] *(myt)* Pan.
II. pan [pæn] *sb (frying ~)* pande; *(sauce-)* kasserolle; (til bordet) fad, skål; *(am:* til bagning) bageform; (på vægt) vægtskål; (til wc) kumme; (guldgravers) vaskepande; (i terrænet) lavning, fordybning; saltpande; (i film) panorering; S ansigt, fjæs.
III. pan [pæn] *sb* betelblad; betel.
IV. pan [pæn] *vb* vaske (guld); (i film) panorere; T (om teaterstykke) rakke ned, sable ned; ~ *out* vaske (guldholdigt grus) for at få guld; afgive guld; *(fig)* give kasse, give penge; lykkes; spænde af *(fx see how it -s out)*; ~ *out* well lykkes, give udbytte.
panacea [pænə'siə] *sb* universalmiddel.
panache [pə'næʃ] *sb* hjelmbusk; *(fig)* pomp, glans, flothed; pral; *with* ~ flot, pompøst *(fx he talked with* ~ *of our 'thousand years of history')*; med en flot gestus *(fx with great* ~ *he flung open the door)*; med brask og bram.
Panama [pænə'ma:] Panama; *sb* panamahat.
Pan-American ['pænə'merikən] *adj* panamerikansk (omfattende alle stater i Nord- og Sydamerika).
pancake ['pænkeik] *sb* pandekage; *(flyv)* flad brat landing; *vb* foretage flad brat landing; 'synke igennem'; *Pancake Day, P. Tuesday* hvidetirsdag.
panchromatic [pænkrou'mætik] *adj* pankromatisk.
pancreas ['pæŋkriəs] *sb* bugspytkirtel.
pancreatic [pæŋkri'ætik] *adj* som hører til bygspytkirtelen; ~ *juice* bugspyt.
panda ['pændə] *sb zo* lille panda, kattebjørn; *(giant* ~*)* stor panda, bambusbjørn.
pandect ['pændekt] *sb* fuldstændig lovsamling; *the Pandects* Justinians samlinger af retslærdes betænkninger.
pandemic [pæn'demik] *sb* pandemi, meget udbredt epidemi; *adj* pandemisk.
pandemonium [pændi'mounjəm] *sb* pandæmonium, de onde ånders bolig, helvede; *(fig)* øredøvende spektakel; vild forvirring.
pander ['pændə] *sb* kobler, ruffer; villigt redskab; *vb* koble; ~ *to* være kobler for; *(fig)* lefle for *(fx their low tastes)*.
p. & p., P. & P. *fk packing and postage.*
pandy ['pændi] *sb* (skole S) slag over hænderne (med spanskrør *etc)*.
pandybat ['pændibæt] *sb* læderrem til at slå over hænderne med.
pane [pein] *sb* (vindues)rude; (firkantet) felt; (se også *peen)*.
panegyric [pæni'dʒirik] *sb* panegyrik, lovtale. **panegyrical** [pæni'dʒirikl] panegyrisk, lovprisende, rosende, smigrende. **panegyrist** [pæni'dʒirist] *sb* lovpriser.
I. panel ['pænl] *sb* felt, panel, plade, (i dør) fylding, (af bil) karosseriplade, (ved buggurt) vægelement, (am:)plade, fag, *(bogb)* rygfelt, (i kuvert) rude, (af altertavle) fløj, (i kjole) indfældet stykke, kile; *(fot)* langt smalt billede; *(elekt)* strømtavle, betjeningstavle, omskiftertavle, *(flyv)* instrumenttavle, (også i bil) instrumentbræt, *(mar)* styre-

pult; (fortegnelse:) liste; fortegnelse over sygekassepatienter (, sygekasselæger); *(jur)* nævningeliste; (personer:) gruppe, udvalg *(fx an advisory* ~*)*, (ved konkurrence, udstilling) bedømmelseskomité, bedømmelsesudvalg, (ved retssag) jury, (ved diskussion *etc)* panel.
II. panel ['pænl] *vb* inddele i felter; beklæde med panel.
panel | **beater** pladesmed. ~ **doctor** sygekasselæge. ~ **game** quiz, underholdningsprogram i TV med spørge- el. gættekonkurrence for særlig indbudte gæster. ~ **heating** panelopvarmning.
panelling ['pæn(ə)liŋ] *sb* felter, fyldinger; træbeklædning.
panellist ['pæn(ə)list] *sb* medlem af panel (ved paneldiskussion *etc)*.
pang [pæŋ] *sb* smerte, kval, stik; -*s of childbirth* fødselsveer; -*s of conscience* samvittighedskvaler; -*s of death* dødskval.
Pan-German ['pæn'dʒə:mən] *adj* altysk.
pangolin [pæŋ'goulin] *sb zo* skældyr.
panhandle ['pænhændl] *sb (am)* smal udløber af større landområde; *vb (am)* T tigge.
panhandler ['pænhændlə] *sb (am)* T tigger.
panic ['pænik] *sb* panik; panisk skræk; *adj* panisk; panikagtig *(fx haste)*; *vb* fremkalde panik hos; blive grebet af panik.
panicky ['pæniki] *adj* panikagtig; (som let bliver) grebet af panik, panikslagen, hovedløs.
panicle ['pænikl] *sb (bot)* top (en blomsterstand).
panic|**monger** ['pænikmʌŋgə] *sb* panikmager. ~ **-stricken** [-strikn], ~ **-struck** [-strʌk] *adj* panikslagen.
panjandrum [pən'dʒændrəm] *sb* matador, stormand; stormægtighed.
pannage ['pænidʒ] *sb (hist.)* olden; ret til *(el.* afgift for) at holde svin på olden.
panne [pæn] *sb* felpel (fløjlsagtigt stof).
pannier ['pæniə] *sb* kurv (især til at bære på ryggen *el.* som bæres af lastdyr); fiskebens- *el.* metalstativ til krinoline; -*s* cykeltasker.
pannikin ['pænikin] *sb* metalkrus.
panoplied ['pænəplid] *adj (litt)* fuldt rustet.
panoply ['pænəpli] *sb (glds)* fuld udrustning; *(fig, litt)* pragtskrud; pomp.
panorama [pænə'ra:mə] *sb* panorama.
panoramic [pænə'ræmik] *adj* panorama-.
panpipe ['pænpaip] *sb* panfløjte.
Pan-Slavic ['pæn'sla:vik] *sb* panslavisk.
pan-Slavism ['pæn'sla:vizm] *sb* panslavisme.
pansy ['pænzi] *sb* stedmoderblomst; S kvindagtigt mandfolk; homoseksuel, bøsse; *adj* kvindagtig, homoseksuel.
pant [pænt] *sb* gisp, snappen efter vejret, stønnen; *vb* stønne, puste, gispe; *(fig, litt)* hige *(for, after* efter); ~ *(out)* fremstønne; ~ *for breath* snappe efter vejret.
pantalet(te)s ['pæntə'lets] *sb pl* mamelukker, damebenklæder.
Pantaloon [pæntə'lu:n] Pantalone (latterlig person i komedier og pantomimer).
pantaloons *sb pl (glds)* bukser.
pantechnicon [pæn'teknikən] *sb* møbelopbevaringsmagasin; ~ *(van)* flytteomnibus.
pantheism ['pænθiizm] *sb* panteisme. **pantheist** ['pænθiist] *sb* panteist. **pantheistic** [pænθi'istik] *adj* panteistisk.
pantheon ['pænθiən] *sb* panteon; gudekreds.
panther ['pænθə] *sb zo* panter; *(am)* puma.
pantie girdle *etc* se *panty.*
panties ['pæntiz] *sb pl* T (dame)underbukser; *(merk)* underbenklæder.
pantile ['pæntail] *sb* vingetagsten.
panto ['pæntou] T = *pantomime.*
pantograph ['pæntəgra:f] *sb* pantograf.
pantomime ['pæntəmaim] *sb* form for engelsk eventyrkomedie (der opføres ved juletid); (også) pantomime (stumt skuespil); *(fig)* komedie, farce; *vb* udtrykke pantomimisk; spille i pantomime. **pantomimic** [pæntə'mimik] *adj* pantomimisk. **pantomimist** ['pæntəmaimist] *sb* pantomimiker.
pantry ['pæntri] *sb* spisekammer; anretterværelse; *(mar)* stirrids.

pants [pænts] *sb pl* underbukser; *(am)* bukser, benklæder; *catch sby with his* ~ *down* overraske én, komme bag på én; *a kick in the* ~ et spark bagi; (se også *panties*).
pant|skirt buksenederdel. ~ **suit** buksedragt.
panty *sg* af *panties*. **panty| girdle** roll-on benklæder. ~ **hose** strømpebukser.
I. pap [pæp] *sb* melpap; vælling, grød *(etc,* til små børn og syge); grødagtig masse, (også *fig)* barnemad.
II. pap [pæp] *sb (glds)* brystvorte.
papa [pə'pɑ:] *sb* papa, far.
papacy ['peipəsi] *sb* pavedømme; paveværdighed; pontifikat, paves regeringstid.
papal ['peipl] *adj* pavelig; pave-.
papaverous [pə'peiv(ə)rəs] *adj* valmueagtig.
papaw [pə'pɔ:] *sb (bot)* melontræ; *(am)* papau.
papaya [pə'pɑ:jə] *sb (bot)* melontræ.
I. paper ['peipə] *sb* papir; (til væg) tapet; (stykke:) seddel, (kollektivt:) pengesedler *(fx in silver, no* ~ *please); (news-)* blad, avis; (videnskabeligt:) foredrag; videnskabelig meddelelse; afhandling (over et enkelt emne); (ved skriftlig eksamen) opgave (især med flere spørgsmål); *(merk,* af knappenåle *etc)* pakke, brev; *(teat)* S fribilletter; *-s pl* (personlige) papirer; *(merk)* veksler; (til håret) papillotter;
   read a ~ *on* holde foredrag om, forelægge en meddelelse om; holde forelæsning over; *send in one's -s* indgive sin afskedsansøgning, søge sin afsked; *in* ~ i sedler; (om bog) hæftet; *the house is full of* ~ de fleste tilskuere har fribillet; *on* ~ på papiret (ɔ: i teorien); *commit to* ~ nedskrive, bringe på papiret; *put pen to* ~ gribe pennen.
II. paper ['peipə] *vb* dække med papir, tapetsere; lægge i papir; indpakke i papir; S fylde (teater *etc)* ved uddeling af fribilletter; ~ *over (fig)* skjule nødtørftigt; ~ *over the cracks (fig)* dække over uenigheden, bringe et spinkelt forlig i stand; ~ *up* tilklistre med papir.
III. paper ['peipə] *adj* papir-, papirs- *(fx towel); (fig)* skrivebords- *(fx work);* som kun eksisterer på papiret *(fx a* ~ *blockade; the* ~ *strength of the army).*
paper|back uindbunden bog, billigbog; *adj* = **-backed** uindbunden, hæftet, brocheret; i billigbogsudstyr. ~ **bag** papirspose, dragtpose. ~ **-bag cookery** ovnstegning af mad som et indpakket i papir smurt med fedtstof. **-board** karton; *in -boards* kartonneret. ~ **-bound** (om bog) hæftet, brocheret. ~ **boy** avisdreng. ~ **chase** sporleg, papirsjagt. ~ **covers** *pl* papiromslag. ~ **cup** papbæger. **-hanger** tapetserer. **-hanging** tapetsering. **-hangings** *pl* tapeter, tapet.
paper| knife papirkniv. **-maker** papirfabrikant. **-mill** papirfabrik. ~ **money** seddelpenge, papirspenge. ~ **nautilus** *zo* papirsnekke. ~ **pushing** T papirnusseri. ~ **-shelled almond** krakmandel. ~ **stock** råmateriale til papirfabrikation. ~ **tape** (i edb) hulstrimmel. ~ **warfare** pennefejde. **-weight** brevpresser. ~ **work** skrivebordsarbejde.
papery ['peipəri] *adj* som papir, papiragtig.
papier mâché ['pæpiei'mɑ:ʃei] *sb* papmaché.
papill|a [pə'pilə] *sb (pl -ae* [-li:]) papil.
papist ['peipist] *sb (neds)* katolik, papist. **papistical** [pə'pistikl] *adj (neds)* papistisk. **papistry** ['peipistri] *sb (neds)* papisme.
papoose [pə'pu:s] *sb* indianerbarn.
pappus ['pæpəs] *sb (bot)* fnug, fnok.
pappy ['pæpi] *adj* grødagtig, blød.
paprika [pæ'pri:kə; 'pæprikə] *sb* paprika.
papyr|us [pə'paiərəs] *sb (pl -i* [-ai]) papyrus; papyrusrulle.
par [pɑ:] *sb* lighed, ligestilling; pari; det normale; *above* ~ over pari; *at* ~ til pari; *be on a* ~ *with* stå lige med; være på linje *(el.* på højde) med; *put on a* ~ *with* ligestille med; *I don't feel quite up to* ~, *I feel below* ~ jeg føler mig lidt skidt tilpas.
par. *fk paragraph.*
parable ['pærəbl] *sb* parabel, lignelse.
parabola [pə'ræbələ] *sb (geom)* parabel.
parabolic [pærə'bɔlik] *adj* parabolisk, af form som en parabel.
parabolical [pærə'bɔlikl] *adj* parabolisk, udtrykt i lignelser.
parabrake ['pærəbreik] *sb (flyv)* bremseskærm.
parachute ['pærəʃu:t] *sb* faldskærm; *vb* kaste ud med faldskærm, springe ud med faldskærm.

parachute | brake *(flyv)* bremseskærm. ~ **descent,** ~ **dive** faldskærmsudspring. ~ **flare** faldskærmslys. ~ **harness** faldskærmssele. ~ **troops** faldskærmstropper.
parachutist ['pærəʃu:tist] *sb* faldskærmssoldat, faldskærmsudspringer.
Paraclete ['pærəkli:t] *sb (rel)* Helligånden, talsmanden.
I. parade [pə'reid] *sb* parade; paradeplads; promenade; opvisning *(fx fashion* ~); pralende fremvisning; *make a* ~ *of =* II. *parade (fig).*
II. parade [pə'reid] *vb* (lade) paradere; paradere i, gå i procession gennem; *(fig)* paradere med, vise *(fx one's talents),* skilte med, stille til skue *(fx one's learning).*
parade ground paradeplads.
paradigm ['pærədaim] *sb (gram)* paradigme, bøjningsmønster.
paradisal [pærə'daisl] *adj* paradisisk.
paradise ['pærədais] *sb* paradis; *an earthly* ~ et jordisk paradis; *fool's* ~, se I. *fool.*
paradisaical [pærədi'seiikl], **paradisiac** [pærə'disiæk] *adj* paradisisk.
parados ['pærədos] *sb* rygværn (i befæstningsanlæg).
paradox ['pærədoks] *sb* paradoks.
paradoxical [pærə'dɔksikl] *adj* paradoksal.
paraffin ['pærəfin] *sb* paraffin; petroleum; *vb* paraffinere; *liquid* ~ paraffinolie.
paraffin| oil petroleum; *(am)* paraffinolie. ~ **series:** *the* ~ *series* paraffingruppen. ~ **wax** paraffin.
paragon ['pærəgən] *sb* mønster; ~ *of virtue* dydsmønster.
paragraph ['pærəgrɑ:f] *sb* paragraf, afsnit, stykke; notits, artikel (i et blad), petitartikel; *vb* paragrafere, inddele i afsnit; behandle *(el.* omtale) i en avisnotits; *new* ~ (i diktat) ny linje, nyt afsnit.
Paraguay ['pærəgwai]; ~ *tea* maté.
parakeet ['pærəki:t] *sb zo* parakit (en papegøje); *(grass* ~) undulat.
parallax ['pærəlæks] *sb* parallakse.
parallel ['pærəlel] *adj* parallel *(to, with* med); ligeløbende; tilsvarende; *sb* parallel; sammenligning *(fx draw a* ~ *between them);* sidestykke *(fx without (a)* ~); *(geogr:* ~ *of latitude)* breddegrad; *vb* finde magen til, opvise et sidestykke til; løbe parallelt med, svare til, kunne måle sig med.
parallel bars *pl* barre (til gymnastik).
parallelism ['pærəlelizm] *sb* parallelisme, lighed, parallel.
parallelogram [pærə'leləgræm] *sb (geom)* parallelogram.
paralysation [pærəlai'zeiʃən] *sb* lammelse.
paralyse ['pærəlaiz] *vb* lamme; lamslå.
paralysis [pə'rælisis] *sb* lammelse.
paralytic [pærə'litik] *adj* lam, lammet; lamheds-; *sb* paralytiker, lam; ~ *stroke* slagtilfælde.
parameter ([pə'ræmitə] *sb (mat)* parameter.
paramount ['pærəmaunt] *adj* øverst, som står over alle andre; altoverskyggende *(fx of* ~ *interest); of* ~ *importance* af største *(el.* yderste) vigtighed; ~ *to* der går forud for, der går frem for; *lord* ~ overherre.
paramour ['pærəmuə] *sb (glds)* elsker; elskerinde.
paranoia [pærə'nɔiə] *sb* paranoia, forrykthed.
paranoid ['pærənɔid] *adj* paranoid, forrykt.
parapet ['pærəpit] *sb* brystning, (lavt) rækværk; *(mil.)* brystværn, jordvold *el.* sandsække foran skyttegrav.
paraphernalia [pærəfə'neiljə] *sb pl* tilbehør, udstyr; *(glds jur)* hustrus personlige ejendele.
paraphrase ['pærəfreiz] *sb* parafrase, omskrivning; *vb* parafrasere, omskrive.
paraphrastic [pærə'fræstik] *adj* omskrivende.
paraselene [pærəsi'li:ni] *sb* bimåne.
parasite ['pærəsait] *sb* snyltegæst, snylter; *(biol)* parasit, snylteplante, snyltedyr.
parasitic [pærə'sitik] *adj* snyltende, parasitisk; snylte- *(fx fungus* svamp).
parasol ['pærəsɔl] *sb* parasol.
paratactic [pærə'tæktik] *adj (gram)* parataktisk, sideordnet.
parataxis [pærə'tæksis] *sb (gram)* paratakse, sideordning.
paratroops ['pærətru:ps] *sb pl* faldskærmstropper.
paratyphoid ['pærə'taifɔid] *sb* paratyfus.
paravane ['pærəvein] *sb (mar)* paravane.

parboil ['pa:bɔil] vb halvkoge; (fig) stege, skolde.
I. parcel ['pa:sl] sb pakke; jordlod, parcel; (merk) parti (varer); (neds) flok, samling; (glds) del; -s pl (merk) colli; part and ~ fast bestanddel, integrerende del.
II. parcel ['pa:sl] vb (mar) smerte; ~ out fordele, udstykke; ~ up pakke ind.
parcelling sb (mar) smerting, slidbevikling.
parcel post pakkepost.
parch [pa:tʃ] vb (af)svide, brænde; riste; tørre ind; afsvides; -ed (også) solsveden; be -ed with thirst have en brændende tørst; være meget tørstig.
parchment ['pa:tʃmənt] sb pergament.
I. pard [pa:d] sb (glds) leopard.
II. pard, pardner S = partner.
pardon ['pa:dn] vb tilgive; benåde; sb tilgivelse, benådning, amnesti, (rel) aflad; ~ me undskyld! (I beg your) ~ hvad behager! om forladelse! undskyld! I beg you a thousand -s jeg beder tusinde gange om forladelse.
pardonable ['pa:dnəbl] adj tilgivelig.
pardoner ['pa:dnə] sb (hist., rel) afladskræmmer.
pare [pɛə] vb skrælle (fx an apple); klippe (fx one's nails); skære, skrabe; beskære, beklippe; (bogb) (ud)skærfe; ~ (down) nedskære, nedbringe (fx one's expenses); ~ off afskrælle.
parenchyma [pə'reŋkimə] sb grundvæv, parenkym; cellevæv, marv.
parent ['pɛərənt] sb fader; moder; (fig) ophav, oprindelse, rod (of til); a ~ en af forældrene; -s forældre; our first -s Adam og Eva.
parentage ['pɛərəntidʒ] sb herkomst; forældreværdighed.
parental [pə'rentl] adj faderlig; moderlig, forældre-; ~ home, ~ school skole for vanskelige børn.
parent company moderselskab.
parenthes|is [pə'renθisis] sb (pl -es [-i:z]) parentes.
parenthetic(al) [pærən'θetik(l)] adj parentetisk.
parenthood ['pɛərənthud] sb forældreværdighed.
parent-teacher association forening af forældre og lærere ved en skole.
paresis [pə'ri:sis] sb (med.) parese, lettere lammelse.
parget ['pa:dʒit] sb murpuds, stukkatur; vb pudse.
pariah ['pæriə] sb paria, kasteløs; (fig også) udstødt.
paring ['pɛəriŋ] sb skræl, afskåret (el. afklippet) stykke, spån; afskåret osteskorpe; nail -s afklippede negle.
pari passu ['pɛəri 'pæsu:]: ~ with i samme tempo (el. grad) som, side om side med, jævnsides med, sideløbende med.
Paris ['pæris].
parish ['pæriʃ] sb sogn, kommune; adj sogne-; go on the ~ komme på sognet, få fattighjælp.
parish| clerk degn, klokker. ~ **council** sogneråd. ~ **councillor** sognerådsmedlem.
parishioner [pə'riʃənə] sb indbygger i et sogn, (præsts) sognebarn.
parish-pump adj snævert lokal; sogne-; som kun interesserer sig for den hjemlige andedam.
parish register kirkebog; ministerialbog.
Parisian [pə'rizjən] adj parisisk; sb pariser(inde).
parity ['pæriti] sb paritet, ligestilling, lighed; pari.
I. park [pa:k] sb (offentlig) park, anlæg; lystskov; (til biler) parkeringsplads; (til østers) østersbassin; (am) stadion (fx a baseball ~); (mil.) (vogn)park.
II. park [pa:k] vb parkere; T (fig også) anbringe; efterlade, stille.
parka ['pa:kə] sb parka, anorak.
Parkeston ['pa:kstən].
parking| disc parkeringsskive. ~ **meter** parkometer. ~ **lot**, ~ **place**, ~ **space** parkeringsplads.
parkway ['pa:kwei] sb (am) landskabeligt smuk motorvej forbeholdt personbiler.
parky ['pa:ki] adj S (bidende) kold, iskold.
parlance ['pa:ləns] sb sprog(brug); in common (el. ordinary) ~ i daglig tale, efter almindelig sprogbrug; legal ~ juridisk sprog.
parley ['pa:li] vb forhandle, underhandle, parlamentere; tale (et fremmed sprog); sb forhandling; underhandling; sound a ~ (mil.) give trompetsignal til underhandling.
parleyvoo [pa:li'vu:] T adj fransk; sb franskmand; vb tale fransk.

parliament ['pa:ləmənt] sb parlament, rigsdag.
parliamentarian [pa:ləmen'tɛəriən] adj parlamentarisk; parlaments-; sb dygtig parlamentariker; (hist., i 17. årh) tilhænger af parlamentet.
parliamentarism [pa:lə'mentərizm] sb parlamentarisme.
parliamentary [pa:lə'ment(ə)ri] adj parlamentarisk; parlaments-, rigsdags-.
parlour [pa:lə] (am: parlor) sb modtagelsesværelse; (i kro) gæstestue; (i kloster) taleværelse; (glds) dagligstue, salon; (am) salon (fx hairdresser's ~ frisørsalon); atelier (fx photographer's ~).
parlour| boarder kostskoleelev der bor hos rektor; S særlig begunstiget medlem af husstanden. ~ **Bolshevist** salonkommunist. ~ **car** (am) salonvogn. ~ **game** selskabsleg. **-maid** stuepige. ~ **pink** S moderat socialist.
parlous ['pa:ləs] adj (litt) vanskelig, farlig; adv forfærdelig, vældig.
Parmesan [pa:mi'zæn]: ~ (cheese) parmesanost.
Parnassus [pa:'næsəs] Parnas; grass of ~ (bot) leverurt.
Parnell [pa:'nel, 'pa:nəl].
parochial [pə'roukjəl] adj sogne-, kommunal; (fig) snæver(synet), provinsiel.
parodist ['pærədist] sb forfatter af parodier, parodiker.
parody ['pærədi] sb parodi; vb parodiere.
parole [pə'roul] sb parole; æresord; prøveløsladelse; vb prøveløslade; (om krigsfange) løslade på æresord.
parotid [pə'rətid] adj: ~ gland ørespytkirtel.
parotitis [pærə'taitis] sb (med.) fåresyge.
paroxysm ['pærəksizm] sb paroksysme, (voldsomt) anfald; she burst into a ~ of tears hun brast i en heftig gråd.
parpen ['pa:pn] sb binder (sten i hele murens tykkelse).
parquet [pa:kei; (am) pa:'kei, -'ket] sb parketgulv; (am, teat) parket; vb lægge parketgulv i; indlægge med træ.
parquet circle (am, teat) parterre.
parquetry ['pa:kitri] sb parketgulv, parketplader.
parr [pa:] sb zo ung laks.
parrakeet (am) = parakeet.
parricidal [pæri'saidl] adj fadermorderisk; modermorderisk; landsforræderisk.
parricide ['pærisaid] sb fadermorder, modermorder; landsforræder; fadermord; modermord; landsforræderi.
parrot ['pærət] sb papegøje; (fig) eftersnakker; vb snakke efter, efterplapre.
parrot| crossbill zo stor korsnæb. ~ **fever** (med.) papegøjesyge. ~ **fish** zo papegøjefisk.
parry ['pæri] vb afbøde; afparere; parere; sb afparering, parade; ~ a question vige uden om et spørgsmål.
parse [pa:z] vb analysere (i grammatik).
Parsee [pa:'si:] sb parser.
parsimonious [pa:si'mounjəs] adj (alt for) sparsommelig, påholdende, karrig.
parsimony [pa:'siməni] sb sparsommelighed, påholdenhed.
parsley ['pa:sli] sb (bot) persille.
parsnip ['pa:snip] sb (bot) pastinak; (se også butter).
parson ['pa:sn] sb sognepræst, præst; it's enough to make a ~ swear (omtr) det kan få en engel til at miste tålmodigheden.
parsonage ['pa:snidʒ] sb præstegård.
parson's nose gump på fjerkræ.
I. part [pa:t] sb del, part; andel; (af større (bog)værk) hæfte, levering, nummer; (til bil, radio etc) reservedel; (i musik) stemme, parti; (mar; teat) rolle; (i strid) side, parti; (am) skilning; -s pl regn, kant (af landet); (let glds) begavelse, evner; (mar) kant; kønsdele;
do one's ~ gøre sit; gøre sin skyldighed; for the most ~ for størstedelen; for det meste, i reglen; for my ~ hvad mig angår, for mit vedkommende; in ~ delvis; in foreign -s i udlandet; in these -s på disse kanter; the most ~ størstedelen, de fleste; a man of -s (let glds) et begavet menneske; ~ of en del af; ~ of speech ordklasse; on his ~ fra hans side; play a ~ spille en rolle; spille komedie; take it in good ~ ikke tage det ilde op; take (a) ~ in sth tage del i noget (fx in the conversation); take his ~ tage parti for ham.
II. part [pa:t] vb dele; adskille; skille (fx two fighting dogs; one's hair); (uden objekt) dele sig, gå fra hinanden, gå i stykker, revne; springe, briste, sprænges (fx the rope -ed); skilles (fx we -ed at 10 o'clock); skille sig;

~ *company* skilles; gå hver sin vej; ~ *company with* skilles fra; være uenig med; ~ *friends* skilles som venner; ~ *from* tage afsked med; ~ *with* skilles fra, tage afsked med; skille sig af med.
part. *fk participle.*
partake [pa:'teik] *vb (partook, partaken)* spise, drikke; deltage *(in, of* i); dele, tage del i ; ~ *of* deltage i; nyde, indtage, spise *(fx they had -n of an excellent meal)* ; have et anstrøg af; være noget præget af *(fx his manner -s of stupidity)* ; ~ *of the nature of an insult* være af fornærmelig karakter; ~ *of the nature of satire* rumme et element af satire; ~ *too freely of* tage for stærkt til sig af.
partaker [pa:'teikə] *sb* deltager.
parterre ['pa:'tɛə] *sb* (blomster)parterre; *(teat)* gulv (ɔ: parket og parterre); *(am)* parterre.
parthenogenesis ['pa:θjə'dʒenisis] *sb* partenogenese; jomfrufødsel.
Parthia ['pa:θjə] Partien. **Parthian** ['pa:θjən] *adj* parthisk; *sb* parther; ~ *shot (el. shaft)* rammende svar som afleveres idet man går, 'afskedssalut'.
partial ['pa:ʃ(ə)l] *adj* partiel, delvis; partisk; *be* ~ *to* ynde, have en svaghed for, have forkærlighed for.
partiality [pa:ʃi'æliti] *sb* partiskhed; svaghed, forkærlighed *(to, for* for).
partially ['pa:ʃəli] *adv* delvis, for en del.
participant [pa:'tisipənt] *sb* deltager; *adj* deltagende.
participate [pa:'tisipeit] *vb* deltage, tage del *(in* i); ~ *of the nature of,* se *partake.*
participation [pa:tisi'peiʃ(ə)n] *sb* deltagelse; *(mht* beslutninger) medbestemmelse, (i *sms* ofte =) -demokrati *(fx pupil* ~ elevdemokrati).
participator [pa:'tisipeitə] *sb* deltager.
participial [pa:ti'sipiəl] *adj (gram)* participial.
participle ['pa:tisipl] *sb (gram.)* tillægsform, participium.
particle ['pa:tikl] *sb* lille del; *(gram.)* småord; *(fys)* partikel, atom; *not a* ~ ikke det mindste; ~ *of dust* støvkorn, støvgran; *there wasn't a* ~ *of truth in it* der var ikke et gran af sandhed deri.
particle board (slags) spånplade.
parti-coloured ['pa:tikʌləd] *adj* broget, spraglet.
particular [pə'tikjulə] *adj* særlig *(fx for no* ~ *reason),* særskilt, bestemt *(fx that* ~ *day),* enkelt, speciel, vis; (om person) nøjeregnende, fordringsfuld, kræsen *(about, as to,* in med (hensyn til)); *(glds)* nøjagtig, detaljeret *(fx a full and* ~ *description)* ; mærkelig; *sb* enkelthed;
  in ~ især, i særdeleshed *(fx there is one word in* ~ *)* ; *nothing in* ~ ikke noget særligt; *in this* ~ på dette punkt, i denne henseende; *(further)* -s nærmere omstændigheder; *for* -s *apply to (el. inquire at)* nærmere oplysninger fås hos; *go into* -s gå i detaljer.
particular average (i søforsikring) partikulært havari.
particularity [pətikju'læriti] *sb* nøjagtighed, udførlighed, omstændelighed; særegenhed.
particularize ['pə'tikjuləraiz] *vb* nævne særskilt, opføre enkeltvis, specificere; redegøre for i enkeltheder, omtale udførligt.
particularly [pə'tikjuləli] *adv* særlig, især, i særdeleshed; særskilt; i enkeltheder, detaljeret; *more* ~ ganske særlig, især.
parting ['pa:tiŋ] *adj* delende, skillende; afskeds- *(fx visit, words)* ; *sb* deling, adskillelse; afsked, opbrud; (i hår) skilning; *(fx at reb)* sprængning; ~ *of the ways* vejskel; skillevej; ~ *shot* afskedssalut.
partisan [pa:ti'zæn; *(am:)* 'pa:tizn] *sb* partigænger, partifanatiker; (frihedskæmper:) partisan; *(hist.:* slags spyd) partisan; *adj* partibundet, partipolitisk; partisan-.
partisanship [pa:ti'zænʃip] *sb* partigængeri, partibundethed; partipolitik.
partite ['pa:tait] *adj (bot)* delt.
partition [pa:'tiʃ(ə)n] *sb* deling, afdeling, del; skel, skillerum, skillevæg; *vb* dele; skifte (et bo); ~ *off* skilre fra, skille fra (med en skillevæg).
partition wall skillevæg, skillemur.
partitive ['pa:titiv] *adj* delende, delings-, partitiv.
partly ['pa:tli] *adv* til dels, delvis; for en del.
partner ['pa:tnə] *sb* deltager, *(merk)* parthaver, interessent, kompagnon; (ved spil) partner, medspiller, makker; (af modsat køn) ægtefælle, (ved bordet) bordherre, bord-

dame, (ved dans) dansepartner, balkavaler, baldame; **S** kammerat, makker; **-s** *pl (mar, fx* til spil, mast) fisk; *go* -*s* slå sig sammen, gå i kompagni.
partnership ['pa:tnəʃip] *sb* fællesskab; *(merk)* kompagniskab, interessentskab; *enter into* ~ gå i kompagniskab; *take sby into* ~ optage en som kompagnon; (se også *limited).*
partook *præt* af *partake.*
part owner medejer, medindehaver, parthaver; *(mar)* med-reder.
part payment delvis betaling, afdrag.
partridge ['pa:tridʒ] *sb zo* agerhøne.
partridge-wood fasantræ.
part|-singing, ~ **-song** flerstemmig sang.
part-time ['pa:ttaim] *adj* deltidsbeskæftiget; deltids- *(fx work),* halvdags-.
parturition [pa:tju'riʃ(ə)n] *sb* fødsel.
partway *adv (am)* delvis; et stykke (vej).
party ['pa:ti] *sb* parti; selskab, hold, gruppe, *(mil.)* kommando, afdeling; gruppe; (oːm person) deltager *(to* i), *(jur)* medskyldig; (ved retssag) part; *(spøg)* person;
  be at a ~ være til *(el.* i) selskab; *give (el. have,* **T** *throw) a* ~ holde selskab; *be (el. make) one of a* ~ være med, være blandt deltagerne; *go to a* ~ gå til selskab; *be a* ~ *to* være delagtig i, have noget at gøre med; *be a* ~ *to the case* være part i sagen.
party-coloured *adj* broget, spraglet.
party line partilinie; partiparole; partiskel; *(tlf)* partsledning; *vote along (el. on)* -s stemme efter partier; *cut across* -s gå på tværs af partierne.
party-liner ['pa:ti'lainə] *sb* partigænger.
party| man partimand, partigænger. ~ **spirit** partiånd. ~ **telephone** partstelefon. ~ **ticket** partiprogram. ~ **wall** skillemur, brandmur (mellem huse); lejlighedsskel, skillerum mellem lejligheder.
parvenu [pa:vənju:] *sb* parvenu, opkomling.
pas [pa:, *pl* pa:z] *sb* trin; forrang *(fx have the* ~*).*
paschal ['pa:skl] *adj* påske-.
pash [pæʃ] *sb* **S** sværmeri; *have a* ~ *for sby* sværme for en.
pasha ['pa:ʃə] *sb* pasha.
pasqueflower ['pa:skflauə] *sb (bot)* (opret) kobjælde.
pasquinade [pæskwi'neid] *sb* smædeskrift.
I. pass [pa:s] *vb* (uden objekt) passere (forbi) *(fx the procession -ed),* bevæge sig, gå, komme, køre, ride, marchere (forbi); (om begivenhed) foregå, gå for sig *(fx I know what has -ed),* forløbe; (om tid) gå (hen) *(fx six months -ed),* forløbe, (især *poet)* svinde; (især om noget ubehageligt) gå over, fortage sig *(fx the headache soon -ed),* blive overstået *(fx the crisis has -ed),* drive over *(fx wait till the danger has -ed),* forsvinde *(fx a custom that is -ing);* (fra den ene til den anden) gå (rundt) *(fx the bottle -ed from hand to hand),* (om ejendom *etc)* overgå *(fx the estate -ed to his brother),* gå i arv; (forandres:) udvikle sig, blive *(into* til); (om penge) være gangbar, gælde; (ved bedømmelse) passere *(fx it is not very good, but it will* (kan) ~), slippe igennem, blive godkendt, (ved eksamen) bestå, *(parl)* blive vedtaget; (i kortspil) passe; (i boldspil) aflevere; *(glds,* i fægtning) gøre udfald;
  (med objekt:) passere (forbi) *(fx we -ed his house),* bevæge sig, gå, *etc* forbi (, over, igennem), *(fig* også) overstige *(fx it -es my comprehension* (fatteevne)); lade passere *(fx the guard -ed the visitor;* ~ *troops in review);* føre *(fx a rope through a pulley),* lade glide *(fx* ~ *one's hand over sth),* stikke (se ~ *through, ndf);* (fra den ene til den anden) lade gå rundt *(fx the bottle, the hat),* sende videre, række *(fx* ~ *(me) the mustard, please);* (i boldspil) lade (bolden) gå videre, aflevere (bolden); (om penge) sætte i omløb *(fx false notes);* (om tid) tilbringe *(fx a dreadful night),* fordrive; *(jur)* afsige (en dom);
  it -es belief det er utroligt; ~ *current* være gangbar (om penge); ~ *the dividend (merk)* ikke deklarere noget udbytte; ~ *judgment (jur)* afsige dom, *(fig)* fælde dom (on over); *judgment -ed for (, against)* ham dommen gav ham medhold (, gik ham imod); ~ *one's lips* komme over ens læber; *it -es me to understand how ...* det går over min forstand hvordan ...; ~ *muster* blive godkendt, blive anerkendt, kunne stå for kritik, bestå prøven; *it will* ~ *muster* (også) det kan gå an; ~ *the proofs* sende korrek-

       326

turen til tryk; ~ *a remark* fremsætte en bemærkning; ~ *the time of day* hilse på hinanden, sige goddag (, godmorgen, godaften) (til hinanden); *bring (, come) to* ~, se II. *pass;* ~ *water* lade vandet; ~ *one's word* give sit ord;

(forb med *præp, adv):* ~ *away* gå bort; dø; gå til ende; forgå, svinde; fordrive (tiden); ~ **by** passere forbi; forbigå *(fx* ~ *it by in silence),* ignorere, springe over; ~ *by the name of* ... gå under navnet ...; ~ **for** gå for at være *(fx* ~ *for a rich man); -ed for press (typ)* trykfærdig; *be -ed for active service* blive taget til militærtjeneste; ~ **in** indlevere; ~ *in review* lade passere revy; ~ **into** blive til, gå over til *(fx when water boils it -es into steam);* ~ **off** gå over, fortage sig *(fx the pain is -ing off);* finde sted, forløbe *(fx the meeting -ed off without incident);* udgive *(as for, fx* ~ *oneself off as a rich man);* ~ *sth off on sby* prakke en noget på; ~ *it off with a laugh* slå det hen i latter;

~ **on** lade gå videre, sende videre; gå videre; gå over *(to* til, *fx another subject);* dø, gå bort, afgå ved døden; ~ **out** miste bevidstheden, T gå under bordet; dø; tage eksamen, blive dimitteret; ~ **over** springe over *(fx let us* ~ *over the details);* forbigå, lade upåagtet, se bort fra, se igennem fingre med; overrække, overdrage; *he -ed his hand over his eyes* han strøg sig med hånden over øjnene; ~ *your eyes over this letter* løb lige dette brev igennem; ~ *a rope* **round** *it* slå et reb omkring det; ~ **through** passere gennem, komme gennem; gennemgå, opleve; trænge igennem; stikke *(el.* jage, støde *etc)* igennem *(fx* ~ *a sword through sby);* ~ **under** *the name of* ... gå under navnet ...; ~ **up** *(am)* T afvise, ignorere; lade gå fra sig *(fx a chance).*

II. **pass** [pa:s] *sb* passage, gang, vej, overgang, (imellem bjerge) pas, snævring; *(fig)* (kritisk) situation, kritisk punkt; (tilladelse:) passerseddel, fribillet, pas; (ved eksamen) det at bestå; 'bestået', karakter man kan bestå på; (i boldspil) aflevering; (i fægtning) udfald; (i kortspil) pas; (hypnotisørs) strygning;

bring to ~ bevirke, forårsage; iværksætte, gennemføre; *come to* ~ hænde, indtræffe; *free* ~ fribillet; *hold the* ~ *(fig)* forsvare sin sag; **make** *a* ~ *(el. -es) at a girl* **T** gøre tilnærmelser til en pige; blive nærgående over for en pige; *be at a* **pretty** ~ sidde net i det; **sell** *the* ~, se I. *sell.*

passable ['pa:səbl] *adj* antagelig, tålelig; (om vej, flod) fremkommelig, farbar.

passage ['pæsidʒ] *sb* passage, gennemgang, gennemrejse; overfart *(fx a rough* (hård) ~); forbifart, forbikørsel; gang, korridor; vej; overgang; ret til gennemgang *(etc);* (i bog *etc)* passage, afsnit, sted; *(parl)* gennemførelse, vedtagelse; *(litt)* mellemværende, ordskifte;

~ *of arms* dyst; *bird of* ~ trækfugl; *book one's* ~ bestille billet (til skibet); *the Bill had an easy* ~ *(through Parliament)* loven gik glat igennem; *force (el. make) a* ~ bane sig vej, trænge sig igennem; *the* ~ *of time* tidens gang; *work one's* ~ få fri rejse mod at udføre arbejde om bord; arbejde sig over.

passage grave *(arkæol)* jættestue.

passageway ['pæsidʒwei] *sb* korridor, gang.

passbook ['pa:sbuk] *sb* bankbog; *(am merk)* kontrabog.

pass degree lettere universitetseksamen (sammenlignet med *honours).*

passé ['pa:sei] *adj* forældet, passé, falmet.

passenger ['pæsin(d)ʒə] *sb* passager; *(fig)* én der ikke gør gavn, passiv deltager; *foot* ~ fodgænger.

passenger car personbil; *(am jernb)* personvogn.

passenger train persontog.

passer-by ['pa:sə'bai] *sb (pl* passers-by) forbipasserende.

passerine ['pæsərain] *adj, sb:* ~ *(bird) zo* spurvefugl.

passible ['pæsibl] *adj* modtagelig, følsom.

passim ['pæsim] på forskellige steder, alle vegne, overalt (i bogen *etc).*

passing ['pa:siŋ] *adj* forbigående, forbipasserede, forbisejlende; *(fig)* flygtig *(fx mention);* tilfældig; *adv* (glds) overordentlig, såre *(fx rich); sb* forbipassage, forbifart; bortgang, forsvinden, død; flugt; indtræffen; vedtagelse; *in* ~ i forbifarten; en passant.

passing bell ligklokke, dødsklokke. ~ **note** *(mus.)* gen-

nemgangstone.

passing-out **ceremony** *(omtr)* dimissionsfest. ~ **parade** afgangsparade (ved militærskole).

passion ['pæʃ(ə)n] *sb* lidenskab, voldsom sindsbevægelse; heftigt udbrud, anfald; vrede, forbitrelse; forkærlighed, lidenskabelig lyst *(for* til), passion; lidenskabelig kærlighed, begær, attrå; *(Christ's) Passion* Kristi lidelse; *in a* ~ i vrede, opbragt; *fly into a* ~ flyve i flint *(about* over); *put in (el.* throw *into) a* ~ gøre rasende.

passionate ['pæʃ(ə)nit] *adj* lidenskabelig; passioneret.

passionflower ['pæʃ(ə)nflauə] *sb (bot)* passionsblomst.

passionless ['pæʃ(ə)nlis] *adj* lidenskabsløs, rolig, kold.

Passion music passionsmusik. ~ **play** passionsskuespil. ~ **week** den stille uge.

passive ['pæsiv] *adj* passiv, uvirksom; ~ *debt* rentefri gæld; ~ *resistance* passiv modstand; *the* ~ *(voice) (gram.)* passiv, lideform.

passivity ['pæ'siviti] *sb* passivitet.

passkey ['pa:ski:] *sb* hovednøgle; gadedørsnøgle.

passman ['pa:smæn] *sb* en der forbereder sig til *(el.* består) en *pass degree.*

Passover ['pa:souvə] *sb* jødernes påskefest; påskelam.

pass|port pas. **-word** feltråb; løsen.

I. past [pa:st] *adj* forløben *(fx the* ~ *week);* svunden, fortidig; tidligere *(fx generations);* forbi *(fx the time for talking is* ~), ovre, overstået *(fx the crisis is* ~); *sb* fortid;

for the ~ *fortnight* i de sidste 14 dage; *for years* ~ i årevis; *40 years* ~ for 40 år siden; *in times long* ~ i længst forsvundne dage; *his* ~ *(life)* hans fortid; *English* ~ *and present* engelsk før og nu; *it is a thing of the* ~ til tilhører fortiden, det er et overstået stadium.

II. past [pa:st] *adv* forbi *(fx walk* ~); *præp* forbi *(fx he walked* ~ *me);* over, ud over; uden for rækkevidden af; (om uret) over *(fx ten* ~ *two* ti minutter over to); *she is* ~ *child-bearing* hun er for gammel til at få børn; ~ *danger* uden for fare; ~ *endurance (el. bearing)* uudholdelig; *at half* ~ *two* kl. halvtre; *he is* ~ *help* han kan ikke hjælpes; ~ *hope* håbløs; *he is* ~ *praying for* det er ude med ham, han står ikke til at redde; *put it* ~, se *put; he is* ~ *work* han kan ikke længere arbejde.

past-due interest forfaldne renter.

paste [peist] *sb* masse, dej; pasta; klister; (i keramik) lermasse; (til smykker) falsk(e) ædelsten(e); *vb* klæbe, klistre; **T** tæske, mørbanke, give en ordentlig omgang; ~ *up* klæbe op; tilklistre.

pasteboard ['peistbɔ:d] *sb* (klæbet) karton, (limet) pap; dejbræt; **S** (visit)kort, spillekort, jernbanebillet; *adj* pap-; *(fig)* pap- *(fx figure);* uægte; skin- *(fx fight);* pseudo-*(fx romanticism).*

pastedown ['peistdaun] *sb* (i bog) forsatsblad.

pastel [pæ'stel] *sb* pastel, pastelmaleri; pastelfarve; lille (litterær) skitse; *adj* ['pæstl] pastel- *(fx blue, grey, yellow).*

pastel(l)ist ['pæstelist] *sb* pastelmaler.

pastel shades *pl* pastelfarver (ɔ: nuancer).

pastern ['pæstə:n] *sb* (hests) kode.

paste-up ['peistʌp] *sb* opklæbning.

pasteurization [pæstərai'zeiʃən] *sb* pasteurisering.

pasteurize ['pæstəraiz] *vb* pasteurisere.

pastille ['pæstl] *sb* pastil; røgelsespastil.

pastime ['pa:staim] *sb* tidsfordriv, morskab.

pasting ['peistiŋ] *sb* omgang klø, hård medfart.

past-master ['pa:stə'ma:stə] *sb* mester *(of, in* i); (blandt frimurere) forhenværende mester.

pastor ['pa:stə] *sb* sjælesørger, præst; menigheds vejleder.

pastoral ['pa:st(ə)rəl] *adj* pastoral, hyrde- *(fx poetry); (fig)* idyllisk *(fx scene); (rel)* præste-, præstelig; pastoral- *(fx psychology); (agr)* græsnings-; *sb* hyrdebrev; hyrdedigt; ~ *letter* hyrdebrev.

pastorate ['pa:stərit] *sb* pastorat; præster, præstestand.

past participle *(gram)* perfektum participium, fortids tillægsmåde, kort tillægsform.

pastry ['peistri] *sb* (konditor)kager.

pastrycook ['peistrikuk] *sb* konditor.

past tense *(gram.)* præteritum, datid.

pasturage ['pa:stjuridʒ] *sb* græsning; græsgang.

pasture ['pa:stʃə] *sb* græs, græsgang; *vb* sætte på græs, lade

græsse; græsse.
I. pasty ['peisti] *adj* dejagtig, klisteragtig; (om person) bleg(fed), sygeligt bleg.
II. pasty ['pæsti] *sb* kødpostej.
pasty-faced ['peistifeist] *adj* bleg(fed).
Pat [pæt] *(fk Patrick)* **S** irlænder; *fk Patricia.*
I. pat [pæt] *vb* klappe; *sb* klap; (formet) klat *(fx of butter)*; *give sby a ~ on the back, ~ sby on the back (fig)* lykønske en, rose en, give en et skulderklap.
II. pat [pæt] *adj, adv* i rette øjeblik, tilpas, passende, belejlig; på rede hånd, fiks og færdig, flydende; *know a lesson (off) ~* kunne en lektie på fingrene; *stand ~* stå fast, ikke give sig; (i poker) ikke købe nogen kort.
pat-a-cake 'klappe kage' (børneleg).
patch [pætʃ] *sb* (af tøj) lap, (til patchwork) klud, stofrest, tøjstump; (for øje) klap; (til sår) lille plaster; (på sko) flik; (afvigende farvet) plet *(fx a bald ~; a ~ of white)*; (af jord) (jord)stykke *(fx a cabbage ~)*; (af bog, musikstykke) passage, stykke; (om tid) periode, overgang *(fx the firm had to lay off a few men to get through a difficult ~)*; *(am mil.)* afdelingsmærke; *(glds)* skønhedsplet; nar, klovn; *vb* lappe; (i håndarbejde) sy (af stofrester) *(fx a quilt)*; *strike a bad ~* komme ind i en uheldig periode; *A is not a ~ on B* A er ingenting mod *(el.* i sammenligning med) B; *~ up* lappe sammen, flikke sammen, sammenstykke; bilægge så nogenlunde *(fx a quarrel)*.
patchouli ['pætʃuli] *sb* patchouli.
patch| **pocket** påsyet lomme. **~ test** *(med.)* lappeprøve. **-work** (i håndarbejde) patchwork (sammensyning af stofrester); *(fig)* lappeværk; lapperi, sammensurium; *-work quilt* kludetæppe.
patchy ['pætʃi] *adj* lappet, sammenflikket; uensartet.
pate [peit] *sb (glds* **T**) hoved; isse; hjerne.
pâté ['pa:tei] *sb* postej; *~ de foie gras [fr]* gåseleverpostej.
patella [pə'telə] *sb (arkæol)* lille skål; *(anat)* knæskal.
paten ['pætn] *sb* alterdisk, patene.
patency ['peitnsi] *sb* tydelighed.
I. patent ['peitnt] *adj* åben, åbenbar, tydelig; tilgængelig for alle; [også: 'pætnt] patent- *(fx lock)*, patenteret; **T** patent- *(fx method)*; (se også *letters ~)*.
II. patent ['peitnt; (især *am)* 'pæ-] *sb* patent; *vb* patentere; *~ of nobility* adelspatent, adelsbrev; *take out a ~ for* tage patent på.
patentee [peitn'ti:, pæt-] *sb* patenthaver.
patent-leather shoes laksko.
patently ['peitntli] *adv* åbenbart, tydeligt, vitterligt.
Patent Office ['pæ-]: *the ~* (svarer til) Patentdirektoratet.
patent specification patentbeskrivelse.
pater ['peitə] *sb* **T** ophav, far; *~ familias* [fə'miliæs] familiefader.
paternal [pə'tə:nl] *adj* fader-, faderlig, fædrene; på fædrene side; *~ grandfather* farfar; *~ grandmother* farmor.
paternity [pə'tə:niti] *sb* paternitet, faderskab.
paternoster ['pætə'nɒstə] *sb* fadervor; rosenkrans.
path [pa:θ] *sb (pl -s* [pa:ðz]) sti, gangsti; havegang; passage *(fx the police cleared a ~ through the crowd); (astr, flyv, fys etc)* bane; *(fig)* vej *(fx his ~ through life)*; bane.
pathetic [pə'θetik] *adj* medynkvækkende, rørende, gribende; *-ally* [-əli] *adv* rørende.
pathfinder ['pa:θfaində] *sb* stifinder, pionér.
pathless ['pa:θlis] *adj* uvejsom.
pathogenic [pæθə'dʒenik] *adj* sygdomsfremkaldende.
pathological [pæθə'lɔdʒikl] *adj* patologisk; *~ picture* sygdomsbillede.
pathologist [pə'θɔlədʒist] *sb* patolog.
pathology [pə'θɔlədʒi] *sb* patologi, sygdomslære.
pathos ['peiθɔs] *sb: the ~ of it* det rørende (, medynkvækkende, gribende) ved det.
pathway ['pa:θwei] *sb* (gang)sti; *(fig)* bane, vej.
patience ['peiʃ(ə)ns] *sb* tålmodighed, udholdenhed, langmodighed; (med kort: *game of ~)* kabale; *(bot)* = *~ dock; the ~ comes out* kabalen går op; *I have no ~ with him* han irriterer mig; jeg kan ikke holde ham ud; *I am out of ~ with* jeg kan ikke holde ham ud længere, jeg er træt af ham, jeg er blevet irriteret på ham; *lose (one's) ~* miste tålmodigheden; *play ~* lægge kabaler; *put out of ~* gøre utålmodig.

patience dock *(bot)* engelsk spinat.
patient ['peiʃ(ə)nt] *adj* tålmodig; udholdende; *sb* patient; *be ~ of that interpretation* kunne fortolkes på den måde.
patina ['pætinə] *sb* patina; ir.
patio ['pætiou, 'pa:tiou] *sb* (indre gård i spansk-amerikanske bygninger) (svarer til) atrium, uderum, solgård, *(am* også) terrasse.
patois ['pætwa:] *sb* almuesprog, dialekt.
patriarch ['peitria:k] *sb* patriark. **patriarchal** [peitri'a:kl] *adj* patriarkalsk. **patriarchy** ['peitria:ki] *sb* patriarkat.
patrician [pə'triʃ(ə)n] *sb* patricisk, adelig; *sb* patricier.
patricide ['pætrisaid] *sb (am)* fadermord; fadermorder.
Patrick ['pætrik]: *St. ~* (Irlands skytshelgen).
patrimony ['pætrimɒni] *sb* fædrenearv; arv, arvegods; kirkegods.
patriot ['peitriət, 'pæt-] *sb* patriot, fædrelandsven.
patriotic [pætri'ɔtik] *adj* patriotisk.
patriotism ['pætriɒtizm] *sb* patriotisme, fædrelandskærlighed.
patristic [pə'tristik] *adj* patristisk, vedrørende kirkefædrene; *-s sb* patristik.
patrol [pə'troul] *sb* patrulje; runde; patruljering; *vb* afpatruljere; patruljere.
patrol| **car** (politi)patruljevogn. **-man** *(am)* politibetjent, gadebetjent. **~ wagon** *(am)* politibil, 'salatfad'.
patron ['peitrən, 'pæt-] *sb* beskytter, velynder, mæcen; protektor (for udstilling *etc); (merk)* kunde, gæst (i butik, restaurant *etc); (bibl)* låner, benytter; (for kirke) patron, kaldsherre; *(rel)* skytshelgen.
patronage ['pætrənidʒ, *(am)* 'pei-] *sb* beskyttelse, støtte; protektion *(fx under the ~ of Lord X; he got the post through political ~); (merk)* søgning, kundekreds; *(rel)* kaldsret, *(am)* udnævnelsesret til embeder; *(neds)* nedladenhed.
patroness ['peitrənis, 'pæt-] *sb* beskytterinde, velynderinde, protektrice; skytshelgeninde.
patronize ['pætrənaiz, *(am)* 'pei-] *vb* beskytte, støtte, protegere; *(merk)* give sin søgning, handle hos; komme i; benytte; *(neds)* behandle nedladende; *well -d* godt besøgt.
patronizing ['pætrənaiziŋ] *adj* nedladende, beskyttende; *~ air* beskyttermine.
patron saint skytshelgen.
patronymic [pætrə'nimik] *sb* patronymikon, familienavn dannet af faderens navn.
patten ['pætn] *sb* træsko, trætøffel.
patter ['pætə] *vb* tromme *(fx the rain was -ing on the roof)*; (om fodtrin) klapre, trippe; (især om tryllekunstner, udråber) plapre, snakke rivende hurtigt; rable *(el.* lire) af sig; *sb* trommen; klapren, trippen, triptrap; (tryllekunstners, udråbers) ramse, snak, snakken (med rivende tungefærdighed); jargon, volapyk.
pattern ['pætən] *sb* (ornament:) mønster *(fx a geometrical ~), (fig)* mønster *(fx behaviour ~)*, form, måde; (til at strikke efter) strikkeopskrift, (til at sy efter) snitmønster, (udskåret) skabelon, (i støbning) model, *(fig)* forbillede *(fx take him as your ~)*; (stykke stof) stofprøve, *(am* også) kupon, stof til en kjole; *vb* mønstre; *~ yourself on him* tag ham til forbillede; *be -ed on sth* være lavet efter noget, være lavet med noget som forbillede.
pattern book mønsterbog, modejournal.
patty ['pæti] *sb* lille postej.
patty| **pan** postejform. **~ shell** krustade, tartelet.
paucity ['pɔːsiti] *sb* fåtallighed, knaphed.
Paul [pɔːl]: *St.Paul* Paulus; *St.Paul's (Cathedral)* St. Paulskirken (i London).
I. Pauline ['pɔːlain] *adj* paulinsk.
II. Pauline [pɔː'liːn] Pauline.
Paul Pry nysgerrigper, snushane.
paunch [pɔːn(t)ʃ] *sb* (tyk) vom, borgmestermave; *zo* vom; *(mar)* skamfilingsmåtte.
paunchy ['pɔːn(t)ʃi] *adj* med mave, mavesvær, tykmavet.
pauper ['pɔːpə] *sb* fattig person; fattiglem.
pauperize ['pɔːpəraiz] *vb* forarme, gøre til fattiglemmer.
pause [pɔːz] *sb* pause, afbrydelse, standsning; *(mus.)* fermat; *vb* gøre en pause, holde pause, pausere, standse; *give sby ~* få en til at betænke sig; *~ (up)on* dvæle ved; holde (en tone).

pave [peiv] *vb* brolægge; ~ *the way for (fig)* bane *(el.* jævne) vejen for.
pavement ['peivmənt] *sb* brolægning; stenbro, (i England også) fortov; *(mht* vej) vejbelægning, befæstelse; *(am)* kørebane; (i hus) murstensgulv, flisegulv.
pavement artist fortovsmaler.
paver ['peivə] *sb* brolægger; brosten, (fortovs)flise; vejbelægningsmaskine.
pavilion [pə'viljən] *sb* telt, pavillon; klubhus; *vb* slå telt over.
paving ['peiviŋ] *sb* brolægning; vejbelægning.
paving | slab fortovsflise. ~ **stone** brosten. ~ **tile** teglflise.
paviour ['peivjə] *sb* brolægger; brosten; brolæggerjomfru.
paw [pɔ:] *sb* (også **T** om hånd) pote, lab; *vb* skrabe, stampe med foden; skrabe i, stampe på; ~ *(over)* begramse, befamle, tage på *(fx a girl); -s off!* væk med poterne! fingrene af fadet!
pawky ['pɔ:ki] *adj* polisk, lun, sveden.
pawl [pɔ:l] *sb (tekn)* spærhage, pal.
I. pawn [pɔ:n] *sb* bonde (i skak); *(fig)* (skak)brik.
II. pawn [pɔ:n] *sb* pant; *vb* pantsætte; ~ *one's life* sætte sit liv ind; *in* ~ pantsat.
pawn|broker pantelåner. **-broking** pantelånervirksomhed.
pawnee [pɔ:'ni:] *sb* panthaver.
pawner ['pɔ:nə] *sb* pantsætter.
pawn|shop lånekontor. ~ **ticket** låneseddel.
pax [pæks] (i børns leg) jeg overgiver mig!
I. pay [pei] *vb* (paid, paid, se også paid) betale, udrede; (af)lønne; betale *(el.* svare) sig *(fx it -s to buy the best quality);* betale sig for *(fx the enterprise will not* ~ *you);* yde, bevidne, vise *(fx sympathy);* gengælde; *(mar)* se *ndf* ~ *off,* ~ *out;* (give ljære) labsalve; (give beg) bege; ~ *attention to,* se *attention;* ~ *a bill (el. draft)* indfri en veksel; ~ *a compliment* sige en kompliment; ~ *court to* gøre kur til; *it only just -s* det kan lige løbe rundt; ~ *a visit* aflægge et besøg; ~ *one's way* betale for sig; betale enhver sit; *it -s its own way* det hviler i sig selv; *it won't* ~ det betaler sig ikke;
(forb med *præp, adv)* ~ *away* udbetale; *(mar)* se: ~ *out;* ~ *back* betale tilbage; *I'll* ~ *you back for this!* det skal du få betalt; ~ *sby back in his own coin* betale én *(el.* give én igen) med samme mønt; ~ **down** erlægge, betale kontant; ~ *£50 down and the rest by instalments* betale £50 ud og resten i afdrag; ~ **for** betale, betale for; *(fig)* undgælde *(el.* bøde) for; *I'll make you* ~ *for this!* det skal du få betalt! *he will* ~ *for it very dearly* det kommer ham dyrt at stå; ~ **in** indbetale; ~ **off** (gæld) betale, indfri, (prioritet) betale ud; (person) betale og afskedige, *(mar)* afmønstre; (om foretagende) betale sig, give bonus; *(mar)* falde af, dreje fra vinden; *I'll* ~ *you off for this!* det skal du få betalt! ~ **out** udbetale; *(fig)* gengælde, hævne sig på, straffe; *(mar)* fire på (trosse *osv)*; stikke ud; *I'll* ~ *you out!* det skal du få betalt; ~ **up** betale fuldt ud; punge ud.
II. pay [pei] *sb* betaling, lønning, gage; *(mar)* hyre; *(glds mil.)* sold; *in sby's* ~ i éns tjeneste, i éns sold, betalt af en *(fx he was in the* ~ *of a foreign power).*
payable ['peiəbl] *adj* betalbar, at betale *(fx* ~ *in advance);* som *kan* (ikke skal) betales *(fx* ~ *in monthly instalments);* forfalden; udbytterig, som betaler sig *(fx a* ~ *enterprise); bill* ~ *to bearer* veksel lydende på ihændehaveren, ihændehaverveksel; *make the cheque* ~ *to X* udstede checken til X.
pay-as-you-earn *(, am: -go): the* ~ *system* skat ved kilden, kildebeskatning.
pay| day lønningsdag, gagedag; betalingsdag. ~ **desk** kasse (i butik). ~ **dirt** guldholdigt grus; *(fig)* værdifuldt materiale.
P.A.Y.E. *fk pay as you earn* kildebeskatning.
payee [pei'i:] *sb* den til hvem pengene skal betales, modtager, *(merk)* remittent.
payer ['peiə] *sb* betaler.
paying ['peiiŋ] *adj* lønnende, som betaler sig, som svarer regning. ~ **guest** betalende gæst, pensionær.
payload ['peiloud] *sb* nyttelast.
paymaster ['peima:stə] *sb* kasserer; regnskabsfører.
Paymaster General embedsmand som forestår statens udbetalinger.

payment ['peimənt] *sb* betaling; indfrielse (af en veksel); afdrag; *(fig)* gengæld.
payoff ['peiɔf] *sb* (især *am* **T**) udbetaling; udbytte; gengæld, hævn; klimaks; udfald, resultat; afgørende faktor; *adj* lønnende; afgørende; *the* ~ *line* pointen (i anekdote).
pay| packet lønningspose, lønningskuvert. **-roll,** ~ **sheet** lønningsliste; personale; samlet lønudbetaling; *be on the* -roll være ansat. ~ **station** *(am)* telefonkiosk. ~ **telephone** mønttelefon.
P.B. *fk Prayer Book.*
P.B.I. *fk poor bloody infantry.*
P.C. *fk police constable; postcard; Privy Council; Privy Councillor.*
p.c. *fk per cent; postcard; price current.*
pd. *fk paid.*
p.d.q. *fk pretty damn quick.*
P.E. *fk physical education.*
pea [pi:] *sb* ært; *they are as like as two -s* de ligner hinanden som to dråber vand.
peace [pi:s] *sb* fred; fredsslutning; *the King's (el. Queen's)* ~ den offentlige ro og orden; *he is at* ~ han har fået fred (ɔ: er død); *be at* ~ *with* leve i fred med, have et fredeligt forhold til; *break (el. disturb) the* ~ forbryde sig mod *(el.* forstyrre) den offentlige ro og orden; *hold one's* ~ holde mund; *keep the* ~ holde fred; ikke forstyrre den offentlige ro og orden; *be bound over to keep the* ~ få et tilhold; *make* ~ stifte fred, slutte fred; *make one's* ~ *with* slutte fred med, forsone sig med.
peaceable ['pi:səbl] *adj* fredelig, fredsommelig.
peace| breaker fredsforstyrrer. ~ **establishment** fredsstyrke.
peaceful ['pi:sf(u)l] *adj* fredelig, rolig, fredfyldt.
peacekeeping ['pi:ski·piŋ] *adj* fredsbevarende *(fx force).*
peacemaker ['pi:smeikə] *sb* fredsmægler, fredsstifter; *blessed are the -s* salige er de som stifter fred.
peace | offering (i biblen) takoffer; *(fig)* forsoningsgave. ~ **research** fredsforskning.
I. peach [pi:tʃ] *sb* fersken, ferskentræ; S sød pige; *adj* ferskenfarvet; *a* ~ *of a hat* en aldeles yndig hat.
II. peach [pi:tʃ] *vb* S sladre *(against, upon* om).
peachick ['pi:tʃik] *sb* påfuglekylling.
peacock ['pi:kɔk] *sb* påfugl(ehane); *vb* bryste sig, spankulere stolt omkring.
peacock butterfly *zo* dagpåfugleøje.
peacock green påfuglegrøn.
peacocky ['pi:kɔki] *adj* vigtig.
pea|fowl *zo* påfugl. ~ **green** ærtegrøn. **-hen** *zo* påfuglehøne. ~ **jacket** *(mar)* pjækkert, stortrøje.
I. peak [pi:k] *sb* spids, bjergtinde; *(fig)* maksimum, kulminationspunkt, højdepunkt, toppunkt; spidsværdi, maksimalværdi; (på kasket) skygge; *(mar)* peak, pik; *adj* top- *(fx load* belastning, *performance* præstation), maksimal; med spidsbelastning, med topbelastning.
II. peak [pi:k] *vb* kulminere, nå maksimum; *(glds)* hentæres, blive tynd, skrante.
peaked [pi:kt] *adj* spids; tynd, udtæret; ~ *cap* kasket med skygge, uniformskasket.
peak load spidsbelastning, topbelastning.
peaky ['pi:ki] *adj* spids, tynd, udtæret.
I. peal [pi:l] *sb* brag, drøn, skrald; (af klokker) ringen, kimen; *(af) laughter* en lattersalve; *the -s of the organ* orglets brusen; *a* ~ *of thunder* et tordenskrald.
II. peal [pi:l] *vb* brage, drøne, tordne; (om klokker) ringe, kime, klemte; ringe med, kime med, klemte med; (om orgel) bruse.
pea midge *zo* ærtegalmyg.
pea moth *zo* ærtevikler.
peanut ['pi:nʌt] *sb* jordnød; *-s pl (fig)* småpenge, 'pebernødder'; *the Peanuts* (tegneserie) Radiserne.
pea pod ærtebælg.
pear [pɛə] *sb* pære, pæretræ.
pearl [pɔ:l] *sb* perle; *(fig* også) guldkorn; *(typ)* perleskrift; *vb* besætte med perler; perle; fiske perler; *cast -s before swine* kaste perler for svin; se også **IV.** *purl.*
pearl| ash perleaske (slags potaske). ~ **barley** perlegryn. ~ **button** perlemorsknap. ~ **diver** perlefisker.
pearled [pɔ:ld] *adj* perlebesat; ~ *with dew* besat med dugperler.
pearl oyster perlemusling.

pearlwort ['pə:lwə:t] *sb (bot)* firling.
pearly ['pɔ:li] *adj* perle-; perleagtig, perleskinnende; perlesmykket; *pearlies sb pl* (dragt med) store perlemorsknapper som *costermongers* bruger ved deres årlige optog.
peasant ['peznt] *sb* bonde (især som klassebetegnelse, om småbønder og landarbejdere).
peasant blue almueblå.
peasantry ['pezntri] *sb* bondestand, bønder; (land)almue.
pease [pi:z] *glds pl* af *pea.* **pease pudding** *(omtr)* ærtegrød.
peashooter ['pi:ʃu:tə] *sb* pusterør; ærtebøsse.
pea soup gule ærter; *green-pea soup* (grøn)ærtesuppe.
pea-souper ['pi:'su:pə] *sb* tæt, gul (london)tåge.
peat [pi:t] *sb* tørv.
peat| bog tørvemose. **~ hag** tørvegrav. **~ moss** tørvemose; *(bot)* tørvemos. **~ reek** tørverøg.
peaty ['pi:ti] *adj* tørverig, tørveagtig.
peavey ['pi:vi] *sb* (slags) kanthage.
pebble ['pebl] *sb* sten (lille og rund); (linse af) bjergkrystal; *-s* (også) småsten; ral, rullesten; *you are not the only ~ on the beach* der er også andre mennesker (, piger) til end dig.
pebbly ['pebli] *adj* fuld af småsten, stenet.
pecan [pi'kæn] *sb (bot)* amerikansk valnød.
peccable ['pekəbl] *adj* syndig, syndefuld.
peccadillo [pekə'dilou] *sb* lille synd, lille forseelse.
peccant ['pekənt] *adj* syndig; forkert, urigtig; *(med.)* usund, sygelig.
peccary ['pekəri] *sb zo (am)* navlesvin, pekari.
peccavi [pe'ka:vi; pe'keivai] *(lat.)* jeg har syndet; *sb* syndsbekendelse.
I. peck [pek] *sb* (rummål =) 9,087 liter (¼ *bushel);* mængde, masse *(fx a ~ of trouble).*
II. peck [pek] *vb* pikke, hakke *(fx med næbbet);* pikke på; kysse (flygtigt); *sb* pikken; hak; mærke; (flygtigt) kys; *~ at* hakke efter; *(fig)* hakke på; *~ at one's food* sidde og stikke *(el.* nippe) til maden.
pecker ['pekə] *sb* hakke; næb; S næse; *(am* S) pik; *keep your ~ up!* T tab ikke modet!
pecking order hakkeorden.
peckish ['pekiʃ] *adj* T sulten, brødflov; *(am)* irritabel.
pectin ['pektin] *sb* pektin.
pectinate ['pektineit] *adj* kamformet.
pectoral ['pektərəl] *adj* bryst-; *~ fin* brystfinne.
peculate ['pekjuleit] *vb* begå underslæb, stjæle af kassen.
peculation [pekju'leiʃ(ə)n] *sb* underslæb, kassesvig.
peculator ['pekjuleitə] *sb* kassebedrager.
peculiar [pi'kju:ljə] *adj* mærkelig, besynderlig, egenartet, sær, ejendommelig *(fx he has a ~ taste);* særlig *(fx of ~ interest);* *~ to* særegen for, ejendommelig for.
peculiarity [pikju:li'æriti] *sb* ejendommelighed, særegenhed; særhed.
peculiarly [pi'kju:ljəli] *adv* særlig, særdeles; ejendommeligt, sært, besynderligt; specielt.
pecuniary [pi'kju:njəri] *adj* pekuniær, penge-.
pedagogic [pedə'gɔdʒik] *adj* pædagogisk. **pedagogics** [pedə'gɔdʒiks] *sb* pædagogik.
pedagogue ['pedəgɔg] *sb* pedant, skolemester, lærer, pædagog.
pedagogy ['pedəgɔdʒi] *sb* pædagogik.
I. pedal ['pedl] *sb* pedal; *vb* bruge pedalen; cykle; træde (en cykel *etc).*
II. pedal ['pedl, 'pi:dl] *adj* fod-.
pedal| cycle trædecykel. **~ pushers** *pl* halvlange dameslacks, jeans.
pedant ['pednt] *sb* pedant.
pedantic [pi'dæntik] *adj* pedantisk.
pedantry ['pedntri] *sb* pedanteri.
peddle ['pedl] *vb* gå omkring og falbyde, handle med på gaden *(fx drugs* narkotika), sælge ved dørene; *(fig)* udbrede, bringe til torvs *(fx gossip);* *~ with* nusse med.
peddler ['pedlə] *sb* omvandrende handelsmand, en der sælger ved dørene *el.* på gaden, *(glds)* bissekræmmer; *drug ~* narkotikahandler.
pedestal ['pedistl] *sb* (af søjle; til statue) fodstykke, sokkel, postament, (af søjle også) basis; til statue, vase, og *fig)* piedestal *(fx put him on a ~);* (af skrivebord) skab; *(tekn)* ståleje; lejestativ; *vb* sætte på en piedestal.
pedestrian [pi'destriən] *sb* fodgænger; *adj* fod-; til fods;

gående; *(fig)* uinspireret, kedsommelig, prosaisk; *~ crossing* fodgængerovergang, fodgængerfelt; *~ street* gågade.
pediatrics, pediatry se *paediatrics etc.*
pedicab ['pedikæb] *sb* cykel-rickshaw.
pedicel ['pedisel], **pedicle** ['pedikl] *sb (bot, zo)* stilk.
pedicular [pe'dikjulə] *adj* befængt med lus, luset, luse-.
pedicure ['pedikjuə] *sb* pedicure, fodpleje; fodplejer.
pedigree ['pedigri:] *sb* stamtavle; herkomst; *~ dog* racehund.
pediment ['pedimənt] *sb (arkit)* frontispice.
pedlar ['pedlə] *sb,* se *peddler.*
pedology [pi'dɔlədʒi] *sb* pedologi, jordbundslære.
pedometer [pi'dɔmitə] *sb* skridttæller.
peduncle [pi'dʌŋkl] *sb (bot)* stilk; stængel.
pedunculate [pi'dʌŋkjulit] *adj* stilket.
pedway ['pedwei] *sb* fodgængergade der er hævet over det *alm* gadeniveau.
pee [pi:] T *vb* tisse; *sb* tis.
peek [pi:k] *vb* kigge; *sb* kig; *take a ~ at this* kig lige på det her.
peek-a-boo ['pi:kə'bu:] *sb* (leg med småbørn:) borte-kig; bøh-tittit.
peel [pi:l] *vb* skrælle; (om træ) afbarke; (om hud, maling *etc)* skalle af; S klæde sig af, smide klunset; *sb* skal, skind, skræl; (bagers) brødstage; *keep one's eyes -ed,* se I. *eye;* *~ off* skalle af; T (om tøj) tage af, smide *(fx one's coat);* *(flyv, mar)* forlade formationen.
peeler ['pi:lə] *sb* skrællemaskine; *(glds* S) politibetjent.
peelings ['pi:liŋz] *sb pl* skræller.
peen [pi:n] *sb* næb, pen (på hammer); *vb* bearbejde med pen, overhamre.
I. peep [pi:p] *vb* kigge, titte; titte frem, blive synlig; *sb* tilsynekomst, frembrud *(fx ~ of day);* kig, glimt *(fx get a ~ of* få et glimt af).
II. peep [pi:p] *vb* pippe, pibe; *sb* pip, pippen, piben.
peeper ['pi:pə] *sb* en der kigger; S øje; fugl(eunge) der pipper, dyr der piber; se også *peeping Tom.*
peephole ['pi:phoul] *sb* kighul.
peeping Tom lurer, vindueskigger; S spanner.
peep show perspektivkasse, kukkasse.
peep sight *(mil.)* diopter, hulsigte (på gevær).
peep-toed ['pi:ptoud] *adj* tåløs.
I. peer [piə] *vb* stirre *(at* på), spejde; komme til syne, titte frem, bryde frem.
II. peer [piə] *sb* ligemand, lige *(fx you will not find his ~);* overhusmedlem, medlem af højadelen; *create sby a ~* ophøje en i adelsstanden; *~ of the realm, hereditary ~* adelsmand hvis rang og sæde i Overhuset er arveligt; *without a ~* uforlignelig.
peerage ['piəridʒ] *sb* adelsrang; højadel; adelskalender.
peeress ['piəris] *sb* adelsfrue, adelsmands hustru, højadelig dame; *~ in her own right* adelig dame der selvstændig har adelstitel.
peer group gruppe af jævnaldrende.
peerless ['piəlis] *adj* uforlignelig.
peeve [pi:v] *vb* T irritere, ærgre; *be -d about sth* ærgre sig *(el.* være irriteret) over noget.
peevish ['pi:viʃ] *adj* vranten, gnaven, sur.
peewee ['pi:wi:] *adj* lillebitte.
peewit ['pi:wit] *sb zo* vibe.
Peg [peg] kælenavn for *Margaret.*
I. peg [peg] *sb* (til tøj) tranægle; teltpløk; (i sko) pløk; (i tønde) tap; (til tøj) knage; tøjklemme; (på violin) stemmeskrue; T (træ)ben, *-s* »stylter«; (grad:) sjus; (grad:) trin, tak *(fx move up a ~ in the organization); come down a ~* rykke en tak ned; stemme tonen ned, slå lidt af; blive mindre vigtig; *take him down a ~ (or two)* skære ham ned; *off the ~* færdigsyet; *a suit off the ~* T et sat standtøj; *a ~ to hang sth on (fig)* en anledning *(el.* et påskud) til noget; *he did not move (el. start, stir) a ~* han rørte sig ikke en tomme, han rørte sig ikke ud af stedet; *he is a square ~ in a round hole* han er kommet på en forkert hylde.
II. peg [peg] *vb* fastgøre med pinde *etc,* pløkke, nagle, *(fig)* lægge fast, fiksere *(fx prices);* markere (med pinde); (i gartneri) nedkroge; **~ away** klemme på *(at* med); **~ down** fastgøre, (fast)binde; **~ out** udstikke, af-

mærke (med pinde); slå til pæls (i kroket); **T** blive ruineret, gå til grunde; dø, krepere.
Pegasus ['pegəsəs] Pegasus.
pegboard ['pegbɔ:d] *sb* plade med huller.
Peggy ['pegi]. **Pegotty** ['pegəti].
pegleg ['pegleg] *sb* **T** træben.
pegtop ['pegtɔp] *sb* snurretop; *adj* vid foroven og snæver forneden *(fx ~ trousers)*.
peignoir ['peinwa:] *sb (glds)* peignoir, frisérkåbe, badekåbe.
pejorative ['pi:dʒərətiv] *adj* nedsættende, pejorativ; *sb* nedsættende ord.
peke [pi:k] *sb* **T** pekingeser.
Pekin [pi:'kin]. **Peking** [pi:'kiŋ] Peking.
pekinese [pi:ki'ni:z], **pekingese** [pi:kiŋ'i:z] *sb* pekingeser.
pekoe ['pi:kou] *sb* peccoté.
pelagic [pe'lædʒik] *adj* pelagisk, hav-.
pelargonium [pelə'gouɲnəm] *sb (bot)* pelargonie.
pelerine ['peləri:n] *sb* pelerine, dameskulderslag.
pelf [pelf] *sb* penge, mammon, mønt.
pelican ['pelikən] *sb zo* pelikan.
pelisse [pe'li:s] *sb (glds)* kåbe, kappe.
pellagra [pe'leigrə, pe'lægrə] *sb (med.)* pellagra (en mangelsygdom).
pellet ['pelit] *sb* (lille) kugle *(fx* papirs-, brød-); hagl (til skydevåben); pille; uglegylp.
pellitory ['pelitəri] *sb (bot)* springknap.
pell-mell ['pel'mel] *adj, adv* hulter til bulter; hovedkulds; forvirret, uordentlig; *sb* tumult, uorden.
pellucid [pe'l(j)u:sid] *adj* klar, gennemsigtig.
pelmet ['pelmit] *sb* kappe (over gardin).
Peloponnesian [pelǝpǝ'ni:ʃ(ǝ)n] *adj* peloponnesisk; *sb* peloponneser.
I. pelt [pelt] *sb* pels, skind med hårene på.
II. pelt [pelt] *vb* fare (afsted); *sb: (at) full ~* i fuld fart.
III. pelt *vb* bombardere *(fx ~ sby with stones, with questions)*, overdænge *(fx ~ sby with abuse)*; kaste *(fx ~ stones at sby)*; kaste sten *(fx ~ at sby)*; (om regn, hagl etc) styrte ned, øse ned; *the hail -ed against the roof* haglene piskede på taget.
peltate ['pelteit] *adj (bot)* skjolddannet.
peltry ['peltri] *sb* pelsværk, pelsvarer.
pelvic ['pelvik] *adj (anat)* bækken-; *~ fin* bugfinne; *~ fracture* bækkenbrud.
pelvis ['pelvis] *sb (anat)* bækken.
pemmican ['pemikən] *sb* pemmikan (tørret kød); *(fig)* resumé.
I. pen. [pen] *sb* fold, indelukke; bås; kravlegård; *(mar)* ubådsbunker; *vb: ~ (in), ~ up* indelukke; indespærre; indeslutte; drive i folden.
II. pen [pen] *sb* pen, *(fig)* stil, skrivemåde; *vb* skrive.
penal ['pi:nl] *adj* straffe-, kriminal-; strafbar, kriminel.
penal| code straffelov. **~ colony** straffekoloni.
penalize ['pi:nǝlaiz] *vb* gøre strafbar; straffe; (i sport) straffe; idømme strafpoint; (i amerikansk fodbold) idømme tab af terræn; *(fig)* stille ugunstigt.
penal servitude strafarbejde.
penalty ['pen(ǝ)lti] *sb* straf, bøde; (i sport) straf, handicap, (i fodbold) straffespark; *(fig)* straf; uheldig følge *(fx he described the penalties of not joining the EEC)*; *they lost the match on penalties* de tabte kampen ved en straffesparkkonkurrence; *pay the ~ of* bøde for; *under (el. on) ~ of* under straf af; *under (el. on) ~ of death* under dødsstraf.
penalty| area straffesparkfelt. **~ goal** mål scoret på straffespark. **~ kick** straffespark.
penance ['penǝns] *sb* bod, bodsøvelse; *(fig)* ubehagelig oplevelse, 'straf'.
pen-and-ink drawing pennetegning.
Penang [pi:'næŋ].
pence [pens] *pl af penny*.
penchant [fr. 'pa:ɲʃa:ŋ *(am)* 'pentʃǝnt] *sb* hang, tilbøjelighed; forkærlighed, svaghed *(for* for, *fx ice cream)*.
pencil ['pensl] *sb* blyant; griffel, stift; *(glds)* pensel; *(fig)* lyskegle, strålebundt; *vb* skrive *(el.* tegne) med blyant; pensle.
pencil case blyantsholder; penalhus.
pencilled ['pensld] *adj* skrevet med blyant; (fint) tegnet;

stråleformet.
pencil sharpener blyantspidser.
pencraft ['penkra:ft] *sb* skrivefærdighed, stil.
pendant ['pendǝnt] *sb* (smykke) ørenring, hængesmykke, vedhæng; (lampe) hængelampe, pendel; (sidestykke) pendant; *(mar)* (flag) vimpel; (strop) skinkel; (se også *pendent)*.
pendent ['pendǝnt] *adj* hængende; ragende ud over; uafgjort; (se også *pending, pendant)*.
I. pending ['pendiŋ] *adj* svævende, uafgjort, verserende; *be ~ (jur)* versere.
II. pending ['pendiŋ] *præp* under *(fx the discussion)*; indtil *(fx his return)*; *~ your reply* indtil Deres svar foreligger.
pendulous ['pendjulǝs] *adj* (frit) hængende; svingende.
pendulum ['pendjulǝm] *sb* pendul.
Penelope [pi'nelǝpi].
penetrable ['penitrǝbl] *adj* gennemtrængelig; tilgængelig.
penetralia [peni'treiljǝ] *sb pl* inderste; allerhelligste.
penetrate ['penitreit] *vb* trænge ind *(fx the army -d into the interior)*, bane sig vej; (med objekt) trænge ind i *(fx the bullet -d his lung)*, trænge igennem, gennemtrænge, gennembore; *(fig)* trænge ind til (, i) *(fx the meaning, the mystery)*; gennemskue *(fx a disguise)*; gennemtrænge; *~ into (, through)* trænge ind i (, gennem).
penetrating ['penitreitiŋ] *adj* gennemtrængende *(fx shriek; odour)*; skarp, skarpsindig, indtrængende *(fx analysis)*.
penetration [peni'treiʃ(ǝ)n] *sb* indtrængen, gennemtrængen; *(mil.)* gennembrud; (om projektil) gennemslag(skraft); *(fig)* skarpsindighed.
penetrative ['penitrǝtiv], se *penetrating*.
penguin ['pengwin] *sb zo* pingvin.
penholder ['penhouldǝ] *sb* penneskaft.
penicillin [peni'silin, pe'nisilin] *sb* penicillin.
peninsula [pi'ninsjulǝ] *sb* halvø; *the Peninsula* Den pyrenæiske Halvø.
peninsular [pi'ninsjulǝ] *adj* halvø-; halvøformet; på Den pyrenæiske Halvø; *the Peninsular War* krigen på Den pyrenæiske Halvø 1808-14.
penis ['pi:nis] *sb (anat)* penis.
penitence ['penit(ǝ)ns] *sb* anger; bodfærdighed.
penitent ['penit(ǝ)nt] *adj* angrende, angerfuld, angergiven, bodfærdig; *sb* skriftebarn.
penitential [peni'tenʃǝl] *adj* bods-.
penitentiary [peni'tenʃǝri] *sb* forbedringshus; *(am)* statsfængsel; *adj* bods-; fængsels-; *(am)* som medfører fængselsstraf.
penknife ['pennaif] *sb* (lille) lommekniv.
penman ['penmǝn] *sb* skribent; kalligraf; *he is a good ~* han skriver nydeligt, han har en god håndskrift.
penmanship ['penmǝnʃip] *sb* skrivedygtighed, kalligrafi; håndskrift.
Penn. *fk* Pennsylvania.
pen name påtaget forfatternavn, pseudonym.
pennant ['penǝnt] *sb (mar)* vimpel, stander; (på node) fane; *(am)* vimpel der tildeles sportsklub som vinder et mesterskab *fx* i baseball.
pennies ['peniz] *pl af penny*.
penniless ['penilǝs] *adj* fattig, pengeløs.
Pennines ['penainz] *pl: the ~* bjergkæde i Nordengland.
pennon ['penǝn] *sb* vimpel, stander; flag.
penn'orth ['penǝθ] = *pennyworth*.
Pennsylvania [pensil'veinjǝ] Pennsylvanien.
penny ['peni] *sb (pl pence* om værdien; *pennies* pennystykker) penny (engelsk kobbermønt, nu (især: *newpenny)* ¹/₁₀₀ *pound sterling*, tidligere ¹/₁₂ *shilling)*; *(am,* canadisk) **T** cent; *now the ~ dropped!* nu faldt tiøren! *a ~ for your thoughts!* hvad tænker De på? *in for a ~, in for a pound* når man har sagt a, må man også sige b; *a pretty ~* en pæn skilling (ɔ: betydelig sum); *it will cost a pretty ~* det bliver dyrt; *a ~ saved is a ~ gained (el. earned)* hvad der er sparet er fortjent; *spend a ~* **T** gå på wc; *they haven't a ~ to their name (el. in the world)* de ejer ikke en rød øre; *turn an honest ~* tjene en ærlig skilling; *I always turn up like a bad ~ (omtr.)* jeg er ikke sådan at blive af med.
penny|-a-liner ['peniǝ'lainǝ] *sb* bladneger. **~ bank** sparekasse; sparebøsse. **~ dreadful** knaldroman. **~ farthing** *(glds)* 1¼ penny; velocipede, væltepeter. **~ -in-the-slot**

machine automat. ~ **-in-the-slot meter** automatmåler, gasautomat. ~ **piece** pennystykke. **-royal** ['peni'rɔiəl] *sb (bot)* polejmynte. **-weight** (vægtenhed =) 1,555 g. ~ **whistle** billig blik- *el.* plasticfløjte. ~ **-wise** sparsommelig i småting; *be* ~ *-wise and pound-foolish* spare på skillingen og lade daleren rulle. **-wort** *(bot)* vandnavle.
pennyworth ['penəθ] *sb* så meget som fås for a penny; *a good* ~ et godt køb.
penology [pi:'nɔlədʒi] *sb* læren om straffe.
pen| pal penneven. ~ **-pusher** penneslikker.
pensile ['pensil] *adj* (ned)hængende.
I. pension ['penʃ(ə)n] *sb* pension; *vb* pensionere; *not for a* ~ ikke for alt i verden; ~ *off* give afsked med pension, sætte på pension.
II. pension *[fr]* *sb* pension, pensionat.
pensionable ['penʃənəbl] *adj* pensionsberettiget; pensionsgivende; ~ *age* pensionsalder.
pensionary ['penʃənəri] *adj* pensioneret; pensions-; *sb* pensionist.
pensioner ['penʃənə] *sb* pensionist; (i Cambridge) student som ikke har stipendium.
pensive ['pensiv] *adj* tankefuld, eftertænksom; tungsindig.
penstock ['penstɔk] *sb* stigbord; sluserende (til mølle); (til turbine) turbinerør.
pent, se *pent-up.*
pentagon ['pentəgən] *sb* femkant; *the Pentagon* det amerikanske forsvarsministerium.
pentameter [pen'tæmitə] *sb* pentameter, femfodet verslinie.
Pentateuch ['pentətju:k] de fem Mosebøger.
pentathlon [pen'tæθlɔn] *sb* (i sport) femkamp.
Pentecost ['pentikɔst] (jødernes) pinse.
pentecostal [penti'kɔstl] *adj* pinse-.
penthouse ['penthaus] *sb* læskur; halvtag; beskyttelsestag; overbygning; taghus, tagopbygning, tagbolig.
pent roof halvtag.
pent-up ['pent'ʌp] *adj* indelukket, indespærret *(fx they are* ~ *in school all day); (fig)* indeklemt, indestængt, opdæmmet, undertrykt *(fx fury).*
penultimate [pi'nʌltimit] *adj* næstsidst.
penumbra [pi'nʌmbrə] *sb* halvskygge.
penurious [pi'njuəriəs] *adj* meget fattig, forarmet; knap, sparsom; gerrig, nærig.
penury ['penjuri] *sb* dyb armod, fattigdom, trang; knaphed, mangel *(of* på).
peon ['pi:ən] *sb* (i spansk Amerika) daglejer (som arbejder en gæld af), gældsfange; [pju:n, 'pi:ən] (i Indien) bud, tjener, politibetjent.
peony ['piəni] *sb (bot)* pæon.
I. people ['pi:pl] *sb* folk, folkeslag *(fx primitive -s, the -s of Europe); pl:* folk; man *(fx* ~ *say that he is rich);* mennesker *(fx several* ~; *stupid* ~; *old* ~); familie *(fx you must meet my* ~*); the* ~ folket, den store masse; *a man of the* ~ en mand af folket; *why do you ask me of all* ~*?* hvorfor spørger du netop mig? ~ *will talk* man siger så meget.
II. people ['pi:pl] *vb* befolke.
people's| commissar folkekommissær. ~ **democracy** folkedemokrati. ~ **front** folkefront. ~ **police** folkepoliti. ~ **republic** folkerepublik.
pep [pep] *sb* S pep, kraft, mod, fart, fut; *vb:* ~ *up* sætte fut *(el.* fart) i.
PEP *fk Political and Economic Planning.*
pepper ['pepə] *sb* peber; *(fig)* kraft, begejstring; *vb* pebre, komme peber på (, i); *(fig)* beskyde, overdænge *(fx he was -ed with beer bottles).*
pepper-and-salt salt og peber, gråmeleret (tøj).
pepper-and-salt moth *zo* birkemåler.
pepper|box, ~ **caster,** ~ **castor** peberbøsse.
peppercorn ['pepəkɔ:n] *sb* peberkorn; *adj* ubetydelig, uvæsentlig; ~ *hair* negerkrus; ~ *rent* nominel leje.
peppermint ['pepəmint] *sb* pebermynte; ~ *humbug (omtr)* bismarcksklump.
pepper pot peberbøsse; en krydret ret *(el.* suppe).
peppery ['pepəri] *adj* pebret, peberagtig; *(fig)* hidsig, irritabel; opfarende *(fx a* ~ *old colonel);* skarp, bidende *(fx satire).*
pep pill T ferietablet.
peppy ['pepi] *adj* S fuld af pep, livlig, energisk.

pepsin ['pepsin] *sb (kem)* pepsin.
pep talk opflammende tale.
peptic ['peptik] *adj* fordøjelses-; pepsinholdig.
Pepys [pi:ps, peps, 'pepis].
per [pə:] *præp* igennem; ved; om, pr.; ~ *annum* om året; *as* ~ ifølge, i henhold til; ~ *bearer* pr. bud; ~ *capita* pr. hoved, pro persona, hver; ~ *cent* procent, pr. hundrede; *how much* ~ *cent?* hvor mange procent? *three* ~ *cents* tre procents papirer; ~ *thousand* pr. tusinde, promille.
peradventure [pərəd'ventʃə] *(glds) adv* måske, muligvis; *sb beyond (el. without)* ~ ubetinget, ganske givet.
perambulate [pə'ræmbjuleit] *vb* gennemvandre; berejse; inspicere.
perambulation [pəræmbju'leiʃ(ə)n] *sb* vandring; gennemrejse; inspektionsrejse.
perambulator ['præmbjuleitə] *sb* barnevogn; *doll's* ~ dukkevogn.
perceive [pə'si:v] *vb* (forstandsmæssigt:) indse, erkende; (gennem sanserne) opfatte, sanse, (gennem øjet) se, bemærke; (mere ubestemt:) fornemme.
per cent se *per.*
percentage [pə'sentidʒ] *sb* procentdel; procentindhold, procent *(fx it contains only a small* ~ *of alcohol),* (mere ubestemt:) del *(fx a large* ~ *of the population are ignorant of this);* procentsats; (i udbytte *etc)* procentvis andel *(on* i); procenter *(on* af, *fx get a* ~ *on the sales (, the profit));* T fordel, udbytte; *there is no* ~ *in that* det får man ikke noget ud af; *expressed in -s* udtrykt i procenter, udtrykt procentvis; ~ *by volume* volumenprocent; ~ *by weight* vægtprocent.
perceptible [pə'septibl] *adj* kendelig, mærkbar; synlig; *be* ~ (også) kunne spores.
perception [pə'sepʃ(ə)n] *sb (cf perceive)* erkendelse; opfattelse, sansning; *(psyk)* perception; (evne:) opfattelsesevne.
perceptive [pə'septiv] *adj* hurtig (, klart) opfattende; modtagelig for indtryk, følsom; indsigtsfuld, indforstået.
perceptivity [pə:sep'tiviti] *sb* (hurtig) opfattelsesevne, modtagelighed for indtryk; følsomhed.
perceptual [pə'septʃuəl] *adj* opfattelses-, erkendelses-, som vedrører opfattelse *el.* erkendelse.
I. perch [pə:tʃ] *sb* stang, pind (for fugle), siddepind; *(fig)* høj plads, højt stade; (et længdemål =) 5½ yards; *(mar)* prik, halmvisk; *vb* sætte sig, slå sig ned; sidde og balancere *(fx on his knee, on the arm of his chair);* være anbragt (, ligge) på et højt *el.* utilgængeligt sted, 'svæve' *(fx a hut -ing on a high cliff);* anbringe, sætte, lægge (på et højt *el.* utilgængeligt sted); *come off your* ~ S lade være at skabe dig! kom ned på jorden! *hop the* ~ S dø, kreperе; *knock sby off his* ~ S vippe en af pinden.
II. perch [pə:tʃ] *sb zo* aborre.
perchance [pə'tʃa:ns] *adv (glds)* måske.
percipience [pə'sipiəns] *sb* opfattelse(sevne).
percipient [pə'sipiənt] *adj,* se *perceptive.*
percolate ['pə:kəleit] *vb* sive igennem; filtrere; lave kaffe (på kolbe *etc).*
percolation [pə:kə'leiʃ(ə)n] *sb* gennemsivning, filtrering.
percolator ['pə:kəleitə] *sb* si, filter, filtreringsapparat; (til kaffe) perkolator, *(omtr)* espressokande.
percussion [pə'kʌʃ(ə)n] *sb* stød, slag, sammenstød, rystelse; perkussion; *(mus.)* slagtøj; ~ *cap* fænghætte; ~ *instrument* slaginstrument.
percussive [pə'kʌsiv] *adj* stød-; perkussions-.
perdition [pə'diʃ(ə)n] *sb* evig fortabelse, undergang.
perdu [pə:'dju:] *adj: lie* ~ ligge *(el.* holde sig) skjult.
peregrination [perigri'neiʃ(ə)n] *sb* omvandren, rejse.
peregrine ['perigrin] ~ *falcon* vandrefalk.
peremptory [pə'remt(ə)ri, (især *jur)* 'perəm-] *adj* bydende *(fx a* ~ *manner),* som tåler modsigelse; kategorisk *(fx command); (jur)* afgørende, uigenkaldelig.
perennial [pə'renjəl] *adj* evig, stedsevarende; stadig tilbagevendende; (om vandløb) som løber hele året; (om plante) flerårig; *sb* flerårig plante, staude.
I. perfect [pə'fikt] *adj* perfekt, fuldendt, fuldkommen; ideal; fuldstændig, komplet *(fx a* ~ *stranger); sb* førnutid, perfektum; ~ *fifth* (i musik) ren kvint; ~ *impression (typ)* rentryk; *practice makes* ~ øvelse gør mester.
II. perfect [pə'fekt] *vb* fuldkommengøre; fuldende, ud-

vikle, udvikle til fuldkommenhed *(fx a method); (typ)* trykke sekundaark, videntrykke; ~ *oneself* perfektionere sig, dygtiggøre sig.

perfectibility [pəfekti'biliti] *sb* udviklingsevne, perfektibilitet. **perfectible** [pə'fektəbl] *adj* perfektibel, udviklingsdygtig, som kan blive perfekt.

perfecting [pə'fektin] *sb (typ)* vidertryk, gentryk (ɔ: tryk på den anden side).

perfecting| machine, *(am:)* ~ **press** *(typ)* skøn- og vidertryksmaskine.

perfection [pə'fekʃ(ə)n] *sb* fuldkommenhed; fuldendthed; fuldkommengørelse, fuldendelse.

perfectionist [pə'fekʃənist] *sb* perfektionist.

perfectly ['pə:fiktli] *adv* helt, fuldstændig(t).

perfect pitch *(mus.)* absolut gehør.

perfect tense førnutid, perfektum.

perfervid [pə'fə:vid] *adj* hed, glødende, brændende.

perfidious [pə'fidiəs] *adj* perfid, troløs, falsk, forræderisk. **perfidy** ['pə:fidi] *sb* perfidi, troløshed, falskhed, forræderi.

perforate ['pə:fəreit] *vb* gennembore, gennemhulle, perforere; trænge ind.

perforation [pə:fə'reiʃ(ə)n] *sb* gennemboring, perforering, hul; (om frimærke) takker; tak; takning.

perforator ['pə:fəreitə] *sb* perforeringsapparat, hullemaskine.

perforce [pə'fɔ:s] *adv (litt)* nødvendigvis.

perform [pə'fɔ:m] *vb* udføre *(fx ~ one's work satisfactorily);* foretage *(fx an operation; calculations);* yde, præstere *(fx an enormous amount of work);* gennemføre, fuldende; opfylde *(fx one's duty, a contract);* (om et værk) opføre, fremføre, spille *(fx Hamlet);* (musik også) synge; (uden objekt) (om kunstner) optræde; medvirke; (om dyr) gøre kunster; (om maskine *etc*) fungere, arbejde; ~ *on the piano* spille klaver; ~ *tricks* (om dyr) gøre kunster.

performance [pə'fɔ:məns] *sb (cf perform)* udførelse, gennemførelse, opfyldelse *(fx of a contract);* (kunstners) optræden; medvirken; (af et værk) opførelse, fremførelse; (resultat:) præstation, værk, arbejde; (kunstnerisk *etc*) forestilling, nummer; *(tekn)* ydelse, ydeevne *(fx of an engine); special* ~ gæstespil, gæsteoptræden.

performer [pə'fɔ:mə] *sb* optrædende, medvirkende, (udøvende) kunstner, musiker, skuespiller, rollehavende; *be the principal -s (teat)* udføre hovedrollerne.

performing [pə'fɔ:min] *adj* (om dyr) dresseret.

I. perfume ['pə:fju:m] *sb* duft, vellugt; parfume.

II. perfume [pə'fju:m] *vb* parfumere, fylde med vellugt.

perfumer [pə'fju:mə] *sb* parfumefabrikant, parfumehandler.

perfumery [pə'fju:məri] *sb* parfumer; parfumeri.

perfunctory [pə'fʌŋ(k)t(ə)ri] *adj* skødesløs, overfladisk *(fx examination);* mekanisk, ligegyldig.

pergola ['pə:gələ] *sb* pergola, løvgang.

perhaps [pə'hæps, præps] *adv* måske.

peri ['piəri] *sb* peri (fe i persisk mytologi).

perianth ['periænθ] *sb* blosterbladene.

pericardium [peri'ka:djəm] *sb (anat)* hjertesæk.

pericarp ['perika:p] *sb (bot)* frøgemme.

Pericles ['perikli:z] Perikles.

perigee ['peridʒi:] *sb (astr)* perigæum (planetbanes, satellitbanes punkt nærmest jorden); jordnære.

perihelion [peri'hi:ljən] *sb (astr)* perihelium (planetbanes punkt nærmest solen), solnære.

peril ['peril] *sb* fare; risiko; *(hj (poet)* bringe i fare; sætte på spil, vove; *at one's* ~ på eget ansvar; *at the* ~ *of his life* med fare for sit liv; *touch him at your* ~! du kan bare prøve på at røre ham! *be in* ~ *of one's life* være i livsfare.

perilous ['periləs] *adj* farlig, farefuld, vovelig.

perimeter [pə'rimitə] *sb* perimeter, omkreds; rand; ydergrænse.

perineum [peri'ni:əm] *sb (anat)* perinæum, mellemkødet.

I. period ['piəriəd] *sb* periode, tid, tidsrum, tidsafsnit; (i undervisning) lektion, (skole)time; *(gram.)* periode, *(am* også) punktum; *(astr)* omløbstid; -s veltalenhed, veltalende foredrag; menstruation; ~! punktum! og dermed basta! *put a* ~ *to (fig)* sætte punktum for, gøre ende på.

II. period ['piəriəd] *adj* fra den tid, i den tids stil, stil- *(fx*

---

furniture); ~ *novel* historisk-roman.

periodic [piəri'ɔdik] *adj* periodisk *(fx decimal* decimalbrøk).

periodical [piəri'ɔdikl] *sb* tidsskrift; *adj* periodisk.

periodicity [piəriə'disiti] *sb* periodicitet, regelmæssig tilbagevenden; *(kem)* periodetal.

peripatetic [peripə'tetik] *adj* omvandrende, peripatetisk; *sb* peripatetiker.

peripheral [pə'rifər(ə)l] *adj* periferisk, perifer; *(fig* også) mindre væsentlig; *(anat)* perifer *(fx nervous system);* (i edb): ~ *units* ydre enheder; *-s sb pl* = ~ *units.*

periphrasis [pə'rifrəsis] *sb (pl periphrases* [pə'rifrəsi:z]) omskrivning.

periphrastic [peri'fræstik] *adj* omskrivende; *(gram.)* omskreven *(fx tense)*

periscope ['periskoup] *sb* periskop.

perish ['periʃ] *vb* omkomme *(with* af; *by, from* af, ved); forulykke, forlise; *(fig)* gå til grunde, ødelægges, visne; (bibelsk) fortabes; *-ed with hunger (, cold)* ved at omkomme af sult (, kulde); ~ *the thought! (omtr)* en utænkelig tanke!

perishable ['periʃəbl] *adj* forgængelig; let fordærvelig; *-s sb pl* letfordærvelige varer.

perisher ['periʃə] *sb* S rad, skidt fyr, skarnsknægt.

perishing ['periʃin] *adv:* ~ *cold* S hundekoldt.

peristalsis [peri'stælsis] *sb* peristaltik (tarmbevægelser).

peristaltic [peri'stæltik] *adj* peristaltisk.

peristyle ['peristail] *sb (arkit)* peristyl, søjlegård, søjlegang, søjlehal.

periton(a)eum [peritə'ni:əm] *sb (anat)* bughinde.

peritonitis [peritə'naitis] *sb* bughindebetændelse.

periwig ['periwig] *sb* paryk; *-ged* med paryk på.

periwinkle ['periwiŋkl] *sb zo* strandsnegl; *(bot)* singrøn, eviggrønt, vinca.

perjure ['pə:dʒə] *vb:* ~ *oneself* aflægge falsk ed, sværge falsk; (svarer til:) afgive falsk forklaring for retten; *perjured* mensvoren.

perjurer ['pə:dʒ(ə)rə] *sb* meneder.

perjury ['pə:dʒ(ə)ri] *sb* mened; aflæggelse af falsk ed, edsbrud; (svarer til:) falsk forklaring for retten; *commit* ~ aflægge falsk ed, sværge falsk; (svarer til:) afgive falsk forklaring for retten.

I. perk [pə:k] *vb:* ~ *up* være kry *(el.* kæphøj), sætte næsen i sky; kvikke op; komme til hægterne, komme sig; (med objekt) knejse med; ~ *oneself up* rynke sig.

II. perk [pə:k] *vb* T løbe igennem (om vand i kaffekolbe), lave kaffe (på kolbe).

perks [pə:ks] *sb pl* T *(fk perquisites)* særlige tillæg, ekstra løngoder; sociale goder; biindtægter.

perky ['pə:ki] *adj* vigtig, kry, kæphøj; forsoren; munter.

perm [pə:m] T *fk permutation; permanent wave; vb* permanente; *she has had a* ~ hun er blevet permanentet.

permafrost ['pə:məfrɔst] *sb* permafrost, permanent frossen jordbund.

permanence ['pə:mənəns] *sb* bestandighed, stadighed, varighed.

permanency ['pə:mənənsi] *sb* stadighed; noget varigt; fast stilling.

permanent ['pə:mənənt] *adj* permanent; fast *(fx job);* varig *(fx injury);* blivende; bestandig, stadig *(fx threat); a* ~ *appointment* fast ansættelse.

permanent | loan *(bibl etc)* depotlån, deponering, langfristet lån. ~ **wave** permanentbølgning. ~ **way** *(jernb)* banelegeme.

permeability [pə:mjə'biliti] *sb* gennemtrængelighed; (i støberi) luftighed.

permeable ['pə:mjəbl] *adj* gennemtrængelig.

permeate ['pə:mieit] *vb:* ~ *(through)* gennemtrænge *(fx water -s (through) the soil), (fig)* gennemtrænge, gennemsyre; gå igennem, præge *(fx the feeling that -s the speech).*

permeation [pə:mi'eiʃ(ə)n] *sb* gennemtrængen.

permissible [pə'misəbl] *adj* tilladelig, tilladt.

permission [pə'miʃ(ə)n] *sb* tilladelse, lov *(fx ask* ~ *to go* bede om lov til at gå).

permissive [pə'misiv] *adj* som giver tilladelse; fakultativ; liberal, tolerant; *(neds)* for tolerant, eftergivende.

I. permit [pə'mit] *vb* tillade, give lov, lade; *weather -ting* hvis vejret tillader; ~ *of* tillade, muliggøre; *be -ted to* få lov til at.

II. permit ['pə:mit] *sb* (skriftlig) tilladelse.

permutation [pə:mju'teiʃ(ə)n] *sb* ombytning, omstilling, omflytning, forandring af rækkefølgen; *(mat.)* permutation, omstilling (af tal *etc)*; (i tipning, svarer til) gardering; *-s pl* (også:) forskellige kombinationer *(fx menu -s)*.

permute [pə(:)'mju:t] *vb* ombytte, omflytte; *(mat.)* permutere, omstille (tal *etc)*.

pern [pə:n] *sb zo* hvepsevåge.

perne [pə:n] *vb (dial.)* dreje i spiral.

pernicious [pə'niʃəs] *adj* skadelig, ødelæggende, ondartet; ~ **anaemia** perniciøs anæmi.

pernickety [pə'nikiti] *adj* T pertentlig, pillen; kilden, vanskelig *(fx question)*.

perorate ['perəreit] *vb* holde tale; afslutte en tale.

peroration [perə'reiʃ(ə)n] *sb* slutning(safsnit) af en tale.

peroxide [pə'rɔksaid] *sb:* ~ *of hydrogen (kem)* brintoverilte; *adj:* ~ *blonde* dame med affarvet hår.

perpend ['pə:pənd] *sb (am)* = *parpen; vb (glds)* overveje.

perpendicular [pə:pən'dikjulə] *adj* perpendikulær, lodret *(to* på); *sb* lodret linie; lodret plan; lodret stilling; lodsnor; ~ *(style)* engelsk sengotik; *drop a* ~ nedfælde den vinkelrette; *the wall is out of the* ~ muren er ude af lod.

perpetrate ['pə:pitreit] *vb* begå, forøve *(fx a crime)*.

perpetration [pə:pi'treiʃ(ə)n] *sb* forøvelse; udåd.

perpetrator ['pə:pitreitə] *sb* gerningsmand.

perpetual [pə'petjuəl] *adj* bestandig, evig *(fx peace, youth)*; stedsevarende; *(neds)* idelig, evindelig *(fx their* ~ *quarrelling)*; *(bot)* stedseblomstrende.

perpetual | **calendar** evighedskalender. ~ *curate* residerende kapellan. ~ *motion machine* perpetuum mobile, evighedsmaskine.

perpetuate [pə'petjueit] *vb* bevare for alle tider; sikre for al fremtid, forevige; forlænge i det uendelige.

perpetuity [pə:pi'tjuiti] *sb* evighed, uafbrudt varighed; *(jur)* uafhændelighed; uafhændelig ejendom; *for* ~, *in* ~ for bestandig.

perplex [pə'pleks] *vb* forvirre, sætte i forlegenhed, gøre rådvild; gøre indviklet.

perplexed [pə'plekst] *adj* forvirret, rådvild; perpleks, paf, betuttet; indviklet.

perplexity [pə'pleksiti] *sb* indviklethed, forvikling; forvirring, rådvildhed, betuttelse.

perquisites ['pə:kwizits] *sb pl* sportler, biindtægter, emolumenter.

perron ['perən] *sb* monumental udvendig hovedtrappe med afsats *el.* terrasse.

perry ['peri] *sb* pærevin, pærecider.

persecute ['pə:sikju:t] *vb* forfølge; plage.

persecution [pə:si'kju:ʃ(ə)n] *sb* forfølgelse.

persecution mania *(psyk)* forfølgelsesvanvid.

persecutor ['pə:sikju:tə] *sb* forfølger.

perseverance [pə:si'viərəns] *sb* udholdenhed.

persevere [pə:si'viə] *vb* holde ud, være standhaftig; blive (ihærdigt) ved *(in* med, *fx one's work)*; *(neds)* fremture *(in* i, *fx one's follies)*.

persevering [pə:si'viəriŋ] *adj* ihærdig, udholdende.

Persia ['pə:ʃə] Persien. **Persian** ['pə:ʃ(ə)n] *adj* persisk; *sb* perser; *zo* angorakat; ~ *lamb* persianer.

persiennes [pə:si'enz] *sb pl* (udvendige) persienner.

persiflage [pɛəsi'fla:ʒ, 'pə:sifla:ʒ] *sb* let spot, munter satire.

persimmon [pə:'simən] *sb (bot)* daddelblomme.

persist [pə'sist] *vb* vedvare, holde sig *(fx the superstition still -s)*; ~ **in** blive stædig ved med *(fx one's work)*; stædigt fastholde *(fx one's opinion)*; *(neds)* fremture i *(fx one's follies)*.

persistence [pə'sistəns], **persistency** [pə'sistənsi] *sb* ihærdighed; hårdnakkethed; fremturen; vedvaren.

persistent [pə'sistənt] *adj* ihærdig, udholdende, hårdnakket; vedvarende, vedholdende; *(bot)* blivende.

person [pə:sn] *sb* ydre, skikkelse; *(jur)* legemsbeskadigelse, legemskrænkelse; *in* ~ personlig, selv *(fx he appeared in* ~*)*; *without respect of -s* uden persons anseelse; *young* ~ ung pige, ungt menneske.

personable ['pə:s(ə)nəbl] *adj* net, pæn, præsentabel.

personage ['pə:s(ə)nidʒ] *sb* (fornem *el.* betydelig) person;

person (i skuespil *etc); a prominent* ~ en fremtrædende personlighed.

personal ['pə:snl] *adj* personlig; *sb* (især *am)* avisnotits med personligt nyt; *the* ~ *equation (fx* ved eksperimenter) den personlige faktor; ~ *estate (el. property)* = *personalty;* ~ *remarks* personligheder.

personality [pə:sə'næliti] *sb* personlighed; person; *personalities* personligheder (ɔ: nedsættende bemærkninger); ~ *cult* persondyrkelse.

personalize ['pə:sənəlaiz] *vb* personificere; *-d adj* med (ens eget) navn på *(fx -d writing paper)*.

personalty ['pə:snlti] *sb (jur)* løsøre, rørligt gods, formue bortset fra rettigheder i fast ejendom.

personate ['pə:səneit] *vb* fremstille, optræde som; udgive sig for.

personification [pəsɔnifi'keiʃ(ə)n] *sb* personliggørelse, personifikation. **personify** [pə'sɔnifai] *vb* personliggøre, personificere.

personnel [pə:sə'nel] *sb* personale; *(mil.)* personel, mandskab. **personnel** | **carrier** *(mil.)* mandskabsvogn. ~ **manager** personalechef.

perspective [pə'spektiv] *adj* perspektivisk; *sb* perspektiv; udsigt; ~ *(drawing)* perspektivtegning.

perspex ['pə:speks] *sb* ® gennemsigtigt plastikstof; splintfrit glas.

perspicacious [pə:spi'keiʃəs] *adj* skarpsynet, skarpsindig.

perspicacity [pə:spi'kæsiti] *sb* skarpsynethed, skarpsindighed.

perspicuity [pə:spi'kjuiti] *sb* klarhed, anskuelighed.

perspicuous [pə'spikjuəs] *adj* klar, anskuelig.

perspiration [pə:spə'reiʃ(ə)n] *sb* sved, transpiration.

perspire [pə'spaiə] *vb* svede, transpirere.

perspiring [pə'spaiəriŋ] *adj* svedt, svedig, varm.

persuade [pə'sweid] *vb* overtale *(into, to* til at); overbevise *(of* om, *that* om at); ~ *sby out of sth* få en fra noget; *-ed of* overbevist om.

persuader [pə'sweidə] *sb* overtaler, overtalelsesmiddel; *hidden -s* skjulte fristere.

persuasion [pə'sweiʒən] *sb* overtalelse, overtalelsesevne; overbevisning; tro; *try* ~ forsøge med det gode.

persuasive [pə'sweisiv] *adj* overbevisende. **persuasiveness** [pə'sweisivnis] *sb* overtalelsesevne, overbevisende kraft.

pert [pə:t] *adj* næsvis, næbbet; kæphøj.

pertain [pə'tein] *vb:* ~ *to* høre til; angå; passe sig for.

pertinacious [pə:ti'neiʃəs] *adj* hårdnakket, vedholdende, ihærdig, standhaftig.

pertinacity [pə:ti'næsiti] *sb* hårdnakkethed, vedholdenhed, ihærdighed, standhaftighed.

pertinence ['pə:tinəns], **pertinency** ['pə:tinənsi] *sb* relevans, forbindelse med den foreliggende sag; rammende karakter.

pertinent ['pə:tinənt] *adj* relevant, sagen vedkommende; træffende, rammende; *be* ~ *to* vedkomme *(fx the question is not* ~ *to the matter in hand)*.

perturb [pə'tə:b] *vb* forstyrre, forurolige *(fx we were -ed by the news)*; bringe forstyrrelse i *(fx the social order)*.

perturbation [pə:tə:'beiʃ(ə)n] *sb* forstyrrelse, forvirring, uro; *(astr)* perturbation, ændring i planets bane.

perturbed [pə'tə:bd] *adj* urolig, forvirret.

Peru [pə'ru:].

peruke [pə'ru:k] *sb* paryk.

perusal [pə'ru:zl] *sb* (grundig) gennemlæsning.

peruse [pə'ru:z] *vb* gennemlæse (grundigt).

Peruvian [pə'ru:vjən] *sb* peruaner; *adj* peruansk; ~ *bark* kinabark.

pervade [pə'veid] *vb* gennemtrænge, gennemstrømme; præge.

pervasion [pə'veiʒ(ə)n] *sb* gennemtrængen.

pervasive [pə'veisiv] *adj* som trænger frem overalt; vidt udbredt, almen; gennemtrængende.

perverse [pə'və:s] *adj* trodsig, stædig, forstokket, forhærdet; fordærvet; kontrær, urimelig; ~ *verdict (jur)* nævningekendelse der går mod bevismateriale *el.* dommerens belæring.

perversion [pə'və:ʃən] *sb* forvrængning, forvanskning; fordærvelse; *(psyk)* perversion, seksuel afvigelse.

perversity [pə'və:siti] *sb* trodsighed, forstokkethed, forhærdelse, fordærvelse; urimelighed.

I. pervert ['pə:və:t] *sb* perverst menneske; *(rel)* frafalden.
II. pervert [pə'və:t] *vb* (om udsagn *etc*) forvrænge, forvanske, fordreje, mistyde; (moralsk:) fordærve, forføre.
perverted [pə'və:tid] *adj* forvrænget, forvansket, fordærvet; pervers.
pervious ['pə:vjəs] *adj* gennemtrængelig *(to* for, *fx light)*; tilgængelig *(to* for), modtagelig *(to* for).
pesky ['peski] *adj (am)* S ærgerlig, væmmelig, forbistret, irriterende.
pessary ['pesəri] *sb (med.)* pessar.
pessimism ['pesimizm] *sb* pessimisme. **pessimist** ['pesimist] *sb* pessimist. **pessimistic** [pesi'mistik] *adj* pessimistisk.
pest [pest] *sb* plage, pestilens, plageånd; (om dyr) skadedyr; *(glds)* pest, farsot.
pester ['pestə] *vb* besvære, plage.
pesticide ['pestisaid] *sb* middel mod skadedyr, pesticid.
pestiferous [pe'stifrəs] *adj* smitteførende, forpestende; *(fig)* skadelig.
pestilence ['pestiləns] *sb* pest.
pestilent ['pestilənt] *adj* skadelig, ødelæggende, dødbringende; T utålelig, besværlig, nederdrægtig.
pestilential [pesti'lenʃl] *adj* pestagtig, som bringer pest med sig, pestsvanger; skadelig, fordærvelig; T modbydelig, utålelig, nederdrægtig.
pestle [pesl] *sb* pistil, støder (til morter); *vb* støde.
I. pet [pet] *sb* anfald af dårligt humør; *be in a* ~ være i dårligt humør, surmule; *take* ~ blive fornærmet.
II. pet [pet] *sb* kælebarn, kæledægge, yndling, favorit; kæledyr; *adj* kæle-, yndlings-; *vb* kæle for, gøre stads af, forkæle; *(am)* kæle intimt for *(el.* med); *he is a* ~ han er forfærdelig sød, *make a* ~ *of* gøre til sin kæledægge.
petal ['petl] *sb (bot)* kronblad.
petard [pe'ta:d] *sb (glds mil.)* petarde; *hoist with his own* ~ fanget i sit eget garn.
pet aversion: *my* ~ det værste jeg ved, min rædsel, min yndlingsaversion.
petcock ['petkɔk] *sb* aftapningshane; kompressionshane.
I. peter ['pi:tə] *vb* (i kortspil) kalde.
II. peter ['pi:tə] *vb:* ~ *out* løbe ud i sandet, ikke blive til noget *(fx the scheme -ed out)*; forsvinde gradvis, tabe sig, dø hen; slippe op.
III. peter ['pi:tə] *sb* S pengeskab; (fængsels)celle; tissemand.
Peter ['pi:tə] *sb: rob* ~ *to pay Paul* tage fra den ene for at give til den anden; *-'s pence* peterspenge.
Peter Pan ['pi:tə'pæn] (figur i komedie af J.M.Barrie) dreng der aldrig bliver voksen); ~ *collar* drengekrave.
petiolate ['petiəleit], **petiolated** ['petiəleitid] *adj (bot)* med stilk, stilket. **petiole** ['petioul] *sb* bladstilk.
petite [pə'ti:t] *adj* lille (om kvinde).
petition [pi'tiʃ(ə)n] *sb* ansøgning; andragende, begæring; adresse *(fx a protest* ~); *(glds,* til regent) bønskrift; (også *rel)* bøn; *vb* bede; ansøge, andrage, indgive en ansøgning (, et andragende, en adresse) til; *a* ~ *for mercy* en benådningsansøgning; ~ *in bankruptcy* konkursbegæring.
petitioner [pi'tiʃənə] *sb* ansøger; klager (især i skilsmissesag).
pet name kælenavn.
Petrarch ['petra:k] Petrarka.
petrel ['petrəl] *sb zo* stormsvale; se også *stormy* ~.
petrifaction [petri'fækʃ(ə)n] *sb* forstening.
petrify ['petrifai] *vb* forstene; forstenes.
petrol ['petrəl] *sb* benzin.
petrolatum [petrə'leitəm] *sb* vaselin.
petroleum [pi'trouljəm] *sb* råolie, jordolie, stenolie.
petroleum jelly vaselin.
petrol (filling) station benzintank, tankstation. ~ **pump** benzintank, benzinpumpe. ~ **tank** benzintank (i bil).
pet shop dyrehandel.
petticoat ['petikout] *sb* underskørt; S skørt, pige, kvinde; ~ *government* skørteregimente.
pettifog ['petifɔg] *vb* bruge lovtrækkerier, optræde småligt *el.* chikanøst.
pettifogger ['petifɔgə] *sb (neds)* vinkelskriver, lommeprokurator, lovtrækker.
pettifoggery ['petifɔgəri] *sb* prokuratorkneb, lovtrækkeri(er); smålige kneb.

pettifogging ['petifɔgiŋ] *sb* = *pettifoggery; adj* smålig, chikanøs; lumpen, ussel; ligegyldig *(fx details)*; ~ *tricks* = *pettifoggery.*
petting ['petiŋ] *sb* (erotisk) kæleri.
pettish ['petiʃ] *adj* gnaven, pirrelig, lunefuld.
pettitoes ['petitouz] *sb pl* grisetæer.
petty ['peti] *adj* lille, ubetydelig *(fx grievances)*; underordnet *(fx official)*; (om person *etc)* smålig; småtskåren.
petty| cash småbeløb, småudgifter; diverse. ~ **jury** almindelig jury (af indtil 12 medlemmer). ~ **larceny** rapseri. ~ **officer** *(mar)* underofficer, oversergent. ~ **sessions** (underret beklædt af fredsdommere).
petulance ['petjuləns] *sb* gnavenhed, pirrelighed.
petulant ['petjulənt] *adj* gnaven, pirrelig; lunefuld.
petunia [pi'tju:njə] *sb (bot)* petunie.
pew [pju:] *sb* (erotisk), lukket stol i en kirke; T stol, siddeplads; *take a* ~ (let *glds)* tag plads!
pewit ['pi:wit] *sb zo* vibe.
pew-opener ['pju:oupnə] *sb* kirkebetjent.
pewter ['pju:tə] *sb* tin, tinlegering; tinkrus, tinfade, tintøj; S pokal; præmiesum.
phaeton ['feitn] *sb* faeton (let åben firhjulet vogn).
phagocyte ['fægəsait] *sb* fagocyt.
phalanger [fə'lændʒə] *sb zo (austr)* kuskus, pungabe; (se også *ring-tailed)*.
phalanx ['fælæŋks] *sb (hist. mil.)* falanks, fylking; *(anat)* fingerknogle, tåknogle.
phalarope ['fæləroup] *sb zo: grey (, am: red)* ~ thorshane; *red-necked (, am: northern)* ~ odinshane.
phallic ['fælik] *adj* fallisk.
phallus ['fæləs] *sb* fallos.
phantasm ['fæntæzm] *sb* fantasibillede, syn, drøm, hjernespind, fantom.
phantasmagoria [fæntæzmə'gɔ:riə] *sb* fantasmagori, række af fantasibilleder, blændværk, gøgleri.
phantasmal [fæn'tæzml] *adj* spøgelsesagtig, fantastisk, uvirkelig.
phantasy ['fæntəsi] *sb* fantastisk idé; lune; fantasi.
phantom ['fæntəm] *sb* gøglebillede, fantasibillede, syn; genfærd, spøgelse; fantom; ~ *ship* spøgelsesskib, dødssejler.
Pharaoh ['fɛərou] Farao.
pharisaic(al) [færi'seiik(l)] *adj* farisæisk.
pharisaism ['færiseiizm] *sb* farisæisme.
Pharisee ['færisi:] *sb* farisæer.
pharmaceutical [fa:mə'sju:tik(ə)l] *adj* farmaceutisk; ~ *chemist* apoteker; kemiker der arbejder med medicinalvarefremstilling; ~ *products* medicinalvarer.
pharmacist ['fa:məsist] *sb* farmaceut.
pharmaco|logist [fa:mə'kɔlədʒist] *sb* farmakolog. **-logy** [-dʒi] *sb* farmakologi, læren om lægemidler. **-poeia** [fa:məkə'pi:ə] *sb* farmakopé.
pharmacy ['fa:məsi] *sb* farmaci, apotekerkunst; apotek.
pharos ['fɛərɔs] *sb* fyrtårn.
pharyngal [fə'riŋgl], **pharyngeal** [færin'dʒi:əl] *sb* svælg-.
pharyngitis [færin'dʒaitis] *sb* svælgkatar.
pharynx ['færiŋks] *sb* svælg.
I. phase [feiz] *sb* fase, (om månen også) skifte; *(fig)* fase, stadium; aspekt, side *(fx that is but one* ~ *of the subject)*; *in* ~ afpasset efter hinanden, i takt; *out of* ~ ude af takt, ude af trit.
II. phase [feiz] *vb* opdele i etaper (, faser); lade ske etapevis *(el.* trinvis *el.* gradvis) *(fx the increase of the rents is to be -d to reduce the impact)*; bringe i takt; ~ *in* indføre (, indsætte, tage i brug) gradvis *(el.* etapevis) *(fx new machinery)*; ~ *out* afskaffe (, trække tilbage, kassere) gradvis *(el.* etapevis) *(fx the old pennies are to be -d out)*, gradvis lade forsvinde; aftrappe.
phased [feizd] *adj* gradvis *(fx withdrawal)*, etapevis, trinvis.
phase-out ['feizaut] *sb* gradvis *(el.* etapevis *el.* trinvis) afskaffelse (, ophør, lukning); aftrapning.
Ph.D. ['pi:eitʃ'di:] *fk philosophiae doctor* dr.phil.
pheasant ['feznt] *sb* fasan; *-'s eye (bot)* adonis; *-'s eye narcissus)* pinselilje.
pheasantry ['fezntri] *sb* fasangård, fasaneri.
phenacetin [fi'næsitin] *sb* phenacetin.
Phenicia [fi'niʃiə] Fønikien.
Phenician [fi'niʃiən] *adj* fønikisk; *sb* føniker; fønikisk.

335   pibroch **P**

phenix ['fi:niks] sb fugl Føniks.
phenol ['fi:nɔl] sb (kem) fenol, karbolsyre.
phenomena [fi'nɔminə] pl af phenomenon.
phenomenal [fi'nɔminəl] adj fænomenal, fænomen- (fx world); som hviler på iagttagelser (fx science); T fænomenal, enestående.
phenomenon [fi'nɔminən] sb (pl -a) fænomen, foreteelse; infant ~ vidunderbarn.
phenotype ['fi:nətaip] sb fænotype, fremtoningspræg.
phew [fju:] interj pyh(a), puh(a), pøj.
phial ['faiəl] sb medicinflaske, lille flaske; (i automatik) føler.
phi beta kappa ['fai'bi:tə'kæpə] akademisk broderorden (i Amerika), hvori de der har særlig fine eksamensresultater kan optages.
Philadelphia [filə'delfjə] Filadelfia.
philander [fi'lændə] vb gøre kur, flirte.
philanderer [fi'lændərə] sb flanør.
philanthropic [filən'θrɔpik] adj filantropisk, menneskekærlig. **philanthropist** [fi'lænθrəpist] sb filantrop, menneskeven. **philanthropy** [fi'lænθrəpi] sb filantropi, menneskekærlighed.
philatelic [filə'telik] adj filatelistisk, frimærke-.
philatelist [fi'lætəlist] sb filatelist, frimærkesamler.
philately [fi'lætəli] sb filateli.
philharmonic [fil(h)a:'mɔnik] adj filharmonisk, musikelskende; sb koncert givet af filharmonisk selskab.
philhellene ['filheli:n] sb filhellener, grækerven. **philhellenic** [filhe'li:nik] adj grækervenlig.
philippic [fi'lipik] sb tordentale.
Philippine ['filipi:n] adj filippinsk; the ~ Islands, the Philippines Filippinerne.
philistine ['filistain] sb filister, spidsborger; adj filistrøs, spidsborgerlig.
philological [filə'lɔdʒikl] adj filologisk, sprogvidenskabelig.
philologist [fi'lɔlədʒist] sb filolog, sprogforsker.
philology [fi'lɔlədʒi] sb filologi, sprogvidenskab.
Philomel ['filəmel], **Philomela** [filə'mi:lə] nattergal.
philosopher [fi'lɔsəfə] sb filosof; -s' stone de vises sten.
philosophical [filə'sɔfikl] adj filosofisk; be ~ about it tage det med filosofisk ro.
philosophize [fi'lɔsəfaiz] vb filosofere.
philosophy [fi'lɔsəfi] sb filosofi; livsanskuelse; filosofisk ro.
philtre ['filtə] sb elskovsdrik, trylledrik.
phiz [fiz] sb T ansigt, fjæs.
phlebitis [fli'baitis] sb (med.) årebetændelse.
phlebotomy [fli'bɔtəmi] sb (glds med.) åreladning.
phlegm [flem] sb slim; flegma, koldsindighed, dorskhed.
phlegmatic [fleg'mætik] adj flegmatisk.
phloem ['flouem] sb (bot) sivæv, blødbast.
phloem strand (bot) sistreng.
phlox [flɔks] sb (bot) floks.
phoeni- se pheni-.
phon [fɔn] sb (fys) fon.
I. phone [foun] sb sproglyd.
II. phone [foun] T sb telefon; vb telefonere (til), ringe (til); he is not on the ~ han har ikke telefon.
phone-in ['founin] sb (radio) telefonprogram.
phoneme ['founi:m] sb fonem. **phonemic** [fə'ni:mik] adj fonematisk. **phonemics** [fə'ni:miks] sb fonematik.
phone phreak [foun 'fri:k] S person som ved ulovligt at bruge elektroniske koder foretager gratis fjernopkald med en fuldautomatisk telefon.
phonetic [fə'netik] adj fonetisk, lyd-; ~ notation lydskrift.
phonetician [founi'tiʃ(ə)n] sb fonetiker.
phonetics [fə'netiks] sb fonetik.
phoney se phony.
phonic ['founik] adj lyd-, akustisk.
phonograph ['founəgra:f] sb fonograf; (am) grammofon.
phonology [fə'nɔlədʒi] sb historisk lydlære.
phony ['founi] S adj falsk, forloren; sb svindler, fupmager; svindel, fup; the ~ war (om 2. verdenskrig indtil tyskernes invasion i Frankrig og Belgien).
phosgene ['fɔzdʒi:n] sb fosgen (en giftgas).
phosphate ['fɔsfeit] sb (kem) fosfat.
phosphorate ['fɔsfəreit] vb forbinde med fosfor.
phosphoresce [fɔsfə'res] vb fosforescere.
phosphorescence [fɔsfə'resəns] sb fosforescens.

phosphorescent [fɔsfə'resənt] adj fosforescerende.
phosphoric [fɔs'fɔrik] adj fosforagtig, fosfor-; ~ acid fosforsyre.
phosphorous ['fɔsfrəs] adj fosforholdig, fosfor-; ~ acid fosforsyrling.
phosphorus ['fɔsfrəs] sb fosfor.
photo ['foutou] sb fotografi.
photocopy ['foutəkɔpi] sb fotokopi; vb fotokopiere.
photoelectric ['foutəi'lektrik] adj fotoelektrisk (fx effect); ~ cell fotocelle.
photoengraving ['foutəin'greiviŋ] sb kemigrafi, fotomekanisk reproduktion.
photo finish afslutning af væddeløb, hvor vinderen må bestemmes ved hjælp af målfotografering; it was a ~ (fig) de stod næsten lige.
photoflood ['foutəflʌd] sb fotolampe.
photogenic [foutə'dʒenik] adj fotogen, som tager sig godt ud på fotografier.
photograph ['foutəgra:f] sb fotografi; vb fotografere; I don't ~ well jeg bliver ikke god på fotografier.
photo|grapher [fə'tɔgræfə] sb fotograf. **-graphic** [foutə'græfik] adj fotografisk. **-graphy** [fə'tɔgrəfi] sb fotografering, fotografi (faget).
photogravure [foutəgrə'vjuə] sb heliogravure, fotogravure.
photometer [fou'tɔmitə] sb fotometer, lysmåler.
photo|micrograph ['foutə'maikrəgræf] mikrofotografi (med mikroskop). **-micrography** [-mai'krɔgrəfi] mikrofotografering (med mikroskop).
photo|sensitive ['foutə'sensitiv] adj lysfølsom. **-stat** ['foutəstæt] sb fotostat, fotokopi. **-telegraphy** billedtelegrafi.
phrase [freiz] sb vending, udtryk, talemåde; (gram.) ordforbindelse (som del af en sætning); (i musik) frase; vb udtrykke; formulere; (i musik) frasere; empty (, hackneyed) ~ tom (, forslidt) talemåde, frase; prepositional ~ præpositionsforbindelse.
phrase| book parlør. **-monger** frasemager.
phraseological [freiziə'lɔdʒikl] adj fraseologisk. **phraseology** [freizi'ɔlədʒi] sb fraseologi, udtryksmåde.
phrenetic [fri'netik] adj vanvittig, rasende, fanatisk.
phrenologist [fri'nɔlədʒist] sb frenolog.
phrenology [fri'nɔlədʒi] sb frenologi (den teori at et menneskes karakter kan bestemmes ud fra kraniets form).
Phrygia ['fridʒiə] Frygien.
Phrygian ['fridʒiən] adj frygisk; sb fryger.
phthisis ['θaisis] sb (glds med.) lungetuberkulose, svindsot, tæring.
phut [fʌt] adv T: go ~ falde sammen, gå fløjten; gå rabundus.
phylactery [fi'læktəri] sb (rel) bederem.
phys. fk physics; physician; physiology.
physic ['fizik] sb lægemiddel, medicin; (glds) lægekunst; vb give medicin (især afføringsmiddel); hjælpe, lindre.
physical ['fizikl] adj fysisk; legemlig, legems-; materiel; håndgribelig; ~ medicine fysiurgi; ~ education, ~ training legemsøvelser, gymnastik; ~ jerks T 'benspjæt' (ɔ: gymnastik).
physician [fi'ziʃ(ə)n] sb læge.
physicist ['fizisist] sb fysiker. **physics** ['fiziks] sb fysik.
physiognomic [fiziə'nɔmik] adj fysiognomisk.
physiognomy [fizi'ɔnəmi] sb fysiognomi, ansigt, ansigtstræk, ansigtsudtryk; fysiognomik.
physio|logic(al) [fiziə'lɔdʒik(l)] adj fysiologisk. **-logist** [fizi'ɔlədʒist] sb fysiolog. **-logy** [fizi'ɔlədʒi] sb fysiologi; -logy of nutrition ernæringsfysiologi. **-therapist** [fiziə'θerəpist] sb fysioterapeut. **-therapy** [fiziə'θerəpi] sb fysioterapi.
physique [fi'zi:k] sb konstitution, legemsbygning, fysik (fx his strong ~).
pi [pai] sb (mat.) pi; adj T 'hellig'.
pianist ['piənist; 'pjænist] sb pianist.
I. piano ['pja:nou, pi'a:nou] adv piano, sagte.
II. piano [pi'ænou; 'pjæ-, 'pja:-] sb klaver, piano.
pianoforte [pjænou'fɔ:ti] sb piano(forte).
pianola [pjæ'noulə] sb pianola (elektrisk klaver).
piastre [pi'æstə] sb pjaster (mønt).
piazza [pi'ætsə] sb piazza, åben plads; (am) [pi'æzə] veranda.
pibroch ['pi:brɔk] sb (en skotsk sækkepibemelodi).

pica ['paikə] *sb (typ)* (svarer til) cicero (men er 0,3 mm mindre).
picaresque [pikə'resk] *adj* picaresk; ~ *novel* skælmeroman.
picaroon [pikə'ru:n] *sb* sørøver, pirat; sørøverskib; *vb* drive sørøveri; plyndre.
picayune [piki:'ju:n, pikə-] *(am) sb* bagatel; *adj* = **picayunish** [piki:'ju:niʃ] *adj* ubetydelig; pedantisk, smålig.
Piccadilly [pikə'dili].
piccalilli ['pikəlili] *sb* stærk pickles.
piccaninny ['pikənini] *sb* lille barn (især negerbarn); *adj* meget lille.
piccolo ['pikəlou] *sb* pikkolofløjte.
I. pick [pik] *vb* hakke, stikke i, hakke op; plukke *(fx flowers; a goose)*; pille *(fx ~ a bone clean)*, rense; pille i, pille fra hinanden; vælge, udvælge *(fx the biggest apple)*; nippe til maden; (om strengeinstrument) klimpre på; (om fugl) pikke; *(neds)* stjæle, rapse; plyndre, bestjæle;
~ *and choose* vælge og vrage; ~ *and steal* rapse; *have a bone to ~ with sby* have en høne at plukke med en; ~ *sby's brains* stjæle ens ideer; ~ *holes in (fig)* kritisere (sønder og sammen); ~ *a lock* dirke en lås op; ~ *one's nose* pille sig i næsen; ~ *a pocket* begå lommetyveri; ~ *a quarrel* yppe kiv *(with* med); ~ *one's teeth* stange tænder; ~ *one's way* træde forsigtigt; ~ *one's words* vælge sine ord med omhu;
(forb med præp og adv) ~ **apart** (også *fig)* pille fra hinanden; ~ **at** rykke i; ~ *at sby* være efter en, hakke på en, være på nakken af en; ~ *at one's food* stikke *(el.* nippe) til maden; ~ **off** pille af *(el.* væk); nedskyde enkeltvis; ~ **on** *sby* slå ned på en, udvælge en til et ubehageligt arbejde; være efter en, være på nakken af en; ~ **out** hakke ud; (ud)finde; finde ud af *(fx the meaning)*; skelne, kunne se *(fx I -ed him out in the crowd)*; vælge; udvælge *(fx the best pupils)*; udhæve, fremhæve; ~ **out** *a tune on the piano* finde frem til en melodi på klaveret (ved at spille lidt og forsøge sig frem); ~ **to** *pieces* plukke i stykker; kritisere sønder og sammen; ~ **up** hakke op *(fx the ground)*; samle op, tage *(fx he -ed up his parcels)*; tage op *(fx the train stopped to ~ up passengers)*; afhente *(fx I'll ~ you up at six)*; få fat i, samle, skaffe sig *(fx information)*; tilegne sig, lære *(fx a foreign language)*; genvinde *(fx health)*, genfinde; opfange, opfatte, tage (station i radio); **T** arrestere; (uden objekt) komme sig, kvikke op; få fart på; *he has -ed up strange acquaintances* han har gjort mærkelige bekendtskaber; ~ *up a bargain* gøre en god forretning; ~ *up courage* fatte mod; ~ *up flesh* genvinde sit huld, få kød på kroppen; ~ *up a living by* slå sig igennem ved; ~ *oneself up* rejse sig; ~ *up speed* øge farten, accelerere; ~ *up with* gøre bekendtskab med.
II. pick [pik] *sb* spidst redskab, hakke; *the ~ of* det bedste af, eliten af; *have one's ~* kunne vælge.
pickaback ['pikəbæk] *adv: ride ~* ride på ryggen (af en anden).
pickaninny se *piccaninny*.
pickaxe ['pikæks] *sb* hakke; *vb* hakke (i).
picked [pikt] *adj* udsøgt.
picker ['pikə] *sb* plukker *(fx bærplukker)*.
pickerel ['pikərəl] *sb zo* ung gedde, lille gedde; *(am)* gedde.
picket ['pikit] *sb* pæl, tøjrpæl, teltpæl, stakitstav; (ved strejke) strejkevagt; (ved demonstration) gruppe demonstranter der tager fast opstilling foran ambassade *etc; (mil.)* forpost, feltvagt; *vb* omgive med stakit; tøjre; (ved strejke) gå strejkevagt (ved), sætte strejkevagter ved; (ved demonstration) tage fast opstilling ved; *(mil.)* udsætte vagter ved, bevogte.
pickings ['pikiŋz] *sb pl* levninger, rester, smuler; ulovligt erhvervet udbytte; *get some ~* redde sig lidt.
pickle ['pikl] *sb* lage, saltlage, eddike; (metal)bejdse; **T** knibe, klemme; skarnsunge; *vb* lægge i lage, salte, marinere; bejdse (med metalbejdse); *-s* pickles; *be in a pretty ~* sidde kønt i det, være i knibe; *I have a rod in ~ for him* jeg skal give ham en ordentlig omgang; der er lagt i kakkelovnen til ham. **pickled** [pikld] *adj* **S** fuld, drukken.
picklock ['piklɔk] *sb* dirk; indbrudstyv.
pick-me-up ['pikmiʌp] *sb* opstrammer, hjertestyrkning.

pickpocket ['pikpɔkit] *sb* lommetyv.
pick-up ['pikʌp] *sb* improviseret; opsamlende; *sb* ting man har samlet op; **T** tilfældigt bekendtskab, gadebekendtskab, gadepige; (om lastbil og til grammofon) pick-up; *(am)* (bils) accelerationsevne; **T** bedring; lift, køretur.
Pickwick ['pikwik] (person hos Dickens).
Pickwickian [pik'wikiən] *adj* pickwickiansk; *adj* pickwickianer; *in a ~ sense* i gemytlig betydning.
picnic ['piknik] *sb* skovtur, udflugt (med måltid i det fri); medbragt mad; *(fig)* legeværk, ren svir; *vb* foretage en udflugt; leve på feltfod; *no ~* ikke det bare legeværk.
picric ['pikrik] *adj: ~ acid* pikrinsyre.
Pict [pikt] *sb* pikter. **Pictish** ['piktiʃ] *adj* piktisk.
pictorial [pik'tɔ:riəl] *adj* billed-; illustreret; malerisk; *sb* illustreret blad; billedblad.
I. picture ['piktʃə] *sb* billede (også om maleri, fotografi, illustration, beskrivelse); film; tableau; (i TV) totalbillede; *the -s* filmen; biografen *(fx go to (i) the -s)*; *she is a ~* hun er billedskøn; *be in the ~ (fig)* være orienteret *(el.* informeret); *(am)* spille en rolle; være fremme, være på tapetet; *put sby in the ~* orientere en, informere en, sætte en ind i sagen; *be the ~ of (fig)* være billedet på *(fx he was the ~ of contentment)*, være den personificerede ...; *look the ~ of health* se ud som sundheden selv; *he is the ~ of his father* han er faderens udtrykte billede, han er faderen op ad dage.
II. picture [piktʃə] *vb* male, afbilde; ~ *to oneself* forestille sig.
picture| book billedbog. ~ **card** billedkort. ~ **gallery** malerisamling. ~ **gate** billedkanal. ~ **hat** bredskygget (dame)hat. ~ **mould** (især *am)* billedliste. ~ **palace** *(glds)* biografteater. ~ **postcard** prospektkort. ~ **puzzle** rebus; puslespil. ~ **rail** billedliste. ~ **signal** billedsignal.
picturesque [piktʃə'resk] *adj* malerisk *(fx village)*; pittoresk *(fx style)*; malende *(fx account* beskrivelse).
picture| tube billedrør. ~ **window** panoramavindue. ~ **writing** billedskrift.
piddle ['pidl] *vb* stikke til maden, spise uden appetit; *(glds)* drysse, nusse; **T** tisse.
piddling ['pidliŋ] *adj* ringe, sølle, ubetydelig.
pidgin ['pidʒin] *sb: that's not my ~* det er ikke min sag, det kommer ikke mig ved.
pidgin English kineserengelsk, pidginengelsk.
I. pie [pai] *sb zo* skade (fugl).
II. pie [pai] *sb* engelsk postej, pie; *as easy as ~* **S** så let som ingenting; *have a finger in the ~* have en finger med i spillet; *he has a finger in every ~* han blander sig i alt.
III. pie [pai] *sb (typ)* ødelagt sats, 'fisk'; *(fig)* forvirring, uorden; *vb = make ~ of* lade gå i fisk.
piebald ['paibɔ:ld] *adj* broget, spraglet; *sb* broget hest; broget blanding.
I. piece [pi:s] *sb* stykke; pengestykke; *(mil.)* kanon; gevær; (i brætspil) brik; **S** person, pigebarn; *-s* (også) dele *(fx a dinner service of 50 -s)*; *a six ~ band* et seksmands orkester; *threepence a ~* tre pence stykket (pr. styk); *say one's ~* få sagt hvad man har på hjerte; *he was only saying his ~* hans forklaring *(etc)* var bare en udenadlært lektie;
by the ~ stykvis; *work by the ~* arbejde på akkord; ~ *by ~* stykke for stykke, lidt efter lidt; *in one ~* i ét stykke, ubeskadiget, uskadt, hel; *a ~ of advice* et råd; (se også *cake, furniture, information, luck, news, work)*; ~ *of eight (glds)* pjaster; *give him a ~ of my mind* sige ham min mening rent ud; sige ham et par borgerlige ord; *of a ~* al sammen slags *(with* med); *they are of a ~* de er to alen af ét stykke; *break to -s* brække i stykker; *come to -s* gå i stykker *(el.* gå i stykker; *(fig)* bryde sammen; *take to -s* tage fra hinanden; skille ad; kunne skilles ad.
II. piece [pi:s] *vb* bøde, lappe, udbedre; forbinde; sammenstykke; ~ *on* passe ind, sætte på; ~ *out* øge, komplettere; udfylde; ~ *together* sætte sammen; sy sammen; *(fig)* stykke sammen; ~ *up* lappe sammen.
piece goods metervarer.
piecemeal ['pi:smi:l] *adv* stykkevis, stykke for stykke; sammenstykket.
piece| rate akkordsats. **-work** akkordarbejde.

piecrust ['paikrʌst] sb skorpe på en pie; *promises are like -s made to be broken (omtr)* loven er ærlig, holden besværlig.
pied [paid] adj broget.
pied-à-terre [pjeita:'tɛə] sb aftrædelsesværelse; midlertidigt opholdssted.
pie-eyed ['paiaid] adj fuld.
pier [piə] sb mole, anløbsbro, landingsbro; (i engelsk kystby) forlystelsessted på mole vinkelret ud fra kysten; (til støtte:) bropille; *(arkit)* murpille, vinduespille.
pierage ['piəridʒ] sb bolværkspenge.
pierce [piəs] vb gennembore, trænge igennem, trænge ind i; *(tekn)* gennemstikke; *(fig)* gennemskue, trænge ind i *(fx a mystery);* (uden objekt) trænge ind, bore sig ind, trænge frem; *the rays -d his eyes* strålerne skar ham i øjnene; *a shriek -d the night* et skrig skar gennem natten.
piercing ['piəsiŋ] adj gennemtrængende *(fx cry),* gennemborende *(fx glance),* bidende, skarp *(fx wind);* (fig også) skarpsindig; ~ *punch (tekn)* lokstempel.
pier glass pillespejl.
pierrot ['piərou] sb pierrot.
pietism ['paiətizm] sb pietisme.
pietist ['paiətist] sb pietist; adj pietistisk.
pietistic [paiə'tistik] adj pietistisk.
piety ['paiəti] sb fromhed; pietet, sønlig kærlighed.
piffle ['pifl] sb vås, pladder, pjat; vb vrøvle.
piffling ['pifliŋ] adj ringe, ubetydelig; latterlig.
I. pig [pig] sb gris, svin; (af metal) blok (af råjern); T *(fig)* grovæder; egoistisk bæst; ubehøvlet ka'l; S politibetjent; *buy a ~ in a poke (fig)* købe katten i sækken; *make a ~ of oneself* foræde sig; drikke sig fuld.
II. pig [pig] vb få grise; ~ *it,* ~ *(in) together* stuve sig sammen.
I. pigeon ['pidʒin] sb due; *(fig)* S godtroende fjols; se også *pidgin.*
II. pigeon ['pidʒin] vb snyde (især i spil).
pigeon| breast *(med.)* duebryst. ~ **hawk** zo dværgfalk.
pigeon-hearted adj frygtsom.
pigeonhole ['pidʒinhoul] sb hul i dueslag; (i reol etc) fag, rum; vb lægge i særskilte rum, sortere, analysere; opbevare, lægge til side, (på ubestemt tid:) 'sylte'; forsyne med rum; *set of -s* skuffedarium, *(fx* til post) sorterereol, *(bibl)* rumdelt tidsskrifthylde.
pigeon| house dueslag. ~ **post** brevduepost.
pigeon-toed adj med tæerne indad; *be ~* gå indad på fødderne.
piggery ['pigəri] sb svinehus, svinesti; svinagtighed.
piggish ['pigiʃ] adj griset, svinsk; grådig.
piggin ['pigin] sb *(agr)* strippe (slags træspand).
piggyback ['pigibæk] *(am)* = *pickaback;* sb transport af lastvognsanhængere med jernbane.
piggy bank sparegris.
piggy-wiggy sb T øfgris; grissebasse.
pig|headed ['pig'hedid] stædig, stivsindet. ~ **iron** råjern. **-let** lille gris; *-lets* smågrise. **-meat** flæsk, fedevarer.
pigment ['pigmənt] sb pigment, farve, farvestof.
pigmental [pig'mentl] adj farve-.
pigmy ['pigmi] se *pygmy.*
pig|nut jordnød; *(am)* amerikansk valnød. **-pen** *(am)* svinesti. **-skin** svinelæder; S sadel; fodbold. **-sticking** vildsvinejagt (med spyd). **-sty** svinesti. **-tail** grisehale; hårpisk, 'rotthehale'; tobaksrulle.
pig-tailed adj: ~ *monkey* zo svinehaleabe.
pigwash svinefoder.
pi-jaw ['paidʒɔ:] sb S moralpræken.
pika ['paikə] sb zo pibehare.
I. pike [paik] vb S styrte, storme, ile.
II. pike [paik] sb zo gedde.
III. pike [paik] sb *(hist. mil.)* spyd, pike; lanse; fanestang; vb gennembore med pike.
IV. pike [paik] sb *(am)* = *turnpike.*
piked [paikt] adj forsynet med pigge; spids.
pikeman ['paikmən] (ved vej) bommand; *(hist. mil.)* pikenér.
pikestaff ['paiksta:f] sb spydstage; *as plain as a ~* klart som dagen.
pilaster [pi'læstə] sb *(arkit)* pilaster, vægpille.
pilch [piltʃ] sb bleholder; let sadel.

pilchard ['piltʃəd] sb zo sardin.
I. pile [pail] sb stabel *(fx a ~ of books);* dynge, hob; bål, ligbål; *(litt)* bygning, bygningskompleks; *(elekt)* tørelement; *(fys)* atommile, atomreaktor; T formue; *make one's ~* samle sig en formue.
II. pile [pail] vb stable (op), dynge (op); fylde, stoppe; *(mil.)* (om geværer) sætte sammen, stille i pyramide; ~ *into* brase ind i; ~ *on the agony* T smøre tykt på, udmale alle rædslerne; ~ *it on* T overdrive, smøre tykt på; ~ **up** dynge sammen, stable op; hobe sig op; (om biler) brase sammen; (om bil, fly) blive knust.
III. pile [pail] sb pæl, fundamentpæl; vb pilotere, ramme pæle ned (i).
IV. pile [pail] sb (på skind) hår, uld; (på tæppe) luv.
pile | driver rambuk. ~ **driving** pæleramning.
piles [pailz] sb pl hæmorroider.
pile-up ['pailʌp] sb massesammenstød, harmonikasammenstød.
pileus ['pailiəs] sb *(bot)* hat (på en svamp).
pilewort ['pailwə:t] sb *(bot)* vorterod.
pilfer ['pilfə] vb rapse, småstjæle. **pilferage** ['pilferidʒ] sb rapseri.
pilgrim ['pilgrim] sb pilgrim; *the P. Fathers* de engelske puritanere, som i 1620 med skibet the Mayflower forlod England for at bosætte sig i Amerika.
pilgrimage ['pilgrimidʒ] sb pilgrimsrejse, valfart.
piling ['pailiŋ] sb *(cf III. pile)* pilotering; pæleværk.
pill [pil] sb pille; S kugle (ved ballotering); billardkugle; bold; *the ~* T p-pillen.
pillage ['pilidʒ] sb plyndring, bytte, rov; vb plyndre, røve.
pillar ['pilə] sb pille, søjle; (også fig) støtte; *(tekn,* på presse) styresøjle; *from ~ to post* fra Herodes til Pilatus, fra sted til sted.
pillar box (søjleformet, fritstående) postkasse.
pillared ['piləd] adj hvilende på piller, forsynet med piller; søjleformet.
pillbox ['pilbɔks] sb pilleæske; *(mil.)* maskingeværrede, bunker.
pillion ['piljən] sb bagsæde på motorcykel; ridepude (som plads for en kvinde bag ved rytteren); *ride ~* sidde bagpå.
pillory ['piləri] sb gabestok; vb (også fig) sætte i gabestokken.
pillow ['pilou] sb hovedpude, pude; kniplepude; *(tekn)* bærelejé, ståleje; vb lægge på en pude; støtte som en pude; *take counsel from one's ~* sove på det.
pillow|case pudevar, pudebetræk. ~ **lace** håndlavet knipling. ~ **slip** = *-case.*
pillwort ['pilwɔ:t] sb *(bot)* pilledrager.
I. pilot ['pailət] sb lods; *(flyv)* pilot, flyver; *(tekn,* i presse) søger, (på bor) styretap; (se også ~ *light);* vb *(mar)* lodse; *(flyv)* være pilot på, føre (et fly); *(fig)* styre, lodse *(fx a bill through Parliament);* drop the ~ (også *fig)* sende lodsen fra borde, sætte lodsen af.
II. pilot ['pailət] adj forsøgs- *(fx project),* prøve- *(fx census* afstemning); *(tekn)* styre- *(fx bushing, valve).*
pilotage ['pailotidʒ] sb lodspenge; lodsning.
pilot | balloon *(meteorol)* pilotballon. ~ **boat** *(mar)* lodsbåd. ~ **cloth** tykt, blåt, uldent stof, *fx* til overfrakker. ~ **engine** ekstralokomotiv (der sendes ud for at skaffe fri bane for et tog). ~ **fish** zo lodsfisk. **-house** *(am) (mar)* styrehus. ~ **jack** *(mar)* lodsflag. ~ **jacket** pjækkert. ~ **lamp** *(elekt)* kontrollampe; (på radio) skalalampe. ~ **light** tændblus; vågeblus; *(elekt)* = ~ *lamp.* ~ **officer** (svarer til) flyverløjtnant II. ~ **whale** zo grindehval.
pimento [pi'mentou] sb allehånde, piment.
pimp [pimp] sb alfons; ruffer; vb drive rufferi.
pimpernel ['pimpənel] sb *(bot)* (rød) arve.
pimple ['pimpl] sb filipens. **pimpled** ['pimpld], **pimply** ['pimpli] adj fuld af filipenser.
I. pin [pin] sb knappenål, nål (til at fæste med); (lille søm, tap) stift; (af træ) pløk, pind, trænagle; (ved sinkning) (sinke)tap; *(mar)* åretold, kofilnagle; (på strengeinstrument) skrue; (til keglespil) kegle; *(fig)* døjt, gran; **-s** (T også) ben *(fx weak on one's -s* usikker på benene); *I don't care a ~* jeg er revnende ligeglad; *I have got -s and needles in my leg* mit ben sover; *be on -s and needles (am* T) sidde som på nåle; *as clean as a new ~* fuldstændig

ren.

II. pin [pin] *vb* hæfte, fæste (med nåle), fastgøre (med stifter *etc*), fastnagle, spidde; holde fast; lukke inde; (uden objekt) være hæftet fast; kunne hæftes fast; ~ *down* holde fast, binde; ~ *him down to his promise* holde ham fast ved hans løfte; ~ *it on (to) him* T hænge ham op på det (ɔ: give ham skylden for det); ~ *one's faith to (el. on)* sætte al sin lid til, tro blindt på; ~ *up* hæfte op *(fx one's skirt)*, slå op *(fx a notice)*.

pinafore ['pinəfɔ:] *sb* (barne)forklæde.
pinafore dress spencerkjole.
pinball ['pinbɔ:l] *sb* fortunaspil, suomispil.
pin boy keglerejser.
pince-nez [*fr; *'pænsnei] *sb* pince-nez.
pincer movement *(mil.)* knibtangsmanøvre.
pincers ['pinsəz] *sb pl* (knib)tang; klo (på krebsdyr); *a pair of* ~ en (knib)tang.
I. pinch [pin(t)ʃ] *vb* knibe, klemme; trykke; pine; *(fig)* spinke og spare; S hugge, stjæle; nuppe, tage, anholde; *(mar)* knibe til vinden, sejle (et skib) for tæt til vinden; ~ *and scrape* spinke og spare; ~ *sby's arm* knibe en i armen; ~ *off*, ~ *out* (også) nippe af *(fx side shoots)*; *know where the shoe -es* vide hvor skoen trykker.
II. pinch [pin(t)ʃ] *sb* knib, kniben, klemmen; nød, mangel, klemme, tryk *(fx we feel the ~ every day)*; så meget som man kan tage mellem to fingre, pris (tobak); *with a ~ of salt* med en vis skepsis, med skønsomhed, cum grano salis; *at (el. (am:) in) a ~* i en snæver vending; når det kniber; *when it comes to the ~* når det kniber, når det kommer til stykket.
pinchbeck ['pin(t)ʃbek] *sb* pinchbeck (guldlignende legering af kobber og zink, hvoraf der laves billige smykker); *adj* uægte, forloren, tarvelig, billig.
pinched [pin(t)ʃt] *adj* klemt, trykket; (om udseende) hærget, afmagret, udtæret, tynd; *be ~ for* være i bekneb for, mangle; *they were ~ for room* det kneb med pladsen; *be ~ with* være hårdt medtaget af *(fx cold)*.
pinch-hit ['pinʃ'hit] *vb (am): ~ for sby* vikariere for en, træde i stedet for en. **pinch hitter** *sb* vikar.
pincushion ['pinkuʃ(ə)n] *sb* nålepude.
I. pine [pain] *sb (bot)* fyr, fyrretræ; T ananas.
II. pine [pain] *vb* hentæres *(fx be pining from hunger)*; fortæres af længsel, længes stærkt *(for* efter; *to* efter at); ~ *away* hentæres.
pineal ['piniəl] *adj* kogleformet; *the ~ gland, the ~ body* pinealkirtelen.
pineapple ['painæpl] *sb (bot)* ananas; S håndgranat.
pine | **bath** fyrrenålsbad. ~ **bunting** *zo* hvidkindet værling. ~ **cone** fyrrekogle. ~ **grosbeak** *zo* krognæb. ~ **marten** *zo* skovmår. ~ **moth** *zo* fyrreugle.
pinery ['painəri] *sb* fyrreskov; ananas-have, ananas-drivhus.
pine tree fyrretræ; *Pine Tree State* staten *Maine* i U.S.A.
pinetum [pai'ni:təm] *sb* arboret med nåletræer.
pine weevil gransnudebille.
pinewood ['painwud] *sb* fyrreskov; fyrretræ.
pinfold ['pinfould] *sb* kvægfold; *vb* sætte i fold; indespærre som i en fold.
ping [pin] *vb* smælde, knalde; *sb* smæld, knald.
ping-pong ['pinpɔn] *sb* T bordtennis, ping-pong.
pinguid ['pingwid] *adj* fed, fedtet.
pinhead ['pinhed] *sb* knappenålshoved.
pinhole ['pinhoul] *sb* nålestikshul; ~ *camera* hulkamera
I. pinion ['pinjən] *sb* vinge; vingespids; svingfjer; *vb* stække vingerne på; binde, lænke, bagbinde.
II. pinion ['pinjən] *sb (tekn)* (tand)drev; *(bevel ~)* spidshjul.
I. pink [pink] *sb* nellike; blegrød farve; rød jægerfrakke; *(mar) (glds)* spidsgattet fartøj; *adj* blegrød, lyserød, rosa; *strike me ~!* det var som bare pokker! *in the ~ (of condition, of health)* fuldkommen frisk og sund, så frisk som en fisk, i fineste form; *the ~ of perfection* fuldkommenheden selv.
II. pink [pink] *vb* udhugge med huller *el.* tunger; *(fx* med et sværd) gennembore; såre let; (om motor) banke.
pink coat rød frakke (som benyttes af deltagere i parforcejagt).

pink-eye *sb (med., vet)* smitsom konjunktivitis (bindehindebetændelse).
pink gin gin og angostura.
pinking shears *pl* takkesaks.
pinkish ['pinkiʃ], **pinky** ['pinki] *adj* blegrød, lyserød.
pin money nålepenge, lommepenge; *(fig)* T penge man tjener i sin fritid; småpenge.
pinnace ['pinis] *sb (mar)* slup.
pinnacle ['pinəkl] *sb* tinde, lille tårn, spir; spids bjergtop; *(fig)* højdepunkt, top; *vb* sætte spir *(el.* tinder) på; sætte på en tinde, ophøje.
pinnate ['pinit, -eit] *adj* fjerformet; finnet.
pinny ['pini] *sb* T barneforklæde.
pinpoint ['pinpɔint] *sb* nålespids; meget lille punkt; prik; *vb* ramme (, lokalisere, angive) præcist; ~ *bombing* præcisionsbombning.
pinprick ['pinprik] *sb* nålestik; *policy of -s* nålestikspolitik.
pint [paint] *sb* (rummål =) ca ½ liter; T en *pint* øl.
pinta ['paintə] *sb* T = *a pint of (milk)*.
pintable ['pinteibl] *sb* fortunaspil, suomispil.
pintail ['pinteil] *sb zo* spidsand.
pintle ['pintl] *sb* tap; rortap.
pin-up girl pin-up pige.
pinwheel ['pinwi:l] *sb (am)* fyrværkerisol; (legetøj:) mølle (af celluloid *etc*, på en stang).
pinworm ['pinwɔ:m] *sb* springorm, børneorm.
piny ['paini] *adj* rig på fyrretræer; fyrretræs- *(fx smell)*.
pioneer [paiə'niə] *vb* bane vej for; være banebrydende; *sb* pioner; banebryder, foregangsmand; nybygger.
pious ['paiəs] *adj* from, gudfrygtig; ~ *fraud* fromt bedrag.
I. pip [pip] *sb* kerne, frugtkerne.
II. pip [pip] *sb* pip (fuglesygdom); T: *give sby the* ~ sætte en i dårligt humør.
III. pip [pip] *sb* prik, øje (på terning *el.* dominobrik); stjerne (som distinktion); dut (i tidssignal); (tegn for) p.
IV. pip [pip] *vb* T ramme, strejfe; ødelægge, spolere; gøre ende då; slå, besejre; (ved eksamen) dumpe; (om fugleunge) pikke hul på æggeskallen; ~ *out* dø.
pipage ['paipidʒ] *sb* transport *(fx* af olie) gennem rørledninger; afgift for sådan transport; system af rørledninger.
I. pipe [paip] *sb* rør, ledningsrør; (tobaks)pibe; *(mus.)* fløjte, pibe, *(mar)* bådsmandspibe, (også -*s*) sækkepibe; (lyd:) fløjten, pippen, piben; *put that in your ~ and smoke it* nu kan du jo tygge på den; kan du give igen på den?
II. pipe [paip] *vb* blæse på fløjte, fløjte, (også *mar)* pibe *(fx ~ all hands on deck)*; pippe; forsyne med rør, lede gennem rør; pynte (en kage) med glasur; besætte med rouleau (, snorekantning); ~ *one's eye* T tude, flæbe; ~ *the side (mar)* pibe faldreb; ~ *down* T stemme tonen ned, stikke piben ind; ~ *up* T opløfte sin røst, stemme i.
pipe bowl pibehoved.
pipeclay ['paipklei] *sb* pibeler, pibepulver; *(fig)* militært pedanteri; *vb* rense med pibeler, pibe.
pipe|dream ønskedrøm. **-fish** *zo* nålefisk; tangnål. **-ful** pibefuld, 'stop'. ~ **key** hulnøgle. **-layer** rørlægger. **-laying** rørlægning. ~ **light** fidibus.
pipeline ['paiplain] *sb* rørledning; *(fig)* forbindelse, direkte forbindelseslinie; forsyningslinie; *in the* ~ undervejs; under forberedelse, på trapperne.
pip emma = *p.m.*
piper ['paipə] *sb* sækkepibeblæser; fløjtespiller; *pay the* ~ betale gildet; *he who pays the* ~ *calls the tune* den der afholder udgifterne har ret til at være den bestemmende.
pipe| rack pibestativ; *(glds)* pibebræt. **-stem** (også *fig)* pibestilk. ~ **thread** rørgevind.
pipet(te) [pi'pet] *sb* pipette, dråbetæller.
pipe wrench rørtang.
piping ['paipin] *sb* rørsystem, rørledning; (på tøj) rouleau, snorekantning; (på kage) linjemønster af sukkerglasur; (lyd:) pippen, piben; *adj* fløjtende; pibende *(fx voice)*; ~ *hot* kogende hed, rygende varm; *the ~ times of peace* fredens sorgløse tider.
pipistrel [pipi'strel] *sb zo* dværgflagermus.
pipit ['pipit] *sb zo* piber.
pipkin ['pipkin] *sb* lille lerpotte, lille stjærtpotte.
pippin ['pipin] *sb* pippinæble (sort af spiseæbler).

pipsqueak ['pipskwi:k] *sb* lille skvat; totakts motorcykel; *(glds mil.* **S)** lille granat.

piquancy ['pi:kənsi] *sb* pikanteri; pikant smag.

piquant ['pi:kənt] *adj* pikant, appetitvækkende, pirrende.

pique [pi:k] *sb* fornærmelse, såret stolthed; ærgrelse, irritation; *vb* pikere, såre, støde; pirre; ægge; *~ oneself on* være stolt af, gøre sig til af; **-d** (også) fortrydelig.

piqué ['pi:kei] *sb* piké (slags tøj).

piquet [pi'ket] *sb* (et kortspil).

piracy ['pairəsi] *sb* sørøveri; ulovligt eftertryk; plagiat, falskneri; krænkelse af patentret.

pirate ['paiərit] *sb* sørøver; pirat; sørøverskib; piratforlægger; plagiator; omnibus der konkurrerer med de faste; piratradio; *vb* drive sørøveri; plagiere; eftertrykke ulovligt; *-d edition* piratudgave.

piratical [pai'rætikl] *adj* sørøver-; *~ edition* piratudgave; *~ printer* pirattrykker, vinkeltrykker.

pirn [pə:n] *sb* skudspole (ved spinding).

pirouette [piru'et] *sb* piruet; *vb* piruettere.

pis aller ['pi:z 'ælei; *fr*] sidste udvej, nødhjælp.

piscatorial [piskə'tɔ:riəl], **piscatory** ['piskətəri] *adj* fiske-, fiskeri-.

pisciculture ['pisikʌltʃə] *sb* fiskeavl.

piscina [pi'si:nə] *sb* *(pl piscinae* [-i:], *piscinas)* piscina (vaskebækken for præsten i katolsk kirke); fiskedam; badebassin.

piscine [pi'sain] *adj* fiske-.

piscivorous [pi'sivərəs] *adj* fiskeædende, fiskespisende.

pish [p(i)ʃ] *interj* pyt!

pismire ['pismaiə] *sb* zo myre.

piss [pis] *(vulg) vb* pisse; *sb* pis; *~ off* skrub af; *-ed* skidefuld; *be -ed off* være skideked af det (, led ved det).

pistachio [pi'sta:ʃiou] *sb* pistacie.

pistil ['pistil] *sb* *(bot)* støvvej.

pistillate ['pistilit] *adj:* *~ flower* hunblomst.

pistol ['pistl] *sb* pistol; *vb* skyde med pistol.

pistole [pi'stoul] *sb* *(glds)* pistol (spansk mønt).

piston ['pistən] *sb* *(tekn)* stempel (i maskine, pumpe); (i blæseinstrument) (pumpe)ventil.

piston | displacement *(tekn)* slagvolumen. *~ ring (tekn)* stempelring. *~ rod (tekn)* stempelstang. *~ valve (tekn)* stempelventil, stempelglider; (i blæseinstrument) (pumpe)ventil.

I. pit [pit] *sb* hul, grav, hule; (i minedrift) grube *(fx coalpit)*, skakt; (især til opbevaring) kule *(fx potato ~; lime ~); (*til fangst) faldgrube; (på bilværksted *etc)* grav; (ved motorløb) depot; (i huden) (rundt) ar *(fx kopar)*; (til hanekamp) kampplads; *(teat)* parterre; *(am)* orkestergrav, *(merk)* del af børs; (i biblen) afgrund; *the ~ (of hell)* helvede; *the ~ of the stomach* hjertekulen.

II. pit [pit] *vb* lave fordybninger *el.* huller i, grave i; lægge i kule; stille op (til kamp); sætte ind, kæmpe *(against* imod); mærke med ar; *-ted with smallpox* koparret.

III. pit [pit] *(am) sb* sten (i frugt); *vb* tage stenen ud af, udstene.

pit-a-pat ['pitə'pæt] *adv* triptrap, tik tak; *sb* banken; *go ~* (om hjertet) banke.

I. pitch [pitʃ] *sb* beg; harpiks; *vb* bege; *as dark as ~* begsort, bælgmørk; *they that touch ~ will be defiled* den der rører ved beg får sorte fingre.

II. pitch [pitʃ] *vb* opslå, stille op, rejse *(fx a tent)*, anbringe; kaste, smide *(fx ~ him out);* brolægge; (i kricket, baseball) kaste; være kaster; (i musik) stemme, fastsætte tonehøjden af; (uden objekt) slå lejr; styrte, falde *(fx ~ on one's head);* skråne, hælde; *(mar)* (om skib) duve, stampe, hugge i søen, pløje;

~ camp slå lejr; *~ in* tage energisk fat; *~ into* kaste sig over, gå løs på; skælde kraftigt ud; *the song is -ed too high* sangen ligger for højt; *~ one's claims too high* sætte sine krav for højt; *~ upon* slå ned på, udse sig; vælge; støde på; *~ a yarn* **T** spinde en ende.

III. pitch [pitʃ] *sb* højde, trin; højdepunkt; *(mus.)* tonehøjde, tone; stemmeleje; *(tekn)* hulafstand, *(mht* tandhjul) tandafstand; deling; *(mht* propel, skrues gevind) stigning; *(arkit, mht* tag, trappe) hældning, (om tag også) rejsning; (i baseball) kast; (i kricket) arealet mellem gærderne; (på marked *etc)* stade, plads; *(mar)* duven, huggen, nejen; *at its highest ~ (fig)* på højdepunk-

tet; se også **II.** *queer.*

pitch-and-toss ['pitʃən'tɔs] *sb (omtr)* klink.

pitch|-black ['pitʃ'blæk] *adj* begsort. **-blende** ['pitʃblend] *sb (min.)* begblende. *~* **-dark** *adj* bælgmørk; *sb* bælgmørke.

pitched| battle regulært slag. *~* **roof** *(arkit)* skråtag, sadeltag.

I. pitcher ['pitʃə] *sb* kaster *(fx* i baseball); brosten.

II. pitcher ['pitʃə] *sb* krukke, (især *am)* kande; *(little) -s have (long) ears* små krukker har også ører.

pitchfork ['pitʃfɔ:k] *sb* fork, høtyv, greb; *vb* forke, kaste.

pitchpine ['pitʃpain] *sb* pitchpine (harpiksfyldt sort af fyrretræ).

pitchpipe ['pitʃpaip] *sb* stemmefløjte.

pitchy ['pitʃi] *adj* begagtig, beget; begsort, bælgmørk.

pit coal stenkul.

piteous ['pitiəs] *adj* sørgelig, bedrøvelig, ynkelig *(fx sight); (glds)* ussel; medlidende.

pitfall ['pitfɔ:l] *sb* faldgrube; fælde, snare.

pith [piθ] *sb* marv; rygmarv; *(fig)* styrke, kraft, fynd *(fx a speech that lacks ~); the ~ of the speech).*

pit-head ['pithed] *sb* nedgang til (kul)mine.

pith| hat, ~ helmet tropehjelm.

pithy ['piθi] *adj* marv-, marvfuld; kraftig; fyndig.

pitiable ['pitiəbl] *adj* ynkværdig, jammerlig, elendig, ynkelig *(fx attempt).*

pitiful ['pitif(u)l] *adj* medlidende; ynkværdig *(fx figure);* jammerlig; ussel.

pitiless ['pitilis] *adj* ubarmhjertig; hård.

pitman ['pitmən] *sb* grubearbejder; *(tekn, am) (pl pitmans)* plejlstang.

pit props minetræ, afstivningstømmer (til minegang).

pit saw langsav.

pittance ['pitəns] *sb* ussel løn, ringe gave, almisse; (ringe) portion, smule, ubetydelighed.

pitter-patter ['pitə'pætə] *sb* klapren, klipklap; plasken.

pitting ['pitiŋ] *sb* grubedannelse; tæregrube.

Pittsburgh ['pitsbə:g].

pituitary [pi'tjuitəri] *sb* hypofyse; hypofyseekstrakt; *adj: ~ gland (el. body)* hypofyse.

I. pity ['piti] *sb* medlidenhed, medynk *(for, on* med); synd, skade, skam; *for -'s sake* for Guds skyld; *in ~ of* af medlidenhed med; *more's the ~* trist nok; desværre kun; *take ~ on* forbarme sig over, få medlidenhed med; *it is a thousand pities* det er synd og skam; *what a ~!* hvor det er synd! sikke en skam!

II. pity ['piti] *vb* føle (, have) medlidenhed med; ynkes over; beklage, ynke.

pivot ['pivət] *sb* tap, drejetap, svingtap, (i måleinstrument) pinol; *(fig)* akse; midtpunkt; *(mil.)* fløjmand; *vb* anbringe på en tap; dreje om en tap; svinge; (også *fig)* dreje sig *(upon* om); *it all -s on him* (også) det hele står og falder med ham; *-ed (tekn)* drejeligt ophængt.

pivotal ['pivətl] *adj* drejelig, svingende, roterende; *(fig)* væsentlig, den der hele står og falder med; kardinal-, central.

pivotally *adv: ~ connected* drejeligt forbundet; *~ mounted* drejeligt ophængt.

pivot| bearing tapleje. *~ joint* drejeled.

pixie, pixy ['piksi] *sb* alf, fe, nisse, trold.

pixilated ['piksileitid] *adj (am* **T)** halvtosset, småtosset, bims; fuld.

pl. *fk* plate; plural.

P.L.A. *fk* Port of London Authority.

placable ['plækəbl] *adj* forsonlig.

placard ['plæka:d] *sb* plakat, opslag; *vb* bekendtgøre; sætte plakater op på.

placate [plə'keit] *vb* formilde; stemme blidere; berolige.

I. place [pleis] *sb* plads; sted; lokale, hus, bolig, hjem, landsted, herresæde; (arbejde-) stilling; (i samfundet) stand, rang; (i sport) plads, placering; (ved bord) kuvert; *(fig)* opgave; *it is not my ~ to ...* (også) det tilkommer ikke mig at ...;

find one's ~ finde sin plads; (ved læsning) finde hvor man er kommet til; *get a ~* (i sport) blive placeret; *give ~ to* give plads for, vige for; *go -s (am)* **T** komme ud og se sig om; *(fig)* blive til noget (stort); *lay a ~ for* sig dække (med kuvert) til en; *six -s were laid* der var dækket til seks; *lose one's ~* miste sin plads; (ved læsning) ikke kunne finde hvor man er kommet til; **take ~** finde sted; *take one's ~* indtage sin plads; *take the ~ of sby* indtage ens plads, træde i ens sted;

(forb med præp) **in** *a ~* på et sted, på en plads; *be in ~* være på (sin) plads; *in -s* på sine steder, hist og her; *in his ~* i hans sted, i hans stilling; *put sby in his ~* sætte én på plads; *put oneself in sby's ~* sætte sig i en andens sted; *in ~ of* i stedet for; *in the first ~* for det første; *~ of amusement* forlystelsessted; *~ of business* forretningslokale; **out of ~** malplaceret, ikke på sin plads; *feel out of ~* føle at man ikke hører til, føle sig tilovers; *all over the ~* over det hele, alle vegne; *to three -s (of decimals), to the third ~ (of decimals)* med tre decimaler.

II. place [pleis] *vb* anbringe, stille, lægge, sætte; placere *(with hos, fx ~* placere *(fx I knew I had seen him before, but I couldn't ~ him);* (uden objekt, *am)* blive placeret (i væddeløb); *~ all the facts before him* forelægge ham alle kendsgerningerne; *~ confidence in* sætte lid til, vise tillid; *be -d* (i væddeløb) blive placeret.

placebo [plə'si:bou] *sb (med.)* placebo, narretablet, uvirksomt middel; *(fig)* narresut.

place| card bordkort. **~ hunter** embedsjæger, levebrødspolitiker. **-kick** (i rugby) spark til liggende bold. **-man** ['pleismən] politisk udnævnt embedsmand *el.* funktionær. **~ mat** dækkeserviet.

placement ['pleismənt] *sb* anbringelse, placering.

place name stednavn.

placenta [plə'sentə] *sb (anat)* moderkage, efterbyrd; *(bot)* blomsterbund.

placer ['pleisə] *sb* (sekundært) guldleje.

placer| gold vaskeguld. **~ mining** udvaskning af guld.

place setting kuvert, opdækning til én person.

placid ['plæsid] *adj* fredsommelig, stille, rolig.

placidity [plæ'siditi] *sb* fredsommelighed, stilhed, ro.

placket ['plækit] *sb* lomme, slids (i nederdel).

plagiarism ['pleidʒjərizm] *sb* plagiat.

plagiarist ['pleidʒjərist] *sb* plagiator.

plagiarize ['pleidʒjəraiz] *vb* plagiere.

plagiary ['pleidʒjəri] *sb* plagiat; plagiator.

plague [pleig] *sb* pest; *(fig)* landeplage; pestilens; plage; *vb* plage, pine, være til plage for.

plaguesome ['pleigsəm] *adj* T besværlig, irriterende.

plague spot plet på huden som symptom på pest; pestbefængt område hvorfra pesten breder sig; *(fig)* smittekilde, pesthule.

plaguy ['pleigi] *adj* T forbandet, forbistret.

plaice [pleis] *sb zo* rødspætte.

plaid [plæd] *sb* skotskternet skærf, plaid; skotskternet stof *(el.* mønster), klanmønster.

I. plain [plein] *sb* slette, jævn mark; *(glds)* kampplads.

II. plain [plein] *vb (glds)* klage, sørge.

III. plain [plein] *adj* tydelig, klar *(fx the meaning is quite ~);* åbenlys; simpel, letfattelig, ligetil; usmykket, enkel, ensfarvet *(fx a ~ blue dress);* jævn, dagligdags, almindelig *(fx food);* tarvelig; (om hår) glat; (i strikning) ret *(fx ~ stitch* ret maske; *knit one row ~* strik en pind ret); (om personer) jævn, almindelig *(fx people);* ukunstlet, ligefrem; åbenhjertig, oprigtig, ærlig *(fx let me be ~ with* (overfor) *you);* (om udseende *omtr)* grim *(fx a ~ girl);* *~ bread and butter* bart smørrebrød; *his ~ duty* hans simple pligt; *in ~ English* rent ud, med rene ord, rent ud sagt; *in ~ language* i klart sprog *(mods* kodesprog); *~ truth* ren *(el.* usminket) sandhed.

plain|chant = *plainsong.* **~ chart** *(mar)* platkort, søkort i Mercators projektion. **~ chocolate** ren chokolade. **~ clothes:** *in ~ clothes* i civil, civilklædt. **~ -clothes man** opdager, civilklædt politibetjent. **~ concrete** uarmeret beton. **~ cook** kokkepige til daglig madlavning. **~ -cook** *vb* lave daglig mad. **~ cooking** daglig madlavning. **~ dealing** oprigtighed, ærlighed. **~ -dealing** *adj* oprigtig, ærlig. **~ English, ~ language,** se III. *plain.* **~ matter** *(typ)* skær sats. **~ paper** skrivepapir uden streger; mat fotografisk papir. **~ sailing:** *it is ~ sailing* det er lige ud ad landevejen, det er noget der går af sig selv.

plainsman ['pleinzmən] *sb* slettebo.

plainsong ['pleinsɔŋ] *sb* gregoriansk (kirke)sang.

plain| speaking oprigtighed, åbenhed; *that is ~ speaking*

det er rene ord for pengene. **~ -spoken** *adj* oprigtig, åben, djærv, ligefrem.

plaint [pleint] *sb (jur)* klageskrift; *(poet)* klage.

plaintiff ['pleintif] *sb* klager, sagsøger.

plaintive ['pleintiv] *adj* klagende; melankolsk.

plait [plæt] *sb* fletning; læg, plissé; *vb* flette; plissere.

plan [plæn] *sb* plan *(for* til); grundrids, udkast; (bygnings)tegning; kort *(fx a ~ of Paris);* *(fig)* plan, hensigt; *vb* tegne en plan over *(fx a garden);* projektere; *(fig)* påtænke, tænke på *(fx we are -ning to go abroad);* *~ (out)* planlægge; *according to ~* planmæssig; *on a new ~* efter en ny plan.

I. plane [plein] *sb* plan, flade; niveau, stade *(fx on the same ~ as a savage);* *(flyv)* flyvemaskine; bæreplan, vinge; (værktøj:) høvl; *(bot)* platan.

II. plane [plein] *adj* plan.

III. plane [plein] *vb* jævne, glatte; høvle; afrette; *(mar)* lige berøre vandoverfladen; *(flyv)* flyve i glideflugt; T flyve; **~ down** *(flyv)* gå ned i glideflugt; *(typ)* kloppe.

plane chart = *plain chart.*

planer ['pleinə] *sb* høvlemaskine; *(typ)* klopholt.

planet ['plænit] *sb (astr)* planet.

plane table målebord.

planetarium [plæni'tɛəriəm] *sb* planetarium.

planetary ['plænit(ə)ri] *adj* planetarisk, planet-; jordisk.

plane tree platan.

planet wheel *(tekn)* planethjul.

plangent ['plændʒənt] *adj* drønende, larmende, rungende; klagende.

planing ['pleiniŋ] *sb* høvling; afretning.

planish ['plæniʃ] *vb* hamre (noget) plant, afhamre, udhamre, planere; glatte.

plank [plæŋk] *sb* planke; gangbræt; *(mar)* bord; *(fig)* (politisk) programpunkt; *vb* belægge med planker; beklæde med planker; T anbringe *(el.* sætte) med et bump, plante *(fx they -ed themselves in front of the door),* smide; *~ down* T smække ned *(el.* smide) på bordet, (om penge) lægge på bordet, punge ud med.

planking ['plæŋkiŋ] *sb* plankeklædning, planker, (træbe-)klædning.

plankton ['plæŋktən] *sb (biol)* plankton, svæv.

planned [plænd] *adj* påtænkt *(fx journey);* planlagt; planmæssig *(fx retreat);* som sker efter en plan; organiseret; projekteret; *~ economy* planøkonomi; *~ parenthood (omtr)* familieplanlægning.

I. plant [pla:nt] *sb* inventar, materiel; virksomhed, anlæg, fabrik; *(bot)* plante; T aftalt svindel (som skal kaste mistanken på en uskyldig); tilvejebringelse af falske beviser; spion; fælde (for lovovertrædere).

II. plant [pla:nt] *vb* plante; lægge *(fx potatoes);* beplante; anlægge *(fx a garden);* oprette, grundlægge *(fx a colony);* udplante; udsætte *(fx fish in a river);* anbringe, placere *(fx a bomb in a house;* oneself *before the fire);* indplante, indpode *(fx the idea in their minds);* indsmugle; S skjule *(fx stolen goods);* hemmeligt aftale og forberede et svindelnummer (for at kaste mistanken på en uskyldig); lange, give *(fx a blow);* *~ stolen goods (,evidence) on sby* anbringe tyvekoster (, bevismateriale) hos en for at kaste mistanken på ham; *~ up* tilplante.

Plantagenet [plæn'tædʒinit].

plantain ['plæntin] *sb (bot)* vejbred; (palme:) pisang.

plantation [plæn'teiʃən] *sb* plantage; plantning.

planter ['pla:ntə] *sb* plantageejer, planter; landmand, farmer; *(am* også:) blomsterstativ, plantestativ.

plantigrade ['plæntigreid] *sb zo* sålegænger.

plant louse bladlus.

plaque [pla:k] *sb* platte; mindetavle, mindeplade.

I. plash [plæʃ] *vb* flette (grene) sammen.

II. plash [plæʃ] *vb* pjaske i; stænke på; plaske; *sb* plasken; pyt; stænk.

plashy ['plæʃi] *adj* våd, sumpet; plaskende.

plasm [plæzm], **plasma** ['plæzmə] *sb (biol)* plasma, blodvæske; *(min)* plasma.

I. plaster ['pla:stə] *sb* pudsekalk, gips, puds; *(med.)* plaster; *~ of Paris* (brændt) gips.

II. plaster ['pla:stə] *vb* kalke, pudse, gipse; *(med.)* sætte plaster på; T *(fig)* give erstatning; klistre, overklistre *(fx -ed with posters (, labels));* oversmøre *(fx with paint);*

overdænge *(fx with praise); (mil.)* bombardere, overdænge *(fx ~ them with shells); (fig)* S banke eftertrykkeligt.

plasterboard ['plɑ:stəbɔ:d] *sb* gipsplade.

plaster cast gipsafstøbning.

plastered ['plɑ:stəd] *adj* S fuld, pløret.

plasterer ['plɑ:stərə] *sb* gipser, gipsarbejder, stukkatør.

plastering ['plɑ:stəriŋ] *sb* gipsning, pudsning, kalkning; kalkpuds.

plaster saint dydsdragon.

I. plastic ['plæstik] *adj* plastisk; som kan formes, *(fig* også) modtagelig *(fx the ~ mind of a child);* af plastic, plastic- *(fx raincoat).*

II. plastic ['plæstik] *sb* formstof, plastic, plast.

plasticine ['plæstisi:n] *sb* modellervoks.

plasticity [plæ'stisiti] *sb* plasticitet.

plasticizer ['plæstisaizə] *sb* blødgøringsmiddel.

plastic surgery plastikkirurgi, plastisk kirurgi.

plastron ['plæstrɔn] *sb (hist.)* brystharnisk; (fægters) plastron; (skildpaddes) bugskjold; (til beklædning) skjortebryst; (til dame) indsats, snydebluse.

plat [plæt] *sb (am)* stykke jord; plan, kort.

I. plate [pleit] *sb* plade (også *fot),* metalplade, *(typ)* trykplade; (billede:) kobberstik, stålstik, (i bog) tavle, planche; (på dør) skilt; (ved bordet) tallerken, (mad herpå) gang, portion *(fx a ~ of mashed potatoes); (am* også) ret; (forsølvet bestik *etc)* pletsager, (af sølv) sølvtøj; (ved væddeløb) væddeløbspræmie (af sølv *etc);* væddeløb med sølvpræmie, pokalløb; *(elekt)* anode; *(tandl)* kunstig gane, tandprotese (i overmunden), T forlorne tænder; *hand it him on a ~ (fig)* forære ham det; *have a lot on one's ~ (fig)* have hænderne fulde, have meget der skal gøres.

II. plate [pleit] *vb* beklæde med metalplader, pansre; plettere.

plate armour panser; *(hist.)* rustning.

plateau ['plætou] *sb* højslette, plateau.

plateful ['pleitf(u)l] *sb* tallerkenfuld, portion, gang.

plate glass spejlglas.

platelayer ['pleitleiə] *sb (jernb)* banearbejder, skinnelægger.

platelet ['pleitlit] *sb* blodplade.

plate mark stempel (på guld- og sølvvarer).

platen ['plætn] *sb (typ)* digel; (på skrivemaskine) valse.

platen press digelpresse.

plater ['pleitə] *sb* pletterer; pladearbejder, pladesmed, skibsbygger; dårlig væddeløbshest.

plate rack tallerkenrække.

platform ['plætfɔ:m] *sb* perron; forhøjning, tribune, talerstol; politisk program; *~ shoe* sko med plateausål.

plating ['pleitiŋ] *sb* plettering; beklædning med metalplader; pansring; panser; *(mar)* klædning.

platinize ['plætinaiz] *vb* platinere.

platinotype ['plætinətaip] *sb* platinotypi.

platinum ['plætinəm] *sb* platin; *~ blonde* platinblond.

platitude ['plætitju:d] *sb* banalitet, banal bemærkning, flovse.

platitudinize [plæti'tju:dinaiz] *vb* fremsætte banale bemærkninger.

platitudinous [plæti'tju:dinəs] *adj* banal.

Plato ['pleitou] Platon. **Platonic** [plə'tɔnik] *adj* platonisk.

Platonism ['pleitənizm] *sb* platonisme.

Platonist ['pleitənist] *sb* platoniker.

platoon [plə'tu:n] *sb (mil.)* deling.

platter ['plætə] *sb (glds)* (træ)tallerken; *(am)* fladt fad.

platypus ['plætipəs] *sb zo* næbdyr.

plaudits ['plɔ:dits] *sb pl (litt)* bifaldsytringer, bifald.

plausibility [plɔ:zə'biliti] *sb* tilsyneladende rigtighed; sandsynlighed; bestikkende optræden.

plausible ['plɔ:zəbl] *adj* plausibel, sandsynlig, bestikkende; med et bestikkende væsen.

I. play [plei] *vb* (sport, spil, teater, musik) spille; *(teat* også) agere, (om stykke) opføre, (om film) vise; gå *(fx what is ~ing tonight?);* (i sport også) spille mod *(fx England is not ~ing South Africa),* spille i *(fx ~ all the large towns),* sætte ind, sætte på holdet *(fx England is ~ing her fastest bowler),* (om kort og *fig)* spille ud, (om bold) slå *(fx he ~ed the ball into the net),* (om bane, instrument)

være ... at spille på *(fx the lawn (, the piano) ~s well);* (more sig) lege, *(mods* være alvorlig) spøge, lave sjov *(fx he is only ~ing);* (om maskine *etc)* fungere, bevæge sig, (om springvand) springe, (med objekt) sætte i gang, (om slange, kanon) rette *(on* mod, se *ndf: ~ on); (tekn)* spille, have slør; (om arbejder) holde fri, gå ledig;

~ **ball,** se I. *ball; ~ both ends against the middle (am)* spille dem ud mod hinanden; *~ fair* spille ærligt spil; *~ first* have udspillet; *~ a fish* udtrætte en fisk; *~ the field (am)* have mange jern i ilden; *~ the fool* spille idiot; *~ the game,* se I. *game; ~ high* spille højt spil; *~ the man* handle som en mand; *~ second (fiddle)* spille anden violin, spille en underordnet rolle;

(forb med præp og adv): ~ **around** pjanke, flirte; *~* **at** spille *(fx ~ at cricket),* lege *(fx ~ at soldiers); ~ at doing sth* lade som om man gør noget, gøre noget på skrømt; *~ at home* spille på hjemmebane; *~* **away** sætte overstyr i spil; (i sport) spille på udebane; *~* **back** afspille; *~* **by** ear spille efter gehør; *~* **down** bagatellisere, gå let hen over; *~* **down** to sby lefle for en; *~ down to the crowd* spille for galleriet; *~* **for** spille om *(fx ~ for money),* spille for *(fx shall I ~ sth for you?);* være ude efter, søge at opnå *(fx ~ for safety); ~ for time* søge at vinde tid; *~* **into** *sby's hands* gå ens ærinde, handle til ens fordel; *~ them into the hall* (om orkester *etc)* spille mens de går ind i hallen; *~* **off** *a match* spille en kamp om; *~ off one against the other* spille den ene ud imod den anden; *~ sth off as sth else* udgive noget for noget andet end det det er; *~* **on** *the piano* spille på klaveret; *~ on sby's credulity* misbruge ens lettroenhed; *~ the hose on the fire* rette brandslangen imod ilden; *~ the guns on sth* rette kanonerne imod noget; *the artillery ~ed on the fortress* artilleriet beskød fæstningen; *~ the searchlight on sth* rette søgelyset imod noget; *~ on words* lege med ord, lave ordspil; *~ed out* udtjent, færdig, udmattet, som har udspillet sin rolle; *~* **to** spille for; *~* **up** slå stort op, blæse op; være en plage; *~ up!* spil til! *~ up to sby* støtte en, hjælpe en, (om skuespiller også) lægge op til en; *(neds)* indynde sig hos en; snakke en efter munden; *~* **with** lege med *(fx ~ with dolls; ~ with sby's affections); he is not a man to be ~ed with* han er ikke til at spøge med.

II. play [plei] *sb* spil; leg; forlystelse, spøg; bevægelse; virksomhed; *(teat)* skuespil, teaterstykke, drama; optræden; (om arbejdere) arbejdsnedlæggelse, arbejdsophør, ledighed; *(tekn)* spillerum, frigang, slør (= for stort spillerum), *(fig)* bevægelsesfrihed, spillerum; *give free ~ to* give frit løb, give frit spillerum; *give full ~ to one's powers* udfolde alle sine evner;

at *~* legende *(fx children at ~);* i spil *(fx lose money at ~);* at the *~* i teatret; *be at ~* være i gang; være i færd med at lege; **in** *~* for spøg *(fx he said it only in ~);* (om bold) i spil; *in full ~* i fuld gang; *hold (el. keep) sby in ~* holde en beskæftiget, give en fuldt op at bestille; *bring* **into** *~* sætte i gang; sætte ind, tage i brug; *~ of colours* farvespil; *~ of features* minespil; *~ (up)on words* ordspil; *go to the ~* gå i teatret; *make ~* gøre god brug af; brillere med; *make great ~ with* gøre en stort nummer ud af.

playable ['pleiəbl] *adj* som lader sig spille; som man kan spille på *(el.* med).

play|-act ['plei-] *vb* være skuespiller; *(fig)* agere, 'spille komedie'. **-back** afspilning. **-bill** teaterplakat. **-book** tekst til teaterstykke. **-box** legetøjsæske. **-boy** ung levemand, farssøn. **-day** fridag. **~ debt** spillegæld.

player ['pleiə] *sb* spiller, deltager i spil; skuespiller; professionel kricketspiller (, fodboldspiller).

player piano pianola, mekanisk klaver.

playfellow legekammerat.

playful ['pleif(u)l] *adj* oplagt til leg; munter, kåd; spøgefuld, spøgende.

play|goer ['pleigouə] teatergænger. **-ground** legeplads, boldplads; *(fig)* tumleplads, sandkasse. **-house** teater(bygning).

playing| card spillekort. *~* **field** sportsplads.

play|mate ['plei-] legekammerat. **-off** omkamp. **-pen** kravlegård. **-thing** legetøj; *(fig* også) kastebold. **-time** legetid, fritid; klokkeslæt hvor forestillingen skal begynde. **-work**

legeværk, arbejde der går som en leg. **-wright** ['pleirait] skuespilforfatter, dramatiker.

plea [pli:] *sb (jur)* påstand, erklæring, indlæg; forsvar; *(fig)* undskyldning; påskud; bøn; *on the ~ that* under påskud *(el.* påberåbelse) *af* at, idet man gør gældende at.

pleach [pli:tʃ] *vb* (sammen)flette.

plead [pli:d] *vb* anråbe, bede indtrængende, trygle *(for* om, *fx ~ for mercy); (jur)* tale i en sag for retten; føre en sag, plædere; (med objekt) forsvare, føre (en sag); (om undskyldning) anføre til sit forsvar, fremføre; påberåbe sig, anføre som undskyldning; henvise til; *~ guilty (jur)* erkende sig skyldig efter tiltalen; *~ not guilty (jur)* nægte sig skyldig; *~ with sby for* bede én indtrængende om, anråbe *(el.* trygle) én om.

pleader ['pli:də] *sb* advokat, forsvarer.

pleading ['pli:diŋ] *adj* bedende, bønlig; *sb* bønner; *(jur)* plæderen; indlæg; *-s pl* procedure, skriftveksling; se også *special ~*.

pleasance ['pleznz] *sb (glds)* fornøjelse; lysthave.

pleasant ['pleznt] *adj* behagelig *(fx taste; surprise);* rar *(fx fellow);* tiltalende; elskværdig *(to* mod, over for); hyggelig *(fx afternoon);* fornøjelig; *(glds)* lystig, gemytlig; *(a) ~ journey!* god rejse!

pleasantry ['plezntri] *sb* spøg, vittighed; munterhed, spøgefuldhed.

please [pli:z] *vb* (se også *pleased)* behage *(fx she did it from* (ud fra) *a desire to ~);* tiltale, falde i (ens) smag *(fx I think that solution will ~ you);* gøre tilpas *(fx he is hard to ~),* tilfredsstille, glæde; have lyst (til); (som høflighedsformular:) vær (så) venlig at *(fx ~ pass me the book = pass me the book, ~); yes, ~* ja tak; *coffee, ~* jeg vil gerne have kaffe; *~ do!* det må du endelig; *~ forward* bedes eftersendt; *~, teacher* undskyld hr. lærer (, frøken) (må jeg?);

do **as** *you* **~** gør som du vil *(el.* synes *el.* finder for godt *el.* finder passende); *as jolly as you* **~** vældig munter; i perlehumør; *~* **God** Gud give ...; om Gud vil; **if you** *~* hvis De ønsker; hvis De vil være så venlig; med Deres tilladelse; om jeg tør spørge; undskyld; (som svar på tilbud) ja tak; (ironisk) vil De tænke Dem *(fx and, if you ~,* on top of all that he asked me to pay for it); *~* **oneself** gøre som det passer en; *~ yourself!* (ofte let irriteret:) gør som du vil!

pleased [pli:zd] *adj* tilfreds, fornøjet, glad; *be ~ to* være glad ved at; behage at; *I shall be ~ to come* det vil være mig en fornøjelse at komme; *H. M. the Queen has been graciously ~ to* det har allernådigst behaget H. M. dronningen at.

pleasing ['pli:ziŋ] *adj* tiltalende, behagelig.

pleasurable ['pleʒ(ə)rəbl] *adj* behagelig.

pleasure ['pleʒə] *sb* glæde, fornøjelse; nydelse, lyst; velbehag; behag, forgodtbefindende; ønske, vilje; *vb* fornøje, glæde, tilfredsstille; *at ~* efter behag; efter forgodtbefindende; *during one's ~* så længe man har lyst; *during His (, Her) Majesty's ~* (om fængselsstraf) på ubestemt tid; *man of ~* levemand; *take (a) ~ in* finde behag i, finde fornøjelse i, nyde.

pleasure| boat lystbåd. *~* **ground** lystanlæg, park. *~* **-loving,** *~* **-seeking** forlystelsessyg. *~* **trip** fornøjelsestur.

pleat [pli:t] *sb* fold, læg, plissé; *vb* folde, plissere.

pleb [pleb] *sb* **S** plebejer.

plebeian [pli'bi:ən] *adj* plebejisk; *sb* plebejer.

plebiscite ['plebisit, -sait] *sb* folkeafstemning.

plectrum ['plektrəm] *sb* plektron, plekter.

I. pledge [pledʒ] *sb* pant; (højtideligt) løfte; afholdsløfte; *(glds)* skål (som udbringes); *take the ~* aflægge afholdsløftet; *hold in ~* have som pant; *put sth in ~* sætte noget i pant; *under ~ of secrecy* under tavshedsløfte.

II. pledge [pledʒ] *vb* pantsætte, pante; forpligte; love højtideligt, indestå for; drikke med, skåle med, skåle for; udbringe en skål for; *~ one's word (el. honour)* give sit æresord.

pledgee [ple'dʒi:] *sb* panthaver.

pledger ['pledʒə] *sb* pantsætter, pantstiller.

pledget ['pledʒit] *sb* tot *(fx vat),* kompres.

Pleiades ['plaiədi:z] *sb pl: the ~* Plejaderne, syvstjernen.

plenary ['pli:nəri] *adj* fuld, fuldstændig, fuldtallig; *~ meeting* plenarmøde; *~ powers* fuldmagt.

plenipotentiary [plenipə'tenʃəri] *sb* befuldmægtiget minister (ɔ: udsending); *adj* med (uindskrænket) fuldmagt.

plenitude ['plenitju:d] *sb* fylde, overflod.

plenteous ['plentjəs] *adj* rigelig.

plentiful ['plentif(u)l] *adj* rigelig.

plenty ['plenti] *sb* fylde, overflod; velstand, rigdom; *adj* **T** rigelig; *adv* **T** vældig, mægtig *(fx it was ~ cold);* mere end *(fx it is ~ large enough); in ~* i overflod; *~ of* fuldt op af, nok af, godt *(el.* rigeligt) med, masser af; *~ of time* vældig god tid.

plenum ['pli:nəm] *sb* plenum, plenarforsamling, plenarmøde; overtryk; rum med komprimeret luft; *~ system* trykluftventilationssystem.

pleonasm ['pliənæzm] *sb* pleonasme (»dobbelt konfekt«).

pleonastic [pliə'næstik] *adj* pleonastisk.

plethora ['pleθərə] *sb (med.)* forøget blodmængde, blodoverfyldning, *(fig)* overflod.

plethoric [ple'θɒrik] *adj* svulstig; *(med.)* blodoverfyldt.

pleurisy ['pluərisi] *sb* lungehindebetændelse.

pleuritic [pluə'ritik] *adj* som har lungehindebetændelse.

plexus ['pleksəs] *sb* netværk; *(anat)* plexus.

pliability [plaiə'biliti] *sb* bøjelighed; smidighed; eftergivenhed; føjelighed, svaghed.

pliable ['plaiəbl] *adj* bøjelig; smidig; let påvirkelig, eftergivende, føjelig, svag.

pliancy ['plaiənsi] se *pliability*.

pliant ['plaiənt] se *pliable*.

plied *præt og pp af* ply.

pliers ['plaiəz] *sb pl* tang; fladtang, niptang; *(cutting ~)* bidetang; *(combination ~)* kombinationstang, universaltang.

I. plight [plait] *(glds) sb* løfte, pant; *vb* love; sætte i pant; *~ one's troth to sby, ~ oneself to sby, give one's ~ to sby* skænke en sin tro.

II. plight [plait] *sb* tilstand, forfatning *(fx in a sad ~);* (vanskelig) stilling.

Plimsoll ['plimsəl]: *~ line, ~ mark (mar)* lastemærke.

plimsolls *sb pl* lærredssko med gummisåler.

plinth [plinθ] *sb* plint, sokkel.

Pliny [pli'ni] Plinius.

plod [plɒd] *vb* traske, gå med tunge skridt; *(fig)* hænge i, slide; *sb* trasken; streng tur; *(fig)* hængen i, slid; *(austr)* historie; *~ through* vade gennem; *(fig)* slæbe sig igennem.

plodder ['plɒdə] *sb* slider.

plodding ['plɒdiŋ] *adj* møjsommelig; tungt arbejdende; ihærdig.

plonk [plɒŋk] *sb* plask, plump.

plop [plɒp] *sb* plump, bump, bums; plop; *vb* plumpe.

plosive ['plouzlv] *sb (fon)* lukkelyd.

I. plot [plɒt] *sb* stykke jord, plet (jord); parcel, grund; havelod; *(am)* plan, kort.

II. plot [plɒt] *vb* (med et sir af (grund)rids af, tegne; indtegne *(el.* afsætte) på et kort *el.* i et diagram; fremstille grafisk; afsætte, optegne *(fx a graph, a curve* en kurve); (radar:) plotte; *sb* diagram, kurve *(fx a ~ of the month's sales).*

III. plot [plɒt] *sb* sammensværgelse, komplot, anslag; (i roman, skuespil) intrige, handling, fabel; *lay -s* smede rænker.

IV. plot [plɒt] *vb* lægge planer, smede rænker, intrigere, konspirere; (med objekt) planlægge, pønse på, lægge råd op om.

plotter ['plɒtə] *sb* rænkesmed, konspirator; (radar:) plotter; *the -s* de sammensvorne.

plough [plau] *sb* plov, sneplov; *(agr)* pløjejord, pløjeland; *(bogb)* høvl; *(snekkers) ~ plane; vb* pløje; *(bogb)* beskære; **T** (let *glds*) (lade) dumpe til eksamen; *be -ed* dumpe; *the Plough (astr)* Karlsvognen;

~ back (merk) reinvestere *(fx profits); ~ a lonely furrow* holde sig for sig selv, gå sin dunkle vej alene; *put one's hand to the ~ (fig)* lægge hånd på ploven (ɔ: gå i gang med et arbejde); *~ in* pløje ned; *~ into (am)* tage energisk fat på, kaste sig over; *take a ~* (let *glds)* dumpe; *~ through* slide *(el.* pløje) sig igennem; *~ up* oppløje; pløje op af jorden; *~ one's way* bane sig vej.

plough|boy plovdreng; bondedreng, bondeknold. **-man** plovmand; landmand, bonde. *~* **plane** skarrehøvl, plovhøvl. *~* **share** plovskær.

plover ['plʌvə] *sb zo* brokfugl; *(golden ~)* hjejle.
plow [plau] *(am)* = plough.
ploy [plɔi] *sb* foretagende; trick, kneb, snedig manøvre.
pluck [plʌk] *vb* rive, rykke, trække *(at i)*, (om strenge) gribe i; plukke *(fx a chicken, flowers)*; S snyde, plukke, plyndre; *(glds)* lade dumpe (til eksamen); *sb* ryk, greb, tag, nap; mod, mandsmod; ~ *up courage* tage mod til sig.
I. plug [plʌg] *sb* prop, pløk; (i tønde) spuns, tap, (i hane) told; *(elekt)* stikprop, stik(kontakt); *(tlf)* prop; (i tand) plombe; (i bil) tændrør; (til vand) brandhane; (af tobak) plade; skrå; T reklame, omtale, (i radio) reklameindslag; S (revolver-, gevær-) kugle; *(am* S) gammel krikke; høj hat, stiv hat; **pull** the ~ (på wc) trække i snoren.
II. plug [plʌg] *vb* tilstoppe; plombere, tilproppe; S gøre reklame for; skyde, »pløkke«; ~ *away at* mase *(el.* slide) med; ~ *in* tilslutte, sætte 'til (med stikkontakt); ~ *a song on the audience* T banke en sang ind i hovedet på publikum; ~ *up* blive tilstoppet.
plug hat *(am* S) høj hat, stiv hat.
plug-ugly ['plʌgʌgli] *sb (am* S) gangster, bandit.
plum [plʌm] *sb* blomme; rosin; *(fig)* bedste del, lækkerbisken; fedt job, ønskestilling; *be waiting for the -s to fall into one's mouth* (svarer til) vente at stegte duer skal flyve ind i munden på en.
plumage ['plu:midʒ] *sb* fjer; fjerbeklædning.
plumb [plʌm] *sb* blylod, sænklod, lod; *adj* lodret; lige; rigtig, fuldstændig; nøjagtigt; *vb* bringe i lod; (også *fig)* lodde, måle; (forsøge:) plombere; (om vandrør *etc)* tætte, reparere; (uden objekt) lave blikkenslagerarbejde; ~ *crazy (am* S) skrupskør; ~ *nonsense* det rene vrøvl; *out of* ~ ude af lod; ~ *with* lodret over.
plumbago [plʌm'beigou] *sb* grafit.
plumb bob lod.
plumbeous ['plʌmbiəs] *adj* bly-, blyagtig, blygrå.
plumber ['plʌmə] *sb* blikkenslager, gas- og vandmester.
plumbing ['plʌmiŋ] *sb* blikkenslagerarbejde, rørarbejde; vand- og sanitetsinstallation, sanitære indretninger; vandrør *(fx there's something the matter with the ~).*
plumbism ['plʌmbizm] *sb (med.)* blyforgiftning.
plumb|line lodline, lodsnor. ~ **rule** lodbræt.
plumcake ['plʌmkeik] *sb* plumkage.
plum duff melbudding med rosiner.
plume [plu:m] *sb* fjer; fjerbusk; fjerlignende dusk; *vb* pynte med fjer; pudse (sine fjer); plukke; *strut in borrowed -s* pynte sig med lånte fjer; ~ *of smoke* røgfane; ~ *oneself* være stolt, bryste sig *(on* af).
plummet ['plʌmit] *sb* lod; lodsnor; *vb* lodde; falde lodret ned.
plummy ['plʌmi] *adj* fuld af blommer *(el.* rosiner); T lækker, udmærket; 'fed', indbringende *(fx job);* (om stemme) dyb og blød som smør.
plumose [plu:'mous] *adj* fjeragtig; fjerklædt.
I. plump [plʌmp] *adj* trind, trivelig, fyldig; buttet; *vb:* ~ *(up)* fylde, gøre fyldig, få til at svulme; blive fyldig, svulme.
II. plump [plʌmp] *vb* falde tungt, plumpe; plumpe ud med; lade falde *(el.* plumpe ned); (ved valg) kun stemme på én kandidat (hvor der er mulighed for at give to eller flere sin stemme); ~ *for* (også) gå stærkt ind for *(fx a scheme);* støtte ubetinget.
III. plump [plʌmp] *sb* tungt fald, plump; regnskyl; *adj* udtrykkelig, ligefrem; *adv* rent ud, lige ud *(fx tell him ~ that he is a fool);* uden videre; lige, pladask *(fx fall ~ in the river).*
plum pudding plumbudding.
plumy ['plu:mi] *adj* fjeragtig; fjerklædt.
plunder ['plʌndə] *vb* plyndre, udplyndre, røve; *sb* plyndring, udplyndring; rov, bytte.
I. plunge [plʌn(d)ʒ] *vb* (ned)sænke, (ned)dyppe; støde *(fx a dagger into one's breast),* stikke *(fx one's hand into sth);* *(fig)* styrte *(fx the country into war),* kaste; (uden objekt) dukke ned, kaste sig, styrte sig *(fx he -d into the river),* styrte *(fx into the thicket); (fig)* spille højt spil; (om skib) stampe; (om hest) kaste sig frem.
II. plunge [plʌn(d)ʒ] *sb* dykning, dukkert, spring; *(am: sted* til at springe) svømmebassin, dybt sted (i sø *etc),*

dyb sø; *take the* ~ *(fig)* vove springet.
plunger ['plʌn(d)ʒə] *sb (tekn)* pumpestempel; dykkerstempel; (til forstoppet vandrør) vaskesuger.
plunging fire *(mil.)* vertikal ild, krumbaneskydning.
I. plunk [plʌŋk] *sb* (om lyd:) bump, bums, (af streng) plingplang; *(am* S) dollar.
II. plunk [plʌŋk] *vb* kaste *(fx a stone at sby);* (lade) falde (med en tung *el.* klirrende lyd) *(fx he -ed his books on the table);* (på en streng:) knipse.
pluperfect ['plu:'pə:fikt] *sb (gram.)* førdatid, pluskvamperfektum.
plural ['pluərəl] *adj* indeholdende flere; *(gram)* flertals- *(fx ending); sb* flertal.
pluralism ['pluərəlizm] *sb* det at have mere end ét præstekald.
pluralist ['pluərəlist] *sb* indehaver af flere (præste)embeder.
plurality [pluə'ræliti] *sb* pluralitet, flerhed, majoritet, flertal; det at have mere end et præstekald *el.* embede.
plural| society samfund som rummer flere racer. ~ **voting** stemmeafgivning (, stemmeret) i mere end én valgkreds.
plus [plʌs] *sb* plus; additionstegn; *adj* positiv *(fx a ~ quantity);* og derover, og opefter *(fx from the age of 11 plus (el. 11 +));* ekstra; (se også *eleven-plus examination).*
plus fours ['plʌs'fɔ:z] plusfours.
plush [plʌʃ] *sb* plys; *adj* = *plushy.*
plushy ['plʌʃi] *adj* plys-; *(fig)* rig, luksuøs, luksus-, 'dyr'.
Plutarch ['plu:ta:k]. **Pluto** ['plu:tou].
plutocracy [plu:'tɔkrəsi] *sb* plutokrati, rigmandsstyre; rigmandsaristokrati, pengeadel. **plutocrat** ['plu:təkræt] *sb* pengefyrste. **plutocratic** [plu:tə'krætik] *adj* plutokratisk.
Plutonic [plu:'tɔnik] *adj* plutonisk; vulkansk; som ligger dybt inde i jorden.
plutonium [plu:'tounjəm] *sb (kem)* plutonium.
pluvial ['plu:vjəl] *adj* regn-; regnfuld.
pluviometer [plu:vi'ɔmitə] *sb* regnmåler.
pluvious ['plu:vjəs] *adj* regn-, regnfuld.
I. ply [plai] *vb* bruge flittigt *(fx she plied her needle);* arbejde ivrigt med, drive *(fx a trade);* forsyne rigeligt, proppe *(with* med, *fx food);* plage, bearbejde; bestorme, bombardere *(with* med, *fx questions);* (om taxi) vente på tur ved holdeplads; *(mar)* krydse; befare, beseje; gå i fast rute *(fx the ship plies between Esbjerg and Harwich);* ~ *him with drink* skænke rigeligt op for ham; ustandselig skænke op for ham; ~ *the horse with the whip* bearbejde *(el.* slå løs på) hesten med pisken.
II. ply [plai] *sb* (i garn) tråd; (i krydsfiner *etc)* lag; (tendens:) retning, tilbøjelighed; *three-ply* tretrådet, treløbet *(fx rope).*
Plymouth ['pliməθ].
plywood ['plaiwud] *sb* krydsfinér.
P.M. *fk Prime Minister; Police Magistrate; Postmaster.*
p.m. ['pi:'em] *fk post meridiem (fx at 3* ~ kl. 3 eftermiddag); *post mortem.*
P.M.G. *fk Paymaster General; Postmaster General.*
pneumatic [nju'mætik] *adj* pneumatisk, luft-; trykluft- *(fx tools, drill, hammer);* ~ *despatch (el. post)* rørpost; ~ *tyre* luftring.
pneumonia [nju'mounjə] *sb (med.)* lungebetændelse.
pneumonic [nju'mɔnik] *adj* lunge-; lungebetændelses-.
po [pou] *sb* T potte.
P.O. *fk postal order; post office.*
poach [poutʃ] *sb* pochere (æg); (om jord:) nedtrampe, gøre opblødt; ælte *(fx* ler); (uden objekt) blive opblødt (, nedtrampet); drive krybskytteri, drive ulovlig jagt *(el.* fiskeri); ~ *on sby's preserves* (især *fig)* trænge ind på en andens enemærker, gå en i bedene; *-ed eggs* pocherede æg.
poacher ['poutʃə] *sb* vildttyv, krybskytte.
P.O.box *fk post office box* postboks.
pochard ['poutʃəd] *sb zo* taffeland.
pock [pɔk] *sb* pustel, byld, koppebyld.
I. pocket ['pɔkit] *sb* lomme; sæk; hul, fordybning; *(fig)* enklave, ø *(fx -s of unemployment* arbejdsløshedsøer); *(mil.)* lomme; *(min)* mindre aflejring af guld *etc;* (i billard) hul; *(flyv)* lufthul; *zo* pung (hos pungdyr); *prices to suit all -s* priser der passer for enhver pung; *put one's hand in one's* ~ *(fig)* give penge ud; punge ud; gøre et

greb i lommen; *put one's pride in one's* ~ glemme sin stolthed, bide i det sure æble; *be in* ~ være ved muffen; have vundet *el.* tjent *(fx be £3 in* ~*)*; *be £3* out of ~, *be out of* ~ *by £3* have tabt £3.
II. pocket ['pɔkit] *vb* putte *(el.* stikke) i lommen *(fx* ~ *the money)*; stikke til sig, tjene, indkassere; *(fig)* bide i sig *(fx he -ed the insult)*, glemme, opgive *(fx one's scruples)*; ~ *a ball* (i billard) støde en bal i hullet; ~ *one's pride* glemme sin stolthed, bide i det sure æble.
pocket| **book** billigbog. **-book** lommebog; tegnebog; *(fig)* (penge)midler; *(am)* dametaske, håndtaske. ~ **borough** valgkreds hvis vælgere var afhængige af godsejeren (før 1832). ~ **glass** lommespejl. ~ **handkerchief** lommetør-klæde. **-knife** lommekniv. ~ **money** lommepenge. ~ **piece** lykkeskilling. ~ **-size** *adj* i lommeformat.
pockmarked ['pɔkma:kt] *adj* koparret.
pod [pɔd] *sb (bot)* bælg, kapsel; *zo* (silkeorms) kokon; (af sæler *el.* hvaler) (lille) flok; *(flyv)* strømlinet beholder under fly; selvstændig enhed af rumskib; S mave; mari-huanacigaret; *vb* bælge; sætte bælg; *in* ~ S tyk (ɔ: gra-vid); ~ *up* S blive tyk.
podagra [pɔ'dægrə] *sb (med.)* podagra.
podgy ['pɔdʒi] *adj* buttet, tyk, fedladen.
podium ['poudiəm] *sb* podium, forhøjning, dirigentpult.
Poe [pou].
poem ['pouim] *sb* digt.
poesy ['pouisi] *sb (glds)* poesi, digtekunst.
poet ['pouit] *sb* digter.
poetaster [poui'tæstə] *sb (neds)* dårlig digter, versemager.
poetess ['pouitis] *sb* digterinde.
poetic(al) [pou'etik(l)] *adj* poetisk, digterisk.
poetic| **diction** poetisk diktion, digterisk ordvalg. ~ **justice** poetisk retfærdighed. ~ **licence** digterisk frihed.
poetics [pou'etiks] *sb* poetik.
poet laureate hofdigter.
poetry ['pouitri] *sb* poesi, digtning, digtekunst.
po-faced ['poufeist] *adj* S *(neds)* med et overlegent, ud-tryksløst ansigt.
pogo stick ['pougoustik] kængurustylte.
pogrom ['pɔgrəm] *sb* pogrom, jødeforfølgelse.
poignancy ['pɔinənsi] *sb* skarphed, brod, bitterhed.
poignant ['pɔinənt] *adj* skarp *(fx sauce)*; *(fig)* skarp; bit-ter *(fx sorrow)*; intens; skærende, gribende.
poinsettia [pɔin'setiə] *sb (bot)* julestjerne.
I. point [pɔint] *sb* spids, punkt, prik; (det vigtigste:) ho-vedsag, sag *(fx keep to the* ~; *that's the* ~ det er netop sagen); (i anekdote *etc)* pointe; (formål *etc)* hensigt; mening *(fx there is not much* ~ *in doing that)*; (om per-son) egenskab *(fx he has good -s)*, særkende, side; (i sport, *merk)* point; *(mar)* (kompas)streg; *(mat)* punkt; komma *(el.* decimalbrøk; *(gram.)* skilletegn, punktum; *(typ)* punkt; *(geogr)* odde, pynt; *(elekt)* lampested; (på gevir) ende, tak; *(jernb)*, se *points*; *(* ~ *lace)* syede knip-linger;
   bad ~ (også) svaghed; *good* ~ (også) god egenskab, dyd, *singing is not his strong* ~ at synge er ikke hans stærke side; *what's the* ~? T kan det ikke være lige me-get?
   (forb med *vb) carry (el. gain) one's* ~ sætte sin vilje igennem, **get** *-s* vinde; **give** *-s to* give (mindre trænet sportsmand) points forud, give et forspring; være (én) overlegen; *it* **has** *its -s* det har sine fordele *(el.* gode si-der); *you have (got) a* ~ *there* det har du ret i, det kan der være noget om; *he* **made** *his* ~ han overbeviste de andre; hans synspunkt sejrede; *it is not clear what* ~ *is being made* det er ikke klart hvad meningen *(el.* hensig-ten) er; *we make a* ~ *of ...ing* vi lægger vægt på at ..., det er os magtpåliggende at ...; *not to* **put** *too fine a* ~ *on it* for at sige det rent ud; *I do not* **see** *your* ~ jeg for-står ikke hvor du vil hen (med det du siger); **stretch** *a* ~ gøre en undtagelse, ikke tage det så strengt;
   (forb med *præp)* **at** *all -s* på alle punkter, i alle henseen-der; *be at the* ~ *of* være på nippet til, stå i begreb med; *be at the* ~ *of death* ligge for døden; *at the* ~ *of the sword (, gun)* under tvang, under trusel om anvendelse af magt; *it is* **beside** *the* ~ det kommer ikke sagen ved, det er irrelevant; *the case* **in** ~ det tilfælde der er under drøftelse, det foreliggende tilfælde; *Dickens is a case in* ~

D. er et eksempel på dette; *in* ~ *of* med hensyn til; *in* ~ *of fact* faktisk; ~ **of** *conscience* samvittighedssag; ~ *of honour* æressag; *the* ~ *of no return*, se *II. return*; ~ *of view* synspunkt; **off** *the* ~ = *beside the* ~; **on** *the* ~ *of* på nippet til, i begreb med *(fx I was on the* ~ *of leav-ing)*; *be* **to** *the* ~ vedkomme sagen, være relevant; *that is not to the* ~ det kommer ikke sagen ved; *let us come to the* ~ lad os komme til sagen; *when it came to the* ~ da det kom til stykket; *frankness to the* ~ *of insult* en lige-fremhed der grænser til uforskammethed; *sensitive to the* ~ *of morbidity* følsom indtil det sygelige; **up** *to a* ~ til en vis grad.
II. point [pɔint] *vb* spidse *(fx a pencil)*, sætte spids på; skærpe; sigte *(at* på), rette *(at* mod), pege *(at, to* på); sætte (skille)tegn i; pointere, fremhæve, understrege, markere; (om mur) fuge; (om jagthund) stå, gøre stand; ~ *the moral* uddrage moralen *(fx* af en historie); ~ *a rope (mar)* katte en ende; ~ *out* udpege, *(fig)* påpege, fremhæve, gøre opmærksom på; ~ *to (fig)* tyde på; *the minute hand -ed to twelve* den lille viser stod på tolv; ~ *up* understrege.
point-blank ['pɔint'blæŋk] *adv* ligefrem, direkte *(fx ask him* ~*)*, rent ud, pure *(fx he refused it* ~*)*; *adj* lige, hori-sontal; *(fig)* direkte *(fx question)*; *fire* ~, *fire at* ~ *range* skyde på meget nært hold.
point duty: *be on* ~ (om færdselsbetjent) have færdselstje-neste (i vejkryds *etc)*.
pointed ['pɔintid] *adj* spids, tilspidset; pointeret; skarp *(fx reproof)*, tydelig, demonstrativ *(fx politeness)*; ~ *arch* spidsbue; ~ *style* spidsbuestil.
pointer ['pɔintə] *sb* viser (på ur, vægt); (i skole) pegepind; (jagthund) pointer; T vink, fingerpeg.
point lace syet knipling.
pointless ['pɔintlis] *adj* meningsløs, formålsløs *(fx discus-sions)*, ørkesløs *(fx speculations)*; (om anekdote) uden pointe.
points [pɔints] *sb pl (jernb)* sporskifte.
pointsman ['pɔintsmən] *sb (jernb)* sporskifter; (i politiet) færdselsbetjent.
points rationing (rationeringssystem under den anden ver-denskrig).
poise [pɔiz] *sb* ligevægt; holdning; ro, sikkerhed (i optræ-den); *vb* balancere med, holde i ligevægt; være i ligevægt, svæve; gøre (sig) rede *(for* til); ~ *-d* (også) svævende *(fx -d in mid-air)*; balancerende *(fx with a jug -d on her head)*; rolig, sikker, afbalanceret; parat, rede *(for* til).
poison ['pɔizn] *sb* gift; *vb* forgifte, forgive; fordærve; *hate sby like* ~ hade en som pesten; *what's your* ~? S hvad vil du have at drikke? hvad skal det være?
poisoner ['pɔizna] *sb* giftblander(ske).
poison| **fang** giftand. ~ **gas** giftgas.
poisoning ['pɔizniŋ] *sb* forgiftning; giftblanderi; giftmord.
poison ivy *(bot)* giftsumak.
poisonous ['pɔiznəs] *adj* giftig; *(fig)* ødelæggende, skadelig, fordærvelig; T modbydelig, væmmelig.
poison pen anonym brevskriver (der ved ondsindede breve prøver at skade andre).
poison-pen letter anonymt smædebrev.
I. poke [pouk] *vb* støde, puffe, stikke *(fx one's head out of the window)*; rode op i *(fx the fire)*; stikke frem; famle *(for* efter); snuse; *sb* stød, puf, stik; *(am)* smøl, drys; ~ *about (fig)* snuse rundt; nusse rundt; ~ *fun at* drive løjer med, gøre nar af; ~ *one's nose into* stikke sin næse i.
II. poke [pouk] *sb (glds)* pose; *buy a pig in a* ~ købe kat-ten i sækken.
III. poke [pouk] *sb* fremstående hatteskygge. **poke bonnet** *(glds)* kysehat.
I. poker ['poukə] *sb* ildrager; nål til brandmaling; S uni-versitetsscepter; *as stiff as a* ~ så stiv som en pind.
II. poker ['poukə] *sb* poker (kortspil).
poker face udtryksløst ansigt, pokeransigt.
pokerwork ['poukəwə:k] *sb* brandmaling.
pokeweed ['poukwi:d] *sb (bot)* kermesbærplante.
pokey ['pouki] *sb* S fængsel; *adj* = *poky*.
poky ['pouki] *adj* trang, lille; ubetydelig; kedelig; tarvelig, snoldet; *(am)* doven, langsom.
Poland ['poulənd] Polen.
polar ['poulə] *adj* polar; polar-; ~ *bear* isbjørn; ~ *orbit*

satellitbane der passerer polerne.
polarity [pə'læriti] *sb* polaritet.
polarize ['pouləraiz] *vb* polarisere; *(fig)* lede i samme retning *(fx ~ their efforts)*.
polar light polarlys; nordlys, sydlys.
I. Pole [poul] *sb* polak.
II. pole [poul] *sb* pol; *they are -s apart* de er (himmel)vidt forskellige; der er en afgrund imellem dem.
III. pole [poul] *sb* stang, stage, pæl, stolpe; *(elekt* også) mast; *vb* stage frem; *under bare -s (mar)* for takkel og tov; *up the ~* S i knibe; tosset, skør.
poleaxe ['poulæks] *sb* stridsøkse; slagterøkse; *(mar)* entrebil; *vb* hugge med stridsøkse; slå ned med slagterøkse.
pole|cat *zo* ilder; *(am)* T stinkdyr. **~ flounder** *zo* skærising. **~ jump(ing)** stangspring.
polemic [pɔ'lemik] *sb* polemiker; *adj* polemisk. **polemics** polemik.
polenta [pɔ'lentə] *sb* polenta, majsgrød.
pole star polarstjerne, nordstjerne, *(fig)* ledestjerne.
pole| vault polarstang. **-wood** *(forst)* stangskov.
police [pə'li:s] *sb* politi; politifolk *(fx twenty ~)*; *(mil.) (am)* mandskab afgivet til særlig tjeneste; kaserneorden; *vb* føre politiopsyn med; holde orden blandt; forsyne med politi; *(mil.) (am)* holde orden i (, på) (en lejr, en kaserne).
police| constable politibetjent. **~ cordon** politiafspærring. **~ court** politiret. **~ force** politistyrke. **~ inspector** politiassistent. **~ magistrate** dommer i politiretten. **-man** [pə-'li:smən] politibetjent. **~ office** politikammer. **~ officer** politibetjent, politifunktionær. **~ sergeant** overbetjent. **~ State** politistat. **~ station** politistation. **-woman** [pə'li:swumən] kvindelig politibetjent.
policlinic [pɔli'klinik] *sb (med.)* poliklinik.
I. policy ['pɔlisi] *sb* politik, taktik, fremgangsmåde; klogskab, snuhed; *contrary to public ~* samfundsmæssigt uheldigt, imod samfundets interesse.
II. policy ['pɔlisi] *sb (assur)* (forsikrings)police.
policyholder *sb* forsikringstager.
policymaking *sb* taktisk planlægning.
polio ['pouliou], **poliomyelitis** ['poulioumaiə'laitis] *sb (med.)* børnelammelse, polio; **~ victim** polioramt.
I. Polish ['poulif] *sb, adj* polsk.
II. polish ['pɔlif] *vb* polere, pudse, blanke, blankslibe, glatte; (om gulv) bone; *(fig)* forfine, pudse af, pynte på; (uden objekt) blive blank; *sb* politur, pudsecreme, blanksværte; glans, glathed; *(fig)* politur, forfinelse, elegance, finhed; **~ off** gøre det af med *(fx an opponent)*; ekspedere; klare, gøre færdig i en fart *(fx one's work)*; sætte til livs *(fx a meal)*.
polished ['pɔlift] *adj* (blank)poleret, pudset, blank; *(fig)* sleben *(fx manners)*.
polisher ['pɔlifə] *sb* polerer; poleværktøj, poleremiddel.
polite [pə'lait] *adj* høflig, beleven; fin, dannet, kultiveret.
politic ['pɔlitik] *adj* klog, velbetænkt; snedig; (se også *body ~)*.
political [pə'litikl] *adj* politisk, stats-; **~ economy** nationaløkonomi; **~ economist** nationaløkonom; **~ science** statsvidenskab.
politician [pɔli'tif(ə)n] *sb* politiker, statsmand; *(neds)* levebrødspolitiker.
politico [pə'litikou] *sb (neds)* (parti)politiker; politikus.
politics ['pɔlitiks] *sb* politik; statskunst; politiske anskuelser; politisk liv; *what are his ~?* hvor står han politisk?
polity ['pɔliti] *sb* regeringsform, statsorden, forfatning; samfundsbygning; stat; politik.
polka ['pɔlkə] *sb* polka; **~ dots** tætprikket mønster.
I. poll [pɔl] *sb* poppedreng; S luder.
II. poll [poul] *sb* valgliste; valghandling *(fx the opening of the ~)*; stemmeafgivning, valg, afstemning; valgdeltagelse *(fx heavy* (stor) *~; light* (ringe) *~)*, stemmeprocent; stemmetal; stemmeoptælling; *(public opinion ~)* opinionsundersøgelse; *-s pl* valgsted; *declare the ~* bekendtgøre *(el.* meddele) valgresultatet (officielt); *demand a ~* forlange skriftlig afstemning; *go to the -s* gå til valg; *head the ~* få flest stemmer; *take a ~* foretage skriftlig afstemning.
III. poll [poul] *vb* afgive (sin stemme), stemme *(fx ~ for a candidate)*; optælle (stemmer); opnå, få, samle (stem-

mer) *(fx he -ed over 5,000 votes)*; spørge (ved opinionsundersøgelse).
IV. poll [poul] *sb (glds el.* spøg*)* hoved, isse, nakke; (af hat) puld; (på hammer) bane; *vb* topstævne, tophugge *(fx a tree)*; klippe (skaldet); afhorne *(fx -ed cattle)*.
pollack ['pɔlək] *sb zo* lubbe; sej (fisk).
pollard ['pɔləd] *sb* topstævnet træ; afhornet stykke kvæg; buk der har fældet geviret.
poll|book valgliste. **~ clerk** listefører. **~ degree** ['pɔl-] lettere grad at universitetseksamen (modsat *honours)*.
pollen ['pɔlin] *sb* blomsterstøv, pollen.
pollinate ['pɔlineit] *vb* bestøve.
pollination [pɔli'neifən] *sb* bestøvning.
polling booth ['pouliŋ-] stemmerum.
polliwog ['pɔliwog] *sb (am)* zo haletudse.
pollock ['pɔlək] = *pollack*.
pollster ['poulstə] *sb* interviewer (ved opinionsundersøgelse).
poll tax ['poultæks] kopskat.
pollutant [pə'lju:tənt] *sb* forureningskilde, forureningsfaktor.
pollute [pə'l(j)u:t] *vb* forurene *(fx a river; the air)*; *(fig)* besmitte; vanhellige, krænke. **pollution** [pə'l(j)u:ʃ(ə)n] *sb* forurening; besmittelse, vanhelligelse.
pollywog = *polliwog*.
polo ['poulou] *sb* polo.
polonaise [pɔlə'neiz] *sb* polonaise.
polo neck rullekrave.
poloney [pə'louni] *sb* slags pølse.
poltergeist ['pɔltəgaist] *sb* bankeånd.
poltroon [pɔl'tru:n] *sb (litt)* kryster, kujon.
poly|gamist [pə'ligəmist] *sb* polygamist. **-gamous** [pə'ligəməs] *adj* polygam. **-gamy** [pə'ligəmi] *sb* polygami. **-glot** ['pɔliglɔt] *adj* mangesprogs-; polyglot. **-gon** ['pɔligən] *sb* polygon, mangekant. **-math** ['pɔlimæθ] *sb* en der er kyndig på mange områder; polyhistor. **-mer** ['pɔlimə] *sb (kem)* polymert stof. **-nomial** [pɔli'noumiəl] *sb (mat.)* flerleddet (størrelse).
polyp ['pɔlip] *sb* zo polyp.
polyphonic [pɔli'fɔnik] *adj* polyfon, mangestemmig.
polypody ['pɔlipədi] *sb (bot)* engelsød.
polypous ['pɔlipəs] *adj* polypagtig.
polyp|us ['pɔlipəs] *sb (pl -i* [-ai]) zo polyp.
polysemy ['pɔlisemi] *sb (spr)* polysemi, det at et ord har flere betydninger
polystyrene [pɔli'stairi:n] *sb* polystyren.
poly|syllabic [pɔlisi'læbik] *adj* flerstavelses-. **-syllable** ['pɔli-'silɔbl] *sb* flerstavelsesord. **-technic** [pɔli'teknik] *adj* teknisk; en teknisk skole. **-theism** [pɔli'θi(:)izm] *sb* polyteisme. **-vinyl** [pɔli'vainl] *adj* polyvinyl-.
pom [pɔm] *sb* pommersk spidshund.
pomace ['pɔmis] *sb* presserester.
pomade [pə'ma:d], **pomatum** [pə'meitəm] *sb* pomade; *vb* pomadisere.
pomegranate ['pɔmgrænit] *sb (bot)* granatæble.
pomelo ['pɔmilou] *sb (bot)* pompelmus; stor grapefruit.
Pomerania [pɔmə'reinjə] Pommern.
Pomeranian [pɔmə'reinjən] *adj* pommersk; *sb* pommeraner; pommersk spidshund.
pommel ['pʌml] *sb* sadelknap; kårdeknap; *vb* = *pummel*.
pomp [pɔmp] *sb* pomp, pragt, prunk.
Pompeian [pɔm'pi(:)ən] *adj* pompejansk.
Pompeii [pɔm'pi:ai] Pompeji.
Pompey ['pɔmpi] Pompeius.
pom-pom ['pɔmpɔm] *sb* maskinkanon.
pompon ['pɔmpɔn] *sb* pompon (pyntekvast).
pomposity [pɔm'pɔsiti] *sb* opblæsthed; svulstighed; opblæst person.
pompous ['pɔmpəs] *adj* højtravende, svulstig; opblæst.
ponce [pɔns] *sb* S alfons, luderka'l.
poncho ['pɔntʃou] *sb* poncho; regnslag.
pond [pɔnd] *sb* dam; kær; sø; vb opdæmme.
ponder ['pɔndə] *vb* overveje, overlægge; grunde.
ponderable ['pɔndərəbl] *adj* vejelig; målelig.
ponderous ['pɔndrəs] *adj* tung, svær, massiv; uhåndterlig; klodset, kluntet; tungthenskridende, kedsommelig.
pondweed ['pɔndwi:d] *sb (bot)* vandaks.
pong [pɔŋ] *sb* T hørm, stank; *vb* stinke.

pongee [pɔn'dʒiː] *sb* kinesisk silke.
poniard ['pɔnjəd] *sb* dolk; *vb* dolke, stikke.
pontiff ['pɔntif] *sb* yppersttepræst; pontifeks; pave, biskop.
pontifical [pɔn'tifikl] *adj* pontifikal; pavelig, pave-; docerende; **-s** *sb pl* biskoppeligt skrud. **pontificate** [pɔn'tifikeit] *sb* pontifikat; pavestol; paves embedstid; *vb* docere; stille sig an som om man var ufejlbarlig.
pontlevis [pɔnt'levis] *sb (hist.)* vindebro.
ponton ['pɔntən] *sb (am, mil.)* ponton.
pontoneer [pɔntə'niə] *sb (am, mil.)* ingeniørsoldat (der bygger pontonbroer).
pontoon [pɔn'tuːn] *sb* ponton; *vb* slå en pontonbro over; komme over ad en pontonbro.
pontoon bridge pontonbro.
pony ['pouni] *sb* pony; S £25; *(am)* snydeoversættelse; lille glas (spiritus).
pony| chaise ponyvogn. **-tail** hestehale(frisure).
pooch [puːtʃ] *sb* S hund, køter.
poodle ['puːdl] *sb* pudel, pudelhund.
pooh [puː] *interj* pyt! åh!
pooh-pooh [puː'puː] *vb* slå hen, blæse ad, bagatellisere *(fx her fears)*; afvise hånligt *(fx her objections)*.
I. pool [puːl] *sb* dam; vandpyt, pøl; bredning (i flod).
II. pool [puːl] *sb* pulje, indsats; *(merk)* pool (en form for sammenslutning af forretninger), konsortium, sammenslutning; (spil:) form for billard; *vb* slå sammen (i en pulje); samle; *the football -s* (svarer omtrent til) tipstjenesten; *do the -s* tippe; *win (on) the -s* vinde i tipning.
pool|room *(am)* billardsalon. **~ table** billardbord.
pools| coupon tipskupon. **~ dividend** tipsgevinst.
poop [puːp] *(mar) sb* halvdæk agter, hytte; S fjols; *vb* slå ind over agterfra (om en sø); tage en sø ind agterfra.
pooped [puːpt] *adj (am* S) udmattet, udpumpet.
poor [puə] *adj* fattig, trængende; stakkels *(fx fellow)*; dårlig *(fx health; consolation)*; ringe *(fx in my ~ opinion)*; mager, ussel, sølle; *(glds)* salig, afdød.
poor| box kirkebøsse, fattigbøsse. **~ cod** *zo* glyse. **-house** fattighus. **~ law** fattiglov.
poorly ['puəli] *adv* dårligt; *adj* T dårlig, utilpas.
poor| man's lawyer retshjælp for ubemidlede. **~ rate** fattigskat. **~ relief** fattigforsorg. **~ -spirited** forsagt, frygtsom.
I. pop *fk popular; population.*
II. pop [pɔp] *sb* knald, smæld; skud; T sodavand, champagne; *adv* med et knald; bang! vupti! *go (off) ~* gå af med et knald, sige bang; revne med et knald; *in ~* S stampet, pantsat.
III. pop [pɔp] *vb* plaffe, knalde, smælde; affyre (med et knald); trække (prop) op med et knald; T stikke *(fx one's head out of the window)*; skynde sig (af sted), smutte, stikke *(fx ~ over to the grocer's)*; S stampe (ɔ: pantsætte) *(fx one's watch)*; *~ corn (am)* riste majs; *~ the question* S fri;
~ at skyde på; *~ in* kikke indenfor; smutte ind, komme ind; *~ into* aflægge et kort besøg i, foretage en sviptur til; *~ off* stikke af, smutte bort; gå af; plaffe ned; *~ off (the hooks)* S kradse af (dø); *~ out* smutte ud; gå ud; S kradse af (dø); *~ up* fare op; *~ up to town* smutte ind til byen.
IV. pop [pɔp] *sb (am)* far.
V. pop [pɔp] T *sb* pop(musik); *adj* populær, pop- *(fx music)*.
popcorn ['pɔpkɔːn] *sb* popcorn (ristet majs).
pope [poup] *sb* pave.
popery ['poupəri] *sb (neds)* papisme; papistisk lære.
Pop-eye ['pɔpai] *~ the Sailor* Skipper Skræk.
popeyed ['pɔpaid] *adj* med udstående øjne.
popgun ['pɔpɡʌn] *sb* luftbøsse, legetøjspistol.
pophole ['pɔphoul] *sb* hul, lille udgang (fra hønsehus til hønsegård).
popinjay ['pɔpindʒei] *sb (litt)* laps; papegøje (ved fugleskydning).
popish ['poupiʃ] *adj* papistisk.
poplar ['pɔplə] *sb (bot)* poppel.
poplin ['pɔplin] *sb* poplin (et stof).
poppa ['pɔpə] *sb (am* T) far.
poppet ['pɔpit] *sb* (lille) skat (som kæleord); *(mar)* (til åregaffel) skvætbord.

popping crease (i kricket) slaggrænse.
popple ['pɔpl] *vb* skvulpe; boble; danse, bevæge sig op og ned; *sb* skvulp(en), krusning, krap sø.
poppy ['pɔpi] *sb (bot)* valmue; *Flanders ~* Flandernvalmue (helliget mindet om dem der døde i den første verdenskrig); *Poppy Day*, d. 11. nov., på hvilken *Flanders poppies* sælges.
poppy anemone italiensk anemone.
poppycock ['pɔpikɔk] *sb* T vrøvl, sludder.
popshop ['pɔpʃɔp] *sb* lånekontor.
popsicle ['pɔpsikl] *sb (am)* ispind.
populace ['pɔpjuləs] *sb: the ~* den almindelige *(el.* brede) befolkning, den store hob.
popular ['pɔpjulə] *adj* folke-; folkets; folkelig, populær; letfattelig; udbredt; *~ etymology* folkeetymologi; *~ front* folkefront.
popularity [pɔpju'læriti] *sb* popularitet.
popularization [pɔpjulərai'zeiʃən] *sb* popularisering; udbredelse.
popularize ['pɔpjuləraiz] *vb* popularisere.
populate ['pɔpjuleit] *vb* befolke.
population [pɔpju'leiʃ(ə)n] *sb* befolkning; folkemængde, folketal; bestand *(fx the pig ~)*; (i statistik) observationsmateriale; *the ~ of students* antallet af studerende, studentertallet; *the ~ of our colleges (, prisons) has changed* der er en anden kategori af mennesker der findes i vore kollegier (, fængsler).
populous ['pɔpjuləs] *adj* folkerig, tæt befolket.
porbeagle ['pɔːbiːgl] *sb zo* sildehaj.
porcelain ['pɔːslin] *sb* porcelæn.
porch [pɔːtʃ] *sb* overdækket indgang, vindfang, *(glds)* bislag; forhal; (til kirke) våbenhus; *(am)* veranda.
porcine ['pɔːsain] *adj* svine-, som ligner et svin.
porcupine ['pɔːkjupain] *sb zo* hulepindsvin.
porcupine fish *zo* pindsvinefisk.
I. pore [pɔː] *vb* stirre *(over, upon* på); fordybe sig *(over* i); *~ over the books* hænge over bøgerne.
II. pore [pɔː] *sb* pore.
pork [pɔːk] *sb* svinekød, flæsk; *roast leg of ~* flæskesteg.
pork| butcher svineslagter; viktualiehandler. **~ -cheese** grisesylte.
porker ['pɔːkə] *sb* fedesvin.
porn [pɔːn] *sb* T porno.
pornographic [pɔːnə'græfik] *adj* pornografisk.
pornography [pɔː'nɔgrəfi] *sb* pornografi.
porosity [pɔː'rɔsiti] *sb* porøsitet.
porous ['pɔːrəs] *adj* porøs.
porphyry ['pɔːfiri] *sb (min.)* porfyr.
porpoise ['pɔːpəs] *sb zo* marsvin; *vb* springe som et marsvin; *(flyv)* lande hårdt, stampe.
porridge ['pɔridʒ] *sb* havregrød, grød; *keep one's breath to cool one's ~* holde sine gode råd for sig selv.
porringer ['pɔrin(d)ʒə] *sb* skål (til grød, vælling *etc.*).
I. port [pɔːt] *sb* havn, søhavn; havneby; *~ of call* anløbshavn; *~ of registry* hjemstedshavn; *any ~ in storm (fig)* i en nødsituation er enhver udvej god.
II. port [pɔːt] *sb* åbning, port; *(mar)* lasteport; køøje.
III. port [pɔːt] *sb* holdning, måde at føre sig på.
IV. port [pɔːt] *sb* portvin.
V. port [pɔːt] *(mar) sb* bagbord; *vb* lægge (roret) bagbord; *the ~ watch* bagbordsvagten.
portable ['pɔːtəbl] *adj* transportabel; *sb* transportabel radiomodtager; rejseskrivemaskine.
portage ['pɔːtidʒ] *sb* transport (af båd og last) over land mellem to floder *(el.* sejlbare strækninger); sted hvor sådan transport foretages.
portal ['pɔːtl] *sb* portal.
portcullis [pɔːt'kʌlis] *sb (hist.)* faldgitter.
Porte [pɔːt]: *the ~, the Ottoman ~, the Sublime ~* Den høje Port (den tyrkiske regering).
portend [pɔː'tend] *vb* varsle, varsle om, spå.
portent ['pɔːtent] *sb* varsel, tegn; vidunder.
portentous [pɔː'tentəs] *adj* betydningsfuld *(fx event)*; ildevarslende *(fx defeat)*; imponerende; gravalvorlig, gravitetisk; vigtig, opblæst.
porter ['pɔːtə] *sb* portner, portvagt, dørvogter; (i hotel) hotelkarl, *(hall ~)* portier; *(jernb)* drager; portør; *(am)* sovevognskonduktør; (ølsort:) porter.

porterage ['pɔ:təridʒ] *sb* transport (af bagage *etc*); dragerløn, budpenge.

porterhouse steak *(am omtr)* tyksteg.

portfolio [pɔ:t'fouliou] *sb* mappe; *(merk)* portefølje; (ministers) portefølje *(fx minister without ~)*; arbejdsområde; (fag)ministerpost; *have a ~* (også) være minister.

portfolio investment *(merk)* investering i værdipapirer.

porthole ['pɔ:thoul] *sb (mar)* koøje; *(glds)* skydehul, kanonport.

portico ['pɔ:tikou] *sb* søjlegang.

portion ['pɔ:ʃ(ə)n] *sb* del; andel, part, lod; (af mad) portion; *(litt)* lod i tilværelsen; *(glds)* arvedel, arvepart; (til brud) medgift; *vb* dele, uddele, fordele; *(glds*, om brud) udstyre (med medgift); *by -s* portionsvis; *~ out* uddele.

portioner ['pɔ:ʃənə] *sb* uddeler, fordeler.

portionless ['pɔ:ʃənlis] *adj* uden andel; uden medgift.

portly ['pɔ:tli] *adj* korpulent, svær; værdig, statelig.

portmanteau [pɔ:t'mæntou] *sb* kuffert.

portmanteau word ord dannet ved sammentrækning af to andre ord *(fx brunch* af *breakfast* og *lunch)*; fællesbenævnelse.

port master havnefoged; havnekaptajn.

portrait ['pɔ:trit] *sb* portræt, billede.

portraitist ['pɔ:tritist] *sb* portrætmaler.

portraiture ['pɔ:tritʃə] *sb* portrætmaling, portrættering.

portray [pɔ:'trei] *vb* portrættere, male; skildre.

portrayal [pɔ:'treiəl] *sb* portrættering, portræt(maleri); skildring.

portress ['pɔ:tris] *sb* portnerske.

Port Said [pɔ:t'said].

Portsmouth ['pɔ:tsməθ].

Portugal ['pɔ:tjugl]. **Portuguese** [pɔ:tju'gi:z] *adj* portugisisk; *sb* portugisisk; portugiser(inde).

pose [pouz] *sb* stilling; positur, attitude; noget påtaget; *vb* opstille, anbringe *(fx a model)*; fremsætte *(fx an idea)*, bringe frem, rejse *(fx a question)*; (uden objekt) stå *(el.* sidde) model *(fx ~ for an artist)*; *(neds)* posere, stille sig i positur, skabe sig *(fx she is always posing)*, stille sig an; *~ as* give sig ud for (at være), prætendere at være; *~ a threat* to repræsentere *(el.* udgøre) en trussel for.

poser ['pouzə] *sb* vanskeligt spørgsmål, hård nød at knække; (om person) = *poseur.*

poseur [pou'zɔ:] *sb* posør, skabagtigt menneske.

posh [pɔʃ] **T** *adj* flot, smart; fin; burgøjser-, overklasse-, højfornem; *vb*: *~ up* gøre sig smart.

posit ['pɔzit] *vb* (i logik) sætte.

position [pə'ziʃ(ə)n] *sb* stilling, position, beliggenhed; *(mil.)* stilling; *(fig)* standpunkt; *vb* anbringe, placere, (tekn også) indstille; lokalisere; *(mil.)* bringe i stilling *(fx troops)*; *in ~* på sin rette plads; *in a ~ to* i stand til at, således stillet at man kan *(fx he is not in a ~ to marry)*; *in a false ~* i et falsk lys; *out of ~* ikke på plads; *take up the ~ that* indtage det standpunkt at; se også *manoeuvre.*

position| paper (forhandlings-, diskussions-) oplæg. **~ warfare** stillingskrig.

positive ['pɔzitiv] *adj* positiv; udtrykkelig, bestemt *(fx orders)*; virkelig *(fx knowledge)*, direkte *(fx denial, lie)*, afgørende, sikker *(fx proof)*; sikker i sin sag, overbevist *(of* om, *that* om at); *(neds)* selvsikker, påståelig; *I* komplet, rigtig *(fx fool)*, ren *(fx pleasure* fornøjelse); *sb* realitet; *(gram., fot)* positiv; *I won't be ~* jeg kan ikke sige det med bestemthed; *it is a ~ crime* det er ligefrem en forbrydelse.

positive sign plustegn.

positively ['pɔzitivli] *adv* positivt *(etc,* se *positive)*; direkte, ligefrem *(fx rude)*; bogstavelig talt, formelig *(fx he ~ devoured her with his eyes)*.

positivism ['pɔzitivizm] *sb* positivisme.

positron ['pɔzitrɔn] *sb* positron.

posology [pə'sɔlədʒi] *sb* dosologi (læren om de mængder hvori lægemidler skal indgives).

posse ['pɔsi] *sb* opbud, styrke (især af politi); flok.

possess [pə'zes] *vb* besidde, eje *(fx a car)*, have *(fx patience)*, sidde inde med *(fx information)*; beherske *(fx a language)*; (om dæmon og *fig)* besætte; *~ oneself (el.* one's soul) *in patience* væbne sig med tålmodighed; *~ oneself of* bemægtige sig; *what -ed him to do it* hvad gik

der af ham siden han kunne gøre det.

possessed [pə'zest] *adj* besat *(by, with* af); *be ~ of* være i besiddelse af.

possession [pə'zeʃ(ə)n] *sb* besiddelse; eje; ejendom; *-s* (også) ejendele; *~ is nine points of the law* den faktiske besidder står altid stærkest; *be in ~ of* være i besiddelse af; *get ~ of*, *come into ~ of* komme i besiddelse af; *take ~ of* sætte sig i besiddelse af; *quick ~* *(fx* i annonce) hurtig overtagelse; (se også *self-possession*).

possessive [pə'zesiv] *sb (gram.)* possessiv, ejestedord; genitiv; *adj (gram.)* ejendoms-, ejer-; *(neds)* besidder- *(fx instinct)*; (om person) som gerne vil beside; rethaverisk; dominerende; *a ~ mother* en mor der vil »sidde på« sine børn; *~ case* genitiv; *~ pronoun* possessivt pronomen, ejestedord.

possessor [pə'zesə] *sb* besidder, indehaver, ejer.

posset ['pɔsit] *sb* varm mælk tilsat krydderier og øl *el.* vin.

possibility [pɔsə'biliti] *sb* mulighed *(of* for).

possible ['pɔsəbl] *adj* mulig; eventuel; **T** tålelig.

possibly ['pɔsəbli] *adv* muligvis, måske; eventuelt; på nogen mulig måde *(fx as soon as you ~ can)*; *I cannot ~ do it* jeg kan umuligt gøre det.

possum ['pɔsəm] *fk* opossum; *play ~* **T** ligge død, spille syg, simulere; spille dum.

I. post [poust] *sb* pæl, stolpe, post.

II. post [poust] *vb* slå op *(fx the names of the winners)*, angive ved opslag; dække med opslag *(fx ~ a wall)*; *(am)* (ved opslag) forbyde adgang til *(fx a garden)*; (ved opslag) offentliggøre *(fx* navnene på dumpekandidater); (ɔ: til spot:) hænge ud; *-ed (as) missing* meldt savnet; *~ no bills:* opklæbning forbudt! *~ up* slå op.

III. post [poust] *sb* post, stilling, embede; *(merk)* handelsstation; *(mil.)* post *(fx he remained at* (på) *his ~)*, militærstation; *~* ansætte; (især *mil.)* opstille *(fx sentries)*; postere, placere; forflytte, overføre *(to* til); *~ to* (også) udkommandere til tjeneste ved.

IV. post [poust] *sb* post, postbefordring; posthus, postkontor; postkasse; postombæring; *(glds)* postvogn; *by ~* med posten; se også *II. return.*

V. post [poust] *vb* poste, lægge i postkassen, sende med posten; (i bogholderi) indføre, bogføre, postere; *(glds)* rejse hurtigt; *keep sby -ed* holde én à jour; *~ off* skynde sig af sted; afsende med posten; *~ up* føre à jour; *-ed up* (om person) velunderrettet.

postage ['poustidʒ] *sb* porto.

postage| meter (især *am)* frankeringsmaskine. **~ stamp** frimærke.

postal ['poustl] *adj* postal; post-; *sb (am)* **T** postkort; *~ clerk* kontormedhjælper der ekspederer posten; *~ code* postnummer; *~ order (omtr)* postanvisning (fås lydende på faste beløb op til £5); *the (International) Postal Union* verdenspostforeningen; *~ vote* brevstemme.

post| bag postsæk. **-box** postkasse. **-boy** postillon; postbud. **-card** brevkort. **~ chaise** postvogn. **~ code** postnummer. **-date** *vb* postdatere. **~ entry** senere indførelse.

poster ['poustə] *sb* plakat; plakatopklæber; *vb* opsætte plakat(er) på.

poste-restante ['poust'resta:nt] poste restante.

posterior [pɔ'stiəriə] *adj* senere *(to* end); bag-; *sb* bagdel.

posteriority [pɔstiəri'ɔriti] *sb* senere indtræffen.

posteriorly [pɔ'stiəriəli] *adv* bagtil.

posterity [pɔ'steriti] *sb* efterslægt(en), eftertid(en); efterkommere.

postern ['poustə:n] *sb* bagdør, løndør.

post-free ['poust'fri:] *adj, adv* portofri(t).

postgraduate ['poust'grædjuit] *adj*: *~ studies* videregående studier (efter embedseksamen).

posthaste ['poust'heist] *adv* i stor hast, i flyvende fart, sporenstregs.

posthumous ['pɔstjuməs] *adj* posthum; født efter faderens død; udgivet efter forfatterens død *(fx a ~ novel)*; *~ fame* berømmelse efter døden; *~ works* efterladte skrifter.

postil ['pɔstil] *sb* randbemærkning.

postillion [pɔ'stiljən] *sb* postillon.

postman ['pous(t)mən] *sb* postbud.

postmark ['pous(t)ma:k] *sb* poststempel.

postmaster ['pous(t)ma:stə] *sb* postmester; *Postmaster Gen-*

eral minister for post- og telegrafvæsenet.
postmeridian ['pous(t)mə'ridiən] *adj* eftermiddags-.
post meridiem ['poust mə'ridiəm] efter middag; eftermiddag.
postmistress ['pous(t)mistris] *sb* kvindelig postmester.
post-mortem ['poust'mɔ:t(ə)m] *sb* obduktion; *(fig)* kritisk gennemgang *(fx* af bridgeparti) bagefter; rivegilde; ~ *examination* obduktion.
post-obit ['poust'ɔbit] *adj* (som træder i kraft) efter døden; *sb* gældsbrev med sikkerhedsstillelse i en kommende arv, forskrivning på arv.
post office postkontor, posthus, postvæsen; postministerium.
postpaid ['poust'peid] *(am)* = post-free.
postpone [pous(t)'poun] *vb* udsætte, opsætte, udskyde.
postponement [poust'pounmənt] *sb* udsættelse; henstand.
postpositive ['poust'pɔzitiv] *adj (gram.)* efterhængt, efterstillet.
postprandial ['proust'prændiəl] *adj* efter middagen.
postscript ['pous(t)skript] *sb* efterskrift; (i radio) kommentar efter nyhedsudsendelse.
I. postulate ['pɔstjulit] *sb* postulat; forudsætning.
II. postulate ['pɔstjuleit] *vb* gøre krav på, sætte som betingelse; (i logik) postulere; *(mht* kirkeligt embede) indstille.
posture ['pɔstʃə] *sb* (persons) stilling, positur; holdning; *(neds)* attitude; (tingenes) tilstand, situation; *vb* indtage en vis stilling; *(neds)* stille sig i positur, skabe sig; ~ *as* foregive at være, stille sig an som.
postwar ['poustwɔ:] *adj* efterkrigs-.
posy ['pouzi] *sb* buket, *(am* også) blomst; *(glds)* devise, motto, inskription (i ring).
I. pot [pɔt] *sb* potte; gryde; krukke, kande, krus; T pokal, præmie; S marihuana; *(am)* digel; (se også *potshot, chimney* ~, *lobster* ~); *keep the* ~ *boiling (fig)* holde gryden i kog, skaffe udkommet, holde den gående; *-s of money* masser af penge; *go to* ~ S blive ødelagt, gå i fisk, gå i vasken.
II. pot [pɔt] *vb* opbevare i en krukke, nedsylte, nedsalte; plante i potte; (om vildt) skyde, plaffe ned; (i billard) skyde (en bal) i hul; T sætte (et barn) på potte; vinde (præmie); (se også *potted)*.
potable ['poutəbl] *adj* drikkelig; ~ *water* drikkevand.
potage [pɔ'ta:ʒ] *sb* suppe.
potash ['pɔtæʃ] *sb* potaske; kali.
potassium [pə'tæsjəm] *sb* kalium; ~ *bromide* bromkalium, kaliumbromid; ~ *chlorate* kaliumklorat.
potation [pə'teiʃ(ə)n] *sb* drikken; drik; drikkelag; *after several -s* (også) efter (at have drukket) adskillige bægre.
potato [pə'teitou] *sb (pl -es)* kartoffel.
potato| blight kartoffelskimmel. ~ *chips pl* pommes frites; *(am)* franske kartofler. ~ *crisps pl* franske kartofler.
pot|bellied ['pɔtbelid] tykmavet. **-belly** tyk mave; topmave; tyksak. **-boiler** bog *(el.* maleri *etc)* som man kun har lavet for at tjene penge; venstrehåndsarbejde. ~ **-bound** plantet i en for lille potte; *(fig)* indeklemt. **-boy**, se *-man.*
poteen [pɔ'ti:n] *sb* hjemmebrændt irsk whisky.
potency ['pout(ə)nsi] *sb* kraft, styrke, magt; indflydelse; (seksuelt:) potens.
potent ['pout(ə)nt] *adj* stærk, stærkt virkende *(fx drink, argument)*; virkningsfuld *(fx argument)*; (om person) mægtig, indflydelsesrig, (seksuelt:) potent.
potentate ['pout(ə)nteit] *sb* fyrste, magthaver, potentat.
I. potential [pə'tenʃ(ə)l] *sb* potentiel *(fx war* ~), hjælpekilder; produktionsevne; *(elekt)* spænding.
II. potential [pə'tenʃəl] *adj* potentiel, mulig, eventuel, slumrende; *an army which is a* ~ *threat* en hær der i givet fald kan blive en trusel.
potential difference *(elekt)* spændingsforskel.
potential divider *(elekt)* spændingsdeler.
potentiality [pətenʃi'æliti] *sb* mulighed.
pothead ['pɔthed] *sb* S marihuanaryger.
pother ['pɔðə] *sb (glds)* sky (af røg, støv *el.* damp); uro, støj, vrøvl, ballade.
pot|herb køkkenurt; *bunch of -herbs* suppevisk. **-hole** jættegryde; hul i vej. **-holer** T huleforsker. **-holing** *sb* huleforskning. **-hook** grydekrog; S-formet streg (i skriveøvelse). **-house** værtshus, knejpe. **-hunter** en der kun dri-

ver sport for præmiens skyld; en der går på jagt eller fisker udelukkende for at få noget at putte i gryden.
potion ['pouʃ(ə)n] *sb* (dosis) medicin; (dosis) gift; *(glds)* drik.
pot| lead [-'led] grafit. **-luck:** *take* ~ tage til takke med hvad huset formår. **-man** ['pɔtmən] medhjælper i værtshus; *(glds)* kældersvend.
potpourri [pou'puri(:)] *sb* potpourri.
pot| roast steg stegt i gryde. **-sherd** ['pɔtʃə:d] potteskår. **-shot** skud fra nært hold; slumpskud; skud fra baghold; *(fig)* planløst forsøg, tilfældig kritik.
pottage ['pɔtidʒ] *sb (glds)* kødsuppe; *a mess of* ~ (bibelsk) en ret linser.
potted ['pɔtid] *adj* syltet; nedlagt; henkogt *(fx meat)*; (om plante) i potte; *(fig)* forkortet, sammentrængt, gjort letfordøjelig, forfladiget; ~ *music* mekanisk musik.
I. potter ['pɔtə] *sb* pottemager.
II. potter ['pɔtə] *vb* arbejde så småt, pusle, nusse, pille *(at* med); småsnakke; ~ *about* nusse omkring, småsysle; ~ *away one's time* spilde sin tid, drysse tiden væk.
potter's| clay pottemagerler. ~ **field** *(am)* fattigkirkegård. ~ **wheel** pottemagerskive.
pottery ['pɔtəri] *sb* lervarer; pottemagerindustri; lervarefabrik, pottemagerværksted; *the Potteries* (område i Staffordshire).
pottle ['pɔtl] *sb* kurv; *(glds)* kande(mål).
potty ['pɔti] *adj* S lille, ubetydelig, snoldet *(fx a* ~ *little town)*; ligegyldig *(fx details)*; halvskør, småtosset; skør *(about* med); *sb* T potte.
pouch [pautʃ] *sb* pose, taske; løs lomme; etui; (tobaks)pung; *zo* kæbepose; (hos pungdyr) pung; *(mil.)* patrontaske; *(am)* aflåselig postsæk *(fx* til diplomatpost); *vb* stikke i lommen; (danne en) pose.
pouf [pu:f] *sb* puf (møbel); *(am)* lille røgsky; *interj* pist væk.
poult [poult] *sb* kylling, kalkunkylling, fasankylling.
poulterer ['poultrə] *sb* vildthandler, fjerkræhandler.
poultice ['poultis] *sb* grødomslag; *vb* lægge omslag på.
poultry ['poultri] *sb* fjerkræ, høns.
poultry| farm hønseri. ~ **farming** hønseavl. ~ **shears** *pl* tranchersaks.
I. pounce [pauns] *sb* (rovfugls) nedslag; pludselig bevægelse; (på rovfugl) klo; *vb:* ~ *on* slå ned på; slå kloen i; kaste sig over; ~ *into a room* brase ind i et værelse.
II. pounce [pauns] *sb* raderpulver; *vb* poncere.
I. pound [paund] *sb* (vægtenhed, *omtr)* pund (454 g); (møntenhed:) pund sterling (= 100 *newpence)*.
II. pound [paund] *sb* fold, indhegning (hvor bortløbne dyr indsættes); *(am)* oplagsplads *(fx* for bortslæbte biler); (i fiskeri) bundgarn; bundgarnshoved.
III. pound [paund] *vb* dundre *(el.* hamre, banke) løs på *(fx heavy guns -ed the walls of the fort)*; gennemprygle; støde (i en morter), knuse, pulverisere; (uden objekt:) hamre *(fx his heart was -ing)*; stampe, trampe, gå *(el.* løbe, ride) tungt; *sb* dunk, stød, slag; dundren; ~ *it into his head* banke *(el.* hamre) det ind i hovedet på ham; ~ *the piano* hamre i klaveret; ~ *up* støde, pulverisere.
poundage ['paundidʒ] *sb* ydelse (, fradrag, afgift, skat *etc)* af så og så mange pr. pund sterling.
pound net bundgarn.
pour [pɔ:] *vb* hælde, øse *(fx water on sth)*, skænke *(fx coffee, tea)*, sende *(fx the river -ed its waters through the breach)*; *(fig)* øse; *(tekn)* udhælde, (ud)støbe; (uden objekt) strømme, vælte *(fx lava -ed down the hillside; people -ed out of the building)*; (om regn) styrte, øse; ~ *out tea* skænke te; ~ *out money* øse penge ud; ~ *out one's feelings* udøse sit hjerte; ~ *out music* udsende en stadig strøm af musik; *it never rains but it -s* en ulykke (, et held) kommer sjældent alene; *it -s with rain* det øser ned; se også I. *oil.*
pourer ['pɔ:rə] *sb* skænkeprop.
pour point flydepunkt (for olie).
pout [paut] *vb* surmule, lave trutmund; *sb* surmulen, trutmund; *be in the -s* surmule.
poverty ['pɔvəti] *sb* fattigdom; armod; *when* ~ *comes in at the door love flies out of the window* når krybben er tom bides hestene.
poverty-stricken ['pɔvətistrikn] *adj* forarmet.

P.O.W. *fk prisoner of war.*
powder ['paudə] *sb* (også *med.)* pulver; (kosmetik) pudder; (sprængstof) krudt; *vb* pulverisere, pudre, bestrø; pudre sig; *barrel of* ~ (også *fig)* krudttønde.
powder|base pudderunderlag. ~ **box** pudderdåse *(fx på toiletbord).* ~ **compact** pudderdåse *(fx til dametaske).*
powdered ['paudəd] *adj* pulveriseret; knust, stødt; ~ *ammonia* hjortetaksalt; ~ *eggs* æggepulver; ~ *sugar* strøsukker.
powder|keg (også *fig)* krudttønde. ~ **magazine** krudtmagasin. ~ **mill** krudtmølle. ~ **puff** pudderkvast. ~ **room** dametoilet.
powdery ['paudəri] *adj* smuldrende, støvet; pudret *(fx her* ~ *nose);* pudderagtig, pulveragtig.
I. power ['pauə] *sb* magt; evne *(of* til); kraft, styrke, kapacitet; magtfaktor *(fx he (, the press) is a* ~ *in the country); (fys etc)* kraft; *(elekt)* effekt; *(mat.)* potens; T masse; *(glds)* krigsmagt, hær; *(jur)* bemyndigelse, fuldmagt; beføjelse *(fx the Queen has the* ~ *to dissolve Parliament);* -*s pl* beføjelser, kompetence *(fx exceed* (overskride) *one's* -*s); (rel:* engle) magter; *the (big) Powers* stormagterne; *the* -*s above* guderne; *the* -*s that be* myndighederne; *be* **in** ~ være ved magten; *more* ~ **to** *your elbow!* hæng i! held og lykke! *be* **out of** ~ ikke være ved magten længere; *it is out of his* ~ det står ikke i hans magt; **to** *the fifth* ~ i femte potens.
II. power ['pauə] *vb* drive (frem); ~ *down* nedsætte kraftforbruget; -*powered* -dreven *(fx atom-powered).*
III. power ['pauə] *adj* motordreven, motor- *(fx lawn mower, saw),* mekanisk, elektrisk.
power|boat motorbåd. ~ **brake** bremseforstærker. ~ **cut** strømafbrydelse. ~ **dive** dykning med motoren i gang, fuldgasstyrtdyk. ~ **-driven** motordrevet, mekanisk drevet. ~ **failure** strømsvigt. **-ful** mægtig, kraftig, stærk. **-house** kraftværk, elværk; *(fig)* kraftcentrum.
powerless ['pauəlis] *adj* kraftløs, kraftesløs; afmægtig, magtesløs; ~ *to help* ude af stand til at hjælpe.
power|loom maskinvæv. ~ **plant** kraftværk *(fx atomic* ~ *plant);* (fabriks) kraftanlæg; (flys) motorer. ~ **politics** magtpolitik. ~ **shovel** gravemaskine. ~ **station** kraftværk; elværk. ~ **steering** servostyring.
pow-wow ['pau'wau] *sb* møde af indianere; konference; *vb* konferere, tale sammen.
pox [pɔks] *sb: the* ~ syfilis.
p.p. *fk past participle.*
pp. *fk pages; pianissimo; per pro(curation).*
PPE *fk philosophy, politics and economics* (som universitetskursus).
PR *fk proportional representation; public relations.*
practicability [præktikə'biliti] *sb* gennemførlighed *(etc, cf practicable).*
practicable ['præktikəbl] *adj* gennemførlig, gørlig, mulig; anvendelig *(fx method, tool);* (om vej) farbar, fremkommelig; *(teat)* praktikabel (om rekvisit, som ikke blot er en attrap).
practical ['præktikl] *adj* praktisk; praktisk arbejdende; faktisk *(mods* nominel, teoretisk); *(teat),* se *practicable;* ~ *joke (omtr)* grov spøg, nummer (som man laver med en); ~ *room* faglokale.
practically ['præktikəli] *adv* praktisk, i praksis; ['præktikli] praktisk talt, næsten *(fx he is* ~ *deaf now).*
practice ['præktis] *sb* praksis; øvelse, (i uddannelse også) praktik; (læges, advokats) praksis; (sædvanlig måde at gøre noget på:) (sæd)vane, skik, fremgangsmåde *(fx his usual* ~ *); (neds)* trick, kneb; -*s pl* (også) metoder, trafik; *be in* ~ være i øvelse, have øvelsen; *he is in* ~ (også) han praktiserer; *put in(to)* ~ udføre (i praksis), bringe til udførelse; *make a* ~ *of sth* gøre noget til en vane.
practician [præk'tiʃ(ə)n] *sb* praktiker.
practise ['præktis] *vb* praktisere; udføre i praksis; udøve *(fx a profession),* drive; (op)øve, træne *(fx a class in pronunciation),* indøve *(fx an act et nummer);* øve sig (på *el.* i) *(fx* ~ *for two hours;* ~ *the piano);* ~ *the law* være advokat (, jurist), drive advokatvirksomhed; ~ *medicine* være (praktiserende) læge, arbejde som læge; ~ *upon* udnytte *(fx his ignorance);* spekulere i; ~ *what one preaches* selv handle efter de principper man prædiker for andre.

practised ['præktist] *adj* dygtig, øvet, erfaren.
practitioner [præk'tiʃnə] *sb* praktiserende læge (, advokat); praktiker; *general* ~ praktiserende læge (som ikke er specialist).
praetor(ian), se *pretor(ian).*
pragmatic(al) [præg'mætik(l)] *adj* pragmatisk; *(neds)* geskæftig; vigtig; påståelig.
Prague [pra:g] Prag.
prairie ['prɛəri] *sb* prærie, græssteppe.
prairie|dog *zo* præriehund. ~ **schooner** prærievogn. ~ **wolf** *zo* præreulv.
praise [preiz] *sb* ros, pris; *vb* rose, berømme, prise, lovprise; *be loud in his* ~, *sing (el. sound) his* -*s* rose ham i høje toner, hæve ham til skyerne, synge hans pris; *song of* ~ lovsang.
praiseworthy ['preizwə:ði] *adj* rosværdig, prisværdig.
I. pram [præm] *(fk perambulator)* sb barnevogn.
II. pram [pra:m] *sb (mar.)* (hollandsk) pram.
prance [pra:ns] *vb* (om hest) danse, stejle; *(fig* om person) spankulere; ~ *sb* dansen, stejlen.
prang [præŋ] S *vb* bombe; smadre; ramme; *sb* bombeangreb; nedstyrtning; biluheld; bedrift.
prank [præŋk] *sb* gavtyvestreg, -*s* (også) spilopper, sjov; *vb* udstaffere, pynte; pynte sig.
prankish ['præŋkiʃ] *adj* kåd, fuld af spilopper.
prat [præt] *sb* S hale, ende, bagdel.
pratincole ['prætiŋkoul] *sb zo* braksvale.
prate [preit] *vb* snakke, sludre; plapre; *sb* sludder, snak.
pratfall ['prætfɔ:l] *sb* S fald på halen.
pratique [præ'ti:k] *sb* karantænepas.
prattle ['prætl] *vb* sludre, pludre; *sb* snak, pludren.
prattler ['prætlə] *sb* sludrebøtte; snakkemaskine.
prawn [prɔ:n] *sb zo* nordsøreje.
praxis ['præksis] *sb* øvelse; praksis; skik.
pray [prei] *vb* bede *(for* om, *fx* ~ *to God for help);* bønfalde; *(glds)* anråbe; (formelt:) *pray!* vær så venlig *(fx* ~ *don't speak so loud);* (ironisk:) *and what is the reason,* ~*?* og hvad er grunden, om jeg tør spørge? *he is past -ing for* han er uforbederlig, der er ikke noget at stille op med ham; han står ikke til at redde.
prayer ['prɛə] *sb* bøn *(for* om); S (også) andagt; *the Book of Common Prayer,* se *prayerbook; say one's* -*s* bede (sin aftenbøn).
prayerbook bønnebog; *the Prayer Book* den anglikanske kirkes bønnebog med de kirkelige ritualer.
prayer|ful from. ~ **mat** bedetæppe. ~ **meeting** bønnemøde. ~ **rug** bedetæppe. ~ **wheel** bedemølle.
pre- [pri(:)] før- *(fx pre-Christian* før-kristelig); forud(-) *(fx pre-plan* planlægge forud); for- *(fx prehistoric* forhistorisk).
preach [pri:tʃ] *vb* prædike *(on* over, om), forkynde; ~ *a sermon* holde en prædiken.
preacher ['pri:tʃə] *sb* prædikant; moralprædikant; *the Preacher* (i biblen) Prædikeren(s Bog).
preachify ['pri:tʃifai] *vb* T *(neds)* holde (moral)prædiken.
preachy ['pri:tʃi] *adj* moraliserende, prækende.
preamble [pri'æmbl] *sb* fortale, indledning; *(jur,* svarer til) formålsparagraf; *vb* indlede.
prearrange ['pri:ə'rein(d)ʒ] *vb* ordne *(el.* aftale) forud.
prebend ['prebənd] *sb* præbende (en kanniks indtægt af domkirkes gods). **prebendary** ['preb(ə)ndri] *sb* præbendeinddhaver.
precarious [pri'kɛəriəs] *adj* usikker, vaklende *(fx health);* risikabel; prekær.
precaution [pri'kɔ:ʃən] *sb* forsigtighed; forsigtighedsregel, forholdsregel, sikkerhedsforanstaltning; *take* -*s against* tage sine forholdsregler imod.
precautionary [pri'kɔ:ʃənəri] *adj* forsigtigheds-, sikkerheds-*(fx measures).*
precede [pri'si:d] *vb* gå forud; (med objekt) gå (, køre) foran *(fx five policemen on motor cycles -d the president's car);* gå forud for *(fx the stillness that -d his arrival);* indlede *(by, with* med); (om rang) stå højere i rang end, rangere over.
precedence [pri'si:d(ə)ns] *sb* forrang; *order of* ~ rangfølge; *take* ~ *of* gå foran; have forrang for.
I. precedent [pri'si:d(ə)nt] *adj* foregående; forudgående.
II. precedent ['presid(ə)nt] *sb* præcedens, fortilfælde, side-

350

stykke; *set a* ~ danne præcedens.
precentor [pri'sentə] *sb* kantor, forsanger.
precept ['pri:sept] *sb* forskrift, regel.
preceptive [pri'septiv] *adj* belærende, foreskrivende.
preceptor [pri'septə] *sb (glds)* lærer.
precession [pri'seʃ(ə)n] *sb (astr)* præcession.
precinct ['pri:siŋ(k)t] *sb* område; grænse; *(am)* (valg)distrikt; **-s** enemærker, område; omgivelser.
precious ['preʃəs] *adj* værdifuld, kostbar; kostelig, dyrebar; *(neds)* pretiøs, affekteret, skruet; (ironisk:) køn, nydelig, dejlig *(fx your ~ friend has let you down)*; ~ *little* ikke ret meget, yderst lidt; ~ *little money* meget få penge; *a ~ lot better* meget meget bedre; *a ~ rascal* en rigtig slubbert.
precious| metals *pl* ædle metaller. ~ **stones** *pl* ædelstene.
precipice ['presipis] *sb* afgrund, skrænt.
precipitance [pri'sipitns], **precipitancy** [pri'sipitnsi] *sb* overilelse, hovedkulds fart, ubesindighed.
I. precipitate [pri'sipiteit] *vb* slynge; styrte *(fx he -d himself into the struggle)*; fremskynde *(fx the crisis)*; *(kem)* bundfælde(s), udskille(s), udfælde(s); *(meteorol)* fortættes og blive til nedbør.
II. precipitate [pri'sipitit] *adj* brat, hovedkulds; forhastet; fremfusende, ubesindig; *sb* bundfald; *-ly adv* (også:) i huj og hast.
precipitation [prisipi'teiʃ(ə)n] *sb* hovedkulds fald, nedstyrten; forhastelse, ubesindighed, overilelse; *(kem)* bundfældning; bundfald; udfældning; *(med.)* blodsænkning; *(meteorol)* nedbør.
precipitous [pri'sipitəs] *adj* brat, stejl.
precis ['preisi:] *sb (pl precis* ['preisi:z]) resumé; *vb* resumere.
precise [pri'sais] *adj* nøjagtig *(fx measurements, account)*, præcis; (om person) korrekt, *(neds)* (overdrevent) nøjagtig, pedantisk, pertentlig; *at that ~ moment* lige i det øjeblik.
precisely [pri'saisli] *adv* nøjagtigt; præcis, netop, just; (som svar) ja netop, ganske rigtigt; *what ~ does that mean?* (også:) hvad betyder det egentlig?
precisian [pri'siʒ(ə)n] *sb* pedant.
precision [pri'siʒ(ə)n] *sb* nøjagtighed, præcision, sikkerhed; (som *adj)* præcisions- *(fx tools)*.
preclude [pri'klu:d] *vb* udelukke *(fx doubt)*; forebygge *(fx misunderstandings)*; forhindre *(fx this will ~ her from coming)*; afskære.
preclusion [pri'klu:ʒ(ə)n] *sb* udelukkelse, forbyggelse, forhindring.
precocious [pri'kouʃəs] *adj* tidlig moden, tidlig udviklet, forud for sin alder, fremmelig; (ofte:) gammelklog.
precocity [pri'kɔsiti] *sb* tidlig udvikling, fremmelighed.
precognition ['pri:kɔg'niʃən] *sb* (overnaturlig) forudviden; (skotsk *jur)* forundersøgelse.
preconceive ['pri:kən'si:v] *vb* på forhånd forestille sig; på forhånd danne sig en mening om; *-d opinions* forudfattede meninger.
preconception ['pri:kən'sepʃ(ə)n] *sb* forudfattet mening.
preconcerted ['pri:kən'sə:tid] *adj* forud aftalt.
precondition ['pri:kən'diʃ(ə)n] *sb* forhåndsbetingelse; *vb* behandle (, præparere) på forhånd.
precursor [pri'kə:sə] *sb* forløber; forgænger.
precursory [pri'kə:səri] *adj* forudgående, indledende.
predaceous [pri'deiʃəs] *adj = predatory*.
predate ['pri:'deit] *vb = antedate*.
predatory ['predətri] *adj* plyndrings-; plyndrende, røverisk; rov-.
predatory animal rovdyr.
predecease ['pri:di'si:s] *vb* afgå ved døden før *(fx he -d his brother)*.
predecessor ['pri:disesə] *sb* forgænger.
predestinate [pri(:)'destineit] *vb* prædestinere, forudbestemme.
predestination [pri(:)desti'neiʃən] *sb* prædestination, forudbestemmelse.
predestine [pri(:)'destin] *vb* forudbestemme.
predeterminate ['pri:di'tə:minit] *adj* forudbestemt.
predetermination ['pri:ditə:mi'neiʃ(ə)n] *sb* forudbestemmelse.
predetermine ['pri:di'tə:min] *vb* prædestinere, forudbe-

stemme; afgøre på forhånd; forudindtage; *-d in his favour*, se *predispose;*
predicament [pri'dikəmənt] *sb* forlegenhed, knibe; (i logik) kategori, begrebsklasse.
I. predicate ['predikeit] *vb* hævde, erklære, (i logik) udsige; *(am)* røbe, tyde på; ~ *on (am)* bygge på, basere på.
II. predicate ['predikit] *sb (gram)* prædikat.
predication [predi'keiʃən] *sb* udsagn, påstand.
predicative [pri'dikətiv] *adj* prædikativ.
predict [pri'dikt] *vb* forudsige, spå; *-ed shooting (mil.)* beregnet skydning.
predictable [pri'diktəbl] *adj* som kan forudsiges.
prediction [pri'dikʃən] *sb* forudsigelse, spådom.
predictor [pri'diktə] *sb* (til antiluftskyts) korrektør.
predilection [pri:di'lekʃən] *sb* forkærlighed.
predispose ['pri:dis'pouz] *vb* prædisponere *(to til)*, gøre modtagelig *(to for)*; *-d in his favour* på forhånd velvilligt indstillet over for ham.
predisposition ['pri:dispə'ziʃən] *sb* tilbøjelighed, tendens *(to til)*, anlæg.
predominance [pri'dɔminəns] *sb* fremhersken, overmagt, overvægt.
predominant [pri'dɔminənt] *adj* dominerende, fremherskende, overvejende.
predominate [pri'dɔmineit] *vb* være fremherskende *(fx red and brown colours ~)*; dominere, være i overtal; ~ *over* have herredømmet over, kontrollere, beherske.
pre-eminence [pri'eminəns] *sb* forrang, overlegenhed.
pre-eminent [pri'eminənt] *adj* fremragende, fortrinlig, overlegen; *-ly adv* (også) i fremragende grad.
pre-empt [pri'em(p)t] *vb* erhverve ved forkøbsret, erhverve på, tage beslag på (på forhånd), okkupere, bemægtige sig; komme i forkøbet, foregribe.
pre-emption [pri'em(p)ʃən] *sb* forkøb, forkøbsret; *(mil.)* det at slå til først; angreb som foretages for at komme fjenden i forkøbet.
pre-emptive [pri'em(p)tiv] *adj* som har (, giver) forkøbsret; som kommer i forkøbet; *(mil. etc)* forebyggende; ~ *attack (, strike) (mil.)*, se *pre-emption;* ~ *bid* (i kortspil) forebyggende melding.
preen [pri:n] *vb* (om fugl) pudse sine fjer; ~ *oneself* pynte sig, pudse sig; ~ *oneself on* være stolt af, bryste sig af, gøre sig til af.
pre-exist ['pri:ig'zist] *vb* være til tidligere, eksistere forud.
pre-existence ['pri:ig'zistns] *sb* præ-eksistens, tidligere tilværelse. **pre-existent** ['pri:ig'zistnt] *adj* forud bestående; tidligere.
prefab ['pri:'fæb] *fk prefabricated (house)*.
prefabricated ['pri:'fæbrikeitid] *adj* præfabrikeret; ~ *building*, ~ *construction* montagebyggeri, elementbyggeri; ~ *house* elementhus.
preface ['prefis] *sb* forord, fortale; indledning; *vb* indlede.
prefatory ['prefətri] *adj* indledende.
prefect ['pri:fekt] *sb* præfekt (fransk amtmand; romersk embedsmand; ældre skoleelev hvem en vis myndighed er betroet).
prefecture ['pri:fektjuə] *sb* præfektur.
prefer [pri'fə:] *vb* foretrække *(to* fremfor, for, *fx ~ water to wine)*; ville hellere; fremsætte, fremføre *(fx a request)*; forfremme *(to* til); ~ *a charge against* indgive anklage mod; rejse tiltale mod.
preferable ['prefrəbl] *adj* som er at foretrække *(to* frem for).
preferably ['prefrəbli] *adv* fortrinsvis, helst.
preference ['prefrəns] *sb* forkærlighed, svaghed; *(jur)* fortrinsret; *(merk)* begunstigelse *(fx* af en kreditor); *(mht* told) toldbegunstigelse, præference; *Commonwealth (, hist.: Imperial)* ~ gensidige toldlettelser mellem Storbritannien og dominions; *which is your* ~? hvilken foretrækker du; *by* ~ hellere; helst; *in* ~ *to* hellere end, fremfor.
preference| share præferenceaktie. ~ **stock** præferenceaktier.
preferential [prefə'renʃl] *adj* præference-, fortrinsberettiget; ~ *position* fortrinsstilling; ~ *treatment* begunstigelse.
preferment [pri'fə:mənt] *sb* forfremmelse, avancement.
preferred shares præferenceaktier.
prefiguration [pri:fig(j)ə'reiʃ(ə)n] *sb* billede skabt på for-

hånd, bebudelse.
prefigure [pri:'figə] *vb* på forhånd skabe et billede af, bebude; forestille sig på forhånd.
I. prefix [pri:'fiks] *vb* sætte foran.
II. prefix ['pri:fiks] *sb (gram.)* præfiks, forstavelse; foranstillet titel *(fx Dr Brown, Mrs Smith).*
pregnancy ['pregnənsi] *sb* graviditet, svangerskab, frugtsommelighed; betydning; prægnans; opfindsomhed, iderigdom.
pregnant ['pregnənt] *adj* gravid, svanger, frugtsommelig; *(fig)* opfindsom, iderig; vægtig *(fx speech);* betydningsfuld *(fx moment);* prægnant.
prehensile [pri'hensail] *adj zo* gribe- *(fx tail).*
prehistoric ['pri:(h)i'stɔrik] *adj* forhistorisk.
prehistory ['pri:'histəri] *sb* forhistorisk tid; den ældste historie (før der findes skriftlige vidnesbyrd); *(fig)* forhistorie.
prejudge ['pri:'dʒʌdʒ] *vb* på forhånd dømme; på forhånd afgøre.
prejudice ['predʒudis] *sb* fordom; skade; *vb* forudindtage; skade; *have a ~ against* være forudindtaget imod; *to the ~ of* til skade for; *without ~ (jur)* uden præjudice; uden at forringe vedkommendes retsstilling.
prejudiced ['predʒudist] *adj* partisk, forudindtaget.
prejudicial [predʒu'diʃl] *adj* skadelig *(to* for).
prelacy ['preləsi] *sb* prælatembede; højeste gejstlighed; prælatvælde. **prelate** ['prelit] *sb* prælat.
prelim [pri'lim] **T** *sb (fk preliminary examination)* forprøve; *-s pl (typ) (fk preliminaries)* titelark.
preliminary [pri'lim(i)nəri] *adj* indledende *(fx remarks),* forberedende; foreløbig *(fx edition);* forhånds- *(fx announcement; drawing); sb* indledning, forberedelse; (eksamen:) forprøve; *preliminaries pl* forberedende skridt, indledende forhandlinger, præliminarier *(fx preliminaries of peace); (typ)* titelark.
preliminary| examination forprøve; *(jur)* forundersøgelsesforhør. *~ investigation (jur)* forundersøgelse.
prelude ['prelju:d] *sb (mus.)* præludium; *(fig)* indledning, optakt *(fx to the war); vb* indlede, danne optakten til.
premarital [pri:'mæritl] *adj* forægteskabelig.
premature [premə'tjuə] *adj* for tidlig *(fx death, birth);* fremkommet før tiden; forhastet *(fx conclusion);* (om barn) ufuldbåren.
prematurity [premə'tjuəriti] *sb* tidlig udvikling, tidlig forekomst; forhastethed.
premeditate [pri:'mediteit] *vb* udtænke i forvejen; *-d* overlagt, forsætlig.
premeditation [primedi'teiʃ(ə)n] *sb* overlæg, forsæt.
premier ['premjə] *adj* først, fornemst; *sb* premierminister.
première ['premiəə] *sb* premiere.
premiership ['premjəʃip] *sb* premierministerpost; premierministertid.
I. premise [pri'maiz] *vb* forudskikke, forudsætte.
II. premise ['premis] *sb* (i logik) præmis; *major ~* oversætning; *minor ~* undersætning, *-s pl (jur)* indledning til skøde; ejendom, lokale(r), lokaliteter; *on the -s* på stedet; *start from erroneous -s* gå ud fra gale præmisser *(el.* forudsætninger).
premiss ['premis], se *II. premise.*
premium ['pri:miəm] *sb* præmie, belønning; (tilskud til løn:) bonus; (betaling til læremester:) lærepenge; *(assur)* præmie; *(merk)* opgæld, agio, overkurs; *at a ~ (merk)* over pari, med agio, til overkurs; *(fig)* stærkt efterspurgt, i høj kurs, højt vurderet; *put a ~ on (fig)* præmiere, opmuntre til.
premolar [pri:'moulə] *sb* præmolar, forreste kindtand.
premonition [pri:mə'niʃ(ə)n] *sb* forvarsel, varsel; forudfølelse, forudanelse.
prentice ['prentis] *sb (glds)* lærling; uøvet.
preoccupation [priɔkju'peiʃ(ə)n] *sb* optagethed (af andre ting), distraktion, åndsfraværelse; tidligere besiddelse, tidligere okkupation.
preoccupied [pri:'ɔkjupaid] *adj* stærkt optaget *(by, with* af); fordybet i tanker; distræt, åndsfraværende.
preoccupy [pri:'ɔkjupai] *vb* optage, lægge beslag på, fylde; tage i besiddelse i forvejen *(el.* først).
prep. *fk* preparation; preparatory *(school)*; preposition.
prep [prep] *sb* (i skoleslang:) lektielæsning.

pre-packed ['pri:pækt] *adj* færdigpakket.
preparation [prepə'reiʃ(ə)n] *sb* forberedelse *(for* til); tilberedelse; udrustning; (i skole) lektielæsning; *(kem, med.)* præparat; *in ~* under forberedelse.
preparatory [pri'pærətəri] *adj* forberedende; *~ school* forberedelsesskole (især til *public school); ~ to* som en forberedelse til, inden.
prepare [pri'pɛə] *vb* forberede *(for* på, *fx ~ a speech; ~ him for the shock);* gøre parat; (om mad) tilberede, lave; (om noget skriftligt) udarbejde *(fx a report);* (om hus, værelse) indrette; (om båd *etc)* klargøre; (uden objekt) forberede sig *(for* på, til, *fx a journey),* gøre sig parat, holde sig parat; *(litt)* berede sig *(for* på, til, *fx death); ~ one's lessons* læse lektier; *-d* parat, rede; *be -d to* (også:) være villig til at, være indstillet på at.
preparedness [pri'pɛəridnis] *sb* beredthed, beredskab.
prepaid ['pri:'peid] *adj* betalt forud; *reply ~* svar betalt.
prepayment [pri:'peimənt] *sb* forudbetaling.
prepense [pri'pens] *adj (jur)* forsætlig; (se *malice).*
preponderance [pri'pɔndərəns] *sb* overvægt, overlegenhed.
preponderant [pri'pɔndərənt] *adj* som har overvægten, overlegen, (frem)herskende, overvejende.
preponderate [pri'pɔndəreit] *vb* have overvægten, have overtaget; dominere.
preposition [prepə'ziʃ(ə)n] *sb (gram.)* præposition, forholdsord.
prepositional [prepə'ziʃənl] *adj (gram.)* præpositionel.
prepositive [pri'pɔzitiv] *adj (gram.)* foranstillet.
prepossessing [pri:pə'zesiŋ] *adj* indtagende, vindende.
preposterous [pri'pɔstrəs] *adj* urimelig, meningsløs, absurd; komplet usandsynlig *(fx story);* latterlig *(fx hat).*
prep school, se *preparatory.*
prepuce ['pri:pju:s] *sb (anat)* forhud.
Pre-Raphaelism ['pri:'ræfəlizm] *sb* præraphaelisme (en retning i engelsk malerkunst).
Pre-Raphaelite ['pri:'ræfəlait] *sb* præraphaelit; *adj* præraphaelitisk.
pre-record ['pri:ri'kɔ:d] *vb* optage (radioudsendelse) i forvejen.
prerequisite *sb* ['pri:'rekwizit] *sb* forudsætning.
prerogative [pri'rɔgətiv] *sb* prærogativ, forret.
Pres. *fk* President.
pres. *fk* present.
presage ['presidʒ] *sb* (for)varsel, tegn; (forud)anelse; *vb* være et varsel om *(fx this may ~ war);* tyde på; ane *(fx danger).*
presbyopia [prezbi'oupjə] *sb (med.)* presbyopi, gammelsynethed.
presbyter ['prezbitə] *sb* presbyter, kirkeforstander.
Presbyterian [prezbi'tiəriən] *adj* prebyteriansk; *sb* presbyterianer.
Presbyterianism [prezbi'tiəriənizm] *sb* presbyterianisme.
presbytery ['prezbitri] *sb* presbyteriansk kirkeråd; *(kat.)* præstebolig; *(arkit)* presbyterium, alterplads.
prescience ['preʃəns] *sb* forudviden.
prescient ['preʃənt] *adj* forudvidende.
prescind [pri'sind] *vb* adskille, holde adskilt; *~ from* lade ude af betragtning.
prescribe [pri'skraib] *vb* foreskrive, give forskrifter; *(med.)* ordinere; skrive recept(er); *(jur)* påstå hævd *(for* på); *-d* foreskreven; reglementeret; *-d book* obligatorisk lærebog.
prescript ['pri:skript] *sb* forskrift; forordning.
prescription [pri'skripʃ(ə)n] *sb* forskrift; *(med.)* recept; *(jur)* hævd.
prescriptive [pri'skriptiv] *adj (jur)* hævdvunden; *~ right* hævd *(to* på).
presence ['prezns] *sb* tilstedeværelse, nærværelse, nærvær; (fornem persons) nærhed; (om egenskab) (anseligt) ydre *(fx stage ~* sceneydre), (statelig) holdning, (imponerende) fremtræden *(fx a man of (a) noble ~);* (i overtro) overnaturligt væsen, ånd *(fx he felt a ~ with him in the room); in his ~* i hans nærværelse (, påsyn, påhør); *in the ~ of* (også) over for, ansigt til ansigt med *(fx danger); admit to the ~ of the king* give foretræde for kongen, stede for kongen; *~ of mind* åndsnærværelse.
presence chamber audiensværelse.
I. present ['preznt] *adj* tilstedeværende *(fx all the women ~);* nuværende *(fx the ~ government);* indeværende *(fx*

month); forhåndenværende, nærværende, foreliggende (fx the ~ case);

be ~ *at* være til stede ved, overvære; *be* ~ *to one's mind* stå lyslevende for en; ~ *company always excepted* de tilstedeværende er selvfølgelig undtaget; *the* ~ *minister* den nuværende minister; *the minister* ~ den tilstedeværende minister; *the persons (el. those)* ~ de tilstedeværende; *at the* ~ *time* for tiden; *the* ~ *writer* den der skriver disse linjer; nærværende forfatter.

II. present ['preznt] *sb* nutid, præsens; *at* ~ nu for tiden, for øjeblikket; *for the* ~ for tiden, foreløbig, indtil videre; *there is no time like the* ~ det er bedst at få det gjort straks; *by these -s* herved, ved nærværende skrivelse; *know all men by these -s* det gøres herved vitterligt.

III. present ['preznt] *sb* gave, present; *make him a* ~ *of it* forære ham det.

IV. present [pri'zent] *vb* (om gave) forære, skænke *(fx* ~ *a book to him);* (give i hænde, officielt *etc)* overrække *(fx prizes;* ~ *a petition to the governor),* overlevere, indlevere; overbringe *(fx greetings);* (til behandling, godkendelse *etc)* fremlægge, forelægge, fremføre *(fx a case* en sag), præsentere *(fx a bill),* (om person) forestille, præsentere *(fx be -ed at Court);* (for betragteren) frembyde *(fx they -ed a curious spectacle; an affair that -s some difficulties),* vise; (om skydevåben) rette *(at* imod, *fx* ~ *a pistol at him),* (om gevær, som honnør) præsentere; (om teaterstykke) præsentere, opføre, fremføre; (om præst) indstille *(to a benefice* til et embede); *sb (mil.)* præsenterstilling;

the treasurer -ed the accounts kassereren aflagde regnskab; ~ *arms!* præsenter gevær! ~ *oneself* vise sig, indfinde sig; fremstille sig, indstille sig *(fx* ~ *oneself for an examination);* ~ *sby with sth* forære *(el.* skænke) en noget *(fx a book);* præsentere en for noget *(fx a problem).*

presentable [pri'zentəbl] *adj* præsentabel, anstændig, velopdragen.

presentation [prezen'teiʃən] *sb (cf IV. present)* foræring, (hæders)gave; overrækkelse, overlevering; fremlæggelse, forelæggelse; præsentation; fremstilling; (af teaterstykke) fremførelse, opførelse; (til præsteembede) indstilling(s-ret); *(med.)* fosterstilling; *on* ~ på anfordring.

presentation copy eksemplar af bog sendt som gave fra forfatteren *el.* forlæggeren, dedikationseksemplar.

present-day *adj* nutids-.

presentient [pri'senʃiənt] *adj :* ~ *of* med en forudanelse om *(el.* forudfølelse af).

presentiment [pri'zentimənt] *sb* forudfølelse, forudanelse.

presently ['prezntli] *adv* snart, om lidt *(fx he will be here* ~); lidt efter *(fx he came* ~); *(am* også) for tiden *(fx he is* ~ *out of the country);* (glds) straks.

presentment [pri'zentmənt] *sb* fremstilling; fremførelse; *(merk)* præsentation *(fx of a bill);* forevisning; *(am jur, omtr)* redegørelse; (ved visitats) klage; *on* ~ på anfordring.

present | **participle** *(gram)* nutids tillægsform, præsens participium. ~ **tense** *(gram)* nutid, præsens.

preservation [prezə'veiʃ(ə)n] *sb (cf I. preserve)* bevarelse, beskyttelse, sikring; (om natur, vildt) fredning, (om vildt også) pleje; (om museumsgenstand, *bibl)* konservering; (om mad) konservering, nedlægning, præservering, syltning, henkogning; *in an good state of* ~ i velbevaret stand.

preservation order fredningsdeklaration.

preservative [pri'zə:vətiv] *adj* bevarende, beskyttende, beskyttelses- *(fx coating* overtræk); *sb* konserveringsmiddel.

I. preserve [pri'zə:v] *vb* bevare; beskytte, sikre, (natur, vildt) frede, (vildt også) pleje; (museumsgenstand, *bibl)* konservere, (madvarer) konservere, nedlægge, præservere, sylte, henkoge; *well -d* (om person) velkonserveret, som holder sig godt.

II. preserve [pri'zə:v] *sb* syltet frugt, syltetøj; vildtpark, jagtdistrikt, fiskedam; *(fig)* særligt *(el.* privat) område, interessefære; *-s* (også) syltetøj; enemærker; beskyttelsesbriller; *poach on his -s* gå ham i bedene.

preserver [pri'zə:və] *sb* beskytter, redningsmand, frelser.

pre-shrunk ['pri:'ʃrʌŋk] *adj* krympefri.

preside [pri'zaid] *vb* føre forsædet, præsidere; ~ *at (el.*

over) the meeting lede mødet, være dirigent, føre forsædet.

presidency ['prezidənsi] *sb* præsidentskab, præsidenttid, præsidentembede.

president ['prezidənt] *sb* præsident; *(am,* for forening) formand; *(merk)* direktør; (for universitet, *college)* rektor; (ved møde) dirigent.

presidential [prezi'denʃəl] *adj* præsident- *(fx election);* formands-.

presidentship ['prezidəntʃip] *sb* præsidentskab, præsidenttid; formandsplads; direktørstilling; rektorat.

I. press [pres] *vb* presse, lægge i pres *(fx flowers);* trykke, trykke på *(fx a button);* knuge *(fx his hand);* kryste; udpresse *(fx grapes); (fig)* trænge ind på, gå på klingen; tilskynde, tvinge, nøde *(fx* ~ *him to do it);* tynge; *(glds)* presse (til krigstjeneste); (uden objekt) trænges, trænge sig, mase *(fx through the door);* presse 'på; være presserende, haste *(fx the matter does not* ~);

~ *the accelerator* træde på speederen; ~ *an advantage* udnytte en fordel; ~ *for* arbejde energisk på at få, presse på for at få; forlange indtrængende; ~ *for payment* rykke (for betaling); *be -ed for money* mangle penge; *I am -ed for time* jeg har dårlig tid, min tid er knap; ~ *forward (, on)* skynde sig fremad (, videre); ~ *on* trykke på, tynge *(fx these taxes* ~ *very heavily on us);* fremskynde, forcere; ~ *sth on sby* pånøde en noget; ~ *the point* gå ham (, dem *etc)* på klingen; ~ *the question* hårdnakket kræve svar.

II. press [pres] *sb* (maskine:) presse, perse, (til ketcher) ramme; *(typ etc)* bogtrykkerpresse; trykkeri; tryk(ning); forlag; (aviser *etc:)* presse; (møbel:) linnedskab, bogskab, skab med hylder; *(cf I. press)* tryk, pres; presning, pressen, trængen på; jag; *(glds)* trængsel; *the daily* ~ dagspressen; *freedom (el. liberty) of the* ~ trykkefrihed; *in* ~ under trykning; ~ *of people* trængsel; *go to* ~ gå i trykken.

press| agent pressesekretær. ~ **box** presseloge. ~ **button** trykknap. ~ **clipping,** ~ **cutting** avisudklip. ~ **-cutting book** scrapbog. ~ **gallery** presseloge. ~ **-gang** pressekommando (som i ældre tid tvang matroser til at gøre tjeneste i krigsflåden).

I. pressing ['presiŋ] *sb* pressen, nøden *(fx he needed little* ~); eksemplar (, oplag) af grammofonplade.

II. pressing ['presiŋ] *adj* presserende *(fx the matter is* ~); overhængende *(fx danger);* påtrængende, indtrængende; *as you are so* ~ siden du nøder mig så stærkt *(el.* presser sådan på).

press|man ['presmən] journalist, bladmand; trykker. **-mark** *(bibl)* pladssignatur. ~ **-money** *(glds)* håndpenge. ~ **notice** (i pressen) anmeldelse; (i pressen) pressemeddelelse. ~ **proof** sidste korrektur. ~ **release** pressemeddelelse.

pressure ['preʃə] *sb (fys)* tryk; *(fig)* tryk, pres; nød; tvang; ~ *of business* (forretnings)travlhed; *work at high* ~ arbejde for fuld kraft *(el.* under højtryk); *put* ~ *on* øve pres på.

pressure| cabin *(flyv)* trykkabine. ~ **cooker** trykkoger. ~ **gauge** trykkmåler, manometer. ~ **group** pressionsgruppe. ~ **suit** trykdragt, rumdragt. ~ **test** trykprøve.

pressurize ['preʃəraiz] *vb* sætte under tryk; *-d* hvori der hersker samme tryk som på jorden; *-d cabin* trykkabine; *-d suit* trykdragt; rumdragt.

prestidigitation ['prestididʒi'teiʃən] *sb* taskenspilleri.

prestidigitator [presti'didʒiteitə] *sb* taskenspiller.

prestige [pre'sti:ʒ] *sb* prestige.

prestige advertising prestigereklame, goodwill-reklame.

prestigious [pre'stidʒəs] *adj* som har (, giver) prestige, højt anset.

presto ['prestou] *adv* presto, hurtig; *hey* ~*!* vips! en, to, tre! vupti!

pre-stressed ['pri:strest] *adj* forspændt *(fx concrete* beton).

presumable [pri'z(j)u:məbl] *adj* antagelig, formentlig, formodentlig.

presume [pri'z(j)u:m] *vb* antage, formode, forudsætte; gå for vidt, tage sig friheder; ~ *to* være så fri at, vove at, driste *(el.* formaste) sig til at *(fx* ~ *to criticize her);* ~ *on* stole for meget på, trække for store veksler på; misbruge *(fx don't* ~ *on his good nature).*

presumedly [pri'z(j)u:midli] *adv* formentlig, antagelig.

presuming [pri'z(j)u:miŋ] *adj* = *presumptuous*.

presumption [pri'zʌm(p)ʃən] *sb* antagelse, forudsætning, (også *jur)* formodning; *(neds)* anmasselse, indbildskhed, dristighed; formastelighed; *the ~ is that* det må formodes at; *there is a strong ~ against it* det er lidet sandsynligt.

presumptive [pri'zʌm(p)tiv] *adj* formodentlig, sandsynlig; *~ evidence* sandsynlighedsbevis; (se også *heir presumptive).*

presumptuous [pri'zʌm(p)tjuəs] *adj* anmassende, overmodig, formastelig.

presuppose [pri:sə'pouz] *vb* forudsætte.

presupposition [pri:sʌpə'ziʃən] *sb* forudsætning.

pretence [pri'tens] *sb* foregivende, påskud; krav, fordring *(to* på); indbildskhed, prætentioner *(fx a man without ~); by (el. on, under) false -s* under falsk foregivende, under falske forudsætninger; *on (el. under) (the) ~ of* under foregivende af; *make a ~ of* foregive; *I make no ~ to originality* jeg prætenderer ikke *(el.* gør ikke fordring på) at være original.

pretend [pri'tend] *vb* foregive, give som påskud; simulere, hykle; lade som om; lege *(fx let's ~ we are kings and queens); we are only -ing* det er bare noget vi leger; *~ to* gøre fordring på, give sig skin af, prætendere; *~ to learning* prætendere at være lærd, gerne ville gå for at være lærd; *~ to be* (også) lade som om man er.

pretended [pri'tendid] *adj* forgiven, falsk.

pretender [pri'tendə] *sb* (tron)prætendent; hykler.

pretension [pri'tenʃən] *sb* krav, fordring *(to* på); prætention; foregivende.

pretentious [pri'tenʃəs] *adj* fordringsfuld, pretentiøs.

preterite [pri'terit] *sb (gram)* datid, præteritum.

preternatural [pri:tə'nætʃrəl] *adj* overnaturlig, unaturlig.

pretext ['pri:tekst] *sb* påskud *(for* til); *under (el. on) the ~ of* under påskud af.

pretor ['pri:tə] *sb (hist.)* prætor.

pretorian [pri'tɔ:riən] *adj (hist.)* prætorianer.

prettify ['pritifai] *vb (neds)* pynte (på).

I. pretty ['priti] *adj* køn, pæn, net, nydelig; *adv* temmelig; *~ much the same* næsten det samme; *my ~ (one)* min skat; *be sitting ~* være ovenpå, ligge lunt i svinget; *~ well* temmelig godt; næsten *(fx we have ~ well finished); a ~ while* temmelig længe.

II. pretty ['priti] *sb* mønster på drikkeglas; *up to the ~* til gardinerne (af glas).

pretty-pretty ['priti'priti] *adj (neds)* sødladen, 'øndig', dukkeagtig; *a ~ face* et dukkeansigt.

pretzel ['pretsəl] *sb* saltkringle.

prevail [pri'veil] *vb* få overhånd, sejre; herske, være fremherskende, være almindelig; *~ upon* formå, bevæge, overtale.

prevailing [pri'veiliŋ] *adj* fremherskende, almindelig.

prevalence ['prevələns] *sb* udbredelse, almindelig brug.

prevalent ['prevələnt] *adj* (frem)herskende, almindelig (udbredt), gængs.

prevaricate [pri'værikeit] *vb* komme med udflugter; svare undvigende.

prevarication [priværi'keiʃ(ə)n] *sb* (det at komme med) udflugter.

prevaricator [pri'værikeitə] *sb* en som kommer med udflugter.

prevent [pri'vent] *vb* forhindre; (især *med.)* forebygge; *(glds)* gå foran, lede; komme i forkøbet; *~ him (from) doing it, ~ his doing it* forhindre ham i at gøre det; *~ oneself from* by sig for, bare sig for; *there is nothing to ~ it* det er der intet i vejen for.

preventable [pri'ventəbl] *adj* som er til at hindre, som kan forhindres.

preventer [pri'ventə] *sb (mar)* hjælpetov.

preventer brace *(mar)* kontrabras.

preventer shrouds *(mar)* hjælpevant.

prevention [pri'venʃən] *sb* forhindring, (især *med.)* forebyggelse, bekæmpelse; *~ is better than cure* det er bedre at forebygge end at helbrede.

preventive [pri'ventiv] *adj* hindrende, (især *med.)* forebyggende; *sb* forebyggende middel; forebyggende behandling; *~ custody (el. detention)* sikkerhedsforvaring; internering; *~ officer* toldfunktionær; *~ service* kystbevogt-

vogtning (mod smugleri).

preview ['pri:'vju:] *sb (mht* maleriudstilling) fernisering; *(mht* film) forpremiere; *(am)* trailer.

previous ['pri:vjəs] *adj* foregående, forudgående, tidligere; T overilet, forhastet; *~ examination* (første del af eksamen til opnåelse af B. A. graden i Cambridge); *be too ~* T være lidt for rask på den; *~ to* før.

previously ['pri:vjəsli] *adv* før, tidligere.

prevision [pri'viʒ(ə)n] *sb* forudseenhed; forudanelse.

prewar ['pri:'wɔ:] *adj* førkrigs-, før krigen.

prexy ['preksi] *sb (am* S) direktør; rektor.

prey [prei] *sb* bytte; rov; *be a ~ to* være et bytte for; være grebet af *(fx despair); beast of ~* rovdyr; *bird of ~* rovfugl; *fall an easy ~ to* blive et let bytte for; *~ (up)on* plyndre, røve; leve af; snylte på; *~ upon one's mind* tynge én, nage én.

I. price [prais] *sb* pris *(of* på, for); værdi; *(merk,* for papirer) kurs; (ved væddeløb) odds; *at a ~* med stor bekostning; *at any ~* for enhver pris; koste hvad det vil; *not at any ~* ikke for nogen pris; *every man has his ~* ethvert menneske kan købes; *I haven't even got the ~ of a meal* jeg har ikke engang til et måltid mad; *what ~ ...?* T er der nogen chance for ...? hvad er ... nu værd? *what ~ his theories now?* hvad siger du nu til hans teorier? *without (el. beyond) ~* uurderlig.

II. price [prais] *vb* bestemme prisen på; fastsætte prisen for; prismærke; spørge (om prisen) på; vurdere; *~ one-self out of the market* ødelægge salget ved at forlange for høje priser; (se også *priced).*

priced [praist] *adj* prismærket *(fx everything is ~); ~ catalogue* katalog med priser.

price' fixing prisregulering. *~ freeze* prisstop. **-less** uvurderlig, kostelig. *~ list* prisliste, priskurant. *~ regulation committee* priskontrolråd.

pricey ['praisi] *adj* T dyr.

I. prick [prik] *vb* prikke, stikke; stikke hul på, punktere *(fx a balloon);* (om mønster) udprikke, punktere; *(glds)* spore *(fx a horse); my toe is -ing* det stikker i min tå; *his conscience -ed him* han havde samvittighedsnag; *~ off* satte mærke ved; måle (med passer på et kort); (i gartneri) *~ out plants* prikle planter ud; *~ up one's ears* spidse ører.

II. prick [prik] *sb* stik, prik; *(vulg)* pik; *~ of conscience* samvittighedsnag; *kick against the -s* stampe imod brodden.

pricker ['prikə] *sb* pren, spidsbor, syl; rensenål.

prickle ['prikl] *sb* pig, (lille) torn, barktorn; stikken *(el.* prikken) i huden; *vb* stikke; have en stikkende fornemmelse; *the skin -s* det prikker i huden.

prickly ['prikli] *adj* tornet, pigget; stikkende, prikkende; *(fig)* vanskelig, kilden *(fx question);* (om person) prikken; *~ heat* hedetøj; *~ pear* figenkaktus.

pride [praid] *sb* stolthed *(at, in* over); hovmod; pragt, glans; (af løver) flok; *~ goes before a fall* hovmod står for fald; *in the ~ of one's life* i sin bedste alder; *take ~ in* være stolt af; *take a ~ in* sætte en ære i (at); *take the ~ of place* indtage en førerstilling, komme i første række; indtage hæderspladsen; *vb: ~ oneself on* være stolt af; rose sig af.

prie-dieu ['pri:'djə:] *sb* bedepult.

priest [pri:st] *sb* præst; gejstlig; (til fiskeri) priest' (lille kølle); *vb* præstevie. **priestcraft** ['pri:stkra:ft] *sb (neds)* præsteintriger, præstepolitik.

priestess ['pri:stis] *sb* præstinde.

priesthood ['pri:sthud] *sb* præsteembede; gejstlighed, præsteskab.

priestly ['pri:stli] *adj* præstelig.

I. prig [prig] *sb* tyv; *vb* stjæle.

II. prig [prig] *sb* farisæer, selvgod person, pedant.

priggish ['prigiʃ] *adj* selvgod, farisærisk; pedantisk.

prim [prim] *adj* pertentlig, stiv, pæn; snerpet; stram; dydsiret; snerpet; *vb* gøre sirlig, pynte; stramme; *~ up one's lips* snerpe munden sammen.

primacy ['praiməsi] *sb* primat, ærkebiskoppelig værdighed; overlegenhed, forrang, første plads.

prima donna ['pri:ma'dɔnə] *sb* primadonna.

prima facie ['praimə'feiʃi(:)] *adv* ved første øjekast, ved en umiddelbar betragtning; indtil det modsatte er bevist.

primage ['praimidʒ] *sb (mar)* kaplak (tillæg til fragten).
primal ['praiməl] *adv* først, vigtigst; oprindelig.
primarily ['praimərili] *adv* oprindelig, fra første færd; først og fremmest.
primary ['praiməri] *adj* først; oprindelig, primær, ur-, grund- *(fx rock* fjeld; *meaning* betydning); elementær, forberedende; størst *(fx of* ~ *importance),* vigtigst; *sb* hovedsag; *(am)* primærvalg; ~ *(assembly el. meeting)* forberedende valgmøde.
primary | **cell** primærelement. ~ **colours** *pl* grundfarver, hovedfarver; primærfarver. ~ **education** grundskoleundervisning (i England: 5-11 års alderen). ~ **school** grundskole, underskole (5-11 år). ~ **source** primærkilde.
primate ['praimit] *sb* primas, ærkebiskop; *Primate of all England* ærkebiskoppen af Canterbury; *Primate of England* ærkebiskoppen af York.
primates [prai'meiti:z] *pl zo* primater (aber og mennesker).
I. prime [praim] *adj* først, oprindelig, ur-; hoved-, vigtigst, fornemst; fortrinlig, prima.
II. prime [praim] *sb* bedste del, bedste tid, velmagtsdage, blomstring, bedste alder; *(litt)* vår, begyndelse; *(mat.)* primtal; *in the* ~ *of life* i sin bedste alder; *past one's* ~ på retur.
III. prime [praim] *vb* (om pumpe) spæde, (om motor) snapse, tippe; (med maling) grunde, grundmale; *(fig)* instruere, præparere *(fx they -d him before the press conference);* (med spiritus) fylde på; *(glds)* lade, lægge fængkrudt på; *well -d* beruset, godt lakket til.
prime | **cost** *(merk)* produktionsomkostninger. ~ **minister** premierminister. ~ **mover** kraftkilde, kraftmaskine; *(fig)* primus motor. ~ **number** primtal.
I. primer ['primə] *sb (typ)* (en skriftart).
II. primer ['praimə] *sb* begynderbog *(fx Latin Primer); (glds rel)* andagtsbog; *(mil.)* fænghætte; sprængkapsel; (ved maling) grunding, grundingsfarve; (til motor) snapsepumpe.
prime rate *(am)* (banks) minimumsudlånsrente (til 1. klasses kunder).
primeval [prai'mi:vl] *adj* først, oprindelig, ur-.
priming ['praimin] *sb* (ved maling) grunding, grundingsfarve; (af pumpe) spædning; (af motor) snapsning, tipning; *(mil.)* tændsats, tændladning, *(glds)* fængkrudt.
primiparous [prai'mipərəs] *adj* førstegangsfødende.
primitive ['primitiv] *adj* oprindelig, ur-; primitiv, simpel, uudviklet; *sb* urmenneske; (i kunst) primitiv kunstner, primitivt kunstværk; *(gram.)* rodord; *the Primitive Church* oldkirken.
primogeniture [praimou'dʒenitʃə] *sb* førstefødsel; *right of* ~ førstefødselsret.
primordial [prai'mɔ:djəl] *adj* oprindelig, ur-.
primp [primp] *vb* pynte (sig), nette (sig); ~ *one's hair* rette på håret.
primrose ['primrouz] *sb (bot)* kodriver, primula; *Primrose Day* (den 19. april, lord Beaconsfields dødsdag); *Primrose League* (en konservativ forening); *the* ~ *path (fig)* den brede vej.
primula ['primjulə] *sb (bot)* primula.
primus ['praiməs] *adj* (den) først(e); den ældste; *sb* ℝ primus (kogeapparat).
prince [prins] *sb* fyrste, prins.
Prince Consort prinsgemal.
prince|dom ['prinsdəm] *sb* fyrstendømme, fyrsteværdighed. **-like** fyrstelig. **-ly** fyrstelig, prinselig.
Prince of Wales prins af Wales, kronprins (i England).
Prince Regent prinsregent.
Prince Royal kronprins.
princess [prin'ses, (attributivt) 'prinses] *sb* prinsesse, fyrstinde.
princess(e) dress *(el. robe)* prinsessekjole.
Princess of Wales prinsen af Wales's gemalinde, kronprinsesse (i England).
Princess Royal titel for den engelske monarks ældste datter.
principal ['prinsipl] *adj* først, hoved-, vigtigst; *sb* (i firma) principal, chef; (i skole) bestyrer, forstander, rektor; *(teat)* hovedperson, hovedkraft; *(jur)* fuldmagtsgiver, mandant; (ved forbrydelse) hovedmand, gerningsmand *(mods* meddelagtig); (om pengesum: *mods* renter) kapi-

tal, (af lån) hovedstol; (i kunst) originalt kunstværk *(mods* kopi); hovedmotiv, (i fuga) hovedtema.
principal clause hovedsætning.
principality [prinsi'pæliti] *sb* fyrstendømme; fyrsteværdighed, fyrstemagt; *the Principality* (især om) Wales.
principally ['prinsəpəli] *adv* hovedsagelig, især.
principal parts *pl (gram., af vb)* hovedtider.
principle ['prinsəpl] *sb* princip; grundsætning; *(kem)* bestanddel *(fx the bitter* ~ *in quinine); in* ~ principielt, i princippet; *a man of* ~ en mand med principper; en principfast mand; *on* ~ principielt, af princip.
-principled ['prinsəpld] (i sammensætninger:) med ... principper *(fx high-principled* med høje *(el.* ædle) principper).
pringle ['priŋgl] *vb* stikke, prikke.
prink [priŋk] *vb* pynte; pynte sig.
I. print [print] *vb* trykke; påtrykke, trykke mærke i; *(typ)* trykke; (om materiale) lade trykke, offentliggøre, (i avis) bringe; (skrive:) prente; skrive med blokbogstaver *(fx please* ~); *(fot)* kopiere; *(fig): it remains -ed on my memory* det står præget i min erindring.
II. print [print] *sb* mærke, aftryk *(fx fingerprint),* spor *(fx -s of a squirrel),* præg; *(typ)* tryk *(fx small* ~); trykt skrift, blad, avis; (billede:) reproduktion, (kobber)stik; *(fot)* kopi; (tekstil:) bomuldsstof med påtrykt mønster; *in* ~ på tryk; på prent; *the book is still in* ~ bogen kan stadig købes; *rush into* ~ skynde sig at få noget udgivet; (undertiden:) fare i blækhuset; *out of* ~ udsolgt fra forlaget; *remember to read the small* ~ husk at læse det der er trykt med småt.
print ball kuglehoved.
printed| **circuit** trykt kredsløb. ~ **matter** tryksager.
printer ['printə] *sb* trykker, bogtrykker.
printer's| **device** bogtrykkermærke. ~ **devil** bogtrykkerlærling. ~ **error** trykfejl. ~ **flower** fleuron. ~ **ink,** se *printing ink.* ~ **pie** (svibel)fisk (ødelagt sats). ~ **reader** korrekturlæser.
printing ['printin] *sb (typ)* trykning; bogtryk; bogtrykkerkunst; oplag; *(fot)* kopiering.
printing| **block** kliché. ~ **frame** *(typ)* formramme, slutteramme; *(fot)* kopiramme. ~ **ink** tryksværte, *(typ)* trykfarve. ~ **office** bogtrykkeri, officin. ~ **press** bogtrykkerpresse, trykpresse; se også ~ *office.* ~ **works,** se ~ *office.*
printout ['printaut] *sb* (i edb) udskrift.
print|seller kunsthandler. **-shop** kunsthandel. **-work** (kattun)trykkeri.
prior ['praiə] *sb* prior; *adj* tidligere, ældre; vigtigere; ~ *to* førend.
priorate ['praiərit] *sb (rel)* priorat.
prioress ['praiəris] *sb (rel)* priorinde.
priority [prai'ɔriti] *sb* fortrin, forret, prioritet; *put in order of* ~ prioritere; *put it high in the list of priorities* prioritere det højt; *it is a top* ~ det står øverst på listen.
priory ['praiəri] *sb* priorat.
prise [praiz] = II. *prize.*
prism [prizm] *sb* prisme.
prismatic [priz'mætik] *adj* prismatisk.
prison ['prizn] *sb* fængsel, *break* ~ bryde ud af fængslet.
prisoner ['priznə] *sb* fange, arrestant; anklaget (i kriminalsag); *keep sby a* ~ holde én fanget; *make sby (a)* ~, *take sby.* ~ tage én til fange; ~ *of war* krigsfange; *I am a* ~ *to my chair* jeg er lænket til min stol; *prisoner's base* en drengeleg med afmærkede fristeder.
prison| **guard** *(am)* fængselsbetjent. ~ **house** fængsel(sbygning).
prissy ['prisi] *adj* T overpertentlig, snerpet, sippet.
pristine ['pristain] *adj* oprindelig *(fx the* ~ *strength of our race),* i sin oprindelige form *(el.* skikkelse) *(fx* ~ *Leninism,* ~ *Christianity),* uforærvet; uberørt, jomfruelig, unfrisk.
prithee ['priði] (af *pray thee) (glds)* jeg beder dig.
privacy ['privəsi] *sb* uforstyrrethed, privatliv; hemmelighed; *I have complete* ~ *in my garden* jeg har det helt for mig selv *(el.* er helt uforstyrret) i min have; *in* ~ (også) i enrum, under fire øjne; *invasion of* ~ krænkelse af privatlivets fred.
I. private ['praivit] *sb* menig (soldat); *in* ~ i hemmelighed, fortroligt, under fire øjne; under hånden; **-s** (også) køns-

dele.
II. private ['praivit] adj privat; privat- *(fx school)*; hemmelig, fortrolig; under hånden *(fx ~ sale* salg u.h.)*; menig *(fx soldier)*; *this is for your ~ ear* dette bliver mellem os; *funeral ~* begravelsen foregår i stilhed; *~ house* privatbolig; *keep ~* hemmeligholde.
private| baptism hjemmedåb. **~ company** = **~** *limited company.* **~ enterprise** det private initiativ.
privateer [praivə'tiə] sb *(mar) (hist.)* kaperskib, kaper.
privateering [praivə'tiəriŋ] sb kaperi.
private| eye privatdetektiv. **~ hotel** = **~** *residential hotel.* **~ limited company** *(omtr)* familieaktieselskab. **~ means** privatformue; *live on ~ means* (også) leve som rentier. **~ member** *(parl)* menigt underhusmedlem (ɔ: som ikke er minister). **~ parts** kønsdele. **~ residential hotel** slags større pensionat. **~ view** fernisering (på maleriudstilling). **~ ward** enestue (på hospital).
privation [prai'veiʃən] sb nød, afsavn, mangel på de elementære livsfornødenheder.
privative ['privətiv] adj negativ; *(gram.)* privativ.
privet ['privit] sb *(bot)* ligurter.
privilege ['privilidʒ] sb privilegium, (sær)rettighed, begunstigelse; *(parl)* immunitet; vb privilegere; fritage *(from for)*.
privity ['priviti] sb medviden.
I. privy ['privi] sb kloset, toilet.
II. privy ['privi] adj privat; hemmelig; **~** *to* indviet i, (hemmeligt) medvidende om.
Privy| Council gehejmeråd. **~ Councillor** (om person) gehejmeråd.
privy parts pl kønsdele.
Privy| Purse de midler der stilles til den engelske monarks personlige rådighed; (person, omtr) hofintendant. **~ Seal** gehejmesegl; mindre rigssegl; *Lord (Keeper of the)~ Seal* gehejmeseglbevarer.
I. prize [praiz] sb pris, præmie, belønning; gevinst; *(fig)* klenodie, skat; *(mar)* prise; vb sætte pris på, skatte, vurdere højt; adj præmie- *(fx bull)*, pris-; prisbelønnet, præmieret; T ærke- *(fx fool)*; *make (a) ~ of (mar)* opbringe, tage som prise.
II. prize [praiz] vb bryde, brække, lirke, vriste *(open* op).
prize| court priseret. **~ day** skoles årsfest. **-fight** boksekamp (mellem professionelle boksere). **-fighter** (professionel) bokser. **-giving** præmieuddeling. **~ idiot** kraftidiot. **-man** præmietager, pristager. **~ money** præmiebeløb; *(mar)* prisepenge. **~ ring** boksering. **~ winner** pristager *(fx Nobel ~ winner)*.
I. pro [prou] prep pro, for; sb: *pros & cons* grunde (, argumenter) for og imod; hvad der kan siges for og imod.
II. pro [prou] sb T *(fk professional)* professionel (spiller).
III. pro- [prou] (forstavelse:) tilhænger af *(fx pro-Boer* boerven); vice-.
P.R.O. fk *Public Records Office; public relations officer.*
probability [prɔbə'biliti] sb sandsynlighed *(of* for); *in all ~* efter al sandsynlighed.
probable ['prɔbəbl] adj sandsynlig.
probably ['prɔbəbli] adv sandsynligvis, rimeligvis.
probang ['proubæŋ] sb sonde.
probate ['proubit] sb *(jur)* stadfæstelse *[el.* konfirmation) af testamente; kopi af stadfæstet testamente; **~** *court* skifteret.
probation [prə'beiʃən] sb prøve; prøvetid; *(jur): be put on ~ (omtr)* få i betinget dom (og komme under tilsyn); *release on ~* prøveløsladelse; betinget benådning.
probationary [prə'beiʃənəri] adj prøve-, på prøve *(fx telegraphist)*.
probationer [prə'beiʃnə] sb person på prøve; novice, aspirant; (sygepleje)elev; *(jur)* betinget dømt person (som er under tilsyn).
probation officer tilsynsværge (som fører tilsyn med betinget dømte).
probative ['proubətiv] adj beviskraftig.
probe [proub] sb sonde; T undersøgelse; vb sondere, undersøge.
probity ['proubiti] sb retsindighed, redelighed.
problem ['prɔbləm] sb problem, spørgsmål; *(mat., skak)* opgave.
problematic(al) [prɔbli'mætik(l)] adj problematisk, tvivl-

som.
problem play problemskuespil.
proboscis [prə'bɔsis] sb *(pl proboscis* [-'bɔsi:z]) snabel.
procedural [prə'si:dʒərəl] adj proceduremæssig.
procedure [prə'si:dʒə] sb fremgangsmåde; forretningsgang; *(jur)* procedure; *rules of ~* forretningsorden; *(jur)* procesordning.
proceed [prə'si:d] vb gå fremad, begive sig (, drage, køre, sejle *etc)* videre; fortsætte *(fx we will ~ along the same lines)*, gå videre, vedblive; skride frem, udvikle sig *(fx the matter -ed slowly)*; gå til værks, bære sig ad *(fx how shall I ~?)*; **~** *against (jur)* anlægge sag mod; **~** *from* komme fra *(el.* af), opstå af, være resultat af *(fx the whole trouble -ed from a misunderstanding)*; **~** *to* gå over til (at), skride til (at), give sig til (at) *(fx they -ed to divide the money)*; **~** *to the degree of master of arts* blive master of arts.
proceeding [prə'si:diŋ] sb fremgangsmåde, skridt; adfærd; -s pl hvad man foretager sig, aktiviteter, forhandlinger; (referat:) meddelelser *(fx the -s of the British Academy)*, forhandlingsprotokol *(fx read the -s of the last meeting)*; *(jur)* retsforfølgning; sagsanlæg; proces; *take (legal) -s against* anlægge sag mod; *watch the -s* iagttage hvad der foregår.
proceeds [prə'si:dz] sb pl provenu, udbytte.
process ['prouses, am 'prɔses] sb proces; fremgangsmåde, procedure, metode; (det at skride frem:) fremadskriden, forløb; *(anat)* tap, fremspring; *(jur)* proces; stævning; *in ~ of* ved at, i færd med at *(fx the Minister replied that he was in ~ of drawing up a law)*; *in ~ of construction* under opførelse; *in ~ of time* i tidens løb, med tiden.
II. process ['prouses, am 'prɔses] vb (i fabrikation) forarbejde, behandle *(fx fødevarer for konservering)*, oparbejde *(fx raw materials)*, forædle; *(fig, fx* edb) behandle *(fx data -ing; ~ the morning's mail; ~ an application)*; *(typ)* reproducere fotomekanisk.
III. process [prə'ses] vb T gå i procession.
process| engraver kemigraf. **~ engraving** fotomekanisk reproduktion, kemigrafi.
procession [prə'seʃən] sb procession; optog; vb gå i procession (gennem).
processional [prə'seʃənəl] adj processions-; sb processionssalme.
process server stævningsmand.
proclaim [prə'kleim] vb proklamere *(fx the new state was -ed a republic)*; bekendtgøre, kundgøre, forkynde; erklære *(fx war)*; *(glds)* erklære i belejringstilstand; erklære fredløs; forbyde *(fx a meeting)*; **~** *him king* udråbe ham til konge; **~** *the banns* lyse til ægteskab.
proclamation [prɔklə'meiʃ(ə)n] sb proklamation, bekendtgørelse, kundgørelse.
proclivity [prə'kliviti] sb tilbøjelighed, hang.
proconsul [prou'kɔnsəl] sb prokonsul.
procrastinate [prə'kræstineit] vb opsætte i det uendelige; nøle, trække tiden ud.
procrastination [prəkræsti'neiʃ(ə)n] sb opsættelse; nølen.
procrastinator [prə'kræstineitə] sb sendrægtig person.
procreate ['proukrieit] vb avle, frembringe.
procreation [proukri'eiʃən] vb avling, frembringelse; formering.
proctor ['prɔktə] sb proktor (universitetslærer som fører opsyn med studenternes opførsel); *(am)* tilsynsførende ved skriftlig eksamen.
procurable [prə'kjuərəbl] adj som kan skaffes.
procuration [prɔkju'reiʃ(ə)n] sb tilvejebringelse; *(jur)* fuldmagt, prokura; rufferi; *per ~* per prokura.
procurator ['prɔkjureitə] sb *(jur)* fuldmægtig; **~** *fiscal* (skotsk:) offentlig anklager.
procure [prə'kjuə] vb skaffe, tilvejebringe; opdrive *(fx difficult to ~)*; drive rufferi; *(glds)* udvirke.
procurer [prə'kjuərə] sb ruffer.
procuress [prə'kjuəris] sb rufferske.
prod [prɔd] sb stød, slit; pigstav; vb støde, stikke, prikke, dikke, pirke (til); *(fig* også) tilskynde, anspore.
prodigal ['prɔdigl] adj ødsel *(of* med); sb ødeland; fortabt søn, angrende synder; *the ~ son* den fortabte søn.
prodigality [prɔdi'gæliti] sb ødselhed, ødslen.
prodigious [prə'didʒəs] adj forbløffende, fænomenal *(fx*

memory hukommelse); formidabel, uhyre *(fx sum)*.
prodigy ['prɔdidʒi] *sb* vidunder; uhyre, monstrum; *infant* ~ vidunderbarn.
I. produce [prə'dju:s] *vb* tage frem, fremlægge, fremvise *(fx a ticket)*, fremskaffe; (om vare) producere, fremstille; (kunstværk:) skabe, producere; skrive; (afgrøde:) give, avle, frembringe, (udbytte:) indbringe, kaste af sig, give; (afkom:) føde; *(fig)* fremkalde *(fx a reaction)*, afstedkomme, bevirke; *(geom)* forlænge *(fx a side of a triangle)*; *(teat)* iscenesætte, *(am)* producere, være producer for.
II. produce ['prɔdju:s] *sb* samlet produktion, udbytte; produkter, (især:) landbrugsprodukter, *(am* især:) frugt og grønsager; *(fig)* resultat.
producer [prə'dju:sə] *sb* producent; *(teat)* iscenesætter, sceneinstruktør; *(am,* også af film *etc)* producer, producent; (i radio) programleder; (i TV) producer.
producer| gas generatorgas. ~ **goods** produktionsmidler *(mods* forbrugsvarer).
producible [prə'dju:sibl] *adj* som kan frembringes; præsentabel.
product ['prɔdʌkt] *sb* frembringelse; produkt, fabrikat; *(mat., kem)* produkt.
production [prə'dʌkʃən] *sb (cf I. produce)* fremlæggelse, forevisning; fremstilling, frembringelse, produktion, dyrkning; produkt, værk; iscenesættelse; forlængelse.
production line samlebånd.
production manager produktionschef, driftsleder; (ved film) overregissør.
productive [prə'dʌktiv] *adj* produktiv *(fx labour)*, ydedygtig, skabende; frugtbar *(fx soil)*; *be* ~ *of* fremkalde, forårsage.
productivity [prɔdʌk'tiviti] *sb* produktivitet, ydeevne; frugtbarhed.
proem ['prouem] *sb* forord, fortale, indledning.
prof [prɔf] S *fk* professor.
profanation [prɔfə'neiʃ(ə)n] *sb* profanation, vanhelligelse.
profane [prə'fein] *adj* profan, verdslig *(fx sacred and ~ literature)*; hedensk *(fx rites)*; *(neds)* bespottelig, blasfemisk; T som bander stygt; *vb* vanhellige, krænke, bespotte, profanere; misbruge.
profanity [prə'fæniti] *sb* bespottelse, blasfemi; banden; *profanities pl* eder.
profess [prə'fes] *vb* erklære, forsikre *(fx one's satisfaction)*; (med urette) hævde, foregive; give sig ud for *(fx I don't ~ to be an expert)*; (om erhverv) udøve, praktisere, (om professor) undervise i; T være professor; *(rel)* bekende sig til *(fx* ~ *Christianity)*; (om munk, nonne) aflægge løftet; *a -ing Christian* en bekendende kristen.
professed [prə'fest] *adj* erklæret *(fx a ~ atheist)*; foregiven *(fx a ~ doctor)*; professionel *(fx a ~ spy)*; *a ~ nun* en nonne der har aflagt løftet.
professedly [prə'fesidli] *adv* efter eget udsagn; angiveligt.
profession [prə'feʃən] *sb* profession, fag; (især lærd *el.* kunstnerisk) erhverv, liberalt erhverv; (folk i et erhverv) stand *(fx it is an insult to the ~)*, *(cf profess)* erklæring, forsikring; foregiven; bekendelse; aflæggelse af klosterløfte; *the* ~ S skuespillerstanden; *the learned -s* ɔ: teologi, jura, lægevidenskab; *by* ~ af profession, af fag; ~ *of faith* trosbekendelse.
professional [prə'feʃənl] *adj* fagmæssig, faglig, fag-; professionel; *sb* professionel (sportsmand); ~ *man* mand i de liberale erhverv (kunstner, akademiker).
professionalism [prə'feʃnəlizm] *sb* professionalisme.
professor [prə'fesə] *sb* professor *(of* i); lærer; *(rel): a* ~ *of Christianity* en bekendende kristen.
professorate [prə'fesərit] *sb* professorat.
professorial [prɔfe'sɔ:riəl] *adj* professor-; professoral.
professorship [prə'fesəʃip] *sb* professorat.
proffer ['prɔfə] *vb* tilbyde; sb tilbud.
proficiency [prə'fiʃənsi] *sb* dygtighed, kyndighed, færdighed.
proficient [prə'fiʃənt] *adj* kyndig, dygtig, velbevandret, sagkyndig; *sb* ekspert, mester.
profile ['proufail] *sb* omrids, kontur; *(tekn* og af ansigt) profil; *(fig)* kort beskrivelse, skitse, kort oversigt; (af person) kort biografi, portræt, profil; *(teat)* sætstykke; *vb* tegne i omrids *(el.* profil).

I. profit ['prɔfit] *sb* udbytte, fordel, gavn *(from* af); (penge:) vinding *(fx he does it only for* ~*)*, gevinst; *(merk)* fortjeneste, avance; *make a* ~ *on* tjene på.
II. profit ['prɔfit] *vb (glds)* gavne; ~ *by (el. from)* have gavn af, drage fordel af, profitere af; ~ *by (el. over) (merk)* tjene på.
profitable ['prɔfitəbl] *adj* gavnlig, nyttig; (økonomisk:) fordelagtig, lønnende, indbringende, rentabel.
profit and loss account *(merk)* gevinst- og tabskonto.
profiteer [prɔfi'tiə] *(neds) sb* en der tjener store penge på en ufin måde; krigsspekulant, krigsmillionær; *vb* tjene store penge på en ufin måde; drive vareåger, drive kædehandel.
profiteering [prɔfi'tiəriŋ] *sb* jobberi, kædehandel, vareåger.
profitless ['prɔfitlis] *adj* unyttig, nytteløs; (økonomisk:) ikke indbringende, ufordelagtig.
profit sharing *sb* udbyttedeling.
profligacy ['prɔfligəsi] *sb* ryggesløshed, lastefuldhed; udsvævelser, laster. **profligate** ['prɔfligit] *adj* ryggesløs, lastefuld, udsvævende; *sb* ryggesløst menneske.
pro forma [prou'fɔ:mə] pro forma.
profound [prə'faund] *adj* dyb; grundig, dybtgående *(fx knowledge)*; dybsindig.
profundity [prə'fʌnditi] *sb* dybde, dybsindighed, grundighed; dyb.
profuse [prə'fju:s] *adj* overstrømmende, overvættes, rigelig; (om person) gavmild, ødsel; *be* ~ *in one's thanks* takke overstrømmende; *be* ~ *in one's apologies* bede tusind gange om forladelse.
profusion [prə'fju:ʒən] *sb* ødselhed; overflod.
prog [prɔg] S *fk proctor, vb: be progged* få ordre til at stille hos proctor.
progenitor [prə'dʒenitə] *sb* forfader.
progeny ['prɔdʒini] *sb* afkom, efterkommere.
prognosis [prɔg'nousis] *sb* prognose.
prognostic [prɔg'nɔstik] *adj* prognostisk, varslende; *sb* tegn, symptom. **prognosticate** [prɔg'nɔstikeit] *vb* forudsige, spå, varsle. **prognostication** [prɔgnɔsti'keiʃən] *sb* forudsigelse, spådom; tegn, varsel. **prognosticator** [prɔg'nɔstikeitə] *sb* spåmand.
program (især *am*) = programme.
programme ['prougræm] *sb* program; (ved bal) balkort; *vb* lægge program for; programmere; *-d* programmeret *(fx teaching* undervisning).
programme| engineer (i radio) tekniker. ~ **parade** programoversigt.
programmer ['prougræmə] *sb* programmør.
I. progress ['prougres, *am:* 'prɔgres] *sb* fremskridt, fremgang; fremrykken; fremtrængen, udbredelse *(fx of new ideas)*; gang *(fx of events)*, forløb *(fx of a disease, of negotiations)*, udvikling; *(hist.)* rejse, færd; kongelig rundrejse, gæsteri; inspektionsrejse; *in* ~ i gang, under udførelse, under udarbejdelse; *be in* ~ (også:) gå for sig; *preparations are in* ~ der er ved at blive truffet forberedelser; *make* ~ gøre fremskridt; *make slow* ~ skride langsomt frem.
II. progress [prə'gres] *vb* gå fremad; skride fremad, udvikle sig; gøre fremskridt; *be -ing* (om patient) være i bedring.
progression [prə'greʃ(ə)n] *sb* fremskriden, fremgang; *(mat.)* progression; række; *se arithmetical (, geometrical)* ~.
progressional [prə'greʃənəl] *adj* fremadskridende.
progressive [prə'gresiv] *adj* fremadskridende; tiltagende, voksende; progressiv; *(fig)* progressiv, fremskridtsvenlig, moderne indstillet; *sb* fremskridtsmand; ~ *taxation* progressiv beskatning.
progressively *adv* i stigende grad, mere og mere.
prohibit [prə'hibit] *vb* forbyde; (for)hindre *(from* i); *they are -ed from doing it* (også) det er dem forbudt at gøre det.
prohibition [prou(h)i'biʃən] *sb* forbud.
prohibitionist [prou(h)i'biʃənist] *sb* forbudstilhænger.
prohibitive [prə'hibitiv] *adj* prohibitiv; uoverkommelig *(fx price)*.
prohibitory [prə'hibitri] *adj* prohibitiv; forbuds- *(fx laws)*; ~ *sign* forbudstavle (færdselstavle).
I. project [prə'dʒekt] *vb* planlægge, projektere, udkaste

(plan om); (billede:) kaste, projicere *(fx a picture on to a screen)*; (sende af sted:) udskyde *(fx missiles)*; *(fig)* præsentere, fremstille, give et indtryk *(el.* billede) af; *(geom)* projicere; (uden objekt) rage frem *(fx the balcony -s over the pavement)*; (om skuespiller *etc)* få tag i (, komme i kontakt med) publikum *(fx during a show I make great efforts to ~, to come across)*; ~ *oneself into* sætte sig (ind) i *(fx his situation)*; ~ *a feeling on sby (psyk)* projicere en følelse over på en anden (ɔ: tillægge en anden en følelse man selv har).
II. project ['prɔdʒikt] *sb* plan, projekt.
projectile ['prɔdʒiktail] *sb* projektil; [prə'dʒektail] *adj* fremdrivende; kaste-.
projection [prə'dʒekʃ(ə)n] *sb. (cf I.* project*)* planlæggelse, projektering, udkast; projicering, projektion; udskydning; fremspringen; fremspring, fremstående del; *(geom, psyk)* projektion; *(tekn* også*)* projektionstegning.
projection booth *(am)* operatørrum.
projectionist [prə'dʒekʃnist] *sb* (film)operatør.
projection room operatørrum.
projector [prə'dʒektə] *sb* planlægger, ophavsmand; *(neds)* projektmager; (til belysning) projektør, lyskaster; (til film) films(forevisnings)apparat; (til lysbilleder) projektor, projektionsapparat.
prolapse ['proulæps] *sb (med.)* prolaps, fremfald; [prə-'læps] *vb* falde frem, udtræde.
prole [proul] *sb* **T** proletar.
prolegomena [proule'gomina] *sb pl* indledning.
proletarian [prouli'tɛəriən] *sb* proletar; *adj* proletar-, proletarisk.
proletariat [prouli'tɛəriət] *sb* proletariat.
proliferate [prə'lifəreit] *vb* formere sig ved knopskydning *el.* celledeling; *(fig)* formere *(el.* brede) sig hurtigt, vokse *(el.* øges) i hastigt tempo.
proliferation [prəlifə'reiʃ(ə)n] *sb* formering ved knopskydning *el* celledeling; *(fig)* hastig formering (, udbredelse, vækst); *nuclear* ~ spredning af atomvåben.
prolific [prə'lifik] *adj* frugtbar; frodig *(fx imagination)*; produktiv *(fx author)*; ~ *of* rig på.
prolix ['prouliks] *adj* omstændelig, langtrukken.
prolixity [prou'liksiti] *sb* omstændelighed, langtrukkenhed.
prologue ['proulog] *sb* fortale, prolog; *vb* indlede (med en prolog).
prolong [prə'lɔŋ] *vb* forlænge, prolongere; *-ed* (også) lang(varig); længere *(fx visit, period)*.
prolongation [proulɔŋ'geiʃ(ə)n] *sb* forlængelse.
prom T *fk promenade concert* promenadekoncert; *(am)* (skole)bal, studenterbal.
promenade ['prɔmina:d] *sb* spadseretur, ridetur, køretur; promenade; *vb* spadsere, promenere; (med objekt) promenere på (, i; med); fremvise.
Prometheus [prə'mi:θju:s].
prominence ['prɔminəns] *sb* fremspring, noget der rager frem *(el.* op); *(fig)* fremskudt stilling; betydelighed; *bring sth into ~, give sth ~* sætte (, bringe) noget i forgrunden.
prominent ['prɔminənt] *adj* fremstående; som rager frem, udstående *(fx teeth)*; *(fig)* iøjnefaldende *(fx landmark)*, fremtrædende *(fx his most ~ feature)*; (om person) fremragende, prominent; ~ *figure* (også) forgrundsfigur; ~ *people* honoratiores.
promiscuity [prɔmis'kju:iti] *sb* blandethed; virvar; tilfældighed; (seksuelt:) promiskuitet. **promiscuous** [prə'miskjuəs] blandet, forvirret, broget; tilfældig; (seksuelt:) som har stadigt skiftende erotiske forbindelser.
promise ['prɔmis] *sb* løfte, tilsagn; *(rel)* forjættelse; *vb* love, tilsige; *(fig)* love, give forventning om; tegne til; *of (great)* ~ (meget) lovende; *show (great)* ~ være (meget) lovende; *the land of ~, the -d land* det forjættede land; se også *breach, piecrust*.
promisee [prɔmi'si:] *sb (jur)* modtager af et løfte.
promising ['prɔmisin] *adj* lovende; håbefuld.
promisor ['prɔmisə, prɔmi'sɔ:] *sb (jur)* løftegiver.
promissory ['prɔmisəri] *adj* som rummer et løfte; ~ *note* egenveksel, solaveksel.
promontory ['prɔməntri] *sb* forbjerg.
promote [prə'mout] *vb* (om sag) arbejde for, virke for *(fx world peace)*, fremme *(fx international understanding)*,

støtte *(fx a bill* et lovforslag), ophjælpe, sætte i gang, (om handelsselskab) stifte; (om vare) søge at fremme salget af, reklamere for; (om person) forfremme, (om elev, sportshold) rykke op; ~ *a pawn* (i skak) forvandle en bonde til officer; *be -d over sby's head* springe forbi en i avancement.
promoter [prə'moutə] *sb* en der arbejder *(el.* virker) for noget; ophjælper; støtter *(fx* af lovforslag); ophavsmand; (merk, af selskab) stifter; (for boksekamp) promotor.
promotion [prə'mouʃ(ə)n] *sb (cf promote)* virke *(af* for), fremme *(af* af), ophjælpning, støtte; (af handelsselskab) stiftelse; *(mht* vare: *sales ~)* salgsfremmende foranstaltninger; reklame; (om person) forfremmelse, (om elev, sportshold) oprykning; *-s pl (am* også*)* reklametryksager, reklamer.
prompt [prɔm(p)t] *adj* hurtig, omgående, prompte *(fx reply)*; (om person) hurtig, rask, villig *(to* til at); *adv* omgående, prompte, præcis; *vb* tilskynde, bevæge, drive, få *(to* til at, *fx what -ed him to say that?)*; fremkalde, foranledige *(fx what -ed his reaction?)*; *(teat)* sufflere, *(fig)* hjælpe og glæde, give stikord; *sb* påmindelse; *(merk)* frist; *(teat)* = ~ *side*.
prompt| book *(teat)* sufflørbog. **~ box** *(teat)* sufflørkasse.
prompter [prɔm(p)tə] *sb (teat)* sufflør.
promptitude ['prɔm(p)titju:d] *sb* beredvillighed, raskhed.
prompt side *(teat)* (i England oftest) dameside (ɔ: højre side af scenen set fra publikum), *(am* oftest) kongeside.
promulgate ['prɔm(ə)lgeit, *(am* også) prɔ'mʌlgeit] *vb* kundgøre; promulgere, offentliggøre (en ny lov); forkynde, udbrede *(fx a creed)*.
promulgation [prɔm(ə)l'geiʃ(ə)n] *sb* kundgørelse, promulgering; offentliggørelse; forkyndelse.
pron. *fk pronoun*.
prone [proun] *adj* liggende på maven *(el.* på ansigtet), liggende udstrakt; tilbøjelig *(to* til (at), *fx he is ~ to be inconsiderate)*; *(glds)* rede, villig.
proneness ['prounnis] *sb* tilbøjelighed.
prong [prɔŋ] *sb* spids; tand (på en rive), gren (på en gaffel), ben (på en stikkontakt); (på gevir) sprosse, tak; spids, ende; *(agr)* fork, greb; *vb* løfte med en fork; spidde på en fork.
-pronged [prɔŋd] -grenet.
pronghorn ['prɔŋhɔ:n] *sb zo* prærieantilope.
pronominal [prə'nɔminəl] *adj* pronominal.
pronoun ['prounaun] *sb (gram.)* pronomen, stedord.
pronounce [prə'nauns] *vb* udtale; erklære *(fx the doctor -d him free from infection)*; ~ *judgment (, sentence)* afsige dom; ~ *judgment on (fig)* fælde dom over; ~ *on* udtale sig om.
pronounced [prə'naunst] *adj* udtalt, tydelig, umiskendelig, udpræget.
pronouncement [prə'naunsmənt] *sb* udtalelse, erklæring; (doms)afsigelse.
pronto ['prɔntou] *adv* **S** omgående, med det samme.
pronunciation [prənʌnsi'eiʃ(ə)n] *sb* udtale.
I. proof [pru:f] *sb* bevis; prøve *(fx stand the ~* bestå sin prøve); *(mht* alkohol) styrke, styrkegrad; *(fot)* prøvebillede; *(typ)* korrektur, korrekturark; (af billede) prøvetryk; ~ *of a claim) in bankruptcy* anmeldt fordring i konkursbo; *in ~ of* til bevis for; *put to the ~* sætte på prøve; *the ~ of the pudding is in the eating (omtr)* først når man har gennemprøvet en ting i praksis kan man udtale sig om den.
II. proof [pru:f] *adj* uigennemtrængelig, tæt, fast, sikker, skudsikker; (om spiritus) med normal alkoholprocent; *(fig)* uimodtagelig *(against* for); *be ~ against* kunne modstå, ikke påvirkes af.
III. proof [pru:f] *vb* imprægnere.
proof|reader korrekturlæser. **-reading** korrekturlæsning. **-sheet** korrekturark. **~ spirit** spiritus med en alkohol (volumen)procent på 57,10.
I. prop. *fk propeller; properly; property; proposition*.
II. prop [prɔp] *sb* støtte; stiver; *-s pl (teat)* rekvisitter; *vb:* ~ *(up)* støtte, afstive, holde oppe.
propaedeutic [proupi'dju:tik] *adj* propædeutisk, forberedende; *-s sb* propædeutik, forskole.
propaganda [prɔpə'gændə] *sb* propaganda, agitation.

propagandist [prɔpə'gændist] *sb* propagandist, agitator; *adj* agitatorisk, propagandistisk.
propagandize [prɔpə'gændaiz] *vb* propagandere (for), agitere (for); drive propaganda (i).
propagate ['prɔpəgeit] *vb (biol)* forplante; formere; *(fig)* forplante *(fx sound)*; udbrede, sprede *(fx ideas)*; føre videre; (uden objekt) forplante sig, formere sig; brede sig.
propagation [prɔpə'geiʃən] *sb* forplantning, formering, udbredelse.
propel [prə'pel] *vb* drive frem.
propellant [prə'pelənt] *sb* drivstof, drivmiddel.
propeller [prə'pelə] *sb (flyv)* propel; *(mar)* drivskrue, skibsskrue.
propeller shaft (i bil) kardanaksel; *(flyv)* propelaksel; *(mar)* skrueaksel.
propensity [prə'pensiti] *sb* hang, tilbøjelighed.
proper ['prɔpə] *adj* rigtig *(fx the ~ way to do it; a ~ gun, not a toy one)*; ret, korrekt, forsvarlig; egnet, passende *(for for, fx clothes ~ for the occasion)*, behørig; *(mht* opførsel, moral) anstændig, sømmelig *(fx behaviour)*, (neds) artig, dydig, moralsk *(fx she leads the men on, and then she suddenly turns prim and ~ on them)*; T eftertrykkelig, ordentlig *(fx get a ~ hiding)*, komplet *(fx a ~ idiot)*; (efterstillet:) egentlig *(fx Italy ~* det egentlige Italien); **~ to** særegen for, ejendommelig for; som anstår sig for.
proper fraction ægte brøk.
properly ['prɔpəli] *adv* egentlig; rigtigt *(fx I want to do it ~)*; passende, sømmelig, ordentligt *(fx do try to behave ~)*; T ordentlig, rigtigt, komplet *(fx he has ~ messed it up)*.
proper | motion *(astr)* egenbevægelse. **~ name, ~ noun** *(gram.)* egennavn, proprium.
propertied ['prɔpətid] *adj* besiddende *(fx the ~ classes)*.
property ['prɔpəti] *sb* ejendom, besiddelse; (det man ejer:) ejendele, gods, (land)ejendom; *(jur)* ejendomsret *(in* til; *fx abolish private ~)*; (i logik *etc)* egenskab; *(teat)* rekvisit; *crime against ~ (jur)* berigelsesforbrydelse; *a man of ~* en velhavende mand.
property | man *(teat)* rekvisitør. **~ tax** formueskat.
prophecy ['prɔfisi] *sb* profeti, spådom.
prophesier ['prɔfisaiə] *sb* profet, spåmand.
prophesy ['prɔfisai] *vb* spå, profetere.
prophet ['prɔfit] *sb* profet, spåmand.
prophetic(al) [prə'fetik(l)] *adj* profetisk.
prophylactic [prɔfi'læktik] *(med.) adj* forebyggende; profylaktisk; *sb* forebyggende middel.
prophylaxis [prɔfi'læksis] *sb (med.)* forebyggende behandling, profylakse.
propinquity [prə'piŋkwiti] *sb* nærhed; slægtskab.
propitiate [prə'piʃieit] *vb* forsone, formilde; stemme gunstigt.
propitiation [prəpiʃi'eiʃən] *sb* forsoning, formildelse.
propitiatory [prə'piʃiətri] *adj* forsonende; forsonlig.
propitious [prə'piʃəs] *adj* gunstig; nådig.
prop-jet ['prɔpdʒet] *sb:* **~ engine** turboprop motor, turbinepropelmotor.
proponent [prə'pounənt] *sb* forslagsstiller; fortaler *(fx a strong ~ of* (for) *entry into the Common Market)*.
I. proportion [prə'pɔ:ʃ(ə)n] *sb* del *(fx a large ~ of the population)*; forhold *(fx a ~ of one to three)*; (også *mat.*) proportion, (i regning) forholdsregning, reguladetri; **-s** *pl* proportioner *(fx* of (med) *fine -s)*; (også *fig)* dimensioner; *in ~ as* alt eftersom; *in ~* to i forhold til; *be out of ~* to ikke stå i (noget rimeligt) forhold til; *it is out of ~* *(fig)* det er overdrevet, det er urimeligt.
II. proportion [prə'pɔ:ʃ(ə)n] *vb* afpasse, proportionere, *(glds)* tildele, uddele.
proportionable [prə'pɔ:ʃənəbl] *adj* som lader sig afpasse; forholdsmæssig; proportional.
proportional [prə'pɔ:ʃənl] *adj* forholdsmæssig, proportional; *sb* forholdstal; **~ to** i forhold til; proportional med.
proportional representation *(parl)* mandatfordeling efter forholdstalsvalg; forholdstalsvalgmåde.
proportionate [prə'pɔ:ʃnit] *adj:* **be ~ to** stå i (et rimeligt) forhold til.
proposal [prə'pouzl] *sb* forslag; frieri.

propose [prə'pouz] *vb* foreslå, (til myndighed også) indstille, (i debat også) forelægge, fremsætte *(fx a resolution)*; (om hensigt) have i sinde, agte *(fx I ~ to leave tomorrow)*; (uden objekt) fri *(to* til, *fx he -d to her)*; **~** *a toast* udbringe en skål; *man -s God disposes* mennesket spår men Gud rå'r.
I. proposition [prɔpə'ziʃ(ə)n] *sb* forslag, plan; (i logik) sætning, dom, *(mat.)* sætning; (især *am)* S (uanstændigt) tilbud; T sag, foretagende, »historie«; *a paying ~* noget der betaler sig, noget der er penge i; *he is a tough ~* T han er ikke god at bide skeer med.
II. proposition [prɔpə'ziʃ(ə)n] *vb* (især *am)* S fremsætte et uanstændigt tilbud til; *(merk)* foreslå, tilbyde, give tilbud om; *he was -ed by the firm* han fik et tilbud fra firmaet.
propound [prə'paund] *vb* forelægge, fremlægge; foreslå.
proprietary [prə'praiətri] *adj* ejendoms-; i privat eje; *(merk)* navnebeskyttet; *no ~ rights are claimed in this product* der gøres intet retsbeskyttelseskrav gældende for denne frembringelse.
proprietary| medicine medicinsk specialitet. **~ name** indregistreret navn.
proprietor [prə'praiətə] *sb* ejer; ejendomsbesidder.
propriety [prə'praiəti] *sb* rigtighed, berettigelse, hensigtsmæssighed, betimelighed *(fx I doubt the ~ of doing that)*; sømmelighed, velanstændighed *(fx he took care not to offend against ~)*; korrekthed; *the proprieties* de konventionelle former; konventionen.
props [prɔps] *sb pl* T teaterrekvisitter.
propulsion [prə'pʌlʃən] *sb* fremdrivning.
propulsive [prə'pʌlsiv] *adj* fremdrivende, driv-.
pro rata [prou'reitə] pro rata, forholdsmæssig.
prorate [prou'reit] *vb (am)* fordele (, bedømme) forholdsmæssigt.
prorogation [prourə'geiʃ(ə)n] *sb* hjemsendelse (ved slutn. af en parlamentssamling).
prorogue [prə'roug] *vb* hjemsende.
prosaic [prə'zeiik] *adj* prosaisk; *(fig)* poesiforladt, kedelig.
proscenium [prə'si:njəm] *sb* proscenium.
proscenium box proscenienisloge.
proscribe [prə'skraib] *vb* gøre fredløs, proskribere; forbyde, fordømme.
proscription [prə'skripʃən] *sb* proskription; fordømmelse; forbud.
prose [prouz] *sb* prosa; *vb* tale kedeligt.
prosecute ['prɔsikju:t] *vb* forfølge, fortsætte (og fuldføre) *(fx an investigation)*; drive, udøve *(fx a trade)*; *(jur)* sagsøge, anlægge sag (mod); (i kriminalsag) anklage, rejse tiltale (mod); fungere som anklager; *trespassers will be -d* adgang forbydes uvedkommende, adgang forbudt.
prosecution [prɔsi'kju:ʃ(ə)n] *sb (cf prosecute)* forfølgelse; udøvelse *(fx in the ~ of his duties)*; *(jur)* sagsøgning, søgsmål; retsforfølgning, anlæg; aktorat; anklagemyndighed; *counsel for the ~* anklager; *Director of Public Prosecutions* (svarer til) rigsadvokat.
prosecutor ['prɔsikju:tə] *sb* klager, sagsøger; anklager; (se også *public ~)*.
proselyte ['prɔsilait] *sb* omvendt, proselyt; *vb =* **proselytize** ['prɔsilaitz] *vb* hverve proselytter, omvende.
prosody ['prɔsədi] *sb* prosodi, metrik.
I. prospect ['prɔspekt] *sb* udsigt *(of* til); sted hvor der er udsigt til at finde olie (, malmlejer *etc)*; T (om person) kundeemne, mulig deltager i konkurrence, ansøger til stilling *osv; presidential ~* præsidentemne.
II. prospect [prə'spekt] *vb* foretage undersøgelser i jorden for at finde olie, malmlejer *osv;* **~** *for* søge efter *(fx gold)*; **~** *for oil* (også) bore efter olie.
prospective [prə'spektiv] *adj* fremtidig, vordende; som haves i udsigt, ventet, eventuel; **~** *customer* kundeemne.
prospector [prə'spektə] *sb* en der søger efter metallejer *etc,* en der borer efter olie; guldsøger.
prospectus [prə'spektəs] *sb* prospekt, program; *(merk)* indbydelse til aktietegning.
prosper ['prɔspə] *vb* have held med sig; have fremgang, (om foretagende *etc* også) lykkes, trives, blomstre; (med objekt, *litt)* begunstige, bringe held.
prosperity [prɔs'periti] *sb* held, lykke, fremgang, velstand.
prosperous ['prɔspərəs] *adj* heldig, lykkelig; velstående;

(om foretagende også) blomstrende *(fx business)*; (om tidspunkt) gunstig.

prostate ['prɔsteit] *adj, sb (anat)*: ～ *(gland)* prostata.

prosthesis ['prɔsθisis] *sb* (fremstilling *el.* tilpasning af) protese.

prostitute ['prɔstitjuːt] *vb* prostituere, vanære; misbruge *(fx one's abilities)*; *sb* prostitueret, skøge. **prostititution** [prɔsti'tjuːʃən] *sb* prostitution; misbrug.

I. prostrate ['prɔstreit] *adj* henstrakt; slået til jorden, liggende (i støvet); *(fig)* udmattet; knust, lammet *(fx with grief)*; ydmyget; ydmyg, næsegrus *(fx adoration)*.

II. prostrate [prɔ'streit] *vb* fælde, strække til jorden; *(fig)* kuldkaste, omstyrte, ødelægge; udmatte, lamme; ～ *oneself* kaste sig i støvet, bøje sig dybt.

prostration [prɔ'streiʃən] *sb* kasten sig i støvet, knælen, knæfald; fornedrelse, omstyrtelse; nedtrykthed; afkræftelse.

prosy ['prouzi] *adj* prosaisk, kedelig, langtrukken.

protagonist [prou'tægənist] *sb* (i drama *etc)* hovedperson, ledende skikkelse; *(fig)* talsmand; forkæmper.

protean [prou'tiːən] *adj* proteusagtig; omskiftelig, stadig skiftende.

protect [prə'tekt] *vb* beskytte, værne *(from* mod); frede; *(økon)* beskytte; *(merk)* honorere *(fx a bill* en veksel; *a draft* en tratte).

protection [prə'tekʃ(ə)n] *sb* beskyttelse, værn; *(assur)* forsikringsdækning; *(økon)* toldbeskyttelse; (dokument:) lejdebrev; pas; *(am)* betaling til gangstere for »beskyttelse«.

protectionism [prə'tekʃənizm] *sb* protektionisme.

protectionist [prə'tekʃənist] *sb* protektionist.

protective [prə'tektiv] *adj* beskyttende; beskyttelses- *(fx colouring* farve; *tariff* told); ～ *custody* beskyttelsesarrest.

protector [prə'tektə] *sb* beskytter; protektor, rigsforstander; *Lord Protector* den af Cromwell antagne titel.

protectorate [prə'tektrit] *sb* protektorat.

protégé ['prouteʒei] *sb* protégé.

protein ['proutiːn] *sb* protein.

pro tem. *fk pro tempore* for tiden, p. t.

I. protest [prə'test] *vb* protestere, gøre indsigelse, gøre indvendinger *(against* imod, *fx I* ～ *against the proposal)*; påstå, forsikre *(fx he -ed that he was innocent)*, (energisk) hævde, erklære; *(merk)*: ～ *a bill* protestere en veksel.

II. protest ['proutest] *sb* indsigelse, indvending; protest; *(merk; mht* veksel) protest; *(jur)*: *captain's* ～ søforklaring; *make (el. lodge) a* ～ nedlægge protest.

Protestant ['prɔtistənt] *sb* protestant; *adj* protestantisk.

Protestantism ['prɔtistəntizm] *sb* protestantisme.

protestation [proute'steiʃ(ə)n, prɔ-] *sb* forsikring, (højtidelig) erklæring; protest.

Proteus ['proutjuːs].

prothorax [prou'θɔːræks] *sb zo* (insekts) forbryst.

protocol ['proutəkɔl] *sb* protokol; etikette(regler); *vb* protokollere.

proton ['prouton] *sb (fys)* proton.

proto|plasm ['proutəplæzm] protoplasma. **-type** ['proutətaip] forbillede, prototype; mønster. **-zoan** [proutə'zouən] urdyr, protozo.

protract [prə'trækt] *vb* forlænge, trække ud, forhale; (i landmåling) tegne; *-ed* langtrukken, langvarig.

protraction [prə'trækʃən] *sb* forhaling, trækken i langdrag; forlængelse.

protractor [prə'træktə] *sb* (til tegning *etc)* transportør, vinkelmåler.

protrude [prə'truːd] *vb* skyde frem, rage frem; stikke frem *(el.* ud).

protruding [prə'truːdiŋ] *adj* udstående *(fx eyes)*; fremstående, som stikker frem.

protrusion [prə'truːʒən] *sb* det at stikke frem, fremspring. **protuberance** [prə'tjuːbərəns] *sb* fremspring, bule, udvækst; *(astr)* protuberans.

protuberant [prə'tjuːbərənt] *adj* udstående, fremstående.

proud [praud] *adj* stolt; hovmodig; *(poet)* stolt, prægtig; *do oneself* ～ spise godt, flotte sig; *do sby* ～ **T** beværte en godt; diske op for en; hædre en; ～ *flesh (med.)*dødt kød (i sår).

provable ['pruːvəbl] *adj* bevislig.

prove [pruːv] *vb* vise sig at være *(fx the story -d false)*, blive *(fx the play -d a success)*; (med objekt) bevise, godtgøre *(fx his guilt)*; påvise; afprøve, prøvekøre; efterprøve (gyldigheden af), (i regning) gøre prøve på; (om dej) lade efterhæve; *(glds)* prøve *(fx his worth)*; erfare, gennemgå; ～ *oneself,* ～ *itself* vise sit værd, bevise sin værdi *(fx this method has -d itself)*; ～ *oneself (to be)* vise sig som, vise sig at være *(fx he -d himself to be a true friend)*; *the exception -s the rule* undtagelsen bekræfter reglen; ～ *true* vise sig at være sand, blive bekræftet, slå til; *a -d will* et stadfæstet *(el.* konfirmeret) testamente; (se også *hilt)*.

proven ['pruːvn] *adj* (skotsk, *jur)* bevist.

provenance ['prɔvinəns] *sb* oprindelse, proveniens.

provender ['prɔvində] *sb* foder.

proverb ['prɔvə(ː)b] *sb* ordsprog; *the (Book of)* Proverbs Salomos ordsprog.

proverbial [prə'vɔːbjəl] *adj* ordsprogsagtig; som er nævnt (, indeholdt) i ordsprog; *(fig)* legendarisk *(fx his* ～ *stinginess)*.

provide [prə'vaid] *vb* sørge for, skaffe, tilvejebringe *(fx the necessary funds)*, stille til rådighed *(fx a horse)*, give *(fx the tree -d shade)*; forsyne, udstyre, udruste *(with* med, *fx they were all -d with guns)*; *(jur)* foreskrive, bestemme, stille som betingelse; ～ *against* tage forholdsregler mod, sikre sig mod; forbyde; ～ *for* drage omsorg for, sørge for *(fx one's children)*; tage hensyn til *(fx possible risks)*; *(jur)* tillade.

provided [prə'vaidid] *conj.:* ～ *(that)* forudsat (at), på betingelse af at.

providence ['prɔvidəns] *sb* forsyn; forsynlighed, forudseenhed; *Providence* forsyn(et). **provident** ['prɔvidənt] *adj* forsynlig, sparsommelig; ～ *fund* hjælpefond.

providential [prɔvi'denʃl] *adj* forsynets, bestemt af forsynet, guddommelig; *he had a* ～ *escape* det var et Guds under at han undslap.

providentially [prɔvi'denʃli] *adv* ved forsynets styrelse, lykkeligt.

provider [prə'vaidə] *sb* leverandør; forsørger; *he has always been a good* ～ han har altid sørget godt for sin familie.

providing [prə'vaidiŋ] *conj* forudsat (at).

province ['prɔvins] *sb* provins; område *(fx this is not within my* ～); distrikt; *(fig)* fag, felt; *the -s* (også) provinsen.

provincial [prə'vinʃl] *adj* provinsiel, provins-; *sb* provinsboer.

provincialism [prə'vinʃəlizm], **provinciality** [prəvinʃi'æliti] *sb* provinsialisme.

proving ['pruːviŋ] *sb (tekn)* afprøvning, (også edb) prøvekørsel. **proving | flight** prøveflyvning. ～ **ground** prøvebane (for biler); (for våben *etc)* forsøgsområde.

provision [prə'viʒ(ə)n] *sb (cf provide)* tilvejebringelse, anskaffelse; *(mht* familie) forsørgelse, underhold; *(jur)* bestemmelse; *vb* forsyne (med proviant), proviantere; *-s pl* forsyninger, forråd; proviant, levnedsmidler; *make* ～ *against* træffe forholdsregler imod; *make* ～ *for* sørge for.

provisional [prə'viʒən(ə)l] *adj* midlertidig, foreløbig, provisorisk, interimistisk.

provision| dealer, ～ **merchant** viktualiehandler. ～ **shop** fødevareforretning.

proviso [prə'vaizou] *sb* klausul, forbehold, betingelse.

provisory [prə'vaizəri] *adj* foreløbig; betinget.

provocation [prɔvə'keiʃ(ə)n] *sb* udfordring, udæskning; provokation; *on the slightest* ～ ved den mindste anledning, for et godt ord.

provocative [prə'vɔkətiv] *adj* udfordrende, udæskende, provokerende; æggende; *he* ～ *of* fremkalde.

provoke [prə'vouk] *vb* fremkalde *(fx a crisis)*, vække *(fx laughter)*; (om person) anspore, tilskynde *(to* til at, *fx* ～ *him to do it)*; *(neds)* provokere; udfordre, udæske; ærgre, irritere.

provoking [prə'voukiŋ] *adj* irriterende, ærgerlig, harmelig; (se også *provocative)*.

provost ['prɔvəst] *sb* rektor (ved visse universitetskollegier); (skotsk) borgmester.

provost marshal chef for militærpolitiet.

prow [prau] *sb (mar)* forstavn.

prowess ['prauis] *sb (litt)* kækhed, tapperhed; dygtighed, overlegenhed.
prowl [praul] *vb* snuse om (i), strejfe om (i), luske om (på rov); *sb* strejftog.
prowl car *(am)* (politi)patruljevogn.
prowler ['praula] *sb* en der lusker omkring; listetyv.
prox. [proks] *fk proximo.*
proximate ['proksimit] *adj* nærmest.
proximity [prok'simiti] *sb* nærhed; *in close ~ to* i umiddelbar nærhed af; *~ of blood* nært slægtskab.
proximity fuse *(mil.)* radiobrandrør.
proximo ['proksimou] i næste måned.
proxy ['proksi] *sb* fuldmægtig, befuldmægtiget, stedfortræder *(fx marry by ~)*; fuldmagt.
prude [pru:d] *sb* snerpe, sippe.
prudence ['pru:dns] *sb* klogskab.
prudent ['pru:dnt] *adj* klog.
prudential [pru(:)'denʃl] *adj* klogskabs-, forsigtigheds- *(fx reasons)*; klog, forsigtig *(fx policy).*
prudery ['pru:dəri] *sb* snerperi, sippethed.
prudish ['pru:diʃ] *adj* snerpet, sippet.
I. prune [pru:n] *vb* beskære, klippe (træer, planter); *(fig)* nedskære *(fx expenses)*; forkorte; *~ away* skære bort, fjerne, stryge; *~ down* nedskære, forkorte.
II. prune [pru:n] *sb* sveske; *adj* blommefarvet; *prunes and prisms* affekteret optræden *(el.* måde at tale på).
prunella [pru'nelə] *sb* brunel (uldstof).
pruning| knife gartnerkniv, beskæreknɪv. *~* **shears** *pl* beskæresaks.
prurien|ce, -cy ['pruəriəns, -si] *sb* liderlighed, lystenhed.
prurient ['pruəriənt] *adj* lysten, liderlig.
Prussia ['prʌʃə] Preussen. **Prussian** ['prʌʃən] *adj* preussisk; *sb* preusser; *~ blue* berlinerblå.
prussic ['prʌsik] *adj: ~ acid* blåsyre.
I. pry [prai] *vb* snuse, spionere; *~ into* snage i, stikke sin næse i; (se også *Paul Pry).*
II. pry *= II. prize.*
prying ['praiiŋ] *adj (neds)* nyfigen, nysgerrig, som stikker næsen i andre folks sager.
P. S. *fk postscript; (teat)* prompt side.
Ps. *fk Psalms.*
psalm [sa:m] *sb* salme (især om Davids salmer); *the (Book of) Psalms* Davids salmer.
psalmist ['sa:mist] *sb* salmist; salmedigter.
psalmody ['sælmədi] *sb* salmesang; salmebog (med melodier).
psalter ['so:ltə] *sb* psalter(ium), Davids salmer.
psalterium [so:l'tiəriəm] *sb zo* bladmave, foldemave.
psaltery ['so:ltəri] *sb (glds)* psalter (musikinstrument).
psephologist [si:'folədʒist] *sb* ekspert i valganalyse.
psephology [si:'folədʒi] *sb* valganalyse.
pseudo- ['sju:dou] (i *sms)* pseudo-, falsk, uægte.
pseudonym ['sju:dənim] *sb* pseudonym.
pseudonymous [sju:'dɒniməs] *adj* pseudonym.
pshaw [(p)ʃɔ:] *interj* pyt; *vb* sige pyt til, blæse ad.
psittacosis [psitə'kousis] *sb (med.)* papegøjesyge.
psoriasis [sɔ'raiəsis] *sb (med.)* psoriasis.
psyche ['saiki] *sb* psyke, sjæl.
psychedelic [saiki'delik] *adj* psykedelisk, psykodelisk, bevidsthedsudvidende, sindsudvidende.
psychiatric [saiki'ætrik] *adj* psykiatrisk.
psychiatrist [sai'kaiətrist] *sb* psykiater.
psychiatry [sai'kaiətri] *sb* psykiatri.
psychic ['saikik] *adj* psykisk; mediumistisk; *sb* medium; *~ bid* (i kortspil) bluffmelding; psykologisk melding.
psychical ['saikikəl] *adj* psykisk, sjælelig; *~ research* psykisk forskning.
psychoactive [saikou'æktiv] *adj: ~ drugs* psykofarmaka, medicin der påvirker psyken.
psycho|analysis [saikouə'nælisis] *sb* psykoanalyse. **-analyst** [-'ænəlist] *sb* psykoanalytiker. **-analytic** [-ænə'litik] *adj* psykoanalytisk. **-analyze** [-'ænəlaiz] *vb* psykoanalysere. **-logic(al)** [saikə'lɒdʒik(l)] *adj* psykologisk. **-logist** [sai'kɒlədʒist] *sb* psykolog. **-logy** [sai'kɒlədʒi] *sb* psykologi. **-path** ['saikoupæθ] *sb* psykopat. **-pathic** [saikou'pæθik] *adj* psykopatisk.
psychos|is [sai'kousis] *sb (pl -es* (-i:z)) psykose.
psycho|somatic [saikəsə'mætik] *adj* psykosomatisk. **-the-**

rapy ['saikə'θerəpi] *sb* psykoterapi.
psychotic [sai'kotik] *adj* psykotisk.
P. T. *fk Physical Training.*
Pt. *fk Part; Port.*
pt. *fk pint(s), point, payment.*
p. t. *fk pro tempore* p. t., for tiden.
ptarmigan ['ta:migən] *sb zo* fjeldrype.
P. T. boat motortorpedobåd.
Pte. *fk private* (= menig).
pterodactyl [terou'dæktil] *sb zo (hist.)* flyveøgle.
ptisan [ti'zæn] *sb* afkog af byg.
P. T. O. *fk please turn over!* vend!
ptolemaic [tɒli'meiik] *adj* ptolemæisk.
Ptolemy ['tɒlimi] Ptolemæus.
ptomaine ['toumein] *sb* liggift; *~ poisoning* kødforgiftning.
P. U. *fk power unit.*
pub [pʌb] *sb (fk public house)* kro, værtshus.
pub-crawl ['pʌb'krɔ:l] *vb* S gå fra værtshus til værtshus, bumle, ture rundt på beværtninger.
puberty ['pju:bəti] *sb* pubertet.
pubescence [pju'besns] *sb* pubertetsalder; *(biol)* dun, hår.
pubescent [pju'besnt] *adj* i pubertetsalderen; *(biol)* dunhåret.
public ['pʌblik] *adj* offentlig *(fx park; scandal; figure* personlighed); almindelig, almen *(fx the ~ good)*; stats-, samfunds-; *sb* publikum; *the (general) ~* publikum, offentligheden, *(glds)* almenheden; *contrary to the ~ interest* stridende mod offentlighedens interesse; *in ~* offentligt; *in the ~ service* i statens tjeneste; *in the ~ street* på åben gade; *make ~* offentliggøre, gøre almindelig bekendt; *open to the ~* offentlig tilgængelig.
public address system højttaleranlæg.
publican ['pʌblikən] *sb* værtshusholder; *(hist.)* skatteforpagter; (i biblen) tolder.
publication [pʌbli'keiʃ(ə)n] *sb (cf publish)* (af skrift) publicering, offentliggørelse, udgivelse, udsendelse, (det udgivne:) udgivelse, publikation, skrift, blad, bog; (af meddelelse) offentliggørelse, bekendtgørelse, meddelelse; *(jur,* af injurier *etc)* udbredelse.
public| enemy samfundsfjende, offentlighedens fjende. *~* **house** kro, værtshus.
publicist ['pʌblisist] *sb* politisk journalist, publicist, kommentator; folkeretsekspert; pressesekretær.
publicity [pʌ'blisiti] *sb* offentlighed; offentlig omtale; reklame; *newspaper ~* avisomtale; *get a lot of ~* blive meget omtalt; blive (stærkt) opreklameret.
publicity| agent propagandachef, reklameagent. *~* **department** reklameafdeling. *~* **drive** reklamekampagne.
publicize ['pʌblisaiz] *vb* gøre offentlig kendt, gøre til genstand for offentlig omtale, omtale; reklamere for.
public| library folkebibliotek. *~* **-minded** besjælet af samfundsånd. *~* **nuisance** se *nuisance.* *~* **opinion** den offentlige mening. *~* **opinion poll** opinionsundersøgelse. *~* **prosecutor** *(jur)* offentlig anklager; statsadvokat.
Public Records Office (svarer til) rigsarkiv.
public| relations public relations, kontakt med publikum. *~* **relations department** propagandaafdeling. *~* **relations officer** pressechef, public-relationsmand. *~* **school** i England især om visse store eksklusive kostskoler som Eton, Rugby og Harrow; (i Amerika og Skotland) offentlig skole. *~* **servant** embedsmand. *~* **services** *pl,* se *(public) utility.* *~* **spirit** samfundsånd, borgersind, patriotisme. **-spirited** besjælet af samfundsånd. *~* **utility** se *utility.* *~* **works** *pl* offentlige arbejder.
publish ['pʌbliʃ] *vb* (om forfatter) publicere, offentliggøre *(fx an article)*, udgive *(fx he has not -ed anything lately; ~ a novel)*, udsende; (om forlag også) forlægge; (om avis) optage, bringe *(fx an article)*; (meddelelse:) offentliggøre *(fx the announcement of a death)*; bekendtgøre, meddele; (især *jur)* udbrede *(fx a libel)*; *be -ed* udkomme; *~ published by the author* (udkommet) på eget forlag; *-ed price* bogladepris.
publisher ['pʌbliʃə] *sb* forlægger; forlagsboghandler; *-'s* (også) forlags- *(fx binding, catalogue, price).*
publisher's reader forlagskonsulent.
publishing ['pʌbliʃiŋ] *sb* forlagsvirksomhed.
publishing| firm, *~* **house** (bog)forlag.
puce [pju:s] *adj* rødbrun, blommefarvet.

I. puck [pʌk] *sb* nisse; *Puck* Puk.
II. puck [pʌk] *sb* puck, gummiskive der bruges som bold i ishockey.
pucka ['pʌkə] *adj* god, førsteklasses, virkelig, ægte; ~ *gen* S autentiske oplysninger.
pucker ['pʌkə] *vb* rynke; rynke sig; slå folder; *sb* rynke, fold.
puckish ['pʌkiʃ] *adj* drilagtig, gavtyveagtig, troldsk.
pud [pʌd] *sb* barnehånd, pote; [pud] S *fk pudding.*
puddening ['pʌdniŋ] *sb (mar)* vurst, skamfilingsmåtte.
pudding ['pudiŋ] *sb* budding; efterret; dessert; *(mar)* = puddening.
pudding| face fuldmåneansigt. ~ **-faced** med fuldmåneansigt. ~ **-headed** tykhovedet.
puddle ['pʌdl] *sb* pøl, pyt; *vb* plumre, røre op i; ælte; tilsøle; søle, pjaske; (om jern:) pudle (omdanne råjern til svejsejern *el.* stål).
puddly ['pʌdli] *adj* mudret, plumret.
pudenda [pju'dendə] *sb* kønsdele.
pudge [pʌdʒ] *sb* (om person) lille prop.
pudgy ['pʌdʒi] *adj* lille og firskåren *(el.* fed).
pudsy ['pʌdzi] *adj* buttet, tyk.
pueblo [pu'eblou] *sb* by *el.* landsby (i spansk-amr. område); indianerlandsby; indianer.
puerile ['pjuərail] *adj* barnagtig.
puerility [pjuə'riliti] *sb* barnagtighed.
puerperal ['pju'ɔ:pərəl] *adj* barsel- *(fx fever).*
I. puff [pʌf] *sb* pust, vindpust; tøf, fut (fra lokomotiv); røgsky (fra pibe *etc),* drag (af pibe *etc);* pudderkvast; flødeskumskage, flødebolle; *(fig)* overdrevent rosende anmeldelse; (ublu) reklame; (på bog) klaptekst; *(am)* dyne.
II. puff [pʌf] *vb* puste, blæse; dampe (på pibe *etc);* bevæge sig pustende, (om lokomotiv) dampe, futte, tøffe; (med objekt) gøre forpustet; pudre; T gøre blæst af, gøre reklame for; ~ *and blow* puste og stønne; ~ *away at a cigar* dampe (løs) på en cigar; ~ *out* puste op, udspile; svulme op; gøre forpustet; (om lys) puste ud; gå ud (pludseligt); ~ *up* puste op; gøre opblæst; opreklamere; svulme op; puste i vejret.
puff| adder *zo* puf-hugorm, puffadder. **-ball** *(bot)* støvbold; bovist. ~ **bird** *zo* dovenfugl.
puffed [pʌft] *adj* forpustet.
puffed-up ['pʌft'ʌp] *adj* T opblæst; oppustet (i ansigtet).
puffer ['pʌfə] *sb* markskriger, reklamemager; (barnesprog) tøf-tøf; futtog.
puffery ['pʌfəri] *sb* reklame, opreklamering.
puffin ['pʌfin] *sb zo* lunde, søpapegøje.
puff| paste butterdej. ~ **sleeve** pufærme.
puffy ['pʌfi] *adj* forpustet; opsvulmet, oppustet; stødvis (om blæst).
I. pug [pʌg] *sb* ællet ler; *(arkit),* se *pugging;* (af dyr) spor; (hund) moppe, mops; *(jernb)* lille rangerlokomotiv; S *('ᵅ pugilist)* bokser.
II. pug [pʌg] *vb* (om ler) ælte; *(arkit)* forsyne med indskud.
pugg(a)ree ['pʌgəri] *sb* (let tørklæde omkring hat *el.* hoved til beskyttelse mod solen).
pugging ['pʌgiŋ] *sb (arkit)* indskud (i etageadskillelser); indskudsler.
pugh [pu:] *interj* puha! pøj! føj!
pugilism ['pju:dʒilizm] *sb* nævekamp, boksning.
pugilist ['pju:dʒilist] *sb* nævekæmper, bokser.
pugilistic [pju:dʒi'listik] *adj* bokse-.
pugnacious [pʌg'neiʃəs] *adj* stridbar, trættekær.
pugnacity [pʌg'næsiti] *sb* stridbarhed.
pug nose braknæse.
puisne ['pju:ni] *adj (jur)* yngre; underordnet.
puissance ['pju:isns] *sb (glds)* magt.
puissant ['pju:isnt] *adj (glds)* mægtig.
puke [pju:k] T *vb* brække sig; *sb* opkast, bræk.
pukka ['pʌkə], se *pucka.*
pulchritude ['pʌlkritju:d] *sb (litt)* skønhed.
pule [pju:l] *vb* klynke, pibe.
I. pull [pul] *vb* trække, hale, rive, rykke; (med objekt) rykke *(el.* trække) i *(fx his sleeve),* trække op *(fx a cork),* trække ud *(fx a tooth),* trække frem *(fx a knife);* (frugt *etc)* plukke; (båd) ro; *(typ)* aftrække, trække af

(fx a proof en korrektur, *a print* et aftryk), tage *(fx a trial proof* et prøvetryk), trykke; (om hest) holde igen på, holde tilbage (for at hindre den i at vinde); (om øl) tappe af; S arrestere; *(am* T) lave (noget dristigt) *(fx ~ a coup);* trække (stemmer *etc);*
(forb med sb, adj) ~ *devil* ~ *baker (fig)* tovtrækkeri; ~ *a long face* blive lang i ansigtet; ~ *faces* skære ansigt, lave grimasser; ~ *a fast one* lave et nummer; ~ *sby's hair* rykke en i håret; ~ *sby's leg,* se I. *leg;* ~ *an oar* ro; *the boat -s six oars* båden fører seks årer; ~ *a good oar* være en dygtig roer; ~ *to (el. in) pieces* rive i stykker; *(fig)* kritisere sønder og sammen, se IV. *punch;* ~ *one's rank on* S begynde at optræde som den overordnede over for, blive høj i hatten *(el.* storsnudet) over for; ~ *strings (el. wires)* trække i trådene; ~ *one's weight,* se *weight;*
(forb med præp og adv) ~ *about* maltraktere; ~ *apart* rive itu; *(fig)* kritisere sønder og sammen; ~ *at* bakke på *(fx a pipe);* drikke af; ~ *back* trække sig tilbage; ~ *down* rive ned *(fx a building);* (om)styrte *(fx a government);* ydmyge, pille ned; slå ned, gøre svag; (om priser) trykke, få til at falde; (om penge) tjene; ~ *for (am)* heppe op; ~ *in* standse, holde tilbage *(fx a horse);* (om bil) køre ind til siden, standse; (om tog) køre ind (på stationen); *(fig)* formindske, nedskære *(fx one's expenses);* indskrænke sine udgifter; S arrestere, tage; ~ *off* trække af, tage af; få fat på, have held med at gennemføre (, skrive, lave *etc*) *(fx ~ off a good speculation;* ~ *off a story);* fjerne sig; *he -ed it off* (også) han klarede den; ~ *on* trække på; ro løs; ~ *out* trække ud *(fx a tooth),* trække op el. frem; trække sig ud; gå ud, afgå; trækkes ud; (om tog, bil) køre ud; ~ *out of a dive (flyv)* rette maskinen op; ~ *over* trække over hovedet; ~ *over (to the side)* (om bil) trække ind til siden; ~ *round* komme sig; hjælpe igennem, kurere; ~ *through* komme igennem, klare sig (igennem), stå det igennem; (med objekt) hjælpe igennem; ~ *together* trække sammen; arbejde (godt) sammen, trække på samme hammel; ~ *oneself together* tage sig sammen; ~ *up* holde an, standse; *(fig)* give en irettesættelse; ~ *up to (el. with)* indhente, komme på højde med.
II. pull [pul] *sb* træk, ryk, tag; (det man holder i) håndtag, snor; *(fig)* tiltrækning(skraft); fordel; (af drik) drag, slurk; (af cigar *etc)* drag; (i båd) rotur; *(typ)* aftryk, aftræk; *give a ~ at the rope* rykke i rebet; *have (a)* ~ T have indflydelse, have gode forbindelser; *take a ~ at a bottle* tage en slurk af en flaske.
pullet ['pulit] *sb* ung høne, hønnike.
pulley ['puli] *sb* trisse, rulle, skive (i talje); remskive.
pull-in = *pull-up.*
Pullman ['pulmən] *sb* pullmanvogn.
pull-out ['pulaut] *sb (flyv.)* opretning (efter dyk); (i bog) planche til at folde ud; ~ *(supplement)* gemmesider (i blad).
pull|over ['pulouvə] *sb* pullover. ~ **-through** viskesnor.
pullulate ['pʌljuleit] *vb* spire; *(fig)* myldre frem; ~ *with (fig* også) være bristefærdig af.
pull-up ['pulʌp] *sb* raststed.
pulmonary ['pʌlmənəri] *adj* lunge- *(fx disease).*
pulp [pʌlp] *sb* blød masse; (af frugt) frugtkød; (i papirfabr.) papirmasse; (i tand) pulpa; *(am)* = *pulp magazine; vb* mase, støde; (i papirfabr.) defibrere, opløse; *beat to a ~ (fig)* mase til plukfisk.
pulpit ['pulpit] *sb* prædikestol.
pulp magazine billigt ugeblad, »kulørt hæfte«.
pulpwood ['pʌlpwud] *sb* cellulose; træ til fremstilling af cellulose.
pulpy ['pʌlpi] *adj* blød; (om frugt) kødfuld.
pulque ['pu:lkei] *sb* pulque (gæret agavesaft).
pulsate [pʌl'seit] *vb* banke, pulsere, slå; ryste.
pulsation [pʌl'seiʃ(ə)n] *sb* slag, banken, pulseren.
pulsatory ['pʌlsətri] *adj* bankende, pulserende.
I. pulse [pʌls] *sb* pulsslag, puls; (i elektronik) impuls; *vb* banke, slå, pulsere; *feel sby's ~* føle ens puls; *feel the ~ of the public* sondere stemningen; *quicken (el. stir) his ~ (fig)* få blodet til at rulle raskere gennem hans årer.
II. pulse [pʌls] *sb* bælgfrugter.
pulse-jet engine *(flyv)* pulserende rammotor.

pulse rate (radio) impulsfrekvens; *(med.)* pulsfrekvens.
pulverization [pʌlvərai'zeiʃ(ə)n] *sb* pulverisering, findeling; (af væske) forstøvning.
pulverize ['pʌlvəraiz] *vb* pulverisere, findele; (om væske) forstøve; *(fig)* pulverisere, knuse fuldstændigt *(fx all opposition);* (uden objekt) pulveriseres *(etc).*
puma ['pju:mə] *sb zo* puma.
pumice ['pʌmis] *sb* pimpsten; *vb* polere med pimpsten.
pummel ['pʌml] *vb* dunke, slå løs på, prygle; ~ *to a jelly* slå til plukfisk, mørbanke.
pump [pʌmp] *sb* pumpe; vandpost; *vb* pumpe; *(fig)* pumpe, udfritte; ~ *out* udmatte; ~ *ship* S lade vandet; ~ *his hand* ryste hans hånd op og ned.
pumpkin ['pʌm(p)kin] *sb* græskar.
pump room kursal (ved badested).
pumps [pʌmps] *sb pl (glds* herresko) kavalersko, dansesko (uden rem); *(am,* om damesko) pumps.
I. pun [pʌn] *sb* ordspil; *vb* lave ordspil; sige brandere.
II. pun [pʌn] *vb* banke fast, stampe (jord).
I. punch [pʌn(t)ʃ] *sb* (drik:) punch.
II. Punch [pʌn(t)ʃ] (figur i marionetkomedien *Punch and Judy;* et vittighedsblad); *as pleased as* ~ himmelhenrykt, kisteglad; ~ *and Judy show* Mester Jakel komedie, marionetkomedie.
III. punch [pʌn(t)ʃ] *sb (tekn)* dorn, (lokke)stempel, stanse; (snedkers, til forsænkning af søm) dyknagle; (til mærkning *etc)* stempel, (spids:) kørner, (sølvsmeds) punsel, *(typ)* skriftstempel; (til at hulle papir) perforator, hullemaskine, (til hulkort) huller, (til billetter) billetsaks, billettang, (hul:) klip; *vb* gennemhulle; *(tekn)* lokke, dorne, udstanse; (om billet) klippe, (om hulkort) hulle.
IV. punch [pʌn(t)ʃ] *sb* slag, stød, T energi, kraft; *vb* slå, støde; *(am)* drive (kvæg); *pull one's -es* holde igen, ikke slå 'til; *he did not pull his -es (fig)* han lagde ikke fingrene imellem; *a* ~ *on the nose* en på tuden, (let *glds)* en næsestyver.
punch| **ball** boksebold. ~ **bowl** punchebolle. ~ **card** hulkort, ~ **-drunk** (om bokser) uklar, groggy.
punched card hulkort.
punched-card | **machine** hulkortmaskine. ~ **machine operator** hulkortoperatør.
punched (paper) tape hulstrimmel.
puncheon ['pʌnʃən] *sb* kort støttebjælke; (sølvsmeds) stempel; stort vinfad.
punching bag *(am)* boksebold.
punch| **knife** (til hulkort) hullekniv. ~ **ladle** puncheske. ~ **line** pointe, afgørende ord (, replik), knaldeffekt. ~ **press** excenterpresse.
punctilio [pʌŋk'tiliou] *sb* finesse, detalje; overdreven nøjagtighed, pedanteri; *stand upon -s* holde (strengt) på formerne.
punctilious [pʌŋk'tiliəs] *adj* overdrevent nøjagtig *el.* korrekt, overpertentlig; *be* ~ (også) holde på formerne.
punctual ['pʌŋ(k)tjuəl] *adj* punktlig, præcis.
punctuality [pʌŋ(k)tju'æliti] *sb* punktlighed.
punctuate ['pʌŋ(k)tjueit] *vb* sætte (skille)tegn i; pointere, fremhæve; *-d by (el.* with) *(fig* også) ledsaget af, stadig afbrudt af *(fx a speech -d by (el.* with) *cheers).*
punctuation [pʌŋ(k)tju'eiʃ(ə)n] *sb* tegnsætning, interpunktion; ~ *mark* skilletegn.
puncture ['pʌŋktʃə] *sb* stik; punktering; punktur; *vb* stikke i; stikke hul i; punktere; punkteres.
pundit ['pʌndit] *(egl* indisk:) lærd; vismand; *(fig,* ironisk også) ekspert *(fx political -s); the -s* (også) de højlærde.
pungency ['pʌndʒ(ə)nsi] *sb* skarphed, bid, krashed; sarkasme.
pungent ['pʌndʒ(ə)nt] *adj* skarp, sviende, bidende, stikkende *(fx smell); (fig* også) bitter, kras.
Punic ['pju:nik] *adj* punisk, kartageniensisk; ~ *faith* troløshed; *the* ~ *Wars* de puniske krige.
punish ['pʌniʃ] *vb* straffe, afstraffe; T maltraktere, udsætte for hård behandling; gøre indhug i, tage kraftigt til sig af.
punishable ['pʌniʃəbl] *adj* strafbar.
punishing ['pʌniʃiŋ] *adj* straffende; *(fig)* udmattende *(fx race);* knusende *(fx defeat).*
punishment ['pʌniʃmənt] *sb* straf, afstraffelse; ilde medfart; hård behandling; ~ *class* eftersidningsklasse.

punitive ['pju:nitiv] *adj* straffe- *(fx expedition);* ~ *measure* straffeforanstaltning.
Punjab [pʌn'dʒa:b].
punk [pʌŋk] *sb (am)* trøsket træ, fyrsvamp; S skidt; sludder; (om person) skvat; fæ; bosse; *adj* elendig, ussel.
punka(h) ['pʌŋkə] *sb* pankha (stor vifte med snoretræk).
punk wood = *punk*.
punky ['pʌŋki] *adj* trøsket (om træ).
punner ['pʌnə] *sb* stamper, brolæggerstempel.
punnet ['pʌnit] *sb* spånkurv.
punster ['pʌnstə] *sb* vitsmager.
I. punt [pʌnt] *sb* punt, fladbundet båd, pram; *vb* punte, stage frem; stage sig frem.
II. punt [pʌnt] *sb* hvalp *(fx* på væddeløbsbane); *sb* indsats.
punter ['pʌntə] *sb* (til *I. punt)* en der sejler i punt; (til *II. punt)* spiller, bookmakers kunde.
punty ['pʌnti] *sb* (til glas) anhæfterjern, hæftejern.
puny ['pju:ni] *adj* lille (og svag), sølle, ubetydelig.
pup [pʌp] *sb* hvalp; *zo* sælunge; *(fig)* se *puppy; vb* få hvalpe; *sell sby a* ~ S snyde en; *be sold a* ~ blive taget ved næsen.
pup|**a** ['pju:pə] *sb (pl -ae* [-i:]) puppe.
pupate ['pju:peit] *vb* forpuppe sig.
pupil ['pju:pl] *sb* elev; myndling; (i øje) pupil.
pupilage ['pju:pilidʒ] *sb* discipeltid, læretid; umyndighed.
pupil teacher lærerkandidat, praktikant.
puppet ['pʌpit] *sb* dukke, marionet, handskedukke; *(fig)* marionet; (på drejebænk) pinoldok.
puppet| **government** marionetregering. ~ **play** marionetkomedie, dukkekomedie. **-ry** ['pʌpitri] *sb* maskerade, gøglespil, dukkekomedie. ~ **show,** se ~ *play.* ~ **state** marionetstat, lydstat.
puppy ['pʌpi] *sb* (hunde)hvalp; *(fig, glds,* om person) hvalp, laps, grøn knægt, løg, flab.
puppyfat ['pʌpifæt] *sb* T hvalpefedt (hos børn: buttethed der senere går væk).
pup tent lille (tomands)telt.
purblind ['pə:blaind] *adj* svagsynet, nærsynet; *(fig)* sløv, dum, halvblind.
purchase ['pə:tʃəs] *vb* købe, erhverve; (især *mar)* hive, lette; *sb* køb, indkøb, anskaffelse; erhvervelse; (om ejendom) årlig udbytte, årlig lejeværdi *(fx worth 25 years'* ~*);* (ved klatring) støtte, fodfæste, tag; (til hejsning) spil, hejseværk, talje, *(mar)* gie; *his life is not worth a day's* ~ han kan ikke leve en dag længere.
purchase price indkøbspris, købesum.
purchaser ['pə:tʃəsə] *sb* køber; *(jur)* erhverver.
purchase tax omsætningsafgift, oms.
purchasing power købekraft.
purdah ['pə:da:] *sb* (indisk:) forhæng der beskytter kvinders opholdsrum mod beskuelse; kvindernes afsondrethed som socialt system.
pure [pjuə] *adj* ren; ublandet, ægte; (om kvinde) uskyldig, uberørt; *(fig)* ren og skær, pure *(fx out of* ~ *malice);* ~ *nonsense* det rene vrøvl.
purebred ['pjuəbred] *adj* raceren.
purée ['pjuərei] *adj* puré.
purely ['pjuəli] *adv* rent, uskyldigt; absolut, udelukkende, helt.
purgation [pə:'geiʃ(ə)n] *sb* renselse; udrensning; *(med.)* afføring. **purgative** ['pə:gətiv] *adj* rensende, *(med.)* afførende; *sb* afføringsmiddel.
purgatorial [pə:gə'tɔ:riəl] *adj* skærsild-; rensende.
purgatory ['pə:gətəri] *adj* Skærsilden.
purge [pə:dʒ] *vb* rense; *(med.)* virke afførende, udrense; *(fig)* rense *(fx -d of sin);* (politisk *etc)* udrense; *sb* renselse; (politisk) udrensning.
purge trial (politisk) udrensningsproces.
purification [pjuərifi'keiʃ(ə)n] *sb* renselse.
purifier ['pjuərifaiə] *sb* renseapparat.
purify ['pjuərifai] *vb* rense.
purism ['pjuərizm] *sb* purisme.
purist ['pjuərist] *sb* sprogrenser, purist.
Puritan ['pjuəritən] *adj* puritansk; *sb* puritaner.
puritanical [pjuəri'tænikl] *adj* puritansk.
Puritanism ['pjuəritənizm] *sb* puritanisme.
purity ['pjuəriti] *sb* renhed.
I. purl [pə:l] *vb* risle; *sb* rislen *(fx of a brook).*

II. purl [pəːl] *vb* **T** falde (hovedkulds) af hesten, vælte.

III. purl [pəːl] (i håndarbejde) *vb* strikke vrang; bræmme, kante; *sb* vrangstrikning; kant, bort.

purler ['pəːlə] *sb* **T** (tungt, hovedkulds) fald; *come a ~ = II. purl.*

purlieu ['pəːljuː] *sb* skovkant; tilholdssted; *-s pl* (bys) udkanter, omgivelser, (ofte=) fattigkvarter.

purlin ['pəːlin] *sb* ås (på tag).

purloin ['pəːlɔin] *vb* stjæle, tilvende sig.

purple ['pəːpl] *sb adj* purpur(violet), blåligrød, rødviolet; *vb* farve(s) blåligrød *(el. rødviolet); born in the ~* af højfornem byrd, født i en fyrstelig (, adelig, fornem) familie; *be raised to the ~* få purpuret, blive kardinal.

purple | **beech** *(bot)* blodbøg. **~ emperor** *zo* irissværmer. **~ finch** *zo* purpurdompap. **~ heart** *(am mil.)* dekoration givet til sårede; S hjerteformet tablet af luminal (, i England: drinamyl). **~ heron** *zo* purpurhejre. **~ martin** *zo* purpursvale. **~ passage, ~ patch** kraftsted, kunstnerisk særlig vellykket sted (i digterværk); *(neds)* højstemt (, overlæsset) passage. **~ sandpiper** *zo* sortgrå ryle.

purplish ['pəːpliʃ], **purply** ['pəːpli] *adj* let blåligrød, rødviolet.

purport ['pəːpət] *sb (litt)* betydning; indhold; *vb* give sig ud for, foregive, angives; gå ud på, betyde.

purpose ['pəːpəs] *sb* hensigt, formål *(in, of* med), øjemed; forsæt;

answer (el. serve) the ~ passe til formålet, kunne bruges; **for** *that ~* i den hensigt, med det formål; *for household -s* til husholdningsbrug; *for a necessary ~* i et nødvendigt ærinde, på naturens vegne; *for the sole ~ of* ene og alene for at; *wanting* **in ~**, *weak* **of ~** ubeslutsom, usikker; *of set ~,* **on ~** med forsæt, med vilje; *on ~ to (el. that)* i den hensigt at; **to** *the ~* sagen vedkommende, på sin plads; *to some ~* med god virkning, så det kan forslå; *to no ~* til ingen nytte, forgæves; *a novel* **with** *a ~* en tendensroman.

II. purpose ['pəːpəs] *vb* have til hensigt, agte, påtænke.

purpose-built ['pəːpəsbilt] *adj* bygget (, lavet) til formålet.

purpose|ful ['pəːpəsf(ul)] *adj* betydningsfuld; målbevidst. **-less** [-lis] *adj* hensigtsløs, formålsløs.

purposely ['pəːpəsli] *adv* med hensigt, med vilje.

purposive ['pəːpəsiv] *adj* formålsbestemt; *(psyk)* målrettet, formålsrettet.

purr [pəː] *vb* snurre, spinde; *sb* (kats) spinden.

I. purse [pəːs] *sb* pung; pose; *(am)* håndtaske; (ved indsamling) indsamlet pengesum som gave eller præmie; (ved væddeløb) præmiesum; *(fig, litt)* midler, kasse; *long ~* velspækket pengepung; *the public ~* statskassen; *make up a ~* foretage en indsamling; *slender ~* sparsomme midler.

II. purse [pəːs] *vb:* **~** *(up)* trække sammen, snerpe sammen; **~** *up one's lips (el. mouth)* spidse munden.

purse|-pride pengestoltshed. **~ -proud** pengestolt.

purser ['pəːsə] *sb (mar)* purser, overhovmester.

purse sein snurpenot (til fiskeri).

purse strings *pl:* hold the **~** sidde på *(el.* stå for) pengekassen; *loosen the* **~** punge ud; *tighten the* **~** holde igen på pengene.

purslane ['pəːslin] *sb (bot)* portulak.

pursuance [pə'sjuːəns] *sb: in ~ of* under udførelse af *(fx one's duties)*; i overensstemmelse med, i følge *(fx his orders)*.

pursuant [pə'sjuːənt] *adj:* **~** *to* i overensstemmelse med, i følge *(fx his instructions)*.

pursue [pə'sjuː] *vb* (om bytte) forfølge; *(fig)* forfølge, stræbe efter, stræbe hen imod, tilstræbe *(fx an aim)*, følge *(fx a policy);* (om beskæftigelse) drive, udøve, sysle med *(fx studies)*, videreføre, blive ved med; (udøve objekt) blive ved, fortsætte (med at tale) *(fx and so he -d for a whole hour)*.

pursuer [pə'sjuːə] forfølger; (på skotsk) klager, sagsøger.

pursuit [pə'sjuːt] *sb* forfølgelse, jagen, jagt *(of* efter, på); efterstræbelse; stræben *(of* efter, *fx happiness)*; udøvelse, udførelse; beskæftigelse, erhverv; *-s* (også) sysler *(fx literary -s)*; *with the policeman in hot ~* med betjenten lige i hælene på sig; *in ~ of* på jagt efter; under udøvelse af, under beskæftigelse med.

pursuit plane jagermaskine.

pursuivant ['pəːsivənt] *sb* underherold; *(poet)* følgesvend.

pursy ['pəːsi] *adj* tyk og kortåndet, astmatisk; rynket, sammensnerpet.

purulence ['pjuəruləns] *sb (med.)* materiedannelse.

purulent ['pjuərulənt] *adj (med.)* materiefyldt.

purvey [pəː'vei] *vb (glds)* levere; være leverandør; forsyne; skaffe, forskaffe; proviantere.

purveyance [pəː'veiəns] *sb* levering, leverance, forsyning; tilvejebringelse.

purveyor [pəː'veiə] *sb* leverandør; *Purveyor to the Royal Household* hofleverandør.

purview ['pəːvjuː] *sb (jur,* om lov) tekst, bestemmelser *(mods* indledning *etc)*, rammer; (om myndighed, person) kompetenceområde, virkefelt; (om person også) synskreds, horisont.

pus [pʌs] *sb (med.)* pus, materie.

Pusey ['pjuːsi].

I. push [puʃ] *vb* skubbe, skyde (til), trykke *(fx ~ a pin through sth)*, trykke på *(fx ~ the button)*, støde, drive; drive frem, drive på, forcere *(fx a horse); (fig)* fremskynde, forcere *(fx the sale)*, energisk søge at fremme *(fx one's business)*, presse på med *(fx a claim)*, indarbejde, opreklamere *(fx one's wares);* (om person) trænge ind på, tilskynde; presse *(fx ~ him to do it; the child was -ed too hard at school);* S forhandle (narkotika); (uden objekt) skubbe *(fx don't ~!);* trænge sig, presse sig *(by forbi); (fig)* presse på *(for* for at få, *fx ~ for more pay); we must* **~ along** vi må se at komme af sted, vi må se at komme videre; **~ around** koste *(el.* jage) med en; **~ aside** skubbe *(el.* skyde, feje) til side; **~** *sby* **for** an answer rykke en for svar; *be -ed for money* mangle penge; *be -ed for time* have dårlig tid; **~ off** *(mar)* støde fra; **T** komme af sted; **~ on** trænge frem, mase på; komme videre; fremskynde, forcere; **~** *sth on sby* pånøde *(el.* påtvinge) en noget; **~ oneself** *(forward)* trænge sig frem; mase sig på; være påtrængende; **~** *oneself to do it* tvinge sig selv til at gøre det; **~ through** sætte igennem; gennemføre; trænge sig igennem; komme frem; **~** *one's* **way** trænge sig frem.

II. push [puʃ] *sb* skub, puf, stød; tryk; *(fig)* (kraft)anstrengelse; (egenskab:) energi, foretagsomhed, gåpåmod; *(elekt)* trykknap; *(mil.)* fremstød; *(am ~ mil.)* foretage et fremstød; *(fig)* gøre en kraftanstrengelse; *at a* **~** i en kritisk situation; når det gælder; *get the* **~** S blive smidt på porten, få sin afsked, blive fyret; *give the* **~** S afskedige, smide på porten, fyre; *when it came to the* **~** da det kom til stykket, da det virkelig gjaldt.

push| bicycle, ~ bike trædecykel. **~ button** trykknap. **-cart** trækvogn, trillebør; (i supermarked) indkøbsvogn. **-chair** promenadevogn.

pusher ['puʃə] *sb* (mad)skubber (til barn); (om person) egoist, stræber; S narkotikaforhandler; *he is a* **~** (også) han har albuer.

pushful ['puʃful], **pushing** ['puʃiŋ] *adj* energisk, initiativrig, foretagsom; *(neds)* entreprenant; pågående, påtrængende.

push| net rejenet, rejeglib. **~ -over** *(am* **S)** let sag, let offer. **-pin** *(am)* nipsenål; *play -pin* nipse. **~ -pull** *adj* modtakt- *(fx amplifier* forstærker); *oscillator)*. **~ rod** *(tekn)* stødstang.

pusillanimity [pjuːsilə'nimiti] *sb* forsagthed, frygtsomhed, fejhed.

pusillanimous [pjuːsi'læniməs] *adj* forsagt, frygtsom, fej.

puss [pus] *sb* mis, kis; haremis; pigebarn; **S** *(am)* ansigt, fjæs; *(vulg)* se *pussy; Puss in Boots* den bestøvlede kat; **~** *in the corner* (en leg omtr) bytte gårde, kispus.

pussy ['pusi] *sb* mis(sekat); *(bot)* rakle, 'gæsling'; *(vulg)* kusse.

pussycat ['pusikæt] *sb* mis(sekat).

pussyfoot ['pusifut] *(am)* gå på kattepoter, liste; være forsigtig med *(el.* ængstelig for) at tage parti; *sb* forbudsmand, prohibitionist.

pussy willow gæslingepil.

pustule ['pastjuːl] *sb* blegn, væskeblære, pustel, filipens.

put [put] *vb (put, put)* anbringe, lægge, sætte, stille, stikke, putte; komme *(fx sugar in the tea);* bringe; føre; kaste; (i ord) fremstille *(fx he ~ the case very clearly);* fremsætte, forelægge, foreslå; udtrykke *(fx ~ one's feelings* *into words); anslå (at til, fx ~ her age at 40); to ~ it mildly* mildest talt; se også *I. stay, I. wise;*

(forb med præp og adv) ~ **about** udsprede *(fx rumours);* vende; *(mar)* vende, stagvende, gå over stag; T besvære, ulejlige; gøre urolig, forurolige; ~ **across** sætte igennem, gennemføre (med held); ~ *it across sby* S snyde én, fuppe én; *you can't ~ that across me* den får du ikke mig til at hoppe på; ~ *the idea across to them* få dem til at gå ind på tanken; ~ *a play across* have succes med et stykke; ~ **aside** lægge til side, spare op; ~ **away** lægge bort, lægge til side, gemme; lægge op (om penge); T indespærre; dræbe, rydde af vejen; *(am* om dyr) aflive; S (om mad) sætte til livs, (om drik) stikke ud; ~ **back** stille tilbage; hindre, forsinke; *(mar)* vende tilbage; *he ~ the idea* **behind** *him* han ville ikke beskæftige sig mere med tanken; ~ **by** lægge til side, lægge op; tilsidesætte;

~ **down** lægge fra sig; nedlægge *(fx eggs);* sætte af *(fx passengers);* nedskrive, notere; undertrykke, kue, kvæle *(fx a revolt);* ydmyge; bringe til tavshed; afskaffe, gøre ende på; formindske; nedsætte, nedskære *(fx expenditure);* anse *(as, at* for (at være)); (om dyr) aflive; *I can* ~ *down my cards* jeg kan lægge kortene op; ~ *me down for £5* notér mig for £5 (som bidrag); ~ *down to* tilskrive *(fx ~ his failure down to inexperience);* ~ *sth down to sby* give en skylden for noget; ~ *it down to his account* skrive det på hans regning;

~ **forth** fremsætte *(fx a theory);* udgive; udsende; skyde (knopper *etc);* opbyde *(fx all one's strength);* lægge for dagen, udvise; *(mar)* stikke i søen, afsejle; ~ **forward** stille frem (om ur); fremsætte *(fx a theory);* bringe frem; ~ *oneself forward* gøre sig gældende, føre sig frem, være på tæerne; ~ **in** indgive, indsende, forelægge; indskyde *(fx a remark);* få anbragt *(fx a blow);* indsætte (i embede); (om arbejde) få gjort; T (om tid) tilbringe, få til at gå; *(mar)* lægge *(el.* løbe) ind; ~ *in an appearance* vise sig, stede; møde op; ~ *in at* gøre ophold i; ~ *in for* søge, være ansøger til; ~ *in a good word for* lægge et godt ord ind for; ~ *in mind of* minde om; ~ *in the wrong,* se *III. wrong;* ~ **into** *port* søge havn; ~ *it into French* oversætte det til fransk; ~ *it into words* udtrykke det i ord;

~ **off** udsætte, opsætte; holde hen *(fx ~ him off with vague promises);* spise af (with med); distrahere; afvise; tage modet fra, skræmme bort; aflægge; lægge af; *(mar)* lægge ud, tage af sted; ~ *sby off* (også) bede én komme senere; ~ *off from* hindre; afholde fra, fraråde; ~ *sby off his food* få én til at miste appetitten, tage appetitten fra én; ~ *sby off his game* distrahere *(el.* forstyrre) én så han ikke kan spille ordentligt; ~ *sth off on sby* prakke en noget på;

~ **on** lægge på, sætte på, tage på *(fx one's hat);* påtage sig, anlægge *(fx an air of innocence* en uskyldig mine); sætte op *(fx a play);* sætte ind *(fx extra trains);* forøge *(fx speed);* tænde *(fx the light);* S lave grin med, lave numre med *(fx don't ~ me on);* ~ *the blame on* skyde skylden på; give skylden; ~ *it on* T overdrive; smøre for tykt på; tage overpris; ~ *the kettle on* sætte kedlen over, sætte vand over; ~ *sby on his oath* tage én i ed; ~ *on weight* tage på i vægt; ~ *sby on to sth* gøre en opmærksom på noget;

~ **out** lægge ud, sætte ud; smide ud; strække ud, stikke frem *(fx one's hand);* sætte frem; slukke *(fx the fire);* forvride *(fx the shoulder);* udfolde, opbyde *(fx all one's strength);* forvirre, bringe ud af fatning *(el.* fra koncepterne); sætte i forlegenhed, ulejlige; irritere; frembringe, producere; sende ud *(fx the washing);* udlåne *(fx ~ out money at 5 per cent);* stikke ud *(fx his eyes);* skyde (knopper, rødder); ~ *out (to sea) (mar)* stå til søs, stikke i søen; ~ *it out of one's head* slå det af hovedet; ~ *sby out of pain* gøre en ende på éns lidelser; ~ *her out to service* sende hende ud at tjene; ~ **over,** se ~ *across; (am)* udsætte, udskyde; ~ *sth over on sby (am* T) binde en noget på ærmet, få en til at hoppe på noget; *I wouldn't ~ it* **past** *him* jeg kunne godt tiltro ham det, det kunne godt ligne ham;

~ **through** gennemføre; underkaste; *(tlf)* give forbindelse *(to* med); stille om *(to* til); ~ *through a deal af-*

slutte en handel; ~ *sby through it* T underkaste en et skarpt forhør; ~ **to** (også) spænde for *(fx tell the coachman to ~ to);* ~ *to bed* lægge i seng; ~ *to death* dræbe; ~ *to expense* sætte i udgifter; ~ *one's name to* sætte sit navn under; *be hard ~ to it,* se *III. hard; he ~ John to win* han tippede John som vinder; *it can't be ~ to that use* det kan ikke bruges til det; ~ *to the vote* sætte under afstemning; *I ~ it to you that* De vil formentlig ikke benægte, at ..., De må hellere indrømme at ..., forholder det sig ikke sådan at *(fx I ~ it to you that you were in London last week);* ~ **together** sammensætte, sætte sammen, samle; lægge sammen *(fx ~ two and two together);*

~ **up** sætte op, opføre, rejse, anlægge, opstille; hejse *(fx a flag);* løfte; opsende *(fx a prayer);* fremføre; opstille som kandidat; udbyde; jage (vildt) op; forhøje (prisen); skaffe, betale, indskyde *(fx he was willing to ~ up the money);* sammensætte, tilberede; pakke ned, pakke sammen; lægge på plads, gemme bort, (om svær) stikke i skeden; anbringe, give husly; tage ind *(fx at an inn);* T planlægge, arrangere; *(am)* sylte, henkoge; ~ *up a stout resistance* yde tapper modstand; ~ *up for* opstille sig som kandidat til *(, for);* ~ *up for (el. to) auction* sætte til auktion; ~ *him up for the club* foreslå ham som medlem (af klubben); ~ *up for the night* overnatte; ~ *him up for the night* give ham natlogi; ~ *up for sale* udbyde til salg; sætte til auktion; ~ *up to* sætte ind i, indvie i, lære; tilskynde til *(fx you ~ him up to it);* ~ *up with* finde sig i, tåle; ~ *upon* bedrage, narre.

put(t) [pʌt] *vb* få golfkugle ned i et hul ved hjælp af en særlig golfkølle; få golfkugle til at trille hen ad grønsværen.

putamen [pju'teimən] *sb (pl putamina* [pju'tæminə]) sten (i stenfrugt, *fx* blommer).

put and call *(merk)* dobbelt præmieforretning.

putative ['pju:tətiv] *adj* formodet, som går for at være.

put-off ['putɔf] *sb* udflugt, påskud; udsættelse; *adj* kasseret; udsat, opsat.

put-on ['putɔn] *sb* T affekterthed, skaberi; nummer.

put-put ['pʌtpʌt] *interj* tøf-tøf; *vb* tøffe; (om) tøffen.

putrefaction [pju:tri'fækʃ(ə)n] *sb* forrådnelse; rådenskab.

putrefy ['pju:trifai] *vb* (få til at) gå i forrådnelse *el.* rådne; fordærve(s).

putrescence [pju:'tresns] *sb* rådenskab.

putrescent [pju:'tresnt] *adj* rådnende, rådden.

putrid ['pju:trid] *adj* rådden; T ækel, modbydelig.

putridity [pju:'triditi] *sb* rådenskab.

putsch [putʃ] *sb* statskup.

puttees ['pʌtiz] *sb pl* viklers (slags gamacher).

I. putter ['pʌtə] *sb* golfkølle (til at slå bolden i hul med), putter.

II. putter ['pʌtə] *vb* tøffe; *sb* tøffen.

putting green ['pʌtiŋgri:n] green (jævn del af golfbane omkring et hul).

putty ['pʌti] *sb* kit; *vb* kitte, spartle.

putty knife (glarmesters) spatel.

put-up ['putʌp] *adj: it was a ~ job* det var aftalt spil; der var fup med i spillet.

I. puzzle ['pʌzl] *sb* gåde, problem, vanskeligt spørgsmål; puslespil; rådvildhed; *be in a ~* være rådvild.

II. puzzle ['pʌzl] *vb* forvirre, sætte i forlegenhed, forbløffe; bryde sin hjerne *(over* med); ~ *one's brains* bryde sin hjerne *(el.* sit hoved); *it -s me* jeg kan ikke finde ud af det, det er mig en gåde; ~ *out* spekulere ud; hitte ud af, finde ud af; ~ *over* bryde sin hjerne med.

puzzled ['pʌzld] *adj* rådvild, tvivlrådig, uforstående.

puzzle-headed *adj* forvirret.

puzzlement ['pʌzlmənt] *sb* forvirring.

puzzler ['pʌzlə] *sb* gåde, vanskeligt spørgsmål.

P.W.A. *fk Public Works Administration.*

pye-dog ['paidɔg] *sb* omstrejfende hund.

pygmaean [pig'mi:ən] *adj* pygmæisk; dværgagtig.

pygmy ['pigmi] *sb* pygmæ; dværg; *adj* dværg-, dværgagtig; ~ *owl* spurveugle.

pyjamas [pə'dʒɑ:məz] *sb pl* pyjamas; *a suit of ~* en pyjamas; *the cat's ~* det helt rigtige.

pylon ['pailən] *sb* højspændingsmast; lysmast; *(flyv)* luftfyr; *(hist)* pylon (porttårn ved ægyptisk tempel).

pyorrhea [paiə'riə] *sb (tandl)* paradentose.

pyramid ['pirəmid] *sb* pyramide. **pyramidal** [pi'ræmidl] *adj* pyramideformet, pyramide-.
pyre ['paiə] *sb* ligbål.
Pyrenean [pirə'ni:ən] *adj* pyrenæisk.
Pyrenees ['pirəni:z]: *the* ~ Pyrenæerne.
pyrites [pai'raiti:z] *sb* svovlkis.
pyrolisis [pai'rɔlisis] *sb* pyrolyse.
pyrometer [pai'rɔmitə] *sb* pyrometer (termometer til må-ling af høje temperaturer).
pyrosis [pai'rousis] *sb* (*med.*) halsbrand.

pyrotechnic(al) [pairə'teknik(l)] *adj* fyrværkeri-.
pyrotechnics [pairə'tekniks] *sb* fyrværkeri.
Pyrrhic ['pirik] *adj:* ~ *victory* pyrrhussejr.
Pythagoras [pai'θægəræs]. **Pythagorean** [paiθægə'ri(:)ən] *adj* pythagoræisk; *the* ~ *proposition* den pythagoræiske læresætning.
python ['paiθn] *sb zo* python(slange).
pyx [piks] *sb* hostiegemme; skrin hvori mønter opbevares til officiel efterprøvning.

Q [kju:].
Q *fk* Queen; question.
Q. B. *fk* Queen's Bench.
Q. C. *fk* Queen's Counsel; Queen's College.
q. e. *fk* quod est (latin: hvilket betyder).
Q. M. *fk* Quartermaster.
qr. *fk* quarter.
Q. S. *fk* Quarter Sessions.
qt. *fk* quantity; quart.
Q. T. ['kju:'ti:] S *(fk quiet)*: on the ~ i al hemmelighed, i smug.
qua [kwei] qua, i egenskab af, som.
I. quack [kwæk] *vb* rappe, snadre, skræppe; *sb* rappen, snadren, skræppen.
II. quack [kwæk] *sb* kvaksalver, charlatan; *adj* kvaksalver-.
quack doctor kvaksalver.
quackery ['kwækəri] *sb* kvaksalveri; charlataneri.
quack-quack ['kwækkwæk] *sb* (i barnesprog) rapand.
I. quad [kwɔd] T *fk* quadrangle; quadruplet.
II. quad [kwɔd] *sb (typ)* udslutning (blind type), *(em ~)* geviert; *vb* udslutte.
III. quad S = quod.
quadragenarian [kwɔdrədʒi'nɛəriən] *sb, adj* fyrretyveårig, (en der er) i fyrrerne.
Quadragesima [kwɔdrə'dʒesimə] første søndag i fasten.
quadrangle ['kwɔdræŋgl] *sb* firkant; firkantet gård omgivet af bygninger (især i universitetskollegier).
quadrangular [kwɔ'ræŋgjulə] *adj* firkantet.
quadrant ['kwɔdrənt] *sb* kvadrant; buestykke (på 90°).
quadrat ['kwɔdrit] se *II. quad.*
I. quadrate ['kwɔdrit] *adj* kvadrat-, kvadratisk, firkantet; *sb* firkant, kvadrat.
II. quadrate [kwɔ'dreit] *vb* kvadrere; ~ the circle løse cirklens kvadratur; ~ with (få til at) stemme (overens) med, (få til at) svare til.
quadratic [kwɔ'drætik] *adj* kvadratisk, firkantet; ~ equation andengradsligning, kvadratisk ligning.
quadrature ['kwɔdrətʃə] *sb* kvadratur; the ~ of the circle cirklens kvadratur.
quadrennial [kwɔ'drenjəl] *adj* firårig; fireårs-; som finder sted hvert fjerde år.
quadrennium [kwɔ'drenjəm] *sb* fireårsperiode.
quadri- ['kwɔdri-] fir- *(fx lingual sproget).* quadrilateral *sb, adj* firkant(et).
quadrille [kwɔ'dril] *sb* kvadrille.
quadrillion [kwɔ'driljən] *sb* kvadrillion, en billion billioner; *(am)* tusind billioner.
quadripartite [kwɔdri'pa:tait] *adj* firesidig; firdelt.
quadrivalent [kwɔdri'veilənt] *adj (kem)* tetravalent.
quadroon [kwɔ'dru:n] *sb* kvadron (barn af mulat og hvid).
quadruped ['kwɔdruped] *adj, sb* firbenet (dyr).
quadruple ['kwɔdrupl] *adj* firedobbelt; firsidet; firemagts-*(fx alliance)*; *vb* firdoble; the ~ det firdobbelte.
quadruplet ['kwɔdruplit] *sb* firling.
I. quadruplicate [kwɔ'dru:plikeit] *vb* firdoble.
II. quadruplicate [kwɔ'dru:plikit] *sb: in ~* i fire eksemplarer.
quaff [kwa:f] *vb´ (litt)* drikke (ud), drikke i dybe drag.
quag [kwæg] *sb, se quagmire.*
quaggy ['kwægi] *adj* gyngende (om mose), sumpet.
quagmire ['kwægmaiə] *sb* hængedynd, mose, sump.
I. quail [kweil] *vb* blive forsagt, tabe modet; vige (forfærdet) tilbage.
II. quail [kweil] *sb zo* vagtel.
quaint [kweint] *adj* kunstfærdig, ejendommelig, gammel-(dags) og malerisk; mærkelig, løjerlig.
quake [kweik] *vb* ryste, skælve *(with* af); bæve; *sb* skælven, bæven, rystelse; T jordskælv.
Quaker ['kweikə] *sb* kvæker.

Quakerism ['kweikərizm] *sb* kvækerisme.
quaking grass *(bot)* hjertegræs, bævregræs.
qualification [kwɔlifi'keiʃən] *sb* kvalifikation; egnethed, dygtighed; betingelse, forudsætning; begrænsning; indskrænkning; *without* ~ uden indskrænkning, ubetinget.
qualified ['kwɔlifaid] *adj* kvalificeret, dygtig, *(for* til); dannet *(fx teacher, nurse);* berettiget *(for* til); begrænset, betinget *(fx acceptance),* med forbehold, forbeholden.
qualifier ['kwɔlifaiə] *sb (gram)* ord der nærmere bestemmer et andet; tillægsord *el.* biord.
qualify ['kwɔlifai] *vb* kvalificere sig *(for* til), uddanne sig *(for* til, *fx he had qualified for the post),* erhverve sig adkomst *(for* til), (i sport) kvalificere sig *(for* til); (med objekt) (om person) dygtiggøre, kvalificere *(for* til); *(filos)* kvalificere, *(gram* også) bestemme *(fx adjectives ~ nouns),* *(fig)* modificere *(fx a statement),* dæmpe, mildne, (af)svække *(fx criticism);* betegne *(as* som).
qualitative ['kwɔlitətiv] *adj* kvalitativ.
quality ['kwɔliti] *sb* kvalitet, egenskab, beskaffenhed, karakter, art; *(merk)* kvalitet, sort; *(glds)* høj rang, fornem stand; *people of* ~ standspersoner, fornemme folk; *give a taste of one's* ~ vise hvad man duer til.
qualm [kwa:m, kwɔ:m] *sb* kvalme, (pludseligt) ildebefindende; skrupel, betænkelighed.
quandary ['kwɔndəri] *sb* dilemma, forlegenhed, knibe.
quantifier ['kwɔntifaiə] *sb* (i logik) kvantor.
quantify ['kwɔntifai] *vb* kvantificere, bestemme (, angive) kvantiteten af; bestemme (, angive) omfanget af.
quantitative ['kwɔntitətiv] *adj* kvantitativ.
quantity ['kwɔntiti] *sb* kvantitet, *(fon* også) længde, *(mus.* også) varighed; *(mat.* og *fig)* størrelse *(fx an unknown* (ubekendt) ~); (af varer *etc)* kvantum, mængde, *(merk)* parti; *in quantities (merk)* i større partier, *(fig)* i massevis *(fx it is found in quantities in the streets); he is a negligible* ~ han har ikke spor at betyde; *bill of quantities* (ved byggeri) mængdefortegnelse.
quantum ['kwɔntəm] *sb* kvantum; del; *(fys)* kvant; ~ *theory* kvanteteori.
quarantine ['kwɔrənti:n] *sb* karantæne; *vb* holde i karantæne.
I. quarrel ['kwɔrəl] *sb* skænderi; uenighed, strid, trætte; indvending; *pick a* ~ yppe kiv; *have a* ~ *with* (også) have et udestående med; have noget at indvende imod *(el.* udsætte på).
II. quarrel ['kwɔrəl] *vb* blive uenig(e), blive uvenner; skændes, trættes, strides, ligge i klammeri; *we won't* ~ *about that* det skal ikke skille os; ~ *with* (også) have noget at udsætte på *(el.* i anden mod), opponere mod, protestere mod; ~ *with one's bread and butter (omtr)* ødelægge sit levebrød, save den gren over man selv sidder på.
III. quarrel ['kwɔrəl] *sb, se III. quarry.*
quarrelsome ['kwɔrəlsəm] *adj* trættekær, krakilsk.
I. quarry ['kwɔri] *sb* vildt, fangst, bytte.
II. quarry ['kwɔri] *sb* stenbrud; *(fig)* kilde (til kundskab); *vb* bryde; *(fig)* grave frem *(fx information);* forske efter; granske *(in* i, *fx documents).*
III. quarry ['kwɔri] *sb* (rhombeformet) glasrude; flise.
quarry|man ['kwɔrimən] stenbrudsarbejder. ~ stone brudsten.
I. quart [kwɔ:t] *sb* (rummål: ¼ *gallon,* i England =) 1,136 liter; *try to put a* ~ *into a pint pot* (ɔ: forsøge det umulige).
II. quart [ka:t] *sb* kvart (firekortssekvens i piquet; i fægtning); ~ *major* es, konge, dame, knægt i én farve.
I. quarter [kwɔ:tə] *sb* kvart (firekortssekvens i piquet; i fægtning); ~ *major* es, konge, dame, knægt i én farve.
I. quarter [kwɔ:tə] *sb* fjerdedel, kvart *(fx a* ~ *past six);* kvartal *(fx a -'s rent),* fjerdingår; (om sted) egn, verdenshjørne, himmelstrøg; (også om personer) kant, side *(fx you can expect no help from that* ~);

(i by) bydel, kvarter *(fx the Chinese ~)*; (i kamp) pardon *(fx ask for ~)*; *(am)* kvartdollar; *(mar)* låring; post; (af dyr) fjerding; (rummål: 8 *bushels* =) ca. 290 liter; (vægt =) 12,7 kg; **-s** bolig, logi; *(mil.)* kvarter; *(mar)*: *crew's -s* mandsskabsrum;
  at close -s tæt sammen, klos op ad hinanden, på nært hold; *at a ~ past (, to) three* et kvarter over (, i) tre; *from all -s, from every ~* fra alle kanter; *in high (, the highest) -s* på højeste sted; *lies the wind in that ~?* blæser vinden fra den kant? *~ of an hour* kvarter; *apply to the proper ~* henvende sig på rette sted; *come to close -s* komme i håndgemæng.

II. quarter ['kwɔ:tə] *vb* dele i fire dele; (om forbryder) partere, sønderlemme; (i heraldik) kvadrere (våbenskjold), anbringe i et (kvadreret) våbenskjold; (om jagthund) gennemsøge; (skaffe husly:) indkvartere *(on* hos), (uden objekt) være indkvarteret *(at* hos).
quarterage ['kwɔ:təridʒ] *sb* kvartalsbetaling.
quarter| **binding** skindryg. **~ -bound** med skindryg. **~ day** kvartalsdag, termin. **-deck** agterdæk. **-final** (i sport) kvartfinale. **~ leather** skindryg. **~ light** sidevindue (i bil).
quarterly ['kwɔ:təli] *adj* kvartårlig, kvartals-; kvartalsvis; firdelt; *sb* kvartalsskrift.
quartermaster ['kwɔ:təma:stə] *sb* kvartermester.
quartern ['kwɔ:tən] *sb* (rummål: ¼ *pint,* i England ca.) 1,4 dl; fire punds brød.
quarter| **plate** fotografisk plade *(el.* film, fotografi) af formatet 4¼ × 3¼ *inches.* **~ sessions** *pl* (til 1971: domstol der samledes fire gange om året). **-staff** fægtestav (som føres med begge hænder, den ene hånd en fjerdedel inde på staven).
quartet(te) [kwɔ:'tet] *sb* kvartet.
quarto ['kwɔ:tou] *sb* kvartformat; bog i kvartformat.
quartz [kwɔ:ts] *sb (min.)* kvarts.
quash [kwɔʃ] *vb* undertrykke, slå ned *(fx a rebellion); (jur)* annullere, omstøde *(fx* en dom).
quasi ['kwa:zi, 'kweisai] kvasi-, skin-, tilsyneladende.
quatercentenary ['kwætəsen'ti:nəri] *sb* firehundredårsdag.
quaternary [kwə'tə:nəri] *adj* bestående af fire dele; *(geol)* kvartær; *sb* firtal; *(geol)* kvartærtiden.
quaternion [kwə'tə:njən] *sb* gruppe på fire.
quatrain ['kwɔtrein] *sb* firelinjet strofe.
quatrefoil ['kætrəfɔil] *sb (arkit)* firblad.
quaver ['kweivə] *vb* dirre, skælve; sige (, synge) med skælvende stemme; *(mus.)* tremulere; *sb* dirren, skælven; *(mus.)* ottendedelsnode.
quay [ki:] *sb* kaj.
quayage ['ki:idʒ] *sb* kajafgift; kajplads, kajlængde.
quean [kwi:n] *sb* (på skotsk) ung pige; *(glds)* tøs, fruentimmer.
queasy ['kwi:zi] *adj* som har kvalme; kvalmende; (om mave) svag, ømfindtlig; kræsen; *(fig* om person) tilbøjelig til at få skrupler; *a ~ conscience* en sart *(el.* fintmærkende) samvittighed.
Quebec [kwi'bek].
I. queen [kwi:n] *sb* dronning; dame (i kortspil) *(fx ~ of clubs* klørdame); S homoseksuel, bøsse.
II. queen [kwi:n] *vb* (i skak) gøre til dronning; *~ it* spille dronning *(fx she is not going to ~ it here); ~ it over sby* regere med en.
Queen Anne *(arkit, omtr)* senbarok.
queen| **bee** bidronning. **~ cake** (korendkage af særlig facon, *fx* hjerter, ruder). **~ dowager** enkedronning. **-hood** dronningeværdighed. **-like, -ly** *adj* dronningeagtig, majestætisk, en dronning værdig; *her -ly duties* hendes pligter som dronning. **~ mother** enkedronning som er moder til den regerende monark. **~ post** hængestolpe. **~ regnant** regerende dronning.
Queen's| **Bench Division** hovedafdelingen af overretten. **~ Counsel** se *counsel.* **~ English** dannet sprogbrug, standardengelsk.
Queensland ['kwi:nzlənd].
I. queer [kwiə] *adj* mærkelig, underlig; mistænkelig, tvivlsom, fordægtig; T sløj, utilpas; homoseksuel; *sb* homoseksuel, bøsse; *find oneself in Queer Street* være i økonomiske vanskeligheder, være langt ude, 'være ude at svømme'.
II. queer [kwiə] *vb* T spolere, ødelægge *(fx one's chances);*

narre; **~** *sby's pitch (fig)* spolere tegningen for én, spænde ben for én, spolere ens planer.
quell [kwel] *vb* knuse, slå ned, undertrykke *(fx a rising);* dæmpe *(fx his fear).*
quench [kwen(t)ʃ] *vb* slukke *(fx fire, thirst);* stille, dæmpe; undertrykke; (om stål) bratkøle, chokkøle.
quenchless ['kwen(t)ʃlis] *adj (poet)* uudslukkelig, ubetvingelig.
quern [kwə:n] *sb* håndkværn.
querulous ['kweruləs] *adj* klagende, klynkende; misfornøjet, utilfreds.
query ['kwiəri] *sb* spørgsmål, forespørgsel; spørgsmålstegn; *vb* spørge om; betvivle, drage i tvivl, sætte spørgsmålstegn ved.
quest [kwest] *sb* søgen *(of, for* efter); *(lit, omtr)* ridderfærd; *vb* søge *(about, for* efter); *go in ~ of* gå ud for at (op)søge.
I. question ['kwestʃən] *sb* spørgsmål; emne, sag; diskussion, tvivl *(fx there is some ~ about his qualifications); (glds)* pinligt forhør, tortur; *about! til* sagen!
  ask (el. put) a ~ stille et spørgsmål; *beg the ~,* se *beg; beyond ~* uden tvivl, ubestrideligt; *call in ~* drage i tvivl; *the matter in ~* den foreliggende sag; *the person in ~* den pågældende, vedkommende; *at the place in ~* på det pågældende sted; *come into ~* komme på tale; *look a ~* se spørgende ud; *make no ~ of* ikke tvivle om; *it is a ~ of* det drejer sig om, det gælder om; *there was no ~ of* der var ikke tale om; *out of ~* uden tvivl, ubestrideligt; *that is out of the ~* det kan der ikke være tale om, det er udelukket; *put the ~* sætte sagen under afstemning; *put to the ~ (glds)* underkaste pinligt forhør; *without ~* uden tvivl.
II. question ['kwestʃən] *vb* spørge; udspørge, afhøre *(fx witnesses);* undersøge; drage i tvivl *(fx I do not ~ his motives),* betvivle.
questionable ['kwestʃənəbl] *adj* tvivlsom, problematisk; mistænkelig; tvetydig.
questioner ['kwestʃənə] *sb* spørger.
question| **mark** spørgsmålstegn. **~ master** leder af spørgekonkurrence.
questionnaire [kwestiə'nɛə] *sb* spørgeskema.
question time spørgetid (i underhuset).
queue [kju:] *sb* (række:) kø; *(glds)* hårpisk; *vb: ~ (up)* stille i kø, stå i kø.
I. quibble ['kwibl] *sb* spidsfindighed, ordkløveri; udflugt.
II. quibble ['kwibl] *vb* bruge spidsfindigheder, hænge sig i ord; komme med udflugter.
quibbler ['kwiblə] *sb* ordkløver, spidsfindig person.
quibbling ['kwibliŋ] *adj* spidsfindig; *sb* spidsfindighed(er), ordkløveri, udflugter.
quick [kwik] *adj* hastig *(fx look),* kort; hurtig *(fx action),* rask, (om intelligens) kvik, opvakt, (om opfattelse) fin, skarp *(fx eye, ear),* (om temperament) hidsig *(fx he has a ~ temper),* opfarende; *(glds)* levende; *sb: cut to the ~,* se *ndf;*
  be ~! skynd dig! *be ~ about* være hurtig til, skynde sig med *(fx one's work); a ~ one* en hurtig drink, 'en lille en'; *cut to the ~* skære helt ned i kødet; *(fig)* gå til marv og ben; ramme på det ømmeste punkt; *your suspicion cut me to the ~* din mistanke sårede mig dybt; *~ to learn* lærenem; *~ to take offence* sårbar, let at fornærme.
quick-change ['kwiktʃein(d)ʒ] *adj* som hurtigt kan (ud)skiftes; som er hurtig til at klæde sig om; *~ artist* forvandlingskunstner.
quicken ['kwikn] *vb* fremskynde, påskynde; fremskyndes, blive hurtigere; *(fig)* gøre levende, anspore, sætte fart i; blive levende, få liv, tage op; (om gravid) mærke liv; (om foster) begynde at røre på sig; *~ one's pace* gå raskere, sætte farten op; *cause the pulse to ~* få pulsen til at slå hurtigere.
quick| **firer** hurtigskydende kanon. **~ -freeze** *vb* lynfryse.
quickie ['kwiki] *sb* hastigt sammenbrygget film (, bog *etc);* B-film; lyntur; hurtig drink, 'en lille en'.
quicklime ['kwiklaim] *sb* ulæsket kalk.
quick march *(mil.)* almindelig march.
quicksand ['kwiksænd] *sb* kviksand.
quick| **set (hedge)** levende hegn, (hvidtjørne)hæk. **~ -sighted**

skarpsynet. **-silver** kviksølv. **-step** *(mil.)* marchskridt; (dans) quickstep. **~ -tempered** hidsig. **~ time** *(mil.)* marchtakt. **~ -witted** opvakt, snarrådig.
I. quid [kwid] *sb* skrå(tobak).
II. quid [kwid] *sb (pl d s)* S pund (sterling).
III. quid: **~** *pro quo* ['kwidprou'kwou] noget for noget.
quiddity ['kwiditi] *sb* spidsfindighed; væsen, kerne.
quiescence [kwai'esns] *sb* hvile, ro.
quiescent [kwai'esnt] *adj* hvilende, i hvile, i ro; passiv, uvirksom.
quiet ['kwaiət] *adj* rolig, stille, fredelig; i ro; tilbageholdende; *sb* ro, fred, stilhed; *vb* berolige, dæmpe; **~** *down* blive rolig, falde til ro; *anything for a* **~** *life* hvad gør man ikke for husfredens skyld; *keep sth* **~** hemmeligholde noget; *on the* **~** i smug, hemmeligt; i det stille.
quietism ['kwaiitizm] *sb* sindsro, sjælefred; *(rel)* kvietisme.
quietude ['kwaiitju:d] *sb* ro, fred, hvile.
quietus [kwai'i:təs] *sb* død, nådestød.
quiff [kwif] *sb* pandekrølle, pandelok.
I. quill [kwil] *sb* fjer, vingefjer; pennefjer, pen; (af hulepindsvin) pig; (i vævning) spole; *(tekn)* hulaksel; (af kinin, kanel) barkrør.
II. quill [kwil] *vb* pibe, kruse.
quill-driver *sb* skribler, penneslikker.
quilt [kwilt] *sb* stukket tæppe, vatteret sengetæppe, vattæppe; *vb* udstoppe, polstre, vatte.
quilting ['kwiltiŋ] *sb* udstopning, polstring, vattering; stikning.
quince [kwins] *sb (bot)* kvæde.
quinine [kwi'ni:n, *am:* 'kwainain] *sb* kinin.
quinquagenarian [kwiŋkwədʒi'neəriən] *sb, adj* halvtredsårig; (en der er) i halvtredserne.
Quinquagesima [kwiŋkwə'dʒesimə] *sb* fastelavnssøndag.
quinquennial [kwiŋ'kweniəl] *adj* femårig, femårs-; femårlig, som finder sted hvert femte år.
quinquennium [kwiŋ'kweniəm] *sb* femårsperiode.
quinquina [kwiŋ'kwainə] *sb* kinabark.
quins [kwinz] *sb pl* T femlinger.
quinsy ['kwinzi] *sb* halsbetændelse.
quint [kwint] *sb* kvint (i musik); *(am)* femling.
quintal ['kwintl] *sb* (vægtenhed: 100 *el.* 122 *pounds)*.
quintessence [kwin'tesns] *sb* kvintessens; *the* **~** *of (fig)* indbegrebet af.
quintet(te) [kwin'tet] *sb* kvintet.
quintuple ['kwintjupl] *adj* femdobbelt; *vb* femdoble.
quintuplet ['kwintjuplit] *sb* femling.
quip [kwip] *sb* spydighed, sarkasme, skose; vittighed; spidsfindighed; *vb* være spydig.
I. quire ['kwaiə] *sb* bog (24 ark); *(typ)* ark, læg; *in s* i løse ark.
II. quire ['kwaiə] *sb* kor; *vb* synge i kor.
quirk [kwə:k] *sb* (hos person) særhed, ejendommelighed, lune; (påskud *etc.)* udflugt, spidsfindighed *(fx by a legal* **~***)*; (tegnet, skrevet:) snirkel, krusedulle.
quirt [kwə:t] *sb* ridepisk.
quisling ['kwizliŋ] *sb* quisling, landsforræder.
I. quit [kwit] *vb* forlade *(fx the town)*; opgive; fratræde; gå fra *(fx a job)*; *(am)* holde op med: (uden objekt) flytte, tage bort, gå sin vej; **~** *hold of sth.* give slip på noget; *notice to* **~** opsigelse; *give notice to* **~** sige op; *they* -ted *themselves like men* de stod sig som mænd.
II. quit [kwit] *adj* kvit; **~** *of* fri for, af med; *be* **~** *for* slippe med.
quitch [kwitʃ] *sb (bot)* kvikgræs.
quitclaim ['kwitkleim] *sb (jur)* afkald.
quite [kwait] *adv* helt *(fx* **~** *finished;* **~** *new;* **~** *another tone; not* **~***)*; ganske *(fx they are* **~** *young)*; fuldkommen *(fx she is* **~** *content)*; fuldt ud *(fx* **~** *enough)*; ubetinget *(fx he is* **~** *the best)*; formelig, ligefrem *(fx why, you are* **~** *rich!)*; (temmelig:) ret, helt *(fx it is* **~** *good but not brilliant)*, ganske *(fx she is* **~** *pretty)*, rigtig *(fx* **~** *nice)*;

quitclaim ['kwitkleim] *sb (jur)* afkald.
quite [kwait] *adv* helt *(fx* **~** *finished;* **~** *new;* **~** *another tone; not* **~***)*; ganske *(fx they are* **~** *young)*; fuldkommen *(fx she is* **~** *content)*; fuldt ud *(fx* **~** *enough)*; ubetinget *(fx he is* **~** *the best)*; formelig, ligefrem *(fx why, you are* **~** *rich!)*; (temmelig:) ret, helt *(fx it is* **~** *good but not brilliant)*, ganske *(fx she is* **~** *pretty)*, rigtig *(fx* **~** *nice)*;
quite! ja! ja vist så! ganske rigtigt; **~** *a* en hel *(fx it was* **~** *an event)*; **~** *a few* temmelig mange, ikke så få endda; **~** *a long time* temmelig lang tid; *not* **~** ikke helt *(fx not* **~** *proper; not* **~** *satisfactory)*; *he isn't quite (quite)* han er ikke helt fin i kanten; *oh* **~** *!* ja vist så! ja, De har ret! **~** *so!* ja! ja netop! ganske rigtigt! **~** *the contrary!* tværtimod! **~** *the thing* det helt rigtige, højeste mode.
quits [kwits] *adj* kvit; *be* **~** *with one another* være kvit; I *will be* **~** *with him some day* han skal få det betalt; *call it* **~***, cry* **~** holde op (med at slås *etc.)*, sige at man er kvit; lade det gå lige op.
quitter ['kwitə] *sb* en der opgiver på halvvejen, en der svigter; kujon, slapsvans.
I. quiver ['kwivə] *sb* kogger, pilekogger.
II. quiver ['kwivə] *vb* dirre, sitre, skælve; bævre; *sb* dirren, sitren, skælven; bævren.
quiverful *sb* stor stor børneflok, 'redefuld unger'.
qui vive ['ki:'vi:v]: *on the* **~** vågen, på vagt.
Quixote ['kwiksət]: *Don* **~** Don Quijote.
quixotic [kwik'sɔtik] *adj* don-quijotisk; idealistisk, verdensfjern.
I. quiz [kwiz] *vb* arrangere en quiz med; stille spørgsmål til; *(am)* udspørge, forhøre (indgående); *(glds)* lave løjer med, gøre nar af, drille, spotte; se spottende *(el.* undersøgende *el.* uforskammet) på.
II. quiz [kwiz] *sb* quiz, hvem-ved-hvad-konkurrence; *(am)* kort eksamination *el.* skriftlig prøve.
quizmaster *se* question master.
quizzical ['kwizikl] *adj* spottende, drilagtig; komisk, løjerlig.
quizzing-glass ['kwiziŋ gla:s] *sb* monokel.
quod [kwɔd] *sb* S spjældet (ɔ: fængsel).
quoin [kɔin, kwɔin] *sb* hjørne, hjørnesten; kile; *(typ)* sluttekile.
quoit [kɔit, kwɔit] *sb* kastering; *quoits* ringspil.
quondam ['kwɔndæm] *adj* fordums, forhenværende.
quonset ['kwɔnsit] *(am):* **~** *hut* tøndeformet barak.
quorum ['kwɔ:rəm] *sb* beslutningsdygtigt antal (især i parlamentet).
quota ['kwoutə] *sb* kvota, (forholdsmæssigt) antal, kontingent; **~** *system* kvotasystem, kontingentering.
quotable ['kwoutəbl] *adj* som er værd at citere; som egner sig til gengivelse (i ordentligt selskab), 'stueren'.
quotation [kwə'teiʃən] *sb* anførelse, citat; *(merk)* notering, kurs; tilbud *(for* på), opgivelse af pris.
quotation marks anførelsestegn.
quote [kwout] *vb* anføre, citere; *(merk)* notere; opgive, tilbyde (pris); *sb* T citat; anførelsestegn *(fx in -s)*; *quote!* (i diktat) anførelsestegn begynder; (i tale *etc)* citat *(cf unquote)*; **~** *for* opgive prisen på, give tilbud på; *please* **~** *:* 5/72 (på forretningsbrev, svarer til:) vor reference: 5/72.
quoth [kwouθ] *vb (glds)* mælede, sagde.
quotidian [kwə'tidiən] *adj* dagligdags, hverdagsagtig.
quotient ['kwouʃ(ə)nt] *sb* kvotient.
q. v. *fk quod vide* (= *which see)* se dette.
qy. *fk query.*

R [a:]; *the three R's* = *reading,* (w)*riting, and* (a)*rithmetic.*
R. *fk rex* (latin: konge); *regina* (latin: dronning); *recipe.*
R.A. *fk Royal Academy* (, *Academician*); *Royal Artillery.*
rabbet ['ræbit] *sb* fals; *vb* (ind)false.
rabbet plane falshøvl.
rabbi ['ræbi] *sb* rabbi, rabbiner.
rabbit ['ræbit] *sb* kanin; S dårlig spiller, klodrian; *vb* jage kaniner.
rabbit| burrow kaningang. **-fish** *zo* havmus. **~ hutch** kaninbur. **~ punch** håndkantslag i nakken.
rabbitry ['ræbitri] *sb* kaningård, kaninfarm.
rabbit warren område undermineret af kaningange; *(fig)* lejekaserne, rotterede.
rabble ['ræbl] *sb* larmende hob; rak, ros, krapyl; *the ~* pøbelen.
rabble|-rouser demagog, urostifter. **~ -rousing** *adj* demagogisk, ophidsende.
rabid ['ræbid] *adj* rasende, gal; vildt fanatisk, rabiat.
rabidness ['ræbidnis] *sb* fanatisme; raseri.
rabies ['reibii:z] *sb* hundegalskab.
R.A.C. *fk Royal Automobile Club.*
raccoon [rə'ku:n] *sb zo* vaskebjørn.
I. race [reis] *sb* race, slægt, folkefærd.
II. race [reis] *sb* væddeløb; kapløb, kaproning, kapsejlads, kapflyvning *(osv)*; (i vand) stærk strøm, *(millrace)* møllerende; *(flyv)* slipstrøm; (i kugleleje) (løbe)ring; *(fig)* livsløb, bane.
III. race [reis] *vb* race, ræse, ile, jage, løbe, rende; løbe (, køre, sejle *etc)* om kap; (om hest også) løbe løbsk; (med objekt) lade deltage i væddeløb; lade løbe; køre i fuld fart med *(fx a car)*; løbe om kap med; *I'll ~ you home!* hvem kommer først hjem! *~ a bill through Parliament* jage et lovforslag igennem.
race| card væddeløbsprogram. **-course** væddeløbsbane. **-horse** væddeløbshest.
raceme ['ræsi:m, ræ'si:m] *sb (bot)* klase.
race meeting væddeløb, væddeløbsdag(e).
racer ['reisə] *sb* væddeløbshest; racer, racerbil, racercykel, kapsejler; væddeløbskører.
race| riots pl raceoptøjer. **-track** væddeløbsbane.
rachitic [ræ'kitik] *adj* rakitisk.
rachitis [ræ'kaitis] *sb (med.)* rakitis, engelsk syge.
racial ['reiʃəl] *adj* race- *(fx ~ discrimination).*
racialism ['reiʃəlizm] *sb* racisme, racehovmod, racefordomme, racehad; racediskrimination.
racing ['reisiŋ] *sb* væddeløb; *adj* væddeløbs-; racer- *(fx car).*
racism ['reisizm] *sb* se *racialism.*
racist ['reisist] *sb* racist.
I. rack [ræk] *sb* drivende skymasser; ødelæggelse; *vb* drive for vinden; *go to ~ and ruin* gå til grunde.
II. rack [ræk] *sb* stativ *(fx pipe ~, rifle ~)*; -holder; (til tøj *etc)* knagerække, (i jernbanevogn) bagagenet; (i stald) (hø-, foder-) hæk; (med små rum:) reol *(fx* til flasker, værktøj), (i bibliotek) (rumdelt) tidsskriftreol, (til post) sortereroel, *(typ)* sættereol; *(agr,* på vogn) sidefjæl, kæpskinne; *(tekn)* tandstang.
III. rack [ræk] *sb (hist.)* pinebænk; *vb* lægge på pinebænken; martre, pine; *~ one's brains* bryde sit hoved, lægge sit hoved i blød.
IV. rack [ræk] *sb* (om hest) pasgang; *vb* gå pasgang.
V. rack [ræk] *vb* (om vin) aftappe, skille kvasen fra.
I. racket ['rækit] *sb* (til tennis *etc)* ketsjer.
II. racket ['rækit] *sb* ophidselse, postyr, hurlumhej, spektakel; T fidus, svindelnummer, svindelforetagende; lyssky virksomhed, ulovlig handel; *vb* lave spektakel; leve sus og dus; *stand the ~* klare den; tage ansvaret, tage skraldet; betale hvad det koster; *what's the ~?* hvad er der løs?

racketeer [ræki'tiə] *sb* en der driver ulovlig handel *el.* anden lyssky virksomhed; pengeafpresser.
racketeering [ræki'tiəriŋ] *sb* organiseret pengeafpresning, gangsteruvæsen.
rackety ['rækiti] *adj* udsvævende, løssluppen.
rack railway tandhjulsbane.
rack rent ublu leje.
raconteur [rækɔn'tə:] *sb* fortæller.
racoon [rə'ku:n] *sb zo* vaskebjørn.
racquet ['rækit] *sb* ketsjer.
racy ['reisi] *adj* fin, aromatisk; kraftig, kernefuld; saftig, vovet; *~ of the soil* 'groet lige op af mulden'.
rad. [ræd] *fk radical.*
radar ['reidə] *sb* radar. **radar| beacon** radarfyr. **~ screen** radarskærm.
raddled ['rædld] *adj* oversminket; hærget; udslidt.
radial ['reidjəl] *adj* radial, udstrålende; **~ engine** stjernemotor; **~ -ply tyre** radialdæk; **~ road** radialgade, primærgade; udfaldsvej.
radiance ['reidjəns] *sb* stråleglans; udstråling.
radiant ['reidjənt] *adj* strålende, glædestrålende; **~ heat** strålevarme.
I. radiate ['reidieit] *vb* udstråle, bestråle; skinne; **~ from** *(fig)* stråle ud fra.
II. radiate ['reidiit] *adj* stråleformet.
radiation [reidi'eiʃ(ə)n] *sb* udstråling, (radioaktiv) stråling; bestråling; **~ sickness** strålingssyge (fremkaldt af radioaktiv stråling).
radiator ['reidieitə] *sb* radiator, varmeapparat; (i bil) køler.
I. radical ['rædikl] *sb* radikal; yderliggående; *(mat.)* rod; rodtegn; *(kem)* radikal.
II. radical ['rædikl] *adj* radikal, yderliggående; dyb; fundamental *(fx difference)*, grundig, gennemgribende *(fx reform)*; *(gram, mat.)* rod-; **~ sign** *(mat.)* rodtegn.
radicalism ['rædikəlizm] *sb* radikalisme.
radicalize ['rædikəlaiz] *vb* radikalisere.
radicle ['rædikl] *sb (bot)* rodtrævl, kimrod; finere forgrening; *(kem)* radikal.
radiferous [ræ'difərəs] *adj* radiumholdig.
radio ['reidiou] *sb* radio; *vb* radiotelegrafere; *by ~* pr. radio.
radioactive ['reidiou'æktiv] *adj* radioaktiv.
radioactivity ['reidiouæk'tiviti] *sb* radioaktivitet.
radio| beacon radiofyr. **~ beam** radiostråle. **~ bearing** radiopejling. **~ cabinet** radioskab. **~ car** radiovogn (politiets). **~ carbon** ['ka:bən] kulstof 14. **~ communication** radioforbindelse. **~ direction finder** radiopejleapparat. **~ direction finding** radiopejling. **~ frequency** radiofrekvens.
radio|genic [reidiou'dʒenik] *adj* fremkaldt af radioaktivitet. **-gram** [-græm] radiotelegram; røntgenbillede; radiogrammofon. **-graph** [-gra:f] *sb* røntgenbillede; *vb* røntgenfotografere. **-graphy** [reidi'ɔgrəfi] røntgenfotografering. **-isotope** [-'aisətoup] radioaktiv isotop. **-location** ['reidioulə'keiʃ(ə)n] *sb* radiopejling.
radio logical [reidiou'lɔdʒikl] radiologisk. **-logist** [reidi'ɔlədʒist] radiolog, røntgenspecialist. **-logy** [reidi'ɔlədʒi] radiologi.
radiopaque [reidiou'peik] *adj* ikke gennemtrængelig for røntgenstråler.
radio| play hørespil. **-scopy** [reidi'ɔskəpi] røntgenundersøgelse. **~ set** radioapparat. **-sonde** ['reidiou'sɔnd] radiosonde. **-telegram** [-'teligræm] radiotelegram. **-telegraphy** [-ti'legrəfi] radiotelegrafi. **-telephony** [-ti'lefəni] radiotelefoni. **~ telescope** radioteleskop. **-therapy** [-'θerəpi] radioterapi. **~ transmitter** radiosender.
radish ['rædiʃ] *sb (bot)* radise; ræddike.
radium ['reidiəm] *sb* radium; **~ centre**, **~ station** radiumstation.
radius ['reidiəs] *sb (pl radii* ['reidiai]) radius; stråle; (hjul-)

ege; *(anat)* spoleben.
R.A.F. *fk Royal Air Force.*
raffia [ˈræfiə] *sb (bot)* rafia; (rafia)bast.
raffish [ˈræfiʃ] *adj* forsoren; udsvævende; bedærvet; (om udseende) vulgær, tarvelig.
raffle [ræfl] *sb* lodtrækning, lotteri; *vb* bortlodde.
raft [rɑːft] *sb* tømmerflåde; (samling drivende tømmer:) drift; *vb* sejle (, transportere) på tømmerflåde.
rafter [ˈrɑːftə] *sb* tagspær, loftsbjælke; *-ed ceiling* bjælkeloft.
raftsman [ˈrɑːftsmən] *sb* flådefører.
rag [ræg] *sb* klud, pjalt, las; sjov, grovkornede løjer; T (om avis) sprøjte *(fx the local ~);* (i byggeri) skiferplade; grov sandsten; *vb* lave grove løjer med, gøre grin med, lave fest med; skælde ud; *all in -s* fuldstændig laset; *chew the ~* S mukke, brokke sig; sludre, snakke; *not a ~* ikke en stump.
ragamuffin [ˈrægəmʌfin] *sb* pjaltet fyr, lazaron.
rag-and-bone-man produkthandler.
rag|bag kludepose; *(fig)* broget samling. **~ bolt** stenskrue. **-doll** kludedukke.
rage [reidʒ] *sb* raseri; heftighed, voldsomhed; *(fig)* mani; *vb* rase; grassere; *be (all) the ~* være stærkt på mode; gøre furore.
ragged [ˈrægid] *adj* laset, pjaltet *(fx clothes);* flosset, frynset; forreven *(fx clouds);* takket *(fx rocks);* pjusket *(fx hair);* ujævn, knudret *(fx rhymes);* spredt *(fx applause).*
ragged robin *(bot)* trævlekrone.
raging [ˈreidʒiŋ] *sb* rasen; *adj* rasende.
ragman [ˈrægmən] *sb* kludekræmmer, produkthandler.
ragout [ˈrægu:] *sb* ragout.
rag| paper kludepapir. **-picker** kludesamler, klunser. **~ rug** kludetæppe. **~ shop** marskandiserbutik.
ragtag [ˈrægtæg] *sb:* **~ and bobtail** pøbel.
ragtime [ˈrægtaim] *sb* ragtime (synkoperet rytme; form for jazz); **~ army** operettehær.
rag trade: *the* **~** modeindustrien.
ragweed [ˈrægwi:d] *sb (bot)* brandbæger; *(am)* ambrosie.
rag wheel tandhjul; polérskive.
ragwort [ˈrægwɔːt] *sb (bot)* brandbæger.
raid [reid] *sb* angreb, indfald, overfald, plyndringstogt; luftangreb; (politi-) razzia; *vb* angribe; plyndre; foretage en razzia i; *make a ~ on* (også) gøre indhug i.
raider [ˈreidə] *sb* deltager i angreb (, plyndringstogt, razzia); angriber; angribende flyvemaskine.
raiders-passed signal afblæsning (af flyvervarsling), afvarsling.
I. rail [reil] *sb* tremme, stang, (vandret, i stakit) løsholt, (ved trappe) gelænder, (til afspærring) rækværk, *(mar)* ræling; *(jernb etc)* skinne; **-s** *pl* (også) rækværk, stakit; jernbane; *(merk)* jernbaneaktier; *by* **~** med toget, per bane; *off the -s* afsporet; *(fig)* i uorden, af lave; *go off the -s* løbe af sporet; *(fig)* komme på afveje, gå over gevind; gå fra koncepterne; *get on the -s (fig)* få ind i den rette gænge; (om forbryder) få på ret køl.
II. rail [reil] *vb* sætte stakit (, rækværk, gelænder) om; sende med jernbane.
III. rail [reil] *vb:* **~** *at (el. against)* skælde ud på *(el. over).*
IV. rail [reil] *sb zo* rikse.
rail|car skinnebus; *(am)* jernbanevogn. **-coach** skinnebus. **~ creep** skinnevandring. **-head** endepunkt for jernbane; (del af skinne) skinnehoved.
railing [ˈreiliŋ] *sb* stakit, rækværk.
raillery [ˈreiləri] *sb* (godmodigt) drilleri.
railroad [ˈreilroud] *sb (am)* jernbane; *vb* anlægge jernbaner i; transportere med banen; **~** *through* tvinge igennem i en fart, jage igennem *(fx* **~** *a bill through Congress);* **~** *sby* (også) få en fængslet (, dømt) på en falsk anklage *(el.* på utilstrækkeligt grundlag); dømme en ved lynjustits.
railroad| car *(am)* jernbanevogn. **~ apartment, ~ flat** *(am)* (slum)lejlighed med alle rum i forlængelse af hinanden.
railway [ˈreilwei] *sb* jernbane.
railway| carriage jernbanevogn. **~ guide** køreplan, rejseliste. **~ station** banegård, jernbanestation.
raiment [ˈreimənt] *sb (glds el. poet)* dragt, klædning, klæ-

debon.
rain [rein] *vb* regne; lade det regne med *(fx blows);* *sb* regn, regnvejr; **-s** regnbyger, regntid; *it is -ing cats and dogs* det styrter ned, det regner skomagerdrenge ned; *it never -s but it pours* en ulykke kommer sjældent alene; *-ed off* aflyst på grund af regn; **~** *or shine* hvordan vejret end er (, var).
rainbow [ˈreinbou] *sb* regnbue.
rainbow trout *zo* regnbueørred.
rain cape regnslag.
rain check *(am)* talon af billet (som kan bruges igen hvis arrangementet aflyses, *fx* på grund af regn); *I'll take a* **~** *on that (fig)* jeg vil gerne have det til gode til en anden gang.
rain|coat regnfrakke. **-drop** regndråbe. **-fall** nedbør, regn. **~ gauge** [-geidʒ] regnmåler. **-proof** *adj* regntæt, vandtæt. **-water** regnvand. **-wear** regntøj.
rainy [ˈreini] *adj* regnfuld, regn-; regnvejrs-; *lay by for a* **~** *day* lægge til side (som en nødskilling).
I. raise [reiz] *vb* hæve *(fx one's glass),* løfte *(fx one's hand);* rejse *(fx a building, a monument);* (gøre højere:) hæve, forhøje *(fx the price, the rent, salaries),* sætte op, sætte i vejret; forstærke; *(mht rang)* ophøje, forfremme; (om luv) opkradse, ru, (om narv) fremhæve; (forårsage:) rejse *(fx a cloud of dust),* fremkalde, vække *(fx a laugh);* (om død) opvække, (om ånd) fremmane; (i diskussion) rejse, bringe på bane *(fx a question);* (ytre:) opløfte *(fx a cry);* (skaffe:) rejse *(fx a loan, £100);* (lade ophøre:) ophæve *(fx an embargo),* hæve *(fx a siege);* *(agr etc,* om planter, afgrøde) dyrke *(fx maize),* avle *(fx potatoes),* (om dyr) opdrætte; (om børn, især *am)* opfostre; *(am,* om bedrager) forhøje beløbet på (en check, postanvisning); *(mar)* få i sigte *(fx a ship, land, a whale);* *(mat.)* opløfte *(fx to the fifth power);* **~** *the alarm* slå alarm; **~** *Cain (, a dust, hell, the roof)* lave en farlig ballade; **~** *steam* sætte dampen op; **~** *one's voice* hæve stemmen; opløfte sin røst; protestere *(against imod);* **~** *the wind* T skaffe de fornødne (penge)midler.
II. raise [reiz] *sb* forhøjelse, (T især) lønforhøjelse; stigning, bakke; (i bridge) støttemelding.
raised [reizd] *adj* ophøjet *(fx letters);* relief- *(fx embroidery, figure);* **~** *bog* højmose.
raisin [ˈreizn] *sb* rosin.
raison d'être *[fr, ˈreizɔːnˈdeitə]* eksistensberettigelse.
raj [rɑːdʒ] *sb* (indisk:) herredømme.
raja(h) [ˈrɑːdʒə] *sb* rajah, indisk fyrste.
I. rake [reik] *sb* rive; hesterive; ildrager; *vb* rive; rage (op i) *(fx the fire);* gennemstøve, ransage; *(mil, mar)* bestryge, beskyde langskibs; **~** *out* støve op, rode frem; **~** *up* møjsommeligt samle, skrabe sammen; rode op i *(fx old scandals).*
II. rake [reik] *sb* hældning, hældningsgrad, fald; *(mar* af stævn) fald, (af mast) hældning; *(tekn)* spånvinkel; (på hus) gavlkant; *vb* hælde, bringe til at hælde.
III. rake [reik] *sb* udhaler, skørtejæger, libertiner.
rake-off [ˈreikɔf] *sb* S andel i udbytte (især ulovligt), returkommission.
raking stem *(mar)* fremfaldende stævn.
rakish [ˈreikiʃ] *adj* udsvævende; forsoren, flot, skødesløs; (især om skib) elegant bygget, smart.
râle [rɑːl] *sb* rallelyd; rallen.
Raleigh [ˈrɔːli, ˈrɑːli, ˈræli].
I. rally [ˈræli] *vb (glds)* drille (godmodigt), spøge.
II. rally [ˈræli] *vb* samle (igen), bringe orden i; (uden objekt) samle sig (igen), fylke sig; bedres, komme sig, komme til kræfter; rette sig; *sb* bedring, samling, stævne; kongres *(fx party ~);* (billøb:) rally.
rallying| cry kampråb. **~ point** samlingssted; støttepunkt.
Ralph [reif, rælf].
ram [ræm] *sb zo* vædder; *(tekn:* i rambuk) rambukklods, faldlod; (i presse, værktøjsmaskine) stødslæde; *(hist.:* til belejring) murbrækker, (på skibsstævn) vædder; *vb* ramme, vædre; stampe, støde; stoppe *(fx* **~** *clothes into a trunk);* **~** *down* ramme ned; **~** *it into his head* banke det ind i hovedet på ham.
R.A.M. *fk Royal Academy of Music.*
ramble [ˈræmbl] *vb* strejfe om, flakke om; gøre afstikkere; tale usammenhængende; (i tale, skrift) springe fra det

ene til det andet; (om planter) vokse vildt, brede sig; *sb* tur, udflugt.

rambler ['ræmblə] *sb* vandrer; *(bot)* slyngrose.

rambling ['ræmbliŋ] *adj* (om foredrag *etc*) spredt, springende, usammenhængende, vildtløftig; (om hus) uregelmæssigt bygget, vidtløftig; ~ *rose (bot)* slyngrose.

rambunctuous [ræm'bʌŋkʃəs] *adj (am* **T)** larmende; vild, balstyrig, uregerlig.

R.A.M.C. *fk Royal Army Medical Corps.*

ramekin ['ræmkin] *sb* indbagt ost; lille ildfast (glas)form.

ramification [ræmifi'keiʃən] *sb* forgening.

ramify ['ræmifai] *vb* forgrene; forgrene sig.

ramjet ['ræmdʒet] *(flyv):* ~ *motor* rammotor.

rammer ['ræmə] *sb* rambuk; stamper, støder; brolæggerstempel.

ramp [ræmp] *vb* storme, rase, fare omkring som rasende; skråne; **S** fuppe; *sb* rampe, skråning, opkørsel; *(flyv)* lejder; **S** svindelnummer (for at opnå højere priser), forsøg på afpresning; (se også *rampage*).

rampage [ræm'peidʒ] *sb* raserianfald, rasen; stormen omkring; *vb* storme omkring, rase; *go on a* ~ løbe grassat, fare vildt frem.

rampageous [ræm'peidʒəs] *adj* vild, uregerlig, tøjlesløs.

rampant ['ræmpənt] *adj* overhåndtagende; (om person) rasende, aggressiv; (om plante) som breder sig voldsomt, frodig, yppig; (i heraldik, om dyr) oprejst; *be* ~ grassere, gå i svang.

rampart ['ræmpa:t] *sb* vold, fæstningsvold; *vb* befæste med volde.

rampion ['ræmpjən] *sb (bot)* rapunselklokke.

ramrod ['ræmrɔd] *sb* ladestok; viskestok; *(fig)* stivstikker.

ramshackle ['ræmʃækl] *adj* brøstfældig, faldefærdig, vaklevorn; ~ *car* bilvrag.

ramson ['ræmsn] *sb (bot)* ramsløg.

ran *præt* af *run.*

ranch [ra:n(t)ʃ, ræn(t)ʃ] *sb* ranch, kvægfarm.

rancher ['ra:n(t)ʃə, 'ræn(t)ʃə] *sb* ranchejer, kvægopdrætter, rancharbejder.

ranch house *(am)* hovedbygning, stuehus (på en ranch); enetages enfamiliehus med fladt tag, længehus.

rancid ['rænsid] *adj* harsk.

rancidity [ræn'siditi], **rancidness** ['rænsidnis] *sb* harskhed.

rancorous ['ræŋkərəs] *adj* hadsk, uforsonlig.

rancour ['ræŋkə] *sb* had, nag, bitterhed.

rand [rænd] *sb* (på sko) krans; sydafrikansk møntenhed.

Rand [rænd]: *the* ~ Witwatersrand (distrikt i Transvaal).

R & D *fk research and development.*

random ['rændəm] *adj* tilfældig, vilkårlig; *at* ~ på lykke og fromme, på må og få; ~ *shot* slumpskud.

randy ['rændi] *adj* larmende, højrøstet; liderlig.

ranee ['ra:ni:] *sb* indisk fyrstinde.

rang *præt* af *ring.*

I. range [rein(d)ʒ] *vb* stille i række, opstille; *(fig)* klassificere, indordne; (bevæge sig:) strejfe om i (, på), gå hen over *(fx the fields);* (uden objekt) strejfe om; strække sig *(fx the mountains -d as far as the eye could see), (fig)* variere, ligge *(fx prices -d from £5 to £25 el. between £5 and £25);* (om skyts) indskyde; række; ~ *over* strejfe om i (, på); *(fig)* spænde over; berøre, omfatte *(fx the talk -d over every aspect of the matter);* ~ *oneself* **with** slutte sig til *(fx the opposition).*

II. range [rein(d)ʒ] *sb* række; område *(fx temperature* ~), omfang; udvalg *(fx an extensive* ~ *of patterns),* sortiment; klasse *(fx price* ~; *the upper -s of society);* spillerum *(fx give a free* ~ *to one's imagination),* råderum *(fx within the* ~ *of a transmitter, of a missile, of one's voice),* (om skyts også) skudvidde; *(flyv)* rækkevidde, længste flyvestrækning (uden brændstofpåfyldning); aktionsdistance; *(mht* mål, også *fot)* afstand; *(shooting* ~) skydebane, (for raket) afprøvningsbane; *(agr,* især *am)* græsningsareal; *(biol)* udbredelsesområde; (i edb) værdimængde; *(mus.)* register *(fx of a voice);* (i statistik) variationsbredde; *(kitchen* ~) komfur; at *close* ~ på nært hold; *find the* ~ *of (mil.)* indskyde sig på; ~ *of hills* bakkedrag; ~ *of mountains* bjergkæde; ~ *of vision* synsvidde.

range finder afstandsmåler.

ranger ['rein(d)ʒə] *sb* omstrejfer, vandringsmand; bereden

---

gendarm; skovfoged; seniorspejder (over 16 år); *the American Rangers* de amerikanske kommandotropper; ~ *student* forstelev.

rangy ['rein(d)ʒi] *adj* omstrejfende; (især *am)* langbenet, ranglet.

rani = *ranee.*

I. rank [ræŋk] *sb* rang *(fx the* ~ *of colonel; acting* (skuespilkunst) *of the very first* ~), grad; stand; rangklasse, samfundsklasse; række; *(taxi* ~) holdeplads; *(mil.)* geled; (i edb) niveau; *the* ~ *and file (mil.)* de menige (og korporalerne), mændene i geleddet; (i parti *etc)* de menige medlemmer; *(fig)* menigmand, den jævne befolkning; *reduce to the -s* degradere til menig; *rise from the -s* avancere fra menig; arbejde sig frem.

II. rank [ræŋk] *vb* stille i række, ordne, sætte i orden, rangere; regne; sætte *(fx* ~ *it highly); (am)* have højere rang end; stå over; (uden objekt) stå i række; rangere; ~ *as* regnes for; ~ *high* rangere højt; *(fig* også) være højt anset; ~ *with* have samme rang som; regnes blandt.

III. rank [ræŋk] *adj* overgroet *(fx a garden* ~ *with weeds),* alt for frodig *(fx grass),* (om jord) alt for fed; stinkende *(fx* ~ *with filth);* stram, sur *(fx a* ~ *smell);* væmmelig, modbydelig; (det) argeste, værste *(fx nonsense).*

ranker ['ræŋkə] *sb* menig; officer der har tjent sig op fra menig.

ranking ['ræŋkiŋ] *adj (am)* som rangerer højest; ældst *(fx the* ~ *officer);* førende, ledende *(fx the* ~ *economists in the country);* fremtrædende, højtstående.

rankle ['ræŋkl] *vb* blive betændt; *(fig)* nage, svie, efterlade en brod.

ransack ['rænsæk] *vb* ransage, gennemsøge; plyndre.

ransom ['rænsəm] *sb* løskøbelse; løsesum, løsepenge; *vb* løskøbe, udløse; *hold sby to* ~ holde én fangen indtil løsepengene er betalt; lade afpresning over for en; (ofte =) holde en som gidsel.

rant [rænt] *vb* skvaldre op; tale højtravende, deklamere; *sb* skvalder; svulst, deklamation; (på skotsk) støjende gilde.

ranunculus [rə'nʌŋkjuləs] *sb (bot)* ranunkel.

R. A. O. C. *fk Royal Army Ordnance Corps (omtr)* Hærens tekniske Korps.

rap [ræp] *vb* banke, give et rap *(el.* slag), smække; tromme; banke på; **S** kritisere skarpt; *sb* rap, slag, smæk; banken; **S** beskyldning, anklage; skarp kritik; *beat the* ~ **S** slippe for straf; *I don't care a* ~ jeg er flintrende ligeglad; ~ *out an oath* udstøde en ed; ~ *him over the knuckles* give ham over fingrene; *take the* ~ tage skraldet; være syndebuk.

rapacious [rə'peiʃəs] *adj* rovlysten, (rov)grisk.

rapacity [rə'pæsiti] *sb* griskhed.

I. rape [reip] *sb* voldtægt; (især *glds)* rov, voldelig bortførelse, voldførelse; plyndring; *vb* voldtage; bortføre med vold; røve.

II. rape [reip] *sb (bot)* raps. **rapeseed** rapsfrø.

Raphael ['ræfeiəl].

rapid ['ræpid] *adj* rask; rivende, strid *(fx current); sb* strømfald; *shoot the -s* fare ned ad strømfaldene.

rapid-fire *adj* hurtigskydende; *(fig)* rivende hurtig.

rapidity [rə'piditi] *sb* hurtighed, (rivende) fart.

rapier ['reipjə] *sb* stødkårde.

rapine ['ræpain] *sb* rov, plyndring.

rapist ['reipist] *sb* voldtægtsforbryder.

rapping spirit bankeånd.

rapport ['ræpɔ:] *sb* nært (, personligt, sympatisk) forhold *(with* til, *fx he had difficulty in establishing* (få) *a personal* ~ *with his students).*

rapporteur ['ræpɔ:tə:] *sb* referent.

rapprochement [ræ'prɔʃma:ŋ] *sb* (fornyet) tilnærmelse (især mellem stater).

rapscallion [ræp'skæljən] *sb (glds)* slubbert, slambert.

rapt [ræpt] *adj* betaget, henført; hensunket, fordybet *(fx in a book).*

rapture ['ræptʃə] *sb* begejstring, henrykkelse, ekstase; *in -s* henryk.

rapturous ['ræptʃərəs] *adj* begejstret, henrykt.

rare [rɛə] *adj* sjælden, usædvanlig; kostbar; tynd *(fx air);* enkelt, sparsom, spredt; **T** voldsom *(fx fright);* herlig, pragtfuld; *(am)* halvkogt, halvstegt, rødstegt; *on* ~ *occa-*

sions en sjælden gang; *be a ~ one for* T være en hund efter, elske *(fx I'm a ~ one for chops); have a ~ time* more sig herligt.
rarebit ['rɛəbit], se *Welsh rarebit.*
rare earths *pl (kem)* sjældne jordarter.
raree-show ['rɛəri:'ʃou] *sb* perspektivkasse.
rarefaction [rɛəri'fækʃən] *sb* fortynding (af luftart).
rarefy ['rɛərifai] *vb* fortynde(s); *(fig)* forfine(s); *rarefied* forfinet, ophøjet.
raring ['rɛəriŋ] *adj:* ~ *to* ivrig (, helt vild) efter at.
rarity ['rɛəriti] *sb* sjældenhed; fortyndet tilstand, fortynding.
R.A.S.C. *fk Royal Army Service Corps* (svarer til) forsyningstropperne.
rascal ['ra:skl] *sb* slyngel, slubbert; *you lucky ~* dit lykkelige bæst; *you young ~* din lille slubbert.
rascality [ra:s'kæliti] *sb* slyngelagtighed, slyngelstreg.
rascally ['ra:skəli] *adj* slyngelagtig, gemen.
I. rash [ræʃ] *sb* udslæt; *a ~ of (fig)* en hel epidemi af *(fx robberies).*
II. rash [ræʃ] *adj* ubesindig, overilet, uoverlagt, hasarderet.
rasher ['ræʃə] *sb* skive bacon *(el. skinke).*
rasp [ra:sp] *sb* (værktøj:) rasp; (lyd:) raspen, skurren, skurrende lyd; *vb* raspe, skurre (i), kradse (i), irritere; *~ on a violin* file på en violin; *~ out* hvæse *(fx an order).*
raspberry ['ra:zb(ə)ri] *sb* hindbær; S afvisning; prut; (pruttende lyd som udtryk for) udpibning; *give sby the ~* S pibe én ud.
raster ['ra:stə] *sb* (i TV) raster.
I. rat [ræt] *sb zo* rotte; *(fig)* overløber; forræder; *(am,* af hår) valk; *rats!* sludder og vrøvl! pokkers også! øv! rend og hop! *look like a drowned ~* være våd som en druknet mus; *smell a ~* lugte lunten, ane uråd.
II. rat [ræt] *vb* fange rotter; S gå over til fjenden, være overløber; (med objekt) = ~ *on* S svigte, forråde; stikke.
ratable, se *rateable.*
rataplan [ætə'plæn] da-da-dum; *vb* tromme.
ratchet ['rætʃit] *sb (tekn)* skralde.
ratchet| **drill** skraldebor. ~ **wheel** palhjul, spærrehjul.
I. rate [reit] *sb* sats *(fx wage ~; ~ of duty* toldsats), takst *(fx ~ of postage),* tarif; *(merk)* pris; (aktie- *etc)* kurs *(fx ~ of exchange* valutakurs); *(~ of speed)* fart *(fx at a furious ~* med rasende fart), hastighed; (i statistik: forholdsmæssigt antal) -procent *(fx dropout ~, sickness ~);* -tal *(fx birthrate* fødselstal) (se også *death ~);* -s *pl* (i England) kommuneskat (af fast ejendom); *first (, second etc)* ~ første (, anden *etc)* klasses;
  at *any* ~ i hvert fald, under alle omstændigheder; i det mindste *(fx at any ~ he is better than you); at a cheap ~* billigt, for godt køb; *at the ~ of* med en fart af; til en pris af; *at that ~* i så fald, på den måde; *at this ~* på denne måde; *~ of climb (flyv)* stigningshastighed; *~ of flow* strømningshastighed; *~ of interest* rentesats, rentefod.
II. rate [reit] *vb* anslå, vurdere, taksere; regne *(among* blandt; *as* for, *fx he is ~d one of the best);* (uden objekt) *(især am)* fortjene, kunne gøre krav på; (uden objekt) regnes *(as* for), rangere *(as* som).
III. rate [reit] *vb* give en alvorlig overhaling, gennemhegle.
rateable ['reitəbl] *adj* skattepligtig; ~ *value* værdi (af fast ejendom) som skatten beregnes af, beskatningsgrundlag.
ratel ['reitl] *sb zo* honninggrævling.
ratepayer ['reitpeiə] *sb* skatteyder.
rather ['ra:ðə] *adv* temmelig; snarere, hellere; T ['ra:'ðə:] *interj* ih ja; ja det skulle jeg mene; *it's ~ cold* det er temmelig koldt; *it was ~ a failure* det blev nærmest *(el.* noget af) en fiasko; *I had ~* (let *glds) = I would ~; ~* higher noget højere; ~ *more* noget mere; en del flere; *or* ~ eller snarere, eller rettere; *she is ~ pretty* hun er ganske køn; *I ~ think* jeg tror *(el.* synes) næsten; *I would (el. I'd) ~ go* jeg vil (, ville) hellere *(el.* helst) gå; *I'd ~ like* jeg kunne godt tænke mig *(fx a glass of beer); I would ~ not* jeg vil helst ikke.
ratification [rætifi'keiʃən] *sb* stadfæstelse, ratificering, ratifikation.
ratify ['rætifai] *vb* stadfæste, ratificere.
I. rating ['reitiŋ] *sb* vurdering; klassificering; ansættelse til

kommuneskat; procentvis antal lyttere (til TV *el.* radioprogram); (maskines) kapacitet; *(mar)* menig matros *el.* underofficer. **II. rating** ['reitiŋ] *sb* overhaling, skældud.
ratio ['reiʃiou] *sb* forhold; *inverse ~* omvendt forhold.
ratiocinate [ræti'ɔsineit] *vb* ræsonnere, tænke logisk, drage (logiske) slutninger.
ratiocination [rætiɔsi'neiʃən] *sb* ræsonneren, logisk tænkning, logisk slutning.
ration ['ræʃən] *sb* ration; *vb* rationere, sætte på ration; ~ *out* uddele rationer af.
rational ['ræʃnl] *adj* fornuft-, fornuftig; rationel.
rationale [ræʃə'na:l(i)] *sb* logisk begrundelse.
rationalism ['ræʃənəlizm] *sb* rationalisme.
rationalist ['ræʃənəlist] *sb* rationalist.
rationalistic [ræʃənə'listik] *adj* rationalistisk.
rationality [ræʃə'næliti] *sb* fornuft.
rationalization ['ræʃnəlai'zeiʃən] *sb* rationalisering.
rationalize ['ræʃənəlaiz] *vb* rationalisere; give en fornuftmæssig forklaring på; *(psyk)* efterrationalisere.
ratline ['rætlin] *sb (mar)* vevling.
ratoon [ræ'tu:n] *sb* nyt skud fra sukkerrør (efter at det er skåret ned).
rat race *(fig)* hektisk jag, vild jagt; topstræb, rotteræs.
ratsbane ['rætsbein] *sb* rottegift; *(bot)* (populær betegnelse for forskellige giftplanter).
rattan [rə'tæn] *sb* spanskrør.
ratter ['rætə] *sb* rottejæger; rottehund; overløber.
I. rattle ['rætl] *vb* dundre, skramle, rumle; rasle, klapre; (om halslyd) ralle; (med objekt) rasle med, klapre med; T gøre nervøs, bringe ud af fatning; ~ *at the door* dundre på døren; ~ *away* lade munden løbe; ~ *off* lire af, snakke løs; ~ *out* bralre ud.
II. rattle ['rætl] *sb* dundren, skramlen, rumlen; raslen; klapren; (halslyd) rallen; (legetøj *etc)* skralde; *there was a ~ in his throat* han rallede.
rattlebrain ['rætlbrein] *sb* snakkehoved, sludrebøtte; *-ed* tomhjernet.
rattler ['rætlə] *sb* klapperslange; sludrebøtte; *(glds* T) pragteksemplar.
rattle|**snake** klapperslange. **-trap** skramlende køretøj, rumlekasse; S sludrebøtte; *-traps* (også:) snurrepiberier.
rattling ['rætliŋ] *adj* rask; munter; S storartet; *adv* mægtig *(fx ~ good);* vældig; *at a ~ pace* i strygende fart.
rat-trap rottefælde; S mund.
ratty ['ræti] *adj* rotteagtig; rottebefængt; lurvet; S gnaven, arrig, sur.
raucous ['rɔ:kəs] *adj* ru, hæs, grov.
ravage ['rævidʒ] *sb* hærgen; ødelæggelse, plyndring; *vb* hærge, ødelægge, plyndre; *the -s of time* tidens tand.
I. rave [reiv] *vb* tale i vildelse, fantasere; rase; ~ *about* (også) tale (, skrive) vildt begejstret om; falde i henrykkelse over, være vildt begejstret for.
II. rave [reiv] *sb* rasen; fantaseren; T vild begejstring; begejstret anmeldelse; S abefest, orgie; *adj:* ~ *review* begejstret anmeldelse.
ravel ['rævl] *vb* trævle (op); filtre sammen, bringe i urede; ~ *out* udrede.
raven ['reivn] *sb* ravn; *adj* ravnsort.
ravening ['rævniŋ] *adj* rovgrisk; glubende.
ravenous ['rævnəs] *adj* (skrup)sulten; forslugen; glubende *(fx appetite).*
ravine [rə'vi:n] *sb* kløft; hulvej.
raving ['reiviŋ] *adj* rasende, som taler i vildelse; ~ *mad* splittergal.
ravings ['reiviŋz] *sb pl* fantaseren.
ravish ['ræviʃ] *vb* rane, røve; rive bort; henrykke, henrive; *(glds)* voldtage.
ravishing ['ræviʃiŋ] *adj* henrivende.
ravishment ['ræviʃmənt] *sb* ran, rov; henrykkelse.
raw [rɔ:] *adj* rå *(fx meat);* rå- *(fx produce, silk, sugar);* uforarbejdet; ubearbejdet, ikke afpudset; grov; *(fig)* grøn, umoden, usleben, uerfaren; (om vejr) råkold; (om sted på huden) hudløs, (om sår) blodig; *(am* T) sjofel *(fx joke); sb* hudløst sted; *get a ~ deal* få en grov *(el.* uretfærdig) behandling; *in the ~* i sin oprindelige tilstand; ubehandlet; utilsløret; S nøgen; *touch sby on the ~* såre ens følelser, ramme en på et ømt punkt.
raw|**-boned** ['rɔ:bound] knoklet, radmager. ~ **edge** trævle-

kant. **-hide** ['rɔːhaid] (pisk af) ugarvet kalveskind; *vb (am)* piske (frem). **~ materials** råstoffer.

I. ray [rei] *sb* stråle, lysstråle; *vb* udstråle; *a ~ of hope* et glimt af håb.

II. ray [rei] *sb zo* rokke.

rayon ['reiɔn] *sb* rayon, kunstsilke.

raze [reiz] *vb* udslette; rasere, sløjfe, jævne med jorden.

razor ['reizə] *sb* barberkniv; *safety ~* barbermaskine.

razor|back *zo* finhval. **~ bill** *zo.* alk. **~ clam** *(am) = ~ fish.* **~ edge** skarp æg; skarp klipperyg; skillelinie; kritisk situation. **~ fish, ~ shell** *zo* knivmusling. **~ strap, ~ strop** strygerem.

razz [ræz] *vb (am* T) drille.

razzia ['ræziə] *sb* razzia, plyndringstog, strejftog.

razzle-dazzle ['ræzl'dæzl] *sb* S soldetur; larm og ballade, hurlumhej.

razzmataz ['ræzmə'tæz] *sb* S hurlumhej.

R.C. *fk Roman Catholic; Red Cross.*

Rd. *fk Road.*

R.D. *fk refer to drawer.*

re [riː] angående, med hensyn til; *in ~ (jur)* i sagen.

re- [riː-, ri-] (præfiks) igen, atter, på ny *(fx reread);* gen- *(fx rebaptize);* om- *(fx readdress).*

R.E. *fk Royal Engineers.*

I. reach [riːtʃ] *vb* nå; komme i hænde *(fx his letter -ed me);* få kontakt med, komme i forbindelse med *(fx I tried to ~ him by telephone);* række *(fx ~ me that book);* nå til *(fx the bookcase -ed the ceiling);* (uden objekt) strække sig *(fx his garden -ed as far as the river),* nå, gå *(to* til, *fx a coat -ing to the knee); ~ for* række efter, gribe efter; **~ out** række ud, strække ud *(fx one's hand).*

II. reach [riːtʃ] *sb* rækkevidde; *(fig)* evner, horisont; *(mar)* slag, stræk; (i flods løb) stræk, lige strækning; *beyond my ~* uden for min rækkevidde, over min horisont; *beyond the ~ of human intellect* ud over menneskelig fatteevne; *within my ~* inden for min rækkevidde, så jeg kan nå det; *within easy ~ of sth* i nærheden af noget *(fx live within easy ~ of London),* med noget inden for rækkevidde.

reach-me-down ['riːtʃmidaun] *adj* S færdigsyet; **-s** *sb pl* færdigsyet tøj, stangtøj; *(fig)* færdigsyede meninger.

react [ri'ækt] *vb* virke tilbage, reagere.

re-act ['riː'ækt] *vb* genopføre.

reactance [ri'æktəns] *(elekt)* reaktans.

reaction [ri'ækʃən] *sb* reaktion; bagstræb; tilbagevirkning, modvirkning; omslag; (i radio) tilbagekobling.

reactionary [ri'ækʃənəri] *adj, sb* reaktionær; bagstræber.

reactive [ri'æktiv] *adj (kem etc)* reaktiv.

I. read [riːd] *vb (read* [red]*, read,* se II. *read)* læse, læse i *(fx a paper* en avis*, a book),* læse op; (fortolke *etc)* opfatte *(fx the blockade is here ~ as an act of war),* forstå, tyde *(fx a dream),* løse, gætte *(fx a riddle* en gåde); (ved universitet) studere *(fx he -s physics);* (om instrument) aflæse *(fx the gas meter),* vise *(fx the thermometer -s 34 degrees);* (parl) behandle *(fx a bill* et lovforslag); (i edb) læse; (uden objekt) kunne tydes *(fx the rule -s two ways);* lyde *(fx the letter -s as follows);* virke … når man læser det *(fx the dialogue -s well; the play -s better than it acts),* falde *(fx this sentence -s heavy); ~ aloud* læse højt; **~ off** aflæse; **~ out** læse højt, læse op; *(am)* ekskludere *(fx he was ~ out of the association);* **~ over** a lesson læse på en lektie; **~ a paper** (også) holde et (videnskabeligt) foredrag; **~ up** *(on)* studere, sætte sig ind i.

II. read [red] *præt* og *pp* af I. *read; adj* belæst; *be well ~ in* være godt hjemme i; *take the accounts as ~* betragte regnskabet som oplæst; frafalde oplæsningen af regnskabet; *take it as ~ (fig)* betragte det som givet.

III. read [riːd] *sb: have a ~* sætte sig til at læse, få læst lidt.

readable ['riːdəbl] *adj* læselig, læseværdig.

readdress ['riːə'dres] *vb* omadressere.

reader ['riːdə] *sb* læser; oplæser; (ved universitet) docent, lektor; *(publisher's ~)* (forlags)konsulent; *(printer's ~)* korrekturlæser; (bog:) læsebog.

readership ['riːdəʃip] *sb* docentur, lektorat; (om avis *etc)* antal læsere, læserkreds.

readily ['redili] *adv* let, hurtigt, beredvilligt *etc* (se *ready).*

readiness ['redinis] *sb* beredskab; lethed; beredvillighed, villighed; *(psyk)* parathed; *have in ~* have i beredskab, have parat; *~ of wit* kvikhed, slagfærdighed.

I. reading ['riːdiŋ] *adj* læsende; læselysten, flittig; *sb* læsning; belæsthed; oplæsning; opfattelse, fortolkning; (i MS) læsemåde; *(parl)* behandling (af lovforslag); *(mht* instrument) aflæsning; *thermometer ~* termometerstand.

II. Reading ['riːdiŋ].

reading| glass læseglas, forstørrelsesglas. **~ glasses** læsebriller. **~ matter** læsestof, lekture. **~ room** *(bibl)* læsesal.

readjust ['riːə'dʒʌst] *vb* rette på, tilpasse.

readmission ['riːəd'miʃən] *sb* genoptagelse, (det at få) adgang på ny, fornyet adgang.

readmit ['riːəd'mit] *vb* slippe *(el.* lade komme) ind igen; genoptage, give adgang på ny.

ready ['redi] *adj* rede, beredt, færdig, parat, klar *(for* til); villig *(for* til); beredvillig; nær ved hånden, bekvem, let; hurtig, rask, kvik; *~* have gøre parat *(el.* klar *el.* rede); *sb* S kontanter; *ready!* giv agt!

~ about (mar) klar til at vende; *the ~* S kontanter; *with rifles at the ~* med skudklare geværer; *make ~* gøre i orden, gøre parat; gøre sig parat, forberede sig *(to* på at); *(typ)* rette til, tilrette; *be ~ to* (også) være på nippet til at *(fx she was ~ to burst into tears);* *he always has a ~ answer* han har altid svar på rede hånd.

ready cash kontanter. **~ -made** færdigsyet. **~ money** kontanter. **~ reckoner** beregningstabel, omregningstabel. **~ -to-wear** *= ~ -made.* **~ wit** slagfærdighed. **~ -witted** slagfærdig.

reafforest ['riːæ'fɔrist] *vb* tilplante på ny (med skov).

reafforestation ['riːæfɔri'steiʃ(ə)n] *sb* skovfornyelse.

reagent [ri(ː)'eidʒənt] *sb (kem)* reagens.

real ['riəl] *adj* virkelig; naturlig *(fx size);* sand, rigtig *(fx he is a ~ friend);* ægte *(fx gold); for ~* **T** virkeligt, for alvor; *it is the ~ thing* det er det helt rigtige.

real estate fast ejendom.

realign ['riːə'lain] *vb* omgruppere, omordne, omorganisere.

realism ['riəlizm] *sb* realisme.

realist ['riəlist] *sb* realist. **realistic** [riə'listik] *adj* realistisk, virkelighedstro; nøgtern.

reality [ri'æliti] *sb* virkelighed; realitet; realisme; *realities* realiteter; *in ~* i virkeligheden, i realiteten.

realizable ['riəlaizəbl] *adj* realisabel.

realization [riəl(a)i'zeiʃən] *sb* virkeliggørelse, iværksættelse, udførelse; forståelse; opfattelse, erkendelse; realisation, salg.

realize ['riəlaiz] *vb* virkeliggøre, iværksætte, realisere, føre ud i livet *(fx a project);* indse *(fx one's error),* forstå, fatte, erkende; (ved salg:) realisere *(fx property),* sælge, gøre i penge; tjene *(fx how much did you ~ on the sale?);* indbringe, opnå *(fx a good price).*

really ['riəli] *adv* virkelig, egentlig *(fx it was ~ my fault);* faktisk; *~ now!* nej hør nu!

realm [relm] *sb* rige; *(fig også)* område; verden *(fx the ~ of fancy); beyond (, within) the ~ of possibility* uden for (, inden for) mulighedernes grænse.

real property fast ejendom.

realtor ['riəltə] *sb (am)* ejendomshandler, ejendomsmægler.

realty ['riəlti] *sb (jur)* fast ejendom.

real wages realløn.

I. ream [riːm] *sb* ris (om papir); *-s of (fig)* masser af, side op og side ned af; *10 -s of paper* en balle papir.

II. ream [riːm] *vb* (om hul) rive op, oprømme.

reamer ['riːmə] *sb* rømmejern, rømmerival; *(am)* citronpresser.

reanimate [ri(ː)'ænimeit] *vb* bringe nyt liv i, genoplive; sætte nyt mod i.

reap [riːp] *vb* høste, meje; *~ where one has not sown* høste fordelen af andres arbejde.

reaper ['riːpə] *sb* høstkarl; mejemaskine; *-s* (også) høstfolk.

reap(ing) hook segl.

reappear ['riːə'piə] *vb* komme til syne igen; dukke op igen, vende tilbage.

reappearance ['riːə'piərəns] *sb* tilsynekomst på ny, genopdukken, tilbagevenden.

reappoint ['riːə'pɔint] *vb* genansætte, genindsætte, genudnævne.

reappraisal ['riːə'preizəl] *sb* omvurdering.

I. rear [riə] *vb* rejse *(fx a monument)*; hæve; (om afgrøde) dyrke, (om dyr) avle, opdrætte *(fx cattle)*; (om børn) opfostre *(fx a family)*; opdrage; (uden objekt: om hest) stejle, rejse sig på bagbenene; ~ *one's head* løfte hovedet; ~ *its ugly head (fig)* stikke hovedet frem.

II. rear [riə] *sb* bagside; *(fx* bagtrop; **T** bagdel; *adj* bag- *(fx lamps* lygter, *mudguard* skærm); *bring up the* ~ danne bagtroppen, komme sidst; *attack the enemy in the* ~ angribe fjenden i ryggen; *at the* ~ *of* (omme) bag ved; *in the* ~ *of* bag i, i den bageste del af.

rear| **admiral** kontreadmiral. ~ **axle assembly** bagtøj. ~ **engine** hækmotor. **-guard** ['riəgaːd] bagtrop, arrièregarde. ~ **gunner** *(flyv)* agterskytte.

rearm ['riːˈaːm] *vb* (gen)opruste.

rearmament ['riːˈaːməmənt] *sb* (gen)oprustning.

rearmost ['riəmoust] *adj* bagest.

rearrange ['riːəˈrein(d)ʒ] *vb* ordne på ny, omordne.

rearview mirror bakspejl.

rearward ['riəwəd] *adv* bagtil, bagude, bag-.

I. reason ['riːzn] *sb* fornuft; grund *(for* til; *to, why, that* til at, *fx the* ~ *for his behaviour; I see no* ~ *to do it; the* ~ *why (el. that) he did it);* by ~ *of* på grund af; *for this* ~ af denne grund; *for -s of health* af helbredshensyn; *for some unknown* ~ uvist af hvilken grund; *lose one's* ~ miste sin forstand; *show good* ~ *for* dokumentere, begrunde *(fx a statement); it stands to* ~ det er indlysende, det siger sig selv; *do anything (with)in* ~ gøre alt inden for rimelighedens grænser; *with* ~ med god grund, med rette, med føje.

II. reason ['riːzn] *vb* drage fornuftslutninger; slutte *(from* ud fra, *fx* ~ *from (one's experience);* argumentere, ræsonnere; anstille betragtninger, tænke, overveje; (med objekt) dømme, slutte *(that* at); ~ *about* ræsonnere over; ~ *away* bortforklare; ~ *him into it* få ham til at indse at det er rigtigt; ~ *out* gennemtænke; ~ *him out of it* få ham til at indse at det er forkert *(el.* urimeligt); ~ *with him* argumentere med ham.

reasonable ['riːznəbl] *adj* fornuftig, rimelig.

reasonably ['riːznəbli] *adv* fornuftigt, rimeligt; nogenlunde.

reasoner ['riːznə] *sb* ræsonnør, tænker.

reasoning ['riːzniŋ] *sb* fornuftslutninger, ræsonnement; *there is no* ~ *with her* hun er umulig at tale til fornuft.

reassemble ['riːəˈsembl] *vb* samle(s) på ny.

reassurance ['riːəˈʃuərəns] *sb* beroligelse; gentagen forsikring; *(assur)* genforsikring.

reassure ['riː(ə)ˈʃuə] *vb* berolige; *(assur)* genforsikre.

Réaumur ['reiəmjuə].

I. rebate ['riːbeit] *sb (merk)* rabat, afslag.

II. rebate ['ræbit, ri'beit] = *rabbet*.

I. rebel ['rebl] *adj* oprørsk, oprørs-; *sb* oprører.

II. rebel [ri'bel] *vb* gøre oprør *(against* imod).

rebellion [ri'beljən] *sb* oprør, opstand.

rebellious [ri'beljəs] *adj* oprørsk.

rebirth ['riːˈbəːθ] *sb* genfødelse.

rebore ['riːˈbɔː] *vb* udbore, opbore.

I. rebound ['riːˈbaund] *adj (bogb)* genindbundet, ombundet.

II. rebound [ri'baund] *vb* prelle af, kastes tilbage; (om bold *etc)* springe tilbage; *sb* afprellen; tilbagespring, opspring; tilbageslag; (om følelser *etc)* reaktion; *it will* ~ *on yourself (fig)* det vil ramme dig selv; *take sby on (el. at) the* ~ udnytte ens skuffelse.

rebuff [ri'bʌf] *sb* tilbageslag, tilbagestød; afvisning, afslag; *vb* slå tilbage, standse; afvise.

rebuild ['riːˈbild] *vb* genopbygge; ombygge.

rebuke [ri'bjuːk] *vb* irettesætte, dadle; *sb* irettesættelse, dadel.

rebus ['riːbəs] *sb* rebus.

rebut [ri'bʌt] *vb* tilbagevise, bestride, gendrive; *-ting evidence* modbevis.

rebuttal [ri'bʌtl] *sb* tilbagevisning, gendrivelse; *(jur)* modbevis.

recalcitrant [ri'kælsitrənt] *adj* genstridig.

recall [ri'kɔːl] *vb* kalde tilbage; hjemkalde *(fx an ambassador; (bibl:) a book)*; tilbagekalde *(fx an order);* (i erin-

dringen:) mindes *(fx bygone days)*, tænke tilbage på; minde om; *(mil.)* genindkalde; *sb* tilbagekaldelse; hjemkaldelse; genkaldelse, erindring, hukommelse, huskeevne; *(mil.)* genindkaldelse; *(am)* (retten til) afsættelse af embedsmand ved afstemning blandt vælgerne; *past* ~ uigenkaldelig.

recant [ri'kænt] *vb* tilbagekalde, tage tilbage; tage sine ord tilbage, afsværge.

recantation [ri'kæn'teiʃən] *sb* tilbagekaldelse *(etc, cf recant)*.

I. recap ['riːkæp] **T** = *recapitulate, recapitulation.*

II. recap ['riːˈkæp] *vb (am)* lægge nye slidbaner på (et dæk).

recapitulate [riːkəˈpitjuleit] *vb* rekapitulere, gentage i korthed. **recapitulation** ['riːkəpitjuˈleiʃən] *sb* rekapitulation, kort gengivelse.

recapture ['riːˈkæptʃə] *vb* generobre; fange igen; genvinde; *(fig)* genskabe.

recast [ri'kaːst] *vb* omstøbe; *(fig)* omarbejde *(fx a book);* sb omstøbning; omarbejdelse; ~ *a play* give et stykke ny rollebesætning.

recce ['reki], **recco** ['rekou] *sb (mil.)* **S** rekognoscering.

recede [ri'siːd] *vb* gå (el. trække sig) tilbage; vige (tilbage); retirere; (om priser *etc)* vige, falde, dale.

receding [ri'siːdiŋ] *adj* vigende *(fx chin, prices);* ~ *hairline* begyndende skaldethed; ~ *mouth* indfalden mund.

receipt [ri'siːt] *sb* modtagelse; (bevis herfor:) kvittering; *(glds)* = *recipe;* **-s** indtægt(er); *vb* kvittere for, kvittere; *be in* ~ *of* have modtaget *(fx we are in* ~ *of your letter);* oppebære, få *(fx I am in* ~ *of a salary);* on ~ *of* ved modtagelsen af.

receive [ri'siːv] *vb* (se også *received)* modtage, få; (om gæst(er)) modtage; tage imod *(fx she -s on Thursdays);* (om vægt) bære *(fx the buttresses* ~ *the weight of the roof);* (om beholder) optage; *(*~ *stolen goods)* hæle, være hæler.

received [ri'siːvd] *adj* antagen, vedtagen; ~ *opinion* (også) almindelig mening *(el.* antagelse).

receiver [ri'siːvə] *sb* modtager; inkassator, kasserer; beholder; *(kem:* for destillat) forlag; (radio) modtager; *(tlf)* hørerør, høretelefon; *(jur:)* se *official* ~; *(*~ *of stolen goods)* hæler; *put down (el. hang up) the* ~ *(tlf)* lægge røret på.

receiving end: *be at the* ~ være den det går ud over.

receiving| order: *make a* ~ *order against sby* tage ens bo under konkursbehandling. ~ **set** radio- (, fjernsyns)modtager. ~ **ship** logiskib.

recency ['riːsnsi] *sb* nyhed, friskhed.

recension [ri'senʃən] *sb* revision (af tekst); revideret tekst.

recent ['riːsnt] *adj* ny, frisk; sidst; nylig sket, nylig kommen; *of* ~ *date* af ny dato; *of* ~ *years* i den senere tid.

recently *adv* for nylig; i den senere tid.

receptacle [ri'septəkl] *sb* beholder; opbevaringssted; *(bot)* blomsterbund.

reception [ri'sepʃən] *sb* modtagelse; optagelse; opsamling.

receptionist [ri'sepʃənist] *sb* (i hotel) receptionschef; (hos læge, tandlæge) klinikdame.

reception| centre *(jur)* optagclscshjcm, »vcntctidshjcm« (for børn under 12 år); (for flygtninge *etc)* modtagelsescenter. ~ **room** modtagelsesværelse; modtagelsesstue.

receptive [ri'septiv] *adj* modtagelig (for indtryk).

receptivity [risep'tiviti] *sb* modtagelighed.

recess [ri'ses, *(am* især:) 'riːses] *sb* indskæring *(fx* i kyst, på arbejdsstykke), udskæring; udsparing, fordybning, (i mur også) niche; tilbagespring; *(fig)* krog, afkrog, tilflugtssted, *-es pl* afsondrede (, utilgængelige) steder *(fx of the palace, of the mountains)*, krinkelkroge *(fx of the heart), (fig* også) dyb *(fx of the heart, of the soul);* (afbrydelse:) pause, *(parl* og *am)* ferie, *(am* også) frikvarter, fritime; *vb* lave indskæring (, fordybning, niche *etc)* i; anbringe i en fordybning (, niche); (især *am)* holde pause (, frikvarter, ferie).

recessed [ri'sest, *(am* især) 'riːsest] *adj* forsænket.

recession [ri'seʃən] *sb* tilbagetræden; fordybning, niche; *(merk)* lavkonjunktur.

recessional [ri'seʃənl] *sb, adj:* ~ *(hymn)* udgangssalme.

recessive [ri'sesiv] *adj* som bevæger sig tilbage; vigende, *(biol* også) recessiv.

recharge ['ri:'tʃa:dʒ] *vb* angribe igen; oplade *(fx a battery)*.

réchauffé ['ri:'ʃoufei] *sb* opvarmet mad, *(fig)* opkog.

recherché [rə'ʃɛəʃei] *adj* udsøgt, fin, elegant; *(neds)* kunstlet, søgt.

recidivist [ri'sidivist] *sb* recidivist, vaneforbryder.

recipe ['resipi] *sb* opskrift; *(glds)* recept.

recipient [ri'sipiənt] *sb* modtager; *adj* modtagende; modtagelig.

reciprocal [ri'siprəkl] *adj* vekselvis, gensidig, tilbagevirkende; *(mat., gram.)* reciprok; *sb: the* ~ *of x* den reciprokke værdi af x.

reciprocate [ri'siprəkeit] *vb* gengælde *(fx her affections)*, (uden objekt) gøre gengæld; *(tekn)* bevæge (, gå) frem og tilbage.

reciprocating [ri'siprəkeitiŋ] *adj (tekn.)* frem- og tilbagegående; ~ *engine* stempelmotor.

reciprocity [resi'prɔsiti] *sb* vekselvirkning; gensidighed.

recital [ri'saitl] *sb (cf recite)* fremsigelse, deklamation; fortælling, beretning, opregning; *(mus.)* koncert (givet af én udøvende el. omfattende en enkelt komponists værker); (i dokument) indledende sagsfremstilling.

recitation [resi'teiʃən] *sb* fremsigelse, deklamation, oplæsning; opregning; digt *el.* prosastykke til at lære udenad; *(glds am)* overhøring.

recitative [res(i)tə'ti:v] *sb* recitativ.

recite [ri'sait] *vb* fremsige, deklamere, recitere; berette; opregne. **reciter** [ri'saitə] *sb* recitator; bog med recitationsstykker.

reck [rek] *vb (poet)* bekymre sig om, agte, ænse.

reckless ['reklis] *adj* dumdristig, ubesindig, overilet, hensynsløs; ~ *of* ligeglad med; ~ *driving* uforsvarlig kørsel.

reckon ['rekən] *vb* beregne *(fx how much it will cost)*, regne ud, få som resultat, få det til *(fx I* ~ *that there were 300 people)*; regne *(fx* ~ *him among the best)*, anse (for), betragte (som) *(fx* ~ *him to be one of the best)*; T regne med, formode; ~ *in* regne 'med, tage med i beregningen; ~ *on* regne med, stole på; ~ *with* gøre op med; tage i betragtning, regne med, tage alvorligt; ~ *without* glemme at tage i betragtning; ~ *without one's host* gøre regning uden vært.

reckoner ['rekənə] *sb* beregner; tabel.

reckoning ['rekəniŋ] *sb* regning, beregning; afregning; opgør; *(mar: stga* ~*)* bestik; *the day of* ~ dommens dag, regnskabets dag; *be out in (el. of) one's* ~ gøre galt bestik, have forregnet sig.

reclaim [ri'kleim] *vb* kræve tilbage; (om dyr) tæmme, afrette; (om person) forbedre, omvende; (om land) indvinde, opdyrke; dræne, tørlægge, udtørre; *(tekn)* udvinde (af spildprodukt), genindvinde; *be -ed* (om person) blive rettet op, blive resocialiseret; *beyond (el. past)* ~ uforbederlig.

reclaimed rubber regenereret gummi, regenerat.

reclamation [reklə'meiʃən] *sb* (om land) indvinding, opdyrkning, dræning, tørlæggelse; (om person) forbedring, resocialisering; *(tekn)* genindvinding.

recline [ri'klain] *vb* læne (tilbage), hvile *(fx one's head on a pillow)*; (uden objekt) læne sig tilbage, ligge (tilbagelænet), hvile *(fx on a couch)*. **recliner** [ri'klainə] *sb* hvilestol, lænestol med indstillelig ryg; sofacykel.

recluse [ri'klu:s] *adj* ensom; *sb* eneboer.

recognition [rekəg'niʃən] *sb* genkendelse; anerkendelse; erkendelse; påskønnelse, erkendtlighed; *he has altered beyond* ~ han er ikke til at kende igen.

recognizable ['rekəgnaizəbl] *adj* genkendelig.

recognizance [ri'kɔ(g)nizəns] *sb* kaution, forpligtelse.

recognize ['rekəgnaiz] *vb* genkende, skelne, opdage; vedkende sig; erkende, anerkende.

recoil [ri'kɔil] *vb* fare tilbage, vige tilbage; (om skydevåben) rekylere, give bagslag; *sb* afsky; (om skydevåben) rekyl, tilbagestød; *his evil deeds -ed upon himself* hans onde gerninger ramte ham selv.

recoilless [ri'kɔillis] *adj (mil.)* rekylfri.

re-collect ['ri:kə'lekt] *vb* samle igen; ~ *oneself* genvinde fatningen.

recollect [rekə'lekt] *vb* huske, erindre, mindes.

recollection [rekə'lekʃən] *sb* erindring, minde; *to the best of my* ~ så vidt jeg husker; *within my* ~ så længe jeg kan

huske; i den tid jeg kan huske.

recommence ['ri:kə'mens] *vb* begynde igen, genoptage.

recommencement ['ri:kə'mensmənt] *sb* begyndelse, genoptagelse.

recommend [rekə'mend] *vb* anbefale; foreslå, henstille; overgive; *this suggestion has much to* ~ *it* der er meget der taler for dette forslag; *-ed price (merk)* vejledende pris.

recommendable [rekə'mendəbl] *adj* anbefalelsesværdig; tilrådelig.

recommendation [rekəmen'deiʃən] *sb* anbefaling; forslag, henstilling, indstilling *(fx fra et udvalg)*; (om egenskab *etc)* aktiv.

recommendatory [rekə'mendətəri] *adj* anbefalende, anbefalings-.

recommit ['ri:kə'mit] *vb* tilbagesende (til fornyet udvalgsbehandling).

recompense ['rekəmpens] *vb* belønne, lønne, gengælde, erstatte; *sb* belønning, løn; gengældelse, erstatning.

recompose ['ri:kəm'pouz] *vb* på ny sammensætte, omordne; berolige, bilægge.

reconcilable ['rekən(')sailəbl] *adj* forsonlig; forenelig.

reconcile ['rekənsail] *vb* forsone, forlige; bilægge; forene; få til at stemme overens *(fx conflicting statements)*; ~ *oneself to* forsone sig med.

reconciliation [rekənsili'eiʃən] *sb* forsoning, forlig.

recondite [ri'kɔndait] *adj* lidet kendt; vanskelig tilgængelig; dunkel; *(glds)* skjult, forborgen.

recondition ['ri:kən'diʃən] *vb* forny, reparere, istandsætte, bringe tilbage til sin oprindelige stand; omskole. **reconditioning** *sb* reparation, istandsættelse; omskoling; rekonditionering.

reconnaissance [ri'kɔnisəns] *sb* rekognoscering.

reconnoitre [rekə'nɔitə] *vb* rekognoscere, udforske.

reconsider ['ri:kən'sidə] *vb* overveje igen, tage op til fornyet overvejelse, genoptage.

reconsideration [ri:kənsidə'reiʃən] *sb* fornyet overvejelse.

reconstitute ['ri:'kɔnstitju:t] *vb* rekonstruere; reorganisere; (om tørrede frugter) opbløde, (om tørmælk *etc)* opløse i vand; *(kem)* genfortynde.

reconstruct ['ri:kən'strʌkt] *vb* ombygge; omdanne; rekonstruere; genopbygge.

reconstruction ['ri:kən'strʌkʃən] *sb* ombygning; omdannelse; rekonstruktion; genopbygning.

reconversion ['ri:kən'və:ʃən] *sb* genomvendelse; ~ *to peace production* omstilling til fredsproduktion.

reconvert ['ri:kən'və:t] *vb* genomvende; omstille *(fx til fredsproduktion)*.

I. record [ri'kɔ:d] *vb* optegne, registrere, notere, nedskrive; protokollere; (på båndoptager *etc)* optage, indspille; indtale, indsynge; (om termometer *etc)* vise, registrere; (bevidne) udtrykke, markere *(fx one's protest)*; ~ *one's vote* afgive sin stemme.

II. record ['rekɔ:d] *sb* optegnelse, dokument, fortegnelse, journal *(fx case* ~ sygejournal), (rets- *etc)* protokol *(fx no* ~ *is kept)*, *(hist.)* kildeskrift, *-s* (også:) arkiv, arkivalier, *(fig også)* vidnesbyrd *(fx -s of ancient civilizations)*; (af lyd) optagelse, (grammofon)plade; (i edb) post, individ; (toppræstation:) rekord; (persons *etc* tidligere forhold:) fortid *(fx he has a criminal* ~*)*, generalieblad, papirer; *he has a good (, bad)* ~ (også:) han har hidtil klaret sig godt (, dårligt); *the* ~ (også:) kendsgerningerne, de foreliggende oplysninger *(fx the* ~ *shows that he has never been illoval)*; *he has the* ~ *of being* han har ord *(el. ry)* for at være; *to keep the* ~ *straight* for god ordens skyld; *it is a matter* **of** ~ det er en fastslået kendsgerning; *keeper of the -s* arkivar; *worthy of* ~ der fortjener at optegnes; **off** *the* ~ uofficiel, uden for referat; *this is off the* ~ (også) dette må ikke citeres; *it is* **on** ~ det er vitterligt; *the greatest general on* ~ den største general historien kender; *go on* ~ blive noteret, blive ført til protokols; (om person) erklære (el. udtale) offentligt; *he has never gone on* ~ *as demanding* der foreligger ikke noget (officielt) om at han har krævet; *put it on* ~ føre det til protokols, notere det; (om person) afgive en officiel erklæring om det.

record changer pladeskifter.

recorded delivery *(omtr)* anbefalet forsendelse (for hvilken der ikke ydes erstatning ved bortkomst). ~ **programme** (i radio) optagelse.

recorder [ri'kɔ:də] *sb* skriver, referent, protokolfører; *(jur)* dommer (ved *Quarter Sessions), (omtr)* byretsdommer; *(mus.)* blokfløjte; *(tape ~)* båndoptager.

recording [ri'kɔ:diŋ] *sb* optagelse; (grammofon)indspilning; ~ *car* optagervogn, radiovogn; ~ *meter* registrerapparat; ~ *unit* = ~ *car.*

recordist [ri'kɔ:dist] *sb* tonemester.

record‖ library diskotek. ~ **office** arkiv. ~ **player** pladespiller.

re-count ['ri:'kaunt] *vb* tælle om; *sb* genoptælling, (ved valg) fintælling.

recount [ri'kaunt] *vb* berette, fortælle; opregne.

recoup [ri'ku:p] *vb* erstatte, dække ind *(fx losses);* holde skadesløs; refundere; genvinde *(fx one's strength).*

recourse [ri'kɔ:s] *sb* tilflugt; *(jur)* regres; *have ~ against (jur)* søge regres hos; *have ~ to* tage sin tilflugt til; holde sig til; ty til; *his last ~* hans sidste udvej.

re-cover ['ri:'kʌvə] *vb* dække igen; ombetrække.

recover [ri'kʌvə] *vb* få tilbage, genvinde, generhverve; genoprette *(fx a loss);* indhente, indvinde *(fx lost time); (tekn)* genindvinde; *(jur)* opnå, få tilkendt *(fx damages* skadeserstatning); (uden objekt) komme sig, blive rask; komme til sig selv; restitueres; (i sport) gå tilbage til udgangsstilling; ~ *one's breath* få vejret igen; ~ *one's senses* komme til bevidsthed; ~ *oneself* fatte sig; ~ *from* komme sig af, forvinde *(fx an illness).*

recoverable [ri'kʌv(ə)rəbl] *adj* erholdelig; genoprettelig; som står til at redde; helbredelig.

recovery [ri'kʌv(ə)ri] *sb* generhvervelse; (efter sygdom) bedring, rekonvalescens; helbredelse; (efter krise, krig *etc)* genrejsning, opgang, stigning; *(tekn)* genindvinding; *(jur)* opnåelse (ved dom); *beyond ~* redningsløst fortabt.

recreant ['rekriənt] *adj* fej; frafalden; *sb* kryster.

recreate ['rekrieit] *vb* vederkvæge, forfriske, adsprede (sig), rekreere (sig).

re-create ['ri:'kri'eit] *vb* genskabe.

recreation [rekri'eiʃən] *sb* adspredelse, morskab, fornøjelse.

re-creation ['ri:'kri'eiʃən] *sb* genskabelse.

recreational [rekri'eiʃənəl] *adj* rekreativ *(fx areas);* fornøjelses-, lyst-; ~ *reading* underholdningslitteratur.

recreation‖ centre fritidshjem. ~ **ground** legeplads, sportsplads.

recriminate [ri'krimineit] *vb* fremføre modbeskyldninger.

recrimination [rikrimi'neiʃən] *sb* modbeskyldning.

recrudesce [ri:kru'des] *vb* bryde ud igen, blusse op igen.

recrudescence [ri:kru'desns] *sb* genopblussen, opblussen, udbrud. **recrudescent** [ri:kru'desnt] *adj* atter frembrydende, genopblussende.

I. recruit [ri'kru:t] *vb* rekruttere, hverve; forny, supplere (op); genvinde *(fx one's health),* (uden objekt) komme til kræfter.

II. recruit [ri'kru:t] *sb* rekrut; nyt medlem, ny tilhænger.

rectal ['rektl] *adj* endetarms-.

rectangle ['rektæŋgl] *sb* rektangel, retvinklet firkant.

rectangular [rek'tæŋgjulə] *adj* rektangulær, retvinklet.

rectifiable ['rektifaiəbl] *adj* som lader sig berigtige.

rectification [rektifi'keiʃən] *sb* berigtigelse, rettelse; (af alkohol *etc)* rensning, rektifikation; *(elekt)* ensretning, rektificering; ~ *of the frontier* grænseregulering, grænserevision.

rectifier ['rektifaiə] *sb (elekt)* ensretter, ensretterrør.

rectify ['rektifai] *vb* berigtige, rette, korrigere; afhjælpe *(fx a lack);* rense (ved destillation) *(fx alcohol); (elekt)* ensrette, rektificere; *-ing tube (el. valve)* ensretterrør.

rectilinear [rekti'linjə] *adj* retliniet, efter en ret linie.

rectitude ['rektitju:d] *sb* retskaffenhed.

recto ['rektou] *sb* højreside (i bog).

rector ['rektə] *sb* sognepræst (i den engelske kirke); (i Skotland:) skolebestyrer, universitetsrektor; (ved visse skoler) rektor.

rectorate ['rektorit], **rectorship** ['rektəʃip] *sb* sognekald; rektorat.

rectory ['rektəri] *sb* sognekald; præstegård.

rectum ['rektəm] *sb (anat)* rektum, endetarm.

recumbency [ri'kʌmbənsi] *sb* liggende stilling; hvile.

recumbent [ri'kʌmbənt] *adj* liggende, hvilende.

recuperate [ri'kju:pəreit] *vb* genvinde *(fx one's health);* komme sig, komme til kræfter.

recuperation [rikju:pə'reiʃən] *sb* genvindelse; rekonvalescens, helbredelse.

recuperative [ri'kju:pərətiv] *adj* helbredende, styrkende.

recur [ri'kə:] *vb* komme *(el.* vende) tilbage, komme igen, dukke op igen; gentage sig.

recurrence [ri'kʌrəns] *sb* tilbagevenden; gentagelse; *(med.)* nyt anfald af samme sygdom.

recurrent [ri'kʌrənt] *adj* (periodisk) tilbagevendende; ~ *fever (med.)* tilbagefaldsfeber.

recurring decimal periodisk decimalbrøk.

recusant ['rekjuzənt] *adj* sekterisk; *sb (hist.)* rekusant (katolik som nægtede at deltage i anglikansk gudstjeneste).

recycle ['ri:'saikl] *vb* genanvende. **recycling** *sb* genanvendelse, genbrug.

red [red] *adj* rød; *sb* rød farve, rødt; (om person) kommunist, anarkist, revolutionær; *the ~* debetsiden; *in the ~* med underskud; i gæld; *paint the town ~ (fig)* male byen rød; *not a ~ cent* T ikke en rød øre, ikke en døjt.

redact [ri'dækt] *vb* redigere; udforme.

redaction [ri'dækʃən] *sb* redaktion; redigering; omarbejdelse; ny udgave.

redactor [ri'dæktə] *sb* redaktør, udgiver.

redan [ri'dæn] *sb* redan (fæstningsværk).

red‖-berried elder *(bot)* druehyld. ~ **-blooded** *(am)* (om person) energisk, viljestærk; (om litteratur) spændende, handlingsmættet. ~ **book** engelsk adelskalender. **-breast** *zo* rødkælk, rødhals. ~ **-breasted merganser** *zo* toppet skallesluger. ~ **breasted snipe** *zo* sneppeklire. **-brick university** nyere universitet *(mods* Oxford og Cambridge). ~ **campion** *(bot)* dagpragtstjerne.

redcap ['redkæp] *sb (mil.)* medlem af militærpolitiet; *(am)* drager.

red‖ carpet rød løber. ~ **clover** *(bot)* rødkløver.

redcoat ['redkout] *sb (hist.)* rødkjole (soldat).

Red Cross (som hører til) Røde Kors; Genferkors, St. Georgskors.

red currant *(bot)* ribs.

redd [red] *sb zo* gydeplads.

red deer kronhjort.

redden ['redn] *vb* gøre rød; rødme.

reddle ['redl] *sb* rød okker.

redecorate ['ri:'dekəreit] *vb* gøre i stand; male og tapetsere.

redeem [ri'di:m] *vb* tilbagekøbe; indløse *(fx a pawned watch);* amortisere *(fx a loan);* indfri *(fx a promise);* udløse, løskøbe *(fx a slave); (fig)* genvinde, vinde tilbage; forløse, frelse; *(fig)* råde bod på, opveje; *it -ed him in her eyes* det fik hende til at forsone sig med ham; *-ing feature* forsonende træk.

redeemable [ri'di:məbl] *adj* indløselig; som kan frelses; ~ *on demand* veksles på anfordring.

Redeemer [ri'di:mə] *sb: the ~* Forløseren, Genløseren.

redemption [ri'dem(p)ʃən] *sb* tilbagekøb, indløsning, indfrielse; amortisering; udløsning, løskøbelse; *(rel)* genløsning; *he is beyond ~ (fig)* han står ikke til at redde.

redemptive [ri'dem(p)tiv] *adj* indløsende, indløsnings-.

red ensign (britisk handelsflag).

redeploy ['ri:di'plɔi] *vb* overflytte *(el.* overføre) fra et sted til et andet; omgruppere.

redeployment ['ri:di'plɔimənt] *sb* overflytning, omgruppering.

red‖ grouse *zo* skotsk rype. ~ **-haired** ['redhɛəd] rødhåret. ~ **-handed:** *be caught ~ -handed* blive grebet på fersk gerning. ~ **hat** kardinalhat. **-head** rødhåret person, rødtop. **-headed** rødhåret. ~ **heat** rødglødhede. ~ **herring, se** *herring.* ~ **-hot** rødglødende; *(fig,* om nyhed) helt frisk, (om person) vildt begejstret. ~ **-hot poker** *(bot)* kniphofia.

redirect [ri:di'rekt] *vb* omadressere.

redirection [ri:di'rekʃən] *sb* omadressering.

redistribute ['ri:dis'tribjut] *vb* atter fordele; omfordele, omlægge.

redistribution ['ri:distri'bju:ʃən] *sb* ny fordeling; omfordeling; omlægning.

redistrict ['ri:'distrikt] *vb (am)* omlægge (valgkredse).

red lane: *the* ~ (i børnesprog) halsen.
red lead ['red'led] mønje.
red-letter ['red'letə] *adj* betegnet med røde bogstaver; ~ *day* mærkedag.
red| light rødt lys, faresignal. ~ **-light district** bordelkvarter. ~ **man** rødhud. ~ **meat** mørkt kød (oksekød, fårekød).
redolence ['redələns] *sb* duft.
redolent ['redələnt] *adj* duftende; ~ *of (fig)* gennemtrængt af; præget af; der minder om.
redouble [ri'dʌbl] *vb* forstærke, (for)øge *(fx one's pace, efforts)*; (i bridge) redoble.
redoubt [ri'daut] *sb (mil.)* redoute (skanse der er lukket til alle sider).
redoubtable [ri'dautəbl] *adj* frygtindgydende, vældig.
redound [ri'daund] *vb:* ~ *to* tjene til, være til; bidrage til; ~ *to sby's advantage* være til ens fordel; *it -s to his honour* det tjener ham til ære.
red pepper spansk peber.
redpoll ['redpoul] *sb zo* gråsisken.
redraft ['ri:'dra:ft] *sb* nyt udkast; *(merk)* returveksel, rekambioveksel; *vb* lave et nyt udkast til.
redress [ri'dres] *vb* afhjælpe, råde bod på; give oprejsning for; genoprette *(fx the balance)*; *sb* afhjælpning; oprejsning; erstatning.
redshank ['red∫æŋk] *sb zo* rødben. **red shank** *(bot)* ferskenpileurt.
red shift *(astr)* rødforskydning.
red|-short rødskør (om jern). **-skin** rødhud. ~ **spider** rødt spind (skadedyr). **-start** *zo* rødstjert.
red tape (kontor)pedanteri, kontoriusseri, bureaukrati.
red-tape *adj* fuld af omsvøb, bureaukratisk; ~ *operation* (i edb) administrationsoperation.
red-tiled ['redtaild] *adj* med rødt tegltag.
reduce [ri'dju:s] *vb* bringe *(to* i, til, *fx order, silence)*, hensætte *(to* i, *fx terror)*; tvinge *(to* til, *fx submission)*; forvandle *(to* til, *fx the explosion -d the house to rubble)*; omregne *(to* til, *fx* ~ *pounds to pence)*; (gøre mindre:) reducere, indskrænke, nedsætte *(by* med, *fx* ~ *prices by five per cent)*, afkorte, nedbringe, nedskære, formindske, forringe, *(mht rang)* degradere, *(mht kraft)* svække; (gøre tyndere:) afmagre, (uden objekt) slanke sig, være på slankekur *(el. afmagringskur) (fx I am reducing)*; *(mat.)* forkorte; reducere, bringe på den simpleste form; *(fot)* afsvække *(fx a dense negative)*; *(med.)* reponere, sætte i led. **reduced** [ri'dju:st] *adj, pp* af *reduce*; (også) reduceret; foramret; *be* ~ *to* (også) være henvist til; *in* ~ *circumstances* i trange kår.
reducible [ri'dju:səbl] *adj* som kan reduceres.
reducing [ri'dju:siŋ] *sb* afmagring; *adj* slankende; ~ *treatment* afmagringskur.
reduction [ri'dʌk∫ən] *sb* reduktion, indskrænkning, nedsættelse, nedskæring, formindskelse; svækkelse, forringelse; *(mat)* reduktion, forkortelse; *(fot)* afsvækkelse; *(med.)* reposition, det at sætte i led; *-s* (også) nedsatte priser; *be allowed a* ~ få moderation; *at a* ~ til nedsat pris.
reduction gear *(mar)* reduktionsgear.
redundancy [ri'dʌndənsi] *sb* overflødighed; *(spr* og edb) redundans; *(økon)* strukturarbejdsløshed.
redundant [ri'dʌndənt] *adj* overflødig; ordrig; vidtløftig; overtallig, (om arbejder) arbejdsløs; *make* ~ afskedige.
redundantize [ri'dʌndəntaiz] *vb* (om arbejder) afskedige.
reduplicate [ri'dju:plikeit] *vb* fordoble; reduplicere.
reduplication [ridju:pli'kei∫ən] *sb* fordobling; reduplikation.
red| wing *zo* vindrossel. **-wood** *(bot)* amerikansk kæmpefyr.
re-echo ['ri:'ekou] *vb* kaste tilbage; genlyde.
reed [ri:d] *sb (bot)* (tag)rør; *(mus.)* rørfløjte, (i blæseinstrument) (rør)blad, tunge; mundstykke; (i væv) rit, kam; *vb* belægge *(el. tække)* med rør; *the -s* rørbladinstrumenterne.
reed| bunting *zo* rørspurv. ~ **mace** *(bot)* dunhammer. ~ **organ** harmonium, stueorgel. ~ **pipe** rørfløjte.
reeducate ['ri:'edjukeit] *vb* omskole.
reed warbler *zo* rørsanger.
reedy ['ri:di] *adj* rørbevokset; røragtig; lang og tynd; (om stemme) pibende, tynd.

I. reef [ri:f] *sb* klipperev.
II. reef [ri:f] *sb (mar)* reb (i sejl); *vb* rebe; *take in a* ~ tage reb i sejlene; *shake out a* ~ stikke et reb ud; *(fig)* sætte fart på.
reefer ['ri:fə] *sb* stortrøje; kadet; S marihuanacigaret.
reef knot råbåndsknob.
reek [ri:k] *sb* damp, dunst, røg; stank, os; *vb* dampe, ryge; stinke, ose.
reeky ['ri:ki] *adj* tilrøget, rygende, osende.
I. reel [ri:l] *sb* garnvinde, haspe, rulle, trisse; (til magnetbånd *etc)* spole, (til film også) rulle; (på fiskestang) hjul; (til haveslange) tromle; (skotsk dans) reel; *off the* ~ i én køre.
II. reel [ri:l] *vb (cf I. reel)* haspe, vinde, rulle, spole; danse reel; (stå usikkert:) vakle *(fx he -ed from the blow)*, (gå usikkert:) vakle, rave, slingre; (ved svimmelhed) løbe *(el.* køre) rundt *(fx the room -ed before my eyes)*, snurre rundt; *my brain -s* det løber *(el.* kører) rundt for mig; ~ *off* lire af, ramse op.
reelect ['ri:i'lekt] *vb* genvælge.
reelection ['ri:i'lek∫(ə)n] *sb* genvalg.
reenter ['ri:'entə] *vb* træde ind igen; (om rumskib) vende tilbage til jordens atmosfære; *(jur)* tage (det lejede) i besiddelse igen.
reentry ['ri:'entri] *sb* genindtræden; (om rumskib) tilbagevenden til jordens atmosfære; *(jur)* tagen i besiddelse igen.
reestablish ['ri:i'stæbli∫] *vb* genoprette.
reestablishment ['ri:i'stæbli∫mənt] *sb* genoprettelse.
I. reeve [ri:v] *sb zo* brushøne; *(glds)* foged; (i Canada) sognerådsformand, borgmester.
II. reeve [ri:v] *vb (rove, rove el. -d, -d) (mar)* iskære; føre (et tov) igennem.
reexamination ['ri:igzæmi'nei∫ən] *sb* ny undersøgelse; *(jur)* afhøring efter *cross-examination*.
reexamine ['ri:ig'zæmin] *vb* undersøge på ny; *(jur)* afhøre på ny (efter *cross-examination*).
reexchange ['ri:iks't∫ein(d)ʒ] *vb* atter bytte; *sb* genudveksling; *(merk)* returveksel, rekambioveksel.
ref. *fk* referee, reference, referred, reformed.
refained, refaned [ri'feind] *adj* T (spøgende for *refined)* 'darnet'.
refashion [ri'fæ∫ən] *vb* omforme, omdanne.
Ref. Ch. *fk* Reformed Church.
refection [ri'fek∫ən] *sb* måltid, forfriskning.
refectory [ri'fektəri] *sb* spisesal, refektorium.
refer [ri'fə:] *vb:* ~ *to* henvise til *(fx he was -red to another office)*; henføre til, henregne til *(fx some scientists* ~ *these organisms to animals)*; henlægge til *(fx* ~ *the event to 300 B.C.)*; tilskrive *(fx* ~ *his illness to overeating)*; angå, referere (sig) til *(fx a document -ring to this event)*, sigte til *(fx are you -ring to me?)*, omtale; henvende sig til *(fx you must* ~ *to your employer)*; henholde sig til; se efter i *(fx one's notes, a dictionary)*; ~ *to drawer* (bankens påtegning på check:) ingen dækning.
referee [refə'ri:] *sb* opmand, (i fodbold- og bokskamp) dommer; (ved ansøgning) reference; *vb* fungere som dommer.
reference ['refrəns] *sb* henvisning; oversendelse; forbindelse; hensyn; omtale; hentydning; (ved ansøgning) anbefaling, reference; *terms of* ~ kommissorium; *work of* ~ håndbog, opslagsbog; *make* ~ *to a dictionary* se efter *(el.* slå op) i en ordbog; *with* ~ *to* angående; *without* ~ *to the matter* uden forbindelse med sagen, sagen uvedkommende.
reference| book håndbog, opslagsbog. ~ **library** håndbogssamling.
referendum [refə'rendəm] *sb* folkeafstemning.
referential [refə'ren∫əl] *adj* henvisnings-.
refill ['ri:'fil] *vb* fylde (på) igen; *sb* ny påfyldning *el.* indsætning; refill; patron til kuglepen.
refine [ri'fain] *vb* rense, lutre, forædle (sukker, olie) raffinere, (guld, sølv) affinere, (kobber) gare, (stål) friske; (åndeligt:) danne, forfine, forædle, (uden objekt) rense, lade sig rense; forfines, forædles; ~ *upon* forfine, udvikle videre. **refined** [ri'faind] *adj* forfinet, fin; dannet, kultiveret.
refinement [ri'fainmənt] *sb (cf refine)* rensning, lutring,

forædling; raffinering; affinering, garing; forfinelse, dannelse; raffinement; spidsfindighed.

refinery [ri'fainəri] *sb* raffinaderi.

I. refit ['ri:'fit] *vb* reparere, istandsætte; *(mar)* udruste; indtage forsyninger.

II. refit ['ri:'fit], **refitment** ['ri:'fitmənt] *sb* reparation, istandsættelse; ny udrustning.

reflate [ri'fleit] *vb (økon)* skabe reflation.

reflation [ri:'fleiʃn] *sb* reflation.

reflationary [ri:'fleiʃənri] *adj* reflationsfremmende *(fx measures)*, reflatorisk.

reflect [ri'flekt] *vb* kaste tilbage; reflektere, genspejle, afspejle; tænke på; betænke; (uden objekt) tænke, reflektere; give genskin; ~ *on* (også) overveje; tale nedsættende om, stille i et uheldigt lys; drage i tvivl *(fx I do not wish to ~ on your sincerity)*; *it -s credit on them* det tjener dem til ære, det gør dem ære.

reflecting telescope spejlkikkert.

reflection [ri'flekʃən] *sb* reflektion, eftertanke, overvejelse, tanke; tilbagekastning; spejlbillede, refleks; *(fig)* afspejling, afglans; *-s pl* (også) bemærkninger; kritik; *cast -s on* kritisere, tale nedsættende om; stille i et uheldigt lys; *on* ~ ved nærmere eftertanke.

reflective [ri'flektiv] *adj* tilbagekastende, reflekterende; (om person) reflekterende, tænkende, tænksom, spekulativ.

reflector [ri'flektə] *sb* reflektor, reflektionsspejl; spejl; (på cykel) katteøje, refleksglas; *(fot)* refleksskærm.

reflex ['ri:fleks] *adj* tilbagebøjet, bagudvendt; refleks-; *sb* refleks, genskin; refleksbevægelse.

reflex camera reflekskamera.

reflexion [ri'flekʃən] se *reflection*.

reflexive [ri'fleksiv] *adj (gram)* refleksiv, tilbagevirkende.

refloat ['ri:'flout] *vb* bringe flot, få til at flyde igen.

refluence ['refluəns] se *reflux*. **refluent** ['refluənt] *adj* tilbagestrømmende, faldende.

reflux ['ri:flʌks] *sb* tilbagestrømning, fald (om tidevand); *flux* and ~ flod og ebbe.

refoot ['ri:'fut] *vb* forfødde.

re-form ['ri:'fɔ:m] *vb* danne på ny; *(mil.)* formere igen.

reform [ri'fɔ:m] *vb* omdanne, forbedre, reformere, rette på; (uden objekt) forbedre sig; omvende sig; *sb* omdannelse, forbedring; reform; omvendelse.

re-formation ['ri:fɔ:'meiʃən] *sb* nydannelse.

reformation [refə'meiʃən] *sb* reformering, forbedring; afhjælpning; omvendelse; *(rel)* reformation.

reformative [ri'fɔ:mətiv] *adj* reformerende.

reformatory [ri'fɔ:mətəri] *adj* forbedrende; *sb (glds)* opdragelsesanstalt.

reformer [ri'fɔ:mə] *sb* reformator.

refract [ri'frækt] *vb* bryde (lys); *-ing telescope* linsekikkert.

refraction [ri'frækʃən] *sb* (lys)brydning, refraktion; *index of* ~ brydningsindeks.

refractive [ri'fræktiv] *adj* (lys)brydende; brydnings-.

refractory [ri'fræktəri] *adj* uregerlig, genstridig, balstyrig; trodsig, stædig; (om sygdom) vanskelig at behandle, hårdnakket; *(kem)* tungtsmeltelig *(fx metal)*; ildfast *(fx clay)*.

I. refrain [ri'frein] *sb* omkvæd, refræn.

II. refrain [ri'frein] *vb*: ~ *from* afholde sig fra, lade være med.

refrangible [ri'frændʒibl] *adj* (om lys) brydbar.

refresh [ri'freʃ] *vb* forfriske, forny, reparere; opfriske *(fx his memory)*; (uden objekt) forfriske sig, styrke sig.

refresher [ri'freʃə] *sb* T opstrammer, 'genstand'; *(jur)* ekstrasalær, ekstrahonorar; ~ *course* repetitionskursus.

refreshment [ri'freʃmənt] *sb* forfriskning; ~ *room* (jernbane)restaurant, buffet.

refrigerant [ri'fridʒərənt] *adj* kølende; *sb* kølemiddel, kølevæske, frysevæske.

refrigerate [ri'fridʒəreit] *vb* afkøle, nedkøle, køle, fryse; *-d ship* køleskib. **refrigerating** *adj* køle- *(fx engine* maskine, *engineer* tekniker, *plant* anlæg).

refrigeration [rifridʒə'reiʃən] *sb* afkøling, nedkøling, frysning.

refrigerator [ri'fridʒəreitə] *sb* køleskab; frysemaskine; ~ *car* kølevogn.

reft [reft] *adj* berøvet.

refuel ['ri:'fjuəl] *vb* fylde brændstof på; tanke op; få brændstof fyldt på; *-ling sb* brændstofpåfyldning.

refuge ['refju:dʒ] *sb* tilflugt, tilflugtssted; herberg; ly; (trafik)helle; *take* ~ *in* søge tilflugt i, søge ly i, ty til.

refugee [refju'dʒi:] *sb* flygtning, emigrant.

refulgence [ri'fʌldʒəns] *sb* stråleglans.

refulgent [ri'fʌldʒənt] *adj* strålende, skinnende.

I. refund [ri'fʌnd] *sb* tilbagebetaling; *get a* ~ få sine penge tilbage.

II. refund [ri'fʌnd] *vb* tilbagebetale, refundere.

refurbish ['ri:'fə:biʃ] *vb* pudse op (på).

refusal [ri'fju:zəl] *sb* afslag, vægring; nægtelse; *(merk)* forkøbsret; *have the first* ~ *of sth* have noget på hånden.

I. refuse [ri'fju:z] *vb* afvise, refusere; afslå, nægte, sige nej til; (uden objekt) sige nej; vægre sig, undslå sig; (om hest) refusere.

II. refuse ['refju:s] *sb* affald, dagrenovation, skrald; *adj* kasseret; affalds-; udskuds-.

refuse|disposal plant forbrændingsanstalt. ~ **dump** losseplads. ~ **heap** affaldsdynge.

refutable ['refjutəbl, ri'fju:təbl] *adj* gendrivelig.

refutation [refju'teiʃən] *sb* gendrivelse.

refute [ri'fju:t] *vb* gendrive, modbevise.

regain [ri'gein] *vb* genvinde; nå tilbage til; ~ *consciousness* komme til bevidsthed.

regal ['ri:g(ə)l] *adj* kongelig, konge-.

regale [ri'geil] *vb* traktere; fryde; ~ *oneself* delikatere sig, fryde sig; ~ *sby with* traktere en med; *(fig* også) opvarte en med; *be -d with* (også) få serveret *(fx the latest gossip)*.

regalia [ri'geiljə] *sb pl* regalier, kronjuveler.

regality [ri'gæliti] *sb* kongelighed, kongeligt privilegium.

I. regard [ri'ga:d] *vb* betragte (as som), anse (as for, *fx* ~ *him as one's friend)*; agte, respektere; vedkomme, angå *(fx it does not* ~ *me)*; tage hensyn til *(fx he seldom -s my wishes)*; *(glds)* se på, betragte, lægge mærke til; *as -s* hvad angår, med hensyn til; ~ *him highly* sætte ham højt.

II. regard [ri'ga:d] *sb* betragtning, iagttagelse, opmærksomhed; agtelse, anseelse; hensyn; *(glds)* blik; *-s* (også) hilsen(er); *in* ~ *to, with* ~ *to, in* ~ *of* med hensyn til; *give my -s to the family!* hils familien! *with kind -s* med venlig hilsen.

regardful [ri'ga:df(u)l] *adj (glds)* opmærksom; *be* ~ *of* tage hensyn til.

regarding [ri'ga:diŋ] *præp* med hensyn til, angående.

regardless [ri'ga:dlis] *adj* ligegyldig, hensynsløs; S uden hensyn til udgifterne *(el.* til følgerne); ~ *of* uden at bryde sig om, uanset, uden hensyn til.

regatta [ri'gætə] *sb* regatta; kaproning, kapsejlads.

regency ['ri:dʒənsi] *sb* regentskab; *the Regency* prins Georg af Wales' regentskab 1810-20.

I. regenerate [ri'dʒenəreit] *vb* genskabe, forny; genføde; (moralsk:) genrejse; *(biol)* regenerere; gendannes, vokse ud igen.

II. regenerate [ri'dʒenərit] *adj* fornyet; genfødt.

regeneration [ridʒenə'reiʃən] *sb* genskabelse, fornyelse; genfødelse, (moralsk) genrejsning; *(biol)* regeneration; (radio) positiv tilbagekobling.

regenerator [ri'dʒenəreitə] *sb* fornyer; *(tekn)* regenerator.

regent [ri'dʒənt] *sb* regent; *(am)* medlem af universitetsbestyrelse; *adj* regerende.

regentship ['ri:dʒəntʃip] *sb* regentskab.

regicide ['redʒisaid] *sb* kongemorder; kongemord.

régie [rei'ʒi:] *sb* statsmonopol *(fx* på tobak, salt).

régime [rei'ʒi:m] *sb* régime, regering; system, ordning; *(med.)* diæt, kur.

regimen ['redʒ(i)men] *sb* diæt, kur, levevis; *(gram.)* styrelse, rektion.

I. regiment ['redʒ(i)mənt] *sb (mil.)* regiment.

II. regiment ['redʒimənt] *vb* ordne i grupper, rubricere; disciplinere, ensrette.

regimental [redʒi'mentl] *adj* regiments-; uniforms-. **regimentals** [redʒi'mentlz] *sb pl* uniform.

regimentation [redʒimen'teiʃ(ə)n] *sb* ensretning.

Regina [ri'dʒainə] dronning.

region ['ri:dʒən] *sb* egn, strøg, region, område; lag (af atmosfæren); *the lumbar* ~ *(anat)* lænderegionen.

regional ['ri:dʒənl] adj lokal, kreds-, regional; ~ novelist hjemstavnsforfatter; ~ plan egnsplan; ~ planning egnsplanlægning; ~ study hjemstavnslære.

I. register ['redʒistə] sb register, liste (fx electoral ~ valgliste), protokol, bog, (parish ~) kirkebog, ministerialbog, (hotel ~) fremmedbog; (mar: ~ of ships) skibsregister, (skibs:) registreringscertifikat; (mus.: i orgel) register, (mht stemme) register, (tone)leje; (tekn) tælleværk, (se også cash ~), (til luftregulering) spjæld; stilling i forhold til hinanden, (typ) register (fx out of ~; in perfect ~); (bogb) mærkebånd (fasthæftet bogmærke); keep a ~ of føre bog (etc) over; ~ of companies (merk) aktieselskabsregister; ~ of shareholders (el. members) (merk) aktiebog; place on the ~ protokollere.

II. register ['redʒistə] vb bogføre, indføre, protokollere, føre til protokols; indskrive (fx new students); indregistrere (fx a car); anmelde (fx a birth); (jur) tinglyse; (om bagage) indskrive; (om brev etc) anbefale, rekommandere; (om instrument) vise (fx the thermometer -ed 47 degrees), registrere; (T: om person, ved ansigtsudtryk etc) vise, give udtryk for (fx surprise); (uden objekt) indskrive sig (fx at a hotel), indmelde sig (fx for a course); (T: hos person) trænge ind, gøre indtryk; (tekn) være placeret rigtigt i forhold til hinanden; passe til hinanden; (typ) holde register; the ship is -ed in skibet er hjemmehørende i; ~ a vow love sig selv.

registered letter anbefalet brev. ~ **nurse** autoriseret sygeplejerske. ~ **office** indregistreret kontoradresse; (omtr) hovedkontor, (jur) hjemsted. ~ **shares**, (am) ~ **stocks** aktier udstedt på navn.

register office registreringskontor.

register ton (mar) registerton.

registrar [redʒi'stra:, 'redʒistra:] sb registrator; giftefoged; universitetssekretær; (med., svarer til) reservelæge; married before the ~ borgerlig viet; senior ~ l. reservelæge.

registration [redʒi'streiʃən] sb indskrivning, indmeldelse, registrering (etc se II. register); ~ book (for bil, svarer til) registreringsattest; ~ letters registreringsmærke; kendingsbogstaver.

registry ['redʒistri] sb registreringskontor; indregistrering; ~ office folkeregister; engageringsbureau, fæstekontor; marriage at a ~ office borgerlig vielse; port of ~ (mar) hjemsted.

Regius ['ri:dʒəs] kongelig; ~ professor kongelig professor (ɔ: indehaver af et professorat oprettet af en konge).

regnant ['regnənt] adj regerende; (fig) gængs, herskende.

regorge [ri:'gɔ:dʒ] vb gylpe op.

I. regress ['ri:gres] vb gå tilbage, vende tilbage.

II. regress ['ri:gres] sb tilbagevenden; tilbagegang; (jur) regreskrav, adkomst til regres.

regression [ri'greʃən] sb tilbagevenden; tilbagegang; (psyk) regression.

regressive [ri'gresiv] adj tilbagegående; regressiv.

regret [ri'gret] vb beklage (fx we ~ that we cannot help you); fortryde (fx he -ted having said it), angre; savne (fx he died -ted by all); begræde; længes tilbage til (fx one's vanished youth); sb beklagelse, anger, sorg, savn, længsel; send one's -s sende afbud, melde forfald.

regretful [ri'gretf(u)l] adj fuld af beklagelse.

regrettable [ri'gretəbl] adj beklagelig, beklagelsesværdig, (til) at beklage.

regroup ['ri:'gru:p] vb (mil.) omgruppere.

regt. fk regiment.

regular ['regjulə] adj regelmæssig (fx shape, teeth, life, rhythm, verb); fast (fx customer, work); rigtig (fx he is a ~ doctor), egentlig (fx this was not his ~ job; it is not a ~ novel); i overensstemmelse med reglerne, vedtægtsmæssig (fx procedure), forskriftsmæssig, (også mil.) regulær (fx troops); **T** ordentlig (fx downpour, beating), regulær (fx scoundrel, fight; he is a ~ fellow); ren (fx nuisance plage); (am også) almindelig; (geom) regulær; ligesidet (fx polygon, triangle); sb fast kunde, stamgæst, fastansat; **-s** (mil.) regulære tropper; ~ clergy ordensgejstlige; keep ~ hours føre et regelmæssigt liv.

regularity [regju'læriti] vb regelmæssighed.

regularize ['regjuləraiz] vb bringe i overensstemmelse med reglerne, normalisere.

regulate ['regjuleit] vb regulere, ordne, styre.

regulation [regju'leiʃən] sb regulering; ordning; styrelse; forskrift, anordning, regel, vedtægt, -s (også) reglement; adj reglementeret (fx uniform); forskriftsmæssig.

regulator ['regjuleitə] sb (i ur) regulator; rokker.

regurgitate [ri'gɔ:dʒiteit] vb strømme tilbage; gylpe op.

rehabilitate [ri:(h)ə'biliteit] vb genindsætte i tidligere stilling el. ret, give oprejsning, rehabilitere; (økonomisk:) bringe på fode; (om bygning etc) restaurere; (om invalid) revalidere; (om forbryder) resocialisere.

rehabilitation [ri:(h)əbili'teiʃən] sb (cf rehabilitate) genindsættelse; oprejsning; æresoprejsning; restaurering; revalidering; resocialisering.

rehash ['ri:'hæʃ] (fig) vb lave et opkog af; sb opkog.

rehearsal [ri'hə:sl] sb opregning; (teat etc) indstudering, prøve.

rehearse [ri'hə:s] vb opregne, fortælle; (teat etc) indstudere, holde prøve på.

rehouse ['ri:'hauz] vb genhuse, skaffe ny bolig til.

reify ['ri:ifai] vb (filos) reificere, tingsliggøre.

reign [rein] sb regering, regeringstid; vb regere, herske; the Reign of Terror rædselsregimentet.

reimburse [ri:im'bə:s] vb godtgøre, tilbagebetale; ~ oneself tage sig betalt, holde sig skadesløs.

reimbursement [ri:im'bə:smənt] sb godtgørelse, tilbagebetaling.

Reims [ri:mz].

rein [rein] sb tømme, tøjle; vb holde i tømme, beherske, tøjle; give ~ (el. the -s) to give frie tøjler; ~ in holde an (fx a horse); (fig) bremse, holde tilbage; keep a tight ~ on sby (fig) køre én i stramme tøjler.

reincarnate [ri:'inka:neit, 'ri:in'ka:neit] vb reinkarnere; ['ri:in'ka:nət] adj reinkarneret.

reincarnation [ri:inka:'neiʃən] sb reinkarnation.

reindeer ['reindiə] sb zo ren, rensdyr.

reinforce [ri:in'fɔ:s] vb forstærke, armere; -d concrete jernbeton, armeret beton.

reinforcement [ri:in'fɔ:smənt] sb forstærkning, armering.

reins [reinz] sb pl (glds) nyrer; search the ~ and hearts granske hjerte og nyrer.

reinstate [ri:in'steit] vb genindsætte, genansætte.

reinsurance [ri:in'ʃuərəns] sb genforsikring.

reinsure ['ri:in'ʃuə] vb genforsikre.

reissue ['ri:'iʃu:] vb udsende (el. udstede, udgive) på ny; sb genudsendelse, optryk.

reiterate [ri:'itəreit] vb gentage.

reiteration [ri:itə'reiʃən] sb gentagelse.

I. reject [ri'dʒekt] vb afvise, afslå (fx an offer); forkaste (fx a theory); kassere; vrage; forsmå (fx a suitor); nægte at tro; (om mad) ikke kunne holde i sig, kaste op; (ved transplantation) afstøde.

II. reject [ri'dʒekt] sb: -s pl udskudsvarer; kasserede (el. frasorterede) varer; (mil.) kasserede; export -s varer som ikke har kunnet godkendes til eksport.

rejection [ri'dʒekʃən] sb afvisning, afslag, forkastelse, kassation; (ved transplantation) afstødning.

rejig [ri:'dʒig] vb udstyre med nye maskiner.

rejoice [ri'dʒɔis] vb glæde sig, fryde sig, glæde, gøre glad; ~ in (spøg.) kunne glæde sig ved, være udstyret med; -d glad.

rejoicing [ri'dʒɔisiŋ] sb jubel, glæde, festlighed.

I. rejoin [ri'dʒɔin] vb svare; (jur) duplicere.

II. rejoin ['ri:'dʒɔin] vb igen bringe sammen, genforene igen slutte sig til; komme sammen igen; genforenes.

rejoinder [ri'dʒɔində] sb svar; (jur) duplik.

rejuvenate [ri'dʒu:vineit] vb forynge, blive foryngret.

rejuvenation [ridʒu:vi'neiʃ(ə)n] sb foryngelse.

rejuvenescence [ridʒu:vi'nesns] sb foryngelse.

rekindle ['ri:'kindl] vb atter tænde(s); genopvække, få til at blusse op igen; blusse op igen.

relapse [ri'læps] vb falde tilbage, få et tilbagefald; sb tilbagefald.

relate [ri'leit] vb fortælle, berette; ~ to angå (fx this paragraph -s to my father); sætte i forbindelse med (fx ~ the phenomena to one another). **related** [ri'leitid] adj beslægtet (to med).

relation [ri'leiʃən] sb fortælling, beretning; slægtskab; slægtning; forbindelse (fx there is no ~ between the two events), relation, forhold; -s pl forhold (fx the -s between

Denmark and Sweden; *his* -*s* with his father); in (el. with) ~ to angående.
relationship [ri'leiʃənʃip] *sb* slægtskab; forhold; forbindelse (to med).
relative ['relativ] *sb* pårørende, slægtning; (*gram*) relativt pronomen; *adj* relativ; ~ to som står i forbindelse med, som angår (el. vedrører).
relatively ['relativli] *adv* relativt, forholdsvis.
relativity [relə'tiviti] *sb* relativitet.
relax [ri'læks] *vb* slappe, løsne (*fx* one's hold), afspænde (*fx* a muscle), (*fig*) slække på (*fx the rules, discipline*), lempe; (uden objekt) slappes, løsnes, (om person) slappe af, være mindre streng, adsprede sig, søge hvile; ~ one's guard give sig en blottelse.
relaxation [ri:læk'seiʃən] *sb* adspredelse; afslapning; afspænding; mildnelse, formildelse; lempelse (*fx of the rules*); ~ of tension afspænding (i politik).
re-lay ['ri:'lei] *vb* omlægge, lægge på ny.
I. relay [ri'lei] *sb* (nyt) hold, nyt forspand; skifte; in (el. by) -s på skift.
II. relay [ri:'lei] *sb* (*elekt*) relæ; (i sport) stafetløb; (i radio) (re)transmission; *vb* (re)transmittere; ~ race stafetløb; ~ station relæstation.
I. release [ri'li:s] *vb* sætte i frihed, løslade (*fx prisoners*); frigive (*fx prisoners, news*); befri; udfri (*fx ~ him from his sufferings*); frigøre, løse (*fx from a promise*); udløse (*fx a bomb*); frakoble, slå fra (*fx the brake*); (*jur*) frafalde, opgive (*fx a claim*); ~ a new film udsende en ny film; ~ one's hold slippe sit tag.
II. release [ri'li:s] *sb* løsladelse; frigivelse, (af meddelelse, film også) udsendelse; befrielse, udfrielse; frigørelse; ud løsning; frakobling; (*jur*) frafaldelse, opgivelse; (*tekn, fot*) udløser; (*press* ~) pressemeddelelse; *new* -s nyudsendte film.
relegate ['religeit] *vb* henvise, overgive; (til lavere grad *etc*) degradere, (i sport) rykke ned; (*glds og fig*) forvise (*fx the old chairs were -d to the kitchen*).
relegation [reli'geiʃən] *sb* henvisning, overgivelse; degradering, (i sport) nedrykning; (*glds*) forvisning.
relent [ri'lent] *vb* formildes, give efter, lade sig formilde.
relentless [ri'lentlis] *adj* hård, ubøjelig, ubarmhjertig.
relevance ['relivəns], **relevancy** ['relivənsi] *sb* anvendelighed; forbindelse med sagen, relevans.
relevant ['relivənt] *adj* sagen vedkommende, relevant.
reliability [rilaiə'biliti] *sb* pålidelighed; driftsikkerhed.
reliable [ri'laiəbl] *adj* pålidelig; driftsikker.
reliance [ri'laiəns] *sb* tillid, tiltro, fortrøstning; *place* (el. put) ~ in (el. on) fæste lid til; sætte sin lid til; in ~ on i tillid til.
reliant [ri'laiənt] *adj* tillidsfuld.
relic ['relik] *sb* levn (*fx -s of the past; a* ~ *of the Victorian age*), levning, rudiment; mindesmærke (*fx historic -s*); minde (*fx letters and other -s of his youth*); (*rel*) relikvie; -*s pl* (*litt*) jordiske levninger.
relict ['relikt] *sb* (*glds*) enke (*of* efter).
I. relief [ri'li:f] *sb* lettelse, lempelse (*fx tax* ~); (i smerte) lindring, (i frygt) befrielse, beroligelse; (i ensformighed) variation, afveksling; (i nød *etc*) afhjælpning; hjælp, (penge *etc*) understøttelse, (*public* ~) socialhjælp; (*jur*) retshjælp; (i nød, belejring) undsætning; (i arbejde, vagt) afløsning, skifte; (i kunst *etc*) relief, ophøjet arbejde; *stand out* in *strong* ~ *against* træde skarpt frem imod, stå i skarp kontrast til; *bring* (el. throw) into ~ sætte i relief, fremhæve; *the hour of* ~ befrielsens time; *heave a sigh of* ~ drage et lettelsens suk; *run a* ~ (*jernb*) dublere et tog, indsætte et ekstratog; *come to his* ~ komme ham til undsætning.
II. relief [ri'li:f] *adj* hjælpe- (*fx fund, organization, work*); ekstra- (*fx bus, train*); (*fx crew* mandskab), som skal afløse; relief-; ~ *map* fysisk kort, højdekort, reliefkort; ~ *printing* (*typ*) højtryk; (*bogb*) relieftryk; ~ *valve* overløbsventil, sikkerhedsventil; ~ *work* (også) nødhjælpsarbejde.
relieve [ri'li:v] *vb* lindre; afhjælpe (*fx distress*); hjælpe, understøtte; undsætte (*fx a besieged town*); (*mht* arbejde *etc*) afløse (*fx the guard*); aflaste; fritage (*fx* ~ *him of his duty*); (*mht* ensformighed) variere, bringe afveksling ind i; (sætte i relief:) fremhæve, (lade) træde skarpt frem

(against imod); ~ *sby of his watch* T skille en af med hans ur; ~ *one's feelings* lette sit hjerte; ~ *the bowels* have afføring; ~ *nature*, ~ *oneself* forrette sin nødtørft; gå på wc. **relieved** (også) lettet (*fx I was* ~ *to hear he was alive*).
relieving arch murstik. ~ *officer* fattigforstander.
religion [ri'lidʒən] *sb* religion; gudsdyrkelse; klosterliv; *enter* ~ gå i kloster; *get* ~ T blive omvendt (el. frelst); *he has made a* ~ *of it* (*fig*) det er blevet en livssag for ham.
religious [ri'lidʒəs] *adj* religiøs; kristelig; gudfrygtig; (*fig*) samvittighedsfuld; (*kat.*) bundet af klosterløfte; *sb* munk, nonne; ~ *house* kloster; ~ *instruction* (skolefag:) kristendomskundskab, religion.
religiousness [ri'lidʒəsnis] *sb* religiøsitet; (*fig*) samvittighedsfuldhed.
relinquish [ri'liŋkwiʃ] *vb* slippe, opgive, forlade; frafalde.
relinquishment [ri'liŋkwiʃmənt] *sb* opgivelse; frafaldelse.
reliquary [ri'relikwəri] *sb* relikvieskrin.
relish ['reliʃ] *vb* finde smag i, nyde, goutere, synes om; smage, have smag; *sb* velsmag, smag; duft; krydderi; (*fig*) anstrøg (*of* af); nydelse, velbehag; *have* ~ *for* have smag for, glæde sig over; *have no* ~ *for* ikke bryde sig om; *it loses its* ~ (*fig*) det mister sin tiltrækning; *with* ~ med velbehag.
reload ['ri:'loud] *vb* omlade; lade igen; (*fot*) sætte ny film i.
relocate ['ri:lə'keit] *vb* forflytte; (om vej) forlægge; omlægge.
relocation ['ri:lə'keiʃn] *sb* flygtning, forflyttelse; internering; (om vej) forlægning; omlægning; ~ *camp* (*am*) interneringslejr
reluctance [ri'lʌktəns] *sb* utilbøjelighed, ulyst; (*elekt*) reluktans, magnetisk modstand; *with* ~ modstræbende.
reluctant [ri'lʌktənt] *adj* modstræbende, uvillig; *be* ~ *to* nødig ville, kvie sig ved.
rely [ri'lai] *vb:* ~ *on* stole på, fæste lid til; være vis på (*fx you may* ~ *on it that he will help you*); påberåbe sig, støtte sig til.
remain [ri'mein] *vb* være igen, blive tilbage; blive, forblive; vedblive, bestå; ~ *calm* bevare roen; *I* ~ *yours truly ...* (jeg forbliver) Deres ærbødige ...; *the word -s in Essex to this day* ordet findes endnu i Essex; *the worst -ed to come* det værste stod endnu tilbage; *it -s with him to make them happy* det står til ham at gøre dem lykkelige.
remainder [ri'meində] *sb* rest, levninger; restbeløb; (*merk*) restoplag; nedsat bog (af restoplag); *vb* nedsætte (bog), sælge (bog) til nedsat pris.
remaining [ri'meiniŋ] *adj* resterende, som er tilbage.
remains [ri'meinz] *sb pl* efterladenskaber (*fx literary* ~); rester, levninger (*fx of a meal*); (om person) jordiske rester.
remand [ri'ma:nd] *vb* tilbagesende, sende tilbage til (varetægts)arrest; opretholde fængslingen af; *sb* tilbagesendelse, genindsættelse i (varetægtsarrest); fortsat fængsling.
remand home optagelseshjem for lovovertrædere mellem 8 og 17 år, inden domsafsigelse; »ventehjem«.
remanence ['remənəns] *sb* (*elekt*) remanens.
remanent ['remənənt] *adj* tilbageblivende, remanent; ~ *magnetism* remanens, remanent magnetisme.
remark [ri'ma:k] *sb* bemærkning, ytring, kommentar; iagttagelse; *vb* bemærke; iagttage; ytre; gøre bemærkninger; ~ *on* udtale sig om, gøre bemærkninger om.
remarkable [ri'ma:kəbl] *adj* mærkelig, mærkværdig, mærkelig; særegen, påfaldende, bemærkelsesværdig; mærkbar, betydelig; *not for brains* mere udrørt over hovedet.
remarriage [ri:'mæridʒ] *sb* indgåelse af nyt ægteskab.
remarry [ri:'mæri] *vb* gifte sig påny (med).
R.E.M.E. *fk* (*mil.*) Royal Electrical and Mechanical Engineers.
remediable [ri'mi:djəbl] *adj* som kan afhjælpes (, rettes, helbredes).
remedial [ri'mi:djəl] *adj* hjælpe- (*fx measures* foranstaltninger), afhjælpende; (*med.*) helbredende; ~ *exercises* sygegymnastik; ~ *class* hjælpeklasse (til læsesvage *etc*); ~ *instruction* specialundervisning; støtteundervisning.
remedy ['remidi] *sb* hjælpemiddel; middel (*for* mod); hjælp, afhjælpning; (*jur*) retsmiddel; (*med.*) lægemiddel;

vb afhjælpe, råde bod på; *there is a* ~ *for everything* der er råd for alt.

remelt [ˈriːˈmelt] *vb* omsmelte.

remember [riˈmembə] *vb* huske, huske på, erindre, mindes; *this will be -ed against no one* dette skal ikke komme nogen til skade; ~ *me to him* hils ham fra mig.

remembrance [riˈmembrəns] *sb* erindring, minde; hukommelse; souvenir; *-s* (også) hilsener; *in* ~ *of* til minde om; *Remembrance Day* søndagen nærmest 11. nov., hvor verdenskrigens faldne mindes.

remembrancer [riˈmembrənsə] *sb* påminder; påmindelse, memento; huskeseddel.

remilitarize [riːˈmilitəraiz] *vb* remilitarisere.

remind [riˈmaind] *vb* erindre, minde *(of* om, *that* om at); ~ *me of* minde mig om, huske mig på; få mig til at tænke på.

reminder [riˈmaində] *sb* påmindelse; rykkerbrev; *(bibl)* hjemkaldelse.

reminisce [remiˈnis] *vb* snakke om gamle dage; tænke tilbage.

reminiscence [remiˈnisns] *sb* erindring; reminiscens, levning; *-s* (også) memoirer.

reminiscent [remiˈnisnt] *adj* som erindrer el. minder *(of* om); som dvæler ved minderne.

remiss [riˈmis] *adj* slap, forsømmelig, efterladende.

remissible [riˈmisəbl] *adj* som kan eftergives; tilgivelig.

remission [riˈmiʃən] *sb* eftergivelse *(fx of a debt);* tilgivelse, forladelse *(fx of sins);* aftagen, lindring.

remit [riˈmit] *vb* eftergive *(fx a debt, a fine, a penalty),* tilgive, forlade *(fx sins);* udsætte *(fx consideration of the matter),* lade stå hen; dæmpe, lindre *(fx pain),* (uden objekt) dæmpes, aftage *(fx the storm (, his anger) -ted);* *(merk* om penge) sende, tilstille, remittere; *(jur)* oversende, sende tilbage *(fx* ~ *a case to a lower court),* hjemvise; henvise.

remittal [riˈmit(ə)l] *sb (jur)* oversendelse, tilbagesendelse, hjemvisning, henvisning; se også *remission.*

remittance [riˈmitəns] *sb* oversendelse af penge *(etc,* som betaling), rimesse; ~ *man* emigrant som modtager regelmæssig understøttelse hjemmefra.

remittent [riˈmitənt] *adj* remitterende; som aftager *(i* styrke) med mellemrum; svingende; ~ *fever (med.)* remitterende feber.

remitter [riˈmitə] *sb (merk)* afsender af rimesse; *(jur)* = *remittal.*

remnant [ˈremnənt] *sb* rest; levning.

remodel [ˈriːˈmɔdl] *vb* omforme, omarbejde.

remonstrance [riˈmɔnstrəns] *sb* protest, forestillinger; formaning(er), bebrejdelse(r).

remonstrant [riˈmɔnstrənt] *adj* protesterende; *sb (rel)* arminianer, remonstrant.

remonstrate [ˈremənstreit, riˈmɔnstreit] *vb* protestere, gøre forestillinger; ~ *with sby on sth* bebrejde en noget, foreholde en noget.

remontant [riˈmɔntənt] *adj (bot)* remonterende.

remorse [riˈmɔːs] *sb* samvittighedsnag, anger; *without* ~, se *remorseless.*

remorseful [riˈmɔːsf(u)l] *adj* angergiven, angrende.

remorseless [riˈmɔːslis] *adj* ubarmhjertig, grusom; samvittighedsløs.

remote [riˈmout] *adj* fjern; fjerntliggende; afsides; fremmed; *(fig* også) svag *(fx chance, possibility).*

remote| control fjernstyring. ~ **-control(led)** fjernstyret.

remould [ˈriːˈmould] *vb* omdanne, omforme.

I. remount [riˈ(:)ˈmaunt] *vb* bestige igen; skaffe friske heste; stige op igen; montere (, klæbe op, sætte op) igen; ~ *to* gå tilbage til, skrive sig fra.

II. remount [ˈriːmaunt] *sb* remonte(hest), frisk(e) hest(e).

removable [riˈmuːvəbl] *adj* som kan flyttes; *(fra* stilling) afsættelig, som kan afskediges.

removal [riˈmuːvl] *sb* fjernelse, bortrydning, *(fra* stilling) afskedigelse; *(fra* sted til et andet) flytning; ~ *van* flyttevogn.

I. remove [riˈmuːv] *sb* afstand *(fx see it at a* ~ *(på* afstand)); trin, grad *(fx several -s from being perfect),* skridt *(fx only one* ~ *from chaos);* mellemrum; mellemled *(fx at (med) one* ~*); (mht* slægtskab) led; *(i* skole) opflytning, oprykning; *(ved* bordet) ret.

II. remove [riˈmuːv] *vb* fjerne, tage væk (, ud), rydde væk *(el.* af vejen), skaffe bort; *(fra* stilling) afskedige, afsætte; *(til* et andet sted) flytte; **-d** *(om* slægtskab) fjernet et led i op- *el.* nedstigende linje; *first cousin once -d* fætters (, kusines) barn, næstsøskendebarn; *first cousin twice -d* fætters (, kusines) barnebarn.

remover [riˈmuːvə] *sb* flyttemand; (-)fjerner *(fx hair* ~*).*

remunerate [riˈmjuːnəreit] *vb* lønne; godtgøre.

remuneration [rimjuːnəˈreiʃən] *sb* løn, godtgørelse, vederlag.

remunerative [riˈmjuːnərətiv] *adj* indbringende, lønnende, rentabel.

renaissance [riˈneisns] *sb* renæssance; genfødelse; fornyelse.

renal [ˈriːnəl] *adj* som angår nyrerne, nyre-.

rename [ˈriːˈneim] *vb* omdøbe, give et nyt navn.

renascence [riˈnæsns] = *renaissance.*

renascent [riˈnæsnt] *adj* genopdukkende; fornyet *(fx a* ~ *interest in astrology).*

rencontre [renˈkɔntə, *fr] sb* møde; duel; træfning; sammenstød. **rencounter** [renˈkauntə] *sb* = *rencontre; vb* støde på, træffe.

rend [rend] *vb (rent, rent)* splintre, splitte; sønderrive, flænge *(fx one's clothes; a scream rent the air);* (tage med magt:) flå, rive.

render [ˈrendə] *vb* give, afgive *(fx an answer);* yde *(fx help);* gøre *(fx his wealth -s it superfluous);* (om regning) præsentere, forelægge; (kunstnerisk:) foredrage, udføre, spille *(fx Hamlet),* gengive, (i et andet sprog) oversætte; (om fedt) afsmelte (og klare); (om mur *etc)* pudse; *sb* puds;

~ *an account* sende en regning ud; ~ *an account of* gøre regnskab for; ~ *down* afsmelte (og klare); ~ *good for evil* gengælde ondt med godt; ~ *into Danish* oversætte til *(el.* gengive på) dansk; ~ *a service* gøre en tjeneste; ~ *unto Caesar the things that are Caesar's* give kejseren hvad kejserens er; ~ *up* overgive.

rendering [ˈrendəriŋ] *sb* gengivelse, udførelse; oversættelse; aflæggelse *(of accounts* af regnskab); (om fedt) afsmeltning; (på mur *etc)* puds.

rendezvous [ˈrɔndivuː, ˈraːndeivuː] *sb* mødested, samlingssted *(fx the cafe was the* ~ *of tourists);* aftalt møde; (om rumskibe) stævnemøde; *vb* mødes.

rendition [renˈdiʃən] *sb* gengivelse, udførelse, fortolkning.

renegade [ˈrenigeid] *sb* frafalden, overløber; renegat; *vb* falde fra.

renege [riˈnig, riˈniːg, riˈneig] *vb* (i kortspil) svigte kulør; **T** *(fig)* svigte kulør; løbe fra en aftale (, et løfte); *sb* (i kortspil) kulørsvigt; ~ *on* **T** svigte, løbe fra.

renew [riˈnjuː] *vb* forny; begynde igen; udskifte; genoptage.

renewable [riˈnjuː(:)əbl] *adj* som kan fornyes; udskiftelig.

renewal [riˈnjuː(:)əl] *sb* fornyelse, genoptagelse.

rennet [ˈrenit] *sb* (oste)løbe.

renounce [riˈnauns] *vb* frasige sig, fraskrive sig, opgive, give afkald på *(fx the use of nuclear weapons);* frafalde *(fx a claim);* forsage; forsværge, afsværge *(fx one's faith);* forstøde *(fx a son);* (i kortspil) være renonce, *(am)* svigte kulør; ~ *the devil* forsage djævelen.

renovate [ˈrenəveit] *vb* modernisere, fikse op, reparere.

renovation [renəˈveiʃən] *sb* modernisering, fornyelse.

renown [riˈnaun] *sb* navnkundighed, ry, berømmelse.

renowned [riˈnaund] *adj* navnkundig, berømt.

I. rent [rent] *sb* leje, lejeindtægt; husleje *(fx he owes two months'* ~*); (af* jord) forpagtningsafgift; *(økon)* jordrente, grundrente.

II. rent [rent] *vb* leje *(fx rooms from sby),* udleje *(fx rooms to sby);* udlejes *(fx the house -s at £100 a year);* (om jord) forpagte, bortforpagte; bortforpagtes.

III. rent [rent] *sb* rift, revne, flænge *(fx in a shirt); (fig)* splittelse *(fx in a party).*

IV. rent [rent] *præt* og *pp* af *rend.*

rentable [ˈrentəbl] som kan lejes (, udlejes), til leje.

rental [ˈrentl] *sb* lejeindtægt; leje, afgift, *(tlf)* abonnementsafgift; *(am)* lejet (, udlejet) genstand (, lejlighed, hus); ~ *library (am)* lejebibliotek; ~ *value* lejeværdi.

renter [ˈrentə] *sb* lejer, (film)udlejer.

rent-free *adv* uden leje, husfrit.

rentier ['rɔntiei] sb rentier.
rent rebate (svarer til) boligsikring.
rent|-roll liste over lejere og lejeindtægt; samlet lejeindtægt. **~ tribunal** huslejenævn.
renunciation [rinʌnsi'eiʃən] sb (cf renounce) frasigelse, frafaldelse, opgivelse, afkald; forsagelse; fornægtelse, afsværgelse; forstødelse.
reopen ['ri:'oupn] vb åbne igen, genåbne; genoptage (fx the negotiations), tage op igen (fx a question); (om sår) bryde op; secure a -ing of the case få sagen genoptaget.
reorganization ['ri:ɔ:gən(a)i'zeiʃən] sb reorganisation, omordning, omdannelse.
reorganize ['ri:'ɔ:gənaiz] vb reorganisere, omdanne, lægge om.
reorientation ['ri:ɔ:riən'teiʃən] sb nyorientering.
I. rep [rep] sb (tekstil) reps.
II. rep [rep] S fk repertory (theatre), reputation; reprobate (fx you old ~).
rep. fk repeat, report(er).
Rep. fk Representative, Republic(an).
I. repair [ri'pɛə] sb istandsættelse, reparation, udbedring, vedligeholdelse; vb istandsætte, reparere; udbedre (fx the damage); (fig) rette (fx a mistake), erstatte (fx a loss), gøre god igen (fx a wrong); in good ~ i god stand; out of ~ i dårlig stand.
II. repair [ri'pɛə] vb (litt) drage, forføje sig, begive sig (to til).
repairman reparatør.
repaper ['ri:'peipə] vb tapetsere på ny, omtapetsere.
reparable ['rep(ə)rəbl] adj som kan istandsættes (el. repareres); som kan erstattes (el. gøres god igen).
reparation [repə'reiʃən] sb istandsættelse, reparation, udbedring, vedligeholdelse; oprejsning; erstatning; (war) -s krigsskadeserstatninger.
repartee [repa:'ti:] sb kvikt svar; slagfærdighed; quick at ~ slagfærdig, hurtig i replikken.
repartition ['ri:pa:'tiʃən] sb ny (for)deling.
repast [ri'pa:st] sb (litt) måltid.
repatriate [ri:'pætrieit] vb repatriere, hjemsende (til fædrelandet); adj repatrieret, hjemsendt. **repatriation** [ri:pætri-'eiʃən] sb repatriering, hjemsendelse.
repay ['ri:'pei] vb tilbagebetale, betale tilbage; erstatte; (fig) gengælde, lønne; ['ri:pei] betale påny.
repayable [ri'peiəbl] adj som skal tilbagebetales.
repayment [ri'peimənt] sb tilbagebetaling; indfrielse; afdrag; (fig) gengæld.
repeal [ri'pi:l] vb ophæve, annullere, sætte ud af kraft (fx a law); tilbagekalde; sb ophævelse; tilbagekaldelse.
repealer [ri'pi:lə] sb en der ophæver lov etc; Repealer unionsopløser, tilhænger af opløsningen af unionen mellem Storbritannien og Irland.
I. repeat [ri'pi:t] vb gentage, repetere, sige igen; fortælle videre; fremsige (fx a lesson), foredrage; forsøge igen; vende tilbage; (vulg, om mad) give opstød; (merk) levere igen, levere mere af (en vare); (am) (i skole etc) gå 'om; (pol) (ulovligt) stemme mere end én gang; repeat! (ved diktat) jeg gentager.
II. repeat [ri'pi:t] sb gentagelse; (i musik) gentagelsestegn; (i radio, fjernsyn) genudsendelse.
repeatedly [ri'pi:tidli] adv gentagne gange.
repeater [ri'pi:tə] sb repeterur; repetergevær; (am) omgænger; vælger der ulovligt afgiver sin stemme mere end én gang; (mat.) periodisk decimalbrøk; ~ (compass) (mar) datterkompas.
repeating decimal periodisk decimalbrøk.
repechage ['repəʃa:ʒ] sb opsamlingsheat.
repel [ri'pel] vb drive tilbage; afvise, tilbagevise, frastøde.
repellant, repellent [ri'pelənt] adj frastødende, modbydelig; sb imprægneringsmiddel (til stof); mosquito ~ myggebalsam.
I. repent [ri'pent] vb: ~ (of) angre (fx one's sins).
II. repent [ri'pənt] adj (bot) krybende.
repentance [ri'pentəns] sb anger, omvendelse.
repentant [ri'pentənt] adj angrende, angergiven.
repercussion [ri:pə'kʌʃ(ə)n] sb tilbagekastning, (om skydevåben) tilbageslag, bagslag; (om lyd) genlyd; -s pl (fig) (indirekte) følger, (efter)virkninger (on for), bagslag.
repertoire ['repətwa:] sb repertoire.

repertory ['repətri] sb forråd, fond; (teat) repertoire, spilleplan; present the plays in ~ opføre stykkerne afvekslende (el. skiftevis); ~ theatre teater med stadig skiftende repertoire.
repetition [repi'tiʃən] sb gentagelse, repetition; fremsigelse; gengivelse, kopi; (i skole:) digt (etc) til udenadslæren.
repetitious [repi'tiʃəs] adj fuld af gentagelser; ensformig, monoton.
repetitive [ri'petitiv] adj, se repetitious.
repine [ri'pain] vb græmme sig; beklage sig, klage (at over).
replace [ri'pleis] vb lægge (, stille, sætte) tilbage, genindsætte; erstatte, udskifte (by med), afløse.
replacement [ri'pleismənt] sb genindsættelse, erstatning, udskiftning, afløsning.
replan ['ri:'plæn] vb ordne om.
replant ['ri:'pla:nt] vb atter plante, omplante, beplante på ny.
replay ['ri:'plei] vb spille igen (el. om); sb (fornyet) afspilning; (i fodbold) omkamp.
replenish [ri'pleniʃ] vb fylde (op) igen, supplere op, komplettere.
replenishment [ri'pleniʃmənt] sb udfyldning, opfyldning, supplering, komplettering.
replete [ri'pli:t] adj fuld; opfyldt; overfyldt, propfuld.
repletion [ri'pli:ʃən] sb overfyldelse; filled to ~ fyldt til overmål.
replevin [ri'plevin] sb (jur) ophævelse af fogedkendelse.
replica ['replikə] sb kopi.
replication [repli'keiʃən] sb (jur) replik; (biol) gentagelse af forsøg.
reply [ri'plai] vb svare (to på), tage til genmæle; sb svar, svarskrivelse; besvarelse; in ~ to som svar på.
reply card svarbrevkort, dobbelt brevkort.
reply-paid adj med svar betalt.
I. report [ri'pɔ:t] vb rapportere, melde tilbage, indberette, (til myndighed også) (an)melde; (fx i avis) referere, give referat af; (mundtligt:) fortælle, referere; (uden objekt) (om udvalg) afgive betænkning (, indstilling) (on om); (om person: stille) melde sig (fx you are to ~ at the office at once); ~ for duty melde sig til tjeneste; ~ fit for duty melde sig rask; it is -ed that det forlyder (el. fortælles el. hedder sig) at.
II. report [ri'pɔ:t] sb melding, rapport, indberetning, (fx i avis) referat, (fx ved generalforsamling) beretning, (fra udvalg) betænkning, indstilling; (fra skole) vidnesbyrd; (som fortælles:) rygte, forlydende; (fra eksplosion) knald, brag; annual ~ årsberetning; by current ~ efter forlydende; know him from ~ kende ham af omtale.
report centre meldecentral.
reported speech (gram.) indirekte tale.
reporter [ri'pɔ:tə] sb referent, (ved avis) reporter.
repose [ri'pouz] vb hvile; støtte; ligge; sb hvile, fred; harmoni, ligevægt, ro; ~ confidence in stole på, have tillid til.
reposeful [ri'pouzf(u)l] adj rolig.
repository [ri'pɔzitri] sb gemme, gemmested, opbevaringssted; (fig) fond.
repossess ['ri:pə'zes] vb besidde på ny; ~ oneself of sth tage noget i besiddelse på ny.
repot ['ri:'pɔt] vb omplante, ompotte.
repoussé [rə'pu:sei] adj drevet; sb drivning; drevet arbejde.
repp [rep] sb (tekstil) reps.
repped [rept] adj repsvævet, som reps.
reprehend [repri'hend] vb dadle, irettesætte.
reprehensible [repri'hensəbl] adj forkastelig, dadelværdig.
represent [repri'zent] vb repræsentere; (om tegn, symbol også) betegne, stå for; (om billede) forestille, fremstille; (med ord:) fremstille, beskrive (fx he -ed this scoundrel as a benefactor of mankind); gengive; erklære, hævde (fx he -s that he has investigated the matter); he -ed to them the danger of such a procedure (litt) han foreholdt dem det farlige ved en sådan fremgangsmåde; ~ to oneself forestille sig.
representation [reprizen'teiʃ(ə)n] sb repræsentation; fremstilling, beskrivelse; make -s gøre forestillinger, gøre indsigelse.
representational [reprizen'teiʃənl] adj (om kunst) figurativ

(ɔ: som »forestiller« noget).

representative [repri'zentətiv] *adj* repræsentativ, typisk; *sb* repræsentant; (typisk) eksempel; *(merk)* repræsentant; ~ *of* som forestiller, som repræsenterer; *House of Representatives* Repræsentanternes Hus (underhuset i De forenede Staters kongres); ~ *art.* se *representational;* ~ *government* folkestyre.

repress [ri'pres] *vb* undertrykke *(fx an uprising);* kue, hæmme, holde nede; (om følelser *etc)* trænge tilbage *(fx one's tears),* betvinge *(fx one's curiosity),* undertrykke *(fx one's feelings); (psyk.)* fortrænge.

repression [ri'preʃən] *sb* undertrykkelse; *(psyk)* fortrængning.

repressive [ri'presiv] *adj* dæmpende, undertrykkende; afvisende *(fx manner);* frihedsfjendsk.

reprieve [ri'pri:v] *vb* give en frist; benåde for dødsstraf; *sb* frist, udsættelse; henstand; benådning for dødsstraf; ~ *from* foreløbig befri for *(el.* redde fra).

reprimand ['reprima:nd] *vb* irettesætte, give en reprimande *(el.* T næse); *sb* irettesættelse, reprimande, T næse.

reprint ['ri:'print] *vb* (gen)optrykke; *sb* optryk; *(fx af artikel)* særtryk; *the book is -ing* bogen er under genoptrykning.

reprisal [ri'praizl] *sb* gengældelse; *-s* gengældelsesforanstaltninger, repressalier; *make -s* tage repressalier.

reprise [ri'praiz] *sb* årligt fradrag; *(mus.)* reprise, gentagelse.

reproach [ri'proutʃ] *vb* bebrejde; *sb* bebrejdelse; skam *(fx bring ~ on* (over) *one's family);* skændsel; skamplet *(to* på); ~ *him with it* bebrejde ham det; *above ~* hævet over al kritik.

reproachful [ri'proutʃf(u)l] *adj* bebrejdende.

reprobate ['reprəbeit] *vb* fordømme, forkaste; *adj* fordærvet, ryggesløs, fortabt; *sb* forhærdet synder, syndens barn; skurk.

reproduce [ri:prə'dju:s] *vb* frembringe igen, reproducere, fremstille igen, genskabe; *(biol,* om organ, lem) regenerere *(fx a torn claw);* (om lyd, tekst, billede) gengive, *(typ* om billede) reproducere; (om tekst, i skole) genfortælle; (uden objekt) kunne gengives (, reproduceres), *(biol)* formere sig, forplante sig.

reproduction [ri:prə'dʌkʃ(ə)n] *sb (cf reproduce)* genfrembringelse, reproduktion, genfremstilling, genskabelse; (om lyd *etc)* gengivelse, *(typ)* reproduktion; (i skole) genfortælling; *(biol)* regeneration; formering, forplantning.

reproductive [ri:prə'dʌktiv] *adj* reproduktiv; forplantnings- *(fx organs).*

reproof [ri'pru:f] *sb* dadel, irettesættelse.

reproval [ri'pru:vl] *sb* dadel.

reprove [ri'pru:v] *vb* irettesætte.

reptile ['reptail] *sb zo* krybdyr; *(fig neds)* kryb; *adj* krybende, simpel, foragtelig.

republic [ri'pʌblik] *adj* republik; *the ~ of letters* den lærde verden; den litterære verden.

republican [ri'pʌblikən] *adj* republikansk; *sb* republikaner; *Republican (am)* republikaner.

republish [ri:'pʌbliʃ] *vb* genudsende (bog *etc).*

repudiate [ri'pju:dieit] *vb* nægte at anerkende *(fx a claim, a debt, a duty, their authority),* afvise *(fx an accusation);* tage afstand fra *(fx this doctrine);* fornægte; *(glds* om person) forstøde *(fx one's son, one's wife),* forskyde.

repudiation [ripju:di'eiʃ(ə)n] *sb* afvisning, fornægtelse; forstødelse.

repugnance [ri'pʌgnəns] *sb* ulyst, modvilje, afsky; modsigelse, uoverensstemmelse.

repugnant [ri'pʌgnənt] *adj* frastødende, modbydelig, afskyelig; uoverensstemmende, i modstrid *(to* med).

repulse [ri'pʌls] *sb* afvisning, afslag; tilbagedrivelse; *vb* afvise *(fx his offer of help);* drive (, kaste) tilbage *(fx the enemy).*

repulsion [ri'pʌlʃən] *sb (cf repel)* tilbagedrivelse, afvisning, tilbagevisning, (især magnetisk:) frastødning; afsky.

repulsive [ri'pʌlsiv] *adj* frastødende; modbydelig; tilbagedrivende; ~ *power* frastødningskraft.

repurchase [ri:'pə:tʃis] *sb* tilbagekøb; *vb* købe tilbage.

reputable ['repjutəbl] *adj* agtværdig, agtet, hæderlig; anerkendt.

reputation [repju'teiʃən] *sb* omdømme, rygte, renommé; anseelse; *people of ~* ansete mennesker; *have the ~ of (el. a ~ for)* being have ord *(el.* ry) for at være; *ruin (, lose) one's ~* spolere (, miste) sit gode navn og rygte.

repute [ri'pju:t] *sb* se *reputation; of ~* anset *(fx a doctor of ~); of ill ~* berygtet.

reputed [ri'pju:tid] *adj* almindelig antaget *(el.* anerkendt); formodet; *be ~ (to be)* anses for. **reputedly** [ri'pju:tidli] *adv* efter den almindelige mening.

request [ri'kwest] *sb* anmodning, begæring, bøn; efterspørgsel; *vb* anmode, bede om, udbede sig; *do it at his ~* gøre det på hans anmodning *(el.* forlangende); *at the ~ of* (også) på foranledning af; *by ~* efter anmodning, på opfordring; *no flowers by ~* (i annonce:) blomster (, kranse) frabedes; *in (great) ~* (stærkt) efterspurgt; *make a ~* fremsætte en anmodning; *on ~* efter anmodning, på opfordring; *accede to (el.* comply with *el.* grant) *the ~* efterkomme anmodningen *(el.* opfordringen), indvilge.

request: number nummer der gives på opfordring. ~ **programme** (i radio) ønskeprogram, ønskekoncert. ~ **stop** stoppested hvor bus kun holder på opfordring.

requiem ['rekwiəm] *sb* rekviem (sjælemesse).

require [ri'kwaiə] *vb* behøve, trænge til *(fx she -s medical assistance);* kræve *(fx this -s careful consideration; the law -s that …),* påbyde; forlange *(fx what do you ~ of me?); -d* påbudt, obligatorisk.

requirement [ri'kwaiəmənt] *sb* behov, fornødenhed; krav, betingelse, forudsætning *(fx -s for admission to the university).*

requisite ['rekwizit] *adj* fornøden; *sb* fornødenhed, nødvendighed.

requisition [rekwi'ziʃn] *sb* begæring, forlangende; rekvisition, tvangsudskrivning; (bestillingsseddel:) rekvisition; *vb* beslaglægge, lægge beslag på; forlange, rekvirere, tvangsudskrive.

requisition form *(bibl)* bestillingsseddel.

requital [ri'kwaitl] *sb* belønning, gengældelse *(of* af, for); løn, gengæld *(of* for).

requite [ri'kwait] *vb* gengælde, lønne.

reread [ri:'ri:d] *vb* læse igen.

rerecord ['ri:ri'kɔ:d] *vb* indspille igen; overspille.

reredos ['riədɔs] *sb* udsmykket væg bag alter; alteropsats; (ofte:) altertavle.

rescind [ri'sind] *vb* afskaffe; ophæve; omstøde.

rescission [ri'siʒ(ə)n] *sb* ophævelse; omstødelse.

rescript ['ri:skript] *sb* reskript; forordning.

rescue ['reskju:] *vb* redde *(fx from drowning),* frelse; befri *(fx from a concentration camp),* udfri; *sb* frelse, redning, undsætning, hjælp; befrielse, udfrielse; *come to his ~* komme ham til undsætning; ~ *party* redningsmandskab.

rescuer ['reskjuə] *sb* redningsmand; befrier.

research [ri'sə:tʃ, *(am* også) 'ri:sə:tʃ] *sb* (videnskabelig) undersøgelse, forskning; *vb* foretage (videnskabelig(e)) undersøgelse(r); forske; *do ~* forske, drive forskning, udføre videnskabeligt arbejde; *~ into* undersøge (nøje).

research: work undersøgelsesarbejde; videnskabeligt arbejde, forskning. ~ **worker** forsker.

reseat ['ri:'si:t] *vb* genindsætte; udstyre med nye stole *(fx a theatre);* give nyt sæde *(fx a chair);* sætte ny bag i *(fx a pair of trousers).*

resect [ri'sekt] *vb* bortoperere. **resection** [ri:'sekʃ(ə)n] *sb* resektion, operativ fjernelse af en del af et organ.

reseda ['residə, 'rez-] *sb* zo *(bot)* reseda.

resell [ri:'sel] *vb* sælge igen, videresælge.

resemblance [ri'zembləns] *sb* lighed *(to* med).

resemble [ri'zembl] *vb* ligne.

resent [ri'zent] *vb* være (, blive) vred (, krænket, fortørnet) over, tage ilde op; føle sig fornærmet over; harmes over; *I ~ your remarks* jeg synes ikke om dine bemærkninger.

resentful [ri'zentf(u)l] *adj* pirrelig; fornærmet, krænket, fortørnet; harmfuld, vred.

resentment [ri'zentmənt] *sb* krænkelse, fortørnelse, fortrydelse; harme, vrede.

reservation [rezə'veiʃən] *sb* forbehold, reservation; (af værelse, plads *etc)* reservering, (forud)bestilling; *(am)* reservat *(fx Indian ~).*

1. reserve [ri'zə:v] *vb* reservere; bestille *(fx a seat);* holde tilbage, spare *(fx money)*, lægge hen: forbeholde: *(mil.)* fritage for (militær)tjeneste; ~ *for oneself* forbeholde sig; *be -d for* (også) vente *(fx a happy future is -d for you)*.

II. reserve [ri'zə:v] *sb* reserve, *(økon* også) reservefond; forråd *(fx of supplies)*; (i sport) reserve; (begrænsning:) forbehold *(fx we publish this with all ~)*, *(mht* pris) mindstepris; (område:) reservat *(fx for wild animals)*; (egenskab:) tilbageholdenhed, forbeholdenhed; *-s pl* re-server, *(mil.* også) reservetropper; *in ~* i reserve; *place (el. put) a ~ on* sætte en mindstepris for; *without ~* uden forbehold, uforbeholdent, uden betingelser.

reserved [ri'zə:vd] *adj* (om person) reserveret, forbeholden, forsigtig, tilbageholdende.

reserved occupation stilling som fritager indehaveren for militærtjeneste.

reserve‖price mindstepris (under hvilken en ting ikke sæl-ges). ~ **purchase** beredskabskøb.

reservist [ri'zə:vist] *sb (mil.)* reservist, soldat i reserven.

reservoir ['rezəvwa:] *sb* beholder; vandreservoir.

I. reset [ri:'set] (skotsk) *vb* være hæler; *sb* hæleri.

II. reset ['ri:'set] *vb* sætte op, montere *(etc)* igen *(cf I. set)*; *(typ)* sætte op igen, sætte om; (i edb) slette.

resettle ['ri:'setl] *vb* forflytte *(fx* en befolkningsgruppe); (uden objekt) slå sig ned igen.

reshuffle ['ri:'ʃʌfl] *sb* blande (kortene) på ny; *(fig* om mi-nisterium) rekonstruere, **T** ommøblere; *sb* ny blanding (af kortene); *(fig)* rekonstruktion, **T** ommøblering.

reside [ri'zaid] *vb* opholde sig, bo, have bopæl *(at* i), (om fyrste, monark) residere; (om ting, egenskab *etc)* ligge, være til stede, findes *(in* hos).

residence ['rezidəns] *sb* ophold; bolig, bopæl; (større) hus; (fyrstes, monarks) residens, residensby.

residency ['rezidənsi] *sb* residens; (i Indien, *hist.)* resident-skab.

resident ['rezidənt] *adj* bosat, boende; fastboende; reside-rende; *sb* indbygger, beboer, borger; (på hotel) gæst; (om embedsmand) embedsmand som bor i sit distrikt; *(hist.)* resident (engelsk udsending ved indisk hof); ~ *ar-chitect* arkitektkonduktør; ~ *engineer* ingeniørkonduk-tør, **T** pladsingeniør.

residential [rezi'denʃl] *adj* beboelses-, villa- *(fx quarter)*; bolig-; egnet til privatbeboelse.

residual [ri'zidjuəl] *adj* tiloversbleven, tilbageværende, re-sterende; *sb* rest; (radio, TV) honorar for genudsendelse; ~ *insecticide* residualgift (ɔ: med langtidsvirkning).

residuary [ri'zidjuəri] *adj* rest-, resterende; ~ *legatee (jur)* universalarving.

residue ['rezidju:] *sb* rest; *(kem)* destillationsrest; *(fx af medicin i fødevarer)* restkoncentration.

residuum [ri'zidjuəm] *sb (pl residua* [ri'zidjuə]), se *residue.*

resign [ri'zain] *vb* trække sig tilbage *(fx from a post)*, træde tilbage, gå af, (om regering også) demissionere; (med objekt) fratræde *(fx a position)*, nedlægge *(fx one's seat* sit mandat), opgive *(fx a claim)*, give afkald på *(fx one's rights)*, afstå; overlade *(fx a child to sby's care)*; ~ *oneself to* underkaste sig *(fx the will of God)*, give sig ind under *(fx his protection)*, forsone sig med, slå sig til tåls med, finde sig i *(fx one's fate)*.

re-sign ['ri:'sain] *vb* atter underskrive.

resignation [rezig'neiʃən] *sb (cf resign)* tilbagetræden, af-sked, (om minister *etc)* demission; nedlæggelse *(fx of a seat* af et mandat); afståelse, opgivelse *(fx of a claim)*; hengivelse, resignation; forsagelse; *send in (el. file)* one's ~ indgive sin afskedsbegæring.

resigned [ri'zaind] *adj* resigneret; opgivende; *be ~ to* finde sig tålmodigt i, underkaste sig.

resilience [ri'ziliəns], **resiliency** [ri'ziliənsi] *sb* spændstighed, elasticitet; *(fig* også) åndelig elasticitet, livskraft, livs-mod, ukuelighed.

resilient [ri'ziliənt] *adj* spændstig, elastisk; *(fig* også) ukue-lig, som ikke lader sig slå ned.

resin ['rezin] *sb* harpiks.

resinate ['rezineit] *vb* harpiksbehandle; tilsætte harpiks.

resinous ['rezinəs] *adj* harpiksholdig; harpiks-.

resist [ri'zist] *vb* modstå, gøre modstand imod; modsætte sig; modarbejde, modvirke; *I could not ~ asking* jeg kunne ikke bare mig for at spørge.

resistance [ri'zistəns] *sb* modstand, modstandskraft, mod-standsevne; *(med.)* resistens; *(elekt)* ledningsmodstand; *Resistance* modstandsbevægelse; *take the line of least ~ (fig)* springe over hvor gærdet er lavest.

resistance coil *(elekt)* modstandsspole.

resistant [ri'zistənt] *adj* modstandsdygtig; der gør mod-stand; *(med.)* resistent; *sb* en der gør modstand.

resistible [ri'zistəbl] *adj* som kan modstås.

resistless [ri'zistlis] *adj* uimodståelig; uundgåelig.

resit ['ri:'sit] *vb*: ~ *an examination* tage en eksamen om, gå op til en eksamen igen.

resocialization ['ri:souʃəlai'zeiʃən] *sb* resocialisering.

resole ['ri:'soul] *vb* forsåle.

resoluble [ri'zɔljubl] *adj* opløselig.

resolute ['rezəl(j)u:t] *adj* bestemt, fast, standhaftig; djærv, kæk, rask, beslutsom, resolut.

resolution [rezə'l(j)u:ʃ(ə)n] *sb (cf resolute)* bestemthed, fasthed; djærvhed, kækhed, behjertet (, rask) optræden, beslutsomhed; *(cf I. resolve)* beslutning, bestemmelse, (forsamlings:) resolution; beslutning *(fx of a general meeting)*; *(kem, fys, mat., mus.)* opløsning; *New Year -s* nytårsforsætter.

I. resolve [ri'zɔlv] *vb* beslutte, bestemme (sig til), (om for-samling) beslutte, vedtage; *(kem, fys, mat., mus.)* op-løse; *(fig)* løse *(fx a problem, a crisis)*; (uden objekt) (i musik) opløses; ~ *on* beslutte sig for *(fx a plan)*, be-stemme sig til; ~ *doubts (, fears)* fjerne *(el.* bortvejre) tvivl (, frygt); *the House -d itself into a committee* under-huset konstituerede sig som udvalg.

II. resolve [ri'zɔlv] *sb* beslutning, bestemmelse; beslutsom-hed; *(am)* resolution, beslutning.

resolved [ri'zɔlvd] *adj* besluttet, bestemt.

resolvent [ri'zɔlvənt] *adj* opløsende; *sb* opløsningsmiddel.

resonance ['rezənəns] *sb* genlyd; resonans.

resonant ['rezənənt] *adj* genlydende; rungende; sonor *(fx voice)*.

resorb [ri'sɔ:b] *vb* resorbere, opsuge, optage.

resorption [ri'sɔ:pʃən] *sb* resorption, opsugning.

I. resort [ri'zɔ:t] *sb* tilflugt, udvej; redning *(fx it was our only ~)*; tilflugtssted, tilholdssted *(fx the café was the ~ of intellectuals)*; feriested; *health ~* kursted; *seaside ~* badested; *summer (, winter) ~* sommer- (, vinter-)op-holdssted; *a place of great (, general) ~* et sted mange (, alle) besøger; *court of last ~* sidste instans; *in the last ~* som en sidste udvej; i sidste instans; *have ~ to = II. resort.*

II. resort [ri'zɔ:t] *vb*: ~ *to* gribe til, tage sin tilflugt til, ty til; (om sted) tage til, besøge.

resound [ri'zaund] *vb* lade genlyde; lyde, tone, genlyde, runge, give genlyd; *-ing* (også) eklatant *(fx defeat)*.

resource [ri'sɔ:s] *sb* hjælpekilde; *(fig)* tilflugt, udvej *(fx tears were her only ~)*; fritidsfornøjelse, adspredelse *(fx reading is my chief ~)*; (om egenskab) rådsnarhed; *-s* midler, pengemidler, ressourcer, naturrigdomme, forråd *(fx coal -s)*; *be at the end of one's -s* stå på bar bund.

resourceful [ri'sɔ:sf(u)l] *adj* opfindsom, snarrådig, idérig.

I. respect [ri'spekt] *vb* respektere, agte; tage hensyn til; angå; ~ *oneself* have selvagtelse, have selvrespekt; *make oneself -ed* sætte sig i respekt.

II. respect [ri'spekt] *sb* respekt, agtelse; hensyn; hense-ende; *in ~ of (el. to)* med hensyn til, i henseende til, hvad angår; *in ~ that (glds)* i betragtning af at; *in many -s* i mange henseender; *pay one's -s to sby* gøre en sin opvartning; *my father sends his -s* min fader lader hilse; jeg skal hilse fra min fader; *with ~ to* med hensyn til; *without ~ of persons* uden persons anseelse.

respectability [rispektə'biliti] *sb* agtværdighed; (ofte iro-nisk:) overdreven korrekthed *(el.* artighed).

respectable [ri'spektəbl] *adj* agtværdig, anset; pæn *(fx ho-tel)*, ordentlig *(fx clothes)*; (ofte ironisk:) korrekt, artig, pæn *(fx he is too ~ for my taste)*; (om kvalitet) hæder-lig, respektabel, ret god; (om størrelse, omfang) ret stor *(fx number, sum)*, ret betydelig *(fx talents)*.

respectful [ri'spektf(u)l] *adj* ærbødig; *Yours respectfully* ærbødigst; Deres ærbødigst.

respecting [ri'spektiŋ] *præp* angående, med hensyn til, ved-rørende.

respective [ri'spektiv] *adj* hver sin, respektive; *put them in* *their* ~ *places* anbringe dem hver på sit sted. **respectively** [ri'spektivli] *adv* henholdsvis *(fx the books were marked* ~ *A, B, C etc).*

respiration [respə'reiʃ(ə)n] *sb* respiration, åndedræt, *(bot)* ånding.

respirator ['respəreitə] *sb* gasmaske, røgmaske, respirator; (til kunstigt åndedræt) respirator.

respiratory [ri'spaiərətri] *adj* åndedræts- *(fx organs).*

respire [ri'spaiə] *vb* ånde; indånde; (også *fig)* trække vejret.

respite ['respait] *sb* frist, henstand, udsættelse, respit, pusterum; *vb* give frist, udsætte; midlertidig lindre.

resplendence [ri'splendəns] *sb* glans.

resplendent [ri'splendənt] *adj* strålende.

respond [ri'spɔnd] *vb* svare *(to* til), holde svartale *(to* til); (i kirke) synge korsvar, svare; *(fig)* reagere *(to* over for, på, *fx the treatment),* være modtagelig *(to* for); ~ *with* svare med, gengælde med.

respondent [ri'spɔndənt] *sb (jur)* indstævnte (især i skilsmissesager), (ved disputats) præses, doktorand, (ved sociologisk undersøgelse) svarperson (ɔ: adspurgt); *adj* reagerende *(to* over for, på); *(jur)* indstævnt.

response [ri'spɔns] *sb* svar, (i kirke) menighedens svar ved gudstjeneste, korsvar; *(fig)* reaktion *(to* over for, på); *meet with a* ~ vinde genklang, finde tilslutning.

responsibility [rispɔnsi'biliti] *sb* ansvarlighed; ansvar; ansvarsfølelse; *it is your* ~ det er (på) dit ansvar; det er du ansvarlig for.

responsible [ri'spɔnsəbl] *adj* ansvarlig; ansvarsfuld; ansvarsbevidst; ansvarshavende; *hold* ~ drage til ansvar; ~ *post* betroet stilling.

responsions [ri'spɔnʃənz] *sb pl* (den første af de eksaminer ved Oxfords universitet som man må bestå for at blive *B.A.).*

responsive [ri'spɔnsiv] *adj* forstående, sympatisk indstillet; lydhør *(fx audience* publikum); som svarer, svar-; ~ *to* som reagerer på, påvirkelig for (, af).

I. rest [rest] *sb* hvile, ro; hvil *(fx take a* ~*),* pause, ophold, (i musik) pause(tegn); (til understøtning) støtte, underlag, (på stol *etc)* læn *(fx arm* ~*),* (for gevær, *tekn:* på maskine, *hist.* på rustning: for lanse) anlæg, (i billard) maskine; **at** ~ i hvile, i ro, stille; *he is at* ~ (ɔ: død) han har fået fred; *set a question at* ~ afgøre (, gøre en ende på diskussionen om) et spørgsmål; *set sby's mind at* ~ berolige én; *go to* ~ gå til ro; *lay sby to* ~ (ɔ: begrave) stede en til hvile.

II. rest [rest] *vb* hvile; lade hvile *(fx one's horse; one's gaze on sth),* give hvile; støtte *(fx one's head on one's hands),* stille *(fx the ladder against the wall); (fig)* støtte, basere *(on* på); ~ *assured that* stole på at; være forvisset om at; *there the matter must* ~ derved må det forblive *(el.* bero); ~ *with (fig)* ligge hos, påhvile *(fx the responsibility -s with him); it -s with you to decide* det står til dig at afgøre.

III. rest [rest] *sb: the* ~ resten *(fx the* ~ *of the money);* det øvrige *(fx the* ~ *of Europe);* de andre *(fx the* ~ *are staying); and (all) the* ~ *(of it)* og så videre; *for the* ~ hvad det øvrige angår.

restate ['ri:'steit] *vb* gentage.

restatement ['ri:'steitmənt] *sb* gentagelse.

restaurant ['restərɔ:ŋ, 'restərənt] *sb* restaurant.

restaurant car spisevogn.

rested ['restid] *adj* udhvilet.

restful ['restf(u)l] *adj* rolig, beroligende, fredfyldt.

restharrow ['resthærou] *sb (bot)* krageklo.

rest house rasthytte.

resting place hvilested *(fx his last* ~*).*

restitution [resti'tju:ʃən] *sb* tilbagegivelse, tilbagelevering; erstatning; *(fx i* rettighed) genindsættelse.

restive ['restiv] *adj* stædig; urolig, vanskelig at styre.

restless ['restlis] *adj* rastløs, hvileløs; urolig, nervøs.

rest mass *(fys)* hvilemasse.

restock ['ri:'stɔk] *vb* få ny beholdning; atter føre *(fx good wines);* ~ *the lake with fish* forny fiskebestanden i søen.

restoration [restə'reiʃən] *sb (cf restore)* istandsættelse, restaurering; rekonstruktion; genopbygning; genoprettelse; genindførelse; genindsættelse; tilbagegivelse; helbredelse; *the Restoration* genindsættelsen af Stuarterne i 1660 efter

republikken.

restorative [ri'stɔ:rətiv] *adj* styrkende, stimulerende, nærende; *sb* nærende føde, styrkedrik.

restore [ri'stɔ:] *vb* istandsætte, restaurere *(fx a building),* rekonstruere *(fx a text);* genoprette *(fx peace),* genindføre *(fx a custom);* genindsætte *(fx a king);* give tilbage *(fx stolen property to the owner),* gengive; (efter sygdom) helbrede, restituere; ~ *sby to favour* tage en til nåde.'

restrain [ri'strein] *vb* holde tilbage, styre, beherske, betvinge, lægge bånd på; forhindre *(from* i); ~ *him* (også) indskrænke hans frihed, spærre ham inde.

restrained [ri'streind] *adj* behersket; *(tekn)* indspændt, fastholdt.

restraint [ri'streint] *sb* tvang, betvingelse; indskrænkning, bånd; tilbageholdenhed, beherskelse; *be under* ~ være under tvang; (om sindssyg) være tvangsindlagt; *put under* ~ indespærre, tvangsindlægge.

restrict [ri'strikt] *vb* begrænse, indskrænke.

restricted [ri'striktid] *adj* begrænset; ikke offentlig tilgængelig; *(am)* kun for hvide; (om dokument: laveste klassifikationsgrad) til tjenestebrug; ~ *area* spærret *(el.* forbudt) område; *(mht* hastighed) område med hastighedsbegrænsning.

restriction [ri'strikʃn] *sb* indskrænkning, begrænsning, restriktion; forbehold.

restrictive [ri'striktiv] *adj* begrænsende; ~ *clause (gram.)* bestemmende relativ sætning; ~ *(trade) practices (merk)* konkurrencebegrænsning.

rest room *(am)* toilet.

result [ri'zʌlt] *vb* resultere *(in* i), opstå, fremgå, hidrøre, følge *(from* af); ~ *in* resultat, udslag, følge, udfald, virkning; *(mat.)* resultat, facit; ~ *in* (også) ende med; *without* ~ frugtesløs, forgæves.

resultant [ri'zʌltənt] *adj* resulterende; deraf flydende; *sb (fys)* (kraft)resultant.

resume [ri'z(j)u:m] *vb* igen (over)tage *(fx command);* genindtage *(fx one's seat);* genvinde *(fx one's liberty);* igen begynde på, genoptage *(fx work);* give et resumé af; (uden objekt) begynde igen, fortsætte (efter afbrydelse).

résumé ['rezjumei] *sb* resumé, sammendrag.

resumption [ri'zʌm(p)ʃən] *sb* tilbagetagelse; genoptagelse, fortsættelse.

resurgence [ri'sə:dʒəns] *sb* genopståen.

resurgent [ri'sə:dʒənt] *adj* som opstår (, kommer til live) igen, genopdukkende, fornyet.

resurrect [rezə'rekt] *vb* kalde til live igen; genoplive *(fx an old custom); (glds fig)* grave op; (uden objekt) opstå fra de døde.

resurrection [rezə'rekʃən] *sb* opstandelse; genoplivelse.

resurrectionism [rezə'rekʃənizm] *sb (glds)* ligrøveri.

resurrection [ri'strikt] *sb: ~* **man** *sb (glds)* ligrøver (som sælger lig til dissektion). ~ **pie** T *sb* pie T lavet af levninger; 'spisekammerrydning'.

resuscitate [ri'sʌsiteit] *vb* genoplive; genoplives; komme til live igen; genoptage med fornyet energi.

resuscitation [risʌsi'teiʃən] *sb* genoplivelse.

ret [ret] *vb* (om hør *etc)* røde, udbløde, opbløde.

retable [ri'teibl] *sb (arkit)* retabel (altervæg, altertavle).

I. retail [ri'teil] *vb* sælge en detail; *(fig)* genfortælle, bringe videre, diske op med.

II. retail ['ri:teil] *sb* detailsalg; *adj* detail- *(fx business); by* ~ en detail; ~ *dealer* detailhandler.

retailer [ri'teilə] *sb* detailhandler; kolportør (af nyheder, sladder).

retain [ri'tein] *vb* holde tilbage; holde; beholde; bibeholde; havn i huske; *(jur)* engagere (ved forskudshonorar) *(fx a barrister).*

retainer [ri'teinə] *sb* engagement (af advokat); forskudshonorar (til en advokat *etc); (tekn)* holder; *(glds)* undergiven, medlem af en stormands følge; *old family* ~ gammelt trofast tyende, faktotum.

retaining/ fee forskudshonorar (til en advokat *etc).* ~ **wall** støttemur.

retake ['ri:'teik] *vb* tage tilbage; generobre; *(fot)* tage om.

retaliate [ri'tælieit] *vb* gøre gengæld, hævne sig; ~ *upon* (også) tage repressalier mod.

retaliation [ritæli'eiʃən] *sb* gengæld; hævn; repressalier.

retaliatory [ri'tæliətəri] *adj* gengældelses-; ~ *measures* (også) repressalier.

retard [ri'ta:d] *vb* forsinke, forhale; ~ *the ignition* stille til lav tænding.

retardation [ri:ta:'deiʃən] *sb* forsinkelse, forhaling.

retarded [ri'ta:did] *adj (psyk)* retarderet, tilbage (i udvikling), udviklingshæmmet; ~ *ignition* lav tænding, eftertænding.

retch [retʃ] *vb* (skulle *el.* anstrenge sig for at) kaste op.

retd. *fk retired* fhv., pensioneret.

retell ['ri:'tel] *vb* genfortælle.

retention [ri'tenʃən] *sb* tilbageholdelse; bibeholdelse; *(med.)* retention.

retentive [ri'tentiv] *adj* som beholder, bevarer, holder på plads; *a* ~ *memory* en god hukommelse; ~ *of* som holder på *(fx moisture)*.

rethink ['ri:'θiŋk] *vb* tage op til fornyet overvejelse; omvurdere.

R. et I. *fk Rex et Imperator* konge og kejser, *Regina et Imperatrix* dronning og kejserinde.

reticence ['retisns] *sb* tilbageholdenhed, reserverthed; fåmælthed, tavshed.

reticent ['retisnt] *adj* forbeholden, reserveret, tilbageholdende; fåmælt, tavs.

reticle ['retikl] *sb* trådkors, streginddeling (i kikkert).

reticulate [ri'tikjulit] *adj* netagtig; [ri'tikjuleit] *vb* danne et netværk; *-d python* netpython.

reticulation [ritikju'leiʃən] *sb* netagtig forgrening, netværk.

reticule ['retikju:l] *sb (glds)* håndtaske, dametaske.

retina ['retinə] *sb (anat)* nethinde.

retinitis [reti'naitis] *sb* betændelse i nethinden.

retinue ['retinju:] *sb* følge, ledsagere.

retire [ri'taiə] *vb* trække sig tilbage; gå i seng; fjerne sig; fortrække, retirere; vige *(el.* falde) tilbage; (fra stilling:) træde tilbage, gå af, tage sin afsked; (med objekt) trække tilbage *(fx troops*, (om penge) tage ud af omløb; (fra stilling) pensionere, få til at trække sig tilbage; ~ *on a pension* gå af med pension.

retired [ri'taiəd] *adj* som har trukket sig tilbage; afskediget, afgået, forhenværende; pensioneret; tilbagetrukket *(fx life);* (om glds) afsides(liggende) *(fx village);* be *placed on the* ~ *list* blive afskediget, blive pensioneret; ~ *pay* pension.

retirement [ri'taiəmənt] *sb* afgang, fratræden, pensionering; tilbagetrukkethed; ensomhed; tilflugtssted; *go into* ~ trække sig tilbage (fra det selskabelighed); *live in* ~ leve tilbagetrukket.

retirement pension *(omtr)* folkepension.

retirement pensioner *(omtr)* folkepensionist.

retiring [ri'taiəriŋ] *adj* tilbageholdende; *the* ~ *government* den afgående regering.

retool ['ri:'tu:l] *vb* udstyre med nye værktøjsmaskiner; omstille.

I. retort [ri'tɔ:t] *vb* tage til genmæle, svare skarpt; gengælde; *sb* (skarpt) svar, svar på tiltale.

II. retort [ri'tɔ:t] *sb* retort; destillerkolbe.

retortion [ri'tɔ:ʃən] *sb* retorsion; repressalier.

retouch ['ri:'tʌtʃ] *vb* bearbejde på ny; friske op, pynte på; (om bog) omarbejde; *(fot)* retouchere.

retrace [ri(:)'treis] *vb* spore *(el.* følge) tilbage; genkalde sig; gennemgå i tankerne; ~ *one's steps* gå samme vej tilbage.

retract [ri'trækt] *vb* trække tilbage *(fx a cat can* ~ *its claws);* (om ytring) tage tilbage, tilbagekalde; tage sit ord tilbage; *(flyv)* trække op *(fx the undercarriage).*

retractable [ri'træktəbl] *adj* som kan trækkes tilbage; ~ *undercarriage (flyv)* optrækkeligt understel.

retraction [ri'trækʃən] *sb* tilbagetrækning; tilbagekaldelse.

retractor [ri'træktə] *sb (med.)* sårhage, spærhage (til at holde et sårs rande udspilet med).

retrain [ri:'trein] *vb* genoptræne; omskole.

retranslate ['ri:træns'leit] *vb* tilbageoversætte; oversætte igen. **retranslation** ['ri:træns'leiʃ(ə)n] *sb* tilbageoversættelse; fornyet oversættelse.

retread ['ri:'tred] *vb* lægge ny slidbane på, vulkanisere.

retreat [ri'tri:t] *sb (mil.* og *fig)* tilbagetog, tilbagetrækning, (også om signal) retræte; (sted:) tilflugt, tilflugtssted; *(rel)* refugium; periode hvor man trækker sig tilbage og holder stille andagt; *vb* trække sig tilbage; fjerne sig;

beat a ~ *(fig)* foretage et (hastigt) tilbagetog, (skyndsomst) trække i land; *sound a* ~ blæse retræte.

retrench [ri'tren(t)ʃ] *vb* beskære, nedskære; indskrænke; (uden objekt) indskrænke sig, spare.

retrenchment [ri'tren(t)ʃmənt] *sb* indskrænkning, nedskæring, sparepolitik, besparelse; begrænsning; *(mil.)* forskansning.

retribution [retri'bju:ʃən] *sb* straf, gengældelse.

retributive [ri'tribjutiv] *adj* gengældelses-.

retrieval [ri'tri:vl] *sb* generhvervelse; genfindelse; fremdragning, (af oplysninger *etc)* eftersøgning, opledning; redning; genoprettelse; *lost beyond (el. past)* ~ uhjælpelig fortabt, uigenkaldelig tabt; *information* ~ *(bibl)* litteratursøgning.

retrieve [ri'tri:v] *vb* få tilbage, få fat i igen, genfinde; drage frem *(fx four bodies have been -d from the snow),* oplede; redde *(fx the situation),* genoprette *(fx a loss),* råde bod på *(fx a mistake);* (om hund) apportere.

retriever [ri'tri:və] *sb* retriever (jagthund som apporterer nedlagt vildt).

retroaction [retrə'ækʃ(ə)n] *sb* tilbagevirkning; (i radio) tilbagekobling.

retroactive [retrou'æktiv] *adj* tilbagevirkende; ~ *amplification* (i radio) tilbagekoblingsforstærkning; ~ *law* lov med tilbagevirkende kraft.

retrocede [retrə'si:d] *vb* atter afstå *(fx a territory).*

retrocession [retrə'seʃən] *sb* genafståelse.

retroflex ['retrəfleks] *adj* bøjet tilbage.

retroflexion [retrə'flekʃən] *sb* tilbagebøjning.

retrogradation [retrəgrə'deiʃən] *sb* tilbagegående bevægelse.

retrograde ['retrəgreid] *vb* bevæge sig baglæns, degenerere, blive ringere; gå som bevæger sig tilbage; som degenererer, som bliver ringere; ~ *step* tilbageskridt.

retrogress [retrə'gres] *vb* gå tilbage, forringes, gå i opløsning.

retrogressive [retrə'gresiv] *adj,* se *retrograde (adj).*

retro-rocket ['retrou'rɔkit] *sb* bremseraket.

retrospect ['retrəspekt] *sb* tilbageblik; *in* ~ når man ser (, så) tilbage.

retrospective [retrə'spektiv] *adj* tilbageskuende; med tilbagevirkende kraft *(fx legislation).*

retroussé [rə'tru:sei] *adj* (om næse) opadvendt, opstopper-.

I. return [ri'tə:n] *vb* vende tilbage, komme igen, returnere; svare; (med objekt) bringe (, give, sende, betale) tilbage, tilbagelevere, returnere, *(fig)* gengælde *(fx his love; a call* en visit), besvare *(fx the enemy's fire);* (i kortspil) spille (en farve) tilbage *(fx he -ed clubs);* (om udbytte, fortjeneste) give; (meddele til myndighed) indberette, angive, melde; *(parl)* be *-ed for* blive valgt til parlamentsmedlem for; ~ *an answer* give et svar; ~ *home* vende hjem (igen); ~ *thanks* takke; ~ *a verdict (jur,* om nævninge) afgive en kendelse.

II. return [ri'tə:n] *sb (cf I. return)* tilbagevenden, tilbagekomst, hjemkomst, genkomst; tilbagegivelse, tilbagesendelse, tilbagelevering, returnering, tilbagebetaling; betaling, erstatning, gengæld, besvarelse; (i kortspil) svar på udspil; *(økon)* udbytte *(fx get a quick* ~ *on one's money);* (officiel meddelelse:) indberetning, beretning, *(mht* skat: *income tax* ~) selvangivelse; (se også *ndf: -s); (parl)* valg; *(jernb etc)* returbillet; (i sport) returnering (af bold), se også ~ *match; -s pl* statistik, (statistisk) opgørelse, beretning, (om valg) resultat; *(merk)* udbytte; reklamationsvarer; (usolgte bøger, aviser) retureksemplarer; (i reklame) svar på reklamekampagne; *many happy -s of the day* til lykke (med fødselsdagen);

by ~ *(of post)* omgående; *in* ~ til gengæld *(for* for); *in* ~ *for* (også) som tak for; *point of no* ~ punkt på flys rute hvorefter tilbagevenden bliver umulig fordi halvdelen af brændstoffet er opbrugt; *we are at the point of no* ~ *(fig)* nu er der ingen vej tilbage; ~ *of income* selvangivelse; ~ *of premium* ristorno.

III. return [ri'tə:n] *adj* tilbage, retur- *(fx journey).*

returnable [ri'tə:nəbl] *adj* som kan *(el.* skal) leveres tilbage.

return address afsenderadresse.

returning officer valgbestyrer (der i en valgkreds leder valghandlingen ved parlamentsvalg).

return| match revanchekamp, returkamp. ~ **pipe** returrør.

~ **ticket** returbillet.
reunification ['ri:ju:nifi'keiʃ(ə)n] *sb* genforening.
reunify ['ri:'ju:nifai] *vb* genforene.
reunion ['ri:'ju:njən] *sb* genforening; møde, stævne; sammenkomst, fest *(fx a family ~)*.
reunite ['ri:ju'nait] *vb* genforene; genforenes.
rev [rev] *sb* T præst; *vb:* ~ *up* varme (en motor) op; give gas, gasse op.
Rev. *fk Revelation; Reverend.*
rev. *fk revolution* omdrejning; *reverse(d); revised; revision; revenue.*
revaluation ['ri:vælju'eiʃən] *sb* omvurdering.
revalue ['ri:'vælju:] *vb* omvurdere.
revamp ['ri:'væmp] *vb (am om sko)* sætte nyt overlæder på; *(fig)* restaurere, pudse op, pynte på.
reveal [ri'vi:l] *vb* afsløre, åbenbare.
reveille [ri'væli] *sb (mil.)* reveille.
revel ['revl] *vb* svire, holde gilde; leve i sus og dus; *sb* gilde, drikkelag; *-s pl (også)* løjer; ~ **in** fryde sig over, nyde, sole sig i *(fx their admiration),* elske; *(neds)* svælge i *(fx scandal).*
revelation [revi'leiʃən] *sb* afsløring, åbenbaring.
reveller ['revələ] *sb* svirebroder.
revelry ['revəlri] *sb* gilde, sold.
revenge [ri'ven(d)ʒ] *vb* hævne; *sb* hævn; (i sport) revanche, revanchekamp; ~ *oneself upon, be -d upon* hævne sig på; *have one's* ~ få hævn, få revanche; *give him his* ~ give ham revanche; *in* ~ som hævn.
revengeful [ri'ven(d)ʒf(u)l] *adj* hævngerrig.
revenue ['revinju:] *sb* indtægt, indtægter (særlig statsindtægter).
revenue | **cutter** toldkrydser. ~ **officer** toldbetjent. ~ **stamp** stempelmærke; (på cigaretpakke *etc)* banderole.
reverberate [ri'və:b(ə)reit] *vb* kaste tilbage; kastes tilbage; genlyde, lyde.
reverberation [rivə:bə'reiʃ(ə)n] *sb* tilbagekastning; (af lyd) genlyd, ekko; efterklang.
reverberatory [ri'və:bərətri] *adj:* ~ *furnace* flammeovn.
revere [ri'viə] *vb* hædre, ære, holde i ære.
reverence ['rev(ə)rəns] *sb* ærefrygt, ærbødighed, pietet; *(glds)* reverens, kompliment; (titel til præst) velærværdighed; *vb* ære, have ærbødighed for; (se også *saving).*
reverend ['rev(ə)rənd] *adj* ærværdig; *the Rev. Amos Barton* pastor Amos Barton; *the Very Reverend* hans højærværdighed (om stiftsprovst); *the Right Reverend* hans højærværdighed (om biskop); *the Most Reverend* om ærkebiskop); *the ~ gentleman* præsten.
reverent ['rev(ə)rənt], **reverential** [revə'renʃəl] *adj* ærbødig, pietetsfuld.
reverie ['revəri] *sb* drømmerier, grubleri.
revers [ri'viə; *pl* ri'viəz] *sb* (på jakke *etc)* revers.
reversal [ri'və:sl] *sb* venden op og ned på, venden på hovedet, *(fig* også) fuldstændig forandring, omslag; *(mht* afgørelse, især *jur)* omstødelse, forkastelse; *(tekn)* reversering, omstyring.
I. reverse [ri'və:s] *vb* vende om, vende op og ned på, *(fig* også) forandre fuldstændigt, (om afgørelse, især *jur)* omstøde, forkaste; (om bil *etc)* sætte i bakgear; bakke med, *(tekn)* reversere, omstyre, *(fig)* vende *(fx the trend);* (uden objekt) bakke, køre baglæns, reversere; (i dans) danse avet om; ~ *arms (mil.)* vende gevær med bunden skråt opad; ~ *the engine* slå bak *(el.* kontra); ~ *one's policy (fig)* slå bak; *the roles are -d* rollerne er byttet om.
II. reverse [ri'və:s] *sb* modsat side, (af mønt *etc)* bagside, revers, (af tøj) vrang; *(fig)* modsætning; (forandring:) omslag, (til det værre:) uheld, modgang, nederlag; (i bil *etc)* bakgear; (af film) tilbagekørsel; *adj* omvendt *(fx in* ~ *order),* baglæns; **in** ~ tilbage, baglæns; i bakgear; i omvendte orden *(el.* rækkefølge); *(fig)* omvendt, med modsat fortegn; *the* ~ *is the case* det forholder sig lige omvendt; *the* ~ *of* det modsatte *(el.* omvendte) af; *the* ~ *of the medal* (også *fig)* bagsiden af medaljen.
reverse| cover (af bog) bagperm. ~ **gear** bakgear. ~ **side** (af mønt *etc)* revers, bagside; (af tøj) vrang.
reversible [ri'və:səbl] *adj* omstyrbar; (om stof) vendbar, til at vende, gennemvævet; *(kem)* reversibel.
reversion [ri'və:ʃən] *sb* tilbagevenden; *(jur)* hjemfald;

fremtidsret, arveret (efter første brugers død); *(biol):* ~ *to type* atavisme.
reversionary [ri'və:ʃ(ə)ri] *adj (jur)* hjemfaldende; som senere vil tilfalde en.
revert [ri'və:t] *vb* vende tilbage; *(jur)* hjemfalde; *(biol):* ~ *to type* opvise atavistiske træk.
revet [ri'vet] *vb* beklæde.
revetment [ri'vetmənt] *sb* beklædning; støttemur; sandsækbeklædning, vold af sandsække *(etc).*
review [ri'vju:] *vb* gennemgå, betragte; se tilbage på *(fx the past);* mønstre; (i avis *etc)* bedømme, anmelde *(fx a novel),* kritisere; *(mil.)* inspicere, holde revy over; *sb* tilbageblik; mønstring, betragtning; fornyet undersøgelse; genoptagelse; (af bog, forestilling) anmeldelse, kritik; (publikation:) magasin, tidsskrift.
reviewer [ri'vju:ə] *sb* anmelder, kritiker.
revile [ri'vail] *vb* forhåne, spotte; overfuse; rakke ned (på).
revisal [ri'vaizəl] *sb* gennemsyn; revision.
revise [ri'vaiz] *vb* gennemse, **gennemlæse**; revidere *(fx one's opinions);* (i skole) repetere; *sb* revision; *(typ)* rettet korrektur, revision; *the Revised Version* den reviderede engelske bibeloversættelse (besørget 1870-1884).
revision [ri'viʒən] *sb* gennemsyn, korrektur; revision; (i skole) repetition.
revisionist [ri'viʒənist] *sb* (i politik) revisionist.
revisit ['ri:'vizit] *vb* besøge igen; *sb* fornyet besøg; *Oxford -ed* gensyn med Oxford.
revisory [ri'vaizəri] *adj* revisions-, reviderende.
revitalize [ri:'vaitəlaiz] *vb* sætte nyt liv i; *he -d* få nyt liv.
revival [ri'vaivl] *sb* genoplivelse, genopvækkelse, *(rel)* vækkelse; genoptagelse, *(teat)* reprise; *the ~ of learning (el. letters)* renæssancen.
revivalist [ri'vaivəlist] *sb* vækkelsesprædikant.
revival meeting vækkelsesmøde.
revive [ri'vaiv] *vb* leve op igen; få nyt liv; vågne; blomstre op; (med objekt) give nyt liv, forny, opfriske, genoplive; *(teat,* film) tage (et stykke) op igen.
reviver [ri'vaivə] *sb* genopliver; S opstrammer.
revivification ['ri:vivifi'keiʃən] *sb* genoplivelse, genopfriskning.
revocable ['revəkəbl] *adj* som kan tilbagekaldes.
revocation [revə'keiʃən] *sb (cf revoke)* tilbagekaldelse, ophævelse, inddragelse.
revoke [ri'vouk] *vb* tilbagekalde, inddrage *(fx the permission);* ophæve *(fx the regulations were -d);* (i kortspil) svigte kulør; *sb* kulørsvigt; *have one's licence -d* miste sit kørekort; *make a ~* svigte kulør.
revolt [ri'voult] *vb* gøre oprør, rejse sig, protestere *(against, from* mod); oprøres, væmmes *(against, from* ved); (med objekt) oprøre, frastøde; *sb* opstand, revolte, oprør.
revolting [ri'voultiŋ] *adj* oprørende, modbydelig, afskyelig.
revolution [revə'l(j)u:ʃən] *sb* revolution, omvæltning; *(cf revolve)* omdrejning *(fx 350 -s per second);* omgang; *(astr)* omløb; ~ *counter* omdrejningstæller.
revolutionary [revə'l(j)u:ʃən(ə)ri] *adj* revolutions-; revolutionær, *(fig)* revolutionerende *(fx discovery);* *sb* revolutionær.
revolutionist [revə'l(j)u:ʃənist] *sb* revolutionær, revolutionsmand.
revolutionize [revə'l(j)u:ʃənaiz] *vb* revolutionere.
revolve [ri'vɔlv] *vb* dreje (sig), dreje *(el.* løbe) rundt, rotere; *(litt)* overveje, overtænke.
revolver [ri'vɔlvə] *sb* revolver.
revolving [ri'vɔlviŋ] *adj* omdrejende, roterende; drejelig *(fx handle; bookcase);* ~ *credit (merk)* revolverende *(el.* selvfornyende) kredit; ~ *door* svingdør; ~ *light* blinkfyr; ~ *stage* drejescene.
revue [ri'vju:] *sb* revy (let skuespil).
revulsion [ri'vʌlʃən] *sb* pludselig og stærk forandring, omsving, omslag; *(med)* aflending; ~ *against (el. to)* modstand mod, modvilje mod, modbydelighed for.
revulsive [ri'vʌlsiv] *adj (med.)* afledende.
reward [ri'wɔ:d] *vb* gengælde, belønne, lønne; *sb* gengæld, belønning, dusør; erstatning; vederlag; *in* ~ *for* som belønning for.
rewarding [ri'wɔ:diŋ] *adj* lønnende, taknemlig *(fx task);* udbytterig.

rewind ['riː'waind] *vb* (om film, bånd) spole tilbage.
reword ['riː'wɔːd] *vb* ændre ordlyden af, omformulere.
rewrite ['riː'rait] *vb* skrive om, omarbejde, omredigere; *sb* omarbejdet (, omredigeret) udgave (, artikel).
Rex [reks] regerende konge; ~ *v.* ['vɔːsəs] *John Doe (jur)* det offentlige mod John Doe (om kriminalsag).
Reynard ['renəd, 'reinaːd] Mikkel Ræv.
R.G.S. *fk Royal Geographical Society.*
R.H. *fk Royal Highness; (mil.) Royal Highlanders.*
rhapsodic(al) [ræp'sɔdik(l)] *adj* rapsodisk; *(fig)* overdrevent begejstret.
rhapsody ['ræpsədi] *sb* rapsodi; *go into rhapsodies* falde i henrykkelse.
rhea ['riːə] *sb zo* nandu (strudseart).
Rheims [riːmz].
Rhenish ['riːniʃ; 'reniʃ] *adj* rhinsk; *sb (glds)* rhinskvin.
rheostat ['riəstæt] *sb (elekt)* reostat, variabel modstand.
rhesus ['riːsəs] *sb:* ~ *(monkey) zo* rhesusabe; ~ *factor (med.)* rhesusfaktor.
rhetoric ['retərik] *sb* retorik, talekunst.
rhetorical [ri'tɔrikl] *adj* retorisk.
rheum [ruːm] *sb (glds)* snue; slim.
rheumatic [ruˈmætik] *adj* reumatisk; *sb* gigtpatient; *-s pl* T gigtsmerter.
rheumatism ['ruːmətizm] *sb* reumatisme, gigt.
R.H.G. *fk Royal Horse Guards.*
I. rhine [riːn] *sb* vandgrav, grøft.
II. Rhine [rain]: *the* ~ Rhinen.
Rhine|stone rhinsten; bjergkrystal. ~ **wine** rhinskvin.
rhino ['rainou] *sb* næsehorn; S penge.
rhinoceros [rai'nɔs(ə)rəs] *sb zo* næsehorn.
rhinoscope ['rainəskoup] *sb (med.)* næsespejl.
rhizome ['raizoum] *sb (bot)* jordstængel.
Rhode Island [roud'ailənd].
Rhodes [roudz] Rhodos; (også personnavn).
Rhodesia [rou'diːzjə].
Rhodesian [rou'diːzjən] *sb* rhodesier; *adj* rhodesisk.
rhodium ['roudjəm] *sb* rhodium (et metal).
rhododendron [roudə'dendrən] *sb (bot)* rododendron; alperose.
rhomb [rɔm] *sb* rombe. **rhombic** ['rɔmbik] *adj* rombisk.
rhombohedron [rɔmbə'hiːdrən] *sb* romboeder. **rhomboid** ['rɔmbɔid] *sb* romboide. **rhombus** ['rɔmbəs] *sb* rombe.
Rhone [roun]: *the* ~ Rhône.
rhubarb ['ruːbaːb] *sb (bot)* rabarber; *(teat)* baggrundsmumlen; S forvirret støj; skænderi.
rhumb [rʌm] *sb (mar)* kompasstreg.
rhyme [raim] *sb* rim; vers, poesi; *vb* rime; sætte på rim; *without* ~ *or reason* blottet for mening.
rhymer ['raimə], **rhymester** ['raimstə] *sb (neds)* rimsmed.
rhythm [riðm] *sb* rytme, takt.
rhythmic(al) ['riðmik(l)] *adj* rytmisk; taktfast.
R.I. *fk Rhode Island.*
I. rib [rib] *sb* ribbe; (på paraply) stiver; *(anat)* ribben; *(mar)* spant; *vb* forsyne med ribber; *a dig in the -s* et puf i siden.
II. rib [rib] *(am* T) *sb* vittighed; parodi; *vb* drille, gøre nar af.
ribald ['ribəld] *adj* grov, sjofel, saftig.
ribaldry ['ribəldri] *sb* grovheder, sjofelheder.
riband ['ribənd] *sb (glds)* bånd.
ribbed [ribd] *adj* ribbet; riflet *(fx glass, velvet);* (om strik-varer) ribstrikket.
ribbing ['ribiŋ] *sb* ribber; ribstrikning; ribkant.
ribbon ['ribən] *sb* bånd; ordensbånd; strimmel; (til skrivemaskine) farvebånd; *-s* (T også) tøjler, tømme; *torn to -s* revet i laser.
ribbon| development randbebyggelse, bebyggelse langs hovedvejene. **-fish** *zo* sildekonge; båndfisk. ~ **loudspeaker** båndhøjttaler.
rice [rais] *sb* ris.
rice| flour rismel. ~ **paddy** rismark. ~ **paper** rispapir.
rich [ritʃ] *adj* rig; frugtbar; fyldig; rigelig; kostbar *(fx jewels);* (om farve) varm; (om klang) fuldttonende; (om mad) fed, mættende, nærende; (om blanding) fed; T meget morsom, kostelig; latterlig; S uartig, sjofel.
Richard ['ritʃəd].
riches ['ritʃiz] *sb pl* rigdom(me).

richly ['ritʃli] *adj* rigt *(etc, cf rich);* rigelig; ~ *deserve it* fortjene det ærligt og redeligt.
Richmond ['ritʃmənd].
richness ['ritʃnis] *sb* rigdom, frugtbarhed *(etc cf rich).*
rick [rik] *sb* stak, høstak, halmstak; *vb* stakke; (se også *wrick).*
rickets ['rikits] *sb* rakitis, engelsk syge.
rickety ['rikiti] *adj* ledeløs; skrøbelig, vaklevorn.
rickrack ['rikræk] *sb* siksaklidse.
rickshaw ['rikʃɔː] *sb* rickshaw.
ricochet ['rikəʃei, -ʃet] *sb* rikochet; *vb* rikochettere, prelle af.
ricrac = *rickrack.*
rictus ['riktəs] *sb* grinende grimasse; gab.
rid [rid] *vb (rid, rid)* befri, frigøre, skaffe af med; *adj* fri, befriet; *get* ~ *of* blive fri for, blive af med.
riddance ['ridns] *sb* befrielse; *he's gone and good* ~ han er væk, gudskelov!
ridden ['ridn] *pp* af *ride;* adj underkuet af, domineret af *(fx priest-~),* plaget af *(fx fear-~).*
I. riddle ['ridl] *sb* groft sold; *vb* sigte; (også *fig)* gennemhulle *(fx his arguments); -d with (fig)* undergravet af, gennemsyret af *(fx corruption);* beskængt med, plaget af *(fx rats),* ødelagt af.
II. riddle ['ridl] *sb* gåde; *vb* tale i gåder; gætte, løse (en gåde).
I. ride [raid] *vb (rode, ridden)* ride; køre *(fx in a bus);* sidde, hvile *(on* på), (om skib) ligge for anker; (om månen) svæve; (med objekt) lade ride; ride på *(fx a horse, the waves),* køre på *(fx a bicycle); (am* T) drille, plage; ~ *down* skamride; indhente (til hest); ride over ende; ~ *for a fall* ride vildt; *(fig)* udfordre skæbnen; ~ *high (mar)* ligge højt på vandet; *let the problem* ~ T lade problemet ligge *(el.* være); ~ *out (el. off)* a *gale* ride en storm af; ~ *up* krybe op (om tøj).
II. ride [raid] *sb* ridt, ridetur; køretur; cykeltur; sejltur; ridesti (i skov); *take for a* ~ *(am* S) kidnappe og myrde; tage ved næsen, holde for nar.
rider ['raidə] *sb* rytter; passager; *(jur)* tilføjelse til et dokument *(fx* til en jurys kendelse); tillægsbestemmelse; *(mar)* forstærkningsskinne; (på vægt) rytter.
ridge [ridʒ] *sb* ryg, højdedrag, ås; (bakke-, bølge-)kam; ophøjet rand; (på hus) mønning, tagryg; (mellem plovfurer) kam; *(meteorol)* højtryksudløber; *vb* danne rygge, hæve sig i rygge; (om kartofler) hyppe.
ridge|pole ['ridʒpoul] *sb* rygås; (i telt) overligger. ~ **tile** rygningssten.
ridgy ['ridʒi] *adj* furet.
ridicule ['ridikjuːl] *sb* spot; latterliggørelse; *vb* spotte, latterliggøre; gøre nar af; *hold up to* ~ latterliggøre.
ridiculous [ri'dikjuləs] *adj* latterlig.
I. riding ['raidiŋ] *sb* ridning; ridevej; *adj* ridende; ride- *(fx breeches* bukser; *crop* pisk).
II. riding ['raidiŋ] *sb* et af de tre distrikter hvori Yorkshire er inddelt.
riding habit *(glds)* ridedragt (for damer).
Riding-Hood: *Little Red* ~ lille Rødhætte.
riding light *(mar)* positionslys, ankerlanterne.
riding master berider, ridelærer.
rife [raif] *adj: be* ~ grassere, gå i svang, være almindelig; ~ *with* fuld af.
riffle ['rifl] *sb* rille; *(am)* bølge, krusning; *vb (am)* kruse; gennemblade (rask); blande (kort).
riffraff ['rifræf] *sb (neds)* pak, udskud, krapyl, ros.
I. rifle ['raifl] *vb* plyndre; røve.
II. rifle ['raifl] *sb* riffel, gevær; *vb* rifle; *-s* (også) infanteriregiment (bevæbnet med rifler).
rifle| company *(mil.)* let kompagni. ~ **grenade** geværgranat. **-man** geværskytte. ~ **pit** *(mil.)* skyttehul. ~ **range** skydebane; skudhold. ~ **shot** geværskud; dygtig (gevær)skytte.
rifling ['raifliŋ] *sb (cf II. rifle)* rifling; riffelgange; *(cf I. rifle);* plyndring.
rift [rift] *sb* revne; rift; *(fig)* kløft, splid *(between* imellem); *vb* revne; *a* ~ *in the lute* en kurre på tråden.
rift valley gravsænkning, bruddal, sprækkedal.
I. rig [rig] *vb* rigge, tilrigge; T udmaje, ugle ud; *sb (mar)* rig, takkelage; T udstyr; påklædning; ~ *out* pynte, ud-

maje; ~ *up* rigge til.
II. rig [rig] *sb* puds, kneb, list; *vb* lave svindel med *(fx an election)*; *run a* ~ lave en svindelstreg.
Riga ['ri:gə].
rigger ['rigə] *sb (mar)* rigger, takler.
rigging ['rigiŋ] *sb (cf I. rig) (mar)* rig, rigning, takkelage; T antræk; *(cf II. rig)* svindel *(fx election* ~*)*.
I. right [rait] *adj, adv* ret; rigtig; lige; (om retning) højre; *adv* ret, rigtigt *(fx do it* ~*)*, lige *(fx* ~ *after dinner; go* ~ *home)*, helt *(fx* ~ *to the end)*; (om retning) til højre *(fx look* ~*)*;
~ **about turn!** højre om! *all* ~, se *all;* ~ *and left* til højre og venstre; *as* ~ *as rain* helt rigtig; ~ *away* straks; **be** ~ være rigtig; have ret; ~ *you are!* den er jeg med på! det skal jeg nok! *how* ~ *you are* hvor har du dog ret; ja det må du nok sige; **come** ~ komme i orden; blive godt igen; **do** ~ *to every one* gøre ret og skel; *get it* ~ få det i orden; forstå det rigtigt; **make** *it* ~ klare det; *Mr Right* den (helt) rigtige (unge mand); ~ **off** straks; *he could read anything* ~ *off* han kunne læse alt fra bladet; **put** ~ rette; gøre i stand; **set** ~ rette; bringe på ret køl; *he sets us all* ~ han hjælper os alle til rette.
II. right [rait] *sb* ret, rettighed; adkomst; (om retning) højre side; *(polit og boksning)* højre; (af stof) retside; **be** *in the* ~ have ret, have retten på sin side; **by** *-s* med rette, egentlig; rettelig; *in one's own* ~ selv, uafhængigt *(fx the son, who is a well-known author in his own* ~ ...*); peeress in her own* ~ adelig dame der selvstændigt har adelstitel; *the -s* **of** *the case* sagens rette sammenhæng; **on** *the* ~ til højre; *all -s reserved* eftertryk forbudt; **set** *(el. put) to -s* ordne, klare; **to** *the* ~ *of* til højre for; ~ *of way,* se *right-of-way.*
III. right [rait] *vb* rette; rette op; berigtige; råde bod på; ~ *oneself* genvinde balancen; ~ *sby* skaffe én hans ret.
rightabout ['raitə'baut] *adv* omkring; ~ *turn!* omkring! *send him to the* ~ vise ham vintervejen.
right-angled ['rait'æŋgld] *adj* retvinklet, med rette vinkler.
righteous ['raitʃəs] *adj* retfærdig; retskaffen.
rightful ['raitf(u)l] *adj* retfærdig; ret; retmæssig, lovlig *(fx owner)*.
right-hand ['raithænd] *adj* højre, på højre side; højre-hånds-.
right-handed ['raithændid] *adj* højrehåndet *(mods kejthåndet)*; højrehånds-; (om reb *etc)* højresnoet; (om skrue) højreskåren.
right-hander ['raithændə] *sb* højrehåndet person; højre-håndsslag *el.* -stød.
right-hand man ['raithænd'mæn] (fig) højre hånd (ɔ: uundværlig hjælper).
rightist ['raitist] *sb, adj* højreorienteret.
rightly ['raitli] *adv* ret, med rette; rettelig; ~ *considered* ret beset.
right-minded ['raitmaindid] *adj* retsindig, rettænkende.
right-o(h) ['rait'ou] *interj* javel! den er fin! så er den en aftale!
right-of-way [raitəv'wei] *sb* færdselsret; offentlig sti over privat grund; alderstidshævd på vej; forkørselsret; *(am* også) baneterræn.
right whale *zo* sletbag, grønlandshval.
rigid ['ridʒid] *adj* stiv, streng.
rigidify [ri'dʒidifai] *vb* stivne; gøre stiv, få til at stivne.
rigidity [ri'dʒiditi] *sb* stivhed; strenghed.
rigmarole ['rigməroul] *sb* lang klamamus, lang remse, (usammenhængende, forvrøvlet) smøre.
rigor ['raigɔ:] *sb* stivhed; kuldegysning; kuldegysning; *(am)* = *rigour;* ~ *mortis* dødsstivhed.
rigorism ['rigərizm] *sb* rigorisme, strenghed.
rigorist ['rigərist] *sb* rigorist, streng person.
rigorous ['rig(ə)rəs] *adj* streng, hård, rigoristisk.
rigour ['rigə] *sb* stivhed; strenghed, hårdhed.
rig-out ['rig(')aut] *sb* T udstyr, antræk.
rile [rail] *vb* T ærgre, irritere.
rill [ril] *sb* lille bæk; *vb* rinde, risle.
rim [rim] *sb* rand, kant; *(tekn* også) krans, (af hjul også) fælg; (om briller) indfatning; *vb* kante, indfatte.
rime [raim] *sb* rim; rimfrost; *vb* dække med rim; (se også *rhyme).*
rimy ['raimi] *adj* dækket med rim.
rind [raind] *sb* bark, skal, skorpe; *bacon* ~ flæskesvær.

rinderpest ['rindəpest] *sb* kvægpest.
I. ring [riŋ] *sb* ring; (for heste) (ride)bane, væddeløbsbane; (til tyrefægtning) arena; (i cirkus) manege; (til boksning) boksering; *vb* omgive med en ring, omringe; forsyne med en ring, ringe *(fx a bull)*; (om fugl) ringmærke; (om træ) ringe; *make (el. run) -s round (fig)* være meget hurtigere (, dygtigere, T skrappere) end; vinde stort over; *throw one's hat in the* ~ *(am, polit)* melde sig som kandidat.
II. ring [riŋ] *vb (rang, rung)* lade lyde, ringe med; ringe på; (uden objekt) ringe; klinge, lyde; genlyde *(fx the room rang with laughter)*; ringe; (om jaget ræv) løbe i ring; ~ *the bell* ringe med klokken; ringe på klokken, ringe på; *(fig)* have succes; bringe sejren hjem; *that absolutely* ~ *the bell* det er vel nok den stiveste; *that -s a bell with me* det minder mig om noget, det får mig til at tænke på noget; ~ *a coin* prøve klangen af en mønt; ~ *down the curtain* give signal til at tæppet skal gå ned; lade tæppet gå ned; ~ *false* have en uægte klang; ~ *for* ringe på, ringe efter; ~ *off* ringe af; ~ *out* lyde, ringe; ringe ud; ~ *true* lyde ægte *(el. pålideligt)*; ~ *up* slå op (på kasseapparat); ~ *sby up* ringe én op; *the curtain rang up* signalet lød til at tæppet skulle gå op.
III. ring [riŋ] *sb* klang, lyd; genlyd, tonefald; ringen; (telefon)opringning; *give sby a* ~ *(tlf)* ringe en op.
ringer ['riŋə] *sb* ringer; jaget ræv som løber i ring; hest som starter på væddeløbsbanen under falsk navn; en som deltager i sportskamp *etc* under falske forudsætninger; *A is a* ~ *for B* A ligner B på et hår, A er B's dobbeltgænger.
ring| finger ringfinger. ~ **gear** kronhjul.
ringing ['riŋiŋ] *adj* ringende, klingende; rungende *(fx bass, voice)*; ro ringen.
ringleader ['riŋli:də] *sb* anfører, hovedmand, anstifter (af mytteri, oprør *etc)*.
ringlet ['riŋlit] *sb* lille ring; lok, krølle.
ring| mail ringbrynje. -**man** bookmaker. -**master** sprech-stallmeister. ~ **ouzel** [-'u:zl] *zo* ringdrossel. ~ **road** ringvej, omfartsvej. ~ **shake** ringskøre (i træ). -**side** (ved boksering) ringside. -**side seat** plads ved ringside; *(fig)* plads i første parket. ~ **spanner** stjernenøgle. ~ **-tailed phalanger** *zo* snohalepungdyr. -**worm** *(med.)* ringorm.
rink [riŋk] *sb* skøjtebane; rulleskøjtebane.
rinse [rins] *vb* skylle; *sb* skylning; hårskylningsmiddel.
rinsings ['rinsiŋz] *sb pl* skyllevand (efter brugen), udskyllet snavs; bærme.
Rio de Janeiro ['ri:oudədʒə'niərou].
riot ['raiət] *sb* optøjer, uroligheder, tumult, ståhej; virvar; T larmende munterhed; *(fig)* overflod, overdådighed, vrimmel; *vb* lave optøjer; larme, svire; *she is a* ~ T hun er herlig, hun er til at dø af grin over; *a* ~ *of colour* en overdådig farvepragt, et farveorgie; *read the Riot Act* (svarer til det at opfordre (tre gange) i kongens og lovens navn opfordrer deltagerne i et opløb til at skilles); *(fig)* læse dem teksten; *run* ~ fare vildt frem, løbe grassat; (om planter) vokse vildt *(el.* i overdådig frodighed).
rioter ['raiətə] *sb* fredsforstyrrer, urostifter, oprører; *(glds)* svirebroder.
riotous ['raiətəs] *adj* tøjlesløs, løssluppen; udsvævende; oprørsk.
rip [rip] *vb* rive; flå; sprætte op; kløve; (uden objekt) revne, gå i stykker, løbe op; T fare (afsted); *sb* rift; (om hest) krikke, udgangskrikke; (om person) udhaler, libertiner; ~ *into* T fare løs på, overfuse; *let* ~ lade sin vrede få frit løb; bande og sværge; *let it* ~ lade den køre for fuldt drøn, give den gas; *let things* ~ lade tingene gå deres gang; ~ *off* rive *(el.* flå) af; ~ *off the back of a safe* skrælle et pengeskab; ~ *out* ordh udstøde en ed; ~ *up* skære bugen op på *(fx a horse)*; *(fig)* rippe op i.
R.I.P. *fk Requiesca(n)t in pace* hvil i fred.
riparian [rai'pɛəriən] *adj* som hører til en flodbred; ~ *owner,* ~ *proprietor* bredejer; ~ *rights* adkomst til flodbred.
rip cord udløserline (til faldskærm).
ripe [raip] *adj* moden; vellagret; S hylesjov; uartig; fuld; ~ *for* moden til, parat til; ~ *for development* byggemoden; ~ *lips* røde fyldige læber.
ripen ['raipn] *vb* modnes; udvikle sig.
riposte [ri'poust] *sb* (i fægtning) ripost, *(fig* også) (rapt)

gensvar; *vb* ripostere, give (rask) gensvar.
ripper ['ripə] *sb* **S** perle, pragteksemplar.
ripping ['ripiŋ] *adj* **S** mageløs, glimrende, første klasses, storartet, 'mægtig'.
I. ripple ['ripl] *sb, vb* hegle.
II. ripple ['ripl] *vb* kruse sig; skvulpe; risle; kruse; (om lyd) melodisk stige og falde; *sb* krusning; skvulpen, bølgeslag; rislen.
ripply ['ripli] *adj* kruset; rislende; bølgende.
riprap ['ripræp] *sb* (fundament, mur af sten i) løs kastning.
rip-roaring ['riprɔːriŋ] *adj* gevaldig, mægtig, herlig; larmende, løssluppen.
rip saw fukssvans, håndsav.
riptide ['riptaid] *sb* strømhvirvel som opstår ved at flodbølgen møder andre strømninger.
Rip van Winkle (person i fortælling af W. Irving; én der er håbløst bagud for sin tid).
I. rise [raiz] *vb* (*rose, risen*) (se også *rising*) stige *(fx temperature (, prices, the aeroplane) rose)*, hæve sig, lette *(fx the mist is rising)*, rejse sig *(fx from table)*, stå op *(fx the sun -s)*; opstå (fra de døde); *(mht stilling)* avancere; komme frem *(fx ~ in the world)*; (blive til:) opstå *(fx thoughts ~ within one)*, (om flod) udspringe; (gøre opstand:) rejse sig *(fx against a tyrant)*; *(teat:* om fortæppe) gå op; (om fisk) bide, springe; (om forsamling) slutte sit møde; (om dej) hæve sig; *my gorge rose at it, it made my gorge (el. stomach)* ~ jeg fik kvalme af det, det fik det til at vende sig i mig, jeg væmmedes ved det; ~ *ship* få skib i sigte; ~ *to it* lade sig provokere til at svare; ~ *to the bait* bide på (krogen); ~ *to the occasion* vise sig på højde med situationen; vise sig situationen voksen; *the wind is rising* det blæser op.
II. rise [raiz] *sb* stigning *(fx of temperature)*, stigen *(fx the ~ and fall of the voice)*, opgang *(fx of (el. in) prices)*; fremgang; lønforhøjelse; hævning i terrænet, bakke; oprindelse, udgangspunkt; fisks slag (i vandskorpen); *get a ~* få lønforhøjelse; (om fisker) få bid; *give ~ to* give anledning til, fremkalde, føre til; ~ *of step* trinhøjde; *be on the ~* være i stigning; *take its ~ in* (om flod) udspringe i, have sit udspring i, *(fig* også) have sin oprindelse i, opstå af; *take (el. get) a ~ out of sby* smådrille en; *I took a ~ out of him* (også) han lod sig drille, han var let at drille.
risen [rizn] *pp* af *rise*.
riser ['raizə] *sb* (i trappe) stødtrin; *be an early ~* stå tidligt op, være morgenmand; *be a late ~* stå sent op, være en syvsover.
risibility [rizi'biliti] *sb* lattermildhed.
risible ['rizibl] *adj* lattermild; latter-.
I. rising ['raiziŋ] *adj* stigende *(etc, cf I. rise)*; lovende, som er på vej op *(fx a ~ young actor)*; ~ *forty* som nærmer sig de fyrre; *the ~ generation* den opvoksende slægt; *the ~ sun* den opgående sol.
II. rising ['raiziŋ] *sb* stigning, hæven sig *(etc, cf I. rise;* især:) rejsning, oprør, opstand; hævelse; *the ~ of the sun* solens opgang.
risk [risk] *vb* vove, risikere, udsætte for fare, sætte på spil *(fx one's life)*; *sb* risiko, fare; *at the ~ of* med fare for; *run (el. take) -s* tage chancer; *run (el. take) the ~ of* udsætte sig for (den risiko) at.
risk money fejltællingspenge.
risky ['riski] *adj* risikabel, farlig; *(fig,* om historie *etc)* vovet, dristig.
risqué [ris'kei] *adj* vovet, dristig (om historie *etc)*.
rissole ['risoul] *sb (omtr =)* frikadelle.
rite [rait] *sb* ritus, kirkelig; ceremoni.
ritual ['ritjuəl] *adj* rituel; *sb* ritual.
ritualism ['ritjuəlizm] *sb* ritualisme; bundethed af ritualer.
ritualist ['ritjuəlist] *sb* en der er bundet af (, lægger stor vægt på) ritualer.
ritzy ['ritsi] *adj* **S** smart, flot, hypermoderne; *(neds)* storsnudet, snobbet.
rival ['raivl] *sb* rival(inde), medbejler(ske); konkurrent; *adj* rivaliserende; konkurrerende *(fx firms)*; *vb* rivalisere med; kappes med; konkurrere med; komme på højde med *(fx he -led the others in skill)*; *without a ~* uden lige, uden sidestykke. **rivalry** ['raivlri] *sb* rivaliseren; konkurrence, kappestrid.

riven ['rivn] *adj* kløvet, spaltet, sønderflænget.
river ['rivə] *sb* flod; (se også **I.** *sell (down))*.
river| bank flodbred. ~ **basin** flodbækken. **-bed** flodleje. **-craft** flodfartøj. **-head** flods udspring.
riverine ['riverain] *adj* flod- *(fx traffic)*, som hører til en flod *el.* en flodbred.
riverside ['rivəsaid] *sb* flodbred; flodområde; *by the ~* ved floden; ~ *villa* villa ved floden.
rivet ['rivit] *sb* nitte, nagle, (til porcelæn) klinke; *vb* nitte; nagle; klinke; *(fig)* fastholde, fængsle *(fx their attention)*; *-ed on* naglet til; *-ing adj* fængslende, betagende.
rivière ['riviɛə] *sb* collier, halsbånd.
rivulet ['rivjulit] *sb* bæk, å.
R.M. *fk Royal Mail*.
R.M.S. *fk Royal Mail Steamer*.
R.N. *fk Royal Navy*.
roach [routʃ] *sb zo* skalle; *(mar)* gilling.
road [roud] *sb* vej, landevej, gade; *(mar)*: *-(s)* red; *the -s are in a bad state* føret er dårligt; *by ~* ad landevejen; *one for the ~* afskedsdrink; *in the ~* på vejen; *(fig)* i vejen, på tværs (af nogen); *the rule of the ~* reglen om til hvad side køretøjer skal holde når de passerer hinanden; *rules of the ~ (mar)* søvejsregler; *on the ~* på vejen; på rejse, rejsende; *(teat etc)* på tourné; *take the ~* tage af sted; *take to the ~ (glds)* blive landevejsrøver.
roadability [roudə'biliti] *sb* vejegenskaber.
road| accident færdselsulykke. **-bed** vejkasse, *(am* også) kørebane; *(jernb)* banelegeme; ballast. **-block** *(mil.)* vejspærring. **-book** turisthåndbog. ~ **casualties** *pl* trafikofre. ~ **hog** færdselsbølle, motorbølle. **-house** landevejskro; *(am)* natklub uden for bygrænsen. **-man** *se* ~ **mender**. ~ **map** vejkort, automobilkort. ~ **mender** vejmand, vejarbejder. ~ **metal** skærver. ~ **safety** færdselssikkerhed. ~ **sense** færdselskultur. **-side** vejkant, grøftekant. ~ **sign** færdselsskilt. **-stead** *(mar)* red.
roadster ['roudstə] *sb* turistcykel; åben to-personers bil, sportsvogn.
road| surveyor vejinspektør. ~ **user** vejfarende, trafikant. **-way** kørebane, gade. **-worthy** *adj* i køredygtig stand.
roam [roum] *vb* vandre om, strejfe om, flakke om, drage omkring; (med objekt) vandre (, strejfe) om i (, på) *(fx the streets)*; gennemstrejfe.
roamer ['roumə] *sb* omstrejfende person; vagabond.
roan [roun] *adj* rønnebærfarvet, (om hest) rødskimlet; *sb* rødskimmel; *(bogb)* tyndt fåreskind (garvet med sumach); imiteret saffian.
roar [rɔː] *sb* brølen, brøl *(fx of a bull, of a lion)*; (menneskes) brøl, vræl; (om anden lyde) larm *(fx of traffic)*, drøn; brus *(fx of waves, of wind)*; buldren *(fx of flames)*; *vb* brøle, vræle; larme, drøne; bruse; buldre.
roarer ['rɔːrə] *sb* (om hest) lungepiber.
roaring ['rɔːriŋ] *sb (cf I. roar)* brølen *(etc)*; (om hest) lungepiben; *adj* brølende *(etc)*; *(fig)* drønende *(fx success)*; glimrende; *we are doing a ~ business* forretningen går strygende; *the ~ forties* de brølende fyrrer (de stormfulde bælter af havet, 40-50° nordlig el. sydlig bredde).
roast [roust] *vb* stege; riste *(fx peanuts, corn, malt; ore* erts); (om kaffe) brænde; *(am)* **T** kritisere sønder og sammen, sable ned; *(glds)* drille, drive gæk med; (uden objekt) blive stegt; *sb* steg; *adj* stegt *(fx meat)*, *-steg (fx ~ beef* okse-; ~ *goose* gåse-; ~ *lamb* lamme-); ~ *leg of pork* flæskesteg.
roaster ['roustə] *sb* stegekylling, stegehøne; gris der egner sig til stegning, stegeovn, stegerist; (til erts) risteovn (til kaffe) kaffebrænder.
roasting| jack stegevender. ~ **tin** bradepande.
rob [rɔb] *vb* røve; plyndre; stjæle fra, bestjæle; udplyndre; ~ *of* plyndre for; berøve, frarøve.
robber ['rɔbə] *sb* røver, tyv.
robber| baron røverridder. ~ **fly** *zo* rovflue.
robbery ['rɔbəri] *sb* røveri, tyveri; udplyndring; ~ *with violence* røverisk overfald.
robe [roub] *sb* (gala)dragt; (lang) kappe; *(am)* slåbrok; køretæppe; *vb* iføre, iklæde; *flowing -s* (også) flagrende gevandter; *gentlemen of the long ~* retslærde, advokater; *-d in* klædt i, iført.
Robert ['rɔbət]. **Robeson** ['roubsn].
robin ['rɔbin] *sb zo* rødkælk, rødhals; *(am)* vandredrossel.

Robin Goodfellow nisse.
robin redbreast rødkælk, rødhals.
Robinson ['rɔbinsn]; se også I. *Jack.*
robot ['roubɔt] *sb* robot.
robot plane førerløs flyvemaskine.
robust [rə'bʌst] *adj* robust, stærk, hårdfør.
roc [rɔk] *sb (myt)* (fuglen) rok.
Rochester ['rɔtʃistə].
I. rock [rɔk] *sb* klippe, bjergart; (som man strander på:) skær; (slik:) sukkerstang; S ædelsten; *(am også)* sten *(fx he had a ~ in his pocket)*; -s *(am* S) penge; *on the* -s strandet; T i pengeforlegenhed, på spanden; (om drik) med isterninger; *go on the* -s *(fig)* lide skibbrud; *see* -s *ahead (fig)* se farer forude; *the Rock* Gibraltar.
II. rock [rɔk] *vb* vugge *(fx a child to sleep)*; gynge *(fx he sat -ing in his chair)*; rokke, vippe, få til at gynge; *(fig)* S chokere, forbløffe; *~ the boat* vippe med båden; *(fig* T) lave brok i foretagendet; *~ with amusement* more sig kosteligt.
rock bit klippefræser (til dybdeboring).
rock-bottom *adj* allerlavest; *~ prices* bundpriser; *at ~* dybest nede; inderst inde.
rock-bound *adj* omgivet af klipper; *(fig)* klippefast, ubøjelig; *a ~ coast* en forreven klippekyst; *a ~ mystery* et uigennemtrængeligt mysterium.
rock| crystal bjergkrystal. **~ dove** klippedue.
rock drill klippebor.
Rock English Gibraltarengelsk.
I. rocker ['rɔkə] *sb* gænge (under vugge); (slags) skøjte; gyngehest; *(am)*. gyngestol; *off one's* **~** S skrupskør, fra forstanden.
II. Rocker ['rɔkə] *sb* T rocker, læderjakke.
rocker arm vuggearm, vippearm.
rockery ['rɔkəri] *sb* stenhøj (i have).
I. rocket ['rɔkit] *sb (bot)* aftenstjerne, natviol.
II. rocket ['rɔkit] *sb* raket; *vb* fare lige op i luften; ryge i vejret *(fx prices -ed)*; fare hurtigt frem; *get a ~* S få en balle, blive skældt ud.
rocket| plane raketflyvemaskine. **~ -propelled** raketdrevet. **~ range** raketforsøgsområde.
rocketry ['rɔkitri] *sb* raketvidenskab, raketteknik.
rock| fever maltafeber. **-foil** *(bot)* stenbræk. **~ garden** stenhøj.
rocking| chair gyngestol. **~ horse** gyngehest. **~ stone** rokkesten.
rockling ['rɔkliŋ] *sb zo* havkvabbe.
rock| oil råolie. **~ paper** (slags) asbest. **~ partridge** *zo* stenhøne. **~ pigeon** *zo* klippedue. **~ pipit** *zo* skærpiber. **~ plant** stenhøjsplante. **~ ptarmigan** *zo* fjeldrype. **~ rabbit** *zo* klippegrævling. **~ rose** *(bot)* soløje. **~ salmon** (svarer til) sølaks. **~ silk** (slags) asbest. **~ tar** stenolie, jordolie. **~ wood** bjergtræ, xylolit, slags asbest.
rocky ['rɔki] *adj (cf I. rock)* hård, ubøjelig; *(cf II. rock)* S vaklevorn, usikker; *the Rockies = the Rocky Mountains* Klippebjergene (bjergkæde i Nordamerika).
rococo [rə'koukou] *sb* rokoko.
rod [rɔd] *sb* stang; stav; (af træ) kæp; (til afstraffelse) ris, spanskrør; (til fiskeri) stang; (ceremoniel:) (embeds)stav; *(med.)* stavbakterie; *(am)* S revolver; *kiss the ~* kysse riset (ɔ: ydmyge sig); *make a ~ for one's own back* binde ris til sin egen bag.
rode [roud] *præt* af I. *ride.*
rodent ['roudnt] *sb zo* gnaver.
rodeo [rou'deiou] *sb* indfangning af kvæg (til mærkning); cowboyopvisning; (motorcyklist)opvisning.
rodomontade [rɔdəmɔn'teid] *sb* praleri, bravade; *adj* pralende; *vb* prale.
roe [rou] *sb zo* rå (i fisk) rogn; se også *soft ~.*
roe|buck råbuk. **-deer** rådyr.
Roentgen, se *Röntgen.*
rogation [rə'geiʃən] *sb* bøn; *Rogation Days* de tre dage lige før Kristi himmelfartsdag; *Rogation Sunday* femte søndag efter påske; *Rogation Week* den uge hvori Kristi himmelfartsdag falder.
Roger ['rɔdʒə] *Sir ~ de Coverley* (en folkedans).
roger ['rɔdʒə] *interj* (især i radiotelegrafi) (meldingen) modtaget (og forstået), all right, O.K.
rogue [roug] *sb* kæltring, slyngel; (især *spøg)* skælm; (om

elefant) ronkedor (vild hanelefant, der lever adskilt fra flokken); *(glds)* landstryger; *rogues' gallery* forbryderalbum.
roguery ['rougəri] *sb* kæltringestreger; skælmsstykker.
roguish ['rougiʃ] *adj* kæltringeagtig; skalkagtig, skælmsk.
roil [rɔil] *vb (am)* plumre; irritere.
roister ['rɔistə] *vb (litt)* larme; svire.
roisterer ['rɔistərə] *sb* buldrebasse; svirebroder.
Roland ['roulənd] *(litt:) give a ~ for an Oliver* give lige for lige, give svar på tiltale.
rôle, role [roul] *sb* rolle.
role playing ekstemporalspil.
I. roll [roul] *sb* rulle *(fx a ~ of paper)*; *(fig)* fortegnelse, liste, den officielle liste over *solicitors; (tekn)* valse; (om mad, *omtr)* rundstykke; roulade; (om lyd) rumlen; *(bogh)* rullestempel; *(am)* S bundt pengesedler; penge; *~ of fat* delle (i nakken *etc)*; *~ of honour* liste over faldne; *be struck off the -s (jur)* miste sin bestalling; *(am)* blive ekskluderet.
II. roll [roul] *sb* rullen; slingren *(fx the ~ of a ship)*; rulning; S *(vulg)* knald (ɔ: samleje); *a forward ~* en kolbøtte; *have a ~ on the ground* rulle sig på jorden; *~ of the drum* trommehvirvel.
III. roll [roul] *vb* rulle; trille; sammenrulle, pakke ind *(fx ~ oneself in a rug)*; tromle *(fx a lawn)*; rulle ud *(fx dough)*; *(tekn)* valse; S rulle (ɔ: udplyndre); (uden objekt) rulle, trille; vælte sig; slingre, rulle *(fx the ship -ed)*; (om lyd) rumle, rulle *(fx the thunder -ed)*; slå trommehvirvler;
~ away (om skyer, tåge) spredes; *~ back prices (am)* nedsætte priserne; *~ one's eyes* rulle med øjnene; *be -ing (in money)* svømme i penge; *~ in* komme i store mængder, vælte ind; *(all) -ed into one* samlet under ét, under én hat; på én gang; i én person; *~ on* rulle *(el.* bevæge sig) videre; *~ one's r's* rulle på r'erne; *~ out* rulle *(fx dej)* ud; *(tekn)* udvalse; *~ over* vælte omkuld, slå en kolbøtte, vende sig; *~ up* rulle sammen, pakke ind; hobe sig op; *(mil.)* rulle op; S dukke op, komme anstigende; *~ up one's sleeves* smøge ærmerne op.
rollback ['roulbæk] *sb (am)* obligatorisk prisnedsættelse.
roll call navneopråb.
roll-call vote afstemning ved navneopråb.
roll collar rullekrave.
rolled [rould] *adj (tekn)* valset; *~ gold* gulddublé.
roller ['roulə] *sb* rulle; valse; tromle; (til at male med) malerulle; (forbinding:) rullebind; (i havet) (svær) bølge; *zo* ellekrage.
roller| bearing rulleleje. **~ coaster** *(am)* rutschebane. **~ skate** rulleskøjte. **~-skate** *vb* løbe på rulleskøjter. **~ towel** rullehåndklæde.
rollicking ['rɔlikiŋ] *adj* lystig, glad; morsom, rask.
rolling ['rouliŋ] *adj* rullende; bølgende *(fx plain)*; bølget, bølgeformet; (om lyd) rumlende; *sb* rullen; valsning.
rolling| mill valseværk. **~ pin** kagerulle. **~ stock** *(jernb)* rullende materiel. **~ stone** *(fig)* en der stadig er på farten; (se også II. *moss)*.
Rolls-Royce ['roulz 'rɔis].
rolltop desk skrivebord med rullejalousi.
roly-poly ['rouli 'pouli] *sb* (rouladelignende *pudding)*; lille tyksak; (legetøj:) tumling; *adj* rund; lille og tyk; *~ face* månesnuigt.
Romaic [rə'meiik] *sb, adj* nygræsk.
Roman ['roumən] *adj* romersk; romersk-katolsk; *sb* romer, romerinde; katolik; *(typ)* antikva; *Roman Catholic* (romersk-)katolsk; *sb* katolik.
I. romance [rə'mæns] *adj* romansk *(fx languages)*.
II. romance [rə'mæns] *sb* romantisk historie, romantisk hændelse (, oplevelse, stemning), kærlighedseventyr; romantik; *(neds)* røverhistorie, opspind, løgn; *(mus.)* romance; *(litt hist.)* ridderroman; *his life was a ~* hans liv var som et eventyr.
III. romance [rə'mæns] *vb* fortælle røverhistorier, overdrive, fantasere; romantisere; T sværme.
romancer [rə'mænsə] *sb* romandigter; løgner.
Romanesque [roumə'nesk] *sb* rundbuestil, romansk stil; *adj* bygget i rundbuestil, romansk.
Roman Holiday fornøjelse på andres bekostning.
Romanic [rou'mænik] *adj* romansk.

Romanish ['rouməniʃ] *adj (neds)* (romersk-)katolsk.
Romanism ['roumənizm] *sb (neds)* katolicisme.
Romanist ['roumənist] *sb* romersk katolik; *(neds)* halvkatolik.
Romanize ['roumənaiz] *vb* romanisere; gøre romersk-katolsk.
Roman letters *(typ)* antikva.
Romansh [rə'mænʃ] *sb* rhætoromansk.
romantic [rə'mæntik] *adj* romantisk; romanagtig; eventyrlig, fantastisk; *sb* romantiker; *-s* romantiske ideer.
romanticism [rə'mæntisizm] *sb* romantik.
romanticist [rə'mæntisist] *sb* romantiker.
Roman type *(typ)* antikva.
Romany ['rɔmɔni] *sb* sigøjner; sigøjnersprog.
Rome [roum] Rom; *when in ~ do as the Romans do* man må skik følge eller land fly; man må tude med de ulve man er iblandt.
Romish ['roumiʃ] *adj (neds)* (romersk-)katolsk.
romp [rɔmp] *sb* 'vildkat', vild tøs; vild leg; *vb* hoppe og springe, boltre sig, lege vildt *(el.* støjende); *~ home, ~ in* vinde et let sejr, vinde stort.
rompers ['rɔmpəz] *sb pl* legedragt, kravledragt.
rondo ['rɔndou] *sb* (i musik) rondo.
Röntgen ['rɔntjən].
röntgeno|gram [rɔnt'genəgræm], **-graph** [rɔnt'genəgra:f] røntgenfotografi. **-graphy** [rɔntge'nɔgrəfi] røntgenfotografering. **-logy** [rɔntge'nɔlədʒi] røntgenvidenskab.
Röntgen rays røntgenstråler.
rood [ru:d] *sb (arkit)* triumfkrucifiks, korbüekrucifiks; *(glds)* kors, krucifiks; (flademål:) ¼ *acre.*
rood| altar korbuealter. **~ arch** triumfbue, korbue. **~ beam** korbuebjælke.
roof [ru:f] *sb* tag; hvælving; tag over hovedet; *vb* lægge tag på, tække, bygge tag over; *the ~ of the mouth* den hårde gane.
roofer ['ru:fə] *sb* tagtækker.
roofing ['ru:fiŋ] *sb* taglægning; tagmateriale; tagværk, tag. **roofing felt** tagpap.
roofless ['ru:flis] *adj* uden tag; *(fig)* husvild.
rooftree ['ru:ftri:] *sb* tagås; *raise the ~* holde rejsegilde.
rook [ruk] *sb zo* råge; (om person) T svindler, bedrager; (i skak) tårn; *vb* T snyde, blanke af.
rookery ['rukəri] *sb* rågekoloni; (søfugles *el.* sælers) yngleplads; *(fig)* lejekaserne, fattigkvarter.
ruki ['ruki] *sb* S rekrut; begynder.
I. room [ru(:)m] *sb* rum, værelse, stue, *-s* (også) lejlighed, logi; plads *(for til, fx there is ~ for another book on the shelf; standing ~* ståplads(er)); *(fig)* anledning, grund *(for til, fx dispute, doubt),* lejlighed *(for til); there is ~ for improvement in it* det kunne godt gøres bedre;
in the ~ of (glds) i stedet for; *keep one's ~* beholde sit værelse; holde sig inde; *make ~ for* give plads for; skaffe plads til; *no ~ to turn in, no ~ to swing a cat* ingen plads at røre sig på; *a four-room(ed) flat* en fireværelses lejlighed; (N.B. i USA tælles køkkenet i reglen med).
II. room [ru(:)m] *vb (am)* have værelse, bo; *they ~ together* de bor sammen, de deler værelse.
roomer ['ru(:)mə] *sb (am)* logerende.
rooming house *sb (am)* logihus.
roommate ['ru(:)mmeit] *sb* slof; (let *glds)* kontubernal.
roomy ['ru(:)mi] *adj* rummelig.
Roosevelt ['rouzəvelt]; (i England ofte:) 'ru:svelt].
roost [ru:st] *sb* hønsehjald, siddepind; hønsehus; *(fig)* hvilested; *vb* (om fugl) sætte sig til hvile; sove siddende; (om person) overnatte, have natlogi; *at ~* sovende; *come home to ~ (fig)* ramme sin ophavsmand, falde tilbage på én selv; *go to ~* gå til ro, gå til køjs; *rule the ~* T dominere, være den ledende.
rooster ['ru:stə] *sb zo* hane.
I. root [ru:t] *sb (bot, gram, mat. etc)* rod *(fx of a plant, of a tooth, of a word; the fourth ~ of 16* den fjerde rod af 16), *-s* (bot også) rodfrugter; *(mus.)* grundtone (i en akkord); *(fig)* rod *(fx the ~ of the evil),* dybeste *(el.* egentlige) årsag *(fx his selfishness was the ~ of all the trouble);* kerne *(fx the ~ of the problem);* roden *(el.* ~ *of* komme til bunds i; *lie at the ~ of* ligge til grund for, være den dybeste *(el.* egentlige) årsag til *(fx religion lay*

at the *~ of the Civil War); strike at the ~ of the evil* ramme ondet i dets rod; *strike at the very -s of* undergrave *(fx society, discipline); ~ and* **branch** grundigt, fra grunden *(fx reform it ~ and branch); pull up* **by** *the -s* rykke op med rode; *strike ~, take ~* slå rod.
II. root [ru:t] *vb (cf I. root;* se også *rooted)* (lade) slå rod, *(fig* også) rodfæste sig; (om svin) rode i jorden (med trynen); (om ·person) rode, lede, søge *(for efter, fx he was -ing for work); (am,* i sport) heppe, *~ for* tiljuble, heppe; *~ around in* rode rundt i, endevende; *~ out (fin. up)* (om plante) rykke op med rode; *(fig)* udrydde; *~ up* (om svin) rode frem; *(fig)* opsnuse, finde; *~ to the spot* nagle til stedet *(el.* pletten).
root-and-branch *adj* gennemgribende *(fx reforms).*
rooted ['ru:tid] *adj* rodfæstet; rodfast; indgroet; *be ~ in* have sin rod i, bunde i; *~ to the spot* naglet til stedet *(el.* pletten); ude af stand til at røre sig.
rooter ['ru:tə] *sb (am* S) beundrer, begejstret tilhænger.
rootle ['ru:tl] *vb* rode (i jorden).
root|less rodløs. **-let** lille rod. **-stock** *(bot)* rodstok, rhizom.
rope [roup] *sb* reb, tov; (til hængning) reb, strikke; (til linedans) line; (til afmærkning, opmåling) snor; *(mar)* reb, tov, ende, lig(tov); *vb* binde med reb; sammenbinde; *~ in* afspærre (med reb); *(fig)* kapre, indfange; sikre sig (ens tjeneste); *~ off* afspærre;
give sby ~ give én handlefrihed *(el.* bevægelsesfrihed); *know the -s* kende fiduserne *(el.* forretningsgangen); *be at the end of one's ~ (am)* ikke kunne holde til mere, have udtømt sine kræfter; *~ of onions* knippe løg; *~ of pearls* (stor) perlekæde; *on the -s* (om bokser og *fig)* ude i tovene.
rope|dancer linedanser. **~ end** tamp. **~ ladder** rebstige. **-maker** rebslager.
rope's end tamp; (til hængning) løkke.
rope| walk reberbane. **-walker** linedanser. **-way** tovbane.
ropey ['roupi] *adj* T dårlig, skidt (tilpas); udslidt, forældet.
rope yarn kabelgarn; *(fig)* bagatel.
ropy ['roupi] *adj* slimet, tyktflydende, indeholdende klæbrige *el.* slimede tråde.
roric ['rɔ:rik] *adj* dug-, dugagtig; *~ figure* dugbillede.
rorqual ['rɔ:kwəl] *sb zo* finhval; *lesser ~* vågehval.
roquet ['rouki, 'roukei] *vb* krokere; *sb* krokade.
Rosa ['rouzə]. **Rosalind** ['rɔzəlind].
rosary ['rouzəri] *sb* rosenhave, rosenbed; *(rel)* rosenkrans.
I. rose [rouz] *præt* af *rise.*
II. rose [rouz] *sb* rose; (om farve) rosa; (om ornament) roset; (på sprøjte *etc)* bruse; *the ~* (også *med.)* rosen; *life is no bed of -s* livet er ingen dans på roser; *under the ~ sub rosa,* i fortrolighed.
roseate ['rouziit] *adj* rosenfarvet; (også *fig)* rosenrød.
rose|bay (willow herb) *(bot)* gederams. **~ bed** rosenbed. **-bud** rosenknop. **-bush** rosenbusk. **~ chafer** zo guldbasse. **~ colour** rosenfarve, rosa. **~-coloured** rosenfarvet, rosa; *see everything through ~-coloured spectacles* se alt i et rosenrødt skær. **~-coloured starling** zo rosenstær. **-fish** rødfisk. **~ mallow** *(bot)* stokrose; hibiscus.
rosemary ['rouzməri] *sb (bot)* rosmarin; *wild ~* rosmarinlyng.
roseola [rou'ziələ] *sb (med.)* røde hunde.
rosette [rou'zet] *sb* roset.
rosewater ['rouzwɔ:tə] *sb* rosenvand (slags rosenparfume); *adj* sentimental, sødladen, alt for fin.
rose| window rosevindue. **-wood** rosentræ; *(Brazilian ~)* palisander.
rosied ['rouzid] *adj* rosensmykket, rosenfarvet.
rosin ['rɔzin] *sb* (renset) harpiks; *vb* gnide (med harpiks).
roster ['rousta] *sb* navneliste, tjenesteliste; *(jernb)* turliste.
rostrum ['rɔstrəm] *sb (pl rostra)* talerstol, podium; zo *(fx* på insekt) snabel, snude; *(hist.)* (skibs)snabel.
rosy ['rouzi] *adj* rosen-; *(fig)* blomstrende, rosenrød.
rot [rɔt] *vb* rådne; bringe i forrådnelse; S drille, lave sjov (med); *sb* forrådnelse; *(fig)* råddenskab; (i sport, krig) række uforklarlige nederlag, T sludder; (i træ: *dry ~)* svamp.
rota ['routə] *sb* liste (over personer, som udfører et vist hverv efter tur); *vb* gøre (noget) efter tur *(fx ~ washing-up).*

Rotarian [rou'tɛəriən] *sb* rotarianer (medlem af en Rotary klub).

rotary ['routəri] *adj* roterende, omdrejende; dreje- *(fx switch* kontakt, omskifter); *sb (am)* rundkørsel.

rotary| cultivator, ~ **hoe** jordfræser. ~ **press** *(typ)* rotationspresse. ~ **switch** drejeafbryder.

rotate [rou'teit, *(am)* 'routeit] *vb* rotere, dreje sig; skifte, veksle *(fx the rotating seasons);* skiftes *(fx in a job),* gå rundt, gå efter tur *(fx the job -s);* (med objekt) lade rotere; lade skiftes; lade gå rundt; ~ *crops* skifte afgrøder.

rotation [rou'teiʃən] *sb* rotation, rotering; omdrejning; omgang; *by (el. in)* ~ skiftevis, efter tur; ~ *of crops* vekseldrift.

rotator [rou'teitə] *sb* omdrejende redskab; drejemuskel.

rotatory ['routətəri] *adj* roterende, omdrejende; ~ *joint* drejeled.

rote [rout] *sb: by* ~ på ramse.

rotgut ['rɔtgʌt] *sb* S tarvelig spiritus.

Rothschild ['rɔθ(s)tʃaild].

rotifer ['routifə] *sb zo* hjuldyr.

rotogravure [routəgrə'vjuə] *sb (typ)* dybtryk.

rotor ['routə] *sb (tekn)* rotor; (i ventilator) vingehjul; (på helikopter) luftskrue, rotor.

rotten ['rɔtn] *adj* rådden; fordærvet, dårlig; mør; skør; elendig, skidt.

rotten borough *(hist.)* valgkreds der før 1832 sendte egen repræsentant til Parlamentet skønt vælgertallet var ganske ringe.

Rotten Row ['rɔtn'rou] (allé i Hyde Park).

rottenstone ['rɔtnstoun] *sb* trippelse (pudsemiddel).

rotter ['rɔtə] *sb* skidt fyr, laban; skiderik; *he is a* ~ (også) han er rigtig modbydelig.

rotund [rə'tʌnd] *adj* rund; buttet, velnæret; (om stemme) dyb, klangfuld; (om stil) højtravende.

rotunda [rə'tʌndə] *sb* rotunde (rund bygning).

rotundity [rə'tʌnditi] *sb* rundhed *(etc, cf rotund)*.

rouble ['ru:bl] *sb* rubel.

roué [ru:ei] *sb* libertiner, udhaler.

rouge [ru:ʒ] *sb* rouge, kindrødt; (til polering) polerrødt; *vb* lægge rouge på.

rouge-et-noir ['ru:ʒei'nwa:] *sb* rouge-et-noir (et hasardspil).

I. rough [rʌf] *adj* (ikke glat, om overflade *etc)* ujævn, ru, knudret, (om terræn) ujævn *(fx road),* uvejsom, (om hav) urolig, oprørt, (om hår, græs) strid; (ikke bearbejdet) rå, ubearbejdet, ubehandlet, uhøvlet *(fx wood),* utilhugget *(fx stone),* usleben *(fx glass);* (ikke gennemarbejdet) rå- *(fx translation),* ufærdig, (om skøn) tilnærmelsesvis, foreløbig, løselig *(fx estimate);* (ikke fin) primitiv; grov, simpel *(fx food),* tarvelig *(fx a* ~ *quarter of the town),* (om person) ligefrem, ukunstlet, djærv *(fx workers);* (ikke blid) ublid, rå, barsk, hårdhændet *(fx treatment),* (om vejr) hård, stormende, urolig, (om lyd) grov, hård, skurrende *(fx voice),* skarp, skærende *(fx sound),* (om person) grov, ubehagelig *(fx he turned* ~*);* (om barn) uvorn; *adv* groft, hårdt, hårdhændet *(fx treat him* ~*); cut up* ~ **T** blive gal i hovedet; blive grov; *play* ~ spille hårdt *(el.* råt).

II. rough [rʌf] *sb* udkast, kladde; (om person) rå karl, bølle, voldsmand; (i golf) ujævn del af bane; *in the* ~ i ufærdig tilstand, ufærdig, uslebet; rundt regnet *(fx £ 2,000 in the* ~*);* uden formaliteter; *take the* ~ *with the smooth* tage det onde med det gode.

III. rough [rʌf] *vb* gøre ru; skarpsko (hest); (i sport) tackle hårdt; (om bearbejdning) skrubbe; ~ *a diamond* grovslibe en diamant; ~ *down* grovbearbejde; ~ *it* leve primitivt; tåle strabadser; gå for lud og koldt vand; ~ *in (el. out)* gøre udkast til, skitsere; råhugge; ~ *up* bringe i ulave, rode op; *(om person)* mishandle; ~ *sby up* the wrong way irritere én.

roughage ['rʌfidʒ] *sb* grovfoder; grov *(el.* slaggerig) kost.

rough-and-ready ['rʌfən'redi] *adj* primitiv men brugbar *(fx definition; method),* improviseret; *(am,* om person) grej, jævn og ligetil; grov, formløs.

rough-and-tumble ['rʌfən'tʌmbl] *adj* støjende, forvirret (om slagsmål); *sb* spektakler, slagsmål, tummel.

roughcast ['rʌfkɑ:st] *vb* skitsere; overstryge med kalk; (be)rappe; *sb* rapning, grov puds.

rough| copy kladde. ~ **cut** (film) råklipning. ~ **diamond**

usleben diamant (også *fig* = god men ukultiveret person). ~ **draft** skitse, udkast, kladde, koncept.

roughen ['rʌfn] *vb* gøre ujævn, gøre ru; blive ujævn.

rough|-footed med fjerbeklædte fødder (om fugl). ~ **gait** urent trav. **-hew** råhugge. **-hewn** råt tilhugget; ukultiveret.

roughhouse ['rʌfhaus] *sb (am* S) ballade, spektakler, optøjer, slagsmål.

roughly ['rʌfli] *(adv* til I. *rough)* groft, hårdt *etc;* (også) tilnærmelsesvis, omtrent, i store træk, cirka.

rough|neck *(am* S) bølle, bisse. ~ **plane** skrubhøvl. **-rider** hestetæmmer. **-shod** skarpskoet; *ride -shod over* behandle hensynsløst, hundse med, tilsidesætte. ~ **sketch** flygtigt rids, løst udkast. ~ **-spoken** grov i munden. ~ **-turn** *vb* skrubdreje.

rough-up ['rʌfʌp] *sb* S slagsmål.

roulade [ru:'lɑ:d] *sb* (i sang) roulade, (tone)løb.

rouleau [ru:'lou] *sb* pengetut, pengerulle.

roulette [ru:'let] *sb* roulette(spil); *(bogb)* rullestempel; (om frimærke) gennemstik; *vb* gennemstikke; *-d* gennemstukket.

Roumania [ru'meinjə] Rumænien.

Roumanian [ru'meinjən] *sb* rumæner; rumænsk; *adj* rumænsk.

I. round [raund] *adj* rund; rund- *(fx tour);* (om tal) rund, afrundet; (om stemme) fyldig, fuldtonende; (om fart) rask *(fx at a* ~ *pace);* (om ytring) oprigtig, ligefrem *(fx in* ~ *terms); a* ~ *dozen* et helt dusin; *in* ~ *numbers* med et rundt tal; *a* ~ *oath* en drøj ed; *a* ~ *sum* en rund sum; *a good,* ~ *sum* en pæn (ɔ: betydelig) sum.

II. round [raund] *sb* kreds, ring *(fx dance in a* ~*);* (rund) skive; omgang *(fx a* ~ *of drinks; knocked out in the first* ~*);* runde, rundtur; række *(fx a* ~ *of visits);* (læges) stuegang *(fx the afternoon* ~*);* sygebesøg; (mælkemands *etc)* tur; (i kortspil) meldeomgang; *(mil.)* skud, salve; *(mus.)* kanon (sang); runddans; (på stige) trin; *(tekn)* rundjern; ~ *of cheers* bifaldssalve; *the daily* ~ dagens gerning; **go** *the* ~ *of* gå rundt blandt *(el.* i); *go the -s* gå den sædvanlige runde; *(med.)* gå stuegang; (om rygte *etc)* løbe rundt, nå vidt omkring; *go the* ~ *of the class* gå rundt i hele klassen; *figure* **in** *the* ~ frifigur *(mods* relief); *see sth in the* ~ *(fig)* se noget fra alle sider; have et realistisk billede af noget; *show sth in the* ~ *(fig)* give en plastisk fremstilling af noget; *theatre in the* ~ arenateater; **out** *of* ~ *(tekn)* urund.

III. round [raund] *vb* gøre rund, afrunde *(fx the corners of a table);* fuldstændiggøre; gå rundt om, dreje omkring, runde *(fx a corner);* (uden objekt) blive rund; ~ *off* afrunde, afslutte; ~ *out* blive rund; *(am)* = ~ *off;* ~ *on* vende sig mod, fare løs på; ~ *up* samle, drive sammen *(fx cattle);* omringe og arrestere.

IV. round [raund] *adv* omkring; om(kring); rundt om, udenom *(fx a crowd gathered* ~*);* i omkreds *(fx his waist must be 4 ft.* ~*);* over, hen *(fx come* ~ *and see us); all* ~ hele vejen rundt *(fx bring my car* ~ kør min vogn frem; *sleep the clock* ~ sove døgnet rundt; *Christmas soon came* ~ agtion julen stod atter for døren; *come* ~ (også) komme til sig selv, komme til bevidsthed; *come* ~ *here* komme herom; *a long way* ~ en lang omvej; *the wind has gone* ~ *to the north* vinden er gået om i nord.

V. round [raund] *præp* rundt om, omkring; rundt i *(fx walk* ~ *the room),* rundt på *(fx walk* ~ *the estate);* **T** omkring ved; ~ *the clock* hele døgnet rundt.

VI. round [raund] *vb (glds)* hviske.

roundabout ['raundəbaut] *adj* indirekte; *sb* karrusel; rundkørsel; *what we lose on the -s we make up on the swings* vi tjener ind på gyngerne hvad vi taber på karrusellen; *a* ~ *way* en omvej.

round-bellied *adj* tykmavet.

roundelay ['raundilei] *sb* rundsang.

rounders ['raundəz] *sb pl* rundbold.

round|-eyed med opspilede øjne. ~ **game** kortspil med ubegrænset antal deltagere, hvor hver deltager spiller for sig; familiespil. ~ **hand** rundskrift.

Roundhead ['raundhed] *sb (hist.)* rundhoved, puritaner.

round-headed *adj* kortskallet.

roundhouse ['raundhaus] *sb (glds)* fængsel, arrest; *(mar)* kahyt på fordækket; galion (ɔ: nødtørftsrum); *(am)* lokomotivremise.

rounding mark mærke (for kapsejlere).
roundly ['raundli] *adv* kraftigt, voldsomt *(fx scold him* ~*)*; ligefrem, med rene ord; grundigt.
round robin brev (, bønskrift, protestskrivelse) hvor underskrivernes navn står i en kreds (for at skjule hvem der har underskrevet først).
round-shouldered ['raundʃouldəd] *adj* rundrygget.
roundsman ['raundzmən] *sb* en der regelmæssigt kommer omkring med varer, *fx* bager, brødkusk. mælkemand.
round-the-clock *adj* døgn- *(fx guard)*, uophørlig *(fx bombing)*
round trip rundtur; *(am)* tur-retur, hen- og tilbagerejse.
round-trip ticket *(am)* dobbeltbillet, returbillet.
round turn *(mar)* rundtørn.
roundup ['raundʌp] *sb* sammendrivning (af kvæg); mænd og heste der driver kvæg sammen; hjord; *(fig)* razzia (efter forbrydere); sammendrag, resumé, oversigt (over nyheder *etc)*.
roundworm ['raundwə:m] *sb* spolorm, rundorm.
rouse [rauz] *vb* vække; *(fig)* opmuntre, opildne, ruske op; (om vildt) jage op; (uden objekt) vågne op; *sb (glds)* fuldt glas; drikkelag; ~ *oneself* tage sig sammen, tage sig selv i nakken; ~ *up* vågne op; *give a* ~ drikke en skål.
rouseabout ['rauzəbaut] *sb (austr)* medhjælper på fårefarm.
rouser ['rauzə] en (, noget) der vækker op; S opsigtsvækkende tale *(el.* handling); grov løgn.
roustabout ['raustəbaut] *sb (am)* havnearbejder; ufaglært arbejder.
I. rout [raut] *sb* nederlag, vild flugt; *(glds)* stort selskab; *(glds el. jur)* sværm; hob; opløb; *vb* jage på flugt; *put to* ~ jage på flugt.
II. rout [raut] *vb* rode; ~ *out* trække frem *(el.* ud).
route ['ru:t] *sb* vej, rute; *(mil.)* [ru:t, raut] marchbefaling; *vb* fastlægge en rute for; sende (ad en bestemt rute), dirigere, omdirigere; *en* ~ ['a:ŋ'ru:t] på vej *(for* til); *column of* ~ *(mil.)* marchkolonne. **route march** *(mil.)* marchtur.
router ['rautə] *sb:* ~ *(plane)* grundhøvl.
routine [ru:'ti:n] *sb* sædvanlig forretningsgang, praksis, rutine.
roux [ru:] *sb* opbagning.
I. rove [rouv] *præt* og *pp* af *III. reeve.*
II. rove [rouv] *vb* strejfe om, vandre om; flakke, flagre; (med objekt) gennemstrejfe.
III. rove [rouv] *sb (mar)* klinkeplade.
rove beetle *zo* rovbille.
rover ['rouvə] *sb* landstryger; omstrejfer; vandrer; *(glds)* pirat; (i krocket) frispiller; (spejder) rover.
roving ['rouviŋ] *adj* omrejsende; omflakkende, omstrejfende; *sb* strejfen; *have a* ~ *eye (fig)* være en pigejæger.
I. row ['rou] *sb* række; rad; (i strikning) pind; *s[lang]* a ~ og *hoe.
II. row [rau] *sb* spektakel, ballade, slagsmål; skænderi; *vb* skændes; skælde ud; *kick up a* ~ larme, lave spektakel; gøre vrøvl; *make a* ~ *about* gøre vrøvl over.
III. row [rou] *vb* ro; *sb* roning; rotur.
rowan ['rauən, 'rouən] *sb (bot)* røn; rønnebær.
rowboat ['roubout] *sb (am)* robåd.
rowdy ['raudi] *adj* brutal, grov, voldsom; *sb* bølle.
rowel ['rauəl] *sb* sporehjul.
rower ['rouə] *sb* roer.
rowing| boat robåd. ~ **club** roklub.
rowlock ['rɔlək] *sb* åregaffel.
royal ['rɔiəl] *adj* kongelig, konge-.
Royal Academy det kongelige kunstakademi.
Royal Air Force flyvevåbnet i England.
royal| blue kongeblå. ~ **box** kongeloge.
royalism ['rɔiəlizm] *sb* royalisme.
royalist ['rɔiəlist] *adj* royalistisk, kongeligsindet; *sb* royalist.
royal road *(fig)* let vej, slagen vej *(fx to success)*; *there is no* ~ *to* (også) man kan ikke slippe let til.
Royal Society det kongelige videnskabernes selskab.
royalty ['rɔiəlti] *sb* medlem(mer) af kongehuset, kongelig(e) person(er), de kongelige; kongelighed; kongeværdighed; (betaling:) (licens)afgift, patentafgift, procenter, forfatterhonorar, procentvis honorar efter salget.
rozzer ['rɔzə] *sb* S politibetjent.
r.p.m. *fk revolutions per minute.*

R.S. *fk Royal Society.*
R.S.P.C.A. *fk Royal Society for the Prevention of Cruelty to Animals.*
R.S.V.P. *fk répondez s'il vous plaît* svar udbedes.
Rt. Hon. *fk right honourable.*
Rt. Rev. *fk right reverend.*
rub [rʌb] *vb* gnide *(fx one's eyes)*, smøre *(fx ointment on one's arms)*; gnubbe, massere *(fx one's back)*; skrabe *(fx one's shin on a stone)*; skure *(fx two stones against each other)*; (med håndklæde) frottere; (med viskelæder) viske; (om farver *etc)* rive; *sb* gnidning; ujævnhed, knold; *(fig)* spydighed, hib; hindring, vanskelighed; *there is the* ~ der ligger hunden begravet;
~ *along* T klare sig igennem (med besvær); komme ud af det med hinanden; ~ *down* pudse, polere; frottere; (om hest) strigle; ~ *in* indgnide; *(fig)* indprente, udpensle; *you needn't* ~ *it in (fig)* der er ingen grund til at træde i det; ~ *off* gnide *(el.* skrabe) af; viske ud; ~ *off on* smitte af på; ~ *out* udslette; viske ud; *it won't* ~ *out* det er ikke til at viske ud; ~ *up* pudse, polere; *(fig)* opfriske; ~ *the wrong way (fig)* stryge mod hårene; irritere; ~ *shoulders (, am* også*: elbows) with* omgås med (på lige *el.* fortrolig fod); *(neds)* gnubbe sig op ad.
rub-a-dub ['rʌbədʌb] *sb* bum bummelum.
rubber ['rʌbə] *sb* gummi, kautsjuk; (til at viske ud med) viskelæder; (i bridge *etc)* rubber; (person) massør; (til slibning) hvæssesten; S kondom; (se også *rubbers)*; *vb* imprægnere med gummi.
rubber| band elastik, gummibånd. ~ **check** *(am* S) dækningsløs check. ~ **game** (i bridge) kampgame. ~ **goods** gummivarer.
rubberize ['rʌbəraiz] *vb* imprægnere med gummi.
rubberneck ['rʌbənek] *sb (am* T) nysgerrig person, turist; *vb* kigge nysgerrigt.
rubbers ['rʌbəz] *sb pl* galocher.
rubber solution solution.
rubber-stamp *vb* stemple (med et gummistempel); *(fig)* give sin tilslutning uden at overveje det.
rubber stamp gummistempel; *(fig)* nikkedukke.
rubbery ['rʌbəri] *adj* gummiagtig.
rubbing ['rʌbiŋ] *sb (cf rub)* gnidning *(etc)*; *(fx* af gravsten) gnidebillede.
rubbing strake *(mar)* skamfilingsliste.
rubbish ['rʌbiʃ] *sb* affald; snavs; ragelse, skrammel; T sludder, vås; *talk* ~ sludre, vrøvle.
rubbish heap affaldsdynge.
rubbishing ['rʌbiʃiŋ], **rubbishy** ['rʌbiʃi] *adj* affalds-; værdiløs, tarvelig, ussel.
rubble ['rʌbl] *sb* murbrokker, stenbrokker; utilhugne sten.
rubdown ['rʌbdaun] *sb* frottering; massage.
rube [ru:b] *sb (am* T) bondeknold.
rubefaction [ru:bi'fækʃən] *sb* rødmen (af hud ved irritation).
rubella [ru:'belə] *sb (med.)* røde hunde.
rubeola [ru:'bi:ələ] *sb (med.)* mæslinger.
rubescent [ru:'besənt] *adj* rødmende, rødlig.
rubicund ['ru:bikənd] *adj* rød, rødlig, rødmosset.
rubiginous [ru:'bidʒinəs] *adj* rustfarvet.
rubric ['ru:brik] *sb* rubrik, overskrift; (liturgisk) forskrift; (på eksamensopgave) instruktion; *(fig)* fast form, skik og brug.
ruby ['ru:bi] *sb* rubin; (i ur) sten; *adj* rubinrød.
ruche [ru:ʃ] *sb* ruche (rynket *el.* plisseret strimmel).
ruck [rʌk] *vb* rynke; krølle; folde; *sb* rynke; fold; *the* ~ den store hob, den grå masse, (i væddeløb) 'klumpen' der ligger bagud for forerfeltet.
rucksack ['ruksæk] *sb* rygsæk; mejs.
ruckus ['rʌkəs] *sb* T slagsmål, ballade, strid, spektakel.
ructions ['rʌkʃənz] *sb pl* spektakler, uro, ballade, vrøvl.
rudd [rʌd] *sb zo* rudskalle.
rudder ['rʌdə] *sb (flyv)* sideror.
rudder| post rorstævn. ~ **stock** rorstamme.
ruddy ['rʌdi] *adj* rød, rødmosset; S (eufemisme for *bloody)* pokkers.
ruddy duck *zo* amerikansk skarvand.
ruddy shelduck *zo* rustand.
rude [ru:d] *adj (mht* manerer) (meget) uhøflig *(el.* udannet) *(fx don't stare, it's* ~*)*, uforskammet *(fx reply)*,

ubehøvlet; (ufin:) grov, plump, simpel, vulgær *(fx stories)*, *(mht* udførelse *etc)* primitiv *(fx stone huts)*, tarvelig, simpel; (ikke forarbejdet:) rå, uforarbejdet; *(litt: mht* kultur) primitiv, rå *(fx a ~ and barbarous people)*; (om vejr *etc)* barsk, heftig *(fx storm)*; *a ~ awakening* en brat opvågnen; *~ health* robust helbred.

rudiment ['ru:dimənt] *sb (biol)* anlæg, rudiment (uudviklet organ); *-s pl* begyndelsesgrunde *(fx the -s of mathematics)*; (svag) begyndelse *(of* til, *fx a plot, a plan)*.

rudimentary [ru:di'mentəri] *adj* rudimentær, begyndelses-, uudviklet, ufuldbåren.

I. rue [ru:] *vb* ængre; ynkes over, sørge *(for* over).

II. rue [ru:] *sb (bot)* rude (sorgens symbol).

rueful ['ru:f(u)l] *adj* bedrøvelig, sorgfuld, sørgelig; *the Knight of the Rueful Countenance* ridderen af den bedrøvelige skikkelse.

I. ruff [rʌf] *sb (glds)* pibestrimmel, pibekrave, kruset halskrave; (på fugl) fjerkrave; *zo* brushane.

II. ruff [rʌf] (i kortspil) *vb* trumfe; *sb* trumfning.

ruffian ['rʌfjən] *sb* bølle, bandit.

I. ruffle ['rʌfl] *vb* bringe i uorden, pjuske *(fx the wind -d her hair)*, (om vand) kruse, *(fig)* oprøre, sætte i bevægelse; bringe ud af fatning *(fx he is not easy to ~)*; (om beklædning) besætte med pibestrimmel *(etc, cf* II. *ruffle)*; (uden objekt) kruses, kruse sig; blive oprørt; *the bird -s its feathers* fuglen bruser sig op; *~ one's hair* (også) purre op i håret.

II. ruffle ['rʌfl] *sb* (på tøj) pibestrimmel, kruset manchet, kalvekrøs; (på kjole) flæse; (på vand) krusning, *(fig)* mislyd, uro, sindsoprør; *(mil.)* dæmpet trommehvirvel.

rufous ['ru:fəs] *adj* (især *zo)* rødbrun.

rug [rʌg] *sb* groft uldent tæppe; rejsetæppe; (til gulv) (lille, tykt) tæppe, kamintæppe, (ved seng) sengeforligger.

Rugby ['rʌgbi] (by med kendt *public school*). **rugby** *sb* rugbyfodbold.

rugged ['rʌgid] *adj* ru, ujævn; knortet, knudret; (om landskab) vild, forreven *(fx coast)*; (om stil) knudret; (om træk) grov, markeret; (om person) barsk *(fx a ~ old man)*, *(am* også) robust, hårdfør *(fx pioneer)*; T (krævende:) hård.

rugger ['rʌgə] *sb* rugbyfodbold.

rugose ['ru:gous] *adj* rynket *(fx leaf)*.

ruin ['ru:in] *sb* ruin; undergang, ødelæggelse; *vb* ruinere, ødelægge; gøre ulykkelig, styrte i fordærvelse.

ruination [ru:i'neiʃən] *sb* ruinering, ødelæggelse; *(fig)* ruin.

ruined ['ru:ind] *adj* som ligger i ruiner *(fx castle)*; ruineret, ødelagt; (om kvinde også) falden.

ruinous ['ru:inəs] *adj* ødelæggende, ruinerende; (om bygning) forfalden, faldefærdig, brøstfældig.

I. rule [ru:l] *sb* regering, herredømme, styre *(fx British ~ in India)*; (forskrift *etc)* regel, *(jur)* retsregel; (til streger) lineal, (til måling) tommestok; *(typ)* streg, linie; *as a ~* som regel; *-s of the air (flyv)* luftfartsregler; *the ~ of law* retssikkerheden; *-(s) of the road,* se *road; ~ of three* reguladetri; *~ of thumb* tommelfingerregel; *by ~ of thumb* efter skøn; på en grov men praktisk måde; *work to ~* holde sig strengt til reglementet (som obstruktionsmiddel, i stedet for strejke).

II. rule [ru:l] *vb* herske (over), regere, styre *(fx a country)*; *(fig)* beherske *(fx be -d by one's passions)*, styre *(fx he -d the boys with a firm hand)*; *(fx* om ordstyrer) afgøre, *(jur)* afsige kendelse *(on* om, *that* om at); *(typ etc)* liniere *(fx -d paper)*; *~ lines on a piece of paper, ~ a piece of paper with lines* liniere et stykke papir; *prices -d high* priserne lå højt; *~ off* skille fra ved en streg; *~ out* udelukke.

ruler ['ru:lə] *sb* regent, hersker; (til streger) lineal; *(typ)* liniering.

ruler-straight *adj* snorlige.

ruling ['ru:liŋ] *sb (fx* fra ordstyrer) afgørelse, *(jur)* kendelse; *adj* herskende; gældende; *~ passion* herskende lidenskab.

I. rum [rʌm] *sb (am* også) spiritus.

II. rum [rʌm] *adj* T snurrig; mærkelig, løjerlig; *a ~ go* noget underligt noget; *feel ~* være utilpas.

rumba ['rʌmbə] *sb* rumba; *vb* danse rumba.

rumble ['rʌmbl] *vb* rumle, buldre, drøne; S gennemskue; *sb* rumlen; (på vogn) bagsæde, bagageplads; (se også

rumble seat).

rumble seat (i bil, *am)* åbent bagsæde bag på topersoners bil.

rumbustious [rʌm'bʌstʃəs] *adj* S larmende, støjende, voldsom.

ruminant ['ru:minənt] *sb* drøvtygger; *adj* drøvtyggende; *(fig)* eftertænksom.

ruminate ['ru:mineit] *vb* tygge drøv; *(fig)* gruble, tænke; ruge; (med objekt) tygge drøv på, ruge over.

rumination [ru:mi'neiʃən] *sb* drøvtygning; *(fig)* overvejelse; grublen.

ruminative ['ru:minətiv] *adj* grublende.

rummage ['rʌmidʒ] *sb* gennemsøgning, roden; (ting:) skrammel; *vb* gennemsøge, se efter i; rode (i); (om toldvæsen) inkvirere.

rummage sale (til velgørenhed) loppemarked; *(merk, omtr)* oprømningsudsalg.

rummy ['rʌmi] *sb* (om kortspil) rommy; *(am)* drukkenbolt; *adj =* II. *rum*.

rumour ['ru:mə] *sb* rygte; *it is -ed* man siger, det forlyder, rygtet går.

rump [rʌmp] *sb* bagdel, hale, gump; (af okse) halestykke; *(fig)* sidste rest; *the Rump (Parliament) (hist.)* resterne af det lange Parlament.

rumple ['rʌmpl] *vb* krølle, pjuske; *~ one's hair* (også) purre op i håret.

rumpus ['rʌmpəs] *sb* T ballade.

rumpus room *(am, omtr)* hobbyrum.

rumrunner ['rʌmrʌnə] *sb (am)* T spritsmugler; spritsmuglerskib.

I. run [rʌn] *vb (ran, run)* løbe; rende, ile; løbe bort, flygte; (i væddeløb) deltage, *(parl, am)* lade sig opstille til valg; (om væske) løbe, flyde, rinde, strømme; løbe ud *(fx the colours ~)*; blive flydende, smelte; (om maskine *etc)* gå, fungere *(fx the lawn mower does not ~ properly)*; (om skuespil) gå, blive opført *(fx ~ for two months)*; *(mht* placering, forløb) strække sig *(fx a scar ran across his cheek)*; (om tekst) lyde *(fx this is how the verse -s)*; (om lov *etc)* gælde, anerkendes *(fx the law does not ~ among them)*; (med adjektiv) blive *(fx ~ mad)*, være, ligge *(fx sales are -ning high this year)*; (med objekt) lade løbe *(fx ~ a horse up and down)*, køre *(fx a car into a garage)*; (om væddeløb) løbe om kap med; (ved jagt) forfølge, jage *(fx a fox)*; (indføre ulovligt) smugle *(fx arms, liquor)*; (om blokade) bryde; (om spids genstand) jage, stikke *(fx a needle into one's finger)*, støde *(fx a sword through him)*; (anbringe:) trække *(fx a rope between two trees)*, føre *(fx a partition across the room)*; (forestå:) lede, drive *(fx a hotel)*, styre, regere *(fx Communist-run countries)*; (om avis *etc)* bringe *(fx every newspaper ran the story)*; (især *am)* opstille til valg;

(forskellige *forb)* *~ shy close* være tæt i hælene på en, være en farlig konkurrent for en; *~ cold* stivne; *it made my blood ~ cold* det fik det til at løbe koldt ned ad ryggen på mig; *~ it fine* beregne tiden meget knebent; *the sea -s high* der er stærk bølgegang; *passions ~ high (fig)* bølgerne går højt; *~ low* være ved at slippe op; *the rumour -s that* der går det rygte at; *~ short* slippe op; *~ extra trains* sætte ekstratog ind; *~ water into* fylde vand i;

(forb med *præp el. adv)* *~ across* løbe på, tilfældigt møde; *~ against* løbe på, træffe, støde på; gå imod, stride imod; *~ one's head against* løbe panden mod; *~ away with* stikke af med; løbe af med; sluge *(fx the scheme will ~ away with a lot of money)*; *don't ~ away with the idea that* gå nu ikke hen og tro at; *his temper ran away with him* hidsigheden slog ud med ham; *~ down* løbe ned; løbe ud, gå i stå (om ur *etc)*; indhente; køre ned, sejle i sænk; indskrænke driften på *(fx a factory)*; kritisere, rakke ned på, bagtale; (om blik) glide hurtigt ned langs; *be ~ down* (også) være svag (, udmattet); *~ for Congress (am)* stille sig som kandidat til Kongressen; *~ for it* stikke af, stikke halen mellem benene; *~ in* T sætte fast, arrestere; (om maskine) indkøre; *~ 'in a car* køre en bil til; *~ in and see me tonight* kig indenfor i aften; *it -s in the family* det ligger til familien; *it ran in my head* det kørte rundt i hovedet på mig (ɔ: jeg kunne

ikke få det ud af tankerne); ~ **into** støde på, støde sammen med; ~ *into debt* komme i gæld; *the book ran into several editions* bogen gik *(el.* udkom) i adskillige oplag; *his income -s into five figures* hans indtægt kommer op på et femcifret beløb;

~ **off** stikke af; (om væske) tappe, tømme ud; (sige hurtigt:) rable af sig; *(typ)* trykke, 'køre'; ~ *him off his legs* løbe ham træt; ~ **on** løbe videre, fortsætte, (med at tale:) snakke uafbrudt, snakke løs; beskæftige sig med *(fx the talk ran on recent events); (typ)* sætte omløbende *(el.* rundløbende); ~ **out** (om tid, frist) løbe ud, udløbe; (om forråd *etc)* slippe op; ~ *out of* løbe tør for *(fx petrol); I have* ~ *out of tobacco* min tobak er sluppet op; ~ *out on (am* T) stikke af fra, lade i stikken, svigte; ~ **over** (med køretøj) køre over; (noget skrevet *el.* trykt) løbe igennem, hastigt gennemlæse (gennemgå); ~ **short** være ved at slippe op; ~ *short of* ikke have nok af, være ved at udgå for *(el.* have brugt op); ~ **through** (med stikvåben) gennembore; (om penge) opbruge, bortødsle *(fx a fortune);* (noget skrevet *el.* trykt) = ~ *over; ~* **to** *(mht* penge) strække til; have råd til; ~ *to sby's aid* ile en til hjælp; ~ **up** drive i vejret; (om flag *etc)* hurtigt hejse; (om tal) lægge sammen; ~ *up against* løbe på, støde på *(fx difficulties);* træffe; ~ *up bills* gøre gæld; ~ *up a house* smække et hus op; ~ *up a dress* sy en kjole i en fart; ~ **with** være fuld af *(fx the gutters were -ning with water); the streets ran with blood* gaderne flød med blod.

II. run [rʌn] *sb* løb, rend, (om maskine) gang; tilløb, *(merk)* efterspørgsel, panik, storm, run *(fx on a bank);* (tur:) løbetur, (kort rejse *etc)* tur *(fx a* ~ *to Paris), (mar)* sejlads; (i kricket) løb, point; (om vej) strækning, (for bus *etc)* rute, (til slæde *etc)* bane, (for ski) løjpe, (dyrs) spor, *(agr)* græsgang, indhegning (til høns *etc)* ; (i strømpe) nedløben maske; (af trin) grund, trinbredde; (måde hvorpå noget forløber:) retning *(fx the* ~ *of the streets is away from the river); (fig)* tendens *(fx the* ~ *of the market);* (slags:) type, slags *(fx the ordinary* ~ *of blouses),* klasse; (om tid) periode *(fx a* ~ *of bad luck), (tekn)* den tid en maskine er i gang, (i edb) kørsel; (hvad der herved produceres:) produktion, *(typ)* oplag, oplagstal; (serie:) (ubrudt) række, *(teat)* : have a long ~ gå længe; *have a* ~ *of a hundred nights* gå *(el.* opføres) hundrede gange;

have a ~ **for** *one's money* få valuta for pengene, T få smæk for skillingen; *give him a* ~ (ved valg) opstille ham; *give sby a close* ~ være en farlig konkurrent for en; *in the long* ~ i det lange løb, i længden, på langt sigt; *in the short* ~ på kort sigt; *have the* ~ **of** have fri adgang til *(fx the library, the garden); like the common (el. ordinary)* ~ **of** *people* som folk er flest; *outside (, above) the ordinary* ~ *of people* anderledes (, bedre) end folk er flest; **on** *the* ~ på farten, på flugt; i løb; *keep sby on the* ~ holde en beskæftiget uafbrudt (med at løbe ærinder *etc);* **out of** *the common* ~ uden for det almindelige.

runabout ['rʌnəbaut] *sb* omstrejfer; lille let bil.
runagate ['rʌnəgeit] *sb* flygtning; renegat, overløber.
runaway ['rʌnəwei] *adj* bortløben; løbsk; *sb* flygtning; løbsk hest; *(am)* stor sejr.
runcible ['rʌnsibl] *adj:* ~ *spoon* gaffelske; gaffel til salatsæt.
rundown ['rʌndaun] *sb* nedskæring, indskrænkning af driften; *(am)* kort oversigt, sammendrag; gennemgang; *adj* træt, udkørt; sløj; medtaget, ramponeret, forfalden.
rune [ru:n] *sb* rune; ~ *staff* runestav.
I. rung ['rʌŋ] *pp* af *ring.*
II. rung [rʌŋ] *sb* (på stige) trin, sprosse, (mellem stoleben) stiver, (i hjul) ege.
runic ['ru:nik] *adj* rune-; *in* ~ *characters* med runeskrift.
run-in ['rʌnin] *sb (tekn, fig)* indkøring; *(am)* mindre sammenstød, skænderi; *(typ)* indføjelse.
runnel ['rʌnl] *sb* bæk, rende.
runner ['rʌnə] *sb* løber (også om tæppe); *(fx for bookmaker)* agent, (i firma) bud, piccolo; *(am)* smugler *(fx gunrunner); (hist.)* politibetjent; (hvorpå noget løber:) løberulle, (på slæde) mede, (på skøjte) skøjtejern; (i mølle) løber, oversten; (på paraply) skyder; (på regnestok) lø-

ber; *(mar)* bagstag; *(typ)* marginaltal, linietæller; (ved støbning) indløb; *(bot)* udløber; ~ *bean, scarlet* ~ pralbønne.
runner-up *sb* nr. 2 (i sportskamp)
running ['rʌniŋ] *adj* væddeløbs-; hurtigsejlende; uafbrudt, fortsat, løbende, i træk *(fx for three days* ~), i sammenhæng; flydende *(fx hand* håndskrift); rindende *(fx water); (med.)* væskende *(fx sore); sb* løb, kapløb; udholdenhed; drift; *be in the* ~ være med i konkurrencen; *make the* ~ bestemme farten; *take up the* ~ føre, tage initiativet; *be out of the* ~ være ude af spillet.
running| board trinbræt (på sporvogn *etc).* ~ **bowline** løbestik. ~ **commentary** (i radio) reportage. ~ **fire** uafbrudt skydning, *(glds)* løbeild; *(fig)* krydsild. ~ **free** *(mar)* rumskøds sejlads. ~ **head(line)** *(typ)* levende kolumnetitel. ~ **jump:** *go and take a* ~ *jump at yourself* T du kan rende og hoppe. ~ **knot** løbeknude; slipstik. ~ **mate** hest der bruges som pacer for en anden; *(am parl,* især) vicepræsidentkandidat. ~ **rigging** *(mar)* løbende rigning, løbende gods. ~ **title** = ~ *head(line).*
Runnymede ['rʌnimi:d].
runoff ['rʌnɔf] *sb* afgørende løb (efter at et tidligere er endt uafgjort).
run-of-the-mill ['rʌnəvðə'mil] *adj* ordinær, almindelig, gennemsnits-, dagligdags.
run-on ['rʌnɔn] *adj (typ)* sat omløbende *(el.* rundløbende); ~ *lines* (i poesi) enjambement.
run-proof, run-resistant *adj* maskefast *(fx stocking).*
runt [rʌnt] *sb* T vantrivning, lille gnom.
run-up ['rʌnʌp] *sb* tilløb (til spring); *(fig)* forberedelse; (inden valg også) slutspurt.
runway ['rʌnwei] *sb (flyv)* startbane, landingsbane.
rupee [ru:'pi:] *sb* rupi (indisk møntenhed).
rupture ['rʌptʃə] *sb* sprængning; brud; *(med.)* brok; *vb* sprænge, bringe til at briste; (uden objekt) sprænges, briste.
rural ['ruər(ə)l] *adj* landlig, land-; ~ *dean (omtr)* provst.
ruse [ru:z] *sb* list, finte, kneb.
I. rush [rʌʃ] *sb (bot)* siv; *not worth a* ~ ikke en bønne værd; *not care a* ~ være revnende ligeglad.
II. rush [rʌʃ] *sb* stormløb, fremstormen; bølge *(fx of sympathy);* brus; jag, ryk; tilstrømning, stærk efterspørgsel *(fx there was a* ~ *for the papers);* -es (af film) førstekopi, prøvekopi; *there was a* ~ *to the doors* man styrtede til dørene; *we had a* ~ *to get the job done* vi havde et jag for at få arbejdet færdigt; *give a girl a* ~ *(am)* gøre stormkur til en pige (ɔ: invitere hende ud ustandselig); *be in a* ~ have styrtende travlt; *there was a* ~ *of blood to his head* blodet for ham til hovedet.
III. rush [rʌʃ] *vb* fare (af sted), komme farende *(el.* styrtende), styrte, storme *(fx down the stairs;* into the room); *(fig)* kaste sig, styrte sig *(into* ud i, se *ndf);* (med objekt) bringe (, sende, få af sted *etc)* i en fart *(fx* ~ *a child to the doctor; he -ed her out of the room);* drive; jage *(fx a Bill through Parliament);* jage med *(fx don't* ~ *me; don't* ~ *the work); (mil.* og *fig)* storme *(fx an enemy position; the crowd -ed the boats),* forcere *(fx a barrier),* løbe over ende; S forlange overpris af, trække op; *(am)* gøre stormkur til *(fx a girl);* ~ *him for a fiver* T slå ham for fem pund; ~ *into (fig)* kaste *(el.* styrte) sig ud i (uden at tænke sig om) *(fx adventure, an undertaking; don't* ~ *into divorce);* (se også II. *print);* ~ *her into marriage* presse hende til at gifte sig hurtigt; ~ *sby off his feet* overvælde en med arbejde; rive en med; ~ *to conclusions* drage forhastede slutninger.
IV. rush [rʌʃ] *adj* som haster, haste- *(fx order, work);* forhastet, hastværks- *(fx work);* travl; ~ *hours* myldretid.
rush| job hastesag, hasteordre. **-light** tælleprås. ~ **lily** *(bot)* blåøje.
rushy ['rʌʃi] *adj* sivbevokset; siv-.
rusk [rʌsk] *sb* tvebak.
Ruskin ['rʌskin]. **Russell** ['rʌsl].
russet ['rʌsit] *adj* rødbrun; *(omtr)* vadmels-; *(fig)* grov, simpel, hjemmegjort; *sb* æblesort; groft rødbrunt hjemmevævet tøj, *(omtr)* vadmel.
Russia ['rʌʃə] Rusland; ~ *(leather)* ruslæder.
Russian ['rʌʃən] *sb* russer; russisk; *adj* russisk.
Russo- russisk- *(fx* ~ *-Japanese).*

rust [rʌst] *sb* rust; skimmel; *(fig)* sløvhed; *vb* ruste; gøre rusten; *(fig)* sløves; ~ *colour* rustfarve.

rustic ['rʌstik] *adj* som hører til landet, som er på landet; landlig; *(fig)* ukunstlet, ligefrem, simpel; *(neds)* bondsk, grov, plump; (om møbler) naturtræs-; *sb* landboer, bonde; ~ *style* almuestil.

rusticate ['rʌstikeit] *vb* bo på landet, sende på landet; rustificere; bortvise fra universitet for kortere tid.

rustication [rʌsti'keiʃən] *sb* ophold på landet; midlertidig bortvisning (fra universitet).

rusticity [rʌ'stisiti] *sb* landlighed, bondsk væsen.

rustle ['rʌsl] *vb* rasle; rasle med; *(am* S) arbejde energisk; stjæle kvæg; *sb* raslen; ~ *up* få lavet *(el.* skaffet) i en fart.

rustler ['rʌslə] *sb (am* S) energisk fyr; kvægtyv.

rustless ['rʌstlis], **rustproof** ['rʌstpru:f] *adj* rustfri.

rusty ['rʌsti] *adj* rusten, rustfarvet; *(fig)* ude af øvelse; forsømt; (om tøj) luvslidt, falmet; *cut up (el. turn)* ~ S blive gnaven; blive besværlig.

I. rut [rʌt] *sb* hjulspor; *(fig)* rutine, 'skure'.

II. rut [rʌt] (om dyr) *sb* brunst; *vb* være brunstig.

ruth [ru:θ] *sb (glds)* medlidenhed; sorg.

ruthless ['ru:θlis] *adj* ubarmhjertig, skånselsløs, hård.

rutting season brunsttid.

rutty ['rʌti] *adj* fuld af hjulspor, opkørt.

R.V. *fk revised version.*

Ry. *fk railway.*

rye [rai] *sb (bot)* rug; *(am)* whisky (destilleret af rug).

rye crisp *(am)* knækbrød.

ryegrass ['raigra:s] *sb (bot)* rajgræs.

S [es].

$ tegn for *dollar(s)*.

S. *fk Saint; Saturday; Society; South; Southern; Sunday*.

s. *fk second(s); see; shilling(s); singular*.

's *fk is, has, us*.

S.A. *fk Salvation Army; South Africa (el. America, Australia); sex appeal*.

Sabaoth [sə'beiɔθ] Zebaoth; *the Lord of* ~ den Herre Zebaoth.

sabbatarian [sæbə'tɛəriən] *adj* sabbats-; *sb* en der strengt overholder hviledagen.

sabbath ['sæbəθ] *sb* sabbat.

sabbatic(al) [sə'bætik(l)] *adj* som hører til sabbaten; ~ *year* et års orlov med løn.

Sabine ['sæb(a)in]: -'s *gull* sabinemåge.

sable ['seibl] *sb* zobel, zobelskind; *adj* mørk, sort; klædt i sort.

sable antelope *zo* sort hesteantilope, sabelantilope.

sabot ['sæbou] *sb* træsko.

sabotage ['sæbətɑ:ʒ] *sb* sabotage.

saboteur ['sæbətɑ:] *sb* sabotør.

sabre ['seibə] *sb* ryttersabel; *vb* nedsable.

sabre rattling *(fig)* sabelraslen (ɔ: trussel om krig).

sabretache ['sæbətæʃ] *sb* sabeltaske.

sabre-toothed ['seibɔtu:ðd] *adj:* ~ *tiger* sabelkat.

sac [sæk] *sb* sæk.

saccharin ['sækərin] *sb* sakkarin.

saccharine ['sækərain] *adj* sukkeragtig; *(fig)* sødladen, sukkersød, vammel.

sacerdotal [sæsə'doutl] *adj* præstelig.

sacerdotalism [sæsə'doutlizm] *sb* præstevæsen, præstevælde.

sachem ['seitʃəm] *sb* høvding (for indianerstammer); *(fig)* stormand.

sachet ['sæʃei] *sb* lille pose; lugtepose; lommetørklædemappe.

I. sack [sæk] *sb* plyndring; *vb* plyndre.

II. sack [sæk] *sb* sæk, pose; sækkekjole; *vb* T fyre, afskedige; *give sby the* ~ T fyre *(el.* afskedige) en; *get the* ~ T blive fyret, få sin afsked.

sackcloth ['sækklɔθ] *sb* sækkclærrcd; *in* ~ *and ashes* i sæk og aske.

sacking ['sækin] *sb* sækkelærred.

sack race sækkevæddeløb.

sacque [sæk] *sb* sækkekjole; løsthængende jakke; babytrøje.

sacrament ['sækrəmənt] *sb* sakramente.

sacramental [sækrə'mentl] *adj* sakramental.

sacred ['seikrid] *adj* indviet; hellig, *(fig* også) ukrænkelig; ~ *history* bibelhistorie; kirkehistorie; ~ *music* kirkemusik; ~ *songs* åndelige sange; ~ *to* indviet til, helliget; *nothing is* ~ *to him* intet er ham helligt.

I. sacrifice ['sækrifais] *sb* offer; ofring; *(fig)* offer; opofrelse; *make* -*s to obtain one's end* ofre noget *(el.* bringe ofre) for at nå sit mål; *sell at a* ~ sælge med tab.

II. sacrifice ['sækrifais] *vb* ofre; ~ *oneself for sth* ofre sig for noget; ~ *to idols* ofre til afguder.

sacrificial [sækri'fiʃl] *adj* offer-.

sacrilege ['sækrilidʒ] *sb* vanhelligelse, helligbrøde, kirkeran.

sacrilegious [sækri'lidʒəs] *adj* profan, ugudelig.

sacring ['seikrin] *sb* indvielse; ~ *bell* messeklokke.

sacristan ['sækrist(ə)n] *sb* sakristan (kirketjener).

sacristy ['sækristi] *sb* sakristi.

sacroiliac [sækrou'iliæk] *sb (anat)* forbindelsen mellem korsbenet og hoftebenet.

sacrosanct ['sækrəsæŋkt] *adj* sakrosankt, hellig, ukrænkelig.

sad [sæd] *adj* bedrøvet, tungsindig; sørgelig, trist; (om farve) mørk, afdæmpet; (om brød) klæg; *(glds)* alvorlig;

T slem, rædsom *(fx coward);* kedelig, trist.

sadden ['sædn] *vb* blive bedrøvet; bedrøve.

saddle ['sædl] *sb* sadel; *(tekn:* på drejebænk) slæde; *vb* sadle; **T** belemre *(with* med); ~ *of mutton* bederyg; ~ *of venison* dyreryg.

saddle|back sadelformet bjergryg; sadeltag. **-backed** (om hest) sadelrygget. **-bag** sadeltaske; slags møbelplys. **-bow** [-bou] sadelbue. **-cloth** sadeldækken. ~ **horse** ridehest. **-nose** sadelnæse.

saddler ['sædlə] *sb* sadelmager.

saddlery ['sædləri] *sb* sadelmagerarbejde.

saddletree ['sædl'tri:] *sb* sadelbom; *(bot)* tulipantræ.

Sadducee ['sædjusi:] *sb* saddukæer.

sadism ['sædizm] *sb* sadisme. **sadist** ['sædist] *sb* sadist.

sadistic [sæ'distik] *adj* sadistisk.

S.A.E. *fk* stamped and addressed envelope.

safari [sə'fɑ:ri] *sb* safari, jagtekspedition.

safe [seif] *adj* sikker *(from* for); i sikkerhed *(from* for, *fx in the shelter they were* ~ *from falling bombs),* tryg; uskadt, velbeholden; ufarlig *(fx it is quite* ~ *to do it),* betryggende, pålidelig; *sb* pengeskab, boks; flueskab, isskab; *(am)* kondom, præservativ; ~ *and sound* i god behold, velbeholden; *I have got him* ~ jeg har krammet på ham; *it is* ~ *to say* man kan roligt sige; *it is not* ~ det er farligt; *at a* ~ *distance* i tilbørlig afstand.

safe|blower, -breaker pengeskabstyv. ~ **-conduct** frit lejde. **-cracker** pengeskabstyv. ~ **custody** (i bank) depot. ~ **deposit** boksafdeling. **-guard** *sb* værn, beskyttelse *(against* mod); sikkerhedsforanstaltning; *vb* beskytte, sikre. **-keeping** forvaring, varetægt.

safely ['seifli] *adv* sikkert; uskadt, i god behold, i sikkerhed; uden fare; roligt *(fx we can* ~ *leave that to him)*.

safety ['seifti] *sb* sikkerhed, tryghed; (på skydevåben) sikring, *at* ~ sikret; *play for* ~ ikke ville risikere noget.

safety| belt sikkerhedsbælte, sikkerhedssele. ~ **bolt** (på dør) sikkerhedsslå. ~ **catch** sikring (på skydevåben). ~ **chain** sikkerhedskæde. ~ **curtain** *(teat)* jerntæppe. ~ **fuse** (langsom) tændsnor; *(elekt)* smeltesikring. ~ **glass** splintfrit glas. ~ **guard** beskyttelsesskærm. ~ **harness** sikkerhedssele (i bil). ~ **island** fodgængerhelle. ~ **lamp** grubelampe. ~ **lock** (på dør) sikkerhedslås. ~ **match** tændstik. ~ **pin** sikkerhedsnål. ~ **razor** barbermaskine. ~ **valve** sikkerhedsventil. ~ **zone** *(am)* helle (på gade).

saffian ['sæfiən] *sb* safian.

safflower ['sæflauə] *sb (bot)* farvetidsel, saflor.

saffron ['sæfrən] *sb* safran; *adj* safrangul.

sag [sæg] *vb* synke ned, hænge slapt; (om tov *etc)* hænge i en bue; *(merk:* om pris) falde, dale; *(mar)* være (, blive) kølbrudt; have afdrift; *sb* synken, hængen, *(elekt:* af ledning) nedhæng; dalen, fald; *(mar)* afdrift.

saga ['sɑ:gə] *sb* saga.

sagacious [sə'geiʃəs] *adj* skarpsindig, klog.

sagacity [sə'gæsiti] *sb* skarpsindighed, klogskab.

sagamore ['sægəmɔ:] *sb* indianerhøvdning.

I. sage [seidʒ] *adj* klog, viis; *sb* vismand.

II. sage [seidʒ] *sb (bot)* salvie.

sagebrush ['seidʒbrʌʃ] *sb (am)* (art) bynke.

sage green *sb* mat grågrøn.

saggar ['sægə] *sb* kapsel (til keramisk brænding).

sagging ['sægin] *adj* synkende, hængende; (om børs) flov.

Sagitta [sə'gitə, sə'dʒitə] *(astr)* Pilen.

Sagittarius [sædʒi'tɛəriəs] *(astr)* Skytten.

sago ['seigou] *sb* sago.

Sahara [sə'hɑ:rə].

Sahib [sɑ:(h)ib] *sb* (indisk:) herre.

said [sed] *præt* og *pp* af *say; adj* førnævnt, bemeldt, omtalt *(fx the* ~ *John Smith)*.

sail [seil] *vb* sejle; besejle, befare; (gennem luften:) sejle, flyve, svæve; *(fig)* sejle, skride, komme brusende *(fx into the room); sb* sejl; sejlskib, skib; sejltur; *a fleet of*

30 ~ en flåde på 30 skibe; *at (el. in) full* ~ for fulde sejl; ~ *into* gå energisk i gang med; skælde ud, overfuse; *all -s set* for fulde sejl.

sailcloth ['seilklɔθ] *sb* sejldug.

sailer ['seilə] *sb* sejler; *a fast* ~ en hurtigsejler.

sailing ['seiliŋ] *sb* sejlads; *adj* sejl- *(fx boat)*; ~ *master* navigatør.

sail| locker sejlkøje. ~ **loft** sejlmagerværksted. **-maker** sejlmager.

sailor ['seilə] *sb* sømand, matros; *be a good* ~ være søstærk; *be a bad* ~ ikke være søstærk.

sailor suit matrostøj.

sailplane ['seilplein] *sb (flyv)* svæveplan.

sainfoin ['sænfɔin; 'sein-] *sb (bot)* esparsette.

saint [seint; (i *sms*) sn(t)] *sb* helgen; *adj* sankt, hellig-.

sainted ['seintid] *adj* sælgelig, kurant, salgbar.

saintly ['seintli] *adj* helgenagtig, hellig.

saith [seθ] *(glds)* = *says* (se I. *say*).

saithe [seiδ] *sb zo* sej (en fisk).

sake [seik] *sb: for ... sake* for ... skyld *(fx for God's* ~ *); for the* ~ *of* (også) af hensyn til.

saké ['sa:ki] *sb* (japansk) risbrændevin.

saker ['seikə] *sb zo* slagfalk.

sal [sæl] *sb (kem)* salt.

salaam [sə'la:m] *sb* salam (orientalsk hilsen); *vb* hilse dybt.

salable ['seiləbl] *adj* sælgelig, kurant, salgbar.

salacious [sə'leiʃəs] *adj* slibrig, liderlig.

salacity [sə'læsiti] *sb* slibrighed, liderlighed.

salad ['sæləd] *sb* salat.

salad| days: *my* ~ *days* min grønne ungdom. ~ **dressing** salatsauce (mayonnaise *etc*). ~ **oil** salatolie. ~ **servers** *pl* salatsæt.

salamander ['sæləmændə] *sb zo* salamander.

salamandrine [sælə'mændrain] *adj* salamanderagtig.

salami [sə'la:mi] *sb* (italiensk) salamipølse, *(omtr)* spegepølse.

sal ammoniac [sælə'mouniæk] *sb* salmiak.

salaried ['sælərid] *adj* lønnet, på fast løn; ~ *staff* funktionærer.

salary ['sæləri] *sb* løn, gage; *vb* lønne.

sale [seil] *sb* salg, afsætning; *(mht* en enkelt vare også) omsætning; (til nedsatte priser) udsalg; (til den højstbydende) auktion; *for (el. on)* ~ til salg; ~ *now on* 'udsalg'; *have a rapid* ~ finde rivende afsætning; ~ *of work* (velgørenheds)basar; ~ *under execution* tvangsauktion.

saleable se *salable*.

salep ['sælip] *sb* salep(rod).

saleroom ['seilru:()m] *sb* auktionslokale; salgslokale.

sales| book debetkladde. **-girl** *(am)* ekspeditrice. ~ **letter** salgsbrev, sælgerbrev. **-man** sælger, ekspedient; *(am)* repræsentant, (handels)rejsende. **-manship** evner som sælger; salgsteknik; kunsten at sælge. ~ **resistance** manglende købelyst. **-room** auktionslokale; salgslokale. ~ **talk** sælgers anbefaling af sin(e) vare(r); salgsargumenter. ~ **tax** *(am)* omsætningsafgift. ~ **ticket** (kasse)bon. **-woman** sælgerske, ekspeditrice.

Salic ['sælik] *adj (hist.)* salisk; ~ *law* den saliske lov.

salicylic [sæli'silik] *adj* salicyl-; ~ *acid* salicylsyre.

salience ['seiljəns] *sb* fremspring; fremtrædende karakter; karakteristisk træk.

salient ['seiljənt] *adj* fremspringende *(fx angle); (fig)* fremtrædende *(fx characteristic);* fremragende; *sb* fremspring; *(mil.)* frontfremspring, fremskudt del af en militær front; ~ *point* hovedpunkt, springende punkt.

saliferous [sə'lifərəs] *adj* saltholdig.

salify ['sælifai] *vb* omdanne(s) til salt.

I. saline ['seilain] *adj* salt, saltholdig; ~ *solution* saltopløsning.

II. saline [sə'lain] *sb* saltkilde, saltaflejring; saltopløsning; se også *salting.*

salinity [sə'liniti] *sb* saltholdighed.

Salisbury ['sɔ:lzbəri] .

saliva [sə'laivə] *sb* spyt.

salivary ['sælivəri] *adj* spyt- *(fx gland).*

salivation [sæli'veiʃən] *sb* spytafsondring.

sallow ['sælou] *sb (bot)* vidjepil; *adj* gusten, gulbleg; *vb* blive *(el.* gøre) gusten, gustne.

sally ['sæli] *sb (mil.)* udflugt, tur; *(fig)* udfugt, tur; udbrud

(fx of anger); vits, vittigt udfald *(el.* indfald); *vb: ~ forth (el. out)* gøre et udfald; gå ud, tage af sted, drage af.

Sally Lunn (tebolle).

sally port udfaldsport.

salmagundi [sælmə'gʌndi] *sb (omtr)* sildesalat.

salmi ['sælmi] *sb* vildtragout.

salmon ['sæmən] *sb zo* laks.

salmon|-coloured laksefarvet. ~ **trout** laksørred.

salon ['sælɔ:ŋ] *sb* salon.

Salonica [sə'lɔnikə] *(geogr)* Saloniki.

saloon [sə'lu:n] *sb* salon; *(jernb)* salonvogn; (biltype:) sedan; (i *pub), se* ~ *bar; (am)* bar, beværtning; *(mar):* ~ *(cabin)* stor første klasses kahyt.

saloon| bar den dyrere afdeling i en pub *(mods public bar).* ~ **car** *(am),* ~ **carriage** salonvogn. ~ **gun** salonbøsse. **-keeper** *(am)* værtshusholder. ~ **rifle** salonriffel.

Salopian [sə'loupjən] *adj* hørende til Shropshire; *sb* person som hører hjemme i Shropshire.

salsify ['sælsifi] *sb (bot)* havrerod.

sal soda krystalsoda.

SALT *fk strategic arms limitation talks.*

salt [sɔ:lt, sɔlt] *sb* salt; saltkar; *(fig)* krydderi; vid; *adj* salt; *vb* salte; ~ *away,* ~ *down* nedsalte; **T** lægge *(el.* stikke) til side; *an old* ~ en gammel søulk; *he is not worth his* ~ han er ikke sin løn værd.

saltation [sæl'teiʃən] *sb (litt)* dansen, hoppen, springen.

saltatory ['sæltətəri] *adj* springende, i spring.

saltcellar ['sɔ:ltselə] *sb* saltkar.

saltier, saltire ['sɔ:ltaiə; 'sæl-] *sb* andreaskors.

salting ['sɔ:ltiŋ] *sb* saltning; saltmarsk, salteng, marskland der regelmæssig oversvømmes af tidevand.

salt| lick sliksalt, saltslikke. ~ **marsh** se *salting.* ~ **mine** saltgrube. **-petre** [sɔ:ltpi:tə] salpeter. ~ **-water** *adj* saltvands-*(fx fish).*

saltwort [sɔ:ltwɔ:t] *sb (bot)* sodaurt.

salty ['sɔ:lti] *adj* salt, saltagtig; *(fig)* skarp, bidende; ramsaltet.

salubrious [sə'lu:briəs] *adj* sund.

salubrity [sə'lu:briti] *sb* sundhed.

salutary ['sæljutri] *adj* sund, gavnlig.

salutation [sælju'teiʃən] *sb* hilsen.

salute [sə'lu:t] *sb* hilsen, honnør, salut; *vb* hilse, salutere; hilse på; gøre honnør (for); *take the* ~ skridte fronten af; besvare honnør.

salvage ['sælvidʒ] *sb (mar)* bjærgning, bjærgeløn; bjærgegods; *(assur)* (værdi af) brandskadede varer; *(fx under krig)* spildmateriale der kan bruges igen; *vb* bjærge; redde.

salvage| agreement bjærgningskontrakt. ~ **campaign** spildindsamling. ~ **company** bjærgningsselskab. ~ **corps** redningskorps. ~ **tug** bjærgningsfartøj.

salvarsan ['sælvəsən] *sb (med.)* salvarsan (middel mod syfilis).

salvation [sæl'veiʃən] *sb* frelse, salighed; *work out one's own* ~ *(fig)* selv finde ud af hvordan man kan redde sig (, hvordan man skal klare sig); *the Salvation Army* Frelsens Hær. **salvationism** [sæl'veiʃnizm] *sb* Frelsens Hærs grundsætninger. **salvationist** [sæl'veiʃnist] *sb* medlem *(el.* tilhænger) af Frelsens Hær.

I. salve [sa:v] *sb* salve; *(fig)* balsam; *vb* salve, læge; ~ *one's conscience* berolige sin samvittighed.

II. salve ['sælvi] *(lat)* hil dig!

III. salve [sælv] *vb* bjærge, redde.

salver ['sælvə] *sb* præsenterbakke, bakke.

salvia ['sælviə] *sb (bot)* salvie.

salvo ['sælvou] *sb* (fra kanoner *etc)* salve, salut; *(jur)* forbehold.

sal volatile [sælvə'lætəli] lugtesalt.

salvor ['sælvə] *sb* bjærger.

SAM *fk surface-to-air missile.*

Sam [sæm] *fk Samuel; stand* ~ **S** betale gildet.

samara ['sæmərə] *sb (bot)* vingefrugt.

Samaria [sə'mɛəriə] Samaria. **Samaritan** [sə'mæritən] *adj* samaritansk; *sb* samaritan(er).

sambar ['sæmbə] *sb zo* sambarhjort.

sambo ['sæmbou] *sb* barn af neger og mulat; **T** neger.

Sam Browne ['sæm 'braun]: ~ *(belt)* officers bælte med

skrårem.

same [seim] *adj* samme; *the* ~ den (, det) samme; på samme måde, sådan *(fx they do not look on things the* ~ *as we do); I wish you the* ~*!* (el. *the* ~ *to you!)* i lige måde! *he is the* ~ *as ever* han er stadig den gamle; *the patient is about the* ~ patientens befindende er så godt som uforandret; *if it is the* ~ *to you* hvis det er dig det samme; *it comes to the* ~ *thing* det kommer ud på ét; *the very* ~ den selv samme; se også *all, much.*

sameness ['seimnis] *sb* identitet, lighed, ensartethed; ensformighed.

Samoa [sə'mouə] Samoaøerne.

samovar ['sæməva:] *sb* samovar, temaskine.

samphire ['sæmfaiə] *sb (bot)* stranddild.

sample ['sa:mpl] *sb* prøve, mønster; *vb* sende (, tage) prøve af, prøve; smage på.

sampler ['sa:mplə] *sb* prøveudtager; (i broderi) navneklud.

sample room prøvelager.

Samson ['sæmsn]; ~ *post (mar)* samsonpost; lademast.

Samuel ['sæmjuəl].

sanatori|um [sænə'tɔ:riəm] *sb (pl -a* [-ə]) sanatorium; (skoles) sygehus.

sanatory ['sænətri] *adj* helbredende.

sanbenito [sænbe'ni:tou] *sb* kætterskjorte.

sanctification [sæŋ(k)tifi'keiʃ(ə)n] *sb* indvielse, helliggørelse.

sanctify ['sæŋ(k)tifai] *vb* indvie, hellige; *sanctified airs* skinhellighed.

sanctimonious [sæŋ(k)ti'mounjəs] *adj* skinhellig; farisæisk.

sanction ['sæŋ(k)ʃ(ə)n] *sb* sanktion, godkendelse, billigelse, approbation, stadfæstelse; *(jur:* middel til at håndhæve en lov) sanktion; *(hist.)* forordning; *vb* sanktionere, godkende, billige, approbere, stadfæste; *(fig)* bekræfte *(fx an expression -ed by educated usage).*

sanctity ['sæŋ(k)titi] *sb* hellighed, fromhed, ukrænkelighed.

sanctuary ['sæŋ(k)tjuəri] *sb* helligdom; fredhelligt sted, (i kirke) højkor; *(fig)* tilflugtssted, fristed, asyl; (for dyr) fredet område, reservat; *take* ~ søge tilflugt.

sanctum ['sæŋ(k)təm] *sb* helligdom; *(fig)* lønkammer, allerhelligste.

I. sand [sænd] *sb* sand; *(am* S) mod, ben i næsen; -**s** sandstrækning(er), sandørken(er); timeglassets sand; *the -s are running out* tiden er ved at være omme; *bury one's head in the* ~ *(fig)* stikke hovedet i busken.

II. sand [sænd] *vb* dække (, bestrø, blande) med sand; *-ed* sandet, tilsandet.

sandal ['sændl] *sb* sandal.

sandalled ['sændld] *adj* med sandaler på.

sandalwood ['sændlwud] *sb* sandeltræ.

sandbag ['sæn(d)bæg] *sb* sandsæk; sandpose (brugt som våben); *vb* beskytte med sandsække, anbringe sandsække på; slå ned med en sandpose.

sand|bank sandbanke. **-bar** (sand)revle. **-blast** sandblæsning, sandstråle. **-box** *(am)* sandkasse. **-boy:** *as jolly as a -boy* kisteglad. **-castle** sandslot, sandborg. ~ **crack** spalte (i hov), hovkløft. ~ **drift** sandflugt. ~ **dune** klit. ~ **eel** = ~ *launce.*

sanderling ['sændəliŋ] *sb zo* sandløber.

sand| fly *zo* sandflue. **-glass** timeglas. ~ **hill** klit. ~ **hopper** *zo* tangloppe.

Sandhurst ['sændhə:st] (kendt engelsk officersskole).

sand launce ['sændla:ns] *zo* tobis (art fisk).

sand|man ['sæn(d)mən] *sb* Ole lukøje. ~ **martin** *zo* digesvale. **-paper** *sb* sandpapir; *vb* slibe af med sandpapir.

sandpiper ['sæn(d)paipə] *sb zo* ryle, klire; *common* ~ mudderklire.

sandpit ['sæn(d)pit] *sb* sandgrav; sandkasse (til leg).

sandshoe ['sæn(d)ʃu:] *sb* (let tennissko).

sandstone ['sæn(d)stoun] *sb* sandsten.

sandstorm ['sæn(d)stɔ:m] *sb* sandstorm.

sandwich ['sænwidʒ, -witʃ] *sb* sandwich; *vb* klemme ind imellem (to andre).

sandwich| board dobbeltskilt. ~ **course** kortere teoretisk kursus som indlægges i en praktisk uddannelse. **-man** [-mæn] plakatbærer (med plakat på ryg og bryst), sandwichmand. ~ **tern** *zo* splitterne.

sandwort ['sændwɔ:t] *sb (bot)* sandvåner.

sandwort spurrey *(bot)* hindeknæ.

I. sandy ['sændi] *adj* sandet, fuld af sand; sandagtig; rødblond.

II. Sandy ['sændi] (skotsk) *fk Alexander;* skotte.

sandy-haired ['sændiheəd] *adj* rødblond.

sane [sein] *adj* sund, rask; ved sine fulde fem, normal; forstandig.

sanforized ['sænfəraizd] *adj* ⓡ sanforiseret (krympefri).

San Francisco [sænfrən'siskou].

sang [sæŋ] *præt* af *sing.*

sang-froid *[fr;* 'sa:ŋ'frwa:] *sb* koldblodighed.

sanguinary ['sæŋgwinəri] *adj* blodig; blodtørstig.

sanguine ['sæŋgwin] *adj* (om hudfarve) rødmosset; (om temperament) sangvinsk, optimistisk, tillidsfuld; *sb* rødkridt; rødkridtstegning.

sanguineous [sæŋ'gwiniəs] *adj* blodrig; blodrød; blod-.

Sanhedrin ['sænidrin] *sb (hist.)* synedrium.

sanicle ['sænikl] *sb (bot)* sanikel.

sanitarian [sæni'teəriən] *sb* hygiejniker.

sanitarium [sæni'teəriəm] *sb (am)* sanatorium.

sanitary ['sænitri] *adj* sanitær, sanitets-, sundheds-; ~ *napkin (am),* ~ *towel* hygiejnebind.

sanitation [sæni'teiʃən] *sb* hygiejne; kloakvæsen, kloaksystem.

sanity ['sæniti] *sb* tilregnelighed; forstandighed.

sank [sæŋk] *præt* af *sink.*

sans [sænz] *præp (glds)* uden; ~ *façon [fr]* uden videre.

sansculotte *[fr] sb (hist.)* sansculot.

sanserif [sæn'serif] *sb (typ)* grotesk.

Sanskrit ['sænskrit] *sb* sanskrit.

Santa Claus ['sæntə'klɔ:z] julemanden.

I. sap [sæp] *sb* (i plante) saft; *(fig)* (saft og) kraft; S fjols, slider; *(mil.)* løbegrav.

II. sap [sæp] *vb* tappe for saft; *(fig)* udmarve, undergrave, underminere; S arbejde hårdt, slide i det; *(mil.)* underminere.

sapajou ['sæpədʒu:] *sb zo* kapucinerabe.

saphead ['sæphed] *sb* S fjols.

sapid ['sæpid] *adj* velsmagende; *(fig)* behagelig; interessant.

sapience ['seipjəns] *sb* visdom (ofte ironisk).

sapient ['seipjənt] *adj* vis (især ironisk).

sapless ['sæplis] *adj* saftløs, tør; kraftløs.

sapling ['sæpliŋ] *sb* ungt træ; ungt menneske.

sapodilla [sæpə'dilə] *sb (bot)* sapote, sapotill.

sapon|aceous [sæpə'neiʃəs] *adj* sæbeagtig; *(fig)* slesk, krybende. **-ification** [sæpɔnifi'keiʃ(ə)n] *sb* forsæbning, sæbedannelse. **-ify** [sæ'pɔnifai] *vb* forsæbe, omdanne til sæbe.

sapper ['sæpə] *sb* sapør, ingeniør(soldat), pioner.

sapphire ['sæfaiə] *sb* safir; safirblåt; *adj* safirblå.

sappy ['sæpi] *adj* saftig, ung, kraftig; S blød, svag, slap, slatten.

saprophyte ['sæproufait] *sb (bot)* saprofyt, rådplante.

sapwood ['sæpwud] *sb* splint *(mods* kerneved).

S.A.R. *fk South African Republic.*

saraband ['særəbænd] *sb (mus.)* sarabande.

Saracen ['særəsn, 'særəsin] *sb (hist.)* saracener.

saratoga [særə'tougə] *sb* stor rejsekuffert.

sarcasm ['sa:kæzm] *sb* sarkasme, spydighed, finte, skose.

sarcastic [sa:'kæstik] *adj* sarkastisk, spydig.

sarcoma [sa:'koumə] *sb (med.)* sarkom, kræftsvulst.

sarcopha|gus [sa:'kɔfəgəs] *sb (pl -gi* [-gai], *-guses)* sarkofag.

sardine [sa:'di:n] *sb* sardin; *like -s (in a tin)* som sild i en tønde.

Sardinia [sa:'dinjə] Sardinien.

sardonic [sa:'dɔnik] *adj* sardonisk, spotsk; kynisk.

sargasso [sa:'gæsou] *sb (bot)* sargassotang.

sari ['sa:ri] *sb* sari (indisk kvindedragt).

sarky ['sa:ki] *adj* S = *sarcastic.*

sarong [sə'rɔŋ] *sb* sarong (malajisk skørt).

sarsen ['sa:sən]; ~ *stones* store blokke af meget hård sand-sten.

sartorial [sa:'tɔ:riəl] *adj* som hører til skrædderfaget; ~ *art* skrædderkunst.

S.A.S. *fk Scandinavian Airlines System; Special Air Service.*

I. sash [sæʃ] *sb* bælte, skærf.

II. sash [sæʃ] *sb* vinduesramme, hejseramme; skydevindue

(til at skyde lodret); hejsevindue.
sash| cord, ~ line snor til hejsevindue. **~ window** se II. *sash.*
sasin ['seisn] *sb zo* bezoarantilope.
sassafras ['sæsəfræs] *sb (bot)* sassafras(træ); **~ oil** sassafrasolie.
Sassenach ['sæsənæk] *sb* (gælisk, *neds*) englænder.
sassy ['sæsi] *adj (am* T) fræk, næsvis, rapmundet.
sat [sæt] *præt* og *pp* af *sit.*
Sat. *fk Saturday.*
Satan ['seitən] Satan. **satanic** [sə'tænik] *adj* satanisk.
Satanism ['seitənizm] *sb* satanisme.
satchel ['sætʃəl] *sb* taske, skoletaske (med skulderrem).
I. sate [sæt, seit] *glds præt* af *sit.*
II. sate [seit] *vb* mætte, overfylde.
sateen [sæ'ti:n] *sb* satin.
satellite ['sætəlait] *sb* biplanet, måne; satellit, kunstig jorddrabant; *(fig)* drabant, følgesvend.
satellite| state vasalstat. **~ town** drabantby.
satiable ['seiʃjəbl] *adj* som kan mættes.
satiate ['seiʃieit] *vb* mætte, overmætte.
satiety [sə'taiəti] *sb* (over)mæthed, lede.
satin ['sætin] *sb* atlask; *adj* atlaskes; *vb* satinere.
satin| stich fladsyning. **-wood** satintræ.
satire ['sætaiə] *sb* satire *(on* over). **satirical** [sə'tirikl] *adj* satirisk. **satirist** ['sætərist] *sb* satiriker. **satirize** ['sætəraiz] *vb* satirisere (over).
satis ['sætis] *(lat)* nok.
satisfaction [sætis'fækʃən] *sb* tilfredsstillelse *(fx it is a ~ to know);* tilfredshed *(fx do it to his ~);* (for krænkelse) satisfaktion, oprejsning *(fx demand ~);* (betaling:) erstatning, dækning; *give ~* gøre fyldest; *give ~ to* tilfredsstille, give oprejsning.
satisfactory [sætis'fæktri] *adj* tilfredsstillende, betryggende, fyldestgørende.
satisfy ['sætisfai] *vb* tilfredsstille; fyldestgøre; (med mad:) mætte, (med grunde:) overbevise; (krav:) opfylde; *~ his doubts* fjerne hans tvivl; *~ his hunger* stille hans sult; *~ oneself that* forvisse sig om at, sikre sig at; *satisfied that* (også) overbevist om at.
satrap ['sætrəp] *sb (hist.)* satrap, persisk statholder.
saturate ['sætʃəreit] *vb* gennembløde; gennemtrænge; *(kem)* mætte; *(mil.)* bombe sønder og sammen.
saturation [sætʃə'reiʃən] *sb* mættelse, mætning, gennemtrængning; *~ point* mætningspunkt.
Saturday ['sætədi, 'sætədei] *sb* lørdag.
Saturn ['sætə(:)n].
Saturn|alia [sætə:'neujə] *sb (hist.)* saturnalier; *(fig)* orgie. **-alian** [sætə:'neiljən] *adj* saturnalsk; tøjlesløs.
saturnine ['sætənain] *adj* tungsindig, dyster.
saturnism ['sætənizm] *sb (med.)* blyforgiftning.
satyr ['sætə] *sb* satyr. **satyric** [sə'tirik] *adj* satyrisk; *~ drama* satyrspil.
sauce [sɔ:s] *sb* sauce; T uforskammethed, næsvished; *vb* krydre; T være uforskammet over for.
sauce|boat sauceskål. **-box** næsvis person. **-pan** ['sɔ:spən] kasserolle.
saucer ['sɔ:sə] *sb* underkop; underskål (til urtepotte); *flying ~* flyvende tallerken.
saucy ['sɔ:si] *adj* uforskammet, næsvis, næbbet; S koket, kæk.
sauna ['saunə] *sb* sauna, finsk badstue.
saunter ['sɔ:ntə] *vb* slentre, spadsere, drive; *sb* spadseretur.
saurian ['sɔ:riən] *sb* øgle; *adj* hørende til øglerne.
saury ['sɔ:ri] *sb zo* makrelgedde.
sausage ['sɔsidʒ] *sb* pølse; **~ meat** pølseindmad; pølsefars; **~ roll** (indbagt pølse); **~ stall** pølsevogn.
savable ['seivəbl] som kan reddes.
savage ['sævidʒ] *adj* vild, grusom, brutal; T rasende; *sb* vild *(fx the -s* de vilde); vildmand; brutal (, rå) fyr; *vb* overfalde, mishandle; (om hest) skambide, bide og sparke; *(fig)* rase over.
savagery ['sævidʒəri] *sb* vild (ɔ: uciviliseret) tilstand; vildskab, råhed, grusomhed.
savannah [sə'vænə] *sb* savanne.
savant ['sævənt; *fr*] *sb* lærd.
I. save [seiv] *vb* redde *(fx his life, the situation),* bevare *(from* for, *fx ~ me from my friends);* spare for *(fx that*

will ~ us a lot of trouble); (rel) frelse; (i fodbold) klare; (lægge hen:) gemme, (om penge) spare, opspare; *~ up* spare sammen;
~ appearances bevare skinnet; *~ one's bacon* slippe fra det uden tab, redde skindet, beholde skindet på næsen; *~ one's breath* spare sine ord; *he did it to ~ his face* han gjorde det for ikke at tabe ansigt; *~ the mark* reverenter talt, med respekt at melde; (se også *penny).*
II. save [seiv] *sb* (i fodbold) redning; *make a ~* klare (bolden).
III. save [seiv] *præp, conj* undtagen, bortset fra; *~ for* bortset fra.
save-all ['seivɔ:l] *sb* spildebakke.
saveloy ['sævilɔi] *sb* cervelatpølse.
Savile Row ['sævil 'rou] (de fashionable Londonskrædderes gade).
saving ['seivin] *adj* sparsommelig; (også *rel)* frelsende; *præp* undtagen, med undtagelse af; *sb* besparelse; *~ graces (el. points)* forsonende træk; *~ your presence (glds)* med forlov; *~ your reverence* med respekt (*el.* tugt) at melde, reverenter talt.
saving clause forbeholdsklausul.
savings ['seivinz] *sb pl* sparepenge.
savings| bank sparekasse. **~ box** sparebøsse. **~ stamp** sparemærke.
saviour ['seivjə] *sb* frelser.
savoir-faire ['sævwa:'fɛə] *sb* takt, levemåde.
savoir-vivre ['sævwa:'vi:vr] *sb* takt, levemåde.
savor *(am) = savour.*
savory ['seivəri] *sb (bot)* saturej, sar, bønneurt; *adj (am) = savoury.*
savour ['seivə] *sb* smag; lugt, duft; *(fig)* særlig karakter; anstrøg, antydning; *vb* smage, lugte *(of* af); *(fig)* goutere; *~ of (fig)* smage af, lugte af, indeholde en antydning af.
savoury ['seivəri] *adj* velsmagende, vellugtende, appetitlig, delikat, pikant; *sb* lille krydret ret (der serveres mellem desserten og frugten).
Savoy [sə'vɔi] Savojen.
Savoyard [sə'vɔia:d] *sb* savojard.
savvy ['sævi] *vb* S vide, forstå; *sb* forstand; *savvy?* forstået?
I. saw [sɔ:] *præt* af *see.*
II. saw [sɔ:] *sb (glds)* sentens, visdomsord, fyndord; *the old ~ that* det gamle ord om at.
III. saw [sɔ:] *sb* (værktøj:) sav.
IV. saw [sɔ:] *vb (sawed, sawn)* save; kunne saves; *~ the air* gestikulere, fægte med armene i luften; *~ away at a fiddle* file *(el.* gnide) løs på en violin.
saw| blade savklinge. **-bones** S læge, kirurg. **-buck** *(am)* savbuk; S tidollarseddel. **-dust** savsmuld. **-fish** savrokke, savfisk. **-fly** bladhveps. **-horse** savbuk. **-mill** savværk.
sawn [sɔ:n] *pp* af IV. *saw.*
sawn-off ['sɔ:nɔf] *adj* afsavet; oversavet *(fx shotgun); (am, fig)* lille, lavstammet.
sawney ['sɔ:ni] *sb* skotte; *adj* tåbelig, tosset.
saw|pit savgrube. **~ set** savudlægger. **~ tooth** savtand. **~ toothed** savtakket, takket. **-tooth roof** shedtag. **-tooth rouletted** (i filateli) med savgennemstik. **-wort** *(bot)* engskær.
sawyer ['sɔ:jə] *sb* savskærer.
sax [sæks] *sb* saxofon.
saxhorn ['sækshɔ:n] *sb* saxhorn.
saxifrage ['sæksifridʒ] *sb (bot)* stenbræk.
Saxon ['sæksən] *adj* angelsaksisk, saksisk; *sb* angelsakser; sakser; (om sprog) angelsaksisk; saksisk.
Saxonism ['sæksənizm] *sb* angelsaksisk (*el.* saksisk) sprogejendommelighed.
I. Saxony ['sæksəni] Sachsen.
II. saxony ['sæksəni] *sb* saxony (et uldent stof).
saxophone ['sæksəfoun] *sb* saxofon.
I. say [sei] *vb (said, said)* sige; fremsige, (om bøn) bede *(fx a prayer); grace* bordbøn); (på tryk:) stå *(fx the book (, the paper) -s that ... = it -s in the book (, paper) that...* der står i bogen (, avisen) at ...); (om ur, instrument) vise *(fx the clock -s five);* (i bydemåde også:) lad os sige *(fx give with~ five pounds),* for eksempel *(fx ~ on Wednesday), (mat.): ~ x equals y* lad x være lig y; *when all is said and done* når alt kommer til alt; *he is*

said to have been rich han skal have været rig; *it is said* man siger; det siges; **I** ~ *!* hør engang! det må jeg nok sige! det siger du ikke! *though I* ~ *it myself, though I* ~ *it who should not* når jeg selv skal sige det; *I should* ~ *that (he's rather stupid)* jeg er tilbøjelig til at tro, at (han er temmelig dum); *I should* ~ *so* det tror jeg; *(was he angry?) I should* ~ *he was* du kan tro han var vred; 'om han var; **let** *her* ~ lad hende bare snakke; **that** *is to* ~ det vil sige; **they** ~ man siger, det siges; **you** *said it* det har du ret i, ja netop! *-s you!* **T** ja den er go' med dig! *you don't* ~ *so* det siger du ikke;
(med *præp)* *what have you to* ~ **for** *yourself?* hvad har du at sige til dit forsvar? hvad har du på hjerte? *there is sth to be said for it* der er noget der taler for det; det har sine fordele; *to* ~ *nothing* **of** for ikke at tale om; ~ **over** fremsige efter hukommelsen; *have nothing to* ~ **to** (også) ikke ville have noget at gøre med; *what do you* ~ *to* hvad siger du til, har du lyst til *(fx a game of billiards);* (se også *said, saying).*
II. say [sei] *sb: have a* ~ *(in this matter)* have et ord at skulle have sagt (i denne sag) have medbestemmelse (i denne sag); *have (el. say) one's* ~ sige hvad man har på hjerte; få lejlighed til at udtale sig; give sit besyv med; *have no* ~ *in the matter* ikke have noget at skulle have sagt; *have the* ~ *(am)* være den der bestemmer; *have the last* ~ have det sidste ord.
saying ['seiiŋ] *sb* udtalelse, ytring; sentens, tankesprog; *as the* ~ *is (el. goes)* som man siger; ~ *and doing are two things* loven er ærlig, men holden besværlig; *that goes without* ~ det siger sig selv; *there is no* ~ det er svært at sige; det kan man ikke vide.
say-so ['seisou] *sb (am* **T)** ordre; ret til at bestemme; påstand, udsagn; *he has the* ~ det er ham der bestemmer.
Sc. *fk science; Scotch.*
S.C. *fk Security Council; South Carolina.*
scab [skæb] *sb* skorpe (på sår); (hos dyr) skab; *(bot)* skurv; **T** skruebrækker; *vb* sætte skorpe; **T** være skrue-brækker.
scabbard ['skæbəd] *sb* skede.
scabbed [skæbd], **scabby** ['skæbi] *adj* skorpet; (om dyr) skabet; *(bot)* skurvet; **T** gemen, luset, elendig.
scabies ['skeibii:z] *sb* fnat, skab.
scabious ['skeibiəs] *sb (bot)* skabiose.
scabrous ['skeibrəs] *adj* skabrøs, vovet, uanstændig; *(biol)* ru.
scads [skædz] *sb pl (am* **T):** ~ *of* masser af.
scaffold ['skæfld] *sb* stillads; (til henrettelse) skafot; *vb* afstive, forsyne med stillads.
scaffolding ['skæfldiŋ] *sb* stillads; stilladsbrædder.
scalable ['skeiləbl] *adj* som kan bestiges; som man kan klatre op ad.
scalawag ['skæləwæg] *sb* slubbert.
I. scald [skɔ:ld] *sb (hist.)* skjald.
II. scald [skɔ:ld] *vb* skolde, koge; *sb* skoldning.
scalding ['skɔ:ldiŋ] *sb* skoldning; *adj* skoldende 'hed; ~ *tears* bitre tårer.
I. scale [skeil] *sb* vægtskål, vægt; *vb* veje; *(pair of)* *-s* vægt; *hold the* ~ *is even (fig)* dømme upartisk; *turn (el. tip) the* ~ få vægtskålen til at synke; *(fig)* gøre udslaget; *turn (el. tip) the* ~ *(el. -s) at 5 lbs* veje 5 pund.
II. scale [skeil] *sb* skæl; kedelsten; hammerskæl; tandsten; *vb* afskælle, skrælle, skalle *(off* af); *the -s fell from his eyes* der faldt som skæl fra hans øjne.
III. scale [skeil] *sb* skala *(fx wage* ~), *(mht* løn også) tarif; (på måleinstrument) skala, inddeling; (til at måle med, også *fig)* målestok; *(fx* på kort) målestok(sforhold) *(fx* ~: *1:10,000); (mat.)* talsystem *(fx binary* (binært) ~; *decimal* (titals-) ~); *(mus.)* skala; *(am)* tarifløn *(fx* *we cannot hire them for less than* ~); *be high* **in** *the social* ~ stå højt på den sociale rangstige; *he has sunk in the social* ~ det er gået tilbage for ham (socialt); *on the* ~ *of 1:10,000* i forholdet 1:10.000; *on a large (, small)* ~ *(fig)* i stor (, lille) målestok; i stort (, mindre) omfang *(el.* format); **to** *the* ~ *of 1:10,000,* se *ovf: on the* ~ *of; drawn (el. reproduced) to* ~ målestokstro.
IV. scale [skeil] *vb* bestige, klatre op ad *(fx a ladder);* nå op til *(fx the heights);* (i edb) skalere; ~ *down* aftrappe, nedtrappe; nedsætte *(fx prices);* (om tegning *etc)* for-

mindske (proportionalt); ~ *up* sætte op *(fx wages);* (om tegning *etc)* forstørre (proportionalt), forstørre op.
scaleboard ['skeilbɔ:d] *sb* (træ til finér:) skræl; (på billede) bagklædning.
scale insect skjoldlus.
scalene ['skeili:n] *adj, sb (geom)* uligesidet (trekant).
scales [skeilz] *sb pl* vægt (se også *I. scale); the Scales* Vægten (stjernebilledet).
scaling ladder stormstige; brandstige, redningsstige.
scallop ['skɔləp, 'skæləp] *sb zo* kammusling; kammuslings skal; *(hist.)* ibskal; (syet:) tunge; *vb* tilberede (og servere) i skaller; brodere tunger, tunge *(fx a -ed handker-chief).*
scallywag ['skæliwæg] *sb* slubbert.
scalp [skælp] *sb* hovedbund; skalp; *vb* skalpere; *out for* ~ *(fig)* på krigsstien.
scalpel ['skælpl] *sb (med.)* skalpel.
scaly ['skeili] *adj* skællet, skælformet; luvet.
scaly anteater *zo* skældyr.
scamp [skæmp] *sb* slambert, slubbert, laban; *vb* jaske, sjuske med; *-ed work* sjuskearbejde.
scamper ['skæmpə] *vb* løbe omkring; stikke af, fare af sted; *sb* rask løb; hovedkulds flugt; ~ *about* fare omkring; ~ *away,* ~ *off* stikke af, fare af sted.
scampi ['skæmpi] *sb pl* store (middelhavs)rejer.
scan [skæn] *vb* se nøje på, mønstre; lade øjet glide hen over; (fjernsyn, radar) skandere, afsøge, aftaste; (om vers) skandere; ~ *the horizon* afsøge horisonten.
scandal ['skændl] *sb* skandale; sladder; forargelse; *the School for Scandal* Bagtalelsens Skole (skuespil af Sheridan).
scandalize ['skændəlaiz] *vb* forarge, chokere.
scandalmonger ['skændlmʌŋgə] *sb* bagtaler; sladresøster; *be a* ~ løbe med sladder.
scandalous ['skændələs] *adj* forargelig, skandaløs.
scandal sheet skandaleblad, rendestensblad.
Scandinavia [skændi'neivjə] Skandinavien. **Scandinavian** *adj* skandinavisk; nordisk; *sb* skandinav, nordbo.
scanning ['skæniŋ] *sb* (også TV) skandering; afsøgning.
scanning field (TV) billedfelt.
scansion ['skænʃən] *sb* skandering.
scansorial [skæn'sɔ:riəl] *zo* klatrende, klatre-.
scant [skænt] *adj* knap, sparsom, ringe; *vb* spare på, skære ned, knappe af på; ~ *of breath* forpustet.
scanties ['skæntiz] *sb pl* bikinitrusser.
scantling ['skæntliŋ] *sb* smule; lille bjælke (under 5 tommers bredde og tykkelse); *-s pl (mar)* dimensioner.
scanty ['skænti] *adj* knap, ringe, mager, utilstrækkelig, nødtørftig, sparson; *sb* se *scanties.*
Scapa Flow ['skæpə 'flou].
scape [skeip] *sb* blomsterstængel; søjleskaft.
scapegoat ['skeipgout] *sb* syndebuk.
scapegrace ['skeipgreis] *sb* gudsforgåen krop; døgenigt.
scapula ['skæpjulə] *sb (anat)* skulderblad.
scapular ['skæpjulə] *sb (rel)* skapular, skulderklæde.
I. scar [ska:] *sb* skramme, ar; vb arre, mærke.
II. scar [ska:] *sb* klippe, klippeskrænt.
scarab ['skærəb] *sb zo* torbist; *(hist.)* skarabæ.
scarce [skɛəs] *adj* knap, sjælden; *money is* ~ det er knapt med penge; *make oneself* ~ **T** gøre sig usynlig, stikke af; holde sig borte.
scarcely ['skɛəsli] *adv* næppe, knap, knap nok, næsten ikke; vist (nok) ikke, vel ikke *(fx he can* ~ *have been here);* ~ *any* næsten ingen; ~ *ever* næsten aldrig; ~ *had he arrived when* næppe var han ankommet før.
scarcity ['skɛəsiti] *sb* knaphed, mangel, sjældenhed; dyrtid.
scare [skɛə] *vb* kyse, forskrække, skræmme; *sb* skræk; panik; ~ *away* skræmme bort; ~ *up* opskræmme.
scarecrow ['skɛəkrou] *sb* fugleskræmsel.
scarehead ['skɛəhed] *sb (am* **T)** (opskræmmende) sensationsoverskrift (i avis).
scaremonger ['skɛəmʌŋgə] *sb* panikmager.
I. scarf [ska:f] *sb (pl -s el. scarves)* halstørklæde.
II. scarf [ska:f] *sb* (tøm:samling:) lask; *vb* laske sammen.
scarf joint laskeforbindelse. **-pin** slipsnål.
scarification [skɛərifi'keiʃən] *sb* skarifikation (ridsning af huden, *fx* ved vaccination). **scarificator** ['skɛərifikeitə] *sb* skarifikator.

scarifier ['skɛərifaiə] sb jordløsner; (til vej) opriver.
scarify ['skɛərifai] vb (med.) skarificere, ridse i huden; (agr) løsne (jorden), (om vej:) ophakke; (fig) kritisere sønder og sammen.
scarlatina [ska:lə'ti:nə] sb (med.) skarlagensfeber.
scarlet ['ska:lit] adj skarlagensrød; purpurrød; sb skarlagensrødt; purpur; skarlagen.
scarlet| bean (bot) pralbønne. ~ **fever** skarlagensfeber. ~ **hat** kardinalshat; kardinalsværdighed. ~ **pimpernel** (bot) arve. ~ **runner** pralbønne. ~ **woman** (bibelsk:) kvinden som er klædt i purpur og skarlagen; 'den store skøge' (neds om romerkirken).
scarp [ska:p] sb brat skråning, eskarpe; vb gøre stejl, eskarpere.
scarper ['ska:pə] vb S stikke af, løbe sin vej; (fra anstalt etc også) 'springe'.
scarred [ska:d] adj skrammet, arret.
scary ['skɛəri] adj (am T) ængstelig; opskræmt; foruroligende, skræmmende.
scat [skæt] vb T skrubbe af, forsvinde.
scatheless ['skeiðlis] adj (glds) uskadt.
scathing ['skeiðiŋ] adj svidende, bidende, skarp; ~ criticism (også:) sønderlemmende kritik.
scatological [skætə'lɔdʒikl] adj skatologisk, som omhandler ekskrementer (fx Swift's verse became ~).
scatter ['skætə] vb sprede, strø; spredes.
scatterbrain ['skætəbrein] sb: he is a ~ han er et forvirret hoved.
scatterbrained ['skætəbreind] adj tankeløs, pjanket, forvirret.
scatty ['skæti] adj S skør; forvirret.
scaup [skɔːp] zo: ~ duck bjergand.
scavenge ['skævin(d)ʒ] vb rense; skylle (med luft); feje gade; klunse; roda.
scavenger ['skævin(d)ʒə] sb gadefejer, dagrenovationsmand, skraldemand; klunser; zo ådselæder.
scenario [si'na:riou] sb (til film) drejebog, filmsmanuskript; (teat) scenarium (trykt manuskript med angivelse af sceneskifter etc); (fig) aktionsplan.
scenarist ['si:nərist] sb (til film) drejebogsforfatter.
scene [si:n] sb sted (hvor noget foregår) (fx the ~ of the murder mordstedet), skueplads (fx it has been the ~ of a great battle), scene; (optrin, skænderi:) scene (fx it was a painful ~; domestic -s; don't make a ~!); (teat, film) scene (fx Act III, ~ 4); dekoration, kulisse; (fig) sceneri, billede, syn (fx the boats in the harbour made a beautiful ~; an idyllic ~); the ~ of action stedet hvor det foregår, skuepladsen, kamppladsen; behind the -s (også fig) bag kulisserne; the ~ is a restaurant scenen forestiller en restaurant; the ~ is laid in France handlingen foregår i (el. scenen er henlagt til) Frankrig; then the police appeared on the ~ så viste politiet sig på arenaen (el. skuepladsen).
scene painter teatermaler.
scenery ['si:nəri] sb sceneri, landskab; (teat) kulisser, sceneri.
scene shifter (teat) maskinmand.
scenic ['si:nik, 'senik] adj scenisk, teater-; (mht natur) landskabelig (fx beauty), malerisk; sb naturfilm; ~ railway lilleputbane (forlystelse).
scent [sent] vb lugte, spore, vejre, få færten af; (komme parfume på:) parfumere; sb lugt, duft; (kosmetik:) parfume; (ved jagt og fig) spor; (jagthunds) sporsans, (fig også) flair, 'fin næse'; on the ~ på sporet; on the wrong ~ på vildspor; put (el. throw) sby off the ~ bringe (el. lede) en på vildspor.
scent| bag lugtepose; zo duftkirtel. ~ **bottle** lugteflaske.
scented ['sentid] adj duftende, parfumeret.
scent gland duftkirtel.
sceptic ['skeptik] sb skeptiker, tvivler.
sceptical ['skeptikəl] adj skeptisk.
scepticism ['skeptisizm] sb skepsis, skepticisme.
sceptre ['septə] sb scepter; vb udstyre med scepter.
sceptred ['septəd] adj scepterbærende.
schedule ['ʃedju:l, (am) 'skedʒu:l] sb program, plan, skema, (jernb) fartplan, køreplan; (liste etc) fortegnelse, tabel, liste, (parl: til lov) tillæg (især: med fortegnelse over love der ophæves ved den pågældende lov); vb plan-

lægge, fastsætte (fx the -d time), (jernb) opføre i køreplanen; udfærdige liste over, opføre på liste; according to ~ planmæssigt; ahead of ~ før den planmæssige (el. fastsatte) tid; behind ~ forsinket; -d to leave at 2 p.m. skal afgå efter planen kl. 14.
scheme ['ski:m] sb plan (fx we must work out a ~ for the housing of the refugees); projekt, ordning (fx pension ~), orden, system (fx ~ of philosophy), arrangement; (neds) intrige, lumsk plan; vb planlægge, lægge plan(er) for; (neds) intrigere, smede rænker; colour ~ farvevalg, farvesammensætning; rhyme ~ rimskema; ~ of things verdensorden.
schemer ['ski:mə] sb (neds) rænkesmed.
scheming ['ski:miŋ] adj rænkefuld, intrigant, beregnende.
schism ['sizm] sb splittelse, kirkestrid.
schismatic [siz'mætik] adj skismatisk, splittet.
schist [ʃist] sb (geol) skifret bjergart; mica ~ glimmerskifer.
schizocarp ['skitsəka:p] sb (bot) spaltefrugt.
schizogenesis [skitsə'dʒenəsis] sb formering ved spaltning.
schizoid ['skitsɔid] adj skizoid.
schizophrenia [skitsə'fri:niə] sb (med.) skizofreni.
Schleswig ['ʃlezwig] Slesvig.
schmaltz [ʃmɔːlts] sb T sentimentalt sludder; sentimental musik.
schnapps [ʃnæps] sb snaps.
schnorkel ['ʃnɔːkl] sb snorkel.
scholar ['skɔlə] sb lærd; videnskabsmand (inden for et humanistisk fag); student med stipendium; (i skole) elev, discipel; he is a good German ~ han er dygtig i tysk; I am no ~ jeg er ikke en studeret mand.
scholarly ['skɔləli] adj lærd, videnskabelig.
scholarship ['skɔləʃip] sb (humanistisk) videnskab; videnskabelig dygtighed, lærdom; viden, kundskab; (penge:) stipendium, legat.
scholastic [skə'læstik] adj skolemæssig, skole-; spidsfindig; (filos) skolastisk; sb skolastiker.
scholasticism [skə'læstisizm] sb (filos) skolastik; (neds) pedanteri.
scholiast ['skouliæst] sb kommentator.
I. school [sku:l] sb skole; (ved universitet, omtr) fakultet, faggruppe; vb lære, opøve, skole; leave ~ gå ud af skolen, opføre med sin skolegang; teach ~ (am) være lærer(inde);
(forb med præp) after ~ efter skoletid; life at ~ skolelivet; we were at ~ together vi var skolekammerater; edition for -s skoleudgave; inspector of -s undervisningsinspektør, skolekonsulent; go to ~ gå i skole; be sent to ~ blive sat i skole.
II. school [sku:l] sb stime (af fisk); vb stime; the fish are -ing fiskene stimer.
school| attendance skolegang. ~ **board** skolekommission. ~ **council** elevråd. ~ **crossing patrol** (ældre) mand med stopskilt der hjælper skolebørn over gaden; (svarer til) skolepatrulje. ~ **day** skoledag; ~ days (også) skoletid. ~ **divine** skolastisk teolog. ~ **fee** skolepenge. **-fellow** skolekammerat. **-girl** skolepige. **-girl complexion** ungpigekulør. **-house** skole(bygning); (ved nogle kostskoler, hvor rektor har elever boende hos sig) rektors hus.
schooling ['sku:liŋ] sb undervisning, skolegang.
school| inspector undervisningsinspektør, skolekonsulent. ~ **keeper** skolebetjent. ~ **leaver** elev der går ud af skolen; dimittend. ~ **-leaving age** den alder hvor skolepligten ophører. **-leaving exam** skoleeksamen. **-man** [-mən] (hist., filos) skolastiker. **-marm** T skolefrøken, lærerinde. **-master** skolelærer. **-mate** skolekammerat. **-mistress** lærerinde. ~ **readiness** skolemodenhed, skoleparathed. **-room** skolestue, klasseværelse. ~ **safety patrol** skolepatrulje.
Schools Council (rådgivende udvalg vedrørende eksaminer).
schooner ['sku:nə] sb (mar) skonnert; (am) stort ølglas.
schottische [ʃɔ'ti:ʃ] sb schottisch (en dans).
schuss [ʃu(:)s] sb styrtløb (på ski); lige bane; vb løbe styrtløb (ned ad).
sciatic [sai'ætik] adj hofte-.
sciatica [sai'ætikə] sb (med.) ischias.
science ['saiəns] sb naturvidenskab, videnskab; faglig dygtighed; (i sport) teknik.

science fiction fremtidsromaner (skrevet over videnskabelige opdagelser).
scientific [saiən'tifik] *adj* videnskabelig; *(fig)* efter videnskabelige principper, metodisk.
scientist ['saiəntist] *sb* videnskabsmand.
scilicet ['sailiset] *adv* nemlig.
Scilly ['sili]: *the ~ Islands* Scillyøerne.
scimitar ['simitə] *sb* (orientalsk) krumsabel.
scintilla [sin'tilə] *sb: not a ~ of* ikke antydning *(el.* spor *el.* skygge *el.* gnist) af.
scintillate ['sintileit] *vb* gnistre, funkle, tindre.
scintillation [sinti'leiʃən] *sb* funklen, tindren.
scintillation counter *(fys)* scintillationstæller.
sciolism ['saiəlizm] *sb* halvstuderthed.
sciolist ['saiəlist] *sb* halvstuderet røver.
scion ['saiən] *sb* podekvist; *(fig)* skud, ætling.
scissors ['sizəz] *sb pl* saks; *a pair of ~* en saks.
SCLC *fk (am) Southern Christian Leadership Conference.*
sclerosis [skliə'rousis] *sb* sklerose, forkalkning.
sclerotic [skliə'rɔtik] *adj* hård, fortørret, sklerotisk; forkalket; *sb* senehinde (i øjet).
scoff [skɔf] *vb* spotte; *sb* spot; T mad; *be the ~ of* være til spot for.
scold [skould] *vb* skænde, skælde, skænde på; *sb* rappenskralde.
scoliosis [skɔli'ousis] *sb* rygskævhed.
scollop ['skɔləp] = *scallop.*
sconce [skɔns] *sb* lampet, lyseholder; (del af lysestage:) lysepibe; (ved Oxford univ.) bøde; S hoved, isse; *vb* idømme bøde.
scone [skɔn, skouṇ] *sb* bolle, blød kage.
Scone [sku:n].
I. scoop [sku:p] *sb* øse(kar), ske, skuffe; kulskovl; iscremeske; *(earth ~)* muldsluffe; T kup; journalistisk kup.
II. scoop [sku:p] *vb* udhule, grave *(fx a hole in the ground)*; øse *(fx ~ out the water)*; T hugge, snuppe (før de andre); komme først med *(fx* en nyhed), komme før *(fx* en konkurrent); *~ the other papers* bringe en nyhed *etc* før de andre blade; *~ the pool* vinde *(el.* snuppe) hele gevinsten.
scoot [sku:t] *vb* T fare, stikke af.
scooter ['sku:tə] *sb* løbehjul (legetøj); *(motor ~)* scooter.
scope [skoup] *sb* spillerum, frihed; omfang, rammer *(fx outside the ~ of the book)*; rækkevidde, (om person) (åndelig) horisont *(fx beyond the ~ of his understanding)*, spændvidde; (om skydevåben) skudvidde; *(am* også) kikkert(sigte); *(mar)* længde *(fx the ~ of a cable)*; *he has free ~* han har frie hænder; *the ~ of his activities* hans virkefelt.
scorbutic [skɔ:'bju:tik] *adj* lidende af skørbug; *sb* skørbugspatient.
scorch [skɔ:tʃ] *sb* svide, brænde; svides, blive forbrændt; S skyde en rasende fart, fræse af sted; *sb* sveden plet; S hurtig tur; *the scorched-earth policy* den brændte jords politik.
scorcher ['skɔ:tʃə] *sb* brændende varm dag; bidende spot, kritik; S bilist (, cyklist) som kører meget hurtigt.
I. score [skɔ:] *sb* ridse, hak, mærke, (i blok) kærv, *(glds:* som taltegn på karvestok) streg; (også *fig:* mellemværende) regnskab; gæld; (i sport) pointsregnskab, pointtal, points; *(fig)* skarpt svar, hib *(fx it was not meant as a ~ against you)*; *(mus)* partitur; (antal) snes; *go off at (full) ~* have fuld fart på fra begyndelsen; **by** *-s, by the ~* i snesevis; *it would be a great ~ if* det ville være en stor gevinst *(el.* fordel) hvis; *the ~ is 3-2* det står 3-2; **keep** *the ~* holde regnskab; **know** *the ~, know what the ~ is* (fig, am) vide hvordan sagerne står, vide hvordan det forholder sig; **make** *-s off sby* S skære en ned; (se også II. *score: ~ off)*; **on** *that ~* hvad det angår; *on the ~ of* på grund af; *what's the ~ on ...?* (am) hvordan forholder det sig med ...? *(el.* settle) *an old ~* afgøre et ,gammelt mellemværende, gøre et gammelt regnskab op; **run** *up a ~* tage på kredit.
II. score *vb* ridse, lave hak (, mærke) i *(fx a kitchen table -d with knife cuts)*; slå streg under *(fx a word)*, strege ind *(fx a book)*; (i sport) score, vinde (points, mål), (også *fig)* notere *(fx a hit* en træffer, *a victory)*, vinde *(fx an advantage)*; *(mus.)* udsætte *(fx -d for violin*

and piano); *(am)* bedømme (opgaver); kritisere skarpt; (uden objekt) score, *(fig)* have held med sig, have succes; S skaffe stof, købe narkotika; *~ off him* dukke ham, skære ham ned, være vittig på hans bekostning; *~ out* strege ud; *~ over sby* få et forspring for én, have overtaget over én.
score|board ['skɔ:bɔ:d] *sb* pointstavle. **-card** regnskabskort for kricketkamp.
scorer ['skɔ:rə] *sb* regnskabsfører, regnskab, regnskabsblok; (mål)scorer.
scori|a ['skɔ:riə] *sb (pl -ae [-i:])* slagge.
scorification [skɔ:rifi'keiʃən] *sb* slaggedannelse.
scorify ['skɔ:rifai] *vb* forvandle til slagger.
scoring ['skɔ:riŋ] *sb* scoring *(etc, cf II. score)*; (i musik) instrumentering.
scorn [skɔ:n] *vb* foragte, håne; afvise med foragt *(fx ~ his help)*; *sb* foragt, hån; *~ lying* holde sig for god til at lyve; *think ~ of* foragte, se ned på; *put to ~* beskæmme; *laugh to ~* udle, hånle ad.
scornful ['skɔ:nful] *adj* hånlig.
scorpion ['skɔ:pjən] *sb* skorpion.
scorpion fly skorpionflue.
I. scot [skɔt] *sb: pay one's ~ and lot* tage sin del af byrden.
II. Scot [skɔt] *sb* skotte.
I. Scotch [skɔtʃ] *adj* skotsk; *sb* skotsk; skotsk whisky.
II. scotch [skɔtʃ] *vb* såre, uskadeliggøre; knuse, slå ned *(fx a conspiracy)*; aflive *(fx a rumour)*; gøre ende på.
III. scotch [skɔtʃ] *sb, vb* bremse.
Scotchman ['skɔtʃmən] *sb* skotte.
Scotch mist regntykning.
Scotch pine *(bot)* skovfyr.
Scotchwoman ['skɔtʃwumən] *sb* skotsk kvinde, skotte.
scoter ['skoutə] *sb zo* sortand.
scotfree ['skɔt'fri:] *adj* helskindet, uskadt, ustraffet; *go ~* slippe helskindet fra det, gå fri.
Scotia ['skouʃə] Scotia, Skotland.
Scotland ['skɔtlənd] Skotland; *~ Yard* hovedstation for Londons politi; politiet.
scotoma [skə'toumə] *sb* skotom, plet i synsfeltet.
Scots [skɔts] *sb, adj* skotsk.
Scotsman ['skɔtsmən] *sb* skotte.
Scott [skɔt] *interj: Great Scott!* du store kineser!
Scotticism ['skɔtisizm] *sb* skotsk udtryk.
Scottish ['skɔtiʃ] *adj* skotsk.
scoundrel ['skaundrəl] *sb* slyngel, skurk.
scoundrelly ['skaundrəli] *adj* skurkagtig.
scour [skauə] *vb* skure; rense; (med vand) skylle; udvaske, bortvaske; (for at finde noget) gennemstrejfe, gennemkrydse, gennemsøge.
scourge [skə:dʒ] *sb* svøbe, plage; *vb* piske, svinge svøben over, plage.
Scouse [skaus] *sb* person fra Liverpool; Liverpooldialekt.
I. scout [skaut] *sb* spejder *(fx boy ~; talent ~)*; (i Oxford) kollegietjener; *vb* spejde, udspejde; *he is a good ~ (am)* T han er en flink fyr; *be on the ~ for* være på udkig efter.
II. scout [skaut] *vb* afvise med foragt; håne.
scout car *(mil.)* opklaringsvogn; (politi)patruljevogn.
scoutmaster tropsleder (i spejderkorps).
scow [skau] *sb* pram, lægter.
scowl [skaul] *vb* skule; *sb* vredt (, skulende) blik.
scrabble ['skræbl] *vb* kradse, bemale; *~ about for* rode efter, famle efter.
scrag [skræg] *sb* radmagert *(el.* knoklet) menneske; (af kød) halsstykke; S mager hals, 'fuglehals'; *vb* dreje halsen om på, hænge, kværke; T tage (én) i krebsen.
scraggly ['skrægli] *adj (am)* pjusket, tjavset *(fx beard)*; ujævn, knoldet *(fx path)*.
scraggy ['skrægi] *adj* tynd, radmager.
scram [skræm] *interj* S skrub af!
scramble ['skræmbl] *vb* klatre; skrabe; gramse *(for* efter); *(flyv)* gå på vingerne i en fart; *(tlf etc)* forvrænge (meddelelse) ved hjælp af kryptoforsats; *sb* kravlen; slagsmål, virvar, vildt kapløb; *-d eggs* røræg; *~ pennies for children in the street* kaste pennystykker i grams til børn på gaden; *~ to one's feet* komme på benene i en fart.
scrambler ['skræmblə] *sb (tlf etc)* kodeforsats, kryptofor-

sats.
scran [skræn] *sb* (mad)rester, affald.

I. scrap [skræp] *sb* stump; lap; affald; **-s** (også) rester, levninger, (til scrapbog) udklip; *vb* kassere, udrangere, *(fx* om skib) ophugge; *a ~ of paper* (ironisk om traktat) en lap papir; *not a ~* ikke en smule.
II. scrap [skræp] **T** *sb* (mindre) slagsmål, skænderi; *vb* slås; skændes, mundhugges.
scrapbook ['skræpbuk] *sb* scrapbog, udklipsbog.
scrapdealer ['skræpdi:lə] *sb* produkthandler.

I. scrape [skreip] *vb* skrabe; kradse; (på violin *etc)* gnide; (om penge) skrabe sammen med møje og besvær; *(pinch and ~)* spinke og spare; *~ acquaintance with* skaffe sig bekendtskab med; *~ along* lige klare sig; *~ the barrel (fig)* skrabe bunden; *bow and ~* bukke og skrabe; *~ a (bare) living* ernære sig kummerligt, bjærge føden; *~ up* skrabe sammen; *~ through* knibe sig igennem.
II. scrape [skreip] *sb* skraben, kradsen; (på huden) hudafskrabning; **T** (på brød) skrabet smør; (vanskelighed:) knibe; *(glds:* dybt buk) skrabud; *get into a ~* komme i knibe.
scraper ['skreipə] *sb* skraber.
scrap| **heap** affaldsbunke; *(fig)* losseplads; brokkasse. *~* **iron** gammelt jern, skrot. *~* **merchant** produkthandler.
scrappy ['skræpi] *adj* bestående af småstykker *el.* rester; fragmentarisk, usammenhængende.

I. scratch [skrætʃ] *vb* kradse, ridse, rive, klø, skrabe; kradse ned *(fx a few lines);* slette, stryge; stryge sit navn, trække sig tilbage; (om sportsbegivenhed) aflyse; *~ along* lige klare sig; *~ my back and I will ~ yours* den ene tjeneste er den anden værd; *~ out* strege ud, slette; *~ up* skrabe sammen.
II. scratch [skrætʃ] *sb* kradsen; rift; (ved væddeløb) startlinie; (om skrift) klo, kragetæer; *start from ~* begynde på bar bund; *~ of the pen* pennestrøg; *be up to ~* være tilfredsstillende, gøre fyldest; *keep sby up to ~* holde en til ilden *(el.* i ørene).
III. scratch [skrætʃ] *adj* tilfældigt sammensat *(fx team).*
scratching ['skrætʃiŋ] *sb* kradsen, skraben; (på grammofon) nålestøj.
scratch pad notesblok.
scratchy ['skrætʃi] *adj* ridset; (om noget skrevet) skødesløst nedkradset; (om tøj) kradsende, som kradser; (om lyd) kradsende; skrattende; *(fig)* spids, hvas.
scrawl [skrɔ:l] *vb* (skrive sjusket:) kradse ned; smøre; *sb* smøreri; (om skrift) kragetæer, klo.
scrawly ['skrɔ:li] *adj* nedkradset, sammensmurt.
scrawny ['skrɔ:ni] *adj* knoklet, radmager.
scream [skri:m] *vb* skrige, hvine; *sb* skrig, hvin; *he is a ~* han er hylende komisk; *~ with laughter* hyle af latter.
screamer ['skri:mə] *sb* noget der er hylende komisk; *(typ* **S)** udråbstegn; *(am* **S)** sensationsoverskrift; *zo* anhima (sydamerikansk fugl).
screaming ['skri:miŋ] *adj* skrigende, hvinende; hylende grinagtig *(fx farce);* **S** storartet; *-ly funny* hylende komisk.
scree [skri:] *sb (geol)* ur (nedstyrtede sten).
screech [skri:tʃ] *sb* skrig; *vb* skrige.
screech owl slørugle.
screed [skri:d] *sb* langt foredrag, tirade; (ved støbning) leder; afretningslag.
I. screen [skri:n] *sb* skærm, *(folding ~)* skærmbræt, *(fig* også) skjul, *(smoke ~)* røgslør; (til TV, radar) skærm, (til film) lærred; (til sigtning *etc)* sigte, sold, (grovere:) harpe, (finere:) filter; *(typ)* raster; *the ~* det hvide lærred, filmen; *adapt for the ~* bearbejde for filmen, filmatisere; *go on the ~* gå til filmen.
II. screen [skri:n] *vb* afskærme, (lys også) afblænde, *(fig)* skærme, skjule, dække over; (om film) projicere; (i TV) bringe på skærmen; (om bog *etc)* filmatisere; (lade gå gennem sigte *etc)* sigte, harpe *(fx coal); (fig* om person) prøve nøje *(mht* pålidelighed, dygtighed *etc);* sortere; *~ out* frasortere; *~ off* sætte skærm for (, om), lukke af.
screen| **actor** filmsskuespiller. *~* **grid** (i radio) skærmgitter. *~* **-grid valve** skærmgitterrør.
screenings ['skri:niŋz] *sb pl* frasigtet materiale; (især af kul) afharpning.
screen|**play** filmmanuskript. *~* **star** filmstjerne. *~* **test:**

have a ~ test blive prøvefilmet. *~* **version** filmatisering. *~* **writer** filmmanuskriptforfatter.
screever ['skri:və] *sb* fortovsmaler.
I. screw [skru:] *sb* skrue; *(mar)* skibsskrue; **T** gnier; løn; krikke; **S** fængselsbetjent; dirk; *have a ~ loose (fig)* have en skrue løs; *put the ~ (, am: -s) on (fig)* lægge pres på.
II. screw [skru:] *vb* skrue; dreje, vride (om); *(fig)* fordreje; **S** gå i seng med, bolle; (uden objekt) kunne skrues, tade sig skrue; dreje sig; spare; **S** dirke sig ind, bryde ind, lave indbrud; *he has his head -ed on all right* **S** han har pæren i orden; *~ out* betale (modstræbende); *~ some money out of him* hale nogle penge ud af ham, få ham til at rykke ud med nogle penge; *~ up* stramme (ved at skrue); skrue til, tilspænde; *(fig,* om husleje *etc)* skrue i vejret; *~ up one's courage* skyde hjertet op i livet; *~ up one's eyes* knibe øjnene sammen; *~ up one's face* fortrække ansigtet; *~ oneself up* stramme sig op; (se også *screwed).*
screw|**ball** *(am* **T)** original, skør rad. *~* **cap** skruelåg; skruedæksel. **-driver** skruetrækker.
screwed [skru:d] *adj* skruet; *(tekn)* gevindskåret, skrueskåret; **S** fuld, drukken; *~-up* strammet *(etc, cf II. screw (up)); (fig)* anspændt; *a ball of ~-up paper* en bold af sammenpresset *(el.* vredet) papir.
screw| **eye** øsken. *~* **jack** donkraft. *~* **pine** *(bot)* skruepalme. *~* **-propelled** propeldreven. *~* **propeller** skibsskrue. *~* **thread** gevind. **-top** skruelåg. *~* **wrench** skruenøgle.
screwy ['skru:i] *adj (am* **T)** skør, idiotisk.
scribal ['skraibl] *adj: ~ error* afskriverfejl.
scribble ['skribl] *vb* smøre; kradse ned; skrive sjusket; *sb* smøreri.
scribbler ['skriblə] *sb* smører; skribler.
scribbling pad notesblok.
scribe [skraib] *sb* skribent; *(hist.)* skriver; (i biblen) skriftklog; (værktøj) ridsestift; *vb* ridse mærke i; *he is no great ~* han er ikke nogen pennens mester.
scriber ['skraibə] *sb* ridsestift.
scrim [skrim] *sb* (løstvævet stof:) faconlærred; *(teat)* flortæppe.
scrimmage ['skrimidʒ] *sb* forvirret slagsmål; *vb* deltage i et slagsmål; (se også *scrummage).*
scrimp [skrimp], **scrimpy,** se *skimp, skimpy.*
scrimshank ['skrimʃæŋk] *vb* **T** skulke.
scrimshanker ['skrimʃæŋkə] *sb* **T** skulker; simulant.
scrimshaw ['skrimʃɔ:] *vb (mar)* skære figurer af *(el.* mønster i) elfenben, sneglehuse *etc* som fritidsarbejde.
scrip [skrip] *sb* seddel; *(merk)* interimsbevis, midlertidigt (aktie)bevis; penge udstedt af besættelsesmagt; *(glds)* taske; tiggerpose.
script [skript] *sb* skrift; håndskrift *(mods* tryk), *(typ)* skriveskrift; (det skrevne:) *(teat,* radio) manuskript, (til film også) drejebog; (ved eksamen) (opgave)besvarelse; *(jur)* originaldokument; **S** falsk recept (til narkotika).
script girl (til film) script girl.
scriptural ['skriptʃrəl] *adj* bibelsk.
scripture ['skriptʃə] *sb* den hellige skrift; (om skolefag) bibelhistorie, religion.
scriptwriter ['skriptraitə] *sb* (film)manuskriptforfatter.
scrofula ['skrɔfjulə] *sb* kirtelsyge.
scrofulous ['skrɔfjuləs] *adj* skrofuløs, kirtelsvag.
scroll [skroul] *sb* rulle (papir), bogrulle, skriftrulle; (ornament) snirkel; (på violin) snegl. **scrolled** snirklet.
scroll|**head** *(mar)* snirkelsavn. *~* **saw** svejfsav. **-work** snirkelværk.
scrotum ['skroutəm] *sb (anat)* skrotum, testikelpung.
scrounge ['skraun(d)ʒ] *vb* **T** rapse, 'redde (sig)', nasse; *sth* nasse sig til noget. **scrounger** ['skraun(d)ʒə] *sb* **T** tyveknægt; nasser, (specielt om mennesker der uberettiget modtager understøttelse:) socialbedrager.
I. scrub [skrʌb] *vb* skure, skrubbe, gnide; **S** opgive, stryge; *sb* skrubben; *~ round it* **T** lade det være.
II. scrub [skrʌb] *sb* forkrøblet træ; krat; (om person) underdmåler, lille skravl, pjevs.
scrubbing brush skurebørste, gulvskrubbe.
scrubby ['skrʌbi] *adj* dækket med lave buske; forkrøblet; *(fig)* ussel, luset; (om skæg) strittende.
scruff [skrʌf] *sb* nakke; *~ of the neck* nakke, nakkeskind;

tage him by the ~ *of the neck* tage ham i kraven *(el.* ved vingebenet).
scruffy ['skrʌfi] *adj* lurvet, luset, trist.
scrum [skrʌm] *fk scrummage.*
scrummage ['skrʌmidʒ] *sb* slagsmål; (i rugbyfodbold) det at begge partiers forwards står tæt sammen omkring bolden, idet de prøver på at skubbe bolden væk fra modparten.
scrump [skrʌmp] *vb* hugge, stjæle, skyde (æbler). **scrumping** *sb* æbleskud.
scrumptious ['skrʌmʃəs] *adj* S storartet, første klasses.
scrunch [skrʌnʃ] *vb* knuse, knase.
scruple ['skru:pl] *sb* betænkelighed, skrupel; *(glds)* ubetydelighed, smule, tøddel; *vb* have betænkeligheder; *he does not* ~ *to* (også) han tager ikke i betænkning at.
scrupulous ['skru:pjuləs] *adj* omhyggelig, samvittighedsfuld; *with* ~ *precision* med pinlig *(el.* den yderste) nøjagtighed.
scrutinize ['skru:tinaiz] *vb* undersøge nøje, granske, se skarpt på.
scrutiny ['skru:tini] *sb* nøje undersøgelse, gransken, ransagelse; *(parl)* valgprøvelse.
scuba ['skju:bə] *fk self-contained underwater breathing apparatus;* ~ *diver* svømmedykker.
scud [skʌd] *vb* fare (af sted); *sb* ilsom flugt; drivsky, jagende skyer.
scuff [skʌf] *vb* slæbe på fødderne; skrabe med skoene; sjokke; *(am)* slide(s); *sb* slæben, skraben, sjokken; *(am)* slidt sted; tøffel.
scuffle [skʌfl] *sb* slagsmål, håndgemæng; *vb* slås.
scug [skʌg] *sb* S skvat, pjok, tarvelig fyr.
scull [skʌl] *sb* let åre; vrikkeåre; *vb* ro med to lette årer; vrikke (en båd). **sculler** ['skʌlə] *sb* sculler.
scullery ['skʌləri] *sb* opvaskerum, bryggers.
scullery maid køkkenpige.
scullion ['skʌljən] *sb* *(glds)* køkkenkarl.
sculptor ['skʌlptə] *sb* billedhugger.
sculptress ['skʌlptris] *sb* billedhuggerinde.
sculpture ['skʌlptʃə] *sb* skulptur, billedhuggerkunst *el.* -arbejde; *vb* udhugge; modellere.
scum [skʌm] *sb* skum (urenheder på overfladen af væske, smeltet metal); *(fig* om personer) rak, ros, pak, bærme; *vb* skumme.
I. **scupper** ['skʌpə] *sb (mar)* spygat.
II. **scupper** ['skʌpə] *vb* bore i sænk; *(fig)* T torpedere *(fx a plan)*; *(mil.)* S overfalde, hugge ned, gøre det af med.
scurf [skə:f] *sb* skurv, skæl.
scurfy ['skə:fi] *adj* skurvet; skællet.
scurrility [skʌ'riliti] *sb* grovhed, plumphed.
scurrilous ['skʌriləs] *adj* grov, plump.
scurry ['skʌri] *sb* hastværk, jag; (heftig) byge; *vb* jage, fare.
scurvy ['skə:vi] *adj* lurvet, nedrig, sjofel; *sb* skørbug.
scut [skʌt] *sb* (hares *el.* kanins) blomst (ɔ: hale).
scutch [skʌtʃ] (om hør) *vb* skætte; *sb* skættemaskine.
scutcheon ['skʌtʃən] *sb* våbenskjold; navneplade; nøgleskilt.
scutcher ['skʌtʃə] *sb* skættemaskine.
I. **scuttle** ['skʌtl] *sb* kulkasse; *(mar)* lille luge; *vb* bore i sænk; sænke (skib) ved at åbne bundventilerne; *(fig)* torpedere *(fx negotiations, a plan)*.
II. **scuttle** ['skʌtl] *vb* pile, rende; stikke af; *sb* ilsom flugt; hastigt tilbagetog.
scut|um ['skju:təm] *sb (pl a-* [-ə]) (romersk krigers) skjold.
scythe [saið] *sb* le; *vb* meje.
Scythia ['siðiə] Skythien.
Scythian ['siðiən] *adj* skythisk; *sb* skyther.
S.D. *fk South Dakota.*
'sdeath [zdeθ] *interj (glds)* Guds død!
SDR *fk special drawing rights.*
SDS *fk (am) Students for a Democratic Society.*
S.E. *fk South-East.*
sea [si:] *sb* hav, sø; bølge, søgang; *(fig)* mængde, hav *(fx of troubles); the four -s* de fire have omkring Storbritannien; *at* ~ på havet, til søs; *be (all) at* ~ være ude at svømme, herreløs (ude *el.* uden ind; *by* ~ til søs, ad søvejen; *half -s over* halvfuld; *put to* ~ stikke i søen; *go (, run away) to* ~ gå (, stikke) til søs, blive sømand.

sea| anchor drivanker. ~ **anemone** *zo* søanemone. ~ **beet** *(bot)* strandbede. ~ **blue** havblå. **-board** strandbred. **-born** født på søen, opstået af havet. ~ **-borne** transporteret til søs, søværts, oversøisk, sø-. ~ **breeze** søbrise (fra havet ind over land). ~ **calf** spættet sæl. ~ **captain** skibskaptajn, skibsfører ~ **change:** *suffer a* ~ *change (fig)* undergå en fuldstændig forvandling. ~ **chart** søkort. ~ **chest** skibskiste. **-coast** havets kyst. ~ **dog** *(fig.)* søulk ~ **eagle** havørn. ~ **fan** *zo* hornkoral. **-farer** ['si:fɛərə] søfarende. ~ **-foam** havskum; merskum. **-front** strandpromenade. ~ **-girt** ['si:gə:t] *adj* havomkranset, havomskyllet. **-going** søgående. ~ **green** søgrøn. ~ **gull** måge. ~ **kale** *(bot)* strandkål.
I. **seal** [si:l] *sb zo* sæl; *vb* jage sæler, gå på sælfangst.
II. **seal** [si:l] *sb* signet, segl, (på brev) segl, (af papir) oblat; (af bly) plombe; *(fig)* segl, besegling; *(tekn)* tætningsanordning, (i selvsmørende leje *etc)* pakning; *vb* forsegle, plombere; lukke tæt; tætte; tillodde; *(fig)* besegle *(fx their fate is -ed)*; *it is a -ed book to him* det er en lukket bog for ham; *my lips are -ed* min mund er lukket (med syv segl); *-ed by the customs officers* under toldlukke; *under* ~ *of secrecy* under tavshedsløfte.
Sealand ['si:lænd] Sjælland.
sea lane skibsrute.
sea lavender *(bot)* hindebæger.
sea legs: *find (el. get) one's* ~ vænne sig til søen, ikke mere blive søsyg.
sealer ['si:lə] *sb* sælfanger, sælfangerskib.
sea level havets overflade; *a thousand feet above* ~ 1000 fod over havet.
sealing wax segllak.
sea lion *zo* søløve.
Sea Lord (søofficer der er medlem af flådeledelsen i forsvarsministeriet).
sealyham ['si:ljəm] *sb* sealyham-terrier.
seam [si:m] *sb* (sammenføjning:) søm *(fx på tøj, i svejsning), samling, fals, *(mar)* nåd; *(geol)* tyndere (kul)lag; (på huden) ar, skramme; *vb* sømme, sammenføje, sammensy; *-ed* (også) furet *(fx a face -ed with care)*.
seaman ['si:mən] *sb* sømand, matros.
seamanlike ['si:mənlaik] *adj* som udviser godt sømandsskab.
seamanship ['si:mənʃip] *sb* sømandsskab.
sea|mew *zo* (storm)måge. ~ **mile** sømil.
seamless ['si:mlis] *adj* sømløs, uden søm.
sea| monster havuhyre. ~ **mouse** *zo* guldmus.
seamstress ['semstris, *am:* 'si:m-] *sb* syerske, sypige.
seamy ['si:mi] *adj* arret; *the* ~ *side* vrangen, skyggesiden.
séance ['seia:ns] *sb* séance; møde.
sea| nettle *zo* rød vandmand, 'brandmand'. ~ **onion** *(bot)* strandløg. ~ **pen** *zo* søfjer. ~ **pie** *zo* strandskade. ~ **-piece** søstykke. ~ **pink** *(bot)* engelskgræs. **-plane** vandflyvemaskine, flyvebåd. **-port** havneby, havn.
I. **sear** [siə] *sb (mil.:* i geværlås) ro.
II. **sear** [siə] *adj* tør, vissen, udtørret; *vb* svide, udtørre; brænde, brændemærke; *(fig)* forhærde.
I. **search** [sə:tʃ] *vb* søge (i), lede (i), gennemsøge *(fx a room)*, ransage *(fx one's pockets, one's memory)*, undersøge; (om person) (krops)visitere *(fx a criminal)*; (med blikket) se nøje på, granske *(fx her face)*; *(fig)* granske, prøve *(fx one's motives)*; *(med.)* sondere *(fx a wound)*; (om vand, lys) trænge ind i hver krog af; (i bjergværksdrift) skærpe; *his house was -ed* der blev foretaget husundersøgelse hos ham; ~ *me!* S det aner jeg ikke! ~ *for* søge *(el. lede)* efter; ~ *out* lede frem; finde; ~ *the reins and hearts* granske hjerter og nyrer.
II. **search** [sə:tʃ] *sb* søgen, leden, gennemsøgning, undersøgelse, eftersøgning, efterforskning; (krops)visitation; hus-undersøgelse; ransagning; granskning; *be in* ~ *of* søge, lede efter *(fx a solution)*; *go in* ~ *of* gå ud og søge efter; *right of* ~ visitationsret (i krig).
searching ['sə:tʃiŋ] *adj* omhyggelig, grundig; (om blik) forskende; (om kulde, vind) gennemtrængende, skarp, bidende.
search|light søgelys, lyskaster, projektør. ~ **party** eftersøgningshold; eftersøgningsekspedition. ~ **warrant** *(jur)* ransagningskendelse.
sea|room plads til manøvrering. ~ **route** søvej. **-scape**

['si:skeip] *sb* (maleri:) søstykke. ~ **scorpion** *zo* ulk. ~ **serpent** søslange (et fantasiuhyre). **-shell** konkylie. **-shore** kyst; forstrand. **-sick** søsyg. **-sickness** søsyge.

seaside ['si:said] *sb: by the* ~ ved kysten; *go to the* ~ tage til (et badested ved) kysten; ~ *hotel* badehotel; ~ *resort* badested.

sea| snail *zo* havsnegl; (fisk:) ringbug. ~ **snake** *zo* havslange.

I. season ['si:zn] *sb* årstid, sæson, -tid *(fx blossoming* ~ blomstringstid); jagttid, jagtsæson; **T** = *season ticket; for a* ~ for en tid; *asparagus are in* ~ det er aspargestid, det er årstiden for asparges; *hares are in* ~ det er jagttid for harer; *oysters are in* ~ det er østerssæson; *a word in* ~ et ord i rette tid; *in* ~ *and out of* ~ i tide og utide; *asparagus are out of* ~ det er ikke årstiden for asparges.

II. season ['si:zn] *vb* (om mad) krydre; (om træ, ost etc) lagre, (om pibe) tilryge; (om person) øve, hærde; (især *glds)* mildne; *-ed troops* hærdede *(el.* krigsvante) tropper; ~ **to** vænne til *(fx he was -ed to the climate).*

seasonable ['si:znəbl] *adj* belejlig, passende.

seasonal ['si:znl] *adj* efter årstiden, sæson-, sæsonmæssig.

seasoning ['si:znin] *sb* krydderi.

season ticket togkort, abonnementskort, sæsonkort.

sea| starwort *(bot)* strandasters. ~ **swallow** *zo* terne.

I. seat [si:t] *sb* (del af stol, wc *etc)* sæde, (af bukser) (bukse)bag, (af person) bagdel, sæde; (stol *etc)* stol, bænk *(fx garden* ~), sæde *(fx the car has four -s),* (sted hvor man sidder:) siddeplads *(fx we have -s),* plads *(fx this* ~ *is taken; this is my* ~), *(teat)* plads, (ofte:) billet *(fx I have got two -s for »Hamlet«); (parl etc)* sæde, plads *(fx have a* ~ *in Parliament; have a* ~ *on* (i) *a committee), (parl* også) mandat *(fx the Liberals lost 10 -s);* (hjemsted *etc)* sæde *(fx the* ~ *of Government; an ancient* ~ *of learning* (lærdomssæde)), (fyrstes) residens *(fx Copenhagen is the* ~ *of the Danish Queen), (country* ~) landsted; (måde at sidde på hest:) sæde;

    have *a good (, bad)* ~ *(on a horse)* sidde godt (, dårligt) på en hest, være en god (, dårlig) rytter; *have a* ~ *on a board* have sæde i en bestyrelse, sidde i en bestyrelse, være medlem af en bestyrelse; *keep one's* ~ blive siddende; **take** *a* ~*!* vær så god at tage plads! *the* ~ **of** *the trouble* det sted sygdommen sidder, *(glds)* sygdommens sæde; *the* ~ *of war* krigsskuepladsen.

II. seat [si:t] *vb* (se også *seated)* sætte, anvise plads, (også *tekn)* anbringe; (om stol) sætte nyt sæde i, (om bukser) sætte ny bag i; (om sal *etc)* have (sidde)plads til, kunne rumme *(fx the theatre -s 300 people).*

sea tangle *(bot)* bladtang.

seated ['si:tid] *adj* anbragt, siddende *(fx remain* ~); *be* ~ sidde, være (, blive) anbragt, få plads *(fx we were* ~ *behind a pillar); please be* ~ vær så god at tage plads.

seating ['si:tin] *sb* siddeplads(er); bordplan; (til stol *etc)* betræk *(fx horsehair* ~); anbringelse, *(tekn* også) lejring; sæde *(fx valve* ~); ~ **accommodation** siddeplads(er); *the* ~ *of the guests* bordplanen.

SEATO *fk South East Asia Treaty Organization.*

sea training school sømandsskole.

seat reservation ticket *(jernb)* pladsbillet.

sea trout *zo* havørred.

Seattle [si'ætl].

sea| urchin *zo* søpindsvin. **-wall** havdige.

seaward ['si:wəd] *adj, adv* mod havet, søværts.

seawater ['si:wɔ:tə] *sb* havvand, søvand.

seaway ['si:wei] *sb* (den) fart (et skib skyder); søgang; vandvej; *in a* ~ i søgang, i høj sø.

sea|weed tang, alge. **-worthy** sødygtig.

sebaceous [si'beiʃəs] *adj* fedt-, talg- *(fx gland).*

sec [sek] *adj* tør (om vin).

sec. *fk secretary; second.*

secant ['si:kənt] *sb* sekant; *adj* skærende, skærings-.

secateurs [sekə'tə:z] *sb pl* beskæresaks, rosensaks, grensaks.

secede [si'si:d] *vb* udtræde *(from* af), løsrive sig *(from* fra).

secession [si'seʃən] *sb (cf secede)* udtræden; løsrivelse; *the War of Secession* den amerikanske borgerkrig 1861-65.

secessionist [si'seʃənist] *sb* separatist; *(am hist.)* sydstatsmand (der var tilhænger af løsrivelse).

seclude [si'klu:d] *vb* udelukke; isolere.

secluded [si'klu:did] *adj* ensom; afsides; afsondret.

seclusion [si'klu:ʒən] *sb* ensomhed, afsondrethed.

I. second ['sekənd] *sb* sekund; *in a split* ~ i en brøkdel af et sekund.

II. second ['sekənd] *sb* nummer to; (i boksning, duel) sekundant; (i bil) andet gear; *(mus.)* sekund; **-s** *(merk)* sekundavarer; *he was a good* ~ han kom ind som en pæn nummer to; *get a* ~ (ved eksamen, *omtr)* få anden karakter.

III. second ['sekənd] *adj* anden; ~ *largest* næststørst; ~ *last* næstsidst; ~ *in command* næstkommanderende; *come in* ~ komme ind som nr. 2; ~ *to none* uovertruffen, blandt de bedste.

IV. second ['sekənd] *vb* hjælpe, støtte; bistå; være sekundant for.

V. second [si'kɔnd] *vb (mil.)* overflytte; forflytte; afgive.

second advent genkomst.

secondary ['sekəndəri] *adj* senere, efterfølgende; sekundær, underordnet; bi- *(fx effect, road);* ~ *agricultural produce* forædlede landbrugsprodukter; ~ *education* undervisning efter *primary school;* ~ *modern school* (i England) skoletype der omtr. svarer til den tidligere danske 'almene linje'; ~ *school* mellemskole; gymnasieskole.

second| ballot omvalg. ~**-best** næstbedst; *come off* ~*-best* lide nederlag. ~ **birth** genfødelse. ~ **chamber** *(parl)* andetkammer. ~ **class** anden klasse; (ved eksamen *omtr)* anden karakter. ~ **-class** *adj* andenklasses.

Second Coming: *the* ~ *(rel)* Kristi genkomst.

second cousin halvfætter, halvkusine.

second hand (på ur) sekundviser; *at* ~ på anden hånd.

second-hand ['sekənd'hænd] *adj* andenhånds- *(fx knowledge);* brugt *(fx clothes);* (om bog) antikvarisk; *adv* på anden hånd; brugt *(fx buy it* ~), antikvarisk; ~ *bookseller* antikvarboghandler; ~ *bookshop* antikvarboghandel.

second| officer *(mar)* andenstyrmand. ~ **papers** *pl (am)* endelig ansøgning om statsborgerskab. ~ **-rate** *adj* andenrangs. ~ **self** (om hjælper) 'højre hånd'. ~ **sight** synskhed, clairvoyance. ~ **son** næstældste søn. ~ **string** reserve, alternativ, supplant. ~**-string** *adj* reserve-.

secrecy ['si:krisi] *sb* hemmeligholdelse; diskretion, evne til hemmeligholdelse; hemmeligholdfuldhed; hemmelighed *(fx in all* ~).

secret ['si:krit] *adj* hemmelig; *sb* hemmelighed; *be in the* ~ være indviet (i hemmeligheden).

secretariat(e) [sekrə'teəriit] *sb* sekretariat.

secretary ['sekrətri] *sb* sekretær; *Secretary* minister; *Foreign Secretary* udenrigsminister; *Permanent (Under-)Secretary* departementschef; *Secretary of Commerce (am)* handelsminister; ~ *of legation* legationssekretær; *Secretary of State* minister; *(am)* udenrigsminister.

secrete [si'kri:t] *vb* skjule; *(fysiol)* udskille, afsondre.

secretion [si'kri:ʃ(ə)n] *sb* sekret, afsondring.

secretive [si'kri:tiv] *adj* tavs; hemmelighedsfuld.

secretly ['si:kritli] *adv* hemmeligt, i smug.

secretory [si'kri:təri] *adj (fysiol)* afsondrings-, sekretions-, sekretorisk.

Secret Service spionage- og kontraspionagetjenesten.

sect [sekt] *sb* sekt. **sectarian** [sek'teəriən] *adj* sekterer; *adj* sekterisk. **sectarianism** [sek'teəriənizm] *sb* sektvæsen.

sectary ['sektəri] *sb* sekterer.

sectile ['sektail] *adj* (om mineral) som kan skæres.

section ['sekʃ(ə)n] *sb* stykke *(fx of an orange),* del *(fx of a fishing rod),* sektion *(fx of a newspaper, of a bookcase),* afdeling *(fx (jernb:) the express will run in three -s);* (af reol også) reolfag; (af by) kvarter, bydel; (af vej, jernbane) strækning; (af artikel, bog) afsnit, (af lov) paragraf; (om personer) gruppe *(fx of the population, of an orchestra),* (af parti, *el.* ved kongres) fraktion, *(mil.)* sektion; (på tegning, *geom, med.,* ved mikroskopi) snit, (på tegning også) profil; *(bogb)* ark; læg.

sectional ['sekʃənl] *adj* som vedrører en særlig del af befolkningen; (på tegning *etc)* tværsnits- *(fx detail),* snit-; *(tekn)* profil- *(fx iron, steel);* bestående af selvstændige dele; ~ *bookcase* byggereol.

section mark *(typ)* paragraftegn.

sector ['sektə] *sb* sektor; udsnit, (front)afsnit.

secular ['sekjulə] *adj* timelig, verdslig; profan *(fx music);* (om alder) århundredgammel; *the* ~ *arm* den verdslige magt; *the ~ clergy* verdenspræsterne, verdensgejstligheden.

secularization ['sekjulərai'zeiʃən] *sb* verdsliggørelse, sekularisering. **secularize** ['sekjuləraiz] *vb* verdsliggøre, sekularisere.

secure [si'kjuə] *adj* sikker, tryg; *vb* sikre, betrygge; fastgøre, surre; (få fat i:) sikre sig *(fx a good seat)*.

security [si'kjuəriti] *sb* sikkerhed, betryggelse; (for lån) kaution; *-s pl* (også) værdipapirer, fonds, aktier, obligationer; *the Security Council* Sikkerhedsrådet; *~ risk* person hvis loyalitet mod staten betvivles; *~ service* vagtselskab, vagtbureau.

sedan [si'dæn] *sb* (biltype:) sedan; *(glds)* bærestol.

sedate [si'deit] *adj* rolig, sindig, sat, adstadig.

sedative ['sedətiv] *sb, adj* beroligende (middel).

sedentary ['sedntri] *adj* stillesiddende *(fx life, occupation)*; *~ bird* standfugl.

sedge [sedʒ] *sb (bot)* siv, stargræs.

sedge warbler *zo* sivsanger.

sedgy ['sedʒi] *adj* sivbevokset; sivlignende.

sediment ['sedimənt] *sb* bundfald; aflejring; *(geol)* sediment.

sedimentary [sedi'mentri] *adj (geol)* sedimentær; *~ rocks* sedimentbjergarter.

sedimentation [sedimən'teiʃən] *sb* aflejring; *~ rate (med.)* blodsænkning.

sedition [si'diʃn] *sb* tilskyndelse til oprør; optøjer, uro.

seditious [si'diʃəs] *adj* oprørsk.

seduce [si'dju:s] *vb* forføre; forlede, forlokke; *I was -d by the fine weather into staying* jeg lod mig friste af det gode vejr til at blive.

seduction [si'dʌkʃən] *sb* forførelse, forlokkelse; tillokkelse *(fx the -s of the country)*. **seductive** [si'dʌktiv] *adj* forførerisk, forførende; fristende *(fx offer)*; tillokkende.

sedulous ['sedjuləs] *adj* flittig, ihærdig.

I. see [si:] *sb* bispesæde; *the Holy (, Apostolic, Papal) ~* den hellige stol, pavestolen.

II. see [si:] *vb (saw, seen)* se; forestille sig, tænke sig *(fx I can't ~ him as a teacher)*; indse, forstå *(fx I ~ what you mean; see?* forstår du? er du med?); besøge *(fx come and ~ me)*, gå til *(fx a doctor, one's dentist)*, tale med *(fx you ought to ~ a doctor)*; undersøge *(fx the doctor ought to ~ him)*; (med *that)* sørge for *(fx ~ that it is done)*; (komme ud for etc) se, opleve; *he has seen better days* han har kendt bedre dage; *~ need* lide nød; *~ service* gøre tjeneste;

May of that year saw him here i maj det år var han her; *~ here (am)* hør engang! *I ~* ja vel; ja så; jeg er med; *I 'll be seeing you* T på gensyn! farvel! *we shall ~* vi får se; *you ~* ser du *(fx you ~, it's like this)*; nemlig; *~ you!* T på gensyn! farvel så længe!

~ about sørge for, tage sig af; *~ him about his business* smide ham ud; *~ after* sørge for; tage sig af; passe; *he will never ~ 40 again* han er over de 40; *~ her home* følge hende hjem; *~ into* undersøge; *~ sby off* følge en (til skib, tog *osv)*; *~ sth out* se noget til ende; *~ sby out* følge en ud; *~ over* efterse, inspicere *(fx ~ over a house)*; *~ through sby* gennemskue en; *~ sby through his difficulties* hjælpe en igennem hans vanskeligheder; *~ sth through* være med i *(el. følge)* noget lige til det sidste *(fx he saw the operation through)*; *we must ~ it through* vi må se at få det overstået; vi må se at komme igennem det; *~ to* tage sig af, sørge for, ordne; T ordne *(fx I'll ~ to him!)*; *~ to it that* sørge for at; *~ him to the station* følge ham til banegården; (se også *seeing)*.

seed [si:d] *sb* sæd, frø, kerne; *(glds)* sæd, afkom, slægt; *vb* sætte frø, kaste frø; tilså; tage kernerne ud af; (i tennis) seede, (se også *seeded)*; *run to ~* gå i frø; *(fig)* forsumpe.

seed|bed frøbed, såbed; *(fig)* arnested. **-cake** kommenskage. **~ coat** *(bot)* frøskal. **~ corn** sædekorn, såkorn. **drill** radsåmaskine.

seeded [si:did] *adj* i frø, som har sat frø; tilsået; som kernerne er taget ud af *(fx raisins)*; (om favoritter i tennisturnering) ikke opstillet mod jævnbyrdige spillere i de indledende kampe; seeded.

seeder ['si:də] *sb* såmaskine; frøudtagningsapparat.

seed leaf kimblad.

seedling ['si:dliŋ] *sb* frøplante; *~ stock* frøunderlag (ved podning).

seed| pearl sandperle. *~* **potato** læggekartoffel.

seedsman ['si:dzmən] *sb* frøhandler.

seed| time såtid. *~* **vessel** *(bot)* frøhus.

seedy ['si:di] *adj* fuld af frø, gået i frø; T (om person) luvslidt, lurvet, reduceret; (ikke rask:) sløj, utilpas, dårlig.

seeing ['si:iŋ] *konj: ~ (that)* i betragtning af (at), siden, eftersom, på grund af (at).

seek [si:k] *vb (sought, sought)* søge; forsøge; *~ out* opsøge, finde, (se også *sought)*.

seem [si:m] *vb* lade til at være, se ud (til at være) *(fx he -s quite happy)*; synes (at være); forekomme *(fx it -s quite easy to me)*; *it -s that* det lader til at, det ser ud til at; *I must not ~ to* ... det må ikke se ud som om jeg ...; *I still ~ to hear* jeg synes endnu at jeg hører.

seeming ['si:miŋ] *adj* tilsyneladende.

seemly ['si:mli] *adj* sømmelig, anstændig.

seen [si:n] *pp* af *see*.

seep [si:p] *vb* sive *(fx water -s through the sand)*.

seepage ['si:pidʒ] *sb* gennem- (, ind-, ud-) sivning; ud-*(etc)* sivende væske; lækage.

seer ['si:ə] *sb* seer, profet.

seersucker ['siəsʌkə] *sb* bæk og bølge (bomuldsstof).

seesaw ['si:sɔ:] *sb, vb* vippe; *adj* vippende; *(fig)* svingende, vaklende.

seethe [si:ð] *vb* koge, syde; *~ with* koge, syden.

segment ['segmənt] *sb* stykke *(fx of a grapefruit)*, del; *(fig)* udsnit *(fx of the population)*; afsnit, del; *(geom)* segment, cirkelafsnit, kugleafsnit; *zo* segment, led af dyrs krop.

segregate ['segrigeit] *vb* adskille (sig); afsondre; isolere; *-d* (også) hvor der praktiseres raceadskillelse *(fx a -d school)*.

segregation [segri'geiʃən] *sb* udskillelse; afsondring, isolering; *(biol)* udspaltning; *(racial ~)* raceadskillelse.

segregationist *sb* tilhænger af raceadskillelse.

seine [sein] *sb* (til fiskeri) snøre.

seismic ['saizmik] *adj* seismisk, vedrørende jordskælv; *~ focus* jordskælvs fokus (under overfladen).

seismograph ['saizməgra:f] *sb* seismograf, selvregistrerende jordskælvsmåler.

seize [si:z] *vb* gribe *(fx a stick, the opportunity)*; (om ejendom *etc)* bemægtige sig, sætte sig i besiddelse af, *(jur)* konfiskere, beslaglægge; anholde; *(mar)* surre; (forstå:) fatte *(fx sby's meaning)*; *be -d with* få (et anfald af); *~ on* gribe, bemægtige sig; *~ up* (om maskindele) sætte sig fast, blive blokeret, (om motor) brænde sammen.

seizing ['si:ziŋ] *sb (mar)* bændsel.

seizure ['si:ʒə] *sb (jur)* konfiskation, beslaglæggelse; beslaglagte varer; ran; *(med.)* anfald; slagtilfælde.

sejant ['si:dʒənt] *adj* (i heraldik) siddende.

sel. *fk* selected, selection.

seldom ['seldəm] *adv* sjælden; *~ if ever* yderst sjældent.

select [si'lekt] *vb* udvælge, vælge; *adj* eksklusiv, udsøgt, udvalgt.

select committee *(parl)* særligt nedsat undersøgelsesudvalg.

selectee [sələk'ti:] *sb (am)* indkaldt (soldat *etc)*.

selection [si'lekʃən] *sb* udvælgelse, valg; udvalg; *~ committee* bedømmelsesudvalg; udtagelseskomité.

selective [si'lektiv] *adj* selektiv; som udvælger omhyggeligt; kræsen; udvælgelses-; *strikes* punktstrejker; *~ service act (am* svarer til) lov om almindelig værnepligt.

selectivity [silek'tiviti] *sb* (om radio) selektivitet, afstemningsskarphed.

selenium [si'li:njəm] *sb (kem.)* selen.

self [self] *sb (pl selves)* selv; jeg; *adj* ensfarvet; af samme stof (, farve) *(fx a coat with a ~ belt)*.

self-abandonment selvforglemmelse, mangel på selvbeherskelse. *~* **-abasement** selvfornedrelse. *~* **-abuse** selvbesmittelse. *~* **-acting** automatisk *(fx brake* bremse; *lubrication* smøring). *~* **-aligning** selvindstillelig. *~* **-appointed** selvbestaltet. *~* **-assertion** selvhævdelse. *~* **-assertive** selvhævdende. *~* **-assurance** selvsikkerhed. *~* **-binder** selvbinder. *~* **-centred** egocentrisk, selvoptaget. *~* **-coloured** ensfarvet. *~* **-command** selvbeherskelse. *~* **-communing** *sb* selvbetragtninger, selvfordybelse, ~ **-compatible** *(bot)* selvbestøvende. **-complacent** selvglad, selvtilfreds. ~ **-conceited** indbildsk. ~ **-confident** selvsikker. ~ **-conscious** genert; selvoptaget. ~ **-contained** indesluttet, som er sig selv nok; selvstændig, lukket, uafhængig; ~ *-contained flat* selvstændig lejlighed (med egen indgang *etc).* ~ **-control** selvbeherskelse. ~ **-defence** selvforsvar; nødværge. ~ **-denial** selvfornægtelse. ~ **-determination** selvbestemmelse, selvbestemmelsesret. ~ **-educated** selvlærd. ~ **-effacing** selvudslettende. ~ **-employed** selvstændig (næringsdrivende). ~ **-evident** selvindlysende. ~ **-examination** selvransagelse. ~ **-expression** selvudfoldelse. ~ **-government** selvstyre. ~ **-heal** *(bot)* brunelle. ~ **-important** dumstolt, indbildsk, opblæst. ~ **-induction** *(elekt)* selvinduktion. ~ **-indulgence** vellevned. ~ **-inflicted** selvforskyldt. ~ **-instructional** selvinstruerende *(fx material).* ~ **-interest** egennytte.

selfish ['selfiʃ] *adj* egenkærlig, egoistisk, selvisk.
self-knowledge selverkendelse. **-less** uselvisk. ~ **-lubricating** selvsmørende. ~ **-made** selvhjulpen, som er kommet frem ved egen hjælp. ~ **-mastery** selvbeherskelse. ~ **-opinionated** rethaverisk, selvklog. ~ **-possessed** fattet, behersket. ~ **-possession** selvbeherskelse, fatning. ~ **-praise** selvros; ~ *-praise is no recommendation* selvros stinker. ~ **preservation** selvopholdelse. ~ **-propelled** selvkørende *(fx gun).* ~ **-recording** selvregistrerende. ~ **-respecting** med respekt for sig selv. ~ **-restraint** selvbeherskelse. ~ **-righteous** selvgod, selvretfærdig. ~ **-righting** selvrejsende *(fx lifeboat).*
self-same ['selfseim] selvsamme. ~ **-satisfied** selvtilfreds. ~ **-sealing** selvtætnende; (om konvolut) selvklæbende. ~ **service store** selvbetjeningsbutik. ~ **-styled** som kalder sig selv ... *(fx ~ -styled Christians* folk som kalder sig kristne). ~ **-sufficiency** indbildskhed; *(økon)* selvforsyning. ~ **-sufficient** suffisant, indbildsk; *(økon)* selvforsynende. ~ **-supporting** selvhvilervende; som hviler i sig selv, uden støtte udefra. ~ **-taught** selvlærd, autodidaktisk; *-taught person* autodidakt. ~ **-will** egenrådighed. ~ **-willed** egenrådighed. ~ **-winding** selvoptrækkende. ~ **-worked** selvbetjent *(fx lift).*

I. sell [sel] *vb (sold, sold)* sælge, *(merk også)* omsætte; T (skabe interesse for:) sælge *(fx an idea);* (snyde:) fuppe, snyde; (uden objekt, om vare) sælge(s) *(fx the book -s well),* finde afsætning; *it has sold 30,000 copies* den er blevet solgt i 30.000 eksemplarer;
~ **at** sælges for *(fx 5 p a piece);* ~ *at a loss* sælge med tab; ~ *sby* **down** *the river* S forråde en, lade en i stikken; ~ **off** udsælge (ɔ: sælge billigt); ~ **out** udsælge; T svigte, forråde (sin sag), sælge sine egne interesser, kapitulere; ~ *the* **pass** *(fig)* begå forræderi, forråde sin sag; ~ *a pup,* se *pup;* ~ **short** *(merk)* blanke; *(fig)* forråde; ~ *the idea* **to** *them* (også) få dem til at gå ind for tanken; ~ **up** sælge; ~ *him up* lade hans ejendele sælge ved tvangsauktion; (se også *sold).*
II. sell [sel] *sb* svindel, snyderi; afbrænder; *it was an awful* ~ (også) det var en flad en.
seller ['selə] *sb* sælger; *-'s market* sælgers marked.
selling point salgsargument; salgsegenskab; *reliability and accuracy are the* ~ *points of this clock* ... er det, uret skal sælges på. ~ **price** salgspris; (om bog) bogladepris.
sellout ['selaut] *sb* T svigten, forræderi; kapitulation; *(merk el)* salgssucces; teaterstykke der giver udsolgt hus; *the novel was a* ~ bogen blev revet væk.
seltzer ['seltsə] *sb* selters(vand).
selvage, selvedge ['selvidʒ] *sb* (af tøj) ægkant; *(tekn)* kantstrimmel.
selves [selvz] *pl* af *self.*
semantic [si'mæntik] *sb* semantisk, betydningsmæssig; *sb:* *-s* semantik, betydningslære.
semaphore ['seməfɔ:] *sb* semafor; signalering med håndflag.
semasiology [simeisi'ɔlədʒi] *sb* semasiologi, betydningslære.
semblance ['sembləns] *sb* udseende, skikkelse; lighed; (falsk:) skin; *under a* ~ *of friendship* under venskabs maske.
semé ['semei] *adj* (i heraldik) besået.
semen ['si:men] *sb* sæd, sædvæske.
semester [si'mestə] *sb* semester.

semi ['semi] *sb* **T** = *semidetached house.*
semi- ['semi] halv; *(fx ~ -annual* halvårlig; ~ *-automatic* halvautomatisk).
semi|breve ['semibri:v] helnode. **-circle** halvkreds. **-colon** [-'koulən] semikolon. ~ **-conscious** halvt bevidstløs. **-detached** [-di'tætʃt] *adj: a -detached house* et halvt dobbelthus. **-final** [-'fainl] semifinale (i sport). **-lunar** [-'lu:nə] halvmåneformet. **-manufactures** halvfabrikata.
seminal ['seminl] *adj* frø-; sæd-; *(fig)* som rummer kimen til en senere udvikling; igangsættende, skabende *(fx one of the great* ~ *minds of the last century); ~ leaf* kimblad; *in the* ~ *state* på frøstadiet.
seminar ['semina:] *sb* seminar; laboratorieøvelse; (rum:) laboratorium, studiesal; (i bibliotek) grupperum, studiekredsrum.
seminarist ['semin ərist] *sb* elev på præsteseminarium.
seminary ['seminəri] *sb* præsteseminarium, katolsk præsteskole.
semination [semi'neiʃən] *sb (bot)* frøspredning.
semi|official halvofficiel, officiøs. **-quaver** ['semikweivə] sekstendedelsnode.
Semite ['si:mait, 'semait] *sb* semit; *adj* semitisk.
Semitic [si'mitik] *sb, adj* semitisk.
semitone ['semitoun] *sb* halvtone.
semolina [semə'li:nə] *sb* semulje.
sempiternal [sempi'tə:nl] *adj* evig.
sempstress ['sem(p)stris] *sb* syerske.
sen. *fk senate; senior; senior.*
senate ['senit] *sb* senat; *the* ~ (ved universitet) konsistorium; den akademiske lærerforsamling. ~ *house* senat, senatsbygning.
senator ['senətə] *sb* senator.
senatorial [senə'tɔ:riəl] *adj* senator-.
send [send] *vb (sent, sent)* sende, sende bud; gøre *(fx ~ sby mad); (glds)* give, skænke *(fx God* ~ *you better health); ~ flying* jage væk, smide ud; sprede for alle vinde; slå ned *(el.* i gulvet) ~ *packing* sætte på porten; ~ *word* lade sige; sende besked;
(forb med præp, adv) ~ *away* afskedige; ~ *away for* sende bud efter langvejs fra; ~ *down* (også) bortvise (fra universitet), relegere; sænke, få til at falde *(fx ~ down temperature, prices);* ~ *for* sende bud efter; ~ *forth,* ~ *out* udsende; ~ *in one's name* lade sig melde; ~ *off* sende bort, *(fx* i sportskamp) udvise; afsende; følge til toget (, skibet *etc); ~ on a letter* eftersende et brev; ~ *to sleep* få til at falde i søvn; ~ *up* (også) drive i vejret *(fx prices);* istemme; S sende i fængsel; gøre grin med, parodiere, karikere.
sender ['sendə] *sb* afsender; radiosender.
send-off ['send(')ɔf] *sb* hyldest til en bortdragende; gode ønsker med på vejen; *(fig)* heldig start, god begyndelse.
send-up ['send(')ʌp] *sb* S parodi.
senescence [si'nesəns] *sb* begyndende alderdom.
senescent [si'nesənt] *adj* aldrende.
senile ['si:nail] *adj* senil.
senility [si'niliti] *sb* senilitet.
senior ['si:njə] *sb, adj* senior, ældre, overordnet; *(am)* studerende på sidste år; *my* ~ *by a year* et år ældre end jeg; ~ *citizens* ældre mennesker; *the* ~ *class (am)* øverste klasse; ~ *high school (am)* (skole omfattende 10., 11. og 12. skoleår, *am)* gymnasium. ~ *registrar* første reservelæge; *the* ~ *service* ɔ: flåden.
seniority [si:ni'ɔriti] *sb* anciennitet.
senna ['senə] *sb* sennesblade; *syrup of* ~ sennessirup (afføringsmiddel).
sennit ['senit] *sb (mar)* platting.
sensation [sen'seiʃən] *sb* fornemmelse, følelse; sensation; *cause (, make, create) a* ~ vække opsigt *(el.* sensation).
sensational [sen'seiʃənl] *adj* sensationel, opsigtsvækkende, spændende.
sensationalism [sen'seiʃənəlizm] *sb* sensationsjageri; effektjageri; *(filos)* sensualisme.
I. sense [sens] *sb* sans *(fx the five -s);* (opfattelse *etc)* sans *(of* for, *fx rhythm),* følelse *(of* for; af, *fx a* ~ *of one's own importance; a* ~ *of danger),* fornemmelse *(of* for; af); *(common* ~) sund fornuft; (om indhold) (fornuftig) mening *(fx there was no* ~ *in what he said),* (ords, udtryks) betydning *(fx in the best* ~ *of the word; I was*

using the word in a different ~*)*; (på møde) (almindelig) mening, stemning; *the general* ~ *of the assembly* stemningen i forsamlingen;
have *the* ~ *to say no!* vær så fornuftig at sige nej! *he had more* ~ *than to* han var for klog til at, han var ikke så dum at; **in** *a* ~ i en vis forstand; *in one's -s* ved sine fulde fem; *he* **lost** *his -s* han gik fra forstanden; **make** ~ give mening; *make* ~ *of* finde mening i; *a man* **of** ~ en fornuftig mand; *what is the* ~ *of doing that?* hvad mening er der i at gøre det? *a* ~ *of beauty* skønhedssans; *a* ~ *of duty* pligtfølelse; *a* ~ *of humour* humoristisk sans; **out** *of one's -s* fra forstanden, fra sans og samling; *scared out of one's -s* skræmt fra vid og sans; *bring sby* **to** *his -s* bringe en til fornuft.
II. sense [sens] *vb* fornemme, føle *(fx I -d a certain hostility in his manner)*; have på fornemmelsen; (om hulkortmaskine) afføle.
senseless ['senslis] *adj* følelsesløs, sanseløs, bevidstløs; urimelig, meningsløs.
sensibility [sensi'biliti] *sb* følsomhed.
sensible ['sensibl] *adj* fornuftig *(fx suggestion)*; mærkbar *(fx improvement)*; som kan opfattes med sanserne *(fx phenomena)*; *be* ~ *of (glds)* have en følelse af, indse, være klar over.
sensitive ['sensitiv] *adj* følsom; *(fig* om person) følsom, ømskindet, sart, sensibel, overfølsom; *(fig,* om emne *etc)* ømtålelig; (om instrument) fintmærkende; ~ *to* følsom (, sensibel) over for; påvirkelig af, modtagelig for; ~ *paper* lysfølsomt papir; ~ *plant* mimose.
sensitivity [sensi'tiviti] *sb* følsomhed; overfølsomhed.
sensitize ['sensitaiz] *vb* (om papir *etc)* gøre lysfølsom; *-d paper* lystrykspapir.
sensitometer [sensi'tɔmitə] *sb* lysfølsomhedsmåler.
sensory ['sensəri] *adj* sanse- *(fx organs)*.
sensual ['senʃuəl] *adj* sanselig, vellystig. **sensualism** [sanselighed, sensualisme. **sensualist** *sb* vellystning, sensualist.
sensuality [senʃu'æliti] *sb* sanselighed.
sensuous ['senʃuəs] *adj* sensuel, sanselig; som hører til sanserne, som henvender sig til sanserne.
sent [sent] *præt* og *pp* af *send.*
I. sentence ['sentəns] *sb (gram)* sætning; *(jur)* dom; straf *(fx he got a severe* ~*)*; *the* ~ *of this court is* thi kendes for ret; ~ *of death* dødsdom; *pass* ~ *on* domfælde; *under* ~ *of death* dødsdømt.
II. sentence ['sentəns] *vb* dømme, afsige dom over, domfælde; ~ *to* idømme.
sententious [sen'tenʃəs] *adj* docerende, bombastisk, banal; *(glds)* fyndig.
sentient ['senʃənt] *adj* følsom, modtagelig (for sanseindtryk).
sentiment ['sentimənt] *sb* følelse *(fx lofty (, friendly) -s)*; (følelsesbestemt) indstilling *(fx my* ~ *towards him; these people are strongly Islamic in* ~*)*, (følelsesbestemt) overbevisning; anskuelse, synspunkt *(fx these are my -s on the question)*; følelser, følsomhed, *(neds)* sentimentalitet *(fx there is no place for* ~ *in business)*; (udtryk:) (banal) sentens *(fx -s on greeting cards)*; *(psyk)* sentiment; *the general* ~ stemningen.
sentimental [senti'mentl] *adj* følsom, sentimental; følelsesmæssig; ~ *value* affektionsværdi.
sentimentalist [senti'mentəlist] *sb* følelsesmenneske, romantisk indstillet person.
sentimentality [sentimen'tæliti] *sb (neds)* sentimentalitet, føleri.
sentinel ['sentinl] *sb* skildvagt.
sentry ['sentri] *sb* skildvagt.
sentry| box skilderhus. ~ **go** patruljering, (skild)vagttjeneste.
sepal ['sepl] *sb (bot)* bægerblad.
separable ['sep(ə)rəbl] *adj* som kan adskilles.
I. separate ['sepəreit] *vb* skille, adskille, udskille; fjerne; (uden objekt) skilles, gå fra hinanden; *judicially -d* separeret; *-d into* opdelt i.
II. separate ['sep(ə)rit] *adj* adskilt; særskilt, særlig *(fx a* ~ *chapter)*; enkelt *(fx in each* ~ *case)*; egen, eget *(fx he has a* ~ *room)*; *-s pl* (om tøj) enkelte dele af et sæt; *they sleep in* ~ *rooms* de sover i hver sit værelse.
separately ['sepritli] *adv* adskilt, særskilt, hver for sig.

separation [sepə'reiʃən] *sb* adskillelse, udskilning; *(jur)* separation.
separatist ['seprətist] *sb* separatist, forkæmper for adskillelse *(fx* af stat og kirke).
separator ['sepəreitə] *sb* separator, centrifuge.
sepia ['si:pjə] *sb* blæksprutte; sepia, blækspruttes 'blæk'; sepia (et farvestof).
sepoy ['si:pɔi] *sb* sepoy, indisk soldat der tidligere stod i en europæisk magts tjeneste.
sepsis ['sepsis] *sb* sårbetændelse, blodforgiftning.
sept [sept] *sb* æt, klan (i Irland).
Sept. *fk September.*
September [sep'tembə] september.
septennial [sep'tenjəl] *adj* syvårig.
septet(te) [sep'tet] *sb* (i musik) septet.
septic ['septik] *adj* som bevirker forrådnelse; inficeret, bullen, betændt; *(fig)* **S** modbydelig; rådden; *it has gone* ~ der er gået betændelse i det.
septicaemia [septi'si:miə] *sb (med.)* blodforgiftning.
septic tank septiktank.
septuagenarian [septjuədʒi'nɛəriən] *sb, adj* (person som er) i halvfjerdserne.
septum ['septəm] *sb (anat, bot)* skillevæg.
septuple ['septjupl] *adj* syvfoldig.
sepulchral [si'pʌlkrəl] *adj* grav-; begravelses-; *(fig)* trist, dyster; ~ *voice* hul røst, gravrøst.
sepulchre ['seplkə] *sb* grav, gravminde; *vb* gravlægge.
sepulture ['sepltʃə] *sb* begravelse, gravlægning.
sequel ['si:kwəl] *sb* fortsættelse; resultat, konsekvens, følge; eftertid; *(med.)* følgesygdom.
sequela [si'kwi:lə] *sb (pl -e [-li:])* *(med.)* følgesygdom.
sequence ['si:kwəns] *sb* rækkefølge, orden; række; *(mat.)* (tal)følge; *(mus.)* tonerække; (i film, kortspil, katolsk messe) sekvens; *vb* (i edb) ordne i rækkefølge; ~ *of operations (tekn)* arbejdsgang.
sequent ['si:kwənt] *adj* (deraf) følgende.
sequential [si'kwenʃl] *adj* følge-; (på hinanden) følgende; ~ *analysis* (ved forsøg *etc)* løbende analyse; ~ *colour system* (i TV) farvefølgesystem.
sequester [si'kwestə] *vb* afsondre, isolere *(fx the jury is -ed in a hotel)*; *(jur)* = *sequestrate.*
sequestrate [si'kwestreit] *vb (jur)* beslaglægge, konfiskere.
sequestration [si:kwe'streiʃn] *sb (jur)* beslaglæggelse, konfiskation.
sequin ['si:kwin] *sb* (på tøj) paillet; *(hist.* mønt) sekin.
sequoia [si'kwɔiə] *sb (bot)* kæmpefyr.
ser. *fk series.*
seraglio [se'ra:liou] *sb* serail, harem.
seraph ['serəf] *sb* seraf, engel.
seraphic [se'ræfik] *adj* serafisk.
Serb [sə:b] *sb* serber; serbisk; *adj* serbisk.
Serbia ['sə:bjə] Serbien.
sere = *sear.*
serenade [seri'neid] *sb* serenade; *vb* synge en serenade.
serendipity [serən'dipiti] *sb* evne til at gøre fund.
serene [si'ri:n] *adj* klar, skyfri; (om person *etc)* stille, rolig, fredfyldt, afklaret; (i titel) durchlauchtig; *all* ~ **T** alt i orden; *Your Serene Highness* Deres Durchlauchtighed.
serenity [si'reniti] *sb* klarhed, stilhed, afklaret *(el.* ophøjet) ro, sindsro.
serf [sə:f] *sb* livegen. **serfage** ['sə:fidʒ], **serfdom** ['sə:fdəm] *sb* livegenskab.
serge [sə:dʒ] *sb* serges (et uldstof).
sergeant ['sa:dʒnt] *sb (mil.)* sergent; (i politiet *omtr)* overbetjent; ~ *major (omtr)* stabssergent; (se også *serjeant).*
serial ['siəriəl] *sb* fortsat roman (, fortælling, hørespil, TV-spil, film *etc)*, (i TV) fjernsynsserie, (i avis) føljeton; *(am* også) tidsskrift; *adj* serie- *(fx production)*, række-, løbende; (om bog) som udkommer i hæfter; *-s pl (bibl)* fortsættelsesværker, fortsættelser; ~ *number* løbenummer; ~ *story* fortsat roman (, fortælling), føljeton.
serialize ['siəriəlaiz] *vb* bringe som føljeton (i, fjernsynsserie).
seriate ['siəriit] *adj* (ordnet) i rækkefølge.
seriatim [siəri'eitim] *adv* i rækkefølge.
sericulture ['seri'kʌltʃə] *sb* silkeavl.
serif ['serif] *sb (typ)* skraffering.
serigraph ['serigræf] *sb* silketryk (billede).

serigraphy [sə'rigrəfi] *sb* silketryk (processen).
series ['siəri:z] *sb (pl ds)* række; serie.
serin ['serin] *sb zo* gulirisk.
seringa [si'ringə] *sb (bot)* kautsjuktræ.
serio-comic ['siəriə'kɔmik] *adj* sørgmunter; halvt alvorlig, halvt komisk; tragikomisk.
serious ['siəriəs] *adj* alvorlig; *I am (quite)* ~ det er mit (ramme) alvor; *a* ~ *matter* en alvorlig *(el.* betænkelig) sag.
seriously ['siəriəsli] *adv* alvorligt; for alvor; ~ *damaged* stærkt beskadiget; ~ *(speaking)* alvorlig talt.
seriousness ['siəriəsnis] *sb* alvor, betænkelighed.
serjeant ['sa:dʒənt] *sb: serjeant-at-law (glds)* højesteretsadvokat; *serjeant-at-arms* ordensmarskal.
sermon ['sə:mən] *sb* prædiken; *preach (el. deliver) a* ~ holde en prædiken.
sermonize ['sə:mənaiz] *vb* prædike (for).
serous ['siərəs] *adj* serøs, serumagtig.
serpent ['sə:pnt] *sb* slange.
serpentine ['sə:pəntain, *(am* især:) -ti:n] *adj* slangeagtig; bugtet; forræderisk; *the Serpentine* (sø i Hyde Park, London).
serrate ['serit], **serrated** [se'reitid] *adj* savtakket.
serration [se'reiʃən] *sb* savtakker.
serried ['serid] *adj* tætsluttet; *in* ~ *ranks* i række og geled.
serum ['siərəm] *sb* serum.
serval ['sə:vl] *sb zo* serval (afrikansk vildkat).
servant ['sə:vnt] *sb* tjener; husassistent, tjenestepige; *the -s* tjenestepersonalet; *public* ~ (stats)tjenestemand.
servant girl husassistent, tjenestepige.
serve [sə:v] *vb* tjene; varte op, opvarte, servere for *(fx the guests);* (i forretning *etc)* ekspedere, betjene; (om institution, præst) betjene *(fx one library i, hospital)* -s *the whole town; he -s two parishes);* (om kanon) betjene; (optrædde over for:) behandle *(fx they -d me shamefully);* (om mad) rette an, servere; *(agr)* bedække; *(mar)* klæde (rig); (uden objekt) tjene, gøre tjeneste; varte op, ekspedere; (om ting *etc)* tjene *(as som,* til, *fx an old blanket -d as a curtain),* gøre tjeneste *(as* som); passe, kunne bruges *(fx this chair will* ~*);* være nok, gøre fyldest; (i tennis) serve;
~ *one's apprenticeship* stå i lære, udstå sin læretid; ~ **as** (også) gøre det ud for; ~ *notice (on)* meddele officielt; *as occasion* -s når lejlighed byder sig; ~ **on** *a committee* sidde i *(el.* være medlem af) et udvalg; ~ *him* **right**, *it* -s *him right* det har han (rigtig) godt af; nu kan han have det så godt; ~ **out** udlevere *(fx rifles);* gøre gengæld mod, give igen, hævne sig på; ~ **round** byde om, byde rundt (ved bordet); ~ *a* **summons** *on sby (jur)* forkynde en stævning for en; ~ **time** sidde inde, udstå sin straf; ~ *one's* **time** stå i lære, udstå sin læretid; ~ **up** rette an; ~ *a* **warrant** udføre en arrestordre; *it has* -d *me* **well** det har været mig til stor nytte; ~ **with** forsyne med *(fx* ~ *the town with electricity);* ~ **them** *with their gas-masks* udlevere dem deres gasmasker.
server ['sə:və] *sb* opvarter; (i tennis) server; *(rel)* messetjener, ministrant; (ting:) serveringsbakke; serveringsbord; *(coffee* ~, *tea* ~) sæt bestående af kande, sukkerskål og flødekande på en bakke; *salad* -s salatsæt.
servery ['sə:vəri] *sb* serveringsluge; serveringsdisk; anretterværelse.
I. service ['sə:vis] *sb* tjeneste *(fx the diplomatic* ~; *at your* ~! *you could do him a* ~*);* (ved bordet) opvartning, servering; (i forretning *etc)* ekspedition, betjening; (af kanon) betjening; *(merk)* service; *(mht* trafik) rute; forbindelse (fx *air* ~ flyveforbindelse; *train* ~; *a* daily ~ **in** both directions), drift, *(mar)* fart; *(public* ~) væsen *(fx health* ~ sundhedsvæsen; *fire* ~; *telegraphic* ~*);* etat; *(mil.)* værn *(fx the three* -s), tjenestegren; tjeneste, tjenestetid; *(rel)* gudstjeneste *(fx evening* ~*);* ritual *(fx the marriage* ~*);* *(jur)* forkyndelse (af stævning); (i tennis) serve; *(agr)* bedækning; (tallerkner *etc)* stel *(fx a tea* ~*),* service *(fx silver* ~*);* -s *pl (økon)* tjenesteydelser *(fx profits on goods and -s);* **in** ~ i tjeneste; (om ting) i brug, i funktion, (om maskine *etc)* i drift, *(mar)* i fart; *be* **of** ~ være til nytte.
II. service ['sə:vis] *sb (bot)* = service tree.
III. service ['sə:vis] *vb* yde service til; foretage eftersyn af

(fx a car), reparere; *(agr,* om handyr) bedække; *the garage where my car is* -d (også) det værksted hvor jeg sender min bil til service.
serviceable ['sə:visəbl] *adj* nyttig, brugbar; holdbar, solid, slidstærk.
service| **area** (radiostations) dækningsområde. ~ **ball** servebold. ~ **book** alterbog. ~ **brake** (i bil) fodbremse. ~ **dress** tjenesteuniform. ~ **flat** lejlighed i kollektivhus, kollektivlejlighed. ~ **hatch** serveringslem. ~ **pipe** stikledning. ~ **stairs** køkkentrappe. ~ **station** branntank, servicestation. ~ **table** anretterbord. ~ **tree** *(bot)* røn; *wild* ~ *tree* tarmvridrøn.
serviette [sə:vi'et] *sb* serviet.
servile ['sə:vail] *adj* krybende; servil; slave-; ~ *imitation* slavisk efterligning.
servility [sə:'viliti] *sb* kryberi; servilitet.
servitor ['sə:vitə] *sb (hist.)* tjener.
servitude ['sə:vitju:d] *sb* slaveri, trældom; *penal* ~ strafarbejde.
servo|**control** ['sə:vou-] servostyring. -**mechanism** servosystem. -**motor** servomotor. ~ **operated** servostyret.
sesame ['sesəmi] *sb (bot)* sesam.
sesquipedalian ['seskwipi'deiljən] *adj* langt og knudret (om ord).
sessile ['sesail] *adj (bot)* uden stilk, siddende (umiddelbart på stængelen); *zo* fastsiddende.
session ['seʃən] *sb (parl)* samling; møde; *(jur)* retssession; T (besværligt) møde *(fx he had a long* ~ *with his solicitor);* (ved universitet) semester; (i Skotland) menighedsråd; *be in* ~ være samlet, holde møde; *remain in* ~ forblive samlet; *Court of Session* Skotlands højesteret (i civile sager).
SET *fk selective employment tax.*
I. set [set] *vb (set, set)* (se også II. *set)* sætte, stille, anbringe *(fx* ~ *the bowl in the centre),* lægge; vende *(fx one's face towards the sun);* (ind)stille *(fx a clock, a trap);* (om juvel *etc)* indfatte, indsætte *(fx* ~ *a precious stone in gold;* ~ *glass in a sash);* (om æg, gips *etc)* størkne, (bringe til at) stivne *(fx the wind will soon* ~ *the mortar; the mortar has* ~*);* (bevirke:) få til at *(fx* ~ *one's heart beating);* (i musik) udsætte *(fx* ~ *a piece of music for the violin);* (om opgave) stille, give *(fx* ~ *an examination paper; you have* ~ *me a difficult task);* (bestemme:) anslå, ansætte *(fx I* ~ *the value at £ 100),* fastsætte *(fx a date, a time);* (om solen *etc)* gå ned; (om frugttræ *etc)* sætte frugt *(fx the apples won't* ~ *this year);* (om tøj) sidde; (om tidevand) bevæge sig, strømme (i en vis retning) *(fx the tides* ~ *off the shore);* *(mar)* pejle.
(forskellige forbindelser; se også hovedordet, *fx free, example, heart);* ~ *going* sætte i gang, få på gled; ~ *a* hen lægge en høne på æg; ~ *sby a lesson* give en en lektie for; *be* ~ *a lesson* få en lektie for; ~ *a palette* sætte en palet op; ~ *a question* stille et spørgsmål (i eksamensopgave); ~ *a razor* stryge en barberkniv; ~ *a saw* udlægge en sav; ~ *a table* dække bord; ~ *one's teeth* bide tænderne sammen; *that* ~ *me thinking* det fik mig til at tænke dybere over sagen; *they were* ~ *three tricks* de fik tre undertræk;
(forb med præp *el. adv)* ~ **about** tage fat på, gå i gang med *(fx I must* ~ *about my writing);* gribe an *(fx I don't know how to* ~ *about it);* T (begynde at) angribe, klø løs på; udbrede, udsprede *(fx gossip, a rumour);* ~ **apart** reservere, gemme, hensætte, lægge til side; adskille *(from* fra); give en særstilling; ~ **aside** til side; se bort fra; *(jur)* annullere, kende ugyldig, omstøde *(fx a will* testamente); ~ **back** sætte tilbage *(fx the clock);* sinke; trække tilbage *(fx* ~ *back the ground floor to give a wider road); it* ~ *me back £ 10* S det kostede mig £ 10; ~ **down** lægge *(el.* stille) fra sig; sætte (en passager) af; nedskrive, optegne; notere; tilskrive *(fx rules);* (om fly) lande; ~ *sby down* (også) skære *(el.* pille) en ned; ~ *down as* regne for *(fx* ~ *sby down as a fool); you can* ~ *me down as a member* De kan tegne mig som medlem; ~ *down to* tilskrive; ~ **forth** stille frem; fremsætte, fremstille, redegøre for; drage ud, tage af sted; ~ **forward** fremsætte *(fx a proposal);* fremme *(fx the cause of underdeveloped peoples);* tage af sted; (om ur) stille frem;

14*

~ **in** begynde; ~ *in rainy (el. raining)* falde i med regn; *winter has* ~ *in very early this year* vinteren er kommet meget tidligt i år; *it* ~ *in to freeze* det blev frostvejr; ~ **off** tage af sted, starte; sende af sted; fremhæve, sætte i relief; udløse, bringe til at eksplodere *(fx a mine); (merk)* modregne, modpostere; ~ *off against* lade gå op mod; ~ *sby off laughing* få en til at le; ~ **on** ægge, tilskynde; angribe *(fx the dog* ~ *on me),* overfalde; ~ *a dog on sby* pudse en hund på en; ~ *sby on his feet* hjælpe en på benene; ~ *one's thoughts on* rette sine tanker mod, samle sine tanker om; ~ **out** sætte (, lægge) frem; fremsætte, redegøre for; sætte sig for *(fx to write a book);* drage af sted; *(tekn)* afstikke, opmærke; (om planter) plante; ~ **to** tage fat (på arbejdet) *(fx it is time we* ~ *to);* gå i gang; tage fat på maden; begynde at slås; ~ *sth to music* sætte musik til noget;

~ **up** rejse, sætte op *(fx a monument, a fence);* grundlægge, stifte, oprette *(fx a school),* etablere *(fx a business);* nedsætte *(fx a committee; a tribunal);* fremføre *(fx a theory);* opløfte *(fx a howl);* udstyre, forsyne *(fx be well* ~ *up with clothes);* kvikke op, bringe til hægterne *(fx a holiday* ~ *him up again);* nedsætte sig *(fx* ~ *up as a grocer);* hjælpe i vej, hjælpe i gang; *(tekn)* indspænde, opspænde; *(typ)* sætte; *be* ~ *up* **T** være opblæst; ~ *up for (el. as)* give sig ud for, have prætentioner i retning af at være *(fx he -s up for a pillar of society);* ~ *up for oneself,* ~ *up on one's own* begynde for sig selv; ~ *up an establishment,* ~ *up house* sætte bo, sætte foden under eget bord; *he* ~ *up his son in business* han hjælp sin søn i gang med en forretning; ~ *up in type (typ)* sætte; ~ *upon* overfalde.

II. set [set] *adj* sat, anbragt; beliggende *(fx a house* ~ *on a hill);* stiv *(fx smile);* stivnet, fast, bestemt *(fx opinions);* fastsat *(fx at a* ~ *time);* regelmæssig; fast, stående *(fx phrase* udtryk); foreskreven; *all* ~ *(am* **T**) parat, fiks og færdig; ~ *deeply* (om øjne) dybtliggende; *his eyes were* ~ han stirrede stift; ~ *for* forberedt på, parat til; ~ *on* fast besluttet på; *well* ~ *up,* se *set-up; well* ~ *up with* velforsynet med.

III. set [set] *sb* sæt *(fx of tools; of teeth* tandsæt, gebis), stel *(fx tea* ~), service *(fx dinner* ~), garniture *(fx toilet* ~), (radio, TV) apparat, modtager, *(tekn)* aggregat; (om personer) gruppe, omgangskreds, *(neds)* klike, bande; (stilling *etc:)* måde hvorpå noget sidder *(fx the* ~ *of one's hat);* (om tøj) snit, facon; (om strøm) strømretning, *(fig)* tendens *(fx the* ~ *of public opinion); (bot)* aflægger; (om beton) størkning, afbinding; (i byggeri) finpuds, (om fundament: nedsynken) sætning; *(mat.)* mængde *(fx* ~ *of points* punktmængde; *theory of -s* mængdelære); *(teat)* sætstykke, dekoration; (i tennis) sæt; *(typ)* sæt, skriftbredde; *make a dead* ~ *at* gå løs på (ɔ: angribe); lægge kraftigt an på; *at* ~ *of sun* ved solnedgang.

seta ['si:tə] *sb (bot, zo)* børste.

setaceous [si'teiʃəs] *adj* besat med børster.

set|back ['setbæk] *sb* tilbageslag, reaktion, hindring, standsning; *(arkit)* tilbagetrukken del af bygning. ~ **book** bog som kræves opgivet til eksamen. **-down** ['setdaun] *sb* knusende svar; 'næse'. ~ **gun** selvskud. **-off** ['setɔf] *sb* middel til at fremhæve noget, god baggrund for noget, prydelse; *(typ)* afsmitning; *(merk)* modregning, modregningskrav; *as a -off* til gengæld. **-screw** sætskrue; stilleskrue. ~ **square** trekant.

sett [set] *sb* brosten.

settee [se'ti:] *sb* sofa, kanapé.

setter ['setə] *sb* sætter, hønsehund.

setting ['setiŋ] *sb* nedgang *(fx of the sun);* jagt med hønsehund; (omkring noget:) ramme, indfatning *(fx of a jewel); (fig)* milieu, omgivelser, baggrund, sceneri, *(teat,* film) dekoration; (om gelé, gips) stivnen; *(typ)* (op)sætning; (radio *etc)* indstilling; *(mar)* strømretning, vindretning; *his* ~ *of* hans mutie til.

setting stick *(typ)* vinkelhage.

settle ['setl] *vb* ordne, bringe orden i *(fx one's affairs),* klare, (regnskab *etc)* betale *(fx a bill),* afregne, afvikle, gøre op; (komme til enighed om, bestemme:) fastsætte, afgøre *(fx that -s the matter),* (strid *etc)* bilægge, afgøre *(fx a difference* et mellemværende; *a dispute);* (dræbe

etc) ordne, gøre det af med; (placere, lægge *etc)* anbringe, sætte til rette *(fx one's feet in the stirrups),* få til at lægge sig *(fx rain -s the dust),* (nerver *etc)* berolige; (om land *etc)* kolonisere, slå sig ned i; (uden objekt) bosætte sig *(fx in England),* nedsætte sig, (også om fugl) slå sig ned, sætte sig, (i stol *etc* også) sætte sig til rette, (om sygdom) sætte sig (fast), (om tåge, stilhed *etc)* sænke sig, lægge sig *(fx dust -s on everything),* (om indtryk) fæstne sig, (om jord *el.* i jord) sætte sig, synke, (om indtryk) fæstne sig, bundfælde sig, (i væske) bundfælde sig, (om væske) klares;

~ *an account* afgøre et mellemværende; ~ *accounts with* gøre op med; *have an account to* ~ *with* have et mellemværende med; ~ **down** sætte sig til rette *(fx in a chair);* slå sig ned; gifte sig; slå sig til ro, falde til ro; falde 'til, finde sig til rette; ~ *down to* gå i gang med, tage fat på; *I can't* ~ *down to anything* jeg har ingen ro på mig; ~ **for** give sig tilfreds med, nøjes med; ~ **in** komme i orden (efter flytning); finde sig til rette; nedsætte sig som forretningsmand; ~ *him in business* sætte ham i gang med en forretning; ~ *in one's mind* nedfælde sig (i bevidstheden); ~ **on** (også) bestemme sig for; *(jur,* ofte) testamentere; ~ *an annuity on her* sætte penge hen til en livrente til hende; *the house was -d on her* hun beholdt huset som særeje; ~ **up** afregne, gøre op; ~ **with** gøre op med; betale; ~ *with one's creditors* (også:) affinde sig med (ɔ: få en ordning med) sine kreditorer.

II. settle ['setl] *sb* bænk (med høj ryg).

settled ['setld] *adj* fast *(fx opinion);* bestemt; afgjort; stabil *(fx weather);* indgroet *(fx habit);* koloniseret; (om regning) betalt; *married* and ~ gift og hjemfaren; ~ *property* håndlagt kapital; *well, that's* ~ then så er det en aftale.

settlement ['setlmənt] *sb (cf settle)* ordning, betaling, afregning, opgørelse, afgørelse, bilæggelse, forlig; anbringelse; kolonisation; (af fundament) sætning; (i væske) bundfældning; (sted:) koloni, boplads, nybygd; settlement; *(jur)* ægtepagt, forsørgelse, livrente; *(hist.)* fastsættelse af arvefølge; *the Act of Settlement* tronfølgeloven (af 1701).

settler ['setlə] *sb* kolonist; nybygger.

settling day betalingsdag, forfaldsdag.

settlings ['setliŋz] *sb pl* bundfald.

set-to ['settu:] *sb* sammenstød, slagsmål.

I. setup ['setʌp] *sb* opstilling *(fx* af apparater), arrangement, måde hvorpå noget fremtræder, opbygning, struktur; indretning, *(neds)* menage; (om person) (rank) holdning; *(tekn)* indspænding, opspænding.

II. set-up *adj: well* ~ rank (og kraftig), velbygget.

seven ['sevn] *syv.* **seven|fold** ['sevnfould] *syvfoldig.* **-teen** ['sevn'ti:n] *sytten.* **-teenth** [-'ti:nθ] *syttende.*

seventh ['sevnθ] *adj* syvende; *sb* syvendedel.

seventieth ['sevntiiθ] *adj, sb* halvfjerdsindstyvende(del).

seventy ['sevnti] halvfjerds(indstyve).

sever ['sevə] *vb* skille *(fx the head from the body),* kløve, splitte; skære over; afbryde *(fx a friendship, diplomatic relations),* løsrive; (uden objekt) skilles, løsrive sig, briste.

several ['sevrəl] *adj* adskillige *(fx* ~ *times),* flere; forskellige *(fx the* ~ *members of the committee);* respektive; ~ *more* adskillig flere; *they went their* ~ *ways* de gik hver sin vej.

severally ['sevrəli] *adv* hver for sig, særskilt, en for en.

severance ['sev(ə)rəns] *sb* adskillelse, afbrydelse, løsrivelse *(fx from the Commonwealth).*

severe [si'viə] *adj* streng, hård *(on, with* mod); heftig, stærk, voldsom *(fx criticism; pain);* alvorlig *(fx illness); the weather is* ~ det er meget koldt; *-ly* strengt *(etc); leave sby -ly alone* gå langt *(el.* i en stor bue) uden om en.

severity [si'veriti] *sb* strenghed, hårdhed, voldsomhed, heftighed.

Seville [sə'vil, 'sevil] Sevilla; ~ *orange* pomerans.

sew [sou] *vb (sewed, sewn el. sewed)* sy; *(bogb)* hæfte; ~ *on a button* sy en knap i; ~ *up* tilsy, sy sammen; *(fig)* sikre sig; *S (fx* om aftale) få ordnet, få afsluttet, få i hus; (se også *sewn-up).*

sewage ['sjuidʒ] *sb* kloakindhold, spildevand.

I. sewer ['souə] *sb* syer(ske).
II. sewer ['sjuə] *sb* kloak; *vb* forsyne med kloak, kloakere.
sewerage ['sjuərid3] *sb* kloakanlæg; kloakering.
sewing ['souiŋ] *sb* syning, sytøj.
sewing| circle syklub. ~ **machine** symaskine.
sewn [soun] *pp af sew.*
sewn-up ['sounʌp] *adj* **S** udmattet, medtaget; *(fx om af-tale)* ordnet, i orden, afsluttet, »klappet og klar«, sikret, »hjemme«.
sex [seks] *sb* køn; kønslivet; erotik, sex; *adj* seksual- *(fx instruction* undervisning); køns- *(fx hormone); the (fair)* ~ det smukke, køn.
sexagenarian [seksəd3i'nɛəriən] *sb, adj* (en der er) i tres-serne, tresårig.
sexangular [sek'sæŋgjulə] *adj* sekskantet.
sex appeal sex-appeal, tiltrækning for det andet køn.
sexennial [sek'senjəl] *adj* seksårig.
sexism ['seksizm] *sb* kønsdiskrimination.
sexless ['sekslis] *adj* (også *fig)* kønsløs.
sextant ['sekstnt] *sb* sekstant.
sextet(te) [seks'tet] *sb* sekstet.
sexton ['sekstn] *sb* graver, kirkebetjent.
sextuple ['sekstjupl] *adj* seksdobbelt; *vb* seksdoble.
sexual ['seksjuəl] *adj* kønslig, seksuel ; seksual-; køns- *(fx organs; desire* drift; *role);* ~ *intercourse* kønslig omgang.
sexy ['seksi] *adj* **S** erotisk, sexet.
S.G. *fk Solicitor General.*
s.g. *fk specific gravity.*
shabby ['ʃæbi] *adj* lurvet, luvslidt *(fx clothes),* forhutlet *(fx beggar);* tarvelig, sjofel, lurvet *(fx trick).*
shabby-genteel ['ʃæbid3en'ti:l] *adj* fattigfin.
shabrack ['ʃæbræk] *sb* sadeldækken, skaberak.
shack [ʃæk] *sb* hytte, skur; *vb:* ~ *up with* bo sammen med; leve sammen med.
shackle ['ʃækl] *sb* lænke, -*s pl (fig* også) snærende bånd; *(tekn)* sjækkel, *(mar* også) heks, ankerbøjle; *vb* lænke; *(fig)* hæmme; *(tekn)* sjækle, *(mar)* ihekse; ~ *together (mar)* sammenhekse.
shad [ʃæd] *zo* majfisk, stamsild.
shadbush ['ʃædbuʃ] *sb (bot)* bærmispel.
shaddock ['ʃædək] *sb (bot)* pompelmus (art stor grape-frugt).
I. shade [ʃeid] *sb* skygge; *(mht* farve) afskygning, farve-tone, schattering, (også *fig)* nuance *(fx -s of meaning); (fig)* anelse, smule, bagatel *(fx a* ~ *better);* (værn mod lys:) skærm *(fx eye* ~, *lamp* ~), *(am)* rullegardin; *(litt)* genfærd; -*s pl* **S** solbriller; *put sby into the* ~ stille en i skygge.
II. shade [ʃeid] *vb* skygge, skygge for *(fx* ~ *one's eyes with one's hand);* kaste skygge over; afskærme; (om tegning) skyggelægge, skravere; ~ *(off) into* glide over i, gå grad-vis over i *(fx blue that -s into green); -d rule (typ)* fedfin streg.
I. shadow ['ʃædou] *sb* skygge, slagskygge; *(fig* også) uad-skillelig ledsager; skyggebillede; genfærd, fantom; *not a* ~ *of* ikke en smule, ikke antydning af.
II. shadow ['ʃædou] *vb* skygge for, kaste (en) skygge over; skygge *(fx he was -ed by the police);* ~ *forth* lade ane, give varsel om.
shadow|boxing skyggeboksning. ~ **cabinet** skyggekabinet. **shadow|graph** skyggebillede. ~ **play** skyggespil.
shadowy ['ʃædoui] *adj* skygge-, skyggefuld; *(fig)* mørk, uvirkelig.
shady ['ʃeidi] *adj* skyggefuld; **T** lyssky, tvivlsom *(fx trans-actions),* fordægtig, (moralsk) anløben, mindre fin; *he is a* ~ *customer* (også) han er ikke fint papir; *on the* ~ *side of forty* på den gale side af de fyrre.
SHAEF [ʃeif] *fk Supreme Headquarters Allied Expedition-ary Forces.*
shaft [ʃa:ft] *sb* skaft *(fx of an axe, a club),* søjleskaft; (lys-, lyn-) stråle; *(litt)* pil (fra bue); spyd; (ved mine, i hus *etc)* skakt; *(anat)* benpibe; (på fjer) ribbe; *(tekn)* aksel; -*s pl* (til enspændervogn) vognstænger; *give sby the* ~ *(am* **S)** snyde en, udnytte en, røvrende en.
shafting ['ʃa:ftiŋ] *sb* akselledning.
shag [ʃæg] *sb* stridt hår; grov luv; (om tobak) (stærk fin-skåren røgtobak); *zo* topskarv; **S** jagt, forfølgelse; ban-dit, slyngel; *vb* løbe, jage, forfølge; -*ged (out)* udmattet.

shaggy ['ʃægi] *adj* stridhåret, lådden; uredt; ~ *eyebrows* buskede øjenbryn.
shaggy-dog story humoristisk fortælling *(el.* anekdote), ofte om talende dyr, med absurd pointe.
shaggymane ['ʃægimein] *sb (bot)* parykblækhat.
shagreen [ʃæ'gri:n] *sb* chagrin (læder, skind).
shah [ʃa:] *sb* shah (konge i Iran).
I. shake [ʃeik] *vb (shook, shaken)* ryste *(fx a cocktail),* få til at ryste *(fx his step shook the room); (fig)* ryste, cho-kere; få til at vakle, rokke (ved) *(fx his faith); (am)* **S** ryste af sig; (uden objekt) ryste, skælve *(fx with* (af) *fear, cold); (mus.)* slå triller; ~! *(am* **S)** giv pote! *that shook him* (også) det havde han ikke ventet; *shaking his finger at me* med løftet pegefinger (ɔ: formanende); ~ *one's fist at* true ad (med knyttet næve); ~ *hands* give hinanden hånden; ~ *hands with* him, ~ *him by the hand* give ham hånden, trykke hans hånd, give ham et håndtryk; ~ *one's head (at)* ryste på hovedet (over); ~ *a leg* **S** danse; skynde sig; ~ *in one's shoes* ryste i bukserne; ~ *one's sides with laughter* ryste af latter;
(forb med *præp, adv)* ~ **down** *(fx pears from a tree);* ryste sammen; ryste på plads; skære ned, redu-cere; kropsvisitere; (om skib) prøvesejle; (om person) falde til ro; falde 'til, vænne sig til forholdene *(fx in one's new home);* bo midlertidigt; sove på gulvet; **S** presse penge ud af; ~ **off** ryste af sig; komme over; fri-gøre sig for; ~ **out** ryste ud; ryste (grundigt) *(fx a car-pet);* folde; ~ **up** ryste (grundigt) *(fx a cushion);* omry-ste; blande; *(fig)* omorganisere drastisk, vende op og ned på, omkalfatre; (om person) ruske op i; (fx **shake** [ʃeik] *sb* rysten, ryk, rusk; jordskælv; (i træ) skøre, revne; (i sang *el.* musik) trille; ~ *of the hand* håndtryk; ~ *of the head* hovedrysten; *give sby a good* ~ ruske en ordentligt; *no great -s* **S** ikke meget bevendt; *have the -s* ryste (på grund af feber, drikkeri); *in two -s, in half a* ~ i løbet af 0,5.
shakedown ['ʃeikdaun] *sb* improviseret natteleje, opredning på gulvet; nedskæring; kropsvisitation; prøvesejlads; *(am* **S)** pengeafpresning; *give sby a* ~ rede op til en på gulvet.
shakedown cruise prøvesejlads.
shaken [ʃeikn] *pp af* **I. shake.**
shakeout ['ʃeikaut] *sb* grundig rysten *(fx of a carpet); (fig økon)* udrensning af mindre levedygtige firmaer; afskedi-gelser forårsaget af automatisering *etc;* afmatning i øko-nomien; brat kursfald, dyk.
shaker ['ʃeikə] *sb* bøsse *(fx pepper* ~); strødåse; cocktail-shaker; *(tekn)* rysteværk; ~ *conveyor* rysterende; ~ *screen* rystesigte.
Shakespeare ['ʃeikspiə].
Shakespearean [ʃeik'spiəriən] *adj* shakespearesk.
shakeup ['ʃeikʌp] *sb* omfattende ændring; drastisk omor-ganisering, omkalfatring.
shako ['ʃækou] *sb (mil.)* chakot (høj kasket).
shaky ['ʃeiki] *adj* rystende, skrøbelig, vaklende; *(fig)* usik-ker; upålidelig; ~ (også) stå på svage fødder.
shale [ʃeil] *sb* lerskifer.
shall [ʃæl; (trykløst:) ʃəl, ʃl] *(præt should)* skal, vil; det bruges:
a) som hjælpeverbum til at danne futurum i 1. person *(fx I* ~ *be there; we* ~ *arrive by the first train tomorrow* vi kommer med første tog i morgen);
b) til at udtrykke krav, pligt, nødvendighed *(fx he does not want to go, but I tell you he* ~) ; løfte *(fx you* ~ *have the money);* trussel *(fx you* ~ *regret it* du skal komme til at fortryde det);
c) i visse bisætninger, *fx it is strange that he should be there* det er mærkeligt, at han er der; *we decided to stay till the rain should cease* vi besluttede at blive til regnen hørte op.
shallop ['ʃæləp] *sb (mar)* chalup.
shallot [ʃə'lɔt] *sb* skalotteløg.
shallow ['ʃælou] *adj* lavvandet *(fx river),* grundet *(fx a* ~ *place near the shore);* lav; flad; *(fig)* overfladisk, flad-bundet, åndsforladt; (om åndedræt) svag; *sb* grundt sted; -*s pl* grundt vand, grunde, lavvandede steder; *he is pretty* ~ *(am* **S)** han stikker ikke dybt.
shallow-brained *adj* lavpandet, indskrænket.

shalt [ʃælt]: *thou ~ (glds)* du skal.

sham [ʃæm] *sb* humbug, imitation, efterligning; (person:) humbugsmager, charlatan, *(mht* sygdom) simulant; *vb* forstille sig, hykle, simulere (syg), spille *(fx ~ stupid)*; *adj* skin-, fingeret; uægte, imiteret *(fx ~ -Tudor)*; hyklet, forstilt; ~ *diamond* uægte diamant; ~ *fight* skinfægtning; ~ *illness* forstilt sygdom.

shaman ['ʃæmən] *sb* åndemaner.

shamble ['ʃæmbl] *vb* sjokke, slæbe på fødderne; *sb* sjokken.

shambles ['ʃæmblz] *sb* slagtehus, slagteri; *(fig)* slagtebænk, slagmark; virvar, ruinhob, kaos; rodebutik.

shame [ʃeim] *sb* skam; *vb* gøre skamfuld, beskæmme, gøre til skamme; (også = *bring ~ on); shame!* fy! *bring ~ on sby, bring sby to ~* bringe skam over en, vanære en; *put sby to ~* få en til at skamme sig; *for ~!* fy! *for (very) ~* for skams skyld; *be past (el. be lost to el. dead to) ~* have bidt hovedet af al skam; ~ *on you* du skulle skamme dig; ~ *sby into (, out of) sth* få en til (, fra) noget ved at skamme ham ud.

shamefaced ['ʃeimfeist] *adj* skamfuld, flov; genert, undselig.

shamefacedly ['ʃeimfeistli, -feisidli] *adv* skamfuldt; genert.

shameful ['ʃeimf(u)l] *adj* skændig, skammelig.

shameless ['ʃeimlis] *adj* skamløs.

shammer ['ʃæmə] *sb* simulant.

shammy ['ʃæmi] *sb* vaskeskind.

shampoo ['ʃæm'pu:] *sb* hårvask; shampoo (hårvaskemiddel); *vb* vaske med shampoo.

shamrock ['ʃæmrɔk] *sb (bot,* irsk nationalsymbol) trebladet hvidkløver.

shandrydan ['ʃændridæn] *sb* tohjulet kalechevogn; *(fig)* faldefærdigt køretøj, gammel kasse.

shandy ['ʃændi], **shandygaff** ['ʃændigæf] *sb* (blanding af øl og sodavand med ingefærsmag).

I. Shanghai [ʃæŋ'hai].

II. shanghai [ʃæŋ'hai] *vb* shanghaje (ɔ: drikke fuld og narre *el.* tvinge til at tage hyre).

shank [ʃæŋk] *sb* skank, ben, skinneben; (af nøgle, ske *etc)* skaft; (på anker) læg; (på bor, bolt) hals; *(bot)* stilk, stængel; (af sko) gelenk; (af type) typelegeme; *go on Shanks's mare (el. pony)* benytte apostlenes heste.

shan't [ʃɑ:nt] sammentrækning af *shall not.*

shanty ['ʃænti] *sb* hytte, skur; *(mar)* opsang, shanty.

shanty town fattigkvarter hvor folk bor i skure; 'klondyke', blikby.

SHAPE, Shape [ʃeip] *fk Supreme Headquarters Allied Powers Europe.*

I. shape [ʃeip] *vb* skabe, danne, forme, tilhugge; *(fig)* tilpasse, indrette; (uden objekt) arte sig; ~ *(a) course for* sætte kurs efter; ~ *up* to stille sig i boksestilling over for; *(fig)* trodse, udfordre; ~ *up to be* tegne til at blive; ~ *well* arte sig godt, love godt, tegne godt.

II. shape [ʃeip] *sb* form, facon; (om person) skikkelse; *in good (, poor)* ~ **T** i god (, dårlig) stand; *he is in a bad* ~ det går skidt med ham, det står skidt til med ham; *in the* ~ *of* i form af, (om person) i skikkelse af; *get (el. put) into* ~ få skik på, få form på; *take* ~ tage form.

shapeless ['ʃeiplis] *adj* uformelig.

shapely ['ʃeipli] *adj* velskabt.

shaper ['ʃeipə] *sb (tekn)* shapingmaskine.

shard [ʃɑ:d] *sb* potteskår; *zo* dækvinge.

I. share [ʃeə] *sb* plovskær, plovjern.

II. share [ʃeə] *sb* del, andel, lod, part; *(merk)* aktie; *fall to my* ~ falde i min lod; *go -s* **T** splejse (in til).

III. share [ʃeə] *vb* dele; deltage *(in* i), være med *(in* i), (med objekt) dele; være fælles om, have (, holde) *(fx a car)* sammen; (i Oxfordbevægelsen) samdele; ~ *alike* dele som brødre; ~ *out* uddele.

share| capital aktiekapital. ~ **certificate** aktiebrev (udstedt på navn). **-cropper** *(am)* forpagter der svarer en del af afgrøden i forpagtningsafgift. **-holder** aktionær, andelshaver. **-holding** aktiebeholdning. **-pusher** aktiesvindler. **warrant** tegningsretsbevis.

shark [ʃɑ:k] *sb* haj; svindler; *vb* svindle, snyde; *he is a ~ at mathematics (am* **S)** han er mægtig god til matematik.

Sharon ['ʃɛərən] Saron; *rose of* ~ Sarons rose.

sharp [ʃɑ:p] *adj* skarp; spids *(fx needle)*; brat, stejl *(fx rise)*; rask *(fx run)*; skarpskåren *(fx features)*; tydelig; præcis; hvas, bidende *(fx frost)*, skærende *(fx twinge* smerte); skarp *(fx rebuke)*; (intelligent *etc)* kvik, hurtig, skarpsindig, intelligent, vågen, dreven, fiffig, snu; *(neds)* (lidt for) smart *(fx tricks)*; (om lyd) skingrende, gennemtrængende; (i musik) falsk (ɔ: for høj), (om node) med kryds for; *sb* kryds (foran node), node med kryds for; sort tangent; **T** snyder, svindler; *vb* snyde; *C sharp* cis; *sharp's the word!* rub dig! *look* ~ skynde sig; *at five o'clock* ~ klokken fem præcis.

sharpen ['ʃɑ:pn] *vb* hvæsse, spidse; skærpe; (uden objekt) blive skarp.

sharper ['ʃɑ:pə] *sb* **S** bedrager, falskspiller.

sharp-set ['ʃɑ:pset] *adj* grådig; glubende sulten; med en skarp kant.

sharp practice tvivlsomme (, lidt for smarte) metoder.

sharpshooter ['ʃɑ:pʃu:tə] *sb* skarpskytte.

shatter ['ʃætə] *vb* slå i stykker, splintre, knuse; *(fig)* nedbryde *(fx his health)*, ødelægge *(fx his peace of mind)*; knuse *(fx their power)*, tilintetgøre; (uden objekt) gå i stykker, splintres, knuses, ødelægges; ~ *a dream (, an illusion, his hopes)* få en drøm (, en illusion, hans håb) til at briste.

shave [ʃeiv] *vb* barbere (sig); *(fx* om huder) skrabe, (om træ) høvle, snitte; (lige *el.* næsten røre:) strejfe, stryge forbi; *sb* barbering; *he had a close* ~ der var bud efter ham (ɔ: han var i fare); *it was a narrow (el. close)* ~ det var på et hængende hår, det var nær gået galt, det var tæt på.

shaven ['ʃeivn] *adj* barberet.

shaver ['ʃeivə] *sb* elektrisk barbermaskine, shaver; *(spog)* lille knægt; ung fyr.

shavetail ['ʃeivteil] *sb (am mil.* **S)** nyudnævnt sekondløjtnant.

Shavian ['ʃeivjən] *adj* som hos G. B. Shaw; *sb* beundrer af G. B. Shaw.

shaving ['ʃeiviŋ] *sb* barbering; **-s** *pl* spåner.

shaving| brush barberkost. ~ **case** barberetui. ~ **cup** *(el.* **mug, pot)** sæbekop. ~ **die** *(tekn)* skrabestempel. ~ **stick** stykke barbersæbe.

shaw [ʃɔ:] *sb* (skotsk) (kartoffel-, roe-) top.

shawl [ʃɔ:l] *sb* sjal; (til baby) svøb. **shawl collar** sjalskrave.

shawm [ʃɔ:m] *sb* skalmeje.

shay [ʃei] *sb (spog)* køretøj.

she [ʃi:] *pron* hun, den, det; *sb* hun(dyr); *adj* hun- *(fx ~ -bear* hunbjørn).

sheaf [ʃi:f] *sb (pl* sheaves) neg; knippe; bundt *(fx of papers)*; *vb,* se *sheave vb.*

shear [ʃiə] *vb (shore, shorn)* klippe (især får); *sb* klipning; *(tekn)* forskydning; *shorn of one's strength* berøvet sin styrke; *a two-shear ram* en toårs vædder; *pair of -s* (stor) saks, skræddersaks, fåresaks, havesaks.

shearlegs ['ʃiəlegz] *sb* trebenet kran; mastekran.

shearwater ['ʃiəwɔ:tə] *sb zo* skråpe.

sheath [ʃi:θ] *sb* skede, futteral.

sheathe [ʃi:ð] *vb* stikke i skeden; forhude.

sheathing ['ʃi:ðiŋ] *sb* beklædning; forhudning.

sheave [ʃi:v] *sb* blokskive, remskive; *vb* binde i neg *(el.* bundter, knipper); ~ *hole (mar)* skivgat.

sheaves [ʃi:vz] *pl* af *sheaf.*

Sheba ['ʃi:bə] Saba.

shebang [ʃi'bæŋ] *sb* **S** hus, butik; affære, redelighed; *the whole* ~ hele molevitten.

shebeen [ʃi'bi:n] *sb* smugkro.

I. shed [ʃed] *vb (shed, shed)* udbrede, sprede *(fx light, warmth)*, udsende; (om løv, horn *etc)* fælde, afkaste, miste, tabe; (om tøj) tage af, lægge; *(tekn etc)* udkaste, afkaste; *(fig)* skille sig af med; ~ *blood (, tears)* udgyde blod (, tårer); ~ *light on* kaste lys over; ~ *a tear* fælde en tåre; ~ *water* ikke tage imod vand; *it -s water* vandet løber af det.

II. shed [ʃed] *sb* skur; hangar.

she'd [ʃi:d] trukket sammen af *she had, she would.*

sheen [ʃi:n] *sb* skin, glans.

sheeny ['ʃi:ni] *adj* skinnende, glansfuld; *sb* **S** jøde.

sheep [ʃi:p] *sb (pl d s)* får; fåreskind; (om person) får; tossehoved; *there is a black* ~ *in every flock* der er brodne kar i alle lande; *a wolf in* ~*'s clothing* en ulv i fåreklæder;

I followed him (about) like a ~ jeg fulgte ham som en hund, jeg fulgte ham blindt; *make (el. cast) -'s eyes at* sende forelskede øjekast (til); *separate the* ~ *and the goats* skille fårene fra bukkene; *as well be hanged for a* ~ *as for a lamb* jeg (, du *etc*) kan lige så godt løbe linen ud.

sheep|cot fårefold. ~ **-dip** fårevaskemiddel. ~ **hook** hyrdestav.

sheepish ['ʃi:piʃ] *adj* undselig, genert, flov; fjoget.

sheep| ked *zo* fåretæge. ~ **run** (især *austr*) fåregræsgang. . -'s **bit** *(bot)* blåmunke. -'s **fescue** *(bot)* fåresvingel. **-shank** (knob:) trompetstik. **-skin** fåreskind; pergamentsdokument; T diplom. -'s **sorrel** *(bot)* rødknæ. ~ **tick** *zo* fåretæge. **-walk** græsgang for får.

I. sheer [ʃiə] *adj* ren; tynd, fin, gennemsigtig; lodret, stejl *(fx cliff)*; lutter; ren og skær *(fx stupidity)*; *(glds)* skær; *adv* lodret, stejlt; komplet; *a* ~ *impossibility* komplet umuligt; ~ *nonsense* det rene sludder; *out of* ~ *weariness* af lutter *(el.* bare) træthed.

II. sheer [ʃiə] *sb (mar)* spring (i dæk); pludselig drejning; *vb* gire, dreje; ~ *off (mar)* gire, skære ud; *(fig)* gå af vejen, vige til siden; stikke af.

sheer|legs trebenet kran, mastekran. ~ **plan** *(mar)* opstalt.

sheers [ʃiəz] *sb pl (mar.)* krydsbuk.

sheet [ʃi:t] *sb* flade *(fx of water); (fx* af jern) plade; (til seng) lagen; (af papir) ark, blad; *(poet)* sejl; *(mar.)* skøde, *-s pl* (også) for- *(el.* agter-)ende i robåd; *vb* lægge lagen på, dække med lagen; *between the -s* i seng(en); *three -s in the wind* S plakatfuld.

sheet| anchor pligtanker; *(fig)* redningsplanke. ~ **bend** *(mar)* flagknob. ~ **glass** vinduesglas. -ing lagenlærred. ~ **lightning** fladelyn. ~ **metal** tynd metalplade; blik. ~ **music** (løse) nodeark. ~ **pile** spunspæl. ~ **piling** spunsvæg.

Sheffield ['ʃefi:ld].

sheik(h) [ʃeik; *(am)* ʃi:k] *sb* sheik.

Sheila ['ʃi:lə].

shekel ['ʃekl] *sb* sekel (jødisk mønt og vægtenhed); *-s pl* S penge, 'gysser'.

sheldrake ['ʃeldreik] *sb* gravand, gravandrik.

shelduck ['ʃeldʌk] *sb* gravand.

shelf [ʃelf] *sb (pl shelves)* hylde; sandbanke, revle; klippefremspring; *(geol)* shelf, fastlandssokkel; (i minedrift) grundfjeld; *(laid) on the* ~ *(fig)* lagt på hylden, afdanket, forsømt; (om pige) ugift, ikke afsat; *she has been left on the* ~ (også) der er ingen der er interesseret i hende.

shell [ʃel] *sb* skal, *(bot* også) bælg; *zo* muslingeskal, konkylie; (af skildpadde, krabbe) skjold; *(mil.)* patronhylster; patron; granat; (atomfysik:) elektronskal; *(mar)* blokhus; (af skib) yderklædning; *(glds)* lyre; *(am)* let kaproningsbåd; ærmeløs bluse; *vb* afskalle(s); beskyde (med granater), bombardere; ~ *off* skalle af; ~ *out* S punge ud; ~ *peas* bælge ærter; *retire into one's* ~ trække sig ind i sin skal.

shellac [ʃəˈlæk, ˈʃelæk] *sb* schellak; *vb* lakere med schellak, schellakere; *(am* T) tæske.

shell|back S soulk. ~ **egg** rigtigt æg *(mods* æggepulver).

Shelley ['ʃeli].

shell|fish skaldyr. ~ **heap** køkkenmødding. ~ **pink** muslingefarvet. ~ **plating** *(mar)* yderklædning. **-proof** sprængstyksikker. **-shock** granatchok.

shelly ['ʃeli] *adj* dækket af skaller; skalbærende; rig på muslinger; skalagtig.

I. shelter ['ʃeltə] *sb* beskyttelse, ly, læ; læskærm, læskur; *(air raid* ~) beskyttelsesrum (mod luftangreb), tilflugtsrum; *take* ~ søge ly.

II. shelter ['ʃeltə] *vb* give læ (, ly, beskyttelse), skærme; huse; *(fig)* beskytte *(from* mod), værne; (uden objekt) søge ly, søge læ.

shelter deck *(mar)* shelterdæk (øverste dæk).

sheltered ['ʃeltəd] *adj* beskyttet *(fx industry); ~ workshop* beskyttet værksted (o: for handicappede).

shelter trench *(mil.)* dækningsgrav.

I. shelve [ʃelv] *vb* forsyne med hylder; sætte (, stille, lægge) (op) på en hylde (, hylder); *(fig)* lægge på hylden, henlægge, 'sylte'; (om person) afskedige.

II. shelve [ʃelv] *vb* skråne.

shelves [ʃelvz] *pl* af *shelf.*

shelving ['ʃelviŋ] *sb (cf I. shelve)* hyldemateriale; opstilling (på hylder); *(cf II. shelve)* skrånen, hældning; skrå flade, skråning; *adj* skrånende.

Shem [ʃem] Sem.

shemozzle [ʃiˈmɔzl] *sb* S ballade.

shenanigan [ʃiˈnænigən] T narrestreger; fup, hummelejstreger, humbug; nonsens, pjank.

shepherd ['ʃepəd] *sb* hyrde; *vb* vogte; føre, genne.

shepherdess ['ʃepədis] *sb* hyrdinde.

shepherd's| pie ret af hakket kød og kartoffelmos. ~ **purse** *(bot)* hyrdetaske.

sherbet ['ʃə:bit] *sb* sorbet (en drik).

sherbet glass portionsglas.

sheriff ['ʃerif] *sb* sheriff (i England: en ulønnet, af kongen udnævnt embedsmand som repræsenterer sit *county* ved større anledninger; i Skotland: administrativ embedsmand og dommer i et *county;* i USA: valgt embedsmand med visse politimæssige og juridiske funktioner).

sherry ['ʃeri] *sb* sherry.

she's [ʃi:z] *fk she is el. she has.*

Shetland ['ʃetlənd] Shetlandsøerne; *adj* shetlandsk.

shew [ʃou] = *show.*

shibboleth ['ʃibəleθ] *sb* kendingsord, løsen, kendetegn; (forslidt) slagord.

shield [ʃi:ld] *sb* skjold; skærm; *(fig)* forsvar, beskytter; *vb* beskytte, værge, skærme; dække (over).

shield bearer skjolddrager.

I. shift [ʃift] *vb* skifte; flytte *(to* til, over på, *fx* ~ *the accent to another syllable);* fjerne, omlægge; (uden objekt) forandre sig; forskyde sig *(fx the ballast has -ed);* (om vind) slå om; T skynde sig; fjerne sig; *(am)* skifte gear; ~ *for oneself* klare sig selv, sejle sin egen sø; ~ *one's ground* skifte standpunkt, ændre taktik, ændre signaler; ~ *off* søge at unddrage sig; ~ **on to** lægge (, flytte) over på *(fx* ~ *the load on to the other shoulder); (fig* også) vælte over på *(fx* ~ *the burden of taxes on to the poor);* ~ *the blame on to sby* skyde skylden på en.

II. shift [ʃift] *sb* forandring, omslag; forskydning *(fx a* ~ *of accent); (mht* arbejde) arbejdshold, skift; arbejdstid; T kneb, udvej, nødhjælp, list; (om tøj) enkel kjole uden talje; *(glds)* særk; ~ *of clothes* skiftetøj; *get a* ~ *on* få skub på; *make* ~ *with* klare sig med noget så godt man kan; *I must make* ~ *without it* jeg må klare mig uden det.

shifter ['ʃiftə] *sb (teat)* maskinmand; T lurendrejer.

shifting sands *pl* flyvesand.

shift key (på skrivemaskine) skiftenøgle.

shiftless ['ʃiftlis] *adj* doven, lad, uenergisk; ubehjælpsom.

shifty ['ʃifti] *adj* upålidelig, uærlig, lusket.

shikaree ['ʃikæri] *sb* (indisk:) (indfødt) jæger, fører.

shillelagh [ʃiˈleilə] *sb* knortekæp.

shilling ['ʃiliŋ] *sb* (nu afskaffet møntenhed, $\frac{1}{20}$ af et pund, inddelt i 12 *pence;* svarer i værdi til 5 *newpence); take the Queen's* ~ *(glds)* lade sig hverve, modtage håndpenge.

shilling shocker knaldroman.

shilly-shally ['ʃili'ʃæli] *vb* ikke kunne bestemme sig, vakle; *sb* ubeslutsomhed.

shim [ʃim] *sb (tekn)* mellemlæg, udfyldningsplade, underlagsplade.

shimmer ['ʃimə] *vb* flimre, skinne (svagt); *sb* flimren.

shimmy ['ʃimi] *sb* T chemise, undertrøje; (dans:) shimmy; (om bil) forhjulsvibrationer; *vb* vibrere.

shinannagin = *shenanigan.*

shindig ['ʃindig] *sb* T fest, gilde; ballade.

shindy ['ʃindi] *sb* T spektakel; *kick up a* ~ lave ballade.

shin [ʃin] *sb* skinneben; *vb* sparke over skinnebenet; ~ *up* klatre op ad (, i), entre op ad (, i); ~ *of beef* okseskank.

shinbone *sb* skinneben.

I. shine [ʃain] *vb* (shone, shone) skinne, lyse, stråle *(with* af); brillere; T pudse, polere, blanke; ~ *at* være fremragende til; ~ *up to (am)* T gøre kur til.

II. shine [ʃain] *sb* skin, glans; solskin; S neger; *the coat had a* ~ *at one elbow* frakken var blank på den ene albue; *get a* ~ *on one's shoes* T få sine sko pudset; *kick up a* ~ S lave ballade; *rain or* ~ hvad enten vejret var (, er) godt eller dårligt; *take the* ~ *out of it* tage glansen af det; *take a* ~ *to (am)* komme til at synes om, få sympati for.

shiner ['ʃainə] *sb* S øje; blåt øje; -s S penge.

shingle ['ʃiŋgl] *sb* tækkespån; småsten, rullesten; shinglet hår; det at shingle; *(am:* advokats, læges) skilt; *vb* tække med spån; (om hår) shingle; *hang out one's ~ (am)* åbne en praksis, nedsætte sig.

shingles ['ʃiŋglz] *sb pl (med.)* helvedesild.

shiny ['ʃaini] *adj* skinnende, blank; blankslidt.

ship [ʃip] *sb (mar.)* skib, fartøj, *(am* T) luftfartøj, flyvemaskine, luftskib; *vb* (om varer) sende, forsende *(fx ~ the goods by train);* (med skib) afskibe, tage (, bringe) ombord, (om vand, årer) tage ind, (om mandskab) påmønstre, hyre, (uden objekt) tage hyre;
when my ~ comes home (svarer til) når jeg engang vinder i lotteriet; når jeg bliver rig; *~ the oars (mar* også) lade falde årerne, lægge årerne op; *take ~* gå ombord; *~ a sea, ~ water* (også) tage vand over.

-ship *(bl. a)* embede, stilling, rang som *(fx judgeship, vicarship);* -skab *(fx friendship);* dygtighed som *(fx salesmanship).*

ship| biscuit beskøjt, skonrog. **-board:** *on* -*board* om bord (på et skib). **-boy** skibsdreng. **~ -breaker** skibsophugger. **~ broker** skibsmægler. **-builder** skibsbygger. **-building** skibsbyggeri. **~ chandler** skibsproviateringshandler. **-lap** (beklædning af) profilerede brædder. **-master** skibsfører.

shipment ['ʃipmənt] *sb* indskibning, afskibning; forsendelse; (varerne:) ladning; parti, sending.

shipowner ['ʃipəunə] *sb* reder.

shipper ['ʃipə] *sb* befragter, afskiber, speditør.

shipping ['ʃipiŋ] *sb* shipping, søfart, skibsfart; skibe; afskibning, forsendelse.

shipping| articles forhyringskontrakt. **~ documents** *pl* afskibningsdokumenter, afladedokumenter. **~ master** forhyringsagent. **~ office** forhyringskontor; rederikontor. **~ room** (især *am)* pakrum. **~ trade** (fællesbetegnelse for) rederi-, skibsmægler- og speditionsvirksomhed.

ship|'s articles forhyringskontrakt. **-'s biscuit** beskøjt, skonrog. **-'s boy** skibsdreng. **-shape** ['ʃipʃeip] *adj (mar.)* klart skib; *(fig)* i fin orden. **-'s husband** skibsinspektør. **-s' stores** *pl* skibsproviant. **-way** bedding. **-worm** *zo* pæleorm. **-wreck** ['ʃiprek] *sb* skibbrud, forlis; *vb: be* -*wrecked* lide skibbrud, forlise. **-wright** skibsbygger. **-yard** værft.

shire ['ʃaiə, *(i sms)* -ʃiə, -ʃə] *sb* grevskab, amt.

shirk [ʃə:k] *vb* skulke, skulke fra.

shirker ['ʃə:kə] *sb* skulker.

shirr [ʃə:] *vb* rynke (tøj); *sb* rynkning.

shirred [ʃə:d] *adj* rynket; med indvævet elastik.

shirt [ʃə:t] *sb* skjorte; (til dame) bluse; *in his ~* i sin bare skjorte; *he would give you the ~ off his back (fig)* han ville forære dig sin sidste skjorte (ɔ: alt hvad han ejer og har); *keep your ~ on!* tag den med ro! hids dig nu ikke op! *lose one's ~ (fig)* miste alt hvad man ejer og har; *put one's ~ on a horse (fig)* holde alle sine penge på en hest; *without a ~ to one's back (fig)* uden en øre på lommen.

shirt|dress skjorteblusekjole. **-front** skjortebryst. **-ing** *sb* skjortestof. **-sleeve** skjorteærme. **-tail** *sb* skjorteflig; *adj (fig)* ganske lille *(fx operation),* lillebitte *(fx boy),* ganske kort. **-waist** *(am)* (skjorte)bluse. **-waister** skjorteblusekjole.

shirty ['ʃə:ti] *adj* S vred, hidsig, arrig; prikken, sårbar.

shit [ʃit] *(vulg) vb (-ted, -ted)* skide; *sb* (også om person) skid, lort; S heroin; hash i blokform.

I. shock [ʃɔk] *sb* stød. rystelse, forargelse, chok; *vb* chokere, støde, ryste, forarge.

II. **shock** [ʃɔk] *sb* (af neg) hob, trave; (om hår) tæt, filtret, uredt hår, manke; *vb* sætte neg sammen.

shock absorber støddæmper.

shocker ['ʃɔkə] *sb* gyser, knaldroman; *he is a ~* han er rædselsfuld.

shock-headed med uredt, filtret hår.

shocking ['ʃɔkiŋ] *adj* chokerende, rystende, forfærdelig; rædselsfuld dårlig, elendig.

shock| treatment chokbehandling. **~ troops** stødtropper. **~ wave** lufttrykbølge (fra sprængning).

shod [ʃɔd] *præt* og *pp* af *shoe.*

shoddy ['ʃɔdi] *sb* kradsuld; *adj* billig, tarvelig; uægte, prangende.

I. shoe [ʃu:] *sb* sko; dupsko; bremsesko; *(elekt)* slæbesko; *shake in one's -s* ryste i bukserne; *I should not like to be in your -s* jeg ville nødig være i dit sted; *another pair of -s (fig)* en ganske anden sag; *know where the ~ pinches* vide hvor skoen trykker; *wait to step into dead men's -s* vente på at en anden skal dø for at overtage hans stilling el. formue.

II. **shoe** [ʃu:] *vb (shod, shod)* sko, beslå.

shoe|black skopudser. **-horn** skohorn. **-lace** skobånd, snørebånd. **-maker** skomager. **-string** skobånd; *on a* -*string* med meget små midler. **-tree** læst, skostiver.

shog [ʃɔg] *vb* S traske.

shone [ʃɔn] *præt* og *pp* af *shine.*

shoo [ʃu:] *(ʃ-lvd,* hvormed høns *etc* kyses bort); *vb* kyse (bort), genne.

shook [ʃuk] *præt* af *shake.*

I. shoot [ʃu:t] *vb (shot, shot)* skyde, afskyde, affyre; kaste, slynge *(fx be shot out of a car),* (ud)sende *(fx the sun -s its rays; ~ a glance at sby);* (af vogn) tippe, aflæsse *(fx rubbish); (fot)* fotografere, filme, optage; (uden objekt) skyde, fotografere *(etc);* (bevæge sig hurtigt:) fare (af sted), jage, pile; (om jæger) jage, gå på jagt; *(bot)* skyde, spire frem; S (om narkoman) tage et skud; være på sprøjten; *(am,* med terninger) slå;
~ the breeze S snakke, sludre; *~ craps (am)* spille terninger; *~ the cat* kaste op; brække sig; *I'll be shot if it isn't true* jeg vil lade mig hænge hvis det ikke er sandt; *~ the moon* S flytte uden at betale husleje; *~ a rapid* fare ned over et strømfald; *~ no rubbish* aflæsning af affald forbudt; *~ the sun* tage solhøjden; *~ the works* S vove den højeste indsats (i spil), sætte alt på ét bræt;
~ at skyde på; T sigte mod, stræbe efter; *~ away* skyde løs; skyde (ammunitionen) op, bortskyde; *~ off one's mouth (el. face)* S bruge mund; *~ out* rage frem; stikke ud, stikke frem; *~ up* skyde op *(fx a flame -s up),* skyde i vejret *(fx the child -s up);* skyde løs på; terrorisere (ved skyderi) *(fx a village);* S tage (stof) intravenøst.

II. **shoot** [ʃu:t] *sb* jagtselskab, jagtdistrikt; *(bot)* skud; (se også *chute).*

shooter ['ʃu:tə] *sb* jæger; skydevåben, 'skyder'

shooting ['ʃu:tiŋ] *sb* jagt, jagtret; *adj* jagende *(fx pain).*

shooting| affray skyderi; ildkamp. **~ boots** *pl* jagtstøvler. **~ box** jagthytte. **~ brake** stationcar. **~ distance** skudhold. **~ gallery** skydebane. **~ iron** S skydevåben, 'skyder'. **~ range** skydebane. **~ script** (film) drejebog; optagelsesplan. **~ star** stjerneskud. **~ stick** jagtstok. **~ war** »varm« krig, rigtig krig *(mods* kold krig).

shoot-out ['ʃu:taut] *sb* ildkamp.

shoot-up ['ʃu:tʌp] *sb* skyderi.

shop [ʃɔp] *sb* butik, forretning; værksted; *vb* gå i butikker; S forråde, stikke; *all over the ~* over det hele; *~ around* forhøre sig om priser og kvaliteter i forskellige butikker; indhente tilbud; *come to the wrong ~* gå galt i byen; *keep a ~* have en butik; *keep ~ for sby* T passe butikken for en; *talk ~* drøfte snævert faglige spørgsmål, 'snakke fag'.

shop| assistant kommis, ekspedient, ekspeditrice. **-fitter** butiksmontør. **-girl** ekspeditrice. **-keeper** detailhandler, handlende; *(neds)* kræmmer *(fx a nation of -keepers).* **-lifter** butikstyv. **-man** detailhandler, handlende; ekspedient.

shopper ['ʃɔpə] *sb* kunde; indkøbstaske; -s *pl* (også) folk på indkøb; *~ trolley* indkøbsvogn.

shopping ['ʃɔpiŋ] *sb* indkøb (også om det indkøbte); *go ~*

gå på indkøb, gå i butikker.

shopping| **bag** indkøbstaske; bærepose; *wheeled* ~ *bag* indkøbsvogn. ~ **book** kontrabog. ~ **centre** butikstorv, forretningscenter. ~ **list** indkøbsliste, huskeseddel; *(fig)* ønskeseddel.

shoppy ['ʃɔpi] *adj* butiks-; faglig, som drejer sig om faglige emner.

shop|soiled falmet, smusket, let beskadiget (ved at have været udstillet); *(fig)* forslidt *(fx cliché).* ~ **steward** (fagforenings) tillidsmand (på arbejdsplads). ~ **talk** faglig snak, fagsnak. **-walker** inspektør (i stormagasin). **-window** udstillingsvindue. **-worn** = *-soiled.*

I. shore [ʃɔ:] *sb* støtte, skråstøtte; *vb:* ~ *(up)* støtte, afstive.

II. shore [ʃɔ:] *sb* kyst; strand; bred; *on* ~ i land, til lands; på grund.

III. shore [ʃɔ:] *præt* af *shear.*

shore| bird strandfugl. ~ **fast** fortøjningstrosse. ~ **lark** *zo* bjerglærke. ~ **leave** landlov. **-line** kystlinie. ~ **patrol** *(am)* kystpoliti. **-ward** ['ʃɔ:wəd] mod kysten. ~ **weed** *(bot)* strandbo.

shorn [ʃɔ:n] *pp* af *shear.*

I. short [ʃɔ:t] *sb* (film:) kortfilm, forfilm; *(elekt)* kortslutning; *(fon etc)* kort vokal, kort stavelse; (ved fiskeri) undermålsfisk; *(merk.)* baissist.

II. short [ʃɔ:t] *adj* kort, kortfattet, kortvarig; lille (af vækst); kort for hovedet, brysk; for kort *(fx I can't tie the knot, the string is* ~*);* kneben, *(fot)* knap *(fx measure, weight);* utilstrækkelig forsynet; (om metal) skør, sprød; (om kage) sprød; (om drik) stærk, ikke opspædt; *adv* brat, pludselig *(fx stop* ~*);*

   (forskellige *forb,* se også *vb, fx cut, sell,* og på *alf* plads) *many goods are* ~ der er knaphed på mange varer; ~ *memory* dårlig hukommelse; *it is in* ~ *supply* der er knaphed på det; *be taken (el. caught)* ~ **T** (være ved at) gøre (, tisse) i bukserne; ~ *time* indskrænket arbejdstid; *make* ~ *work of* få fra hånden i en fart; gøre kort proces med; (om mad) spise i en fart, hugge i sig;

   (forb med præp, adv) Bill is ~ **for** *William* Bill er en forkortet form af William; *he was called Bill for* ~ han blev kaldt Bill for nemheds skyld; **in** ~ kort sagt; *be* ~ **of** mangle, være utilstrækkeligt forsynet med; *I am rather* ~ *(of funds)* der er ebbe i kassen; ~ *of murder I will do anything to help her* når vi lige undtager mord vil jeg gøre hvad det skal være for at hjælpe hende; *the long and the* ~ *of it is that he stole it* for at sige det kort *(el.* kort sagt) han stjal den; *nothing* ~ *of* intet mindre end; *nothing* ~ *of marvellous* ligefrem vidunderlig; *come* ~ *of* ikke nå (op til); *go* ~ *of* mangle, (se også *run).*

III. short [ʃɔ:t] *vb* kortslutte.

shortage ['ʃɔ:tidʒ] *sb* mangel, knaphed *(of* på).

short|bread slags småkage *(omtr:)* finsk brød. **-change** *(am* **T)** give for lidt penge tilbage, snyde. ~ **circuit** kortslutning. ~ **-circuit** *vb* kortslutte; *(fig)* **T** hindre, bremse *(fx his plans).* **-coming** fejl, mangel. ~ **cut** genvej. ~ **-dated** kortfristet. ~ **drink** stærk drik, ufortyndet drik.

shorten ['ʃɔ:tn] *vb* forkorte, indskrænke; (uden objekt) blive kortere, aftage, trække sig sammen; ~ *sail* mindske sejl.

shortening ['ʃɔ:tniŋ] *sb* fedtstof der bruges til bagværk for at gøre det sprødt.

shorthand ['ʃɔ:thænd] *sb* stenografi; *take down in* ~ stenografere ned. **shorthanded:** *be* ~ have for lidt mandskab, være underbemandet. **shorthand| report** stenografisk referat. ~ **typist** stenograf og maskinskriver(ske), stenotypist. ~ **writer** stenograf.

short|horn korthornskvæg. ~ **list** liste over de bedst egnede til en stilling, slutliste; *be on the* ~ *list* være blandt favoritterne. ~ **-list** *vb* opføre blandt favoritterne, sætte på slutlisten.

short-lived ['ʃɔ:t'livd] *adj* kortvarig.

shortly ['ʃɔ:tli] *adv* kort; om kort tid, snart.

short|-range *adj* kortdistance-. ~ **run:** *in the* ~ *run* på kort sigt.

shorts [ʃɔ:ts] *sb pl* shorts; (korte) underbukser.

short| sale *(merk.)* fiksforretning, blankosalg. ~ **sea** krap sø. ~ **sight** nærsynethed. ~ **-sighted** nærsynet, kortsynet. ~ **story** novelle. ~ **temper** iltert temperament. ~ **-tem-**

---

pered opfarende, ilter. ~ **-term** kortfristet. ~ **-toed eagle** slangeørn. ~ **-waisted** kortlivet. ~ **wave** kortbølge. ~**-wave therapy** *(med.)* kortbølgebehandling. ~ **-winded** ['ʃɔ:t'windid] stakåndet. ~ **-witted** enfoldig.

I. shot [ʃɔt] *præt* og *pp* af *shoot.*

II. shot [ʃɔt] *sb* skud; projektil(er), hagl; (person:) skytte *(fx he is a good* ~*);* (ved fiskeri) fiskedræt; *(fot)* lynskud; (film) indstilling; filmsscene, filmsoptagelse; **T** forsøg; gætning; indsprøjtning; andel *(fx pay one's* ~*); have a* ~ *at sth* **S** gøre et forsøg på noget; *make -s at the questions* (forsøge at) gætte sig til svarene, 'skyde'; *a big* ~ *(S* om person) en af de store kanoner; *I'll have a* ~ *for the train* jeg vil prøve på at nå toget; ~ *in the arm* indsprøjtning; *(fig)* saltvandsindsprøjtning *(fx the firm needs a* ~ *in the arm); a* ~ *in the dark (fig)* et skud i tågen; *a* ~ *in the locker* reservekapital; *not a* ~ *in the locker* ikke en øre i kassen; *like a* ~ som et lyn; som skudt ud af en kanon; meget villigt; *not by a long* ~ ikke på langt nær, langt fra.

III. shot [ʃɔt] *adj* changerende *(fx silk).*

shot| effect (radio) hagleffekt. **-gun** haglbøsse. **-gun wedding** hastebryllup. **-proof** skudfast, skudsikker. ~ **put** *(am)* kuglestød. **-tower** hagltårn.

should [ʃud, trykløst ʃəd, ʃd] *præt* af *shall.*

shoulder ['ʃouldə] *sb* skulder, (af dyr) bovstykke, (i jægersprog) blad; (langs vej) (gründ)rabat; *(tekn:* fremspring) ansats, *(fx* på kniv, bolt) bryst, *(typ)* skulder; (af bjerg) skråning; *vb* skubbe (med skulderen); tage på skulderen (, skuldrene), bære; *(fig)* påtage sig *(fx a task);* ~ **arms** *(mil.)* gevær i hvil! *stand head and -s above* være et hoved højere end; *straight from the* ~ rent ud, lige ud; **T** lige på og hårdt; *broad in the -s* skulderbred; ~ *to* ~ skulder ved skulder, med forenede kræfter; *stand* ~ *to* ~ stå last og brast; *give shy the cold* ~, se *cold*; *put one's* ~ *to the wheel* tage energisk fat, lægge kræfterne i, lægge sig i selen; ~ *out* skubbe ud, trænge ud.

shoulder| bag skuldertaske, svingtaske. ~ **blade,** ~ **bone** skulderblad. ~ **knot** skuldersløjfe. ~ **strap** skulderstrop.

shouldn't ['ʃudnt] *fk* should not.

shout [ʃaut] *vb* råbe, bruge mund; *sb* råb; ~ *at* råbe efter, råbe ind i hovedet på; *don't* ~ *at me!* du behøver ikke at råbe! jeg er ikke døv! ~ *down* overdøve, bringe til tavshed; ~ *for* råbe på, råbe efter; ~ *of laughter* latterbrøl; ~ *with laughter* brøle af latter; *my* ~ **T** det er min omgang.

shove ['ʃʌv] *vb* skubbe, puffe; *sb* skub, puf; ~ *off* støde fra land; *let us* ~ *off* **T** lad os se at komme af sted.

shovel ['ʃʌvl] *sb* skovl; *vb* skovle; ~ *hat* (engelsk) præstehat (med bred, på siderne opadbøjet skygge).

shovel(l)er ['ʃʌvlə] *sb zo* skeand.

I. show [ʃou] *sb* udstilling *(fx flower* ~*); (teat etc)* (varieté)forestilling, revy, teater, forlystelse; (det man ser:) syn, skue *(fx it was a beautiful* ~*),* tegn *(of* på, *fx no* ~ *of fatigue*; (stillen til skue) demonstration *(fx a* ~ *of strength),* opvisning *(fx gym* ~*);* (pralende:) ydre pragt, brilleren; (falsk:) (ydre) skin; *(med.)* tegnblødning; **S** foretagende; chance *(fx he had no* ~ *at all);*

   boss (el. run) the ~ stå for det hele; *do a* ~ **T** gå til en (teater-, biograf- *etc)* forestilling; *give the (whole)* ~ *away* røbe *(el.* afsløre) det hele, sladre; *wild beast* ~ menageri; *do sth* **for** ~ gøre noget for et syns skyld *(el.* for at brillere, for at det skal tage sig ud); *good* ~*!* bravo! *there is a* ~ **of** *reason in it* der er tilsyneladende noget fornuft i det; ~ *of hands* håndsoprækning *(fx vote by a* ~ *of hands); make a* ~ *of doing sth* lade som om man gør noget *(fx he made a* ~ *of not hearing me); be* **on** ~ være udstillet; *put up a good* ~ klare sig godt.

II. show [ʃou] *vb (showed, shown)* vise, forevise, fremvise; (på udstilling) udstille; (om plads, værelse) anvise; *(fig)* vise; opvise; lægge for dagen *(fx a noble spirit); (bevise etc)* påvise, godtgøre *(fx they have -n the presence of arsenic in the body);* (uden objekt) vise sig; komme *(fx* the scar does not ~*);* (om film) blive vist, gå; ~ *one's* **face** *(el.* run) the ~ stå sig, lade sig se; *what have I got to* ~ **for** *it?* hvad har jeg (fået) ud af det? ~ *one's* **hand** *(fig)* bekende kulør; røbe sine planer; ~ *one's* **heels,** ~ *a clean pair of heels* stikke af, flygte; *that* **just** *(el. only)* -s *(what the real situation is)* der kan man se (hvordan det virkelig forholder sig); ~ **off** vise frem, gøre sig vigtig med; brillere, vise sig, vigte sig; ~ **out** føre ud; vise ud; ~ **round** vise om i *(fx* museum); ~ *up* blotte, stille blot, afsløre; træde tydeligt frem; T vise sig, møde op.

show|bill reklameplakat. ~ **biz** S = ~ *business.* -**boat** teaterbåd. ~ **box** perspektivkasse. -**bread** skuebrød. ~ **business** *(omtr)* forlystelsesbranchen. ~ **card** reklameplakat. -**case** montre, glasskab. ~ **copy** (film) færdig kopi.

showdown ['ʃoudaun] *sb* det at lægge kortene på bordet; *(fig)* opgør; styrkeprøve; *force a* ~ (også) tvinge modparten til at bekende kulør.

shower ['ʃauə] *sb* (også *fig)* byge, overflod, regn *(fx of blows); (*bad*:)* brusebad, styrtebad, douche; *vb* regne, lade regne; *(fig)* overøse *(fx the audience -ed him with flowers);* overvælde.

shower bath brusebad, styrtebad, douche.

showery ['ʃauəri] *adj* byget, regnfuld.

showgirl ['ʃougə:l] *sb* korpige, kvindelig statist.

showing ['ʃouiŋ] *sb* fremvisning, forevisning; udstilling; *make a good* ~ gøre et godt indtryk; *a poor financial* ~ en dårlig økonomi (efter regnskaberne at dømme); *on their own* ~ efter deres eget udsagn; *on present* ~ så vidt man kan se nu.

showman ['ʃoumən] *sb* foreviser; teltholder; teaterdirektør; reklamemager.

shown [ʃoun] *pp* af *show.*

show|-off ['ʃouɔf] *sb* brilleren, vigten sig; T vigtigpeter. -**piece** udstillingsgenstand; *(fig)* mønster. -**place** seværdighed. -**room** udstillingslokale; demonstrationslokale.

showy ['ʃoui] *adj* pralende, som gerne vil vise sig; som tager sig ud.

shrank [ʃræŋk] *præt* af *shrink.*

shrapnel ['ʃræpnl] *sb* shrapnel, granatkardæsk(er); sprængstykker, granatsplinter.

shred [ʃred] *vb* skære i strimler; *sb* stump, trævl, strimmel; *not a* ~ *of evidence* ikke antydning af bevis; *-ded wheat* hvede behandlet som cornflakes.

shredder ['ʃredə] *sb* råkostjern.

I. shrew [ʃru:] *sb zo* spidsmus.

II. shrew [ʃru:] *sb* arrig kvinde, rappenskralle, xanthippe; *The Taming of the Shrew* 'Trold kan tæmmes'.

shrewd [ʃru:d] *adj* skarpsindig, snedig, dreven *(fx he was* ~ *but not wise);* skarp *(fx wind, tongue, observer),* hvas; *a* ~ *idea, a* ~ *suspicion* en lumsk mistanke; *he -ly suspects that* han har en lumsk mistanke om at.

shrewish ['ʃru:iʃ] *adj* arrig.

Shrewsbury ['ʃru:zbri, 'ʃrouzbri].

shriek [ʃri:k] *sb* skrig, hyl, hvin; *vb* skrige, hyle, hvine; ~ *with laughter* hyle af latter.

shrievalty ['ʃri:vlti] *sb* sheriffs embede.

shrift [ʃrift] *sb: give short* ~ gøre kort proces med.

shrike [ʃraik] *sb zo* tornskade.

shrill [ʃril] *adj* skingrende, gennemtrængende, skarp; *vb* hvine.

shrimp [ʃrimp] *sb zo* reje; *(fig)* splejs; *vb* fange *(el.* stryge) rejer.

shrine [ʃrain] *sb* helgenskrin, helgengrav, helligdom, alter.

shrink [ʃriŋk] *vb (shrank, shrunk)* skrumpe ind, svinde ind, (få til at) trække sig sammen; (om tøj) (få til at) krybe, krympe, dekatere; (af frygt *etc)* vige tilbage, gyse tilbage *(from* for); ~ *from* (af modvilje) kvie sig ved, søge at unddrage sig; ~ *on (tekn)* krympe på.

shrinkage ['ʃriŋkidʒ] *sb* svind; sammenskrumpning; krympning. **shrink fitting** *(tekn)* krympepasning.

shrinkproof ['ʃriŋkpru:f] *adj* krympefri.

shrive [ʃraiv] *vb (shrove, shriven) (glds)* skrifte.

shrivel ['ʃrivl] *vb* skrumpe ind, blive rynket; visne; (med objekt) gøre rynket, få til at visne *(el.* skrumpe ind). *-led* (også) rynket, runken.

shriven ['ʃrivn] *pp* af *shrive.*

shroff [ʃrɔf] *sb* (i Østen) indfødt møntekspert, bankier, vekselerer; *vb* undersøge (mønter for ægthed).

shroud [ʃraud] *sb* ligklæder, liglagen; *(fig)* dække, slør *(fx of mist, of mystery); (mar.)* vant; *vb* iføre ligklæder; *(fig)* tilhylle, dække, indhylle.

I. shrove [ʃrouv] *præt* af *shrive.*

II. Shrove [ʃrouv]: *Shrove Monday* fastelavnsmandag;

Shrove Tuesday hvidetirsdag.

Shrovetide ['ʃrouvtaid] fastelavn.

shrub [ʃrʌb] *sb* busk, krat; *vb* rydde for krat.

shrubbery ['ʃrʌbəri] *sb* buskads.

shrubby ['ʃrʌbi] *adj* busket.

shrug [ʃrʌg] *sb* skuldertræk; *vb: he -ged his shoulders* han trak på skuldrene; ~ *off* afvise med et skuldertræk; trække på skulderen ad *(fx an insult);* ryste af.

shrunk [ʃrʌŋk] *pp* af *shrink.*

shrunken ['ʃrʌŋkən] *adj* indskrumpet.

shuck [ʃʌk] *sb* skal, bælg, has; *vb* afskalle, bælge; ~ *(off) one's clothes* trække tøjet af.

shucks [ʃʌks] *interj* (især *am)* vrøvl; skidt med det; uha; *not worth* ~ ikke en disse værd.

shudder ['ʃʌdə] *vb* gyse; skælve; *sb* gysen, skælven.

shuffle ['ʃʌfl] *vb* blande, vaske (kort); rode; komme med udflugter; sno sig *(fx out of a difficulty);* (om gang) sjokke, slæbe på benene, slæbe benene efter sig; (om kort) blanding; kneb, udflugter; (om gang) sjokken, slæben på benene; ~ *one's feet* flytte benene frem og tilbage, sidde uroligt med *(el.* stå uroligt på) benene; slæbe på benene; ~ *off* frigøre sig for; skubbe fra sig *(fx the responsibility);* trække af *(fx one's clothes);* (om gang) sjokke af (sted); ~ *through one's work* jaske sit arbejde af.

shuffler ['ʃʌflə] *sb* kortblander; lurendrejer.

shun [ʃʌn] *vb* sky, undgå; ~ *shy like poison* sky en som pesten.

'shun [ʃʌn] *fk attention (mil.)* ret!

shunt [ʃʌnt] *vb (jernb)* skifte (ind på et sidespor), rangere; *(fig)* skubbe fra sig; lægge til side; *sb (jernb)* rangering, *(elekt)* shunt (gren af strømledning).

shunter ['ʃʌntə] *sb (jernb)* rangerlokomotiv.

shunting yard *(jernb)* rangerbanegård, rangerterræn.

shush [ʃʌʃ] *interj* ssch, tys; *vb* tysse (på).

shut [ʃʌt] *vb (shut, shut)* lukke, lukkes; *adj* lukket; ~ *one's face (el. head)* S holde kæft; ~ **down** lukke, standse arbejdet; ~ **in** lukke inde; ~ *one's finger in the door* få fingeren i klemme i døren; ~ **off** lukke for *(fx the water, the gas);* lukke ude *(from* fra); ~ **out** lukke ude; ~ **up** holde kæft, tie stille; få til at tie stille, lukke munden på; lukke fast i; lukke *(el.* spærre) inde; ~ *up a house* aflåse og forlade et hus; ~ *up shop* lukke forretningen, ophøre at drive forretning, lukke butikken; ~ *up sth in a safe* låse noget inde i et pengeskab.

shutdown ['ʃʌtdaun] *sb* lukning.

shut-eye ['ʃʌtai] *sb* S lur, 'en lille en på øjet'.

shutter ['ʃʌtə] *sb* skodde; *(fot)* lukker; *vb* lukke med vinduesskodder; *put up the -s (fig)* holde fyraften, lukke forretningen.

shuttle ['ʃʌtl] *sb* (i væv) skyttel; (i symaskine) skytte, spole; *vb* bevæge sig (, fare) frem og tilbage.

shuttle-cock ['ʃʌtlkɔk] *sb* fjerbold, badmintonbold.

shuttle service pendultrafik.

I. shy [ʃai] *adj* sky, forlegen, genert, undselig, frygtsom; *be* ~ *of* genere sig for; *(am)* mangle *(fx money); fight* ~ *of,* se *I. fight; once bitten twice* ~ af skade bliver man klog; brændt barn skyr ilden.

II. shy [ʃai] *vb* blive sky; ~ *away* springe til siden; galskab; ~ *at* blive sky for; *(fig)* vige tilbage for, vægre sig ved.

III. shy [ʃai] *vb* kaste, smide *(fx a stone at sby); sb* kast (med en bold eller en sten); T forsøg.

Shylock ['ʃailɔk] (person hos Shakespeare; ågerkarl).

shyster ['ʃaistə] *sb (am* T) vinkelskriver, lommeprokurator.

Siam ['saiæm] Siam.

Siamese [saiə'mi:z] *sb* siameser; siamesisk; *adj* siamesisk.

Siberia [sai'biəriə] Sibirien.

Siberian [sai'biəriən] *adj* sibirisk; ~ *crab (bot)* paradisæble.

sibilant ['sibilənt] *adj* hvislende; *sb* hvislelyd.

sibilation [sibi'leiʃən] *sb* hvislen.

siblings ['siblinz] *sb pl* søskende.

sibyl ['sibil] *sb* sibylle, spåkvinde.

Sibylline [si'bilain] *adj* sibyllinsk.

sic [sik] sic! (ɔ: således står der virkelig).

siccative ['sikətiv] *sb* sikkativ, tørremiddel.

Sicilian [si'siljən] *adj* siciliansk; *sb* sicilianer.

Sicily ['sisili] Sicilien.

I. sick [sik] *adj* syg (i denne betydning bruges ordet på engelsk næsten kun foran navneord, på *am* også som prædikatsord); søsyg, som har kvalme; sygelig *(fx look)*; *(fig)* led og ked *(of* af); (om vittighed) makaber; *the Sick Man* »den syge mand« *(hist.:* Tyrkiet, den tyrkiske sultan); *be* ~ have kvalme; kaste op; *(am)* være syg; ~ *for* syg efter; *go (el. report)* ~ *(mil.)* melde sig syg; *it makes me* ~ jeg får kvalme af det; *turn* ~ få kvalme.

II. sick [sik] *vb* T kaste op; ~ *a dog on sby* pudse en hund på en; ~ *him!* puds ham! ~ *up* T kaste op.

sick\bay infirmeri; (på kostskole *etc)* sygeafdeling; *(mar)* sygelukaf. **-bed** *(litt)* sygeseng, sygeleje. ~ **club** sygekasse.

sicken ['sikn] *vb* blive syg, få kvalme, føle lede *(at* ved); (med objekt) give kvalme, gøre syg; *be -ing for* være ved at blive syg af. **sickening** *adj* kvalmende, til at blive syg af; modbydelig.

sick headache *(am)* hovedpine og kvalme, migræne.

sickle ['sikl] *sb* segl, krumkniv.

sick leave sygeorlov.

sick list sygeliste; *on the* ~ sygemeldt, syg.

sickly ['sikli] *adj* sygelig, svagelig; usund *(fx complexion)*, mat, bleg, syg *(fx smile)*; (som giver kvalme:) vammel, kvalmende *(fx smell)*; modbydelig; *adv* sygt *(etc,* se *sick)*.

sickness ['siknis] *sb* sygdom; ildebefindende; kvalme.

sickroom ['sikru(:)m] *sb* sygeværelse.

I. side [said] *sb* side *(fx left* ~; *right* ~; *the* ~ *of the road)*; *(pol etc)* parti *(fx vote for a* ~*)*; (i sport) hold *(fx a soccer* ~*)*; *pick -s* (el. vælge hold; *put on* ~ T vigte sig, spille vigtig; *he puts on too much* ~ T han bilder sig noget ind; han er indbildsk; *on the* ~ (også) ekstra, ved siden af; *on the large (, small)* ~ ret stor (, lille); i overkanten (, underkanten); *on the other* ~ på den anden side; (på papir også) omstående; *take -s* tage parti *(with* for).

II. side [said] *vb*: ~ *with sby* tage éns parti, holde med én. **side\arms** sidevåben. **-board** skænk, anretterbord, buffet; *-boards pl* (små) bakkenbarter. ~ **box** sideloge. **-burns** *pl (am)* små bakkenbarter. **-car** sidevogn (til motorcykel). ~ **dish** mellemret. ~ **effect** bivirkning. ~ **-face** i profil. **-head** *(typ)* marginalrubrik. ~ **issue** underordnet spørgsmål. **-kick** *(am* S) hjælper, partner, kammerat. **-light** strejflys, sidelys; sidevindue; *(mar)* sidelanterne. **-line** bierhverv, ekstrajob, ben; (i sport) sidelinie; *from the -lines it looked as if (fig)* for en tilskuer *(el.* udefra) så det ud som om; *stay on the -lines* ikke deltage, nøjes med at være tilskuer. **-long** sidelæns, side-, skrå-, til siden. **-note** randbemærkning.

sidereal [sai'diəriəl] *adj* stjerne- *(fx day, year)*.

side\saddle damesadel. **-show** sidestraudstilling, (mindre) del af udstilling; (på marked) forlystelse; *(fig)* biting, underordnet foretagende. **-slip** *vb* glide sidelæns, skride (ud); *sb* udskriden; *(flyv)* sideglidning; vingeglidning; *(fig)* fejltrin, uægte barn. **-splitting** til at revne af latter over. **-step** *sb* (i boksning) skridt *(el.* spring) til siden, sidelæns skridt; *vb* foretage et skridt *(el.* spring) til siden; vige til side; *(fig)* undgå, gå uden om *(fx a problem)*. **-stroke** (armtag i) sidesvømning. **-swipe** *(fig)* hib. **-track** *sb (jernb)* sidespor, vigespor; *vb* rangere ind på sidespor, *(fig)* skubbe til side; bringe på afveje, aflede. **-walk** sidegang (i teater); (især *am)* fortov. **-walk artist** *(am)* fortovsmaler. **-wards** ['saidwədz], **-ways** ['saidweiz] *adv* sidelæns, skævt, skråt, til siden. ~ **whiskers** *pl* bakkenbarter. ~ **-wind** sidevind; *(fig)* indirekte indflydelse; *by a* ~ *-wind* ad indirekte vej.

siding ['saidiŋ] *sb (jernb)* sidespor, vigespor; (på hus) (udvendig) vægbeklædning.

sidle [saidl] *vb* gå sidelæns, gå i skrå retning; nærme sig *(el.* gå) beskedent og genert, kante sig.

siege [si:dʒ] *sb* belejring; *(fig)* vedholdende angreb (af sygdom); anstrengende tid; *lay* ~ *to* belejre; *raise the* ~ hæve belejringen. **siege train** belejringstræn, belejringsudstyr.

siesta [si'estə] *sb* siesta, middagssøvn.

sieve [siv] *sb, vb* si, sigte.

sift [sift] *vb* sigte, strø, drysse; *(fig)* undersøge nøje, efter-

prøve grundigt; ~ *out* sigte fra.

sifter ['siftə] *sb* sigte; strødåse.

sifting ['siftiŋ] *sb* sigtning; *-s* frasigtede dele.

sigh [sai] *vb* sukke; *sb* suk; *fetch (el.* heave, draw) *a deep* ~ udstøde et dybt suk; ~ *for* sukke efter; sukke over; *heave a* ~ *of relief* drage et lettelsens suk.

I. sight [sait] *sb* syn, synsevne, synskreds; (på skydevåben) sigte, sigtemiddel; *(merk,* om veksel) sigt; (det man ser:) syn, skue, seværdighed, syn for guder; T en hel masse *(fx a* ~ *of money)*; *a (damn)* ~ *too clever* T alt for smart; *catch* ~ *of* få øje på; *get (el. gain)* ~ *of* få øje på, få i sigte *(fx land)*; *keep* ~ *of* holde øje med; *look a* ~ se forfærdelig ud; *lose one's* ~ miste synet; *lose* ~ *of* tabe af syne; *take* ~ tage sigte, sigte; *take a* ~ foretage en observation; *(forb med præp) after* ~ *(merk,* om veksel) efter sigt; *at* ~ straks; *(merk,* om veksel) ved sigt, a vista; *(mus.)* fra bladet *(fx play at* ~*)*; *love at first* ~ kærlighed ved første blik; *at the* ~ *of* ved synet af; *know by* ~ kende af udseende; *a* ~ *for sore eyes* et herligt syn; *from* ~ *(mus.)* fra bladet; *in* ~ i sigte; for øje; *be in* ~ *of* have i sigte; *come in* ~ *of* få i sigte; *come into* ~ komme til syne, blive synlig; *shoot on* ~ skyde uden varsel; *out of* ~ ude af syne; *out of* ~, *out of mind* ude af øje, ude af sind; *within* ~ inden for synsvidde.

II. sight [sait] *vb* få øje på, få i sigte *(fx land)*; observere *(fx a star)*; sigte på; (om kanon *etc)* indstille, rette.

sight draft sigtveksel.

-sighted [saitid] *adj* -seende, -synet *(fx keen-sighted, short-sighted)*.

sighting shot prøveskud.

sightless ['saitlis] *adj* blind.

sightly ['saitli] *adj* køn, net, tækkelig.

sight\-reader: *be an excellent* ~ *-reader* spille udmærket fra bladet. **-reading** det at spille *(el.* synge) fra bladet. **-seeing** *adj* på jagt efter seværdigheder; *sb* rundtur til seværdigheder; *go -seeing* se på seværdigheder. **-seer** turist. ~ **unseen** *(merk)* ubeset.

I. sign [sain] *sb* tegn; mærke; (symbol:) sindbillede, symbol; (på kort) signatur, tegn; (vej-, kro- *etc)* skilt; færdselstavle; *(mat.)* fortegn; *(astr)* tegn (i dyrekredsen), himmeltegn; *illuminated (el.* electric) ~ lysreklame.

II. sign [sain] *vb* gøre tegn *(to* til); slå kors for; underskrive, signere; skrive kontrakt *(to* om at); engagere; ~ *articles* tage hyre; *(forb med præp, adv)* ~ *away* fraskrive sig; ~ *for* skrive kontrakt om; ~ *off* (i kortspil) melde af, vise af; *(fig)* T slutte, gå hjem; ~ *off (, on)* (i radio) markere en udsendelses afslutning (, begyndelse) ved afspilning af kendingsmelodi; ~ *on* engagere, ansætte, forhyre, påmønstre; tage ansættelse, blive forhyret, tage hyre *(fx* ~ *on as cook)*; ~ *on for a job* påtage sig et arbejde; ~ *up* påtage sig et arbejde; lade sig hverve; engagere; *(mil.)* melde sig til militærtjeneste; (se også ~ *on)*.

signal ['signəl] *sb* signal; vb signalere; give tegn; *adj* udmærket; eklatant *(fx victory)*.

signal box *(jernb)* signalpost, signalhus.

signalize ['signəlaiz] *vb* fremhæve, udmærke.

signaller ['signələ] *sb (mil.)* forbindelsesmand; se også *signalman*.

signalman ['signəlmən] *sb (jernb)* signalmand, signalpasser; *(mar)* signalgast.

signatory ['signətri] *sb* underskriver; *adj* underskrivende; *the* ~ *powers* signatarmagterne.

signature ['signitʃə] *sb* underskrift; *(mus.)* fortegn; *(typ)* signatur (på ark); *(am:* på recept) signatur, brugsanvisning.

signature tune kendingsmelodi.

signboard ['sainbɔ:d] *sb* skilt; *(mar)* navneskilt.

sign digit (i edb) fortegnsciffer.

signet ['signit] *sb* signet; segl.

significance [sig'nifikəns] *sb* vigtighed, betydning; (i statistik) signifikans.

significant [sig'nifikənt] *adj* betydningsfuld, betegnende; (meget) sigende; (i statistik) signifikant; ~ *digits* (i edb) betydende cifre.

signification [signifi'keiʃn] *sb* betydning.

significative [sig'nifikətiv] *adj* betegnende.

signify ['signifai] *vb* betyde, betegne, tilkendegive; have betydning.
sign manual stadfæstende underskrift på dokument.
sign\post ['sainpoust] *sb* vejviser. **-writer** *sb* skiltemaler.
Sikh [si:k] *sb* sikh (medlem af indisk folkegruppe).
silage ['sailidȝ] *sb (agr)* ensilage.
Silas ['sailəs].
silence ['sailəns] *sb* stilhed, tavshed; stille! *vb* bringe til tavshed, bringe til at tie, gøre tavs; *(tekn)* støjdæmpe; *keep (el. observe)* ~ tie; ~ *gives consent* den der tier samtykker.
silencer ['sailənsə] *sb* støjdæmper, lyddæmper; (på motorkøretøj også) lydpotte.
silent ['sailənt] *adj* tavs; stille, lydløs; stum; *sb* stumfilm; *be* ~ tie; ~ *as death* tavs som graven; ~ *butler* smulebakke; ~ *film* stumfilm.
Silesia [sai'li:ziə, si'li:ziə] Schlesien.
silhouette [silu'et] *sb* silhouet, omrids; *vb* tegne i silhouet; silhouettere; *be -d against the sky* tegne sig i silhouet mod himlen.
silhouette target figurskive.
silica ['silikə] *sb* kiselsyreanhydrid, kiseljord.
silicate ['silikit] *sb* silikat, kiselsurt salt.
siliceous [si'liʃəs] *adj* kiselholdig, kisel-.
silicic [si'lisik] *adj (kem):* ~ *acid* kiselsyre.
silicon ['silikən] *sb (kem)* silicium.
silicosis [sili'kousis] *sb (med.)* silikose.
silk [silk] *sb* silke, silkegarn, silketøj, silkestof; *-s* silkevarer; *(jur)* silkekappe; *take* ~ anlægge silkekappen (blive King's (, Queen's) Counsel).
silk cotton silkebomuld, kapok.
silken ['silkn] *adj* silkeagtig, silkeblød; (om stemme) (silke)blød, indsmigrende; *(litt)* af silke, silke-.
silk\ moth *zo* silkesommerfugl. ~ **-screen printing** silketryk, serigrafi. **-worm** *zo* silkeorm.
silky ['silki] *adj* silkeagtig, silkeblød, silkeglinsende; (om stemme) (silke)blød, indsmigrende.
sill [sil] *sb (doorsill)* tærskel, dørtrin; *(windowsill)* (under)karm, (udvendig:) sålbænk; (under væg) fodrem.
silly ['sili] *adj* tosset, tåbelig, dum; *sb* tossehoved, fæ; *knock sby* ~ slå en bevidstløs; *the* ~ *season (glds)* agurketiden (den for pressen døde tid).
silo ['sailou] *sb* silo; raketsilo.
silt [silt] *sb* slam, mudder, dynd, slik; *vb* mudre til; ~ *up* fyldes med slam; mudre til; ~ *through* sive igennem.
silvan ['silvən] *adj* skovrig, skov-.
silver ['silvə] *sb* sølv (også om penge); sølvtøj; *adj* af sølv, sølvfarvet; *vb* forsølve; belægge med folie, foliere.
silver\ birch *(bot)* vortebirk. ~ **eel** *zo* blankål. ~ **fir** ædelgran. **-fish** *zo* sølvkræ. ~ **fox** sølvræv. ~ **gilt** sølvforgyldning. ~ **-grey** sølvgrå. ~ **-haired** med sølvgråt hår. **-ing** forsølvning. ~ **jubilee** 25 års jubilæum. ~ **leaf** bladsølv. **-lining** se *cloud.* ~ **plate** sølvplet; sølvtøj. ~ **-plate** *vb* forsølve. ~ **screen:** *the* ~ *screen* det hvide lærred. **-side** (af kød) lårtunge. ~ **spoon** sølvske; *be born with a* ~ *spoon in one's mouth* fødes med en sølvske i munden (ɔ: i en rig familie). ~ **standard** sølvmøntfod. **-tongued** veltalende. **-ware** sølvtøj. **-weed** *(bot)* gåsepotentil.
silvery ['silvri] *adj* sølvklar, sølvagtig.
simian ['simiən] *adj* abelignende.
similar ['similə] *adj* lignende, ligedannet; *be* ~ *to* ligne; ~ *angled* ensvinklet.
similarity [simi'læriti] *sb* lighed.
simile ['simili] *sb* lignelse, sammenligning.
similitude [si'militju:d] *sb* lighed, ligedannethed; sammenligning.
simmer ['simə] *vb* koge ved en sagte ild, småkoge, snurre; *sb (am)* kogning ved sagte ild; ~ *down* koge ind; *(fig)* T falde til ro.
simoleon [si'mouliən] *sb (am S)* dollar.
Simon ['saimən].
simony ['saiməni] *sb* simoni (handel med gejstlige embeder).
simoom [si'mu:m] *sb* samum (tør hed ørkenvind).
simp [simp] *sb* S fjols.
simper ['simpə] *vb* smile affekteret, smiske, grine; *sb* dumt smil.
simple ['simpl] *adj* enkel, simpel, klar, ukompliceret,

usammensat; (om person) jævn og ligefrem, ukunstlet; troskyldig, naiv; enfoldig; *sb (glds)* lægeplante; *it is a* ~ *fact* det er ganske enkelt en kendsgerning; *live the* ~ *life* leve primitivt.
simple\ addition addition af ubenævnte tal. ~ **equation** *(mat.)* ligning af første grad. ~ **-hearted** åben, oprigtig, ærlig, ukunstlet. ~ **interest** simpel rente. ~ **-minded** troskyldig, enfoldig, naiv.
Simple Simon dummepeter.
simpleton ['simpltən] *sb* tåbe, dumrian.
simplicity [sim'plisiti] *sb* simpelhed, jævnhed, ligefremhed; enfoldighed.
simplification [simplifi'keiʃən] *sb* forenkling.
simplify ['simplifai] *vb* forenkle, simplificere.
simplism ['simplizm] *sb* overforenkling; naivitet.
simplistic [sim'plistik] *adj* overforenklet, naiv.
simply ['simpli] *adv* enkelt, jævnt; simpelt hen.
simulacrum [simju'leikrəm] *adv* humbugsagtig efterligning, skin *(fx the* ~ *of a democracy).*
simulate ['simjuleit] *vb* give det udseende af at man har *(fx knowledge),* foregive *(fx an interest),* simulere, hykle *(fx enthusiasm);* fingere; efterligne, (fremstille til at) ligne; ~ *illness (, innocence, virtue)* stille sig syg (, uskyldig, dydig) an; *-d* (også) imiteret; ~ *weapon* attrap.
simulation [simju'leiʃən] *sb* forstillelse.
simulcast ['siməlka:st] *vb* sende samtidig i radio og TV; *sb* fællesudsendelse.
simultaneity [siməltə'niəti] *sb* samtidighed.
simultaneous [siməl'teinjəs] *adj* samtidig; simultan- *(fx translation).*
sin [sin] *sb* synd, forsyndelse; *vb* synde, forsynde sig *(against* imod); *for my -s* for mine synders skyld; *it is a* ~ *and a shame* det er synd og skam; *hate sby like* ~ hade en som pesten; *it was raining like* ~ det plaskregnede; *live in* ~ leve sammen uden at være gift; *as ugly as* ~ grim som arvesynden.
Sinai ['sainiai].
since [sins] *adv, præp, conj* siden; eftersom; *ever* ~ lige siden; *long* ~ for længst; *many years* ~ for mange år siden.
sincere [sin'siə] *adj* oprigtig; *yours -ly* Deres (, din) hengivne (under brev).
sincerity [sin'seriti] *sb* oprigtighed.
sine [sain] *sb (mat.)* sinus.
sinecure ['sainikjuə, 'sinikjuə] *sb* sinecure, embede uden embedspligter.
sine die [saini'daii(:)] på ubestemt tid.
sine qua non ['sainikwei'nɔn] betingelse, forudsætning.
sinew ['sinju:] *sb* sene; *-s pl (fig)* kraft *(fx moral s);* vigtig(ste) støtte, nødvendig forudsætning, livsnerve; *the -s of war* penge og krigsfornødenheder.
sinewy ['sinjui] *adj* senestærk, kraftig.
sinful ['sinf(u)l] *adj* syndig.
sing [siŋ] *vb (sang, sung)* synge; lade sig synge; *my ears are -ing* det ringer for mine ører; *the kettle is -ing* kedlen snurrer; ~ *another song (el. tune) (fig)* anslå en mere beskeden tone; ~ *out* T råbe højt; ~ *small* T stemme tonen ned, stikke piben ind.
singe [sin(d)ȝ] *vb* svide; *sb* lettere brandsår; ~ *brown* branke.
singer ['siŋə] *sb* sanger, sangerinde.
Singhalese [siŋə'li:z] *sb* singaleser; singalesisk; *adj* singalesisk.
singing\ bird sangfugl. ~ **girl** syngepige. ~ **master** sanglærer. ~ **voice** sangstemme.
single ['siŋgl] *adj* enkelt, eneste; enkelt- *(fx room);* (om person) enlig, ugift; oprigtig, ærlig; *sb* enkeltbillet; (i tennis) single; *vb* (om planter) udtynde; ~ *out* udvælge, udpege, udmærke; *live in* ~ *blessedness* leve ugift.
single-\breasted enkelt tvekamp. ~ **decker** enetages bus (, sporvogn). ~ **-eyed** ærlig, oprigtig; enøjet. ~ **file,** se I. *file.* ~ **-handed** på egen hånd, alene, ene mand. ~ **-member constituency** enkeltmands (valg)kreds. ~ **-minded** målbevidst, som kun har et for øje; ærlig, trofast. **-ness** ugift stand; ærlighed, oprigtighed; *-ness of purpose* målbevidsthed. ~ **-phase** *adj (elekt)* enfaset. ~ **-rail track** enskinnebane. ~ **-seater** ensædet flyvemaskine. **-stick** stok (til fægtning).

singlet ['siŋglit] *sb* undertrøje; sportstrøje (uden ærmer, til løber).

singleton ['siŋgltən] *sb* (i kortspil) enkelt kort (i farven), 'singleton'.

singletree ['siŋgltri:] *sb (am)* svingel (på enspændervogn).

singly ['siŋgli] *adv* enkeltvis; *misfortunes never come* ~ en ulykke kommer sjælden alene.

singsong ['siŋsɔŋ] *adj* monoton, drævende; messende; *sb* ensformig tone; monotont stigende og faldende tone, syngende tonefald, messen; sammenkomst med sang.

singular ['siŋgjulə] *adj* enestående *(fx courage)*, overordentlig; særlig, særegen; ualmindelig; besynderlig *(fx clothes)*; *sb* ental, singularis.

singularity [siŋgju'læriti] *sb* særegenhed, besynderlighed.

Sinhalese se *Singhalese*.

sinister ['sinistə] *adj* ildevarslende, uheldsvanger; uhyggelig, dyster, skummel; ond; *(her.)* sinister, heraldisk venstre, i venstre side af våbenskjold (for beskueren til højre); *bend (el. bar)* ~ *(her.)* skråbjælke (tegn på uægte fødsel).

I. sink [siŋk] *vb (sank, sunk)* synke; (om terræn) skråne, falde af; (formindskes:) synke, blive mindre, tage af; (om person: af træthed) synke om, segne; (med objekt) sænke, lade synke ned *(fx ~ one's head on one's arms)*; få til at synke, (om skib) sænke, bore i sænk; (få til at trænge ind:) bore (ind) *(fx the cat sank her claws in his arm)*; (i jorden:) grave *(fx a well* en brønd), grave ned *(fx a pipe* et rør); *(fig)* skjule; holde udenfor; glemme *(fx let us ~ our differences)*, begrave *(fx let us ~ our enmities)*; (om penge) sætte (fast), anbringe, (så de går tabt:) begrave *(fx he sank his whole capital in that firm)*; (gøre mindre:) formindske, (om gæld) betale af på; ~ *in (fig)* T trænge ind (ɔ: i ens bevidsthed) *(fx he waited for his words to ~ in)*; ~ *in his estimation* falde *(el.* dale) i hans agtelse; ~ *into* trænge ind i *(fx dye -s into the fabric)*, bore sig ind i *(fx the knife sank into his arm)*; (om person) synke ned i *(fx a chair)*, synke hen i *(fx sleep, despair)*; ~ *or swim* lad det så briste eller bære; *leave him to ~ or swim* lade ham klare sig som han bedst kan.

II. sink [siŋk] *sb* afløbsrende; (køkken)vask; *(fig)* sump; *a ~ of iniquity* lastens hule.

sinker ['siŋkə] *sb* sænk, lod (i fiskesnøre); *swallow it hook, line, and* ~ *(fig)* sluge det med hud og hår.

sinking ['siŋkiŋ] *adj* synkende; *he is* ~ (om patient) han bliver stadig svagere, han har ikke langt igen; *a ~ feeling* T en sugende fornemmelse i maven (af sult, frygt); ~ *fund* amortisationsfond.

sinless ['sinlis] *adj* syndfri.

sinner ['sinə] *sb* synder, synderinde.

Sinn Fein ['ʃin'fein] (et irsk nationalistparti).

Sino- ['sainou] kinesisk- *(fx Sino-American)*.

sin-offering ['sinɔfəriŋ] *sb* sonoffer.

sino|logist [si'nɔlədʒist] *sb* sinolog (kender af kinesisk sprog og kultur). **-logy** [si'nɔlədʒi] *sb* sinologi, studiet af kinesisk sprog og kultur.

sinter ['sintə] *sb* sinter; *vb* sintre.

sinuosity [sinju'ɔsiti] *sb* bugtethed, bugtning.

sinuous ['sinjuəs] *adj* bugtet *(fx road)*; smidig, slangeagtig.

sinus ['sainəs] *sb (anat)* sinus; (ved næsen også) bihule.

sinusitis [sainə'saitis] *sb* bihulebetændelse.

Sioux [su:, *pl* su:z] *sb* siouxindianer.

sip [sip] *vb* nippe (til); indsuge; *sb* nip.

siphon ['saifən] *sb* sifon; hævert; *vb* tappe ved hjælp af en hævert.

sippet ['sipit] *sb* brødterning.

I. sir, Sir [sə:, sə] (høflig tiltaleform, især til overordnede:) min herre, hr. lærer, hr. kaptajn *osv* (ofte oversættes det ikke); bruges også som overskrift i forretningsbreve *(fx (dear) Sir)*; som ridder- og baronettitel *(fx Sir John)*.

II. sir [sə:] *vb* sige *sir* til *(fx don't sir me)*.

sire [saiə] *sb* fader (om dyr, især heste); *(glds)* fader *(fx land of my -s)*; ophav; (i tiltale) herre konge; *vb: -d by* faldet efter.

siren ['saiərən] *sb* sirene; *adj* sirene- *(fx song)*; lokkende; *the -s are going* sirenerne lyder; der er flyvervarsling.

siren suit flyverdragt.

sirloin ['sə:lɔin] *sb* mørbradsteg.

sirocco [si'rɔkou] *sb* scirocco (hed fugtig vind).

sirup ['sirəp] se *syrup*.

sisal ['saisl] *sb* sisal; *adj* sisal- *(fx hemp)*.

siskin ['siskin] *sb* zo grønsisken.

sissy ['sisi] *sb* T tøsedreng.

sister ['sistə] *sb* søster; nonne; afdelingssygeplejerske; ~ *of Charity*, ~ *of Mercy* barmhjertig søster.

sister| country broderland. **-hood** søsterskab; nonneorden. ~ **hooks** *pl (mar)* dyvelskløer. ~ **-in-law** svigerinde. ~ **-like, -ly** søsterlig.

Sistine ['sistain]: *the* ~ *Chapel* det Sixtinske Kapel.

Sisyphean [sisi'fi:ən] *adj* sisyfos- *(fx ~ labour)*.

Sisyphus ['sisifəs] *(myt)* Sisyfos.

sit [sit] *vb (sat, sat)* sidde; *(parl)* holde møde, være forsamlet *(fx the House will* ~ *in the autumn)*; (på æg) ruge *(fx the hens are -ting)*; (om tøj) sidde, passe *(fx the coat doesn't* ~ *properly)*; (med objekt) (om hest) sidde på, (om eksamen) være oppe til, gå op til; *(forb med præp, adv)* ~ *back* læne sig tilbage i stolen; hvile ud; *(fig)* forholde sig passiv, lægge hænderne i skødet; ~ *down* sætte sig; sætte sig til forhandlingsbordet, forhandle *(with* med); ~ *down before a town* belejre en by; ~ *down to one's work* koncentrere sig om sit arbejde; ~ *down under* finde sig i; ~ *for (parl)* repræsentere (en valgkreds) i Parlamentet; ~ *for an examination* være oppe *(el.* gå op) til en eksamen; ~ *for one's portrait* lade sig male; ~ *in* T være med; være babysitter; ~ *in for* vikariere for; ~ *in on* (især *am*) overvære; ~ *in judgement on* sætte sig til doms over; ~ *on* være medlem af *(fx a committee)*; undersøge, behandle, holde retsmøde om; S sidde på, holde nede; skære ned, dukke; ~ *on one's hands (am* S) forholde sig passiv; *(teat)* ikke klappe; *his losses (, his years)* ~ *lightly on him* hans tab (, hans alder) synes ikke at tynge ham; ~ *out* blive længere end *(fx another visitor)*; (om dans) sidde over, *(fig)* ikke deltage i, holde sig uden for *(fx a war)*; ~ *it out* blive til det er forbi; holde ud; ~ *out the concert* blive til koncerten er forbi; ~ *to an artist* sidde (model) for en maler; ~ *under a minister* høre en præsts prædikener; ~ *up* sætte sig op, sidde op(rejst); sidde oppe; *(fig)* studse, være *make sby* ~ *up* overraske *(el.* forskrække) en, få en til at holde ørerne stive, holde en i ørerne.

sit-down| demonstration demonstration hvorunder demonstranter spærrer vej *etc* ved at sætte sig på den. ~ **strike** strejke hvorunder de strejkende nægter at forlade arbejdspladsen.

site [sait] *sb* beliggenhed; (hvor noget foregår:) sted *(fx the* ~ *of the accident* ulykkesstedet, *the* ~ *of the murder* mordstedet, plads; (for byggeri) byggeplads; grund; (hvor hus har været:) tomt *(fx bomb* ~; *the* ~ *of the fire)*; *(forst)* voksested; *vb* anbringe, lægge; *(mil.)* bringe i stilling.

sit-in ['sitin] *sb* overtrædelse af adgangsforbud som protest mod raceskel; besættelse (af universitet *etc*).

sitter ['sitə] *sb* (levende) model; babysitter; liggehøne; *(fig)* let mål, let bytte.

sitter-in *sb* babysitter.

sitting ['sitiŋ] *sb* sidden; møde, retssession; *(mht* spisning) servering; (om høne *etc*) rugning, redefuld æg; *adj* siddende; (om høne *etc*) rugende; ruge- *(fx box, hen)*; *(fig)* let *(fx target)*; *finish a job at a (el.* one) ~ gøre et stykke arbejde færdig i et stræk.

sitting| duck *(fig)* let mål, let bytte. ~ **room** opholdsstue, dagligstue; siddeplads(er).

situate ['sitjueit] *vb* anbringe, placere.

situated ['sitjueitid] *adj* beliggende; *(fig)*: *badly* ~ dårlig stillet, ilde stedt; *well* ~ velsitueret.

situation [sitju'eiʃən] *sb* situation, forhold, stilling *(fx a difficult* ~*)*; beliggenhed; (job:) plads, stilling *(fx she cannot find a* ~*)*; *in a fine* ~ smukt beliggende; *-s vacant* plads tilbydes; *-s wanted* plads søges.

sitz bath sædebad; siddebadekar.

six [siks] (talord) seks; *sb* sekstal; sekser; (i kricket) slag der giver seks points; *it is* ~ *of one and half a dozen of the other* det er hip som hap; det er fedt; det kommer ud på ét; *at -es and sevens* hulter til bulter, i vild forvirring, vildt uenige; ~ *-day bicycle race* seksdagsløb.

sixfold ['siksfould] *adj* seksdobbelt.

sixfold ['siksfould] *adj* seksdobbelt.
sixfooter ['siks'futə] *sb* person, der er seks (engelske) fod høj, kæmpekarl.
six|pence ['sikspəns] seks pence (nu afskaffet møntenhed; svarer til 2½ p.). **-penny** [-pəni] *adj* til seks pence, som koster seks pence. **-pennyworth** *sb* så meget som kan fås for seks pence. **-shooter** seksløber.
sixteen ['siks'ti:n] seksten.
sixteenth ['siks'ti:ŋθ] *adj* sekstende; *sb* sekstendedel.
sixth [siksθ] *adj* sjette; *sb* sjettedel; *(mus.)* sekst.
sixthly ['siksθli] *adv* for det sjette.
sixtieth ['sikstiiθ] *adj, sb* tresindstyvende(del).
sixty ['siksti] tres(indstyve), seksti.
sixty-four (-thousand) dollar question *(fig)* afgørende spørgsmål; *that's the* ~ (også) det er det store spørgsmål.
sizable ['saizəbl] *adj* svær, stor, af anselig størrelse, betydelig, betragtelig.
I. size [saiz] *sb* størrelse; størrelsesorden, omfang *(fx the* ~ *of his debt)*; (om tøj, sko *etc)* nummer *(fx two -s too big)*; (om bog, film og *fig)* format; *vb* give en bestemt størrelse; ordne (, sortere) efter størrelse; *that's the* ~ *of it* T der traf du det; ~ *up* danne sig et skøn over, tage mål af *(fig)*.
II. size [saiz] *sb* lim, limvand; *vb* lime *(fx* om papir).
sizeable se *sizable*.
-sized [-saizd] af -størrelse *(fx middle-sized* af middelstørrelse).
sized paper limet *(el.* skrivefast) papir.
sizing ['saiziŋ] *sb (cf I. size)* bearbejdning til mål, målslibning, målbearbejdning; sortering (, ordning) efter størrelse; *(cf II. size)* limning; (om tøj) appretering; (i vævning) sletning.
sizzle ['sizl] *vb* syde; stege; *sb* syden. **sizzling** *adj* stegende (varm).
S. J. *fk Society of Jesus* Jesuiterordenen.
sjambok ['ʃæmbɒk] *sb* flodhestepisk.
Skagerrak ['skægəræk] Skagerrak.
I. skate [skeit] *sb* skøjte; *(am* S) slyngel; *zo* skade (art rokke).
II. skate [skeit] *vb* løbe på skøjter; ~ *on thin ice,* se *ice;* ~ *over* gå let hen over.
skateboard ['skeit'bɔ:d] *sb* rullebræt.
skater ['skeitə] *sb* skøjteløber.
skating rink (rulle)skøjtebane.
Skaw [skɔ:] *the* ~ Skagen.
skedaddle [ski'dædl] *vb* T stikke af, fordufte.
skeg [skeg] *sb (mar)* skeg; ~ *rudder* finneror.
skein [skein] *sb* fed, dukke (garn).
skeletal ['skelitl] *adj* skelet-, ben-; ~ *structure* benbygning.
skeleton ['skelitn] *sb* skelet, benbygning; *(fig)* kort udkast; ~ *in the cupboard (, am: closet)* ubehagelig familiehemmelighed; *worn to a* ~ afpillet som et skelet; ~ *crew (mar)* stambesætning.
skeletonize ['skelitənaiz] *vb* skelettere; *(fig)* nedskære drastisk; gengive i hovedtræk.
skeleton key hovednøgle, dirk.
skelp [skelp] *vb* T smække, daske.
skep [skep] *sb* stor (vidje)kurv; (halmflettet) bikube.
skeptic *etc,* se *sceptic*.
skerry ['skeri] *sb* skær, klippe.
sketch [sketʃ] *sb* skitse, rids, udkast, grundrids; *(teat)* sketch; *vb* skitsere, tage (, tegne, male) en skitse af.
sketchy ['sketʃi] *adj* skitseret, løst henkastet; *(neds)* overfladisk, mangelfuld, ufyldestgørende; mager.
skew [skju:] *adj* skæv, skrå, vredet; *vb* gøre skæv (, skrå), T vride, dreje, *(fig)* give en (bestemt) drejning *(fx* ~ *an account)*; *sb* skævhed; *on the* ~ på skrå.
skewbald ['skju:bɔ:ld] *adj* broget (om hest).
skewer ['skjuə] *sb* pind (til at holde kød sammen under stegning), spilepind; *(spøg)* sabel, »stegespid«; *vb* sætte (kød) sammen med pind; sætte (kød) på pind (ved stegning over bål); spidde *(fx on à bayonet)*, gennembore.
ski [ski:] *sb* ski; *vb* stå (, løbe) på ski.
I. skid [skid] *vb* glide, skride (ud).
II. skid [skid] *sb (cf I. skid)* gliden, skriden, udskridning; (bremse til hjul:) hæmsko; **-s** *pl* slisk; *(mar)* ladebro, (til beskyttelse) skamfilingskasse, (til båd) fartøjsskinner, fartøjsgalger; *(flyv)* ski *(fx mounted on -s)*; *on -s* S på vej ned ad bakke; ved at gå nedenom og hjem; *put the -s*
skip| bombing bombning fra lav højde (hvor bomberne rikochetterer). ~ **distance** (radio) springafstand.

under sætte skub i; få ekspederet *(el.* hældt) ud i en fart; (om foretagende) få forpurret, få til at mislykkes.
skid chain snekæde (til bil).
skid|lid S styrthjelm. ~ **mark** bremsespor, skridspor. **-pan** øvelsesbane for glatførekørsel. ~ **row** *(am* S) slumkvarter.
skier ['ski:ə] *sb* skiløber.
skiff [skif] *sb (mar)* sjægte (let sejlbåd); lille åben båd; jolle.
skiffle ['skifl] *sb* skiffle (form for jazz).
skiing ['ski:iŋ] *sb* skiløb, skisport.
ski jump skihop; hopbakke.
skilful ['skilf(u)l] *adj* dygtig, øvet, behændig.
skill [skil] *sb* dygtighed, færdighed.
skilled [skild] *adj* faglært, udlært; øvet, dygtig *(in* til); ~ *work* arbejde som kræver faglært arbejdskraft.
skillet ['skilit] *sb* kasserolle; *(am)* (stege)pande.
skilly ['skili] *sb* tynd vælling *el.* suppe.
skim [skim] *vb* stryge *(el.* glide) hen over *(fx a sailing boat -med the lake)*; (med sten) slå smut; (stryge det øverste lag af) skumme *(fx* ~ *(the cream off) the milk)*; *(fig:* læse overfladisk) kigge *(el.* løbe) igennem, diagonallæse, lynlæse, skumme, skimme *(fx a page)*; *(am)* dække med et tyndt lag *(fx ice -med the lake)*; (uden objekt) stryge af sted *(fx the boat -med before the breeze)*; *(am)* dækkes med et tyndt lag; ~ *through* kigge *(el.* løbe) igennem.
skimmer ['skimə] *sb* skummeske, *(tekn* også) skummeskovl; *zo* saksnæb.
skim milk skummetmælk.
skimming ['skimiŋ] *sb (cf skim)* strygen, gliden; skumning; (om læsning) diagonallæsning, lynlæsning, skumning, skimming; *-s pl* (af)skum.
skimp [skimp] *vb* spinke og spare; være nærig (med), fedte med; ~ *sby with (el.* in) *sth* holde en knapt med noget.
skimpy ['skimpi] *adj* kneben, knap, utilstrækkelig; (om tøj) for lille, stumpet.
I. skin [skin] *vb* flå *(fx a beaver)*; skrabe (huden af), få hudafskrabninger *(fx one's knee)*; T tage (sig) af; *(mht* penge) blanke af, plyndre, flå; *(mil.* S) indberette, knalde; (uden objekt: om sår) blive dækket med hud, hele, (om mælk) trække skind; ~ *a flint* være yderst nærig; *keep one's eyes eyes -ned* have et øje på hver finger, holde skarpt udkig.
II. skin [skin] *sb* skind, hud; (på frugt) skræl *(fx of an orange)*, skind *(fx of a peach)*, (af drue også) skal; (på væske) skind *(fx on milk)*, hinde; *(flyv, mar)* klædning; S gnier; **by** *the* ~ *of one's teeth* med nød og næppe, på et hængende hår; **next** *to the* ~ på den bare krop; **risk** *one's* ~ vove pelsen; **save** *one's* ~ hytte sit skind; *have a* **thick** ~ *(fig)* være tykhudet; *have a* **thin** ~ *(fig)* være tyndhudet, være sårbar; *get under sby's* ~ ramme ens sårbare punkter; gå en på nerverne, pirre en; gøre et dybt indtryk på en; *with a whole* ~ helskindet, uskadt.
skin|-deep *adj* overfladisk; som ikke går (så) dybt. ~ **diving** dykning med svømmefødder og maske (men uden iltapparat). ~ **effect** *(elekt)* strømfortrængning. ~ **flick** nøgenfilm, film med nøgenscener; pornofilm. **-flint** gniepind, fedthas. ~ **food** hudcreme. **-ful** sækfuld vin; *he's had a -ful* T han er stangdrukken. ~ **game** svindel; *the* ~ *game* (også) pornobranchen. ~ **grafting** hudtransplantation. **-head** S pilskaldet ung bølle (der bekæmper langhårede).
skink [skiŋk] *sb zo* glansøgle.
skin magazine pornoblad.
skinned [skind] *adj* = *skint*.
skinner ['skinə] *sb* buntmager; *(am)* T svindler.
skinny ['skini] *adj* radmager; hudagtig; T nærig.
skint [skint] *adj* S blanket af, »flade«.
skin|tight *adj* stramtsiddende. ~ **track** *vb* spore ved hjælp af radar.
skip [skip] *sb* hop, spring; overspringelse (i bøger); stor kasse til transport af byggematerialer *etc; vb* hoppe, springe, sjippe; springe over, læse med overspringelser, T stikke af (fra); ~ *it* T skidt med det; ~ *out,* ~ *up* stikke af.

skipjack ['skipdʒæk] *sb zo* smælder (insekt).
ski pole *(am)* skistav.
skipper ['skipə] *sb* skipper; *(flyv)* chefpilot; (i sport) hold-kaptajn, holdfører; en der sjipper; *zo* bredpande; *vb* være skipper *(etc)* (for).
skipping rope sjippetov.
skirl [skə:l] *sb* sækkepibetone; *vb* hvine, skingre.
skirmish ['skə:miʃ] *sb* skærmydsel, forpostfægtning; træfning; *vb* kæmpe i spredt orden.
skirmisher ['skə:miʃə] *sb (mil.)* blænker; *line of -s* skyttekæde.
skirt [skə:t] *sb* nederdel; (frakke)skøde; S skørt, fruentimmer; *-s pl* (også) udkant; *vb* gå *(el.* ligge) langs kanten af; *divided* ~ buksenederdel, skørtebenklæder.
skirting board fodpanel, gulvliste.
ski run løjpe.
skit [skit] *sb* parodi, satirisk *el.* humoristisk sketch.
skitter ['skitə] *vb* glide hen ad overfladen; smutte; *-s sb pl* S diarré, sifonskid.
skittish ['skitiʃ] *adj* sky, urolig; kåd, overgiven, overstadig; ustadig, flagrende, koket.
skittle [skitl] *sb* kegle; *-s pl* keglespil; S vrøvl; *vb* vælte; ~ *out* (i kricket) besejre let, tromle ned; *life is not all beer and -s* livet er ikke lutter lagkage.
skittle| **alley,** ~ **ground** keglebane.
skiver ['skaivə] *sb* (om læder) spalt; spaltemaskine.
skivvies ['skiviz] *sb pl* S undertøj.
skivvy ['skivi] *sb* S *(neds.)* tjenestepige.
skivy ['skaivi] *adj* S lusket.
skua ['skju:ə] *sb zo* kjove.
skulduggery [skʌl'dagəri] *sb* T fup, svindel(nummer).
skulk [skʌlk] *vb* lure; snige sig, luske.
skull [skʌl] *sb* hovedskal, kranium; pandeskal; hjerneskal; dødningehoved; ~ *and crossbones* dødningehoved med to korslagte knogler under (som på piratflag).
skull|**cap** hue, kalot; *(bot)* skjolddrager. **-guard** beskyttelseshjelm.
skunk [skʌŋk] *sb zo* skunk, stinkdyr; T (gemen) sjover.
sky [skai] *sb* himmel, luft; himmelstrøg *(fx under warmer skies);* vejrlig, klima; *vb* slå (bold) højt op; hænge (billede) højt på væggen; *in the* ~ på himmelen; *praise to the skies* hæve til skyerne.
sky|**blue** himmelblå. ~ **-coloured** himmelblå.
Skye [skai]: ~ *(terrier)* skyeterrier.
sky-high ['skai'hai] *adj, adv* himmelhøj(t), højt op i luften, helt op i skyerne; *blow* ~ sprænge i luften; *(fig,* om argument *etc)* pille fuldstændig fra hinanden, gendrive totalt, tromle flad.
skyjack ['skaidʒæk] *vb* bortføre, kapre (fly).
skyjacker ['skaidʒəkə] *sb* flypirat, flybortfører, flykaprer.
skylark ['skaila:k] *sb zo* sanglærke; *vb* lave sjov.
skylight ['skailait] *sb* skylight, (liggende) tagvindue, ovenlysvindue.
skyline ['skailain] *sb* synskreds, horisont; silhouet (mod himlen).
skypilot ['skaipailət] *sb* S præst, (især) skibspræst.
skyrocket ['skairɔkit] *sb* (signal)raket; *vb* stige, ryge i vejret (om priser); få til at stige.
skyscape ['skaiskeip] *sb* billede i hvilket himmelen er det dominerende motiv; billede med lav horisont.
sky|**scraper** skyskraber. ~ **sign** tagreklame, lysreklame. **-wards** ['skaiwədz] til vejrs, op mod himmelen. **-way** luftrute. **-writing** (aeroplans) røgskrift (på himmelen).
slab [slæb] *sb* plade; (sten)flise, stenplade; (af brød, kage) tyk skive, humpel; S operationsbord; stenbord i lighus.
I. slack [slæk] *adj* slap, løs, (om tov også) slæk; *(mht* kvalitet) sløj, (om person) forsømmelig, efterladende; *(mht* tempo, aktivitet) langsom *(fx pace),* treven, træg, (om periode) stille, død *(fx season), (merk* og om vind) flov; ~ *in stays (mar)* sen i vendingen.
II. slack [slæk] *sb* hviletid, stilstand; (af tov *etc)* løsthængende del, *(mar)* slæk; *(tekn)* slør; (af kul) smuld, kulstøv; (om person) slap del; *take up the* ~ stramme (reb *etc)* ud; *(mar)* tage ind det løse; *(fig)* indhente det forsømte; *(se* også *slacks).*
III. slack [slæk] *vb* fire på, slappe; slække på *(fx a rope);* (uden objekt) slappes; (se også *slacken); ~ off (mar)* slække; *(fig)* sløje af; ~ *up* sagtne farten, sætte tempoet ned.
slacken ['slækn] *vb* slappe, slække; (om tempo) sagtne; (om kalk) læske; (uden objekt) slappes; aftage; (om vind) flove af; *(fig)* sløje af.
slacker ['slækə] *sb* drivert, skulker.
slack rope (til linedanser) slap line.
slacks [slæks] *sb pl* slacks, lange bukser (til dame).
slack tide, slack water stille vande (mellem ebbe og flod).
slag [slæg] *sb* slagge; *vb* blive til slagger.
slain [slein] *pp af slay.*
slake [sleik] *vb* læske; stille, slukke (tørst); *-d lime* læsket kalk.
slalom ['sleiləm; 'sla:ləm] *sb* slalom.
slam [slæm] *sb* slag, smæld; (i bridge) slem; *vb* smække; (med objekt) smække med, smække (døren *osv)* i; slå hårdt til *(fx a ball),* (i tennis) smashe; S rakke ned; ~ *the brakes on* hugge bremserne i; ~ *the door on* smække døren i for; ~ *through (am)* jage igennem.
slander ['sla:ndə] *sb* bagtalelse, bagvaskelse, ærekrænkelse (i ord *el.* handling); verbalinjurie; *vb* bagtale, bagvaske.
slanderer ['sla:ndərə] *sb* bagvasker.
slanderous ['sla:ndərəs] *adj* bagtalende, ærerørig.
slang [slæŋ] *sb* slang; *vb* T skælde ud.
slanging match skænderi, gensidig udskældning.
slangy ['slæŋi] *adj* slangagtig, slangpræget.
slant [sla:nt] *adj* skrå; *sb* skråning; hældning; T synsvinkel, synspunkt; tendens, drejning; *vb* skråne; give (, have) skrå retning; give en bestemt tendens *(el.* drejning) *(fx* ~ *the news);* on the *(el. a)* ~ på skrå. **slanted** ['sla:ntid] *adj* skrå; T tendentiøs. **slanting** *adj* skrå *(fx roof),* hældende.
slantwise ['sla:ntwaiz] *adv* på skrå.
slap [slæp] *vb* slå, klaske; *sb* slag, rap, klaps; *(fig)* tilrettevisning; *adv* pludselig; lige, nøjagtig; ~ *down* smække ned; *(fig)* give en skarp tilrettevisning, sætte en stopper for; tage humøret fra; *a* ~ *in the eye (fig)* en værre afbrænder; *a* ~ *on the cheek* en lussing.
slap-bang ['slæp'bæŋ] *adv* T med et brag, voldsomt, hovedkulds.
slapdash ['slæpdæʃ] *adj* skødesløs, jasket, sjusket.
slaphappy ['slæphæpi] *adj* T groggy, uklar, sejlende; oprømt, halvfjollet.
slapstick ['slæpstik] *sb* Harlekins stok; *adj* lavkomisk; ~ *(comedy)* lavkomisk stykke, falde-på-halen komedie.
slap-up ['slæpʌp] *adj* S førsteklasses, flot, prima; *a* ~ *dinner* en kippdigt middag.
slash [slæʃ] *vb* (med kniv *etc)* flænge, (om tøj) opskære, opslidse *(fx a -ed sleeve);* (med pisk) piske, give af pisken; *(forst)* rydde; *(fig)* nedskære (drastisk); kritisere skarpt; rakke ned; *sb* piskeslag, hug; flænge; (i tøj) split, slidse; *(fig)* nedskæring.
slashing ['slæʃiŋ] *adj* (om kritik) sønderlemmende.
slat [slæt] *sb* tremme, liste; (smal:) lamel *(fx* i persienne); *vb* slå, klapre, smække *(fx* om sejl mod mast).
S. lat. *fk South latitude.*
I. slate [sleit] *vb* give en overhaling, kritisere sønder og sammen, hudflette, gennemhegle.
II. slate [sleit] *sb* skifer; tavle; *(am)* kandidatliste; *(fig): a clean* ~ et uplettet rygte; *have a* ~ *loose* have en skrue løs.
III. slate [sleit] *vb* lægge skifertag på; *(am)* opføre på kandidatliste; sætte på programmet, fastsætte, bestemme.
slate| **club** spareforening. ~ **pencil** griffel. ~ **quarry** skiferbrud.
slater ['sleitə] *sb* skifertækker; T skarp kritiker; *zo* bænkebider.
slattern ['slætən] *sb* sjusket kvinde, sjuskedorte.
slatternly ['slætənli] *adj* sjusket.
slaty ['sleiti] *adj* skiferagtig, skifret, skifergrå.
slaughter ['slɔ:tə] *sb* slagtning; *(fig)* blodbad, myrderi, nedslagtning, mandefald; *vb* slagte; *(fig)* slagte, myrde, nedsable.
slaughterhouse *sb* slagteri, slagtehus.
slaughterous ['slɔ:tərəs] *adj* blodtørstig.
Slav [sla:v] *sb* slaver; *adj* slavisk.
slave [sleiv] *sb* slave, træl; *vb* trælle; *be a* ~ *to (el. of)* være en slave af; *work like a* ~ slide som et bæst.
slave|**driver** slavefoged, slavepisker. **-holder** slaveejer.

I. slaver ['sleivə] *sb* slavehandler; slaveskib.
II. slaver ['slævə] *sb* savl; smisken; *vb* savle; smiske for.
slavery ['sleivəri] *sb* slaveri.
slave trade, slave traffic slavehandel.
slavey ['slævi, 'sleivi] *sb* S tjenestepige.
Slavic ['slævik, 'sla:vik] *sb, adj* slavisk.
slavish ['sleiviʃ] *adj* slavisk *(fx imitation)*.
Slavonia [slə'vouniə] Slavonien. **Slavonian** [slə'vouniən] *sb* slavonier; *sb, adj* slavonisk.
Slavonic [slə'vɔnik] *sb, adj* slavisk; slavonisk.
slay [slei] *vb (slew, slain)* ihjelslå, dræbe.
slayer ['sleiə] *sb* drabsmand, morder.
sleazy ['sli:zi] *adj* billig, tarvelig; snusket; (om tøj) slatten, løs, tynd.
sled [sled] = *sledge*.
sledge [sledʒ] *sb* slæde, (mindre:) kælk; (med hest for) kane, slæde; (se også *sledge hammer)*; *vb* køre i slæde (, kane); kælke; transportere på slæde.
sledge hammer stor smedehammer, forhammer; *a sledgehammer blow* et knusende *(el.* tilintetgørende) slag.
sleek [sli:k] *adj* glat, glinsende; velplejet; slesk; slikket; *vb* glatte, stryge.
I. sleep [sli:p] *vb (slept, slept)* sove; *the hotel can ~ a hundred people* hotellet har 100 sengepladser; *~ like a log (el.* top*)* sove som en sten; *~ the sleep of the just* sove de retfærdiges søvn;
(med *præp, adv) ~ around* gå i seng med hvem som helst; *~ a headache away (el.* off*)* sove en hovedpine væk; *~ in* sove længe, sove over sig; (om tjenestefolk) bo på arbejdsstedet; *~ off one's fatigue (, the headache)* sove trætheden (, hovedpinen) væk; *~ it off* sove rusen ud; *~ on it* sove på det.
II. sleep [sli:p] *sb* søvn; *in one's ~* i søvne; *go to ~* falde i søvn.
sleeper ['sli:pə] *sb* sovende (person); *(jernb)* sovevogn; (under skinne) svelle; (til barn) *(am)* natdragt; *be a good (el.* sound*) ~* have et godt sovehjerte; *be a heavy ~* sove tungt; *be a light ~* sove let; *a great ~* en syvsover; *the seven -s (of Ephesus)* syvsoverne.
sleeping| accommodation soveplads. *~* **bag** sovepose.
Sleeping Beauty: *the ~* Tornerose.
sleeping| car sovevogn. *~* **draught** sovedrik. *~* **partner** passiv kompagnon. *~* **sickness** afrikansk sovesyge.
sleepless ['sli:plis] *adj* søvnløs; aldrig hvilende, uophørlig.
sleepwalker ['sli:pwɔ:kə] *sb* søvngænger.
sleepy ['sli:pi] *adj* søvnig, (om frugt) overmoden; *~ sickness* australsk sovesyge.
sleepyhead ['sli:pihed] *sb* sovetryne, syvsover.
sleet [sli:t] *sb* slud, tøsne; *vb* sne og regne.
sleeve [sli:v] *sb* ærme; grammofonpladehylster, pladeomslag; *(flyv)* vindpose; *(tekn)* muffe; *laugh in one's ~* le i skægget; *wear one's heart on one's ~* bære sine følelser til skue; *roll (el.* turn*) up one's -s* smøge ærmerne op; *have sth up one's ~* have noget i baghånden, have noget for.
sleeve| link manchetknap. *~* **valve** *(tekn)* glider.
sleigh [slei] *sb* slæde, kane; *vb* køre i slæde (, kane).
sleigh bell kanebjælde.
sleight [slait] *sb* taskenspillerkunst, kneb, list; kunstgreb; behændighed.
sleight-of-hand (trick) behændighedskunst, taskenspillerkunst; kunstgreb.
slender ['slendə] *adj* slank, smækker, spinkel; tynd *(fx book); (fig)* spinkel, svag *(fx hope, chance)*, ringe *(fx with ~ success* (held)); knap *(fx income)*; *a ~ waist* en slank talje, en smækker midje; *~ means* sparsomme midler; *of ~ parts* småt begavet.
slenderize ['slendəraiz] *vb (am)* slanke (sig).
slept [slept] *præt og pp* af *sleep*.
sleuth [slu:θ] *sb* T detektiv, opdager; *vb* efterspore.
sleuthhound ['slu:θ'haund] *sb* sporhund, blodhund.
I. slew [slu:] *præt* af *slay*.
II. slew [slu:] *vb* svinge, dreje.
III. slew [slu:] *sb (am* T*)* mængde, masse *(fx a ~ of gangsters; ~ of work)*.
slewed [slu:d] *adj* S fuld, pløret.
slice [slais] *vb* skære (i tynde skiver), snitte *(fx a ham)*; (om golfbold) snitte, strejfe (så den skruer til højre); *sb* (af brød, kød) skive, (af tobak) plade; *(fig)* stykke *(fx*

of land), del, portion; (køkkenredskab) paletkniv, spatel, fiskespade; (i golf) slice; *a ~ of life* et stykke virkelighed, en scene *(etc)* der er taget lige ud af livet; *~ off* skære af, snitte af; *~ up* skære i skiver.
slicer ['slaisə], **slicing machine** brød- og pålægsmaskine; *(agr)* roesnitter.
slick [slik] *adj* T behændig, fiks; *(neds)* lovlig smart, lovlig flot, (om stil også) slikket; (om flade) glat *(fx 'danger; ~ floor!')*, glinsende; (om person) facil, glat, fidel, slesk; S (om pige) flot; *sb* glat overflade; *(oil ~)* olieplet; (om blad) magasin (, ugeblad) trykt på glittet papir; *adv lige (fx I hit him ~ in the eye (, on the jaw))*.
slicker ['slikə] *sb (am)* oliefrakke; S fidusmager; smart fyr.
I. slid [slid] *præt og pp* af *slide*.
I. slide [slaid] *vb (slid, slid)* glide, skride (ned), glide (på glidebane); (gå ubemærket:) liste, smutte; (med objekt) få til at glide, lade glide, skubbe, skyde; *(fig)* liste, smugle *(in* ind, *into* ind i); *let things ~* lade det gå som det bedst kan; *~ into* (også) glide over i; *~ over (fig)* gå let hen over *(fx delicate questions)*.
II. slide [slaid] *sb* gliden, skred, glidning, *(fig* også) gradvis overgang; (til leg:) (på is) glidebane, (på legeplads *etc)* lille rutschebane; (til kul *etc)* slidsk, skråplan; (glidende del:) (på paraply, regnestok) skyder, (på trækbasun) træk, (i møbel) udtræk, (i robåd) glidesæde, rullesæde, *(tekn)* slæde, skydespjæld, (i dampmaskine) glider (se også *slideway); (fot)* lysbillede, diapositiv; (til mikroskop) objektglas; (til hår) skydespænde.
slide| fastener *(am)* lynlås. *~* **gauge** skydelære (kalibermål). *~* **lathe** drejebænk.
slider ['slaidə] *sb* skyder (glidende del).
slide| rule regnestok. *~* **trombone** trækbasun. *~* **valve** glider (på dampmaskine). *~* **-valve box** gliderkasse. **-way** *(tekn)* kulisse, kulissestyr. *~* **window** skydevindue.
sliding ['slaidiŋ] *adj* glidende; glide-, skyde-.
sliding| door skydedør. *~* **scale** glidende (løn- *etc)* skala. *~* **seat** rullesæde, glidesæde (i robåd).
slight [slait] *adj* tynd, spinkel, klejn; ubetydelig, ringe, let; *vb* ringeagte, se over hovedet, negligere; *(am* om arbejde) sjuske med, forsømme; *sb* tilsidesættelse, ringeagt; *a ~ cold* en let forkølelse; *feel -ed* føle sig tilsidesat; *not the -est idea of it* ikke den fjerneste idé om det; *some ~ errors* nogle småfejl; *~ his offered advances* forsmå hans tilnærmelser; *-ly built* spinkel; *-ly damaged* let beskadiget.
slighting ['slaitiŋ] *adj* krænkende, nedsættende, ringeagtende.
slim [slim] *adj* smækker, slank; tynd, spinkel; S snu, fiffig; *vb* slanke; slanke sig; gennemgå en afmagringskur; *-ming treatment* afmagringskur.
slime [slaim] *sb* slim *(fx of a snail)*; dynd, slam; *vb* tilslime.
slimy ['slaimi] *adj* slimet; *(fig)* slesk; modbydelig.
I. sling [sliŋ] *vb (slung, slung)* slynge, kaste; hænge op (i strop *etc); hejse* (ved hjælp af strop *etc); ~ arms!* gevær over højre skulder! *~ your hook!* T stik af med dig! *~ ink* ødsle med blækket; ustandselig føre i blækhuset, skrive meget og ofte; *~ sby out* smide en ud.
II. sling [sliŋ] *sb* (til sten) slynge; (til at hænge noget op i) strop, rem, (til gevær) geværrem, (til dårlig arm) bind; (til at løfte med) sele, *(mar)* slæng, længe; *carry one's arm in a ~* gå med armen i bind.
III. sling [sliŋ] *sb (am)* (drik bestående af vand, sukker og spiritus, især gin).
sling| chair liggestol. **-shot** slangebøsse.
slink [sliŋk] *vb (slunk, slunk)* snige sig, luske, liste sig *(away* bort); (om kvæg) kaste, føde for tidligt.
slinky ['sliŋki] *adj* T slank; som svanser *(el.* vimser af sted); (om tøj) ålestram.
I. slip [slip] *vb* glide, smutte, (om knude *etc)* løsne sig, gå op; (om person) liste sig, smutte *(fx he -ped out of the room)*, (være ved at falde:) glide, miste fodfæstet, snuble, træde fejl, *(fig)* fejle, begå fejl *(fx he has not -ped once);* T blive ringere *(fx his work has -ped)*, falde af på den *(fx he has been -ping lately)*; (med objekt) lade glide, liste *(fx one's hand into one's pocket)*, skyde, T stikke (ɔ: give); slippe, slippe løs *(fx a hound);* slippe bort fra *(fx*

one's pursuers); skubbe af sig *(fx the cow -ped its halter);* (om hundyr) kaste, føde for tidligt; *(mar)* stikke fra sig; ~ *the anchor (mar)* stikke ankeret ud; ~ *a disk* få diskusprolaps; *it has -ped my memory* jeg har glemt det; *he let* ~ *an oath* der undslap ham en ed; *let an opportunity* ~ lade en gunstig lejlighed slippe sig af hænde; *(forb* med *præp, adv)* ~ *by* smutte forbi, passere forbi; gå hen (om tid); ~ *from* glide ud af *(fx the knife -ped from his hand); an error has -ped in* der har indsneget sig en fejl; ~ *into* (om tøj) smutte i; ~ *off* glide ned fra *(fx a napkin -s off one's knee);* hurtigt tage af; smøge af sig; ~ *on* glide på, glide i *(fx a banana skin);* trække (tøj) hurtigt på; ~ *over* gå let hen over; ~ *it over on sby* snyde en; ~ *through shy's fingers* forsvinde mellem fingrene på en; glide en af hænde; ~ *up* glide, miste fodfæstet, snuble; T begå *(el.* gøre) en fejl, træde ved siden af.
II. slip [slip] *sb* gliden, glidning; *(fig)* fejltrin, lapsus, fejl; (smalt stykke:) strimmel, (af metal også) liste, (af papir) lap, seddel, (ved billede i bog) beskyttelsesblad, *(typ)* spaltekorrektur; (i kirke) smal bænk; (tøj:) underkjole, -s badebukser; (til pude) betræk, vår; (til hund) snor; *(bogb)* ende af hæftesnor; (af plante) stikling; *(mar)* havne(bassin), -s bedding; *(tekn)* slip *(fx of the propeller); (elektr)* slip; (i porcelænsfabrikation) lervælling, massevælling; slikker; *in the -s (teat, glds)* i kulissen; *give sby. the* ~ løbe *(el.* smutte) bort fra en ; ~ *of the pen* skrivefejl, fejlskrivning; *a* ~ *of the tongue* en fortalelse; *a* ~ *of a boy* en lille spinkel fyr; *a* ~ *of a girl* en stump pigebarn; *there is many a* ~ *twixt the cup and the lip* ɔ: man skal ikke glæde sig for tidligt.

slip|case (til bog) kartonnage, kassette; (til plade) omslag. **-cover** møbelovertræk; (til bog) smudsomslag. ~ **hook** sliphage, slipkrog. **-knot** slipstik.
slip-on ['slipɔn] *adj* lige til at tage på, let at tage på.
slipover ['slipouvə] *adj* til at trække over hovedet; *sb* slipover; overtræk.
slipped disk *(med.)* diskusprolaps.
slipper ['slipə] *sb* tøffel, slipper, morgensko; (let) sko, balsko; *(tekn)* glideklods; *vb* T smække med en tøffel.
slipper-slopper ['slipəslɔpə] *adj* sentimental.
slipperwort ['slipəwəːt] *sb (bot)* tøffelblomst.
slippery ['slipəri] *adj* glat, fedtet; ikke til at få hold på; *(fig)* glat, falsk, upålidelig; *on* ~ *ground (fig)* på usikker grund; ~ *roads* glat føre; *on the* ~ *slope (fig)* på vej ned ad skråplanet.
slippy ['slipi] *adj* T rask; *look* ~, *be* ~ *about it* være rask i vendingen, skynde sig.
slip road (ved motorvej) tilkørselsvej, frakørselsvej.
slipshod ['slipʃɔd] *adj* sjusket, forjasket; *(glds)* med nedtrådte sko.
slipslop ['slipslɔp] *sb* pladder, pjat; (om drik) pøjt; *adj* pjattet, sentimental.
slip|stream *(flyv)* slipstrøm. ~ **-up** *sb* T fejl.
slipway ['slipwei] *sb (mar)* (ophalings)bedding, slæbested.
I. slit [slit] *vb (slit, slit)* flænge; sprætte (, skære, klippe) op; opslidse; flække, spalte; (uden objekt) revne.
II. slit [slit] *sb* flænge, spalte, revne, slids.
slither ['sliðə] *vb* glide, skride, slingre.
slithery ['sliðəri] *adj* glat.
slit trench *(mil.)* skyttehul.
sliver ['slivə] *vb* splintre; *sb* (lang tynd) splint; strimmel; trævl, streng; (i spinding) væge.
slob [slɔb] *sb* (irsk:) mudret sted; pløre; T klodrian, klods, fjog.
slobber ['slɔbə] *vb* savle (til); strømme over af rørelse; *sb* savl; rørelse.
sloe [slou] *sb (bot)* slåen(bær), slåentorn.
sloe|-eyed mørkøjet. ~ **gin** slåenlikør.
slog [slɔg] *vb* slå hårdt; slide, pukle; *sb* hårdt slag; slid, pukleri; puklearbejde; ~ *along* ase *(el.* okse, traske) af sted; ~ *at sth* pukle *(el.* slide) med noget.
slogan ['slougən] *sb* slagord, (reklame)slogan; *(opr* skotsk) krigsråb.
sloid [slɔid] *sb* sløjd.
sloop [sluːp] *sb (mar)* slup, kanonbåd.
slop [slɔp] *vb* spilde, løbe over; spilde, pjaske; *sb* pøl, våd plet; *(am)* sentimentalt bavl; (se også *slops).*
slop basin lille skål på tebord til at slå teblade *etc* fra kop-

perne over i.
slope [sloup] *sb* skråning, bjergskråning; skibakke; hældning, fald; *vb* skråne, stige skråt op; (med objekt) holde skråt, sænke; skære skråt til; ~ *arms!* gevær i hvil! ~ *off* T stikke af; luske væk; 'sive' (ɔ: gå hjem før arbejdstiden er forbi); *the road -s sharply* vejen skråner *(el.* stiger) stærkt.
sloping ['sloupiŋ] *adj* skrå, skrånende.
slop pail toiletspand.
sloppy ['slɔpi] *adj* tilsølet, sjasket; (om mad) tynd, vandet; *(fig)* blødsøden, sentimental; (om arbejde) sjusket.
slop room *(mar)* beklædningsmagasin.
slops [slɔps] *sb pl* spildevand, (op)vaskevand (efter brugen); flydende føde, søbemad; pøjt; (om tøj) arbejdstøj; billigt tøj; sømandstøj (og køjeklæder *etc).*
slosh [slɔʃ] *vb* plaske, vade om i pløre; sjaske; S slå, lange én ud.
sloshed [slɔʃt] *adj* S fuld, pløret.
I. slot [slɔt] *sb* sprække, smal åbning; rille; (i skrue) kærv; *(tekn* også) udfræsning, not(gang); *(fig)* plads; *vb* lave en sprække (, en rille) i; *place a penny in the* ~ læg en penny i automaten.
II. slot [slɔt] *sb* dyrespor.
sloth [slouθ, *am:* slɔθ] *sb* dorskhed, ladhed; *zo* dovendyr.
sloth bear *zo* læbebjørn.
slothful ['slouθf(u)l, *(am)* 'slɔθ-] *adj* doven, lad.
slot| machine (salgs)automat; (am) spilleautomat. ~ **meter** automatmåler, gasautomat. ~ **telephone** telefonautomat.
slouch [slautʃ] *vb* hænge slapt, lude; slentre, daske; (om hatteskygge) slå ned; *sb* klodset gang, slentren; luden; *(am)* klodrian, sjuskemikkel; *he is no* ~ *at* han er ikke så dårlig til *(fx tennis).*
slouch hat blød hat, bulehat.
I. slough [slau] *sb* mudderpøl, sump.
II. slough [slʌf] *sb* (slanges) ham; (i sår) dødt væv; *vb* afkaste, skyde (ham); ~ *off* aflægge *(fx old habits);* skalle af, afkastes.
sloven ['slʌvn] *sb* sjuskemikkel; sjuskedorte.
Slovene ['slouviːn] *sb* slovener(inde).
slovenly ['slʌvnli] *adj* sjusket.
slow [slou] *adj* langsom; langsomt virkende *(fx poison);* sen, sendrægtig, langsommelig *(fx journey);* kedelig, triviel; *(mht* opfattelse) tungnem, træg, tung; *vb:* ~ *down,* ~ *up* køre langsommere, sætte farten *(el.* tempoet) ned; ~ *fire* sagte ild; *go* ~ bevæge sig (, køre *etc)* langsomt; tage den med ro; (om arbejdere) nedsætte arbejdstempoet (som en form for strejke); *the clock is ten minutes* ~ uret går ti minutter for sagte; *a* ~ *season* en død tid.
slow|coach drys, smøl. **-down** *(am)* nedsat arbejdstempo. ~ **handclap,** *se handclap.* ~ **match** sb lunte; (langsomtbrændende) tændsnor. ~ **motion** slow motion (om film, der viser en bevægelse i langsommere tempo end i virkeligheden); overdrejning; *-motion replay* langsom gengivelse. ~ **train** bumletog. **-worm** stålorm.
sloyd [slɔid] *sb* sløjd.
slub [slʌb] *sb* fortykkelse i garn; *vb* forspinde; ~ *yarn* flammegarn.
sludge [slʌdʒ] *sb* søle, mudder; slam; snesjap.
slue [sluː] *vb* svinge, dreje.
slug [slʌg] *sb zo* (nøgen) snegl, alm agersnegl; (til bøsse *etc)* projektil, kugle; *(typ)* steg (til spatiering); maskinstøbt linje; *(am)* spillemønt; falsk mønt brugt i automat; hårdt slag; *(glds)* smøl, drog; *vb* samle og tilintetgøre snegle; dovne; slå hårdt.
slug-a-bed ['slʌgəbed] *sb* syvsover.
sluggard ['slʌgəd] *sb* dovenkrop, drønnert.
sluggish ['slʌgiʃ] *adj* doven, træg, treven, langsom.
sluice [sluːs] *sb* sluse; vb passere gennem en sluse; forsyne med sluser; vaske, overskylle, skylle.
sluice|gate sluseport; stigbord. ~ **valve** sluseventil.
slum [slʌm] *sb* slum; baggade, baggård, fattigkvarter; *vb: go -ming* missionere i fattigkvartererne; bese fattigkvarterer (som turist *etc).*
slumber ['slʌmbə] *sb* slummer; *vb* slumre.
slumberous ['slʌmbərəs] *adj* søvndyssende; søvnig.
slum clearance sanering (af fattigkvarterer).
slumgullion [slʌm'gʌljən] *sb* T sprøjt, tyndt pjask.
slumlord ['slʌmlɔːd] *sb (am)* bolighaj.

slump [slʌmp] *sb* pludseligt prisfald, dårlige tider, lavkonjunktur, baisse, erhvervskrise; *vb* falde (sammen), dumpe; (om priser) falde brat.

slung [slʌŋ] *præt* og *pp* af *sling.*

slunk [slʌŋk] *præt* og *pp* af *slink.*

slur [slə:] *vb* sjuske med, udtale utydeligt, lade gå i et; *(fig)* gå let hen over, tilsløre; *(mus.)* synge (, spille) legato; *sb* plet, skamplet; *(mus.)* legatospil, bindebue; *(typ)* udtværing; *cast a ~ upon* sætte en plet på.

slurp [slə:p] *vb* slubre (i sig); *sb* slubren; slurk ledsaget af slubren.

slurry ['slʌri] *sb* (cement)slam.

slush [slʌʃ] *sb* (sne)sjap, søle; *(fig)* T sentimentalt sludder; *~ fund* 'fedtekasse'; penge til brug for bestikkelse.

slushy ['slʌʃi] *adj* sjappet, sølet; T sentimental.

slut [slʌt] *sb* sjuske, tøs. **sluttish** ['slʌtiʃ] *adj* sjusket.

sly [slai] *adj* snu, polisk, lumsk; *~ dog, ~ fox* snu rad, lurendrejer; *on the ~* i smug.

slyboots ['slaibu:ts] *sb* T strik, lurifaks.

slype [slaip] *sb* forbindelsesgang (mellem kirke og andre bygninger).

S.M. *fk* sergeant-major.

I. smack [smæk] *vb* smage *(of* af); *sb* antydning, (bi)smag.

II. smack [smæk] *sb* smask, smækkys; smæld, knald *(fx of a whip)*; klask; *(om* smælde, knalde, klaske, smække *(fx ~ a child)*; *adv* lige *(fx it went ~ through the window)*; *a ~ in the eye (fig)* en værre afbrænder, en slem lussing; *have a ~ at* T prøve; *~ one's lips* smaske med læberne, (svarer til) smække med tungen; *(fig)* gotte sig.

III. smack [smæk] *sb (mar)* smakke; fiskekvase.

smacker ['smækə] *sb* T smækkys, smask; pragteksemplar; *(am* S) hårdt slag; dollar.

small [smɔ:l] *adj* lille, tynd, ringe, ubetydelig; liden, ikke meget, kun lidt *(fx have ~ cause for gratitude)*; (om egenskab) smålig, småtskåren, snæversynet; *sb* (se også *smalls)* smal del; *the ~ of the back* lænden; *the ~ of the leg* smalbenet;
  ~ blame to him det kan man ikke bebrejde ham; *that's ~ consolation* det er en ringe trøst; *feel ~* føle sig lille; *the ~ hours* de små timer; *look ~* være flov (, forlegen); *a ~ matter* en ringe sag, en bagatel; *sing ~* stikke piben ind; *on the ~ side* lovlig lille; *~ tradesman* småhandlende; *in a ~ way* i beskeden målestok; *~ wonder* intet under.

small ads rubrikannoncer.

smallage ['smɔ:lidʒ] *sb (bot)* vild selleri.

small| arms *(mil.)* håndskydevåben. *~ beer* tyndt øl; *(fig)* småting, ubetydeligheder; *think no ~ beer of oneself* have store tanker om sig selv. *~ capitals (typ)* kapitæler. *~ change* småpenge, skillemønt; byttepenge. *~ -clothes (glds)* knæbenklæder. *~ fruit* bærfrugt. *~ fry* se II. *fry.* **-holder** husmand. **-holding** husmandsbrug. *~ intestine (anat)* tyndtarm.

smallish ['smɔ:liʃ] *adj* noget lille.

small-minded *adj* snæversynet, smålig.

smallness ['smɔ:lnis] *sb* lidenhed.

smallpox ['smɔ:lpɔks] *sb (med.)* kopper.

smalls ['smɔ:lz] *sb pl* småkul; første del af eksamen til opnåelse af B. A. graden (i Oxford); T småtøj (ɔ: vasketøj); (dame)undertøj.

small| sword kårde. *~ talk* passiar, småsnak. *~ -time adj* T ringe, ubetydelig; dilettantisk. **-wares** kortevarer (ɔ: bånd, syartikler *etc).*

smalt [smɔ(:)lt] *sb* koboltblå, smalt.

smarmy ['sma:mi] *adj* T fedtet, indsmigrende, slesk.

I. smart [sma:t] *sb* (svidende) smerte (både legemlig og åndelig), svie, lidelse.

II. smart [sma:t] *adj* smart, elegant, fiks *(fx hat, dress)*; flot *(fx soldier)*; pæn *(fx garden)*; *(mht* tempo) rask, livlig, hurtig *(fx walk; attack)*; *(mht* intelligens) opvakt, kvik; vaks, dygtig *(fx businessman)*, vittig *(fx say ~ things)*, (især *neds)* smart, snu, durkdreven *(fx he is too ~ for me)*; (om slag *etc)* skarp *(fx rebuke)*, hård *(fx blow)*, sviende *(fx a ~ box on the ear)*; T temmelig stor (, voldsom *etc)*; *he ~ answering* have svar på rede hånd; *look ~ about it!* lad det gå lidt villigt! skynd dig! *practice ~ tricks*, kneb, numre.

III. smart [sma:t] *vb* smerte, gøre ondt, svie *(fx a -ing wound)*; *(fig)* lide, føle sig såret *(el.* krænket); *you shall ~ for this* dette skal komme dig dyrt at stå; *I'll make him ~ for it* det skal han få betalt.

smart aleck ['sma:tælik] vigtigper, indbildsk fyr; *he is a ~* (også) han er pokkers klog.

smarten ['sma:tn] *vb* pynte, fikse op; *~ oneself up* pynte sig.

smart| money *(glds)* erstatning (for smerte og svie). *~ set:* *the ~ set* den elegante verden.

I. smash [smæʃ] *vb* slå i stykker, knuse; (i tennis *etc)* smashe; T slå (hårdt); *(fig)* tilintetgøre, knuse, (økonomisk:) ruinere; S drive falskmønteri; (uden objekt) gå i stykker, knuses; gå fallit, krakke; *~ a window* knalde en rude; *~ in* sprænge *(fx a door)*; *~ into* kollidere med, køre *(el.* brase) ind i; *~ up* slå i stykker; blive ruineret.

II. smash [smæʃ] *sb* ødelæggelse; brag; kollision, (voldsomt) sammenstød; katastrofe; (økonomisk:) fallit, krak; (i tennis *etc)* smash; *(am* T) (blandet frugtdrik med spiritus); *come (el.* go*) to ~* blive ruineret.

III. smash [smæʃ] *adv* bang! med et brag *(fx go ~ into a wall)*.

smash-and-grab (raid) tyveri med rudeknusning.

smasher ['smæʃə] *sb* S knusende slag; overbevisende argument; pragteksemplar.

smash hit T knaldsucces.

smashing ['smæʃiŋ] *adj* knusende; S pragtfuld, fantastisk.

smash-up ['smæʃʌp] *sb* (voldsomt) sammenstød, kollision; *(fig)* katastrofe, sammenbrud; (økonomisk:) fallit, krak.

smatterer ['smætərə] *sb* fusker; halvstuderet røver.

smattering ['smætəriŋ] *sb* overfladiske kundskaber; overfladisk kendskab *(of* til).

smear [smiə] *vb* smøre; oversmøre, tilsøle; tvære ud; *(fig)* rakke ned på; udsprede ondsindede rygter om; *sb* plet; *(med.)* udstrygningspræparat; *~ campaign* hetz, systematisk nedrakning *(af* offentlig person *etc).*

smear| dab *zo* rødtunge. *~ word* skældsord.

I. smell [smel] *vb (smelt, smelt)* lugte, lugte til; *(fig)* spore, mærke; (uden objekt) lugte, dufte; stinke; *~ at* lugte til, snuse til; *~ out* opsnuse, vejre; *~ round* snuse rundt; (se også *lamp, rat).*

II. smell [smel] *sb* lugt, duft; lugtesans; *take a ~ at* lugte til.

smelling| bottle lugteflaske. *~ salts* lugtesalt.

smelly ['smeli] *adj* lugtende, stinkende.

I. smelt [smelt] *sb zo* smelt.

II. smelt [smelt] *præt* og *pp* af *smell.*

III. smelt [smelt] *vb* smelte.

smeltery ['smeltəri] *sb* smeltehytte.

smew [smju:] *sb zo* lille skallesluger.

smilax ['smailæks] *sb (bot)* smilaks.

smile [smail] *vb* smile; *sb* smil; *-s* (også) gunst *(fx the -s of fortune)*; *~ at* smile ad, lade hånt om *(fx his threats)*; *~ on* smile til, tilsmile; *(fig* også) se mildt til; *keep smiling!* hold dig munter!

smirch [smə:tʃ] *vb* plette, tilsmudse, besudle; *sb* plet.

smirk [smə:k] *vb* smiske, smile huldsaligt; *sb* affekteret *(el.* selvtilfreds) smil.

smite [smait] *vb (smote, smitten (litt)* slå, ramme; tilføje et nederlag, slå på flugt; *sb* slag; *his conscience smote him* han fik samvittighedsnag; *be smitten with sby* være (, blive) bedåret af en; *be smitten with a desire for sth* blive grebet af trang til noget; *smitten with fear* grebet af frygt.

smith [smiθ] *sb* smed; *vb* smede.

smithereens ['smiðə'ri:nz] *sb pl* stumper og stykker.

smithery ['smiθəri] *sb* smedearbejde; smedje.

smithy ['smiði] *sb* smedje.

smitten [smitn] *pp* af *smite.*

smock [smɔk] *sb* kittel; busseronne; *(glds)* særk; *vb* brodere med smocksyning.

smock| frock kittel, arbejdsbluse. **-ing** smocksyning. *~ mill* hollandsk mølle.

smog [smɔg] *sb* røgblandet tåge (af *smoke* og *fog).*

I. smoke [smouk] *sb* røg; noget rygeligt, cigaret, cigar; *end in ~ (fig)* gå op i røg; *have a ~* T tage sig en smøg; *like ~* S straks, hurtigt, som en mis.

II. smoke [smouk] *vb* ryge, dampe; røge; desinficere ved røg; *-d spectacles* røgfarvede briller; *~ out* ryge ud; *(fig, am)*

tvinge frem, drive ud; bringe for dagen.
smoke|black kønrøg. **~ bomb** røgbombe. **~ box** *(tekn)* røgkammer. **~ -dried** røget. **-house** røgeri. **-less** røgsvag, røgfri *(fx powder)*.
smoker ['smoukə] *sb* ryger; rygekupé.
smokescreen ['smoukskri:n] *sb* røgdække, røgslør, røgtæppe.
smokestack ['smoukstæk] *sb* skorstensrør; skibsskorsten, fabriksskorsten.
smoking ['smoukiŋ] *sb* rygning, tobaksrygning; *adj* rygende, osende; *no* **~** *allowed* tobaksrygning ikke tilladt.
smoking| compartment rygekupé. **~ jacket** hjemmejakke. **~ stand** standeraskebæger.
smoky ['smouki] *adj* rygende, osende, tilbøjelig til at ryge; røglignende, røgfarvet; røgfyldt, tilrøget.
smolt [smoult] *sb* laks (i dens andet år).
smooch [smu:tʃ] *vb (am)* T kysse (, kæle for) hinanden.
I. smooth [smu:ð] *adj* glat *(fx paper)*, jævn *(fx road)*; (om bevægelse *etc)* jævn; rolig *(fx crossing* overfart); (om havet) smult; (om tale) behagelig; *(neds)* smigrende, slesk; *make things* **~** *for sby* jævne vejen for en ; **~** *tongue* glat tunge; *take the rough with the* **~** tage det onde med det gode.
II. smooth [smu:ð] *vb* glatte *(fx one's hair)*; **~** *away* udglatte, udjævne; **~** *down* berolige *(fx I -ed him down)*; blive rolig *(fx the sea -ed down)*; **~** *over* glatte ud; besmykke *(fx sby's faults)*.
III. smooth [smu:ð] *sb* jævnt stykke; *give one's hair a* **~** glatte sit hår.
smooth|bore glatløbet *(fx gun)*. **~ -chinned** skægløs. **~ -faced** skægløs; *(fig)* slesk, glat. **~ -hound** *zo* glathaj.
smoothing plane pudshøvl, glathøvl.
smooth| newt *zo* lille vandsalamander. **~ -spoken, ~ -tongued** glat, indsmigrende.
smorbrod ['smɔ:brou] *sb* smørrebrød.
smote [smout] *præt af smite*.
smother ['smʌðə] *vb* (være nær ved at) kvæles; (med objekt) kvæle, *(fig også)* undertrykke *(fx a laugh, a yawn)*; dæmpe; (lægge et tykt lag over:) dække, tildække *(fx -ed in flowers)*; *(fig)* dække over, neddysse *(fx a scandal)*; overvælde *(fx **~** sby with kisses)*; *sb* røgsky, støvsky.
smoulder ['smouldə] *vb* ulme.
smudge [smʌdʒ] *sb* (udtværet) plet; *(am)* rygende bål (for at holde insekter borte); *vb* plette, smudse; tvære ud; *(am)* tænde et rygende bål i *(fx an orchard)*; (uden objekt) blive tilsmudset.
smug [smʌg] *adj* selvtilfreds, selvgod; selvbehagelig.
smuggle ['smʌgl] *vb* smugle. **smuggling** *sb* smugleri.
smuggler ['smʌglə] *sb* smugler. **smuggling** *sb* smugleri.
smut [smʌt] *sb* sodflage; sodplet; plet; *(fig)* sjofelheder; porno; *(bot)* brand (på korn); *vb* plette, tilsmudse (med sod); *talk* **~** være sjofel, fortælle sjofle historier.
smut fungus *(bot)* brandsvamp.
smutty ['smʌti] *adj* sodet, smudsig; *(fig)* sjofel, slibrig, uanstændig.
snack [snæk] *sb* bid mad, lille hurtigt måltid.
snack bar snackbar; frokostrestaurant.
snaffle ['snæfl] *sb* trense, bridonbid; *vb* styre ved trense, styre; S stjæle, negle.
snafu [snæ'fu:] *(mil.* S) *sb* rod, komplet forvirring, kludder; *vb* rode, kludre; (begyndelsesbogstaverne i *situation normal – all fouled (el. fucked) up)*.
snag [snæg] *sb* takket stump af gren, tand *etc*; skjult skær, grenstump *etc*. træstub (i flods *etc* sejlløb); rift i strømpe; *(fig)* uventet vanskelighed *el.* hindring; *vb* hænge fast (, støde) på en (sådan) hindring; rive, få en rift i (en strømpe); fjerne hindringer fra; *(tekn)* skrubslibe; *that's the* **~** det er der, vanskeligheden ligger; *there is a* **~** *in it* der er en hage ved det.
snail [sneil] *sb zo* snegl (med hus, *mods slug)*; *move at a -'s pace* snegle sig frem.
snake [sneik] *sb zo* slange; *(grass* **~**) snog; *(fig)* slange, snog; *nourish (el. cherish) a* **~** *in one's bosom* nære en slange ved sin barm; *a* **~** *in the grass* en lurende fare.
snake|bird *zo* slangehalsfugl. **~ charmer** slangetæmmer. **-'s head** *(bot)* vibeæg.
snaky ['sneiki] *adj* fuld af slanger; slange-; slangeagtig; bugtet, *(fig)* slangeagtig, lumsk.

I. snap [snæp] *vb* snappe, bide; brække *(fx* **~** *a twig in two)*; smække *(fx* **~** *down the lid)*; smække med; (om lyd) knalde med, smælde med *(fx* **~** *a whip)*, trykke af *(fx a pistol)*, knipse med *(fx one's fingers)*; *(fot)* knipse, tage øjebliksbillede af *(fx he was -ped falling off his horse)*; (uden objekt) knække *(fx a twig -ped)*, briste, bryde sammen *(fx the alliance -ped)*; (om lyd) knalde; klikke; (**T:** tale arrigt til:) snærre, bide;
(forb med præp, adv) **~** *at* snappe efter, gribe ivrigt efter; tage ad, snærre ad; **~** *one's fingers at* være revnende ligeglad med, blæse på; **~** *into sth.* S gå energisk løs på noget; **~** *off* brække af; **~** *sby's head (el. nose) off* bide en af, bide ad en; **~** *out of it* S tage sig sammen (og for bedre sig, beherske sig); **~** *to* knalde i, smække i *(fx the door -s to)*; **~** *up* snappe, rive til sig, rive bort, sikre sig *(fx all the best houses have been -ped up by this time)*; **~** *sby up* bide en af.
II. snap [snæp] *sb* snappen, (et) bid; (om lyd) knæk, smæld, smæk; knips *(fx a* **~** *of the fingers)*; (lås:) tryklås, *(fx på armbånd)* fjederlås; **T** fut, fart, liv *(fx a style without much* **~**); *(fot)* snapshot, øjebliksbillede; (kortspil:) børnespil hvor det gælder om at sige *snap* først, når to ens kort vendes op; (kage:) kiks, (små)kage; *(dial.)* madpakke, mad; (om vejr) kort frostperiode; *(am* S) let sag; *(tekn)* = **~** *tool.*
III. snap [snæp] *adj* lynhurtig, pludselig *(fx division, vote* afstemning), uventet.
snap| album amatøralbum. **~ bean** brydbønne. **-dragon** *(bot)* løvemund; (leg:) juleleg med rosiner som snappes ud af brændende kognak. **~ fastener** tryklås. **~ gauge** tolerancegaffel. **~ lock** smæklås.
snapping turtle *zo* snapskildpadde; alligatorskildpadde.
snappish ['snæpiʃ] *adj* bidsk, arrig.
snappy ['snæpi] *adj* bidsk, arrig; **T** fiks; rask, kvik; *look* **~**, *make it* **~** få fart på.
snap roll *(flyv)* hurtig rulning.
snapshot ['snæpʃɔt] *sb (fot)* snapshot, øjebliksbillede; (med bøsse:) slængskud.
snap tool *(tekn)* knapmager (ved nitning).
snare [snɛə] *sb* snare; *(med.)* slynge; *vb* fange i snare; *(fig)* besnære, forlokke.
I. snarl [sna:l] *vb* bringe i urede, bringe kludder *(el.* forstyrrelse) i; komme i urede; *sb* knude, urede; forvikling; trafikprop, trafikknude; *-ed up* **T** (om trafik) blokeret, brudt sammen;
II. snarl [sna:l] *vb* snerre, knurre; *sb* knurren, snerren.
snatch [snætʃ] *vb* snappe, gribe *(at* efter); rive; *sb* snappen; stump, brudstykke; **~** *away* rive til sig, rive væk; (om døden) bortrive; *a few hours of sleep* redde sig nogle få timers søvn; **~** *sth from sby's hand* snappe noget ud af hånden på en; *make a* **~** *at* snappe efter; *by (el. in)* *-es* stødvis; rykvis; *a* **~** *of food* en bid mad; *a* **~** *of sleep* et blund, en lur.
snatch block *(mar)* kasteblok.
snatchy ['snætʃi] *adj* stødvis, rykvis, ujævn.
sneak [sni:k] *vb* luske, snige sig; liste *(el.* luske) sig til; smugle; S sleske, sladre; hugge, stjæle; *sb* luskepeter, sladrehank; slesk fyr, fedteprins; (i kricket) jordstryger (om bold); **~** *out of (fig)* luske sig fra.
sneakers ['sni:kəz] *sb pl (am* **T**) (sko med blød sål *el.* gummisål), gymnastiksko; listesko.
sneaking ['sni:kiŋ] *adj* hemmelig; skjult; lusket; tarvelig; *a* **~** *suspicion* en lumsk mistanke.
sneak| raid overraskelsesangreb. **~ thief** listetyv.
sneer [sniə] *vb* rynke på næsen, spotte; *sb* spotsk smil, stikleri; **~** *at* håne, spotte.
sneeze [sni:z] *vb* nyse; *sb* nysen; *not to be -d at* ikke til at kimse ad.
snell [snel] *sb* (i fiskeri) forfang.
snick [snik] *sb* hak; (i kricket) let slag med boldtræ; *vb* skære hak i; give let slag med boldtræ.
snicker ['snikə] *vb* fnise; vrinske; *sb* fnisen; vrinsken.
snicket ['snikit] *sb* smøge, smal passage.
snide [snaid] S *adj* falsk, uægte; tarvelig, ondskabsfuld, spydig.
sniff [snif] *vb* snøfte, snuse; vejre, lugte; rynke på næsen *(at* ad); *sb* snøft, snusen.
sniffle ['snifl] *vb* snøfte; *sb* snøften; *the -s* snue, snøften.

sniffy ['snifi] *adj* **T** let storsnudet.
snifter ['sniftə] *sb* svingpokal, kognakglas; *(am* **S)** lille dram, gibbernakker.
snifting valve snøfteventil.
snigger ['snigə] *vb* grine, fnise.
snip [snip] *vb* klippe (med en rask bevægelse); *sb* klip, afklippet stykke, stump; (om person, **T**) skrædder; *(am* **T)** fræk lille tingest; **T** let sag; billigt køb, fin forretning; *that's a ~* (også:) det er fundet for de penge; det er helt sikkert.
I. snipe [snaip] *vb (mil.)* være snigskytte; skyde fra skjult stilling, snigskyde; (om jagt) skyde snepper.
II. snipe [snaip] *sb zo* bekkasin, sneppe; *common ~* dobbeltbekkasin.
sniper ['snaipə] *sb (mil.)* snigskytte.
snippet ['snipit] *sb* bid, stump.
snippety ['snipiti], **snippy** ['snipi] *adj* som består af småstumper; *(am)* bidsk, overlegen, hovskisnovski.
snips [snips], **snip shears** *pl* bliksaks.
snitch [snitʃ] *vb* hugge, stjæle; **S** sladre, angive.
snivel ['snivl] *sb* snot; flæberi; hykleri; *vb* være snottet, snøfte; flæbe, klynke.
sniveller ['snivlə] *sb* klynkehoved.
snob [snɔb] *sb* snob; *be a ~* (også) have fine fornemmelser; *it has ~ appeal (el. value)* det appellerer til folks snobberi.
snobbery ['snɔbri] *sb* snobberi.
snobbish ['snɔbiʃ] *adj* snobbet.
snog [snɔg] *vb* **T** kæle; kysse og kramme.
snood [snu:d] *sb* hårbånd; hårnet; (i fiskeri) forfang.
snook [snu:k] *sb: cock a ~* **S** række næse.
snooker ['snu:kə] *sb* (form for) billiard.
snookered ['snu:kəd] *adj* (om billardbal) maskeret; **T** *(fig)* i klemme.
snoop [snu:p] *vb* **T** stikke næsen i ting der ikke vedkommer en; snuse, spionere.
snooper ['snu:pə] *sb* **T** nysgerrigper.
snoopy ['snu:pi] *adj* som snuser i andres sager.
snooty ['snu:ti] *adj* **T** storsnudet, højrumpet.
snooze [snu:z] *vb* tage sig en lur; *sb* lur (ɔ: kort søvn).
snore [snɔ:] *vb* snorke; *sb* snorken.
snorkel ['snɔ:kl] *sb* snorkel.
snort [snɔ:t] *sb* pruste, fnyse; *sb* fnysen; *(am* **S)** drink, gibbernakker; (til u-båd) snorkel.
snorter ['snɔ:tə] *sb* snorkepeter; **S** pralhals; næsestyver; kraftpræstation; brandstorm; drink, gibbernakker.
snot [snɔt] *sb* snot; **S** dum skid.
snot rag **S** snotklud, lommetørklæde.
snotty ['snɔti] *adj* snottet; storsnudet; *sb* **S** kadet.
snout [snaut] *sb* snude, tryne, snabel; *(tekn)* mundstykke, dyse, tragt.
snow [snou] *sb* sne; snevejr; **S** kokain; *vb* sne; *(fig)* komme væltende, strømme *(fx letters came -ing in)*; regne med, strømme ned *(fx it -ed letters)*; *be -ed in (el. up)* være indesneet; *be -ed under by (fig)* være overvældet af, være begravet i *(fx letters)*.
snow|ball snebold; *(bot)* snebolle, kvalkved; *vb* kaste med snebolde (på); *(fig)* vokse som en snebold, vokse med stigende hast. **-berry** *(bot)* snebær. **-bound** indesneet; (om vej *etc*) spærret *(el. blokeret)* af sne. **-broth** snesælte, snesjap. **~ bunting** snespurv. **~ -capped** sneklædt. **-cat** motorslæde. **~ -clad**, **~ -crowned** sneklædt. **-drift** snedrive.
snow|drop *(bot)* vintergæk. **-drop tree** *(bot)* sneklokketræ. **-field** snemark. **~ finch** *zo* snefinke; *(bot)* dorothealilje. **~ goggles** snebriller. **~ goose** snegås. **~ line** snegrænse. **-man** snemand; *the abominable -man* den afskyelige snemand. **-mobile** motorslæde. **~ owl** sneugle. **-plough** sneplov. **-scape** snelandskab. **-shoe** snesko. **-slide**, **-slip** sneskred, lavine. **-storm** snefog, snestorm.
snowy ['snoui] *adj* snedækt, snehvid, ren; **~ owl** sneugle.
snub [snʌb] *sb* afvisning, irettesættelse, næse *(fig)*; *vb* afvise, affærdige, bide af, sætte på plads, give over næsen.
snub| nose opstoppernæse, braknæse. **-nosed** braknæset.
I. snuff [snʌf] *sb* tande, udbrændt væge; *vb* pudse (et lys); **~ out** slukke; *(fig)* undertrykke, knægte; **T** dræbe; dø.
II. snuff [snʌf] *sb* snus(tobak); *vb* snuse; *take a pinch of ~* tage en pris; *up to ~* **T** ikke tabt bag en vogn; god nok, tilfredsstillende, i orden.

snuffbox ['snʌfbɔks] *sb* snustobaksdåse.
snuffer ['snʌfə] *sb* en som bruger snus; lyseslukker; *-s* lysesaks.
snuffle ['snʌfl] *vb* snøfte; snøvle; *sb* snøften; snøvlen; *-s pl* tilstopning af næsen, snue.
snug [snʌg] *adj* lun, net, hyggelig, bekvem; beskyttet, skjult; (om tøj) tætsluttende; *(mar)* i orden; *sb* baglokale i *pub; vb* ordne, gøre klar; lægge *(el.* putte) sig; *be as ~ as a bug in a rug* have det som blommen i et æg; *sit ~ by the fire* sidde lunt ved ilden; *a ~ berth* en sikker stilling; *a ~ income* en god, fast indtægt; *a ~ little party* en lille fortrolig kreds.
snuggery ['snʌgəri] *sb* hyggeligt værelse, hyggelig krog; baglokale i *pub.*
snuggle ['snʌgl] *vb* lægge *(el.* sætte) sig tilrette; ligge lunt og godt; trykke ind til sig; **~ down** lægge *(el.* sætte) sig til rette; putte sig; **~ up to sby** smyge sig ind til en.
so [sou] *adv, conj* så; således, sådan; så meget, så højt *(etc) (fx I love you so; she so wanted to go hun ville ste gerne af sted);* (som objekt, prædikativ) det *(fx I don't think so; I hope so; he promised to post the letter but has not yet done so; why so?);* det ... også *(fx he is old, and so am I han er gammel og det er jeg også; we thought he would come and so he did ... og det gjorde han også);* (indledende en sætning) så; så derfor *(fx he was not at home, so I went away again);* nå så *(fx so you want to go to America?); (am* også) så at *(fx I told him so he could do sth about it);*

(forsk forb, se også *even, far, just, long, many, more, quite)* so **and** so det og det, sådan og sådan, se også *so-and-so; and so on og så videre; so* as så således at, for at; *so fortunate as to* så lykkelig at; *not so (fx big)* as ikke så *(fx* stor) som; *'You didn't do it,' – 'I did so'* jo jeg gjorde; det gjorde jeg vel nok; *'It is your birthday today,'* – *'So it is'* ja, det er det; det er det og også; *it was so kind of you* det var meget elskværdigt af Dem; **or** so eller deromkring *(fx he must be forty or so); (only)* so so kun så som så; **~** *to* **speak** *(el. say)* så at sige; *so* **that** så at, for at; *(glds)* forudsat at, når blot; *is that so?* er det rigtigt? nej, virkelig? *I told you so* det sagde jeg jo; hvad sagde jeg! *so* **what?** ja, hvad så? og hvorfor ikke?
I. soak [souk] *vb* ligge *(el.* stå) i blød *(fx let the clothes ~);* trække; **T** fylde sig, pimpe, svire; (med objekt) lægge i blød *(fx clothes);* udbløde *(fx leather),* bløde op *(fx ~ bread in milk);* (om væske) gennemvæde, gennemtrænge, gennembløde *(fx the rain -ed our clothes; we were -ed to the skin);* **T** slå, banke *(fx you'll get -ed (få bank) for this);* tage overpris af, trække op; beskatte hårdt, lade punge ud *(fx the principle of '~ the rich');* how much did they ~ you?* hvormeget måtte du bløde? **~ in** sive ind, trænge ind (også *fig, fx his words did not ~ in); ~ oneself in (fig)* fordybe sig i *(fx ancient history);* **~ into** sive ind i, trænge ind i (også *fig);* sive ned i *(fx water -s into earth);* put washing to **~** lægge vasketøj i blød; **~ up** opsuge, suge op.
II. soak [souk] *sb* gennemblødning; udblødning; **T** drukkenbolt, dranker; druktur; *put in ~* udbløde *(fx meat, fish);* **S** pantsætte.
soakage ['soukidʒ] *sb* udblødning.
soaker ['soukə] *sb* dranker; (stærkt regnskyl:) bløder; *-s (am)* blebukser.
so-and-so ['souəndsou] *sb* den og den; (skældsord:) noksagt *(fx you old ~); Mr ~* Hr. N.N.
soap [soup] *sb* sæbe; **S** smiger; *(am* **S)** stikpenge, bestikkelse; *vb* sæbe af, sæbevaske; **~** *(down)* **S** smigre; *no ~! (am* **S)** der er vinket af! der er ikke noget at gøre!
soap|bark kvilajabark. **-berry** *(bot)* sæbebær. **~ -boiler** sæbefabrikant. **-box** sæbekasse; kasse som folketaler bruger til at stå på. **-box orator** folketaler på gaden. **~ bubble** sæbeboble. **~ dish** sæbeskål. **~ flakes** *pl* sæbespåner. **-making** sæbefabrikation. **~ opera** **T** sentimental fjernsynsserie (, hørespilserie). **~ powder** sæbepulver. **-stone** fedtsten. **-suds** *pl* sæbevand, sæbeskum. **-wort** *(bot)* sæbeurt.
soapy ['soupi] *adj* sæbeagtig; fuld af sæbe; *(fig)* slesk; **~** *water* sæbevand.
soar [sɔ:] *vb* flyve højt, hæve sig, stige; svæve; *sb* høj flugt; *-ing* højtflyvende, himmelstræbende; stadig sti-

gende *(fx prices)*; *-ing flight (flyv)* glideflugt; *(fig)* himmelflugt.
S.O.B. *fk son of a bitch.*
sob [sɔb] *vb* hulke; *sb* hulk.
sobeit [sou'bi:it] *(glds)* når blot.
sober ['soubə] *adj* ædru, ædruelig; rolig, besindig, nøgtern *(fx judgment)*; alvorlig, adstadig, sat; dæmpet, diskret *(fx colours)*; *vb* gøre (, blive) ædru; *he is as ~ as a judge* han er fuldstændig *(el.* T pinlig) ædru; han er meget ædruelig.
sober|-minded besindig, nøgtern. **-sides** *sb* T sat person, alvorsmand.
sobriety [sou'braiəti] *sb* nøgternhed, ædruelighed.
sobriquet ['soubrikei] *sb* øgenavn; påtaget navn.
sob| sister *(am* S) redaktør af damebrevkasse; kvindelig journalist der skriver sentimentale artikler, 'hulkesøster'. **~ story** *(am* S) rørstrømsk historie, jeremiade. **~ stuff** *(am* S) sentimentalt pladder.
soccer ['sɔkə] *fk* association football.
sociability [souʃə'biliti] *sb* selskabelighed, omgængelighed; *(psyk)* sociabilitet.
sociable ['souʃəbl] *adj* selskabelig, omgængelig; *sb* T komsammen; *(glds)* holstensk vogn; to-personers trehjulet cykel.
social ['souʃəl] *adj* social; social- *(fx legislation)*, samfunds-*(fx conditions* forhold; *evil* onde); selskabelig *(fx intercourse* omgang); *zo* social *(fx insects)*; *sb* T selskabelig sammenkomst, komsammen.
social| anthropology etnologi. **~ climber** stræber. **~ democracy** socialt demokrati. **~ democrat** socialdemokrat. **~ disease** *(am)* kønssygdom; sygdom der er betinget af sociale forhold. **~ graces** *pl (omtr)* levemåde. **~ insurance** folkeforsikring.
socialism ['souʃəlizm] *sb* socialisme.
socialist ['souʃəlist] *sb* socialist; *adj* socialistisk.
socialistic [souʃə'listik] *adj* socialistisk.
socialite ['souʃəlait] *sb (am* T) prominent person.
sociality [souʃi'æliti] *sb* selskabelighed; *(psyk)* socialitet.
socialize ['souʃəlaiz] *vb* socialisere; indrette efter socialistiske principper; *(psyk)* socialisere, sociabilisere; *(am)* deltage i selskabslivet.
social| science samfundsvidenskab. **~ security** folkeforsikring. **~ service** socialt arbejde. **~ worker** socialrådgiver.
society [sə'saiəti] *sb* samfund *(fx a primitive ~)*; samfundet *(fx the pillars of ~* samfundets støtter); *(forening etc)* selskab *(fx a learned ~)*, forening, samfund; (omgang:) selskab *(fx I enjoyed his ~)*; *Society* society, den gode selskab, den fine verden; *mix in ~* deltage i selskabslivet; *Society Islands* Selskabsøerne.
sociology [sousi'ɔlədʒi] *sb* sociologi.
sock [sɔk] *sb* sok; indlægssål; *(glds)* en let, lavhælet sko som de komiske skuespillere brugte; komedie; S slag, 'gok' *(fx a ~ in the eye)*; slik, slikkerier; *vb* slå, slå til *(fx the ball)*; *pull up one's -s* T *(omtr)* spytte i næverne og tage fat; **~** *him one on the jaw* S lange ham en ud.
sockdolager [sɔk'dɔlədʒə] *sb (am)* kraftigt slag, afgørende argument; ordentlig tamp.
socket ['sɔkit] *sb* fordybning, hulhed; *(anat)* øjenhule; ledskål; (til at sætte noget fast i:) holder, sokkel; (del af lysestage) lysepibe; *(elekt:* til stikprop) stikdåse, stikkontakt, (til pære) fatning; (på rør) muffe; *(tekn:* til bor *etc)* indsatspatron.
socket| outlet *(elekt)* stikkontakt. **~ pipe** mufferør. **~ wrench** topnøgle.
socle ['sɔkl, 'soukl] *sb* sokkel, fodstykke.
Socrates ['sɔkrəti:z] Sokrates.
Socratic(al) [sɔ'krætik(l)] *adj* sokratisk.
I. sod [sɔd] *sb* græstørv; *under the ~* under mulde.
II. sod [sɔd] *sb (vulg* skældsord:) sodomit, perverst individ; skiderik; *vb:* **~** *it!* satans osse! **~** *off!* skrub af! gå ad helvede til!
soda ['soudə] *sb* soda, natron; T sodavand; *bicarbonate of ~* tvekulsurt natron; *carbonate of ~* soda.
soda| ash soda. **~ fountain** sodavandsapparat; isbar.
sodality [sə'dæliti] *sb* broderskab.
soda| pop, ~ water sodavand.
sodden ['sɔdn] *adj* gennemtrukken, gennemblødt; (om brød *etc)* blød, klæg, svampet; (om person) sløv; svam-

pet, oppustet (i ansigtet); drukken, fuld.
sodding ['sɔdiŋ] *adj (vulg)* satans, skide-.
sod hut jordhytte (bygget af græstørv).
sodium ['soudjəm] *sb* natrium.
Sodom ['sɔdəm] Sodoma.
sodomite ['sɔdəmait] *sb* sodomit, homoseksuel.
sodomy ['sɔdəmi] *sb* sodomi, homoseksualitet.
soever [sou'evə] *adv* som helst, end; *how great ~* hvor stor end.
sofa ['soufə] *sb* sofa; *sit on (el. in) the ~* sidde i sofaen.
sofa bed(stead) sovesofa.
soffit ['sɔfit] *sb* underside af bjælkeloft, bue, hvælving.
Sofia ['soufjə].
soft [sɔft] *adj* blød; mild, let, blid; (om lyd) dæmpet, sagte, blid; T godtroende; blødsøden, slap; S svaghovedet, blød; (om vaskemiddel *etc)* biologisk nedbrydelig; *be ~ on* T være skudt (ɔ: forelsket) i; *go ~* T *(fig)* blive blød; *go ~ on* T *(fig)* blive blødsøden (, eftergivende) over for *(fx the Pope is not going ~ on Communism)*; *a ~ job* en let bestilling, en loppetjans; *~ landing* blød landing; *~ money* papirspenge; *~ nothings* 'søde ord'; *the ~ palate* den bløde gane; *a ~ place* et blødt sted, et svagt punkt; *a ~ side* en svag side, et svagt punkt; *have a ~ spot for* have en klat til overs for; have en faible *(el.* svaghed) for; *a ~ thing (fig)* en let og indbringende forretning *(etc)*; *~ water* blødt vand; *~ words* blide ord.
soft|ball (variant af baseball). **~ -boiled** blødkogt *(fx egg)*. **~ -brained** svaghovedet. **~ coal** fede kul. **~ drink** alkoholfri drik, læskedrik.
soften ['sɔfn] *vb* blødgøre *(fx skins, water)*; (om vand også) afhærde; *(fig)* blødgøre, formilde *(fx sby's heart)*, mildne *(fx a contrast, sby's pain)*; (uden objekt) blive mildere *(fx the weather is -ing)*; *~ up (mil.* og *fig)* gøre 'mør' (ved beskydning *etc)*.
softening ['sɔfniŋ] *sb* blødgøring *(etc,* se *soften)*; *~ of the brain* hjerneblødhed.
soft| furnishings *pl* boligtekstiler. **~ goods** *pl* manufakturvarer. **~ grass** *(bot)* hestegræs. **~ -headed** svaghovedet, åndssvag. **~ pedal** pianopedal, dæmperpedal. **~ -pedal** spille (et stykke) med dæmperpedal; T *(fig)* dæmpe, neddæmpe *(fx criticism)*; gå let hen over, bagatellisere, ikke tale for højt om. **~ roe** (i fisk) mælke, krølle.
soft| sawder ['sɔft'sɔ:də] smiger, fedteri. **~ -sawder** *vb* smigre, fedte for, smøre om munden. **~ -shell almond** krakmandel. **~ soap** blød sæbe; (især:) brun sæbe; *(fig)*, se *soft sawder*. **~ soap** *vb,* se *soft-sawder*. **~ solder** loddetin, snellod. **~ -spoken** blid, med mild røst. **~ tack** *(mar)* brød.
software ['sɔftwɛə] *sb* materiale (bortset fra maskiner) *(mods hardware) (fx the ~ which the slide projector uses can be varied to cover any subject)*; tilbehør; (i edb) programmel.
softwood ['sɔftwud] *sb* nåletræsved; *~ forest* nåleskov.
softy ['sɔfti] *sb* blødsøden person, pjok, skvat, fjols.
soggy ['sɔgi] *adj* gennemblødt; vandet *(fx vegetables)*; (om jord *etc)* opblødt, blød, klæg; *(fig)* træg, tung.
Soho ['souhou] (kvarter i London).
soigné [swæn'jei] *adj* (især om påklædning) elegant, gennemført.
I. soil [sɔil] *sb* jord *(fx good ~; poor ~)*; jordbund, jordsmon, muldjord; (område:) jord, grund *(fx on English ~)*; *(fig)* grobund *(for* for).
II. soil [sɔil] *vb* tilsøle, svine til, snavse til; (let *glds)* besudle; (uden objekt) blive tilsølet (, tilsvinet, snavset); *sb* snavs, søle; kloakvand; gødning, (fra mennesker:) latrin; *-ed* snavset, brugt *(fx towels)*; (om papir) makuleret.
III. soil [sɔil] *vb (agr)* grønfodre.
soil| analysis jordbundsanalyse, jordbundsundersøgelse. **~ creep** jordflydning. **~ pipe** faldrør, faldstamme. **~ science** jordbundslære.
soirée [swa:rei] *sb* soirée.
sojourn ['sɔdʒə:n, 'sʌdʒə:n] *(litt) sb* ophold; *vb* opholde sig.
solace ['sɔləs] *vb* trøste, lindre; *sb* trøst.
solan (goose) ['soulən (gu:s)] *zo* havsule.
solar ['soulə] *adj* sol- *(fx system, battery, cell)*; *~ eclipse* solformørkelse; *~ flowers* blomster som kun åbner sig nogle få timer om dagen; *~ plexus* solar plexus (nerve-

Ssolarium

bundt under mellemgulvet).

solarium [sɔ'lɛəriəm] *sb* solveranda; lokale til lysbehandling.

solatium [sə'leiʃəm] *sb* erstatning.

sold [sould] *præt* og *pp* af *sell;* ~ *on* begejstret for, vild med.

soldanella [sɔldə'nelə] *sb (bot)*: alpine ~ alpeklokke.

solder ['sɔldə, 'sɔːdə, 'sɔdə] *vb* lodde, sammenføje; *sb* loddemiddel; (se *hard* ~, *soft* ~).

soldering ['sɔldəriŋ] *sb* lodning; ~ *iron* loddebolt, loddekolbe.

soldier ['souldʒə] *sb* soldat; feltherre; **S** doven fyr; røget sild; *vb* være soldat; **S** drive den af; *go (el.* enlist*) for a* ~ lade sig hverve; *die a* -*'s death* falde på ærens mark; ~ *of fortune* lykkeridder; ~ *on* stædigt blive ved, tappert holde ud, fortsætte ufortrødent; se også: *old* ~.

soldiering ['souldʒəriŋ] *sb* soldaterhåndtering, soldaterliv.

soldierly ['souldʒəli] *adj* soldatermæssig; militærisk *(fx appearance)*.

soldier orchis *(bot)* riddergøgeurt.

soldiery ['souldʒəri] *sb* krigsfolk, soldater.

I. sole [soul] *sb zo* tunge (fladfisk).

II. sole [soul] *sb* fodsål, støvlesål; *vb* forsåle.

III. sole [soul] *adj* alene, eneste, udelukkende; *(jur)* ugift; ~ *agency* eneagentur, eneforhandling; ~ *agent* eneforhandler.

solecism ['sɔlisizm] *sb* sprogfejl, bommert; fejltrin, uheldig opførsel, brud på god tone.

solemn ['sɔləm] *adj* højtidelig; *(fig)* opblæst.

solemnity [sə'lemniti] *sb* højtidelighed.

solemnize ['sɔləmnaiz] *vb* højtideligholde, fejre.

solenoid ['soulənɔid] *sb* solenoide; momentspole, bremsespole; ~ *brake* magnetbremse.

Solent ['soulənt].

soleprint ['soulprint] *sb* fodaftryk.

solicit [sə'lisit] *vb* bede, anmode; plage; ansøge om, udbede sig; (om prostitueret) opfordre til utugt.

solicitation [səlisi'teiʃən] *sb* anmodning *etc* (se *solicit*).

solicitor [sə'lisitə] *sb* advokat (som foruden at han er sine klienters rådgiver, forbereder sager for *the barrister*); *(am)* = canvasser.

Solicitor General (juridisk medlem af regeringen).

solicitous [sə'lisitəs] *adj* bekymret; ivrig.

solicitude [sə'lisitjuːd] *sb* bekymring, omsorg.

solid ['sɔlid] *adj* fast *(fx food);* solid *(fx foundation, wall, pudding);* ubrudt *(fx row),* kompakt, tæt; *(mods* hul:) massiv *(fx wall; gold);* (fig) grundig; pålidelig *(fx friend);* solid *(fx business);* grundfæstet, fast *(fx conviction);* (ved afstemning) enstemmig; (ved mål) kubik- *(fx foot);* *(typ)* kompres *(fx matter* sats); *sb* fast legeme, fast stof; -*s pl* (også) tørstof; *be* ~ *for* enstemmigt holde på; *for a* ~ *hour* i en fuld time, i en stiv klokketime; *he 'in* ~ *with (am* **T***)* stå på en god fod med, være i kridthuset hos; ~ *ivory!* *(am* **S***)* han (, du) er dum som en dør! ~ *of revolution* omdrejningslegeme; *a* ~ *suit* en solid farve (i bridge).

solidarity [sɔli'dæriti] *sb* solidaritet; *(spirit of)* ~ sammenhold.

solid | **fuel** fast brændstof (, brændsel). ~ **geometry** rumgeometri. ~ **-hoofed** *zo* enhovet.

solidification [səlidifi'keiʃən] *sb* størkning, overgang til fast form.

solidify [sə'lidifai] *vb* blive fast, størkne; få til at størkne; -*ing point* størkningspunkt.

solidity [sə'liditi] *sb* fasthed, soliditet; pålidelighed.

soli | **dus** ['sɔlidəs] *sb (pl* -*di* [-dai]) *(typ)* skråstreg.

soliloquize [sə'liləkwaiz] *vb* tale med sig selv; holde enetale.

soliloquy [sə'liləkwi] *sb* monolog, enetale.

solitaire [sɔli'tɛə] *sb* solitær (ædelsten som indfattes alene); solitaire (spil for en enkelt person), *(am)* kortkabale.

solitary ['sɔlit(ə)ri] *adj* enlig, ensom, afsides, isoleret; eneste; *sb* eneboer; **T** = ~ *confinement* ensom arrest; enecelle *(fx ten days* ~ *confinement);* ~ *wasps zo* enlige hvepse.

solitude ['sɔlitjuːd] *sb* ensomhed.

solo ['soulou] *sb, adj, adv* solo; ~ *part* soloparti.

soloist ['soulouist] *sb* solist.

Solomon ['sɔləmən] Salomon; *the Song of* ~ Salomos Højsang; -*'s seal (bot)* stor konval.

so long **T** farvel (så længe).

solstice ['sɔlstis] *sb* solhverv.

solstitial [sɔl'stiʃəl] *adj* solhvervs- *(fx point)*.

solubility [sɔlju'biliti] *sb* opløselighed.

soluble ['sɔljubl] *adj* opløselig; som kan løses.

solution [sə'l(j)uːʃən] *sb* opløsning; løsning.

solvable ['sɔlvəbl] *adj* som kan løses.

solve [sɔlv] *vb* løse, klare.

solvency ['sɔlvənsi] *sb* solvens, betalingsevne.

solvent ['sɔlvənt] *adj* solvent, betalingsdygtig; *(kem)* opløsende; *(fig)* befriende, forløsende; *sb* opløsningsmiddel.

somatic [sou'mætik] *adj* somatisk, legemlig.

sombre ['sɔmbə] *adj* mørk, melankolsk, trist, dyster.

sombrero [sɔm'brɛərou] *sb* sombrero (bredskygget hat).

some [(betonet:) sʌm, (ubetonet:) səm, sm] *adj* en eller anden, et eller andet, nogen, noget; nogle, visse, somme; (foran talord) omtrent, cirka *(fx* ~ *twenty miles off);* en *(fx* ~ *four or five* en fire-fem stykker); *sb* nogle (personer), en del mennesker; *adv* **S** noget, i nogen grad; *lend me* ~ *book or other* lån mig en eller anden bog; ~ *books* nogle bøger; *this is* ~ *book* det kan man kalde en bog; det er velnok en bog; det kalder jeg en bog; *and then* ~ *(am)* og en hel masse til; ~ *time* i nogen tid *(fx I have been waiting* ~ *time);* engang *(fx come and see me* ~ *time);* ~ *twenty years* en snes år; *he was annoyed* ~ *(am* **T***)* ih hvor han ærgrede sig.

somebody ['sʌmbədi] *pron* nogen, en eller anden; en person af betydning; ~ *has been here before* her har været nogen i forvejen; *he thinks he is* ~ han bilder sig ind han er noget (stort).

somehow ['sʌmhau] *adv* på en eller anden måde, hvordan det så end er gået til (, går til); *it scares me* ~ det gør mig nu alligevel bange.

someone ['sʌmwʌn] *pron* nogen, en eller anden.

somersault ['sʌməsɔ(ː)lt] *sb* luftspring, saltomortale; kolbøtte; *cast (el. throw, turn) a* ~ slå en saltomortale *(el.* en kolbøtte).

something ['sʌmθiŋ] *pron* noget; *adv* noget; **T** noget så *(fx it looked* ~ *awful);* *that is* ~ det er (dog altid) noget; *little, yet* ~ lidt, men dog altid noget; *there is* ~ *in it* der er noget om det; *he is* ~ *in the Customs* (, *in an office)* han er noget ved toldvæsenet (, er fat kontor); ~ *like* sådan noget som, omtrent *(fx it amounts to* ~ *like five pounds);* *that's* ~ *like rain!* sikken et regnvejr! *that's* ~ *like!* det er noget af det helt rigtige; der er vel nok stor-artet; ~ *of* noget af *(ɔ:* i nogen grad) *(fx he is* ~ *of a liar; he was* ~ *of a poet);* *if you see* ~ *of them* hvis du ser noget til dem; *he was made a captain* **or** ~ han blev udnævnt til kaptajn eller sådan noget lignende.

sometime ['sʌmtaim] *adv* engang, på et eller andet tidspunkt; *adj* forhenværende, tidligere *(fx* ~ *professor of French at the university)*.

sometimes ['sʌmtaimz] *adv* undertiden, somme tider; *sometimes ... sometimes* snart ... snart.

somewhat ['sʌmwɔt] *adv* noget *(fx he is* ~ *deaf),* i nogen grad; *sb* noget *(fx it loses* ~ *of its force)*.

somewhere ['sʌmwɛə] *adv* et eller andet sted; *he may be* ~ *near* han er måske et sted i nærheden; ~ *else* andetsteds; *go* ~ **T** gå et vist sted hen, gå på wc.

somnambulism [sɔm'næmbjulizm] *sb* søvngængeri. **-bulist** [sɔm'næmbjulist] *sb* søvngænger.

somnolence [sɔm'nələns] *sb* søvnighed, døsighed, dvaskhed.

somnolent ['sɔmnələnt] *adj* søvnig, døsig, dvask.

son [sʌn] *sb* søn; ~ *of a bitch (am)* sjover, slubbert; *you* ~ *of a gun!* *(am* **S***,* jovialt) din skurk! *the Son of Man* Menneskesønnen; *every mother's* ~ hver eneste mors sjæl.

sonar ['sounaː] *sb (fk sound navigation ranging)* sonar (ekkolod).

sonata [sə'naːtə] *sb* sonate.

sonatina [sɔnə'tiːnə] *sb* sonatine.

sonde [sɔnd] *sb (meteorol)* sonde.

song [sɔŋ] *sb* sang, vise; *it is nothing to make a* ~ *(and dance) about* det er ikke noget at råbe hurra for; *the usual* ~ den gamle vise; *for a* ~*, for an old* ~ til spotpris, for en slik.

songbird ['sɔŋbə:d] *sb* sangfugl.
songster ['sɔŋstə] *sb* sanger; sangfugl.
song thrush *zo* sangdrossel.
songwriter ['sɔŋraitə] *sb* viseforfatter; sangkomponist.
sonic ['sɔnik] *adj* lyd-; ~ **bang** (*el. boom*) brag der lyder når et fly gennembryder lydmuren; lydmursbrag; ~ *barrier (flyv)* lydmur; ~ *depth finder* ekkolod; ~ *mine* akustisk mine; ~ *speeds* hastigheder så store som lydens.
son-in-law ['sʌninlɔ:] *sb* svigersøn.
sonnet ['sɔnit] *sb* sonet. **sonneteer** [sɔni'tiə] *sb* sonetdigter; versemager, rimsmed; *vb* skrive sonetter (til).
sonnet sequence sonetkrans.
sonny ['sʌni] *sb* (især i tiltale:) min lille ven, brormand.
sonority [sə'nɔriti] *sb* klang, klangfylde.
sonorous [sə'nɔ:rəs] *adj* klangfuld, fuldttonende, sonor; ~ *figures* klangfigurer.
sonsy ['sɔnzi] *adj* (skotsk) trivelig, køn, rar.
soon [su:n] *adv* snart, tidligt; hurtigt; *as* ~ *as* så snart som; *I would as* ~ jeg ville lige så gerne; *-er or later* før eller senere; *I would -er die than* jeg ville hellere dø end; *no -er ... than* aldrig så snart ... førend; *no -er said than done* som sagt så gjort.
soot [sut] *sb* sod; *vb* sode; *-ed* sodet.
sooth [su:θ] *sb (glds): in (good)* ~ i sandhed; ~ *to say* sandt at sige.
soothe [su:ð] *vb* formilde, mildne, berolige; lindre, dulme.
soothsayer ['su:θseiə] *sb* sandsiger(ske).
sooty ['suti] *adj* sodet; sodfarvet; ~ *shearwater (zo)* sodfarvet skråpe; ~ *tern (zo)* sodfarvet terne.
I. sop [sɔp] *sb* opblødt stykke (brød *etc*); *(fig)* noget der gives en for at formilde, *el.* berolige; 'sutteklud'; bestikkelse; (om person) T skvat, svækling, fjols; *a* ~ *to the electors* valgflæsk.
II. sop [sɔp] *vb* dyppe, udbløde, gennembløde; ~ *up* opsuge, tørre op.
soph [sɔf] *fk* sophomore.
Sophia [sə'faiə] Sofie; Sofia.
sophism ['sɔfizm] *sb* sofisme, spidsfindighed.
sophist ['sɔfist] *sb* sofist.
sophistic [sə'fistik] *adj* sofistisk.
sophisticate [sə'fistikeit] *vb* fordreje, forfalske; gøre raffineret *el.* kunstlet (se *sophisticated*).
sophisticated [sə'fistikeitid] *adj* (om person) forfinet, raffineret, alt andet end naiv, 'med på den', blaseret, kunstlet; (om ting) kunstfærdig, raffineret; avanceret *(fx equipment)*.
sophistication [səfisti'keiʃən] *sb* raffinement, blaserethed, kunstlethed; sofisteri; forfalskning, fordrejning.
sophistry ['sɔfistri] *sb* sofisteri.
Sophocles ['sɔfəkli:z] Sofokles.
sophomore ['sɔfəmɔ:] *sb (am)* ex-rus, andet års student.
Sophy ['soufi] Sofie.
soporific [sɔpə'rifik] *adj* søvndyssende; *sb* sovemiddel.
sopping ['sɔpiŋ] *adj* gennemblødt, drivvåd; ~ *wet* gennemblødt.
soppy ['sɔpi] *adj* gennemblødt, drivvåd; opblødt; *(fig)* drivende sentimental, rørstrømsk; letbevægelig, blød; fjollet, fjoget.
soprano [sə'pra:nou] *sb* sopran.
sorb [sɔ:b] *sb (bot)* røn; rønnebær.
sorbet ['sɔ:bət] = *sherbet*.
sorcerer ['sɔ:sərə] *sb* troldmand. **sorceress** ['sɔ:səris] *sb* troldkvinde. **sorcery** ['sɔ:səri] *sb* trolddom.
sordid ['sɔ:did] *adj* smudsig, snavset, beskidt, uhumsk, frastødende; ussel, lav; gerrig.
sordine [sɔ:'di:n] *sb* sordin.
sore [sɔ:] *sb* ømt sted, sår, byld; *(fig)* ømt punkt; *adj* øm *(fx feet)*; *(fig)* smertelig *(fx memory)*, ømtålelig, pinlig *(fx subject)*; (litt) hård *(fx trial)*, svær, dyb *(fx disappointment)*, svar; (om person) pirrelig, T fornærmet, irriteret *(about over)*; ~ *eyes* dårlige øjne; *a sight for* ~ *eyes* et vidunderligt syn; *like a bear with a* ~ *head* sur og gnaven; *it makes me* ~ det ærgrer *(el.* kræperer) mig; *touch on a* ~ *place* sætte fingeren på et ømt punkt; *have a* ~ *throat* have ondt i halsen; *a* ~ *trial* en hård prøvelse.
sorehead ['sɔ:hed] *sb* **S** sur stodder.
sorely ['sɔ:li] *adv* smerteligt; stærkt *(fx tempted)*, hårdt *(fx tried)*.

sorghum ['sɔ:gəm] *sb (bot)* durra.
sorites [sə'raiti:z] *sb* (i logik:) sorites, kædeslutning.
sorn [sɔ:n] *vb* (skotsk) snylte.
soroptimist [sɔ:'rɔptimist] *sb* soroptimist (medlem af kvindelig Rotary-klub).
sorority [sə'rɔriti] *sb (am)* forening af kvindelige studenter.
I. sorrel ['sɔrəl] *sb (bot)* syre; skovsyre.
II. sorrel ['sɔrəl] *adj* fuksrød; *sb* fuks.
sorrow ['sɔrou] *sb* sorg; *vb* sørge.
sorrowful ['sɔrouf(u)l] *adj* sorgfuld, sørgmodig; sørgelig.
sorry ['sɔri] *adj* sørgelig; trist *(fx customer* fyr), kedelig *(fx affair)*; (dårlig:) ynkelig *(fx horse* krikke), sørgelig *(fx in a* ~ *plight (el. state)* (forfatning)); jammerlig, ussel, sølle (om følelse) ked af det, bedrøvet, sørgmodig; *(so)* ~! *I am* ~! undskyld! *I am* ~ *you can't stay longer* jeg er ked af *(el.* det gør mig ondt *el.* jeg beklager) at du ikke kan blive længere; *I am very* ~ det må du meget undskylde; jeg er meget ked af det *(etc); I am* ~ *to say* desværre; *I am* ~ *for him* det gør mig ondt for ham; *if you think so, you are making a* ~ *mistake* hvis du tror det tager du sørgelig fejl; *a* ~ *sight* et sørgeligt *(el.* ynkeligt) syn.
I. sort [sɔ:t] *sb* slags, sort, art; måde; *(glds)* samling; flok; *(typ)* skriftart; *after a* ~ på en måde; til en vis grad; *he is a good* ~ T han er et rart menneske, han er en flink fyr; *he is not my* ~ han er ikke min type; jeg bryder mig ikke om ham; ~ *of* T ligesom *(fx he* ~ *of hinted that he'd like a tip)*; *this* ~ *of dog*, T *these* ~ *of dogs* denne slags hunde; *what* ~ *of a man is he?* hvordan er han? *you will do nothing of the* ~ det vil du aldeles ikke; vist vil du ej; *of a* ~, *of -s* en slags *(fx a lawyer, at least of a* ~); *be out of -s* være forstemt *(el.* gnaven); være sløj, ikke være rask.
II. sort [sɔ:t] *vb* sortere, ordne; ~ *out* sortere; sortere fra; *(fig)* rede ud *(fx the tangle)*; ordne, bringe i orden; ~ *with* omgås; ~ *well with* være i overensstemmelse med, harmonere med.
sorter ['sɔ:tə] *sb* sorterer; (i edb) sorteremaskine.
sortie ['sɔ:ti] *sb* udfald; *(flyv)* mission, togt.
SOS ['esou'es] SOS-signal; efterlysning (i radio).
so-so ['sousou] *adj, adv* så som så, ikke videre godt, så lala.
sot [sɔt] *sb* drukkenbolt. **sottish** ['sɔtiʃ] *adj* fordrukken.
sotto voce ['sotou'voutʃi] *adv* dæmpet.
Soudan [su(:)'dæn]; *the* ~ Sudan.
soufflé ['su:flei] *sb* soufflé (slags omelet).
sough [sau] *vb* sukke, suse (om vinden); *sb* susen.
sought [sɔ:t] *præt* og *pp* af *seek*; ~*-after* ombejlet, efterspurgt.
soul [soul] *sb* sjæl; (om person) sjæl *(fx there was not a* ~ *in sight); he is a cheery* ~ han er en glad sjæl; *poor* ~ sølle stakkel; *I cannot call my* ~ *my own* jeg er meget bundet; jeg er frygtelig ophængt (ɔ: har travlt); *he is the* ~ *of honour* han er hæderligheden selv; *keep body and* ~ *together (fig)* opretholde livet.
soul-destroying åndsfortærende. **-ful** sjælfuld, smægtende, krukket. ~ **-stirring** gribende.
I. sound [saund] *adj* sund, rask; som ikke fejler noget, som der ikke er noget i vejen med; ubeskadiget *(fx the* ~ *part of the cargo)*, i god stand *(fx the building is* ~*)*; (til at stole på:) solid *(fx workmanship* udførelse), forsvarlig; pålidelig *(fx friend)*, sikker *(fx proof)*, gyldig *(fx argument)*, (klog *etc)* klog, fornuftig *(fx policy)*, logisk *(fx reasoning); (økon)* solid *(fx financial position)*, sund, velfunderet; (grundig:) ordentlig *(fx beating)*, dygtig, forsvarlig; *as* ~ *as a bell* fuldstændig sund og rask; *a* ~ *judgment* et sundt omdømme, en sund dømmekraft; ~ *of mind* åndsfrisk; *the proposal is not* ~ der er ikke hold i forslaget; ~ *sleep* dyb søvn.
II. sound [saund] *sb* lyd, klang; *(med.)* sonde; *zo* svømmeblære; (farvand:) sund; *the Sound* Øresund.
III. sound [saund] *vb* lyde, klinge; (med objekt) lade lyde; (om sproglyd) udtale *(fx don't* ~ *the h in heir)*; (om blæseinstrument) blæse på *(fx a trumpet)*; (om klokke) ringe med, (om gongong *etc)* slå på; *(mil. etc)* give signal til (på horn), blæse til *(fx* ~ *the charge* blæse til angreb); *(med.)* undersøge ved bankning, lytte til; ~ *off (am* **S**)

S sound

432

kæfte op, protestere højlydt; *(mil.)* tælle takten (under marsch).

IV. sound [saund] *vb* (om vanddybde) lodde, pejle; *(med.)* sondere; *(fig)* prøve; sondere stemningen hos; (uden objekt, om hval) dykke ned; ~ *him out (fig,* også) føle ham på tænderne.

sound| barrier *(flyv)* lydmur. **-board** sangbund. ~ **-board- ing** indskudsbrædder. ~ **box** lyddåse. ~ **broadcasting** lyd- radio. ~ **camera** tonekamera. ~ **channel** lydkanal (i film). ~ **film** tonefilm. ~ **hole** lydhul (i violin).

I. sounding ['saundiŋ] *adj* lydende, velklingende; højtklin- gende; *sb* lyd, klang.

II. sounding ['saundiŋ] *sb (mar)* lodning, pejling (af vand- dybden); **-s** *pl* lodskud, (loddede) dybder, dybdeforhold; kendt grund.

sounding| balloon ballonsonde. ~ **board** (over prædikestol) lydhimmel; (i musikinstrument) resonansbund, klang- bund. ~ **lead** [led] *(mar)* lod. ~ **line** *(mar)* lodline. ~ **rocket** raketsonde.

sound|less lydløs. **-post** stemmepind (i violin *etc).* **-proof** lydtæt, lydisoleret. **-track** tonebånd (i film), tonespor. ~ **truck** *(am)* højttalervogn. **-wave** lydbølge.

soup [su:p] *sb* kødsuppe; S hestekræfter; *vb:* ~ *up* S give (bilmotor *etc)* øget effekt; peppe op; *be in the* ~ T sidde kønt i det, hænge på krogen; *from* ~ *to nuts* fra ende til an- den; alt til faget henhørende.

soupçon ['su:psɔŋ, *fr]* antydning, lille smule.

soup| kitchen *(omtr)* samaritan (institution til gratis be- spisning af fattige); *(mil.)* feltkøkken. ~ **ladle** potageske. ~ **plate** dyb tallerken.

sour [sauə] *adj* sur, gnaven, bitter; *sb* noget surt, syre; *vb* gøre sur, forbitre; blive sur, blive bitter; *go (el.* turn) ~ *(fig* også) blive uopulær; *it went* ~ *on them* de mistede tiltroen til det.

source [sɔ:s] *sb* kilde, udspring.

source book kildeskrift; samling af kildesteder.

sourish ['sauəriʃ] *adj* syrlig.

sour orange *(bot)* pomerans.

sourpuss ['sauəpus] *sb* T gnavpotte.

souse [saus] *sb* lage; noget der er nedlagt i lage; dukkert; *(am* S) drukkenbolt; *vb* sylte, nedlægge; give en dukkert, dukke; gennembløde; *interj* pladask! **soused** [saust] *adj* syltet; S hønefuld, pløret.

souteneur [su:tə'nɔ:] *sb* alfons, soutenør.

south, South [sauθ] *sb* syd; sydlig del; *the South* Syden; *(am)* sydstaterne; *adj* sydlig, syd-; søndre; *adv* mod syd, sydpå; *(to the)* ~ *of* syd for.

south|bound sydgående, mod syd. **-east** sydøst; sydøstlig. **-easter** sydøstvind. **-easterly, -eastern** sydøstlig. **-eastward** mod sydøst, sydøstlig.

southerly ['sʌðəli] *adj, adv* sydlig.

southern ['sʌðən] *adj* sydlig; sydlandsk; *(am)* sydstats-; *the Southern Cross* Sydkorset.

southerner ['sʌðənə] *sb* sydenglænder; sydlænding; *(am)* sydstatsmand.

southernmost ['sʌðənmoust] *adj* sydligst.

southernwood ['sʌðənwud] *sb (bot)* ambra.

southing ['sauðiŋ] *sb (mar)* sejlads sydpå; forandret sydlig bredde.

southpaw ['sauθpɔ:] T *adj* kejthåndet; *sb* kejthåndet person (, spiller, bokser).

south-southeast syd sydøst.

south-southwest syd sydvest.

southward ['sauθwəd] *adj, adv* mod syd, sydpå.

Southwark ['sʌðək].

south|west sydvest; sydvestlig. **-wester** sydvestlig vind. **-westerly, -western** sydvestlig. **-westward** mod sydvest, sydvestlig.

souvenir ['su:vniə] *sb* souvenir, erindring.

sou'wester [sau'westə] *sb* sydveststorm; sydvest (hovedbe- klædning).

sov. *fk* sovereign.

sovereign ['sɔvrin] *adj* højest, suveræn; kraftig *(fx rem- edy);* ophøjet *(fx contempt* foragt); *sb* regent, suveræn; *(glds)* sovereign (en engelsk guldmønt af værdi 1 pund).

sovereignty ['sɔvrinti] *sb* suverænitet, herredømme.

Soviet ['souviet, 'sɔvjet] Sovjet; *adj* sovjetisk, sovjetrussisk.

I. sow [sou] *vb (sowed, sowed el.* sown) så, tilså, udså.

II. sow [sau] *sb* so; (ved støbning) so; *you cannot make a silk purse out of a* -'s *ear* (svarer til) man kan ikke vente andet af en stud end et brøl; *you have got the wrong* ~ *by the ear* du er galt afmarcheret.

sowbread ['saubred] *sb (bot)* (vildtvoksende) alpeviol.

sown [soun] *pp* af *sow.*

sowthistle ['sauθisl] *sb (bot)* svinemælk.

sox = *socks, pl* af *sock.*

soy [sɔi] *sb* soya.

soy(a) bean ['sɔi(ə)bi:n] soyabønne.

sozzled ['sɔzld] *adj* S plakatfuld.

spa [spa:] *sb* mineralsk kilde; kursted.

space [speis] *sb* rum, plads; afstand, mellemrum; (om tid) tidsrum, stund *(fx let us rest (for) a* ~); *(typ)* spatium, bogstavenhed; *(astr)* rummet; (på skrivemaskine) mellem- rum; ~ *out* sprede; *(typ)* spærre, spatiere.

space| bar mellemrumstangent (på skrivemaskine). ~ **charge** *(fys)* rumladning. **-craft** rumfartøj, rumskib. **-man** rummand, astronaut. ~ **flight** rumrejse. ~ **probe** rum- sonde.

spacer ['speisə] *sb* mellemrumstangent (på skrivemaskine); *(tekn)* afstandsstykke, afstandsskive.

space| rocket rumraket. ~ **-saving** pladsbesparende. **-ship** rumskib. **-suit** rumdragt. ~ **-time** rum-tid. ~ **travel** rum- fart; rumrejse. ~ **walk** rumvandring.

spacing ['speisiŋ] *sb* mellemrum, indbyrdes afstand; *(typ)* spatiering.

spacious ['speiʃəs] *adj* vid, rummelig.

I. spade [speid] *sb* gilding; gildet dyr.

II. spade [speid] *sb* spade; (i kortspil) spar; S neger, vest- inder; **-s** *pl* (kortfarven) spar; *vb* grave med en spade; *call a* ~ *a* ~ kalde tingen ved dens rette navn; *in* -s *(am* S) i højeste potens.

spade|bone *(dial)* skulderblad. **-foot (toad)** *zo* løgfrø. **-work** (brydsomt) forarbejde, forberedende arbejde.

spadiceous [spə'diʃəs] *adj (bot)* kolbeblomstret.

spad|ix ['speidiks] *sb (pl -ices* [spə'daisi:z]) *(bot)* kolbe (en blomsterstand).

spaghetti [spə'geti] *sb* spaghetti.

Spain [spein] Spanien.

spake [speik] *(poet) præt* af *speak.*

spall [spɔ:l] *sb* splint, flis (især af sten); *vb* splintre(s).

spalpeen [spæl'pi:n] *sb* (irsk:) knægt, knøs; slambert, slub- bert, drivert.

spam [spæm] *sb* ® (slags) dåsekød.

I. span [spæn] *sb* spændvidde, åbning; (om bro) spænd- vidde; brofag; (om fly, fugl) vingefang; (om tid) spand (af tid), tidsrum, tid; (om mål) spand, ni engelske tom- mer; (om heste *etc)* spand; *vb* måle (med fingrene); spænde om; spænde over, (om bro også) føre over; (om tid) spænde over, strække sig over; *(fig)* omspænde.

II. span [spæn] *(glds) præt* af *spin.*

spandrel ['spændrəl] *sb* (mellem bue og hjørne) spandril; *(~ wall)* brystning; (på frimærke) hjørnefelt (mellem ovalt billede og hjørne).

spandrel beam kantbjælke, brystningsbjælke.

spangle ['spæŋgl] *sb* paillette, flitterstads; *vb* besætte med pailletter, glitre, spille.

Spaniard ['spænjəd] *sb* spanier.

spaniel ['spænjəl] *sb zo* spaniel; *(fig)* krybende person.

Spanish ['spæniʃ] *adj* spansk; *sb* spansk *(bot)* ægte kastanje; ~ *fly* spansk flue; *the* ~ *Main* nordkysten af Sydamerika fra Panama til Orinoco; havet ud for disse landstrækninger, *(omtr)* Det karaibiske Hav.

spank [spæŋk] *vb* klapse, smække; ~ *along* skyde en god fart, stryge af sted.

spanker ['spæŋkə] *sb* hurtig hest; *(mar)* mesan; T stor og flot person (, dyr, ting).

spanking ['spæŋkiŋ] *sb* endefuld, afklapsning; *adj* stry- gende, rask *(fx breeze);* T herlig, pragtfuld.

spanner ['spænə] *sb* skruenøgle; *throw a* ~ *into the works* stikke en kæp i hjulet.

span roof heltag.

I. spar [spa:] *sb* stang, lægte; *(mar)* rundholt; *(flyv)* bjælke; (mineral:) spat.

II. spar [spa:] *vb* bokse (især som træning *el.* opvisning); *(fig)* småskændes; (om haner) slås; *sb* boksekamp (især trænings- *el.* opvisningskamp); skænderi; hanekamp; ~

at lange ud efter.
spar deck *(mar)* spardæk.
I. spare [spɛə] *vb* lade være med at bruge (, medtage *etc*),
spare *(fx ~ the details! they -d no pains to help me)*,
spare på *(fx don't ~ the sugar!)*; skåne *(fx ~ my life! he
does not ~ himself)*; spare for *(fx ~ him the trouble)*,
(for)skåne for *(fx ~ me the details!)*; undvære *(fx can
you ~ £10? we cannot ~ him just now)*, afse *(fx all the
time he could ~)*; undvære til *(fx can you ~ me a ciga-
rette?)*; skænke; *have sth to ~* have noget tilovers;
enough and to ~ mere end nok; *~ the rod and spoil the
child* den der elsker sin søn tugter ham i tide.
II. spare [spɛə] *adj* (tynd:) sparsom *(fx vegetation)*, tarve-
lig, mager *(fx diet kost)*; (om person) mager; (ekstra:)
som man har tilovers; ledig; ekstra; reserve- *(fx wheel)*;
sb reservedel.
spare| bedroom gæsteværelse. **~ -built** spinkel. **~ parts** re-
servedele (til maskine). **-rib** ribbensteg. **~ time** fritid.
sparge [spa:dʒ] *vb* stænke, strø, sprede; (i bryggeri) efter-
gyde.
sparing ['spɛəriŋ] *adj* sparsom; *be ~ of* spare på; *~ of
speech* fåmælt; *the book is ~ of information about* bogen
giver ikke mange oplysninger om.
spark [spa:k] *sb* gnist, udladning; *(fig)* gnist; glimt *(fx of
humour)*; (om person) (munter ung) fyr, laps, sprade-
basse; (i bil) tænding; (se også *sparks)*; *vb* gnistre, give
gnister; *(fig)* anspore, opildne; *~ off* give stødet til,
sætte i gang, udløse; *the ~ has gone out of him* gassen er
gået af ham.
spark| arrester gnistfanger. **~ gap** (radio) gnistgab.
sparking plug tændrør.
sparkle ['spa:kl] *sb* gnistren, funklen; glans; (om vin)
skummen, perlen; *vb* gnistre, funkle, glimre; (om vin)
perle, moussere.
sparkler ['spa:klə] *sb* stjernekaster; mousserende vin; vit-
tigt hoved; **S** diamant.
sparkling ['spa:kliŋ] *adj* gnistrende, funklende, livlig; *sb*
gnistren; *~ wine* mousserende vin.
spark plug tændrør; *(fig)* en der kan sætte fart i et foreta-
gende, igangsætter.
sparks [spa:ks] *sb pl (mar, flyv* **S**) radiotelegrafist.
sparring partner (boksers) træningspartner.
sparrow ['spærou] *sb zo* spurv. **sparrow|grass** *(vulg)* aspar-
ges. **~ hawk** spurvehøg.
sparse [spa:s] *adj* spredt; tynd *(fx vegetation)*, sparsom;
-ly filled (om teater *etc)* tyndt besat.
Spartacist ['spa:təsist] *sb* spartakist.
Spartan ['spa:tn] *sb* spartaner; *adj* spartansk.
spasm [spæzm] *sb* krampetrækning, krampeanfald;
spasme; *(fig)* pludseligt anfald; pludselig udladning *(fx
of energy)*; *in -s* rykvis, stødvis.
spasmodic [spæz'mɔdik] *adj* krampagtig, spasmodisk; *(fig)*
rykvis, stødvis; spredt *(fx fighting)*.
spastic ['spæstik] *adj (med.)* spastisk; *sb* spastiker.
I. spat [spæt] *præt* og *pp* af *spit.*
II. spat [spæt] *sb* østerslarve(r), østersyngel; *vb* yngle.
III. spat [spæt] **T** *(am) sb* lille skænderi; stænk; *vb* mund-
hugges; daske; stænke.
spatchcock ['spætʃkɔk] *sb* (fugl som er tilberedt straks ef-
ter slagtningen); *vb* **T** senere indføje *(fx ~ a passage into
a speech)*.
spate [speit] *sb* oversvømmelse (især a flods efter regn-
skyl); regnskyl; *(fig)* (rivende) strøm *(fx of words)*; *in ~*
(om flod) ved at gå over sine bredder; *in full ~* (om ta-
ler) godt i gang.
spatfall ['spætfɔ:l] *sb* yngelafsætning (om østers *etc)*.
spathe [speið] *sb (bot)* skede (omkring en kolbe).
spatial ['speiʃl] *adj* rumlig.
spats [spæts] *sb pl* (korte) gamacher.
spattee ['spæti:z] *sb pl* lange gamacher (til damer og
børn).
spatter ['spætə] *vb* (over)stænke, sprøjte (over); plaske; *sb*
overstænkning; plasken; *a ~ of rain (, applause)* spredt
regn (, bifald).
spatula ['spætjulə] *sb* spatel.
spatulate ['spætjulit] *adj* spatelformet.
spavin ['spævin] *sb* spat (en hestesygdom).
I. spawn [spɔ:n] *sb* rogn, fiskeleg; fiskeyngel; *(neds)* yn-

gel; *(bot)* mycelium.
II. spawn [spɔ:n] *vb* gyde, lægge æg; yngle; *(fig)* **T** produ-
cere massevis af *(fx books)*; afføde, give anledning til
(fx rumours).
spawning| ground, ~ place gydested, yngleplads. **~ time** *zo*
legetid.
spay [spei] *vb* udbøde (fjerne æggestokkene på hundyr).
speak [spi:k] *vb (spoke, spoken)* tale; sige *(fx the truth)*;
(fig) røbe, vise, udtrykke; *(mar)* have signalforbindelse
med, praje; *~ for* tale for, være fortaler for; (især *am)*
bestille, reservere; *~ for yourself!* du kan kun tale for dig
selv (ɔ: jeg er af en anden mening); *~ one's mind* sige sin
mening; *~ of* tale om; nævne; *(fig)* vidne om, være vid-
nesbyrd om; *nothing to ~ of* ikke noget der er værd at
nævne; *~ out* tale åbent *(el.* lige ud af posen); *~ to* tale
til; bevidne; *so to ~* så at sige; *~ up* tale højt; tale åbent
(el. lige ud af posen); *~ up!* (til taler) højere! *~ volumes
for, se volume; ~ well for* *(el. of)* tale til fordel for; *it -s
well for (el. of) his taste* (også:) det gør hans smag ære;
(se også *speaking)*.
speakeasy ['spi:ki:zi] *sb (am)* smugkro.
speaker ['spi:kə] *sb* taler; højttaler; -talende *(fx German -s
in Denmark)*; *the Speaker* formanden i Underhuset.
speaking ['spi:kiŋ] *præs p, adj* talende; *(fig)* udtryksfuld;
(tlf): *Brown ~* De taler med Brown; Brown her; *who is
it ~?* hvem taler jeg med? *the portrait is a ~ likeness* por-
trættet ligner slående *(el.* er meget livagtigt); *seriously ~*
alvorlig talt; *strictly ~* strengt taget; *be on ~ terms with*
være på talefod med.
speaking| trumpet råber; hørerør. **~ tube** talerør.
spear [spiə] *sb* spyd, lanse; (til fiskeri) lyster, ålejern; *vb*
dræbe med et spyd, spidde.
spearhead ['spiəhed] *sb* spydsod; *(mil.)* de forreste tropper
i et angreb; angrebsspids; *(fig)* fortrop, stødtrop; *vb*
danne spidsen (i et angreb); *(fig)* gå i spidsen for, an-
føre.
spearmint ['spiəmint] *sb (bot)* grøn mynte.
spear side sværdside, mandsside.
spearwort ['spiəwə:t] *sb (bot)* nedbøjet ranunkel; *great ~*
langbladet ranunkel.
spec [spek] **T** *(fk speculation)*: *on ~ (merk)* på spekula-
tion *(fx buy (, sell) sth on ~)*; *do it on ~* tage chancen
og gøre det, vove forsøget *(fx I don't know whether he is
there, but I'll go there on ~)*.
spec. *fk special(ly)*.
special ['speʃl] *adj* særlig *(fx importance, occasion, permis-
sion)*, speciel; sær- *(fx* (af bog) *edition; legislation; an-
nouncement* melding), special- *(fx equipment, knowledge,
tools)*, ekstra- *(fx* (af avis) *edition; flight)*; *sb* (af avis)
ekstraudgave; *(jernb)* ekstratog, særtog; *(merk)* (særligt)
tilbud *(fx this week's ~* ugens tilbud); (på restaurant):
today's ~ dagens ret; *-s pl (tekn)* forarmatur; *does he
want to come on any ~ day* ønsker han at komme nogen
bestemt dag?
special| constable *(omtr)* reservebetjent (der kun skal fun-
gere i særlige tilfælde); frivillig. **~-delivery letter** ekspres-
brev. **~ drawing rights** *pl (økon)* særlige trækningsrettig-
heder, papirguld.
specialist ['speʃəlist] *sb* specialist; *adj* specialist-, special-;
~ room (i skole) faglokale.
speciality [speʃi'æliti] *sb* særegenhed; speciale; specialitet.
specialization [speʃəlai'zeiʃən] *sb* specialisering.
specialize ['speʃəlaiz] *vb* specialisere (sig).
special| library specialbibliotek, fagbibliotek. **~ licence**
kongebrev. **~ pleading** ensidig argumentation (, fremstil-
ling). **~ price** særpris, favørpris. **~ school** specialskole
(for svagtbegavede *etc)*. **~ session** ekstraordinær samling.
~ subject speciale.
specialty ['speʃlti] *sb* særegenhed, speciale, specialitet;
(jur) dokument under segl.
specie ['spi:ʃi(:)] *sb* mønt, møntet metal.
species ['spi:ʃi(:)z] *sb (pl as) (biol etc)* art; *(fig)* art,
slags; sort; *the ~, our ~* menneskeslægten; *~ character*
artspræg.
specific [spi'sifik] *adj* speciel, specifik; særlig *(fx properties
egenskaber)*; særegen *(to* for); (klar, utvetydig:) bestemt,
udtrykkelig *(fx orders)*; *(biol)* artfast; *sb* særligt middel.
specification [spesifi'keiʃən] *sb* specificering; specifikation;

(ved byggeri) forskrift, arbejdsbeskrivelse.
specific| character artspræg. ~ **gravity** *(fys)* massefylde, vægtfylde, specifik vægt. ~ **heat** *(fys)* specifik varme, varmefylde. ~ **performance** *(jur)* naturalopfyldelse (erlæggelse af en aftalt ydelse til en fordringshaver i modsætning til erstatning). ~ **volume** *(fys)* specifikt rumfang *(el.* volumen).
specify ['spesifai] *vb* specificere; bestemme (, beskrive, angive) nærmere.
specimen ['spesimən] *sb* prøve; eksemplar; (i naturhistoriesamling) præparat; *-s pl* naturalier; (om person) T størrelse *(fx he is a queer ~); ~ copy* prøveeksemplar; lærereksemplar; ~ *number* prøvenummer, prøvehæfte; ~ *page* prøveside.
specious ['spi:ʃəs] *adj* plausibel, bestikkende, besnærende.
I. speck [spek] *sb* spæk.
II. speck [spek] *sb* stænk, plet; *vb* plette; ~ *of dust* støv-gran.
speckle ['spekl] *sb* lille plet; *vb* plette.
speckled ['spekld] *adj* spættet; broget.
speckled alder *(bot)* rynket el.
specs T *fk* spectacles briller.
spectacle ['spektəkl] *sb* skue, syn, skuespil; *-s* briller; *a pair of -s* et par briller; *make a ~ of oneself* gøre sig uheldigt bemærket, gøre sig til grin.
spectacled ['spektəkld] *adj* med briller.
spectacular [spek'tækjulə] *adj* iøjnefaldende, bemærkelsesværdig, flot, imponerende; *sb* stort opsat fjernsynsshow (, film *etc); a ~ play* et udstyrsstykke.
spectator [spek'teitə] *sb* tilskuer.
spectral ['spektrəl] *adj (cf spectrum)* spektral-; *(cf spectre)* spøgelsesagtig; ~ *voice* hul røst.
spectre ['spektə] *sb* spøgelse, genfærd.
spectrometer [spek'trɔmitə] *sb* spektrometer.
spectroscope ['spektrəskoup] *sb* spektroskop.
spectrum ['spektrəm] *sb (pl spectra* [-trə]*)* spektrum.
spectrum analysis spektralanalyse.
specular ['spekjulə] *adj* spejl-; genspejlende.
speculate ['spekjuleit] *vb* spekulere *(about,* on over); ~ *for a fall* (*, rise) (merk)* spekulere i baissen (, haussen).
speculation [spekju'leiʃən] *sb* spekulation.
speculative ['spekjulətiv] *adj* spekulativ, teoretisk; *(merk etc)* spekulations-; usikker.
speculator ['spekjuleitə] *sb (merk)* spekulant; ~ *for a fall* baissespekulant.
speculum ['spekjuləm] *sb* spejl (især af metal); *zo* spejl (på fuglevinge).
sped [sped] *præt* og *pp* af speed.
speech [spi:tʃ] *sb* tale *(fx in ~ and in writing; make* (holde) *a ~);* taleevne; *(spr)* talesprog *(fx that word is not used in English ~), (mods language)* tale; *(teat etc)* replik; *be bereft of ~* have mistet mælet.
speech| area sprogområde. ~ **centre** talecentrum (i hjernen). ~ **community** sprogsamfund. ~ **day** skoles afslutningsfest. ~ **disorder** talelidelse, taleforstyrrelse.
speechify ['spi:tʃifai] *vb* holde (dårlige) taler.
speech| island sprogø. **-less** målløs, stum. ~ **reading** mundaflæsning. ~ **sound** sproglyd.
I. speed [spi:d] *sb* hastighed, fart; (om bil *etc)* gear *(fx shift to low ~);* S amfetamin; heroin blandet med kokain; *at a ~ of* med en hastighed af; *at full ~* i fuld fart.
II. speed [spi:d] *vb (sped, sped)* ile, fare; *(glds)* hjælpe (fremad), give held *(fx God ~ you!),* ønske lykke på vejen, byde farvel; *(speeded, speeded)* forøge hastigheden af, sætte fart i; speede; køre for hurtigt, overtræde hastighedsbegrænsning *(fx he was fined £10 for speeding); ~ up* sætte farten op; forøge; fremskynde.
speed|ball S heroin blandet med kokain. **-boat** speedbåd. ~ **cop** færdselsbetjent (på motorcykel).
speeder ['spi:də] *sb* en der kører for hurtigt; *(tekn)* hastighedsregulator; *(jernb)* motortrolje.
speed limit hastighedsbegrænsning.
speedometer [spi'dɔmitə] *sb* speedometer.
speed|up hastighedsforøgelse; produktionsforøgelse. **-way** racerbane til motorcykelløb; *(am)* motorvej. **-well** *(bot)* ærenpris.
speedy ['spi:di] *adj* rask, hurtig; prompte, omgående *(fx answer).*

speleologist [spi:li'ɔlədʒist] *sb* huleforsker.
speleology [spi:li'ɔlədʒi] *sb* huleforskning.
I. spell [spel] *sb* trylleformular; fortryllelse, uimodståelig tiltrækning; *break the ~* hæve fortryllelsen; *under a ~* fortryllet, bjergtaget.
II. spell [spel] *vb (spelt, spelt el. spelled, spelled)* stave(s); betyde *(fx that -s disaster for us);* være ensbetydende med; medføre; *h a t -s hat* h a t siger hat; ~ *out* stave sig igennem; forstå, få fat i *(fx the meaning);* forklare detaljeret (, meget forenklet *el.* tydeligt), T skære ud i pap.
III. spell [spel] *sb* tørn, tur (til at arbejde) *(fx take a ~ at the oars);* kort tid, stund *(fx wait for a ~);* periode *(fx a dry ~);* anfald *(fx a ~ of coughing* et hosteanfald); *(austr)* hvil, pause; *vb (am)* afløse; *(austr)* tage sig et hvil; *by -s* skiftevis, efter tur.
spellbind ['spelbaind] *vb* fortrylle, holde fangen.
spellbinder ['spelbaində] *sb* taler som holder tilhørernes interesse fangen; demagog.
spellbound ['spelbaund] *adj* fortryllet, bjergtagen.
spelling ['speliŋ] *sb* stavning; stavemåde, retskrivning.
spelling| bee stavekonkurrence. ~ **book** abc. ~ **pronunciation** udtale der er påvirket af stavemåden.
I. spelt [spelt] *præt* og *pp* af II. spell.
II. spelt [spelt] *sb (bot)* spelt.
spelter ['speltə] *sb (merk)* zink (i blokke); messingslaglod.
spelunker [spi'lʌŋkə] *sb (am* T) amatør-huleforsker.
spencer ['spensə] *sb* spencer (kort trøje).
spend [spend] *vb (spent, spent)* (se også *spent)* bruge, anvende; ofre *(fx don't ~ more money (, time)* on that *car);* (om tid også) tilbringe *(fx a week in Paris),* (om penge også) give ud *(fx she -s a lot* hun giver mange penge ud), spendere *(on* på); (helt op:) forbruge, bruge op *(fx the capital is spent); (neds)* øde bort *(fx ~ a fortune* on amusements); ~ *a penny* T gå på wc.
spender ['spendə] *sb* ødeland; *he is a big ~* han bruger mange penge.
spending| money T lommepenge. ~ **power** købekraft.
spendthrift ['spen(d)θrift] *sb* ødeland; *adj* ødsel.
Spenserian [spen'siəriən] *adj* ~ *stanza* spenserstrofe.
spent [spent] *præt* og *pp* af spend; brugt, opbrugt; udmattet; (om fisk) som er færdig med at gyde; ~ *bullet* mat kugle; ~ *match* afbrændt tændstik; ~ *tool* (brugt og) kasseret redskab; *the gale has ~ itself (el. its fury)* stormen har raset ud.
sperm [spə:m] *sb* sædvæske.
spermaceti [spə:mə'seti] *sb* spermacet.
spermary ['spə:məri] *sb* sædkirtel.
spermatic [spə:'mætik] *adj* sæd-; ~ *cord* sædstreng.
spermatozo|on [spə:mətə'zouən] *sb (pl -a* [-ə]*)* sædlegeme, spermatozo.
sperm| cell sædcelle. ~ **whale** spermacethval.
spew [spju:] *vb* spy, brække sig; udspy.
sphagnum ['sfægnəm] *sb (bot)* sphagnum, tørvemos.
sphenoid ['sfi:nɔid] *adj* kileformet.
sphere [sfiə] *sb* kugle, klode; *(hist astr)* sfære; *(fig)* sfære, (virke)felt, kreds, område; *the celestial ~* himmelhvælvingen; ~ *of activity* virkefelt; ~ *of interest* interessesfære.
spheric(al) ['sferik(l)] *adj* sfærisk, kugle-.
spheroid ['sfiərɔid] *sb* sfæroide, omdrejningslegeme.
sphincter ['sfiŋ(k)tə] *sb (anat)* lukkemuskel.
sphinx [sfiŋks] *sb* sfinks; *zo* aftensværmer.
spicate ['spaikeit] *adj (bot)* aksdannet.
spice [spais] *sb* krydderi, *(fig* også) smag, anstrøg; *vb* krydre; *variety is the ~ of life* forandring fryder.
spick-and-span *adj* splinterny; i fineste orden, ren og pæn.
spicule ['spaikju:l, 'spikju:l] *sb (zo:* hos svampe) skeletspikel; *(bot)* småaks.
spicy ['spaisi] *adj* krydret, aromatisk; *(fig)* pikant, vovet.
spider ['spaidə] *sb* edderkop.
spiderman ['spaidəmæn] *sb* bygningsarbejder der arbejder i stor højde, montør ved stålkonstruktioner; fluemenneske.
spider monkey *zo* klamreabe.
spiderwort ['spaidəwə:t] *sb (bot)* edderkopurt.
spidery ['spaidəri] *adj* edderkoppeagtig, meget tynd; ~ *writing (fig* om skrift) flueben.
spiel [spi:l] *sb (am* S) snak; *vb* snakke, lade munden løbe;

∼ *off* rable af sig. **spieler** ['spi:lə] *sb (am* S) fidusmager, falskspiller; markedsudråber.
spiffy ['spifi] *adj (am)* smart.
spiflicate ['spiflikeit] *vb* S mase, knuse, gøre det af med; *-d adj* fuld.
spigot ['spigət] *sb* tap (i tønde); *(am)* hane.
I. spike [spaik] *sb* pig, spids, (til at sætte regninger på) spyd; (søm:) spiger, nagle; S kanyle; *(bot)* aks; *-s pl* (også) pigsko.
II. spike [spaik] *vb* spigre, fornagle; (sko *etc)* beslå med pigge; (gennembore:) spidde; *(fig)* spolere *(fx his chances),* forpurre *(fx his plans),* ramme en pæl gennem *(fx a rumour); (am* S) tilsætte alkohol; **∼** *shy's guns (hist.)* fornagle ens kanoner; *(fig)* forpurre ens forehavende; lukke munden på en.
spike heel stilethæl.
spikelet ['spaiklit] *sb (bot)* småaks.
spikenard ['spaikna:d] *sb (bot)* nardus; nardussalve.
spiky ['spaiki] *adj* spids, med spidser (, pigge); *(fig)* prikken, pirrelig, sårbar.
spile [spail] *sb* pæl. pløk, tap; *vb* bore hul til tap.
I. spill [spil] *sb* pind; (til at tænde med:) fidibus.
II. spill [spil] *vb (spilled, spilled el. spilt, spilt)* spilde, ødelægge; ødsle; vælte, kaste af; S røbe; (uden objekt) blive spildt, løbe ud, løbe over; vælte; **∼** *the beans* S sladre af skole, snakke over sig, plapre ud med hemmeligheden; **∼** *blood* udgyde blod; *it is no use crying over spilt milk* det kan ikke nytte at græde over spildt mælk; **∼** *a sail* dæmpe et sejl.
III. spill [spil] *sb* fald (især fra hest *el.* vogn); *have a* **∼** vælte.
spillikin ['spilikin] *sb* pind (i skrabnæsespil); *-s* (også) skrabnæsespil.
spillway ['spilwei] *sb* afløb; overfaldsåbning.
spilt [spilt] *præt* og *pp* af *spill.*
I. spin [spin] *vb (spun, spun)* spinde; hvirvle, dreje (sig), snurre rundt, (om bilhjul også) spinne, (om bold) skrue; *(flyv)* gå i spin; (i fiskeri) fiske med spinner; (med objekt) spinde *(fx wool);* (om bold) skrue; *(tekn)* trykke (tynde metalplader); **∼** *a coin* kaste en mønt i vejret, slå plat og krone; **∼** *a yarn* spinde en ende; **∼** *out* trække ud *(fx the time);* få til at vare længere; *send him -ning* slå ham så han trimler; (se også *spun).*
II. spin [spin] *sb* hvirvlen, snurren (rundt); *(flyv)* spin; (i vogn, på cykel *etc)* rask tur.
spinach ['spinidʒ] *sb* spinat.
spinal ['spainl] *adj* rygrads-, rygmarvs-; **∼** *canal* rygmarvskanal; **∼** *column* rygrad; **∼** *cord* rygmarv; **∼** *fluid* spinalvæske.
spindle ['spindl] *sb* (til spinding) ten; *(tekn)* spindel; *(mar)* spilstamme; (på grammofon, til plade) tap; *(biol:* ved celledeling) kerneten; *(am)* = *spindle file.*
spindle| **file** *(am)* spyd (til at sætte regninger på). **∼-shanked** med lange tynde ben, tyndbenet. **-shanks** *pl* lange tynde ben, pibestilke; *(person)* med lange tynde ben. **∼ -shaped** tenformet. **∼ tree** *(bot)* benved.
spindly ['spindli] *adj* lang og tynd; ranglet.
spin-drier ['spindraiə] *sb* (tørre)centrifuge.
spindrift ['spindrift] *sb* skumsprøjt, stænk.
spin-dry ['spindrai] *vb* centrifugere (tøj).
spine [spain] *sb* rygrad; *zo* pig, pigstråle; *(bot)* torn; (på bog) ryg.
spineless ['spainlis] *adj* hvirvelløs; *(fig)* slap, holdningsløs.
spinet [spi'net, 'spinit] *sb* spinet.
spinnaker ['spinəkə] *sb (mar)* spiler.
spinner ['spinə] *sb* spinder, spinderske; spindemaskine; *(flyv,* fiskeri) spinner.
spinneret ['spinəret] *sb zo* spindevorte.
spinney ['spini] *sb* krat.
spinning| **jenny** spindemaskine. **∼** **lathe** *(tekn)* trykbænk. **∼ mill** spinderi. **∼ wheel** rokkehjul, rok.
spinoff ['spinɔf] *sb* biprodukt.
spinous ['spainəs] *adj* tornet, besat med pigge; formet som en torn.
spinster ['spinstə] *sb (jur)* ugift kvinde; T pebermø, gammeljomfru.
spiny ['spaini] *adj* tornet, med pigstråler; *(fig)* vanskelig.
spiny | **anteater** *zo* myrepindsvind. **∼ lobster** *zo* langust.

spiracle ['spaiərəkl] *sb* lufthul, åndehul.
spiraea [spai'riə] *sb (bot)* spiræa, mjødurt.
spiral ['spaiərəl] *adj* spiralformet; *sb* spiral; *vb* (få til at) bevæge sig i en spiral; *(fig* om priser *etc)* skrue (sig) i vejret, (få til at) stige hastigt; **∼** *binding* spiralhæftning; **∼** *nebula* spiraltåge; **∼** *spring* spiralfjeder; **∼** *staircase* vindeltrappe; *the vicious* **∼** *(of rising wages and prices)* 'skruen uden ende' (om det forhold at stigende lønninger og priser driver hinanden i vejret).
spirant ['spaiərənt] *sb (fon)* spirant, hæmmelyd.
spire ['spaiə] *sb* spir; top, spids; snoning, spiral; *-d* med spir.
Spires ['spaiəz] Speyer (tysk by).
I. spirit ['spirit] *sb* ånd; sjæl; (livlighed *etc)* liv, kraft, mod; fart, appel; **-s** *pl* humør; (væske:) sprit, spiritus, alkohol; *the (Holy) Spirit* den Helligånd; *the* **∼** *of the age* tidsånden; *in high (el. good) -s* i godt humør, oprømt, munter; *in low (el. bad) -s* i dårligt humør, nedslået, forstemt; **∼** *of wine* vinånd; *with* **∼** energisk, dristigt, livligt, begejstret.
II. spirit ['spirit] *vb:* **∼** *away (el. off)* få til at forsvinde, trylle bort; skaffe af vejen; bortføre; smugle væk; **∼** *up* begejstre, opmuntre.
spirited ['spiritid] *adj* livlig *(fx debate, lecture),* (spil)levende; energisk, dristig; (om hest) fyrig.
spirit| **lamp** spritlampe. **-less** forsagt, modløs. **∼ rapping** meddelelser fra åndeverdenen. **∼ stove** spritapparat.
spiritual ['spiritjuəl] *adj* åndelig, sjælelig; gejstlig *(fx court* domstol); *sb (negro* **∼**) religiøs negersang.
spiritual|**ism** ['spiritjuəlizm] spiritisme. **-ist** spiritist. **-ity** [spiritju'æliti] åndelighed. **-ize** [spiritjuəlaiz] åndeliggøre, give en åndelig betydning.
spirituel(le) [spiritju'el, *fr]* adj fin, yndefuld; vittig, spirituel.
spirituous ['spiritjuəs] *adj* spirituøs, spiritusholdig.
spirit varnish spirituslak.
spirometer [spai(ə)'rɔmitə] *sb* spirometer.
spirt [spə:t] *vb* sprøjte, stråle; *sb* sprøjt, stråle.
I. spit [spit] *sb* (til stegning) spid; *(geogr)* odde, (land)tange; (ved gravning) spadestik *(fx two* **∼** *(el. -s) deep); vb* sætte på spid, spidde.
II. spit [spit] *vb (spat, spit el. spat)* spytte; (af raseri) hvæse, sprutte, udstøde (eder, forbandelser); (om regn) falde spredt, stænke; **∼** *it out!* spyt ud! ud med sproget!
III. spit [spit] *sb* spyt; let *(el.* hidsigt) regn (, snefald); *he is the very (el. dead)* **∼** *(el. the* **∼** *and image) of his father* han er som snydt ud af næsen på sin far, han er sin far op ad dage.
spit-and-polish *(mil.)* pudsning.
spitball ['spitbɔ:l] *sb* tygget papirskugle (brugt som kasteskyts).
spitchcock ['spitʃkɔk] *sb* (flækket og) stegt ål.
spite [spait] *sb* ondskab(sfuldhed), had, nag; chikaneri; *vb* gøre fortræd, ærgre, trodse, fortørne; chikanere; *in* **∼** *of* til trods for, uagtet.
spiteful ['spaitf(u)l] *adj* ondskabsfuld, hadefuld, ondsindet, hadsk.
spitfire ['spitfaiə] *sb* arrigtrold; *(flyv:* jager) spitfire.
spitting mug spyttekrus.
spittle ['spitl] *sb* spyt.
spittoon [spi'tu:n] *sb* spyttebakke.
spitz [spits] *sb* dværgspids (hunderace).
spiv [spiv] *sb* S (asocial person som lever af lyssky forretninger, sortbørshandel *etc).*
I. splash [splæʃ] *vb* overstænke, stænke, sprøjte, plaske, sjaske; (om nyhed) slå stort op; (om penge) øse ud; *sb* plask; stænk; farvet plet; T sensation, sensationelt udstyr; **∼** *money about* slå om sig med penge; **∼** *down* (om rumskib) lande på havet; *make a* **∼** vække sensation.
splashboard ['splæʃbɔ:d] *sb* stænkskærm.
splashdown ['splæʃdaun] *sb* landing (af rumskib) på havet.
splash lubrication sprøjtesmøring.
splashy ['splæʃi] *adj* overstænket, sølet, sjappet.
splatter ['splætə] *vb* plaske, skvulpe.
splay [splei] *vb (med.)* forvride, bringe af led; *(arkit)* gøre skrå; *adj* skrå; *sb* skråkant, smig, skråning; *-ed window* smiget vindue.

splayfooted ['spleifutid] *adj* udtilbens, med flade udadvendte fødder.

spleen [spli:n] *sb (anat)* milt; *(fig)* dårligt humør, spleen, tungsind, livslede; *vent one's ~ upon* lade sit onde lune gå ud over, udøse sin vrede (, galde) over.

spleenwort ['spli:nwɔ:t] *sb (bot)* radeløv.

splendid ['splendid] *adj* strålende, prægtig, pragtfuld; T glimrende, storartet.

splendiferous [splen'difərəs] *adj* S storartet.

splendour ['splendə] *sb* glans, pragt.

splenetic [spli'netik] *adj* hypokonder, vranten, irritabel; *(med.)* milt-; *sb* hypokondrist.

splice [splais] *vb* (om tov, film) splejse; (om tømmer) laske; T (vie:) splejse sammen; *sb* splejsning; laske; stød.

splice bar *(jernb)* fladlaske.

spline [splain] *sb* stjernenot; (i snedkeri) fjeder; *vb* note.

splint [splint] *sb* splint, pind; *(med.:* til at støtte brud) skinne.

splint| basket spånkurv. **~ bone** lægben.

splinter ['splintə] *sb* splint, flis, spån; (af bombe *etc)* sprængstykke; *vb* splintre, kløve; (uden objekt) splintres.

splinter| group udbrydergruppe. **-less** *adj* (om glas) splintfri, splintsikker. **~ party** splittelsesparti. **-proof** *adj* sprængstyksikker.

splintery ['splintəri] *adj* fuld af splinter; som let splintrer.

I. split [split] *vb (split, split)* spalte *(fx an atom),* kløve, flække *(fx wood, stone);* flænge *(fx the wind ~ the sail);* *(fig)* fremkalde splittelse i, splitte *(fx a party);* dele (lige) *(fx a bottle of wine, the profits);* dele op *(fx the rations, a cake);* (sønder)flænge *(fx a cry ~ the air);* (uden objekt) revne, flække, spalte sig, dele sig; blive slået i stykker; S tale over sig; skilles; stikke af;
~ *the difference* mødes på halvvejen; indgå kompromis; **~** *hairs* være hårkløver, være ordkløver; **~** *off* afspalte; **~** *on sby* S sladre om en, røbe en, stikke en; **~** *open* flække; **~** *up* dele; opdele *(into* i); dele sig, spalte sig *(into* i); T skilles, gå fra hinanden; **~** *up the cost* slå *(el.* stå) halv skade; **~** *with blive uenig med;* **~** *one's sides with laughter* være ved at revne af latter.

II. split [split] *sb* revne, spalte; *(fig)* splittelse, brud; (spaltet læder:) spalt; S lille glas whisky; lille flaske sodavand; andel (i bytte); sladderhank; *the -s* spagat.

split| fruit delfrugt. **~ infinitive** infinitiv skilt fra *to* ved *adv (fx to carefully perform).* **~-level** *(arkit)* med forskudt etage; i forskudt plan. **~ peas(e)** flækkede ærter, gule ærter. **~ personality** skizofreni; personlighedsspaltning. **~ pin** split. **~ second** brøkdelen af et sekund.

splitting ['splitiŋ] *adj: a ~ headache* en dundrende hovedpine.

split wood kløvebrænde, klov.

splotch [splɔtʃ] *sb* plet, klat; *vb* plette, klatte.

splurge [splə:dʒ] T *sb* pralende optræden, brilleren; *vb* 'optræde', vise sig, rulle sig ud; (om avisnyhed *etc)* slå stort op.

splutter ['splʌtə] *vb* tale hurtigt, snuble over ordene; (også *fig)* sprutte; *sb* larm, postyr; sprutten.

Spode ware (porcelæn fra Josias Spodes fabrik).

spoil [spɔil] *vb (spoilt, spoilt el. spoiled, spoiled)* ødelægge, spolere; beskadige; *(fx* om mad) fordærve; (om papir) makulere; (om barn, dyr) forkæle; (uden objekt) fordærves; *(glds)* plyndre; *-ing for a fight* kamplysten, i krigshumør; *they were -ing for a fight* (også:) det trak op til slagsmål mellem dem.

spoilage ['spɔilidʒ] *sb* spild; det at blive fordærvet; (om papir) makulatur, udskudsark.

spoiled [spɔild] *adj* ødelagt, spoleret; *(fx* om mad) fordærvet; (om barn, dyr) forkælet; *(typ.:)* **~** *copy* fejltryk; **~** *letter* læderet bogstav; **~** *sheet* makulaturark.

spoils [spɔilz] *sb pl* bytte, rov; *(merk)* varer med fabrikationsfejl; *(typ)* udskudsark, makulatur.

spoilsman ['spɔilzmən] *sb* levebrødspolitiker.

spoilsport ['spɔilspɔ:t] *sb* lyseslukker (en der søger at ødelægge andres fornøjelse).

spoils system *(am)* det at det sejrende partis tilhængere belønnes med embeder.

spoilt [spɔilt] *præt* og *pp* af *spoil;* se **spoiled.**

I. spoke [spouk] *sb* (i hjul) ege; (i stige) trin; *(mar:* i rat) knage; (bremse på hjul) hæmsko; *put a ~ in his wheel*

krydse hans planer, stikke en kæp i hjulet for ham.

II. spoke [spouk] *præt* af *speak.*

spoken ['spoukn] *pp* af *speak; adj* mundtlig *(fx message);* talt, tale- *(fx language);* med ... stemme *(fx kind-spoken* med venlig stemme).

spokeshave ['spoukʃeiv] *sb* bugthøvl.

spokesman ['spouksmən] *sb* talsmand; ordfører.

spoliation [spouli'eiʃn] *sb* plyndring.

spondaic [spɔn'deiik] *adj* spondæisk.

spondee ['spɔndi:] *sb* spondæ (versefod).

spondulicks [spɔn'dju:liks] *sb pl* S moneter, stakater.

sponge [spʌn(d)ʒ] *sb* svamp; *(med.* også) serviet; (til kage *etc)* dej; sukkerbrødsdej; (om person) T nasser, snyltegæst; *vb* vaske, viske, tørre, suge op (med en svamp); T tilsnige sig, tilnasse sig *(fx a dinner);* snylte, nasse *(on* på); leve på nas; *pass the ~ over (fig)* slå en streg over; *throw (el. chuck) up the ~* erkende sig overvundet, opgive kampen, give blankt op, opgive ævred; **~** *out* viske ud; **~** *up* tørre op, suge op (med en svamp); *(fig)* opsuge; indsuge.

sponge| bag toilettaske, toiletpose. **~ cake** sukkerbrødskage.

sponger ['spʌn(d)ʒə] *sb* svampefisker; T nasser, snyltegæst.

sponge rubber svampegummi.

sponging house *(glds)* midlertidigt gældsfængsel.

spongy ['spʌn(d)ʒi] *adj* svampeagtig, svampet, porøs, blød, sugende; **~** *parenchyma* svampevæv.

sponsion ['spɔnʃən] *sb* kaution; tilsagn.

sponson ['spɔnsən] *sb (mar)* udbygning; (på hjuldamper) (hjul)vinge; *(flyv)* støtteponton.

sponsor ['spɔnsə] *sb* kautionist, garant; *(rel)* fadder; gudfader; *(purl el.)* forslagsstiller; (i radio, TV) sponsor, firma *(el.* forretningsmand) der betaler for en reklameudsendelse; *vb* stå fadder til, støtte; være sponsor for, betale for (reklameudsendelse).

sponsorship *sb* fadderskab; kaution; støtte.

spontaneity [spɔntə'ni:iti] *sb* spontaneitet, uvilkårlighed, frivillighed.

spontaneous [spɔn'teinjəs] *adj* spontan, umiddelbar, uvilkårlig; frivillig, at egen indskydelse; selv-; **~** *combustion* selvantændelse.

spoof [spu:f] *sb* svindel, snyderi; *vb* narre, lave grin med.

spook [spu:k] *sb* T spøgelse; *(am* S) spion.

spool [spu:l] *sb* spole, rulle; (garn)trisse; *vb* vikle, spole; **~** *chamber* filmkammer (i kamera).

I. spoon [spu:n] *sb* ske; (til fiskeri) blink; *vb* spise med ske; øse (med ske); (i sport) slå (bold) højt; (i fiskeri) fiske med blink; **~** *out,* **~** *up* øse op.

II. spoon [spu:n] *sb* S kissemisse, kæle, kæresterere, være kælent forelsket; sværme.

spoon| bait blink (til fiskeri). **-bill** *zo* skestork.

spoonerism ['spu:nərizm] *sb* ombytning af lyd i sammenstillede ord *(fx blushing crow for crushing blow); talk in -s* snakke bagvendt, 'bakke snagvendt'.

spoon-feed ['spu:nfi:d] *vb* made med ske; *(fig)* give ind med sked.

spoony ['spu:ni] *sb* (forelsket) tosse; *adj* tosset, kælent forelsket.

spoor [spuə] *sb* spor; *vb* spore, forfølge spor (af).

sporadic [spə'rædik] *adj* sporadisk, spredt.

sporangium [spə'rændʒəm] *sb (bot)* sporangium, sporehus.

spore [spɔ:] *sb (bot)* spore.

sporran ['spɔrən] *sb* bæltetaske (som hører til højskotternes dragt).

I. sport [spɔ:t] *sb* sport, idræt, atletik; jagt, fiskeri; sjov, løjer, morskab, spøg; (offer *etc)* legetøj, kastebold *(fx of* (for) *the waves),* offer; (om person) (god) sportsmand, en der er fair, modig og forstår at tage et nederlag *(fx he is a good ~);* T flink fyr; *(biol)* sport (en pludselig opstået afvigelse fra den normale type); *-s* sport, sportsgrene; sportsmæssig, idrætsstævne; *be a ~!* (også:) lad nu være med at være kedelig! *it becomes a ~* der går sport i det; *in ~* for spøg; *it is great~* det er vældig sjovt; *make ~ of* lave sjov med.

II. sport [spɔ:t] *vb* more sig, spøge; tumle sig; (om tøj) optræde med, have anlagt, 'give den med *(el.* i)' *(fx a silk hat).*

sporting ['spɔ:tiŋ] *adj* sportsinteresseret, sportsmæssig, sportslig; sports- *(fx event* begivenhed), idræts-; jagt- *(fx gun* gevær, bøsse); T fair, som viser sportsånd, som er en god sportsmand; *be* ~ (også) tage det med godt humør; *a* ~ *chance* en fair chance.

sportive ['spɔ:tiv] *adj* munter, lystig.

sports| **car** sportsvogn. ~ **day** idrætsdag.

sportsman ['spɔ:tsmən] *sb* en der er fair, modig og forstår at tage et nederlag; sportsmand; jæger, lystfisker.

sportsman|**like** passende for en *sportsman;* sportslig, sportsmæssig; loyal. **-ship** dygtighed; sportsånd, sportsmæssig optræden.

sports| **master** idrætslærer. **-wear** sportstøj. **-writer** sportsjournalist.

I. spot [spɔt] *sb* sted *(fx show me the exact* ~ *where it was),* plet; (af afvigende farve) plet *(fx on the sun; on a dress; the leopard's -s);* (i mønster) prik *(fx a blue tie with white -s);* (lille smule:) bid, smule *(fx a* ~ *of lunch),* (af væske) stænk, dråbe *(fx of whisky),* skvæt, sjat *(fx of tea);* (på huden) bumse, filipens, knop; (i radio) = *spot announcement;* (i film *etc)* = *spotlight; (merk)* loco, *-s pl* locovarer; **in** *-s* pletvis, med mellemrum; *be in a* ~ S være i knibe *(el.* i klemme); *come out in -s* få udslæt; **on** *the* ~ straks; på stedet; på pletten; T vågen, på højde med situationen; S i knibe, i fare; *(merk)* loco; *put sby on the* ~ tvinge en til at retfærdiggøre sin handlemåde, kræve en til regnskab; sætte en klemme på en, true en; gøre det af med en; *a* **tender** ~ et ømt punkt; (se også *soft).*

II. spot [spɔt] *vb* plette, sætte en plet på; T lægge mærke til, få øje på, opdage, genkende *(fx I -ted him in the crowd);* lokalisere; *(mil. etc)* observere; anbringe rundt omkring; (i renseri) pletrense; (uden objekt) blive plettet, tage imod pletter *(fx this material -s easily);* plette, lave pletter; *keep sby -ted* holde en under observation; ~ *the winner* udpege vinderen (på forhånd); *it was -ting with rain* det stænkede, det småregnede.

spot| **announcement** (i radio) kort (reklame)meddelelse som bringes mellem de regulære udsendelser. ~ **cash** kontant betaling. ~ **check** stikprøve. ~ **drill** forbor. **-face** *vb (tekn)* anslå. ~ **goods** *pl (merk)* locovarer. ~ **kick** straffespark.

spotlight ['spɔtlait] *sb* spotlight; søgelys, projektør der koncentrerer det belyste område til et minimum; *vb* sætte spotlight (, søgelys) på.

spot-on ['spɔtɔn] *adj (tekn)* uden tolerance; T lige i centrum.

spot price *(merk)* pris ved kontant betaling, locopris.

spotted ['spɔtid] *adj* plettet.

spotted| **eagle** *zo* stor skrigeørn. ~ **fever** (især:) plettyfus. ~ **redshank** *zo* sortklire. ~ **sandpiper** *zo (am)* plettet mudderklire. ~ **woodpecker** *zo* flagspætte.

spotter ['spɔtə] *sb* observatør; *(am* T) detektiv; (i renseri) pletrenser, detachør.

spot test stikprøve.

spotty ['spɔti] *adj* plettet, spættet; fuld af filipenser, bumset; uregelmæssig; *(mht* kvalitet) ujævn.

spot welding *(tekn)* punktsvejsning.

spousal ['spauzl] *sb (glds)* (ofte i *pl)* bryllup.

spouse [spauz] *sb (glds el. jur)* ægtefælle.

spout [spaut] *sb (fx* på kande) tud; (til regnvand) nedløbsrør, (vandret:) vandspyer; *(tekn)* studs, mundstykke; *(fx* til korn) slisk; (af væske) stråle, sprøjt, (fra hval) blæst; *(meteorol)* skypumpe; *down the* ~ S ødelagt, fortabt, ruineret; *up the* ~ S pantsat; fortabt; gravid.

sprag [spræg] *sb* stopklods; *vb* standse.

sprain [sprein] *vb* forstrække, forstuve; *sb* forstuvning, distorsion.

sprang [spræŋ] *præt* af *spring.*

sprat [spræt] *sb zo* brisling.

sprawl [sprɔ:l] *vb* ligge henslængt, ligge og slange sig, brede sig, (ligge og) flyde; sprede sig, brede sig (uregelmæssigt); (med objekt) stritte med; *sb* henslængt stilling; uregelmæssig *(el.* tilfældig) udbredelse (, bebyggelse); *urban* ~ tilfældig udbredelse af bymæssig bebyggelse.

sprawling ['sprɔ:liŋ] *adj* som ligger henslængt *(etc, cf sprawl);* som breder sig uregelmæssigt, spredt.

spray [sprei] *sb* (af plante) kvist, (blomster)gren; dusk, buket; (af vand) skumsprøjt, søstænk, søskvæt; *(fig)* byge

(fx of bullets); (til skadedyr *etc)* sprøjtevæske; (anordning, apparat) sprøjte, spray; bruser; *vb* sprøjte *(fx an apple tree);* oversprøjte; overdænge.

sprayer ['spreiə] *sb* sprøjte, rafraichisseur.

spray| **gun** sprøjtepistol, malepistol. ~ **painting** sprøjtelakering.

I. spread [spred] *vb (spread, spread)* brede (ud) *(fx a cloth on a table);* sprede *(fx manure over a field; hay to dry);* dække *(fx a table with a cloth);* smøre *(fx butter on bread; bread with butter);* folde ud *(fx a map),* brede ud, spile ud *(fx the bird* ~ *its wings); (fig)* sprede *(fx terror; one's interests),* udbrede, udsprede *(fx rumours);* fordele *(fx the work over the summer months);* (uden objekt) brede sig *(fx the water* ~ *over the floor; the rumour (, the panic)* ~); gribe om sig; strække sig *(fx a desert -ing for miles; a course -ing over 3 months);* ~ *oneself* sprede sig, have mange ting for; S udbrede sig, tale docerende; være overstrømmende gæstfri; rulle sig ud, flotte sig; ~ *out* sprede, sprede sig; brede ud, folde ud; ~ *the table* dække bord.

II. spread [spred] *sb* udbredelse *(fx the* ~ *of disease);* omfang, spændvidde; (om fugl) vingefang; (i bog) opslag; T festmåltid, opdækning, traktement, foder; smørepålæg; *middle-age(d)* ~ embonpoint.

I. spread eagle *sb* flakt ørn (som i U.S.A.'s våben).

II. spread-eagle ['spred'i:gl] *adj (fig, am)* chauvinistisk, højtravende, bombastisk, overdrevent national *(fx speech); vb* lægge sig (, ligge) på ryggen med armene bredt ud. **spread-eagleism** *sb* chauvinisme.

spreader ['spredə] *sb* spreder; smørekniv.

spree [spri:] *sb* sold; soldetur; løjer, sjov; *go on the* ~ bumle, gå ud og more sig *(el.* solde); *be on the* ~ være ude og more sig *(el.* solde).

sprig [sprig] *sb (bot)* kvist, *(fig, spøg)* fyr, ætling; (søm:) (tråd)dykker.

sprigged [sprigd] *adj* (små)blomstret.

sprightly ['spraitli] *adj* munter, livlig.

I. spring [spriŋ] *vb (sprang, sprung)* springe; springe frem, fare; springe i stykker, revne, knække; (om træ) slå sig; *(bot)* spire, vokse frem, skyde op, *(fig* også) dukke op; opstå; (med objekt) få til at springe (, revne, slå sig); sprænge; pludselig komme med (, fremsætte *etc) (fx a joke; a proposal);* (forsyne med fjedre:) affjedre *(fx the car is well sprung);* ~ *a leak* springe læk; ~ *a mine* lade en mine springe; ~ *a trap* lade en fælde slå i; ~ *from (fig)* komme af, udspringe af *(fx it all -s from a misunderstanding); (litt)* stamme fra *(fx a noble family);* ~ *a new proposal on sby* overraske en med et nyt forslag; ~ *a surprise on sby* overrumple en, komme bag på en; *the door sprang* open døren sprang op; *the door sprang to* døren smækkede i; ~ *to one's feet* springe op; ~ **up** spire frem, skyde op, *(fig* også) opstå *(fx new industries sprang up).*

II. spring [spriŋ] *sb* spring; (i ur, bil *etc)* fjeder, *(fig)* elasticitet, initiativ; (vandløb:) kilde, bæk, *(fig)* kilde, oprindelse; *(årstid:)* forår, *(poet)* vår; (i tømmer) revne; *(arkit)* = *springing line.*

spring| **balance** fjedervægt. ~ **bed** springmadras. ~ **binder** springbind. **-board** springbræt; vippe (til udspring). **-bok** springbuk (sydafrikansk gazelle). ~ **chicken** ung høne; *she is no* ~ *chicken* hun er ingen årsunge. ~ **-cleaning** forårsrengøring, hovedrengøring.

springe [sprin(d)ʒ] *sb* snare, done.

springer ['spriŋə] *sb zo* springbuk; (hund:) spaniel; *(arkit)* vederlag; trykkile.

spring| **gun** (ved jagt) selvskud. **-halt** [hɔ:lt] (hestesygdom:) hanetrit.

springing line fødselslinie (i hvælving).

spring| **lock** smæklås; springlås. ~ **mattress** springmadras. **-tail** *zo* springhale. ~ **tide** springflod. **-tide, -time** forår. ~ **washer** fjederskive.

springy ['spriŋi] *adj* elastisk, spændstig.

sprinkle ['spriŋkl] *vb* stænke, strø, drysse, bestrø; småregne; *sb* stænk, drys; *-d edge (bogb)* sprængt snit.

sprinkler ['spriŋklə] *sb* vandvogn; sprøjte; (til vanding) spreder; (til brandslukning) sprinkler; (til flaske) stænkeprop.

sprinkling ['spriŋkliŋ] *sb* stænk; lille antal, lille smule,

S sprint

438

kende, islæt.
sprint [sprint] *sb* sprinte, løbe i fuld fart, løbe hurtigløb over kort distance.
sprinter ['sprintə] *sb* sprinter, deltager i sprint, hurtigløber.
sprit [sprit] *sb (mar)* sprydstage.
sprite [sprait] *sb* alf, fe, nisse.
spritsail ['spritseil; 'spritsl] *sb (mar)* sprydsejl.
sprocket ['sprɔkit] *sb* tand, kædehjul; (i filmforeviser) tandtromle; ~ *holes* (i film) perforering; ~ *wheel* kædehjul.
sprout [spraut] *vb* spire, vokse; *sb* spire; skud; *(Brussels sprouts)* rosenkål.
I. spruce [spru:s] *adj* net, pyntelig, flot, pyntet; *vb:* ~ *up* pynte (sig), nette (sig).
II. spruce [spru:s] *sb (bot)* gran; *common* ~ rødgran.
spruce| beer øl med gran-essens. ~ **fir** (rød)gran.
sprue [spru:] *sb* (ved støbning) indløb; støbetap; *(med.)* sprue.
sprung [sprʌŋ] *pp* af *spring;* *adj* affjedret; ~ *bed* spiralseng.
spry [sprai] *adj* rask, livlig.
spud [spʌd] *sb* lugejern; barkjern; S kartoffel; *vb* luge, grave op.
spume [spju:m] *sb* skum; *vb* skumme.
spumous ['spju:məs], **spumy** ['spju:mi] *adj* skummende.
spun [spʌn] *præt* og *pp* af *spin;* *adj* spundet; ~ *gold* guldtråd, guldspind.
spunk [spʌŋk] *sb* fyrsvamp, tønder; T mod, mandsmod; fut; vrede, arrigskab; S sæd.
spunky ['spʌŋki] *adj* livlig, rask, modig; vred, arrig.
spun| silk schappe (affaldssilke). ~ **sugar** sukkervat. ~ **yarn** skibmandsgarn.
spur [spə:] *sb* (til hest, på hane, *fig)* spore; (af bjergkæde) udløber; *(bot)* spore; *(am jernb)* sidespor, stikbane; (fra motorvej) afkørsel; *vb* spore, anspore, fremskynde; ile; *on the* ~ *of the moment* på stående fod; ~ *on* anspore; ride hurtigt.
spurge [spə:dʒ] *sb (bot)* vortemælk.
spur gear *(tekn)* cylindrisk tandhjul.
spurious ['spjuəriəs] *adj* uægte, falsk, forfalsket.
spurn [spə:n] *vb* afvise med foragt *(fx an offer);* forsmå, vrage; *(glds)* sparke; *sb* hånlig afvisning.
spurrey ['spʌri] *sb (bot)* spergel.
I. spurt [spə:t] = *spirt.*
II. spurt [spə:t] *vb* gøre en kraftanstrengelse, spurte; *sb* kraftanstrengelse, spurt, slutspurt.
spur wheel cylindrisk tandhjul.
sputnik ['sputnik] *sb* sputnik.
sputter ['spʌtə] *vb* sprutte; spytte; tale hastigt; snuble over ordene; *sb* sprutten; hastig tale.
sputum ['spju:təm] *sb* spyt, opspyt.
spy [spai] *sb* spion, spejder; *vb* spejde, udspionere, opdage; ~ *into* snuse i, udspionere; ~ *out*, ~ *upon* udspionere, belure.
spy|glass lille kikkert. ~ **hole** kighul.
sq. *if square.*
squab [skwɔb] *adj* kvabset, tyk og fed; *sb* tyksak; dueunge, rågeunge; tyk pude, gulvpude; ottoman.
squabble ['skwɔbl] *vb* kævles, skændes; mundhugges; *(typ)* bringe (sats) i uorden; *sb* kævl, kævleri, skænderi.
squab pie (postej af due *el.* rågekød *el.* af fårekød, løg og æbler).
squad [skwɔd] *sb* gruppe, hold; (politi)patrulje; *(mil.)* korporalskab, gruppe, sektion; trop (ved eksercits); *awkward* ~ (uøvet) rekrutafdeling; ~ *car* (politi)patruljevogn (med radio).
squaddy ['skwɔdi] *sb* S soldat.
squadron ['skwɔdrən] *sb (mil.)* eskadron, *(mar)* eskadre; *(flyv)* eskadrille; ~ *leader (flyv* svarer til) kaptajn.
squalid ['skwɔlid] *adj* beskidt; ussel, elendig, tarvelig; uhumsk, frastødende, nedværdigende.
squall [skwɔ:l] *vb* skrige, skråle; *sb* skrål; kastevind, vindstød, byge; *(fig)* opstandelse, røre, ballade; *be struck by a* ~ overfaldes af en byge; *look out for -s (fig)* være på sin post.
squalor ['skwɔlə] *sb* snavs, elendighed.
squa|ma ['skweimə] *sb (pl -mae* [-mi:]) skæl.
squamous ['skweiməs] *adj* skællet, skældækket.

squander ['skwɔndə] *vb* forøde, formøble.
squanderer ['skwɔndrə] *sb* ødeland.
I. square ['skwɛə] *adj* kvadratisk, firkantet, retvinklet; kvadrat- *(fx foot, root);* (om legemsbygning) firskåren; *(fig)* redelig, ærlig; regulær; direkte *(fx refusal);* (om mellemværende) kvit, opgjort; S gammeldags, borgerlig, som ikke er med på noderne; *sb* firkant, kvadrat, rude; (firkantet) tørklæde; (i by) torv, plads; (af huse) karré; (til tegning *etc)* vinkel(mål); *(mat.)* kvadrat *(of øg);* *(glds mil.)* karré; *-s (bogb)* formering; *the -s* S de uindviede, de der ikke er med på noderne; *five feet* ~ fem fod i kvadrat (ɔ: 5x5 fod); *be* **all** ~ (i golf *etc)* stå lige; **on** *the* ~ vinkelret *(to* på); T *(fig)* ærlig; *act on the* ~ gå ærligt til værks; *hit him* ~ *on the jaw* ramme ham lige på kæben; **out of** ~ ikke vinkelret *(to* på); *(fig)* i uorden; som ikke passer; ~ **to** vinkelret på; *get* ~ **with** gøre op med, få hævnet sig på.
II. square [skwɛə] *vb* gøre firkantet, tilhugge (, tilskære) firkantet, gøre retvinklet, kanthugge *(fx a board);* *(mat.)* opløfte til anden potens; (om regnskab *etc)* ordne, afgøre, gøre op; udligne; betale *(fx a bill),* tilfredsstille *(fx one's creditors);* T bestikke *(fx they said he had been -d);* ~ *accounts with* gøre op med; *try to* ~ *the circle* prøve at løse cirklens kvadratur; ~ *one's elbows* (, *shoulders)* stille sig i kampstilling; *4 -d is 16* 4 i anden er 16; ~ *off* kvadrere; ~ *up to sby* stille sig i boksestilling over for en; ~ *up to the problem* se problemet i øjnene, gå lige løs på problemet; ~ *up with* gøre op med; ~ *with* stemme med *(fx his theories do not* ~ *with his practice);* bringe i overensstemmelse med.
square|-**bashing** *(mil.* S) eksercits. ~ **-built** firskåren, firkantet. ~ **dance** *(am* folkedans, omtr*)* kvadrille. ~ **deal** fair behandling, ærlig handel. **-head** *(neds, am* S) tysker, hollænder; skandinav.
squarely ['skwɛəli] *adv* kvadratisk *etc* (se I. *square);* direkte, lige *(fx look sby* ~ *in the face);* utvetydigt, rent ud.
square| meal solidt måltid. ~ **number** kvadrattal. ~ **one:** *go back to* ~ *one* S begynde forfra; *then we are back at* ~ *one* så er vi tilbage hvor vi begyndte. ~ **-rigged** med råsejl. ~ **root** kvadratrod. **-sail** råsejl. **-shaped** firkantet. ~ **shooter** *(am* T) regulær fyr. ~ **-shouldered** bredskuldret. ~ **-threaded** *(tekn)* fladgænget *(fx screw).* ~ **-toed** brednæset (om støvler); *(fig)* stiv; gammeldags.
squash [skwɔʃ] *vb* kvase, presse, mase flad, sammenstuve; *(fig)* slå ned, undertrykke *(fx a rebellion);* skære ned; (uden objekt) mase sig *(fx into a crowd);* *sb* tætpakket menneskemængde; blød masse; sjaskende lyd; *(bot)* melongræskar; (boldspil:) squash.
squash| hat blød hat. ~ **rackets** 'squash' (et boldspil).
squat [skwɔt] *vb* sidde på hug; slå sig ned på jord *el.* ejendom uden hjemmel; *adj* siddende på hug; kort og tyk, undersætsig; *sb* sammenkrøben stilling.
squatter ['skwɔtə] *sb* australsk fåreavler; nybygger (især: som tager land uden ret); person der uden hjemmel tager ophold på anden mands ejendom; slumstormer.
squaw [skwɔ:] *sb* indianerkone; ~ *man* hvid mand gift med indianerkvinde.
squawk [skwɔ:k] *vb* (om skræmt fugl) give et kort, hæst, gennemtrængende skrig (fra sig); T skrige op (om); *sb* kort hæst gennemtrængende skrig.
squeak [skwi:k] *vb* skrige, pibe, hvine; S optræde som stikker; *sb* skrig, hvin; *he had a narrow* ~ han undslap med nød og næppe; det var på et hængende hår; der var bud efter ham.
squeaker ['skwi:kə] *sb* skrighals; S stikker.
squeal [skwi:l] *vb* hvine; skrige, skrige op (i protest); S: ~ *(on)* forråde, angive, 'stikke'; *sb* hvin, skrig.
squealer ['skwi:lə] *sb* fugleunge (især) dueunge; hylehoved; S stikker, angiver.
squeamish ['skwi:miʃ] *adj* som let får kvalme; *(fig)* sart, sensibel, omfindtlig; kræsen.
squeegee ['skwi:'dʒi:] *sb* gummisvaber, gummiskraber; vinduesskraber; *(fot)* gummirulle.
I. squeeze [skwi:z] *vb* presse *(fx a lemon, juice from a lemon);* klemme; knuge *(fx he -d my hand);* (omfavne:) »knuse«; *(fx i voks)* tage aftryk af; *(fig om person)*

presse, lægge pres på, sætte en klemme på; ~ *sth into a box* presse noget ned i en æske; ~ *through the crowd* mase sig igennem mængden.

II. squeeze [skwi:z] *sb* pres, tryk, håndtryk; tæt omfavnelse, »knus«; trængsel; *(fx* i voks) aftryk; *(fig)* pres; klemme *(fx we are in a tight ~)*; pengeafpresning; *(økon)* (kredit)stramning; *it was a tight ~* det var på et hængende hår.

squeeze bottle blød plastikflaske.

squelch [skwel(t)ʃ] *vb* svuppe, frembringe slubrende, gurglende lyd; kvase, knuse; *(fig* T) undertrykke; skære ned, lukke munden på (med et knusende svar); *sb* slubrende, gurglende lyd.

squib [skwib] *sb* sværmer (fyrværkeri); (politisk) satire, udfald; *vb* satirisere, spotte; *damp* ~ fuser, våd kineser.

squid [skwid] *sb* tiarmet blæksprutte; kunstig agn.

squiffer ['skwifə] *sb* S trækharmonika.

squiffy ['skwifi] *adj* S med en lille en på, let beruset; skæv; fjoget.

squiggle ['skwigl] *sb* bølgelinje, krusedulle *(fx he signed his letter with a ~); -s* (også) snirkler.

squill [skwil] *sb (bot)* strandløg.

squinch [skwin(t)ʃ] *sb (arkit)* trompe.

squint [skwint] *vb* skele; *sb* skelen, skelende blik; sideblik; ~ *at* skele til, skæve til; se på med sammenknebne øjne; T kikke på; *let me have a ~ at it* T lad mig kikke på det.

squint-eyed *adj* skeløjet; *(fig)* mistænksom; misundelig..

squire ['skwaiə] *sb* godsejer; *(glds)* væbner; *(am)* fredsdommer; *vb* ledsage, følge; være opmærksom over for.

squirearchy ['skwaiəra:ki] *sb* godsejer-aristokrati; godsejervælde.

squirm [skwə:m] *vb* vride sig, krympe sig, vise tegn på at være ilde berørt *el.* forlegen; *sb* vridning.

squirrel ['skwirəl] *sb zo* egern; *vb* gemme væk.

squirrel-cage engine kortslutningsmotor.

squirt [skwə:t] *sb* sprøjte; stråle, sprøjt; (fra maskinpistol) salve, byge, T lille vigtigpräs, lus; *vb* sprøjte.

squirt gun vandpistol.

squirting cucumber *(bot)* æselsagurk.

squish [skwiʃ] T *vb* mase, kvase, (noget vådt); *sb* plasken; smattet masse; S marmelade.

squit [skwit] *sb* S dum skid, lille lus; *(vulg)* bras, lort; idioti.

Sr. *fk* senior.

S.R.O. *fk standing room only* kun ståpladser ledige.

SS *fk steamship; screw steamer.*

SSE *fk south-southeast.*

SSW *fk south-southwest.*

St. *fk Saint; Street; Strait.*

st. *fk stone* (om vægt).

stab [stæb] *vb* stikke, gennembore; såre; *(bogb)* blokhæfte; *sb* knivstik; stød; ~ *at* stikke efter; ~ *in the back (fig)* bagholdsangreb; ~ *sby in the back* falde en i ryggen; *have (el. make) a ~ at sth* forsøge noget; ~ *to death* stikke ihjel, dræbe med knivstik.

stability [stə'biliti] *sb* fasthed, stabilitet, stadighed, standhaftighed.

stabilization [steibilai'zeiʃən] *sb* stabilisering, fiksering.

stabilize ['steibilaiz] *vb* stabilisere, fiksere.

stabilizer ['steibilaizə] *sb* stabilisator; *(flyv)* haleplan.

I. stable ['steibl] *adj* stabil, fast, stadig; standhaftig; urokkelig.

II. stable ['steibl] *sb* stald; *vb* opstalde.

stable|boy stalddreng. ~ **door** stalddør; *it is too late to lock the ~ door when the horse has bolted (el. is stolen)* det er for sent at kaste brønden til når barnet er druknet. ~ **fly** stikflue. **-man** staldkarl.

stabling ['steibliŋ] *sb* opstaldning; staldrum.

stab wound stiksår.

staccato [stə'ka:tou] *adj, adv* stakkato.

stack [stæk] *sb* stabel, stak; *(agr)* hæs, stak; *(mil.)* gevärpyramide; (på hus) skorsten (med flere piber); *(bibl)* reol, *-s pl* bogmagasin; T mængde, masse *(fx a ~ of work); vb* sætte i hæs *el.* i stak; stable; *(flyv)* lade (flyv) kredse i bestemt højde før landing; ~ *arms!* sæt geværer sammen! ~ *the cards* pakke kortene (ɔ: for at snyde); ~ *the cards against them (fig)* rotte sig sammen mod dem; lægge dem alle mulige hindringer i vejen.

stacked [stækt] *adj (am* S): *she is well* ~ hun er velskabt, hun ser godt ud; ~ *heel* mahognihæl.

stack| funnel luftkanal (i stak). **-yard** stakhave.

stadium ['steidjəm] *sb* stadion, idrætsplads; *zo (pl stadia* ['steidjə]) udviklingsstadium.

staff [sta:f] *sb (pl staves* [steivz]) stav, stang; (embedsmands) kommandostav; *(fig)* støtte(stav); *(mus.)* nodesystem; *(pl staffs)* stab, personale; *it is my ~ of life (fig)* det er det jeg lever af, det er det der holder mig oppe; *the school is well -ed* skolen har gode lærerkræfter.

staff| bureau engageringskontor; (for midlertidig hjælp:) vikarbureau. ~ **college** generalstabsskole. ~ **officer** *(mil.)* stabsofficer. ~ **room** lærerværelse. ~ **work** administrativt arbejde. ~ **writer** fast medarbejder (ved et blad).

stag [stæg] *sb* hjort, kronhjort; *(merk)* børsspekulant (der opkøber nyemitterede aktier for straks at sælge dem igen); S stikker; mandfolkegilde; herre der er uden kvindelig ledsager (ved et selskab); *vb* jobbe; S belure; optræde som stikker; møde uden kvindelig ledsager.

stag beetle *zo* eghjort.

stage [steidʒ] *sb (fx* i udvikling) stadium, trin, fase, (af rejse) etape, (for bus) del af rute (mellem to stoppesteder), holdeplads, stoppested, *(glds)* poststation; (af raket) trin; (forhøjning *etc)* platform; stillads; *(teat)* scene, *(glds og fig* også) skueplads; (på mikroskop) bord; *vb* opføre, iscenesætte *(fx a play); (fig)* iværksætte, arrangere *(fx a demonstration);* **by** *easy -s (fig)* i ro og mag; *by short -s* med korte dagsrejser; *a ~ on the way (fig)* en station på vejen; *go on the ~* gå til scenen.

stage|coach diligence, dagvogn, postvogn. **-craft** sceneteknik, erfaring i at skrive for scenen. ~ **direction** scenanvisning, regiebemærkning. ~ **director** overregissør. ~ **door** teaters personaleindgang. ~ **electrician** belysningsmester. ~ **fever** voldsom lyst til scenen, teatergalskab. ~ **fright** lampefeber. **-hand** scenefunktionær. ~ **manage** *(teat)* være scenemester for; *(fig)* iscenesætte, arrangere, organisere. ~ **manager** scenemester.

stager [steidʒə] *sb: an old* ~ en erfaren person, en veteran, 'en gammel rotte'.

stage| right opførelsesret. ~ **screw** kulisseskrue. ~ **setting** scenearrangement. **-struck** teatergal, bidt af en gal skuespiller. ~ **whisper** teaterhvisken.

stagflation [stæg'fleiʃn] *sb* (kombination af *stagnation* og *inflation).*

I. stagger ['stægə] *vb* vakle, rave; blive betænkelig; (med objekt) få til at vakle, forbløffe, chokere, ryste *(fx he was -ed by the news);* (om placering) opstille (, plante) skiftevis på højre og venstre side af en midterlinje; opstille *(el.* placere) i siksak *(el.* skråt, forskudt for hinanden); fordele arbejdstid (og ferier) over en længere periode, således at grupper af arbejdere skiftes; se også *staggered.*

II. stagger ['stægə] *sb* vaklen, raven; *(flyv): the ~ of the wings* bæreplanernes fremfald.

staggered ['stægəd] *adj* forbløffet; chokeret; rystet; forskudt; *with ~ teeth (tekn)* krydsfortandet.

staggering ['stægəriŋ] *adj* vaklende; forbløffende, chokerende, rystende, forfærdende.

staggers ['stægəz] *sb* drejesyge (hos får); kuller.

staging ['steidʒiŋ] *sb* stillads; *(teat)* iscenesættelse, opsætning; (om raket) afkastning af rakettrin.

stagnancy ['stægnənsi] *sb* stillestaaen, stagneren.

stagnant ['stægnənt] *adj* stillestående, stagnerende.

stagnate [stæg'neit, 'stægneit] *vb* stagnere; forsumpe.

stagnation [stæg'neiʃn] *sb* stagnation, stilstand.

stag party S mandfolkegilde, herreselskab.

stagy ['steidʒi] *adj* teatralsk, opstyltet, beregnet på at gøre indtryk.

staid [steid] *adj* adstadig, sat, rolig.

stain| (stein) *vb* farve, (om træ) bejdse, plette, *(fig* også) vanære; (om blæk) plette; *sb* plet; (til snavset) *(fig)* farvestof, (til træ) bejdse; plet, *(fig)* (skam)plet; *-ed glass* glasmaleri; *-ed paper* kulørt papir.

stainless ['steinlis] *adj* pletfri; ~ *steel* rustfrit stål.

stair [stɛə] *sb* trappetrin; *stair(s)* trappe; *below -s* ned(e), i kælderen, blandt tjenerpersonalet; se også *flight, I. pair.*

stair| carpet trappeløber. **-case, -way** trappe. **-well** trappeskakt.

S_{stake}

stake [steik] *sb* pæl, stage, (til blomst) blomsterpind; (ved væddemål) indsats, *(fig)* interesse *(fx we have a big ~ in the decisions made by the management)*, andel; *-s pl* præmie, udsat pris (ved væddeløb *etc)*; *vb* opbinde *(fx blomster)*; sætte som indsats, vove, sætte på spil; *perish at the ~* dø på bålet; *at ~* på spil; *your honour is at ~* det gælder din ære; *~ off, ~ out* udstikke, afmærke; *~ a claim*, se claim.

stake boat *(mar)* mærkebåd (ved kapsejlads).
stakhanovite [stə'ka:nəvait] *sb* stakhanovarbejder.
stalactite ['stælǝktait] *sb* stalaktit, drypsten.
stalag ['sta:la:g] *sb* tysk krigsfangelejr for underofficerer og menige.
stalagmite ['stæləgmait] *sb* stalagmit, drypsten.
St. Albans [sǝnt'ɔ:lbǝnz] *sb.*
I. stale [steil] *adj* gammel *(fx bread)*, hengemt, muggen; (om øl) doven, flov; *(fig)* gammel *(fx news)*, fortærsket, forslidt *(fx joke)*; *(jur)* forældet; (om sportsmand) sur, overtrænet; *vb* blive gammel, hengemt *(etc)*; *~ air* tung luft; *a ~ joke* (også) en flovse.
II. stale [steil] (om heste, kvæg) *vb* stalle (ɔ: lade vandet); *sb* urin.
stalemate ['steilmeit] *sb* pat (i skak); *(fig)* dødt punkt; dødvande; *vb* sætte pat.
Stalinism ['sta:linizm] *sb* stalinisme. **Stalinist** ['sta:linist] *sb* stalinist; *adj* stalinistisk.
I. stalk [stɔ:k] *sb* stilk; stængel.
II. stalk [stɔ:k] *vb* liste sig; spanke, spankulere, skride; (om jagt) drive pyrschjagt; *sb* pyrschjagt.
stalked ['stɔ:kt] *adj* stilket.
stalker ['stɔ:kǝ] *sb* pyrschjæger.
stalking horse hest der bruges til skjul for jæger; *(fig)* påskud, skalkeskjul.
stalky ['stɔ:ki] *adj* stilket, stilkeagtig; lang og tynd, ranglet.
stall [stɔ:l] *sb* (i stald) bås, spiltov; (på marked *etc)* bod, stade, stand; (i kirke) korstol; (i teater) parketplads, fauteuil; *(fig)* stalling, farttab; (til finger) fingertut; (for tyv) medhjælper der skal bortlede opmærksomheden; *T* afledningsmanøvre; *vb* opstalde *(fx cattle)*; (om motor *etc)* få til at gå i stå; (uden objekt) tabe fart, stoppe op, køre fast; gå i stå; *(flyv)* stalle; *S* ikke yde sit bedste, holde igen (af taktiske grunde); nøle, søge at vinde tid; vige uden om; *~ him off* holde ham hen med snak.
stall-feed ['stɔ:ldfi:d] *vb* staldfodre.
stallholder ['stɔ:lhouldǝ] *sb* indehaver af (, sælger i) en bod; markedssælger.
stallion ['stæljǝn] *sb* hingst.
stalls [stɔ:lz] *sb pl (teat)* parket.
stalwart ['stɔ:lwǝt] *adj* kraftig, drabelig, gæv; solid, modig, støt; *sb* kraftkarl; *the -s* (partiets) faste støtter.
stamen ['steimen] *sb (bot)* støvdrager.
stamina ['stæminǝ] *sb* modstandskraft, udholdenhed.
staminate ['stæmineit] *adj: ~ flower* hanblomst.
stammer ['stæmǝ] *vb* stamme, fremstamme.
I. stamp [stæmp] *vb* (med foden) stampe *(fx he -ed with* (af) *rage)*, trampe; (i morter *etc)* knuse, (med stempel) stemple, præge, indpræge, påtrykke, *(tekn)* (ud)stanse, (ud)presse, *(fig)* præge *(fx -ed by* (af) *one's experiences in the war)*, kendetegne *(as* som), *(neds)* stemple *(as* som, *fx his actions ~ him as a coward)*; (om brev) sætte frimærke på, frankere *(fx a -ed and addressed envelope)*, (om dokument, svarer til) sætte stempelmærke på; *~ one's foot* stampe med foden; *~ the floor* stampe i gulvet; *~ out* (om ild) træde ud, trampe ud, slukke (ved at trampe på); *(fig)* undertrykke, slå ned, knuse *(fx a rebellion)*, udrydde *(fx malaria)*.
II. stamp [stæmp] *sb* (med foden) stampen, trampen; (redskab:) stempel; (marke:) stempel, præg, aftryk, *(fig* også) karakter, slags *(fx a man of that ~)*; (til brev) frimærke, (til dokument) stempelmærke; *bear (el. carry) the ~ of (fig)* være præget af, bære præg af.
stamp| act stempellov. **~ album** frimærkealbum. **~ collector** frimærkesamler. **~ duty** stempelafgift.
stampede [stæm'pi:d] *sb* panik, vild flugt; *vb* skræmme på flugt; styrte af sted, (om kvæg) bisse.
stamper ['stæmpǝ] *sb* brevstempler; stempel; stampeværk.
stamp hammer faldhammer.

stamping| ground *T* tilholdssted; yndlingsområde *(fx for discussion)*. **~ mill** stampeværk.
stamp| mill stampemølle. **~ mount** frimærkehængsel. **~ pad** stempelpude.
stance [stæns] *sb* stilling, fodstilling; *(fig)* holdning.
stanch [sta:n(t)ʃ] *vb* standse (blødning); *adj*, se staunch.
stanchion ['sta:nʃ(ǝ)n] *sb* støtte, stiver, stolpe; *(mar)* scepter.
I. stand [stænd] *vb (stood, stood)* stå, henstå, stå stille, (om køretøj) holde (stille); være *(fx ~ ready; he -s six feet; ~ accused of murder)*; (være anbragt:) ligge *(fx the house -s on a hill)*; *(fig)* gælde, stå ved magt *(fx the contract -s)*, (ved valg) stille op, lade sig opstille; (om jagthund) gøre stand; (om tekst) stå, lyde, være affattet; (bevæge sig:) gå, træde *(fx ~ aside)*, *(mar)* stå *(fx out of the harbour)*, holde; (med objekt) stille *(fx ~ the lamp on the table; ~ a ladder against the wall)*; udholde, udstå *(fx I can ~ him but I cannot ~ his wife)*; holde sig *(fx I won't ~ his conduct)*; holde sig *(fx will this colour ~?)* (kunne) tåle *(fx your clothes will not ~ the rain; can you ~ cold?)*; *T* give, traktere med *(fx ~ sby a drink)*;
~ again stille sig til genvalg; **~ alone** stå alene (uden venner); være enestående; **~ apart** stå udenfor, forholde sig reserveret; **~ aside** holde sig tilbage; træde lidt tilbage; trække sig tilbage; **~ away** gå (lidt) væk, fjerne sig (lidt); **~ back** træde (, være, ligge) lidt tilbage; **~ by** stå bi, hjælpe; stå ved, holde *(fx a promise)*; holde sig parat *(el.* klar), være i beredskab; forholde sig passiv; (om skib) holde sig i nærheden; *~ loyally by him* stå trofast ved hans side; **~ down** trække sig tilbage, træde tilbage; *(jur)* forlade vidneskranken; **~ for** støtte, holde på, gå ind for *(fx free trade)*; betyde, symbolisere, repræsentere *(fx Nazism and all that it -s for)*; stille sig som kandidat til, søge valg til *(fx ~ for Parliament)*; *T* finde sig i, tolerere, tåle, tillade; **~ high** *(, ill)* være vel *(,* ilde) anskreven hos; **~ in** stå i, koste *(fx it -s me in a lot of money)*; hjælpe; være stedfortræder; **~ in with** have en høj stjerne hos; være i ledtog med; **~ in with sby in an expense** dele en udgift med en;
~ off holde sig på afstand; *T* afskedige midlertidigt; **~ on** hævde; holde fast ved; henholde sig til; **~ on ceremony** holde på formerne; **~ on one's dignity** holde på værdigheden; **~ on the same course** *(mar)* holde samme kurs; **~ out** rage ud *(el.* frem); springe frem; være øjnefaldende, ses tydeligt; stå fast, holde stand; **~ out for** forsvare; stå fast på, holde på *(fx one's rights)*; **~ over** stå hen; overvåge; **~ to** stå ved *(fx ~ to one's word)*; *to one's guns* ikke svigte sine principper; **~ to** løse *(, win)* have udsigt til at tabe *(,* vinde); **~ up** stå op, rejse sig; stille op, rejse; kunne holde; **~ sby up** *S* brænde en af; **~ up for** gå i brechen for, forsvare; *the clothes I ~ up in* det tøj jeg går og står i; **~ up to** tage kampen op med, gøre front mod, trodse; kunne tåle, kunne stå for; **~ upon = ~ on.**
II. stand [stænd] *sb* standsning, holdt; *(mil.)* (forsvars)kamp, modstand; (på marked, udstilling) stand, stade; (for taxier) holdeplads, *(teat, etc,* ved turné) *T* sted hvor der gives forestilling; ophold; (til orkester, tilskuere) tribune, estrade; (til at sætte noget på el. i) stativ; *(forst)* bevoksning; (ved jagt) post, (hunds) stand; *(am jur)* vidneskranke; *(fig)* standpunkt; *make a ~* gøre modstand, tage kampen op, *(fig)* hævde sin stilling; *one-night ~ (teat etc)* engagement for en aften; **take one's ~** stille sig op; *take one ~ (fig)* støtte sig til, henholde sig til; *come to a ~* gå i stå, gøre holdt.
standard ['stændǝd] *sb* standard, norm, målestok, mønster, *(økon)* møntfod; (til at støtte:) stander, (lygte)pæl, mast, søjle; stativ, stel; (flag:) fane, banner, standart; (i underskole) klasse; *adj* standard; normal- *(fx time)*; mønstergyldig; fast, sædvanlig, stående; **~ English** engelsk standardsprog, normalengelsk, engelsk rigssprog; **~ of comparison** sammenligningsgrundlag; **~ of health** (et lands) sundhedstilstand; *the ~ of living* levefoden; **~ of reference** sammenligningsgrundlag, norm.
standard|-bearer fanebærer; *(fig)* bannerfører. **~ gauge** *(jernb)* normalsporvidde.
standardization [stændǝdai'zeiʃǝn] *sb standardisering*.
standardize ['stændǝdaiz] *vb* standardisere.

standard| lamp standerlampe. ~ **price** enhedspris. ~ **rose** højstammet rose.

stand-by ['stændbai] sb hjælper; hjælp, støtte, hjælpemiddel; adj reserve- (fx engine); indsatsklar (fx personnel); ~ ticket chancebillet.

stand-in ['stændin] sb stand-in, stedfortræder for filmskuespiller under belysningsprøver etc; have a ~ with sby have en høj stjerne hos en.

I. standing ['stændiŋ] sb stilling, rang, anseelse (fx men of high ~), status, position; varighed; a quarrel of long ~ en gammel strid.

II. standing ['stændiŋ] adj stående, stillestående (fx water); blivende; stadig (fx menace); fast (fx rule); ~ army stående hær; ~ committee stående udvalg; ~ corn (, timber) korn (, træ) på roden; ~ joke stående vittighed; ~ jump spring uden tilløb; ~ order stående (el. fast) ordre; ~ orders forretningsorden; reglement; ~ room ståplads; ~ wave stående bølge.

standoff ['stændɔf] sb (am) uafgjort kamp; end in a ~ (fig) køre fast.

stand-offish ['stænd'ɔfiʃ] adj køligt afvisende; reserveret.

stand|patter (am) reaktionær, konservativ. **-pipe** standrør; brandhane. **-point** standpunkt, synspunkt.

standstill ['stændstil] sb stilstand; be at a ~ stå i stampe; holde (, ligge, stå) stille; come to a ~ stå fast, gå i stå.

stand-to ['stændtu:] sb (mil.) T alarmberedskab.

stand-up ['stændʌp] adj opstående (fx collar); stående (fx supper); ~ fight regulært (, forrygende) slagsmål.

stanhope ['stænəp] sb (let åben vogn).

stank [stæŋk] præt af **stink**.

stannary ['stænəri] sb tingrube, tinmine.

stannic ['stænik] adj (kem) stanni-, tin-.

stannous ['stænəs] adj (kem) stanno-, tin-.

stanza ['stænzə] sb vers, strofe.

stanzaic [stæn'zeiik] adj strofisk.

stapes ['steipi:z] sb stigbøjlen (knogle i øret).

I. staple ['steipl] sb (merk) stabelvare, hovedartikel; råstof; (fig) fast bestanddel, hovedbestanddel; (om uld, bomuld) stabel; (hist., merk) stabelplads; adj stabel-, vigtigst, fast; ~ commodity hovedartikel, stabelvare; the ~ topic of conversation det stående samtaleemne.

II. staple ['steipl] sb (u-formet stift:) krampe; (til papir) hæfteklamme; vb (om papir) hæfte sammen.

stapler ['steiplə] sb hæftemaskine.

star [sta:] sb stjerne; (på hest) blis; vb sætte mærke ved; (film, teat) optræde som stjerne, spille hovedrolle; præsentere som stjerne, præsentere i en hovedrolle; the Stars and Stripes stjernebanneret (USA's nationalflag); thank one's -s that takke forsynet (el. skæbnen) for at.

starboard ['sta:bəd] sb styrbord; adj styrbords; vb lægge styrbord; the ~ watch (mar) kongens kvarter.

starch [sta:tʃ] sb stivelse, stivhed; vb stive.

Star Chamber (en 1641 ophævet hemmelig domstol).

starchy ['sta:tʃi] adj stivelsesagtig, stiv; (fig) stiv, stramtandet.

stare ['stɛə] vb stirre, glo (at på), glane; sb stirren; ~ hard stirre stift; ~ sby in the face nidstirre en; it -s you in the face (fig) man kan ikke undgå at se det; det er ikke til at komme uden om; det ligger snublende nær; starvation -d them in the face de stod ansigt til ansigt med sultedøden; make people ~ få folk til at gøre store øjne.

starfish ['sta:fiʃ] sb zo søstjerne.

star|gazer ['sta:geizə] sb (glds) stjernekigger. **-gazing** sb stjernekiggeri; (fig) fantasteri, drømmeri.

staring ['stɛəriŋ] adj stirrende; skærende, stærkt iøjnefaldende, grel; he is stark ~ mad han er splittergal.

stark [sta:k] adj ubetinget; ren og skær (fx brutality); utilsløret; nøgen, bar (fx landscape); grel, skarp (fx contrast); barsk, kras (fx realism); (poet og fig) stærk, stor; adv aldeles; ~ blind helt blind; ~ lunacy det rene vanvid; ~ mad splittergal.

starkers ['sta:kəz] adj S splitternøgen.

stark-naked ['sta:k'neikid] adj splitternøgen.

star|less ['sta:lis] uden stjerner; T mindre kendt filmsstjerne. **-light** sb stjerneskin, stjerneskær; adj stjerneklar. **-like** stjernelignende; lysende som en stjerne. **-ling** zo stær. **-lit** stjerneklar.

starred [sta:d] adj stjernebesået.

starry ['sta:ri] adj stjerneklar; lysende som en stjerne.

starry|-eyed blåøjet, naiv (fx idealist). ~ **ray** zo tærbe (art rokke).

star shell lysgranat.

star-spangled ['sta:'spæŋgld] adj stjernebesat; the ~ banner stjernebanneret (USA's nationalflag).

I. start [sta:t] vb begynde (fx he -ed life in a slum); begynde på, gå i gang med (fx ~ reading); starte (fx a car), sætte i gang (fx ~ the engine; ~ him reading Dickens), hjælpe i gang (, i vej) (fx ~ him in business); give startsignal til (fx a race); (fig) foranledige, give stødet til; komme frem med (fx an idea); få til at (fx it -ed me coughing); (ved jagt: om vildt) jage op; (om maskindel etc) bringe ud af stilling, forrykke, (om søm) løsne; (uden objekt) begynde, opstå; gå i gang, sætte sig i gang (fx the train -ed), starte, (på tur) tage af sted, begive sig på vej (for til); (om maskindel etc) komme ud af stilling, forrykke sig, (om søm) løsne sig, gå løs; (om bog) blive løs i hæftningen; (ved forskrækkelse:) fare sammen (, op, til side); fare (fx back, forward); he -ed (også:) det gav et sæt i ham;

~ a family stifte familie; ~ a hare, se I. hare; his eyes seemed to ~ from their sockets øjnene var ved at trille ud af hovedet på ham (af forbavselse); ~ in T tage fat, gå i gang; ~ off begynde; ~ on tage fat på; ~ on one's own begynde for sig selv; ~ out tage af sted; gå i gang; begynde (sin løbebane); ~ out to sætte sig for at; ~ up fare op; pludselig opstå; sætte i gang, starte (fx an engine); to ~ with til at begynde med; fra først af; for det første.

II. start [sta:t] sb afgang, afrejse, start; begyndelse; påbegyndelse; forspring; (ved væddeløb) startsted; (ved forskrækkelse) sæt, ryk; from ~ to finish fra først til sidst; he gave a ~ det gav et sæt (el. ryk) i ham, han for sammen; give sby a ~ få en til at fare sammen; give en et forspring; give sby a ~ in life hjælpe en i vej; get the ~ of sby få forspring for en, komme en i forkøbet; make a ~ on tage fat på.

starting| gate startmaskine (ved væddeløb). ~ **point** udgangspunkt. ~ **post** startpæl, startsted.

startle ['sta:tl] vb jage op; overraske, forskrække, vække op.

star turn bravurnummer, glansnummer.

starvation [sta:'veiʃən] sb sult; ~ wages sulteløn.

starve [sta:v] vb sulte (ihjel), lide nød; (glds el. dial.) fryse; (med objekt) lade sulte, udhungre, svække; be starving for (fig) hungre (el. tørste) efter. **starved** adj forsulten.

starveling ['sta:vliŋ] sb vantrivning; forsulten (el. forkommen) stakkel; adj forsulten, vantreven.

stash [stæʃ] vb S gemme; standse.

I. state [steit] sb tilstand, stand (fx in an unfinished ~); (socialt:) stilling, rang, stand (fx he was received in a style befitting his ~); (pragt, pomp:) pragt, ceremoniel; (pol) stat; adj stats- (fx control); stads-, galla- (fx dress); the State staten, det offentlige, statsmagten; the States De forenede Stater; in a terrible ~ i en frygtelig forfatning; T ude af sig selv; lie in ~ ligge på lit de parade; receive him in ~ give ham en højtidelig (el. festlig) modtagelse; get into a ~ T blive ophidset (el. nervøs); ~ of grace (rel) nådestand; ~ of nature naturtilstand.

II. state [steit] vb meddele, oplyse (fx he -d that he was a British subject), opgive (fx one's reasons, one's terms), angive (fx the hours -d in the timetable), fremføre (fx one's errand); (ved afhøring) forklare (fx the witness -d that ...), (kategorisk:) konstatere, fastslå (fx I'm merely stating a simple fact), (især officielt:) erklære, udtale (fx the Minister -d that ...), (detaljeret:) fremstille (fx the facts of the case), gøre rede for (fx the problem, a hypothesis).

state| affair statssag, statsanliggende. **-craft** statsmandskunst.

stated ['steitid] adj angiven, fastsat, bestemt (fx at a ~ time).

State Department (am) udenrigsministeriet.

Statehouse (am) parlamentsbygning.

stateless ['steitlis] adj statsløs.

state line (am) grænse (mellem de enkelte stater).

stately ['steitli] adj statelig, anselig, prægtig.

statement ['steitmənt] *sb* meddelelse; opgivelse, angivelse; (ved afhøring) forklaring; (kategorisk:) konstatering; (især officiel:) erklæring, udtalelse; udsagn; (detaljeret:) fremstilling, redegørelse, beretning; *(mus.)* (fremførelse af et) tema; *(merk)* opgørelse; ~ *of account* regnskabsopgørelse, status; **make** *a* ~ fremkomme med en erklæring, fremsætte en udtalelse; (ved afhøring) afgive forklaring; **take** *a* ~ (om politiet) optage forklaring *(el.* rapport); *take -s from* (om politiet) afhøre.

state -registered nurse autoriseret sygeplejerske. **-room** repræsentationslokale; *(mar)* kahyt, kammer; *(jernb)* sove(vogns)kupé. **-side** *adj* amerikansk; i Amerika (ɔ: USA).

statesman ['steitsmən] *sb* statsmand.

statesmanlike *adj* passende for en statsmand.

statesmanship *sb* statsmandskunst.

state visit officielt besøg, statsbesøg.

static ['stætik] *adj* statisk; stillestående.

statics ['stætiks] *sb* ligevægtslære, statik; (i radio) atmosfæriske forstyrrelser.

station ['steiʃn] *sb* station; standplads, stade, sted; *(jernb)* station, banegård; (for bus) holdeplads; (om person) plads, stilling, (socialt:) stand *(fx marry above one's* ~), rang; *(mar etc)* post; *(austr)* fårefarm; *vb* stationere, stille, postere.

stationary ['steiʃənri] *adj* stillestående, stationær, fast, faststående *(fx engine);* blivende; *a* ~ *car* en holdende bil; ~ *wave* stående bølge, standbølge.

stationer ['steiʃnə] *sb* papirhandler; forhandler af kontorartikler.

stationery ['steiʃənri] *sb* skrivematerialer, brevpapir (og konvolutter); *(merk* også) papirvarer; kontorartikler, kontormateriel.

Stationery Office: *Her (, His) Majesty's* ~ (kontor der udgiver officielle publikationer og leverer kontormateriel *etc* til statskontorer; svarer delvis til:) statens trykningskontor.

station master stationsforstander. ~ **wagon** stationcar.

statism ['steitizm] *sb* koncentration af al magt hos staten.

statistical [stə'tistikl] *adj* statistisk.

statistician [stæti'stiʃən] *sb* statistiker.

statistics [stə'tistiks] *sb* statistik.

statuary ['stætjuəri] *sb* billedhugger; statuer, billedstøtter, skulptur; billedhuggerkunst; *adj* billedhugger- *(fx art, marble).*

statue ['stætʃu:, -tju:] *sb* statue.

statuesque [stætju'esk] *adj* som en statue, statuarisk.

statuette [stætju'et] *sb* statuette.

stature ['stætʃə] *sb* statur, højde, vækst.

status ['steitəs; *am* også: 'stætəs] *sb* stilling, position, rang, status; ~ *symbol* statussymbol.

statute ['stætju:t] *sb* lov; statut.

statute -barred *(jur)* forældet *(fx the claim is* ~ *-barred).* ~ **book** lovbog; lovsamling; *the Bill was placed (el. put) on the* ~ *book* forslaget blev ophøjet til lov. ~ **law** (skreven, af parlamentet vedtagen) lov *(mods: common law).*

statutory ['stætjutəri] *adj* lovbefalet, lovmæssig, lovformelig.

staunch [stɔ:n(t)ʃ] *adj* pålidelig, standhaftig, trofast; (om skib) tæt.

stave [steiv] *sb* (tønde)stave; stav, stok; (på stige) trin; (i musik) nodesystem; (i digt) strofe; *vb* forsyne med staver; ~ *in* slå hul i, slå i stykker, slå ind; ~ *off* bortjage; holde på afstand; forhale, afværge.

staves [steivz] *pl* af *staff* og *stave.*

I. stay [stei] *vb* blive *(fx in bed);* opholde sig, bo (især midlertidigt, som gæst) *(fx I don't live here, I'm only -ing);* holde ud; (med objekt) holde ud; *(litt)* standse, hindre, holde tilbage; *(jur)* opsætte, udsætte; (holde oppe:) støtte, stive af, forankre; *(mar)* stagvende (med); ~ *the course* føre løbet til ende, fuldføre løbet, stå distancen; ~ *one's hand* forholde sig afventende; ~ *the night* blive natten over; ~ *one's stomach* (foreløbig) stille sulten; (med *præp, adv)* ~ *away* udeblive, blive borte, ikke komme (i selskab, til møde *etc);* ~ *for* vente på; ~ *in* blive inde, holde sig inden døre; ~ *out* blive ude, ikke komme hjem; blive længere end; ~ *put* blive på sin

plads, blive hvor man er; ~ *up* blive oppe, afstive.

II. stay [stei] *sb* ophold *(fx make a long* ~); **T** udholdenhed; *(jur)* opsættelse, udsættelse *(fx of execution* af (straf)fuldbyrdelse); *(mar)* stag, bardun; (i korset) stiver; *(fig)* støtte; *-s* korset; *miss -s (mar)* nægte at vende; *put a* ~ *on* lægge bånd på.

stay-at-home ['steiəthoum] *sb* hjemmefødning; hjemmemenneske.

stayer ['steiə] *sb* udholdende person *el.* dyr.

stay-in ['stei'in] *adj: a* ~ *strike* strejke hvor arbejderne nægter at forlade arbejdspladsen.

staying power udholdenhed.

staysail ['steiseil; *(mar)* steisl] *sb* stagsejl.

STD *fk subscriber trunk dialling* selvvalg af udenbys samtaler.

stead [sted] *sb* sted; *stand in good* ~ være til god hjælp, komme til god nytte; *in his* ~ i hans sted.

steadfast ['stedfəst, -fɑ:st] *adj* fast, trofast, støt; standhaftig; urokkelig *(fx faith, resolution); look -ly at* se ufravendt på.

steady ['stedi] *adj* stadig *(fx progress);* støt, regelmæssig, jævn *(fx speed);* vedholdende; uafbrudt *(fx a* ~ *flow of talk);* fast *(fx foundation);* (om person) stabil *(fx a* ~ *young man),* rolig, adstadig; besindig; *vb* afstive; berolige; holde stille, holde i ro; (om objekt) blive rolig, falde til ro; blive stabil *(fx prices steadied); vb* **S** kæreste; ~! forsigtig; *(mar)* støt sa! *go* ~ **T** gå sammen fast; komme fast sammen; være forlovede; ~ *on one's legs* sikker på benene.

steak [steik] *sb* (skive kød som er stegt *el.* til at stege) *(omtr)* bøf.

steal [sti:l] *vb (stole, stolen)* stjæle; liste, stjæle sig; ~ *away* liste sig bort; ~ *a glance at* kaste et stjålent blik på; ~ *on* liste sig ind på; ~ *a march on,* se *IV. march.*

stealth [stelθ] *sb: by* ~ hemmeligt, i al stilhed, i smug.

stealthy ['stelθi] *adj* listende, snigende, hemmelig.

steam [sti:m] *sb* damp, em; dunst; dug *(fx windows covered with* ~); *vb* dampe, emme; dunste; dampkoge; *get up* ~ få dampen op, få fart på; blive gal i hovedet; *let (el. blow) off* ~ slippe dampen ud; *(fig)* få afløb for sine følelser, afreagere, give sine følelser luft; *under her (, his etc) own* ~ for egen kraft; *the windows were -ed over* vinduerne var duggede; ~ *up* tildugge(s); sætte gang i; *get -ed up* **T** blive gal i hovedet.

steam bath dampbad. **-boat** dampbåd. ~ **boiler** dampkedel. ~ **engine** dampmaskine.

steamer ['sti:mə] *sb* damper, dampskib; dampkogeapparat.

steamer chair *(am)* liggestol, dækstol.

steam gauge (damp)trykmåler, manometer. ~ **hammer** damphammer. ~ **navigation** dampskibsfart. ~ **navvy** dampgravemaskine. **-roller** *sb* damptromle; *vb (fig)* tromle ned. **-ship** dampskib. ~ **shovel** *(am)* = ~ *navvy.* ~ **table** varmebord. ~ **-whistle** dampfløjte.

steamy ['sti:mi] *adj* dampende, dampfyldt; dugget.

stearic acid [sti'ærik 'æsid] stearinsyre.

stearin ['stiərin] *sb* stearin.

steatite ['stiətait] *sb* steatit, fedtsten.

steatosis [stiə'tousis] *sb* fedtdegeneration.

steed [sti:d] *sb (poet)* ganger.

steel [sti:l] *sb* stål; (til at slibe kniv med) hvæssestål; (i korset) stålstiver; *(poet)* våben, sværd; *vb* belægge med stål, forståle; *(fig)* gøre hard, stålsætte, forhærde.

steel band (orkester der benytter afstemte olietønder som instrumenter). ~ **-clad** pansret, stålklædt. ~ **engraving** stålstik. ~ **pen** stålpen. ~ **tape** stålbånd. ~ **-tape recorder** stålbåndsoptager, telegrafon. ~ **wire** ståltråd. ~ **wool** ståluld.

steely ['sti:li] *adj* stållignende, stålhard.

steelyard ['sti:l]jɑ:d] *sb* bismer (ɔ: slags vægt).

I. steep [sti:p] *adj* stejl, brat; **T** urimelig, skrap *(fx price); sb (poet)* stejl skrænt.

II. steep [sti:p] *vb* blive i blød, udbløde; neddyppe, nedsænke, bade; (i bryggeri) sætte i støb, støbe; *sb* bad, udblødning; (i bryggeri) støbekar, *-ed in (fig)* gennemtrængt af; fordybet i; *the rain* ~ *-ing* tem står og trækker.

steepen ['sti:pn] *vb* blive brat(tere); gøre brat.

steeple ['sti:pl] *sb* kirketårn, tårn (med spir).

steeple chase steeplechase, terrænridt, forhindringsløb.
-jack arbejder der går til vejrs på tårn *el.* høj skorsten, fluemenneske.
I. steer [stiə] *sb* ung stud; *(am* **S)** råd, vink.
II. steer [stiə] *vb* styre; ~ *clear of* styre klar af, *(fig* også) undgå.
steerage ['stiəridʒ] *sb (mar)* tredje klasse, dæksplads.
steerage passengers dækspassagerer.
steerageway ['stiəridʒwei] *sb (mar)* styrefart.
steering committee udvalg der tilrettelægger arbejdet i parlament *el.* ved konference, *(omtr)* forretningsudvalg. ~ **gear** styregrejer, styreapparat, styremaskine; (i bil) styretøj; styrehus. ~ **shaft** styreaksel. ~ **wheel** rat.
steersman ['stiəzmən] *sb (mar)* rorgænger.
I. steeve [sti:v] *sb: the* ~ *of the bowsprit* bovsprydets rejsning.
II. steeve [sti:v] *vb (mar)* stuve.
stein [stain] *sb (am)* ølkrus, lågkrus.
stele ['sti:li] *sb* stele, flad opretstående gravsten.
stellar ['stelə] *adj* stjerne-; stjernebesat; ~ *role (am)* stjernerolle, hovedrolle.
I. stem [stem] *sb* stilk *(fx of a glass); (bot)* stilk; stængel *(fx of a flower);* stamme *(fx of a tree); (gram)* stamme *(fx of a word);* (af pibe) pibestilk, mundstykke; *(mus.)* nodehals; *(mar)* forstavn, stævn; *from* ~ *to stern* fra for til agter.
II. stem [stem] *vb* stemme, opdæmme *(fx the water in a river);* standse *(fx the attack, the blood);* vinde frem mod, arbejde sig op mod *(fx the current); (cf* **I.** *stem)* afstilke; ~ *the current (mar)* stævne strømmen; ~ *from* stamme fra.
stem cell *(biol)* stamcelle.
stench [sten(t)ʃ] *sb* stank; *it is* ~ *in his nostrils* det er ham en vederstyggelighed.
stencil ['stensl] *sb* stencil; skabelon; *vb* stencilere.
stenographer [ste'nɔgrəfə] *sb* stenograf.
stenographic(al) [stenə'græfik(l)] *adj* stenografisk.
stenography [ste'nɔgrəfi] *sb* stenografi.
stentorian [sten'tɔ:riən] *adj:* ~ *voice* stentorrøst.
I. step [step] *sb* skridt (også *fig),* (fod-, danse-)trin; fodspor; gang *(fx a light* ~, *a heavy* ~*);* (ved march) trit, takt *(fx in* ~ *with the others);* (til at træde på:) trin, trappetrin, vogntrin; *(mus.* og *fig:* på skala) trin; *(mar)* spor (hvori en mast hviler); -s *pl* trappe; *a flight of* -s en trappe; et trappeløb; *(pair el. set of)* -s trappestige;
break ~ komme ud af trit; (begynde at) marchere uden trit; ~ *by* ~ skridt for skridt, gradvis; *change* ~ træde om; *a false* ~ et fejltrin; *get one's* ~ *(mil.* **T)** blive forfremmet; *a good* ~ et godt stykke vej; *keep (in)* ~ holde trit; *mind the* ~ pas på trinet; *out of* ~ *with* (også *fig)* ude af trit med; *take -s against* tage forholdsregler imod; *take the first* ~ gøre det første skridt; *take -s to* gøre skridt til at; *tread in his -s* træde i hans fodspor; *watch one's* ~ gå forsigtig til værks; være forsigtig, passe på.
II. step [step] *vb* træde, gå; (med objekt) gå *(fx* ~ *three paces);* skridte af *(fx the length of a room);* udføre (dansetrin); *(mar):* ~ *a mast* sætte en mast i sporet; ~ *aside* træde til side, træde tilbage; ~ *down* træde tilbage (fra embede); *(fig)* nedtrappe, gradvis formindske *(fx the production); (elekt)* nedtransformere; ~ *high* løfte fødderne højt når man går; ~ *in* træde ind *(el.* komme) ind(enfor); *(fig)* skride ind, tage affære; ~ *into* træde ind i; *(fig)* pludselig tiltræde (, opnå); ~ *it* gå; ~ *off* skridte af; ~ *on* it **S** gi' den gas, skynde sig; ~ *out* træde ud, skridte ud, tage længere skridt; skridte af; *(am)* gå ud på sjov; ~ *short* tage et for kort skridt; ~ *up* træde op, træde frem; *(fig)* fremskynde, sætte fart i, intensivere *(fx a campaign),* forcere, forøge *(fx production); (elekt)* optransformere; ~ *up a mast* sætte en mast i sporet; ~ *this way* værsågod at gå *(el.* det er) denne vej.
step brother stedbroder. **-child** stedbarn. **-dance** *sb* step; *vb* steppe. **-daughter** steddatter. **-father** stedfader.
step-ins ['stepinz] damebenklæder; sko der er lige til at stikke i. **-ladder** trappestige. **-mother** stedmoder. ~ **-on can** pedalspand. **-parent** stedfader *el.* stedmoder.
steppe [step] *sb* steppe.
stepping-stone ['stepiŋstoun] *sb* trædesten, vadesten, over-

gangssten; *(fig)* springbræt; *a* ~ *to (fame)* et skridt fremad på vejen til (berømmelse).
step sister stedsøster. **-son** stedsøn.
stere [stiə] *sb* kubikmeter.
stereo ['stiəriou; 'ste-] stereo; *fk stereotype;* stereophonic, *stereophony.*
stereo camera stereokamera. **-chemistry** [-'kemistri] stereokemi. **-graphic(al)** [-'græfik(l)] stereografisk. **-graphy** [-'ɔgrafi] stereografi. **-metric** [-'metrik] stereometrisk. **-metry** [-'ɔmitri] stereometri. **-phonic** [-'fɔnik] stereofonisk *(fx reproduction* gengivelse). **-scope** ['stiəriəskoup] stereoskop. **-scopic** [-'skɔpik] stereoskopisk.
stereo type ['stiəriətaip] *vb (typ)* stereotypere; *sb (typ)* stereotypiplade; (især *sociol)* stereotyp, stereotyp opfattelse, stereotypt billede; kliché. **-typed** *adj* stereotyp, uforanderlig. **-typy** ['stiəriətaipi] *(typ)* stereotypi.
sterile ['sterail] *adj* steril, gold, ufrugtbar; *(fig)* ufrugtbar *(fx controversies),* uproduktiv; åndløs.
sterility [sti'riliti] *sb* sterilitet, goldhed, ufrugtbarhed.
sterlet ['stə:lit] *sb zo* sterlet (art stør).
sterilize ['sterilaiz] *vb* sterilisere.
sterling ['stə:liŋ] *adj* efter britisk møntfod; *(fig)* fuldgod, ægte; helstøbt *(fx character); sb* sterling, britisk mønt; *the* ~ *area* sterlingområdet; ~ *worth (fig)* helstøbthed; *a man of* ~ *worth* et helstøbt (, prægtigt) menneske.
I. stern [stə:n] *adj* streng; barsk; *the* -er *sex* det stærke køn.
II. stern [stə:n] *sb (mar)* hæk, agterende, bagstavn; hale.
stern fast ['stə:nfa:st] *(mar)* agterfortøjning. ~ **light** agterlanterne. **-most** agterst. **-post** agterstævn. ~ **sheets** *pl* agterpligt, agterste tofter.
sternson ['stə:nsn] *sb (mar)* agterstævnsknæ.
sternum ['stə:nəm] *sb (anat)* brystben.
sternutation [stə:nju'teiʃən] *sb* nysen, nys.
sternutator ['stə:njuteitə] *sb* nysegas.
stertorous ['stə:tərəs] *adj* snorkende.
stethoscope ['steθəskoup] *sb* stetoskop.
stethoscopy [ste'θɔskəpi] *sb* stetoskopi.
stevedore ['sti:vidɔ:] *sb (mar)* stevedore.
I. stew [stju:] *sb* fiskedam, fiskepark, østersbassin.
II. stew [stju:] *sb* kød der er kogt over en sagte ild; **T** løg, krydderier *etc (fx Irish* ~*); (omtr)* sammenkogt ret, gryderet; (se også *stews); be in a* ~ **T** være helt fra den, være helt ude af flippen.
III. stew [stju:] *vb* småkoge, snurre (over en sagte ild); **T** svede; være nervøs, være ophidset; *let him* ~ *in his own juice* dyppe ham i hans eget fedt; lade ham tage følgerne af sine dumheder; (se også *stewed).*
steward ['stjuəd] (i husholdning) hushovmester, (i klub *etc)* hovmester, (i institution) intendant, økonom, (på gods) godsforvalter, *(mar)* hovmester, steward; (ved møde *etc)* ordensmarskal.
stewardess ['stjuədis] *sb (mar)* kahytsjomfru; *(flyv)* stewardess.
stewardship ['stjuədʃip] *sb* forvaltning; stilling som forvalter *etc* (se *steward).*
stewed [stju:d] *adj:* ~ *(up)* **S** ophidset, nervøs, ude af flippen; ~ *to the gills* **S** hønefuld; ~ *beef (omtr)* bankekød; ~ *fruit* kompot; ~ *prunes* sveskekompot.
stewpan ['stju:pæn] *sb* kasserolle, stegegryde.
stews [stju:z] *pl (el. pl (glds)* bordel, bordelkvarter.
I. stick [stik] *vb (stuck, stuck)* (med lim:) opklæbe *(fx* ~ *no hills* opklæbning forbudt), klæbe, klistre *(fx a stamp on a letter);* (om noget spidst) stikke *(fx a fork into a potato; one's nose into his affairs);* (putte:) stikke *(fx a letter into one's pocket),* **T** anbringe, sætte *(fx* ~ *it on the shelf);* (tåle:) holde ud *(fx I can't* ~ *that fellow);* (om objekt) klæbe (sammen, fast), klistre *(fig)* hænge ved; blive hængende *(fx the nickname stuck),* sidde fast *(fx the car stuck in the mud);* hænge fast; **T** forblive, holde sig *(fx* ~ *indoors);* the door -s den bunden der; *get stuck* komme i klemme, blive hængende; sidde fast, gå i stå;

~ *around* **T** holde sig i nærheden; ~ *at a job* blive ved et stykke arbejde; ~ *at trifles* hænge sig i bagateller; *he -s at nothing* han viger ikke tilbage for noget; ~ *by* holde fast ved; ~ *down* klistre til; **T** skrive ned; ~ *sby for sth* snyde (, slå) en for noget *(fx* ~ *him for £5); it stuck in* *my throat* det sad fast i halsen; jeg kunne ikke få det ned; (om ytring) jeg kunne ikke få det frem; *(fig)* det var mere end jeg kunne tage, den var mig for stram; ~ *it on* T *(fx* i en regning) forlange høje priser; vigte sig, spille stor; *stuck on sby* S forelsket *(el.* skudt) i en; ~ **out** rage ud *(el.* frem); være iøjnefaldende; være fremstående *(fx his ears* ~ *out);* ~ *it out* T holde (pinen) ud; ~ *one's neck out* S vove sig frem; udsætte sig for ubehageligheder; *it -s out a mile* det kan ses på lang afstand; ~ *out one's tongue* række tunge; ~ **out for** bestemt forlange, stå fast på sit krav om *(fx they stuck out for higher wages);* ~ **to** klæbe ved; *(fig)* holde fast ved *(fx one's purpose);* holde sig til *(fx facts);* ikke svigte *(fx he stuck to his friend);* ~ *to it!* hold ud! bliv ved! ~ *to one's guns,* ~ *to one's opinions* ikke lade sig rokke fra sin overbevisning; ~ *to the point* holde sig til sagen; ~ **together** holde sammen *(fx we must* ~ *together);* ~ **up** stikke op, stritte i vejret; S lave et holdop i; ~ *up a bank* begå bankrøveri (ved at holde personalet op); ~ *'em up!* hænderne op! ~ *sby up* holde en op; ~ *up for* forsvare, gå i brechen for; ~ *up to* T trodse, hævde sig over for; ~ *with* T ikke svigte; ~ *him with (am)* lade ham hænge på *(fx the washing up).*

II. stick [stik] *sb* pind, stok *(fx walk with a* ~*),* kæp; stang *(fx a* ~ *of sealing-wax),* stykke; *(mus.)* taktstok; *(flyv)* styrepind; T stivstikker, dødbider, tørvetriller; fyr *(fx an odd* ~*); the -s* T bondelandet; *he is a regular (el. dry old)* ~ han er en rigtig dødbider; *have a got hold of the wrong end of the* ~ *(fig)* være galt afmarcheret; *get the thick (el. rough) end of the* ~ være den det går ud over; trække det korteste strå; *in a cleft* ~ i knibe; *a* ~ *of bombs (flyv)* en stribe bomber.

sticker ['stikə] *sb* slagterkniv; etiket; ihærdigt udholdende menneske; *(am)* vanskeligt problem.

stick figure tændstikfigur *(ɔ:* tegning).

sticking plaster hæfteplaster.

sticking point yderste grænse; punkt hvorfra man ikke kan komme længere; punkt hvorpå man står fast.

stick insect *zo* vandrende pind.

stick-in-the-mud ['stikinðəmʌd] *adj* kedelig, langsommelig, stokkonservativ; *sb* dødbider, tørvetriller, hængehoved.

stickleback ['stiklbæk] *zo* hundestejle.

stickler ['stiklə] *sb (am)* vanskeligt problem; *be a* ~ *for* lægge umådelig (, overdreven) vægt på, hænge sig i *(fx detail); be a* ~ *for accuracy* være pinlig nøjagtig, kræve pinlig nøjagtighed; *be a* ~ *for etiquette* holde strengt på formerne; *he was a* ~ *for work* han krævede meget arbejde af dem, han lod dem slide i det.

stick| liquorice stanglakrids, engelsk lakrids. ~ **pin** *(am)* slipsnål. **-shift** gulvgear.

stick-up ['stikʌp] *adj* opstående; *sb* holdop *(ɔ:* røveri); ~ *man* revolverrøver.

sticky ['stiki] *adj* klæbrig, klistret; *(fig)* T kedelig, ubehagelig, besværlig, vanskelig, (om person også) kontrær, kværulantisk; *be about to* gøre mange ophævelser; *come to a* ~ *end* S dø en voldsom død; ~ *weather* fugtigvarmt vejr.

I. stiff [stif] *adj* stiv *(fx leg, paste, wind),* (om strøm) strid; *(fig)* hårdnakket *(fx resistance),* bestemt *(fx denial),* (om væsen, holdning) tvungen, stiv *(fx bow).* stram; (ikke let:) anstrengende *(fx climb, walk),* vanskelig *(fx task),* hård *(fx test),* T skrap *(fx examination);* (om pris) ublu, strup; *be bored* ~ være ved at kede sig ihjel; *scared* ~ hundeangst; *keep a* ~ *upper lip* ikke lade sig gå på, holde sig tapper, bide tænderne sammen.

II. stiff [stif] *sb* S lig, kadaver; *carve a* ~ dissekere et lig: *you big* ~ dit store fjols *(el.* skvadderhoved).

stiff-arm ['stifɑ:m] *vb (am)* holde (modstander) fra livet ved at holde armen udstrakt.

stiffen ['stifn] *vb* gøre stiv, stive; afstive; *(fig)* stramme; (uden objekt) stivne, blive stiv; *(fig)* blive fastere; tiltage i styrke.

stiffener ['stifənə] *sb* stiver; *(fig)* opstrammer.

stiff-necked ['stifnekt] *adj (fig)* stivnakket, halsstarrig.

stifle ['staifl] *vb* kvæle; *(fig)* kvæle, undertrykke *(fx a yawn, a revolt),* (om lyd) overdøve *(fx the noise -d his screams);* (uden objekt) kvæles; *sb* knæled (på hest *etc).*

stifled ['staifld] *adj* halvkvalt, undertrykt *(fx sob).*

stigma ['stigmə] *sb* stigma; *(fig* også) skamplet, stempel; *(bot)* støvfang; *(zo)* (insekters) åndehul.

stigmatize ['stigmətaiz] *vb* stigmatisere; *(fig)* brændemærke; *-d as a liar* stemplet som løgner.

stile ['stail] *sb* (ved hegn) stente; (i snedkeri) lodret ramtræ *(el.* ramstykke).

stiletto [sti'letou] *sb* stilet, lille dolk; (redskab:) pren; ~ *heel* stilethæl.

I. still [stil] *adv* endnu; dog; stadig; *(glds)* altid.

II. still [stil] *adj* stille, rolig, tavs; *the* ~ *small voice* samvittighedens røst; ~ *waters run deep* det stille vand har den dybe grund.

III. still [stil] *vb* berolige *(fx a child);* bringe til tavshed; *(fig)* lindre; stille *(fx hunger).*

IV. still [stil] *vb* destillere; *sb* destillationsapparat, destillérkar; brændevinsbrænderi.

V. still [stil] *sb* (af film) still, filmsbillede, udstillingsbillede.

stillage ['stilidʒ] *sb* (tønde)lad, buk; (batteri)stativ; platform.

still|born dødfødt. ~ **life** stillleben (maleri). **-room** brændevinsbrænderi; (til opbevaring af madvarer) viktualierum, *(glds)* fadebur; (ved køkken, *omtr)* tekøkken.

stilt [stilt] *sb* stylte; *zo* stylteløber; (ved brænding af keramik) trefod.

stilted ['stiltid] *adj* opstyltet.

Stilton ['stiltn] ~ *cheese* stiltonost.

stimulant ['stimjulənt] *adj* stimulerende, pirrende; *sb* pirringsmiddel, stimulans, opstrammer.

stimulate ['stimjuleit] *vb* stimulere, pirre.

stimulation [stimju'leiʃən] *sb* stimulering, tilskyndelse.

stimulative ['stimjulətiv] *adj* stimulerende.

stimulus ['stimjuləs] *sb (pl stimuli* [-lai]) spore, drivfjeder, stimulans.

I. sting [stiŋ] *vb (stung, stung)* (om insekt *etc)* stikke; (om nælde, gople) brænde; *(fx* om røg) svie i *(fx the smoke stung his eyes); (fig)* såre; provokere, ophidse; S snyde; *stung by* (også) ramt af *(fx I felt stung by his remark);* pinligt berørt af; pint af, naget af *(fx remorse);* ~ *for* (om penge) snyde for, tage for. slå for; ~ *him into action* vække ham til dåd.

II. sting [stiŋ] *sb* (af insekt) stik; (organ:) brod, (på nælde) brændehår; (følelse:) stik, svie, smerte (som af stik); *(fig)* brod *(fx it took the* ~ *out of his remarks);* skarphed; *the air has a* ~ *in it* luften er skarp.

stinger ['stiŋə] *sb* brod; T bidende replik; svidende slag.

stingray ['stiŋrei] *sb zo* pigrokke.

I. stingy ['stiŋi] *adj* stikkende, skarp.

II. stingy ['stin(d)ʒi] *adj* nærig, gerrig; karrig, kneben.

I. stink [stiŋk] *vb (stank, stunk)* stinke; *it -s* T det er noget elendigt møg; ~ *out* fylde med stank; fordrive med stank; *cry -ing fish* tale nedsættende om sit eget.

II. stink [stiŋk] *sb* stank; *raise (el. make el. create) a* ~ lave et farligt vrøvl.

stinker ['stiŋkə] *sb* stinkpotte; **(S** *fig)* stinkdyr, skiderik; skarpt brev; hundesvær opgave.

stink|horn *(bot)* stinksvamp. **-pot** stinkpotte.

stinks [stiŋks] *sb pl* S kemi.

stint [stint] *vb* holde knapt med, være karrig med; *sb* (tildelt) arbejde (især i mine); *zo* (dværg)ryle; *one's daily (el. day's)* ~ dagens arbejde; *without* ~ rigeligt, med rund hånd.

stipe [staip] *sb (bot)* stængel, stilk.

stipend ['staipend] *sb* gage.

stipendiary [stai'pendjəri] *adj* lønnet; ~ *magistrate* (dommer i politiret).

stipple ['stipl] *vb* stiple, prikke, punktere; (ved maling) duppe; *sb* (om kobberstik) punktérmanér.

stipulate ['stipjuleit] *vb* stille som betingelse, gøre til en betingelse, betinge sig; fastsætte, komme overens om, aftale; ~ *for* betinge sig.

stipulation [stipju'leiʃən] *sb* betingelse, klausul; aftale, bestemmelse, overenskomst.

stipule ['stipju:l] *sb (bot)* akselblad.

I. stir [stə:] *vb* røre *(fx he would not* ~ *a finger to help me),* bevæge, sætte i bevægelse *(fx the wind -red the leaves);* (om væske *etc)* røre i *(fx one's coffee),* røre om, røre op i; udrøre; *(fig)* gribe, betage; ophidse; (uden

objekt) røre (på) sig *(fx he -red in his sleep)*, bevæge sig *(fx not a leaf was -ring)*, være i bevægelse; (om morgenen:) stå op; (i væske) røre (rundt); ~ *his blood* begejstre ham, ophidse ham; ~ *in(to)* røre ud i *(fx ~ flour into milk)*; ~ *him (in)to action* vække ham til dåd; ~ *one's stumps* T få fart på, få gang i støvlerne; ~ *up* røre op, røre sammen; *(fig)* ophidse; vække; fremkalde *(fx a crisis)*; ~ *it with water* udrøre det med vand.
II. stir [stəː] *sb* omrøring; bevægelse; støj, spektakel; *(fig)* røre; ophidselse, oprør; S fængsel; *it created a ~* det vakte røre.
stirabout ['stəːrəbaut] *sb* havregrød.
stirps [stəːps] *sb (pl stirpes* ['stəːpiːz] *(jur)* stamfader.
stirrer ['stəːrə] *sb* rørepind, røreske; *(tckn)* røreapparat, røreværk.
stirring ['stəːriŋ] *adj (fig)* gribende, betagende.
stirrup ['stirəp] *sb* stigbøjle; *(mar)* hest (til trædetov på rå); (ved byggeri) (bjælke)bøjle.
stirrup| cup glas på falderebet, afskedsbæger. ~ **leather** stigrem. ~ **pump** fodpumpe (med bøjle).
I. stitch [stitʃ] *vb* sy; *(bogb)* hæfte; brochere; ~ *up* sy (, ri) sammen; *-ed edges* stukne kanter.
II. stitch [stitʃ] *sb* (i syning) sting; (i strikning) maske; (smerte:) sting (i siden); *he has not done a ~ of work* han har ikke bestilt et slag; *drop a ~* tabe en maske; *he has not a (dry) ~ on* han har ikke en (tør) trævl på kroppen; *in -es* ved at dø af latter; *put a few -es into* sy nogle sting på *(fx a dress)*; *put -es into a wound* sy et sår sammen.
stitchery ['stitʃəri] *sb* syning.
stitchwort ['stitʃwəːt] *sb (bot)* fladstjerne.
stithy ['stiði] *sb (glds)* ambolt, smedje.
stiver ['staivə] *sb* skilling; smule.
St. John ['sindʒən] (efternavn); [sn(t) 'dʒən] evangelisten Johannes; ~ *the Baptist* Johannes Døberen; *-'s wort (bot)* perikon.
St. Luke's summer mild oktober.
stoat [stout] *sb zo* hermelin, lækat.
I. stock [stɔk] *sb* forråd *(fx ~ of knowledge* kundskabsforråd), lager; *(merk)* (vare)lager, oplag; (værdipapirer:) aktier, obligationer, fonds; (maskiner *etc)* materiel *(fx (jernb:) rolling ~)*, *(agr)* (kreatur)besætning, *(bibl)* bogbestand, (af film) arkiv; (til fremstilling af noget:) (rå)materiale, (til papirfabrikation) heltøj, (til bogfremstilling *etc)* papir, (til filmoptagelse) råfilm, (til suppe) kraft, kraftsuppe, afkog; (del af redskab *etc)* skaft *(fx of a whip)*, skæfte *(fx of a gun)*, (af anker) stok, (af ror) stamme, (ved gevindskæring) bakkeholder; klup; (af træ) stamme, (ved podning) grundstamme, underlag, *(fig* om familie) stamme, slægt, æt; race; *(am)* teaterselskab; *(bot)* levkøj; *(glds)* halsbind; *-s pl (mar)* bedding; *(glds)* gabestok; **in** ~ på lager; *keep in* ~ føre (på lager); *out of* ~ ikke på lager, udgået; *be* **on** *the -s (fig)* være på stabelen; være under arbejdelse; **take** ~ gøre lageret op, foretage en vareoptælling, (også *fig)* gøre status; *take* ~ *of sby* tage mål af en; *take* ~ *of the situation* gøre stillingen op; *take* ~ *in* købe aktier i; *(fig)* interessere sig for, stole på, lægge vægt på.
II. stock [stɔk] *adj* som haves på lager *(fx articles)*; *(fig)* stående *(fx remark, argument)*.
III. stock [stɔk] *vb (merk)* føre *(fx we don't ~ that brand)*, have (på lager); forsyne med varer *(fx a shop)*; (om redskab *etc)* skæfte *(fx a gun)*; *(agr)* skaffe besætning til *(fx a farm)*; ~ *land with grass* lægge et areal ud til græs.
stockade [stɔ'keid] *sb* palisade, pæleværk; plankeværk; *(am mil.)* fængsel; *vb* befæste med palisader.
stock|book lagerbog. **-breeder** kvægopdrætter. **-broker** mægler på fondsbørsen, vekselmægler. **-car** *(jernb)* kreaturvogn. ~ **car** skrammelbil; personbil med kraftig motor til væddeløb. **-dove** huldue. ~ **exchange** fondsbørs. **-fish** stokfisk. **-holder** aktionær.
stockinet ['stɔkinet] *sb* trikot.
stocking ['stɔkiŋ] *sb* strømpe; (på hest) sok; *in one's -s, in one's stocking feet (el. stockinged feet)* på strømpefødder.
stock-in-trade ['stɔkin'treid] *sb* lagerbeholdning, varelager; (nødvendigt) værktøj; fast inventar; (standard)udstyr; *(fig)* stående virkemiddel (, virkemidler) *(fx it belongs to*

the actor's ~), *(teat)* teaterklichéer.
stockish ['stɔkiʃ] *adj* afstumpet, stupid.
stockist ['stɔkist] *sb* forhandler.
stock jobber børsmægler. ~ **list** kursliste. **-man** *(agr)* kvægopdrætter; *(austr)* fodermester. ~ **market** fondsmarked.
stockpile ['stɔkpail] *sb* oplagring, forråd, lager; beredskabslager; hamstringslager; *vb* samle forråd (, beredskabslager *etc)*; hamstre.
stock plant moderplante.
stock|raising kvægopdræt. ~ **-still** *adj* bomstille. **-taking** vareoptælling, lageropgørelse. status. **-whip** kortskaftet pisk (til kvæg).
stocky ['stɔki] *adj* tyk. undersætsig, firskåren, tæt; lavstammet.
stockyard ['stɔkjaːd] *sb* kreaturindelukke.
stodge [stɔdʒ] *sb* tung mad; *vb* proppe sig.
stodgy ['stɔdʒi] *adj* tung, ufordøjelig; *(fig)* uinteressant, kedelig.
stoep [stuːp] *sb* (sydafrikansk:) veranda.
stogie, stogy ['stougi] *sb (am)* billig cigar; kraftig sko *(el.* støvle).
stoic ['stouik] *sb* stoiker, stoisk filosof; *adj* stoisk.
stoical ['stouikl] *adj* stoisk.
stoicism ['stouisizm] *sb* stoicisme.
stoke [stouk] *vb* fyre. **stoke|hold, -hole** fyrrum.
stoker ['stoukə] *sb* fyrbøder; (apparat:) stoker.
I. stole [stoul] *sb (rel; hist.)* stola; langsjal.
II. stole [stoul] *præt af steal.*
stolen ['stoulən] *pp af steal.*
stolid ['stɔlid] *adj* upåvirket, upåvirkelig, sløv.
stolidity [stɔ'liditi] *sb* træghed, sløvhed.
stolon ['stoulən] *sb (bot)* udløber.
stoma ['stoumə] *sb (bot)* spalteåbning.
I. stomach ['stʌmək] *sb* mave; *(fig)* appetit; lyst *(for* til); *I have no ~ for fighting* (også) jeg bryder mig ikke om at slås; *on an empty ~* på fastende hjerte; *on a full ~* lige efter et måltid.
II. stomach ['stʌmək] *vb* tåle, fordøje; *(fig)* tåle, finde sig i *(fx he cannot ~ criticism)*; tolerere.
stomach ache mavepine.
stomacher ['stʌməkə] *sb (glds)* brystsmæk.
stomachic [stə'mækik] *adj* mave-; mavestyrkende.
stomach pump mavepumpe.
stomachy ['stʌməki] *adj* mavesvær.
stomp [stɔmp] *vb* T trampe, stampe.
stone [stoun] *sb* sten (også i frugt); ædelsten; *(pl d.s.)* (vægtenhed, især = 14 *lbs)*; *adj* sten-, af sten; *vb* stene; udstene, tage stenene ud af *(fx fruit)*; skure (med en skuresten); *break -s* slå skærver; *(fig)* måtte slide for føden; *leave no ~ unturned* sætte himmel og jord i bevægelse; *leave no ~ standing* ikke lade sten på sten tilbage.
stone|-blind helt blind. ~ **bottle** stendunk. ~ **breaker** stenknuser; skærvelager. ~ **-broke** *(am)* på spanden, flad, uden penge. **-chat** *zo* sortstrubet bynkefugl. ~ **-cold** iskold, helt kold. **-crop** *(bot)* stenurt. ~ **curlew** *zo* triel. **-cutter** stenhugger.
stoned [stound] *adj* S døddrukken; (af narkotika) høj; (af hash) skæv.
stone|-dead stendød. ~ **-deaf** stokdøv. ~ **fly** *zo* slørvinge. ~ **fruit** stenfrugt. **-less** stenfri. ~ **marten** *zo* husmår. **-mason** murer, stenhugger. ~ **pine** *(bot)* pinje. **-'s cast, -'s throw** stenkast (ɔ: afstand). ~ **wall** stenmur; *(fig)* uigennemtrængelig mur; *he can see through a ~* wall han kan mere end sit fadervor. **-wall** *vb* (i kricket: om gærdespiller) spille forsigtigt, spille defensivt; *(parl)* obstruere; forhale (debat). **-ware** stentøj. **-work** murværk (af natursten).
stonk [stɔŋk] *sb (mil.)* S voldsomt bombardement; *vb* beskyde kraftigt.
stony [stouni] *adj* stenagtig, stenet, af sten, hård; ~ *broke* S på spanden, uden penge; ~ *stare* stift stirrende blik.
stood [stud] *præt og pp af stand.*
stooge [stuːdʒ] *sb* en komikers medspiller som 'lægger op' til ham; skive for morsomheder (, latter); *(fig)* T prügelknabe; stikker; underordnet medhjælper, håndlanger, kreatur, marionet; *vb* være medhjælper *(etc)*.
stook [stuk] *sb* trave (af neg).

I. stool [stu:l] *sb* taburet, skammel; (især *glds*) natstol, (især *med.*) (det at have) afføring; *(bot)* træstub, rodskud; S lokkedue, stikker; **~** *of humiliation (el. of repentance)* bodsskammel; *fall between two -s (fig)* sætte sig mellem to stole.

II. stool [stu:l] *vb (bot)* skyde rodskud.

stool pigeon lokkedue; *(fig også)* stikker.

stoop [stu:p] *vb* bøje sig, lude; (om fugl) slå ned, flyve ned; *(fig)* give efter; nedværdige sig, nedlade sig; ydmyge sig; *sb* bøjning, foroverbøjet stilling, luden; (fugls) nedslag; *(am)* veranda.

stooping ['stu:piŋ] *adj* foroverbøjet, ludende, rundrygget.

I. stop [stɔp] *vb* stoppe (op); standse *(fx the car -ped)*, holde *(fx the train -s for five minutes)*, holde stille; gå i stå; holde op, høre op *(fx the noise -ped)*; T gøre ophold; opholde sig, blive *(fx ~ out all night)*; (med objekt) stoppe, standse *(fx a taxi, the noise)*; lukke for *(fx the water)*, afbryde, afskære *(fx supplies)*; holde op med *(fx ~ that nonsense)*; (i løn:) tilbageholde, afkorte, (om check) spærre; (om hul) stoppe *(fx a leak)*, tilstoppe, (om tand) plombere; *(mus.)* udføre greb på; **~** *a bullet*, **~** *a packet (mil.* **S)** komme i vejen for en kugle (ɔ: blive ramt); **~** *a blow* (i boksning) stoppe et stød; T blive ramt af et slag; **~** *a gap* udfylde et hul; **~** *sby's mouth* lukke munden på en; **~** *the way* spærre vejen;

~ *at a hotel* tage ind på et hotel; **~** *at nothing* ikke vige tilbage for noget; *he did not* **~** *at that* han nøjedes ikke med det; **~** *by*, **~** *in (am)* kigge indenfor, se ind (ɔ: besøge); **~** *down the lens (fot)* afblænde; **~** *her from doing it* hindre hende i at gøre det; *he never -s to think* han giver sig aldrig tid til at tænke sig om; **~** *off*, **~** *over* afbryde rejsen; gøre ophold; *£5 was -ped out of his wages* 5 pund blev indeholdt (ɔ: tilbageholdt) af hans løn; **~** *up* tilstoppe; blive oppe (ɔ: ikke gå i seng).

II. stop [stɔp] *sb* standsning, ophør, afbrydelse, pause *(fx ten minutes' ~)*; ophold; (for bus *etc*) stoppested; *(fot)* blænder; *(mus.)* greb; (orgel)register; *(fon)* lukkelyd; *(gram)* skilletegn, interpunktionstegn; *full* **~** punktum; *make a* **~** gå i stå, holde stille; *put a* **~** *to sth* standse noget, sætte en stopper for noget; *come to a* **~** standse, gå i stå.

stop-and-go *adj* (om trafik) som bevæger sig frem i ryk; *(fig* om *økon* politik) som skiftevis bremser og stimulerer den økonomiske aktivitet.

stop|cock stophane. **-gap** stedfortræder, surrogat, nødhjælp; *he invited as a -gap* blive inviteret på afbud. **-over** ['stɔpouvə] *sb* afbrydelse (af rejse); ophold.

stoppage ['stɔpidʒ] *sb* standsning, ophør, afbrydelse; (i løn) afkortning; **~** *of work* arbejdsstandsning.

stopper ['stɔpə] *sb* stopper, prop; *vb* stoppe, tilproppe; *put a* **~** *on* sætte en stopper for.

stopple ['stɔpl] *sb* prop; *vb* tilproppe.

stop|-press (news) sidste nyt. **-watch** stopur.

storage ['stɔ:ridʒ] *sb* oplagring, opbevaring, opmagasinering; (sted:) lagerrum; (afgift:) pakhusleje; se også *cold storage.*

storage| battery akkumulator. **~ organ** *(bot)* ammeorgan. **~ root** *(bot)* ammerod.

store [stɔ:] *sb* forråd, (sted:) magasin, lager, depot; lagerbygning, pakhus, *(am)* butik; *-s pl* stormagasin, varehus; forråd; *vb* opdynge, opbevare, oplagre; opmagasinere; proviantere, forsyne, fylde; *set (el. put) great* **~** *by* værdsætte, sætte højt, sætte stor pris på; lægge megen vægt på; *set (el. put) little* **~** *by* betragte som mindre væsentlig; *in* **~** på lager; *(fig)*: *be in* **~** *for* forestå, vente; *what the future has in* **~** hvad fremtiden bærer i sit skød; *have a surprise in* **~** have en overraskelse i baghånden; **~** *up* opdynge, opbevare.

storefront ['stɔ:frʌnt] *sb (am)* butiksfacade; **~** *church* (sekt)kirke indrettet i tidligere butik.

storehouse ['stɔ:haus] *sb* magasin, pakhus; *a* **~** *of information* (om bog) en guldgrube, et skatkammer; (om person) et levende leksikon.

store|keeper pakhusforvalter, lagerforvalter; *(am)* detailhandler, handlende. **-man** lagerarbejder. **-room** lagerrum, forrådskammer. **-ship** depotskib.

storey ['stɔ:ri] *sb* etage; *one-storeyed* énetages.

storied ['stɔ:rid] *adj* historisk bekendt; sagnomspunden;

udsmykket med historiske billeder. **-storied** -etages.

stork [stɔ:k] *sb zo* stork.

stork's bill *(bot)* tranehals; hejrenæb.

storm [stɔ:m] *sb* uvejr, (orkanagtig) storm; *(fig)* oprør, larm; *(mil.)* storm, stormangreb; *vb* storme, angribe, tage med storm; *(fig)* rase, larme; *a* **~** *in a teacup* en storm i et glas vand; *take by* **~** tage med storm; *a* **~** *of arrows* en regn af pile.

storm|-beaten stormpisket. **-bound** opholdt af storm. **~ centre** stormcentrum; *(fig)* urocentrum. **~ cloud** uvejrssky. **~ cone** stormsignal. **-ing party** *(mil.)* stormkolonne. **~ lantern** flagermuslygte. **~ petrel** *zo* lille stormsvale. **-tossed** stormomtumlet. **~ trooper** S. A.-mand.

stormy ['stɔ:mi] *adj* urolig *(fx weather)*, (også *fig)* stormfuld *(fx meeting).*

stormy petrel *zo* lille stormsvale; *(fig)* stridens *(el.* splittelsens *el.* ufredens) tegn *(fx he became a ~).*

I. story ['stɔ:ri] *sb* se *storey.*

II. story ['stɔ:ri] *sb* historie; fortælling, beretning; anekdote; (i bog, film) handling, intrige; (i avis) historie, artikel; T (løgne)historie; *to make a long* **~** *short* kort sagt; *the* **~** *goes that* der går det rygte at, det fortælles at.

story| book historiebog, samling af fortællinger, eventyrbog. **-teller** historiefortæller; T løgnhals.

stoup [stu:p] *sb (glds)* drikkekar, stob; vievandskar.

stout [staut] *adj* kraftig, korpulent, svær, tyk; (modig:) tapper, standhaftig; *(litt)* hårdnakket *(fx resistance)*; *sb* porter (stærkt øl).

stove [stouv] *sb* kakkelovn; komfur; tørreovn; *vb* ovntørre; S desinficere.

stovepipe ['stouvpaip] *sb* kakkelovnsrør, skorstensrør; **~** *hat* høj hat, 'skorstensrør'.

stow [stou] *vb* pakke (, lægge) ned, (tæt:) stuve ned (, sammen); (om sted) kunne rumme, *(mar)* (om last *etc)* stuve, (om sejl) gøre fast, beslå; **~** *the anchor* surre ankeret; **~** *away (mar)* stuve *(fx the hammocks)*; (om person) rejse som blind passager *(fx he had -ed away to USA)*; **~** *it* S hold op med det vrøvl; klap i.

stowage ['stouidʒ] *sb* stuvning, pakning; lasterum; stuvningsomkostninger.

stowaway ['stouəwei] *sb* blind passager.

strabismus [strə'bizmə s] *sb* skelen.

straddle ['strædl] *vb* skræve; stritte med *(el.* skræve på) benene; *(fig)* være ubeslutsom, støtte begge parter (, synspunkter), bære kappen på begge skuldre; (i poker) fordoble indsatsen; (med objekt) skræve over, sidde overskrævs på; **~** *a target (mil.)* bringe et mål i gaffel, skyde sig ind på et mål.

strafe [stra:f, *(am)*: streif] *sb* bombardement, beskydning (fra luften); T straf; *vb* bombardere, beskyde (fra luften); T straffe, skælde ud.

straggle ['strægl] *vb* strejfe om, gå enkeltvis (, i spredte grupper); vandre sin egen vej; (om planter) brede sig, vokse vildt, forekomme hist og her.

straggler ['stræglə] *sb* efternøler; soldat der er kommet væk *(fx* rømmet) fra sin afdeling; marodør, omstrejfer; *(bot)* vildt skud, forvildet eksemplar; *(glds)* landstryger.

straggling ['stræglin] *adj* uregelmæssig, spredt, vidtløftig; strittende.

straight [streit] *adj, adv* lige, ret *(fx stand ~)*; *(fig)* retlinet, ærlig, hæderlig; lige ud, ligefrem; (om omsvøb; *(am)* ortodoks, partitro; (om spiritus) ublandet, tør *(fx whisky)*; *go (el. keep)* **~** (om staffet person) holde sig på den rette vej; *keep a* **~** *face* bevare alvoren, holde masken; *put* **~** bringe i orden; *are the pictures* **~**? hænger billederne lige? *the* **~** sidste lige strækning af bane; *oplabet; the* **~** *and narrow (path)* den snævre vej, dydens vej; *be c:- the* **~** *o: out of the* **~** skæv.

straight|arm, se *stiffarm.* **-away**, **~ away** *adv* straks, på stående fod. **-edge** *(am)* lineal.

straighten ['streitn] *vb* rette ud, rette op; *(fig)* rette på, bringe i orden; **~** *things out* bringe tingene i orden.

straight fight valgkamp mellem to kandidater.

straightforward [streit'fɔ:wəd] *adj* redelig, ærlig; ligefrem; klar, ligetil.

straight|off **=** **~ away.** **~ part** *(teat)* karakterrolle. **~ tip** staldtip.

straightway ['streitwei] *adv (glds)* straks, fluks.

I. strain [strein] *vb* (om reb *etc*) spænde, stramme; *(med.:* om led *etc*) forstrække *(fx a tendon)*, forvride *(fx one's ankle); (litt)* trykke, knuge; *(fig)* anspænde *(fx every nerve* alle sine kræfter), anstrenge; belaste *(fx it -ed his relations with the Prime Minister);* (for meget:) overanstrenge *(fx one's eyes),* misbruge, trække for store veksler på *(fx his generosity, his patience), (mht* fortolkning) gå meget vidt i sin fortolkning af, gøre vold på *(fx the meaning of a word);* (om væske) si, filtrere; (uden objekt) anstrenge sig;

~ **after** stræbe efter, jage efter; ~ *against* kæmpe imod, stritte imod; ~ **at** hale i; *(fig)* have betænkeligheder ved; ~ *at a gnat and swallow a camel* (bibelsk:) si myggen fra og sluge kamelen; ~ *one's ears* lytte anspændt; ~ *oneself* anstrenge sig voldsomt, gøre en kraftanstrengelse; ~ **out** si fra; ~ *a* **point** ikke tage det så strengt, fravige de strenge principper, gøre en undtagelse.

II. strain [strein] *sb (cf I. strain)* spænding, belastning *(fx the rope broke under the ~);* forstrækning, forvridning; *(fig)* anspændelse, anstrengelse, belastning *(fx physical and mental ~)*, pres; *(tekn)* kraftpåvirkning; (i statik) specifik formforandring.

III. strain [strein] *sb (litt)* herkomst; *(biol:* ved avl) stamme *(fx of bacteria),* sort *(fx of wheat),* race; (mht karakter) træk; anlæg; anstrøg *(fx of cruelty, of selfishness),* hang; *(poet)* tone *(fx the -s of the harp);* melodi; *in another ~ (fig)* i en anden tone; *in the same ~ (fig)* i samme dur, af samme skuffe.

strained [streind] *adj* spændt, i spænd; *(fig)* anspændt, anstrengt; forceret; ~ *relations* spændt forhold.

strainer ['streinə] *sb* si, sigte; filter; *(wire ~)* bardunstrammer.

strait [streit] *sb* (oftest *pl)* -s (snævert farvand:) stræde; *(fig)* forlegenhed, vanskeligheder *(fx financial -s); adj (glds)* stram, snæver; streng, vanskelig; knap.

straiten [streitn] *vb* indsnævre, gøre trangere; *-ed circumstances* trange kår.

strait|jacket spændetrøje. ~ *-laced* ['streit'leist] snæversynet, bornert; snerpet. ~ **waistcoat** spændetrøje.

strake [streik] *sb (mar)* range.

stramonium [strə'mouniəm] *sb (bot)* pigæble; (medicin:) stramoniumblade (middel mod astma).

I. strand [strænd] *sb* strand; *vb* strande; bringe til at strande; *-ed* strandet; *(fig* ogßå) kørt fast *(fx in the snow);* i en håbløs situation, hjælpeløs.

II. strand [strænd] *sb* (i snor) streng, (i tov) dugt, kordel; (af væv) tråde, fiber; (af hår) lok, tjavs; *-ed wire* snoet.

strange [strein(d)ʒ] *adj* underlig, besynderlig, mærkelig; ukendt, fremmed; ~ *to say* underligt nok; *he is ~ to the work* han er ikke fortrolig med arbejdet.

stranger ['strein(d)ʒə] *sb* fremmed; *be a ~ to* være fremmed for, ikke kende noget til; *the little ~* den lille nyfødte; *-s' gallery* (i Parlamentet) tilhørerloge.

strangle ['stræŋgl] *vb* kvæle, kværke; strangulere; *(fig)* undertrykke; tilbageholde *(fx a sob, a sigh).*

stranglehold ['stræŋlhould] *sb (også fig)* kvælertag.

strangles ['stræŋglz] *sb pl* kværke (sygdom hos heste).

strangulated ['stræŋgjuleitid] *adj:* ~ *hernia* indeklemt brok.

strangulation [stræŋgju'leiʃən] *sb* kvælning, sammensnøring, strangulering.

strap [stræp] *sb* strop; rem, (til barberkniv) strygerem; *(tekn)* spændebøjle; (i snedkeri) laske; *vb* prygle med en rem; fastspænde; (om barberkniv) stryge.

straphang ['stræphæŋ] *vb* måtte 'stå op i tog (, sporvogn), 'hænge i stroppen'. **straphanger** *sb* passager der står op.

strap hinge kistehængsel; stabelhængsel.

strapless ['stræplis] *adj* stropløs (om kjole *etc).*

strapped [stræpt] *adj* fastspændt (med en rem); *(am)* i pengetrang.

strapper ['stræpə] *sb* **T** stor tamp.

strapping ['stræpiŋ] *adj* stor og stærk, stout.

strapwork ['stræpwə:k] *sb (arkit)* entrelacs, båndslyng.

strapwort ['stræpwɔ:t] *sb (bot)* skorem.

strata ['stra:tə] *pl af stratum.*

stratagem ['strætədʒəm] *sb* krigslist; puds, kneb.

strategic [strə'ti:dʒik] *adj* strategisk.

strategist ['strætidʒist] *sb* strateg.

strategy ['strætidʒi] *sb* strategi.

strath [stræθ] *sb* (på skotsk) floddal.

strathspey [stræθ'spei] *sb* (en skotsk dans).

stratification [strætifi keiʃən] *sb* lagdannelse, lagdeling.

stratified ['strætifaid] *adj* lagdelt.

stratify ['strætifai] *vb* lagdele; blive lagdelt.

strato- ['strætou] (forstavelse) stratosfære-, som befinder sig (, flyver) i stratosfæren.

stratosphere ['strætəsfiə] *sb* stratosfære.

stratum ['stra:təm] *sb (pl strata)* lag.

strat|us ['streitəs] *sb (pl -i* [-ai]*)* stratus, lagsky.

straw [strɔ:] *sb* strå, halmstrå, halm; (til drik) sugerør; (hat:) stråhat; *(fig): he doesn't care a ~ (el. two -s)* han bryder sig ikke et hak om det; *a ~ in the wind (fig)* en strømpil; *it was the last ~* det bragte bægeret til at flyde over; *catch (el. snatch) at a ~ (el. at -s)* gribe efter el halmstrå; *man of ~* stråmand; (se også *brick).*

straw| ballot prøvevalg. ~ **bed** stråmadras, halmmadras. **-berry** ['strɔ:bri] jordbær; *wild -berry* skovjordbær. **-berry mark** (rødligt) modermærke. **-board** halmpap. ~ **-coloured** strågul. ~ **cutter** hakkelsesmaskine, skærekiste. **-hat** stråhat; sommerteater. ~ **vote** prøvevalg.

stray [strei] *vb* komme bort; forvilde sig; strejfe om; *(fig)* komme på afveje, skeje ud; (om tanker) vandre; *sb* hjemløst el. omstrejfende barn; *strays* (i radio) atmosfæriske forstyrrelser, støj; *adj* omstrejfende, vagabonderende, herreløs *(fx dog);* spredt, tilfældig *(fx a few ~ instances);* vildfarende *(fx bullets);* ~ *currents* (elekt) vagabonderende strømme.

streak [stri:k] *sb* streg, stribe; *(fig)* træk, glimt, antydning, anstrøg *(fx a ~ of cruelty in her character);* *vb* fare (som et lyn); stribe, gøre stribet; ~ *of lightning* lynglimt; *like a ~ (of lightning)* med lynets fart: *have a ~ of luck* have en periode med held, sidde i held.

streaked [stri:kt] *adj* stribet.

streaking ['stri:kiŋ] *sb* **S** nøgenløb.

streaky ['stri:ki] *adj* stribet.

stream [stri:m] *sb* å, vandløb; (også *fig)* strøm; (i underskole *omtr)* 'linie' (ɔ: inddeling efter dygtighed); *vb* strømme; (i vinden) flagre, vifte; (med objekt) lade strømme; (i skole) fordele (elever) i 'linier' efter dygtighed; ~ *of consciousness* bevidsthedsstrøm.

streamer ['stri:mə] *sb* vimpel; (af papir) serpentine; *(am)* avisoverskrift i hele sidens bredde.

streaming ['stri:miŋ] *sb* fordeling af underskolens elever i 'linier' efter dygtighed.

stream|let bæk. **-line** *vb* gøre strømlinet; *(fig)* modernisere, rationalisere. **-lined** strømlinet.

street [stri:t] *sb* gade; *be -s better* stå himmelhøjt over; *in the ~* på gaden; *the man in the ~ (fig)* manden på gaden, menigmand; *not in the same ~ with* ikke på højde med; *into the ~* ud på gaden; *be on (el. walk) the -s* 'trække' (på gaden); *it is not up my ~* det er ikke noget for mig.

street| arab gadeunge. **-car** *(am)* sporvogn. ~ **cleaner** gadefejer. ~ **dealings** *(merk)* efterbørs. **-light** gadelygte. ~ **orderly** gadefejer. ~ **organ** lirekasse. ~ **prices** noteringer på efterbørsen. ~ **sweeper** gadefejer; (gade)fejemaskine. ~ **trading** *(merk)* efterbørs. **-walker** gadepige.

strength [streŋθ] *sb* styrke; kræfter; *in ~* i stort tal, mandstærk; *in full ~* fuldtalligt; *on the ~ of* i kraft af, i tillid til, tilskyndet af; ~ *of mind* karakterstyrke.

strengthen ['streŋθn] *vb* styrke, befæste; blive stærk.

strenuous ['strenjuəs] *adj* ivrig, ihærdig; anstrengende, vanskelig.

stress [stres] *sb* tryk, pres; *(fon)* tryk, betoning, accent *(fx the ~ is* (ligger) *on the first syllable); (fig)* eftertryk; betoning; vigtighed; *(tekn)* belastning; spænding; (materiale)påvirkning; *(med.)* stress; *vb* lægge eftertryk på, betone; lægge vægt på, fremhæve; *lay ~ on* betone, understrege; lægge vægt på; *under ~ of weather* på grund af ugunstigt vejr.

I. stretch [stretʃ] *vb* strække *(fx one's arms);* spænde (ud) *(fx a rope between two posts);* (om sko, handsker) udvide, blokke; (uden objekt) strække sig; ~ *a point* ikke tage det så strengt, fravige de strenge principper, gøre en undtagelse; ~ *the truth* gøre vold på sandheden.

II. stretch [stretʃ] *sb* udstrækning, udspænding; (afsnit *etc)* stykke *(fx a ~ of rope);* (af vej) strækning; (af væddeløbsbane) lige strækning, opløb; (om tid) tidsrum *(fx a ~ of ten years)*; T fængselsstraf; *get a seven ~* få syv år; *six hours* at *a ~* seks timer i træk; *be at full ~* arbejde for fuld kraft; by *a ~ of imagination* hvis man tager fantasien til hjælp; (ofte =) med lidt god vilje; *this is by no* (el. *not by any) ~ of imagination wise* dette kan ikke med den bedste vilje kaldes klogt; *nerves* on *the ~* nerver der er anspændt til det yderste.

stretcher ['stretʃə] *sb* båre; (til billede) blændramme; *(mar)* spændholt; *(arkit)* løber (mursten); S løgn(ehistorie).

stretcher|-bearer portør, sygebærer. ~ **course** *(arkit)* løberskifte. ~ **party** bårehold.

stretch nylon stræknylon.

stretchy ['stretʃi] *adj* (lidt for) elastisk.

stretta ['stretə] *sb (mus.)* tætføring.

strew [stru:] *vb (strewed, strewed el. strewn)* strø, bestrø, udstrø. **strewn** [stru:n] *pp af strew*.

stria ['straiə] *sb (pl. striae* ['straii:]) stribe, fure.

striate ['straiit], **striated** [strai'eitid] *adj* stribet, furet.

stricken ['strikn] *adj* slagen *(fx terror ~* rædselsslagen); ramt *(fx ~ with paralysis)*; hjemsøgt; *~ in years* alderstegen.

strict [strikt] *adj* streng; striks; stram, nøje; udtrykkelig; *-ly* strengt *(etc)*; absolut; *-ly confidential* strengt fortrolig; *-ly speaking* strengt taget.

stricture ['strikt∫ə] *sb* (især *pl -s*) skarp kritik *(on* af), udfald *(on* mod); *(med.)* sammensnøring, (sygelig) forsnævring; *-s* (også:) nedsættende bemærkninger *(on* om); *pass -s on* (også:) kritisere skarpt.

stridden [stridn] *pp af stride*.

I. stride [straid] *vb (strode, stridden)* skride, gå med lange skridt, skridte ud; (med objekt) skræve over; *~ the deck* marchere frem og tilbage på dækket med lange skridt.

II. stride [straid] *sb* (langt) skridt; *make ~s* gøre fremskridt; *take sth in one's ~* klare noget med lethed; *get into one's ~* komme i sving.

strident ['straidnt] *adj* hvinende, skingrende, skinger, skærende.

strife [straif] *sb* strid.

I. strike [straik] *vb (struck, struck)* slå; 'slå i *(fx the table)*, 'slå til; ramme *(fx the ball; he was struck by a stone; the light struck the mountain)*; støde mod, *(mar)* løbe 'på *(fx the ship struck a rock)*; støde på; *(fig)* støde på *(fx difficulties)*, finde *(fx the right road; oil)*; (om person) falde ind *(fx it never struck me before)*; slå, forekomme *(fx it -s me that ...)*; *(mus.* og *fig)* anslå *(fx a note* en tone); (om medalje, mønt) slå, præge; (fjerne, fire ned:) tage ned, stryge *(fx one's flag)*; (uden objekt) slå, ramme; slå 'til, gå til angreb; (om slange) hugge; (om lyn) slå ned; (om plante) slå rod; (om arbejdere: ~ *work)* strejke, gå i strejke; (om bevægelse) gå (i en anden retning) *(fx they struck toward the town)*; (med *adj)* virke *(fx the room struck cold)*;
(forskellige *forb)* it *-s me* as *impossible* det forekommer mig umuligt; *the idea -s me as good* (også) jeg synes ideen er god; *~ a balance*, se *balance*; *~ a* **bargain** slå en handel af, afslutte en handel (, overenskomst); *you could not have struck it* **better** du kunne ikke have truffet det bedre; *~ a* **blow** *for* slå et slag for; *~* **bottom** *(mar)* gå på grund; *~* **camp** bryde op; *the* **clock** *struck* uret slog; *it struck me* **dumb** det gjorde mig målløs; *I was struck all of a* **heap** jeg var himmelfalden; jeg var som forstenet; *the hour has struck* timen er kommen; **how** *does it ~ you?* hvad mener du om det? *~ me dead (el. blind el. pink)* if *... jeg vil lade mig hænge hvis ...*; *~ a* **match** stryge en tændstik; *~* **sail** stryge sejl; *(fig)* give fortabt; *~* **tents** tage teltene ned; *~* **while** *the iron is hot* smede mens jernet er varmt;
(forb med præp og adv) ~ **at**, *~ a blow at* rette et slag imod; 'slå efter; *~ at the root of the evil* angribe ondets rod, søge at komme ondet til livs; *~* **back** slå igen; *~* **down** slå ned; *struck down with ramt* (og gjort hjælpeløs) af *(fx he was struck down with insanity)*; *~* **in** (om sygdom) slå ind; (om musik og sang) falde ind; *he struck in with a remark* han afbrød med *(el.* indskød) en bemærkning; *~ a knife* **into** *sby's heart* støde en kniv i ens hjerte; *~* **terror** *into sby* indjage én skræk; *~ into the*

field dreje ind på marken; *~* **into** *a gallop* slå over i galop; *~* **off** hugge af; stryge *(fx ~ a name off a list)*; *(typ)* trykke *(fx a hundred copies)*; *~* **out** lange ud; slå ud; begynde; stryge *(fx a word)*; udkaste, skabe; *~* **out** *for* sætte kursen mod; *~* **up** istemme, begynde, sætte 'i med, spille op; *~ up a conversation with* indlede en samtale med; *~ up a friendship with* slutte venskab med.

II. strike [straik] *sb* slag; (om arbejdere) strejke. arbejdsnedlæggelse; *(flyv)* luftangreb; (af mønter) prægning; *(am)* (olie)fund; *(geol)* strygning; *lucky ~ (am)* rigt olie-*(el.* malm-)fund; lykketræf.

strike|bound strejkeramt. **-breaker** strejkebryder. ~ **pay** strejkeunderstøttelse.

striker ['straikə] *sb: a ~* en strejkende.

striking ['straikiŋ] *adj* slående, påfaldende; *~ force* slagstyrke; *~ power* slagkraft; *~ surface* strygeflade.

I. string [striŋ] *sb* sejlgarn, snor, streng, bånd; *(fig)* (lang) række; (på trappe) vange; *(mus.)* streng; *the -s* (i orkester) strygerne; *have two -s to one's bow (fig)* have flere strenge på sin bue, have mere end én udvej; *there are no -s to the offer* T der er ikke knyttet nogen betingelser til tilbudet; *~ of pearls* perlekæde, perlekrans, perlerække; *have him on a ~* have krammet på, have ham i sin hule hånd; *pull the -s* trække i trådene.

II. string [striŋ] *vb (strung, strung)* sætte streng(e) på, spænde, stemme; trække på snor *(fx beads)*; ribbe *(fx beans)*; *~ along* snyde, holde for nar; *~ along with* følge trofast; samarbejde med; *~ out* spænde ud; trække ud; danne en lang række; *~ up* klynge op; spænde, stemme, anspænde; se også *strung*.

string| bag indkøbsnet. ~ **band** strygeorkester. ~ **bean** snittebønne. **-board** (trappe)vange. **-course** *(arkit)* frise (på bygning).

stringency ['strin(d)ʒnsi] *sb* strenghed, stramhed.

stringent ['strin(d)ʒnt] *adj* streng *(fx instructions)*, stram *(fx money market)*; (om tænkning) stringent.

stringer ['striŋə] *sb* (i tømmerkonstruktion) langstrø; (i trappe) vange; *(mar, flyv)* stringer; (ved avis) journalist på linebetaling.

string quartet strygekvartet.

stringy ['striŋi] *adj* trævlet; senet; sej.

I. strip [strip] *vb* trække af, rive af, skrælle (af), flå (af); fjerne; *(mht* tøj) trække af; klæde af; *(mil.* om kanon) demontere; *(tekn* om skrue) skrue over gevind; (uden objekt) klæde sig af, (om striptease) strippe; *~ a cow* eftermalke en ko, malke en ko ren; *~* **down** (om maskine) skille ad; *~ down a wall* fjerne gammel maling *etc* fra en væg; *~* **of** tømme for; (om person) fratage, berøve; *-ped of* (også:) ribbet for; *-ped* **to** *the waist* med nøgen overkrop.

II. strip [strip] *sb* strimmel; *(comic ~)* tegneserie; *tear a ~ off sby, tear sby off a ~* S skælde en læsterligt ud, give en et møgfald; *tear to -s* rive i stykker.

strip cartoon tegneserie.

stripe [straip] *sb* stribe; strime; *(mil.)* (distinktions)snor; vinkel; *(am, fig)* type, slags; *(glds)* rap, slag; *vb* gøre stribet; *get one's -s* blive forfremmet fra menig til underofficer; *lose one's -s* blive degraderet.

striped [straipt] *adj* stribet.

strip|light *(teat)* rampe, (i sceneloft) herse, herde. **-lighting** oplysning med lysstofrør.

stripling ['striplin] *sb* ungt menneske, grønskolling.

stripper ['stripə] *sb* striptease-artist.

striptease ['stripti:z] *sb* striptease, afklædningsscene (i varietéforestilling *etc)*.

strive [straiv] *vb (strove, striven)* stræbe, tragte *(for, after (, to)* efter (, efter at)); anstrenge sig *(to* for at); *(glds)* strides, kæmpe.

striven [strivn] *pp af strive*.

strode [stroud] *præt* (og *glds pp)* af *stride*.

I. stroke [strouk] *sb* slag; (med økse, sværd) hug; (i billard) stød; (åre-, svømme-) tag; (med bue, pensel) strøg; (i skrift) pennestrøg, skrift skrifttræk; *(typ)* skråstreg; *(med.)* slagtilfælde; (se også *stroke oar)*; *give the finishing ~* to lægge sidste hånd på; *~ of genius* genialt træk, genialt indfald; *~ of grace* nådestød; *on the ~ of ten* på slaget ti, præcis klokken ti; *~ of luck* held; slumpetræf; *~ of wit* åndrighed; *he has not done a ~ of work* han har ikke rørt en finger; *length of ~ (tekn)* slaglængde.

II. stroke [strouk] *vb* klappe, glatte, stryge; (i roning) ro tagåren; *~ down* formilde; *~ out* slette; *~ one's t's* sætte streg gennem t'erne; *~ the wrong way* stryge mod hårene; irritere.

stroke oar tagåre (den agterste åre i kaproningsbåd); agterste roer.

stroll [stroul] *vb* strejfe om, slentre, vandre, spadsere; *sb* tur.

stroller ['stroulə] *sb* landstryger; omrejsende skuespiller; *(am)* klapvogn.

strolling ['strouliŋ] *adj* omvandrende, omrejsende; *~ company* omrejsende skuespillerselskab.

strong [strɔŋ] *adj* stærk, kraftig, mægtig; ivrig; skarp; befæstet; *an 18-strong orchestra* et 18-mands orkester; *an army 10,000 ~* en hær på 10.000 mand; *a ~ candidate* en sikker kandidat; *~ language* banden, eder, voldsomme udtryk; *~ meat (fig)* kraftig kost, hård kost; *one's ~ point (el. suit)* ens stærke side; *still going ~* stadig i fuld vigør; *~ suit* (i kortspil) stærk farve.

strong-arm *(am* T) *adj* som bruger vold, voldelig, volds-; *vb* bruge voldsmetoder over for; *~ man* S muskelmand, gorilla; *~ method* voldsmetode, voldsomme metode.

strong | **box** pengeskab; pengekasse. *~ **gale** (meteorol)* storm. **-hold** fæstning; *(fig)* højborg, fast borg. *~* **-minded** viljestærk, resolut. energisk. **-point** *(mil)* støttepunkt, befæstet stilling. *~* **point** se *strong.* **-room** boks. *~* **suit** se *strong.*

strontium ['strɔnʃiəm] *sb* strontium.

strop [strɔp] *vb* stryge (en kniv); på strygerem.

strophe ['stroufi] *sb* strofe. **strophic** ['strɔfik] *adj* strofisk.

strove [strouv] *præt af strive.*

strow [strou] *vb (strowed, strowed el. strown) (glds)* strø, sprede.

struck [strʌk] *præp* og *pp* af *strike; adj (am)* strejkeramt; *~ on* T varm på, betaget af.

structural ['strʌktʃrəl] *adj* bygnings- *(fx steel); strukturel (fx linguistics).*

structure ['strʌktʃə] *sb* bygningsmåde; bygning; opbygning, struktur.

struggle ['strʌgl] *vb* kæmpe; slide; kæmpe sig *(fx through); sb* anstrengelse, kamp; *~ to one's feet* rejse sig tungt og besværligt; *~ with* ase med, bakse med; *the ~ for existence* kampen for tilværelsen.

strum [strʌm] *vb* klimpre; *sb* klimpren; (i guitarspil) spillemåde (anslag).

struma ['stru:mə] *sb (med.)* struma.

strumpet ['strʌmpit] *sb* tøjte, skøge.

strung [strʌŋ] *præt* og *pp* af *string; strung up* overnervøs; overspændt; *highly ~,* se *highstrung.*

I. strut [strʌt] *vb* spankulere, stoltsere; (med objekt) skilte med; *sb* spanken, knejsen.

II. strut [strʌt] *sb* afstive; *sb* stiver, stræber.

strychnine ['strikni:n] *sb* stryknin.

Stuart ['stjuət].

stub [stʌb] *sb* (af træ) stub; *(am)* stump; T skod; (i checkhæfte *etc*) talon; *(bogb)* fals; *vb* rydde, opgrave, optage; *~ one's toe* støde sin tå; *~ out a cigarette* slukke *(el.* skodde) en cigaret.

stubber ['stʌbə] *sb* cigaretslukker.

stubble ['stʌbl] *sb* stubbe, skægstubbe, kornstubbe.

stubborn ['stʌbən] *adj* hårdnakket, stædig, genstridig; hård, vanskelig at bearbejde.

stubby ['stʌbi] *adj* kort og stiv; lille og tyk.

stucco ['stʌkou] *sb* stuk, stukkatur; *vb* gipse, dekorere med stukkatur.

stuck [stʌk] *præt* og *pp* af *stick; he ~ on* S være forelsket i, være varm på.

stuck-up [stʌk'ʌp] *adj* hoven, vigtig, storsnudet.

I. stud [stʌd] *sb* bredhovedet søm; færdselssøm; (beslag, *fx* på støvle) søm, knop, dup; *(tekn)* tap, tapskrue. pindbolt, stiftskrue; (i byggeri) oplæner, leder; (til skjorte) kraveknap, dobbeltknap; *vb* beslå med søm.

II. stud [stʌd] *sb* stutteri, heste.

stud | **bolt** tapskrue. *~* **book** stambog (for dyr). *~* **bull** avlstyr.

studded ['stʌdid] *adj: ~ with* oversået *(el.* overstrøet *el.* besat) med.

studding sail ['stʌdiŋseil, 'stʌnsl] *(mar)* læsejl.

student ['stju:d(ə)nt] *sb* studerende, student; elev; forsker, gransker.

student | **nurse** sygeplejeelev. **-ship** stipendium. *~* **teacher** lærerstuderende.

stud farm stutteri.

studied ['stʌdid] *adj* lærd, belæst; omhyggeligt forberedt, velovervejet *(fx plot);* tilstræbt, tilsigtet, bevidst *(fx insolence).*

studio ['stju:diou] *sb* atelier; (radio- *etc)* studie.

studious ['stju:djəs] *adj* flittig, opmærksom, omhyggelig; (se også *study).*

I. study ['stʌdi] *sb* studium; studier *(fx a life devoted to ~);* (i kunst) studie *(of, for* til), udkast *(of* til), *(litt)* studie *(of* i, over), (forskningsarbejde:) undersøgelse *(of* af); *(mus.)* étude; (rum:) arbejdsværelse, studereværelse; *(glds)* bestræbelse; *(teat):* be a quick *(, slow) ~* være hurtig (, langsom) til at lære en rolle; *his face was a ~* hans ansigt var et studium værd; *in a (brown) ~* i dybe tanker, i sine egne tanker; *make a ~ of* foretage en undersøgelse af, undersøge, studere; *he made a ~ of, his ~ was to (glds)* han bestræbte sig på (at).

II. study ['stʌdi] *vb* studere, læse *(fx law);* (granske:) studere, undersøge; *(teat)* indstudere; *~ out* finde ud af, udtænke; *~ to* bestræbe sig på at; *~ one's own comfort* pleje sin magelighed; *~ one's own interests* pleje sine egne interesser.

I. stuff [stʌf] *sb* stof, materiale; (tekstil:) stof, tøj; (i papirfabr) papirmasse; *(fig)* sager, ting, ejendele; *(neds)* skrammel, ragelse; sludder; S hash; *that's the ~* to give them T det er sådan de skal have det; *doctor's ~* medicin; *green ~* grønsager; *~ and nonsense* sludder og vrøvl; *do your ~* S lad det så blive til noget, lad os så se hvad du kan; *know one's ~* kunne sit kram.

II. stuff [stʌf] *vb* stoppe, proppe *(fx ~ oneself with food);* (om dyr) udstoppe; (madlavning: om fjerkræ) fylde, farsere; S *(vulg)* 'knalde', kneppe; (uden objekt) fylde sig, guffe i sig *(fx he is always -ing); get -ed!* S rend og hop! *~ oneself* overfylde sig med mad; *~ up* tilstoppe.

stuffed shirt T opblæst nar.

stuffing ['stʌfiŋ] *sb* polstring(smateriale), fyld; (til fjerkræ) fars; *(fig)* fyldekalk; *knock the ~ out of* banke, slå; tage pippet fra; pille ned.

stuffing box *(tekn)* pakdåse.

stuffy ['stʌfi] *adj* indelukket, beklumret, trykkende; (om person) T stiv, kedelig; snerpet, bornert.

stultify ['stʌltifai] *vb* latterliggøre, gøre nar af; desavouere; gøre meningsløs; *~ oneself* være inkonsekvent i tale *el.* handling, slå sig selv på munden.

stum [stʌm] *sb* ugæret *el.* letgæret druesaft.

stumble ['stʌmbl] *vb* snuble, træde fejl; *(fig)* begå en fejl, fejle; *sb* snublen; *(fig)* fejltrin, fejl; *~ across (el. upon)* falde over, tilfældigt opdage; *~ along* stolpre af sted; *~ at* snuble over; *(fig)* studse ved; gøre sig skrupler over.

stumbling block anstødssten, vanskelighed.

stump [stʌmp] *sb* stump; (af træ) stub, stød; (til tegning) tegnestup; (i kricket) gærdepind; *vb* humpe; (i kricket) slå ud; *(fig)* T gøre perpleks, forvirre, sætte til vægs; *take the ~, go on the ~* (især *am)* holde valgtaler, deltage i valgagitation; *stir your -s!* T få fart på! flyt skankerne! *~ the country* (især *am* T) rejse landet rundt og holde valgtaler; *~ up* T rykke ud med, betale; punge ud.

stumped [stʌmpt] *adj* ude af spillet, slået ud; *(fig)* T paf, sat til vægs; *he was ~ by that* det kunne han ikke klare; *he ~ for* være i knibe for *(fx an answer).*

stumper ['stʌmpə] *sb* (i kricket) stokker, gærdespiller; *(fig)* hård nød (ɔ: vanskeligt spørgsmål *etc).*

stump speeches valgtaler.

stumpy ['stʌmpi] *adj* stumpet, stubbet; kort og tyk *(fx fingers);* (om person også) undersætsig.

stun [stʌn] *vb* bedøve, lamme; *(fig)* T gøre fortumlet, overvælde, tage pippet fra; *sb* bedøvelse, fortumlet tilstand.

stung [stʌŋ] *præt* og *pp* af *sting.*

stunk [stʌŋk] *pp* af *stink.*

stunner ['stʌnə] *sb* T pragteksemplar; bedøvende slag.

stunning ['stʌniŋ] *adj* bedøvende; *(fig)* T overvældende, fantastisk, pragtfuld.

I. stunt [stʌnt] vb forkrøble, hæmme i væksten (el. i udviklingen).

II. stunt [stʌnt] sb kunst(stykke), trick, (glans)nummer; særlig anstrengelse, kraftpræstation; vb foretage kunstflyvninger; gøre kunster.

stunt man stuntman, akrobat der udfører særlig farlige tricks i film (i stedet for skuespiller).

stupe [stju:p] sb varmt omslag.

stupefaction [stju:pi'fækʃən] sb bedøvelse; bestyrtelse.

stupefy ['stju:pifai] vb bedøve; forbløffe.

stupendous [stju'pendəs] adj vældig, formidabel, forbløffende.

stupid ['stju:pid] adj dum, dorsk, sløv, kedelig.

stupidity [stju'piditi] sb dumhed; sløvhed.

stupor ['stju:pə] sb bedøvelsestilstand; sløvhed.

sturdy ['stə:di] adj robust, stærk, kraftig, fast; (om egenskab) djærv, beslutsom; (bot) hårdfør; sb drejesyge (hos får).

sturgeon ['stə:dʒən] sb zo stør.

stutter ['stʌtə] vb hakke, stamme; sb stammen.

St. Vitus's [sənt'vaitəsiz] ~ dance Sankt Veitsdans.

I. sty [stai] sb (også fig) svinesti.

II. sty, stye [stai] sb (med.) bygkorn (på øjet).

Stygian ['stidʒiən] adj stygisk.

I. style [stail] sb stil, (i kunst også) stilart, (litt også) skrivemåde, manér; (mht tøj) mode; (slags etc) type (fx a new ~ of lampshade), slags; måde, form (fx ~ of life livsform, ~ of address tiltaleform); (ved henvendelse også) titel, titulatur, (merk om firma) firmanavn; (mht kalender) stil, tidsregning; (hist., skriveredskab) stylus, stift; (bot) griffel; (på solur) viser; in ~ flot; med manér; do things in ~ flotte sig; live in ~ føre et stort hus.

II. style [stail] vb titulere, tiltale; benævne, betegne; tegne, formgive.

stylet ['stailit] sb lille dolk, stilet.

stylish ['stailiʃ] adj moderne, flot, chik, elegant; stilfuld.

stylist ['stailist] sb stilist; formgiver, modetegner.

stylite ['stailait] sb søjlehelgen.

stylize ['stailaiz] vb stilisere.

stylus ['stailəs] sb safir(stift) el. diamant(stift) (til pickup); (hist.) stylus.

stymie ['staimi] sb (i golf) det at en modspillers bold ligger i vejen; vb (fig) lægge hindring i vejen for, hindre, standse, komme på tværs af.

styptic ['stiptik] sb blodstillende middel.

Styria ['stiriə] Steiermark.

suable ['s(j)u:əbl] adj som kan sagsøges.

suasion ['sweiʒən] sb (litt) overtalelse.

suasive ['sweisiv] adj (litt) overtalende.

suave [swa:v] adj sød, blid; (om person) (facilt) elskværdig, forekommende, forbindtlig; (om vinsmag) rund.

suavity ['swa:viti] sb blidhed, forekommenhed.

I. sub [sʌb] vb give (, få) forskud; ~ for vikariere for, træde i stedet for.

II. sub fk subaltern; submarine boat; subscription; subeditor; substitute; T forskud.

sub- [sʌb] (forstavelse) under- (fx committee); sub ; næsten.

subacid ['sʌb'æsid] adj syrlig.

subaltern ['sʌbltən] sb officer under kaptajnsrang; adj lavere; underordnet.

subaquatic [sʌbə'kwætik], **subaqueous** [sʌb'eikwiəs] adj undersøisk, undervands-.

subatomic ['sʌbə'tɔmik] adj subatomar (fx particles).

subaudition [sʌbɔ:'diʃən] sb underforståelse.

subbranch ['sʌb'bra:nʃ] sb (mindre) filial.

subconscious ['sʌb'kɔnʃəs] adj underbevidst.

I. subcontract ['sʌb'kɔntrækt] sb underentreprise.

II. subcontract ['sʌbkən'trækt] vb give (, tage) i underentreprise.

subculture ['sʌb'kʌltʃə] sb subkultur; (i bakteriologi) opformering, overpodning.

subcutaneous ['sʌbkju'teinjəs] adj subkutan, under huden.

sub deb ['sʌb'deb], **subdebutante** ['sʌbdəbju'ta:nt] sb (am) ung pige, der snart skal debutere i selskabslivet.

subdivide ['sʌbdi'vaid] vb underinddele, dele igen (i mindre dele). **subdivision** ['sʌbdiviʒən] sb underinddeling; underafdeling.

subdue [səb'dju:] vb betvinge, kue, undertrykke; (om farve, lyd) dæmpe. **subdued** [səb'dju:d] adj kuet; dæmpet, stilfærdig.

subedit ['sʌb'edit] vb være redaktionssekretær ved; (om manuskript) gøre trykfærdigt.

subeditor ['sʌb'editə] sb redaktionssekretær.

subereous [s(j)u'biəriəs] adj korkagtig.

suberize ['s(j)u:bəraiz] vb forkorke.

suberose ['su:bərous] adj korkagtig.

subfusc ['sʌbfʌsk] adj mørk tøj; adj mørk (af farve), afdæmpet, diskret; S ubetydelig, trist.

subgrade ['sʌb'greid] sb undergrund, fundament.

subheading ['sʌb'hediŋ] sb (i avis) underrubrik; (typ.) undertitel; (i register) underordnet indførsel (, emneord).

subhuman ['sʌb'hju:mən] adj laverestående, næppe menneskelig, næsten dyrisk; næsten menneskelig.

subj. fk subject, subjunctive.

subjacent [sʌb'dʒeisnt] adj underliggende, lavere liggende.

I. subject ['sʌbdʒikt] sb genstand (fx for pity); (for diskussion, bog etc) emne, tema, (i kunst, fot) motiv, (mus. i sonateform) tema; (i undervisning) fag; (gram, filos) subjekt; (om person: ved forsøg) forsøgsperson, (ved dissektion) lig, (mht sygdom) patient (fx a gouty ~ en podagrapatient); (pol) statsborger (fx a Danish ~), undersåt; on the ~ of angående, vedrørende; while we are on the ~ of mens vi taler om.

II. subject [səb'dʒekt] vb underkaste, undertvinge; ~ to underkaste (fx cross-examination), gøre til genstand for, udsætte for (fx criticism).

III. subject [səb'dʒekt] adj undergiven, undertvungen (fx a ~ race); ~ to underlagt; underkastet, undergivet (fx the law); tilbøjelig til (fx headaches); udsat for (fx ridicule); på betingelse af, under forudsætning af (fx your approval).

subject| heading ['sʌbdʒikt-] emneord. **~ index** emneregister, sagregister.

subjection [səb'dʒekʃən] sb underkastelse, undertvingelse.

subjective [səb'dʒektiv] adj subjektiv.

subjectivity [sʌbdʒik'tiviti] sb subjektivitet.

subject matter ['sʌbdʒikt-] emne, stof, motiv, indhold; the ~ of the action (jur) sagens genstand.

subjoin ['sʌb'dʒɔin] vb tilføje, vedføje.

subjugate ['sʌbdʒugeit] vb undertvinge, kue.

subjugation [sʌbdʒu'geiʃən] sb undertvingelse.

subjunctive [səb'dʒʌŋ(k)tiv] sb (gram) konjunktiv.

sublease ['sʌb'li:s] sb vb fremleje.

sublet ['sʌb'let] vb fremleje, (om arbejde) give i underentreprise.

sublieutenant ['sʌble'tenənt] sb søløjtnant af 2. grad.

sublimate sb ['sʌblimit] sublimat; vb ['sʌblimeit] sublimere.

sublimation [sʌbli'meiʃən] sb sublimering.

sublime [sə'blaim] adj ophøjet, ædel, sublim; T mageløs; vb ophøje, forædle; blive ophøjet, blive forædlet; The Sublime Porte (hist) Den høje Port (i Tyrkiet).

subliminal [sʌb'liminəl] adj underbevidst; under bevidsthedstærskelen; ~ advertising reklame der prøver at påvirke publikums underbevidsthed (fx ved at vise navne i korte glimt på TV-skærm etc).

sublimity [sə'blimiti] sb ophøjethed, ædelhed.

subliterary ['sʌb'litərəri] adj underlødig.

sublunary ['sʌb'lu:nəri] adj jordisk.

submachine gun (mil.) maskinpistol.

submarine [sʌbmə'ri:n] adj undersøisk, undervands-; sb undervandsbåd.

submarine chaser ubådsjager.

submerge [səb'mə:dʒ] vb få synke under vandet; oversvømme; (om undervandsbåd) dykke; (fig) forsvinde, drukne; the -d tenth de dårligst stillede i samfundet, samfundets stedbørn.

submergence [səb'mə:dʒəns] sb nedsænkning, oversvømmelse.

submersible [səb'mə:səbl] adj som kan fungere under vand; undervands-.

submersion [səb'mə:ʃən] sb det at sætte under vand, oversvømmelse; neddykning.

submicroscopic ['sʌbmaikrə'skɔpik] adj submikrokopisk, som ikke kan iagttages i et almindeligt mikroskop.

submission [səb'miʃən] sb (cf submit) underkastelse, underdanighed, lydighed; forelæggelse; teori, forslag; på-stand.

submissive [səb'misiv] *adj* underdanig, ydmyg, lydig.

submit [səb'mit] *vb* underkaste sig; (med objekt) fore-lægge, fremsende, indsende; hævde, henstille; *I ~ that* (også) jeg vil tillade mig at hævde at; *~ one's case for judgment* indlade sin sag til doms; *~ to* underkaste sig, bøje sig for, finde sig i; *~ oneself to* underkaste sig.

subnormal ['sʌb'nɔ:ml] *adj* som er under normalen *(fx temperature)*; *(educationally ~)* svagt begavet, psykisk udviklingshæmmet.

suborder ['sʌb'ɔ:də] *sb* (i klassifikation) underorden.
I. subordinate [sə'bɔ:dinit] *adj* underordnet; undergiven; *~ clause* bisætning.
II. subordinate [sə'bɔ:dineit] *vb* underordne.

subordination [səbɔ:di'neiʃən] *sb* underordning, subordina-tion, underordnet forhold.

suborn [sʌ'bɔ:n] *vb* bestikke; forlede (især til at afgive falsk forklaring for retten), underkøbe.

subornation [sʌbɔ:'neiʃən] *sb* bestikkelse, forledelse, under-køb.

subplot ['sʌb'plɔt] *sb* bihandling, sidehandling.

subpoena [səb'pi:nə] *(jur) sb* stævning; *vb* indstævne.

subrogation ['sʌbrə'geiʃn] *sb* subrogation, det at en person indtræder som kreditor i en andens sted, *fx* i forsikrings-forhold.

subscribe [səb'skraib] *vb* (om dokument *etc)* underskrive, undertegne; (om avis *etc)* abonnere; (om bogværk) sub-skribere; (ved indsamling) bidrage, tegne sig for *(fx he -d £10)*; *~ for a fund* tegne sig som bidragyder til et fond; bidrage til et fond; *~ for shares* tegne aktier; *~ to* abonnere på, holde *(fx a newspaper)*; subskribere på; *(fig)* skrive under på, bifalde, tilslutte sig *(fx an opi-nion)*; *~ one's name* to sætte sit navn under.

subscriber [səb'skraibə] *sb (cf subscribe)* (med)underskri-ver; abonnent (også *tlf)*; subskribent; bidragyder.

subscriber trunk dialling *(tlf)* selvvalg af udenbys samta-ler.

subscription [səb'skripʃn] *sb (cf subscribe)* underskrivelse, undertegnelse; underskrift, signatur; abonnement, sub-skription; indsamling; (om aktier) tegning; (penge:) abonnementspris, subskriptionspris; (ved indsamling) indsamlet beløb, (fra enkelt person) bidrag; (i forening) kontingent; *open a ~* sætte en indsamling i gang.

subsection ['sʌbsekʃən] *sb* underafdeling; stykke (underaf-deling af paragraf, *fx ~* (1) of section six).

subsequent ['sʌbsikwənt] *adj* følgende, senere; *~ to* efter; *-ly adv* siden, senere, derefter.

subserve [səb'sə:v] *sb* tjene *(fx a purpose)*, gavne.

subservience [səb'sə:vjəns] *sb* medvirkning; underordning; underdanighed, servilitet.

subservient [səb'sə:vjənt] *adj* tjenlig, gavnlig; (om person) underordnet; underdanig, krybende.

subside [səb'said] *vb* synke til bunds, bundfælde sig; synke *(fx the water began to ~)*; sænke sig; (om jord) skride sammen, sætte sig *(fx the ground -d)*; synke sammen; (blive mindre voldsom:) stilne af; aftage *(fx the fever -d)*; falde til ro; lægge sig *(fx the gale -d)*; *~ into an armchair* synke ned i en lænestol.

subsidence ['sʌbsidns, səb'saidns] *sb (cf subside)* synken; skred, sammensynkning, sammenstyrtning; aftagen.

subsidiary [səb'sidjəri] *adj* hjælpende, hjælpe- *(fx materials* stoffer); underordnet; *sb* hjælper, forbundsfælle; *(merk)* datterselskab; *~ character* baggrundsfigur; *~ company* datterselskab; *~ motive* bihensigt; *~ subject* bifag.

subsidize ['sʌbsidaiz] *vb* understøtte med pengemidler; give tilskud til; *-d* (også) statsunderstøttet.

subsidy ['sʌbsidi] *sb* pengehjælp; statstilskud.

subsist [səb'sist] *vb* bestå, findes, eksistere; ernære sig; *~ on* leve af.

subsistence [səb'sistns] *sb* udkomme; eksistens, tilværelse.
subsistence allowance forskud (på løn); (ved tjenesterejse) dagpenge, diæter; *(mil.)* kostpenge, kostgodtgørelse.

subsoil ['sʌbsɔil] *sb* undergrund; grund; *~ plough* under-grundsplov; *~ ploughing* dybpløjning.

subsonic [sʌb'sɔnik] *adj* underlyds-, under lydens hastig-hed.

subspecies ['sʌbspi:ʃi:z] *sb* underart.

---

subst. *fk substantive; substitute.*

substance ['sʌbstns] *sb* substans, masse *(fx a sticky ~)*, stof; *(fig)* indhold *(fx form and ~)*; (væsentligt ind-hold:) hovedindhold *(fx the ~ of his reply)*; virkeligt indhold, gehalt *(fx the book is without ~)*, hold, realitet *(fx there was no ~ in the rumours)*, soliditet; *(filos, spr)* substans; *(litt)* formue; *a man of ~* en velstående mand; *in ~* i hovedsagen, i det væsentlige; *amendment on a point of ~* saglig *(mods* redaktionel) ændring.

substandard ['sʌb'stændəd] *adj* ikke på højde med standar-den, ikke efter normen, af ringere kvalitet; underlødig *(fx literature)*; *(spr)* ikke i overensstemmelse med aner-kendt sprogbrug.

substantial [səb'stænʃl] *adj* betydelig, større *(fx sum, or-der)*; væsentlig, vægtig *(fx reasons)*, kraftig, solid *(fx meal)*; svær; *(økon)* velstående; *(mods* tænkt) virkelig, legemlig, materiel; *(filos)* substantiel.

substantiality [səbstænʃi'æliti] *sb* virkelighed, legemlighed, styrke.

substantiate [səb'stænʃieit] *vb* bevise, dokumentere, godt-gøre.

substantiation [səbstænʃi'eiʃən] *sb* dokumentering, bevis.

substantival [sʌbstən'taivl] *adj* substantivisk.

substantive ['sʌbstəntiv] *adj* selvstændig; *(mil)* [səb'stæntiv] fast *(fx appointment)*; *(gram)* substantivisk; *sb* substan-tiv, navneord.

substitute ['sʌbstitju:t] *sb* stedfortræder, vikar; (i sport) ud-skiftningsspiller, reserve; (stof:) surrogat, erstatningsmid-del; *vb* vikariere; (med objekt) sætte i stedet; *~ A for B* (også) erstatte B med A.

substitution [sʌbsti'tju:ʃən] *sb* indsættelse i en andens sted, anvendelse som surrogat *el.* erstatning.

substratum ['sʌb'stra:təm] *sb* dybere lag; *(geol)* underlag, underliggende lag; *(spr)* substrat.

substructure ['sʌbstrʌktʃə] *sb* grundlag, underbygning.

subsume [səb'sju:m] *vb* indordne; indbefatte.

subtenancy ['sʌb'tenənsi] *sb* fremlejemål.

subtenant ['sʌb'tenənt] *sb* en til hvem der er fremlejet.

subterfuge ['sʌbtəfju:dʒ] *sb* udflugt, påskud.

subterranean [sʌbtə'reinjən] *adj* underjordisk.

subtitle ['sʌbtaitl] *sb* (til film) undertekst; (i bog) underti-tel; *vb* (om film) tekste.

subtle [sʌtl] *adj* fin *(fx distinction)*, spidsfindig, subtil; skarpsindig; listig, underfundig.

subtlety ['sʌtlti] *sb* finhed; spidsfindighed; skarpsindighed; listighed, underfundighed.

subtly ['sʌtli] *adv* fint, listigt, *osv (se subtle)*.

subtopia [sʌb'toupiə] *sb* grænseområdet mellem by og land; landligt område med forstadspræg.

subtract [səb'trækt] *vb* fradrage, subtrahere, formindske.

subtraction [səb'trækʃən] *sb* fradrag, subtraktion.

subtropical ['sʌb'trɔpikl] *adj* subtropisk.

surburb ['sʌb(:)b] *sb* forstad.

suburban [sə'bə:bn] *adj* forstads-; *(fig, neds)* småborger-lig; *~ traffic* nærtrafik.

suburbia [sə'bə:biə] *sb* forstadskvarter(er).

subvention [səb'venʃən] *sb* understøttelse, statsunderstøt-telse.

subversion [səb'və:ʃən] *sb* omstyrtning, ødelæggelse.

subversive [səb'və:siv] *adj* nedbrydende, øde-læggende, un-dergravende; *sb* en der driver statsfjendtlig virksomhed; *~ activities* muldvarpearbejde *(fig)*; statsfjendtlig *(el.* samfundsfjendtlig) virksomhed.

subvert [səb'və:t] *vb* omstyrte, ødelægge; undergrave.

subway ['sʌbwei] *sb* fodgængertunnel; underføring; *(am)* undergrundsbane.

succades [sʌ'keidz] *sb pl* kandiseret frugt, sukat.

succeed [sək'si:d] *vb* lykkes *(fx the plan -ed)*; (om person) være heldig, have held med sig; få success; (om kunst-ner) slå igennem; (i tid, rækk. følge (efter); (med ob-jekt) efterfølge, afløse; *~ to arve (fx an estate)*; *~ to the throne* arve tronen; *he -ed in coming* det lykkedes ham at komme.

success [sək'ses] *sb* succes, godt resultat, medgang, lykke; *make a personal ~* vinde en personlig sejr; *nothing suc-ceeds like ~* den ene success fører den anden med sig.

successful [sək'sesf(u)l] *adj* heldig, vellykket, resultatrig; (om person) som har succes.

succession [sək'seʃən] *sb* række *(fx a ~ af disasters)*; *(jur)* arvefølge, tronfølge; slægtslinie, efterfølgere; ~ *duty* (form for) arveafgift; *war of ~* arvefølgekrig; *in ~* i rækkefølge, efter hinanden; i træk.

successive [sək'sesiv] *adj* successiv, i træk, efter hinanden *(fx three ~ days)*; *-ly* efter hinanden, efterhånden, successive; ~ *goverments* skiftende regeringer.

successor [sək'sesə] *sb* efterfølger.

succinct [sək'siŋ(k)t] *adj* kortfattet, koncis, fyndig.

succory ['sʌkəri] *sb (bot)* cikorie.

succour ['sʌkə] *(litt)* vb bistå, komme (, ile) til hjælp, undsætte; *sb* hjælp, undsætning.

succulence ['sʌkjuləns] *sb* saftighed.

succulent ['sʌkjulənt] *adj* saftig; ~ *plant* saftplante.

succumb [sə'kʌm] *vb* bukke under, ligge under *(to, under* for); *(litt)* dø.

such [sʌtʃ] *adj, pron* sådan, slig, den slags, den, det, de; *and ~* og den slags; (se også *such-and-such)*; ~... *as* sådanne ... som, de ... som; ~ *as* (også) som for eksempel; ~ *as it is (omtr)* skønt den ikke er meget bevendt.

such-and-such: ~ *a* den og den, det og det; ~ *results will follow from ~ causes* de og de resultater følger af de og de årsager.

suchlike ['sʌtʃlaik] *adj, pron* deslige, den slags.

I. suck [sʌk] *vb* suge, suge ud (, op); drikke *(fx lemonade through a straw)*; sutte på *(fx a sweet; one's thumb)*; (om barn) die; (uden objekt) suge; sutte; patte, die; ~ *sby's brains* stjæle ens ideer; ~ *dry (fig)* udsuge; *you can't teach your grandmother to ~ eggs* (svarer til) nå så ægget vil lære hønen; ~ *in* suge ind, indsuge; S narre; ~ *up* opsuge; ~ *up to* S fedte sig ind hos, fedte for.

II. suck [sʌk] *sb* sugen; T slurk, lille tår; *-s* S slik; *give ~* give die; *-s to you!* S æ bæh! brændt af! *-s to him!* blæse være med ham!

sucker ['sʌkə] *sb* pattegris; *zo* sugerør, sugeskive; *(bot)* sugetråd; rodskud; T naiv fyr, godtroende fjols; *(am* T) slikkepind.

sucking| **disk** sugeskive. ~ *pig* pattegris.

suckle [sʌkl] *vb* give die, amme, give bryst.

suckling ['sʌkliŋ] *sb* pattebarn; *out of the mouth of babes and -s* (svarer til) hør de umyndiges røst.

suction ['sʌkʃən] *sb* sugning; sugevirkning; (i *sms)* suge- *(fx pump)*.

suctorial [sʌk'tɔːriəl] *adj* suge- *(fx fish)*.

Sudan [su(ː)'daːn, -'dæn]: *the ~* Sudan.

Sudanese [suːdə'niːz] *adj* sudanesisk; *sb* sudaneser.

sudatory ['s(j)uːdətri] *adj* svede-, svedfremkaldende; *sb* svedemiddel; svedebad, hadstue.

sudden ['sʌdn] *adj* pludselig, brat, uformodet; *all of a ~* = **suddenly** ['sʌdnli] *adv* pludselig, med et.

sudorific [s(j)uːdə'rifik] *adj* svedfremkaldende; *sb* svedemiddel.

suds [sʌdz] *sb pl* sæbeskum, sæbevand.

sue [s(j)uː] *vb* sagsøge, stævne; anlægge sag (mod); ansøge; bede *(for* om).

suède [sweid] *sb* ruskind.

suet ['s(j)uːit] *sb* nyrefedt, tælle.

Suez ['s(j)uːiz].

suffer ['sʌfə] *vb* lide *(fx punishment, loss; damage)*; finde sig i, tåle; *(glds)* tillade, lade; (uden objekt) lide; lide straf, lide skade, lide døden; *you will ~ for this* det vil du komme til at undgælde for; ~ *from* lide af.

sufferance ['sʌfrəns] *sb: he is here on ~* han er kun tålt her.

suffering ['sʌfriŋ] *sb* lidelse; *adj* lidende.

suffice [sə'fais] *vb* være tilstrækkelig, slå til, tilfredsstille; ~ *it to say* lade det være nok at sige.

sufficiency [sə'fiʃənsi] *sb* tilstrækkelig mængde; brugbarhed.

sufficient [sə'fiʃənt] *adj* tilstrækkelig, tilfredsstillende, fyldestgørende; *be ~ (un)to oneself* være sig selv nok.

suffix ['sʌfiks] *sb* endetillæg, suffiks; *vb* tilføje (endelse til et ord).

suffocate ['sʌfəkeit] *vb* kvæle; (uden objekt) kvæles; være ved at kvæles; *suffocating with rage* halvkvalt af raseri.

suffocation [sʌfə'keiʃən] *sb* kvælning.

Suffolk ['sʌfək].

suffragan ['sʌfrəgən] *sb* vicebiskop, hjælpebiskop.

suffrage ['sʌfridʒ] *sb* valgret, stemmeret; *(rel)* forbøn.

suffragette [sʌfrə'dʒet] *sb* stemmeretskvinde.

suffuse [sə'fjuːz] *vb* overgyde; brede sig over *(fx a blush -d her cheeks)*; *her eyes were -d with tears* hun havde tårer i øjnene.

suffusion [sə'fjuːʒən] *sb* overgydning; rødmen.

sugar ['ʃugə] *sb* sukker; S penge; LSD; *vb* komme sukker i (, på), indsukre; ~ *the pill (fig)* indsukre den bitre pille, få det ubehagelige til at glide ned.

sugar| almonds franske mandler. ~ **basin** sukkerskål. ~ **beet** sukkerroe. **-bird** *zo* sukkerfugl. ~ **candy** kandis. **-cane** sukkerrør. **-coat** *vb* overtrække med sukker; *(fig)* indsukre, camouflere, dække over. ~ **daddy** S (ældre mand som spenderer på en ung pige). **-ed** ['ʃugəd] sukkersød. **-house** *(am)* hus (, skur) hvor der koges ahornsukker. ~ **loaf** sukkertop. ~ **maple** *(bot)* sukkerløn. **-plum** sukkerkugle, bolsje.

sugary ['ʃugəri] *adj* sød, sødladen, altfor sød, sukkersød.

suggest [sə'dʒest] *vb* foreslå *(fx a plan)*, (mere forsigtigt:) henstille *(fx may I ~ that ...)*, antyde *(fx a way out of the difficulty)*; (vise indirekte:) lade formode *(fx his looks -ed that all was not well)*, lade ane, tyde på; lede tanken hen på, få en til at tænke på *(fx the music -s a spring morning)*, minde om; (bevirke *etc)* fremkalde; inspirere (til) *(fx a drama -ed by these events)*; ~ *itself* melde sig *(fx a new problem -ed itself)*; *I ~ that (jur)* jeg tillader mig at påstå at *(fx I ~ that you were in the house at 9 o'clock)*; *does the name ~ anything to you?* siger navnet Dem noget?

suggestion [sə'dʒestʃn] *sb (cf suggest)* forslag, henstilling; antydning, vink, fingerpeg; fremkaldelse af en forestilling; mindelse; (lille smule:) antydning; *(psyk)* suggestion.

suggestive [sə'dʒestiv] *adj* suggestiv; indeholdende et vink, tankevækkende; betegnende; *(neds)* antydende noget uanstændigt, lummer; *be ~ of* fremkalde forestillinger om.

suicidal [sjuː'saidl] *adj* selvmorderisk, selvmords-.

suicide ['sjuːisaid] *sb* selvmord; selvmorder.

I. suit [s(j)uːt] (om tøj) sæt; dragt *(fx space ~)*; (i kortspil) farve; (bønskrift *etc)* ansøgning, bøn; *(glds)* frieri; *(jur)* sag, retssag; *file one's ~ for divorce* indgive skilsmissebegæring; *follow ~* bekende kulør (i kortspil); gøre ligeså, følge eksemplet, følge trop; ~ *of sails (mar)* stel *(el.* sæt) sejl; (se også: *long ~)*.

II. suit [s(j)uːt] *vb* passe *(fx that's -s me)*; være passende for *(fx this hat does not ~ an old man)*; klæde *(fx the hat -s you)*; ~ *sth to* tilpasse *(el.* afpasse) noget efter *(fx ~ one's conversation to the company)*; ~ *the action to the word* lade handling følge på ord; ~ *oneself* gøre som det passer en.

suitable ['s(j)uːtəbl] *adj* passende *(fx words)*; ~ *for* passende for *(fx a book ~ for a little boy)*; som passer til; egnet til; som sømmer sig for; ~ *to* som passer til; som svarer til *(fx behaviour ~ to his age)*; som sømmer sig for.

suitably ['s(j)uːtəbli] *adv* passende; tilpas *(fx ~ warm)*; ~ *to your wishes* i overensstemmelse med dine ønsker.

suitcase ['s(j)uːtkeis] *sb* suitcase, håndkuffert.

suite [swiːt] *sb* møblement *(fx a bedroom ~)*; (om værelser; i musik) suite; (om personer) følge.

suited ['s(j)uːtid] *adj: for (el. to)* egnet til.

suitor ['s(j)uːtə] *sb* ansøger, supplikant; bejler, frier; *(jur)* sagsøger.

sulf- *(am)* se **sulph-**.

sulk [sʌlk] *vb* surmule; *sb: -s pl* surmuleri; *be in the -s* være i dårligt humør, være tvær, være gnaven, surmule.

sulky ['sʌlki] *adj* vranten, fortrædelig, tvær, surmulende, gnaven; treven; *sb* sulky (en let tohjulet vogn).

sullen ['sʌlən] *adj* mørk, trist, dyster; (om person) vrangvillig, treven, tvær, mut.

Sullivan ['sʌlivən].

sully ['sʌli] *vb* tilsøle, besudle, plette.

sulpha ['sʌlfə]: ~ *drug (med.)* sulfapræparat.

sulphate ['sʌlfeit] *sb (kem)* sulfat.

sulphide ['sʌlfaid] *sb (kem)* sulfid.

sulphite ['sʌlfait] *sb (kem)* sulfit.

sulphonamide [sʌlfə'næmid] *sb* sulfonamid.

sulphonation [sʌlfə'neiʃən] sb sulfonering.
sulphur ['sʌlfə] sb svovl.
sulphurate ['sʌlfəreit] vb svovle, behandle (, forbinde) med svovl.
sulphureous [sʌl'fjuəriəs] adj svovlet, svovlagtig; svovlgul.
sulphuretted ['sʌlfjuretid] adj (kem): ~ hydrogen svovlbrinte.
sulphuric [sʌl'fjuərik] adj: ~ acid svovlsyre.
sulphurous ['sʌlfərəs] adj svovlholdig, svovl-; ~ acid svovlsyrling.
sultan ['sʌltn] sb sultan.
sultana [sʌl'taːnə] sb sultans hustru, datter el. søster; [səl'taːnə] sultana (lille stenfri rosin).
sultanate ['sʌltənit] sb sultanat, en sultans rige.
sultan's balsam (bot) flittig Lise.
sultriness ['sʌltrinis] sb lummerhede.
sultry ['sʌltri] adj lummer, trykkende, hed.
sum [sʌm] sb sum, pengesum; (i skolen) T regnestykke; (fig) hovedindhold, essens; the ~ and substance det væsentlige, kernen; do a ~ regne et stykke; set a ~ give et stykke for; he is good at -s han er dygtig til regning; in ~ i korthed; ~ up opsummere, sammenfatte, resumere, fremstille kortfattet; vurdere; (om dommer) give retsbelæring.
sumach ['suːmæk] sb sumak.
Sumatra [suːˈmaːtrə].
Sumerian [sjuːˈmiəriən] (hist.) sb sumerer; adj, sb sumerisk.
summarily ['sʌmərili] adv kort og godt, uden omsvøb, uden videre; summarisk (fx deal with a case ~).
summarize ['sʌməraiz] vb opsummere, sammenfatte, resumere; (artikel etc også) referere.
summary ['sʌməri] adj kortfattet, summarisk (fx account redegørelse); (jur) summarisk (fx procedure; proceedings rettergang); sb kort udtog, resumé, sammendrag, sammenfatning; referat; oversigt.
summation [sʌˈmeiʃən] sb summering; sammenlægning.
summer ['sʌmə] sb sommer; vb tilbringe sommeren.
summer|house lysthus. ~ **house** sommerhus. ~ **lightning** kornmod. ~ **rash** soleksem. ~ **school** sommerkursus. ~ **time** sommertid, sommersæson; double ~ time 2 timers sommertid.
summery ['sʌməri] adj sommerlig, sommer-.
summing-up (jur) retsbelæring.
summit ['sʌmit] sb top, højdepunkt; topmøde, topkonference.
summit| conference, ~ meeting topkonference, topmøde.
summitry ['sʌmitri] sb (afholdelse af) topmøder.
summon ['sʌmən] vb indkalde; stævne; samle; (til møde også) sammenkalde; (jur) se summons; (bede:) opfordre; (fig) opbyde (fx all one's courage (,strength)).
summons ['sʌmənz] sb indkaldelse, befaling (til at møde); (jur) stævning; vb (ind)stævne; indkalde (fx ~ him as a witness).
sump [sʌmp] sb samlebrønd; (i bil) bundkar, sump.
sumpter ['sʌm(p)tə] sb: ~ horse pakhest.
sumptuary ['sʌm(p)tjuəri] adj: ~ laws luksuslove (som skal begrænse luksusforbrug); ~ tax skat på luksusforbrug.
sumptuous ['sʌm(p)tjuəs] adj kostbar, prægtig; overdådig; luksuriøs, luksuøs.
sun [sʌn] sb sol; vb sole; the ~ was in her eyes hun havde solen i øjnene; from ~ to ~ (glds) fra solopgang til solnedgang.
sun|bath solbad. **-bathe** tage solbad. **-beam** solstråle. **-bird** zo solfugl. **-bittern** zo solrikse. **-blind** markise. **-bonnet** solhat. **-burn** solbrændthed; solskoldethed. **-burned** solbrændt; solskoldet. **-burst** pludseligt væld af sollys, solbrud.
sundae ['sʌndei] sb flødeis med frugt(saft).
Sunday ['sʌndi, -dei] sb søndag; ~ out (el. off) frisøndag; a month of -s en evighed.
Sunday| best søndagstøj, fine (el. bedste) tøj. ~ **school** søndagsskole.
sunder ['sʌndə] vb (litt) dele, adskille; skilles.
sun|dew (bot) soldug. **-dial** solur. ~ **dog** (astr) parhelion, bisol. **-down** solnedgang. **-downer** aftensjus; (austr) vagabond. **-dried** soltørret.
sundries ['sʌndriz] sb pl diverse småting.

sundry ['sʌndri] adj adskillige, flere; diverse; forskellige; all and ~ alle og enhver.
sun|fast solægte. **-fish** zo klumpfisk. **-flower** (bot) solsikke.
sung [sʌŋ] pp af sing.
sun|glasses solbriller. ~ **grebe** zo amerikansk svømmerikse. ~ **helmet** tropehjelm.
sunk [sʌŋk] pp af sink.
sunken ['sʌŋkən] adj sunket (fx ship); sænket, forsænket; undervands-; indsunken, indfalden (fx cheeks); ~ road hulvej; ~ rock blindt skær.
sun|lamp højfjeldssol (lampe). **-light** sollys. **-lit** solbeskinnet.
sun lounge (omtr) glasveranda.
sunn (hemp) sunhamp.
sunny ['sʌni] adj solbeskinnet, sollys, strålende; (fig) munter, lys, glad; the ~ side solsiden; (fig) den lyse side.
sun| parlour (omtr) glasveranda. **-power** solenergi. **-proof** uigennemtrængelig for solens stråler, solægte. **-rise** solopgang. **-scald** barklag. **-set** solnedgang. **-shade** parasol; solskærm, markise. **-shine** solskin; (fig) medgang, lykke. **-shiny** sollys. **-spot** solplet. **-stroke** solstik; hedeslag. **-tan** solbrændthed. **-tan lotion** solcreme. **-tan oil** sololie. ~ **trap** solkrog; (i gartneri) solfælde. **-up** (am) solopgang. ~ **visor** solskærm (på bil). **-ward** [-wəd] (op) mod solen. **-wise** [-waiz] med solen, solret.
sup [sʌp] vb spise til aften; (glds) søbe; sb slurk, mundfuld; neither bite nor ~ hverken vådt eller tørt; ~ on porridge spise grød til aften.
super ['s(j)uːpə] sb T (teat etc) statist; (merk) vare af ekstrafin kvalitet; supermarked; (bogb, am) gaze; fk: superintendent; supervisor; adj T storartet, glimrende; flot.
super- over-, super-, hyper-; særlig; ovenpå.
superabound [s(j)uːpərəˈbaund] vb findes i overflod; ~ with have overflod af.
superabundance [s(j)uːpərəˈbʌndəns] sb overflod; overflødighed.
superabundant [s(j)uːpərəˈbʌndənt] adj som findes i overflod.
superadd ['s(j)uːpərˈæd] vb endnu tilføje.
superaddition ['s(j)uːpərəˈdiʃən] sb ny (el. yderligere) tilføjelse.
superannuate [s(j)uːpərˈænjueit] vb lade gå af med (el. sætte på) pension, pensionere; -d aflægs, udtjent, afdanket; forældet.
superannuation [s(j)uːpərænjuˈeiʃən] pensioneret; sb pensionering; afgang; (national) ~ scheme (folke)pensionsordning.
superb [s(j)uˈpəːb] adj prægtig, herlig, fortrinlig, superb.
super|cargo ['s(j)uːpəˌkaːgou] sb (mar) superkargo. **-charge** vb forkomprimere. **-charger** ['s(j)uːpəˌtʃaːdʒə] sb kompressor (i bilmotor). **-cilious** [s(j)uːpəˈsiliəs] adj hoven, vigtig, overlegen. **-cooled** ['s(j)uːpəˌkuːld] adj underafkølet. **-duper** [s(j)uːpəˈduːpə] adj S mægtig fin. **-ego** ['s(j)uːpərˈegou] sb (psyk) overjeg. **-eminent** [s(j)uːpərˈeminənt] adj særlig fremragende.
supererogation ['s(j)uːpərerəˈgeiʃən] sb: works of ~ overskydende gode gerninger (som fx helgenerne har øvet, og som kommer andre til gode).
supererogatory ['s(j)uːpəreˈrogətri] adj som går ud over man er pligtig til; overflødig.
superfatted [s(j)uːpəˈfætid] adj overfed (fx soap).
superficial [s(j)uːpəˈfiʃl] adj overfladisk (fx wound, knowledge); flade-; ~ measure flademål.
superficiality [s(j)uːpəˌfiʃiˈæliti] sb overfladiskhed.
superficies [s(j)uːpəˈfiʃiːz] sb overflade, ovre flade.
superfine ['s(j)uːpəˈfain] sb superfin, ekstra fin; alt for subtil.
superfluity [s(j)uːpəˈfluiti] sb overflod; noget overflødigt; overflødighed.
superfluous [s(j)uˈpəːfluəs] adj overflødig.
superheat [s(j)uːpəˈhiːt] vb overhede; -ed overophedet (fx steam).
superhet(erodyne) ['s(j)uːpəˈhet(ərədain)] sb superheterodynmodtager.
superhighway [s(j)uːpəˈhaiwei] sb (am) motorvej.
superhuman [s(j)uːpəˈhjuːmən] adj overmenneskelig.
superimpose ['s(j)uːpərimˈpouz] vb overlejre; lægge over (el. ovenpå); (fot) indkopiere; (fig) påklistre.

superimposition [s(j)u:pərimpə'ziʃən] *sb* overlejring; placering ovenpå; *(fot)* indkopiering; *(fig)* påklistring.
superincumbent [s(j)u:pərin'kʌmbənt] *adj* overliggende.
superintend [s(j)u:pərin'tend] *vb* tilse, lede, forestå.
superintendence [s(j)u:pərin'tendəns] *sb* tilsyn, ledelse.
superintendent [s(j)u:pərin'tendənt] *sb* tilsynshavende, inspektør; forstander(inde); *(med.)* overlæge; *(~ of police)* *(omtr)* politikommissær.
superior [s(j)u'piəriə] *adj* bedre *(to* end); overlegen *(fx opponent); (mht* rang *etc)* over-; overordnet; højere *(fx court* domstol), højere(stående) *(fx officer);* (om kvalitet) (meget) fin; ekstra god; udmærket, fremragende *(fx a very ~ man);* (neds) overlegen *(fx air* mine), vigtig; *(typ)* opadgående *(ɔ:* trykt over linien) *(fx letter, figure); sb* overordnet, foresat; overmand; *(rel)* prior, priorinde; *be ~ to* stå over, være overordnet *(fx a genus is ~ to a species); (fig)* være hævet over; *(mht* kvalitet) være bedre end, overgå, stå over; *be ~ to sby* (også:) være en overlegen.
superiority [s(j)upiəri'ɔriti] *sb* overlegenhed, fortrin.
superjacent [s(j)u:pə'dʒeisənt] *adj* højereliggende, overliggende.
superjet ['s(j)u:pədʒet] *sb* overlyds(jet)fly.
superlative [s(j)u'pə:lətiv] *adj* højest; ypperlig(st); *sb* superlativ; *the ~ degree* superlativ.
superman [s(j)u:pəmæn] *sb* overmenneske.
supermarket ['s(j)u:pəma:kit] *sb (merk)* supermarked.
supermundane [s(j)u:pə'mʌndein] *adj* overjordisk.
supernal [s(j)u'pə:nl] *adj (litt)* højere, overjordisk, himmelsk.
supernatant [s(j)u:pə'neitənt] *adj* som svømmer ovenpå, som flyder ovenpå.
supernatural [s(j)u:pə'nætʃrəl] *adj* overnaturlig.
supernumerary [s(j)u:pə'nju:mrəri] *adj* overkomplet, overtallig, reserve-, ekstra-; *sb (teat etc)* statist.
superphosphate [s(j)u:pə'fɔsfeit] *sb* superfosfat.
super|pose ['s(j)u:pə'pouz] *vb* lægge ovenpå. **-posed** *(geol)* overlejret. **-position** ['s(j)u:pəpə'ziʃən] *sb* placering ovenpå; overlejring.
supersaturate [s(j)u:pə'sætʃureit] *vb* overmætte.
superscribe ['s(j)u:pə'skraib] *vb* skrive overskrift over, forsyne med påskrift. **superscription** [s(j)u:pə'skripʃən] *sb* overskrift, påskrift.
supersede [s(j)u:pə'si:d] *vb* afløse *(fx buses have -d trams),* erstatte; overflødiggøre, fortrænge.
supersedeas [s(j)u:pə'si:diæs] *sb (jur)* suspensionsbefaling, ordre til at standse retssagen.
super|sensible oversanselig. **-sensitive** overfølsom. **-sensual** oversanselig.
supersession [s(j)u:pə'seʃən] *sb (cf supersede)* afløsning, erstatning, fortrængen.
supersonic ['s(j)u:pə'sɔnik] *adj* overlyds- *(fx fighter* jager); *~ bang* lydmursbrag; *~ speeds* hastigheder der er større end lydens.
superstition [s(j)u:pə'stiʃən] *sb* overtro.
superstitious [s(j)u:pə'stiʃəs] *adj* overtroisk.
superstratum [s(j)u:pə'streitəm] *sb* overliggende lag, dækkende lag.
superstructure ['s(j)u:pəstrʌktʃə] *sb* overbygning.
supertanker ['s(j)u:pətæŋkə] *sb (mar)* supertankskib, supertanker.
supertax ['s(j)u:pətæks] *sb (glds)* ekstraskat.
supervene [s(j)u:pə'vi:n] *vb* komme til, støde til, opstå *(fx complications -d);* indtræffe; følge.
supervise ['s(j)u:pəvaiz, s(j)u:pə'vaiz] *vb* have opsyn med, kontrollere, tilse, overvåge.
supervision [s(j)u:pə'viʒən] *sb* opsyn, kontrol, tilsyn.
supervisor ['s(j)u:pəvaizə] *sb* tilsynsførende, inspektør, forstander(inde).
I. supine [s(j)u:'pain] *sb (gram)* supinum.
II. supine [s(j)u:'pain] *adj* liggende på ryggen; *(fig)* dvask; *~ position (med.)* rygleje.
supper ['sʌpə] *sb* aftensmad; *the Last Supper* den sidste nadver; *the Lord's Supper* den hellige nadver.
supplant [s(j)u:'pla:nt] *vb* fortrænge; (om rival) stikke ud.
supple ['sʌpl] *adj* bøjelig, smidig; *(fig, neds)* eftergivende, krybende; *vb* gøre smidig, bøje; *(fig)* tæmme.
supplement ['sʌplimənt] *sb* supplement, tillæg, bilag;

['sʌpliment] *vb* udfylde, supplere.
supplementary [sʌpli'mentri] *adj* supplerende, tillægs-, udfyldende; *~ angles* supplementvinkler.
suppliant ['sʌpliənt] *adj (litt)* ydmyg, bønlig, ydmygt bedende.
supplicate ['sʌplikeit] *vb* bønfalde, bede om.
supplication [sʌpli'keiʃən] *sb* bøn, ydmyg anmodning; *(glds)* ansøgning.
I. supply [sə'plai] *vb* levere *(fx the necessary tools),* skaffe *(fx proof),* yde, give *(fx the cow supplies milk);* tilfredsstille *(fx a demand, a need* et behov), afhjælpe *(fx a want, a deficiency),* erstatte *(fx a loss);* (om præst) vikariere (for); *~ sby with sth* forsyne en med noget, levere noget til en; *~ the place of* erstatte, træde i stedet for.
II. supply [sə'plai] *sb* forsyning, tilførsel, levering, leverance; beholdning, lager; *(økon)* udbud, tilbud *(fx ~ and demand* tilbud og efterspørgsel); (for præst) vikar; *supplies* forråd, beholdning(er); *(mil.)* forsyninger; (penge-) bevillinger; *(merk): dentists' supplies* artikler for tandlæger; *it is in short ~* der er mangel på det, det er en mangelvare.
supply teacher (fast) vikar.
I. support [sə'pɔ:t] *vb* understøtte, bære *(fx pillars ~ the roof);* holde (oppe); *(fig)* støtte *(fx a party; a theory);* forsvare; underbygge *(fx -ed by facts);* bistå; *(mht* føde *etc)* ernære, forsørge *(fx one's family);* opretholde *(fx life);* (tåle *etc)* holde ud *(fx he could ~ it no longer),* tåle *(fx the hot climate),* finde sig i; *(teat)* spille, udføre *(fx a role); ~ with quotations* belægge *(el.* underbygge) med citater.
II. support [sə'pɔ:t] *sb* støtte, fod; stativ, buk; *(fig)* understøttelse, støtte, bistand; (i kortspil) hjælpekort; *in ~ of* til støtte for.
supportable [sə'pɔ:təbl] *adj* udholdelig.
supporter [sə'pɔ:tə] *sb* tilhænger; forsørger; *(her.)* skjoldholder.
supporting [sə'pɔ:tiŋ] *adj* bærende; støttende; støtte- *(fx party); ~ pillar* bærepille; *~ programme* forfilm, ekstrafilm.
suppose [sə'pouz] *vb* antage, formode, tro, regne med; forudsætte; (som imperativ:) sæt at, hvad om *(fx ~ we change the subject); you are -d to do it* man regner med *(el.* går ud fra *el.* venter) at du gør det; det er meningen du skal gøre det; *you are not -d to* (også, **T**) du må ikke *(fx smoke here); I ~* (også) formodentlig, vel(sagtens).
supposed [sə'pouzd] *adj* formodet.
supposedly [sə'pouzidli] *adv* formodentlig, antagelig.
supposing [sə'pouziŋ] *conj* forudsat (at); hvis.
supposition [sʌpə'ziʃən] *sb* forudsætning, antagelse, formodning.
supposititious [səpɔzi'tiʃəs] *adj* uægte, falsk.
suppositive [sə'pɔzitiv] *adj* antaget, tænkt.
suppository [sə'pɔzitri] *sb (med.)* stikpille.
suppress [sə'pres] *vb* undertrykke *(fx a rising, a smile);* afskaffe, sætte en stopper for *(fx piracy);* inddrage, standse *(fx a newspaper);* udelade, tilbageholde, fortie *(fx the truth); (psyk)* fortrænge.
suppression [sə'preʃən] *sb (cf suppress)* undertrykkelse, afskaffelse; inddragelse, standsning; udeladelse, fortielse; *(psyk)* repression, bevidst fortrængning.
suppressor [sə'presə] *sb* undertrykker; *(elekt)* støjspærre.
suppurate ['sʌpjureit] *vb* væske, afsondre materie. **suppurating** *adj* væskende, betændt.
suppuration [sʌpju'reiʃən] *sb* væsken.
supra- ['s(j)u:prə] over-.
supranational ['s(j)u:prə'næʃənl] *adj* overnational *(fx authority);* overstatlig.
suprarenal [s(j)u:prə'ri:nl] *adj, sb: ~ (gland)* binyre.
supremacy [s(j)u'preməsi] *sb* overhøjhed; overlegenhed; *oath of ~* supremated (hvormed kongens kirkelige overhøjhed anerkendes).
supreme [s(j)u'pri:m] *adj* højest; yderst, størst; *the Supreme (Being)* den Højeste (det højeste væsen); *~ command* overkommando; *the Supreme Court (of Judicature)* de højere og øverste retsinstanser; *the ~ good* det højeste gode; *at the ~ moment* i yderste øjeblik, i det afgørende øjeblik; *reign ~* være enerådende; *the ~ sacrifice* det at ofre sit liv (for fædrelandet).

ɟice det at otre sit liv (for tædrelandet).
supremely [s(j)u'priːmli] _adv_ i højeste grad.
Supt. _fk superintendent._
surbased arch ['sɔːbeist'aːtʃ] fladbue.
surcease [sɔː'siːs] _sb_ ophør; _vb_ ophøre.
surcharge [sɔː'tʃaːdʒ] _vb_ overlæsse, overbelaste; overstemple (et frimærke); forlange strafporto af; ['sɔːtʃaːdʒ] _sb_ overlæs; (på frimærke) overstempling, overtryk (der ændrer værdien); strafporto; ekstraafgift.
surcingle ['sɔːsiŋgl] _sb_ sadelgjord, pakgjord.
surcoat [sɔː'kout] _sb (glds)_ kort frakke; kort damekåbe; våbenkappe.
surd [sɔːd] _adj_ irrational; _(fon)_ ustemt; _sb_ irrational størrelse; _(fon)_ ustemt lyd.
sure [ʃuə] _adj_ sikker _(fx sign)_ vis; tilforladelig, pålidelig _(fx friend)_ ; _~!_ _(am)_ ja! ja vist; ja absolut; _as ~ as eggs is eggs_ T stensikkert; så sikkert som to og to er fire; **be ~** _and tell him_ sørg endelig for at sige det til ham; _I don't know, I'm ~_ det ved jeg virkelig ikke; _to be ~_ uden tvivl, ganske vist; _well, to be ~!_ det må jeg sige; ih du store! **~ enough** ganske sikkert; virkelig, ganske rigtigt _(fx I said he'd come and ~ enough he did)_ ; **feel ~ of** være sikker på; **make ~** skaffe sig vished, forvisse sig _(of_ om); være sikker _(that_ på at); _make ~ of_ (også) sikre sig; _he is ~ of winning_ han er sikker på at han vinder; _he is ~ to win_ det bliver bestemt ham der vinder.
sure-fire _adj_ T bombesikker _(fx investment)_, som ikke kan slå fejl.
sure-footed _adj_ sikker på benene.
surely ['ʃuəli] _adv_ sikkert _(fx he works slowly but ~)_ ; uden tvivl _(fx he will ~ come)_ ; (appellerende:) da vel _(fx ~ you don't mean that? but ~ he is coming?_ men han kommer da vel?); da vist; _(am)_ ja vist, ja absolut.
surety ['ʃuəti] _sb (jur)_ kaution; kautionist; selvskyldner; **stand ~** _for_ kautionere for. **suretyship** kaution.
surf [sɔːf] _sb_ brænding, bølgeslag.
I. surface ['sɔːfis] _sb_ overfladen, flade; _on the ~_ _(fig_ også) udvendig _(fx his kindness is only on the ~)_, tilsyneladende.
II. surface ['sɔːfis] _vb_ overfladebehandle, pudse, polere; (om u-båd) gå op til overfladen, dykke ud.
III. surface ['sɔːfis] _adj_ overflade- _(fx temperature)_ ; på overfladen, _(fig)_ overfladisk _(fx likeness; impression)_.
surface| **mail** almindelig post(befordring) _(mods_ luftpost).
-man banearbejder. **~ noise** nålestøj, pladestøj. **~ plate** _(tekn)_ (op)mærkeplade, retteplan. **~ tension** overfladespænding..
surface-to|**-air** (om raket) jord-til-luft. **~ -surface** jord-til-jord.
surf|**board** bræt til surfriding. **-boat** båd særlig konstrueret til anvendelse i brænding.
surfeit [sɔː'fit] _vb_ overfylde, overmætte, frådse; _sb_ overmættelse.
surfing [sɔː'fin] _sb,_ **surfriding** ['sɔːfraidiŋ] _sb_ surfriding.
surf scoter _zo_ brilleand.
surge [sɔːdʒ] _sb_ brådsø, stor bølge; _(elekt)_ vandrebølge; _(fig)_ bølge, brus; _vb_ bølge, bruse, stige, hæve sig; _(fig)_ bølge, bruse, strømme; _(mar)_ skrænse.
surgeon [sɔː'dʒən] _sb_ kirurg, militærlæge, skibslæge.
surgeon|**fish** _zo_ doktorfisk. **~ general** _(mil.)_ generallæge. **surgeon's knot** kirurgisk knude.
surgery ['sɔːdʒəri] _sb_ kirurgi; operationsstue, konsultationsstue; konsultation _(fx the doctor has ~ in the morning)_ ; **~** _hours_ konsultationstid.
surgical ['sɔːdʒikl] _adj_ kirurgisk; **~** _boots (el._ shoes) ortopædisk fodtøj; **~** _spirits_ hospitalssprit.
surly [sɔːli] _adj_ sur, tvær.
surmise [sɔː'maiz] _vb_ formode, gætte, tænke sig; _sb_ ['sɔː-maiz] formodning, anelse, mistanke.
surmount [sɔː'maunt] _vb_ overvinde _(fx a difficulty)_ ; stige op over; rage op over; være anbragt oven over _(fx a cross -s the steeple)_ ; _-ed by_ (også) kronet af.
surname [sɔː'neim] _sb_ efternavn, familienavn; _(glds)_ tilnavn; _vb (glds)_ give et tilnavn.
surpass [sɔː'paːs] _vb_ overgå; _-ing_ overordentlig.
surplice [sɔː'plis, -pləs] _sb_ messesærk; messeskjorte.
surplus ['sɔːpləs] _sb_ overskud; _adj_ overskydende; _a ~ card_ et kort for meget; **~** _stock_ overskudslager.
surplusage [sɔː'pləsidʒ] _sb_ overskud, overflødighed.

surplus| **assets** netto-aktiver. **~ population** befolkningsoverskud. **~ value** merværdi.
surprise _vb_ [sɔ'praiz] _vb_ overraske, forbavse, undre _(fx his behaviour -d me)_ ; (komme bag på:) overraske, overrumple _(fx the enemy)_ ; _sb_ overraskelse, forbavselse, undren; overrumpling; _take sby by ~_ komme bag på en, overrumple en; _in ~_ overrasket; _to my ~_ til min overraskelse; **~** _into_ (ved overrumpling) narre til; _I shouldn't be -d_ det skulle ikke undre mig.
surprise| **party** selskab arrangeret til ære for en uden hans vidende; _(fig)_ overraskelse; _(mil.)_ overrumplingsstyrke. **~ visit** uventet besøg.
surrealism [sɔ'riəlizm] _sb_ surrealisme.
surrealist [sɔ'riəlist] _sb_ surrealist; _adj_ surrealistisk.
surrender [sɔ'rendə] _vb_ overgive _(fx the town to the enemy)_ ; udlevere, aflevere _(fx one's watch to a robber)_ ; afstå _(fx territory)_ ; opgive, give afkald på _(fx a privilege)_ ; (uden objekt) overgive sig; _sb_ overgivelse udlevering, aflevering, afståelse; _(assur)_ tilbagekøb; **~** _oneself to (fig)_ hengive sig til, kaste sig ud i _(fx a life of dissipation)_ ; **~** _value (assur)_ tilbagekøbsværdi.
surreptitious [sɔrəp'tiʃəs] _adj_ hemmelig, stjålen.
Surrey ['sʌri].
surrogate ['sʌrəgit] _sb_ stedfortræder (især for en biskop).
surround [sɔ'raund] _vb_ omringe, omgive.
surroundings [sɔ'raundiŋz] _sb pl_ omgivelser, milieu.
surtax ['sɔːtæks] _sb_ ekstraskat; _vb_ pålægge ekstraskat.
surveillance [sɔː'veiləns] _sb_ opsyn, opsigt; _under close ~_ under streng bevogtning.
I. survey [sɔ'vei] _vb_ se ud over _(fx the scene)_ ; (undersøge:) bese, besigtige, inspicere; syne; (til forsikring:) vurdere; (om jord) opmåle, kortlægge; _(fig)_ tage et overblik over _(fx the situation)_, overskue _(fx it is difficult to ~ such a wide field)_, (redegøre for:) give et overblik over.
II. survey ['sɔːvei] _sb (fig)_ overblik, oversigt; (undersøgelse:) besigtigelse, synsforretning, inspektion; (til forsikring:) forudvurdering; (om jord) opmåling, kortlægning.
surveying ship opmålingsfartøj.
surveyor [sɔ'veiə] _sb_ (ved syn) besigtigelsesmand; _(mar)_ skibsinspektør; (ved byggeri) bygningsinspektør (se også _quantity ~)_ ; _(chartered ~)_ landinspektør; (til forsikring) vurderingsmand; _~ of customs_ toldkontrollør.
surveyor's| **chain** målekæde. **~ level** nivelleringsinstrument. **~ rod** landmålerstok.
survival [sɔ'vaivl] _sb_ overleven; (rest _etc_) levn, rudiment; _the ~ of the fittest_ de bedst egnedes fortsatte beståen.
survive [sɔ'vaiv] _vb_ overleve, komme levende fra _(fx an accident)_ ; (uden objekt) overleve, leve videre; _(fig_ også) holde sig _(fx the custom still -s)_ ; _he is -d by his wife and two children_ han efterlader sig kone og to børn.
surviving [sɔ'vaiviŋ] _adj_ overlevende; (ved dødsfald) efterladt; _(fig)_ bevaret _(fx the only ~ house from that period)_.
survivor [sɔ'vaivə] _sb_ længstlevende; _the -s_ de overlevende.
sus _fk (mus.) suspension_ forudhold.
Susan ['suːzn].
susceptibility [sɔsepti'biliti] _sb_ modtagelighed, påvirkelighed; følsomhed, sårbarhed; _offend his susceptibilities_ krænke hans følelser.
susceptible [sɔ'septəbl] _adj_ modtagelig _(to fx disease, flattery)_, påvirkelig _(to af, fx her wishes)_ ; (let at fornærme:) følsom, sårbar; (som let forelsker sig:) let fængelig; **be ~** _of proof_ kunne bevises; **be ~** _of several interpretations_ kunne fortolkes på flere måder; _I am ~ to colds_ jeg bliver let forkølet.
I. suspect ['sʌspekt] _adj_ mistænkelig; _sb_ mistænkt.
II. suspect [sɔ'spekt] _vb_ mistænke _(of_ for); (ikke tro på:) mistro, nære mistillid til _(fx generalizations)_, betvivle _(fx the authenticity of the document)_ ; (tro:) nære mistanke om, have en mistanke om, formode _(fx I ~ that he has lost the address)_ ; ane.
suspend [sɔ'spend] _vb_ ophænge; _(fig)_ afbryde, standse, stille i bero, indstille (, ophæve) midlertidigt, udskyde; (om person) suspendere; **~** _judgment (jur)_ udsætte domsafsigelsen; **~** _one's judgment_ forbeholde sig sin stilling, vente med at udtale sig; _(fx a life of dissipation)_ **~** _payments_ indstille sine betalinger.

suspended [sə'spendid] *adj* afbrudt *(etc, cf suspend)*; *(kem)* opslæmmet; *be* ~ *(også)* svæve; ~ *animation* skindød; ~ *sentence (jur)* betinget dom.
suspender [sə'spendə] *sb* sokkeholder, strømpeholder; *-s pl (am)* seler; ~ *belt* hofteholder.
suspense [sə'spens] *sb* uvished, spænding; *(jur)* opsættelse, henstand; *novel of* ~ spændingsroman.
suspension [sə'spenʃn] *sb (cf suspend)* ophængning; (i bil) affjedring; *(fig)* afbrydelse, standsning *(fx* ~ *of payments* betalingsstandsning), indstilling *(fx of hostilities)*, ophævelse, udsættelse; (af person) suspension; *(kem)* opslæmning; *(mus.)* forudhold.
suspension bridge hængebro.
suspensive [sə'spensiv] *adj* suspensiv, udsættende *(fx veto)*.
suspensory [sə'spensri] *adj:* ~ *bandage* suspensorium.
sus. per coll. *fk suspensio per collum* (= *hanging by the neck)* hængning.
suspicion [sə'spiʃən] *sb* mistanke; anelse *(fx I hadn't the least* ~ *of it)*; (lille smule:) anelse, antydning *(fx a* ~ *of pepper)*; *above* ~ hævet over enhver mistanke.
suspicious [sə'spiʃəs] *adj* mistænksom; mistænkelig, fordægtig.
suspire [sə'spaiə] *vb (poet)* sukke.
suss [sʌs] *vb* S mistænke.
sustain [sə'stein] *vb* støtte, bære; *(fig)* holde oppe *(fx -ed by hope)*; (yde hjælp:) støtte, hjælpe; *(mht føde etc)* ernære; opretholde livet for, holde liv i; (fortsætte:) opretholde *(fx life, the attack)*, holde i gang, holde gående *(fx a conversation)*, (om tone) holde; *(jur)* anerkende (som gyldig), godkende *(fx a claim, an objection)*, give medhold i; (om lidelse) tåle, udholde; (blive udsat for:) lide *(fx a defeat, a loss)*; *(teat)*: ~ *a part* udføre *(el.* bære) en rolle.
sustained [sə'steind] *adj* vedvarende *(fx effort)*, vedholdende, langvarig *(fx applause)*.
sustaining [sə'steiniŋ] *adj* nærende *(fx food)*; ~ *pedal (mus.)* dæmperpedal; ~ *program* (radio, TV; *am)* program som ikke er betalt af annoncører.
sustenance ['sʌstinəns] *sb* underhold, livsophold; næring; *means of* ~ næringsmidler.
susurration [sju:sə'reiʃən] *sb* susen, hvisken.
sutler ['sʌtlə] *sb (glds)* marketender.
suttee ['sʌti(:)] *sb (glds)* sutti, indisk enkebrænding; enke som brændes.
suture ['su:tʃə] *sb (med.)* sutur, (sammen)syning (af sår); *(anat)* sutur (i kraniet *etc)*; *(bot)* søm; *vb* sy (sår) sammen.
suzerain ['su:zərein] *sb* overherre.
suzerainty ['su:zəreinti] *sb* overhøjhed.
svelte [svelt] *adj* slank, smidig.
S.W. *fk south-west.*
I. swab [swɔb] *sb (mar)* svaber; S (søofficers) epaulet; klodsmajor; *(med.)* vatpind; *(mil.)* klud til at trække geværløb gennem med.
II. swab [swɔb] *vb* tørre (op); svabre; *(med.)* pensle *(fx the throat)*.
swabber ['swɔbə] *sb* svabergast.
Swabia ['sweibjə] Schwaben.
Swabian ['sweibjən] *sb* schwaber; *adj, sb* schwabisk.
swaddle ['swɔdl] *sb* svøb; *vb* svøbe.
swaddling| bands, ~ **clothes** svøb, liste.
swaddy ['swɔdi] *sb* S soldat.
swag [swæg] *sb (austr)* bylt (med ejendele); S bytte, tyvekoster.
swag-bellied *adj* med hængevom.
swage [sweidʒ] *sb* (værktøj:) sænke; *vb* sænksmede.
swage block sænkambolt.
I. swagger ['swægə] *sb* vigtig mine, storsnudet optræden; brovten, pral; *adj* S fin, elegant, overklasse-; *walk with a* ~ gå og vigte sig.
II. swagger ['swægə] *vb* vigte sig, være storsnudet; prale; ~ *about* spankulere omkring med en vigtig mine *(el.* med næsen i sky); ~ *about sth* prale af noget.
swagger coat swagger (løsthængende damefrakke).
swagman *(austr)* vagabond; bissekræmmer.
swain [swein] *sb (poet)* bondeknøs; ungersvend; *(spøg)* tilbeder, beundrer.
I. swallow ['swɔlou] *sb zo* svale; *one* ~ *does not make a*

summer én svale gør ingen sommer.
II. swallow ['swɔlou] *vb* svælge, synke; sluge; *(fig)* sluge; bide i sig *(fx an insult)*; *sb* svælg; synken, slurk; *(mar)* skivgat; ~ *sth the wrong way* få noget i den gale hals; ~ *one's words* tage sine ord i sig igen.
swallow| dive svanhop. **-tail** (i snedkeri; *zo:* sommerfugl) svalehale; *-tails* (herre)kjole. **-wort** *(bot)* svalerod.
swam [swæm] *præt* af *swim*.
swamp [swɔmp] *sb* mose, sump; *vb* fylde(s) med vand, overskylle, synke; *(fig)* oversvømme, overfylde *(fx the labour market was -ed by foreign workers)*; overvælde.
swamp fever sumpfeber.
swampy ['swɔmpi] *adj* sumpet.
swan [swɔn] *sb zo* svane; *the* ~ *of Avon* ɔ: Shakespeare; *the* ~ *of Ayr* ɔ: Robert Burns.
swank [swæŋk] *sb* S vigtighed, pral; *vb* = II. *swagger.*
swanky ['swæŋki] *adj* S pralende, vigtig; flot, dyr *(fx dinner)*, smart.
swan| neck (rør:) svanehals. **-nery** svanegård. **-'s-down** svanedun; (tøj:) svanebaj. **-skin** (tøj:) multum. ~ **song** svanesang.
swap [swɔp] *se swop.*
sward [swɔːd] *sb* grønsvær, græstørv.
swarded ['swɔːdid] *adj* græsklædt.
swarf [swɔːf] *sb* spåner, jernfilspåner.
I. swarm [swɔːm] *sb* (af bier) sværm; *(fig)* sværm, mylder, masse; *vb* sværme, myldre; *be -ing with* myldre *(el.* vrimle) med, være vrimlende fuld af.
II. swarm [swɔːm] *vb* entre, klatre; entre op ad.
swart [swɔːt] *adj (litt)* mørkladen, mørkladen.
swarthy ['swɔːði, 'swɔːθi] *adj* mørk, mørkhudet.
swash [swɔʃ] *sb* plasken; støj; skvalder; *vb* plaske; støje; skvaldre.
swash|buckler ['swɔʃbʌklə] *sb* storskryder, pralhals. **-buckling** ['swɔʃbʌkliŋ] *sb* pral, bravade; *adj* skrydende, pralende. ~ **letter** *(typ)* kursivbogstav med sving, pyntebogstav.
swastika ['swɔstikə] *sb* hagekors, swastika.
swat [swɔt] *vb* smække , klaske; *sb* smæk.
swatch [swɔtʃ] *sb* (stof)prøve.
swath [swɔːθ] *sb* skår (af græs eller korn).
swathe [sweið] *sb* svøb; *vb* svøbe.
swatter ['swɔtə] *sb* fluesmækker.
I. sway [swei] *vb* svinge, svaje, gynge; vakle; *(fig)* vakle; have overvægt, herske; (med objekt) få til at svaje (, vakle *etc)*; *(fig)* påvirke, øve indflydelse på; omstemme *(fx* ~ *them in his favour)*; styre, beherske *(fx -ed by their lower instincts)*.
II. sway [swei] *sb* svingen (hid og did), svajen, gyngen; indflydelse; herredømme, magt; *hold* ~ *of (el.* over) have magten over; *under the* ~ *of* behersket af; styret af.
swaybacked ['sweibækt] *adj* svajrygget.
swear [swɛə] *vb (swore, sworn)* sværge, bande; (med objekt) sværge på, bekræfte ved ed; (om person) tage i ed, forpligte ved ed; ~ *at* bande ad; ~ *by* sværge ved *(fx* ~ *by all that is sacred)*; T sværge til *(fx he -s by castor oil)*; ~ *in* tage i ed, edfæste; lade aflægge embedsed; ~ *off drinking* forsværge drik; ~ *to having done it* sværge på at man har gjort det; ~ *sby to secrecy* lade en sværge på at han ikke vil røbe noget.
swearword ['swɛəwɔːd] *sb* ed, kraftudtryk.
I. sweat [swet] *sb* sved, svedetur; T slid; *by the* ~ *of one's brow* i sit ansigts sved; *in a* ~, *all of a* ~ badet i sved; *(fig)* rystende af spænding (, angst).
II. sweat [swet] *vb* svede; T *(fig)* slide, slæbe; (med objekt) få til at svede; *(fig)* udbytte *(fx one's workers)*; tage i skarpt forhør; ~ *for* slide sig til; *he shall* ~ *for it* det skal han komme til at fortryde; ~ *out* udsvede *(fx moisture)*; (komme af med:) svede ud *(fx a cold en forkølelse)*; S frembringe (, nå) ved hårdt slid; ~ *it out* holde ud til det er overstået; holde pinen ud.
sweat|band svederem. **-box** svedekasse.
sweated ['swetid] *adj* underbetalt; (om vare) fremstillet af underbetalte arbejdere.
sweater ['swetə] *sb* (tøj:) sweater; (person:) udbytter.
sweater shirt skjortepullover, T-shirt.
sweat gland svedkirtel.
sweat|shirt træningsbluse. **-shop** fabrik der udbytter sine

arbejdere. **-suit** træningsdragt.
sweaty ['sweti] *adj* svedt; som man bliver svedt af, møjsommelig *(fx climb)*.
I. Swede [swi:d] *sb* svensker.
II. swede [swi:d] *sb* kålroe.
Sweden ['swi:dn] Sverige.
Swedish ['swi:diʃ] *sb, adj* svensk; ~ **box** *(gym)* plint.
sweeny ['swi:ni] *sb* muskelsvind (hos heste).

I. sweep [swi:p] *vb (swept, swept)* feje *(fx a new broom -s clean)*; *(fig)* fare, jage *(fx the wind -s across the lake)*; (om person) sejle, skride *(fx she swept out of the room)*; (om vej, kystlinie *etc*) strække sig, krumme sig; (med objekt) feje *(fx the floor)*; feje (, fare, jage, stryge, skylle) hen over; gennemstrejfe, gennemsøge, afsøge; rense *(fx the sea of mines)*; rive *(fx the wind swept his hat off his head)*; *(mil.)* bestryge; ~ **the board** stryge hele gevinsten; ~ **the faces of the audience with a hasty glance** lade blikket løbe hastigt hen over tilhørernes ansigter; ~ **the polls** sejre stort (ved valg);
~ **away** feje bort; rive bort, skylle bort *(fx the house was swept away by the flood)*; afskaffe, fjerne, bortrydde; **be swept off** one's feet blive revet omkuld; *(fig)* blive revet med; ~ one's hand **over** one's face stryge sig med hånden over ansigtet; ~ **past** stryge forbi; ~ **up** mines stryge miner.
II. sweep [swi:p] *sb* fejning, fejen; (bevægelse:) sving(en), svingende bevægelse, tag, (med pensel) strøg; hurtig bevægelse, fremrykning; strejftog; (område:) strækning *(fx of sand)*; (buet stykke:) bue, kurve: (om våben *etc*) rækkevidde; (person:) gadefejer; skorstensfejer; *(mar)* bunkeåre; (af sejl) gilling; *(glds)* brøndvippe; **S** sjover; *fk sweepstake;* make a clean ~ gøre rent bord *(fx the thief made a clean ~)*.
sweepback ['swi:pbæk] *sb (flyv)* pilform.
sweeper ['swi:pə] *sb* gadefejer; fejemaskine.
sweeping ['swi:piŋ] *adj* fejende *etc* (se I. *sweep)*; *(fig)* gennemgribende, radikal *(fx reform)*; omfattende; overvældende *(fx victory)*; lovlig flot *(fx a ~ statement)*; *sb* fejning; *-s pl* opfejning, fejeskarn; *(fig)* bærme.
sweepstake(s) ['swi:psteik(s)] *sb* sweepstake (form for lotteri i forbindelse med væddeløb).
sweet [swi:t] *adj* sød; liflig, duftende; melodisk *(fx voice)*; (om person) sød, yndig; blid *(fx temper)*; *(mods* salt) fersk *(fx water)*; usaltet *(fx butter)*; *(mods* fordærvet) frisk *(fx keep the milk ~)*; *adv* sødt *(etc)*; let *(fx a ~ -going car)*; *sb* skat, elskede; (mad:) dessert; stykke konfekt, bolsje; *-s* slik(keri), konfekt, bolsjer; *(litt)* sødme *(fx the -s of victory, of revenge)*; behageligheder; *forbidden fruit is ~* forbuden frugt smager bedst; *keep him ~* holde ham i godt humør; *be ~ on (glds* T) være forelsket i, være varm på; *at one's own ~ will* efter forgodtbefindende.
sweetbread ['swi:tbred] *sb: throat (el. neck) ~* brissel; *stomach (el. belly) ~* bugspytkirtel.
sweet brier ['swi:t'braiə] *sb (bot)* æblerose, vinrose.
sweet | chestnut *(bot)* ægte kastanje. ~ **cicely** *(bot)* sødskærm, spansk kørvel. ~ **cider** *(am)* æblemost.
sweeten ['swi:tn] *vb* søde, gøre sød, forsøde, formilde, mildne; gøre frisk; **S** bestikke; (uden objekt) blive sød.
sweetening ['swi:tniŋ] *sb* sødemiddel, sødestof.
sweetheart ['swi:tha:t] *sb* kæreste, skat.
sweetie ['swi:ti] *sb* **T** kæreste, skat; *-s* slikkeri, konfekt.
sweeting ['swi:tiŋ] *sb* (slags sødt æble); *(glds)* elskede, skat.
sweetish ['swi:tiʃ] *adj* sødlig.
sweetmeat ['swi:tmi:t] *sb* stykke konfekt; *-s* slikkeri, konfekt.
sweet | oil spiseolie, (især:) olivenolie. ~ **pea** *(bot)* lathyrus. ~ **potato** *(bot)* batat. ~ **-scented** vellugtende. **-shop** chokoladeforretning. ~ **-tempered** elskværdig, blid, godmodig. ~ **tooth** slikmund; *he has (el.) a ~ tooth* han er slikken, han er en slikmund. ~ **william** *(bot)* busknellike, studenternellike.
I. swell [swel] *vb (swelled, swollen el. swelled)* svulme *(fx the sails -ed)*; svulme op, bulne (ud) *(fx his cheek -ed)*; hovne op; hæve sig *(fx the ground -ed)*; bule ud; *(fig)* svulme *(fx his heart -ed with (af) pride)*; (øges:) stige, vokse *(fx the murmur -ed into a roar)*; (om person) bry

ste sig, være svulstig, blive opblæst; (med objekt) få til at svulme *(etc)*; øge *(fx their numbers)*; forstærke *(fx the sound)*; *the wind -ed the sails* vinden fyldte sejlene; *-ed head* indbildskhed, storhedsvanvid.
II. swell [swel] *adj* smart, lapset; flot; *(am)* mægtig god, glimrende, fremragende.
III. swell [swel] *sb* svulmen, bugnen, stigen, stigning, intensitet, kraft; (i terrænet) forhøjning, hævning, stigen; *(mar)* dønning; *(mus.)* crescendo fulgt af diminuendo; (i øget) svelle; crescendoværk; **T** matador, stormand; ekspert, mester; modeherre, laps, flot fyr; *the -s* (også) de fine.
swelling ['sweliŋ] *adj* svulmende; *sb* svulmen; udbuling, forhøjning; *(med.)* bule, hævelse; svulst.
swell mob **T** velklædte forbrydere; gentlemantyve.
swell organ crescendoværk.
swelter ['sweltə] *vb* være ved at forgå af varme; *sb* (overvældende) varme.
swept *præt* og *pp* af *sweep*.
sweptback ['sweptbæk] *adj (flyv)* pilformet.
swerve [swə:v] *vb* dreje (brat) til siden, vige ud; svinge; *(fig)* afvige *(fx from one's duty)*; *sb* drejning, sidebevægelse, sving.
I. swift [swift] *sb zo* mursejler.
II. swift [swift] *adj* rap, hurtig, rask.
swifter ['swiftə] *sb (mar)* hestetov (på gangspil).
swift-footed ['swiftfutid] *adj* rapfodet.
swig [swig] *vb* tage (store) slurke af; tylle i sig; *sb* (stor) slurk.
I. swill [swil] *vb* bælge *(el.* tylle) i sig; skylle.
II. swill [swil] *sb* svineføde, spild, affald; slurk.
swill tub svinetønde.
I. swim [swim] *vb (swam, swum)* svømme, flyde; (i luften) svæve; (med objekt) svømme over; *my eyes are -ming* det flimrer for mine øjne; *my head is -ming* det svimler for mig, det kører rundt for mig; ~ *a race with him* svømme om kap med ham; ~ *with the tide (fig)* følge med strømmen.
II. swim [swim] *sb* svømmen, svømmetur; *be in the ~* være med hvor det foregår.
swimmeret ['swimərет] *sb (zo:* hos krebsdyr) halefod.
swimming ['swimiŋ] *sb* svømning, svimmelhed.
swimming| bath svømmebassin; svømmehal, badeanstalt. ~ **gala** svømmestævne. **-ly** *(fig)* strygende; glat, fint *(fx it went -ly)*. ~ **pool** svømmebassin.
swindle ['swindl] *vb* svindle, bedrage; *sb* svindel, bedrageri.
swine [swain] *sb (pl swine)* svin; (skældsord:) sjover, sjuft.
swine|herd svinehyrde. ~ **pox** (en art skoldkopper).
I. swing [swiŋ] *vb (swung, swung)* svinge; dingle; hænge; (i gynge:) gynge; (springe *etc)* svinge sig *(fx from branch to branch)*; (ændre sig:) svinge om, slå om; *fx opinion swung in his favour)*; **T** blive hængt *(fx he shall ~ for this)*; **S** svinge, være med på noderne; (om to:) komme godt ud af det; *(mar)* svaje; (med objekt) svinge (med) *(fx a club)*; få til at svinge; hænge op *(fx a hammock)*; *(fig)* fremkalde et omsving i *(fx ~ the elections in his favour)*; *(am* T) påvirke; **S** klare *(fx a new job)*; forstå; nyde; ~ *the lead, se* I. lead.
II. swing [swiŋ] *sb* sving, svingning, (af pendul *etc)* udsving, *(fig)* omsving; (legeapparat:) gynge; gyngetur; *(am)* (handle)frihed *(fx give him full ~)*; *(mus.)* swingmusik; *in full ~* i fuld gang, i fuld sving; *it goes with a ~* der er rytme i det; *(fig)* det går glat, det går strygende.
swing| boat luftgynge. ~ **bridge** svingbro, drejebro.
swingeing ['swindʒiŋ] *adj* vældig *(fx blow)*, overvældende *(fx majority)*, dundrende *(fx lie)*.
swinger ['swiŋə] *sb* **S** en der er fut i, en der er med på noderne.
swinging ['swiŋiŋ] *adj* svingende; svingbar; **S** swingende, som er med på noderne. **swinging post** dørstolpe.
swingle ['swiŋgl] *sb* (til hør) skættekniv; (del af plejl) slagel; *vb* skætte (hør).
swingletree ['swiŋgltri:] *sb* svingel, hammel (på vogn).
swing| plough svingplov. ~ **shift** *(am)* aftenskift (især fra 16-24).
swinish ['swainiʃ] *adj* svinsk, dyrisk, rå.
swipe [swaip] *vb* slå kraftigt; **S** hugge; *sb* slag.
swipes [swaips] *sb pl* tyndt øl, sprøjt.

swirl [swəːl] *vb* hvirvle af sted; svinge rundt; *sb* hvirvlen; hvirvel.
I. swish [swiʃ] *vb* suse, hvisle; (med objekt) slå med *(fx the horse -ed its tail)*; svippe (med) *(fx a cane)*; piske.
II. swish [swiʃ] *sb* susen, hvislen; slag, pisken.
III. swish [swiʃ] *adj* S flot, smart.
Swiss [swis] *adj* schweizisk, svejtsisk; *sb* schweizer, svejtser; dørvogter; *the* ~ (også) schweizerne, svejtserne.
swiss| chard ['swis'tʃaːd] *(bot)* sølvbede. ~ **roll** roulade.
I. switch [switʃ] *sb* tynd kæp, pisk; (af hår) (løs) fletning; (på dyr) haledusk; *(cf II. switch)* omslag, (pludselig) forandring; skiften; omstilling *(fx to peace production); (jernb etc)* sporskifte; *(elekt)* afbryder, omskifter, kontakt.
II. switch [switʃ] *vb* svinge; dreje, skifte; bytte *(fx places)*; (slå:) give af kæppen, piske; slå med *(fx a cane; the tail); (jernb etc)* rangere; ~ *the conversation* dreje samtalen ind på et andet spor; skifte emne; ~ **in** koble ind; ~ **off** afbryde (strøm), bryde telefonsamtale; lukke for *(fx the wireless)*, slukke (lys); ~ **on** lukke op (for), tænde (for); slutte (strøm); give telefonforbindelse; ~ **on to** dreje op for; stille om til; ~ **over to** skifte over til; stille om til.
switch|back rutschebane. **-blade knife** springkniv. **-board** *(elekt)* strømtavle, strømfordelingstavle; *(tlf)* centralbord, omstillingsbord. **-gear** *(elekt)* afbryderanlæg, fordelingsanlæg. ~ **lever** sporskiftestang. **-man** sporskifter. ~ **-over** omstilling.
swither ['swiðə] *vb (dial)* vakle, tøve; være i tvivl.
Swithin ['swiðin]: som vejret er på *St. Swithin's day* (den 15. juli), siges det at blive i de følgende 40 dage.
Switzerland ['switsələnd] Schweiz, Svejts.
swivel ['swivl] *sb* hvirvel, bevægelig tap, omdrejningstap; lægne; *(tekn)* svingslæde; *vb* svinge, dreje (sig).
swivel| bridge drejebro. ~ **chair** drejestol. ~ **-eyed** skeløjet. ~ **gun** drejekanon.
swiz [swiz] *sb* T skuffelse, afbrænder; fup, svindel.
swizzle ['swizl] *vb* cocktail omrørt med is; (se også *swiz*); *vb* drikke, svire.
swollen ['swouln] *pp* af *swell*; *adj* opsvulmet, svullen, ophovnet; bullen; *(fig)* oppustet, opblæst; ~ *root* rodknold.
I. swoon [swuːn] *vb* besvime, falde i afmagt; (om musik) gradvis dø hen.
II. swoon [swuːn] *sb* afmagt, besvimelse; *fall into a* ~ falde i afmagt.
swoop [swuːp] *vb* slå ned på, gribe; *sb* nedslag, greb; pludseligt angreb, razzia.
swop [swɔp] T *vb* bytte, tilbytte sig, bortbytte; udveksle; skifte; *sb* bytten, bytning; dublet (til bytning); ~ *horses in midstream (fig)* skifte heste midt i vadestedet.
sword [sɔːd] *sb* sværd, sabel; *cross (el. measure) -s with* krydse klinge med; *put to the* ~ hugge ned.
sword| arm højre arm. ~ **bayonet** sabelbajonet. ~ **-bearer** sværddrager. ~ **cane** kårdestok. **-fish** sværdfisk. ~ **knot** portépée, sabelkvast. **-play** fægtning; *(fig)* ordduel.
swordsman ['sɔːdzmən] *sb* fægtemester. **swordsmanship** fæg tekunst.
sword|stick kårdestok. **-tail** *zo* sværddrager.
swore [swɔː] *præt* af *swear*.
sworn [swɔːn] *pp* af *swear*; *adj* edsvoren; svoren *(fx friend, enemy)*; inkarneret *(fx bachelor)*.
swot [swɔt] *vb* S arbejde hårdt, terpe, herse, pukle, slide og slæbe; *sb* hårdt åndeligt arbejde, slid og slæb; (person:) slider; *(am også)* = *swat*.
swum [swʌm] *pp* af *swim*.
swung [swʌŋ] *præt* og *pp* af *swing*.
Sybarite ['sibərait] *sb* sybarit.
sybaritic [sibə'ritik] *adj* sybaritisk, overdådig.
sycamore ['sikəmɔː] *sb (bot): (~ fig)* morbærfigentræ; (~ *maple)* ær, valbirk; *(am* art platan).
syce [sais] *sb* (indisk:) staldkarl.
sycophancy ['sikəfənsi] *sb* lav smiger, spytslikkeri.
sycophant ['sikəfənt] *sb* smiger, spytslikker.
sycophantic [sikə'fæntik] *adj* slesk.
syllabic [si'læbik] *adj* stavelse-, syllabisk, stavelsedannende.
syllabi(fi)cation [siLæbi(fi)'keiʃən] *sb* stavelsedeling.
syllable ['siləbl] *sb* stavelse; *vb* udtale stavelse for stavelse;

a three-syllabled word et trestavelsesord.
syllabus ['siləbəs] *sb* program, læseplan; pensum, eksamensfordringer.
syllogism ['silədʒizm] *sb* (i logik) syllogisme.
syllogize ['silədʒaiz] *vb* ræsonnere i syllogismer.
sylph [silf] *vb* sylfide, sylfe, luftånd.
sylvan ['silvən] *adj* skov-; skovrig.
symbol ['simbl] *sb* symbol, sindbillede; tegn.
symbolic(al) [sim'bɔlik(l)] *adj* symbolsk. **symbolic logic** symbolsk logik, logistik. **symbolism** ['simbəlizm] *sb* symbolik; *(litt)* symbolisme. **symbolize** ['simbəlaiz] *vb* symbolisere.
symmetric(al) [si'metrik(l)] *vb* symmetrisk.
symmetry ['simitri] *sb* symmetri.
sympathetic [simpə'θetik] *adj* sympatetisk, medfølende, deltagende; ~ *to(wards)* velvilligt *(el.* sympatisk) stemt over for, lydhør over for; ~ *ink* sympatetisk blæk; *the ~ nervous system* det sympatiske nervesystem; ~ *strike* sympatistrejke.
sympathize ['simpəθaiz] *vb* sympatisere; ~ *with* (også) føle (, vise) deltagelse for.
sympathizer ['simpəθaizə] *sb* sympatisør.
sympathy ['simpəθi] *sb* sympati, deltagelse, medfølelse; forståelse; harmoni.
sympetalous [sim'petələs] *adj (bot)* samrbladet.
symphony ['sɪmfəni] *sb* symfoni.
symphonic [sim'fɔnik] *adj* symfonisk.
sympodial [sim'poudiəl] *adj (bot)* fleraket.
sympodium [sim'poudiəm] *sb (bot)* kædeakse, skudkæde, sympodium.
symposium [sim'pouzjəm] *sb* videnskabelig *(etc)* konferrence; samling afhandlinger af forskellige videnskabsmænd om et enkelt emne; (i avis) enquete; *(hist.)* symposion, gæstebud.
symptom ['sim(p)təm] *sb* symptom, tegn.
symptomatic [sim(p)tə'mætik] *adj* symptomatisk *(of* for).
syn. *fk synonym.*
synagogue ['sinəgɔg] *sb* synagoge.
sync [siŋk] *sb* synkronisere; *adj* synkron; *in* ~ synkront; *out of* ~ *with* ikke synkroniseret med.
synchroflash ['siŋkrəflæʃ] *sb (fot)* synkronblitz.
synchromesh ['siŋkrəmeʃ] *sb* synkroniseret udveksling, synkrongear.
synchronism ['siŋkrənizm] *sb* samtidighed, synkronisme.
synchronization [siŋkrənai'zeiʃn] *sb* synkronisering; samtidighed. **synchronize** ['siŋkrənaiz] *vb* synkronisere *(fx clocks)*; (uden objekt) falde sammen i tid.
synchronous ['siŋkrənəs] *adj* samtidig; synkron(-) *(fx motor)*; synkronisk; synkronistisk *(fx account of the war)*.
synchrotron ['siŋkroutrɔn] *sb (fys)* synkrotron.
syncline ['siŋklain] *sb (geol)* synklinal.
syncopate ['siŋkəpeit] *vb* synkopere.
syncopation [siŋkə'peiʃn] *sb* synkope, forskydning af rytme.
syncope ['siŋkəpi] *sb (med.)* afmagt, besvimelse; *(gram)* synkope, udfald af lyd inde i ord.
syncretism ['siŋkritizm] *sb* synkretisme.
syndetic [sin'detik] *adj (gram)* forbindende.
syndicalism ['sindikəlizm] *sb* syndikalisme, fagforeningsstyre. **syndicalist** ['sindikəlist] *sb* syndikalist.
I. syndicate [si'ndikit] *sb* konsortium; bureau som opkøber og videresælger stof til samtidig offentliggørelse i flere blade.
II. syndicate [si'ndikeit] *vb* sammenslutte i et syndikat; danne et konsortium; (om avisstof) offentliggøre samtidig i flere aviser; levere til samtidig offentliggørelse.
syne [sain] *adv* (på skotsk) siden.
synod ['sinəd] *sb* synode, kirkeforsamling.
synodal ['sinədəl], **synodic** [si'nɔdik] *adj* synodisk, forhandlet i kirkemøde.
synoecious [si'niːʃəs] *adj (bot)* sambo.
synonym ['sinənim] *sb* enstydigt ord, synonym.
synonymous [si'nɔniməs] *adj* enstydig, synonym.
synonymy [si'nɔnimi] *sb* synonymik.
synopsis [si'nɔpsis] *sb* indholdsoversigt, resumé, sammenfatning; (til film) synopsis.
synoptic [si'nɔptik] *adj* synoptisk; *sb* synoptiker.
synovial [si'nouviəl] *adj (anat): ~ bursa* slimhindesæk; ~

fluid ledvæske; ~ *membrane* senehinde; ~ *sheath* seneskede.
synovitis [sinə'vaitis] *sb (med.)* senehindebetændelse.
syntactical [sin'tæktikl] *adj* syntaktisk.
syntax ['sintæks] *sb (gram)* syntaks, ordføjningslære.
synthesize ['sinθisaiz] *vb* syntetisere.
syntehes|is ['sinθisis] *sb* (pl *-es* [-i:z]) syntese, sammenfatning; *form a -is* gå op i en højere enhed.
synthetic [sin'θetik] *adj* syntetisk, kunstig *(fx rubber);* kunst- *(fx fibres); (spr)* syntetisk.
syntonize ['sintənaiz] *vb* (radio) afstemme.
syphilis ['sifilis] *sb (med.)* syfilis.
syphon = *siphon.*
Syracuse [på Sicilien: 'saiərəkju:z, i Amerika: 'sirəkju:s].
syrette [si'ret] *sb* endosissprøjte.
Syria ['siriə] Syrien.
Syrian ['siriən] *adj* syrisk; *sb* syrer.

syringa [si'riŋgə] *sb (bot)* uægte jasmin.
syringe ['sirin(d)ʒ, si'rindʒ] *sb* sprøjte; *vb* sprøjte, indsprøjte.
syrinx ['siriŋks] *sb* panfløjte.
syrup ['sirəp] *sb* sukkerholdigt udtræk, saft; sukkeropløsning; (lys) sirup.
syrupy ['sirəpi] *adj* sirupsagtig, klæbrig.
system ['sistim] *sb* system, ordning; metode *(fx ~ of teaching);* net *(fx railway ~);* organisme *(fx it is good for the ~); get it out of one's ~* komme fri af det, (om forfatter) skrive sig fri af det.
system|atic [sisti'mætik] *adj* systematisk. **-atism** ['sistimətizm] *sb* systematik. **-atize** ['sistimətaiz] *vb* systematisere, sætte i system.
systole ['sistəli] *sb (anat)* systole, sammentrækning (af hjertet).

T [ti:] T; *to a T* på en prik *(fx it suits me to a T)*.
't *fk it.*
ta *interj* T (barnesprog) tak!
T. A. *fk Territorial Army.*
Taal [ta:l] *sb: the* ~ afrikaans (hollandsk dialekt i Kaplandet).
tab [tæb] *sb* strop, klap, flig; mærkeseddel; *(flyv)* trimklap; (på kartotekskort) fane; (på snørebånd) dup; *(mil.)* kravedistinktion (for generalstabsofficer); *(teat)* kabarettæppe, mellemtæppe; *keep* ~*(s) on* holde øje med, holde rede på.
tabard ['tæbəd] *sb* våbenkappe, heroldkappe.
tabby ['tæbi] *adj* vatret; moiré; *sb* stribet kat, hunkat; *(glds)* sladresøster; (om stof) moiré; ~ *cat* stribet kat; hunkat.
tabernacle ['tæbənækl] *sb* tabernakel, skrin til opbevaring af hellige ting; *(arkit)* niche; *(mar)* tabernakel, mastekogger.
tabes ['teibi:z] *sb (med.)* tæring; rygmarvstæring.
tabescent [tə'besənt] *adj* som hentæres.
tabetic [tə'betik] *adj* som lider af rygmarvstæring.
I. table [teibl] *sb* bord; (især til indskrift) tavle; plade; (liste *etc)* fortegnelse, register, (især *mat.)* tabel; *(geogr)* plateau; *turn the -s on sby* få overtaget over en, komme ovenpå; *the -s are turned* bladet har vendt sig, rollerne er byttet om; *at* ~ til bords, under måltidet; ~ *of contents* indholdsfortegnelse; *lay on the* ~ fremsætte *(fx a motion* et forslag); *(am)* henlægge, 'sylte'.
II. table [teibl] *vb* lægge på bordet, fremsætte *(fx* et lovforslag); opføre (på en liste); *(am)* henlægge *(fx* et lovforslag), opsætte, sylte.
tableau ['tæblou] *sb* tableau; ~ *curtain (teat)* kabarettæppe, mellemtæppe.
table|-board *(am): have* ~ *-board with* være på kost hos. ~ **book** notesbog, notesblok; bog med tabeller. **-cloth** borddug. ~ **cover** bordtæppe. ~ **d'hôte** ['ta:bl'dout] table d'hôte. **-land** højslette. ~ **lifting** = ~ **turning.** ~ **linen** dækketøj. ~ **manners** bordskik. **-mat** bordskåner. ~ **money** *(mar)* bordpenge. **-spoon** spiseske.
tablet ['tæblit] *sb* lille tavle; skriveblok; stykke *(fx of soap),* plade *(fx of chocolate);* (medicin:) tablet.
table talk bordkonversation.
tablet(-arm) chair auditoriestol (med skriveklap på armlænet).
table| tennis bordtennis. ~ **top** bordplade. ~ **turning** borddans (spiritistisk fænomen). **-ware** sølvtøj og service.
tabloid ['tæbloid] *sb* avis i »frokostformat« *(el.* magasinformat); sensationsblad; i ~ *form* i tabletform; *(fig)* i koncentreret form; ~ *format (el. size)* »frokostformat«, magasinformat.
taboo [tə'bu:] *sb* tabu, forbud mod berøring; *adj* tabu, *(fig,* også) forbudt, bandlyst; *vb* erklære for tabu; undgå som tabu.
tabor ['teibə] *sb* lille tromme.
tabouret ['tæbərit] *sb* taburet; brodérramme; lille tromme.
tabular ['tæbjulə] *adj* tavleformet, tavlet; tabellarisk.
tabulate ['tæbjuleit] *vb* planere; ordne i tabelform, tabulere; slå op (på tabulator). **tabulation** [tæbju'leifən] *sb* opstilling i tabelform, systematisk opstilling.
tabulator ['tæbjuleitə] *sb* (i edb og på skrivemaskine) tabulator.
tachograph ['tækəgra:f] *sb* fartskriver.
tachometer [tæ'kɔmitə] *sb* tachometer, omdrejningsviser.
tachymeter [tæ'kimitə] *sb* tachymeter, afstands- og højdemåler.
tacit ['tæsit] *adj* stiltiende *(fx agreement, consent).*
taciturn ['tæsitə:n] *adj* ordknap, fåmælt, tavs (af sig).
taciturnity [tæsi'tə:niti] *sb* fåmælthed.
tack [tæk] *sb* tegnestift; tæppesøm; (i syning) ri-sting, næst; *(mar)* (tov:) hals; (del af sejl:) halsbarm; (ret-

ning:) bov; (ved krydsning) kryds, slag; *vb* fæste, hæfte med stifter, sømme fast; sammenhæfte; (i syning) ri, næste; *(fig)* hæfte *(on (to)* på); *(mar)* skifte kurs; krydse, gå over stag, stagvende; ~ *together* hæfte *(etc)* sammen; rimpe sammen; *on the same* ~ på samme bov; *on the starboard* ~ for styrbords halse; *get on a new* ~ *(fig)* slå ind på en ny kurs, lægge om på en anden bov; *on a wrong* ~ *(fig)* på falsk spor; (se også *brass tacks, hard-tack).*
tackle ['tækl] *sb* grejer *(fx fishing* ~); (til tov) talje; *(mar)* takkel; talje; rigning; (i fodbold) tackling; *vb* (om skib) takle, tiltakle; (i fodbold) tackle; *(fig)* gå løs på, tage fat på, give sig i kast med, gribe an; begynde at diskutere med.
tackling ['tæklin] *sb* takkelage, tovværk; (i fodbold) tackling.
tacky ['tæki] *adj* tyk, klæbrig, tykflydende; T *(am)* billig, tarvelig, lurvet; prangende, udmajet, vulgær; *sb (am)* krikke; derangeret person.
tact [tækt] *sb* takt(følelse). **tactful** taktfuld.
tactic ['tæktik] *sb* taktik; *adj* taktisk. **tactical** ['tæktikl] *adj* taktisk.
tactician [tæk'tifən] *sb* taktiker.
tactics ['tæktiks] *sb* taktik, fremgangsmåde.
tactile ['tæktail] *adj* føle-; berørings-; som kan berøres, som man kan tage og føle på. **tactility** [tæk'tiliti] *sb* følelighed; håndgribelighed.
tactless ['tæktlis] *adj* taktløs.
tactual ['tæktjuəl] *adj* følelses-, føle, berørings-.
tadpole ['tædpoul] *adj (zo)* haletudse.
tael [teil] *sb* tael (kinesisk vægt- og møntenhed).
taenia ['ti:niə] *sb* hårbånd; bånd; *(zo)* bændelorm.
taffeta ['tæfitə] *sb* taft.
taffrail ['tæfreil] *sb (mar)* hakkebræt.
I. Taffy ['tæfi] *sb* T waliser.
II. taffy ['tæfi] *sb (am)* karamel.
tafia ['tæfiə] *sb* rørsukkerbrændevin.
tag [tæg] *sb* mærkeseddel, etiket, (også i edb) ® mærkat; løs ende, flig; (på skobånd) dup; (af hale) halespids; (på støvle *etc)* strop; (på får) filtret uldtot; (til noget skrevet) tilføjelse; *(teat)* slutningsord; (af sang) omkvæd; (banalt udtryk:) talemåde, floskel; (børneleg:) tagfat; *vb* forsyne med dup (, mærkeseddel *etc);* mærke; tilføje; *(fig)* hænge efter, følge i hælene på; ~ *along with* følge i hælene på; *get -ged* (i tagfat) blive den; *(am)* blive noteret (af politiet); ~ *on* tilføje; hæfte på.
tag| day *(am)* mærkedag (hvor der sælges mærker på gaden til velgørenhed). ~ **end** løs ende, sidste ende.
tagrag ['tægræg] *sb:* ~ *(and bobtail)* pøbel, rak, ros; den gemene hob.
Tagus ['teigəs] *(geogr): the* ~ Tajo.
Tahiti [ta:'hi:ti].
I. tail [teil] *sb* hale, ende; bageste del, bagende; (af personer) bagtrop; følge; (af frakke) skøde; (af hår) (nakke-) pisk; (ved støbning) indløbstap; *(bogb)* endesnit, fod; *(typ)* undermargin; *(jur)* begrænsning (i arvegang); *(fig)* affald, bærme; *(vulg)* kusse; *estate* ~ *(jur)* fideikommis; ~ *of one's eye* den ydre øjekrog; ~ *of a plough* plovstjært; *white tie and -s* kjole og hvidt; *heads or -s* plat eller krone; *keep your* ~ *up* T op med humøret.
II. tail [teil] *vb* sætte hale på *(fx a kite);* tage stilken af, nippe *(fx gooseberries);* gå i en lang række; danne bagtrop i *(fx a procession);* T følge efter, skygge; ~ *along* følge efter; ~ *away* (om lyd) dø hen; (om personer) sprede sig ud i en lang række; ~ *off* (om lyd) dø hen; *(mht* kvalitet) blive ringere og ringere; ~ *out,* se ~ *away.*
tail|board bagsmæk(ke); (se også *-gate).* **-coat** herrekjole. ~ **end** sidste ende; *(bogb)* undersnit. **-gate** *(am) sb* bagsmæk(ke); (på bil også) bagagerumsklap, varerumsklap; *vb* køre lige op i bagsmækken på; køre tæt bag efter.

tailing ['teiliŋ] sb indmuret del af en sten; -s avner, affald.
tail|lamp = ~ light. **-less** ['teillis] haleløs. ~ **light** baglanterne, baglygte.
tailor ['teilə] sb skrædder; vb (skrædder)sy; drive skrædderi; (fig) tilpasse, skære til (to efter).
tailor|bird (zo) skrædderfugl. **-ed** skræddersyet. **-ing** skrædderarbejde. ~ **-made** adj skræddersyet; (fig) specialfremstillet, »skræddersyet«; sb skræddersyet dragt; tailor-made; S fabriksrullet cigaret.
tail|piece bageste del, sidste ende; (typ) slutningsvignet; (på violin etc) strengeholder. ~ **plane** (flyv) haleplan. **-race** afløb. ~ **spin:** go into a ~ spin (flyv) gå i spin; (fig) blive helt konfus, bryde sammen; gå i opløsning. ~ **wind** medvind.
taint [teint] vb smitte, befænge, gøre uren, inficere, fordærve; sb plet, smitte, besmittelse, inficering, fordærvelse; uheldigt arveanlæg; -ed (også) arveligt belastet; -ed goods varer som ikke må behandles af fagforeningsmedlemmer; -ed money penge tjent på uhæderlig vis; hereditary ~ arvelig belastning.
taintless adj ubesmittet, pletfri, ren.
I. take [teik] vb (took, taken) tage; modtage (fx an offer), gribe (fx the chance, the opportunity), overtage (fx a command, ~ control), antage (fx a name), indtage, erobre (fx a fort), vinde (fx a prize), (i skak) tage, slå; (merk etc) aftage, købe (fx goods, tickets), optage (fx orders); leje (fx a house), (om tidsskrift etc) abonnere på, holde; (til et sted:) bringe (fx a letter to the post), tage med (sig) (fx ~ one's wife to the theatre), ledsage, følge (fx ~ her home), føre (fx ~ him to the manager; his ability will ~ him to the top); (om slag, sygdom) ramme (fx the blow took him on the nose; he was -n with a fever), (fig) virke på (fx it -s different people different ways), tiltrække, betage (fx he was much -n by her); (om føde) spise, drikke, nyde (fx I often ~ a glass of wine with him), have (fx will you ~ a cup of tea?), indtage (fx a strong dose of medicine); (have brug for:) bruge (fx ~ size 10 shoes; do you ~ sugar in your tea?); kræve (fx it -s courage to do that), skulle til (fx it took two men to move the stone); (om forhindring etc) tage, sætte over (fx the horse took the brook); (opfatte etc) forstå (fx do you ~ me?); (gram.) forbindes med (fx a transitive verb -s an object in the accusative); styre; (om endelse) få; **T** snyde, fuppe, 'tage'; (uden objekt) virke, slå an (fx the vaccine did not ~); gøre lykke, slå an (fx the play did not ~); (om mad) tage, rod; (om fisk) bide; (forskellige forb.) I am not taking any **T** (fig) tak jeg skal ikke nyde noget; ~ breath, se breath; ~ care, se I. care; ~ courage tage mod; ~ him to be rich antage ham for at være rig; I ~ it that you will be there jeg går ud fra at du vil være til stede; you may ~ it (from me) that du kan trygt stole på at, du kan roligt regne med at; he has got what it -s (også) han har gode evner; it -s two to make a quarrel der skal to til at skændes; ~ an oath (, a vow) aflægge ed (, et løfte); ~ your time! tag den med ro, jag ikke livet af dig, giv dig bare god tid; ~ a walk gå en tur;
(forb med præp og adv) -n **aback** forbløffet; ~ **after** efterligne, slægte på (fx she -s after her father); ~ **against** fatte uvilje mod; ~ **apart** skille ad; pille fra hinanden; dissekere (fig); ~ **away** tage med sig; tage væk, fjerne; fradrage; rive bort (fx he was -n away from us); tage ud af bordet; ~ **back** tage tilbage; tage i sig igen (fx one's words); føre tilbage; ~ **down** tage ned; rive ned (fx a wall); fjerne, demontere; skille ad (fx a rifle); nedsvælge (fx medicine); skære (el. pille) ned (fx he needs to be -n down); skrive ned; ~ for anse for (fx what do you ~ me for?); opfatte som; the master who took us for history den lærer der havde os i historie; ~ **from** trække fra (fx ~ three from ten); (fig) formindske, nedsætte, svække;
~ **in** formindske; tage ind; sy (kjole) ind; modtage (fx guests); holde, abonnere på (fx a newspaper); opfatte (fx he read the letter without taking it in); begribe, forstå; lytte ivrigt til, 'sluge' (fx the children took in all that he told); hoppe på; narre, bedrage, snyde; omfatte, inkludere; (om jord) indvinde, tørlægge; (mar) mindske, bjærge (fx sail); ~ **her in to dinner** føre hende til bords;

~ **in sewing** sy for folk; ~ **in washing** modtage tøj til vask; ~ **into** one's head sætte sig i hovedet; ~ **off** fjerne, tage af; sætte af, (flyv) starte, lette, gå på vingerne; **T** parodiere, karikere; (om sygdom) bortrive; ~ oneself off fjerne sig, stikke af; ~ a penny off the price slå en penny af (på prisen);
~ **on** tage 'på; påtage sig; engagere, antage; tage det op med, kæmpe mod, gå i lag med; slå an (fx the tune took on); **T** tage på veje, blive ophidset; ~ it on the chin tage det som en mand; ~ **out** tage ud, borttage; fjerne (fx a stain); invitere ud; løse, tegne (fx an insurance policy), skaffe sig, erhverve (fx Danish citizenship); ~ part of the amount out in goods tage varer i stedet for en del af beløbet; ~ the nonsense out of sby pille narrestregerne ud af en, få en til at makke ret; it -s it out of me jeg bliver så træt af det; det ta'r på mig; when he has had trouble at the office he -s it out on his wife når han har haft vrøvl på kontoret, lader han det gå ud over sin kone;
~ **over** overtage, tiltræde; overtage styret (el. ledelsen); we now ~ you over to (i radio) vi stiller nu om til; ~ **to** give sig til, lægge sig efter, slå sig på; fatte sympati for, komme til at holde af; søge hen til (el. ud i etc); søge tilflugt i; ~ to heart tage sig nær; lægge sig på sinde; ~ to one's heels stikke af, flygte; ~ **up** tage op; optage; absorbere; lægge sig efter, slå sig på, begynde på (fx gardening); genoptage (fx one's story); irettesætte, afbryde (for at protestere); (om rem etc) afkorte; stramme; ~ sby up (også) tage sig af én (o: protegere én); **T** arrestere én; ~ him up on it (også:) tage ham på ordet; I ~ you up on that (også:) det punkt vil jeg gerne anholde (o: protestere imod); ~ him up on the invitation benytte sig af hans indbydelse, tage ham på ordet; ~ up with slå sig på, stifte bekendtskab med; she -s well hun er let at fotografere.
II. take [teik] sb (ved fiskeri) fangst, dræt; (især teat) indtægt, kasse; (af film) optagelse; (typ) del af længere manuskript.
take|-home pay nettoløn. ~ **-in** ['teikin] sb svindel.
taken ['teikn] pp af I. take.
takeoff ['teikɔf] sb start, startsted; **T** karikatur, karikeren, parodi.
take-over ['teikouvə] sb overtagelse; magtovertagelse; (merk) overtagelse af kontrollen med et selskab ved opkøb af aktiemajoriteten.
takeup ['teikʌp] sb stramning; ~ spool tomspole.
taking ['teikiŋ] adj indtagende; (om sygdom) smitsom; sb **T** ophidselse, forvirring; -s indtægt.
talc [tælk] sb talk; talkum.
talcum ['tælkəm] sb talkum.
tale [teil] sb fortælling, beretning, historie, eventyr; løgnehistorie; (glds) tal, antal; old wives' -s ammestuehistorier; tell -s (out of school) sladre (af skole); it tells its own ~ (fig) det taler sit tydelige sprog; thereby hangs a ~ (omtr) det kunne der siges noget mere om.
tale|bearer sladderhank. **-bearing** sladren; adj sladderagtig.
talent ['tælənt] sb talent, anlæg, begavelse.
talented ['tæləntid] adj talentfuld, begavet.
talent scout talentspejder.
tales ['teili:z] sb stævning til at møde som nævningesuppleant; nævningesuppleantliste.
talesman ['teilizmən] sb nævningesuppleant.
taleteller ['teiltelə] sb sladderhank; fortæller.
talion ['tæliən] sb gengældelsesret.
taliped ['tæliped] adj klumpfodet; sb klumpfod.
talisman ['tælizmən] sb talisman, tryllemiddel.
I. talk [tɔːk] vb tale, snakke, fortælle; now you are -ing det lader sig høre; nu er du inde på noget af det rigtige; ~ at him sige noget der har adresse til ham; ~ back svare igen; ~ big prale; ~ down overdøve (med snak); (flyv) tale ned; ~ down to one's audience gøre sig for meget umage for at tale 'populært'; ~ sby into sth overtale én til noget; -ing of apropos, mens vi taler om; ~ his head off snakke ham halvt ihjel; ~ out forhandle sig til rette om; (parl) snakke (lovforslag) ihjel; ~ sby out of sth snakke én fra noget; ~ over drøfte, tale om; ~ sby over (el. round) overtale én; ~ round the subject ikke kómme til sagens kerne; ~ to tale til, tale med, irettesætte.
II. talk [tɔːk] sb samtale, drøftelse, forhandling; foredrag;

snak(ken); *it is the* ~ *of the town* hele byen taler om det.
talkative ['tɔ:kətiv] *adj* snaksom.
talkback ['tɔ:kbæk] *sb* (TV *etc*) internt samtaleanlæg mellem kontrolrum og teknikere; ~ *microphone* kommandomikrofon.
talkdown ['tɔ:kdaun] *sb (flyv)* nedtaling, landingsanvisning fra jorden.
talkee-talkee ['tɔ:ki'tɔ:ki] *sb* kaudervælsk; snak, pjat.
talker ['tɔ:kə] *sb* vrøvlehoved; konversationstalent.
talkie ['tɔ:ki] *sb (glds* T) talefilm
talking book lydbog (for blinde). ~ **book library** lydbibliotek. ~ **point** diskussionsemne.
talking-to ['tɔ:kiɳtu:] *sb* irettesættelse, opsang.
tall [tɔ:l] *adj* høj, stor; T overdreven, utrolig; *a* ~ *order* et skrapt forlangende; *that's a bit* ~ det lyder utroligt; den er for tyk.
tallboy ['tɔ:lbɔi] *sb* chiffoniere.
tallow ['tæləu] *sb* talg, tælle; *vb* smøre (med tælle).
tallow-faced *adj* bleg, usund.
tallowy ['tæləui] *adj* talgagtig, fedtet; (om teint) bleg, usund.
tally ['tæli] *sb (glds)* karvestok; *(fig)* regnskab; mærke; mærkeseddel; tilsvarende del, mage, sidestykke; *vb* karve, skære mærker i; tilpasse, passe sammen, stemme overens; ~ *with* stemme med.
tallyho ['tæli'hou] (en jægers råb til hundene).
tallyman ['tælimən] *sb* indehaver af en afbetalingsforretning; *(mar)* taljemand, tallymand.
tally-shop afbetalingsforretning.
Talmud ['tælmud] Talmud.
talon ['tælən] *sb* (rovfugls) klo; (i kortspil; del af kuponark; *arkit)* talon.
talook, taluk [tə'lu:k] *sb* jordegods, skattedistrikt (i Indien).
talukdar [tə'lu:kda:] *sb* foged, godsejer (i Indien).
talus ['teiləs] *sb (anat)* talus, springben, rulleben; *(geol)* talus, ur, løse blokke ved foden af en klippe; (af brystværn) skråning.
tam [tæm] *sb* = *tam-o'-shanter*.
TAM *fk television audience measurement.*
tamable ['teiməbl] *adj* som kan tæmmes.
tamarind ['tæmərind] *sb (bot)* tamarinde.
tamarisk ['tæmərisk] *sb (bot)* tamarisk.
tamber ['tæmbə] *sb* = *timbre*.
tambour ['tæmbuə] *sb* (stor)tromme; (til broderi) broderramme; (broderi:) tamburering; *vb* tamburere.
tambourine [tæmbə'ri:n] *sb* tamburin.
tame [teim] *adj* tam; *(fig)* tam, spagfærdig, modfalden, mat; *vb* tæmme, kue.
tameless ['teimlis] *adj* utæmmelig, ukuelig.
tamis ['tæmis] *sb* sikklæde, geléklæde.
Tammany ['tæməni]; ~ *Hall* (navn på en organisation af demokrater i New York City, kendt for at anvende korrupte politiske metoder).
tam-o'-shanter [tæmə'ʃæntə] *sb* skotsk hue *(omtr* i baskerhuefacon).
tamp [tæmp] *vb* stampe ned, stoppe (til); fordæmme (et borehul).
tamper ['tæmpə] *vb:* ~ *with* pille ved *(fx a lock)*; rette i, forfalske, forvanske *(fx a report)*; forsøge at bestikke *(el.* påvirke) *(fx a witness)*.
tamping ['tæmpiɳ] *sb* stampning; fyldemateriale, prop; (i borehul) fordæmning.
tampion ['tæmpiən] *sb* træprop (til kanon); mundingshætte.
tampon ['tæmpən] *sb* tampon (til sår); *vb* tamponere.
tan [tæn] *sb* garverbark; barkfarve; solbrændthed; *fk: tangent; vb* garve, gøre brun, gøre solbrændt; ~ *his hide* garve hans rygstykker, give ham en dragt prygl.
tanager ['tænidʒə] *sb zo* tangar (fugleart).
tandem ['tændəm] *sb* tandemforspand (ɔ: af to heste den ene foran den anden); vogn trukket af et sådant forspand; tandem(cykel); *in* ~ den ene bag *(el.* efter) den anden; *(fig)* i kompagniskab.
I. tang [tæɳ] *sb (bot)* tang, søtang.
II. tang [tæɳ] *sb* (stærk, gennemtrængende) smag *el.* lugt, bismag, afsmag; *(fig)* særpræg; (lyd:) klirren, skramlen; (på kniv *etc)* angel.

Tanganyika [tæɳgə'nji:kə].
tangency ['tændʒənsi] *sb* berøring, tangering.
tangent ['tændʒənt] *sb (geom)* tangent; *(mht* vinkel) tangens; *adj* tangerende; berørende; *go (el. fly) off at a* ~ *(fig)* fare af sted langs tangenten (ɔ: pludselig følge en anden (tanke)bane).
tangential [tæn'dʒenʃəl] *adj* tangential- *(fx force)*; tangerende; *(fig)* tilfældig; som leder bort fra emnet.
tangerine [tæn(d)ʒə'ri:n] *sb (bot)* mandarin.
tangibility [tændʒi'biliti] *sb* håndgribelighed.
tangible ['tæn(d)ʒəbl] *adj* følelig, håndgribelig, rørlig.
Tangier [tæn'dʒiə] *(geogr)* Tanger.
tangle ['tæɳgl] *vb* sammenfiltre, indvikle, være *(el.* blive) indviklet; *sb* sammenfiltret masse; forvirring, urede; T uenighed, strid; ~ *with* komme i klammeri med.
tango ['tæɳgou] *sb* tango; *vb* danse tango.
tank [tæɳk] *sb* beholder, bassin, akvarium; tank; benzintank (i bil); *(mil.)* tank, kampvogn; (anglo-indisk:) dam, reservoir; *vb* tanke, påfylde benzin *etc*; ~ *up* tanke op; *-ed up* T fuld, beruset (af øl).
tankard ['tæɳkəd] *sb* krus med låg, sejdel.
tanker ['tæɳkə] *sb* tankskib, tanker; tankvogn.
tank top overdel i facon som en herreundertrøje; (strikket) slipover; (til wc) cisternelåg.
tannage ['tænidʒ] *sb* garvning.
tanner ['tænə] *sb* garver; *(glds* S) (mønt til værdi af) seks pence. **tannery** ['tænəri] *sb* garveri.
tannic acid, tannin ['tænin] *sb* garvesyre.
Tannoy ['tænɔi] ⑱ højttaleranlæg.
tanrec ['tænrek] *zo* børstesvin, tanrek.
tansy ['tænzi] *sb (bot)* rejnfan.
tantalization [tæntəlai'zeiʃən] *sb* udsættelse for tantaluskvaler; ærgrelse, plageri.
tantalize ['tæntəlaiz] *vb* udsætte for tantaluskvaler, spænde på pinebænken, ærgre, pine.
tantalizing ['tæntəlaiziɳ] *adj* pinefuld; forjættende men uopnåelig.
tantalum ['tæntələm] *sb (kem)* tantal.
tantalus ['tæntələs] *sb* aflåselig opsats med vinkarafler.
tantamount ['tæntəmaunt] *adj* ensbetydende *(to* med).
tantivy [tæn'tivi] *(glds)* *sb* strygende fart; *adj* hurtig; *vb* fare.
tantrum ['tæntrəm] *sb* T anfald af arrigskab; surmuleri.
tanyard ['tænja:d] *sb* garveri.
Tanzania [tænzə'niə].
I. tap [tæp] *vb* banke (let) på, berøre; skrive på maskine, 'slå'; (om dans) steppe; (om sko) forsyne med halvsål, flikke; *sb* dask, let slag, banken; (på sko) halvsål, flik; *there was a* ~ *at the door* det bankede på døren.
II. tap [tæp] *sb* (vand)hane; tap, tøndetap; aftapning; skænkestue; *(tekn)* snittap (til gevindskæring); (radio:) afgrening; *(elekt)* stikledning; *vb* tappe, aftappe; (om fad) anstikke; S slå for penge; *(tekn)* skære gevind i; ~ *sby's line* aflytte ens telefon; *beer on* ~ øl fra fad; *be on* ~ *(fig)* være til rådighed når som helst.
tap dance *sb* stepdans. **tap-dance** *vb* steppe.
tape [teip] *sb* bændel; bånd, strimmel; (til båndoptager) lydbånd; (i edb) bånd; (til måling) målebånd; (til telegraf) telegrafstrimmel; (klæbende:) klæbestrimmel, tape; isolerbånd; (ved væddeløb) målsnor; *vb* måle (med målebånd); optage på bånd; *breast the* ~ sprænge målsnoren, vinde løbet; *I have got him -d* ham har jeg taget mål af; jeg ved hvad han er værd; *he has got it all -d out* han har det hele parat; han har magt over det.
tape|line, ~ **measure** målebånd, båndmål. ~ **machine** selvregistrerende telegrafapparat. ~ **player** båndafspiller. ~ **punch** (i edb) strimmelhuller.
taper ['teipə] *sb* vokslys, kerte; (form:) konicitet, afsmalning, tilspidsning; konus; *adj* konisk; kegleformet, tilspidset; fintformet, tynd; *vb* gradvis aftage i tykkelse, løbe ud i en spids, tilspidse; ~ *off* aftage gradvist, svinde ind, blive mindre og mindre.
tape|-reader (i edb) strimmellæser. **~-record** optage på bånd. ~ **recorder** båndoptager. ~ **recording** båndoptagelse.
tapestried ['tæpistrid] *adj* behængt med gobeliner.
tapestry ['tæpistri] *sb* gobelin, (vævet) tapet.
tapeworm ['teipwə:m] *sb zo* bændelorm.

tapioca [tæpi'oukə] *sb* tapioka (en slags sago).

tapir ['teipə] *sb zo* tapir.

tapis ['tæpi] *sb: be on the* ~ være under drøftelse, stå på dagsordenen, være på tapetet.

tappet ['tæpit] *sb (tekn)* medbringerknast, styreknast; *valve* ~ ventilløfter.

tap|room skænkestue. **-root** *(bot)* pælerod.

taps [tæps] *sb (am mil.)* tappenstreg, retræte.

tapster ['tæpstə] *sb* vintapper, øltapper.

tar [ta:] *sb, vb* tjære; **T** *sb* matros; *an old* ~ en søulk; *he is* -*red with the same brush* han har en rem af huden; *they are* -*red with the same brush* de er to alen af et stykke; ~ *and feather* dyppe i tjære og rulle i fjer.

taradiddle ['tærədidl] *sb* **T** (lille) løgn.

tarantella [tærən'telə] *sb* tarantel (en dans).

tarantula [tə'ræntjulə] *sb zo* tarantel (edderkop).

tarbrush ['ta:brʌʃ] *sb* tjærekost; *have a touch of the* ~ *(fig)* have negerblod i årerne.

tardy ['ta:di] *adj* langsom, sendrægtig, træg; forsinket *(fx apology)*; *be* ~ (også) komme for sent.

I. tare [tɛə] *sb (bot)* vikke; (i biblen) klinte.

II. tare [tɛə] *sb (merk)* tara (vægt af emballage).

target ['ta:git] *sb* (skyde)skive; *(også fig)* mål; *be the* ~ *of (fig)* være skive for, blive udsat for *(fx ridicule)*; *be on* ~ *(fig)* være på rette vej.

target| language (i edb) objektsprog. ~ **practice** *(mil.)* skydeøvelse, målskydning.

tariff ['tærif] *sb* tarif, toldtarif, told; prisliste; ~ *reform* toldreform; ~ *wall* toldmur.

tarlatan ['ta:lətən] *sb* tarlatan (et bomuldsstof).

tarmac ['ta:mæk] *sb* tjæremakadam (til vejbygning); vej (, *(flyv)* landingsbane, rullebane, forplads) behandlet med tjæremakadam.

tarn [ta:n] *sb* lille bjergsø.

tarnish ['ta:niʃ] *vb* mattere, gøre anløben, *(fig)* plette, besmudse; (uden objekt) anløbe, *(fig)* falme; miste sin glans; *sb* glansløshed, anløbethed; plet.

taroc ['tærɔk], **tarot** ['tærou] *sb* tarok (et kortspil).

tar paper tjærepap, tagpap.

tarpaulin [ta:'pɔ:lin] *sb* presenning; sydvest; *(glds)* sømand.

tarradiddle = *taradiddle*.

tarragon ['tærəgən] *sb* esdragon; ~ *vinegar* esdragoneddike.

I. tarry ['ta:ri] *adj* tjære-, tjæret.

II. tarry ['tæri] *vb (glds)* tøve, dvæle, blive, bie, vente.

tarsal ['ta:sl] *adj:* ~ *bone* fodrodsknogle.

I. tart [ta:t] *sb* tærte; **S** gadetøs, luder; *vb:* ~ *up (neds)* pynte op, piffe op; maje ud.

II. tart [ta:t] *adj* sur; *(fig)* skarp, bidende, spids, hvas.

tartan ['ta:tən] *sb* skotskternet mønster, klanmønster; skotskternet stof; *adj* lavet af skotskternet stof.

I. Tartar ['ta:tə] *sb* tartar; (især *tartar*) ren satan; skrap kælling; *catch a* ~ få kam til sit hår; møde sin overmand.

II. tartar ['ta:tə] *sb* vinsten; tandsten.

tartaric [ta:'tærik] *adj* vinstens-.

tartarise ['ta:təraiz] *vb* behandle med vinsten.

Tartary ['ta:təri] *(hist)* Tatariet.

tartlet ['ta:tlit] *sb* lille tærte.

tash [tæʃ] *sb* **S** overskæg.

task [ta:sk] *sb* (pålagt) arbejde, hverv, opgave, gerning; (i skole) lektie; *vb* sætte i arbejde; lægge beslag på; anstrenge *(fx one's brain)*; plage; *take to* ~ tage i skole, gå i rette med.

task force *(mil.)* afdeling med særlig opgave.

taskmaster ['ta:skma:stə] *sb* arbejdsgiver (, lærer) der kræver meget af sine funktionærer (, elever).

Tasmania [tæz'meinjə] Tasmanien.

tassel ['tæsl] *sb* dusk, kvast; mærkebånd (i en bog); *vb* besætte med kvaster.

tassel pondweed *(bot)* havgræs.

taste [teist] *vb* smage; have smag; (med objekt) prøve, smage på; nyde; *sb* smag; mundsmag; *it is an acquired* ~ det er noget man skal lære at synes om, det er noget man skal vænne sig til; *there is no accounting for* -s om smagen kan man ikke diskutere; *in bad* ~ smagløs; *in good* ~ smagfuld; *give him a* ~ *of the whip* lade ham

smage pisken; *to his* ~ efter hans smag; *everyone to his* ~ hver sin lyst.

taste|bud smagsløg. **-ful** smagfuld. **-less** uden smag, smagløs.

taster ['teistə] *sb* (te-, vin-)smager; ostesøger; *(hist.)* mundskænk; **T** (forlags)konsulent.

tasty ['teisti] *adj* velsmagende; som har en udpræget smag, som 'smager af noget'; **T** smagfuld.

I. tat [tæt]: *tit for* ~ lige for lige.

II. tat [tæt] *vb* slå orkis (o: slags filering), orkere.

tata [tæ'ta:] (i børnesprog og **T**) farvel.

Tatar ['ta:tə] = *Tartar*.

tater ['teitə] *sb* **S** kartoffel.

tatter ['tætə] *vb* rive i laser, rive itu; blive revet i laser, blive revet itu; *sb* las, pjalt; **S** klunser, kludesamler.

tatterdemalion [tætədə'meiljən] *sb* lazaron.

Tattersall ['tætəsɔ:l] *sb* et ternet mønster; -*'s* etablissement for hesteauktioner i London.

tatting ['tætiŋ] *sb* orkis (slags filering).

tattle ['tætl] *vb* sludre, sladre, passiare; løbe med sladder; *sb* sludder, passiar; sladder.

tattler ['tætlə] *sb* vrøvlehoved; sladresøster.

I. tattoo [tə'tu:] *sb* tappenstreg; militær opvisning; *vb* slå tappenstreg; tromme med fingrene.

II. tattoo [tə'tu:] *vb* tatovere; *sb* tatovering.

tatty ['tæti] *adj* billig, tarvelig, snusket, nusset.

taught [tɔ:t] *præt* og *pp* af *teach*.

taupe [toup] *sb* muldvarpegråt.

taunt [tɔ:nt] *vb* håne, spotte, skose; *sb* spydighed, skose; hån, spot; -*ingly* hånende, spottende.

taurine ['tɔ:rain] *adj* tyre-, tyrelignende; hørende til stjernebilledet Tyren.

Taurus ['tɔ:rəs] Taurus; *(astr)* Tyren.

taut [tɔ:t] *adj* stram, spændt, tot; *(fig)* anspændt; *haul* ~ hale tot.

tauten ['tɔ:tn] *vb* stramme; strammes.

tautological [tɔ:tə'lɔdʒikl] *adj* tautologisk, unødig gentagende. **tautology** [tɔ:'tɔlədʒi] *sb* tautologi.

tavern ['tævən] *sb* værtshus, kro.

I. taw [tɔ:] *vb* hvidgarve.

II. taw [tɔ:] *sb* stenkugle; kuglespil.

tawdriness ['tɔ:drinis] *sb* forloren elegance; flitterstads.

tawdry ['tɔ:dri] *adj* godtkøbs, udmajet, spraglet.

tawny ['tɔ:ni] *adj* brunlig, solbrændt, gulbrun.

tawny| eagle *zo* rovørn. ~ **owl** *zo* natugle. ~ **pipit** *zo* markpiber.

tawse [tɔ:z] *sb* (skotsk:) læderrem (til afstraffelse).

tax [tæks] *sb* skat, afgift; byrde, belastning; krav; *vb* pålægge skat *(el.* afgift), beskatte; *(jur)* beregne (sagsomkostninger); *(fig)* bebyrde; stille store krav til; ~ *sby with* beskylde en for noget, beskylde en for noget.

taxable ['tæksəbl] *adj* skattepligtig, som kan beskattes.

taxation [tæk'seiʃən] *sb* beskatning; skat.

tax| collector skatteopkræver. ~ **dodger** skattesnyder. ~ **evasion** skatteunddragelse, **T** skattesnyderi. ~ **farmer** skatteforpagter. ~ **free** skattefri.

taxi ['tæksi] *sb* bildroske; taxa; *vb* køre i taxa; (om flyvemaskine) rulle, køre (på jorden).

taxicab = *taxi*.

taxidermist ['tæksidə:mist] *sb* en som udstopper dyr, konservator. **taxidermy** ['tæksidə:mi] *sb* udstopning, præparering, konservering.

taxi|driver, -man droskechauffør, taxachauffør. **-meter** ['tæksimi:tə] taksameter.

taxing-master embedsmand der beregner sagsomkostninger.

taxi|plane lufttaxa. ~ **rank** holdeplads for taxaer *etc*, kaperrække.

taxonomy [tæk'sɔnəmi] *sb* taksonomi, klassifikationssystem.

taxpayer ['tækspeiə] *sb* skatteyder.

tax return selvangivelse.

T.B. *fk* torpedo boat; **T** tuberculosis.

T.B.D. *fk* torpedo-boat destroyer.

tea [ti:] *sb* te; tebusk; eftermiddagste (se også *high tea*); *vb* drikke te; *that's not my cup of* ~ det er ikke noget for mig, det er ikke min nummer; *she is not my cup of* ~ hun er ikke min type.

tea|bag tebrev. ~ ball teæg. ~ caddy tedåse. -cart *(am)* tevogn, rullebord.

teach [ti:tʃ] *vb (taught, taught)* lære, undervise (i); ~ school *(am)* være lærer(inde).

teachable ['ti:tʃəbl] *adj* lærvillig, lærenem.

teacher ['ti:tʃə] *sb* lærer, lærerinde; *-s' college* seminarium.

teach-in ['ti:tʃin] *sb* længere møde på universitet *etc* med foredrag om og drøftelse af aktuelt politisk problem; *(omtr)* debatuge; diskussionsmøde; høring.

teaching ['ti:tʃiŋ] *sb* lærervirksomhed; undervisning; (også -s) lære *(fx the -s of Christ)*.

teaching | aid undervisningsmateriale. ~ machine indlæringsmaskine, undervisningsmaskine.

tea|cloth tedug; viskestykke. ~ cosy tevarmer, tehætte. -cup tekop. ~ fight S teslabberads. ~ garden restaurationshave; teplantage.

teak [ti:k] *sb* teaktræ.

teal [ti:l] *sb zo* krikand.

tea leaf teblad.

team [ti:m] *sb* hold, parti, flok; team; (af trækdyr) forspand *(fx a ~ of oxen)*; spand (heste); *vb* spænde sammen; ~ up slutte sig sammen, samarbejde *(with* med).

teamster ['ti:mstə] *sb* kusk; hest (, okse) i et forspand.

teamwork ['ti:mwə:k] *sb* samarbejde.

tea| party teselskab. -pot tepotte.

teapoy ['ti:poi] *sb* lille tebord.

I. tear [tiə] *sb* tåre; *in -s* grædende; opløst i gråd; *shed -s* fælde *(el.* udgyde) tårer; *burst into -s* briste i gråd.

II. tear [tɛə] *vb (tore, torn)* rive *(at* i), flå, sønderrive; splitte *(fx a country torn by civil war)*; (uden objekt) revne, rives; (om bevægelse) T jage, fare; ~ *one's hair* rive sig i håret; ~ *along* fare af sted; ~ *oneself away* rive sig løs, løsrive sig; ~ *down (am)* rive ned *(fx a house)*; skille ad *(fx a machine)*; *(fig)* pille fra hinanden *(fx his argument)*; ~ *into* overfalde, overfuse; *that's torn it* nu er det hele spoleret; ~ *off* rive *(el.* flå) af; T lave (, skrive) i en fart, jaske af; ~ *up* rive i stykker.

III. tear [tɛə] *sb* rift, revne.

tearaway ['tɛərəwei] *sb* T ung bølle, voldsmand.

tear| duct ['tiədʌkt] tårekanal. -ful grådkvalt; grædende, med tårer. ~ gas tåregas.

tearing ['tɛəriŋ] *adj* T heftig, voldsom.

tear-jerking ['tiə'dʒə:kiŋ] *adj (am)* rørstrømsk.

tea|room terestaurant, tesalon. ~ rose *(bot)* terose.

tear shell tåregasgranat.

tear-stained ['tiəsteind] *adj* forgrædt; tårevædet.

tease [ti:z] *vb* drille *(about* med), plage; *(fig)* pirre; *(am,* især om børn) plage *(for* om); (om uld) karte; (om stof) kradse luven op på; *sb* drillepind, plageånd; driller(i); pikanteri.

teasel ['ti:zl] *sb* kartebolle; kartemaskine; *vb* karte; opkradse luv på.

teaser ['ti:zə] *sb* drillepind, plageånd; vanskeligt spørgsmål *el.* arbejde.

teaspoon ['ti:spu:n] *sb* teske; *-ful* teskefuld.

tea strainer tesi.

teat [ti:t] *sb* brystvorte, patte; sut.

tea| things testel, teservice. ~ trolley rullebord, tevogn. ~ urn temaskine. ~ wagon *(am)* rullebord, tevogn.

tec [tek] S *fk detective.*

technic ['teknik] *sb* teknik; *adj* se *technical.*

technical ['teknikl] *adj* teknisk, fag-, faglig, fagmæssig; *(jur* også) formel *(fx error)*; ~ *college* skole der giver videre uddannelse af fagmæssig art til elever over den skolepligtige alder; fagskole.

technicality [tekni'kæliti] *sb* teknik; teknisk udtryk; *technicalities* (også) tekniske enkeltheder; tekniske finesser; *legal technicalities* (jura)iske spidsfindigheder.

technically ['teknikəli] *adv* teknisk, i teknisk forstand; ad teknisk vej.

technician [tek'niʃn] *sb* tekniker, teknisk ekspert.

technics ['tekniks] *sb* teknik.

technique [tek'ni:k] *sb* teknik, fremgangsmåde.

technocracy [tek'nɔkrəsi] *sb* teknokrati.

technocrat ['teknəkræt] *sb* teknokrat.

technological [teknə'lɔdʒikl] *adj* teknologisk.

technology [tek'nɔlədʒi] *sb* teknologi, teknik; *college of advanced ~ (omtr)* polyteknisk læreanstalt.

technostructure ['teknəstrʌktʃə] *sb* teknostruktur; *the ~* (også:) de tekniske eksperter.

techy ['tetʃi] *adj* pirrelig, gnaven.

Ted [ted] *fk Edward el. Theodore; sb = teddy boy.*

ted [ted] *adj* sprede, vejre (hø). tedder *sb* høvender.

Teddy ['tedi] se *Ted.*

teddy | bear ['tedi 'bɛə] teddybjørn, bamse. ~ boys *pl* (især *glds* 1) unge mænd der klædte sig i edwardiansk stil, *(omtr)* swingpjatter.

Te Deum ['ti:'di:əm] *sb* Te-Deum, takkegudstjeneste.

tedious ['ti:diəs] *adj* kedelig, kedsommelig, trættende; vidtløftig.

tedium ['ti:diəm] *sb* kedsom(melig)hed, lede.

I. tee [ti:] *sb* (i golf) underlag for kuglen, hvorfra første slag gøres; mål (i visse spil, *fx curling)*; *vb* anbringe kuglen på underlaget; ~ *off* gøre det første slag i golf; ~ *up* anbringe kuglen på underlaget; *(fig)* gøre sig parat.

II. tee [ti:] *sb* bogstavet T; T-formet genstand, T-rør, T-jern.

teem [ti:m] *vb* myldre, vrimle, udfolde sig rigt; *(glds)* føde, frembringe.

teen-age ['ti:neidʒ] *sb, adj* (i) alderen fra 13 til 19, halvvoksen.

teen-ager ['ti:neidʒə] *sb* teenager, en der er mellem 13 og 19 år gammel.

teens [ti:nz] *sb: in one's ~* mellem 13 og 19 år gammel, halvvoksen.

teeny ['ti:ni] *adj* T lillebitte.

teeny-bopper ['ti:nibɔpə] *sb* S teenager der følger moden.

teeny-weeny ['ti:ni'wi:ni] *adj* lillebitte.

teeter ['ti:tə] *vb (am)* vippe; vakle.

teeterboard ['ti:təbɔ:d] *sb,* teetering board vippe; (i cirkus) schleuderbrett.

teeth [ti:θ] *pl* af *tooth.*

teethe [ti:ð] *vb* få tænder. teething *sb* tandgennembrud; ~ ring bidering; ~ troubles ondt for tænder; *(fig)* begyndervanskeligheder.

teetotalism [ti:'toutəlizm] *sb* totalafholdenhed.

teetotaller [ti:'toutlə] *sb* totalafholdsmand.

teetotum [ti:'toutəm] *sb* gi-ta (snurretop brugt til lykkespil).

tee-vee ['ti:'vi:] *sb* fjernsyn.

teg [teg] *sb* får i sit andet år; (også om dets uld).

t.e.g. *fk top edges gilt.*

teglular ['tegjulə] *adj* teglstens-, lagt som teglsten.

tegument ['tegjumənt] *sb* dække, hud.

tehee [ti:'hi:] *sb* fnisen; *vb* fnise.

Teheran [tiə'ra:n].

teil [ti:l], teil-tree *sb (bot)* lind, lindetræ.

telecast ['telika:st] *sb* fjernsynsudsendelse, fjernsynsprogram; *vb* udsende i fjernsyn.

telecommunication ['telikəmju:ni'keiʃən] *sb* telekommunikation (overføring af meddelelser pr. telefon, telegraf, radio, TV).

telegram ['teligræm] *sb* telegram.

telegraph ['teligra:f] *sb* telegraf; *vb* telegrafere.

telegrapher [ti'legrəfə] *sb* telegrafist.

telegraphese ['teligrə'fi:z] *sb* telegramstil.

telegraphic [teli'græfik] *adj* telegrafisk; ~ *address* telegramadresse; *-ally* telegrafisk.

telegraph| key telegrafnøgle. ~ operator telegrafist. ~ pole, ~ post telegrafpæl. ~ wire telegrafledning.

telegraphy [ti'legrəfi] *sb* telegrafi.

Telemachus [ti'leməkəs] Telemachos.

telemechanics [telimi'kæniks] *sb* telemekanik, radiofjernstyring (af mekaniske apparater).

telemeter ['telimi:tə] *sb* telemeter (afstandsmåler).

telemetry [ti'lemitri] *sb* afstandsmåling.

teleologic(al) ['teliə'lɔdʒik(l)] *adj* teleologisk. teleology [teli'ɔlədʒi] *sb* teleologi (læren om verdensordenens hensigtsmæssighed).

telepathic [teli'pæθik] *adj* telepatisk.

telepathy [ti'lepəθi] *sb* telepati, tankeoverføring.

telephone ['telifoun] *sb* telefon; *vb* telefonere, meddele pr. telefon, ringe op; *answer the ~* tage telefonen; *on the ~,* over the ~ gå i telefon; i telefonen, telefonisk; *are you on the ~?* har De telefon? *you are wanted on the ~* der er telefon til Dem; *ring up on the ~* ringe op.

telephone| **book** telefonbog. **~ booth** telefonboks. **~ call** telefonopringning, telefonsamtale. **~ directory** telefonbog; *classified ~ directory* fagbog. **~ girl** telefondame; telefonistinde. **~ operator** telefonist(inde). **~ receiver** *(tlf)* mikrotelefon, **T** (høre)rør.

telephonic [teli'fɔnik] *adj* telefonisk.

telephonist [ti'lefənist] *sb* telefonist(inde).

telephony [ti'lefəni] *sb* telefoni, telefonering.

telephotography ['telifə'tɔgrəfi] *sb* fjernfotografering.

teleprinter ['teliprintə] *sb* fjernskriver.

telescope ['teliskoup] *sb* kikkert, teleskop; *vb* skyde sammen, klemme sammen, *(fig)* forkorte; (uden objekt) skydes sammen, blive trykket ind i hinanden.

telescopic [teli'skɔpik] *adj* teleskopisk; sammenskydelig.

telescreen ['teliskri:n] *sb* fjernsynsskærm.

teletypewriter [teli'taipraitə] *(am)* fjernskriver.

teleview ['telivju:] *vb* se fjernsyn. **televiewer** (fjernsyns)seer.

televise ['telivaiz] *vb* udsende i fjernsyn.

television ['teliviʒ(ə)n] *sb* fjernsyn; *appear on ~* optræde i fjernsyn.

tell [tel] *vb* *(told, told)* fortælle; sige til *(fx who told you so?)*, meddele; (om besked, ordre) sige til, bede, give besked om *(fx he told me to do it)*; (om hemmelighed) røbe, sladre om; *(fig)* vise *(fx her face told her joy)*, vidne om; (finde ud af *etc)* afgøre *(fx it is difficult to ~ how it is done)*, vide *(fx how can you ~ what to do?)*; kende *(fx I can ~ him by* (på) *his voice)*, skelne *(fx I can't ~ one from the other)*; *(glds)* tælle; (uden objekt) fortælle *(of* om), *(fig)* vidne *(of* om), tale *(fx this -s against (, in favour of) choosing him)*; **T** sladre; (være effektiv:) gøre sin virkning, kunne mærkes *(fx his influence began to ~)*; være af betydning, tælle;

all told alt iberegnet; *be told* få at vide, høre, erfare; *be told to* få besked om at, blive bedt om at; *~ fortunes* spå; *~ sby goodby (am)* sige farvel til en; *~ me another* den må du længere ud på landet med; *you're -ing me!* (ironisk:) det siger du ikke! *there is* **no** *-ing if* det er ikke til at sige om, man kan ikke vide om; *~* **on** sladre om; virke på, tage på, kunne mærkes på *(fx his age is beginning to ~ on him)*; *I ~* **you** jeg forsikrer dig; *I'm -ing you!* ingen modsigelser her! *I told you so! what did I ~ you!* hvad sagde jeg!

teller ['telə] *sb* fortæller; tæller, (ved valg) stemmeoptæller; *(am)* kasserer (i bank).

telling ['teliŋ] *adj* virkningsfuld *(fx argument)*; sigende *(fx look)*; afslørende; *sb* fortællen; *the story lost nothing in the ~* historien blev ikke kedeligere ved at blive genfortalt.

telltale ['telteil] *sb* sladderhank; *(fig)* vidnesbyrd, bevis; *(tekn)* kontrolapparat, registreringsapparat; *(mar)* sladrekompas; *adj* sladderagtig, forræderisk, afslørende, som røber hvad der er sket; *~ clock* kontrolur.

tellurian [tel'juəriən] *adj* jordisk; *sb* jordboer.

tellurium [tel'juəriəm] *sb* tellur (et grundstof).

telly ['teli] *sb* **T** fjernsyn.

telpher ['telfə] *sb* transportvogn i elektrisk tovbane.

telpherage ['telfəridʒ] *sb* varetransport, især pr. elektrisk tovbane.

temerarious [temi'rɛəriəs] *adj* forvoven, dumdristig, ubesindig. **termerity** [ti'meriti] *sb* forvovenhed, dumdristighed, ubesindighed.

temp [temp] *sb* **T** kontorvikar.

temp. *fk temporary; temperate.*

temp agency vikarbureau.

I. temper ['tempə] *vb* mildne, dæmpe, temperere; sammensætte, afpasse, stemme; (i musik) temperere; (om glas og metal) hærde; (om stål) anløbe.

II. temper ['tempə] *sb* (passende) blanding; (om glas *etc)* hærdning; (om stål) anløbning; (om person) vrede, irritation, hidsighed; temperament; natur, sind *(fx a difficult ~)*; gemyt; stemning, humør; *have -s* lide af humørsyge; *he has quite a ~* han har temperament; *in a (fit of) ~* i hidsighed; *in a good (, bad) ~* i godt (, dårligt) humør; *get into a ~* miste selvbeherskelsen, blive hidsig; *keep one's ~* beherske sig, lægge bånd på sig; *lose one's ~,* = *get into a ~; when the ~ is on him* når hidsigheden løber af med ham; *out of ~* vred, gal i ho'det; *recover one's ~* genvinde sindsligevægten.

tempera ['tempərə] *sb* temperafarve.

temperament ['tempərəmənt] *sb* temperament; gemyt; (i musik) temperatur.

temperamental [temprə'mentl] *adj* temperamentsbestemt; temperamentsfuld; lunefuld.

temperance ['tempərəns] *sb* afholdenhed, mådehold; afholds-. **temperate** ['temprit] *sb* tempereret *(fx climate)*; behersket; mådeholden.

temperature ['tempritʃə] *sb* temperatur; *develop a ~* få feber; *run a ~* have feber.

tempest ['tempist] *sb* storm, uvejr; *(fig)* storm, oprør.

tempestuous [tem'pestjuəs] *adj* stormfuld, stormende.

templar ['templə] *sb* *(hist.)* tempelherre; *(jur)* jurist *el.* student fra *the (Inner el. Middle) Temple;* (frimurer:) good-templar.

template ['templit] *sb* skabelon.

I. temple ['templ] *sb* tempel; *the Temple* Jerusalems tempel; *the Inner T., the Middle T.* navnet på to juristkollegier i London.

II. temple ['templ] *sb* *(anat)* tinding.

temple bone tindingeben.

templet ['templit] *sb* skabelon.

tempo ['tempou] *sb* *(pl også:* -pi *[-pi:])* tempo.

I. temporal ['tempərəl] *adj* hørende til tindingen; *~ bone* tindingeben.

II. temporal ['tempərəl] *adj* tids-, tidsmæssig; *(rel)* timelig, verdslig.

temporality [tempə'ræliti] *sb* verdslig indtægt *el.* besiddelse; *(jur)* midlertidighed.

temporary ['tempərəri] *adj* midlertidig, foreløbig, interimistisk.

temporize ['tempəraiz] *vb* søge at vinde tid; nøle, tøve; rette sig efter tid og omstændigheder.

temporizer ['tempəraizə] *sb* opportunist.

tempt [temt] *vb* friste; lokke.

temptation [tem'teiʃən] *sb* fristelse.

temptress ['temtris] *sb* fristerinde.

ten [ten] *ti; sb* tier; *the upper ~ (thousand)* aristokratiet.

tenable ['tenəbl] *adj* holdbar, logisk; (også *mil.)* som kan forsvares; (om embede *etc)* som kan indehaves *(fx ~ for 5 years)*.

tenace ['teneis] *sb* (i bridge) es og dame *(major ~)* eller konge og knægt *(minor ~)* af den udspillede farve på samme hånd; saks, gaffel.

tenacious [ti'neiʃəs] *adj* klæbrig, sej, sammenhængende; (om person) hårdnakket, stædig; *be ~ of* holde stædigt fast ved.

tenacity [ti'næsiti] *sb* hårdnakkethed; klæbrighed, sejhed; *~ of life* sejlivethed; *~ of purpose* målbevidsthed.

tenancy ['tenənsi] *sb* besiddelse, forpagtning.

tenant ['tenənt] *sb* besidder; lejer, forpagter, fæster, beboer; *vb* forpagte, bebo, beside; *~ at will* lejer der kan opsiges uden bestemt varsel.

tenant *farmer* forpagter. *~* **rights** forpagters rettigheder (herunder forpagtningsret og erstatningsret).

tenantry ['tenəntri] *sb* forpagtere, fæstere.

tench [tenʃ] *zo* suder.

I. tend [tend] *vb* have en vis retning, gå i en vis retning, stræbe *(to* mod); *~ to (el. towards)* (også) sigte til, tjene til; tendere mod; have tilbøjelighed til, være tilbøjelig til *(fx he -s to exaggerate)*.

II. tend [tend] *vb* betjene, opvarte, passe, pleje, ledsage.

tendance ['tendəns] *sb* betjening, pleje.

tendency ['tendənsi] *sb* tendens, retning, tilbøjelighed.

tendentious [ten'denʃəs] *adj* tendentiøs.

I. tender ['tendə] *vb* fremføre *(fx one's thanks)*, indgive *(fx one's resignation)*; tilbyde; *(merk)* give tilbud *(for* på).

II. tender ['tendə] *sb* *(merk)* (licitations)tilbud, overslag; *(jernb, mar)* tender (kulvogn); proviantbåd; *invite -s for* udbyde i licitation; *legal ~* lovligt betalingsmiddel.

III. tender ['tendə] *adj* øm *(fx feelings, glances, smile)*, følsom *(fx heart)*, blid, nænsom *(fx touch)*, varsom, omsorgsfuld; (spinkel *etc)* sart *(fx plant)*, spæd *(fx buds, leaves)*; *(mht smerte)* øm *(fx gums; spot* punkt), *(fig* også) ømtålelig *(fx subject)*; (om kød) mør; *(mar)* rank; *their ~ years* deres spæde alder; *of ~ age* (let *glds)* purung; *a ~ conscience* en fintmærkende samvittighed.

T tenderfoot

466

tender|foot ['tendəfut] S nyankommen, grønskolling, begynder, novice; (om ulveunge:) ømfod. ~ **-footed** forsigtig, frygtsom, ny (i bestillingen), grøn. ~ **-hearted** blødhjertet, god, kærlig.
tenderize ['tenderaiz] *vb* gøre mørt (om kød).
tenderloin ['tendəlɔin] *sb* filet, mørbrad.
tendon ['tendən] *sb* sene.
tendril ['tendril] *sb (bot)* slyngtråd.
tenebrous ['tenibrəs] *adj (litt)* mørk, skummel; dunkel.
tenement ['tenimənt] *sb* beboelseshus; lejlighed; lejekaserne; *(jur)* besiddelse, ejendom; jord man har i forpagtning.
tenement house beboelsesejendom, lejekaserne.
tenet ['ti:net] *sb* grundsætning, princip; læresætning, trossætning, dogme.
tenfold ['tenfould] *adj* tifold.
ten-gallon hat *(am)* stor bredskygget cowboyhat.
Tenn. *fk* Tennessee.
tenner ['tenə] *sb* tipundsseddel; *(am)* tidollarseddel.
Tennessee [tenə'si:].
tennis ['tenis] *sb* tennis.
tennis| court tennisbane. ~ **elbow** *(med.)* tennisalbue, smerter og ømhed af strækseneudspringet.
Tennyson ['tenisən].
tenon ['tenən] *sb* (sinke)tap; *vb* sinke; tapsamle; forme som en tap. **tenon saw** listesav.
tenor ['tenə] *sb* forløb, retning, bane; (af tale *etc)* hovedindhold, det centrale; ånd, tone; (i musik) tenor.
tenpins ['tenpinz] *sb* (form for) keglespil.
tenrec ['tenrek] *sb zo* tanrek, børstesvin.
I. tense [tens] *sb (gram)* tid, tempus.
II. tense [tens] *adj* spændt, stram; *(fig)* anspændt; anspændende; *(fon)* spændt; *vb* (an)spænde.
tensile ['tensail] *adj* strækbar; ~ *strength* brudstyrke; ~ *stress* trækspænding; ~ *test* (s)trækprøve.
tension ['tenʃn] *sb* spænding, strækning; spændkraft *(fx of a spring* (fjeder)); *(fig)* anspændthed; spændt forhold *(fx between two nations); vb* spænde, stramme, strække.
tensor ['tensə] *sb (anat)* strækkemuskel.
tent [tent] *sb* telt, bolig; *(med.)* tampon; *vb* (lade) ligge i telt; *(med.)* tamponere.
tentacle ['tentəkl] *sb* føletråd, følehorn, fangarm.
tentative ['tentətiv] *adj* prøvende, forsøgsvis; *sb* (forsigtigt) forsøg; føler.
I. tenter ['tentə] *sb* maskinpasser.
II. tenter ['tentə] *sb* klæderamme; strækkramme; tørrestativ; *vb* udspænde på en ramme.
tenterhook ['tentəhuk] *sb* krog på strækkramme; *on -s (fig)* i pinagtig spænding, utålmodig, som på nåle.
tenth [tenθ] *adj* tiende; *sb* tiendedel.
tent peg teltpløk.
tent pegging (militæridræt, der går ud på, at rytteren med spidsen af sin lanse skal rykke en nedrammet teltpløk op af jorden).
tenuity [te'njuiti] *sb* tyndhed, finhed.
tenuous ['tenjuəs] *adj* tynd, fin; svag, spinkel.
tenure ['tenjuə] *sb* besiddelse, besiddelsesform *(fx feudal ~* lensbesiddelse); (af embede) indehavelse; embedstid; embedsperiode; *give sby* ~ fastansætte en; *security of* ~ ansættelsestryghed; *there were doubts about his security of* ~ der var tvivl om hvor sikkert han sad; *permanency of* ~ fast ansættelse.
tepee ['ti:pi:] *sb* indianertelt.
tepefy ['tepifai] *vb* gøre (, blive) lunken.
tepid ['tepid] *adj* (også *fig)* lunken. **tepidity** [te'piditi] *sb* lunkenhed, lunken tilstand.
teratoid ['terətɔid] *adj* misdannet, abnorm.
teratology [terə'tɔlədʒi] *sb* studium af misdannelser.
tercentenary [tə:sen'ti:nəri] *sb* trehundredårig; trehundredårsdag.
terebinth ['terəbinθ] *sb (bot)* terpentintræ.
teredo [te'ri:dou] *zo* pæleorm.
terek ['terek] *sb zo* terekklire.
tergiversate ['tə:dʒivə:seit] *vb* vise vankelmodighed, skifte standpunkt; komme med udflugter; falde fra.
tergiversation [tə:dʒivə:'seiʃən] *sb* vaklen, vægelsindethed; frafald; *-s* (også) skiftende standpunkter; udflugter.
I. term [tə:m] *sb* periode, tid *(fx ~ of office* embedstid),

åremål; (især *merk)* frist, termin, løbetid; (på skole *etc)* termin, semester; (sprogligt:) udtryk, vending *(fx in flattering -s); (mat.)* led; *(glds)* grænse; **-s** vilkår, betingelser *(fx on easy* (lempelige) *-s), (merk* også) pris *(fx the -s are £1 a day);* **in** *-s of* udtrykt i *(fx in -s of money);* med hensyn til, med henblik på; *in -s of high praise* i meget rosende vendinger; *-s of reference* kommissorium, kompetenceområde; *-s of trade* bytteforhold; **on** *good* (, *familiar) -s* på god (, fortrolig) fod; *bring sby* **to** *-s* få en til at gå ind på betingelserne *(el.* falde til føje); *come to -s with* komme til enighed med, affinde sig med.
II. term [tə:m] *vb* benævne, kalde *(fx he -s himself a doctor).*
termagant ['tə:məgənt] *sb* arrig kvinde, 'drage', furie.
terminable ['tə:minəbl] *adj* opsigelig, som kan begrænses *(el.* ophæves), som kan bringes til ophør.
terminal ['tə:minl] *adj* slut-, ende; yder-; endelig, yderst; grænse-; termins- *(fx payments); (med.)* letalt *(el.* dødeligt) forløbende (om sygdom); *sb* endestation; endepunkt, *(flyv, mar.,* i edb) terminal; *(elekt)* pol; klemskrue; ~ *moraine* endemoræne; ~ *report* terminsvidnesbyrd; ~ *velocity* sluthastighed.
terminate ['tə:mineit] *vb* begrænse, ende, afslutte; slutte, bringe til ophør; ophæve, opsige; (uden objekt) ophøre; ~ *a pregnancy* afbryde et svangerskab.
termination [tə:mi'neiʃən] *sb* begrænsning, ende, slutning, ophør, udløb; ophævelse, opsigelse.
terminative ['tə:minətiv] *adj* afsluttende, afgørende.
terminology [tə:mi'nɔlədʒi] *sb* terminologi.
termin|us ['tə:minəs] *sb (pl -i* [-ai]) endestation.
termitary [tə:'mitri] *sb* termitbo.
termite ['tə:mait] *sb zo* termit.
tern [tə:n] *sb zo* terne.
ternary ['tə:nəri] *adj* tre-; trefoldig; *(mat.,* i edb) ternær.
ternery ['tə:nəri] *sb* ternekoloni.
Terpsichore [tə:p'sikəri].
terrace ['teris] *sb* terrasse; gade hvis huse er trukket tilbage fra gadelinjen; *vb* anlægge terrassevis.
terrace(d) houses rækkehuse.
terra-cotta ['terə'kɔtə] *sb* terrakotta.
terrain ['terein] *sb* terræn.
terrapin ['terəpin] *(zo): diamondback* ~ knopskildpadde.
terraqueous [te'reikwiəs] *adj* bestående af *(el.* omfattende) land og vand.
terrazzo [te'rætsou] *adj* terrazzo.
terrestrial [ti'restriəl] *adj* terrestrisk, jordisk; jord-, land-; *sb* jordboer; ~ *globe* globus.
terrible ['terəbl] *adj* forfærdelig, frygtelig.
terrier ['teriə] *sb zo* terrier.
terrific [tə'rifik] *adj* frygtelig, skrækindjagende; T enorm, vældig, gevaldig; *it was -ally good of you* det var forfærdelig pænt af dig.
terrify ['terifai] *vb* forfærde.
territorial [teri'tɔ:riəl] *adj* territorial; *sb* soldat i *the Territorial Army (el. Force)* territorialhæren, landeværnet; ~ *waters* territorialfarvand.
territory ['teritri] *sb* territorium, område.
terror ['terə] *sb* skræk, rædsel, terror; *(fig)* rædsel, plage; (se også *holy terror).*
terrorism ['terərizm] *sb* terrorisme, voldsherredømme. **terrorist** ['terərist] *sb* terrorist. **terrorize** *vb* ['terəraiz] terrorisere; skræmme. **terror-stricken** *adj* rædselslagen.
terse [tə:s] *adj* fyndig, kort og klar, rammende.
tertian ['tə:ʃn] *adj* tre-; ~ *(fever)* andendagsfeber.
tertiary ['tə:ʃəri] *adj* tertiær.
tessellate ['tesileit] *vb* gøre ternet *el.* rudet; indlægge med mosaik (som består af *tesserae).*
tesser|a ['tesərə] *sb (pl -ae* [-ri:]) mosaiksten.
test [test] *sb* prøve; analyse, undersøgelse; kriterium; *(kem)* prøvedigel, prøvemiddel; *(psyk)* test; *vb* probere, prøve; efterprøve, afprøve; teste; *stand the* ~ bestå prøven; *put to the* ~ sætte på prøve; *the Test Act* (en 1828 ophævet, mod katolikkerne rettet, engelsk lov).
testament ['testəmənt] *sb* testamente.
testamentary [testə'mentəri] *adj* testamentarisk.
testamur [te'steimə] *sb* eksamensbevis.
testator [te'steitə] *sb* testator, arvelader.
test | ban atomstop(aftale). ~ **case** *(jur)* principiel sag,

prøvesag.

tester ['testə] sb prøveapparat; (person:) undersøger; (over seng etc) baldakin, sengehimmel.

testicle ['testikl] sb testikel.

testify ['testifai] vb bevidne; bekræfte; vidne (to om).

testimonial [testi'mounjəl] sb vidnesbyrd, attest; hædersgave; ~ dinner æresbanket.

testimony ['testiməni] sb erklæring; vidnesbyrd, vidneudsagn, vidneforklaring; bevis; give ~ to aflægge bevis på, bevidne.

test| match kricketlandskamp (især mellem England og Australien). ~ **pattern** (i TV) prøvebillede. ~ **pilot** testpilot, indflyver. ~ **tube** reagensglas.

testudo [te'stju:dou] sb skjoldtag, skjoldborg; zo landskildpadde.

testy ['testi] adj irritabel, opfarende.

tetanus ['tetənəs] sb stivkrampe.

tetchy ['tetʃi] adj pirrelig, gnaven.

tête-à-tête ['teit a: 'teit] sb tête-à-tête; samtale under fire øjne; adj fortrolig; under fire øjne.

tether ['teðə] sb tøjr; vb tøjre, binde; be at the end of one's ~ ikke kunne (holde til) mere, have udtømt sine kræfter.

tetrachloride ['tetrə'klɔ:raid] sb (kem): carbon ~ tetraklorkulstof.

tetrarch ['tetra:k] sb tetrark, fjerdingsfyrste.

tetter ['tetə] sb udslæt, eksem.

Teuton ['tju:tən] sb teutoner. **Teutonic** [tju'tɔnik] adj teutonsk, germansk; sb germansk.

TEWT fk tactical exercise without troops krigsspil; T papirøvelse.

Tex. fk Texas. **Texas** ['teksəs].

text [tekst] sb tekst; (rel) skriftsted; (fig) emne; (am) lærebog.

textbook ['tekstbuk] sb lærebog; ~ example skoleeksempel.

textile ['tekstail] adj vævet; tekstil-; sb vævet stof, tekstil.

textual ['tekstjuəl] adj tekst-; ordret.

texture ['tekstʃə] sb vævning, væv; sammensætning, struktur; (i kunst) stofvirkning.

T.F. fk Territorial Force.

TGWU fk Transport and General Workers' Union.

Thackeray ['θækəri].

Thailand ['tailænd] Thailand, Siam.

Thalia [θə'laiə] Thalia (komediens muse).

thalidomide [θə'lidəmaid] sb thalidomid.

Thames [temz]: the ~ Themsen; he will never set the ~ on fire han er ikke nogen ørn, han har ikke opfundet krudtet, han kommer aldrig til at udrette noget særligt.

than [ðæn, tryksvagt: ðən] conj, præp end; we need go no farther ~ (end til) France; he showed more courage ~ (end der) was to be expected.

thane [θein] sb (hist.) than, lensmand.

thank [θæŋk] vb takke; ~ God Gud være lovet; Gud ske lov; ~ you tak; no, ~ you nej tak; ~ you very much mange tak; ~ you for nothing (ironisk til en der ikke har villet hjælpe etc) tak for din venlighed; I ~ you to leave my affairs alone vær så venlig at holde dig fra mine sager; you have only yourself to ~ det er din egen skyld.

thankful ['θæŋkful] adj taknemlig.

thankless ['θæŋklis] adj utaknemlig.

thank-offering sb takkegave.

thanks [θæŋks] sb tak, taksigelser; many ~, ~ very much mange tak; no ~! nej tak! ~ to takket være (fx ~ to his help I succeeded); we succeeded, small (, no) ~ to him det var ikke hans skyld at det lykkedes os; ~ be to God Gud være lovet, Gud ske lov.

thanksgiving ['θæŋksgiviŋ] sb taksigelse, takkefest; Thanksgiving Day helligdag i USA, fjerde torsdag i november.

that 1. [ðæt] (påpegende pron) den, det; denne, dette (pl those de, dem, disse, hine); 2. [ðɔt] (relativt pron) der, som (næsten kun brugt i bestemmende relativsætninger) (fx those ~ love us; the books ~ you lent me); da (fx the year that his brother died); hvorpå; 3. [ðɔt] conj at (fx I know ~ it is so); så at, for at (fx he died ~ we may live); fordi; gid; 4. [ðæt] adv T så (fx ~ far, ~ much); eksempler: 1. at that oven i købet; that which det som, hvad der; there are those who (dem der) say; (well,) that's that så er den ikke længere; hand me the scissors,

that's a dear! ræk mig lige saksen, så er du rar; that awful wife of his den rædsomme kone han har; 2. fool that he was nar som han var; in the manner that ... på den måde, hvorpå ...; 3. in that idet, forsåvidt, fordi, derved at; oh, that I could see him again gid (el. blot) jeg kunne se ham igen.

thatch [θætʃ] sb tækkehalm, stråtag; T (hår:) paryk; vb tække; -ed stråtækt; -ing tækkemateriale.

thaw [θɔ:] vb tø; tø op; sb tø, tøvejr, tøbrud; optøning; ~ out tø op.

the [foran vokal ði, foran konsonant ðə, med stærk betoning ði:] den, det, de; -(e)n, -(e)t, -(e)ne; (foran komp) des, desto, jo; ~ boy drengen; ~ big boy den store dreng; ~ boy who saw him den dreng der så ham; is he the [ði:] (den bekendte) Dr. Jones? he gave a [ei] reason but not the [ði:] reason han angav en grund, men ikke den virkelige grund; ~ less so as ... så meget mindre som ...; ~ sooner ~ better jo før jo hellere; so much ~ worse så meget des værre.

theatre ['θiətə] sb teater; (fig) skueplads (fx the ~ of his early triumphs); (sal:) forelæsningssal, auditorium (med tilhørerpladser hævet trinvis over hinanden); (litt) dramatisk litteratur, dramatiske værker (fx Goethe's ~); ~ of war krigsskueplads.

theatre-in-the-round arenateater.

theatrical [θi'ætrikl] adj teater- (fx performance); (fig, neds) teatralsk; private -s amatørteater; dilettantkomedie.

Thebes [θi:bz] Theben.

thee [ði:] pron (glds) dig.

theft [θeft] sb tyveri.

thegn [θein] sb (hist) than, lensmand.

their [ðeə] pron deres; ~ money deres penge.

theirs [ðeəz] pron deres (fx the money is ~).

theism ['θi:izm] sb teisme.

theist ['θi:ist] sb teist (tilhænger af teisme).

them [ðem, tryksvagt: ðəm] pron dem; (vulg) de (fx take ~ books).

thematic [θi'mætik] adj tematisk; (gram) stamme- (fx ~ vowel).

theme [θi:m] sb tema, emne; (i skole) stil, opgave; (mus.) tema; (i radio) kendingsmelodi; (gram) stamme.

themselves [ðəm'selvz] pron sig; sig selv; dem selv; selv; they defend ~ de forsvarer sig.

then [ðen] adv da, dengang, på den tid; derefter, derpå, så; (begrundende:) derfor, altså, i det tilfælde; adj daværende (fx the ~ governor); there and ~ på stående fod, på stedet, straks; by ~ da, på det tidspunkt; I shall be back by ~ jeg kommer tilbage inden den tid; from ~ onwards fra den tid af; till ~ indtil da; he had very strange visitors sometimes, but ~, of course, he had travelled a lot ... men han havde jo også rejst meget.

thence [ðens] adv derfra, fra den tid, derfor; from ~ derfra.

thence| forth ['ðens'fɔ:θ], **-forward** ['ðens'fɔ:wəd] adv fra den tid af.

theodolite [θi'ɔdəlait] sb teodolit (landmålerinstrument).

theol. fk theology.

theo|logian [θiə'loudʒən] sb teolog. **-logic(al)** [-'lɔdʒik(l)] adj teologisk. **-logy** [-'ɔlədʒi] sb teologi.

theorem ['θiərəm] sb læresætning, sætning.

theoretic(al) [θiə'retik(l)] adj teoretisk.

theorist ['θiərist] sb teoretiker.

theorize ['θiəraiz] vb teoretisere.

theory ['θiəri] sb teori.

theoso|phic(al) [θiə'sɔfik(l)] adj teosofisk. **-phist** [θi'ɔsəfist] sb teosof. **-phy** [θi'ɔsəfi] sb teosofi.

therapeutic [θerə'pju:tik] adj terapeutisk, lægende; -s, se therapy.

therapist ['θerəpist] sb: occupational ~ beskæftigelsesterapeut, ergoterapeut. **therapy** ['θerəpi] sb terapi.

there [ðeə] adv der, derhen, dertil; deri, i det (fx ~ I disagree with you); he is (not) all ~, se all; get ~, se get; ~ is cheese and cheese ost og ost er to ting; hand me the scissors, -'s a dear! ræk mig lige saksen, så er du rar; ~ is no knowing man kan aldrig vide; ~ he is der er han; ~ is a knock det banker; ~ is money in it der er penge at tjene; ~ is friendship for you! det kan man kalde ven-

skab! *he left ~ last night* han tog derfra i går aftes; *~ (now)!* der kan du (selv) se (hvad jeg sagde)! se så (nu er det overstået)! *there, there!* så så! *~ you are værsgo'!* se så! så er den klaret; der kan du se hvad jeg sagde.
there|about(s) der omkring. **-after** derefter. **-at** derved. **-by** derved. **-fore** derfor, følgelig. **-from** derfra. **-in** [ðɛəˈrin] deri. **-in-after** [ðɛərinˈaːftə] i det følgende. **-of** [ðɛəˈrɔv] deraf. **-to** dertil. **-upon** [ðɛərəˈpɔn] derpå, på grundlag deraf, derfor, straks derefter. **-with** dermed. **-withal** desuden.

therm [θəːm] *sb* (varmeenhed).
thermal [ˈθəːml] *adj* varme- (*fx barrier* mur); termisk; varm (*fx spring* kilde); *sb* (*flyv*) termisk opvind; **-s** (også:) termik.
thermionic [θəːmiˈɔnik] *adj:* ~ *valve, (am)* ~ *tube* glødekatoderør.
thermo- [ˈθəːmou] varme-, termo-.
thermo|chemistry termokemi. **-couple** termoelement. **-electricity** termoelektricitet. **-genesis** varmefrembringelse. **-gram** termogram. **-graph** termograf, selvregistrerende termometer. **-logy** [θəˈmɔlədʒi] varmelære.
thermometer [θəˈmɔmitə] *sb* termometer; *clinical* ~ lægetermometer.
thermo|metry [θəˈmɔmitri] *sb* varmemåling. **-nuclear** [ˈθəːməˈnjuːkliə] *adj* termonuklear; ~ *bomb* brintbombe. **-phore** [ˈθəːməfɔː] varmeapparat. **-plastic** [ˈθəːməˈplæstik] termoplastisk.
thermos [ˈθəːməs] ℗: ~ *(flask)* termoflaske.
thermo|setting [ˈθəːməˈsetiŋ] *adj* termohærdnende. **-stat** [ˈθəːməstæt] termostat. **-static** [θəːməˈstætik] termostatisk; *-static control* termostatstyring. **-therapy** [ˈθəːməˈθerəpi] *(med.)* varmebehandling.
thesaur|us [θiˈsɔːrəs] *sb (pl -i* [-ai]) thesaurus, begrebsordbog.
these [ðiːz] *pron* disse (pl af *this).*
thesis [ˈθiːsis] *sb (pl theses* [ˈθiːsiːz]) tesis, tese; afhandling, disputats.
Thespian [ˈθespiən] *adj* thespisk, vedrørende skuespilkunst.
theurgy [ˈθiːəːdʒi] *sb* guddomsværk, mirakel; magi, trolddomskunst.
thews [θjuːz] *sb pl* muskler; (muskel)kraft.
they [ðei] *pron* de; man, folk (*fx they say that he is dead).*
thick [θik] *adj* tyk, tæt; (om vand) uklar, (om vejr) usigtbar; (om person) sløv, dum; (om stemme) tyk, grødet; *sb* tætteste (*el.* tykkeste) del; T fjog; *in the ~ of the fight* der hvor kampen er hedest; *in the ~ of it* der hvor det foregår; *that's a bit ~* det er lige hårdt nok; det er et stift stykke; *they are rather ~* de er fine venner; *they are as ~ as thieves* de er meget fine venner, de hænger sammen som ærtehalm; *he always gets the ~ end of the stick* det er altid ham det går ud over; *lay it on ~* smøre tykt på; *go with him through ~ and thin* følge ham i tykt og tyndt.
thick-ear [ˈθikiə] *adj:* ~ *fiction* underholdningsromaner med mange slagsmål.
thicken [ˈθikn] *vb* gøre (, blive) tyk (*el.* tæt); tiltage; (i madlavning) jævne (*fx gravy* sovs); *the plot -s* knuden strammes (*fx* i roman); situationen bliver mere og mere indviklet.
thickening *sb* fortykkelse; jævning.
thicket [ˈθikit] *sb* krat, skovtykning.
thick|-headed [ˈθikˈhedid] *adj* tykhovedet. **-knee** *zo* triel (en fugl). **-ness** tykkelse; tæthed; lag. **-set** tæt, tætplantet, tætvoksende; (om person) undersætsig ~ **-skinned** tykhudet, ufølsom. ~ **-skulled** tykhovedet, sløv. ~ **-witted** tungnem.
thief [θiːf] *sb (pl thieves* [θiːvz]) tyv; (i biblen) røver (*fx the thieves upon the Cross).* **thieve** [θiːv] *vb* stjæle.
thieves'| kitchen tyverede. ~ **Latin** tyvesprog.
thievish [ˈθiːviʃ] *adj* tyvagtig.
thigh [θai] *sb* lår.
thill [θil] *sb* enspændervognstang.
thimble [ˈθimbl] *sb* fingerbøl; *(mar)* kovs.
thimble|rig [ˈθimblrig] *vb* narre, fuppe. **-rigger** *sb* taskenspiller.
thin [θin] *adj* tynd, smal, mager, fin, spæd, spinkel; tyndt besat, fåtallig (*fx audience);* (fig også) dårlig (*fx excuse),* let gennemskuelig (*fx disguise); vb* fortynde, for-

mindske, tynde ud; ~ *down* fortynde, spæde op; ~ *out* tynde ud, udtynde.
thine [ðain] *pron (glds)* din, dit, dine.
thing [θiŋ] *sb* ting, sag; tingest; **-s** (også) tøj, kluns; sager, grejer; *of all -s!* nu har jeg aldrig! *and -s* og den slags; *-s are getting worse and worse* forholdene (*el.* situationen) bliver værre og værre; *that's the chief ~* det er hovedsagen; *it's not the done ~* det kan man ikke; *we'll do it first ~ (in the morning)* vi gør det straks i morgen tidlig; *good ~,* se *I. good; have a ~ about* være skør med; *know a ~ or two* være med på den, være vaks; *make a ~ of* gøre et stort nummer ud af; *old ~* gamle ven; *for one ~* for det første, først og fremmest; for eksempel; *taking one ~ with another* alt taget i betragtning, alt i alt; *do one's own ~* S beskæftige sig med det man bedst kan lide; *-s personal (jur)* personlige ejendele, løsøre; *poor little ~* den lille stakkel; *she is a proud little ~* hun er en stolt lille en; *it's a strange ~ that* det er mærkeligt at; *I don't feel quite the ~* jeg føler mig ikke helt vel; *the ~* (også) det helt rigtige, det tiltrængte; *the ~ is* det gælder om (*fx the ~ is to say nothing);* sagen er den; *that is just the ~* det er lige sagen, det er det helt rigtige.
thingamy [ˈθiŋəmi], **thingumbob** [ˈθiŋəmbɔb], **thingummy** [ˈθiŋəmi] *sb* tingest, dims, dippedut.
think [θiŋk] *vb (thought, thought)* tænke, tro, mene; anse for; synes, bilde sig ind; forestille sig, tænke sig; begribe; *little did he ~ that* lidet anede han at; ~ *about* tænke på (*fx ~ about one's home);* tænke over (*fx I must ~ about it);* ~ *of* tænke på, tænke over; tænke om (*fx I should not have thought it of him);* finde på, hitte på; drømme om (*fx I shouldn't ~ of doing it);* komme i tanke om, huske (*fx I can't ~ of her name);* ~ *highly of,* ~ *much of* have store tanker om; ~ *nothing (el. little) of* ikke regne for noget; ikke betænke sig på at; ~ *out* udtænke; gennemtænke; ~ *over* tænke over, overveje; ~ *up (am)* hitte på, udtænke; *that's what you ~* det er da noget du tror.
thinkable [ˈθiŋkəbl] *adj* tænkelig.
thinking [ˈθiŋkiŋ] *sb* tænkning, tanker, mening; *adj* tænkende. **thinking cap:** *put on one's ~* lægge hovedet i blød.
think tank S hjerne; forskningscenter, forskningskollektiv (der beskæftiger sig med et tværfagligt projekt).
thinner [ˈθinə] *sb* fortynder, fortyndingsmiddel.
thin-skinned [ˈθinˈskind] *adj* tyndhudet, tyndskallet, ømfindtlig.
third [θəːd] *adj* tredje; *sb* tredjedel; (i bil) tredje gear; *(mus.)* terts. **third| degree** tredjegradsforhør; tortur. **-ly** for det tredje. ~ **party** tredjemand, tredjepart. ~ **party liability insurance** ansvarsforsikring. ~ **-rate** tredjeklasses.
thirst [θəːst] *sb* tørst (*for* efter); *vb* tørste (*for* efter).
thirsty [ˈθəːsti] *adj* tørstig; som man bliver tørstig af (*fx it is ~ work).*
thirteen [ˈθəːˈtiːn] tretten. **thirteenth** *adj, sb* trettende(del).
thirtieth [ˈθəːtiiθ] *adj, sb* tredivte(del).
thirty [ˈθəːti] tredive.
this [ðis] *pron* denne, dette, det her (*pl these* disse); T så (*fx ~ far; ~ much);* by ~ herved; nu, allerede; *by ~ time* nu, allerede; ~ *morning* i morges, nu til morgen, i formiddag; ~ *day week* i dag otte dage; ~ *(last) half-hour* i den sidste halve time; *like ~* på denne måde; af denne slags; ~ *and that,* ~ *that and the other* dit og dat, dette og hint, både det ene og det andet, alt muligt; *these days* i disse dage, for tiden; *one of these days* en skønne dag; *these forty years* de sidste (*el.* de første) fyrre(tyve) år.
thistle [ˈθisl] *sb* tidsel; (Skotlands nationalsymbol).
thistledown tidselfnug.
thither [ˈðiðə] *adv* derhen.
tho' *fk* though.
thole [θoul], **tholepin** [ˈθoulpin] *sb* åretold.
Thomas [ˈtɔməs]. **Thom(p)son** [ˈtɔmsn].
thong [θɔŋ] *sb* rem.
thoracic [θɔːˈræsik] *adj (anat)* bryst-; ~ *vertebra* brysthvirvel.
thorax [ˈθɔːræks] *sb (anat)* brystkasse, bryst.
Thoreau [ˈθɔːrou, θəˈrou].
thorium [ˈθɔːriəm] *sb (kem)* thorium.
thorn [θɔːn] *sb* torn, vedtorn; tjørn, hvidtjørn; *a ~ in the*

flesh en pæl i kødet; en stadig kilde til ærgrelse; *be (el. sit) on -s* sidde som på nåle.

thorn apple *(bot)* pigæble; tjørnebær.

thorny ['θɔ:ni] *adj* tornefuld, tornet; *a ~ question* et meget vanskeligt spørgsmål.

thorough ['θʌrə] *adj* fuldstændig, grundig, indgående, gennemgribende; *præp, adv (glds)* gennem.

thorough| bass generalbas, basso continuo. **-bred** fuldblods; (om person) kultiveret, racepræget; *sb* fuldblodshest; racedyr; kulturmenneske. **-fare** gennemgang, passage, færdselsåre, (hoved)gade; *no -fare* gennemkørsel forbudt. **-going** fuldstændig, grundig, gennemført. **-ly** *adv* fuldstændigt, grundigt, indgående, gennemgribende, ganske, fuldkommen. **-ness** fuldstændighed, grundighed. **~ -paced** ærke-, gennemført.

Thos. *fk* Thomas.

those [ðouz] *pron* de, dem, disse, hine *(pl af that)*.

I. thou [ðau] *pron (glds)* du; *vb* dutte, sig du til.

II. thou [ðau] *sb* S tusind.

though [ðou] *conj* skønt, endskønt, selv om; *adv* (sidst i sætningen) alligevel; *as ~* som om; *it is not as ~* det er ikke fordi; *even ~* selv om; *what ~ (glds)* hvad (gør det) om; *it is dangerous, ~* det er nu alligevel farligt; *did she ~?* gjorde hun virkelig? *I wish you had told me, ~* jeg ville nu alligevel ønske du havde sagt mig det.

I. thought [θɔ:t] *præt og pp af* think.

II. thought [θɔ:t] *sb* tanke; omtanke *(fx full of ~ for him)*; tankegang, tænkemåde, tænkning *(fx Greek ~)*; overvejelse *(fx after serious ~)*; lille smule, lidt *(fx a ~ too sweet)*; *he never gave it a second ~* han tænkte overhovedet ikke på det mere; *take ~ for* bekymre sig om; *food for ~* stof til eftertanke; *absorbed (el. lost) in ~* i dybe tanker; *school of ~* åndsretning; *he had no ~ of doing it* det var ikke hans mening *(el.* hensigt) at gøre det; *on second -s* ved nærmere eftertanke.

thought|ful tankefuld; betænksom, hensynsfuld, opmærksom; bekymret, alvorlig. **-less** tankeløs, ubetænksom, hensynsløs; ubekymret, ligegyldig. **~ -reading** tankelæsning. **~ transference** tankeoverføring.

thousand ['θauz(ə)nd] tusind. **thousandth** *sb* tusindedel; *adj* (den) tusinde.

thraldom ['θrɔ:ldəm] *sb* trældom.

thrall [θrɔ:l] *sb* træl, slave; trældom.

thrash [θræʃ] *vb* tærske; piske; slå, prygle; *~ about* slå om sig; *~ out (fig)* drøfte til bunds.

thrasher, ['θræʃə] *sb* se thresher; *(am, zo)* spottedrossel, røddrossel.

thrashing ['θræʃiŋ] *sb* dragt prygl; omgang klø.

thread [θred] *sb* tråd; *(tekn)* gevind, skruegang; *vb* træde (en nål); trække på tråd (, snor) *(fx pearls)*; skære gevind i; *~ the film* lægge *(el.* sætte) filmen i (forevisnings)apparatet; *-ed with (fig)* gennemtrukket af; *his hair was -ed with silver* han havde sølvstænk i håret; *~ one's way* bevæge sig med forsigtighed, sno sig frem *(fx ~ one's way between the carriages)*; *hang by a ~* hænge i en tråd.

thread|bare luvslidt; *(fig)* forslidt. **~ paper** vindsel. **-worm** trådorm.

thready ['θredi] *adj* trådagtig; svag, tynd.

threat [θret] *sb* trussel.

threaten ['θretn] *vb* true; true med; *-ing* truende.

three [θri:] tre; *sb* tretal, treer.

three|-cornered trekantet, med tre deltagere. **~-D** *adj* tredimensional. **~ -decker** *(mar.)* tredækker; *(fig)* trebindsroman; sandwich med tre lag brød. **-fold** trefold; trefoldig. **~ -legged** *adj* trebenet. **~ -legged race** kapløb mellem par som har to ben bundet sammen. **~ -master** tremaster. **-pence** ['θrepəns, 'θripəns] tre pence. **-penny bit** ['θrepənibit, 'θri-] trepennystykke (nu afskaffet mønt). **~ -piece** *adj* som består af tre dele; *sb* sæt som består af tre dele; (om møbler) sofagruppe (sofa og to lænestole). **~ -ply** tredobbelt (om finér); treslået (om garn). **~ -point landing** *(flyv)* tre-punkts landing (alle tre hjul rører jorden samtidig). **~ -quarter** *adj* trekvart; *sb* (i rugby) trekvartback. **~ R's** se r. **~ -score** tres. **-some** gruppe på tre; spil med tre deltagere. **~ -stage rocket** tretrinsraket.

threnode ['θri:noud], **threnody** ['θrenədi] *sb* klagesang.

thresh [θreʃ] *vb* tærske.

thresher ['θreʃə] *sb* tærsker; tærskeværk; *zo* rævehaj.

threshing| floor logulv. **~ machine** tærskeværk.

threshold ['θreʃould] *sb* (også *fig, psyk)* tærskel.

threshold lights *(flyv)* tærskellys, begrænsningslys.

threw [θru:] *præt af* throw.

thrice [θrais] *adv (glds)* tre gange, trefold.

thrift [θrift] *sb* sparsommelighed, økonomi; *(bot)* engelskgræs.

thriftless ['θriftlis] *adj* ødsel.

thrifty ['θrifti] *adj* sparsommelig.

thrill [θril] *sb* gys, gysen; *vb* få til at gyse; begejstre, betage; (uden objekt) gyse; bæve, skælve, dirre; *~ to the bone* gå igennem marv og ben; *-ing* (også) spændende, gribende.

thriller ['θrilə] *sb* gyser (roman, film *etc)*.

thrive [θraiv] *vb (throve, -d el. -d -d)* trives, blomstre; være heldig, have fremgang.

thriven ['θrivn] *(glds) pp af* thrive.

thriving ['θraiviŋ] *adj* blomstrende; heldig, fulgt af held.

thro' *fk* through.

throat [θrout] *sb* svælg, strube, hals; *(fig)* snævring, (snæver) indgang; munding; *(mar)* kværk (på sejl); *cut sby's ~* skære halsen over på en; *cut each other's -s (fig)* konkurrere hinanden sønder og sammen; *have a sore ~* have ondt i halsen; *jump down his ~ (fig)* falde 'over ham; *ram (el. thrust) it down his ~* pånøde ham det.

throat latch kæberem.

throaty ['θrouti] *adj* guttural, strube-; grødet *(fx voice)*.

throb [θrɔb] *vb* banke (om puls, hjerte), banke hurtigt; pulsere; så pulseren, banken, slag.

throe [θrou] *sb* kval, vånde; *-s* (også) fødselsveer; *-s of death* dødskamp; *be in the -s of (fig)* kæmpe med.

thrombosis [θrɔm'bousis] *sb* dannelse af blodprop.

thrombus ['θrɔmbəs] *sb* blodprop.

throne [θroun] *sb* trone; *vb* sætte på tronen.

throne room tronsal.

throng [θrɔŋ] *sb* trængsel, skare; *vb* stimle sammen, flokkes.

thronged [θrɔŋd] *adj* fyldt til trængsel.

throstle ['θrɔsl] *sb* sangdrossel; *(tekn)* drosselstol.

throttle ['θrɔtl] *vb* kvæle, kværke; *(fig)* kvæle, undertrykke; *(tekn)* drosle; *sb* kværk, strube; *(tekn)* reguleringsspjæld, gasspjæld; *at full ~* for fuld gas; *~ lever* gashåndtag.

through [θru:] *præp* igennem, i løbet af; ved, på grund af; *(am)* til og med *(fx from Monday ~ Saturday)*; *adv* igennem; færdig, til ende; *adj* gennemgående *(fx carriage, train)*; færdig; *all ~* hele tiden; *~ and ~* fra ende til anden; helt igennem; *go ~, see ~ etc,* se hovedordet; *~ traffic* gennemgående trafik; *no ~ traffic* gennemkørsel forbudt; *wet ~* gennemblødt; *be ~ with* være færdig med *(fx I am ~ with you)*.

throughout [θru:'aut] *præp, adv* helt igennem; *~ the country* over hele landet; *~ his life* hele livet (igennem).

throve [θrouv] *præt af* thrive.

I. throw [θrou] *vb (threw, thrown)* kaste; smide; styrte; kaste af *(fx a horse that -s its rider)*; (om dyr) føde *(fx the mare threw its foal)*; (om garn) sno, tvinde; *~ dust in the eyes of sby* stikke en blår i øjene; *~ a party* T holde et selskab; *~ stones* kaste med sten; (se også *glasshouse)*;

(forb med præp, adv) *~ one's arms about* fægte med armene; *~ money about* slå om sig med penge; (se også *weight)*; *~ the book at him* idømme ham lovens strengeste straf; *(fig)* kritisere ham skarpt, skælde ham huden fuld; *~ oneself at* lægge kraftigt an på; *~ away* smide væk; (om penge) bortødsle; (om chance) forspilde; (om ytring) henkaste; *she'll ~ herself away on him* hun er da for god til ham; *~ back* kaste tilbage, sætte tilbage; *(biol)* være atavistisk præget, opvise atavistiske træk; *~ down* rive omkuld, styrte; nedrive; *~ down one's tools* nedlægge arbejdet;

~ in give i tilgift *(el.* oven i købet); (om bemærkning) indskyde; (om kobling) indrykke; *~ in one's hand* opgive ævred; *~ into relief* stille i relief; *~ into the shade* sætte *(el.* stille) i skygge; *~ oneself into the work* kaste sig over *(el.* ud i) arbejdet; *~ off* kaste af, fordrive; opgive; blive af med; henkaste, ryste ud af .ærmet *(fx poems)*; for-

styrre; ~ **on** vælte over på, henvise til; ~ *oneself on their mercy* sætte sin lid til deres barmhjertighed; overgive sig til dem på nåde og unåde; ~ *on one's clothes* stikke i tøjet;

~ *(wide)* **open** åbne (på vid gab) *(fx a door)*; åbne for publikum *(fx ~ open a park)*; ~ **out** smide ud; forkaste, afvise; bygge til *(fx ~ out a new wing* fløj); udsende, udstråle *(fx heat)*; forstyrre, bringe ud af det; spolere; (ytre:) fremsætte, fremkomme med *(fx a suggestion)*; lade falde *(fx a remark; a hint* et vink); henkaste; udslynge *(fx an assertion)*; (om kobling) udrykke; ~ **out** *one's chest* skyde brystet frem; ~ **over** opgive; kassere, afskedige, give løbepas, droppe, slå hånden af; ~ **together** smække sammen i en fart; bringe sammen (tilfældigt) *(fx fate threw us together)*; ~ **up** opgive; smække op (ɔ: bygge); kaste op, brække sig; ~ **up** *his heels* overvinde ham; ~ *up the sponge,* se *sponge;* ~ *up a window* smække et vindue op.

II. throw ['θrou] *sb* kast; *(tekn)* slaglængde, slag; *a stone's* ~ et stenkast (ɔ: om afstand).

throwaway ['θrouəwei] *sb* reklametryksag; *adj* sagt henkastet; (om ting) til at kassere efter brugen, engangs- *(fx bottle, plate)*.

throwback ['θroubæk] *sb* individ hos hvem træk arvet fra en fjern forfader træder stærkt frem, atavistisk individ.

thrown [θroun] *pp* af *throw.*

thru [θru:] *(am)* = *through.*

thrum [θrʌm] *sb* trådende, garnende; (lyd:) klimpren; *vb* klimpre (på); tromme (med fingrene) *(fx ~ on the table)*; -s garnrester.

thrush [θrʌʃ] *sb zo* (sang)drossel; *(med.)* trøske.

I. thrust [θrʌst] *vb (thrust, thrust)* støde, bore, stikke, jage *(fx a knife into him)*; skubbe, puffe, mase; *(fig)* skubbe, tvinge; (uden objekt) trænge, trænge sig, mase sig; ~ *it on him* påtvinge ham det; skubbe det over på ham.

II. thrust [θrʌst] *sb* stød, puf, stik; *(tekn)* tryk; *(mil.)* fremstød, angreb; *(fig)* udfald.

thrust| bearing, ~ **block** trykleje.

Thucydides [θju:'sididi:z] Thukydid.

thud [θʌd] *sb* bump, dump lyd, tungt (dumpt) slag; *vb* dunke, daske, lyde dumpt, bumpe.

thug [θʌg] *sb* bandit, røver, bølle; S muskelmand.

thuggee ['θʌgi:], **thuggery** ['θʌgəri] *sb* (i Indien) bandituvæsen, bølleuvæsen.

thuja ['θju:jə] *sb (bot)* tuja.

thumb [θʌm] *sb* tommelfinger; *vb* fingerere ved, lave fingermærker i, tilsmudse; *rule of* ~, se *I. rule; his fingers are all -s* han har for mange tommelfingre; ~ *a lift* køre på tommelfingeren, tomle, blaffe; ~ *one's nose at* række næse ad; *he is under my* ~ han er (fuldstændig) i min magt, jeg har krammet på ham; *-s up!* bravo! held og lykke! *well-thumbed* som bærer præg af flittig brug.

thumb| index registerudskæring. ~ **mark** fingermærke (i bog). **-nail sketch** miniatureportræt; kort beskrivelse. ~ **nut** fløjmøtrik. **-screw** tommelskrue. **-stall** fingertut til tommelfinger. **-tack** *(am)* tegnestift.

thump [θʌmp] *sb* dumpt og tungt slag, dunk; *vb* dunke, støde, slå, banke, dundre, (i klaver) hamre; T banke, tæske; ~ *one's chest (fig)* slå sig for brystet; *-ing* gevaldig, kraftig, dundrende.

thunder ['θʌndə] *sb* torden, bulder; *vb* tordne, dundre; *steal his* ~ *(fig)* tage brødet ud af munden på ham.

thunder|bolt tordenkile; *(fig)* tordenslag. **-clap** tordenskrald. **-ing, -ous** tordnende; dundrende, vældig, kæmpe-. **-storm** tordenvejr. **-struck** (som) ramt af lynet, himmelfalden.

thundery ['θʌndəri] *adj* tordenlummer; torden-; *(fig)* som ligner en tordensky.

thurible ['θjuəribl] *sb* røgelseskar.

Thuringia [θjuə'rindʒiə] Thüringen.

Thursday ['θə:zdi, 'θə:zdei] *sb* torsdag.

thus [ðʌs] *adv* således, på denne måde; derfor; så *(fx ~ much)*; ~ *far* indtil nu.

thwack [θwæk] *vb* slå, prygle; *sb* slag.

thwart [θwɔ:t] *sb (mar)* tofte; *vb* modarbejde, lægge sig i vejen for, hindre, krydse, forpurre.

thy [ðai] *pron (glds)* din, dit, dine.

thyme [taim] *sb (bot)* timian.

thyroid ['θairɔid] *adj* skjoldbrusk-; ~ *gland* skjoldbruskkirtel.

thyself [ðai'self] *pron (glds)* du selv, dig selv; (refleksivt) dig.

tiara [ti'a:rə] *sb* tiara.

Tibet [ti'bet] Tibet. **Tibetan** ['tibətn] *adj, sb* tibetansk; *sb* tibetaner.

tibia ['tibiə] *sb (pl* også *-ae* [-i:]*)* skinneben.

tic [tik] *sb* nervøs trækning i ansigtsmusklerne.

I. tick [tik] *sb* bolster; *(zo)* blodmide.

II. tick [tik] *vb* dikke, tikke; mærke, krydse af; *what makes him* ~? hvordan er han indrettet? hvad får ham til at handle som han gør? ~ *off* krydse af; give en 'balle'; ~ *over* (om motor) gå langsomt i tomgang; *(fig)* lige holde den gående (ɔ: bestille så lidt som muligt).

III. tick [tik] *sb* dikken, tikken; (ved kontrol) hak, mærke; T øjeblik, sekund; *half a* ~! et øjeblik! vent lige et sekund! *I am coming in a* ~ *(el.* in two *-s el.* in half a ~*)* jeg kommer lige på øjeblikket; *on* ~ T på klods, på kredit; *on the* ~ præcis, på slaget.

ticker ['tikə] *sb* børstelegraf; S lommeur; hjerte.

ticker tape telegrafstrimmel; *give sby a ~ reception* hylde en ved at lade telegrafstrimler *etc* flagre ud af vinduerne (skik i New York).

ticket ['tikit] *sb* billet; (mærke)seddel; låneseddel; lotteriseddel; *(am)* liste over et partis kandidater; partiprogram; *vb* sætte mærkeseddel på; *that's the* ~ T det er noget af det rigtige, sådan skal det være; *get one's* ~ S *(mil.)* blive hjemsendt, få sin afsked; *get a* ~ *(am)* få sat en seddel på vognen, blive noteret (af politiet).

ticket| collector billetkontrollør. ~ **office** billetkontor.

ticket-of-leave ['tikitəv'li:v] *sb (glds)* løsladelsesbevis; betinget løsladelse.

ticking ['tikiŋ] *sb* bolster, drejl.

tickle ['tikl] *vb* kilde, kildre; *(fig)* kildre, smigre *(fx his vanity)*; pirre; *sb* kildren; S indbrud, bræk; udbytte; *my foot* ~ *s* det kildrer i min fod; *I was -d by his stories* hans historier morede mig; *I shall be -d to death (el. -d pink)* T det skal være mig en sand fryd; ~ *the palate* kildre ganen.

tickler ['tiklə] *sb* problem, gåde.

ticklish ['tikliʃ] *adj* kilden *(fx he is ~)*; *(fig)* kilden, penibel *(fx question)*; *(mar.)* kilden.

ticktack ['tik'tæk] *sb* signaleringssystem brugt af bookmakere; ~ *man* S bookmakers medhjælper.

tick-tack-toe [tiktæk'tou] *sb (am)* 'kryds og bolle' (et spil).

ticktock ['tik'tɔk] *sb* tik-tak.

tidal ['taidl] *adj* tidevands- *(fx basin* bassin; *port* havn); ~ *flat* vad; ~ *wave* flodbølge.

tidbit ['tidbit] *sb* lækkerbidsken.

tiddly ['tidli] *adj* T let bedugget; i orden, fin, flot.

tiddlywinks ['tidliwiŋks] *sb pl* loppespil.

tide [taid] *sb* tidevand, flodbølge; strøm; *(fig)* strøm, retning, tendens, bevægelse; ~ *vb* drive med strømmen, stige med tidevandet; *high* ~ flod; *low* ~ ebbe; ~ *over* klare sig igennem; holde den gående; ~ *over a difficulty* komme over en vanskelighed; ~ *sby over a difficulty* hjælpe en over en vanskelighed; *turn of the* ~ strømkæntring; *(fig,* også*)* omsving; *work the -s* udnytte tidevandet (under sejlads).

tide| gate sluse. ~ **race** stærk tidevandsstrøm, strømrase. ~ **-rode** *adj (mar)* strømret. ~ **staff** vandstandsbræt. **-waiter** toldopsynsmand. **-way** tidevandskanal, strømløb.

tidings ['taidiŋz] *sb pl* tidende, efterretninger.

tidy ['taidi] *adj* net, pæn, ordentlig; *vb* ordne, nette, rydde op (i); *sb* (til toiletsager *etc)* æske; (i vask: til skræller *etc)* vaskehjørne; *(am:* på stol *etc)* antimakassar; ~ *oneself* nette sig.

I. tie [tai] *sb* bånd; slips; *(fig)* bånd; (i nodeskrift) bindebue; (i sport *etc)* lige antal stemmer *el.* points; uafgjort afstemning *el.* sportskamp; cupturnering (hvor den tabende i hvert enkelt kamp går ud); (bjælke:) hanebjælke, tagbjælke; *(am)* svelle; *black* ~ sort slips; (på indbydelse *etc)* smoking; *white* ~ kjole og hvidt.

II. tie [tai] *vb* binde; stå lige (med); spille uafgjort; ~ *down* binde 'til; *(fig)* binde, forpligte; ~ *in with* knytte til; samordne med; ~ *up* binde, båndlægge *(fx capital)*; *(typ)* udbinde; ~ *up with (fig)* være nært *(el.* nøje) forbundet med; være knyttet til; stå i nær forbindelse med; (se også *tied).*

tie beam hanebjælke.

tied [taid] *adj* bundet; ~ *cottage* tjenestehus (overladt en landarbejder af ejeren som en del af lønnen); ~ *inn* kro hvor der kun sælges øl fra et bestemt bryggeri; *get* ~ *up* blive gift; gå i stå, blive strejkeramt; gå i hårdknude; *be* ~ *up with* være nært *(el.* nøje) forbundet med, stå i nær forbindelse med, være knyttet til; være i kompagniskab med.

tie|-dye knyttebatik. ~ **-on** *adj* til at binde på. **-pin** slipsnål.

tier [tiə] *sb* (trinvis opstigende) række; etage, lag *(fx the wedding cake had three -s) ; (bibl)* reolfag.

tierce [tiəs] *sb* (i fægtning, i kortspil, tidebøn) terts.

tie| rod styrestang. ~ **shoe** snøresko. ~ **slide** slipsholder, slipsnål. **-up** forbindelse, sammenslutning; kompagniskab; *(am)* arbejdsstandsning, trafikstandsning.

tiff [tif] *sb* kurre på tråden, lille strid.

tiffany ['tifəni] *sb* silkeflor.

tiffin ['tifin] *sb* (anglo-indisk:) lunch.

tig [tig] *sb* tagfat.

tiger ['taigə] *sb* tiger; *(am* S) sluthyl efter hurraråb.

tiger| beetle *zo* sandspringer. **-ish** ['taigərif] tigeragtig. ~ **lily** *(bot)* tigerlilje. ~ **moth** *zo* bjørnespinder.

tight [tait] *adj* tæt, fast, stram, snæver; (om person) T nærig, påholdende; fuld, drukken; (i sport) tæt *(fx race),* jævnbyrdig; *(mar,* om reb) stram, tot; *(typ,* om sats) kompres; *my coat is* ~ *across the chest* min frakke strammer over brystet; ~ *line (typ)* kneben linie; *money is* ~ pengemarkedet er stramt; *in a* ~ *place, in a* ~ *corner* i knibe; *sit* ~ forholde sig afventende, blive hvor man er; holde fast; ikke give sig. **tighten** [taitn] *vb* stramme, strammes; ~ *one's belt* spænde livremmen ind; ~ *up precautions* skærpe sikkerhedsforanstaltningerne.

tight|-fisted påholdende, nærig. ~ **-lipped** sammenbidt; fåmælt, umeddelsom. **-rope danser** linedanser(inde).

tights [taits] *sb pl* strømpebukser; (artists *etc)* trikot.

tightwad ['taitwɔd] *sb* S fedtsyl.

tigress ['taigris] *sb* huntiger.

tike [taik] *sb* køter; bondeknold.

tilbury ['tilbri] *sb* tilbury (tohjulet vogn).

tile [tail] *sb* tegl, teglsten; kakkel; flise, gulvflise; T (høj) hat; *vb* tegltække; *have a* ~ *loose* have en skrue løs; *be on the -s* være ude og more sig, være ud på sjov.

tiler ['tailə] *sb* tegltækker; dørvogter (ved en frimurerloge).

I. till [til] *præp* til, indtil; *conj* til, indtil; *not ...* ~ ikke ... før, først; ~ *now* indtil nu, hidtil; ~ *then* til den tid, indtil da; ~ *then!* farvel så længe, på gensyn.

II. till [til] *sb* pengeskuffe.

III. till [til] *vb* dyrke, pløje.

till|able *adj* dyrkelig. **-age** *sb* dyrkning; dyrket land.

I. tiller [tilə] *sb* landmand, dyrker; haveredskab, landbrugsredskab; *(bot)* rodskud, udløber; vanris; *(mar)* rorpind.

II. tiller [tilə] *vb (bot)* skyde rodskud *(etc,* se I. ~).

Tilley lamp ® (type petroleumslygte).

I. tilt [tilt] *vb* hælde, vippe, tippe; *(glds* og *fig)* turnere, dyste, fægte, kæmpe *(at* mod); T styrte frem, komme styrtende; *sb* turnering, dyst, dystløb; hældning, hæld; ~ *at (fig)* drage til felts mod; ~ *at windmills* kæmpe med vejrmøller; *(at) full* ~ i fuld fart, for fuld kraft *(fx work full* ~).

II. tilt [tilt] *sb* sejldugstag, presenning; *vb* lægge presenning over.

tilth [tilθ] *sb* opdyrkning; dyrket land; madjord.

tiltyard ['tiltja:d] *sb* turneringsplads.

timbal ['timbl] *sb* pauke.

timber ['timbə] *sb* tømmer, træ, gavntræ; (især *am)* skovland; *(fig)* stof; (ved rævejagt) forhindring; *(mar)* spant; *vb* tømre, forsyne med tømmer; *shiver my -s* splitte mine bramsejl (litterær sømandsed).

timber|line trægrænse. **-ed** bygget (helt *el.* delvis) af tømmer; skovbevokset. ~ **yard** tømmerplads.

timbre *[fr.,* tæmbə] *sb* klangfarve.

timbrel ['timbrəl] *sb* tamburin.

I. time [taim] *sb* tid; periode; tidspunkt *(fx at the* ~*, at one* ~*);* gang *(fx many -s;* ~ *after* ~ gang på gang;

---

some ~ en gang (i fremtiden)); *(mus.)* takt *(fx beat* ~*); what's the* ~*? what* ~ *is it?* hvad er klokken? *time!* stop! slut! *time, gentlemen, time!* så er det lukketid!

(forb med vb) your ~ *has come* (også) din time er slået; **do** ~ sidde (i fængsel); *it is* ~ *we went* det er (snart) på tide vi kommer af sted; **have** *a bad* ~ *of it* have det drøjt; få en ilde medfart; *have a good* ~ more sig, have det rart; *have the* ~ *of one's life* more sig glimrende, have det dejligt; *mark* ~, se *IV.* mark*;* **pass** *the* ~ *of day* sige goddag (, godmorgen, godaften) (til hinanden); **serve** *one's* ~ udstå sin læretid; afsone en straf; **tell** *the* ~ sige hvad klokken er; (om barn) kunne klokken;

(forb med præp, adv) **against** ~ i stor hast; *ahead of (one's)* ~, se ahead; **at** *a* ~ ad gangen; *at one* ~ samtidig; engang (i fortiden); *in* ~ sin tid; *at the best of -s* i bedste fald; *at the same* ~ samtidig; på den anden side, alligevel; *at this* ~ *of day* på dette tidspunkt, efter alt hvad der er sket; *at my* ~ *of life* i min alder; **behind** ~, se behind; **for** *the* ~ *being* foreløbig; for nærværende; **from** ~ *immemorial* fra arilds tid, i umindelige tider; **in** ~ i tide; med tiden; i takt; *in good* ~ i god tid; til rette tid; til slut; da den tid kom *(fx and in good* ~ *they were married);* do *it in your own good* ~ gør det når det passer dig; *all in good* ~ hver ting til sin tid; *in no* ~ i løbet af 0,5; meget snart; **on** ~ præcis; **out of** *mind* i umindelige tider.

II. time [taim] *vb* tage tid (i sport *etc);* afpasse tiden for, beregne; *it well* vælge det rette tidspunkt for det.

time| bargain *(merk)* terminsforretning. **-barred** *(jur)* forældet. ~ **bomb** tidsindstillet bombe, helvedesmaskine. ~ **card** arbejdsseddel. ~ **charter** *(mar)* tidsbefragtning, tidscerteparti. ~ **clock** kontrolur. ~ **-consuming** *adj* tidkrævende, tidrøvende. ~ **exposure** *(fot)* eksponering (af billede) på tid. ~ **-honoured** ærværdig, hævdvunden. **-keeper** ur; kontrollør; tidtager. ~ **lag** interval, tidsafstand; forsinkelse. ~ **limit** tidsbegrænsning. **-ly** bestemmelig. ~ **-out** *(am)* pause; (i sport) tid til taktisk rådslagning. **-piece** ur.

timer ['taimə] *sb* tidtager; kontrolur, stopur, *(eggtimer)* æggekoger, ægur.

time|server opportunist. ~ **-sharing** (i edb) tidsdeling, tidsdelt drift. ~ **sheet** arbejdsseddel. ~ **signal** tidssignal. **-table** timetabel, skema, fartplan, togplan, køreplan. ~ **-tabling** skemalægning. ~ **trouble** (i skak) tidnød. ~ **wages** timeløn. **-work** arbejde betalt efter tid; timebetalt arbejde. **-worn** medtaget (af tidens tand); umoderne, gammeldags.

timid ['timid] *adj* frygtsom, forskræmt, bange; sky, genert.

timidity [ti'miditi] *sb* frygtsomhed, generthed.

timing ['taimiŋ] *sb (cf II. time)* tidtagning, tidsberegning, tidskontrol; afpasning af tiden (, tidspunktet); *the* ~ *was excellent* tidspunktet var udmærket valgt.

timorous ['timərəs] *adj* frygtsom, forsagt, bange.

timothy ['timəθi] *sb (bot)* engrottehale, timothé.

tin [tin] *sb* tin; *(tinplate)* blik; (beholder:) dåse; *(baking* ~*)* bageform; S penge; *vb* fortinne; præservere, henkoge, komme på *(el.* nedlægge i) dåser.

tinamou ['tinəmu:] *sb zo* tinamu (en fugl); *rufous* ~ pampashøne.

tincal ['tiŋkl] *sb* boraks.

tincan ['tinkæn] *sb* blikdåse.

tinct [tiŋkt] *sb (glds)* farve, nuance.

tinctorial [tiŋk'tɔ:riəl] *adj* farve-, farvende.

tincture ['tiŋktfə] *sb* farvenuance; skær, anstrøg; *(med.)* tinktur, *(glds)* ekstrakt; *vb* give et skær *(el.* anstrøg) *(with* af), farve.

tinder ['tində] *sb* tønder, fyrsvamp. **tinderbox** fyrtøj.

tindery ['tindəri] *adj* fyrsvampagtig, letfængelig.

tine [tain] *sb* gren (på gaffel), tand (på harve); hjortetak.

tinea ['tiniə] *sb (med.)* ringorm.

tinfoil ['tinfɔil] *sb* stanniol, tinfolie.

ting [tiŋ] *vb* ringe, klinge; *sb* klang, ringen.

ting-a-ling [tiŋə'liŋ] *sb* dingeling.

tinge [tindʒ] *vb* farve, tone; give et anstrøg *(with* af); *sb* farveskær, tone, anstrøg; *(fig)* anstrøg, bismag.

tingle ['tiŋgl] *vb* prikke, brænde; *my fingers are tingling* det prikker *(el.* snurrer) i mine fingre; ~ *with* (også) dirre af *(fx excitement).*

tin god: *he is a little* ~ han er en hel lille vorherre.
tin hat T stålhjelm; *put the* ~ *on it* sætte punktum for det.
tinhorn ['tinhɔːn] *sb (am* **S)** skryder.
tinker ['tiŋkə] *sb* kedelflikker; fusker; altmuligmand;
(irsk:) vagabond, sigøjner; *vb* være kedelflikker; fuske;
~ *with* (også) rode med; *I don't care a* ~*'s cuss (el.
damn)* jeg bryder mig ikke et hak om det, der rager mig
en fjer.
tinkle ['tiŋkl] *vb* klirre, klinge, ringe; ringe med, klimpre
på; *sb* klang, klirren; *give him a* ~ **T** ringe ham op.
tin| lid = ~ *hat.* ~ *Lizzie* **S** gammel Ford. ~ *loaf* form-
brød. **-man** se *tinsmith.*
tinny ['tini] *adj* tinagtig, blikagtig; *(fig)* tynd, metallisk,
skinger; (om mad) som smager af dåse; *(austr* **T)** heldig.
tin opener dåseoplukker.
Tin Pan Alley popkomponisternes kvarter i New York.
tin|plate *sb* (hvid)blik; *vb* fortinne. ~ **-pot** *adj* **T** elendig,
luset, snoldet.
tinsel ['tinsl] *sb* flitter, flitterstads; englehår (til juletræ);
adj flitter-; prangende, billig, falsk; *vb* pynte med flitter,
udmaje.
tinsmith ['tinsmiθ] *sb* blikkenslager; blikvarefabrikant.
tin solder loddetin.
tint [tint] *sb* farveskær, nuance, tone; (til hår) hårfarv-
ningsmiddel; *(typ)* tontryk; *vb* farve; *(fot)* farvelægge;
-ed farvet *(fx paper),* tonet; ~ *with (fig)* med et anstrøg
af.
tintinnabulation [tintinæbju'leiʃn] *sb* klingen, ringen, ring-
len.
tiny ['taini] *adj* lille, bitte, lillebitte; ~ *tot* rolling, bukse-
trold, stump.
tip [tip] *sb* spids, top, ende; (på cigaret) mundstykke; (på
stok) dupsko; (på sko) tånæse; (til affald) losseplads;
(slag:) let slag, berøring; (til tjener) drikkepenge; (oplys-
ning:) vink, hemmelig underretning, fidus, tip; *vb* beslå
(i spidsen); berøre, strejfe, slå let på; tippe, vippe, hælde;
give en fidus; give drikkepenge; ~ *no rubbish* aflæsning
af fyld forbydes; *I had it on the* ~ *of my tongue (fig)* det
lå mig på læberne; *take my* ~ følg mit råd; ~ *the wink*
give et vink; ~ *off* advare; give et vink; ~ *over* vælte;
straight ~ pålidelig oplysning; ~ *up* vippe op; vælte;
falde bagover.
tip|cart tipvogn. **-cat** pind(spil). ~ **-off** vink, advarsel.
Tipperary [tipə'rɛəri].
tippet ['tipit] *sb* skulderslag, skindkrave.
tipple ['tipl] *vb* drikke, pimpe; *sb* spiritus; drink; *(am)*
tippeapparat. **tippler** ['tiplə] *sb* dranker.
tipsify ['tipsifai] *vb* gøre beruset.
tipster ['tipstə] *sb* en som giver (, sælger) tips.
tipsy ['tipsi] *adj* påvirket, (lettere) beruset, bedugget; *be* ~
(også) have en lille en på.
tiptoe ['tiptou] *sb* tåspids; *adj* på tåspidserne; *vb* gå på tå-
spidserne, liste; *on* ~ på tå; *(fig)* ivrig; spændt.
tiptoe dancing tåspidsdans.
tiptop ['tip'tɔp] *adj* udmærket, tiptop.
tip-up seat klapsæde.
tirade [tai'reid; ti'raːd] *sb* tirade, ordstrøm.
I. tire [taiə] *sb* (især *am) =* tyre.
II. tire [taiə] *vb* trætte, udmatte; blive træt; ~ *out* ud-
matte.
tired ['taiəd] *adj* træt; ~ *of* (også:) ked af.
tire|less ['taiəlis] utrættelig. **-some** trættende, kedelig, irrite-
rende.
tirewoman ['taiəwumən] *sb (glds)* kammerjomfru; påklæ-
derske.
tiring room *(glds)* skuespillergarderobe.
tiro ['taiərou] *sb* begynder, novice.
'tis [tiz] *fk it is.*
tisane [ti'zæn] *sb* tyndt afkog *(fx* kamille).
tissue ['tisjuː] *sb* stof; (også *fig)* væv *(fx fatty* ~ fedtvæv;
a ~ *of lies)*; *(~ paper)* silkepapir; *face* -*s* ansigtsserviet-
ter; *gold* ~ guldmor; *silver* ~ sølvmor.
tissue culture vævskultur.
tit [tit] *sb zo = titmouse;* **S** brystvorte; patte, bryst; ~ *for
tat* lige for lige; *give sby* ~ *for tat* give én svar på tiltale.
Titan ['taitn] *sb* Titan.
titanic [tai'tænik] *adj* titanisk.
titbit ['titbit] *sb* lækkerbisken.

tithe [taið] *sb* tiendedel, tiende; *vb* kræve (, svare) tiende
af; ~ *barn* kirkelade.
titillate ['titileit] *vb* kildre, stimulere, pirre.
titillation [titi'leiʃn] *sb* kildren, stimulering.
titivate ['titiveit] *vb* **T** pynte; ~ *oneself* 'smukkesere sig'.
titlark ['titlɑːk] *zo* engpiber.
title ['taitl] *sb* titel, navn, benævnelse; *(jur etc)* ret, for-
dring, adkomst, ejendomsret; *vb* give titel; titulere, be-
title, benævne.
titled ['taitld] *adj* betitlet; adelig *(fx a* ~ *officer, a* ~ *au-
dience).*
title| deed adkomstdokument, skøde. ~ **leaf,** ~ **page** titel-
blad. ~ **role** titelrolle.
titling ['taitliŋ] *sb* trykning af titel på bogryg.
titmouse ['titmaus] *(pl* titmice ['titmais]) mejse; *great* ~
musvit.
titrate ['taitreit] *vb (kem)* titrere.
titration [tai'treiʃən] *sb* titrering, titreranalyse.
titter ['titə] *vb* fnise; *sb* fnisen.
tittle ['titl] *sb* tøddel.
tittle-tattle ['titltætl] *sb* pjat, snak, sladder; *vb* pjatte,
sladre, pjadre.
tittup ['titəp] *vb* svanse; (om hest) danse, galoppere.
tittuppy ['titəpi] *adj* svansende; (om hest) springsk.
titular ['titjulə] *adj* titel-, titulær, nominel; *sb* titulær inde-
haver.
tizzy [tizi] *sb: get into a* ~ komme helt ud af flippen; *vb:*
~ *up* pynte, udmaje.
TNT *fk trinitrotoluene* trotyl.
T.O. *fk Telegraph Office; Telephone Office; turn over.*
I. to [(med tryk·) tuː; (trykløst foran vokal·) tu; (foran
konsonant:) tə] *præp* til *(fx go to London; from A to Z)*;
mod *(fx there were clouds to the east; he was kind to
me)*; i forhold til, i sammenligning med, mod *(fx noth-
ing to what it might have been)*; efter, i overensstemmelse
med *(fx to my taste; made to measure)*; i *(fx a quarter
to six; a party to the case* part i sagen); på *(fx the an-
swer to it)*; ten to one ti mod en; *two to the king* (i kort-
spil) kongen anden; *that is all there is to it* det er alt
hvad der er at sige om den ting; (oversættes ikke i ud-
tryk som:) *it seems to me* det forekommer mig; *it occur-
red to me* det faldt mig ind;
(ved infinitiv) at *(fx to err is human)*; for at *(fx I have
come to see you)*; *he did not come though he had promi-
sed to* han kom ikke skønt han havde lovet det.
II. to [tuː] *adv* i *(fx the door snapped to; pull the door to)*,
til; til sig selv, til bevidsthed *(fx she came to; bring her
to)*; *(mar)* bi *(fx heave to* dreje bi; *lie to)*; *to and fro*
frem og tilbage; *the horses are* to hestene er spændt for;
close to nær ved.
toad [toud] *sb* tudse, skrubtudse.
toad|eater spytslikker. **-fish** paddefisk. **-flax** *(bot)* (hørbla-
det) torskemund. ~ **-in-the-hole** indbagt kød. **-stool** *(bot)*
paddehat.
toady ['toudi] *sb* spytslikker; *vb* sleske, logre, smigre.
toadyism ['toudiizm] *sb* spytslikkeri.
toast [toust] *vb* riste *(fx bread)*; drikke skåler; udbringe
en skål for; *(fx* ristet brød; skål; person som fejres i en
skåltale; *propose a* ~ udbringe en skål; *have sby on* ~
S have krammet på én.
toaster ['toustə] *sb* brødrister.
toasting fork ristegaffel (til at riste brød på).
toast|master toastmaster, den som dirigerer skåltalerne;
magister bibendi. ~ **rack** brødholder (til ristet brød).
tobacco [tə'bækou] *sb* tobak; tobaksplante.
tobacco|nist [tə'bækənist] *sb* cigarhandler, tobakshandler.
~ **pipe** tobakspibe. ~ **pouch** tobakspung. ~ **stopper** pibe-
stopper.
to-be [tə'biː] *adj* vordende; *father* ~ vordende fader.
toboggan [tə'bɔgən] *sb* kælk; kælketur; *vb* kælke; *(am,
fig)* falde hurtigt, rasle ned.
Toby ['toubi] Tobias; hunden i mester-jakel teater; ~ *jug*
Toby jug, gammeldags ølkande *el.* ølkrus formet som en
mand med trekantet hat.
Toc H [tɔk'eitʃ] *sb* veteranforening dannet efter første ver-
denskrig.
tocsin ['tɔksin] *sb* stormklokke; alarmsignal; *sound the* ~
lade stormklokken lyde.

tod [tɔd] *sb: on one's* ~ S alene.

today [tə'dei] *adv* i dag, i vore dage; den dag i dag; *sb* vore dage, nutiden; ~ *is his birthday* det er hans fødselsdag i dag; *today's* dagens.

toddle ['tɔdl] *vb* stolpre, gå usikkert (som et barn); T gå; *sb* (usikker) gang; ~ *along* tulle af sted.

toddler ['tɔdlə] *sb* buksetrold, lille barn, stump, rolling.

toddy ['tɔdi] *sb* toddy.

to-do [tə'du:] *sb* ståhej, opstandelse.

toe [tou] *sb* tå; *vb* berøre med tæerne; (om strømpe *etc)* strikke tå i; ~ *in (, out) (am)* gå indad (, udad) på fødderne; *be on one's* -s være på stikkerne; *tread on sby's* -s træde en over tæerne; ~ *the line (fig)* makke ret, indordne sig; lystre parolen.

toe|dance skonæse. ~ **dance** tåspidsdans. **-hold** fodfæste; *get a -hold (fig)* få foden inden for. ~ **-in** (forhjuls) spidsning.

toff [tɔf] *sb* S (fin) herre, burgøjser.

toffee ['tɔfi] *sb* toffee (flødekaramel); *I wouldn't do it for* ~ jeg gjorde det ikke, om jeg så blev betalt for det.

toffee-nosed ['tɔfinouzd] *adj* S hoven, storsnudet.

toft [tɔft] *sb* tue, lille høj; lille landejendom.

tog [tɔg] *vb:* ~ *(out)* S rigge ud, klæde på.

toga ['tougə] *sb* toga.

together [tə'geðə] *adv* sammen, tilsammen, i forening; samtidig, i træk *(fx for ten days* ~*)*.

toggery ['tɔgəri] *sb* T kluns, tøj.

toggle [tɔgl] *sb (mar)* ters; (i frakke *etc)* pind (til pindelukke).

toggle| joint *(tekn)* knæled. ~ **switch** vippekontakt.

togs [tɔgz] *sb pl* S kluns, tøj.

toil [tɔil] *vb* slide i det, arbejde hårdt; *sb* strengt arbejde, slid, besvær; (se også *toils)*.

toilet ['tɔilit] *sb* toilette, påklædning; toilet, wc; *(am* også) badeværelse.

toilet paper toiletpapir, wc-papir.

toiletries ['tɔilətriz] *sb pl* toiletartikler.

toilet| roll rulle toiletpapir. ~ **set** toiletgarniture. ~ **table** toiletbord.

toils [tɔilz] *sb pl* garn, snare.

toilsome ['tɔilsəm] *adj* besværlig, slidsom.

Tokay [tou'kei] *sb* tokajer(vin).

token [toukn] *sb* tegn, mærke; (souvenir:) minde, erindring; (mønt:) spillemønt, polet, mærke; *(fx book* ~*)* gavekort; *adj* symbolsk *(fx payment, force)*; *by the same* ~ af samme grund; ligeledes; *in* ~ *of* til tegn på.

token money skillemønt; nødpenge.

tolbooth = *tollbooth*.

told [tould] *præt* og *pp* af *tell.*

Toledo [tə'leidou] Toledo; *sb* toledoklinge.

tolerable ['tɔlərəbl] *adj* udholdelig; tålelig, jævnt god, passabel. **tolerably** *adv* nogenlunde, jævnt.

tolerance ['tɔlərəns] *sb* tolerance, frisindethed; *(tekn)* tolerance; *(med.)* tolerans; ~ *dose (med.)* toleransdosis; ~ *test* belastningsprøve.

tolerant ['tɔlərənt] *adj* fordragelig, tolerant; *be* ~ *of* (også) kunne tåle.

tolerate ['tɔləreit] *vb* tolerere, tåle, finde sig i, holde ud.

toleration [tɔlə'reiʃn] *sb* fordragelighed, tolerance.

I. toll [toul] *vb* lyde, ringe med langsomme slag (især ved dødsfald); ringe med; klemte med; *sb* langsom ringning; klemten.

II. toll [toul] *sb* afgift, bompenge; (ved bro) broafgift, bropenge; *(fig)* ofre, tab; *(tlf)* gebyr for udenbys samtale; *take heavy* ~ *of the enemy* tilføje fjenden svære tab; *T.B.* took a heavy ~ tuberkulosen krævede mange ofre; *the* ~ *of the roads* trafikkens ofre.

toll|bar bom. **-booth** bod hvor afgift opkræves; (på skotsk) byfængsel. ~ **call** *(tlf)* udenbys samtale. **-gate** bom. **-keeper** bommand.

I. Tom [tɔm] *sb:* ~, *Dick, and Harry* hvem som helst, alle og enhver, Per og Povl.

II. tom [tɔm] *sb* han, (især) hankat.

tomahawk ['tɔməhɔ:k] *sb* tomahawk.

tomato [tə'ma:tou; *(am:)* tə'meitou] *sb (pl -es)* tomat.

tomb [tu:m] *sb* grav, gravmæle.

tombac ['tɔmbæk] *sb* tombak (legering af kobber, zink m.m.).

tombola ['tɔmbələ] *sb* tombola.

tomboy ['tɔmbɔi] *sb* vildkat, viltert pigebarn.

tombstone ['tu:mstoun] *sb* gravsten.

tomcat ['tɔm'kæt] *sb* hankat.

tome [toum] *sb* bind (af større værk); digert bind, stor tung bog.

tomfool ['tɔm'fu:l] *sb* nar, dummepeter; *adj* tåbelig; *vb* tosse rundt.

tomfoolery [tɔm'fu:ləri] *sb* narrestreger, dumme streger.

I. Tommy ['tɔmi] ~ *Atkins* (navn for den britiske soldat).

II. tommy ['tɔmi] *sb* S mad; *(glds)* (del af) løn udbetalt i naturalier; *(tekn)* ters.

tommy|gun maskinpistol. **-rot** sludder, ævl.

tomorrow [tə'mɔrou] *sb, adv* i morgen; ~ *morning* i morgen tidlig, i morgen formiddag; *(on) the day after* ~ i overmorgen.

Tom Thumb Tommeliden.

Tom Tiddler's Ground slaraffenland; ingenmandsland.

tomtit ['tɔmtit] *sb zo* mejse.

tom-tom ['tɔmtɔm] *sb* (primitiv) tromme, tamtam.

I. ton [tʌn] *sb* ton; S (om fart:) 100 miles i timen (især på motorcykel); -*s of* tonsvis af.

II. ton [*fr,* tɔ:ŋ] *sb* (herskende) mode.

tonal ['tounl] *adj* tone-.

tonality [tə'næliti] *sb* tonalitet; farver, kolorit.

I. tone [toun] *sb* tone, klang, (om stemme også) tonefald; *(fon)* tone; musikalsk accent; (om farve) farvetone, nuance; *(fysiol)* tonus, normal spændingstilstand; *(fig)* spændstighed, sundhed; harmoni.

II. tone [toun] *vb* tone, give en farvenuance, lægge i tonbad; ~ *down* dæmpe, mildne, afsvække *(fx an expression)*; dæmpes, mildnes; ~ *up* forstærke(s), styrke(s) *(fx* ~ *up the muscles)*, gøre (, blive) kraftigere; ~ *with* harmonere med, stå til.

toneless ['tounlis] *adj* tonløs.

tong [tɔŋ] *sb* (blandt kinesere i USA) hemmeligt selskab.

tongs [tɔŋz] *sb pl* tang, ildtang; *a pair of* ~ en tang.

I. tongue [tʌŋ] *sb* tunge, *(fig)* tungemål, sprog; *(geogr)* landtunge, landtange, odde; (på fodtøj) pløs; *(mus.)* tunge; (i klokke) knebel; (i spænde) spændetorn; (i bræt) fjer; ~ *and groove* fjer og not; *find one's* ~ få mælet igen; *give* ~ give hals; bruge mund; *hold one's* ~ holde mund; *keep a civil* ~ *in your head!* ingen grovheder! *have lost one's* ~ have tabt mælet; *put one's* ~ *out at sby* række tunge ad en; *with one's* ~ *in one's cheek* underfundig, ironisk, uden at mene det alvorligt.

II. tongue [tʌŋ] *vb* (om brædder) sammenpløje; *(mus.)* spille med tungestød; -*d and grooved* høvlet og pløjet.

tongue|-tied tavs, stum (af frygt, generthed); *be* ~ *-tied* (også) have mistet mælet. ~ **twister** ord *(el.* sætning) der er svær(t) at udtale; *the phrase sounded like a* ~ *twister* sætningen lød som en spiritusprøve.

tonic ['tɔnik] *adj* stimulerende, styrkende, opstrammende; tone-; *(fon)* betonet; *(spr)* tonetisk; *sb* styrkende middel, opstrammer, stimulans; *(mus.)* grundtone, tonika.

tonight [tə'nait] *sb, adv* i aften; i nat.

I. tonite [tə'nait] *(am)* = *tonight.*

II. tonite ['tounait] *sb* (el sprængstof).

tonnage ['tʌnidʒ] *sb (mar)* tonnage, drægtighed; tonnageafgift.

tonsil ['tɔnsl] *sb (anat)* tonsil, mandel.

tonsilitis [tɔnsi'laitis] *sb (med.)* betændelse i mandlerne.

tonsure ['tɔnʃə] *sb* kronragning, tonsur; *vb* kronrage.

tontine [tɔn'ti:n] *sb* tontine (art forsikring).

ton-up ['tʌnʌp] *adj* S (især om motorcykel) som kan køre (over) 100 miles i timen; (om person) som elsker at køre stærkt, fartgal.

too [tu:] *adv* også *(fx he* ~ han også, også han), med *(fx he* ~*)*, tillige; (understregende, forarget:) tilmed, ovenikøbet *(fx such a skirt chaser, and a married man* ~ *!)*; (om grad) (alt) for *(fx big, small, much)*; T meget; (se også: *only (too))*; *it's* ~ *bad!* (også:) det var en skam! *not* ~ ikke alt for *(el.* særlig, synderlig) *(fx good)*; *not* ~ *bad* (også:) ikke så dårlig endda, ikke værst; *he is* ~ *well* han har det ikke særlig godt, han har det temmelig skidt.

took [tuk] *præt* af *take.*

I. tool [tu:l] *sb* værktøj, redskab; *(tekn)* værktøjsmaskine;

stål (til værktøjsmaskine) *(bogb)* stempel (til at dekorere bogbind med); *(fig)* kreatur; lydigt redskab; *a passive ~ in the hands of (fig)* et viljeløst redskab for; *a poor ~* (om person) en dårlig arbejdskraft.
II. tool [tu:l] *vb* bearbejde; *(bogb)* ciselere (bogbind); S køre, trille; *~ up* udstyre med nye maskiner.
toolbox ['tu:lbɔks] *sb* værktøjskasse.
tooler ['tu:lə] *sb* stenhuggermejsel.
tool|holder *(tekn)* stålholder. *~ kit* sæt værktøj; værktøjskasse. *~ post* stålholder.
toot [tu:t] *vb* tude, blæse, trutte; *sb* trut; S druktur.
tooth [tu:θ] *sb (pl teeth)* tand; tak; *vb* forsyne med tænder; (om tandhjul) gribe ind i hinanden; *~ and nail* med hænder og fødder, med næb og kløer; *by the skin of one's teeth* ved opbydelse af alle kræfter, med nød og næppe, på et hængende hår; *draw his teeth (fig)* gøre ham uskadelig, afvæbne ham; *get one's teeth into (fig)* tage fat på, kaste sig over; *she's a bit long in the ~* hun er ude over sin første ungdom, hun har trådt sine børnesko; *cast it in his teeth* sige ham det lige op i ansigtet, rive ham det i næsen; *in the teeth of* på trods af, stik imod; *in the teeth of the wind* lige op mod vinden; *set one's teeth* bide tænderne sammen; *show one's teeth* vise tænder.
tooth|ache tandpine. **-brush** tandbørste. **-comb** tættekam. **-paste** tandpasta. **-pick** tandstikker. **~ powder** tandpulver. **~ rash** ernæringsknopper. **-some** *(glds)* velsmagende. **-wort** *(bot)* skælrod.
tootle ['tu:tl] *vb* tude, trutte.
tootsies ['tutsiz] *sb pl* (barnesprog:) fødder, fusser, pusselanker.
I. top [tɔp] *sb* top *(fx of a mountain, of a tree; from ~ to toe);* øverste ende; øverste del *(fx the ~ of the page);* overkant; *(fx på bord)* plade *(fx marble ~);* (på beholder) låg, *(fx af sæbepakke)* topstykke; (af tøj) overdel, top, (af pyjamas) jakke; (på hovedet) isse; *(bogb, af bog)* oversnit; (legetøj:) snurretop; (i bil) højeste gear, *(am)* kaleche; tag *(fx hard ~);* (mar) mærs; *-s pl* kæmmet uld; T første klasses, i toppen *(fx that book is really (the) -s);*
  at the ~ of øverst på (, i) *(fx the page, the ladder, the tree); at the ~ of the ladder (, tree) (fig)* i toppen, i en topstilling; *at the ~ of one's speed* så hurtigt man kan; *at the ~ of one's voice* så højt man kan, af sine lungers fulde kraft; *be ~ of the form (el. class)* være nr. et i klassen; *blow one's ~,* go off one's *~* eksplodere af raseri; blive skør; *in ~* i højeste gear; *on ~* ovenpå; *on ~ of everything else* oven i købet; *come out on ~* sejre, bestå som nr. et; *be on the ~ of (fig)* have magten over; være inde i; *go over the ~* gå til angreb (egentlig: fra skyttegravsstilling); *sleep like a ~* sove som en sten.
II. top [tɔp] *adj* øverst *(fx shelf; floor* etage), højest *(fx gear),* top- *(fx price; performance* præstation); *it is a ~ priority* det står øverst på listen; *~ rung* øverste trin; *(fig)* topstilling; *at ~ speed* for fuld fart, på højeste gear.
III. top [tɔp] *vb* aftoppe *(fx beets),* kappe toppen af *(fx tree),* (om cigaret) skodde (for at gemme resten); sætte top *(etc)* på, dække (foroven) *(fx mountains -ped with snow);* nå toppen af *(fx the hill);* stå øverst på *(fx the list);* overgå *(fx one's previous performance);* rage op over; *he -s his brother by a head* han er et hoved højere end sin broder; *~ off* lægge sidste hånd på, fuldende, krone; *~ up* fylde op *(fx a glass);* (også *= ~ off).*
topaz ['toupæz] *sb* topas (gul halvædelsten).
top|boot kravestøvle, ridestøvle. *~* **brass** S spidser, øverste ledere *(el. chefer).* **-coat** overfrakke. *~* **dog:** *be ~ dog* være ovenpå, have overtaget, sejre. *~* **drawer** øverste skuffe; *come out of the ~ drawer* høre til de fornemste kredse; *they are not out of the ~ drawer* (også) de er meget jævne. **-dressing** overfladegødskning.
tope [toup] *vb* drikke, svire; *sb zo* gråhaj.
topee ['toupi:] *sb* tropehjelm.
toper ['toupə] *sb* svirebroder, drukkenbolt.
topflight ['tɔpflait] *adj* første klasses.
topgallant [tɔp'gælənt; *(mar)* tə'gælənt] *sb, adj (mar)* bak; *~ sail* bramsejl.
top|hat høj hat. *~* **-heavy** for tung oventil; for lidt underbygget; ustabil; *(merk)* overkapitaliseret. *~* **-hole** *adj* T

prima, førsteklasses.
topiary ['toupjəri] *sb* kunstfærdig klipning af hække *el.* buske, planteskulptur.
topic ['tɔpik] *sb* emne, genstand.
topical ['tɔpikl] *adj* lokal; aktuel; *of ~ interest* aktuel.
topicality [tɔpi'kæliti] *sb* aktualitet.
top|knot hårsløjfe, hårtop; øverste etage, hovedet. **-less** topløs. **-mast** ['tɔpmɑːst] *sb (mar)* mærsestang. **-most** øverst. **-notch** T prima, førsteklasses.
topographer [tə'pɔgrəfə] *sb* topograf. **topographical** [tɔpə'græfikl] topografisk, stedbeskrivende. **topography** [tə'pɔgrəfi] *sb* topografi, stedbeskrivelse.
topper ['tɔpə] *sb* T høj hat; flink fyr; noget vældig godt.
topping ['tɔpiŋ] *adj* glimrende, storartet; *sb* øverste del.
topping lift *(mar)* toplent; bomdirk.
topple ['tɔpl] *vb* vakle, rokke, være lige ved at falde; få overbalance, vælte, styrte ned.
top-ranking *adj* øverst, højeststående.
topsail ['tɔpsl] *sb (mar)* topsejl.
top|sawyer den øverste af to der arbejder med en langsav; førstemand. *~* **secret** strengt fortrolig; *(mil.)* yderst hemmelig. *~* **sheet** overlagen. **-sides** *(mar)* del af skibssiden over vandlinien, fribord. **-soil** muldlag. *~* **storey** *(fig)* øverste etage (ɔ: hovedet).
topsyturvy ['tɔpsi'tə:vi] *adj* op og ned, på hovedet; turn *~* vende op og ned på, endevende. **topspyturvydom** den omvendte verden.
toque [touk] *sb* toque (slags damebaret).
tor [tɔ:] *sb* høj klippe. **torc,** se *torque.*
torch [tɔ:tʃ] *sb* fakkel; *(electric ~)* lommelygte, stavlygte; (til afbrænding af gammel maling) blæselampe; *(welding ~)* svejsebrænder; *carry a ~ for (am)* være ulykkeligt forelsket i.
torch|bearer fakkelbærer. **-light** fakkelskær. **-light procession** fakkeltog. *~* **song** *(am)* sentimental kærlighedssang.
tore [tɔ:] *præt af tear.*
toreador ['tɔriədɔː] *sb* toreador.
I. torment ['tɔ:ment] *vb* pine, plage, drille, martre.
II. torment ['tɔ:ment] *sb* kval, pinsel, plage.
tormentingly [tɔ:'mentiŋli] *adv* grusomt.
tormentor [tɔ:'mentə] *sb* plageånd, bøddel; lang kødgaffel.
torn [tɔ:n] *pp* af *tear; adj* sønderrevet, flået; laset, hullet *(fx clothes);* revnet; *(fig)* splittet; *~ between* vaklende mellem.
tornado [tɔ:'neidou] *sb* hvirvelstorm, tornado.
torpedo [tɔ:'pi:dou] *sb (pl -es) (mil.)* torpedo; *zo* elektrisk rokke; *vb* torpedere.
torpedo|boat torpedobåd. *~* **(-boat) destroyer** torpedobådsjager, jager, destroyer. *~* **tube** torpedoudskydningsrør.
torpid ['tɔ:pid] *adj* følelsesløs, dvask, sløv, træg; (om dyr) i dvale(tilstand); *sb* båd som ros i *Torpids:* kaproning mellem nr. to-holdene ved Oxfords universitet.
torpidity [tɔ:'piditi], **torpor** ['tɔ:pə] *sb* dvale(tilstand); sløvhed.
torquate ['tɔ:kweit] *adj* med halsbånd.
torque [tɔ:k] *sb (arkæol)* (snoet) halsring; *(tekn)* drejningsmoment, vridningsmoment.
torque|converter væskekobling. *~* **tube** kardanrør.
torrefaction [tɔri'fækʃn] *sb* tørring, ristning.
torrefy ['tɔrifai] *vb* tørre, indtørre, riste.
torrent ['tɔrnt] *sb* (rivende) strøm, regnskyl; *(fig)* strøm, flom.
torrential [tɔ'renʃl] *adj* rivende, strømmende, skyllende *(fx rain).*
torrid ['tɔrid] *adj* brændende hed; *the ~ zone* den varme zone, det tropiske bælte.
torsion ['tɔ:ʃn] *sb* snoning, vridning, torsion.
torsk [tɔ:sk] *zo* brosme.
torso ['tɔ:sou] *sb* torso.
tort [tɔ:t] *sb (jur)* erstatningsforpligtende retsbrud (bortset fra kontraktbrud); skadevoldende handling; *law of -s* erstatningsret.
tortoise ['tɔ:təs] *sb* (især land-, ferskvands-) skildpadde.
tortoise beetle skjoldbille.
tortoiseshell ['tɔ:təʃel] *sb* skildpaddeskal; *large ~ (butterfly)* stor ræv; *small ~ (butterfly)* nældens takvinge; *~ cat* sort og gul (hun)kat.

tortuosity [tɔ:tju'ɔsiti] *sb* snoning, krogethed; slyngning; *(fig)* uoprigtighed, tilbøjelighed til at gå krogveje.

tortuous ['tɔ:tjuəs] *adj* snoet, bugtet, kroget; *(fig)* uoprigtig, tilbøjelig til at gå krogveje; besværlig *(fx negotiations)*.

torture ['tɔ:tʃə] *sb* tortur, pine, kval, pinsel; *vb* lægge på pinebænken, tortere, pine, plage; *put sby to* ~ underkaste en tortur. **torturer** ['tɔ:tʃərə] *sb* bøddel, plageånd. **torturing** *adj* kvalfuld, pinefuld.

Tory ['tɔ:ri] *sb* tory, konservativ.

Toryism ['tɔ:riizm] *sb* konservatisme.

tosh [tɔʃ] *sb* S sludder.

I. toss [tɔs] *vb* kaste, smide, slænge *(fx a coin to him)*; *(fartøj:)* kaste hid og did, omtumle *(fx the boat was -ed by the waves)*; (om tyr) stange og kaste op i luften; (om hest) kaste (rytter) af; (i madlavning) vende *(fx carrots in butter)*, (pandekage:) vende i luften, (salat:) vende i marinade; (uden objekt) blive kastet hid og did, tumle om *(fx the boat -ed on the waves)*, svinge, blafre *(fx the clothes on the line -ed in the wind)*; (om sovende) ligge uroligt, kaste sig frem og tilbage;

(forb med sb) ~ *a coin* = ~ *up a coin*; ~ *hay* vende hø; ~ *one's head* gøre et kast med hovedet, slå *(el.* knejse) med nakken; ~ *the oars* rejse årerne;

(forb med præp, adv) ~ *back,* ~ *down* hælde i sig, stikke ud *(fx a glass of beer)*; *I'll* ~ *you for it* lad os slå plat og krone om det; ~ *off* kaste af; (om drik) = ~ *back; (fig)* udslynge *(fx generalizations)*, henkaste; ryste ud af ærmet *(fx a poem)*; *(vulg)* onanere, spille den af; ~ *on a coat* trække en frakke på i en fart; ~ *out of the room* marchere (fortørnet) ud af værelset; ~ *up a coin* kaste en mønt op, slå plat og krone; *let us* ~ *up for first choice* lad os slå plat og krone om hvem der skal vælge først.

II. toss *sb* kast; fald; lodtrækning; kast med hovedet; *argue the* ~ blive ved med at kværulere (efter af afgørelsen er truffet); *take a* ~ (om rytter) blive kastet af.

toss-up ['tɔsʌp] *sb* det at slå plat og krone; *it is a* ~ *(fig)* det beror på en tilfældighed; det er det rene lotteri; det er umuligt at vide.

tot [tɔt] *sb* sum; dram, drink; *(tiny)* ~ rolling, buksetrold, stump; *vb:* ~ *up* tælle *(el.* regne) sammen.

total ['toutəl] *adj* total, komplet, fuldstændig *(fx failure)*; samlet *(fx the* ~ *sum)*; sammenlagt; *sb* samlet sum; *vb* opsummere, sammentælle; udgøre, beløbe sig til.

totalitarian [toutæli'tεəriən] *adj* totalitær.

totality [tou'tæliti] *sb* helhed; totalsum.

totalizator ['toutəlaizeitə] *sb* totalisator.

totalize ['toutəlaiz] *vb* sammentælle; opsummere.

total loss *(assur)* totalskade. ~ **recall** evne til fuldstændig genkaldelse, evne til at huske alt.

I. tote [tout] *fk totalizator* totalisator.

II. tote [tout] *vb* T bære, transportere; ~ *around* (også) slæbe (, trække) rundt med; ~ *up* = *tot (up)*.

totem ['toutəm] *sb* totem. **totemism** ['toutəmizm] totemisme. **totem pole** totempæl.

totter ['tɔtə] *vb* vakle, stavre; *sb* vaklen, stavren; S klunser. **tottery** *adj* vaklende.

toucan ['tu:kən] *sb* tukan, peberfugl.

I. touch [tʌtʃ] *vb* røre *(fx don't* ~ *my papers: he did not* ~ *his lunch)*, berøre; røre ved *(fx don't* ~ *the cactus)*, føle på, (let:) berøre, strejfe *(fx the wheel just -ed the kerb)*; *(mus.)* anslå; *(geom)* tangere; *(mar)* anløbe, løbe ind til; *(fig,* om emne) omtale, berøre, komme ind på: (ved tal) komme op *(,* ned) på *(fx the temperature -ed 40)*, tangere; nå, få *(fx £10,000 a year)*, (om kvalitet) komme op på siden af, komme på højde med *(fx I can think of few plays to* (der kan) ~ *this one)*; *(mht* følelser) røre: berøre; såre, krænke: (uden objekt) berøre hinanden;

(forb med sb) ~ *the bell* ringe; ~ *bottom* bunde; *(mar)* røre *(el.* tage) grunden *(el.* bunden): *(fig)* nå bunden; ~ *one's hat (to)* hilse (på) (ved at berøre hatteskyggen med to fingre); *there is nothing to* ~ *a hot bath* der er ikke noget så godt som et varmt bad; ~ *glasses* klinke; *it -es the spot* T det er lige det der skal til; ~ *wood (omtr)* banke under bordet; syv-ni-tretten;

(forb med præp, adv) ~ *at a port* anløbe en havn; ~ *down* lande; foretage mellemlanding; (i rugby) score ved

at røre jorden med bolden bag det andet holds mållinie; ~ *him for £5* slå ham for £5: ~ *off* beskrive på rammende måde; (om sprængladning) bringe til at eksplodere; udløse; *(fig)* udløse, give stødet til *(fx a revolution)*; ~ *on* omtale, berøre: ~ *up* muntre *(fx a horse)*; fikse op; pynte på *(fx a story)*; *(fot)* retouchere; (se også *touched)*.

II. touch [tʌtʃ] *sb* berøring; kontakt *(fx we are in* ~ *with them)*; (lille smule:) anelse, anstrøg, stænk; antydning *(fx a* ~ *of bitterness in the voice)*, snert *(fx of frost)*; (af sygdom) let anfald *(fx of fever, of rheumatism)*; (i musik etc) anslag; S en man slår for penge, (let) offer; *give it the finishing -es* lægge sidste hånd på værket; *get en sidste afpudsning; it was a near* ~ det var på et hængende hår; *the* ~ *of a master* en mesters hånd; *put the* ~ *on sby* slå på penge; *soft to the* ~ blød at føle på *(el.* røre ved).

touch-and-go ['tʌtʃən'gou] *adj* risikabel, usikker; risikabel situation; *it was* ~ det var lige på vippen.

touchdown ['tʌtʃdaun] *sb (flyv* og om rumskib) landing; (i rugby) scoring ved at berøre jorden med bolden bag det andet holds mållinie.

touched [tʌtʃt] *adj* bevæget, rørt; småtosset; ~ *with blue (,grey)* med blå *(,* grå) stænk.

touchhole ['tʌtʃhoul] *sb* fænghul.

touching ['tʌtʃiŋ] *adj* rørende, betagende; *præp* angående.

touch line (i fodbold) sidelinie. ~ **-me-not** *(bot)* springbalsamin. ~ **paper** salpeterpapir. **-stone** probersten, prøvesten. ~ **-type** *vb* skrive blindskrift. ~ **typewriting** blindskrift.

touchwood ['tʌtʃwud] *sb* tønder.

touchy ['tʌtʃi] *adj* pirrelig, ømfindtlig, sårbar, sart, let at støde, nærtagende.

tough [tʌf] *adj* sej; *(fig)* sej, drøj, vanskelig; skrap, hård, (om person også) stædig; ~ *customer* skrap fyr, bisse; *that's* ~ *luck* det er vel nok ærgerligt; *a* ~ *nut to crack* en hård nød at knække.

toughen ['tʌfn] *vb* gøre sej, blive sej.

toupée, toupet ['tu:pei] *sb* toupé, top (lille paryk).

tour [tuə] *sb* rundrejse, rejse, tur; *(teat etc)* turné; *vb* rejse, ture rundt (i); *(teat etc)* drage på turné med *(el.* i).

tour de force ['tuədə'fɔ:s] *sb* kraftpræstation.

touring ['tuəriŋ] *adj* omrejsende; ~ *car* turistvogn (åben biltype med kaleche).

tourism ['tuərizm] *sb* turisme.

tourist ['tuərist] *sb* turist; ~ *agency* rejsebureau.

tournament ['tuənəmənt] *sb* turnering.

tourney ['tuəni] *sb* turnering; *vb* turnere.

tourniquet ['tuənikei] *sb* tourniquet, årepresse.

tour operator rejsebureau.

tousle ['tauzl] *vb* bringe i uorden, forpjuske.

tout [taut] *vb* kapre kunder; reklamere for *(el.* prøve at sælge) ved pågående metoder; udråbe vidt og bredt; *sb* påtrængende agent *(el.* sælger), haj; ~ *round* (underhånden) skaffe (væddeløbs)tips.

I. tow [tou] *sb* blår.

II. tow [tou] *sb* bugsering, fartøj som bugseres; bugserline, slæbetov; *vb* bugsere, slæbe; ~ *away* slæbe (en ulovligt parkeret bil) væk; *take in* ~ tage på slæb(etov).

towage ['touidʒ] *sb* bugsering, bugserpenge.

toward ['touəd] *adj (glds)* forestående, i anmarch; lærvillig, medgørlig, føjelig.

toward(s) [tə'wɔ:d(z)] *præp* hen imod, i retning af *(fx the sea)*; over for, imod *(fx his behaviour* ~ *me)*; nær ved; med henblik på; som bidrag *(el.* hjælp) til.

tow boat *(mar)* bugserbåd. ~ **car** kranvogn.

towed target *(flyv etc)* slæbemål.

towel ['tauəl] *sb* håndklæde; *vb* aftørre, afviske; S klø, tæske; *sanitary* ~ hygiejnebind.

towel horse håndklædestativ. **-ling** håndklædestof; S omgang klø. ~ **rack,** ~ **rail** håndklædestativ.

tower ['tauə] *sb* tårn; *vb* hæve sig højt, rage op *(above, over* over), knejse; *a* ~ *of strength* en fast borg, et trygt værn; *the Tower (of London)* Tower (Londons gamle borg).

tower block højhus.

towering ['tauəriŋ] *adj* tårnhøj, knejsende; voldsom *(fx* *rage).*

towery ['tauəri] *adj* med tårne; tårnhøj.

towheaded ['touhedid] *adj* med hørhår, lyshåret.

towing ['touiŋ] *sb* bugsering.

towing| path trækvej (ved flod *el.* kanal). **~ rope** bugserline, slæbetov. **~ tank** modeltank (til afprøvning af skibsmodeller).

towline ['toulain] *sb* bugserline, slæbetov.

town [taun] *sb* by, købstad, stad; *in this* **~** her i byen; *it is the talk of the* **~** hele byen snakker om det; *go to* **~** tage til London *(el.* en anden større by); *(fig)* S ture rundt i byen (ɔ: drikke); tage fat for alvor, kaste sig ud i det, klø på; have heldet med sig; *go to the* **~** tage til den nærmeste (mindre) købstad; *man about* **~** levemand.

town| clerk *(omtr)* kommunaldirektør. **~ council** byråd. **~ councillor** byrådsmedlem. **~ crier** udråber. **~ hall** rådhus. **~ house** hus i byen, byresidens *(mods* landsted); (hustype, især:) rækkehus. **-ified** ['taunifaid] by-, bypræget. **~ manager** *(omtr)* kommunaldirektør. **~ planning** byplanlægning. **-ship** bydistrikt; kommune. **-sman** borger i en by, bybo; bysbarn; bymenneske. **~ talk** bysnak; genstand for almindelig omtale.

towpath ['toupɑ:θ] trækvej (ved flod *el.* kanal).

towrope ['touroup] *sb* bugserline, slæbeline.

toxaemia [tɔk'si:miə] *sb* blodforgiftning.

toxic ['tɔksik] *adj* giftig.

toxicology [tɔksi'kɔlədʒi] *sb* toksikologi, læren om giftstoffer. **toxin** ['tɔksin] *sb* toksin.

toy [tɔi] *sb* stykke legetøj; bagatel; *vb* lege, sysle, pille *(with* med); *adj* legetøjs-.

toy| dog lille skødehund. **-shop** legetøjsbutik.

I. trace [treis] *vb* spore, efterspore, opspore, følge; (skrive *etc)* skrive, prente; kalkere; tegne, udkaste; **~** *back to* føre tilbage til; kunne føres tilbage til.

II. trace [treis] *sb* spor; (lille smule:) antydning; (til hestevogn) skagle; *kick over the -s (fig)* slå til skaglerne.

traceable ['treisəbl] *adj* som kan efterspores, påviselig, som kan føres tilbage *(to* til).

tracer ['treisə] *sb (mil.)* sporprojektil; *(med. etc)* tracer, mærket stof.

tracer bullet sporprojektil.

tracery ['treisri] *sb* stavværk (i gotik).

trache|a [trə'ki:ə] *sb (pl* også *-ae* [-i:]) luftrør, ånderør.

tracheal [trə'kiəl] *adj* luftrørs-.

trachoma [trə'koumə] *sb* ægyptisk øjensyge.

tracing ['treisiŋ] *sb* kalkering; kalke; **~** *paper* kalkerpapir.

I. track [træk] *sb* spor; vej; sti; bane *(fx of a comet);* kurs; (til væddeløb) væddeløbsbane; *(jernb)* jernbanelinie, spor, bane; (om bil) hjulafstand; *(am)* atletik; -s spor, fodspor, hjulspor; (til tank *etc)* larvefødder, bælter;

the beaten **~** den slagne landevej; *a clear* **~** fri bane; *fall dead in one's -s* falde død om på stedet; *stop in one's -s* standse brat; *keep* **~** *of* holde sig à jour med; *leave the -s* løbe af sporet, blive afsporet; *lose* **~** *of* miste følingen med; *make -s* stikke af; *make -s for* (give sig til at) løbe hen imod; *off the* **~**, *on the wrong (fig)* på afveje, på vildspor; *on shy's* **~** på sporet af en; *on the wrong side of the -s (fig)* i et slumkvarter.

II. track [træk] *vb* efterspore; spore; trække (båd *el.* pram); *(am)* gå, vandre; lave fodspor på; lave mærker af; (i film) køre (med kameraet); **~** *down* opspore.

track events (i sport) løbkonkurrencer.

tracking station sporestation (der følger rumfartøj).

track|less ['træklis] *adj* vejløs, ubetrådt. **-man** *(am, jernb)* banearbejder. **~ suit** træningsdragt.

tract [trækt] *sb* egn, strækning; (lille skrift:) pjece, brochure, *(rel)* traktat; *(anat)* nervestreng; *the digestive* **~** fordøjelseskanalen; *the respiratory* **~** luftvejene.

tractability [træktə'biliti] *sb* medgørlighed.

tractable ['træktəbl] *adj* medgørlig, villig, lydig.

Tractarianism [træk'teəriənizm] *sb* traktarianisme (højkirkelig anglokatolsk retning).

tractate ['trækteit] *sb* afhandling.

traction ['trækʃn] *sb* træk; trækkraft; *(med.)* stræk (til brækket ben). **traction engine** lokomobil.

tractive ['træktiv] *adj* trækkende, træk- *(fx force).*

tractor ['træktə] *sb* traktor.

I. trade [treid] *sb* levevej, erhverv, næring; branche; håndtering, bestilling, profession; fag *(fx he is a carpenter by* (af) **~**); håndværk; *(merk)* handel; butikshandel; kunder; *(mar)* (-)fart *(fx coasting* **~** kystfart); *the* **~** T spiritushandelen; bryggerierne; *the -s (mar)* passatvindene; *the -s and industries* erhvervene; **~** *in coal* handel med kul, kulhandel; *balance of* **~** handelsbalance; *everyone to his* **~** enhver sin bestilling.

II. trade [treid] *vb* handle; bytte *(fx I -d seats with him);* udveksle; **~** *in cotton* handle med bomuld; **~** *'in one's car for a new one* udskifte sin vogn med en ny (og give den gamle som udbetaling); **~** *off* bortsælge, bytte væk; bytte plads med mellemrum; **~** *on shy's ignorance* benytte sig af *(el.* udnytte) ens uvidenhed.

trade| binding forlagsbind. **~ cycle** *(merk)* periodisk op-og nedgang i konjunkturerne. **~ description** varebetegnelse. **~ directory** handelskalender. **~ discount** forhandlerrabat. **~ disputes** arbejdsstridigheder. **~ gap** underskud på handelsbalancen. **~ -in** vare der tages som delvis betaling (især ved køb af en ny af samme slags). **~ licence** næringsbevis. **-mark** varemærke; firmamærke. **~ name** varemærke; firmanavn. **~ paper** fagblad. **~ price** engrospris. **trader** ['treidə] *sb* næringsdrivende, købmand; handelsskib. **trades|folk** *sb pl* næringsdrivende, handlende. **-man** næringsdrivende, handlende; håndværker. **-people** = *-folk*.

Trades Union Congress den faglige landsorganisation i England.

trade| union fagforening. **~ unionist** fagforeningsmedlem; tilhænger af fagforeningsbevægelsen. **~ wind** passatvind.

trading ['treidiŋ] *adj* handels-, drifts-, industri-; **~** *company* handelsselskab; **~** *estate* område udlagt til industrikvarter; industricenter; **~** *post* handelsstation; **~** *stamp* værdikupon.

tradition [trə'diʃn] *sb* overlevering, tradition, sagn.

traditional [trə'diʃnl] *adj* mundtlig overleveret, traditionel, traditionsmæssig.

traditor ['træditə] *sb (rel, hist.)* forræder.

traduce [trə'dju:s] *vb* bagtale.

traducement [trə'dju:smənt] *sb* bagtalelse.

Trafalgar [trə'fælgə].

I. traffic ['træfik] *sb* trafik, færdsel; handel; omsætning; (mellem mennesker) omgang, samkvem; *no through* **~** gennemkørsel forbudt.

II. traffic ['træfik] *(vb, præt* og *pp trafficked)* handle *(in, with* med); afsætte, omsætte.

trafficator ['træfikeitə] *sb* retningsviser (på bil).

traffic| circle *(am)* rundkørsel. **~ indicator** retningsviser (på bil). **~ island** helle. **~ light** = **~** *signal.* **~ line** færdselsstreg. **~ marking** færdselsafmærkning. **~ offender** færdselssynder, en der begår en færdselsforseelse. **~ officer** færdselsbetjent. **~ signal** færdselssignal, lyskurv. **~ stud** færdselssøm. **~ warden** *(omtr)* parkeringskontrollør.

tragedian [trə'dʒi:djən] *sb* tragedieforfatter, tragisk skuespiller.

tragedy ['trædʒidi] *sb* tragedie, sørgespil; tragik; *the* **~** *of it* det tragiske ved det.

tragic(al) ['trædʒik(l)] *adj* tragisk.

tragicomedy ['trædʒi'kɔmidi] *sb* tragikomedie. **tragicomic** ['trædʒi'kɔmik] *adj* tragikomisk.

I. trail [treil] *vb* slæbe, trække (efter sig); (om vildt *etc)* spore, følge sporet af, være på sporet af; efterspore; (om person også) følge i hælene på; (uden objekt) traske, slæbe sig af sted; slæbe, komme (, hænge) bagefter; (om plante) slynge sig, vokse *(fx creepers -ing over the walls);* **~** *arms!* gevær i højre hånd! **~** *off* (om lyd) dø hen; (se også *coat).*

II. trail [treil] *sb* spor, sti, vej; (som hænger bagefter) hale; stribe, strime; slæb.

trailer ['treilə] *sb* påhængsvogn, trailer; (til sporvogn) bivogn; *(am)* campingvogn; (til film) trailer, forfilm med uddrag af kommende film; *(bot)* udløber, slyngplante.

trailing edge *(flyv:* af bæreplan) bagkant.

I. train [trein] *vb* uddanne, oplære, optræne; (om dyr) dressere, afrette, tildride; (om træ) espaliere, få til at vokse i en bestemt retning; (om kikkert, skydevåben) indstille, rette *(on* mod, *fx* **~** *guns on a fort);* **~** *(it)* T køre med toget; *-ed* (også) faguddannet, faglært.

II. train [trein] *sb* tog *(fx go by* **~**); (af vogne *etc)* optog;

(af personer) følge *(fx the king's ~);* (af ideer *etc)* række *(fx of events; ~ of thought* tankerække); (på kjole *etc)* slæb; *(mil.)* træn; *bring in its ~ (fig)* føre med sig; put *(el.* set) *in ~* sætte i gang, bringe ind i den rigtige gænge.
train|band *(hist.)* borgervæbning. **-bearer** slæbbærer. *~* **case** beauty box.
trainee [trei'ni:] *sb* elev, volontør, praktikant; *(am)* rekrut.
trainer ['treinə] *sb* træner, dressør; *(flyv)* øvelsesflyvemaskine.
train indicator togtidstavle.
training ['treiniŋ] *sb* uddannelse, oplæring; træning.
training| college seminarium. *~* **ground** eksercerplads. *~* **ship** skoleskib.
train oil tran.
traipse [treips] *vb* traske om, drive om, føjte om, rakke rundt.
trait [trei(t)] *sb* træk, ansigtstræk, karaktertræk.
traitor ['treitə] *sb* forræder.
traitorous ['treitrəs] *adj* forræderisk, troløs.
traitress ['treitris] *sb* forræderske.
trajectory ['trædʒiktri; trə'dʒektri] *sb* (projektils *el.* planets) bane; (rumskibs) kurs; *(fig)* livsbane.
I. tram [træm] *sb* sporvogn; kulvogn i mine; *vb* køre i sporvogn; *~ it* T køre i sporvogn.
II. tram [træm] *sb* tramsilke, islætsilke.
tram|car sporvogn. *~* **depot** sporvognsremise. **-line** sporvognslinie; skinnestreng.
trammel ['træml] *sb* hindring; (til fangst) net, (i fiskeri) posegarn, grimegarn; (over ildsted) kedelkrog; *vb* hæmme, hindre, indvikle (som i et net); *-s (fig)* lænker, snærende bånd. **trammel net** (i fiskeri), se *trammel.*
tramontane [træ'mɔntein] *adj* (fra) hinsides bjergene; udenlandsk, barbarisk; *sb* fremmed, udlænding, barbar.
tramp [træmp] *vb* trampe; berejse til fods, gennemvandre; traske rundt i; (uden objekt) rejse til fods, vandre, traske; *sb* trampen; fodtur, rejse; (person:) landstryger, vagabond, rejsende svend; *(am* **S)** luder; *(mar)* trampdamper, fragtdamper (uden fast rute); *~ it* gå, vandre til fods; *be on the ~* være på vandring, vagabondere, være på valsen.
trample ['træmpl] *vb* trampe, træde ned; *sb* trampen.
trampoline [træmpə'li:n] *sb* trampolin.
tram|rail sporvognsskinne. **-way** sporvej.
trance [tra:ns] *sb* trance, dvaletilstand.
tranquil ['træŋkwil] *adj* rolig.
tranquil|lity [træŋ'kwiliti] *sb* ro, stilhed. **-lization** [træŋkwilai'zeiʃn] *sb* beroligelse. **-lize** ['træŋkwilaiz] *vb* berolige. **-lizer** beroligende middel.
trans- [træns-, trænz-, tra:ns-, tra:nz-] over, hinsides, på den anden side af, trans-.
transact [træn'zækt] *vb* udføre; gøre *(fx business).*
transaction [træn'zækʃn] *sb* forretning, transaktion; overenskomst; *-s* (også) meddelelser, forhandlingsreferat.
transalpine ['trænz'ælpain] *adj* transalpinsk, nord for Alperne.
transatlantic ['trænzət'læntik] *adj* transatlantisk, fra den anden side af Atlanterhavet; gående over Atlanterhavet; amerikansk (fra USA); *~* **steamer** atlanterhavsdamper.
transceiver [træn'si:və] *sb* kombineret radiomodtager og -sender.
transcend [træn'send] *vb* overskride, overgå.
transcendence [træn'sendns] *sb* transcendens; ophøjethed.
transcendent [træn'sendnt] *adj* transcendent (ɔ: som ligger uden for erfaringens grænser); som overgår andre; ophøjet. **transcendental** [trænsen'dentl] *adj* transcendental; mystisk, æterisk. **transcendentalism** [trænsen'dentəlizm] *sb* transcendental filosofi.
transcribe [træn'skraib] *vb* afskrive, kopiere; omskrive, transskribere; (om stenogram) renskrive; (om radioudsendelse) optage på bånd *el.* plade. **transcriber** *sb* afskriver, kopist.
transcript ['trænskript] *sb* afskrift, gengivet, kopi.
transcription [træn'skripʃən] *sb* afskrivning, afskrift; omskrivning, transskription, (af stenogram) renskrift; radioudsendelse af bånd- *el.* pladeoptagelse.
transducer [trænz'dju:sə] *sb* transducer.

transept ['trænsept] *sb (rel)* tværskib, korsarm.
I. transfer [træns'fə:] *vb* overføre *(to på, fx I hope you will ~ your confidence to me;* artisans *~ the artist's design to the wall);* (om person) forflytte, forsætte, overflytte; *(jur etc)* overdrage *(fx one's rights-to sby else);* transportere; (i regnskab) overføre (til en anden konto), ompostere; henlægge *(fx to the reserve fund);* (uden objekt) blive forflyttet; (om fodboldspiller) gå over (til en anden klub); (skifte transportmiddel:) stige om.
II. transfer ['trænsfə] *sb (cf I. transfer)* overføring; (om person) forflyttelse, forsættelse; *(jur etc)* overdragelse; transport; (i regnskab) overførsel, ompostering, henlæggelse; (billet:) omstigningsbillet; (om fodboldspiller) overflytning til en anden klub; (billede:) aftryk; overføringsbillede; (mønster:) påstrygningsmønster; *(typ)* overtryk; *~ of training (psyk)* formal opdragelse.
transferable [træns'fə:rəbl] *adj* som kan overføres *el.* overdrages.
transferee [trænsfə'ri:] *sb* en til hvem overdragelse sker.
transfer fee overgangssum. (for fodboldspiller)
transference ['trænsfrəns] *sb* overdragelse; overføring; forflyttelse, forsættelse; overflytning.
transfiguration [trænsfigju'reiʃn] *sb* forklarelse (især om Kristus); forklaret skikkelse.
transfigure [træns'figə] *vb* forvandle, forklare.
transfix [træns'fiks] *vb* gennembore stikke, spidde; få til at stivne. **transfixion** [træns'fikʃən] *sb* gennemboring; stivnen.
transform [træns'fɔ:m] *vb* forvandle, omdanne *(into* til).
transforma|tion [trænsfə'meiʃn] *sb* forvandling, omskabelse, omdannelse; *(mat.)* transformation. **-tional** [trænsfə'meiʃnəl] *adj* forvandlende, forvandlings-; *-tional grammar* transformationsgrammatik.
transformer [træns'fɔ:mə] *sb (elekt)* transformator; omformer.
transfuse [træns'fju:z] *vb* overføre, tilføre (blod, væske); *~ into* bibringe, indgyde.
transfusion [træns'fju:ʒn] *sb* overførelse, transfusion.
transgress [trænz'gres] *vb* overtræde, bryde, overskride; (uden objekt) synde, forse sig. **transgression** *sb* overtrædelse. **transgressor** *sb* overtræder, synder.
tranship [træn'ʃip] *vb* se *transship.*
transience ['trænziəns] *sb* flygtighed.
transient ['trænziənt] *adj* forbigående, flygtig, kortvarig; *(am)* på gennemrejse. **transiently** *adv* i forbigående.
transistor [træn'zistə] *sb* transistor.
transistorized [træn'zistəraizd] *adj* transistoriseret.
transit ['trænsit] *sb* gennemrejse; overgang; passage; befordring, transport; *(am* også) (offentlige) transportmidler; *(astr)* gennemgang, passage; *vb* passere; *in ~* under transporten, undervejs.
transit| camp transitlejr, gennemgangslejr. *~* **duty** transittold.
transition [træn'ziʃn] *sb* overgang. **transitional** [træn'ziʃnl] *adj* overgangs-.
transitive ['trænsitiv] *adj* transitiv.
transitory ['trænsitəri] *adj* se *transient.*
translate [træns'leit] *vb* oversætte; tyde, fortolke; *(ændre)* omsætte *(into* til, *fx words into deeds);* forvandle; (om person) overføre, forflytte; (i telegrafi) retransmittere, omsætte; (uden objekt) oversætte; kunne oversættes; *be -d (rel)* blive optaget i himlen.
translation [træns'leiʃn] *sb (cf translate)* oversættelse; tydning, fortolkning; forvandling; overførelse, forflyttelse; optagelse (i himlen); (i telegrafi) omsætning, gengivelse.
translator [træns'leitə] *sb* oversætter, translatør.
transliterate [trænz'litəreit] *vb* omskrive (i et andet alfabet), translitterere.
translucency [trænz'lu:snsi] *sb* gennemskinnelighed; (halv) gennemsigtighed.
translucent [trænz'lu:sənt] *adj* gennemskinnelig, (halv)gennemsigtig.
transmigrant [trænz'maigrənt] *sb* udvandrer på gennemrejse til det land der er hans mål.
transmigrate ['trænzmai'greit] *vb* overføre; overgå; udvandre; vandre over (om sjælevandring).

transmigration [trænzmai'greiʃn] *sb* udvandring; sjælevandring.

transmissible [trænz'misəbl] *adj* som kan oversendes.

transmission [trænz'miʃn] *sb (cf transmit)* forsendelse, videregivelse; overlevering; overføring; ledning; (radio) transmission, udsendelse; (i bil) transmission, gearkasse.

transmit [trænz'mit] *vb* forsende, oversende; videregive, overføre *(fx a disease; sound* lyd); overlevere, lade gå i arv *(fx character traits)*; (radio:) transmittere, udsende; *(elekt,* varme) lede; *be -ted* (også) gå i arv.

transmittable [trænz'mitəbl] *adj* som kan oversendes *(etc).*

transmittal [trænz'mitəl] se *transmission.*

transmitter [trænz'mitə] *sb* oversender; afsenderapparat, sender (telegraf, telefon, radio).

transmogrification [trænzmɔgrifi'keiʃn] *sb (spøg)* fuldstændig forvandling, metamorfose.

transmogrify [trænz'mɔgrifai] *vb (spøg)* fuldstændig forvandle.

transmutable [trænz'mju:təbl] *adj* foranderlig. **transmutation** [trænzmju'teiʃn] *sb* forvandling, omdannelse; omskiftelse. **transmute** [trænz'mju:t] *vb* forvandle, omdanne.

transoceanic [trænzousi'ænik] *adj* på den anden side oceanet, oversøisk; ocean-.

transom [trænsəm] *sb* tværpost, tværbjælke (over dør *el.* vindue); tværsprosse, tværpost (i vindue); *(am)* halvrundt vindue (over dør); *(mar)* agterspejl; hækbjælke.

transonic [træn'sɔnik] *adj* omkring lydens hastighed *(fx ~ speed).*

transparency [træns'pɛərnsi] *sb* gennemsigtighed, transparens; tydelighed; *(fot)* lysbillede, diapositiv; (til overhead projector) transparent.

transparent [træns'pɛərnt] *adj* gennemsigtig, transparent; *(fig)* oplagt, åbenlys, klar; gennemskuelig; *I hoped the irony was not too ~* ... skinnede for meget igennem.

transpierce [træns'piəs] *vb* gennembore, gennemtrænge.

transpiration [trænspi'reiʃn] *sb* svedafsondring; (også *bot)* transpiration.

transpire [træns'spaiə] *vb* svede; transpirere; fordampe; komme for dagen, sive ud, forlyde; T hænde.

transplant [træns'pla:nt] *vb* omplante, udplante; overflytte, overføre; *(med.)* transplantere; *sb (med.)* transplantation; transplantat. **transplantation** [trænspla:n'teiʃn] *sb* omplantning; overflytning, overførelse; *(med.)* transplantation.

transpontine ['trænz'pɔntain] *adj* hinsides broen (i London: syd for Themsen).

I. transport [træns'pɔ:t] *vb* transportere, forsende, føre, bringe, flytte; (som straf) deportere; (om følelse) betage, henrykke; *-ed with* (også) ude af sig selv af *(fx delight, grief).*

II. transport ['trænspɔ:t] *sb* forsendelse, transport; (følelse:) henrykkelse, betagethed; (kollektivt:) transportmidler *(fx use public ~)*; *(mar)* transportskib; *(flyv)* transportfly; *in a ~ of, in -s of* ude af sig selv af *(fx rage).*

transportable [træns'pɔ:təbl] *adj* transportabel, som kan forsendes.

transportation [trænspɔ:'teiʃn] *sb* forsendelse, transport; (straf:) deportation.

transpose [træns'pouz] *vb* omsætte, omflytte; *(mat.)* flytte fra en side af lighedstegn til den anden; *(mus.)* transponere.

transposition [trænspə'ziʃən] *sb* omflytning, forandring; *(mus.)* transponering.

transship [træns'ʃip] *vb* omlade, omskibe.

transshipment [træns'ʃipmənt] *sb* omladning, omskibning.

transubstantiate [trænsəb'stænʃieit] *vb* forvandle.

transubstantiation [trænsəbstænʃi'eiʃn] *sb* forvandling (af nadverelementerne).

transuranic [trænsju'reinik] *adj:* ~ *elements* transuraner.

Transvaal [trænzva:l]: *the* ~ Transvaal.

transversal [trænz'və:sl] *adj* = *transverse; sb (mat.)* transversal.

transverse ['trænzvə:s] *adj* tvær-, tværgående; *(mar)* tværskibs; *-ly* på tværs, på skrå; ~ *flute (mus.)* tværfløjte.

transvestite [trænz'vestait] *sb* transvestit.

I. trap [træp] *sb* fælde, snare; (til fiskeri) ruse; *(trap door)* lem, faldlem; *(tekn)* vandlås; (hestevogn:) tohjulet vogn, gig; (ved flugtskydning) kastemaskine; S flab, mund; (se også *traps).*

II. trap [træp] *vb* fange (i en fælde); *(fig)* stille fælder for, lokke, narre; *(tekn)* forsyne med vandlås; *be -ped* (også:) sidde fast.

III. trap [træp] *sb* (bjergart:) trap.

IV. trap [træp] *vb* pynte, udstaffere.

trapdoor ['træp'dɔ:] *sb* lem, luge; falddør, faldlem, faldluge.

trapes [treips] *vb* farte om, drive om, føjte om, rakke rundt.

trapeze [trə'pi:z] *sb* trapez (til gymnastik).

trapezium [trə'pi:zjəm] *sb* trapez (i geometri).

trapper ['træpə] *sb* pelsjæger.

trappings ['træpiŋz] *sb pl* pynt, stads, ydre pragt; (til hest) pynteligt ridetøj (, dækken); skaberak.

Trappist ['træpist] *sb* trappist (munk).

traps [træps] *sb pl* S sager, pakkenelliker, bagage, grejer, kluns.

trapshooting ['træpʃu:tiŋ] *sb* flugtskydning (efter lerduer).

trash [træʃ] *sb* bras, hø, møg (også om litteratur); sludder; *(am)* affald; udskud, rak; *white ~* de fattige i sydstaterne.

trashy ['træʃi] *adj* værdiløs, unyttig.

trass [træs] *sb* trass (en jordart).

trauma ['trɔ:mə] *sb* traume (også *psyk); læsion.

traumatic [trɔ:'mætik] *adj* traumatisk.

travail ['træveil] *(litt) vb* ligge i fødselsveer; slide og slæbe; *sb* slid og slæb, møje; fødselsveer.

travel ['trævl] *vb* rejse, være på rejse; gå, vandre; (om lyd, ild *etc)* bevæge sig; forplante sig; *(fig)* strejfe, vandre; (med objekt) berejse; tilbagelægge; *sb* rejse; rejsebeskrivelse; *(tekn)* vandring, bevægelse (af maskindel); ~ *second* rejse på anden klasse.

travel| **agency** rejsebureau. ~ **association** turistforening.

travelator ['trævəleitə] *sb* rullende fortov.

travelled ['trævəld] *adj* vidt berejst, rejsevant; besøgt *(fx a much ~ place).*

traveller ['trævlə] *sb* rejsende, berejst mand; *(commercial ~)* (handels)rejsende; *(mar)* udhalerring; *-'s cheque* rejsecheck; *-'s joy (bot)* klematis; *-'s tale* løgnehistorie, skipperløgn.

travelling ['trævliŋ] *adj* (om)rejsende, rejse-; ~ *crane* løbekran; ~ *library* vandrebibliotek; bogbil; ~ *rug* rejseplaid; ~ *scholarship* rejsestipendium; ~ *stairs* rullende trappe.

travelogue ['trævəlɔg] *sb* rejsefilm, rejseforedrag, rejsebeskrivelse.

traverse ['trævəs] *adj* på tværs, over kors; korslagt; tvær-; *sb* noget som lægges på tværs; *(fig)* uventet hindring, streg i regningen; (bjælke:) tværbjælke, loftsbjælke; *(jur)* benægtelse af påstand; *(mil.)* tværskanse, travers, dækningsvold; *vb* gennemkrydse, gennemrejse, berejse, krydse; strejfe hen over; *(jur etc)* benægte, gøre indsigelse mod, bestride, gendrive; (uden objekt) bevæge sig (, gå, køre) på tværs; (i skoleridning) traversere.

travesty ['trævisti] *vb* travestere, karikere, parodiere; *sb* travesti, parodi; *(fig)* parodi, karikatur, vrængbillede *(fx a ~ of justice).*

Travolator ['trævəleitə] *sb* ® rullende fortov.

trawl [trɔ:l] *sb* trawl; *vb* trawle. **trawler** *sb* trawler.

tray [trei] *sb* bakke; brevkurv; kartoteksskuffe.

tray cloth bakkeserviet.

treacherous ['tretʃrəs] *adj* forræderisk, troløs, svigefuld, upålidelig, lumsk.

treachery ['tretʃri] *sb* forræderi.

treacle ['tri:kl] *sb* mørk sirup, melasse; *(fig)* T smiger, søde ord.

treacly ['tri:kli] *adj* sirupsagtig; sukkersød *(fx a ~ smile).*

I. tread [tred] *vb (trod, trodden)* træde på, betræde; trampe *(fx a path);* stampe på; (om jord) stampe 'til; (om fuglehan) parre sig; (med objekt) træde; trampe; ~ *water* træde vande; ~ *on air (fig)* være helt oppe i skyerne *(el.* i den syvende himmel); ~ *on sby's heels* (også *fig)* traske i hælene på en; ~ *on sby's toes* træde en over tæerne.

II. tread [tred] *sb* trin, skridt, gang; (i trappe) trappetrin; (på bildæk) slidbane; (om fugle) parring.

treadle ['tredl] *sb* pedal, (et) tråd, fodtråd, trædebræt; (på håndvæv) trampe, skammel.
treadmill ['tredmil] *sb* trædemølle.
treason ['tri:zn] *sb* forræderi, loyalitetsbrud, troskabsbrud; *high* ~ højforræderi. **treasonable** ['tri:znəbl] *adj* forræderisk.
treasure ['treʒə] *sb* skat; rigdomme; (om ting) klenodie; *vb* samle, opdynge; *(fig)* gemme, bevare *(fx in one's memory)*; (være glad for:) skatte (højt), sætte pris på.
treasure-house skatkammer.
treasurer ['treʒərə] *sb* kasserer.
treasure trove ['treʒə'trouv] skattefund, funden skat.
treasury ['treʒəri] *sb* skatkammer; (stats) finanshovedkasse, finansministerium; (firmas *etc*) kasse; *(fig)* guldgrube; *First Lord of the Treasury* første skatkammerlord (nominel overfinansminister; titlen indehaves oftest af statsministeren); *Secretary of the Treasury (am)* finansminister.
Treasury| bench ministerbænk (i Underhuset). ~ **bill** skatkammerveksel.
I. treat [tri:t] *vb* behandle; betragte *(fx ~ it as unimportant)*; (med mad *etc)* traktere; (uden objekt) (betale:) traktere, give; (drøfte:) forhandle, underhandle *(for* om); ~ *of* handle om, dreje sig om; ~ *sby to sth.* traktere en med noget, forære en noget; ~ *oneself to sth.* spendere noget på sig selv; *have to ~ with* have at gøre med.
II. treat [tri:t] *sb* traktement, underholdning; udflugt, skovtur; *(fig)* nydelse *(fx it was a ~ to hear her)*; fryd; svir; *Sunday school* ~ søndagsskoleudflugt; *this is my* ~ jeg gi'r; det er min omgang; *stand* ~ gi' (ɔ: betale).
treatise ['tri:tiz] *sb* afhandling.
treatment ['tri:tmənt] *sb* behandling, kur; *(neds)* medfart.
treaty ['tri:ti] *sb* overenskomst, traktat; *adj* traktatmæssig *(fx ~ rights)*; *be in* ~ *with* ligge i underhandling med; ~ *port* traktathavn.
I. treble ['trebl] *adj* tredobbelt; *vb* tredoble(s); ~ *the price* den tredobbelte pris, det tredobbelte af prisen.
II. treble ['trebl] *sb, adj (mus.)* diskant(-); høj, skingrende; ~ *clef* diskantnøgle.
tree [tri:] *sb* træ; *(family* ~) stamtræ; *(shoetree)* stiver, blok (til fodtøj); *vb* jage op i et træ; **T** *(fig)* bringe i knibe; *up a* ~ *(fig)* i knibe, i forlegenhed; *at the top of the* ~ *(fig)* i toppen.
tree| creeper *zo* træløber. ~ **frog** *zo* løvfrø ~ **pipit** *zo* skovpiber. ~ **sparrow** *zo* skovspurv.
trefoil ['trefɔil, 'tri:fɔil] *sb* kløver; (ornament:) kløverblad, trifolium, trepas.
trek [trek] *vb* rejse (langsomt og besværligt), drage til fods; **T** gå med besvær, slæbe sig; *(hist.)* rejse med okseforspand (i Sydafrika); *sb* (langsom og besværlig) rejse; *(hist.)* rejse med okseforspand; dagsrejse; udvandring.
trellis ['trelis] *sb* gitter, tremmeværk, sprinkelværk; (til plante) espalier; *vb* med gitter, tremme-.
tremble ['trembl] *vb* skælve, bæve, ryste, dirre; *sb* skælven, bæven, rysten, dirren; *be all of a* ~ **T** ryste over hele kroppen. **trembling** ['trembliŋ] *adj* skælvende, bævende, rystende, dirrende; *sb* skælven, bæven, rysten, dirren.
tremendous [tri'mendəs] *adj* **T** mægtig, vældig stor, kolossal, enorm, voldsom, drabelig, gevaldig.
tremor ['tremə] *sb* skælven, rystelse, gys.
tremulous ['tremjuləs] *adj* skælvende, dirrende, sitrende; ængstelig.
trench [trenʃ] *sb* grøft; rende *(fx cooking* ~); *(mil.)* skyttegrav; løbegrav; *vb* grave skyttegrav (, grøft, rende); *(agr etc)* reolgrave, kulegrave; ~ *upon* gøre indgreb i; tangere, være på grænsen af.
trenchant ['trenʃənt] *adj* skarp, ɛfgørende; indtrængende.
trencher ['trenʃə] *sb* smørebræt; skærebræt.
trencherman ['trenʃəmən] *sb: be a good* ~ have en god appetit.
trench| mortar fodfolksmortér. ~ **plough** *(agr)* reolplov.
trend [trend] *sb* retning, udvikling, tendens; mode; *vb*, se *I. tend.*
trendy ['trendi] *adj* **T** hypermoderne, smart; som er med på det nyeste.
trepan [tri'pæn], **trephine** [tri'fi:n] *vb* trepanere; *sb* trepan.
trepidation [trepi'deiʃn] *sb* skælven; angst, bestyrtelse.

trespass ['trespəs] *sb* overtrædelse; *(jur)* ejendomskrænkelse; *(rel)* synd, skyld; *vb* forse sig; ~ *(up)on* trænge ind på (en andens enemærker); *(fig.)* gøre indgreb i; lægge beslag på *(fx sby's time, hospitality)*; *no -ing!* (svarer til) adgang forbudt for uvedkommende! privat! *forgive us our -es as we forgive them that* ~*-against us* forlad os vor skyld som vi forlader vore skyldnere.
trespasser ['trespəsə] *sb* overtræder (af adgangsforbud); *-s will be prosecuted* (svarer til) adgang forbudt for uvedkommende.
tress [tres] *sb (poet)* krølle, lok; *(glds)* fletning.
trestle ['tresl] *sb* buk, understel.
trestle| table bord på bukke. **-trees** *pl (mar)* saling.
tret [tret] *sb (glds merk)* refaktie, godvægt; godtgørelse for svind.
trews [tru:z] *pl* skotskternede bukser.
trey [trei] *sb* treer (i kortspil *el.* på terning).
triad ['traiəd] *sb* trehed, samling af ɪre; treklang.
trial ['traiəl] *sb* prøve, forsøg, undersøgelse; *(fig, neds)* prøvelse *(fx that boy is a* ~; *comfort in the hour of* ~); *(jur)* retslig behandling, domsforhandling, rettergang; sag, proces; *adj* prøve- *(fx* ~ *trip)*; ~ *by fire* ildprøve, jernbyrd; *on* ~ på prøve; *he is on* ~ *for murder* han er anklaget for mord; *bring to (el. up for)* ~, *put on* ~ stille for retten; *give him a* ~ lade ham blive prøvet, gøre et forsøg med ham; *put to* ~ prøve.
trial balance *(merk)* råbalance.
trial jury *(am jur)* almindelig jury på 12 medlemmer.
trial run prøvekørsel.
triangle ['traiæŋgl] *sb* trekant; *(mus.)* triangel.
triangular [trai'æŋgjulə] *adj* trekantet.
triangulate [trai'æŋgjuleit] *vb* triangulere; [trai'æŋgjulit] *adj* trekantet, bestående af trekanter.
triangulation [traiæŋgju'leiʃn] *sb* triangulering.
tribal ['traibl] *adj* stamme-.
tribe [traib] *sb* stamme; slægt, folkefærd.
tribesman ['traibzmən] *sb* medlem af stamme.
tribometer [trai'bɔmitə] *sb* friktionsmåler.
tribulation [tribju'leiʃn] *sb* trængsel, modgang, prøvelse.
tribunal [trai'bju:nəl] *sb* domstol, ret; nævn *(fx rent* ~ huslejenævn).
tribunate ['tribjunit] *sb* tribunat.
tribune ['tribju:n] *sb* (person:) tribun; (forhøjning:) tribune, talerstol.
tributary ['tribjutri] *adj* skatskyldig; underordnet, bi-; *sb* biflod.
tribute ['tribju:t] *sb* skat, tribut; tribut, anerkendelse, hyldest.
tricar ['traika:] *sb* trehjulet automobil.
trice [trais] *vb (mar)* hale op; *sb: in a* ~ i en håndevending, i en fart.
trichina [tri'kainə] *sb (pl -ae* [-i:]) trikin.
trichinosis [triki'nousis] *sb (med.)* trikinose.
trichologist [tri'kɔlədʒist] *sb* specialist i hårpleje.
I. trick [trik] *sb* trick, fidus *(fx he knows all the -s)*, kunstgreb; (især *neds)* fif, kneb, list; nummer; streg *(fx a dirty* ~); *(spøg:)* puds, nummer; (kunst *etc)* kunst *(fx card* ~), kunststykke, behændighedskunst; (vane *etc)* manér, særegenhed, vane, uvane *(fx he has a* ~ *of repeating himself)*; (i kortspil) stik; *(mar)* (ror)tørn; *that will do the* ~ det er lige det der skal til; *(fig)* skal nok klare sagen; *a* ~ *of the senses* sansebedrag; *play a* ~ *on* lave et nummer med; *up to -s* ude på at lave numre; *I know a* ~ *worth two of that* jeg ved noget der er meget bedre.
II. trick [trik] *vb* narre, snyde, bedrage; ~ *sby into doing sth.* narre en til at ~ *out* pynte, udstaffere; ~ *sby out of his money* franarre en hans penge.
trickery ['trikəri] *sb* lurendrejeri, svindel.
trickish ['trikiʃ] *adj* snu, listig, upålidelig.
trickle ['trikl] *vb* pible, sive, dryppe, (om tårer også) trille; *(fig)* sive; (om personer) komme (, gå) en efter en; *sb* tynd strøm; ringe tilførsel (, mængde).
trick shooter kunstskytte.
trickster ['trikstə] *sb* lurendrejer, svindler.
tricksy ['triksi] *adj* løssluppen, kåd, skælmsk; *(glds)* upålidelig; fin, pyntet; (se også *tricky)*.
tricky ['triki] *adj* (om person) upålidelig, listig; (om ting)

drilagtig *(fx a ~ lock)*; indviklet, vanskelig *(fx a ~ problem)*.
tricolour ['trikələ] *sb* trefarvet flag, trikolore.
tricycle ['traisikl] *sb* trehjulet cykel.
trident ['traidnt] *sb* trefork.
tried [traid] *præt* og *pp* af *try; a ~ friend* en prøvet ven.
triennial [trai'enjəl] *adj* treårig; som sker hvert tredje år.
trifle ['traifl] *sb* bagatel, ubetydelighed; (ret:) trifli; *vb* lege *(with* med); fjase; *a ~ annoyed* en lille smule *(el.* en kende) irriteret; *stick at -s* hænge sig i småting; *~ away* spilde, øde bort; *not to ~ (el. be -d) with* ikke til at spøge med. **trifler** ['traiflə] *sb* pjankehoved, overfladisk person.
trifling ['traifliŋ] *adj* ubetydelig.
trifoliate [trai'fouliit] *adj* trebladet.
trifolium [trai'fouljəm] *sb* kløver.
trifurcate [trai'fə:keit] *vb* dele sig i tre grene; [trai'fə:kit] *adj* tregrenet.
I. trig [trig] *sb* bremseklods; *adj (glds)* net, pæn, flot; *vb: ~ out* rigge ud, gøre fin.
II. trig *fk trigonometry*.
trigger ['trigə] *sb* aftrækker; udløser; *vb: ~ off* udløse, sætte i gang *(fx a chain reaction); quick on the ~* rask til at skyde; *(fig)* vaks; *pull the ~* trykke af.
trigger|fish *zo* plettet filfisk. *~ guard* aftrækkerbøjle. *~ -happy* ivrig efter at komme til at skyde; krigsgal.
trigonometric(al) [trigənə'metrik(l)] *adj* trigonometrisk.
trigonometry [trigə'nɔmitri] *sb* trigonometri.
trike [traik] *sb* trehjulet (barne)cykel.
trilateral ['trai'lætrəl] *adj* tresidet.
trilby ['trilbi] *sb,* **trilby hat** blød filthat.
trilingual ['trai'lingwl] *adj* tresproget.
trill [tril] *sb* trille; *vb* slå triller, trille; *~ the r's* snurre på r'erne.
trillion ['triljən] *sb* trillion; *(am)* billion.
trilogy ['trilədʒi] *sb* trilogi.
I. trim [trim] *vb* bringe i orden; (skære overflødigt væk:) beskære *(fx the edges of a book)*, studse, klippe *(fx one's moustache, a hedge)*, (hår:) trimme, (træ *etc)* afrette, renskære, (kød, væge *etc)* pudse; (forsyne med pynt) pynte *(fx a hat)*, besætte *(fx with fur)*; garnere; *(mar)* trimme, bringe til at ligge på ret køl; (kul *etc)* lempe; *(flyv)* trimme; *(fig)* være opportunist, lempe sine anskuelser efter omstændighederne; T irettesætte; *~ oneself up* gøre sig i stand.
II. trim [trim] *sb* orden, form *(fx in good ~)*; beklædning; helbredstilstand, sindstilstand; pynt, besætning; klipning; *(flyv)* trim, trimning; *(mar)* amning; trim, styrlastighed; *in fighting ~* klar til kamp.
III. trim [trim] *adj* pæn, i god orden; velbygget, velformet.
trimaran ['traiməræn] *sb* trimaran (bådtype).
trimmer ['trimə] *sb* en som pudser, klipper, trimmer *etc;* redskab hertil (se *I trim), (bogb)* skæremaskine; (holdningsløs) opportunist.
trimming ['trimiŋ] *sb* pudsning, klipning, trimning *(etc, cf I. trim);* (på kjole *etc)* pynt, besætning; (til mad) garnering; tilbehør; *-s pl* (også) afklippede stykker.
trinal ['trainəl], **trine** [train] *adj* tredobbelt.
trinitarian [trini'tɛəriən] *adj* treenigheds-.
Trinity [triniti] *sb* treenighed; *~ House* (institution i London som administrerer fyr-, lods- og vagervæsenet i Storbritannien); *~ Sunday* trinitatis, søndag efter pinse.
trinket ['triŋkit] *sb* smykke, nipsgenstand; bagatel.
trio ['triou] *sb* trio, terzet; *(fig)* trekløver.
I. trip [trip] *vb* snuble; *(fig)* begå en fejl, fortale sig; *(poet)* trippe; (med objekt) spænde ben for; vippe; vælte; *(tekn)* udløse; *~ sby up* spænde ben for en; få en til at snuble; *(fig)* få en til at fortale sig *(fx a witness)*; gribe en i en fejl (, fortalelse); *~ up the anchor (mar)* lette ankeret af grunden, brække ankeret løs (fra havbunden).
II. trip [trip] *sb* tur, udflugt, rejse; sviptur, smut; snublen; fejltrin; fortalelse; S (om virkningen af LSD *etc)* trip; *(tekn)* udløser.
tripartite ['trai'pa:tait] *adj* tredelt; tresidig, afsluttet mellem tre. **tripartition** [traipa:'tiʃən] *sb* tredeling.
tripe [traip] *sb* kallun; S bras, hø, møg (især om litteratur); sludder, bavl; *-s* indvolde.

tripedal [trai'pi:dl] *adj* trefodet.
triphthong ['trifθɒŋ] *sb* triftong, trelyd.
triplane ['traiplein] *sb* flyvemaskine med tre bæreplaner.
triple ['tripl] *adj* tredobbelt, trefoldig; *vb* tredoble(s).
triplet ['triplit] *sb* samling af tre, tre rimlinier; (barn:) trilling.
I. triplicate ['triplikit] *adj* tredobbelt, trefoldig; *sb* triplikat; *in ~* i tre eksemplarer.
II. triplicate ['triplikeit] *vb* tredoble; udfærdige i tre eksemplarer, skrive med to gennemslag.
tripod ['traipɔd] *sb* trefod.
I. Tripoli ['tripəli] Tripolis.
II. tripoli ['tripəli] *sb* trippelse (pudsemiddel).
Tripolitan [tri'pɔlitən] *adj* tripolitansk; *sb* tripolitaner.
tripos ['traipɔs] *sb* (navn på en eksamen ved universitetet i Cambridge).
tripper ['tripə] *sb* udflugtsrejsende, turist på kortvarigt besøg.
tripping ['tripiŋ] *adj* let på foden, trippende; *sb* trippen, dansen.
triptych ['triptik] *sb* triptykon (tredelt billede, især altertavle), fløjalter.
triptyque [trip'ti:k] *sb* carnet, toldpas for bil.
trip wire *(mil.)* snubletråd.
trireme ['trairi:m] *sb (hist.)* treradåret skib, triere.
trisect [trai'sekt] *vb* tredele.
trisection [trai'sekʃn] *sb* tredeling.
trisyllabic ['traisi'læbik] *adj* trestavelses-.
trisyllable ['trai'siləbl] *sb* trestavelsesord.
trite [trait] *adj* forslidt, fortærsket, banal.
Triton ['traitn] *sb* Triton.
triturate ['tritjəreit] *vb* knuse, pulverisere, male. **trituration** [tritjə'reiʃən] *sb* knusning, pulverisering.
triumph ['traiəmf] *sb* triumf, sejr; *vb* triumfere, sejre.
triumphal [trai'ʌmfl] *adj* triumf- *(fx arch* bue); triumferende.
triumphant [trai'ʌmfənt] *adj* triumferende, sejrende; triumf-, sejrs-.
triumvir [trai'ʌmvə] *sb* triumvir. **triumvirate** [trai'ʌmvirit] *sb* triumvirat.
triune ['traiju:n] *adj* treenig.
trivet ['trivit] *sb* trefod; *right as a ~* fuldstændig i orden, frisk som en fisk.
trivial ['triviəl] *adj* ubetydelig, ligegyldig; triviel; overfladisk; *the ~ round* den daglige trummerum.
triviality [trivi'æliti] *sb* ubetydelighed, banalitet, bagatel; overfladiskhed.
trivium ['triviəm] *sb (hist.)* trivium (de tre videnskaber: grammatik, logik, retorik).
trocar ['trouka:] *sb (med.)* trocart (et instrument til punktur).
trochaic [trə'keiik] *adj* trokæisk; *sb* trokæisk vers.
trochee ['trouki:] *sb* trokæ.
trod [trɔd] *præt* af *tread*.
trodden ['trɔdn] *pp* af *tread*.
troglodyte ['trɔglədait] *sb* huleboer; *(fig)* eneboer.
troika ['trɔikə] *sb* trojka (russisk vogn med trespand).
Trojan ['troudʒn] *adj* trojansk; *sb* trojaner.
I. troll [troul] *vb* tralle, synge; fiske med blink *el.* spinder, dørge; T gå, drysse, traske; *sb* (sang:) kanon; (fiskeri:) dørgning, dørg.
II. troll [troul] *sb (myt)* trold.
trolley ['trɔli] *sb* (træk)vogn; *(tea ~)* rullebord; *(jernb)* trolje, dræsine.
trolley|bus trolleyvogn. *~ car (am)* sporvogn.
trollop ['trɔləp] *sb* sjuske, dulle, tøjte.
trombone [trɔm'boun] *sb* basun.
troop [tru:p] *sb* skare, flok, trop; (af spejdere) trop; *(mil.)* eskadron, *-s pl* tropper; *vb* samle sig i flokke, flokkes; gå flokkevis, myldre, marchere; *~ the colours (mil.)* føre fanen til fløjen.
troop carrier *(mil.)* mandskabsvogn; *(flyv)* troppetransportmaskine.
trooper ['tru:pə] *sb* kavallerist; kavalerihest; troppetransportskib; *(am og austr)* bereden politibetjent; *swear like a ~* bande som en tyrk.
troopship ['tru:pʃip] *sb* troppetransportskib.
trope [troup] *sb* trope, billedligt udtryk.

trophy ['troufi] *sb* trofæ, sejrstegn; (sports)præmie.
tropic ['trɔpik] *sb* vendekreds; *the* -s troperne.
tropical ['trɔpikl] *adj* tropisk; trope- *(fx medicine)*.
tropic bird *zo* tropikfugl.
tropism ['troupizm] *sb (biol)* tropisme, orienteringsbevægelse.
trot [trɔt] *vb* trave, traske; lade trave; *sb* trav; luntetrav; *(am)* snydeoversættelse; ~ *along* stikke af; ~ *out* køre frem med *(fx all the old excuses)*; diske op med; fremføre; skilte med *(fx one's knowledge)*; ~ *round* **T** føre *(el.* trække, slæbe) rundt i *(fx he -ted me round Oxford)*; *on the* ~ i aktivitet; på stikkerne; *keep sby on the* ~ holde en stadig beskæftiget, give en fuldt op at bestille.
troth [trouθ] *sb (glds)* sandhed; tro, ord; *plight one's* ~ skænke sin tro.
trotter ['trɔtə] *sb* traver (om hest); *pig's* -s grisetæer.
troubadour ['tru:bəduə] *sb* troubadour.
I. trouble [trʌbl] *vb* forstyrre, volde ulejlighed *(fx I am sorry to* ~ *you)*; besvære, plage; volde bekymring, bekymre, gøre urolig; (om sygdom *etc)* plage, pine, volde smerte; (uden objekt) være ked af det, bekymre sig; *be -d about* være bekymret over; *may I* ~ *you for the bread* må jeg bede Dem række mig brødet; ~ *to* gøre sig den ulejlighed at *(fx answer)*; *don't* ~ *to* du behøver ikke at, du skal endelig ikke *(fx see me out)*; *-d waters* rørt vande.
II. trouble [trʌbl] *sb* forstyrrelse, uro *(fx political* ~*)*; ulejlighed *(fx no* ~ *at all, I assure you)*; besvær, mas *(fx I had a good deal of* ~ *finding it)*, vrøvl *(fx* ~ *with the police)*, vanskelighed(er), bryderi(er); bekymring(er); (legemlig:) sygdom, skavank; *-s pl* bekymringer, sorger; trængslen *(fx his -s are over)*; genvordigheder;
   ask for ~ være ude efter ballade; selv være ude om det; udfordre skæbnen; *be in* ~ have rodet sig ind i noget; *get into* ~ rode sig ind i noget, komme i fedtefadet; (om pige) komme galt af sted (ɔ: blive gravid); *get sby into* ~ bringe en i forlegenhed; *get a girl into* ~ gøre en pige ulykkelig (ɔ: gravid); *make* ~ yppe kiv; volde vanskeligheder; *take* ~ gøre sig umage *(with* med; *to* med at, for at); *take the* ~ *to answer* gøre sig den ulejlighed at svare.
troublemaker ['trʌblmeikə] *sb* urostifter, ballademager.
troubleshooter ['trʌblʃu:tə] *sb* fejlfinder (reparatør); *(fig)* mægler, forligsmand; en der kan bringe forholdene i lave *(el.* få tingene til at glide).
troublesome ['trʌblsəm] *adj* besværlig *(fx a* ~ *cough)*, vanskelig *(fx a* ~ *job, a* ~ *child)*.
trough [trɔf] *sb* trug, kar; rende; bølgedal; *(meteorol)* lavtryksudløber, trug.
trough fault *(geol)* gravsænkning.
trounce [trauns] *vb* prygle, gennemhegle.
troupe [tru:p] *sb* trup (af skuespillere), teaterselskab.
trouper ['tru:pə] *sb* medlem af trup; *good* ~ *(fig)* god kollega.
trousering ['trauzriŋ] *sb* benklædestof.
trousers ['trauzəz] *sb pl* bukser, *(merk)* benklæder; *catch sby with his* ~ *down* overraske en, komme bag på en.
trouser suit buksedragt.
trousseau ['tru:sou] *sb* brudeudstyr.
trout [traut] *sb zo* forel, ørred.
trow [trau] *vb (glds el. spøg)* tro, mene, tykkes.
trowel ['trauəl] *sb* murske; planteske; *vb* afpudse; *lay it on with a* ~ *(fig)* smøre tykt på.
I. troy [trɔi]: ~ *weight* guld- *el.* sølvvægt, apotekervægt.
II. Troy [trɔi] Troja.
truancy ['tru:ənsi] *sb* driveri, skulkeri.
truant ['tru:ənt] *adj* skulkende; *sb* skulker; *play* ~ skulke.
truce [tru:s] *sb* våbenstilstand; *(fig)* hvile, kort frist; *flag of* ~ parlamentærflag; *a* ~ *to talking!* nu ikke mere snakken!
I. truck [trʌk] *vb* drive tuskhandel, tuske, bortbytte; *sb* bytte, tuskhandel; *(neds)* småting, ragelse; *(hist.)* betaling i varer; *(am)* grønsager; *I will have no* ~ *with him* jeg vil ikke have noget med ham at gøre.
II. truck [trʌk] *sb* (betegnelse for forskellige vogntyper, *fx* blokvogn, åben godsvogn, trækvogn til bagage på jernbaneperron, bogvogn i bibliotek); *(am også)* lastbil.
III. truck [trʌk] *sb* flagknap; *(mar)* klåde.

truckage ['trʌkidʒ] *sb* transport; fragt.
truck | **farm,** ~ **garden** *(am)* handelsgartneri, grøntgartneri.
truckle ['trʌkl] *vb* krybe, bøje sig ydmygt, logre *(to* for).
truckle bed lav seng på ruller (til at skyde ind under en større).
truckler ['trʌklə] *sb* servil person, spytslikker.
truck system *(hist.)* betaling af arbejdsløn i form af varer.
truculence ['trʌkjuləns] *sb* vildhed, råhed; stridbarhed.
truculent ['trʌkləʔ] *adj* barbarisk, vild, frygtelig; bidende, skarp; stridbar.
trudge [trʌdʒ] *vb* traske; *sb* trasken; travetur.
I. true [tru:] *adj* sand *(fx a* ~ *story)*, nøjagtig *(fx a* ~ *copy)*; ægte, egentlig *(fx the* ~ *cocoa tree)*; rigtig; tro *(to* mod); *come* ~ slå til, gå i opfyldelse; ~ *course (mar)* retvisende kurs; *it is* ~ (også) ganske vist, rigtignok; *be out of* ~ være forkert indstillet *(el.* anbragt), være ude af lod (, vage), være unøjagtig; (om hjul) slå; *he ran* ~ *to form* han fornægtede sig ikke (ɔ: opførte sig som man kunne vente); ~ *rate (of interest)* effektiv rente (af lån); ~ *yield* effektiv rente (af investering).
II. true [tru:] *vb:* ~ *up* afrette, tilpasse; indstille.
true| **blue** ægte blå; *(fig)* vaskeægte, urokkelig; stokkonservativ. ~ **-bred** af ægte race; gennemdannet. ~ **-hearted** tro(fast); oprigtig. -**love** hjertenskær.
truffle ['trʌfl] *sb (bot)* trøffel.
trug [trʌg] *sb* spånkurv.
truism ['tru:izm] *sb* selvindlysende sandhed, selvfølgelighed, banalitet.
trull [trʌl] *sb (glds)* skøge, tøjte.
truly ['tru:li] *adv* sandt og sandhed; oprigtigt *(fx* ~ *grateful)*; trofast; nøjagtigt; virkelig *(fx* ~ *beautiful)*; *I can* ~ *say* jeg kan med sandhed sige; *Yours* ~ ærbødigst (foran underskriften i et brev); *(spøg)* undertegnede (ɔ: jeg).
I. trump [trʌmp] *sb* trumf; **T** knop; knag, kernekarl; *(fig)* stikke med trumf, spille trumf; *no* -s sans (i bridge); *turn up* -s *(fig)* falde heldigt ud; have held med sig.
II. trump [trʌmp] *vb:* ~ *up* opdigte, finde på; *-ed up* opdigtet, falsk *(fx accusation)*.
III. trump [trʌmp] *sb (glds)* trompet; trompetskrald; *the* ~ *of doom, the last* ~ dommedagsbasunen.
trump card trumf(kort); *play one's* ~ *(fig)* spille sin trumf ud.
trumpery ['trʌmpəri] *sb* bras; sludder; *adj* forloren, intetsigende, tarvelig.
trumpet ['trʌmpit] *sb* trompet; tragt *(fx gramophone* ~*)*; *(eartrumpet)* hørerør; (lyd:) trompetstød; *vb* forkynde, udbasunere; (om elefant) trompete; *blow one's own* ~ rose sig selv, prale.
trumpet| **call** trompetfanfare, trompetsignal; signal til handling. ~ **creeper** *(bot)* trompetblomst.
trumpeter ['trʌmpitə] *sb* trompeter, trompetist; *zo* trompeterfugl; *(am)* trompetersvane.
truncate ['trʌnkeit] *vb* afskære, afkorte; (om tekst) forkorte drastisk, lemlæste; ~ *leaf* lige afskåret blad; *-d cone* keglestub.
truncheon ['trʌnʃn] *sb* kommandostav; knippel, politistav.
trundle ['trʌndl] *vb* rulle, trille; *sb* rulle, valse; ~ *bed* = *truckle bed*.
trunk [trʌŋk] *sb* (træ)stamme, bul; krop; (til tøj:) kuffert; *(am:* i bil) bagagerum; *(am, tlf)* hovedledning, hovedlinje; (elefants) snabel; *(mar)* trunk; se også *trunks*.
trunk| **call** udenbys opkald. ~ **engine** trunkmotor. -**fish** kufferfisk. ~ **hose** [-houz] *(glds)* pludderhoser. -**line** *(jernb)* hovedbane, hovedlinje; *(tlf)* hovedlinje, hovedledning. ~ **road** hovedvej.
trunks [trʌŋks] *sb pl* korte underbukser; gymnastikbukser; *(swimming* ~*)* badebukser; *(hist.)* = *trunk hose*; *(am, tlf,* svarer til) rigstelefonen.
trunnion ['trʌnjən] *sb (mil.* i lavet:) tap.
truss [trʌs] *sb* knippe (hø *el.* halm), bundt; *(bot)* klase; *(med.)* brokbind; *(arkit)* spærfag; *vb* støtte, afstive; binde sammen; ~ *up* binde (armene ind til kroppen); binde sammen; (om fjerkræ) opsætte; *(glds)* klynge op.
truss and belt maker bandagist.
I. trust [trʌst] *sb* tillid; tiltro; betroet hverv, tillidspost; forvaring; *(jur)* forvaltning; betroet formue *(el.* bo); *(merk)* trust, ring, sammenslutning; *hold in* ~ have i for-

varing; *(jur)* forvalte; *on* ~ på kredit; *take sth on* ~ tro på noget uden at forlange *el.* skaffe sig bevis, tage noget for gode varer; *position of* ~ betroet stilling.

II. trust [trʌst] *vb* stole på, have tillid til *(fx I* ~ *him)*; betro *(sby with sth el.* sth *to sby* en noget); tro, håbe oprigtigt *(fx I* ~ *you are keeping well)*; ~ in stole på, have tillid til; ~ *to* stole på; *we must* ~ *to meeting someone* vi må løbe an på at møde nogen; ~ *him to* (ironisk:) hvor det ligner ham at; han skal nok sørge for at; *do you* ~ *him to do it?* stoler du på at han gør det? tør du lade ham gøre det? *is he to be -ed with it?* (også) kan man risikere at overlade ham det?

trust| corporation forvaltningsinstitut. ~ **deed** fundats.

trustee [trʌ'stiː] *sb* kurator, værge; (af fallitbo) bestyrer; (i institution) bestyrelsesmedlem, *(board of)* -s bestyrelse; ~ *investment* pengeanbringelse med sikkerhed som for umyndiges midler; *The Public Trustee* (svarer *omtr* til) overformynder, overformynderiet. **trusteeship** *sb* stilling som kurator; værgemål; (under FN) formynderskab; formynderskabsområde.

trust|ful tillidsfuld. ~ **funds** båndlagte midler; betroede midler. **-less** upålidelig, utroværdig. ~ **territory** formynderskabsområde. **-worthy** pålidelig, tilforladelig.

trusty ['trʌsti] *adj* pålidelig, trofast, tro.

truth [truːθ] *sb* sandhed; sanddruhed, sandfærdighed; nøjagtighed, rigtighed; trofasthed, troskab; *in* ~ i sandhed; *to tell the* ~ (også) sandt at sige; ~ *in advertising* ærlig reklame.

truth|ful sandfærdig, sanddru. **-less** usand; troløs.

I. try [trai] *vb (tried, tried)* prøve, forsøge; sætte på prøve *(fx his patience was tried)*; anstrenge, tage på *(fx it tries the eyes)*; plage *(fx illness tries me)*; *(jur)* behandle *(fx a case en retssag)*, (om person) stille for retten; ~ *one's best* gøre sit bedste; ~ *by court-martial* stille for en krigsret; ~ *the door* tage i døren; ~ *for* prøve at få *(el.* opnå); *he was tried for murder* han var anklaget i en mordsag; ~ *hard* prøve ihærdigt, gøre sig umage, gøre sig store anstrengelser; ~ *on* prøve *(fx* ~ *a coat on)*; ~ *it on* T 'se om den går'; *don't* ~ *anything on with me* prøv ikke at lave numre med mig; ~ *out* rense, raffinere, omsmelte; gennemprøve, prøve i praksis.

II. try [trai] *sb* T forsøg; (i rugby) scoring (3 points) ved at placere bolden med hænderne i modspillernes målområde; *come and have a* ~ kom og prøv; *have another* ~ prøv igen.

trying ['traiiŋ] *adj* trættende, anstrengende, vanskelig, ubehagelig, pinlig.

try-on ['traiɔn] *sb* T forsøg på at lave et nummer med en.

try-out ['traiaut] *sb* T prøve, afprøvning.

trysail ['traiseil, *(mar)* traisl] *sb* gaffelsejl.

try square (tømmer)vinkel.

tryst [traist, trist] *(glds) sb* stævnemøde, mødested; *vb* sætte stævne; *break* ~ ikke komme til stævnemøde.

tsar [zaː] *se* czar.

tsetse ['tsetsi] *sb zo* tsetseflue.

T square hovedlineal.

T.U. *fk* Trade Union.

tub [tʌb] *sb* balje, bøtte, (til bad) badekar; (kar)bad; T langsom og klodset båd, pæreskude; *vb* sætte i balje, bade, vaske.

tuba ['tjuːbə] *sb (mus.)* tuba.

tubby ['tʌbi] *adj* tyk og rund; med en dump klang.

tube [tjuːb] *sb* rør; tube *(fx toothpaste* ~); (til cykel- *el.* bilhjul) slange; *(jernb)* T undergrundsbane; *(anat, bot)* rør *(fx the Eustachian* ~; *pollen* ~), kanal, kar; *(med.)* kanyle; *(am)* elektronrør; radiorør; (i TV) billedrør; *(am* S) fjernsyn.

tube| card reklame i undergrundstog. **-less tyre** slangeløst dæk.

tuber ['tjuːbə] *sb (bot)* knold, rodknold, udvækst.

tubercle ['tjuːbəːkl] *sb* knold; tuberkel.

tubercular [tjuː'bəːkjulə] *adj* tuberkuløs; knudret.

tuberculin [tjuː'bəːkjulin] *sb* tuberkulin.

tuberculosis [tjubəːkjuː'lousis] *sb (med.)* tuberkulose.

tuberculous [tjuː'bəːkjuləs] *adj* tuberkuløs.

tuberose ['tjuːbərouz] *sb (bot)* tuberose.

tuberous ['tjuːbərəs] *adj* knoldet, knoldbærende.

tubing ['tjuːbiŋ] *sb* rør, slange, rørsystem; ventilgummi.

tub-thumper ['tʌbθʌmpə] *sb* en der holder brandtaler, svovlprædikant.

tubular ['tjuːbjulə] *adj* rørformet; ~ *boiler* rørkedel; ~ *bone* rørknogle; ~ *furniture* stålmøbler.

T.U.C. *fk* Trades Union Congress.

tuck [tʌk] *vb* putte, stikke, stoppe (ind); proppe (ind); (sy:) sy læg i; *sb* læg; S slik, guf, lækkerier; ~ *away* gemme bort; T guffe (, tylle) i sig; ~ *in* stikke/ *(el.* stoppe) ind; 'putte' (i seng); T guffe i sig, få et kraftigt foder; ~ *into* T tage for sig af, klø løs på *(fx one's food)*; *with his legs -ed under him* med benene trukket op under sig; ~ *up* hæfte op, kilte op, smøge op.

tucker ['tʌkə] *sb* chemisette; *(austr* T) mad; *vb (am)* udmatte; *in one's best bib and* ~ i stiveste puds.

tucket ['tʌkit] *sb* trompetstød, fanfare.

tuck|-in ['tʌk'in], ~ **-out** rigeligt måltid, ordentligt foder. **tuckshop** ['tʌkʃɔp] *sb* slikbutik.

Tudor ['tjuːdə].

Tuesday ['tjuːzdi, 'tjuːzdei] *sb* tirsdag.

tufa ['tjuːfə] *sb (geol)* (kalk)tuf, kildekalk, frådsten.

tuff [tʌf] *sb (geol)* (vulkansk) tuf.

tuffet ['tʌfit] *sb* siddepude; *(glds)* tue.

tuft [tʌft] *sb* dusk, kvast, tot; fipskæg; *vb* adskille i kvaster, ordne i duske; sy kvast(er) i; (om madras) tufte, knaphæfte.

tufted ['tʌftid] *adj* dusket, som sidder i en dusk *el.* tot; ~ *carpets* tuftede tæpper; ~ *duck* zo troldand.

tufthunter ['tʌfthʌntə] *sb (glds)* spytslikker, snob.

tufty ['tʌfti] *adj* dusket.

tug [tʌg] *vb* hale, trække, slæbe; *(mar)* slæbe, bugsere; *sb* træk, ryk; *(mar)* bugserbåd, slæbebåd; ~ *at* hale i; ~ *of war* tovtrækning; *(fig)* styrkeprøve.

tuition [tjuː'iʃn] *sb* undervisning, vejledning; undervisningsgebyr.

tuitional [tjuː'iʃənl] *adj* undervisnings-.

tularemia [tjulə'riːmiə] *sb (med.)* haresyge.

tulip ['tjuːlip] *sb* tulipan; ~ *tree* tulipantræ.

tulle [tjuːl] *sb* tyl.

I. tumble ['tʌmbl] *sb* tumle, vælte *(fx people -d out of the building)*; (miste fodfæstet:) vælte, falde omkuld, trimle om; falde, trimle *(fx down the stairs)*; (om priser) rasle ned; (om bygning) styrte sammen; (om sovende) kaste sig frem og tilbage; (lege *etc)* tumle sig, boltre sig, slå kolbøtter; (med objekt) kaste, vælte; bringe i uorden, rode i, forkrølle; (i støberi) tromle; ~ *to* T forstå, fatte, begribe, få fat i.

II. tumble ['tʌmbl] *sb* fald, styrt; kolbøtte; uorden, roderi; rodet *(el.* forvirret) bunke; (i støberi) rensetromle.

tumble| bug *(am, zo)* skarnbasse. **-down** *adj* faldefærdig, forfalden. ~ **-home** *(mar)* indfaldende (om skibsside).

tumbler ['tʌmblə] *sb* ølglas, vandglas; akrobat, gøgler; (legetøj:) tumling; (i lås) tilholder; gæk; (til tøj) tørretumbler; *(zo)* tumler (en duerace).

tumbling| barrel, ~ **box** (i støberi) rensetromle.

tumbrel ['tʌmbrl], **tumbril** ['tʌmbril] *sb* kærre, bøddelkarre; *(glds, mil.)* ammunitionsvogn.

tumefaction [tjumi'fækʃən] *sb* opsvulmen, hævelse.

tumefy ['tjuːmifai] *vb* (få til at) hovne *el.* hæve.

tumescence [tjuː'mesns] *sb* opsvulmen, hævelse.

tumid ['tjuːmid] *adj* ophovnet, hævet; (om stil) svulstig.

tumidity [tjuː'miditi] *sb* ophovnen, hævelse; (om stil) svulstighed.

tummy ['tʌmi] *sb* mave (i børnesprog).

tumour ['tjuːmə] *sb (med.)* svulst.

tumult ['tjuːmʌlt] *sb* tummel, forvirring, tumult, oprør, stærk ophidselse.

tumultuary [tjuː'mʌltjuəri] *adj* forvirret, stormende, oprørsk.

tumultuous [tjuː'mʌltjuəs] *adj* stormende, oprørt, heftig, vild.

tumul|us ['tjuːmjuləs] *sb (pl -i* [-ai]) gravhøj.

tun [tʌn] *sb* tønde, fad; (mål for vin: 252 gallons); *vb* fylde på tønder.

tuna ['tjuːnə] *sb zo* (især californisk) tunfisk; *(bot)* figenkaktus.

tunable ['tjuːnəbl] *adj* som kan stemmes; *(glds)* velklingende, harmonisk.

tundra ['tʌndrə] *sb* tundra.

I. tune [tju:n] *sb* melodi; harmoni; *change one's* ~ anslå en anden tone; stikke piben ind; *be in* ~ være stemt, spille *(el.* synge) rent; *be in* ~ *with (fig)* harmonere med, stemme med *(fx our traditions),* være på bølgelængde med; *out of* ~ falsk, forstemt; *be out of* ~ *with (fig)* ikke harmonere med, ikke være på bølgelængde med; *to the* ~ *of £8,000* til *(el.* for *el.* med) et beløb af ikke mindre end £8.000.

II. tune [tju:n] *vb* stemme; afstemme; (om motor) tune; (om radio) = ~ *in* afstemme, stille ind; ~ *in on (el.* to) stille ind på; dreje hen på; ~ *out* udskille; ~ *up* stemme; stemme i, spille op; (om motor) tune op.

tune|ful velklingende, musikalsk. **-less** uharmonisk, umusikalsk.

tuner ['tju:nə] *sb* klaverstemmer; (radio:) afstemningsapparat.

tungsten ['tʌŋstən] *sb* tungsten, wolfram.

tungstic ['tʌŋstik] *adj* wolfram- *(fx acid).*

tunic ['tju:nik] *sb* bluse; gymnastikdragt (for piger); *(mil.)* uniformsfrakke, våbenfrakke; *(hist.)* tunika; *(biol)* hinde.

tuning| coil afstemningsspole. ~ **fork** stemmegaffel. ~ **hammer** stemmenøgle.

Tunis ['tju:nis] Tunis (byen).

Tunisia [tju'niziə] Tunesien, Tunis (landet).

tunnel [tʌn(ə)l] *sb* tunnel; *(tekn)* akselgang; *vb* bygge en tunnel (under *el.* igennem).

tunny ['tʌni] *sb el.* zo tunfisk.

tup [tʌp] *sb* zo vædder; *(tekn)* ramklods.

tuppence, tuppenny = *twopence etc.*

tu quoque ['tju:'kwoukwi] tak i lige måde; det kan du selv være (som svar på en beskyldning).

turban ['tə:bən] *sb* turban; *-ed* turbanklædt, med turban.

turbary ['tə:bəri] *sb* tørvemose; ret til tørveskær.

turbid ['tə:bid] *adj* grumset, uklar; *(fig)* forvirret.

turbine ['tə:bin] *sb* turbine.

turbo|jet ['tə:bou'dʒet] *sb* turbojet *(fx engine).* **-prop** [-prɔp] turboprop-; propelturbine-.

turbot ['tə:bət] *sb* zo pighvarre.

turbulence ['tə:bjuləns] *sb* forvirring, uro; uregerlighed, voldsomhed, heftighed.

turbulent ['tə:bjulənt] *adj* oprørt, urolig; uregerlig, voldsom, heftig.

Turcoman ['tə:kəmən] *sb* turkoman, turkmen.

turd [tə:d] *sb (vulg)* lort.

tureen [tə'ri:n] *sb* terrin.

I. turf [tə:f] *sb* grønsvær, tørv; græsplæne; *the* ~ væddeløbsbanen; ved væddeløb.

II. turf [tə:f] *vb* dække med græstørv; ~ *sby out* S smide en ud.

turf accountant bookmaker.

turfy ['tə:fi] *adj* græsrig; tørveagtig; væddeløbs-.

turgid ['tə:dʒid] *adj* hævet, opsvulmet; *(fig)* svulstig.

turgidity [tə:'dʒiditi] *sb* hævelse, opsvulmethed; *(fig)* svulstighed.

Turk [tə:k] *sb* tyrk; *a regular young* ~ en ustyrlig krabat.

Turkestan [tə:ki'sta:n].

Turkey ['tə:ki] Tyrkiet; *adj* tyrkisk.

turkey ['tə:ki] *sb* kalkun; *talk* ~ *(am)* komme til sagen, tale rent ud af posen. **turkey-cock** kalkunsk hane.

Turkish ['tə:kiʃ] *adj* tyrkisk. **Turkish| bath** romersk bad. ~ **delight** Turkish delight (slags konfekt). ~ **towel** frottéhåndklæde.

Turkoman ['tə:kəmən] *sb* turkoman, turkmen.

turmoil ['tə:mɔil] *sb* tummel, forstyrrelse, uro, oprør.

I. turn [tə:n] *vb* vende; dreje; rette *(fx the hose on the fire);* sende, vise *(fx sby from one's door);* (komme forbi:) runde, passere *(fx he has -ed fifty;* se også *ndf);* (ændre *etc)* gøre *(fx thunder -s milk sour);* forvandle *(fx water into wine);* (om tekst) oversætte *(into* til); (formulere elegant:) turnere *(fx a compliment); (mil.)* omgå *(fx* ~ *the enemy's flank);* (uden objekt) vende sig, dreje; vende om *(fx it is time to* ~ *now);* blive *(fx sour);* gå over til at være, (gå hen og) blive *(fx traitor);* forvandle sig *(into* til); blive sur *(fx the milk has -ed);* skifte farve *(fx the leaves are -ing);*

(forskellige forbindelser; se også hovedordet, *fx I. brain, corner, penny, I. scale, I. table)* ~ *the other cheek*

vende den anden kind til; ~ *the edge of the knife* gøre knivsæggen sløv; *he did not* ~ *a hair* han fortrak ikke en mine; ~ *one's hand to* give sig i lag *(el.* kast) med; *my head is -ing* det svimler for mig; ~ *his head* fordreje hovedet på ham, gøre ham indbildsk; ~ *the leaves* få bladene til at skifte farve; ~ *the milk* gøre mælken sur; *it -s my stomach, my stomach -s at it* det får det til at vende sig i mig, jeg får kvalme af *(el.* ved) det, det giver mig kvalme; ~ *tail* stikke af, løbe sin vej; *not know which way to* ~ ikke vide sine levende råd; *once he has made up his mind, nothing will* ~ *him* når først han har taget en beslutning, kan intet få ham fra den;

(forb med præp el. adv) ~ **about** vende om *(el.* rundt); *about* ~*!* omkring! ~ **against** vende imod, ophidse *(el.* sætte op) imod; vende sig fjendtligt imod; ~ **away** jage bort, afskedige; afvise; vende sig bort; *hundreds were -ed away* hundreder gik forgæves (ɔ: fordi der var udsolgt); ~ **down** folde *(el.* slå) ned; ombøje; skrue ned; dæmpe *(fx the light);* afvise *(fx* ~ *down a proposal);* lægge (et kort) med bagsiden opad; ~ **in** vende indad *(fx* ~ *in one's toes);* lade indgå i handelen (som delvis betaling); indsende *(fx a report),* indlevere, tilbagelevere; T melde (til politiet); gå i seng; *it has just -ed 7* klokken er lidt over 7; ~ **off** afskedige; dreje af for, lukke for *(fx the water),* slukke *(fx the light);* ~ **on** dreje *(el.* lukke) op for, åbne for *(fx the gas),* tænde *(fx the light);* vende sig fjendtligt imod, angribe; dreje sig om, stå og falde med; S begejstre; gøre 'høj'! tænde *(fx;* ~ *on the charm* (pludselig) vise sig fra sin charmerende side; *the play (, sagen)* ~ *on this* dette er hovedpunktet i stykket *(, sagen);* ~ *on one's heels* (pludselig) gøre omkring; ~ **out** vise ud, jage bort *(el.* væk), sende på græs; producere, levere; slukke *(fx the light);* vende udad *(fx one's toes);* tørne ud, rykke ud, gå ud; møde op; vise sig at være; tømme, vende *(fx one's pockets);* ~ *out a room* (flytte møblerne for at) gøre hovedrent i et værelse; ~ *out well* falde godt ud; *well -ed out* velklædt;

~ **over** vende *(fx he -ed over the pages of a book);* overdrage, overgive; have en omsætning på; vende sig *(fx in bed);* ~ *it over in one's mind* overveje det, gruble over det; ~ *over a new leaf* tage skeen i den anden hånd; ~ *sby round one's little finger* vikle en om sin lillefinger; ~ *round a ship* ekspedere (losse *el.* lade) et skib; ~ **to** tage fat; henvende sig til, ty til *(fx* ~ *to sby for help);* forvandle til; *as if -ed to stone* som forstenet; ~ *to account* udnytte; drage fordel af; ~ *to good use* gøre god brug af; ~ *the conversation to* føre samtalen hen på; ~ *one's attention to* vende sin opmærksomhed mod; ~ **up** dukke op, arrivere, vise sig, ankomme; skrue op (for); slå op *(fx a word in the dictionary);* smøge op *(fx one's sleeves);* vende op; lægge op *(fx a skirt);* S vække vemmelse hos, give kvalme; ~ *it up!* S hold så op! ~ *up one's nose at* rynke på næsen ad; *the smell -ed me up* jeg væmmedes ved synet; ~ *up one's toes* T krepere, kradse af; *wait for something to* ~ *up* vente på at der skal vise sig noget; ~ *a child up* vende enden i vejret på et barn; ~ *upon* = ~ *on.*

II. turn [tə:n] *sb* omdrejning, drejning; bøjning, runding, (af reb *etc)* tørn; vending *(fx a* ~ *for the better);* omslag; skifte *(fx the* ~ *of the century, of the year);* forskrækkelse *(fx you gave me such a* ~*);* (til at gøre noget:) tur *(fx it is your* ~ *now);* (af sygdom) anfald; ildebefindende; *(teat etc)* artistnummer, nummer *(fx an entertainment with several good -s);* varietéskuespiller(inde) *(mus.)* dobbeltslag; (hos person) særligt anlæg, tilbøjelighed;

at every ~ *(fig)* hele tiden; hvert andet øjeblik; *by -s,* ~ *and* ~ skiftende, skiftevis, efter tur; *one good* ~ *deserves another* den ene tjeneste er den anden værd; *done to a* ~ tilpas stegt *(el.* kogt); *do sby a bad (el. ill)* ~ gøre én en bjørnetjeneste, skade en; *in* ~ efter tur; *and this in* ~ *will mean* og det betyder så igen *(el.* endvidere); *of an optimistic* ~ *(of mind)* optimistisk anlagt; *the milk is on the* ~ mælken er ved at blive sur; *the tide is on the* ~ strømmen er ved at vende; ~ *of the tide* strømkæntring; *(fig)* omslag; *out of* ~ i utide; *it will serve my* ~ det vil passe til mit formål (, i mit kram); *serve one's* ~ (også) gøre sin nytte; *take -s at rowing* skiftes til at ro.

turn|about vending; *(am)* omslag. **-buckle** *(am)* bardunstrammer, trådstrammer; *(mar)* vantskrue. **-coat** vendekåbe. **-down collar** nedfaldsflip.

turner ['tə:nə] *sb* drejer.

turnery ['tə:nəri] *sb* drejerarbejde; drejerværksted.

turning ['tə:niŋ] *sb* drejning; omdrejning; gadehjørne, sving; omgående bevægelse; *take the wrong ~* gå forkert; *(fig)* komme på afveje.

turning| lathe drejebænk. **~ point** vendepunkt. **~ tool** drejestål.

turnip ['tə:nip] *sb* turnips; majroe; kålroe.

turnkey ['tə:nki:] *sb* slutter, fangevogter.

turn-key job kontrakt om levering af nøglefærdigt hus.

turnout ['tə:naut] *sb* produktion; udstyr; køretøj med forspand; fremmøde; antal tilskuere *(el.* tilhørere), mødeprocent; (ved valg) valgdeltagelse, stemmeprocent; *(fx* af brandvæsen) udrykning; oprydning, rengøring.

turnover ['tə:nouvə] *sb (merk)* omsætning; *(mht* personale) udskiftning; (i madlavning) slags pie.

turnpike ['tə:npaik] *sb* vejbom; *(am)* motorvej hvor der må erlægges afgift for kørsel.

turn|round *(jernb, mar)* ekspeditionstid. **-screw** skruetrækker. **-spit** stegevender. **-stile** korsbom, tælleapparat. **-stone** *zo* stenvender. **-table** pladetallerken; *(jernb)* drejeskive. **-up** opslag (på bukser); **T** mudder, ballade.

turpentine ['tə:pntain] *sb* fransk terpentin.

turpitude ['tə:pitju:d] *sb* fordærvelse; nedrighed, lavhed.

turps [tə:ps] *sb* **T** (fransk) terpentin.

turquoise ['tə:kwa:z] *sb* turkis; *adj* turkisfarvet.

turret ['tʌrit] *sb* lille tårn, kanontårn, pansertårn; *(tekn)* revolverhoved; *-ed* tårnformet, med tårne; *~ lathe* revolverdrejebænk.

turtle ['tə:tl] *sb zo* havskildpadde; *turn ~* kæntre; *green ~* spiselig skildpadde, suppeskildpadde.

turtle|dove turteldue; *collared -dove* tyrkerdue. **-neck** (sweater med) turtleneck (høj dobbelt halsrib); *(am)* (sweater med) rullekrave. **~ shell** skildpaddeskal; skildpadde-. **~ soup** skildpaddesuppe.

Tuscan ['tʌskən] *adj* toskansk; *sb* toskansk; toskaner.

I. tush [tʌʃ] *interj (glds)* pyt! snak!

II. tush [tʌʃ] *sb* hjørnetand (hos hest).

tusk [tʌsk] *sb* stødtand; *vb* støde, stange, spidde.

tusker ['tʌskə] *sb* voksen elefant (, vildorne).

tussah ['tʌsə] *sb* tussahsilke.

Tussaud's [tə'sɔ:dz, tə'souz] (vokskabinet i London).

tussive ['tʌsiv] *adj* hoste-.

tussle ['tʌsl] *sb* kamp, slagsmål; *vb* slås.

tussock ['tʌsək] *sb* tot, dusk, tue, græspude; *pale ~ moth zo* bøgenonne.

tussore ['tʌsə, 'tʌsɔ:] *sb* tussahsilke.

tut [t, tʌt] *interj* (lyd, som udtrykker utålmodighed, foragt, bebrejdelse) na nå; åhr hva'; så så.

tutelage ['tju:tilidʒ] *sb* formynderskab.

tutelar, tutelary ['tju:tilə(ri)] *adj* formynder-; beskyttende; skyts- *(fx saint)*.

tutor ['tju:tə] *sb* lærer, huslærer, hovmester; universitetslærer der vejleder i studierne; *(jur)* formynder; *vb* undervise, oplære, hovmesterere; beherske, øve.

tutorial [tju:'tɔ:riəl] *adj* lærer-; *sb* time hos ens *tutor.*

tutorship ['tju:təʃip] *sb* stilling som *tutor;* vejledning; *(jur)* formynderskab.

tutti-frutti ['tuti 'fruti] *sb* tutti frutti (dessert af blandede frugter).

tu-whit [tu'wit], **tu-whoo** [tu'wu:] uhu! (uglens tuden).

tuxedo [tʌk'si:dou] *sb (am)* smoking.

TV *fk* television.

TVA *fk Tennessee Valley Authority.*

twaddle ['twɔdl] *vb* vrøvle; *sb* vrøvl.

twaddler ['twɔdlə] *sb* vrøvlehoved.

twain [twein] *(poet)* tvende; *in twain* itu.

twang [twæŋ] *vb* knipse (på spændt streng *el.* strengeinstrument), klimpre; (om streng) lyde, synge; (om person) snøvle, tale med næselyd; *sb* knips, skarp lyd, klang, syngen (af en spændt streng); *(nasal ~)* næselyd, snøvlen.

'twas [twɔz, twəz] = *it was.*

twat [twɔt] *sb (vulg)* kusse; (skældsord:) skvat, fjols.

twayblade ['tweibleid] *sb (bot)* fliglæbe.

tweak [twi:k] *vb* klemme, knibe, rykke i og vride om *(fx his ear, his nose)*; *sb* kniben, ryk.

twee [twi:] *adj* S lille og affekteret (, koket, skabagtig).

tweed [twi:d] *sb* tweed.

tweedledum and tweedledee ['twi:dl'dʌm ən 'twi:dl'di:] hip som hap; *(opr* personer i *Alice in Wonderland)*.

tweedy ['twi:di] *adj* tweedlignende, tweedagtig; klædt i tweed; *(fig)* formløs, tvangfri, sporty.

'tween [twi:n] *fk between* mellem.

'tween decks mellemdæk.

tweeny ['twi:ni] *sb (glds* **T**) hjælpepige.

tweet [twi:t] *vb* kvidre; *sb* kvidder.

tweeter ['twi:tə] *sb* diskanthøjttaler.

tweezers ['twi:zəz] *sb pl* niptang, pincet; *a pair of ~* en pincet.

twelfth [twelfθ] *adj* tolvte; *sb* tolvtedel. **Twelfth| day** helligtrekongersdag. **~ night** helligtrekongersaften.

twelve [twelv] tolv. **twelve|mo** ['twelvmou] *(el. 12mo)* duodez. **-month** år. **~-note, ~ -tone** *adj* tolvtone-.

twentieth ['twentiiθ] *adj* tyvende; *sb* tyvendedel.

twenty ['twenti] tyve.

twerp [twə:p] *sb* S skvat, skrog, dum skid.

twice [twais] *adv* to gange, dobbelt; *~ two is (el.* are) *four* to gange to er fire; *~ as much* dobbelt så meget; *he has ~ the strength* han er dobbelt så stærk; *think ~* betænke sig; *not think ~ about* glemme, ikke tænke mere på; ikke betænke sig på *(fx I shouldn't think ~ about refusing his offer); I did not wait (el.* have) *to be told ~* det lod jeg mig ikke sige to gange. **twice-told** gentaget, forslidt, gammel.

twiddle ['twidl] *vb* dreje (på) *(fx ~ the knobs);* trille; *~ one's thumbs (el. fingers)* trille tommelfingre, ikke have noget at bestille; *~ with* lege med, pille *(el.* fingerere) ved; *give sth a ~* dreje på noget.

twig [twig] *sb* kvist, lille gren; *vb* **T** kigge på; opdage; fatte, begribe; *hop the ~* **S** krADse af, dø.

twiggy ['twigi] *adj* fuld af kviste, kvistlignende.

twilight ['twailait] *sb* tusmørke, skumring; *adj* skumrings-*(fx hour);* dunkel, halvmørk; *~ of the gods* ragnarok; *~ sleep (med.)* tågesøvn (let bedøvelse); *~ state* tågetilstand.

'twill [twil] *fk it will.*

twill [twil] (om stof) *vb* kipre; *sb* kiper; *-ed* kipret.

twin [twin] *sb* tvilling; mage; *vb* passe sammen.

twin| beds *pl* to enkeltsenge *(mods* dobbeltseng). **-born** tvillingefødt. **~ brother** tvillingebroder.

twine [twain] *vb* sno, tvinde, flette; (uden objekt) slynge sig, bugte sig; *sb* tvinding, snoning; hyssing, sejlgarn, bindegarn.

twiner ['twainə] *sb (bot)* slyngplante.

twinge [twin(d)ʒ] *vb* knibe, stikke; føle en stikkende smerte; *sb* stik, stikkende smerte; *a ~ of conscience* et anfald af samvittighedsnag.

twinkle ['twiŋkl] *vb* blinke, stråle, tindre; *sb* glimt, tindren, blinken; *in a ~* på et øjeblik.

twinkling ['twiŋkliŋ] *sb* blinken; *in the ~ of an eye* på et øjeblik, i en håndevending.

twin|-screw *adj (mar)* tvillingskrue-. **~ set** cardigansæt. **~ town** venskabsby.

twirl [twə:l] *vb* svinge (med); hvirvle (rundt), snurre; *sb* omdrejning, hvirvel; krusedulle, snirkel, sving; *~ one's moustache* sno sit overskæg.

twirp = *twerp.*

I. twist [twist] *sb* sno, vikle; tvinde; dreje, vride; fordreje *(fx one's face);* (om led) forvride *(fx one's ankle);* (i boldspil) skrue *(fx a ball); (fig)* fordreje, forvrænge *(fx sby's words);* (uden objekt) vride sig, sno sig; **T** danse twist; **S** snyde, bedrage; *~ about, ~ and turn* vende og dreje sig; *~ off* vride af; skrue af; *~ his arm* vride armen om på ham; *(fig)* lægge pres på ham; *she can ~ him round her little finger (fig)* hun kan vikle *(el.* sno) ham om sin lillefinger.

II. twist [twist] *sb (cf I. twist)* snoning, vikling, tvinding; drejning, drej; vridning, vrid; fordrejning; *(af* led) forvridning; *(af* bold) skruning; *(fig)* drejning; forvrængning; (dans:) twist; (bomuldsgarn:) twistgarn; *(af* tobak) (lille) rulle; *(til* indpakning) kræmmerhus (snoet sammen af et stykke papir); (egenskab:) særhed, karakterska-

vank; *give a ~ (to)* vride; sno; skrue (en bold); *(fig)* give en drejning *(fx give a story a ~); a ~ of lemon peel* en citronrytter.
twist drill spiralbor, sneglebor.
twister ['twistə] *sb* **T** svindler, snyder; (i boldspil) skruebold; *(fig)* vanskelig opgave; *(am)* tornado, hvirvelstorm; (om ord), se *tongue twister.*
twisty ['twisti] *adj* snoet, bugtet; *(fig)* uærlig, upålidelig.
twit [twit] *vb* drille, ærte, håne; bebrejde; *sb = twerp.*
twitch [twitʃ] *vb* nappe, rykke, rive *(at* i); fortrække sig *(fx his face -ed with pain);* give et ryk; *sb* nap, ryk; trækning; *his leg -ed* det rykkede i hans ben.
twitch grass *(bot)* kvikgræs.
twite [twait] *sb zo* bjergirisk.
I. twitter ['twitə] *sb* kvidren; munter pludren, fnisen; skælven; *be all of a ~, be in a ~* dirre af nervøsitet.
II. twitter ['twitə] *vb* kvidre; fnise; være lidt nervøs, være forfjamsket; dirre, skælve.
twittery ['twitəri] *adj* kvidrende; fnisende; dirrende, skælvende; nervøs, forfjamsket.
'twixt *fk betwixt* imellem.
twizzle ['twizl] *vb* se *twirl.*
two [tu:] to; *sb* to-tal; toer; *one or two* en eller to, et par (stykker), to-tre; *in two* itu, i to stykker; *by twos* to og to, parvis; *I can put two and two together (fig)* jeg kan godt lægge to og to sammen; jeg kan både stave og lægge sammen.
two-bit ['tu:bit] *adj* som koster en kvart dollar; *(fig)* ussel, snoldet.
two-edged ['tu:edʒd] *adj* tveægget.
two-faced ['tu:feist] *adj (fig)* falsk.
twofold ['tu:fould] *adj, adv* dobbelt.
two-handed ['tu:hændid] *adj* tohånds-; tomands-.
twopence ['tʌpəns] *sb* to pence.
twopenny ['tʌpəni] *adj* til to pence; *(fig)* tarvelig.
twopenny-halfpenny *adj* til to og en halv penny; tarvelig, ubetydelig.
two|-piece i to dele; todelt *(fx swimming suit). ~ -ply* toslået; dobbeltvævet. **~-seater** to-personers bil.
twosome ['tu:səm] *adj* udført af to; *sb* spil hvori kun to personer deltager; **T** par.
two|-speed to-gearet. **-step** twostep (en dans). **~-stroke** *adj* totakts-; *sb* totaktsmotor, totakter. **~ -time** *vb* snyde; spille dobbeltspil.

two-way ['tu:wei] *adj* i begge retninger *(fx traffic);* gensidig *(fx guarantee);* (i radio) tovejs-; *~ cock* togangshane; *~ switch* korrespondanceafbryder.
tycoon [tai'ku:n] *sb* (især *am)* magnat, matador; *industrial ~* industribaron.
tying ['taiiŋ] *præs p* af *tie.*
tyke [taik] *sb* køter; bondeknold.
tympanum ['timpənəm] *sb (anat)* trommehule, mellemøre; trommehinde.
Tyne [tain]: *the ~* Tynefloden.
Tyneside ['tainsaid] Tynedistriktet.
type [taip] *sb* type; art; forbillede, mønster; *(typ)* type; skrift, typer *(fx in large ~* med store typer); *vb* skrive på maskine, maskinskrive; *in ~ (typ)* sat op.
type|face skriftbillede, skriftsnit. **-script** maskinskrevet manuskript. **-setter** sætter; sættemaskine. **~ size** skriftgrad. **-write** skrive på maskine. **-writer** skrivemaskine. **-writer ribbon** farvebånd.
typhoid ['taifɔid] *sb, ~ fever (med.)* tyfus, tyfoid feber.
typhoon [tai'fu:n] *sb* tyfon.
typhus ['taifəs] *sb* plettyfus.
typical ['tipikl] *adj* typisk, karakteristisk *(of* for); *be ~ of* (også) symbolisere, varsle.
typify ['tipifai] *vb* være et typisk eksempel på; symbolisere *(fx the dove typifies peace);* være karakteristisk for, karakterisere.
typist ['taipist] *sb* maskinskriver(ske), kontordame.
typographer [tai'pɔgrəfə] *sb* typograf.
typographical [taipə'græfikl] *adj* typografisk.
typography [tai'pɔgrəfi] *sb* typografi.
tyrannical [ti'rænikl] *adj* tyrannisk.
tyrannicide [ti'rænisaid] *sb* tyranmord; tyranmorder.
tyrannize [tirənaiz] *vb: ~ (over)* tyrannisere.
tyranny ['tirəni] *sb* tyranni.
tyrant ['taiərənt] *sb* tyran.
tyre ['taiə] *sb* dæk, bildæk, cykeldæk; (luft)ring; *(tekn)* hjulbandage, hjulring.
Tyre ['taiə] Tyrus.
tyre| chain snekæde. **~ lever** dækkjern.
tyro ['taiərou] *sb* begynder.
Tyrol ['tirəl]
Tyrolese [tirə'li:z] *adj* tyrolsk; *sb* tyroler(inde).
tzar *etc* se *czar etc.*

U [ju:] U; *fk Upper Class;* (i biografannonce) tilladt for børn (over 5 år).
ubiquitous [ju'bikwitəs] *adj* allestedsnærværende.
ubiquity [ju'bikwiti] *sb* allestedsnærværelse.
U-boat ['ju:bout] *sb* ubåd, tysk undervandsbåd.
U.D. *fk urban district.*
udder ['ʌdə] *sb* yver.
UDI *fk unilateral declaration of independence.*
udometer [ju'dɔmitə] *sb* regnmåler.
UFO *fk unidentified flying object.*
Uganda [ju:'gændə]. **Ugandan** [ju:'gændən] *sb* ugander; *adj* ugandisk.
ugh [u, uh] *interj* uf, fy; aha.
ugly ['ʌgli] *adj* grim *(fx an ~ house; an ~ duckling)*, hæslig; styg, modbydelig *(fx wound);* **T** ubehagelig, modbydelig; *an ~ customer* en modbydelig ka'l; en skummel fyr.
UHF *fk ultra-high frequency.*
uh-huh [mhm] *interj* (mumlelyd der udtrykker bifald).
U.K. *fk United Kingdom.*
ukase [ju:'keiz] *sb* ukas (kategorisk ordre).
Ukraine [ju:'krein]: *the ~* Ukraine.
ukulele [ju:kə'leili] *sb* ukulele.
ulcer ['ʌlsə] *sb* åbent sår, kronisk sår, *(med.)* ulcus; (ofte =) *gastric ~* mavesår.
ulcer|ate ['ʌlsəreit] *vb* danne sår, være fuld af sår. **-ation** [ʌlsə'reiʃn] *sb* sårdannelse. **-ous** ['ʌlsərəs] *adj* ulcerøs, med sår.
ullage ['ʌlidʒ] *sb* svind, manko.
ulna ['ʌlnə] *sb (pl ulnae* ['ʌlni:]) albueben, ulna.
ulster ['ʌlstə] *sb* ulster (overfrakke).
ult. *fk ultimo* forrige måned.
ulterior [ʌl'tiəriə] *adj* yderligere, videre; senere, fjernere; (om motiv) skjult; *~ motive* (også:) bagtanke; *do sth from ~ motives* gøre noget af beregning.
ultima ['ʌltimə] *adj* yderst, sidst; *~ ratio* sidste argument, sidste udvej; *~ Thule* ['θju:li] det yderste Thule.
ultimate ['ʌltimit] *adj* endelig *(fx result);* sidst, yderst; oprindelig, først, grund- *(fx principles, truths);* (især *tekn)* højest, maksimal; *-ly* til slut, til syvende og sidst, i sidste instans; *~ load* brudbelastning.
ultimatum [ʌlti'meitəm] *sb* ultimatum.
ultimo ['ʌltimou] *adv (merk,* især *glds)* forrige måned.
ultra ['ʌltrə] *sb* yderliggående; ekstremist; *adj* yderliggående; superfin *(fx dinner).*
ultra- ultra- *(fx short; violet);* *(fig)* hyper- *(fx smart),* super-, yderst.
ultra|ism ['ʌltrəizm] *sb* ekstremisme. **-ist** ekstremist. **-marine** [ʌltrəmə'ri:n] ultramarin(blåt); *adj* ultramarin(blå). **-montanist** [ʌltrə'mɔntənist] tilhænger af pavemagtens absolutte autoritet, ultramontanist. **-red** infrarød. **-sonic** ['ʌltrə'sɔnik] supersonisk, overlyds-.
ultra vires ['ʌltrə'vaiəri:z]: *act ~* overskride sine beføjelser *(el.* sin kompetence).
ululate ['ju:ljuleit] *vb* hyle; tude.
ululation [ju:lju'leiʃən] *sb* hylen; tuden.
Ulysses [ju'lisi:z] Ulysses, Odysseus.
umbel ['ʌmbəl] *sb (bot)* skærm. **umbel|late** ['ʌmbəleit] skærmformet. **-liferous** [ʌmbi'lifərəs] *adj* skærm-.
umber ['ʌmbə] *sb, adj* umbra; mørkebrun.
umbilical [ʌm'bilikl] *adj* navle-; *(fig)* central; *~ cord* navlestreng; *~ hernia* navlebrok.
umbilicus [ʌm'bilikəs] *sb* navle.
umbrage ['ʌmbridʒ] *sb* vrede, krænkelse, mishag; *give ~* fornærme, krænke, støde; *take ~* blive fornærmet, blive krænket, blive stødt *(at* over).
umbrageous [ʌm'breidʒəs] *adj (litt)* skyggefuld; som let bliver krænket; mistroisk.
umbrella [ʌm'brelə] *sb* paraply; *(fig)* beskyttelse; *adj* fælles- *(fx term* benævnelse); generel; *put up one's ~* slå sin paraply op.
umbrella| bird *zo* parasolfugl. *~* **frame** paraplystel. *~* **stand** paraplystativ. *~* **tree** *(bot)* parasoltræ.
umpire ['ʌmpaiə] *sb* opmand, voldgiftsmand, (i sport) dommer; *vb* være opmand *(etc);* mægle.
umpteen ['ʌmpti:n] **S** adskillige, mange, 'hundrede og sytten'.
U. N., UN *fk United Nations.*
'un [ʌn] *(vulg) = one (fx he's a good 'un).*
un- [ʌn-]: denne forstavelse bruges *bl a* foran *sb, adj* og *adv* i betydningen u-, ikke *(fx unfavourable* ugunstig; *unmailable* som ikke kan *(el.* må) sendes med posten). Når *un*-udelukkende betegner en negation, og det tilsvarende positive udtryk findes på sin alfabetiske plads her i bogen, er *un*-ordet i mange tilfælde udeladt i det følgende.
unabashed ['ʌnə'bæʃt] *adj* uforknyt; skamløs.
unabated ['ʌnə'beitid] *adj* usvækket, uformindsket.
unable ['ʌn'eibl] *adj:* *~ to* ude af stand til (at).
unabridged ['ʌnə'bridʒd] *adj* uforkortet.
unaccented ['ʌnæk'sentid] *adj* ubetonet.
unacceptable ['ʌnək'septəbl] *adj* uacceptabel, uantagelig, uvelkommen.
unaccomplished ['ʌnə'kɔmpliʃt] *adj* ufuldendt, ufærdig; uden særlige talenter.
unaccountable ['ʌnə'kauntəbl] *adj* uforklarlig; uansvarlig.
unaccustomed ['ʌnə'kʌstəmd] *adj* usædvanlig, påfaldende; *~ to* ikke vant til (at), uvant med (at).
unadopted ['ʌnə'dɔptid] *adj* (om vej) privat.
unadulterated [ʌnə'dʌltəreitid] *adj* ægte, uforfalsket.
unadvised ['ʌnəd'vaizd] *adj* ubetænksom, uklog.
unaffected ['ʌnə'fektid] *adj* ægte, oprigtig; upåvirket *(by* af).
unaided [ʌn'eidid] *adj* uden hjælp; *the ~ eye* det blotte øje.
unaligned ['ʌnə'laind] *adj* (om land) ikke tilknyttet nogen blok, neutral, alliancefri.
unalloyed ['ʌnə'lɔid] *adj* ublandet; (om metal) ulegeret.
un-American ['ʌnə'merikən] *adj* uamerikansk *(fx activities* virksomhed).
unanimity [ju:nə'nimiti] *sb* enstemmighed.
unanimous [ju'næniməs] *adj* enig, enstemmig.
unannounced ['ʌnə'naunst] *adj* som ikke er meddelt *(el.* meldt); *come in ~* komme ind uden at være meldt.
unanswerable [ʌn'a:nsrəbl] *adj* som ikke er til at svare på, uigendrivelig *(fx argument).*
unappealable ['ʌnə'pi:ləbl] *adj* inappellabel.
unapproachable [ʌnə'proutʃəbl] *adj* utilnærmelig, utilgængelig.
unargued ['ʌn'a:gju:d] *adj* ubestridt.
unarmed ['ʌn'a:md] *adj* ubevæbnet; *(mil.)* uarmeret; *~ combat* selvforsvarsteknik, *(mil.)* håndgemæng.
unashamed ['ʌnə'ʃeimd] *adj* uden skam, som ikke skammer sig; skamløs.
unasked ['ʌn'a:skt] *adj* uindbudt, uopfordret.
unassailable [ʌnə'seiləbl] *adj* uangribelig.
unassisted ['ʌnə'sistid] *adj* uden hjælp.
unassorted ['ʌnə'sɔ:tid] *adj* usorteret.
unassuming ['ʌnə'sju:miŋ] *adj* beskeden, fordringsløs.
unattached ['ʌnə'tætʃt] *adj* ikke tilknyttet nogen organisation (, gruppe *etc);* uafhængig; ledig, ugift og uforlovet.
unattainable ['ʌnə'teinəbl] *adj* uopnåelig.
unattended ['ʌnə'tendid] *adj* uden ledsager; uden opsyn; uden tilsyn; forsømt.
unavailing ['ʌnə'veiliŋ] *adj* unyttig, frugtesløs, forgæves.
unavoidable [ʌnə'vɔidəbl] *adj* uundgåelig; uomstødelig.
unavoidably [ʌnə'vɔidəbli] *adv* uundgåeligt; *be ~ absent* have lovligt forfald.
unawares [ʌnə'wɛəz] *adv* uforvarende; *take ~* overraske, overrumple, komme bag på.
unbacked ['ʌn'bækt] *adj* uden støtte; (om hest) utilreden; som ingen holder på (ved væddeløb).

unbalanced ['ʌn'bælənst] *adj* (om person) uligevægtig, eksalteret; sindsforvirret; (om ting) ikke i ligevægt; (om regnskab) ikke gjort op; som viser underskud.

unbar ['ʌn'bɑ:] *vb* lukke op, åbne.

unbearable [ʌn'bɛərəbl] *adj* utålelig, uudholdelig.

unbecoming ['ʌnbi'kʌmiŋ] *adj* upassende, usømmelig, som ikke sømmer sig *(to, for* for); (om tøj) uklædelig *(fx hat).*

unbeknown(st) ['ʌnbi'noun(st)] *adj:* ~ *to me* T uden mit vidende.

unbelief ['ʌnbi'li:f] *sb* mangel på tro, vantro.

unbeliever ['ʌnbi'li:və] *sb* vantro, ikke-troende.

unbelieving ['ʌnbi'li:viŋ] *adj* vantro, ikke-troende.

unbend ['ʌn'bend] *vb* rette ud; slappe, løsne; *(mar)* løse, (om sejl) slå fra; (uden objekt, om person) slappe af, blive gemytlig, slå sig lidt løs, frigøre sig for sin stivhed.

unbending ['ʌn'bendiŋ] *adj* ubøjelig, stiv, rank; afslappende, hvilende.

unbiassed ['ʌn'baiəst] *adj* uhildet, fordomsfri.

unbidden ['ʌn'bidn] *adj* ubuden, ikke indbudt; spontan, frivillig, af egen drift.

unbind ['ʌn'baind] *vb* løse op, løse; frigøre for bånd *el.* lænker.

unblemished [ʌn'blemiʃt] *adj* pletfri.

unblown ['ʌn'bloun] *adj* uudsprungen; ikke forpustet.

unblushing [ʌn'blʌʃiŋ] *adj* uden at rødme; skamløs, fræk.

unbolt ['ʌn'boult] *vb* åbne, skyde slåen fra; *-ed* (også) usigtet (mel).

unborn ['ʌn'bɔ:n] *adj* ufødt; *as innocent as a babe* ~ så uskyldig som barnet i moders liv.

unbosom [ʌn'buzəm] *vb* åbenbare; ~ *oneself* åbne sit hjerte.

unbound ['ʌn'baund] *præt* og *pp* af *unbind; adj* ubunden; løst af sine bånd *el.* lænker; (om bog) uindbunden.

unbounded [ʌn'baundid] *adj* ubegrænset, grænseløs.

unbowed ['ʌn'baud] *adj* ukuet, ubesejret; ret, lige.

unbrace [ʌn'breis] *vb* slappe, afslappe; slække, løsne.

unbridle [ʌn'braidl] *vb* tage bidslet af; *-d* uden bidsel, utøjlet, *(fig)* tøjlesløs.

unbroken [ʌn'broukn] *adj* uafbrudt; ubrudt, hel; (om person) ikke kuet; (om hest) utilreden, utilkørt; (om jord) uopdyrket; *an* ~ *record* en rekord som ikke er slået.

unbuckle ['ʌn'bʌkl] *vb* spænde op.

unburden [ʌn'bɔ:dn] *vb* lette *(fx* ~ *one's mind),* befri, aflaste; ~ *oneself to* betro sig til.

unbutton [ʌn'bʌtn] *vb* knappe op; *-ed* (også *fig)* formløs, tvangfri.

uncalled [ʌn'kɔ:ld] *adj* ukaldet. **uncalled-for** *adj* uønsket, upåkrævet, unødig, ubetimelig.

uncanny [ʌn'kæni] *adj* overnaturlig, uhyggelig; utrolig (god), fantastisk.

uncap [ʌn'kæp] *vb* tage hatten (, låget *etc)* af; (om flaske) lukke op, trække op.

uncared-for ['ʌn'kɛədfɔ:] *adj* uplejet, forsømt.

uncase [ʌn'keis] *vb* pakke ud, afdække; *(glds)* blotte.

unceasing [ʌn'si:siŋ] *adj* uophørlig.

unceremonious ['ʌnseri'mounjəs] *adj* ligefrem, utvungen, bramfri; formløs.

uncertain [ʌn'sɔ:tin] *adj* usikker, uvis, ubestemt; ubestemmelig *(fx age);* upålidelig *(fx weather).*

unchain ['ʌn'tʃein] *vb* løse (fra en lænke), slippe løs.

uncharitable [ʌn'tʃæritəbl] *adj* løse; hård; fordømmende; *put an* ~ *interpretation on* udlægge i den værste mening.

uncharted ['ʌn'tʃɑ:tid] *adj* ikke kortlagt; ukendt, uudforsket.

unchecked [ʌn'tʃekt] *adj* uhindret; utøjlet, tøjlesløs; ikke kontrolleret efter.

unciform ['ʌnsifɔ:m] *adj* hageformet.

unclaimed ['ʌn'kleimd] *adj* uafhentet.

unclasp [ʌn'klɑ:sp] *vb* hægte op; spænde op; åbne.

unclassified ['ʌn'klæsifaid] *adj* uklassificeret (også = ikke hemmeligstemplet).

uncle ['ʌŋkl] *sb* onkel (også om pantelåner); *Uncle Sam* USA; *Uncle Tom (am, neds)* neger der vil tækkes de hvide.

uncloak ['ʌn'klouk] *vb* tage kåben af; *(fig)* afdække, afsløre.

unclose [ʌn'klouz] *vb* åbne, *-d* åben, fri; uafgjort, stående.

unclothe ['ʌn'klouð] *vb* afklæde; *-d* nøgen.

unclouded ['ʌn'klaudid] *adj* skyfri, klar, lys.

unco ['ʌŋkou] *adj* (på skotsk) besynderlig, underlig; overordentlig, ovenud; *sb* besynderlig skabning *el.* ting; *the* ~ *guid* (ofte nedsættende) 'de missionske'.

uncoil ['ʌn'kɔil] *vb* vikle op, rulle ud.

uncoloured ['ʌn'kʌləd] *adj* ikke farvet; *(fig* også) uden overdrivelser, usminket.

un-come-at-able ['ʌnkʌm'ætəbl] *adj* T utilgængelig, utilnærmelig.

uncomfortable [ʌn'kʌmf(ə)təbl] *adj* ubehagelig; (om stol) umagelig, ubekvem; (om værelse *etc)* uhyggelig; (om person) ilde tilmode; forlegen.

uncommitted ['ʌnkə'mitid] *adj* uforpligtet; (om stat) alliancefri, neutral.

uncommon [ʌn'kɔmən] *adj* ualmindelig, usædvanlig.

uncommunicative ['ʌnkə'mju:nikətiv] *adj* umeddelsom, reserveret, tilknappet.

uncomplaining ['ʌnkəm'pleiniŋ] *adj* uden (at) klage, tålmodig.

uncompromising [ʌn'kɔmprəmaiziŋ] *adj* som ikke går på akkord, som ikke slår af på sine fordringer, kompromisløs, ubøjelig, bestemt, hård.

unconcern ['ʌnkənsə:n] *sb* ubekymrethed, ligegyldighed.

unconcerned ['ʌnkən'sə:nd] *adj:* ~ *about* ligeglad med, ubekymret for; ~ *in* ikke delagtig el. indblandet i; ~ *with* uinteresseret i.

unconditional ['ʌnkən'diʃnl] *adj* betingelsesløs, uden betingelser.

uncongenial ['ʌnkən'dʒi:njəl] *adj* usympatisk; utiltalende, ubehagelig *(fx an* ~ *task).*

unconscientious ['ʌnkɔnʃi'enʃəs] *adj* samvittighedsløs.

unconscionable [ʌn'kɔnʃnəbl] *adj* urimelig *(fx it took an* ~ *time);* samvittighedsløs.

unconscious [ʌn'kɔnʃəs] *adj* bevidstløs; ubevidst, intetanende; *be* ~ *of* ikke være sig bevidst, ikke mærke; *the* ~ *(psyk)* det ubevidste.

unconsidered ['ʌnkən'sidəd] *adj* uoverlagt; uænset.

unconstitutional ['ʌnkɔnsti'tju:ʃnl] *adj* forfatningsstridig.

uncontested ['ʌnkən'testid] *adj* uomtvistet; ~ *election* valg hvortil kun én kandidat har stillet sig.

uncontrollable ['ʌnkən'troulabl] *adj* ustyrlig, ubændig.

uncooked ['ʌn'kukt] *adj:* ~ *food* råkost.

uncork ['ʌn'kɔ:k] *vb* trække (en flaske) op.

uncounted ['ʌn'kauntid] *adj* talløs, utallig.

uncouple ['ʌn'kʌpl] *vb* løse; (om hunde) slippe løs; *(tekn)* frakoble, udkoble.

uncouth [ʌn'ku:θ] *adj* kejtet, klodset, grov; besynderlig, sær.

uncover [ʌn'kʌvə] *vb* afdække, tage låget af; blotte; *(fig)* afsløre; *(glds)* tage hatten af; *-ed* ubeskyttet, nøgen, udækket; *stand -ed* stå med blottet hoved.

uncrushable ['ʌn'krʌʃəbl] *adj* (om stof) krølfri.

unction ['ʌŋkʃn] *sb* salvning; *(fig)* salvelse; *extreme* ~ *(rel)* den sidste olie.

unctuous ['ʌŋktjuəs] *adj* fedtet; *(fig)* salvelsesfuld.

uncut ['ʌn'kʌt] *adj* ubeskåret; (om bog) uopskåret, ubeskåret; (om smykkesten) usleben.

undaunted [ʌn'dɔ:ntid] *adj* uforfærdet, uforknyt, ufortrøden.

undeceive [ʌndi'si:v] *vb* rive ud af vildfarelsen.

undecided ['ʌndi'saidid] *adj* uafgjort, ubestemt *(fx* om person) ubeslutsom.

undecked [ʌn'dekt] *adj* uden prydelse(r); (om båd) åben.

undefiled ['ʌndi'faild] *adj* ren, ubesudlet.

undemonstrative ['ʌndi'mɔnstrətiv] *adj* rolig, reserveret, tilbageholdende, behersket.

undeniable [ʌndi'naiəbl] *adj* unægtelig, ubestridelig.

undenominational ['ʌndinɔmi'neiʃnl] *adj* som ikke tilhører nogen bestemt kristelig sekt *el.* kirkelig retning, konfessionsløs.

undependable [ʌndi'pendəbl] *adj* upålidelig, ikke til at stole på.

under ['ʌndə] *præp, adv* under; ved foden af, neden for *(fx* ~ *a mountain,* ~ *a wall);* i henhold til *(fx* ~ *the provisions of the law);* (om tid) på mindre end *(fx you cannot get there* ~ *two hours);* (agr) tilsået med *(fx* ~ *barley,* ~ *wheat),* beplantet med; ~ *age* umyndig; ~ *arms* under

våben; ~ *existing conditions* således som forholdene er (, var); ~ *construction* under opførelse; ~ *one's nose* lige for næsen af en; ~ *wheat* (også) udlagt som hvedemark.
under|act ['ʌndə'rækt] *vb* underspille *(fx a role).* **-age** ['ʌndər'eidʒ] *adj (jur)* mindreårig, umyndig. **-arm** ['ʌndər'a:m] under armen(e); (om kast) underarms-. **-belly** underliv. **-bid** ['ʌndə'bid] underbyde. **-body** ['ʌndə-] understel. **-bred** ['ʌndə'bred] halvdannet, uopdragen. **-brush** ['ʌndə-] underskov. **-carriage** ['ʌndə-] understel. **-clothes** ['ʌndə-] undertøj. **-coat** ['ʌndə-] (maling:) mellemstrygning; (hos dyr) underuld. **-coating** (maling:) mellemstrygning; *(am)* (asfalt *etc* til) undervognsbehandling. **-cover** ['ʌndə'kʌvə] hemmelig; *-cover agent* (politi)spion; *-cover pay* bestikkelse. **-current** ['ʌndəkʌrənt] understrøm. **-cut** ['ʌndə'kʌt] underhugge, underskære; *(merk)* underbyde; (i tennis) ramme med underskruet slag. **-developed** ['ʌndədi'veləpt] tilbagestående, underudviklet.
under|do ['ʌndə'du:] stege (, koge) for lidt. **-dog** den svageste, den der får kløene. **-done** kogt *(el.* stegt) for lidt; rødstegt, let stegt. **-estimate** ['ʌndər'estimeit] *vb* undervurdere. **-expose** ['ʌndriks'pouz] *vb (fot)* underbelyse. **-fed** ['ʌndə'fed] underernæret. ~ **-floor heating** gulvopvarmning. **-foot** [ʌndə'fut] under fødderne; *it is dry -foot* det er tørt føre. **-garments** ['ʌndə-] undertøj. **-go** [ʌndə'gou] gennemgå, udstå, underkaste sig.
under|graduate [ʌndə'grædjuit] student (ved et universitet, især Oxford og Cambridge). **-ground** ['ʌndəgraund] *adj* underjordisk; *(fig)* undergrunds-; illegal; *sb (jernb)* undergrundsbane; *(fig)* undergrundsbevægelse; *adv* [ʌndə'graund] under jorden(s overflade); *the -ground railroad (am hist.)* før negerslaveriets afskaffelse en organisation i U.S.A., som hjalp negerslaver til flugt. **-growth** ['ʌndəgrouθ] underskov. **-hand** ['ʌndəhænd] *(fig)* under hånden; underhånds-; hemmelig, snigende, lumsk; *-hand bowling* underarmskastning. **-handed** se *-hand, -manned.* **-hung** ['ʌndə'hʌŋ] med underbid; *-hung jaw* underbid.
under|lay ['ʌndəlei] *sb* underlag; [ʌndə'lei] *vb* lægge neden under. **-let** ['ʌndə'let] *vb* udleje under værdien; fremleje. **-lie** [ʌndə'lai] ligge under, ligge til grund (for). **-line** [ʌndə'lain] *vb* understrege, udhæve; ['ʌndəlain] *sb* billedtekst; (i teaterprogram) tekst der meddeler kommende program. **-linen** ['ʌndəlinin] undertøj, linned. **-ling** ['ʌndəliŋ] *sb* underordnet. **-manned** ['ʌndə'mænd] *adj* underbemandet. **-mentioned** ['ʌndə'menʃnd] *adj* nedennævnt. **-mine** [ʌndə'main] underminere, undergrave; *(fig* også) nedbryde *(fx the morale).* **-most** ['ʌndəmoust] underst, nederst.
underneath [ʌndə'ni:θ] *præp, adv* (neden)under; *(fig)* på bunden, inderst inde *(fx she is a darling ~).*
under|pants ['ʌndəpænts] *(am)* underbukser. **-pass** ['ʌndəpa:s] underføring, viadukt; fodgængertunnel. **-pay** ['ʌndə'pei] betale for lidt, underbetale. **-peopled** underbefolket. **-pin** [ʌndə'pin] undermure, stive af, understøtte. **-plot** ['ʌndəplɔt] bihandling. **-print** ['ʌndəprint] (i filateli) bundtryk; påtryk på bagsiden. **-privileged** ['ʌndə'privilidʒd] som ikke har samme andel .i sociale goder som andre; som hører til samfundets stedbørn. **-prize** ['ʌndə'praiz] undervurdere. **-proof** ['ʌndə'pru:f] *adj* under normalstyrke (om alkohol). **-rate** [ʌndə'reit] undervurdere.
under|score [ʌndə'skɔ:] understrege. **-seal** [ʌndəsi:l] *sb* asfaltlak til undervognsbehandling; *vb* give undervognsbehandling. **-secretary:** *Parliamentary Undersecretary (omtr)* viceminister; *Permanent Undersecretary (omtr)* departementschef. **-sell** ['ʌndə'sel] sælge billigere end; sælge under værdien. **-set** ['ʌndəset] *vb* understøtte *(fx a wall);* sb underskrue. **-shirt** ['ʌndəʃə:t] *(am)* undertrøje, uldtrøje. **-shoot** [ʌndə'ʃu:t] skyde for lavt; *-shoot (the runway) (flyv)* skyde under (ɔ: gå ned foran) landingsbanen.
under|sign [ʌndə'sain] undertegne. **-sized** ['ʌndə'saizd] under normal størrelse; undermåls- *(fx fish).* **-slung** ['ʌndə'slʌŋ] underhængende *(fx crane);* med lavt tyngdepunkt. **-soil** ['ʌndəsɔil] undergrund. **-song** ['ʌndəsɔŋ] omkvæd. **-staffed** [ʌndə'sta:ft] *adj* med for lidt personale.
understand [ʌndə'stænd] *vb (understood, understood)* forstå; fatte, begribe *(fx I don't ~ how he could do it);* indse, kunne forstå *(fx I ~ that I am not wanted here);* have forstand på, forstå sig på *(fx machinery);* mene *(fx*

what do you ~ will happen?); forstå, opfatte *(fx I ~ it to mean that ...* jeg forstår *(el.* opfatter) det sådan at ...); få at vide, høre; *we ~ that he will* ... (også:) vi har bragt i erfaring at han vil ...:, vi er klare over at han vil ..., efter hvad der er oplyst vil han ...; ~ **about** have forstand på, forstå sig på; be *understood* være underforstået *(fx a condition which was either expressed or understood);* it *was understood that* (også:) det var meningen at; *he gave it to be understood that* han lod sig forlyde med at; *he -s his business* han kan sin ting; *I was given to ~ that* man lod mig forstå åt; *he can* **make** *himself understood in English* han kan gøre sig forståelig på engelsk.
understanding [ʌndə'stændiŋ] *sb* forstand; forståelse; *adj* forstandig; forstående; *it passes all ~* det overgår al forstand; *on the ~ that* under forudsætning af at; *to my poor ~* efter mit ringe skøn.
under|state ['ʌndə'steit] angive for lavt; udtrykke for svagt. **-statement** for lav angivelse, for svagt udtryk; T 'underdrivelse'. **-steer** *sb* understyring. **-steered** understyret. **-stocked** (om gård) med for lille besætning. **-strapper** ['ʌndəstræpə] underordnet funktionær; inferiør person. **-study** ['ʌndəstʌdi] *(teat) sb* dublant; *vb* dublere. **-take** [ʌndə'teik] *vb* foretage *(fx a journey);* påtage sig *(fx a duty; a case);* stå inde for, garantere; ~ *to* påtage sig at, forpligte sig til at. **-taker** ['ʌndəteikə] bedemand, indehaver af begravelsesforretning. **-taking** [ʌndə'teikiŋ] *sb* foretagende; forpligtelse, løfte, tilsagn; ['ʌndəteikiŋ] *sb* begravelsesfaget. ~ **-the-counter** (som er) under disken; skjult. **-things** *sb pl* undertøj. **-tip** *vb* give for få drikkepenge. **-tone** ['ʌndətoun] *sb* dæmpet stemme; undertone; *in an -tone* (også) halvhøjt. **-tow** ['ʌndətou] *sb* understrøm. **-trick** *sb* undertræk (i bridge). **-value** ['ʌndə'vælju:] *vb* undervurdere. ~ **way** se I. *way*. **-wear** ['ʌndəweə] *sb* undertøj. **-wood** ['ʌndəwud] underskov. **-work** ['ʌndə'wə:k] ikke arbejde (, udnytte) tilfredsstillende; *-work sby* arbejde billigere end .en. **-write** ['ʌndərait] skrive under; tegne (police, om assurandør); stå i tegningsgarant for (aktieemission). **-writer** ['ʌndəraitə] assurandør, søassuarandør; (for aktieemission)· tegningsgarant.
undesigned ['ʌndi'zaind] *adj* uforsætlig, utilsigtet.
undesirable ['ʌndi'zaiərəbl] *adj* uønsket; mindre ønskelig *(el.* heldig), uheldig; *sb* uønsket person.
undeveloped ['ʌndi'veləpt] *adj* uudviklet; uudnyttet; (om jord) uopdyrket, ubebygget.
undies ['ʌndiz] *sb* T dameundertøj.
undine ['ʌndi:n] *sb (myt)* undine (vandnymfe).
undirected ['ʌndi'rektid] *adj* ikke ledet, planløs; (om brev) uden adresse.
undisciplined [ʌn'disiplind] *adj* udisciplineret.
undisguised ['ʌndis'gaizd] *adj* utilsløret.
undismayed ['ʌndis'meid] *adj* uforfærdet, ufortrøden.
undistinguished ['ʌndi'stiŋgwiʃt] *adj* almindelig, som ikke udmærker sig fremfor andre.
undo ['ʌn'du:] *vb* løse, binde op *(fx a knot);* åbne, lukke op *(fx a parcel);* løsne, aftage; (om knapper) knappe op; (om noget der er gjort) gøre om; ødelægge, spolere, ophæve (virkningen af); (om strikketøj) pille op; *(litt)* bringe til fald; *what's done cannot be undone* gjort gerning står ikke til at ændre; *that was my -ing* det blev min ruin.
undock ['ʌn'dɔk] *vb* hale ud af (tør)dok.
undoubted [ʌn'dautid] *adj* utvivlsom, ubestridelig.
undreamed-of, undreamt-of [ʌn'dremtɔv] *adj* som man ikke har drømt om, uanet.
I. undress ['ʌn'dres] *vb* klæde af; (om sår) tage forbinding af; (uden objekt) klæde sig af.
II. undress ['ʌn'dres] *sb* negligé; almindeligt tøj, hverdagstøj; *(mil.)* daglig uniform; *in various stages of ~* mere eller mindre påklædt.
undue [ʌn'dju:] *adj* utilbørlig, overdreven, for stor *(fx ~ haste);* (om penge) endnu ikke forfalden (til betaling); ~ *influence (jur:* ved valg) valgtryk; ~ *preference (jur)* begunstigelse af en enkelt kreditor umiddelbart før konkurs.
undulant ['ʌndjulənt] *adj:* ~ *fever (med.)* kalvekastningsfeber.

undulate ['ʌndjuleit] *vb* bølge, sætte i bølgebevægelse.
undulating ['ʌndjuleitiŋ] *adj* bølgende, bølget, bakket; ~ *ground* (også) kuperet terræn.
undulation [ʌndju'leiʃn] *sb* bølgebevægelse, bølgen.
unduly [ʌn'dju:li] *adv* urimelig *(fx ~ high)*.
undying [ʌn'daiiŋ] *adj* udødelig, evig.
unearned ['ʌn'ə:nd] *adj* ikke tjent; ufortjent; ~ *income* indtægt der ikke er erhvervet ved arbejde, arbejdsfri indtægt; ~ *increment* grundværdistigning der ikke skyldes ejerens virksomhed.
unearth ['ʌn'ə:θ] *vb* grave op; grave frem; *(fig* også) bringe for dagen; (om dyr) drive ud af hulen.
unearthly [ʌn'ə:θli] *adj* overnaturlig, spøgelsesagtig, uhyggelig, sælsom; T ukristelig, skrækkelig; *get up at an ~ hour* stå op før fanden får sko på.
uneasy [ʌn'i:zi] *adj* urolig, bange; utilpas, usikker, genert, forlegen.
unemployed ['ʌnim'plɔid] *adj* arbejdsløs, ledig.
unemployment ['ʌnim'plɔimənt] *sb* arbejdsløshed, ledighed; ~ *benefit* arbejdsløshedsunderstøttelse.
unencumbered ['ʌnin'kʌmbəd] *adj* ubehæftet, gældfri.
unending [ʌn'endiŋ] *adj* endeløs, evig, evindelig.
unenviable [ʌn'enviəbl] *adj* lidet misundelsesværdig.
unequal [ʌn'i:kwl] *adj* ikke lige; ulige; *(mht* kvalitet) ujævn; *be ~ to* ikke kunne klare *(fx hard work); ~ to the task* ikke opgaven voksen.
unequalled ['ʌn'i:kwəld] *adj* uforlignelig, uden sidestykke.
unerring [ʌn'ə:riŋ] *adj* ufejlbarlig, sikker, usvigelig *(fx instinct);* aldrig svigtende.
UNESCO [ju:'neskou] *fk United Nations Educational Scientific and Cultural Organization.*
unethical ['ʌn'eθikl] *adj* umoralsk.
uneven ['ʌn'i:vn] *adj* ujævn, uensartet; (om tal) ulige.
uneventful ['ʌni'ventfl] *adj* begivenhedsløs.
unexampled [ʌnig'za:mpld] *adj* enestående, udén lige, eksempelløs.
unexceptionable [ʌnik'sepʃnəbl] *adj* udadlelig, uangribelig.
unfailing [ʌn'feiliŋ] *adj* ufejlbarlig, usvigelig, aldrig svigtende; uudtømmelig *(fx supply* forråd).
unfair [ʌn'fɛə] *adj* unfair, urimelig; ufin, uhæderlig, uærlig.
unfaithful [ʌn'feiθfl] *adj* utro, upålidelig.
unfaltering [ʌn'fɔ:ltriŋ] *adj* fast, sikker, uden vaklen.
unfamiliar ['ʌnfə'miljə] *adj* ukendt, uvant.
unfasten [ʌn'fa:sn] *vb* løse op, åbne.
unfathomable [ʌn'fæðməbl] *adj* uudgrundelig, bundløs.
unfeeling [ʌn'fi:liŋ] *adj* ufølsom, hårdhjertet.
unfeigned [ʌn'feind] *adj* uskrømtet, uforstilt.
unfettered [ʌn'fetəd] *adj* fri, uhindret, uhæmmet.
unfinished [ʌn'finiʃt] *adj* ufuldendt.
I. unfit [ʌn'fit] *adj* uegnet; uarbejdsdygtig på grund af sygdom; ikke i form.
II. unfit [ʌn'fit] *vb* gøre uegnet (, uarbejdsdygtig).
unflagging [ʌn'flægiŋ] *adj* utrættelig, aldrig svigtende.
unflappable [ʌn'flæpəbl] *adj* T uforstyrrelig, ligevægtig.
unfledged [ʌn'fledʒd] *adj* ikke flyvefærdig; *(fig)* umoden, uerfaren.
unflinching [ʌn'flintʃiŋ] *adj* uforfærdet, ubøjelig.
unfold [ʌn'fould] *vb* folde ud; brede ud; *(fig)* åbenbare, forklare, udvikle *(fx one's plans);* oprulle; (uden objekt) folde sig ud; brede sig ud; blive åbenbaret, udvikles, oprulles.
unfortunate [ʌn'fɔ:tʃnit] *adj* uheldig, ulykkelig.
unfortunately *adv* uheldigvis, desværre.
unfounded ['ʌn'faundid] *adj* ugrundet, grundløs.
unfreeze ['ʌn'fri:z] *vb* tø op; *(fig)* frigive.
unfrock ['ʌn'frɔk] *vb* fradømme (præst) kjole og krave, afskedige.
unfurl [ʌn'fə:l] *vb* udfolde; folde sig ud.
unfurnished ['ʌn'fə:niʃt] *adj* umøbleret.
ungainly [ʌn'geinli] *adj* klodset, kejtet; uskøn.
ungated [ʌn'geitid] *adj:* ~ *level crossing* ubevogtet jernbaneoverskæring.
un-get-at-able ['ʌnget'ætəbl] *adj* utilgængelig, vanskelig at komme til, utilnærmelig.
ungodly [ʌn'gɔdli] *vb* ugudelig; T ukristelig.
ungovernable [ʌn'gʌvnəbl] *adj* uregerlig, ustyrlig, ubændig.
ungraceful ['ʌn'greisful] *adj* uskøn, klodset.

ungracious ['ʌn'greiʃəs] *adj* unådig, vrangvillig.
ungrudging ['ʌn'grʌdʒiŋ] *adj* villig, uforbeholden; storsindet.
unguarded ['ʌn'ga:did] *adj* ubevogtet; uforsigtig, overilet.
unguent ['ʌŋgwənt] *sb* og *vb* salve.
ungulate ['ʌŋgjuleit] *sb* hovdyr, tåspidsgænger.
unhallowed [ʌn'hæloud] *adj* uindviet; profan; syndig.
unhampered ['ʌn'hæmpəd] *adj* uhæmmet; uhindret.
unhand [ʌn'hænd] *vb* slippe.
unhandy [ʌn'hændi] *adj* uhåndterlig, uhandelig, klodset.
unhappy [ʌn'hæpi] *adj* ulykkelig; elendig; uheldig.
unharness ['ʌn'ha:nis] *vb* tage seletøjet af.
unhasp [ʌn'ha:sp] *vb (glds)* løsne, åbne.
unheard [ʌn'hə:d] *adj* uden at blive hørt.
unheard-of [ʌn'hə:dɔv] *adj* uhørt, eksempelløs.
unheeded ['ʌn'hi:did] *adj* upåagtet.
unheeding [ʌn'hi:diŋ] *adj* uagtsom, uopmærksom.
unhesitating [ʌn'heziteitiŋ] *adj* uden betænkning, uden tøven.
unhinge [ʌn'hinʒ] *vb* løfte af hængslerne; *(fig)* bringe forstyrrelse i; (om person) bringe ud af balance, gøre sindsforvirret; *his mind became -d* han mistede forstanden.
unholy [ʌn'houli] *adj* ugudelig; T ukristelig; rædselsfuld; *in an ~ alliance* i uskøn forening; *an ~ row* et infernalsk spektakel.
unhook ['ʌn'huk] *vb* tage af krogen; hægte op; *(mar)* hugge ud.
unhoped-for [ʌn'houptfɔ:] *adj* uventet; over (al) forventning.
unhorse ['ʌn'hɔ:s] *vb* kaste af hesten.
uni- [ju:'ni] en-, enkelt-, uni-.
unicameral [ju:ni'kæmərəl] *adj* étkammer- *(fx system).*
UNICEF ['ju:nisef] *fk United Nations International Children's Emergency Fund.*
unicorn [ju:'nikɔ:n] *sb* enhjørning.
unidiomatic ['ʌnidiə'mætik] *adj* sprogstridig, ikke mundret, uidiomatisk.
unification ['ju:nifi'keiʃn] *sb* forening, samling, sammensmeltning; *(hist.)* ensretning.
uniform ['ju:nifɔ:m] *adj* ensartet, ens; jævn *(fx speed); sb* uniform, tjenestedragt; *vb* uniformere *(fx soldiers);* gøre ensartet; ~ *price* enhedspris.
uniformity [ju:ni'fɔ:miti] *sb* overensstemmelse; ensartethed; ensretning.
unify ['ju:nifai] *vb* forene, samle (til ét), sammensmelte; tilvejebringe ensartethed i; *(hist.)* ensrette.
unilateral ['ju:ni'lætərəl] *adj* ensidig.
unimaginative ['ʌni'mædʒinətiv] *adj* fantasiløs.
unimpaired ['ʌnim'pɛəd] *adj* usvækket, uformindsket, uskadt.
unimpeachable [ʌnim'pi:tʃəbl] *adj* uangribelig.
unimproved ['ʌnim'pru:vd] *adj* ikke forbedret; uopdyrket, ubebygget, ikke udnyttet.
uninformed ['ʌnin'fɔ:md] *adj* ikke underrettet; uvidende.
uninitiated ['ʌni'niʃieitid] *adj* uindviet, uerfaren.
uninjured ['ʌn'indʒəd] *adj* uskadt.
uninviting ['ʌnin'vaitiŋ] *adj* lidet indbydende, frastødende.
union ['ju:njən] *sb* forening, sammenslutning, union; (giftermål:) forbindelse, ægteskab *(fx a happy ~); (fig)* harmoni, enighed; *(trade ~)* fagforening; *(tekn)* rørforskruning; (tekstil især:) halvlærred, halvlinned; *(glds)* fattigdistrikt; fattighus *(fx go* (somewhere) *on the ~);* af fælles-*(fx ~ catalogue);* (om arbejdskraft) organiseret *(fx ~ labour; ~ man* (arbejder)); (om støf) sammensat af to tekstiler, *fx* uld og bomuld *(fx ~ cloth, ~ material); ~ linen* halvlærred, halvlinned; *the Union* (en studenterforening ved visse universiteter; Englands og Skotlands forening til ét rige; Irlands forening med Storbritannien); *(am)* unionen (ɔ: De forenede Stater) *(fx the President's message on the state of the Union).*
unionist ['ju:njənist] *sb* unionist (modstander af irsk selvstyre); konservativ; fagforeningsmedlem, organiseret arbejder.
Union Jack det britiske nationalflag.
union suit *(am)* combination (undertøj).
uniparous [ju:'nipərəs] *adj zo* som føder én unge ad gangen; *(bot)* med enkelt stængel.
unipolar [ju:'ni'poulə] *adj* enpolet.

U unique

490

unique [ju:'ni:k] *adj* enestående.
unisexual ['ju:ni'seksjuəl] *adj* enkønnet.
unison ['ju:nizn] *sb* harmoni; *in ~ (mus.)* unisont; *(fig)* i enighed, enstemmigt.
unit ['ju:nit] *sb* enhed, ener; (af firma *etc, mil.)* enhed, afdeling; *(tekn)* aggregat; *(arkit)* element *(fx kitchen ~); (mat.)* tallet 1; (i investeringsforening) andelsbevis.
unitarian [ju:ni'tɛəriən] *(rel)* unitar.
unite [ju:'nait] *vb* forene (sig), samle (sig).
united [ju:'naitid] *adj* forenet; enig; fælles, samlet; *the United Nations* De forenede Nationer; *the United Kingdom* Det forenede Kongerige (ɔ: Storbritannien og Nordirland); *the United States (of America)* De forenede Stater.
unit ǀ **furniture** byggemøbler. **~ load** standardladning.
unit trust investeringsforening.
unity ['ju:niti] *sb* enhed; harmoni, enighed; *(mat.)* tallet 1.
universal [ju:ni'və:sl] *adj* almindelig *(fx suffrage* stemmeret), almen, almengyldig, universel; universal-; *sb (filos)* universalbegreb; (i logik) universel sætning.
universality [ju:nivə:'sæliti] *sb* almindelighed, almengyldighed; alsidighed.
universal ǀ **joint** universalled. **~ language** verdenssprog.
universe [ju:nivə:s] *sb* univers, verden.
university [ju:ni'və:siti] *sb* universitet; *~ extension* (svarer til) folkeuniversitet; *~ man* akademiker.
unkempt ['ʌn'kempt] *adj* usoigneret; uredt.
unknit ['ʌn'nit] *vb* løse *(fx a knot),* adskille; (om strikketøj) pille op, trævle op; (om pande) glatte ud.
unknowing ['ʌn'nouiŋ] *adj* uvidende, uafvidende.
unlace ['ʌn'leis] *vb* snøre op, løse.
unlade ['ʌn'leid] *vb* losse, aflæsse.
unlearn ['ʌn'lə:n] *vb* få ud af hovedet igen, glemme, befri sig for.
unlearned ['ʌn'lə:nid] *adj* ulærd, uvidende; *the ~* den uvidende hob.
unleash ['ʌn'li:ʃ] *vb* slippe løs (af koblet).
unleavened ['ʌn'levnd] *adj* usyret.
unless [ən'les] *conj* medmindre, hvis ikke.
unlettered ['ʌn'letəd] *adj* ulærd, uoplyst; analfabetisk, som ikke kan læse og skrive.
unlicked ['ʌn'likt] *adj: an ~ cub (fig)* en ubehøvlet fyr, en uopdragen hvalp.
unlike ['ʌn'laik] *adj* ulig, forskellig; *præp* i modsætning til; *be ~* ikke ligne.
unlikely [ʌn'laiklj] *adj* usandsynlig.
unlimited [ʌn'limitid] *adj* ubegrænset, grænseløs, ubetinget.
unlink ['ʌn'liŋk] *vb* løse, skille.
unlisted [ʌn'listid] *adj* ikke opført på listen (, i kataloget); *(merk)* unoteret; *~ number (am, tlf)* udeladt nummer; hemmeligt nummer.
unlit ['ʌn'lit] *adj* mørk, uoplyst; ikke tændt.
unload ['ʌn'loud] *vb* losse, aflæsse; *(merk)* T sælge ud (af); *~ on to* lægge over på; *~ a gun* aflade et gevær.
unlock ['ʌn'lɔk] *vb* lukke op, åbne.
unlooked-for [ʌn'luktfɔ:] *adj* uventet.
unloose ['ʌn'lu:s] *vb* løse, frigøre, slippe løs.
unlovely ['ʌn'lʌvli] *adj* grim, utiltalende.
unlucky [ʌn'lʌki] *adj* uheldig.
unman ['ʌn'mæn] *vb* gøre modløs *(el.* svag); gøre umandig; se også *unmanned.*
unmanageable [ʌn'mænidʒəbl] *adj* uhåndterlig; uregerlig, ustyrlig; *(mar)* manøvreudygtig, ikke manøvredygtig.
unmanly ['ʌn'mænli] *adj* umandig; kvindagtig; fej.
unmanned ['ʌn'mænd] *adj* ubemandet *(fx space ship).*
unmannerly [ʌn'mænəli] *adj* uopdragen, ubehøvlet.
unmarked ['ʌn'ma:kt] *adj* umærket; ubemærket.
unmask ['ʌn'ma:sk] *vb* lade masken (, maskerne) falde; *(fig)* afsløre, rive masken af.
unmatched ['ʌn'mætʃt] *adj* uforlignelig.
unmeaning [ʌn'mi:niŋ] *adj* meningsløs, tom, indholdsløs.
unmeant ['ʌn'ment] *adj* utilsigtet.
unmeasured ['ʌn'meʒəd] *adj* ikke målt; rigelig, overdreven, grænseløs.
unmentionable [ʌn'menʃənəbl] *adj* unævnelig.
unmindful [ʌn'maindfl] *adj* glemsom; uden tanke *(of* på), ligegyldig *(of* med).
unmistakable ['ʌnmis'teikəbl] *adj* umiskendelig.

unmitigated [ʌn'mitigeitid] *adj* ubetinget; fuldstændig, ren og skær *(fx life there was ~ hell),* uforfalsket; *an ~ rascal* en ærkeslyngel.
unmoor ['ʌn'muə] *vb* kaste los, løsgøre fortøjningerne.
unmoved ['ʌn'mu:vd] *adj* ubevægelig, kold, uberørt.
unmuzzle ['ʌn'mʌzl] *vb* tage mundkurven af; *-d (fig, fx* om pressen) uden mundkurv, fri.
unnamed ['ʌn'neimd] *adj* unævnt, uomtalt, navnløs.
unnatural [ʌn'nætʃrəl] *adj* unaturlig.
unnecessary [ʌn'nesisri] *adj* unødvendig.
unneeded ['ʌn'ni:did] *adj* unødig.
unnerve ['ʌn'nə:v] *vb* gøre modløs, tage modet fra.
unnoticed ['ʌn'noutist] *adj* ubemærket, uomtalt.
unnumbered [ʌn'nʌmbəd] *adj* utallig, talløs.
UNO ['ju:nou] *fk United Nations Organization.*
unobjectionable ['ʌnəb'dʒekʃənəbl] *adj* som der ikke kan indvendes noget imod, uangribelig.
unobtrusive ['ʌnəb'tru:siv] *adj* beskeden, stilfærdig, tilbageholdende.
unoffending ['ʌnə'fendiŋ] *adj* uskyldig, uskadelig, skikkelig, harmløs.
unopened ['ʌn'oupənd] *adj* uåbnet; (om bog) uopskåret.
unopposed ['ʌnə'pouzd] *adj* (især): uden modkandidat.
unostentatious ['ʌnɔsten'teiʃəs] *adj* diskret *(fx elegance);* tilbageholdende, stilfærdig, fordringsløs.
unowned ['ʌn'ound] *adj* herreløs; ikke vedgået.
unpack ['ʌn'pæk] *vb* pakke ud.
unpaged ['ʌn'peidʒd] *adj* upagineret.
unpaid ['ʌn'peid] *adj* ubetalt; ulønnet.
unpalatable [ʌn'pælətəbl] *adj* ildesmagende; usmagelig; ubehagelig *(fx fact, truth).*
unparalleled ['ʌn'pærəleld] *adj* uden sidestykke.
unparliamentary ['ʌnpa:lə'mentəri] *adj* uparlamentarisk.
unpeopled ['ʌn'pi:pld] *adj* affolket, ubefolket.
unperceived ['ʌnpə'si:vd] *adj* ubemærket.
unperson ['ʌnpə:sn] *sb (pol)* tidligere offentlig person der er stødt ud i mørket.
unperturbed ['ʌnpə'tə:bd] *adj* uforstyrret, rolig.
unpick ['ʌn'pik] *vb* (om noget syet) sprætte op, pille op.
unpickable [ʌn'pikəbl] *adj* dirkefri.
unpitying [ʌn'pitiiŋ] *adj* ubarmhjertig.
unplaced ['ʌn'pleist] *adj* uplaceret (i væddeløb).
unpleasant [ʌn'pleznt] *adj* ubehagelig. **unpleasantness** ubehagelighed; kedelig affære; misstemning.
unprecedented [ʌn'presidentid] *adj* uden fortilfælde, uhørt, enestående, eksempelløs.
unprejudiced [ʌn'predʒudist] *adj* fordomsfri, upartisk, uhildet.
unprepossessing ['ʌnpri:pə'zesiŋ] *adj* utiltalende.
unpretending ['ʌnpri'tendiŋ] *adj* fordringsløs.
unprincipled [ʌn'prinsəpld] *adj* principløs, samvittighedsløs, umoralsk.
unprintable [ʌn'printəbl] *adj* som ikke lader sig gengive på tryk.
unprivileged [ʌn'privilidʒd] *adj (am)* som hører til de dårligst stillede i samfundet.
unprofessional ['ʌnprə'feʃənl] *adj* ikke fagmæssig, ikke professionel; *~ conduct* en optræden som strider mod standens etikette.
unprofitable [ʌn'prɔfitəbl] *adj* urentabel.
unprop ['ʌn'prɔp] *vb* borttage støtten fra, fjerne afstivningen fra.
unprovided ['ʌnprə'vaidid] *adj* ikke forsynet; uforberedt; uventet; *~ for* uforsørget.
unprovoked ['ʌnprə'voukt] *adj* uprovokeret; umotiveret.
unqualified ['ʌn'kwɔlifaid] *adj* ukvalificeret; [ʌn'kwɔlifaid] absolut, ubetinget *(fx praise).*
unquenchable [ʌn'kwenʃəbl] *adj* uslukkelig.
unquestionable [ʌn'kwestʃənəbl] *adj* ubestridelig.
unquestioned [ʌn'kwestʃnd] *adj* ubestridt.
unquestioning [ʌn'kwestʃəniŋ] *adj* ubetinget, blind *(fx ~ obedience).*
unquiet ['ʌn'kwaiət] *adj* urolig; *sb* uro.
unquote ['ʌn'kwout] *(imper)* (i diktat) anførelsestegn slut; (i tale *etc)* citat slut.
unravel [ʌn'rævl] *vb* rede ud, trævle op, (om strikketøj også) pille op; *(fig)* rede ud; opklare, løse *(fx ~ a mystery).*

unread ['ʌn'red] *adj* ulæst; ubelæst.
unready ['ʌn'redi] *adj* ikke parat; uforberedt; rådvild.
unreason ['ʌn'ri:zn] *sb* ufornuft. **unreasonable** [ʌn'ri:znəbl] *adj* urimelig, overdreven. **unreasoning** [ʌn'ri:zniŋ] *adj* tankeløs, kritikløs.
unreel [ʌn'ri:l] *vb* afhaspe, rulle af, vikle af.
unreflecting ['ʌnri'flektiŋ] *adj* tankeløs, kritikløs.
unregenerate [ʌnri'dʒenərit] *adj* fordærvet, uforbederlig; *(rel)* ikke genfødt.
unrelenting ['ʌnri'lentiŋ] *adj* ubøjelig, ubønhørlig.
unreliable ['ʌnri'laiəbl] *adj* upålidelig.
unremitting [ʌnri'mitiŋ] *adj* uophørlig, utrættelig.
unrepenting ['ʌnri'pentiŋ] *adj* uden anger, forstokket.
unrequited ['ʌnri'kwaitid] *adj* ugengældt *(fx love)*.
unreserved ['ʌnri'zə:vd] *adj* uforbeholden; ikke reserveret, frimodig, åbenhjertig. **unreservedly** [ʌnri'zə:vidli] *adv* uforbeholdent *(etc)*.
unresisting ['ʌnri'zistiŋ] *adj* uden modstand; modstandsløs, viljeløs.
unresolved ['ʌnri'zɔlvd] *adj* uopløst; *(om problem)* uløst; *(om person)* ubeslutsom.
unrest ['ʌn'rest] *sb* uro.
unrestrained ['ʌnri'streind] *adj* uindskrænket; tøjlesløs.
unrestricted ['ʌnri'striktid] *adj* uindskrænket, ubegrænset; ~ *road* vej uden fartbegrænsning.
unrhymed ['ʌn'raimd] *adj* urimet, rimfri.
unriddle [ʌn'ridl] *adj* forklare, løse.
unrig [ʌn'rig] *vb* aftakle, afrigge.
unrighteous [ʌn'raitʃəs] *adj* uretfærdig, ond, syndig.
unrip [ʌn'rip] *vb* sprætte op.
unrivalled ['ʌn'raivld] *adj* uden lige, uforlignelig.
unrobe ['ʌn'roub] *vb* afklæde, afføre (sig) embedsdragten.
unroll ['ʌn'roul] *vb* rulle (sig) ud; åbne (sig).
UNRRA *fk United Nations Relief and Rehabilitation Administration* De forenede Nationers Nødhjælps- og Genrejsningsadministration.
unruffled ['ʌn'rʌfld] *adj* uforstyrret, rolig, uanfægtet; *(om hav)* stille, glat.
unruly [ʌn'ru:li] *adj* uregerlig.
unsaddle ['ʌn'sædl] *vb (om hest)* afsadle; *(om rytter)* kaste af sadelen.
unsafe ['ʌn'seif] *adj* usikker, farlig; upålidelig.
unsalaried ['ʌn'sælərid] *adj* ulønnet.
unsatisfied ['ʌn'sætisfaid] *adj* utilfreds; utilfredsstillet, umættet; *(om fordring)* ikke opfyldt; ikke fyldestgjort; *an* ~ *need* et uopfyldt (, udækket) behov.
unsaturated [ʌn'sætjureitid] *adj (kem)* umættet.
unsavoury ['ʌn'seivəri] *adj* uappetitlig; flov, uden smag; *(fig)* usmagelig, uappetitlig, modbydelig *(fx affair)*.
unsay ['ʌn'sei] *vb* tage (sine ord) tilbage; *leave it unsaid* lade være med *(el.* undlade*)* at sige det; lade det være usagt.
unscalable ['ʌn'skeiləbl] *adj* ubestigelig.
unscale [ʌn'skeil] *vb* fjerne kedelsten fra.
unscathed ['ʌn'skeiðd] *adj* uskadt; *escape* ~ *(også)* gå ram forbi.
unschooled ['ʌn'sku:ld] *adj* ustuderet, ulærd; uskolet, uøvet, uerfaren.
unscramble [ʌn'skræmbl] *vb* T bringe orden i; *(om meddelelse)* udkode, bringe på forståelig form.
unscrew ['ʌn'skru:] *vb* skrue af, skrue op.
unscrupulous [ʌn'skru:pjuləs] *adj* hensynsløs, samvittighedsløs.
unseal ['ʌn'si:l] *vb* tage seglet af, bryde, brække, åbne.
unseam ['ʌn'si:m] *vb* sprætte (en søm) op.
unsearchable [ʌn'sə:tʃəbl] *adj* uransagelig, uudgrundelig.
unseasonable [ʌn'si:znəbl] *adj* som ikke stemmer med årstiden; ubetimelig, utidig, uheldig, upassende.
unseat ['ʌn'si:t] *vb* berøve mandatet *(el.* embedet*)*, afsætte, vælte *(fx a Government)*, styrte *(fx a tyrant)*; *be -ed (om rytter)* blive kastet af.
unsecured ['ʌnsi'kjuəd] *adj* ikke sikret; *(merk)* dækningsløs, udækket; ~ *credit* blankokredit; ~ *creditor* simpel kreditor.
unseeing [ʌn'si:iŋ] *adj* blind, intet seende, åndsfraværende.
unseemly [ʌn'si:mli] *adj* usømmelig; upassende.
unseen ['ʌn'si:n] *adj* uset, usynlig; extempore; *sb* ekstemporaltekst.

unselfish ['ʌn'selfiʃ] *adj* uegennyttig, uselvisk.
unsent ['ʌn'sent] *adj* ikke (af)sendt; ~ *for* ukaldet.
unserviceable ['ʌn'sə:visəbl] *adj* uanvendelig, ubrugelig.
I. unset [ʌn'set] *vb* fjerne fra indfatningen.
II. unset ['ʌn'set] *adj* uindfattet.
unsettle ['ʌn'setl] *vb* rokke ved, forrykke; gøre usikker, forurolige, gøre nervøs.
unsettled ['ʌn'setld] *adj* urolig, usikker, ustabil; *(om vejr)* ustabil, ustadig, foranderlig; *(om gæld)* ubetalt, ikke afviklet; *(om problem)* ikke afgjort; *(om person)* urolig, usikker, nervøs.
unsettling ['ʌn'setliŋ] *adj* foruroligende.
unsewn [ʌn'soun] *pp: come* ~ gå op i syningen.
unsex [ʌn'seks] *vb* gøre kønsløs, gøre ukvindelig; ~ *oneself* blive ukvindelig, optræde på ukvindelig måde. **unsexed** [ʌn'sekst] *adj* ukvindelig.
unshackle ['ʌn'ʃækl] *vb* løse (af lænke), frigøre; *(mar)* hugge ud.
unshaken ['ʌn'ʃeikn] *adj* urokket, urokkelig.
unsheathe ['ʌn'ʃi:ð] *vb* drage af skeden.
unsheltered ['ʌn'ʃeltəd] *adj* uden ly, udækket, ubeskyttet, udsat.
unship ['ʌn'ʃip] *vb* losse, landsætte; lægge (årene) ind; ~ *the tiller* tage rorpinden af.
unshod ['ʌn'ʃɔd] *adj* uden sko, uskoet.
unshorn ['ʌn'ʃɔ:n] *adj* uklippet, uraget; ubeskåret.
unshrinkable ['ʌn'ʃriŋkəbl] *adj* krympefri.
unshrinking [ʌn'ʃriŋkiŋ] *adj* uforsagt, uforfærdet.
unsightly [ʌn'saitli] *adj* uskøn, grim.
unsinkable [ʌn'siŋkəbl] *adj* synkefri.
unskilled ['ʌn'skild] *adj* ufaglært; ~ *labourer* arbejdsmand.
unslaked ['ʌn'sleikt] *adj* uslukket *(fx thirst)*; ~ *lime* ulæsket kalk.
unsmiling [ʌn'smailiŋ] *adj* uden at smile, gravalvorlig.
unsolicited ['ʌnsə'lisitid] *adj* uopfordret; som man ikke har anmodet om.
unsolved [ʌn'sɔlvd] *adj* uløst, uopklaret.
unsophisticated ['ʌnsə'fistikeitid] *adj* ukunstlet, naturlig, umiddelbar; enkel, simpel; ublandet, ren.
unsound [ʌn'saund] *adj* usund, sygelig; *(om varer)* beskadiget; *(om frugt, træ)* dårlig, rådden; *(like stabil)* usolid; *(økonomisk)* usolid; *(om påstand etc)* løs, uholdbar; upålidelig; *(om sønd)* urolig; *of* ~ *mind* sindsforvirret; *while of* ~ *mind* i sindsforvirring.
unsounded [ʌn'saundid] *adj* ikke pejlet, ikke loddet; ikke udtalt, stum *(fx letter)*.
unsparing [ʌn'spɛəriŋ] *adj* rundhåndet, gavmild; skånselsløs, streng.
unspeakable [ʌn'spi:kəbl] *adj* usigelig *(fx horror)*; ubeskrivelig; under al kritik *(fx the hotels there are ~)*.
unspecified ['ʌn'spesifaid] *adj* uspecificeret; ikke nærmere angivet.
unspotted ['ʌn'spɔtid] *adj* uplettet, pletfri.
unstable ['ʌn'steibl] *adj* ustabil; vaklende, usikker; skiftende, uregelmæssig, ujævn; *(om karakter)* ustadig, upålidelig, uligevægtig; *(kem)* ustabil; ~ *equilibrium* ustadig ligevægt.
unstamped ['ʌn'stæmpt] *adj* ustemplet; ufrankeret.
unsteady ['ʌn'stedi] *adj* ikke fast; vaklevorn, vaklende *(fx ladder)*; usikker *(fx ~ on his legs)*, rystende *(fx with an ~ hand)*; *(skiftende:)* uregelmæssig *(fx pulse)*, ujævn; *(om person)* ustadig, upålidelig, uligevægtig; *(om livsførelse)* uordentlig.
unstinted [ʌn'stintid] *adj* givet med rund hånd; uforbeholden *(fx praise)*.
unstitch ['ʌn'stitʃ] *adj* sprætte op, pille op.
unstop ['ʌn'stɔp] *vb* åbne, tage proppen op af; klare, rydde; *-ped* åben, uhindret.
unstrained [ʌn'streind] *adj* usigtet, ufiltreret; utvungen, naturlig.
unstrap [ʌn'stræp] *vb* spænde remmene (, remmen) op på *(fx ~ a trunk)*, åbne.
unstressed [ʌn'strest] *adj* ubetonet, trykløs.
unstring [ʌn'striŋ] *adj (om instrument)* tage strengene af; *(om perler)* tage af en snor *(fx ~ some beads)*.
unstrung [ʌn'strʌŋ] *adj (om person)* opreven, nervøs; *(om instrument)* med løse strenge; uden strenge.
unstuck ['ʌn'stʌk] *adj* ikke sammenlimet (, sammenklæ-

bet); **come ~** gå op (i limningen); *(fig)* mislykkes, slå fejl, bryde sammen.

unstudied ['ʌn'stʌdid] *adj* ukunstlet, naturlig, spontan.

unsubstantial ['ʌnsəb'stænʃl] *adj* utilstrækkelig *(fx meal)*; usolid; uvirkelig, uholdbar.

unsubstantiated [ʌnsəb'stænʃieitid] *adj* uunderbygget *(fx assertion)*; ubekræftet, løs *(fx rumour)*.

unsung ['ʌn'sʌŋ] *adj* ubesunget.

unsunned ['ʌn'sʌnd] *adj* som solen ikke skinner på.

unsurpassed ['ʌnsə'pa:st] *adj* uovertruffet, uovertræffelig.

unsuspected ['ʌnsə'spektid] *adj* ikke mistænkt; uanet.

unsuspecting ['ʌnsə'spektiŋ] *adj* umistænksom, intetanende, troskyldig.

unswear [ʌn'swɛə] *vb* tilbagekalde (en ed); afsværge.

unswerving [ʌn'swə:viŋ] *adj* usvigelig, aldrig svigtende, fast, urokkelig.

unsympathetic ['ʌnsimpə'θetik] *adj* afvisende, udeltagende, hårdhjertet; usympatisk.

untangle ['ʌn'tæŋgl] *vb* udrede.

untarnished ['ʌn'ta:niʃt] *adj* (også *fig)* ikke anløbet, ikke falmet; med uformindsket glans; pletfri.

untaught ['ʌn'tɔ:t] *adj* ulært, medfødt, instinktmæssig; uvidende.

unteach [ʌn'ti:tʃ] *vb* få til at glemme.

untenanted ['ʌn'tenəntid] *adj* tom, ubeboet, ledig.

unthankful ['ʌn'θæŋkful] *adj* utaknemmelig.

unthinkable [ʌn'θiŋkəbl] *adj* utænkelig, højst usandsynlig, utrolig.

unthinking [ʌn'θiŋkiŋ] *adj* tankeløs, ubetænksom, kritikløs.

unthought-of [ʌn'θɔ:tɔv] *adj* uanet, usandsynlig, uventet.

unthread ['ʌn'θred] *vb* tage tråden(e) ud af; *(fig)* løse, udrede; finde vej igennem.

untidy [ʌn'taidi] *adj* uordentlig, usoigneret.

untie ['ʌn'tai] *vb* løse (op), binde op, snøre op.

until [ən'til] *præp, conj* indtil, til; *not ~* ikke før, først da, først.

untilled ['ʌn'tild] *adj* udyrket, uopdyrket.

untimbered ['ʌn'timbəd] *adj* skovløs.

untimely [ʌn'taimli] *adj* altfor tidlig *(fx his ~ death)*; ubetimelig; malplaceret *(fx joke)*; uheldig *(fx at an ~ hour)*.

untiring [ʌn'taiəriŋ] *adj* utrættelig.

untitled [ʌn'taitld] *adj* ubetitlet, (ofte =) ikke-adelig.

unto ['ʌntu, 'ʌntə] *præp* (især bibelsk:) til.

untold ['ʌn'tould] *adj* ikke fortalt *(fx tales)*; utallig *(fx during ~ centuries)* talløs; usigelig *(fx suffering)*; *~ wealth* umådelige rigdomme.

untouchable [ʌn'tʌtʃəbl] *adj* urørlig; (i Indien) kasteløs; *sb* paria.

untoward [ʌn'touəd] *adj* uheldig, ubelejlig; *(glds)* egensindig, genstridig.

untraceable ['ʌn'treisəbl] *adj* der ikke lader sig (efter)spore, uransagelig.

untrammelled [ʌn'træmld] *adj* uhindret, ubesværet, uhæmmet.

untranslatable ['ʌntræns'leitəbl] *adj* uoversættelig.

untried ['ʌn'traid] *adj* uforsøgt, uprøvet, uafgjort.

untrodden ['ʌn'trɔdn] *adj* ubetrådt, ubanet.

untrue ['ʌn'tru:] *adj* usand, falsk, urigtig; (om person) utro, falsk.

untuck ['ʌn'tʌk] *adj* smøge ned.

untuned ['ʌn'tju:nd] *adj* ikke stemt, forstemt.

unturned ['ʌn'tə:nd] *adj* ikke vendt; (se også *stone)*.

untutored ['ʌn'tju:təd] *adj* uskolet, uuddannet; uoplyst.

untwine [ʌn'twain] *vb* løse op, flette op, rede ud.

untwist ['ʌn'twist] *vb* vikle op, løse.

I. unused [ʌn'ju:zd] *adj* ubenyttet *(fx room)*; ubrugt; (om frimærke også) ustemplet.

II. unused ['ʌn'ju:st] *adj* ikke vant *(to* til).

unusual [ʌn'ju:ʒuəl] *adj* ualmindelig, usædvanlig.

unutterable [ʌn'ʌtrəbl] *adj* usigelig, ubeskrivelig; *sb:* -*s (glds)* unævnelige (ɔ: benklæder).

unvaried [ʌn'vɛərid] *adj* uforandret, stadig; ensformig.

unvarnished ['ʌn'va:niʃt] *adj* uferniseret; [ʌn'va:niʃt] usminket, usmykket *(fx truth)*.

unveil [ʌn'veil] *vb* afdække, afsløre; (uden objekt, *fig)* afsløre sig, vise sin sande karakter.

unvoiced ['ʌn'vɔist] *adj* uudtalt; *(fon)* ustemt.

unwarrantable [ʌn'wɔr(ə)ntəbl] *adj* uberettiget, uforsvarlig.

unwarranted [ʌn'wɔr(ə)ntid] *adj* uberettiget *(fx supposition)*, ubeføjet *(fx interference)*; ['ʌn'wɔr(ə)ntid] uden garanti.

unwary ['ʌn'wɛəri] *adj* uforsigtig, ubesindig.

unwashed ['ʌn'wɔʃt] *adj* uvasket, ikke beskyllet; *the great ~ (glds* **T)** den store hob.

unwatered ['ʌn'wɔ:təd] *adj* uden vand; ikke fortyndet; ikke vandet.

unwavering [ʌn'weivriŋ] *adj* uden vaklen, bestemt, fast.

unwearied [ʌn'wiərid], **unwearying** [ʌn'wiəriiŋ] *adj* ihærdig, utrættet, utrættelig, ufortrøden.

unwell ['ʌn'wel] *adj* ikke rask, utilpas.

unwept ['ʌn'wept] *adj* ubegrædt.

unwieldy [ʌn'wi:ldi] *adj* besværlig, tung, uhåndterlig, klodset.

unwilling ['ʌn'wiliŋ] *adj* uvillig, modstræbende; -*ly* ugerne, nødig.

unwind ['ʌn'waind] *vb* vikle af, afhaspe; rulle ud; (uden objekt) vikle sig af, rulle sig ud; (om person) slappe af.

unwise ['ʌn'waiz] *adj* uklog, uforstandig.

unwitting [ʌn'witiŋ] *adj*, **unwittingly** [ʌn'witiŋli] *adv* uafvidende, uforvarende, ubevidst.

unwonted [ʌn'wountid] *adj (glds)* uvant, ualmindelig.

unworkable ['ʌn'wə:kəbl] *adj* uigennemførlig *(fx plan)*, uanvendelig *(fx method)*; uhåndterlig.

unworkmanlike ['ʌn'wə:kmənlaik] *adj* ufagmæssig; fuskeragtig, dilettantisk.

unworldly ['ʌn'wə:ldli] *adj* overjordisk; (om person) naiv, verdensfjern; idealistisk.

unwrap ['ʌn'ræp] *vb* pakke op, pakke ud.

unwritten ['ʌn'ritn] *adj* uskrevet *(fx law)*; ubeskrevet *(fx postcard)*.

unyielding [ʌn'ji:ldiŋ] *adj* ubøjelig, stejl, urokkelig, som ikke viger en tomme.

unyoke ['ʌn'jouk] *vb* spænde fra, løse.

unzip [ʌn'zip] *vb* åbne lynlåsen på, lyne op (, ned); -*ped (am* også) uden postnummer.

U. of S. Afr. *fk Union of South Africa.*

I. up [ʌp] *adv* op *(fx ~ to the top, ~ to Scotland)*; hen *(fx I stepped ~ to a policeman to ask him the way)*; frem *(fx move ~ into the lead)*; oppe *(fx stay ~ all night)*; henne; fremme; *(fig)* i gære, på færde, i vejen *(fx what's ~ ?)* (færdig:) forbi, til ende, udløbet *(fx time is ~)*; (fuldstændigt:) i *(fx button ~, shut ~)*, til *(fx freeze ~)*, sammen *(fx fold ~; shrivel ~* skrumpe sammen), ind *(fx dry ~)*, op *(fx burn ~, eat ~)*, helt *(fx finish ~* gøre helt færdig); i stykker, itu *(fx smash ~; tear ~ a letter)*;
~ and down frem og tilbage; op og ned; *(mar)* ret op; *be ~* være oppe *(ɛ*. se ovenfor); (i sport) være foran *(mht* point); (om priser) være steget; *be ~ and about* være i gang igen (efter sygdom); *be ~ and doing* være i fuld aktivitet; *his blood (el. temper) is ~* hans blod er kommet i kog; han er gal i hovedet; *~ here* her op(pe); *~ there* der op(pe);
(forb med præp) be ~ **against** stå over for, have at gøre med *(fx a formidable enemy)*; *be ~ against it* **T** hænge på den; *the case is ~* **before** *the court* sagen er for (til behandling) i retten; *prices are ~* **by** *40 %* priserne er steget 40 %; *be ~* **for** *election* være på valg; være opstillet; *he is ~* **for** *(jur)* han kan vente en dom (, bøde) for *(fx he is ~ for speeding again)*; *be ~* **in** *arms* være i harnisk; *be well ~* **in** *(el. on) (fig)* være inde i; være dygtig til (, i) *(fx mathematics)*; *be ~* **on** (om priser) være steget i forhold til; *be ~* **to** påhvile, **T** være op til *(fx it is ~ to me to do it)*; kunne stå mål med, være på højde med *(fx he is not ~ to you as a man of science)*; magte, kunne bestride *(fx he is not ~ to his job)*; pønse på, have for *(fx what is he ~ to now?)*; tage sig for, bedrive *(fx what have you been ~ to?)*; *not ~ to much* ikke meget bevendt; *he is ~ to no good* han har ondt i sinde; *~ to now* indtil nu, hidtil; *it is ~ to him* to (også:) det er ham der skal *(fx make the next move)*; *it is all ~* **with** *him* det er ude med ham; *what is ~ with you?* hvad er der i vejen med dig?

II. up [ʌp] *præp* op ad *(fx walk ~ a mountain, ~ the street)*; op i *(fx climb ~ a tree)*; ind i *(fx travel ~ (the)*

country); imod, op mod, op ad *(fx row ~ the stream)*.
III. up [ʌp] *sb* opgangsperiode; skråning opad; *on the ~* for opadgående; *on the ~ and ~*, se *up-and-up; ups and downs* omskiftelser.
IV. up [ʌp] *vb* **T** løfte; hæve; forøge; **S** fare op (og), pludselig give sig til at; *he ups and says (omtr)* så var han der jo straks og sagde.
U. P. ['ju: 'pi]: *it's all ~* **S** det er slut; så er det bal forbi.
up-and-coming, up-and-doing *adj* energisk, initiativrig.
up-and-up *sb*: *on the ~ (am)* regulært, ærligt; opadgående, i stadig fremgang; *be on the ~* (også) blive bedre og bedre.
upas ['ju:pəs] *sb (bot)* upastræ; upas (gift).
upbeat ['ʌpbi:t] *sb (mus.)* opslag, optakt; *adj* **T** munter, optimistisk.
up-bow ['ʌpbou] *sb (mus.)* opstrøg.
upbraid [ʌp'breid] *vb* bebrejde; *~ sby with (el. for) sth* bebrejde en noget.
upbringing ['ʌpbriŋiŋ] *sb* opdragelse.
upcast ['ʌpka:st] *adj* opadvendt; *sb* luftkanal i kulmine.
up-country [ʌp'kʌntri; som *adv* ʌp'kʌntri] *sb* det indre af landet; *adj, adv* inde i landet, ind i landet.
update ['ʌp'deit] *vb* **T** ajourføre; modernisere.
upend [ʌp'end] *vb* stille (, sætte) på højkant; rejse op; *(fig)* sætte på den anden ende; lave omvæltning i, omkalfatre *(fx society)*.
upgrade ['ʌpgreid] *vb* forbedre, højne; (om person) forfremme; (om stilling) flytte op i en højere lønklasse, opnormere; (om vare) forbedre kvaliteten af; *on the ~* i stigning; for opadgående; ved at blive bedre.
upheaval [ʌp'hi:vl] *sb* omvæltning; postyr, opstandelse; *(geol)* landhævning.
uphill ['ʌp'hil] *vb* ad op ad bakke, opad; *adj* som går op ad bakke, opadgående; *(fig)* (langsom og) besværlig, tung.
uphold [ʌp'hould] *vb (upheld, upheld)* holde oppe *(fx their morale; her faith (, pride) upheld her)*; holde fast ved *(fx a tradition)*, hævde *(fx the honour of one's country)*, opretholde *(fx discipline)*; *(jur)* lade stå ved magt, stadfæste *(fx a decision)*; give medhold; *his claim was upheld by the court* retten tog hans påstand til følge.
upholster [ʌp'houlstə] *vb* polstre, betrække; arbejde som møbelpolstrer.
upholsterer [ʌp'houlstrə] *sb* møbelpolstrer, tapetserer.
upholstery [ʌp'houlstri] *sb* møbelpolstring; polstrede varer; (stof:) betræk, møbelstof, (i bil) indtræk.
upkeep ['ʌpki:p] *sb* vedligeholdelse; vedligeholdelsesomkostninger.
upland ['ʌplənd] *sb* højland; *adj* højlands-.
I. uplift [ʌp'lift] *vb* hæve, løfte; *(fig)* højne (moralsk, kulturelt); opbygge; virke opløftende på.
II. uplift ['ʌplift] *sb* højnelse (kulturelt, moralsk); løftelse, begejstring; **T** opbyggelse, moralisering; *(geol)* hævning; *adj* moraliserende; *~ pressure (tekn)* opdrift.
upon [ə'pɔn], se *on.*
upper ['ʌpə] *adj* over-, højere, øverst; *(geogr)* Øvre *(fx Silesia)*; *sb* overlæder; *(am* **T**) overkøje; *be (down) on one's -s (fig* **S**) være på knæene, være ludfattig; *have the ~ hand of* have magt over; *get the ~ hand of* få overtaget over.
upper|circle *(teat,* svarer til) første etage. *~ class (,* **T**: **crust**) overklasse. **-cut** opadvendt (boksestød). *~ hand* se *upper.* *~ house (parl)* førstekammer; *the Upper House* overhuset. *~ jaw* overkæbe. *~ lip* overlæbe; (se også I. *stiff)*.
uppermost ['ʌpəmoust] *adj, adv* øverst; *whatever comes ~ in one's mind* hvad der først falder en ind.
upper|storey **T** øverste etage (≈ hovedet). *~ ten (thousand)* upper ten, aristokrati. *~ works (mar)* overskib.
uppish ['ʌpiʃ], **uppity** ['ʌpiti] *adj* **T** kæphøj, storsnudet; fræk.
up platform *(jernb)* perron hvorfra tog til London *(el. nærmeste storby)* afgår.
upright ['ʌp'rait] *adj* opretstående, oprejst, rank; ['ʌprait] retskaffen, redelig; *sb* stander; stolpe; *-s pl (mar)* dæklaststøtter; *~ piano* opretstående klaver; *~ size (typ)* højformat.
uprising [ʌp'raiziŋ] *sb* rejsning, opstand.
uproar ['ʌprɔ:] *sb* larm, spektakel, tumult.

uproarious [ʌp'rɔ:riəs] *adj* larmende, stormende.
uproot [ʌp'ru:t] *vb* rykke op med rode; løsrive, udrydde; *-ing of trees* trærydning.
ups-a-daisy ['ʌpsə'deizi] *interj: ~ !* (til barn) opsedasse.
I. upset [ʌp'set] *vb (upset, upset)* vælte, kæntre *(fx the boat)*; *(fig)* bringe uorden i, vælte, forstyrre, kuldkaste *(fx their plans)*; (om person) bringe ud af ligevægt *(fx she is easily ~)*; chokere, ryste, gøre bestyrtet; gøre syg; (i sport) slå; *(tekn)* opstukke; *it -s my stomach* jeg kan ikke tåle det.
II. upset [ʌp'set] *sb* fald; forstyrrelse; strid; uventet nederlag; *stomach ~* mavetilfælde.
III. upset [ʌp'set] *adj* ked af det, nedtrykt; ude af balance, bestyrtet, chokeret, rystet.
IV. upset ['ʌpset] *adj: ~ price (am)* minimumspris.
upshot ['ʌpʃɔt] *sb* resultat, udfald.
upside ['ʌpsaid] *sb* overside, øvre side; afgangsside for tog til London *(el. nærmeste storby)*.
upside-down ['ʌpsaid'daun] *adj* omvendt, på hovedet *(fx he held the book ~)*; bagvendt *(fx logic)*; *turn ~* vende op og ned på, vende på hovedet; endevende; sætte på den anden ende.
upstage ['ʌp'steidʒ] *adj, adv* (på scene) i baggrunden; *(fig)* snobbet, indbildsk, vigtig, hoven; *vb* stjæle billedet fra, stille i skygge.
upstairs ['ʌp'stɛəz] *adj, adv* ovenpå; op ad trappen.
upstanding [ʌp'stændiŋ] *adj* velbygget, rank; *(fig)* retskaffen, redelig.
upstart ['ʌpsta:t] *sb* opkomling, parvenu.
upstate ['ʌp'steit] *adj (am)* vedrørende den del af en stat der ligger længst væk fra en storby *(el.* længst mod nord); *sb* (især:) den nordlige del af staten New York.
upstream ['ʌp'stri:m] *adj* mod strømmen.
upstroke ['ʌpstrouk] *sb* opstreg; (om stempel) opgang.
upsurge ['ʌpsə:dʒ] *sb* voldsom *el.* pludselig stigning.
upsy-daisy ~ *ups-a-daisy.*
uptake ['ʌpteik] *sb* optræk (til skorsten); *quick (, slow) on the ~* hurtig (, langsom) i opfattelsen *(el.* i vendingen), vaks (, slov).
uptight ['ʌptait] *adj* **S** nervøs, anspændt; irriteret, gal i hovedet *(about over)*; konventionel, stiv, formel.
up-to-date ['ʌptə'deit] *adj* moderne, up to date, à jour.
up-to-the-minute ['ʌptəðə'minit] *adj* ultramoderne; nyeste.
uptown ['ʌptaun] *adj, adv (am)* i (, imod) udkanten af en by, i (, imod) beboelseskvartererne.
up-train ['ʌp'trein] *sb* tog til London *(el.* nærmeste storby).
upturn [ʌp'tə:n] *vb* vende op *el.* opad; vende op og ned på; ['ʌptə:n] *sb* omvæltning; opsving, bedring *(fx in the economy)*.
upward ['ʌpwəd] *adv* opad, opadvendt, opadrettet, opadgående.
upwards ['ʌpwədz] *adv* opad, oventil; mere, derover; *~ of* mere end, over *(fx ~ of three years)*; *three years and ~* tre år og mere *(el.* og derover).
Ural ['juərl]: *the Urals* Uralbjergene.
Urania [juə'reiniə].
uranium [juə'reiniəm] *sb* uran.
Uranus [juə'reinəs].
urban ['ə:bən] *adj* by-; bymæssig; *~ clearway* (gade med stopforbud i myldretiderne); *~ district* (underinddeling af et *county)*; *~ sprawl*, se *sprawl.*
urbane [ə:'bein] *adj* urban, beleven, dannet, høflig.
urbanity [ə:'bæniti] *sb* belevenhed, høflighed, dannet væsen.
urbanize ['ə:bənaiz] *vb* give bypræg.
urchin ['ə:tʃin] *sb* unge, knægt; *zo* søpindsvin; *(glds)* pindsvin; *(glds:* i overtro) nisse.
Urdu ['uədu:] *sb* urdu (sprog i Indien).
urea [juə'riə] *sb (kem)* urinstof.
urethra [juə'ri:θrə] *sb (anat)* urinrør.
uretic [juə'retik] *adj* urin-; urindrivende; *sb* urindrivende middel.
I. urge [ə:dʒ] *vb* drive (frem); *(fig)* tilskynde, drive *(fx my conscience -d me to do it)*, anspore *(fx ~ him to do his best)*; (bede:) bede indstændigt, anmode indtrængende *(fx ~ him to take more care)*; (sige indtrængende:) fremhæve *(fx the need for reform)*, hævde, gøre kraftigt gæl-

dende; ~ *on* drive frem; ~ *it on them* (også) lægge dem det alvorligt på sinde; foreholde dem det indtrængende.
II. urge [əːdʒ] *sb* tilskyndelse, indre trang, drift.
urgency ['əːdʒnsi] *sb* tryk; påtrængende nødvendighed, presserende karakter; pågåenhed; *a matter of great* ~ en meget presserende sag, en hastesag.
urgent ['əːdʒnt] *adj* presserende, bydende; (om person) pågående, påtrængende; (om bøn) indtrængende, indstændig *(fx request)*; ~! (på brev *etc)* haster! ~ *call* ekspressamtale; ~ *matter* hastesag; ~ *telegram* eksprestelegram.
Uriah [juəˈraiə] Urias.
uric ['juərik] *adj (kem)*: ~ *acid* urinsyre.
urinal ['juərinəl] *sb* uringlas; urinal, pissoir.
urinary ['juərinəri] *adj* urin- *(fx bladder)*.
urinate ['juərineit] *sb* lade vandet.
urine ['juərin] *sb* urin.
urn [əːn] *sb* urne; temaskine, kaffemaskine.
Ursa [ˈəːsə] *(astr)*: ~ *Major* Store Bjørn; ~ *Minor* Lille Bjørn.
Ursine [ˈəːsain] *adj* bjørne-, bjørneagtig.
urticaria [əːtiˈkɛəriə] *sb (med.)* nældefeber.
urticate [ˈəːtikeit] *vb* brænde som en nælde; piske med nælder.
Uruguay ['juərugwai; 'urugwai].
urus ['juərəs] *sb zo* urokse.
us [ʌs] *pron* os; **T** mig *(fx gi'e us a kiss, duckie!)*.
U.S.(A.) *fk United States (of America)*.
usable ['juːzəbl] *adj* brugelig, brugbar.
usage ['juːzidʒ] *sb* brug, behandling, medfart; sædvane, skik og brug, kutyme; sprogbrug.
usance ['juːzəns] *(merk)* uso, usance.
I. use [juːs] *sb* brug, anvendelse, benyttelse; nytte; skik (og brug); *have no* ~ *for* ikke have brug for; foragte; ikke bryde sig om, ikke ville have noget at gøre med; *in* ~ i brug; *is there any* ~ *in discussing it?* er det nogen nytte til at drøfte det? *come into* ~ komme i brug; (om ord også) blive almindelig; *it is no* ~ det nytter ikke; *it's no* ~ *to me* jeg har ikke brug for det; *of* ~ til nytte; *what is the* ~ *of that?* hvad nytte er det til? *have the* ~ *of the kitchen* have adgang til køkkenet; *make* ~ *of, put to* ~ udnytte, gøre brug af; *fall out of* ~ gå af brug; *a tool with many* -s et redskab med mange anvendelsesmuligheder.
II. use [juːz] *vb* bruge *(fx one's eyes)*, anvende, benytte, gøre brug af; behandle *(fx* ~ *him well (, ill))*; benytte sig af, udnytte; *how has the world been using you since we last met?* hvordan har du haft det siden vi sås sidst? ~ *up* bruge op; *-d up* (også) udmattet.
I. used [juːst] *vb*: ~ *to: he* ~ *to be a captain in the navy* han var i sin tid kaptajn i flåden; *there* ~ *to be a house here* der har tidligere *(el.* engang) ligget et hus her.
II. used [juːst] *adj*: ~ *to* vant til, vænnet til; *we are not* ~ *to that* det er vi ikke vant til.
III. used ['juːzd] *adj* brugt *(fx car)*.
useful ['juːsful] *adj* nyttig; **S** flink, dygtig *(at* til); *come 'in* ~ komme til god nytte.
usefulness ['juːsfulnis] *sb* nytte.
useless ['juːsləs] *adj* unyttig, ubrugelig; forgæves.
user ['juːzə] *sb* bruger, konsument; *(jur)* brugsret, brugsrettighed.
usher ['ʌʃə] *sb* dørvogter; (i retten) retstjener; (i kirke) kir-

ketjener; (i biograf *etc)* kontrollør (der anviser folk deres pladser); *(glds)* hjælpelærer; *vb* være dørvogter *(etc)*; vise, føre *(fx in, out)*; ~ *in (fig)* bebude, være en forløber for; indvarsle, indlede; ~ *sby to a seat* anvise en en plads.
usherette [ʌʃəˈret] *sb* kvindelig kontrollør (i biograf *etc)*; placøse.
U.S.O. *(am) fk United Service Organisation* (organisation der driver soldaterhjem *etc)*.
usquebaugh [ˈʌskwibɔː] *sb* whisky.
U.S.S.R. *fk Union of Soviet Socialist Republics*.
usual ['juːʒuəl] *adj* sædvanlig, almindelig.
usually ['juːʒuəli] *adv* sædvanligvis.
usucapion [juːʒuˈkeipiən], **usucaption** [juːʒuˈkæpʃən] *(jur)* hævd.
usufruct ['juːsjufrʌkt] *sb* brugsret.
usufructuary [juːsjuˈfrʌktjuəri] *sb* brugshaver.
usurer ['juːʒ(ə)rə] *sb* ågerkarl.
usurious [juːˈʒuəriəs] *adj* åger-.
usurp [juːˈzɔːp] *vb* tilrane sig, tilrive sig, usurpere. **usurpation** [juːzɔːˈpeiʃn] *sb* bemægtigelse, egenmægtig tilegnelse, usurpation. **usurper** [juːˈzɔːpə] *sb* usurpator, tronraner.
usury ['juːʒ(ə)ri] *sb* åger.
Utah ['juːtaː].
utensil [juˈtensl] *sb* redskab; kar; *domestic* -s husgeråd; *kitchen* -s køkkentøj.
uterine ['juːtərain] *adj* livmoder-; som har samme moder (men ikke samme fader) *(fx* ~ *sister)*.
uterus ['juːtərəs] *sb (pl uteri* ['juːtərai]) livmoder.
utilitarian [juːtiliˈtɛəriən] *adj* nytte-, brugs-; nyttemæssig; *(filos)* utilitaristisk; *sb* tilhænger af nyttemoralen.
utilitarianism [juːtiliˈtɛəriənizm] *sb (filos)* utilitarisme, nyttemoral.
utility [juˈtiliti] *sb* gavnlighed, nytte, anvendelighed; *public* ~ almennytte; *public utilities* offentlige foretagender (gas-, elektricitetsværker, bus- og sporvejslinier *etc)*; ~ *clothes* maksimaltøj; ~ *(man)* skuespiller der kan spille alle mulige småroller, altmuligmand.
utilizable ['juːtilaizəbl] *adj* som kan udnyttes, anvendelig.
utilization [juːtilaiˈzeiʃ(ə)n] *sb* udnyttelse.
utilize ['juːtilaiz] *vb* udnytte, benytte.
utmost ['ʌtmoust] *adj* yderst; *do one's* ~ gøre sit bedste; *to the* ~ *of one's power* af yderste evne.
Utopia [juːˈtoupjə] *sb* utopi.
Utopian [juːˈtoupjən] *adj* utopisk.
I. utter ['ʌtə] *adj* fuldkommen *(fx fool)*, fuldstændig, absolut, ubetinget.
II. utter ['ʌtə] *vb* ytre, udtale, udtrykke; udstøde; ~ *false coin* sætte falske penge i omløb.
utterance ['ʌtərəns] *sb* ytring, udtalelse; udtale, foredrag; *give* ~ *to* give udtryk for.
utterly ['ʌtəli] *adv* aldeles, fuldstændig *(fx hopeless)*; i bund og grund.
uttermost ['ʌtəmoust] *adj* yderst, fjernest; *to the* ~ *of one's power* efter yderste evne.
U-turn ['juːtəːn] *sb* svingning på 180 grader.
uvula ['juːvjulə] *sb (anat)* drøbel. **uvular** ['juːvjulə] *adj* drøbel-.
uxorious [ʌkˈsɔːriəs] *adj* stærkt indtaget i sin kone; svag over for sin kone.

V [vi:].
V., v. *fk verb; verse; versus; victory; vide; viscount; volume.*
Va. *fk Virginia.*
V. A. *fk (Royal Order of) Victoria and Albert; vice-admiral.*
vac [væk] *sb* **T** *(fk vacation)* ferie; *(fk vacuum cleaner)* støvsuger.
vacancy ['veiknsi] *sb* tomhed; tomt rum, tomrum; *(mht stilling)* ledighed, vakance; ledig stilling; (i hotel *etc)* ledigt værelse; *(fig)* åndsfraværelse, tomhjernethed, tanketomhed; *stare into* ~ stirre ud i luften.
vacant ['veiknt] *adj* tom *(fx space)*; (ikke besat:) ledig *(fx position, room)*; ubesat, ikke optaget; *(fig)* tom *(fx expression)*, tanketom, fraværende; *(neds)* intetsigende, indholdsløs; ~ *possession* ledig til øjeblikkelig overtagelse; ledig til indflytning.
vacate [və'keit] *vb* rømme, fraflytte *(fx a flat)*; (om stilling) fratræde; *(jur.)* ophæve, annullere.
vacation [və'keiʃn; *(am)* vei-] *sb* ferie; *(cf vacate)* fraflytning; fratrædelse (af stilling *etc)*; *vb (am)* feriere, holde ferie.
vacationer [vei'keiʃənə], **vacationist** [vei'keiʃənist] *sb (am)* feriegæst, ferierende.
vaccinate ['væksineit] *vb* (koppe)vaccinere.
vaccination [væksi'neiʃən] *sb* (koppe)vaccination.
vaccinator ['væksineitə] *sb* vaccinator.
vaccine ['væksi:n] *sb* vaccine.
vacillate ['væsileit] *vb* vakle, svinge.
vacillation [væsi'leiʃn] *sb* svingen, vaklen, holdningsløshed.
vacuity [væ'kju:iti] *sb* tomhed; tomt rum; *(fig)* tomhed; tomhjernethed, tanketomhed; *vacuities* intetsigende (, åndløse) bemærkninger.
vacuole ['vækjuoul] *(biol.)* vakuole, celleblære; *(bot* også*)* saftrum.
vacuous ['vækjuəs] *adj* tom, intetsigende.
vacuum ['vækjuəm] *sb* vakuum, tomt rum, lufttomt rum; **T** støvsuger; *adj* vakuum-.
vacuum| brake vakuumbremse. ~ **cleaner** støvsuger. ~ **flask** termoflaske ®. ~ **gauge** vakuummeter. ~ **jug** termokande. ~ **pump** vakuumpumpe. ~ **tube** vakuumrør.
vade mecum ['veidi'mi:kəm] *sb* lommebog, håndbog.
vagabond ['vægəbɔnd] *adj* omstrejfende; *sb* landstryger, vagabond. **vagabondage** ['vægəbɔndidʒ] vagabonderen, løsgængeri.
vagary ['veigəri] *sb* grille, indfald, lune *(fx the vagaries of nature)*.
vagina [və'dʒainə] *sb (anat)* skede, moderskede.
vagrancy ['veigrnsi] *sb* vagabonderen, omstrejfen; *(jur)* løsgængeri.
vagrant ['veigrnt] *adj* omstrejfende, omflakkende, vandrende; *sb* omstrejfer, landstryger; *(jur)* løsgænger.
vague [veig] *adj* vag, ubestemt *(fx promise)*, uklar, svævende *(fx explanation)*; utydelig *(fx outlines)*, svag *(fx I have a ~ memory of it)*.
vain [vein] *adj* tom, *(glds)* tortængelig; (unyttig:) forgæves, frugtesløs; (indbildsk:) forfængelig, pralende; *in* ~ forgæves; *take his name in* ~ tage hans navn forfængeligt; ~ *of* stolt af, vigtig af.
vain|glorious [vein'glɔ:riəs] *adj* pralende, forfængelig, opblæst. **-glory** [vein'glɔ:ri] *sb* praleri, forfængelighed.
valance ['væləns] *sb* (rynket tøjstrimmel *etc* til at dække:) (gardin-, portiere-) kappe; flæse; hyldebort; omhæng; (af træ) korniche, stilkappe.
I. vale [veil] *sb (poet)* dal; ~ *of woe* jammerdal.
II. vale ['veili] *interj* farvel.
valediction [væli'dikʃən] *sb* afskedstagen, farvel, afskedshilsen.
valedictorian [vælidik'tɔ:riən] *sb (am)* (elev *el.* student der holder tale på afgangsholdets vegne ved afslutningsscere-

moni).
valedictory [væli'diktəri] *adj* afskeds-; *sb* afskedstale.
I. valence ['væləns] = *valance.*
II. valence ['veiləns] (især *am)* = **valency** ['veilənsi] *sb (kem)* valens; ~ *bond* valensbinding.
valentine ['væləntain] *sb* kæreste (valgt på st. Valentins dag, den 14. februar); elskovshilsen (der sendtes st. Valentins dag).
valerian [və'liəriən] *sb (bot)* baldrian, valeriana.
valet ['vælit] *sb* kammertjener; *vb* varte op, betjene.
valetudinarian ['vælitju:di'nɛəriən], **valetudinary** [væli'tju:dinəri] *adj* svagelig; hypokonder; *sb* svagelig person; hypokondrist.
valiance ['væljəns], **valiancy** ['væljənsi] *sb (litt)* tapperhed.
valiant ['væljənt] *adj (litt)* tapper.
valid ['vælid] *adj* gyldig *(fx argument, reason)*; velbegrundet *(fx objection)*; *(jur)* retsgyldig.
validate ['vælideit] *vb* give gyldighed, efterprøve (, bevise) gyldigheden af; *(jur)* erklære retsgyldig.
validity [və'liditi] *sb* gyldighed; validitet; *(jur)* retsgyldighed.
valise [və'li:z, *am* -'li:s] *sb* lædertaske, vadsæk.
valley ['væli] *sb* dal; (på hus) skotrende; kel.
valorem: *ad* ~ ['ædvə'lɔ:rem] *duty* værditold.
valorous ['vælərəs] *adj (litt)* tapper, modig.
valour ['vælə] *sb (litt)* tapperhed, mod.
valuable ['væljuəbl] *adj* værdifuld; *sb: -s* værdigenstande.
valuation [vælju'eiʃn] *sb* vurdering, taksation; vurderingssum.
value ['vælju:] *sb* værdi, værd; (om farve og ord) valør; *vb* vurdere; *(fig)* værdsætte, skatte, sætte pris på; *get good* ~ *for one's money* få noget *(el.* få valuta) for pengene; ~ *received (merk)* valuta modtaget.
value-added tax merværdiafgift, moms.
valuer ['væljuə] *sb* taksator.
valuta [və'lu:tə] *sb* valuta.
valve [vælv] *sb* klap, ventil; (radio)rør; *(zo)* skal; *(anat, bot)* klap; (på blæseinstrument) ventil; *-d* med klap, med ventil.
valve seat ventilsæde.
valvular ['vælvjulə] *adj* ventil-, klap-; ~ *defect (med.)* klapfejl.
vamoose [və'mu:s], **vamose** [və'mous] *vb* **S** stikke af, fordufte.
vamp [væmp] *sb* (på fodtøj) overlæder; lap; *(mus.)* improviseret akkompagnement, 'skomagerbas'; **S** (om pige) vamp; *vb* reparere (fodtøj); lave, bringe i stand; *(mus.)* improvisere et akkompagnement, lave 'skomagerbas'; **S** (om pige) optræde som vamp, lægge an på og blokke for penge; ~ *up* pudse op, få til at se ud som ny; flikke sammen.
vampire ['væmpaiə] *sb* vampyr. **vampirism** ['væmpaiərizm] *sb* tro på vampyrer; *(fig)* hensynsløs udnyttelse, blodsugeri.
I. van [væn] *sb* avantgarde, fortrop.
II. van [væn] *sb* (betegnelse for *forsk* vogntyper *fx)* bagagevogn, pakvogn, (lukket) godsvogn; lukket lastvogn *el.* varevogn, flyttevogn; vogn til fangetransport; sigøjnervogn, gøglervogn.
Vancouver [væn'ku:və].
Vandal, vandal ['vændl] *sb* vandal.
vandalism ['vændəlizm] *sb* vandalisme.
vane [vein] *sb* vindfløj; (på vejrmølle) vinge; (på fjer) fane; *(tekn)* blad (på skrue, propel), vinge (på ventilator), skovl (på turbine).
vanguard ['vænga:d] *sb* avantgarde, fortrop.
vanilla [və'nilə] *sb* vanille.
vanish ['væniʃ] *sb* forsvinde; ~ *into thin air* forsvinde sporløst *(el.* den blå luft); fordufte; svinde ind til ingenting.

vanishing| point forsvindingspunkt (i perspektiv); *(fig)*: *cut down to the ~ point* reducere til det rene ingenting. ~ **trick** forsvindingsnummer.

vanity ['væniti] *sb* forfængelighed, tomhed, intethed, tant; *(am)* toiletbord; *(også = vanity bag)*.

vanity| bag, ~ **case** pudderpung; visittaske; toilettaske; beauty box.

Vanity Fair Forfængelighedens Marked.

vanquish ['væŋkwiʃ] *vb (litt)* besejre, overvinde.

vantage ['va:ntidʒ] *sb* fordel (i tennis); ~ **ground,** ~ **point** fordelagtigt terræn, fordelagtig stilling; sted hvorfra man har godt overblik.

vapid ['væpid] *adj* flov, fad *(fx remark)*; tom; (om øl) doven. **vapidity** [væˈpiditi] *sb* flovhed, fadhed.

vaporization [veipəraiˈzeiʃən] *sb* fordampning; forstøvning.

vaporize ['veipəraiz] *vb* fordampe; få til at fordampe; forstøve. **vaporizer** *sb* fordamper; forstøver.

vaporous ['veipərəs] *adj* fuld af damp, dampformig, tåget; *(fig)* tåget, luftig, vag.

vapour ['veipə] *sb* damp, dunst; *(fig)* tom snak, fantasifoster; praleri; *vb* fordampe; *(fig)* komme med tom snak; prale; *the -s (glds)* hysteri, hypokondri.

vapour| pressure *(fys)* damptryk. ~ **trails** *pl (flyv)* kondensstriber.

Varangian [vəˈrændʒiən] *sb* væring.

variability [veəriəˈbiliti] *sb* foranderlighed.

variable ['veəriəbl] *adj* foranderlig, ustadig, omskiftelig; *sb* variabel.

variance ['veəriəns] *sb* forandring: strid, uoverensstemmelse; *at ~ with* i strid med.

variant ['veəriənt] *sb* variant; *adj* afvigende *(fx spelling)*.

variation [veəriˈeiʃn] *sb* variation; afvigelse, forandring, forskel; *(mar)* misvisning; *by way of ~* til en forandring.

varicella [væriˈselə] *sb (med)* skoldkopper.

varicoloured ['veərikʌləd] *adj* broget.

varicose ['værikous] *adj:* ~ **veins** *(med.)* åreknuder.

varied ['veərid] *adj* varieret, afvekslende, forskelligartet; *(mht* farve) broget.

variegated ['veərigeitid] *adj* broget, spraglet.

variegation [veəriˈgeiʃn] *sb* brogethed, spraglethed.

variety [vəˈraiəti] *sb* forskellighed, afveksling; mangfoldighed; (slags:) slags, sort; *(biol)* afart, varietet; *(teat:* ~ *show)* varietéforestilling; ~ *is the spice of life* forandring fryder; *a large ~* (også) et stort udvalg; *lend ~ to* bringe afveksling i; *owing to a ~ of causes* af mange forskellige årsager; ~ *theatre* varieté.

variola [vəˈraiələ] *sb (med.)* kopper, børnekopper.

variorum [veəriˈɔ:rəm]: ~ *edition* udgave med variantapparat.

various ['veəriəs] *adj* forskellige; mange forskellige, adskillige *(fx at ~ places)*; (af mange slags) forskelligartet, afvekslende.

varix ['veəriks] *sb (pl varices* ['værisi:z]) *(med.)* åreknude.

varmint ['va:mint] *sb* (især *am* T) lille slubbert, laban; skadedyr.

varnish ['va:niʃ] *sb* fernis; lak; *(nail ~)* neglelak; *(fig)* fernis, glans; *vb* fernisere; lakere *(fx nails)*; *(fig)* besmykke. **varnishing day** fernissage (på maleriudstilling).

varsity ['va:siti] *sb* **S** = *university*.

vary ['veəri] *vb* forandre, variere, bringe afveksling i; (uden objekt) forandre sig, veksle, skifte *(fx with -ing success)*; ~ *as* variere med; ~ *from* afvige fra *(fx this varies from the normal practice)*.

vascular ['væskjulə] *adj (anat, bot)* kar- *(fx bundle* streng).

vascul|um ['væskjuləm] *sb (pl -a* [-ə]) botaniserkasse.

vase [va:z; *am* veis, veiz] *sb* vase.

vaseline ['væsili:n] *sb* ® vaseline.

vasomotor ['væsəˈmoutə] *adj (anat)* vasomotorisk.

vassal ['væsl] *sb (hist.)* vasal. lensmand; tjener, træl.

vassalage ['væsəlidʒ] *sb* vasalforhold, underdanighed.

vassal state vassalstat.

vast [va:st] *adj* uhyre, umådelig; langt overvejende *(fx a ~ majority)*; *-ly superior to* langt overlegen, langt bedre end.

vat [væt] *sb* stort kar, bryggerkar, beholder; (til farvning) kype, farvebad. **vat dye** kypefarve.

VAT *fk value-added tax.*

Vatican ['vætikən] *sb: the ~* Vatikanet.

vaticinate [væˈtisineit] *sb* spå, forudsige.

vaticination [vætisiˈneiʃn] *sb* spådom.

vaudeville ['voudəvil] *sb* vaudeville; (især *am)* varietéforestilling.

I. vault [vɔ:lt] *sb* hvælving, kælderhvælving, gravhvælving; (i bank *etc)* boks; boksafdeling; *vb* bygge hvælving over; *the ~ of heaven* himmelhvælvet.

II. vault [vɔ:lt] *vb* springe; springe over; *sb* spring (der støttes af hænderne).

vaulting horse hest (i gymnastik).

vaunt [vɔ:nt] *vb* prale med, prale af *(fx ~ one's skill)*; *sb* pral(eri); ~ *of; ~ over* hovere over.

Vauxhall ['vɔks'hɔ:l].

VC *fk Vietcong.*

V.C. *fk vice-chancellor; vice-consul; Victoria Cross* (også om indehaver af *Victoria Cross)*.

V.D. *fk Volunteer Decoration; venereal disease.*

V day sejrsdagen.

'**ve** *fk have (fx we've* [wi:v]).

veal [vi:l] *sb* kalvekød; *adj* kalve-; *roast ~* kalvesteg.

vector ['vektə] *sb (mat., fys.)* vektor.

Veda ['veidə, 'vi:də] *(rel)* veda.

vedette [vi'det] *sb (glds mil.)* vedet (bereden forpost); *(mar)* vedetbåd.

vee [vi:] *adj* v-formet; *sb* v; *(am* **S)** femdollarseddel.

veep [vi:p] *sb (am)* vicepræsident.

veer [viə] *vb* vende sig, dreje; (om vind) dreje (med solen); *(fig)* svinge, skifte kurs *el.* standpunkt; ~ *out* stikke ud *(fx a rope)*; ~ *round* vende sig; svinge.

veg [vedʒ] **S** *fk vegetable(s)*.

vegetable ['vedʒ(i)təbl] *sb* grønsag, køkkenurt; plante, **T** (om person) kedeligt løg; hjælpeløst vrag (efter ulykke *el.* på grund af åndssvaghed *el.* senilitet); *adj* grønsags-; plante-; vegetarisk *(fx diet* kost); vegetabilsk *(fx oil)*; *the ~ kingdom (el. world)* planteriget; ~ *ivory* vegetabilsk elfenben; ~ *marrow* græskar.

vegetarian [vedʒiˈteəriən] *sb* vegetar.

vegetate ['vedʒiteit] *vb* vegetere.

vegetation [vedʒiˈteiʃn] *sb* vegetation, planteliv, plantevækst, planter; *(fig)* vegeteren.

vegetative ['vedʒitətiv] *adj* vegetativ; vækst-; vækstfremmende; *(fig)* vegeterende, vegetativ, uvirksom.

vehemence ['vi:iməns] *sb* heftighed, voldsomhed.

vehement ['vi:imənt] *adj* heftig, voldsom, lidenskabelig.

vehicle ['vi:ikl] *sb* befordringsmiddel; køretøj, vogn; (i rumfart) rumfartøj, *(spec)* fremføringsmiddel; (til maling) bindemiddel; *(med.,* i lægemiddel) hjælpestof, vehikel; (i salve) salvegrundlag; *(fig)* udtryksmiddel; middel *(fx propaganda ~)*.

vehicular [viˈhikjulə] *adj* vogn-; kørende *(fx traffic)*.

veil [veil] *sb* slør; *vb* tilsløre; *-ed (fig)* tilsløret, skjult *(fx threat)*; sløret, utydelig; *take the ~* tage sløret, blive nonne; *draw a ~ over* kaste et slør over; *beyond the ~* bag dødens forhæng; *under the ~ of* under foregivende af.

veiltail ['veilteil] *sb zo* slørhale.

vein [vein] *sb (anat)* blodåre, vene; *(bot, zo etc)* åre (i træ, blad, insektvinge *osv)*; *(geol)* åre; vandåre; (aftegning:) åre, stribe; *(fig)* anlæg, retning; stemning, lune; *a ~ of poetry* en poetisk åre; *in the ~* i stemning, oplagt *(for* til); *other remarks in the same ~* andre bemærkninger i samme dur.

veined [veind] *adj* året.

velar ['vi:lə] *adj (fon)* velar, gane-.

veld(t) [velt] *sb* veldt, (sydafrikansk) græsslette.

vellum ['veləm] *sb* (fint) pergament.

velocipede [viˈlɔsipi:d] *sb (glds)* velocipede; *(am* også) trehjulet barnecykel; *(jernb)* dræsine.

velocity [viˈlɔs(i)ti] *sb* hastighed.

velours [vəˈluə] *sb* velour; velourhat.

velum ['vi:ləm] *sb* hinde; *(anat)* ganesejl.

velvet ['velvit] *sb* fløjl; *(am)* gevinst; profit; *adj* fløjls-, fløjlsblød; *be on ~* være i salveten, have det som blommen i et æg.

velveteen ['velvi'ti:n] *sb* bomuldsfløjl.

velvet grass *(bot)* fløjlsgræs.

velveting ['velvitin] *sb* fløjlsstoffer; luv (på fløjl).

velvet scoter *zo* fløjlsand.

velvety ['velviti] *adj* fløjls-,· fløjlsblød.
venal ['vi:nl] *adj* korrupt, bestikkelig.
venality [vi'næliti] *sb* korruption, bestikkelighed.
vend [vend] *vb* falbyde, sælge, afsætte.
vendace ['vendeis] *zo* helting.
vendee [ven'di:] *sb*· køber.
vender ['vendə] *sb* sælger.
vending machine (salgs)automat.
vendor ['vendɔ:] *sb* sælger.
veneer [vi'niə] *vb* finere; dække, pynte på; *sb* finer; *(fig)* fernis, politur, tynd (ydre) skal, skin. **veneering** [vi'niəriŋ] *sb* finér, finering.
venerable ['venərəbl] *adj* ærværdig.
venerate ['venəreit] *vb* ære, holde i ære.
veneration [venə'reiʃn] *sb* ærbødighed, ærefrygt.
venereal [vi'niəriəl] *adj* venerisk, køns- *(fx disease)*.
Venetian [vi'ni:ʃn] *adj* venetiansk; *sb* venetianer; ~ *blind* persienne, jalousi.
Venezuela [vene'zweilə].
vengeance ['vendʒəns] *sb* hævn; *take* ~ *on sby for sth* hævne sig på en for noget; *with a* ~ **T** så det forslår.
vengeful ['ven(d)ʒf(u)l] *adj* hævngerrig.
venial ['vi:njəl] *adj* tilgivelig, ubetydelig.
veniality [vi:ni'æliti] *sb* tilgivelighed, ubetydelighed.
Venice ['venis] Venezia, Venedig.
venison ['venzn] *sb* vildt, dyrekød.
venom ['venəm] *sb* gift; ondskab.
venomous ['venəməs] *adj* giftig.
venous ['vi:nəs] *adj* venøs, vene-.
vent [vent] *sb* lufthul, trækhul; aftræk; *(mil.)* fænghul; *(fig)* frit løb, luft, afløb; *(merk)* slids *(fx i frakke)*; *vb* slippe ud; (med objekt) *(fig)* give afløb for, give luft; *(tekn)* ventilere, udlufte; *find a* ~ få afløb; *(fig* også) få udløsning *(for* for); *give* ~ *to (fig)* give luft (for).
ventage ['ventidʒ] *sb* hul *(fx i fløjte)*.
venter ['ventə] *sb (anat, zo)* underliv; *(jur)* moders liv; moder.
vent-hole ['venthoul] *sb* lufthul, åbning.
ventiduct ['ventidʌkt] *sb* ventilationskanal.
ventilate ['ventileit] *vb* ventilere, udlufte; *(fig)* ventilere, bringe på bane; drøfte, undersøge.
ventilation [venti'leiʃn] *sb* ventilation; diskussion.
ventilator ['ventileitə] *sb* ventilator.
ventral ['ventrəl] *adj* underlivs-, bug-, mave-; ~ *fin* bugfinne.
ventricle ['ventrikl] *sb (anat)* ventrikel; ~ *of the heart* hjertekammer.
ventriloquism [ven'triləkwizm] *sb* bugtaleri, bugtalerkunst.
ventriloquist [ven'triləkwist] *sb* bugtaler.
ventriloquize [ven'triləkwaiz] *vb* optræde som bugtaler.
I. venture ['ventʃə] *vb* vove; sætte på spil *(fx one's life, all one's capital)*; (driste sig til at) komme med, fremsætte *(fx a remark)*; (uden objekt) vove sig *(fx out; too near the edge)*; *nothing* ~ *nothing have* hvo intet vover intet vinder; ~ *on* vove sig ud på *(fx a stormy sea)*; vove sig i lag med; ~ *to* driste sig til at, være så dristig at *(fx make a remark)*.
II. venture ['ventʃə] *sb* vovestykke, dristigt foretagende; spekulation; *at a* ~ på lykke og fromme.
venturesome ['ventʃəsəm] *adj* dristig; dumdristig, risikabel.
venue ['venju:] *sb (jur)* (den) jurisdiktion (hvor retsforhandlingen foregår), værneting; *(fig)* sted (hvor noget foregår), hjemsted, lokalitet; mødested.
Venus ['vi:nəs].
veracious [və'reiʃəs] *adj* sandfærdig, sanddru.
veracity [və'ræsiti] *sb* sandfærdighed, sandhed; sanddruhed.
veranda(h) [və'rændə] *sb* veranda.
verb [və:b] *sb* udsagnsord, verbum.
verbal ['və:bəl] *adj* ord-; mundtlig *(fx tradition)*; sproglig *(fx a purely* ~ *distinction)*; ordret *(fx translation)*; *(gram.)* verbal-; verbal.
verbalism ['və:bəlizm] *sb* udtryk, talemåde; ukritisk tro på (, hængen sig i) ord; ordgyderi; *-s pl* floskler.
verbalize ['və:bəlaiz] *vb* udtrykke i ord, formulere; *(gram.)* omdanne til verbum.
verbal noun verbalsubstantiv.
verbatim [və:'beitim] *adv* ordret.

verbena [və'bi:nə] *sb (bot)* verbena, jernurt.
verbiage ['və:biidʒ] *sb* ordflom, vidtløftighed, ordskvalder, tomme ord, fraser, floskler.
verbose [və:'bous] *adj* ordrig, vidtløftig.
verbosity [və:'bɔsiti] *adj* ordstrøm, ordrigdom, vidtløftighed.
verdancy ['və:dnsi] *sb* grønhed; *(fig, litt)* uerfarenhed, umodenhed. **verdant** ['və:dnt] *adj* grøn, grønklædt; *(fig)* uerfaren.
verderer ['və:dərə] *sb (glds)* skovrider.
verdict ['və:dikt] *sb (jur)* (nævningers) kendelse; *(fig)* dom, afgørelse *(fx the* ~ *of the electors); bring in (el. deliver, give, return) a* ~ afgive en kendelse; *the jury brought in a* ~ *of 'not guilty'* nævningene afgav kendelsen »ikke skyldig«; *consider their* ~ (om nævninger) votere.
verdigris ['və:digris] *sb* spanskgrønt, ir.
verdure ['və:dʒə] *sb* grønt, vegetation; grønhed, friskhed.
verdurous ['və:dʒərəs] *adj* grønklædt, grøn; frisk.
I. verge [və:dʒ] *sb* rand, kant, grænselinie; (ved vej) rabat *(fx soft* ~*); (fx* biskops) stav, embedsstav; *(arkit)* tagudhæng ved gavl; *(tekn)* spindel; *on the* ~ *of* på randen af, på nippet til; *on the* ~ *of tears* grædefærdig, på grådens rand; *on the* ~ *of forty* lige ved de fyrre.
II. verge [və:dʒ] *vb* skråne, hælde, nærme sig; ~ *on* grænse til, nærme sig.
verge board *(arkit)* vindskede.
verger ['və:dʒə] *sb* kirkebetjent.
veridical [və'ridikl] *adj* i overensstemmelse med de faktiske forhold, sandfærdig, ægte, ikke illusorisk.
verifiable ['verifaiəbl] *adj* verificerbar, som kan efterprøves, kontrollabel.
verification [verifi'keiʃən] *sb* efterprøvning, verifikation; bevis, bekræftelse. **verify** ['verifai] *vb* efterprøve, efterkontrollere, verificere; bevise, bekræfte.
verily ['verili] *adv (glds)* sandelig.
verisimilitude [verisi'militju:d] *sb* sandsynlighed.
veritable ['veritəbl] *adj* sand, virkelig, veritabel, rigtig, ægte.
verity ['veriti] *sb* sandhed; *(glds)* sanddruhed *(fx a man of unquestioned* ~*); of a* ~ *(glds)* i sandhed.
vermicelli [və:mi'seli] *sb* nudler.
vermicide ['və:misaid] *sb* ormemiddel.
vermicular [və:'mikjulə] *adj* ormeformet; dekoreret med ormeslyng. **vermiculation** [və:mikju'leiʃən] *sb* bugtet bevægelse; (ornament:) ormeslyng.
vermiform ['və:mifɔ:m] *adj* ormeformet; *the* ~ *appendix* blindtarmens ormeformede vedhæng.
vermifuge ['və:mifju:dʒ] *sb* ormemiddel.
vermilion [və:'miljən] *sb, adj* cinnober; cinnoberrød.
vermin ['və:min] *sb* skadedyr; utøj.
verminous ['və:minəs] *adj* fuld af utøj; fremkaldt af utøj.
vermouth ['və:məθ] *sb* vermut.
vernacular [və'nækjulə] *sb* modersmål; (lands, egns) eget sprog; dialekt, folkesprog; fagsprog; (om plante- *etc* navn) trivialnavn; *adj* som benytter *(el.* skriver på) dialekt *(etc) (fx a* ~ *poet)*; som er skrevet på dialekt *(etc) (fx* ~ *poetry)*; dialekt-; folkelig *(fx expression; style)*; lokal; *address sby in the* ~ *(spøg)* skælde en ud – med brug af diverse kraftudtryk; tale til en med store bogstaver.
vernacularism [və'nækjulərizm] *sb* dialektalt, folkeligt, lokalt) ord *el.* udtryk.
vernal ['və:nl] *adj* forårs-, vår-, forårsagtig; ~ *equinox* forårsjævndøgn.
vernier ['və:njə] *sb* nonius (måleapparat); ~ *gauge* skydelære; ~ *scale* nonieskala.
veronal ['verənl] *sb* ® veronal (sovemiddel).
veronica [vi'rɔnikə] *sb* Veronikas svededug, veronikabillede; *(bot)* ærenpris.
verruca [və'ru:kə] *sb* vorte.
versatile ['və:sətail] *adj* alsidig; *(zo, bot)* drejelig; ~ *toe (zo)* vendetå. **versatility** [və:sə'tiliti] *sb* alsidighed; drejelighed.
verse [və:s] *sb* vers, verslinie; poesi; *in* ~ på vers; *a volume of* ~ et bind digte.
versed [və:st] *adj* velbevandret, kyndig *(in* i).
versicoloured ['və:sikʌləd] *adj* flerfarvet, broget; changerende, regnbuefarvet.

versification [vəːsifi'keiʃn] *sb* verskunst, versbygning, versifikation. **versifier** ['vəːsifaiə] *sb* versemager, digter, versifikator. **versify** ['vəːsifai] *vb* skrive vers; sætte på vers, versificere.

version ['vəːʃn] *sb* oversættelse; (beretning *etc*) fremstilling, gengivelse *(fx two different -s of the accident)*, version; (om ting) udgave, udformning, udførelsesform, version.

verst [vəːst] *sb* verst (russisk mål: 1,066 km).

versus ['vəːsəs] *præp* mod, contra.

vert [vəːt] *sb (her.)* grønt; *(hist.)* skovvegetation; **T** omvendt; *vb* **T** omvende sig.

vertebra ['vəːtibrə] *sb (pl vetebrae* ['vəːtibriː]) ryghvirvel; *the vertebrae* (også) rygsøjlen. **vertebral** hvirvel-; ryghvirvel-. **vertebrate** ['vəːtibrit] *sb* hvirveldyr; *adj* hvirvel-.

vertex ['vəːteks] *sb (pl vertices* ['vəːtisiːz]) spids, top; *(anat)* isse; *(astr)* zenit; (i trekant) toppunkt.

vertical ['vəːtikl] *adj* lodret, vertikal; ~ *take-off and landing aircraft* fly med lodret start og landing; ~ *trust* vertikal trust; ~ *(trade)* union industriforbund.

verticil ['vəːtisil] *sb:* ~ *of leaves* bladkrans.

vertiginous [vəː'tidʒinəs] *adj* hvirvlende; ør; svimmel; svimlende.

vertigo ['vəːtigou] *sb* svimmelhed.

vervain ['vəːvein] *sb (bot)* verbena, jernurt.

verve [vəːv] *sb* liv, kraft, begejstring, verve.

very ['veri] *adv* (foran *adj* i positiv) meget *(fx* ~ *hot)*; (foran *adj* i *sup*) aller- *(fx the* ~ *best)*; *adj* lutter, ren og skær *(fx for* ~ *joy* af lutter glæde); sand, virkelig, rigtig; selv, selve;

(efter *pron* el. artikel) *that* ~ *day* netop den dag; *the* ~ selve den (, det) *(fx the* ~ *air we breathe is polluted)*; netop den (, det) *(fx the* ~ *question I wanted to ask)*; *in the* ~ *act* på fersk gerning; *the* ~ *idea of it* bare tanken om det; (udbrud:) sikken en idé; *the* ~ *next day* allerede dagen efter; *the* ~ *opposite* lige det modsatte, det stik modsatte; *from the* ~ *outset* lige fra begyndelsen; *the* ~ *same words* de selv samme ord; *it is the* ~ *thing we want* det er netop hvad vi ønsker; *this* ~ *day* netop på denne dag; allerede i dag;

(andre *forb*) ~ *good* særdeles god, udmærket; *his* ~ *enemies* selv hans fjender; *under his* ~ *nose* lige for næsen af ham; ~ *much* (særdeles) meget; *not* ~ ikke særlig *(el. videre) (fx good)*; *it is my* ~ *own* den tilhører mig helt alene; ~ *well* meget vel, ja vel, all right, udmærket *(fx* ~ *well, then I'll do it)*; *it is all* ~ *well but* det kan altsammen være meget godt men; *it is all* ~ *well for you to laugh* du kan sagtens le.

Very ['vieri, 'veri]: ~ *light* lyskugle; ~ *pistol* signalpistol.

vesica ['vesikə] *sb* blære.

vesicant ['vesikənt] *sb (med.)* blæretrækkende middel; *(mil.)* blistergas. **vesicate** ['vesikeit] *vb* fremkalde blæredannelse på; danne blærer.

vesicle ['vesikl] *sb* lille blære, hulhed.

Vesper ['vespə] aftenstjernen, Venus.

vespers ['vespəz] *sb pl* aftensang. **vespertine** ['vespətain] *adj* aften-.

vespiary ['vespiəri] *sb* hvepserede.

vessel ['vesl] *sb* kar, beholder; *(anat)* blodkar; *(mar)* skib, fartøj; (i bibelen) kar *(fx weak* (skrøbeligt) ~); *the weaker* ~ det svagere kar (ɔ: kvinden).

I. vest [vest] *sb* undertrøje, uldtrøje; *(merk og am)* vest.

II. vest [vest] *vb* klæde (sig) på; ~ *in* overdrage (til) *(fx* ~ *a right in sby)*; tilfalde, overgå til; ~ *with* klæde i, iføre; overdrage, udstyre med *(fx authority)*; sætte i besiddelse af, give rådighed over; se også *vested*.

vesta ['vestə] *sb* (voks)tændstik.

vestal ['vestl] *adj* kysk; *sb* vestalinde.

vested ['vestid] *adj* sikker, lovmæssigt bestående; *be -ed in* tilhøre *(fx authority is -ed in the people)*; *be -ed with* være udstyret med, indehave; ~ *interests* tilsikrede rettigheder, kapitalinteresser, grundejerinteresser; grundejerne, kapitalen; *have a* ~ *interest in a concern* have kapital i et foretagende.

vestibule ['vestibjuːl] *sb* forstue, forhal, vestibule; (i øret) forgård; ~ *train (am)* gennemgangstog.

vestige ['vestidʒ] *sb* spor, levning levn; *(anat)* rudiment; *not a* ~ *of (fig)* ikke den mindste smule.

vestigial [və'stidʒiəl] *adj* som (kun) er et levn; *(anat)* rudimentær.

vestment ['vestmənt] *sb* dragt, klædning; (kirkelig:) ornat, messedragt.

vestry ['vestri] *sb* sakristi; *(omtr)* menighedsråd, *(glds)* sogneråd. **vestry| clerk** sekretær i menighedsråd, *(glds)* sognerådssekretær. **-man** menighedsrådsmedlem; *(glds)* sognerådsmedlem.

vesture ['vestjə] *sb (glds)* klædning.

Vesuvian [vi'suːvjən] *adj* vesuviansk.

Vesuvius [vi'suːvjəs] Vesuv.

I. vet [vet] *fk veterinary surgeon; veteran.*

II. vet [vet] *vb* **T** undersøge, behandle (for sygdom); *(fig)* undersøge, gennemgå kritisk, kontrollere efter; (uden objekt) være dyrlæge.

vetch [vetʃ] *sb (bot)* vikke.

veteran ['vetrən] *adj* erfaren, prøvet; *sb* veteran.

veterinarian [vetri'nɛəriən] *sb (am)* dyrlæge.

veterinary ['vetrinri] *adj* dyrlæge-, veterinær-; ~ *science* veterinærvidenskab; ~ *surgeon* dyrlæge.

veto ['viːtou] *sb* veto, forbud; *vb* forbyde, nedlægge veto imod; *put (el. set) a* ~ *on a proposal* nedlægge veto mod et forslag.

vex [veks] *vb* ærgre, irritere, plage; (se også *vexed)*.

vexation [vek'seiʃn] *sb* ærgrelse, fortrædelighed, plageri, plage.

vexatious [vek'seiʃəs] *adj* ærgerlig, irriterende, besværlig; ~ *suit (jur)* unødig trætte.

vexed [vekst] *adj* foruroliget, ærgerlig; omstridt *(fx a* ~ *question)*; ~ *with* irriteret *(el.* ærgerlig) på.

vexillum [vek'siləm] *sb (pl vexilla* [vek'silə]) *(zo, anat)* fane; *(hist.)* fane, standart.

v.f. *fk very fair*. **v.g.** *fk very good*.

VHF *fk very high frequency* meterbølger.

V.I. *fk Virgin Islands.*

via ['vaiə] *præp* via, over.

viability [vaiə'biliti] *sb* levedygtighed; gennemførlighed, anvendelighed.

viable ['vaiəbl] *adj* levedygtig; *(fig* også) gennemførlig, anvendelig.

viaduct ['vaiədʌkt] *sb* viadukt.

vial ['vaiəl] *sb* lille medicinflaske; *pour out the -s of one's wrath* udgyde sin vredes skåler.

viands ['vaiəndz] *sb* levnedsmidler.

viatic [vai'ætik] *adj* rejse-. **viaticum** [vai'ætikəm] *sb (rel)* viatikum, alterens sakramente til døende.

vibrant ['vaibr(ə)nt] *adj* vibrerende.

vibraphone ['vaibrəfoun] *sb (mus.)* vibrafon.

vibrate [vai'breit] *vb* vibrere, svinge, ryste, dirre.

vibration [vai'breiʃən] *sb* vibration, dirren, svingning.

vibrative [vai'breitiv], **vibratory** [vai'brətəri] *adj* vibrations-; dirrende, svingende.

viburnum [vai'bəːnəm] *sb (bot)* snebolle (busk).

Vic. [vik] *fk Victoria.*

vicar ['vikə] *sb* sognepræst; *the Vicar of Christ* Kristi stedfortræder, paven.

vicarage ['vikəridʒ] *sb* præstebolig, præstegård; præstekald.

vicar apostolic *(rel)* apostolisk vikar (ærkebiskop *el.* biskop til hvem paven overdrager sin myndighed, titulær biskop; konstitueret biskop).

vicar-general *(rel)* generalvikar (biskops hjælper *el.* stedfortræder).

vicarial [vai'kɛəriəl] *adj* præste-. **vicariate** [vai'kɛəriit] *sb* præsteembede, præstestilling.

vicarious [vai'kɛəriəs] *adj* stedfortrædende; udført gennem andre, udholdt *el.* nydt på andres vegne; *the* ~ *sacrifice of Christ* Kristi død for menneskenes skyld.

I. vice [vais] *sb* last; fejl, mangel; *(mht livsførelse)* slethed, moralsk fordærv.

II. vice [vais] *sb* skruestik.

vice- [vais] vice-. **vice|-admiral** viceadmiral. ~ **-chancellor** vicekansler; (ved universitet, svarer til) rektor. ~ **-consul** [vais'kɔnsl] vicekonsul. ~ **-consulate** ['vais'kɔnsjulit] vicekonsulat. **-gerent** ['vais'dʒerənt] *adj* konstitueret; *sb* stedfortræder.

vicennial [vai'seniəl] *adj* tyveårig, hvert tyvende år.

vice|regal ['vais'riːgl] *adj* vicekongelig. **-roy** ['vaisrɔi] vice-

499

virgin V

konge, statholder. **-royalty** [vais'rɔiəlti] *sb* værdighed som vicekonge, statholderskab.

vice squad politiafdeling der beskæftiger sig med sager vedrørende hasardspil, prostitution *etc; (omtr)* sædelighedspoliti.

vice versa ['vaisi'vəːsə] vice versa, omvendt *(fx he dislikes me, and ~).*

Vichy ['viːʃi]: ~ *water* vichyvand.

vicinity [vi'siniti] *sb* nærhed, nabolag, omegn.

vicious ['viʃəs] *adj* umoralsk, lastefuld, ryggesløs *(fx life);* ondartet *(fx criminal);* skadelig *(fx principles);* ondskabsfuld *(fx attack),* arrig *(fx kick);* mangelfuld, fuld af fejl; T elendig *(fx pronunciation); a ~ headache* T en modbydelig hovedpine; ~ *circle* ond cirkel, circulus vitiosus; (i logik) cirkelslutning, cirkelbevis (i hvilket man forudsætter det der skulle bevises); ~ *spiral (fig)* skruen uden ende, den onde cirkel.

vicissitude [vi'sisitjuːd] *sb* omskiftelse *(fx the -s of life).*

victim ['viktim] *sb* offer; *a polio* ~ en polioramt.

victimize ['viktimaiz] *vb* gøre til sit offer; bedrage, narre; plage, forfølge; (især efter strejke) straffe, lade det gå ud over.

victor ['viktə] *sb* sejrherre, sejrende; vinder.

victoria [vik'tɔːriə] *sb* viktoria (tosædet firhjulet vogn).

Victoria Cross viktoriakors (medalje for fremragende tapperhed).

Victorian [vik'tɔːriən] *adj* viktoriansk; *sb* viktorianer (ɔ: fra dronning Victorias regeringstid 1837-1901).

victorious [vik'tɔːriəs] *adj* sejrrig, sejrende, sejrs-.

victory ['viktri] *sb* sejr.

victrola [vik'troulə] ⓡ *(am)* grammofon.

victual ['vitl] *vb* forsyne med proviant; proviantere.

victualler ['vitlə] *sb* værtshusholder, beværter; proviantleverandør; proviantskib.

victuals ['vitlz] *sb pl* levnedsmidler, proviant, fødevarer.

vide ['vaidi] *(lat imper)* se. **videlicet** [vi'diːliset] *(lat)* nemlig.

video ['vidiou] *sb (am* T) fjernsyn; *on ~* i fjernsyn.

video | cartridge, ~ cassette video(bånd)kassette. **-tape** *sb* billedbånd; *vb* optage på billedbånd; *-tape recorder* billedbåndoptager.

vie [vai] *vb* kappes *(with* med).

Vienna [vi'enə] Wien; ~ *steak (omtr)* hakkebøf.

Viennese [viə'niːz] *adj* Wiener-, wiensk; *sb* wiener(inde).

Vietnam ['vjet'næm, 'vjet'naːm] Vietnam. **Vietnamese** [vjetnə'miːz] *sb* vietnameser; *adj, sb* vietnamesisk.

I. view [vjuː] *sb* eftersyn, syn; besigtigelse; (det man ser) udsigt *(fx a house with a ~);* (motiv i billede) parti *(of* fra, *fx ~ of Dartmoor);* (maleri, *fot)* billede *(fx take some -s of the castle); (mar)* (land)toning; *(fig)* overblik; indtryk; opfattelse; hensigt; -s (også) planer *(fx I have other -s for my daughter);* anskuelser, synspunkter *(fx hold extreme -s);* meninger *(fx air* (lufte) *one's -s);* *in* ~ inden for synsvidde; *in* ~ *of* i betragtning af, under hensyn til; med henblik på; *we came in ~ of the castle* vi kom til et sted hvorfra vi kunne se slottet *(el.* hvor man kunne se os fra slottet); *in full ~ of everybody* for alles øjne; *have in ~* have for øje; huske på, tage i betragtning; *in my ~* efter min mening; *on* ~ udstillet, til eftersyn; *be on ~* (også) kunne beses; **take** *a cheerful ~ of* se lyst på; *take a different ~ of* anlægge et andet syn på; *take a dim ~ of* T se mørkt på; ikke have høje *(el.* store) tanker om; misbillige, ikke synes om; *take long -s* arbejde på langt sigt, være fremsynet; *with a ~ to sth* med noget for øje, med henblik på noget.

II. view [vjuː] *vb* bese, tage i øjesyn; imødese; se på, betragte; se (i fjernsyn); (uden objekt) se fjernsyn.

viewer ['vjuə] *sb* fjernseer; *(fot)* betragter *(til* farvelysbilleder).

view|finder *(fot etc)* søger. ~ **halloo** ['vjuːhəˈluː] (udråb på parforcejagt, når ræven er set). **-ing screen** billedskærm, fjernsynsskærm. **-less** *(poet)* usynlig; *(am)* som ikke har nogen meninger. **-point** synspunkt.

viewy ['vjuːi] *adj* T forskruet, sværmerisk.

vigil ['vidʒil] *sb* nattevågen, nattevagt; *(rel)* -s *pl* vigilie; nattegudstjeneste.

vigilance ['vidʒiləns] *sb* vagtsomhed, årvågenhed; søvnløshed; ~ *committee (am)* velfærdskomité (til opretholdelse

af lov og orden under ekstraordinære forhold.

vigilant ['vidʒilənt] *adj* vagtsom, årvågen.

vigilante [vidʒi'lænti] *sb (am)* medlem af *vigilance committee.*

vignette [vin'jet] *sb* vignet.

vignettist [vin'jetist] *sb* vignettegner.

vigorous ['vigərəs] *adj* kraftig, energisk; livskraftig.

vigour ['vigə] *sb* kraft, energi.

viking ['vaikin] *sb* viking.

vile [vail] *adj* slet, nedrig, lav, skammelig *(fx suspicions);* (dårlig:) ussel, elendig *(fx verses);* (frastødende:) nedrdrægtig, modbydelig *(fx habit; climate).*

vilification [vilifi'keiʃn] *sb* bagvaskelse. **vilify** ['vilifai] bagvaske.

vilipend ['vilipend] *vb* foragte, tale nedsættende om.

villa ['vilə] *vb* (større) villa. **villadom** ['vilədəm] *sb* villaboere, *(omtr =)* spidsborgere, filistre.

village ['vilidʒ] *sb* landsby; *adj* landsby-; land- *(fx postman);* ~ *hall* forsamlingshus; ~ *pond* gadekær.

villager ['vilidʒə] *sb* landsbyboer; *-s* (ofte:) almue.

villain ['vilən] *sb* skurk; (se også *villein).*

villainous ['vilənəs] *adj* slyngelagtig, skurkagtig; T rædselsfuld, elendig.

villainy ['viləni] *sb* slyngelstreg; skurkagtighed, ondskab.

villein ['vilin] *sb (hist.)* livegen, vorned; hovbonde.

villeinage ['vilinidʒ] *sb* livegenskab, vornedskab; hoveri.

villous ['viləs] *adj (bot)* uldhåret.

vim [vim] *sb* energi, kraft.

vinaceous [vai'neiʃəs] *adj* vin-, drue-; vinrød.

vinaigrette [vinei'gret] *sb* lugteflaske, lugtedåse.

vindicate ['vindikeit] *vb* forsvare *(fx a cause),* forfægte *(fx a view* et synspunkt), hævde; godtgøre, bekræfte *(fx his honesty was -d),* retfærdiggøre *(fx these events -d his policy); (jur)* vindicere. **vindication** [vindi'keiʃn] *sb (cf vindicate)* forsvar, forfægtelse *(etc).*

vindicative ['vindikətiv], **vindicatory** ['vindikətəri] *adj* hævdende; forsvars-.

vindictive [vin'diktiv] *adj* hævngerrig.

vine [vain] *sb* ranke; vinranke, vinstok.

vinedresser [vaindresə] *sb* vingårdsgartner.

vinegar ['vinigə] *sb* eddike.

vinegary ['vinigəri] *adj* eddikesur.

vinery ['vainəri] *sb* drivhus for vinstokke, vinhus.

vineyard ['vinjəd] *sb* vingård; vinnave.

vinous ['vainəs] *adj* vin- *(fx taste).*

vintage ['vintidʒ] *sb* vinhøst; årgang; vin; *(fig)* T årgang; *adj* af en fin årgang; *(fig)* fremragende *(fx a ~ performance); ~ car* veteranbil; ~ *wine* årgangsvin; ~ *year (fig)* særlig godt år.

vintner ['vintnə] *sb* vinhandler.

viny ['vaini] *adj* (vin)rankeagtig, med mange (vin)ranker.

viola [vi'oulə] *sb (mus.)* bratsch; *(bot)* plante af violfamilien; stedmoderblomst.

violaceous [vaiə'leiʃəs] *adj* violblå.

violate ['vaiəleit] *vb* overtræde, bryde *(fx an agreement, a law, an oath);* misligholde *(fx an agreement, a contract);* krænke *(fx a frontier; their neutrality);* skænde *(fx a temple, a tomb),* (om kvinde også) voldtage.

violation [vaiə'leiʃn] *sb* overtrædelse, brud *(fx of a treaty);* misligholdelse; krænkelse *(fx of a right);* voldtægt.

violence ['vaiələns] *sb* voldsomhed, vold, voldshandling; *crimes of* ~ voldsforbrydelser; *do ~ to* krænke.

violent ['vaiələnt] *adj* voldsom, kraftig *(fx wind, noise);* voldelig, volds- *(fx methods).*

violet ['vaiəlit] *sb* violet; *(bot)* viol.

violin [vaiə'lin] *sb* violin.

violinist ['vaiəlinist] *sb* violinist.

violoncello [vaiələn'tʃelou] *sb* violoncel, cello.

V.I.P., VIP ['viːai'piː] *fk* T *Very Important Person* prominent person *(fx* regeringsmedlem).

viper ['vaipə] *sb* hugorm, slange; *cherish a ~ in one's bosom* nære en slange ved sin barm.

viper|ine ['vaipərin] *adj* slange-, hugorme-, slangeagtig. **-ish, -ous** *adj* slangeagtig; *(fig)* ond, lumsk, giftig.

viper's bugloss *(bot)* slangehoved.

virago [vi'rɑːgou] *sb* rappenskralde, havgasse.

virgin ['vəːdʒin] *sb* jomfru, mø; *adj* jomfruelig, uberørt, ren, uskyldig, ubesmittet; ny; jomfru-; (om metal) rent,

17*

ulegeret; *the (blessed) Virgin* jomfru Maria; *the Virgin* Jomfruen (stjernebillede).

virginal ['vɔ:dʒinl] *adj* jomfruelig, jomfru-; *sb* virginal (slags spinet).

virgin forest naturskov; urskov.

Virginia [vɔ'dʒinjɔ]; ~ *creeper* vildvin; ~ *(tobacco)* virginiatobak.

virginity [vɔ'dʒiniti] *sb* jomfruelighed; jomfrudom.

Virgin Queen: *the* ~ dronning Elisabeth den Første.

virgin soil uopdyrket jord.

Virgo ['vɔ:gou] Jomfruen (stjernebillede).

viridine ['viridin] *adj:* ~ *green* viridingrønt.

viridity [vi'riditi] *sb* grønhed, grøn farve.

virile ['virail; *(am:)* 'viril] *adj* mands-, mandlig; mandig, viril; *(fig)* energisk, kraftig.

virility [vi'riliti] *sb* manddom, manddomskraft; mandighed, virilitet; *(fig)* energi, kraft.

virology [vaiɔ'rɔlɔdʒi] *sb (med.)* virologi, læren om virus.

virtu [vɔ:'tu:] *sb* kunstsans, kunstforstand, kunstinteresse; *articles of* ~ genstande af kunstnerisk værdi, sjældenheder, rariteter.

virtual ['vɔ:tʃuɔl] *adj* virkelig, faktisk *(fx he was the ~ ruler)*; *(fys)* virtuel *(mods* virkelig) *(fx image, source)*.

virtually ['vɔ:tʃuɔli] *adv* faktisk, i realiteten; så godt som, praktisk talt *(fx ~ impossible)*.

virtue ['vɔ:tju:] *sb* dyd; fortrin; kraft, evne; *by (el. in) ~ of* i kraft af; *make a ~ of necessity* gøre en dyd af nødvendigheden; *a lady of easy ~* en letlevende dame.

virtuosity [vɔ:tju'ɔsiti] *sb* virtuositet; kunstinteresse, kunstsans.

virtuoso [vɔ:tju'ouzou] *sb* virtuos; kunstkender.

virtuous ['vɔ:tjuɔs] *adj* dydig; kysk.

virulence ['virulɔns] *sb (med.)* ondartethed, (i bakteriologi) virulens; *(fig)* ondskab, bitterhed. **virulent** ['virulɔnt] *sb (med.)* ondartet, (i bakteriologi) virulent; *(fig)* ondskabsfuld, bitter.

virus ['vaiɔrɔs] *sb* virus; *(fig)* gift, smitstof.

visa ['vi:zɔ] *sb* visum, påtegning på pas; *vb* visere, påtegne (pas).

visage ['vizidʒ] *sb* ansigt; ansigtsudtryk, udseende.

vis-à-vis ['vi:za:vi:] *præp, adv* lige overfor, vis-à-vis; *sb* vis-à-vis, person der sidder lige over for en.

viscera ['visɔrɔ] *sb* indvolde. **visceral** ['visɔrɔl] *adj* indvolds-; *(fig)* legemlig, fysisk.

viscid ['visid] *adj* klæbrig, sej, tykflydende.

viscidity [vi'siditi] *sb* klæbrighed.

viscose ['viskous] *sb* viscose.

viscosity [vis'kɔsiti] *sb* viskositet, væsketykkelse.

viscount ['vaikaunt] *sb* (adelsmand i rang efter *earl)*.

viscountcy ['vaikauntsi] *sb* rang (, titel) af *viscount*.

viscountess ['vaikauntis] *sb viscount's* hustru.

viscous ['viskɔs] *adj* sej, tyktflydende, klæbrig.

vise [vais] *sb (am)* skruestik.

visé ['vi:zei] se *visa*.

visibility [vizi'biliti] *sb* synlighed; sigtbarhed.

visible ['vizɔbl] *adj* synlig; sigtbar; ~ *horizon* kiming; ~ *index (bibl)* plankartotek.

vision ['viʒn] *sb* syn, synsevne; (noget man ser) syn, vision, drømmebillede; (om noget smukt) åbenbaring, drømmesyn; (evne:) klarsyn, vidsyn, fremsyn; *field of ~* synsfelt; *shortness of ~* kortsynethed.

visional ['viʒnl] *adj* drømmeagtig.

visionary ['viʒnɔri] *adj* (om person: som har visioner) visionær, synsk, *(fig)* sværmerisk; (om plan *etc)* fantastisk, uigennemførlig; (om syn) uvirkelig; drømmeagtig; *sb* sværmer, fantast, drømmer, idealist.

visit ['vizit] *vb* besøge, aflægge besøg (hos, i), gå på visit (hos); (som kontrol) visitere, inspicere; (om læge) besøge, tilse; (især i biblen) hjemsøge; *(am* T) snakke, sludre; *be besøg, visit; rejse, tur; ~ with (am)* besøge; snakke med.

visitable ['vizitɔbl] *adj* som er værd at omgås, seværdig, et besøg værd.

visitant ['vizitɔnt] *adj* besøgende; *sb* gæst; trækfugl.

visitation [vizi'teiʃn] *sb (cf visit)* besøg; visitats; hjemsøgelse; prøvelse; *zo* (usædvanlig stort fugletræk:) invasion.

visitatorial [vizitɔ'tɔ:riɔl] *adj* inspektions-, kontrollerende.

visiting card visitkort.

visitor ['vizitɔ] *sb* besøgende, gæst, fremmed; inspektør, tilsynsmand; *visitors' book* fremmedbog, gæstebog.

visor ['vaizɔ] *sb* (på kasket) skygge; (i bil) solskærm; *(glds)* maske; (på hjelm) visir, hjelmgitter.

vista ['vistɔ] *sb* udsigt (især gennem rækker af træer *el.* lang smal åbning); perspektiv.

Vistula ['vistjulɔ]: *the* ~ Weichsel, Visla.

visual ['vizjuɔl] *adj* syns-, synlig; (også *psyk)* visuel; (i optik) optisk; ~ *aids* visuelle hjælpemidler (i undervisning); anskuelsesmidler; *the* ~ *nerve* synsnerven.

visualize ['vizjuɔlaiz] *vb* danne sig et klart billede af, forestille sig; gøre synlig.

Vita ['vaitə]: ~ *glass* ® vitaglas.

vital ['vaitl] *adj* livs-; livsvigtig; *(fig)* nødvendig, væsentlig, afgørende, livsvigtig; (farlig:) dødbringende *(fx wound)*; *(fig)* skæbnesvanger *(fx error)*; (livlig:) vital, livskraftig; *of ~ importance* af vital betydning.

vitality [vai'tæliti] *sb* vitalitet, livskraft, modstandskraft, levedygtighed.

vitalize ['vaitɔlaiz] *vb* levendegøre; sætte liv i.

vitals ['vaitlz] *sb pl* vitale organer, ædlere dele; *(fig)* inderste kerne.

vital signs *pl* (puls, åndedræt, temperatur, blodtryk).

vital statistics befolkningsstatistik (over fødsler, dødsfald *etc)*; *(fig)* T (buste-, talje- og hofte-)mål.

vitamin ['vitamin, 'vai-] *sb* vitamin; ~ *A* A-vitamin.

vitelline [vi'telin] *adj* æggeblomme- *(fx membrane)*.

vitellus [vi'telɔs] *sb* æggeblomme.

vitiate ['viʃieit] *vb* ødelægge; fordærve; *(jur)* gøre ugyldig.

vitiation [viʃi'eiʃn] *sb* ødelæggelse; *(jur)* ugyldiggørelse.

viticulture ['vitikʌltʃɔ] *sb* vinavl.

vitreous ['vitriɔs] *adj* glas-, glasagtig; ~ *body* glaslegeme (i øjet).

vitrifaction [vitri'fækʃn] *sb,* **vitrification** [vitrifi'keiʃn] *sb* forglasning, omdannelse til glas; (om porcelæn) sintring.

vitrify ['vitrifai] *vb* forglasse(s), omdanne(s) til glas; (om porcelæn) sintre.

vitriol ['vitriɔl] *sb* vitriol.

vitriolic [vitri'ɔlik] *adv* vitriol-; *(fig)* ætsende, bidende *(fx criticism)*; meget skarp *(fx debate)*.

vitriolize ['vitriɔlaiz] *vb* skamfere med vitriol; omdanne til vitriol.

vituline ['vitʃjulain] *adj* kalve-.

vituperate [vi'tju:pɔreit] *vb* smæde, skælde ud. **vituperation** [vitju:pɔ'reiʃn] *sb* smæden, udskældning. **vituperative** [vi'tju:prɔtiv] *sb* skældende, smædende, smæde-.

I. viva [vaivɔ] *sb* mundtlig eksamen.

II. viva ['vi:vɔ] *sb* vivat; leve, bifaldsråb.

vivacious [vi'veiʃɔs] *adj* levende, livlig.

vivacity [vi'væsiti] *sb* liv, livlighed.

vivandière [*fr*] *sb (glds)* marketenderske.

vivarium [vai'vɛɔriɔm] *sb* vivarium.

viva voce ['vaivɔ'vousi] *adj* mundtlig; *sb* mundtlig eksamen.

vivid ['vivid] *adj* levende, livlig; (om skildring *etc)* levende, livagtig; (om farve) knald- *(fx blue, green, red)*.

vivify ['vivifai] *adj* levendegøre.

viviparous [vi'vipɔrɔs] *adj* som føder levende unger.

vivisect [vivi'sekt] *vb* vivisekere.

vivisection [vivi'sekʃɔn] *sb* vivisektion.

vixen ['viksn] *zo* hunræv; *(fig* om kvinde) harpe, rappenskralde, ondskabsfuld kælling. **vixenish** ['viksniʃ] *adj* galhovedet, skrap.

viz. (læses som *namely* ['neimli]) se *videlicet*.

vizier [vi'ziɔ] *sb* vesir; *Grand Vizier* storvesir.

V. O. *fk (Royal) Victorian Order*.

vocable ['voukɔbl] *sb* ord, glose.

vocabulary [vɔ'kæbjulɔri] *sb* ordforråd, gloseforråd; (i bog) glossar, ordliste; *(fig,* i kunst) formsprog.

vocal ['voukl] *adj* stemme-; sang-, vokal- *(fx music)*; som har stemme; som (ofte) lader høre fra sig, højrøstet; *become ~* (også) komme til udtryk, få mæle; tage til orde; ~ *cords* stemmebånd; ~ *pitch* stemmeleje.

vocalic [vɔ'kælik] *adj* vokal-, vokalisk.

vocalist ['voukɔlist] *sb* sanger(inde).

vocalization [voukɔlai'zeiʃn] *sb* brug af stemmen; vokalisering; udtale med stemt lyd. **vocalize** ['voukɔlaiz] *vb* ud-

tale; *(fon)* vokalisere; udtale stemt; *(mus.)* synge på vokaler alene (uden ord).
vocation [vəˈkeiʃn] *sb* kald; profession, erhverv.
vocational [vəˈkeiʃnl] *adj* erhvervs-, faglig, fag-; ~ *guidance* erhvervsvejledning; ~ *school* fagskole.
vocative [ˈvɔkətiv] *sb* vokativ; *adj* vokativisk.
vociferate [vəˈsifəreit] *vb* skråle, råbe.
vociferation [vəsifəˈreiʃn] *sb* skrålen, råben.
vociferous [vəˈsifrəs] *adj* skrålende, højrøstet, støjende.
vodka [ˈvɔdkə] *sb* vodka.
vogue [voug] *sb* mode; popularitet; *in* ~ på mode, moderne; populær, yndet; *all the* ~ det sidste skrig, højeste mode.
I. voice [vɔis] *sb* stemme *(fx his master's* ~ *; the* ~ *of conscience),* røst; *(gram,* om verber) genus, form, diatese; *the active* ~ aktiv, handleform; *the passive* ~ passiv, lideform; *in* ~ ved stemme; *in a low* ~ sagte; *give* ~ *to* give udtryk for, udtrykke; *have a* ~ *in* have (med)indflydelse på, have noget at sige i; *with one* ~ enstemmigt.
II. voice [vɔis] *vb* give udtryk for; *(fon)* stemme, udtale stemt; *-d* stemt.
voiceless [ˈvɔislis] *adj* uden stemme, stum; *(fon)* ustemt.
voice production stemmedannelse.
void [vɔid] *adj* tom; (i kortspil) renonce *(of* i, *fx* ~ *of hearts)* ; *(jur)* ugyldig *(fx declare the contract* ~*)* ; (om embede) ledig; *sb* tomrum; savn; *vb* (ud)tømme *(fx excrement)* ; *(jur)* gøre ugyldig, annullere; ~ *of* blottet for, uden *(fx a life of meaning).*
voidable [ˈvɔidəbl] *adj (jur)* omstødelig.
voidance [ˈvɔidns] *sb* tømning, udtømning; afsættelse fra præstekald; ledighed.
vol. *fk* volume.
volant [ˈvoulənt] *adj* som kan flyve, flyvende; let, rap.
volatile [ˈvɔlətail] *adj* flygtig *(fx liquid; oil)* ; *(fig)* flygtig, letbevægelig *(fx temperament).* **volatility** [vɔləˈtiliti] *sb* flygtighed; letbevægelighed. **volatilize** [vɔˈlætilaiz] *vb* forflygtige.
volcanic [vɔlˈkænik] *adj* vulkansk.
volcano [vɔlˈkeinou] *sb* vulkan.
I. vole [voul] *sb zo* markmus, studsmus.
II. vole [voul] *sb* (i kortspil) alle stik; *vb* vinde alle stik; *make a* ~ vinde alle stik; *go the* ~ *(fig)* sætte alt på ét bræt.
volitation [vɔliˈteiʃn] *sb (litt)* flyven, flagren.
volition [vəˈliʃn] *sb* villen, vilje.
volitional [vəˈliʃənl] *adj* viljes-, viljesbestemt *(fx actions).*
volley [ˈvɔli] *sb (mil.)* salve, geværsalve; *(fig)* vredesudbrud, strøm (af skældsord); (i boldspil) flugtning; *vb* affyre (salver); udslynge; flugte (bold).
volleyball [ˈvɔlibɔ:l] *sb* volley-ball (et boldspil).
volplane [ˈvɔlˈplein] *sb* glideflugt; *vb* svæve, flyve (, gå ned) i glideflugt.
vols. *fk* volumes bind.
volt [voult] *sb* volt. **voltage** [ˈvoultidʒ] *sb (elekt)* spænding.
voltaic [vɔlˈteiik] *adj (elekt)* voltaisk; galvanisk *(fx battery, element).*
volte-face [ˈvɔltˈfa:s] *sb* omslag, kovending.
voltmeter [ˈvoultmi:tə] *sb* voltmeter.
volubility [vɔljuˈbiliti] *sb* tungefærdighed.
voluble [ˈvɔljubl] *adj* meget talende, veltalende, i besiddelse af stor tungefærdighed.
volume [ˈvɔljum] *sb* bind *(fx a work in six -s)* ; (af tidsskrift: *annual* ~) årgang; *(fys)* rumfang; volumen; *(fig)* mængde *(fx the* ~ *of foreign trade)* ; omfang; masse *(fx* ~ *of water)* ; *(mus.* og radio) volumen, fylde, styrke; *speak -s for* tale stærkt (til fordel) for; være et tydeligt vidnesbyrd om; ~ *of traffic* trafiktæthed; ~ *of wood* vedmasse.
volume control volumenkontrol.
voluminous [vɔˈlju:minəs] *adj* omfangsrig, voluminøs; (om værk også) bindstærk.
voluntary [ˈvɔləntri] *adj* frivillig; opretholdt ved frivillige bidrag *(fx* ~ *hospital)* ; underkastet viljens herredømme, vilkårlig *(fx a* ~ *movement)* ; *(jur)* forsætlig; *sb* orgelsolo ved gudstjeneste.
volunteer [vɔlənˈtiə] *sb* frivillig; *vb* tilbyde sig, byde sig til, melde sig (frivilligt) *(for* til); (med objekt) tilbyde (uopfordret) *(fx one's services)* ; påtage sig frivilligt *(fx a*

dangerous duty) ; fremsætte (uopfordret), fremkomme (uopfordret) med *(fx a remark).*
voluptuary [vəˈlʌptʃuəri] *sb* vellystning.
voluptuous [vəˈlʌptʃuəs] *adj* vellystig; yppig.
volute [vəˈlju:t] *sb zo* foldesnegl; *(arkit)* volut (på søjlehoved).
volution [vəˈlju:[n] *sb* spiral, snoning.
volvulus [ˈvɔlvjuləs] *sb (med.)* tarmslyng.
vomit [ˈvɔmit] *vb* kaste op, brække sig; *(fig)* udspy, spy; *sb* opkastning; bræk; brækmiddel.
vomitive [ˈvɔmitiv] *sb* brækmiddel; *adj* bræknings-; som fremkalder opkastning.
vomitory [ˈvɔmitəri] = *vomitive; sb (arkit)* adgangs- el. udgangstrappe *(el.* -rampe) i (amfi)teater.
voodoo [ˈvu:du:] *sb* voodoo (en form for trolddom *el.* magi blandt negre).
voracious [vəˈreiʃəs] *adj* grådig, glubende.
voracity [vəˈræsiti] *sb* grådighed.
vortex [ˈvɔ:teks] *sb (pl* -es *el. vortices* [ˈvɔ:tisi:z]) hvirvel, malstrøm.
vortical [ˈvɔ:tikl] *adj* hvirvel-, hvirvlende.
Vosges [vouʒ]: *the* ~ Vogeserne.
votaress [ˈvoutəris] *sb* kvindelig tilbeder *(el.* tilhænger).
votary [ˈvoutəri] *sb* tilbeder, dyrker, tilhænger.
I. vote [vout] *sb* (ved valg *etc)* stemme; afstemning; stemmeret; stemmetal; (penge:) bevilling; ~ *by ballot* skriftlig (og hemmelig) afstemning; ~ *by show of hands* afstemning ved håndsoprækning; *give one's* ~ *to* stemme for; ~ *of censure,* ~ *of no confidence* mistillidsvotum; ~ *of confidence* tillidsvotum; *put to the* ~, *take a* ~ *on* stemme om, sætte under afstemning.
II. vote [vout] *vb* stemme; (om penge) bevilge; *(fig)* erklære for *(fx they -d it a failure)* ; T foreslå; ~ *down a proposal* nedstemme et forslag; ~ *in* indvælge; *he was -d out* han blev ikke genvalgt.
voter [ˈvoutə] *sb* stemmeberettiget, vælger.
voting paper stemmeseddel.
votive [ˈvoutiv] *adj* votiv-, givet ifølge el. løfte.
vouch [vautʃ] *vb:* ~ *for* garantere (for), indestå for.
voucher [ˈvautʃə] *sb* kvittering; regnskabsbilag; bon, kupon; spisebillet; (om person) garant.
vouchsafe [vautʃˈseif] *vb* forunde, tilstå, værdige *(fx he -d me no answer)* ; ~ *to* nedlade sig til at.
voussoir [ˈvu:swɔ:] *sb (arkit)* hvælvingssten.
vow [vau] *sb* (højtideligt) løfte; ægteskabsløfte; *vb* aflægge løfte om; (højtideligt) love, forsikre, sværge på, erklære; *take -s (rel)* aflægge klosterløfte.
vowel [ˈvauəl] *sb* vokal, selvlyd; *adj* vokal-.
voyage [ˈvɔiidʒ] *sb* rejse, (længere) sørejse; *vb* rejse, berejse.
V.S. *fk* veterinary surgeon.
VSO *fk voluntary service overseas (omtr)* frivilligt u-landsarbejde.
Vt. *fk* Vermont.
VTOL *fk* vertical take-off and landing *(aircraft)* ; se *vertical.*
Vulcan [ˈvʌlkən] Vulkan (romersk gud).
vulcanite [ˈvʌlkənait] *sb* ebonit, hærdet gummi.
vulcanize [ˈvʌlkənaiz] *vb* vulkanisere.
vulgar [ˈvʌlgə] *adj* vulgær, tarvelig, simpel; plat, grov *(fx joke)* ; (især *glds)* almindelig, udbredt *(fx superstition)* ; ~ *fraction* almindelig brøk; *the* ~ menigmand, almuen; *the* ~ *tongue* folkesproget.
vulgarism [ˈvʌlgərizm] *sb* vulgarisme, vulgært udtryk.
vulgarity [vʌlˈgæriti] *sb* tarvelighed, simpelhed, plathed, grovhed, vulgaritet.
vulgarize [ˈvʌlgəraiz] *vb* forsimple.
Vulgate [ˈvʌlgit]: *the* ~ Vulgata (latinsk bibeludgave).
vulnerability [vʌlnəˈbiliti] *sb* sårbarhed, angribelighed.
vulnerable [ˈvʌlnərəbl] *adj* sårbar, *(fig* også) angribelig; udsat *(to* for); (i bridge) i farezonen.
vulnerary [ˈvʌlnərəri] *adj* lægende; *sb* sårmiddel.
vulpine [ˈvʌlpain] *adj* ræve-, ræveagtig.
vulture [ˈvʌltʃə] *sb zo* (glds *el. fig)* grib.
vulturine [ˈvʌltʃərain], **vulturous** [ˈvʌltʃərəs] *adj* gribbe-, gribbeagtig; *(fig)* rovbegærlig, grådig, grisk.
vulva [ˈvʌlvə] *sb (anat)* vulva.
vying [ˈvaiiŋ] *præs pp* af vie.

W ['dʌblju:].
W. *fk Wales; Wednesday; West(ern); Welsh.*
w. *fk watt; wide; with.*
WAAC *fk Women's Army Auxiliary Corps;* (nu: *WRAC); a Waac* [wæk] et medlem af *WAAC.*
WAAF *fk Women's Auxiliary Air Force* (nu: *WRAF).*
wabble ['wɔbl] *vb* se *wobble.*
WAC ['dʌblju: 'ei 'si:] *(am) fk Women's Army Corps; a Wac* [wæk] et medlem af *WAC.*
wacco = *wacko.*
wack [wæk] *sb* S original, skør rad.
wacko ['wækou] *interj* S den er fin *(el.* mægtig)!
wacky ['wæki] *adj* S skør, sær, tosset.
wad [wɔd] *sb* tot; plade (af stoppemateriale *fx* vat); (af papirer) (tæt) rulle, (af pengesedler) seddelbundt; (i patron) skive; *(glds mil.)* forladning; *vb* sammenpresse, sammenrulle; tilstoppe; vattere, fore (med vat).
wadable ['weidəbl] *adj* som man kan vade over.
wadding ['wɔdiŋ] *sb* vattering; (plade)vat; cellstof; *(glds mil.)* forladning.
waddle ['wɔdl] *vb* vralte, stolpre; *sb* vralten, stolpren.
wade [weid] *vb* vade; vade over; *(fig)* arbejde sig igennem (møjsommeligt); *sb* vaden; ~ *into* falde 'over, kaste sig over.
wader ['weidə] *sb* vadefugl; *-s* vadestøvler; (især: støvler og bukser i ét) vadebukser.
wadi, wady ['wɔdi] *sb* wadi (flodleje som uden for regntiden er udtørret).
wafer ['weifə] *sb* (segl)oblat; (biscuit:) vaffel; *(rel)* oblat, hostie (alterbrød); *vb* lukke med oblat. **wafer-thin** papirtynd.
I. waffle ['wɔfl] *sb* vaffel.
II. waffle ['wɔfl] T *sb* (højtravende) sludder; tågesnak; *vb* vrøvle.
waffle iron vaffeljern.
waffling ['wɔfliŋ] *adj* T tåget, vag, udflydende.
waft [wa:ft] *vb* føre (gennem luften), vifte; svæve; *sb* vift, pust; duft.
wag [wæg] *vb* bevæge let, vippe med, (om hoved) virre med, ryste på, (om hunds hale) logre med; (uden objekt) dingle, bevæge sig; (om hunds hale) logre; *sb* spilopmager, spøgefugl; logren; *his tongue -s incessantly* munden står ikke på ham; *tongues are -ing* sladderen går; *he -ged his finger at me* han truede ad mig med fingeren.
I. wage [weidʒ] *sb:* ~, *-s* løn, arbejdsløn; *the -s of sin is death* syndens sold er døden.
II. wage [weidʒ] *vb:* ~ *war* føre krig.
wage| drift lønglidning. ~ **-earner** lønarbejder, lønmodtager. ~ **freeze** lønstop. ~ **packet** lønningspose.
wager ['weidʒə] *sb* indsats, væddemål; *vb* vædde, vædde om, sætte på spil.
wage stop (bestemmelse der skal forhindre at sociale ydelser overstiger det almindelige lønniveau).
waggery ['wægəri] *sb* pjank, narrestreger, spøg.
waggish ['wægiʃ] *adj* spøgefuld; kåd, munter.
waggle ['wægl] *vb* svinge, bevæge sig frem og tilbage, vrikke, vugge, ryste; (med objekt) vrikke *(etc)* med; (om hunds hale) logre med; (med objekt) va. vuggen, vrikken; logren.
waggly ['wægli] *adj* ustadig, slingrende; vrikkende; logrende.
wag(g)on ['wægən] *sb* vogn, arbejdsvogn; *(jernb)* godsvogn; *be (, go) on the (water)* ~ S være (, blive) afholdsmand.
wag(g)oner ['wægənə] *sb* fragtkusk.
wagonette [wægə'net] *sb* charabanc.
wagon-lit ['wægə:n'li:,*fr*] *sb sb* sovevogn.
wagtail ['wægteil] *zo* vipstjert.
waif [weif] *sb* hjemløs (person); herreløst gods, drivgods; herreløs hund *(el.* kat); *-s and stays* hjemløse og omflakkende børn.

wail [weil] *vb* jamre sig, klage; hyle; (med objekt) jamre over, begræde; *sb* jammer, klage; *the Wailing Wall* grædemuren (i Jerusalem).
wain [wein] *sb (poet)* vogn.
wainscot ['weinskət] *sb* panel; *vb* beklæde med panel.
wainscoted ['weinskətid] *adj* panelklædt.
wainscoting ['weinskətiŋ] *sb* panel; materiale til panel.
waist [weist] *sb* liv, midje, talje, bæltested; midterparti, midterste del; *(am* også) bluse; kjoleliv.
waist|band ['weis(t)bænd] *sb* linning; bæltebånd. **-coat** ['weiskout] *sb* vest, trøje. ~ **-deep**, ~ **-high** (som når) op til livet.
wait [weit] *vb* vente, se tiden an; (ved bordet) varte op; (med objekt) vente på; afvente; *sb* venten, ventetid *(fx a long* ~*); (teat)* pause, mellemakt; (se også *waits); ~ one's chance* afvente det gunstige øjeblik; ~ *for* vente på; ~ *dinner for sby* vente på en med middagsmaden; ~ *for it!* T tag det roligt! (som indledning til noget overraskende:) hold dig nu fast! *lie in* ~ *for* ligge på lur efter; ~ *on* opvarte; servere for, betjene; *(glds)* gøre sin opvartning (hos); ~ *on sby hand and foot* opvarte en i alle ender og kanter; *may good luck* ~ *upon you* gid heldet må følge dig; ~ *up* for sidde oppe og vente på; ~ *one's turn* vente til det bliver éns tur.
waiter ['weitə] *sb* tjener, opvarter; præsenterbakke.
waiting ['weitiŋ] *adj* ventende, opvartende; *sb* opvartning, tjeneste.
waiting| game: *play a* ~ *game* stille sig afventende; føre en henholdende politik. ~ **list** ekspektanceliste. ~ **maid** kammerpige. ~ **man** tjener. ~ **period** (for forsikring) karenstid. ~ **room** venteværelse; *(jernb)* ventesal. ~ **woman** kammerpige.
waitress ['weitris] *sb* serveringsdame, servitrice.
waits [weits] *sb pl* julemusikanter, julesangere.
waive [weiv] *vb* opgive, frafalde, give afkald på *(fx a right); (foreløbig)* se bort fra *(fx formalities);* affærdige, affeje, afvise.
waiver ['weivə] *(jur)* opgivelse, frafaldelse.
I. wake [weik] *vb (woke, woken el. -d, -d)* vågne, vågne op; *(glds)* våge; (med objekt) vække; *(glds)* våge ved; ~ *up* = *wake;* ~ *to sth* blive klar over noget, få øjnene op for noget.
II. wake [weik] *sb* (irsk:) vågenat (ved en død), gravøl; (især *-s pl)* (i Nordengland) industriferie; (årligt) forlystelsesmarked.
III. wake [weik] *sb (mar)* kølvand; *in the* ~ *of* (også *fig)* i kølvandet på, lige efter.
wakeful ['weikful] *adj* vågen, årvågen; søvnløs *(fx night).*
waken ['weikn] *vb* vågne; vække.
wake-robin ['weik'rɔbin] *sb (bot)* dansk ingefær.
wale [weil] (især *am)* = I. **weal.**
Waler ['weilə] *sb* hest fra New South Wales, australsk hest.
Wales [weilz].
I. walk [wɔ:k] *vb* gå, spadsere *(fx go by car or* ~*), (spec* bibelsk) vandre; (om hest) gå i skridtgang; (om spøgelse) gå igen *(fx the ghost -s); (med objekt)* gå på; gå (omkring) i *(fx the streets),* gennemvandre *(fx the country);* (om hest) lade gå i skridtgang; (om hund) gå tur med; (om cykel) trække; (om person) gå (sammen) med *(fx* ~ *him to the bus stop),* slæbe, trække *(fx they -ed him out of the room),* trække rundt (med) *(fx* ~ *sby all over the town);*

~ *the boards* optræde på scenen; ~ *the chalk* bevise at man er ædru ved at gå langs en kridtstreg; *(fig)* opføre sig pænt, holde sig på måtten; ~ *the plank* (om sørøvers offer) gå planken ud; *(fig)* blive fyret; ~ *the streets* (om prostituteret) trække på gaden; ~ *the wards* (om medicinsk student) være volontør, gøre volontørtjeneste;

(med *præp, adv)* ~ *away from (fig)* besejre med lethed; ~ *away with* (vinde:) løbe af med *(fx the first prize)*; (stjæle:) stikke af med; ~ **into** gå ind i; løbe mod *(fx a lamppost)*; *(fig)* gå løs på, sætte til livs, gå ombord i *(fx a cutlet)*; skælde ud; *he -ed me* **off** han trak af med mig; ~ *sby off his legs* gå en træt; ~ *off with* (stjæle:) stikke af med *(fx* ~ *off with sby's wife)*; (vinde:) løbe af med *(fx the first prize)*; *he -ed off with the show (teat)* han stjal billedet; ~ **on** *(teat)* være statist; ~ *on air* føle sig fri og let, 'svæve'; ~ **out** **T** gå i strejke; udvandre (som demonstration); ~ *out on* lade i stikken, stikke af fra; *the students -ed out on the professor* studenterne udvandrede fra forelæsningen; *the young man she -s out with* den unge mand hun går med; ~ **over** besejre med lethed.

II. walk [wɔ:k] *sb* gang, (om hest) skridtgang; (tur:) spadseretur, tur; *(glds)* rute, runde *(fx mælkemandens)*; (sti *etc)* spadseresti, vej, promenade, (i have) gang, sti; (for får) græsgang; (i sport) kapgang; ~ *in (el. of) life* social position, stand, samfundslag; (livs)stilling.

walkaway ['wɔ:kəwei] *sb* let sejr; let vundet kamp.

walker ['wɔ:kə] *sb* fodgænger; gangstol; *I am not much of a* ~ jeg går ikke meget; jeg er ikke videre god til at gå.

walker-on ['wɔ:kər'ɔn] *sb (teat)* statist.

walkie-talkie ['wɔ:ki'tɔ:ki] *sb* transportabel radiotelefon.

walking papers *pl* **T** løbepas, afskedigelse. ~ **part** statistrolle. ~ **stick** spadserestok. ~ **tour** fodtur, fodrejse.

walk-on part statistrolle.

walkout ['wɔ:kaut] *sb* proteststrejke (ved at man forlader arbejdspladsen); udvandring (som demonstration).

walkover ['wɔ:kouvə] *sb* let sejr; let vundet kamp, *(parl)* valg uden modkandidat.

walk-up ['wɔ:kʌp] *sb (am* **T)** beboelsesejendom uden elevator.

wall [wɔ:l] *sb* mur, væg; (i befæstning) vold; (mod oversvømmelse) (hav)dige, dæmning; *(fig)* mur; *vb* omgive med mur, befæste; ~ *up* tilmure, indemure; *take the* ~ gå nærmest ved husene; *drive sby to the* ~ *(fig)* bringe en i klemme, sætte en til vægs, sætte en stolen for døren; *go to the* ~ *(fig)* blive skubbet til side, vige; tabe; gå bag af dansen; *push sby to the* ~ skubbe en til side; *drive sby up the* ~ **T** gøre in tosset.

wallaby ['wɔləbi] *sb zo* wallaby (art lille kænguru).

walla(h) ['wɔlə] *sb* **T** (i *sms)* -mand *(fx the laundry* ~*)*.

wall| bar ribbe (til gymnastik). **-board** vægplade. ~ **bracket** vægkonsol. ~ **creeper** *(zo)* murløber.

wallet ['wɔlit] *sb* tegnebog, seddelmappe; *(glds)* tiggerpose.

walleye ['wɔ:lai] *sb (vet)* glasøje, porcelænsøje (øje med ugennemsigtig og hvid hornhinde); udadskelende øje.

wall|flower *sb (bot)* gyldenlak; *(fig)* bænkevarmer (dame som sidder over). ~ **fruit** espalierfrugt. ~ **knot** *(mar)* sjoverknob.

Walloon [wɔ'lu:n] *sb* vallon; *adj, sb* vallonsk.

wallop ['wɔləp] **T** *vb* tæve, klø, prygle, banke; *sb* hårdt slag; kraft; **S** øl; *adv* = *with a* ~ med et brag, bums, pladask.

walloping ['wɔləpiŋ] **T** *sb* nederlag, bank, klø; *adj* gevaldig, vældig, drabelig.

wallow ['wɔlou] *vb* rulle sig, vælte sig, *(fig* også) svælge *(in* i); *sb* sted, hvor dyr roder og vælter sig; *be -ing in money* svømme i penge.

wall|painting vægmaleri. **-paper** tapet. ~ **plate** murrem, murlægte. ~ **plug** stikkontakt. **-sheet** vægplanche. ~ **sign** gavlreklame.

Wall Street ['wɔ:lstri:t] (gade i New York); det amerikanske pengemarked.

wall tie muranker.

walnut ['wɔ:lnʌt] *sb* valnød; valnøddetræ, nøddetræ.

walrus ['wɔ:lrəs] *sb* hvalros.

waltz [wɔ:ls, wɔls] *sb* vals; **T** let sag; *vb* valse, danse vals (med); **T**: ~ *off with* løbe af med; ~ *through* klare med lethed.

wan [wɔn] *adj* bleg, gusten; mat, svag.

wand [wɔnd] *sb* stav; tryllestav; embedsstav; *(mus.)* taktstok; *(poet)* vånd.

wander ['wɔndə] *vb* vandre, strejfe om, flakke om; fare vild; *(fig)* gøre et sidespring fra emnet; (om syg) tale i vildelse, fantasere, være uklar; *he is -ing in his mind, his*

mind is -ing han taler i vildelse *(el.* fantaserer, er uklar); *my attention -ed* jeg var lidt uopmærksom.

wanderer ['wɔndərə] *sb* vandringsmand.

wandering ['wɔndəriŋ] *adj* (om)vandrende, omstrejfende, omflakkende; flakkende *(fx eyes)*; *(fig)* ustadig; (om tale) usammenhængende; *sb* omvandren; ustadighed; fantaseren; *the* ~ *Jew* den evige jøde; ~ *kidney* vandrenyre.

wane [wein] *vb* aftage, hælde, svinde, dale; *(fx* aftagen, nedgang, forfald; (om månen) aftagen(de); (på tømmer) vankant; *on the* ~ i aftagen, dalende; på skråplanet.

waney ['weini] vankantet.

I. wangle [wæŋgl] *vb* **S** opnå, skaffe sig (især ved fiffighed); 'redde'; *he managed to* ~ *his leave* han 'lavede' den' sådan at han fik orlov.

II. wangle [wæŋgl] *sb* **S** *(fig)* kneb.

I. want [wɔnt] *vb* mangle *(fx he does not* ~ *intelligence)*; behøve, have brug for, trænge til *(fx he -s someone to look after him)*; ønske, gerne ville have *(fx I* ~ *some socks, please)*; ville have *(fx he -s everything he sees)*; ville tale med *(fx tell Jones I* ~ *him)*; (om politiet) eftersøge *(fx he is -ed by the police)*; (med *inf)* ville, ønske at *(fx the boss -s to see you)*; måtte *(fx one -s to be careful in handling a gun)*; (uden objekt) ville *(fx you may go now if you* ~*)*; lide nød *(fx we must not let them* ~*)*; ~ *for* mangle, savne; *you are -ed on the telephone* der er telefon til dig; *children* ~ *plenty of sleep* børn skal have rigelig søvn; *you don't* ~ *to be rude* du skal bare ikke være næsvis; *it -s two minutes to the hour* klokken mangler *(el.* er to minutter i (hel); *what does he* ~ *with a new car?* **T** hvad skal han med en ny vogn?

II. want [wɔnt] *sb* mangel (of på); savn *(fx he felt a vague* ~; *a long-felt* ~*)*; (fattigdom:) trange kår *(fx live in* ~*)*, trang; nød *(fx freedom from* ~*)*; (især i *pl)* fornødenhed *(fx my -s are few)*; *be in* ~ *of* trænge til *(fx a haircut)*; mangle.

want ad *(am)* rubrikannonce.

I. wanting ['wɔntiŋ] *adj* mangelfuld, manglende; *be* ~ mangle *(fx there is a book* ~*)*; *he is a little* ~ **T** han er lidt tilbage (ɔ: i intelligens); *be* ~ *in* være uden, mangle *(fx be* ~ *in initiative)*; *weighed and found* ~ vejet og fundet for let.

II. wanting ['wɔntiŋ] *præp* uden *(fx* ~ *common honesty nothing could be done)*; minus; da man ikke havde.

wanton ['wɔntən] *adj* formålsløs, umotiveret *(fx attack)*; hensynsløs *(fx cruelty)*, tankeløs, uansvarlig; (umoralsk:) letsindig, letfærdig; *(poet)* lystig, kåd, overgiven; (om vegetation) frodig; *sb* tøjte, letfærdig kvinde, tøs; *vb* flagre, sværme, boltre sig.

wapiti ['wɔ'piti] *sb zo* wapiti (art hjort).

war [wɔ:] *sb* krig, ufred; *(fig)* kamp, strid; *vb* føre krig; kæmpe; *at* ~ i krig; *(fig)* i strid *(with* med); *have been in the -s* (også) være slemt medtaget; *council of* ~ krigsråd; *the fortune of* ~ krigslykken; *on a* ~ *footing* på krigsfod; *make (el. wage)* ~ *on* føre krig imod; *go to the -s* drage i krig; ~ *to the knife* krig på kniven.

I. warble ['wɔ:bl] *sb* knude, vable, bremsebyld; *(zo)* bremselarve; oksebremse.

II. warble ['wɔ:bl] *vb* slå triller, synge; *sb* trille, sang.

warble fly *zo* bremse.

warbler ['wɔ:blə] *sb* sanger, sangfugl.

warbling ['wɔ:bliŋ] *sb* triller, sang.

war| bond krigslånsobligation. ~ **chest** krigskasse. ~ **crime** krigsforbrydelse. ~ **criminal** krigsforbryder. ~ **cry** krigsråb, kampskrig.

ward [wɔ:d] *sb* bevogtning, vagt, opsyn; beskyttelse; *(jur)* formynderskab; myndling; bydistrikt; valgkreds (for kommunevalg); (af skov) skovdistrikt; (i hospital) afdeling; stue; (i fængsel) afdeling; (i lås) låsegang; *vb (glds)* forsvare, beskytte; *a* ~ *in Chancery, a* ~ *of court* en umyndig under kanslerrettens værgemål; ~ *off* afparere, værge sig imod, afværge.

-ward(s) *suffix* imod, hen imod *(fx seaward(s))*.

war dance krigsdans.

warden ['wɔ:dn] *sb* forstander, bestyrer, (på *college* også) efor; (på vandrehjem) herbergsleder; *(churchwarden)* kirkeværge; *(air-raid* ~*)* husvagt; *(am)* fængselsinspektør; *(glds)* vogter, opsynsmand.

warder ['wɔːdə] *sb* fængselsbetjent; *(glds)* kommandostav; vægter, vagt. **wardress** ['wɔːdris] *sb* kvindelig fængselsbetjent.

wardrobe ['wɔːdroub] *sb* klædeskab; garderobe, tøj; ~ *trunk* skabskuffert.

wardroom ['wɔːdrum] *sb* officersmesse (på krigsskib).

wardship ['wɔːdʃip] *sb* formynderskab.

ward sister *(omtr)* afdelingssygeplejerske.

ware [wɛə] *sb* vare, varer; (især:) fajance, lertøj; -*s pl* varer (der falbydes) *(fx a pedlar selling his -s)*.

war effort krigsindsats.

I. warehouse ['wɛəhaus] *sb* magasin, pakhus, lager; ~ *to* ~ (i forsikring) 'hus til hus'.

II. warehouse ['wɛəhauz] *vb* opmagasinere.

warehouse| book lagerbog. ~ **charges** pakhusleje. ~ **keeper** lagerchef. -**man** ejer af pakhus, lagerchef, grossist, grosserer; lagerarbejder, lagerist.

warfare ['wɔːfɛə] *sb* krigsførelse, krig.

war game *(mil.)* krigsspil; T papirkrig.

warhead ['wɔːhed] *sb (mil.)* sprænghoved; (i torpedo) krigsladningsrum; *atomic* ~ atomsprængladning.

warlike ['wɔːlaik] *adj* krigerisk, krigs-.

warlock ['wɔːlɔk] *sb (glds)* troldmand.

warlord ['wɔːlɔːd] *sb* krigsherre, general.

I. warm [wɔːm] *adj* varm *(fx blood, weather, room)*; *(fig)* varm *(fx welcome, admirer, heart)*; (ophidset:) heftig; (om spor) frisk; T *(fig:* ubehagelig) hed *(fx the place was getting too* ~ *for me)*; *you are (getting)* ~ (også) tampen brænder; *make things* ~ *for sby* gøre helvede hedt for en; ~ *work* arbejde man bliver svedt af.

II. warm [wɔːm] *vb* varme, opvarme; (uden objekt) blive opvarmet; ~ *(up) to one's work* komme på gled, blive stærkt interesseret i sit arbejde; ~ *up* opvarme; blive opvarmet; (i sport) varme op.

warm|-blooded varmblodig, temperamentsfuld. ~ **corner** *(fig)* udsat sted. -**ed over** *(am:* om mad) opvarmet. ~ -**hearted** varmhjertet, hjertelig.

warming pan varmebækken, sengevarmer; S vikar; en der foreløbig har en stilling som er tiltænkt en anden.

warmonger ['wɔːmʌŋgə] *sb* krigsophidser, krigsmager.

warmth [wɔːmθ] *sb* varme; *(fig)* varme, begejstring; heftighed.

warm-up ['wɔːmʌp] *sb* opvarmning.

warn [wɔːn] *vb* advare, formane; gøre opmærksom på, underrette om; indkalde; ~ *against* advare imod; ~ *of* advare mod, gøre opmærksom på; underrette om, advare om; ~ *sby off* formene én adgang til, udvise (, udelukke) en fra; ~ *not to* advare mod at.

warning ['wɔːniŋ] *sb* advarsel; varsel *(fx shoot without* ~*)*; forudgående meddelelse; (om ophør) opsigelse; *take* ~ *from* tage ved lære af.

War Office; *the* ~ det britiske krigsministerium.

I. warp [wɔːp] *vb* (om træ) slå sig; kaste sig, blive vindskæv; få til at slå sig *(etc)*; *(fig:* om karakter) forkvakle, (om beretning *etc)* fordreje; *(mar)* varpe; blive varpet; *(am ogs)* klæge, gøde med klæg.

II. warp [wɔːp] *sb* (om træ) kastning; (om karakter) skævhed; *(mar)* varp, trosse; *(geol)* klæg; (i vævning) rendegarn, kæde.

war| paint krigsmaling. -**path** krigssti. -**plane** *(am)* krigsfly, militærfly.

warp knitting kædestrikning.

war profiteer krigsspekulant.

I. warrant ['wɔr(ə)nt] *vb* forsikre, indestå for, garantere (for) *(fx I* ~ *that he will come)*; berettige, retfærdiggøre *(fx nothing can* ~ *this interference)*.

II. warrant ['wɔr(ə)nt] *sb (cf I. warrant)* garanti, sikkerhed; berettigelse *(fx without* ~*)*; bemyndigelse, hjemmel; (skriftlig:) fuldmagt; *(mht* betaling) anvisning; *(mht* varer) lagerbevis, oplagsbevis; (til politi:) ~ *for an arrest)* arrestordre; ~ *of attorney* fuldmagt til en advokat.

warrantable ['wɔr(ə)ntəbl] *adj* forsvarlig, tilladelig, retmæssig.

warrant officer (befalingsmandsklasse som har rang mellem *commissioned officers* og *non-commissioned officers)*.

warrantor ['wɔr(ə)ntə] *sb* garant.

warranty ['wɔr(ə)nti] *sb* garanti; hjemmel, grundlag, bemyndigelse.

warren ['wɔr(ə)n] *sb* kaningård; *(fig)* lejekaserne, rottrede; *pheasant* ~ fasangård.

warring ['wɔːriŋ] *adj* krigsførende, stridende; *(fig)* modstridende, uforenelig.

warrior ['wɔriə] *sb* kriger; *the Unknown Warrior* den ukendte soldat.

Warsaw ['wɔːsɔː] Warszawa.

warship ['wɔːʃip] *sb* krigsskib.

wart [wɔːt] *sb* vorte; *paint him -s and all* give et billede af ham som han er, give et uretoucheret billede af ham.

warthog ['wɔːthɔg] *sb zo* vortesvin.

warty ['wɔːti] *adj* vortet, fuld af vorter.

Warwick ['wɔrik].

wary ['wɛəri] *adj* forsigtig, varsom.

was [wɔz, wəz] 1. og 3. *pers sg præt* af *be*.

I. wash [wɔʃ] *vb* vaske *(fx* ~ *one's hands)*; skylle; (med slange) spule; *(fig)* beskylle *(fx the sea -ed the cliffs)*; (uden objekt) vaske *(fx we* ~ *once a week)*; vaske sig; holde sig i vask, *(fig)* T holde stik, stå for en nøjere undersøgelse *(fx that theory won't* ~*)*; ~ *away* afvaske, skylle bort; ~ *sth down* spule noget rent, give noget en afvaskning; ~ *it down with a glass of water* skylle det ned med et glas vand; ~ *one's hands of* fralægge sig alt ansvar for; ~ *off,* ~ *out* afvaske; (om plet også) gå af i vask; (se også *washed-out)*; ~ *up* vaske op; skylle op; *(am* også) vaske sig.

II. wash [wɔʃ] *sb* vask(ning); (tøj:) vasketøj *(fx hang out the* ~*)*; (i hav *etc)* bølgeslag, (efter skib) kølvandsstribe, dønning, (efter fly) afløb af luftstrømning; (tyk:) brusen; (våd masse:) dynd; (i bryggeri) mask; (til toiletbrug) vand *(fx hair* ~*)*; (drik:) tyndt pøjt; *give sth a* ~ vaske noget; *have a* ~ vaske sig; *be at the* ~ være i vask; *it will come out in the* ~ S det skal nok komme for en dag; *send clothes to the* ~ sende tøj til vask.

Wash. *fk Washington.*

washable ['wɔʃəbl] *adj* vaskeægte; vaskbar, afvaskelig.

wash|basin vandfad, vaskefad; vaskekumme. -**board** vaskebræt; *(am)* fodpanel; *(mar)* skvætbord. -**bowl** vandfad. ~-**deck pump** *(mar)* spulepumpe.

washed-out ['wɔʃtaut] *adj* udvasket, farveløs; T udaset, udkørt; bleg.

washed-up ['wɔʃtʌp] *adj* T færdig, ødelagt.

washer ['wɔʃə] *sb* (en der) vasker; vaskemaskine; *(tekn)* spændeskive, underlagsskive, pakskive.

washerwoman ['wɔʃəwumən] *sb* vaskekone.

wash|hand-basin vandfad. -**hand-stand** servante. -**house** vaskeri, vaskehus.

washing ['wɔʃiŋ] *sb* vask, vaskning; vasketøj; vaskevand; skyllevand *(fx tank* ~*)*; slam. **washing| machine** vaskemaskine. ~ **stand** servante.

Washington ['wɔʃintən].

wash|leather vaskeskind. -**out** bortskylning (af jord); S fiasko. -**room** *(am)* toilet. -**stand** servante. -**tub** vaskebalje.

washy ['wɔʃi] *adj* vandet, udvandet, tynd, svag, bleg.

wasp [wɔsp] *sb* hveps; se også *WASP.*

WASP *fk (am) White Anglo-Saxon Protestant.*

waspish ['wɔspiʃ] *adj* pirrelig, arrig; hvas, giftig.

wasp-waisted med hvepsetalje.

wassail ['wɔsl] *(glds) sb* drikkelag; krydret øl *(el.* vin); *vb* skåle, drikke, svire.

wast [wɔst] var *(glds* 2. *pers sg præt* af *be)*.

wastage ['weistidʒ] *sb* svind, spild.

I. waste [weist] *vb* spilde, bortødsle *(fx* ~ *one's money)*; lade gå til spilde; forspilde *(fx an opportunity; a life)*; hentære, udmarve *(fx -d by disease)*; bringe til at visne *(fx a sorcerer -d his arm)*; *(jur)* lade forfalde, forringe; *(litt)* hærge *(fx a country -d with fire and sword)*, lægge øde; (uden objekt) hentæres; (om tid) svinde; ~ *away* hentæres; ~ *not, want not (omtr)* den der spa'r, har.

II. waste [weist] *sb* spild; svind; *(jur)* forfald, forringelse; (område:) øde strækning, ørken; (som kasseres:) affald, (papir:) makulatur; *(cotton* ~*)* tvist; (til spildevand) afløbskar; *go (el. run) to* ~ gå til spilde.

III. waste [weist] *adj* øde, uopdyrket, ubeboet *(fx* ~ *land)*; kasseret; affalds-, spild-; *lay* ~ ødelægge, hærge; *lie* ~ henligge uopdyrket.

waste|basket *(am)* papirkurv. ~ **book** kladdebog. -**ful** ød-

sel, uøkonomisk. **-paper** papiraffald; makulatur. **-paper basket** papirkurv. **-pipe** afløbsrør. ~ **product** affaldsprodukt, spildprodukt.
waster ['weistə] *sb* ødeland, døgenigt; *(merk)* udskudsvare.
wastrel ['weistrəl] *sb* døgenigt, ødeland.
I. watch [wɔtʃ] *sb* vagt; ur (lomme- *el.* armbåndsur); *keep* ~ holde vagt; *be on the* ~ *(fig)* være på vagt, holde udkig; *be on the* ~ *for* spejde efter, være på udkig efter; ~ *below (mar)* frivagt.
II. watch [wɔtʃ] *vb* iagttage *(fx sby's face)*; se (nøje) på; vogte på, holde øje med, være på udkig efter *(fx* ~ *a favourable opportunity)*; (om kvæg) vogte; (uden objekt) se 'til; våge *(fx* ~ *and pray)*;
~ *for* spejde efter; ~ *out* være på vagt, passe på; ~ *over* bevogte, vogte, passe på; ~ *the telly* T se fjernsyn; ~ *one's time* afvente det rette tidspunkt; *a -ed pot never boils (omtr)* ventetiden falder altid lang.
watch|dog vagthund. ~ **fire** vagtild, vagtblus. **-ful** årvågen, påpasselig. ~ **glass** urglas. ~ **guard** urkæde. ~ **gun** *(mar)* vagtskud. **-house** vagthus. **-maker** urmager. **-man** vagt, banevogter. **-tower** vagttårn. **-word** feltråb, parole, løsen; slagord.
I. water ['wɔ:tə] *sb* vand; tidevand; *-s (mar)* farvand; *back* ~ (ro baglæns:) skodde; *by* ~ ad søvejen; *drink the -s* gennemgå brøndkur; *a lot of* ~ *has flown under the bridges since then (fig)* der er løbet meget vand i stranden siden da; *that's* ~ *under the bridge* lad det nu være glemt; *hold* ~, se II. *hold; in deep* ~ *(el. -s) (fig)* i vanskeligheder; *in hot* ~, se *hot water; in low* ~, se *low water; in smooth -s* i smult vande; *fish in troubled -s* fiske i rørt vand; *make* ~ lade vandet; *(mar)* lække; *of the first* ~ af reneste vand; *spend money like* ~ øse penge ud; slå om sig med penge; *throw cold* ~ *on a plan (fig)* dæmpe begejstringen for en plan.
II. water ['wɔ:tə] *vb* vande *(fx a garden, cattle)*; væde; (uden objekt) drikke vand, forsyne sig med vand; tage vand ind; ~ *(down)* fortynde *(fx milk)*; *(fig)* udvande, afsvække; ~ *(down) the stock (merk)* udvande aktiekapitalen; *it makes my mouth* ~ det får mine tænder til at løbe i vand.
water| beetle *zo* vandkalv. ~ **blister** vable. ~ **boatman** *zo* rygsvømmer; (undertiden:) bugsvømmer. **-borne** sendt ad søvejen; (om sygdom) vandbåren. ~ **bottle** vandkaraffel; *(mil.)* feltflaske.
water|brash *(med.)* halsbrand. **-buck** *zo* vandbuk. **-buffalo** *zo* vandbøffel. ~ **butt** vandtønde, regnvandsbeholder. ~ **carrier** vandbærer. ~ **chestnut** *(bot)* hornnød. ~ **chute** vandrutschebane. ~ **closet** vandkloset, wc. ~ **cock** vandhane. **-colour** vandfarve; akvarel. **-course** vandløb, flod; *(mar)* lemmergat. **-cress** *(bot)* brøndkarse. ~ **cure** vandkur. ~ **diviner** vandviser. **-ed** vatret; *-ed fabric* (også) moiré. **-fall** vandfald. ~ **flag** *(bot)* (gul) sværdlilje. ~ **flea** *zo* dafnie. **-front** område langs vand (, ved havet); (i by) strandpromenade; havnefront. ~ **gas** vandgas. ~ **gauge** vandstandsviser, vandstandsglas. ~ **glass** vandglas (et stof). ~ **gruel** havresuppe. ~ **hammer** vandslag, stød (i rør). ~ **hemlock** *(bot)* gifttyde. ~ **hen** *zo* rørhøne.
watering| can vandkande (til havebrug). ~ **place** vandingssted; *(glds)* badested; brøndkuranstalt; (især *mar)* vandfyldningssted, sted hvor vand indtages. ~ **pot** vandkande. ~ **trough** vandingstrug.
waterish ['wɔ:təris] *adj* vandet; fugtig.
water| jacket vandkappe, kølevandskappe. ~ **jump** vandgrav. ~ **level** vaterpas; vandstand, vandspejl; *(mar)* vandlinje. ~ **lily** *(bot)* åkande. **-line** vandlinie. **-logged** vandfyldt, vandtrukken, vand -el. fugtighedsmættet; fuld af vand; *(mar)* bordfyldt; (om jord) vandlidende. ~ **main** hovedvandledning. **-man** færgemand; roer. **-mark** vandmærke; vandstandsmærke. **-melon** vandmelon. ~ **meter** vandmåler. ~ **milfoil** *(bot)* tusindblad. ~ **nymph** najade. ~ **ouzel** *zo* vandstær.
water|pipe vandrør. ~ **pipit** *zo* bjergpiber. ~ **polo** vandpolo. **-power** vandkraft. **-proof** *vb* gøre vandtæt, imprægnere; *adj* vandtæt, imprægneret; *sb* imprægneret frakke, regnfrakke. ~ **rail** *zo* vandrikse. ~ **rate** vandafgift. ~ **scorpion** *zo* skorpiontæge. ~ **seal** vandlås. **-shed** vandskel; *(am)* afvandingsområde. **-shoot** nedløbsrende. ~

shrew *zo* vandspidsmus. **-side** *sb* bred. ~ **-ski** *vb* løbe på vandski. ~ **-skier** vandskiløber. **-skin** vandsæk. ~ **softener** blødgøringsmiddel, afhærdningsmiddel. ~ **spider** vandedderkop. **-spout** skypumpe; (på hus) nedløbsrør, udspyer. ~ **strider** *zo* damtæge. ~ **supply** vandforsyning. ~ **table** grundvandsspejl. ~ **tank** vandbeholder. ~ **tiger** *zo* vandkalvelarve. **-tight** vandtæt; *(fig* også) som kan stå for en nærmere prøvelse, uangribelig. ~ **tower** vandtårn. ~ **trap** vandlås. ~ **violet** *(bot)* vandrøllike. ~ **vole** *(zo)* vandrotte. ~ **wagon** vandvogn; *be on the* ~ *wagon* S *(fig)* være på vandvognen, være afholdsmand. **-way** sejlbar kanal, sejlløb; vaterbord. **-wheel** vandhjul, møllehjul. ~ **wings** *pl* svømmesele. **-works** vandværk; *turn on the -works* S vande høns.
watery ['wɔ:təri] *adj* vand-, vandet; våd, fugtig; *(fig)* udvandet; ~ *eyes* rindende øjne.
watt [wɔt] *sb* watt (enhed for elektrisk effekt).
wattle ['wɔtl] *sb* kvist; risfletning; *(austr bot)* (art) akacie; *(zo)* halslap, hagevedhæng (på hane); skæg (på fisk); *vb* forbinde med kviste, flette; ~ *and daub* lerklining; ~ *and daub house* lerklinet hus.
wattmeter ['wɔtmi:tə] *sb* wattmeter.
waul [wɔ:l] *vb* mjave; vræle, skrige.
I. wave [weiv] *sb* bølge, sø; *(fig)* bølge; *(fx* med flag) svingen; (med hånden) vinken.
II. wave [weiv] *vb* bølge *(fx cornfields waving in the wind)*; (om flag *etc)* vifte, vaje; (med hånden:) vifte, vinke; (med objekt) vifte med, vinke med; gøre bølget; (om hår) ondulere; *permanently -d* permanentbølget; ~ *one's hand* vinke (med hånden); ~ *her a kiss* sende hende et fingerkys; ~ *aside (fig)* afvise, vifte af.
wave|length bølgelængde. **-less** uden en bølge, glat. **-let** lille bølge. ~ **mechanics** bølgemekanik. **-meter** bølgemåler.
waver ['weivə] *vb* dirre, skælve; (om flamme) flakke, blafre; (om person) være usikker, vakle.
waverer ['weivərə] *sb* en der vakler, vankelmodig person.
wavering ['weivriŋ] *adj* vaklende, vankelmodig.
wave| set vandondulationsvæske. ~ **train** *(fys)* bølgetog. ~ **trap** (i radio) bølgefælde.
wavy ['weivi] *adj* bølgende, bølget; ~ *edge* (på kniv) bølgeskær.
I. wax [wæks] *vb* vokse, stige; *(glds)* blive; *-ing moon* tiltagende måne.
II. wax [wæks] *sb* voks; (segl)lak; *(cobbler's)* ~ (skomager)beg; *in a* ~ S ophidset, vred.
III. wax [wæks] *vb* bestryge (, behandle) med voks, bone.
wax| bean *(bot)* voksbønne. **-bill** *zo* pragtfinke, astrild.
waxen ['wæksn] *adj* voksagtig, voksblød.
wax| end begtråd. ~ **polish** bonevoks. ~ **record** voksplade. ~ **vesta** voksstændstik. **-wing** *zo* silkehale. **-work** voksarbejde, voksfigur. **-works** vokskabinet.
waxy ['wæksi] *adj* voksagtig, blød, bleg; S vred, hidsig, gal i skralden.
I. way [wei] *sb* (retning:) vej *(fx he went that* ~*)*; T kanter *(fx down our* ~ på vores kanter); (afstand:) stykke (vej) *(fx we still have some* ~ *to go)*; (facon *etc)* måde *(fx in* (på) that ~), henseende *(fx good in every* ~*)*; (om person) facon, væsen; vane, skik; *(merk)* fag, branche *(fx he is in the drapery* ~*)*; *(mar)* fart; *-s pl* (om person) optræden, manerer; *(mar)* bedding; *(tekn)* vanger; (forskellige *forb)* ~ *enough!* *(mar)* vel roet; *it is only his* ~ det er bare hans facon; *it is not his* ~ det ligger ikke til ham at, det ligner ham ikke at *(fx be generous)*; *it is a long* ~ der er langt (to til); *the longest* ~ *round is the shortest* ~ *home* det betaler sig ofte at gå en omvej; *-s and means* (veje og) midler; udvej; (se også nedenfor); *it is no* ~ *der er ikke ret langt; there are no two -s about it* det er ikke til at komme udenom; (forb med *vb)* beg on a horse each ~ *(el. both -s)* holde på en hest på plads og som vinder; *if you* **come** *down our* ~ hvis du kommer på vores kanter; *it has never come my* ~ *(fig)* det er aldrig hændt mig, det har jeg aldrig været ude for; det har jeg aldrig fået; **do** *it that* ~ gøre det på den måde; *that's the* ~ *to do it!* sådan skal det være! *it your own* ~ gør som du vil; **find** *one's* ~ *home* finde hjem; **give** ~ give efter; vige *(to* for); bryde sammen; *(mar)* ro til; *give* ~ *to* (også) blive afløst af; give sig hen i; *give* ~ *to tears* lade tårerne få frit løb; **go** *all the* ~

with (fig) være helt enig med; gå i seng med; *go one's* ~ drage bort, drage af sted; *go (el. take) one's own* ~ gå sine egne veje, følge sit eget hoved; *are you going my* ~? skal du samme vej som jeg? *go a long (etc)* ~, se I. *go; go the* ~ *of all flesh* gå al kødets gang; **have** *(el. get) one's own* ~ få sin vilje; *have it your own* ~! gør som du vil! ja ja da! *you can't have it both -s* du kan ikke få både i pose og sæk; du kan ikke både blæse og have mel i munden; *lead the* ~, se II. *lead;* **lose** *one's* ~ fare vild; **make** ~, *gather* ~ få farten op; *make one's* ~ arbejde sig frem, bane sig vej; *make* ~ *for* give plads for; *make the best of one's* ~ skynde sig så meget man kan; **pay** *its* ~, se I. *pay;* **see** *one's* ~ *to* se sig i stand til (at);

(forb med præp og adv) **by** *the* ~ undervejs; *(fig)* for resten, i forbigående (sagt); *by* ~ *of* som *(fx by* ~ *of apology, by* ~ *of illustration);* for at *(fx by* ~ *of finding it out);* (om rejserute) via, over *(fx by* ~ *of Harwich);* *he is by* ~ *of being an expert on that* han er ved at være *(el.* er noget af en) ekspert på det område; *better by a long* ~ langt bedre; **in** *a* ~ *(of speaking)* på en måde; *once in a* ~ af og til, en gang imellem; for en gangs skyld; *he is in a bad* ~ det går dårligt *(el.* står sløjt til *el.* er galt fat)* med ham; *in a big* ~ i stor målestok; flot *(fx live in a big* ~*);* grundigt, så det forslår; *in a fair* ~ se *fair; in the ordinary* ~ under normale omstændigheder, normalt; *in a small* ~ i lille målestok, beskedent *(fx live in a small* ~*);* *a businessman in a small* ~ en lille forretningsmand; *in my own small* ~ så vidt som jeg nu kan; *she is in a terrible* ~ **T** hun er helt ude af det; *in his* ~ på hans måde; i vejen for ham; *be in the* ~ være i vejen; *in the family* ~, se *family; what have we got* **in the** ~ **of** *food?* hvad har vi i retning af mad? *put him in the* ~ *of* hjælpe ham til, give ham lejlighed til at få *(el.* opnå)* *committee* **of** *Ways and Means* Underhuset konstitueret som udvalg for at drøfte budgettet; *at the parting of the -s* på skillevejen; **out of** *the* ~ afsides; af vejen; *nothing out of the* ~ ikke noget særligt; *go out of one's* ~ for at gøre sig ganske særlige anstrengelser *(el.* særlig umage) for at; *keep out of the* ~ gå af vejen, vige; *put sby out of the* ~ rydde en af vejen; *put oneself out of the* ~ *to* = *go out of one's* ~ *to;* ~ **out** udgang; udvej; *on our* ~ *out* på udvejen, på vejen ud; *it is on the* ~ *out (fig)* det er ved at gå af brug *(el.* mode); **under** ~ i gang; undervejs; i fart; *(mar)* let; *get under* ~ komme i gang; lette; *he has a* ~ **with** *children* han forstår at tage børn (på den rigtige måde); han har børnetække; *he has a* ~ *with him* han har et vindende væsen.

II. 'way *fk away (fx 'way out in Canada).*

III. way [wei] *interj* (til en hest) prr!

way|bill ['weibil] *sb* passagerfortegnelse, fragtbrev. **-farer** ['weifɛərə] *sb* vejfarende. **-faring** *adj* vejfarende, rejsende; *-faring tree (bot)* pibekvalkved. **-lay** ligge på lur efter, passe op; overfalde (fra baghold), lokke i et baghold. ~ **-out** *adj (am)* outreret, fantastisk. **-side** vejkant; *-side inn* landevejskro. ~ **station** *(am)* mellemstation. ~ **train** *(am)* bumletog. **-ward** egensindig, lunefuld. **-worn** medtaget af rejsen.

W. C. *fk West Central* (postdistrikt i London).

w.c. *fk water closet; (merk) without charge* uden beregning.

we [wi:] *pron* vi.

W.E.A. *fk Worker's Educational Association.*

weak [wi:k] *adj* svag; kraftløs; (om person også) svagelig, skrøbelig *(fx a* ~ *old man); (fig* også)* mat, tam; (om drik) tynd *(fx tea); (gram)* svag.

weaken ['wi:kn] *vb* svække, afkræfte; blive svag *el.* svagere.

weak|-kneed slap i knæene; *(fig)* svag, slap. **-ling** svækling, stakkel.

weakly ['wi:kli] *adv* svagt; *adj* svagelig.

weak-minded ['wi:kmaindid] *adj* svaghovedet.

I. weal [wi:l] *sb* (ophøjet) stribe, strime (efter slag); *vb* mærke med striber *(el.* strimer).

II. weal [wi:l] *sb (litt)* vel, velfærd; ~ *and woe* medgang og modgang; *the* ~ *public* = *the public* ~ det almene bedste.

weald [wi:ld] *sb* åbent land; *the Weald* (en strækning i Kent, Surrey og Sussex).

wealth [welθ] *sb* rigdom *(of* på); *(fig)* væld *(of* af).

wealthy ['welθi] *adj* rig, velhavende.

I. wean [wi:n] *vb* vænne fra; ~ *from* vænne af med, fjerne fra.

II. wean [wi:n] *sb* (på skotsk) barn, rolling.

weanling ['wi:nliŋ] *sb* barn der lige er vænnet fra.

weapon ['wepən] *sb* våben.

weaponry ['wepənri] *sb* våben (kollektivt) *(fx sale of new* ~ *to Haiti; nuclear offensive* ~*); (fig)* arsenal *(fx a* ~ *of psychoanalytic jargon).*

I. wear ['wɛə] *vb (wore, worn)* bære, have på, gå med *(fx a white waistcoat);* have *(fx a troubled look; a beard);* bruge *(fx spectacles; a style which is much worn now);* (beskadige ved brug) slide *(fx worn clothes;* ~ *holes in one's socks);* slide på; (uden objekt) holde *(fx this material won't* ~*);*

I won't ~ *it* **T** jeg vil ikke finde mig i det; ~ *away* slide af *(el.* op); fortage sig; (om tid) slæbe sig hen *(fx the long day wore away);* ~ *down* slide ned; *(fig)* udmatte, gøre mør; ~ *off* slides af *(fx the nap will* ~ *off);* fortage sig *(fx the feeling wore off in time); the summer wore on* det blev længere hen på sommeren; ~ *one's heart on one's sleeve* bære sine følelser til skue; ~ *out* slide op *(fx the shoes are worn out);* udmatte *(fx I'm quite worn out);* blive slidt op; ~ *out one's welcome* trække for store veksler på nogens gæstfrihed; ~ *well* være holdbar *(el.* solid), holde; *(fig om person)* holde sig godt.

II. wear ['wɛə] *sb* slid *(fx show signs of* ~*),* brug *(fx for Sunday* ~, *for working* ~*);* dragt, beklædning *(fx beach* ~*);* *men's* ~ herreekvipering; ~ *and tear* normalt slid, slitage; *his coat is somewhat the worse for* ~ hans jakke er noget slidt *(el.* medtaget).

III. wear ['wɛə] *vb (mar)* vende, kovende.

wearing ['wɛəriŋ] *adj* trættende, opslidende *(fx a* ~ *task);* ~ *qualities* holdbarhed, slidstyrke; ~ *surface* slidflade, slidlag.

wearing apparel gangklæder, tøj.

wearisome ['wiərisəm] *adj* trættende, brydsom, besværlig.

wear resistance holdbarhed.

weary ['wiəri] *adj* træt; trættende, kedsommelig; *vb* trætte, kede; (uden objekt) blive træt; ~ *of* træt af, ked af; ~ *of life* livstræt.

weasand ['wi:zənd] *sb (glds)* luftrør, strube.

weasel ['wi:zl] *zo* væsel, brud.

I. weather ['weðə] *sb* vejr *(fx bad, good, fine, wet* ~*); make bad* ~ *(mar)* komme ud for dårligt vejr; *make heavy* ~ *of sth* finde noget anstrengende *(el.* besværligt); gøre et stort nummer ud af noget; *under the* ~ sløj, dårlig tilpas, uoplagt; beruset; *under stress of* ~ på grund af dårligt vejr.

II. weather ['weðə] *vb* bringe til at forvitre; udsætte for vejr og vind; stille skråt (for at regnen kan løbe af); komme godt igennem, klare, overstå; gå til luvart af; ~ *(out) a storm* ride en storm af; ~ *a ship* passere et skib til luvart.

weather| beam *(mar): on the* ~ *beam* tværs til luvart. ~ **-beaten** vejrbidt; medtaget af vejr og vind; forvitret. **-boarding** klinkbeklædning. **-boards** *pl* brædder til klinkbeklædning. **-bound** opholdt af vejret, vejrfast. ~ **bow** *(mar)* luv bov. ~ **bureau** meteorologisk institut. **weather| chart** vejrkort. **-cock** vejrhane. ~ **deck** øverste dæk. ~ **eye** *keep one's* ~ *eye open* være på vagt, passe på. ~ **forecast** vejrudsigt. **-glass** barometer. **-proof** regnog vindtæt. ~ **report** vejrberetning. ~ **side** luvside. ~ **stripping** tætningsliste(r). ~ **vane** vejrhane, vindfløj. ~ **-wise** vejrkyndig.

I. weave [wi:v] *vb (wove, woven)* væve; flette; *(fig)* indflette; konstruere, sammensætte; *(~ one's way)* sno sig; *let us get weaving* **T** lad os se at komme af sted.

II. weave [wi:v] *sb* vævning; binding.

weaver ['wi:və] *sb* væver; *zo* væverfugl.

weaverbird ['wi:vəbə:d] *sb zo* væverfugl.

web [web] *sb* væv, spind; *zo* svømmehud; *(fx fjer)* fane; *(jernb)* (skinne)krop; *(typ)* papirrulle; *a* ~ *of lies* et væv af løgne.

webbed [webd] *adj* med svømmehud, svømme- *(fx feet).*

webbing ['webiŋ] *sb* gjord (i polstret møbel); *zo* svømmehud; *(mil.)* remtøj; ~ *belt (mil.)* livrem.

webfoot ['webfut] *sb zo* svømmefod.

web-offset press *(typ)* offsetrotationspresse.
web press *(typ)* rotationspresse.
wed [wed] *vb* ægte, tage til ægte, gifte sig (med); ægtevie; bortgifte; *(fig)* forbinde, knytte.
wedded ['wedid] *adj* gift; ægteskabelig; ~ *bliss* ægteskabelig lykke; *her* ~ *life* hendes ægteskab; ~ *pair* ægtepar; *be* ~ *to (fig)* være opslugt af, gå helt op i, ikke have tanke for andet end *(fx one's profession, a plan)*.
wedding ['wedin] *sb* bryllup.
wedding| breakfast (svarer til:) bryllupsmiddag. ~ **cake** bryllupskage. ~ **ceremony** vielse. ~ **day** bryllupsdag. ~ **dress** brudedragt, brudekjole. ~ **ring** vielsesring.
wedge [wedʒ] *sb* kile; (kileformet) stykke *(fx a ~ of cake)*; *vb* kløve; fastkile; kile *(el.* klemme) (sig ind); *it is the thin end of the ~ (fig)* det er kun begyndelsen (ɔ: der kommer mere, værre ting, efter); det er et skråplan at komme ind på.
Wedgwood ['wedʒwud] ~ *ware* Wedgwoodvarer (fin fajance).
wedlock ['wedlɔk] *sb* ægtestand(en); ægteskab; *born in (, out of)* ~ født i (, uden for) ægteskab.
Wednesday ['wenzdi, 'wenzdei] *sb* onsdag.
wee [wi:] *adj* lille bitte; *a* ~ *bit* en lille smule.
I. weed [wi:d] *sb* ukrudt, urt; mager krikke; splejs, spinkel fyr; T marihuanacigaret; (især *glds)* cigar, cigaret, stinkepind; *ill -s grow apace (omtr)* ukrudt forgår ikke så let; *the* ~ T tobak; marihuana.
II. weed [wi:d] *vb* luge, bortluge; *(forst)* udrense; *(fig)* udrense, fjerne.
weeder ['wi:də] *sb* luger, lugekone; kultivator.
weedkiller ['wi:dkilə] *sb* ukrudtsmiddel.
weeds [wi:dz] *sb pl: widow's* ~ (enkes) sørgedragt.
weedy ['wi:di] *adj* fuld af ukrudt; (om person) høj og tynd, splejset.
week [wi:k] *sb* uge; (også) hverdagene *(mods* søndag); *today* ~ i dag (om) otte dage; *a* ~ *ago today* i dag for otte dage siden.
week|day hverdag, søgnedag. **-end** sb weekend; *vb* holde weekend. **-ender** weekendgæst. **-ly** *adj* uge-, ugentlig; *sb* ugeblad; *adv* en gang om ugen; ugentlig; ~ *paid workers* ugelønnede arbejdere.
weep [wi:p] *vb (wept, wept)* græde *(for* over); *(litt)* begræde; *(fx* om sten) svede; (om beholder) dryppe; (om pilegren) hænge ned.
weeper ['wi:pə] *sb* grædende; grædekone; sørgebånd, sørgeflor.
weeping ['wi:pin] *sb* gråd; *adj* grædende; ~ *ash* hængeask; ~ *willow* sørgepil.
weever ['wi:və] *sb* zo fjæsing.
weevil ['wi:vil] *sb* snudebille; *-led* angrebet af snudebiller.
weft [weft] *sb* islæt, skudgarn; vævning, (et) væv.
I. weigh [wei] *vb* veje; afveje; *(mar)* lette; ~ *anchor* lette anker; ~ *one's words* veje sine ord; ~ *down* tynge ned; *(fig)* trykke, nedtynge *(fx -ed down with grief)*; ~ *in* blive vejet (om bokser: før en kamp, om jockey: før et væddeløb); '~ *in with* komme med; bidrage med; ~ *(heavy) on (fig)* hvile tungt på, tynge, trykke; ~ *out* veje af; (om jockey) blive vejet (efter et væddeløb); ~ *upon* = ~ *on;* ~ *with (fig)* betyde noget for, gøre indtryk på *(fx that doesn't* ~ *with him)*.
II. weigh [wei] *sb: under* ~, se I. *way: under way.*
weigh|able som lader sig veje. **-bridge** vognvægt, brovægt. **-house** vejerbod.
weighing machine vægt.
weight [weit] *sb* vægt; lod; *(fig)* vægt, byrde, tyngde; *vb* belaste; (om tekstil) betynge *(fx -ed silk)*; *(fig)* tynge; (i statistik) vægte; *carry (el. have)* ~ *(fig)* veje tungt; *gain* ~ tage på (i vægt); *lose* ~ tabe sig; *pull one's* ~ gøre sin del af arbejdet, tage sin tørn; *put on* ~ tage på; *sell by* ~ sælge efter vægt; *throw one's* ~ *about (fig)* 'optræde', spille stærk mand, blære sig; *-ed dice* forfalskede terninger; ~ *empty (flyv)* tomvægt.
weightiness ['weitinis] *sb* vægt, tyngde, vigtighed.
weight|less vægtløs. **-lifting** vægtløftning.
weighty ['weiti] *adj* tung, vægtig, tungtvejende, betydningsfuld.
weir [wiə] *sb* dæmning, stemmeværk; fiskegård.
weird [wiəd] *sb* skæbne; *adj* spøgelsesagtig, uhyggelig, sæl-

som; T sælsom, sær, ejendommelig; *the* ~ *sisters* de tre hekse i Macbeth; skæbnegudinderne.
Welch, welch [welʃ] se *Welsh, welsh.*
welcome ['welkəm] *adj* velkommen; *sb* velkomst, velkomsthilsen, modtagelse; *vb* byde velkommen, modtage (venligt); *I* ~ *your help* jeg er glad for din hjælp; *bid sby* ~ byde en velkommen; *you are (quite)* ~ å, jeg be'r; *you are* ~ *to your own opinion* for mig kan du mene hvad du vil; *you are* ~ *to it* det står til din rådighed; du må gerne have det.
weld [weld] *vb* svejse; *(fig)* sammenføje, samle til et hele; (uden objekt) lade sig svejse; *sb* svejsning; søm; ~ *together* svejse sammen; *-ed joint* svejsesamling, svejsesøm.
welding torch svejsebrænder.
weldless ['weldlis] *adj* sømløs, heltrukken.
welfare ['welfɛə] *sb* velfærd, lykke; forsorg; ~ *chiseller* T socialbedrager; *public* ~ offentlighedens tarv; *social* ~ socialforsorg; *the* ~ *State* velfærdsstaten; ~ *work* forsorgsarbejde; velfærdsarbejde; *the* ~ *work department (fx* i handelshus) afdeling for personalegoder; personalekontoret.
welkin ['welkin] *sb (glds)* himmel, himmelhvælv.
I. well [wel] *sb* brønd; kilde; benolder; fordybning; (i hus) elevatorskakt, trappeskakt; (ved mine) skakt; oliebrønd, minebrønd; (i fiskerbåd) dam; (i højovn) smelterum; (i pumpe) sump; *(flyv)* hjulbrønd; *(jur)* advokatloge.
II. well [wel] *vb* vælde frem, strømme.
III. well [wel] *adv* godt *(fx sleep* ~, *treat sby* ~, *shake the bottle* ~*)*; vel- *(fx a* ~ *-situated house)*; (om afstand etc) langt *(fx back)*, et godt stykke *(fx below the Equator)*, godt *(fx on in life* oppe i årene); (indledende:) ja, jo ser du, altså *(fx* ~, *it was like this)*; (udtrykkende forventning) nå *(fx* ~, *what next?)*; *well, well* ja ja; nå da!
   as ~ også, desuden; lige så godt *(fx you may as* ~ *go and hang yourself)*; *just as* ~ lige så godt; *it was just as* ~ *that* det var godt (, et held) at; *it would be just as* ~ *for you to* du må nok hellere; *do* ~ klare sig godt; *do sby* ~ beværte en godt; *do oneself* ~ leve godt *(el.* flot); *it would do me very* ~ det ville passe mig udmærket; *do* ~ *by sby* være storsindet over for én; *do* ~ *to* gøre vel i at; ~ *done!* bravo! *be* ~ *out of it* være sluppet godt fra det; *you are* ~ *out of it* du kan være glad for at du er ude af den historie; ~ *up in* dygtig til, velorienteret i *(fx history)*; ~ *up in the list* højt oppe på listen; *very* ~, se *very;* ~ *off,* se *well-off.*
IV. well [wel] *(adj,* kun prædikativt) rask *(fx be* ~, *feel* ~, *look* ~*); we are very* ~ *where we are* vi har det meget godt hvor vi er.
welladay ['welə'dei] *interj (glds)* ak! o ve!
well-|advised ['weləd'vaizd] klog, velbetænkt. ~ **-appointed** veludstyret, veludrustet, velindrettet. ~ **-balanced** velafbalanceret; (om person) ligevægtig, fornuftig; (om kost *omtr)* alsidig. ~ **-behaved** velopdragen, med pæne manerer. ~ **-being** velvære; trivsel. ~ **-beloved** højtelsket. ~ **-born** af god herkomst. ~ **box** hyttefad. ~ **-bred** velopdragen; af god race. ~ **casing** borerør. ~ **-conditioned** sund og rask; elskværdig, velopdragen. ~ **-conducted** som opfører sig godt. ~ **-connected** af god familie. ~ **-cut** velsiddende *(fx clothes)*. ~ **deck** *(mar)* velldæk, brønddæk. ~ **-defined** tydeligt adskilt, skarpt afgrænset *(el.* tegnet). ~ **-disposed** velvilligt indstillet. **-doer** retskaffent menneske, velgører. ~ **-done** gennemstegt, gennemkogt. ~ **-earned** velfortjent. ~ **-favoured** *(litt)* køn. ~ **-found** = ~ *-appointed.* ~ **-founded** velbegrundet, velfunderet. ~ **-groomed** soigneret, velplejet.
wellhead ['welhed] *sb* kilde; overbygning over en brønd.
well-|heeled T rig; velbeslået. ~ **-informed** velunderrettet, kundskabsrig.
wellingtons ['welintənz] *sb pl* skaftestøvler; gummistøvler, rojsere.
well-|intentioned ['welin'tenʃənd] velmenende, velment. ~ **-judged** velbetænkt, velberegnet. ~ **-kept** velholdt *(fx garden)*. ~ **-knit** tæt bygget, kraftigt bygget; *(fig)* fast sammentømret, fast. ~ **-known** kendt. ~ **-made** velskabt; dygtigt lavet. ~ **-marked** klar, tydelig. ~ **-meaning** velmenende, velment. ~ **-nigh** ['welnai] næsten. ~ **off** velhavende,

heldigt stillet; *he does not know when he is ~ off* han ved ikke hvor godt han har det; *~ off for* velforsynet med; *talk ~ off* **T** tale dannet, tale 'fint'. *~ -oiled* **S** fuld, pløret. *~ -ordered* velordnet; velorganiseret. *~ -padded* overpolstret; vel ved magt; med meget fyldekalk i (om litterært arbejde). *~ -preserved* velkonserveret. *~ -read* belæst. *~ -reputed* vel anskreven.

well room kursal.

well|-rounded (om person) 'i rundbuestil'; (om stil) vel afrundet, fuldendt. *~ -set* tæt *el.* kraftigt bygget, velbygget.

well sinker brøndgraver.

well|-spent ['wel'spent] velanvendt. *~ -spoken* som taler et kultiveret sprog; som forstår at belægge sine ord, beleven. **-spring** kilde. *~ -thought-of* velanskreven. *~ -timed* som sker i rette tid, betimelig. *~ -to-do* velstående. *~ -trodden* gennemtravet, nedtrådt; *(fig)* fortærsket, fladtrådt. *~ -turned* veldrejet; velturneret. *~ -wisher* velynder, ven. *~ -worn* slidt, veltjent; *(fig)* fortærsket, fladtrampet, udtrådt.

I. Welsh [welʃ] *adj* wallisisk; *sb* walliser.

II. welsh [welʃ] *vb* snyde vinderen af et væddemål ved at stikke af med indsatserne; *~ on a promise* løbe fra et løfte. **welsher** ['welʃə] *sb* bedrager.

Welshman ['welʃmən] *sb* walliser.

Welsh| rabbit, ~ rarebit (ret af ristet brød og ost).

welt [welt] *sb* (på fodtøj) rand; (på kantning; (på polstring) kantebånd; (på huden: efter slag) stribe, strime; *vb* randsy; **T** gennemprygle (med pisk *etc*).

welter ['weltə] *vb* vælte, vælte sig; svømme *(fig) (fx in one's blood)*; *sb* (broget) forvirring, roderi.

welterweight ['weltəweit] *sb* weltervægt.

wen [wen] *sb* svulst, udvækst; (også *fig* om stor by); *the great ~* ɔ: London.

wench [wen(t)ʃ] *sb* pige (især om tjenestepige, bondepige eller spøgende); tøs.

I. wend [wend] *(glds) vb: ~ one's way* rette sine fjed, vandre.

II. Wend [wend] *sb* vender. **Wendish** ['wendiʃ] *sb* og *adj* vendisk.

went [went] *præt* af *go*.

wept [wept] *præt* og *pp* af *weep*.

were [wɔ:] *præt* af *be*.

we're [wiə] *fk* we are.

werewolf, werwolf ['wɔ:wulf] *sb* varulv.

wert [wɔ:t] var *(glds præt* af *be)*.

Wesley ['wezli, 'wesli]. **Wesley|an** *adj* wesleyansk; *sb* wesleyaner. **-anism** *sb* wesleyansk metodisme.

west, West [west] *sb* vest; *adj* vestlig, vestre, vest-, vesten-; *adv* imod vest, vestpå; *the West* Vesten; Vesterland; den vestlige halvkugle; *(am)* den vestlige del af USA; *the Far West* det fjerne Vesten (ɔ: det vestligste af USA); *go ~* **T** *(fig)* dø, forsvinde; *in the ~* i vest; *on the ~* på vestsiden, i vest; *to the ~* mod vest; *to the ~ of* vest for; *the ~ wind* vestenvinden.

west bound som går vestpå; vestgående.

West Country *the ~* Sydvestengland.

West End: *the ~* (den vestlige (rigere) del af London).

westering ['westəriŋ] *adj* bevægende sig mod vest, (om solen:) dalende. **westerly** ['westəli] *adj* vestlig.

western ['westən] *adj* vestlig, vestre, vest-, vesterlandsk; *sb* western, cowboyfilm, wild-west film; *the Western Church* den romersk-katolske kirke; *the Western Empire* det vestromerske rige.

westerner ['westənə] *sb* vestamerikaner; vesterlænding.

westernize ['westənaiz] *vb* indføre Vestens kultur i, europæisere.

westernmost ['westənmoust] *adj* vestligst.

West India, *the* **West Indies** Vestindien.

westing ['westiŋ] *sb (mar)* sejlads vestpå; forandret vestlig længde.

Westminster ['wes(t)minstə].

westmost ['westmoust] *adj* vestligst.

Westphalia [west'feiliə] Westfalen.

westward ['westwəd] *adj* mod vest, vestpå; *sb* vest. **westwards** ['westwədz] *adv* mod vest, vestpå.

I. wet [wet] *adj* våd, fugtig, regnfuld; **T** sentimental; mat, tam; *(am* **S)** ikke tørlagt, hvor der ikke er spiritusforbud; *sb* væde, nedbør, regnvejr; *(am)* forbudsmodstan-

der; **S** kedeligt drys.

II. wet [wet] *vb (wet, wet el. -ted, -ted)* væde, bløde, fugte; gøre våd, tisse i *(fx ~ one's bed, ~ one's trousers)*; *~ oneself* gøre sig våd; *~ one's whistle (glds* **T)** fugte ganen, drikke.

wet| blanket *(fig)* lyseslukker. *~* **dock** våd dok, dokbassin, dokhavn. *~* **fish** frisk fisk *(mods fx* røget). *~* **goods** flydende varer, 'våde varer'.

wether ['weðə] *sb* bede (gildet vædder).

wet nurse amme. **wet-nurse** *vb* amme, give bryst.

Wet Paint (på skilt) 'malet'.

wet process (i kunst) vådmetode.

wetting agent fugtemiddel.

W.F.T.U. *fk the World Federation of Trade Unions.*

whack [wæk] *vb* banke, klaske; **T** uddele; *sb* (kraftigt) slag, bank, klask; **T** del, andel; *have a ~* at forsøge, gøre et forsøg på. **whacked** [wækt] *adj* **T** udkørt, udmattet, flad.

whacker ['wækə] *sb* **S** pragteksemplar; dundrende løgn.

whacking ['wækiŋ] *sb* dragt prygl; omgang klø; *adj* **S** gevaldig, vældig; *a ~ lie* en dundrende løgn.

whacko ['wækou] *interj* **S** den er fin *(el.* mægtig)! novra!

whale [weil] *sb* zo hval; *vb* fange hvaler; **T :** *a ~ at* mægtig skrap til; *a ~ for* en hund efter; *a ~ of a* en mægtig god (, stor *etc*); *be having a ~ of a time* have det mægtig sjovt.

whale|boat hvalfangerbåd. **-bone** hvalbarde; (i korset) fiskeben. *~* **calf** hvalunge. *~* **factory ship** hvalkogeri. *~* **fin** = *-bone*. *~* **oil** hvalolie.

whaler ['weilə] *sb* hvalfanger; hvalfangerskib.

whaling ['weiliŋ] *sb* hvalfangst; *adj* hvalfanger-.

whang [wæŋ] *vb* klaske, dunke; *sb* klask, bang.

wharf [wɔ:f] *sb* bolværk, kaj; *vb* fortøje (ved bolværk); losse; oplægge.

wharfage ['wɔ:fidʒ] bolværksafgift.

wharf crane havnekran.

wharfinger ['wɔ:fin(d)ʒə] *sb* ejer af havneoplagsplads, bolværksejer.

I. what [wɔt] *pron* (adjektivisk) hvilken, hvilket, hvad for en (, et) *(fx ~ book is that?)*; hvad for *(fx tell me ~ places you have seen)*; hvad, hvilke *(fx visit ~ places you like)*; (i udbrud) sikke noget *(fx ~ nonsense!)*; sikken *(fx ~ a fine day!)*; *I gave him ~ money I had* jeg gav ham de penge jeg havde; *~ little he said was correct* den smule *(el.* det lidet) han sagde var rigtigt.

II. what [wɔt] *pron* (substantivisk) hvad *(fx ~ is he? ~ did he say? I mean ~ I say)*; hvad der, det der *(fx he took ~ was mine; ~ happened was quite an accident)*; noget *(fx I'll tell you ~)*; noget, der ... *(fx he took ~ looked like a silver coin out of his pocket)*; hvordan *(fx you know ~ he is)*; you know *~ artists are* du ved hvordan det er med kunstnere; *~ for?* af hvad grund? *~ are you going to have?* (også) hvad vil du drikke? *~ if ...* hvad om ...; *~ is he like?* hvordan er han? hvordan ser han ud? *~ 's his name?* hvad var det nu han hed? ... *and ~ not* og meget andet af samme slags; og jeg ved ikke hvad; *~ of it?, so ~?* ja, hvad så? *I'll tell you ~* (også:) nu skal du høre; *~ though ...* hvad gør det, om ...; *know what's ~* være med, vide besked; *tell him what's ~* give ham ren besked; *~ with one thing and (~ with) another* dels på grund af det ene, dels på grund af det andet; det ene med det andet; *~ 's yours?* hvad vil du drikke?

whatever [wɔt'evə] *pron* hvad end, alt hvad *(fx ~ he did was for the best)*; ligemeget hvad; hvilke(n) end, ligemeget hvilke(n) *(fx ~ orders he gives are obeyed)*; **T** (i spørgsmål) hvad (i al verden), hvad ... dog *(fx ~ did he say?)*; *nothing ~* intet som helst.

what-for ['wɔt'fɔ:] **T:** *give him ~* give ham klø, give ham hvad han har godt af.

whatnot ['wɔtnɔt] *sb* etagère; **T** dims, tingest; (om person) noksagt.

whatsoever [wɔtsou'evə] se *whatever.*

wheat [wi:t] *sb* hvede.

wheatear ['wi:tiə] *sb* zo stenpikker.

wheaten ['wi:tən] *adj* hvede-, af hvede.

wheedle ['wi:dl] *vb* lokke, smigre, sleske for, snakke godt for; *~ sby into doing sth* besnakke en til at gøre noget; *~ out of* fralokke, lokke ud af.

I. wheel [wi:l] *sb* hjul; spinderok; pottemagerhjul; drejning; svingning; (i bil og *mar)* rat; *(glds* torturinstrument) hjul; *break upon the* ~ radbrække; *big* ~ *(am* om person) stor kanon; *there are -s within -s (fig)* det foregår med lodder og trisser (ɔ: der er hemmelig indflydelse bagved); det er en meget kompliceret affære.

II. wheel [wi:l] *vb* køre, trille, (om cykel) trække; lade svinge; (uden objekt) rulle, dreje sig, kredse; svinge; ~ *and deal (am* S) være om sig; handle på egen hånd *(el.* egenmægtigt); optræde hensynsløst.

wheel|barrow trillebør, hjulbør. ~ **base** akselafstand. **-chair** rullestol, kørestol.

wheeled [wi:ld] *adj* forsynet med hjul, hjul-; kørende *(fx* ~ *traffic).*

wheeler ['wi:lə] *sb* stanghest.

wheeler-dealer ['wi:lə'di:lə] *sb (am)* en der er om sig; hård forretningsmand; dreven taktiker (især i politik); en der forstår at sno sig.

wheel| fairing *(flyv)* strømlinjet hjulskærm. ~ **-horse** stanghest. **-house** *(mar)* styrehus. ~ **indicator** *(mar)* rorviser. ~ **tread** slidbane (på hjul). ~ **well** *(flyv)* hjulbrønd. ~ **window** rundt vindue. **-wright** ['wi:lrait] hjulmand, hjulmager.

wheeze [wi:z] *vb* hive efter vejret, puste, hvæse; *sb* hiven efter vejret, pusten, hvæsen; S gammel traver (om vittighed); trick; *(glds teat)* gag.

wheezer ['wi:zə] *sb* (om hest) lungepiber.

wheezy ['wi:zi] *adj* forpustet, 'astmatisk'.

whelk [welk] *sb zo* trompetsnegl; konk; (i ansigtet) filipens, knop.

whelm [welm] *vb* overskylle, *(fig)* overvælde.

whelp [welp] *sb* hvalp, unge; *vb* kaste hvalpe.

when [wen] *adv* hvornår, når *(fx* ~ *did you see him last?);* conj da *(fx it was raining* ~ *we started);* når *(fx I will see you* ~ *I return);* skønt *(fx he walks* ~ *he might take a taxi);* hvor *(fx there are times* ~ ...*);* på hvilket tidspunkt, ved hvilken lejlighed, og så *(fx they will come in June* ~ *we will all be gathered);* say ~! sig stop! (underforstået: når jeg har hældt tilstrækkeligt i glasset); *since* ~ og siden da *(fx he left on Monday since* ~ *we have heard nothing from him).*

whence [wens] *adv, conj (glds)* hvorfra, hvoraf; derfra hvor; *from* ~ hvorfra.

whencesoever [wenssou'evə] *adv, conj (glds)* hvorfra end.

whenever [we'nevə] *adv, conj* når som helst (end), altid når; hver gang *(fx* ~ *he saw some old china, he wanted to buy it);* (spørgende:) hvornår i alverden?

whensoever [wensou'evə] *adv, conj (glds)* når som helst (end), altid når.

where [wɛə] *adv, conj* hvor; ~ *are you going?* hvor skal du hen? *before you knew* ~ *you were* før man vidste et ord af det; *near* ~ nær det sted hvor.

whereabouts ['wɛərə'bauts] *adv* hvor, hvor omtrent; *sb* ['wɛərəbauts] opholdssted *(fx we don't know his* ~*);* tilholdssted; beliggenhed.

where|as [wɛə'ræz] hvorimod, medens derimod; såsom, eftersom. **-at** [wɛə'ræt] hvorover, hvorved. **-by** [wɛə'bai] hvorved. **-fore** [wɛə'fɔ:] hvorfor; *the why and the -fore* grunden. **-in** [wɛə'rin] hvori. **-of** [wɛə'rɔv] hvoraf, hvorom, hvorfor. **-on** [wɛə'rɔn] hvorpå. **-soever** [wɛəsou'evə] hvor end, hvorhen end. **-through** [wɛə'θru:] hvorigennem. **-to** [wɛə'tu:] hvortil. **-unto** [wɛərʌn'tu:] hvortil. **-upon** [wɛərə'pɔn] hvorpå, hvorefter.

wherever [wɛə'revə] *adv* hvor end, hvorhen end, hvor som helst, overalt hvor; (spørgende:) hvor (i alverden)?

wherewithal ['wɛəwiðɔ:l] *sb* (penge)midler; [wɛəwi'ðɔ:l] *pron (glds)* hvormed.

wherry ['weri] *sb* let robåd; bred pram.

whet [wet] *vb* hvæsse, slibe *(fx a knife),* skærpe; *(fig)* skærpe *(fx the appetite); sb* hvæssen, slibning; stimulering (af appetit *etc);* appetitvækker, aperitif, snaps.

whether ['weðə] *conj* enten, hvad enten; om *(fx I don't know* ~ *it is true);* hvorvidt; *pron (glds)* hvilken (af to); *I'll go* ~ *or no* jeg går i alle tilfælde *(el.* under alle omstændigheder); ~ *or no you like it* (hvad)enten du synes om det eller ej; *tell me* ~ *or no* sig mig om du vil, (, om det forholder sig således) eller ej.

whetstone ['wetstoun] *sb* slibesten; *(fig)* stimulans; appe-

titvækker.

whew [hwu:] *interj* puh! pyh (ha)! nå da!

whey [wei] *sb* valle. **whey-faced** blegnæbbet.

which [witʃ] 1. spørgende *pron* hvem, hvad, hvilken (, hvilket, hvilke) (af et bestemt antal); ~ *of you?* hvem af jer? ~ *remedy can help me, this one or that one?* hvilket lægemiddel kan hjælpe mig, dette her eller det der? 2. *rel pron* som, der; hvad der; *he gave me nothing,* ~ *was bad* han gav mig intet, hvad der var slemt; *of* ~ hvis; *an aeroplane the pilot of* ~ *was killed* en flyvemaskine hvis fører blev dræbt.

which|ever [witʃ'evə] *pron* hvilken end, hvilken som helst der. **-soever** [witʃsou'evə] hvilken end.

whiff [wif] *sb* pust, duft, lugt; (ved rygning) drag; T lille cerut; *vb* dufte, lugte.

whiffle [wifl] *vb* sprede (med et pust); (om vind) komme stødvis; *(fig)* svinge, være ustadig.

Whig [wig] *sb* whig (medlem af det parti, der i 19. årh. udviklede sig til det liberale parti).

Whiggish ['wigiʃ] *adj* whig-.

I. while [wail] *sb* tid, stund; *conj* medens, så længe (som); selvom, skønt *(fx* ~ *he was not poor, he had no money);* *the* ~ imedens; *once in a* ~ en gang imellem; af og til; *in a little* ~ om kort tid; *a short* ~ *ago* for lidt siden; *make it worth his* ~ betale ham for det; bestikke ham; *was this worth* ~? var det umagen værd? ~ *there is life there is hope* så længe der er liv er der håb.

II. while [wail] *vb:* ~ *away the time* fordrive tiden.

whilom ['wailəm] *adj (glds)* tidligere, fordum.

whilst [wailst] *conj* medens, så længe som.

whim [wim] *sb* grille, lune, indfald; *(glds:* i mineskakt) (hestetrukket) hejseapparat; *at* ~ når det faldt ham ind.

whimbrel ['wimbril] *sb zo* lille regnspove.

whimper ['wimpə] *vb* klynke; *sb* klynken.

whimsical ['wimzikl] *adj* lunefuld, snurrig, underlig.

whimsicality [wimzi'kæliti] *sb* lunefuldhed, snurrighed.

whimsy ['wimzi] *sb* lune, indfald; snurrighed, særhed; affekteret, let sentimental humor.

whin [win] *sb (bot)* tornblad.

whinchat ['wintʃæt] *sb zo* bynkefugl.

whine [wain] *vb* flæbe, klynke, jamre; (om hund) pibe; *sb* klynken, jamren, piben.

whinny ['wini] *vb* vrinske; *sb* vrinsken.

I. whip [wip] *vb* piske *(fx a horse, eggs);* prygle; T banke, klø (ɔ: besejre); (tage:) snappe, rive; *(mar)* takle; (i syning) kaste over *(fx a seam);* (uden objekt) fare, 'stikke' *(fx he -ped upstairs);* (om flag *etc)* piske, smælde; (i fiskeri) kaste; ~ *off* drive bort med pisken; ~ *the lid off a box* rive låget af en æske; *he -ped on her* han vendte sig lynsnart om mod hende; ~ *out an oath* udslynge en ed; ~ *up a revolver* rive en revolver op af lommen; ~ *up (fig)* piske op, opflamme; T få lavet (, stablet på benene, samlet) i en fart; ~ *up one's horse* få hesten i gang (ved at piske løs på den).

II. whip [wip] *sb* pisk; kusk; (ved jagt) pikør; (i parlamentet) indpisker (som samler partifæller til afstemning); skriftlig meddelelse fra indpiskeren om at møde til afstemning.

whip|cord *sb* piskesnor; (stof:) whipcord; *adj* spændstig. ~ **hand:** *have the* ~ *hand of* have overtaget over. **-lash** piskesnert.

whipped cream flødeskum.

whipper-in ['wipə'rin] *sb* (ved jagt) pikør; *(parl)* indpisker (se II. *whip).*

whippersnapper ['wipəsnæpə] *sb* spirrevip, lille vigtigper.

whippet ['wipit] *sb* whippet (lille engelsk mynde).

whipping ['wipiŋ] *sb* pisk, prygl; *(fig)* nederlag; *(mar)* takling.

whipping| boy syndebuk, prügelknabe. ~ **top** top.

whippoorwill ['wipuə'wil] *sb (am, zo)* whippoorwill-natravn.

whippy ['wipi] *adj* slank og bøjelig; spændstig.

whip-round ['wipraund] *sb* T indsamling.

whipster ['wipstə] *sb* spirrevip, lille vigtigper.

whipstitch ['wipstitʃ] *(især am) vb* kaste over *(fx a seam); (bogb)* sidehæfte; *sb* kastesting; sidehæftning; T øjeblik.

whir [wə:] *vb* snurre, svirre; *sb* snurren, svirren.

whirl [wə:l] *vb* hvirvle, svinge, snurre, svirre; *sb* hvirvlen,

(hurtigt) omløb; *live in a ~ of pleasures* leve i sus og dus; *in -s of snow* i fygende snevejr; *it set my head in a ~* det fik det til at svimle *(el.* løbe rundt) for mig.
whirlabout ['wə:ləbaut] *sb* hvirvel.
whirligig ['wə:ligig] *sb* snurretop; karussel; *(fig)* hvirvel; *(zo)* hvirvler (et insekt).
whirlpool ['wə:lpu:l] *sb* strømhvirvel, malstrøm.
whirlwind ['wə:lwind] *sb* hvirvelvind; *sow the wind and reap the ~* så vind og høste storm.
whirr = *whir*.
whish [wiʃ] *vb* suse, pibe, fløjte; *sb* susen, piben, fløjten.
whisk [wisk] *sb* visk, dusk; piskeris, pisker; strøg, strejf; *vb* viske, feje; piske *(fx eggs)*; slå med (halen); (uden objekt) fare af sted; *~ away* forsvinde i en fart; fjerne med et snuptag; snuppe; *~ off* vifte *(el.* viske) væk; forsvinde *(el.* fare af sted) med, føre væk i en fart; snuppe.
whiskered ['wiskəd] *adj* med bakkenbarter, med kindskæg.
whiskers ['wiskəz] *sb pl* (på dyr) knurhår; (på mand) bakkenbarter, kindskæg.
whiskey ['wiski] *sb* (især *am el.* irsk) whisky.
whiskified ['wiskifaid] *adj* T påvirket af whisky.
whisky ['wiski] *sb* whisky; *~ and soda* sjus.
whisper ['wispə] *vb* hviske; ymte om; *sb* hvisken; hemmeligt vink. **whisperer** ['wispərə] *sb* sladderhank.
whist [wist] *interj* stille! hys! *sb* whist (kortspillet).
whist drive whistturnering, (ofte =) præmiewhist.
whistle ['wisl] *vb* fløjte, pibe, pifte, hvisle; *sb* fløjten, fløjt, pift, piben, hvislen; (instrument:) fløjte; *he may ~ for it* det kan han kigge i vejviseren efter; *blow the starting ~* fløjte til afgang; (se også *II. wet).*
whistle buoy *(mar)* fløjtetønde.
whistler ['wislə] *sb (zo, am)* murmeldyr; (om hest) lungepiber.
whistle-stop ['wislstɔp] *sb (am) (jernb)* trinbræt (ɔ: lille station); *(fig)* kort ophold under valgkampagne; *~ tour* rundrejse til småbyer under valgkamp.
whistling swan *zo* pibesvane.
whit [wit] *sb: not a ~* ikke en smule, ikke et gran, ikke det ringeste; *every ~* aldeles, fuldkommen, i enhver henseende; *every ~ as great* i enhver henseende lige så stor.
Whit [wit] *adj* pinse-.
Whitaker ['witikə]
white [wait] *adj* hvid, bleg; *(fig)* ren, pletfri, uskyldig; T reel, hæderlig, regulær; *vb (glds)* gøre hvid, hvidte; *sb* hvidt; hvidhed; (person:) hvid; (vin:) hvidvin; *~ of egg* æggehvide; *the ~ of the eye* det hvide i øjet; *~ out (typ)* udligne; spatiere, spærre; *a -d sepulchre* en kalket grav (ɔ: en hykler).
white| alloy hvidmetal (imitation af sølv). *~ ant zo* termit. *~ ash (bot)* amerikansk ask. **-bait** småfisk (især sild); ret af småfisk. **-beam** *(bot)* akselbærrøn. *~ bear zo* isbjørn. *~ campion (bot)* aftenpragtstjerne. **-caps** *pl* skumklædte bølger.
Whitechapel ['waittʃæpl]: *~ cart* tohjulet trækvogn.
white| coffee kaffe med fløde el. mælk. *~ -collar workers pl* funktionærstanden. *~ crow (fig)* sjældenhed. *~ elder (bot)* hvidel. *~ elephant (fig)* besværlig (og bekostelig) ting at eje; kostbar men unyttig ting. *~ -faced* bleg; med hvid blis. *~ feather* se *I. feather.* *~ friar* karmelitermunk. *~ frost* rimfrost. *~ game, ~ grouse* fjeldryper. *~ -haired* hvidhåret; lyshåret; *~ -haired boy (fig)* yndling, kæledægge.
Whitehall ['waithɔ:l] (gade i London med ministerierne); *(fig)* den engelske regering.
white| -handed med hvide hænder; uskyldig. *~ heat* hvidglødhede. *~ hope: their ~ hope* deres store håb, den de ser hen til. **-horses** skumklædte bølger. *~ -hot* hvidglødende.
White House: *the ~* (USA's præsidentbolig); *(fig)* USA's præsident.
white| lead [-'led] blyhvidt. *~ lie* nødløgn. *~ -lipped* med blege læber. **-livered** ['waitlivəd] fej.
white| man hvid mand; T hæderligt menneske; *the ~ man's burden* den hvide races (kultur)mission. *~ meat* hvidt kød (især af kylling, svin, kalv). *~ metal = ~ alloy.*
whiten ['waitn] *vb* gøre hvid, blege; blive hvid, blegne.
white night søvnløs nat.

whitening ['waitniŋ] *sb* slæmmet kridt.
white| paper (mindre) hvidbog. *~ pine (bot)* weymouthsfyr. *~ poplar (bot)* sølvpoppel. *~ slave* offer for hvid slavehandel. *~ slaver* hvid slavehandler. *~ spirit* mineralsk terpentin. *~ spruce (bot)* hvidgran. *~ -tailed (sea) eagle zo* havørn. **-thorn** *(bot)* hvidtjørn. **-throat** *zo* tornsanger; *lesser -throat* gærdesanger. *~ trash (am)* fattige hvide i Sydstaterne.
whitewash ['waitwɔʃ] *sb* hvidtekalk; *(fig)* renvaskning; *(am* T) nederlag hvor taberen ikke scorer; *vb* hvidte; *(fig)* renvaske (ɔ: forsøge at rense en persons rygte); *(am* T) vinde over (en modstander) uden at han når at score; *be -ed (også)* slippe ud af sin gæld ved at erklære sig konkurs.
whither ['wiðə] *adv, conj (glds)* hvorhen.
whithersoever [wiðəsou'evə] *adv (glds)* hvorhen end.
whiting ['waitiŋ] *sb* slæmmet kridt; hvidtekalk; *zo* hvilling.
whitish ['waitiʃ] *adj* hvidlig.
whitleather ['witleðə] *sb* hvidgarvet læder.
whitlow ['witlou] *sb* bullen finger, bullenskab (i en finger), betændt neglerod.
Whit Monday 2. pinsedag.
Whitsun ['witsn] *sb* pinse. **Whitsun|day** ['wit'sʌndi, 'witsn-'dei] pinsedag. *~ holidays* pinseferie. **-tide** pinse.
whittle ['witl] *vb* snitte, skære; skrælle bark af; *(fig)* nedskære, beskære; *~ down* skære ned, reducere.
whiz(z) [wiz] *vb* suse, pibe; *sb* susen, piben.
whizzbang ['wizbæŋ] *sb (mil.* S) granat (hvis passage gennem luften høres (omtrent) samtidig med at den eksploderer); kineser (fyrværkeri).
whizz kid S vidunderbarn.
who [hu:] *pron* (spørgende:) hvem *(fx ~ is there? ~ was he speaking to?);* (relativt:) som, der *(fx the man ~ was here).*
WHO *fk World Health Organization.*
whoa [wou] *interj* prr! (til hest).
whodun(n)it [hu:'dʌnit] *sb* S kriminalroman.
whoever [hu(:)'evə] *pron* hvem der end, enhver som; (spørgende:) hvem i al verden?
whole [houl] *adj* hel *(fx a ~ glass);* (glds, bibelsk) rask; *sb* helhed, hele; *the ~ amount* hele beløbet; *the ~ of* hele, alle *(fx the ~ of the five years I was there); a ~ lot* en hel del; *(up)on the ~* i det hele taget, i det store og hele.
whole| -coloured ensfarvet. *~ gale* stærk storm. **-hearted** hjertelig, uforbeholden, helhjertet. *~ -hogger* en som gør noget til bunds og uden forbehold. *~ -length* (billede) i hel figur. **-meal** usigtet mel. **-meal bread** fuldkornsbrød. *~ milk* sødmælk. *~ number* helt tal.
wholesale ['houlseil] *adj, adv* en gros; i stor stil, masse- *(fx ~ murder); sell (by) ~* sælge en gros.
wholesale dealer, wholesaler ['houlseilə] *sb* grosserer.
wholesome ['houlsm] *adj* sund, gavnlig.
wholly ['houlli] *adv* helt, aldeles, ganske.
whom [hu:m] *pron* hvem; som (afhængighedsform af *who).*
whoop [hu:p] *sb* råb(en), hujen; hiven (efter vejret); (ugles) tuden; *vb* huje, råbe; hive efter vejret; tude; *(am* T) sætte i vejret *(fx prices); ~ it up* S lave ballade; svire.
whoopee ['wu'pi:] *interj* hurra! juhu! *make ~* lave fest og ballade.
whooper swan *zo* sangsvane.
whooping cough ['hu:piŋkɔf] kighoste.
whoosh [wuʃ] *sb* susen; *vb* suse.
whop [wɔp] *vb* S give klø, tæske; *(fig)* banke (ɔ: besejre).
whopper ['wɔpə] *sb* S pragteksemplar, stor tamp *(fx that fish was a ~);* dundrende løgn.
whopping ['wɔpiŋ] *adv* S: *~ big* vældig stor, enorm.
whore [hɔ:] *sb (vulg)* hore, luder; *(glds)* skøge; *vb (litt)* bole, bedrive hor; *go whoring after* (bibelsk:) bole med; *(fig)* jage efter *(fx wealth).*
whorl [wə:l] *sb* krans; vinding *(fx* af sneglehus).
whortleberry ['wə:tlberi] *sb (bot)* blåbær; *red ~* tyttebær.
whose [hu:z] *pron* hvis (ejefald af *who el. which).*
whosoever [hu:sou'evə] *pron* hvem der end, enhver som.
why [wai] *adv* hvorfor; *interj* ih! å! jamen; jo for; ved du hvad? *that was ~ he did it* det var derfor han gjorde det; *~ is it that ...* hvor(dan) kan det være, at ...
W.I. *fk West Indies.*

wick [wik] *sb* væge, tande; (i curling) smalt mellemrum mellem modstandernes sten; *it gets on my* ~ S det går mig på nerverne.

wicked ['wikid] *adj* ond, slet, syndig, ugudelig *(fx deed)*, ondskabsfuld *(fx look, tongue, horse)*; T uartig, slem *(fx a* ~ *little girl)*; (ubehagelig, dårlig:) modbydelig *(fx weather)*, rædselsfuld; elendig.

wicker ['wikə] *sb* vidje; *adj* kurve- *(fx chair)*.

wickerwork ['wikəwə:k] *sb* kurvefletning, kurvemagerarbejde.

wicket ['wikit] *sb* låge, halvdør; *(fx* ved billetkontor) luge; (i sluse) sluseklap; (i kricket) gærde; *(am)* kroketbue.

wicketkeeper ['wikitki:pə] *sb* stokker, keeper (i kricket).

widdershins se *withershins*.

wide [waid] *adj* bred *(fx margin, river, road)*; stor; vid *(fx the* ~ *world;* ~ *sleeves)*; udstrakt; omfattende *(fx knowledge, reading)*; S snedig, snu; *sb* (i kricket) forbier; *adv* bredt, vidt, langt; forbi *(fx the shot went* ~ *);* ~ *apart* langt fra hinanden; ~ *eyes* opspilede øjne; *far and* ~ vidt og bredt; *open one's mouth* ~ åbne munden højt; *be* ~ *of the mark* ramme helt ved siden af; se også *berth.*

wide-awake ['waidə'weik] *adj* lysvågen; årvågen, vaks, på sin post; ['waidəweik] *sb* spejderhat.

wide ball (i kricket) forbier.

widely ['waidli] *adv* vidt *(fx different)*; vidt og bredt; i vid udstrækning; i vide kredse, almindeligt *(fx it is* ~ *supposed that...)*.

widen ['waidn] *vb* gøre bredere; blive bredere; udvide(s).

widespread ['waidspred] *adj* udbredt *(fx belief)*.

widgeon ['widʒən] *sb zo* pibeand, blisand.

widow ['widou] *sb* enke; *vb* gøre til enke (, enkemand).

widower ['widouə] *sb* enkemand.

widowhood ['widouhud] *sb* enkestand.

width [widθ] *sb* vidde, bredde; *(fig)* spændvidde.

wield [wi:ld] *vb* føre, håndtere, bruge *(fx an axe)*; *(fig)* udøve *(fx power)*.

wife [waif] *sb (pl* wives*)* hustru, kone.

wig [wig] *sb* paryk; *vb* S skælde ud.

wig| block parykblok. **-ged** [wigd] med paryk.

wigging ['wigiŋ] *sb* overhaling, irettesættelse.

wiggle ['wigl] *vb* sno sig, sprælle, vrikke.

wight [wait] *sb (glds)* menneske, person.

wigwam ['wigwæm] *sb* wigwam, indianerhytte.

I. wild [waild] *adj* vild *(fx animals, roses)*; *(fig)* vild; afsindig *(fx laughter)*, forrykt *(fx schemes)*; hysterisk *(fx scenes)*; larmende *(fx cheers)*; rasende *(fx it made me* ~ *to listen to such nonsense)*; letsindig *(fx young man)*; (om område) uopdyrket, ubeboet *(fx country)*; (om dyr) sky *(fx the deer are very* ~ *); be* ~ *about* være vild efter; *run* ~ vokse vildt, forvildes; *(fig)* løbe løbsk; (om barn) være uden røgt og pleje.

II. wild [waild] *sb* ødemark.

wild| arum *(bot)* dansk ingefær. ~ **boar** *zo* vildsvin. ~ **camomile** vellugtende kamille. **-cat** *sb* vildkat; *am* hasarderet *(el.* voveligt) foretagende; usikker prøveboring (efter olie), forsøgsboring; *adj* vild, rasende; hasarderet; forrykt, fantastisk; vild; ~ *strike* vild strejke (ɔ: som ikke er godkendt af fagforeningen). ~ **duck** *zo* vildand.

wildebeest ['wildibi:st] *sb zo* gnu.

wilderness ['wildənis] *sb* ødemark, vildmark, ørken; *(fig)* vildnis, jungle, virvar; *in the* ~ T *(fig)* ude i den kolde sne; (om politisk parti) i opposition.

wild-eyed ['waildaid] *adj* med et vildt blik; skrækslagen; fanatisk.

wildfire ['waildfaiə] *sb* st. elmsild; *like* ~ lynsnart, som en løbeild; *sell like* ~ gå af som varmt brød.

wild-goose chase meningsløst *(el.* håbløst) foretagende; *go on a* ~ løbe med limstangen.

wilding ['waildiŋ] *sb* vild træ, vild vækst, vild frugt.

wild oat *(bot)* flyvehavre; *sow one's -s (fig)* rase ud, løbe hornene af sig.

wile [wail] *sb* list, kneb, bedrag; *vb* lokke.

wilful ['wilful] *adj* egensindig, stivsindet, egenrådig; (om handling) forsætlig, overlagt.

I. will [wil] *vb (præt would)* vil; (om det sædvanemæssige) plejer at; kan *(fx thus he* ~ *sit for hours); you would!* det kunne ligne dig! det tænkte jeg nok! *I would not know* det skal jeg ikke kunne sige; *I would point out* jeg

tillader mig at gøre opmærksom på; *I would to God* Gud give; *that* ~ *be my father* det er vist *(el.* nok) min fader.

II. will [wil] *vb* testamentere *(fx* ~ *one's money to sby)*; gennemføre ved en viljeanstrengelse *(fx I -ed it)*; ville *(fx God -ed it)*.

III. will [wil] *sb* vilje; testamente; *at* ~ efter behag; efter forgodtbefindende, efter ønske, som det passer en; *at one's own sweet* ~ = *at* ~; *tenant at* ~ (lejer *el.* forpagter med hvem der ikke foreligger aftale om lejemålets (, forpagtningens) varighed); *with a* ~ af hjertens lyst, med fynd og klem; (se også *deed)*.

Will [wil] *fk* **William** ['wiljəm].

willies ['wiliz] *sb pl* S: *it gives me the* ~ det går mig på nerverne; det giver mig myrekryb.

willing ['wiliŋ] *adj* villig; *be* ~ *to* ville, være villig to (at); *God* ~ om Gud vil.

will-o'-the-wisp ['wiləðəwisp] *sb* lygtemand.

willow ['wilou] *sb (bot)* pil, piletræ; T (kricket)boldtræ; *(tekn)* rivevolfe.

willow| grouse *zo* dalrype. ~ **herb** *(bot)* gederams; dueurt. ~ **tit** *zo* fyrremejse. ~ **warbler** *zo* løvsanger.

willowy ['wiloui] *adj* pilebevokset; pileagtig, smidig og slank, smækker.

willpower ['wilpauə] *sb* viljestyrke.

willy ['wili'nili] *adj, adv* enten man vil eller ej.

I. wilt [wilt] *vb (glds): thou* ~ du vil.

II. wilt [wilt] *vb* visne, tørre ind, (begynde at) hænge; (om tøj) blive slasket; *(fig)* sygne hen; miste modet; (med objekt) tørre, få til at visne *(etc)*.

wily ['waili] *adj* listig, snu, forslagen.

wimple ['wimpl] *sb* nonnes hovedlin.

I. win [win] *vb (won, won)* vinde, sejre; nå, komme *(fx across, free, loose)*; (med objekt) vinde; vinde (sig) *(fx friends)*; nå (frem til) *(fx the shore)*; (i minedrift) udvinde; ~ *out (am)* sejre; ~ *over* få over på sin side, overtale; ~ *through* kæmpe sig igennem (vanskelighed *etc)*; ~ *to* nå til; *you* ~ *!* (også) jeg giver fortabt *(el.* op).

II. win [win] *sb* sejr; gevinst.

wince [wins] *vb* fare sammen, krympe sig; *sb* nervøst ryk, smertelig trækning.

winch [win(t)ʃ] *sb* spil, lossespil; håndsving.

Winchester ['win(t)ʃistə]

I. wind [wind, *(poet* undertiden) waind] *sb* vind, blæst; åndedræt; *(fig)* tomme ord, mundsvejr, snak; *(med.)* vind (ɔ: tarmluft); *(mus.)* blæsere; *the four -s* de fire verdenshjørner;

break ~ slippe en vind, fjærte, fise; *get* ~ *of* få nys om; *get the* ~ *up* S blive bange; *get one's* ~ *back, get one's second* ~ få vejret igen; *like the* ~ som et lyn; *lose one's* ~ tabe vejret; *put the* ~ *up sby* S skræmme en, jage en en skræk i livet; *raise the* ~, se I. *raise; the* ~ *rises* det begynder at blæse, vinden tager til; *take the* ~ *out of sby's sails* (også *fig)* tage vinden ud af éns sejl, tage luven fra en; *(fig)* tage brødet ud af munden på en, komme i forkøbet;

(forb med *præp) there is sth* **in** *the* ~ der er noget i gære; *in the -'s eye, in the teeth of the* ~ lige imod vinden; *hit sby in the* ~ ramme en i hjertekulen; *sound in* ~ *and limb* fuldstændig sund og rask; ~ *of change (fig)* forandringens vind; *sail close* **to** *the* ~ sejle tæt til vinden; *(fig)* sejre på grænsen; *cast (el.* fling *el.* throw) *to the -(s)* være ligeglad med, lade hånt om; *throw caution to the -s* sætte sig ud over alle forsigtighedshensyn.

II. wind [wind] *vb* få færten af *(fx the hounds -ed the fox)*; vejre; få til at tabe vejret *(el.* pusten), tage pusten fra; lade puste ud *(fx the horses)*; *get -ed* tabe vejret *(el.* pusten), blive forpustet.

III. wind [waind] *vb (wound, wound)* vinde, sno; vikle; (med trådd *etc)* omvikle, bevikle; (om håndtag) dreje; (om ur *etc)* trække op; (uden objekt) sno sig, bugte sig; ~ *off* vikle af; vinde op; ~ *up* vinde op; *(fx* om ur) trække op; *(fx* om fjeder) spænde; *(fig)* slutte; afvikle, opgøre, afslutte, likvidere *(fx a business)*.

IV. wind [waind] *sb* vinding, bugt, drejning.

windage ['windidʒ] *sb* (projektils) afdrift (på grund af vinden).

wind|bag ['win(d)bæg] *sb* ordgyder, vindbøjtel; (til sækkepibe) (blæse)sæk. **-bound** opholdt av modvind. **-break** læ-

skærm, læsejl; (af træer *etc*) læbælte. **-breaker** *(am)* =
-cheater. **-burn** rød og øm hud fremkaldt af skarp vind.
-cheater vindjakke. ~ **cone** vindpose. ~ **egg** vindæg.
Windermere ['windəmiə].
wind|**fall** ['win(d)fɔ:l] *sb* nedblæst frugt, nedfaldsfrugt;
(fig) uventet held, uventet fordel *(el.* indtægt); *(am)*
vindfælde. **-flower** *(bot)* anemone. ~ **gauge** vindmåler.
-hover ['windhʌvə] *zo* tårnfalk.
winding ['waindiŋ] *sb* omdrejning, bøjning; (be)vikling,
spoling; snoning; bugt; *adj* snoet, bugtet; snørklet.
winding| **sheet** liglagen. ~ **staircase** vindeltrappe. ~ **-up** af-
slutning, afvikling, likvidation.
wind| **instrument** ['wind-] blæseinstrument. **-jammer**
['winddʒæmə] stort hurtigsejlende sejlskib. **-lass** ['windləs]
spil (med vandret aksel), brøndvinde; *(mar)* ankerspil.
-less uden vind, stille. ~ **lever** ['waind-] *(fot)* optræk.
-mill ['winmil] vejrmølle, mølle.
window ['windou] *sb* vindue.
window| **box** altankasse. ~ **dressing** vinduespyntning; *(fig)*
det at pynte på et regnskab *etc;* pynt, staffage, camou-
flage. ~ **envelope** rudekuvert. ~ **ladder** *(gymn)* rudestige.
-pane rude. ~ **-shopping:** *go* ~ *-shopping* se på butiksvin-
duer. **-sill** vindueskarm.
wind|**pipe** ['win(d)paip] *sb* *(anat)* luftrør. ~ **-rode** *(mar)*
vindret. **-screen,** *(am)* **-shield** (i bil) forrude, frontrude,
vindspejl; (i ærme) vindfang; *-screen (, -shield) washer*
sprinkler, vindspejlsvasker; *-screen (, -shield) wiper* vin-
duesvisker. ~ **sock** vindpose.
Windsor ['winzə]. **Windsor knot** (bred slipsknude).
wind|**swept** ['windswept] *adj* forblæst, stormomsust, storm-
pisket. **-tight** vindtæt. ~ **tunnel** vindkanal.
windup ['waindʌp] *sb* *(am)* afslutning; afvikling.
windward ['windwəd] *adj* *(mar)* på vindsiden, i luvart; *sb*
luvart, vindside; *get to* ~ *of* tage luven fra, *(fig* også)
vinde fordel over; *the Windward Islands* (en gruppe af de
små Antiller).
windy ['windi] *adj* blæsende; *(fig)* opblæst, tom; S nervøs,
bange.
wine [wain] *sb* vin; *vb* drikke vin; beværte med vin; *take*
~ *with* skåle med.
wine|**bag** vinsæk; S drukkenbolt. **-bibber** vindranker. ~
cask vinfad. ~ **cooler** vinkøler. **-cup** vinpokal, vinbæger.
-grower vinavler. ~ **gum** vingummi. ~ **list** vinkort. ~
merchant vinhandler. **-skin** vinsæk.
~ **wing** [wiŋ] *sb* vinge; (af hus, dør, hær, parti) fløj; (på
stol) øreklap; (i fodbold) wing; (på teater) sidekulisse;
(på bil) skærm; *(flyv)* bæreplan; *(mil.)* flyverafdeling;
(am) flyveregiment; ~ *of the nostril* næsefløj; *clip the -s
of* stække; *get one's -s* få flyvercertifikat; *in the -s (fig)* i
kulissen; *on the* ~ i flugten; under opbrud; *take* ~ flyve
op; flygte; *take under one's* ~ *(fig)* tage under sin be-
skyttelse.
II. **wing** [wiŋ] *vb* bevinge; give fart; flyve over; (om fugl)
vingeskyde, (om person) såre i armen, *(flyv)* skyde ned;
(uden objekt) flyve.
wing|**beat** vingeslag. ~ **case** zo dækvinge. ~ **chair** øreklap-
stol. ~ **-clipped** stækket. ~ **collar** *(glds)* knækflip.
Wing Commander *(flyv)* oberstløjtnant.
winged armchair øreklapstol.
wing| **mirror** (på bil) sidespejl (på forskærm). ~ **nut** fløj-
møtrik.
wing|**span, -spread** vingefang.
I. **wink** [wiŋk] *vb* blinke; glimte, funkle; ~ *at* blinke til; se
gennem fingre med.
II. **wink** [wiŋk] *sb* blink, tegn (med øjnene); blund; *forty
-s* en lille lur; *I didn't sleep a* ~ jeg lukkede ikke et øje.
winkers ['wiŋkəz] *sb pl* T blinklys (på bil).
winking ['wiŋkiŋ] *sb* blinken; glimten, funklen; *as easy as*
~ T lige så let som ingenting; *like* ~ T som et lyn.
winkle ['wiŋkl] *sb* *zo* strandsnegl; *vb:* ~ *out* pille ud, lirke
ud, hale ud, tvinge til at komme frem.
winner ['winə] *sb* vinder, sejrherre; vinderkort; *every shot
a* ~ gevinst hver gang.
winning ['winiŋ] *adj* vindende, indtagende. **winning post** (i
sport) dommerpæl, mål. **winnings** ['winiŋz] *sb pl* gevinst.
winnow ['winou] *vb* rense (korn for avner); *(fig)* udskille,
sigte. **winnower, winnowing machine** renseblæser.
wino| ['wainou] *sb* S vindranker.

winsome ['winsəm] *adj* vindende, indtagende, tiltalende;
yndig, vakker.
winter ['wintə] *sb* vinter; *vb* overvintre, tilbringe vinteren;
vinterfodre.
winter| **aconite** erantis. ~ **apple** vinteræble. ~ **garden** vin-
terhave. **-green** *(bot)* gaultheria, vintergrøn; *oil of -green*
vintergrøntolie. ~ **quarters** vinterkvarter. ~ **savory** *(bot)*
vintersar.
wintry ['wintri] *adj* vinter-, vinterlig; *(fig)* kølig, kold.
winy ['waini] *adj* vinagtig, vin-; oprømt (af vin).
I. **wipe** [waip] *vb* tørre *(fx one's eyes),* tørre af, tørre over;
~ *his eye for him* S give ham et blå øje; *we -d the floor
with them* S vi tværede dem ud; de fik ikke et ben til
jorden; ~ *off* tørre af; blive af med; ~ *out* tørre indven-
dig; viske ud *(fx a mark);* fjerne; slå en streg over; ud-
slette, helt tilintetgøre *(fx the town was completely -d
out);* ~ *up* tørre op.
II. **wipe** [waip] *sb* aftørring; (i film) wipe; maskeblænde; *I
fetched him a* ~ *(glds* S) jeg langede ham en.
wiper ['waipə] *sb* visker.
wire ['waiə] *sb* (metal)tråd, ledningstråd, telegraftråd;
wire, vire; T telegram; *vb* fæste, binde sammen *(el.* op)
med ståltråd; T telegrafere; ~ *a house for electric light*
installere elektricitet i et hus; *pull -s* (især *am, fig)*
trække i trådene; ~ *in* S tage kraftigt fat, gå på med
krum hals.
wire| **cutter** bidetang. **-d glass** trådglas. **-d tyre** kanttråds-
dæk. ~ **edge** (på skæreredskab) råæg. ~ **entanglement**
pigtrådsspærring. ~ **gauge** ['waiəgeidʒ] trådmål, trådlære.
~ **gauze** ['waiəgɔ:z] trådvæv. ~ **glass** trådglas. **-hair** *(am)*
= ~ **-haired terrier** ruhåret terrier.
wireless ['waiəlis] *adj* trådløs *(fx* ~ *telegraphy);* *sb* radio,
radiomodtager; trådløs telegrafi, trådløs telefoni; *by* ~
pr. radio; *(hear)* on the ~ (høre) i radio. ~
wireless| **operator** radiotelegrafist. ~ **set** radioapparat. ~
station radiostation.
wire| **netting** trådnet, ståltrådshegn. ~ **-puller** (især *am)* en
der trækker i trådene. ~ **-pulling** (især *am)* trækken i trå-
dene. ~ **rope** ståltov. ~ **stripper** afisoleringstang. **-tapping**
(telefon)aflytning. **-worm** *zo* trådorm; smælderlarve.
wiring ['waiəriŋ] *sb* ledningsnet, ledninger; installation,
ledningsinstallation.
wiry ['waiəri] *adj* ståltråds-, som ståltråd; sej, senestærk.
Wis(c). *fk* Wisconsin.
wisdom ['wizdm] *sb* visdom, klogskab.
wisdom tooth visdomstand.
I. **wise** [waiz] *adj vis,* forstandig, klog; *vb:* ~ *up* S give
besked; advare; *be (, get)* ~ *to* være (, blive) klar over;
put shy ~ *to* sætte en ind i; advare en om.
II. **wise** [waiz] *sb* *(glds)* vis, måde; *(in) no* ~ på ingen
måde; *on this* ~ på denne måde.
wiseacre ['waizeikə] *sb* selvklog dumrian; *he is a* ~ (også:)
han er så pokkers klog.
wisecrack ['waizkræk] *sb* *(am)* T kvik *el.* morsom be-
mærkning, vittighed, vits.
wise| **guy** bedrevidende fyr. ~ **woman** klog kone.
wish [wiʃ] *sb* ønske, begæring; *vb* ønske, ville gerne; ~ *for*
ønske (sig), nære ønske om; *have one's* ~ få sit ønske
opfyldt; *I* ~ *(that)* jeg ville ønske at, gid, bare; *I* ~ *to
God (el.* Heaven) Gud give; ~ *on* prakke på, påtvinge;
~ *him well* nære gode ønsker for ham.
wish|**bone** gaffelben (på fugl). **-ful** ønskende, ivrig efter.
-ful thinking ønsketænkning.
wish-wash ['wiʃwɔʃ] *sb* T tyndt sprøjt, pøjt.
wishy-washy ['wiʃiwɔʃi] *adj* T tynd *(fx tea);* *(fig)* tyndbe-
net, pjattet *(fx talk);* (om person) skvattet, pjokket, veg.
wisp [wisp] *sb* visk *(fx* halm), tot *(fx* græs); tjavs; dusk;
(om person) splejs; ~ *of smoke* røgfane.
wispy ['wispi] *adj* tjavset, tjavset; pjusket.
wistaria [wi'steəriə] *sb* *(bot)* blåregn.
wistful ['wistful] *adj* tankefuld, længselsfuld; vemodig.
I. **wit** [wit] *vb: to* ~ nemlig.
II. **wit** [wit] *sb* intelligens, forstand, kløgt; vid, åndfuld-
hed; (om person) vittigt hoved; **-s** intelligens, forstand,
kløgt; *have quick (, slow)* **-s** være hurtig (, langsom) i
opfattelsen; *have one's -s about one* være vågen; *be at
one's -s' end* ikke vide sine levende råd; *live by one's -s*
lave fiduser, leve af hvad der tilfældigt byder sig; *frighten*

sby out of his -*s* skræmme en fra vid og sans.
witch [witʃ] *sb* heks; *zo* skærising; *vb* forhekse, fortrylle.
witch|craft ['witʃkra:ft] *sb* hekseri, trolddom, tryllekunster.
~ **doctor** heksedoktor, medicinmand.
witchery ['witʃəri] *sb* hekseri, fortryllelse.
witch|-hazel *(bot)* troldnød. ~ **-hazel bark** hamamelisbark.
~ **-hunt** heksejagt; hetzkampagne.
witenagemot ['witənəgi'mout] *sb* oldengelsk rigsforsamling.
with [wið] *præp* med *(fx walk* ~ *sby, strike sby* ~ *a stick);* sammen med; hos *(fx I am staying* ~ *friends);* af *(fx wet* ~ *dew; dying* ~ *hunger);* trods *(fx* ~ *all his wealth he is unhappy); angry* ~ vred på; *I am entirely* ~ *you in this* jeg holder ganske med dig i denne sag; *be* ~ *it* **T** være vaks, være smart, være med på noderne; *he is no longer* ~ *us* han er ikke længere blandt de levendes tal; *fight* ~ *slås* med; kæmpe sammen med; *live* ~ bo hos; leve sammen med.
withal [wi'ɔ:l] *adj, præp (glds)* med; desuden, også, tillige.
withdraw [wið'drɔ:] *vb* trække tilbage *(fx troops);* trække bort; trække *(el.* tage) til sig *(fx one's hand);* inddrage *(fx a sentry, a lightship, banknotes);* (i bank) hæve; *(fig)* inddrage *(fx a permission, a pension);* tilbagekalde *(fx a promise),* tage tilbage *(fx a remark),* trække tilbage *(fx an accusation),* frafalde; (uden objekt) trække sig tilbage; udtræde *(from* af); tage sine ord tilbage *(fx he called the man a.traitor and refused to* ~*);* *(parl)* trække sit forslag tilbage.
withdrawal [wið'drɔ:əl] *sb* tilbagekaldelse, inddragelse, udtræden; *(mil.)* tilbagetrækning, tilbagetog.
withdrawal symptoms *(med.)* abstinensymptomer; **T** abstinenser.
withdrawn [wið'drɔ:n] *adj (fig)* indadvendt, indesluttet.
withe [wið] *sb* vidje(bånd).
wither ['wiðə] *vb* visne; (med objekt) få til at visne; *(fig)* tilintetgøre, bringe til tavshed. **withering** ['wið(ə)riŋ] *adj* knusende, tilintetgørende.
withers ['wiðəz] *sb pl* rygkam *(fx* på en hest); *my* ~ *are unwrung* det rører mig ikke det bitterste.
withershins ['wiðəʃinz] *adv* imod solens retning, avet om.
withhold [wið'hould] *vb* holde tilbage, nægte; ~ *from* (også) forholde *(fx* ~ *information from him).*
withholding tax (især *am)* kildeskat.
within [wið'in] *præp* inden i *(fx the building);* inden for *(fx hearing* hørevidde); inden (udløbet af) *(fx two hours); adv (glds)* indenfor *(fx inquire* ~*);* indvendig *(fx* ~ *and without);* inden døre, hjemme;
~ *doors* inden døre; ~ *this half-hour* for mindre end en halv time siden; om mindre end en halv time; *live* ~ *one's income* sætte tæring efter næring; ~ *limits* inden for visse grænser; ~ *three miles of the hospital* mindre end tre *miles* fra hospitalet; *a task well* ~ *his powers* en opgave der på ingen måde overstiger hans evner; *from* ~ indefra.
with-it ['wiðit] *adj* **T** vaks, smart, med på noderne.
without [wið'aut] *præp* uden *(fx* ~ *doubt); adv (glds)* udenfor *(fx he stands* ~*); from* ~ udefra.
withstand [wið'stænd] *vb* modstå, modarbejde.
withy ['wiði] *sb* båndpil, vidje.
witless ['witlis] *adj* uforstandig, uintelligent, tåbelig.
witness ['witnis] *sb* vidnesbyrd; (om person) vidne, *(mht* dokument) vitterlighedsvidne; *vb* være vidne til, se; *(fig)* bevidne, vidne om; (indledende et argument, *omtr)* jævnfør, se (blot) *(fx this is impossible,* ~ *the recent attempts);* (uden objekt) vidne; ~ *to* bevidne, bekræfte; ~ Heaven! *(glds)* Gud er mit vidne! *in* ~ *whereof* og til bekræftelse heraf.
witness| box, *(am)* ~ **stand** *sb* vidneskranke.
witticism ['witisizm] *sb* vittighed, vits.
wittingly ['witiŋli] *adv* bevidst, med fuldt vidende.
witty ['witi] *adj* vittig, åndrig, åndfuld.
wizard ['wizəd] *sb* troldmand, heksemester; *adj* **T** storartet, mægtig fin.
wizardry ['wizədri] *sb* hekseri, trolddom.
wizened ['wiznd] *adj* runken, indskrumpet, sammenskrumpet, mager, indtørret.
Wm. *fk* William.
W.N.W. *fk* west north west.

wo [wou] *interj* prr! (til heste), stop!
woad [woud] *sb* vajd (plante, farvestof).
wobble ['wɔbl] *vb* slingre, rokke, rave, vakle; *sb* slingren, rokken, vaklen; usikkerhed, ustadighed; *(tekn)* slør.
wobbler ['wɔblə] *sb* vaklevorn person; (til fiskeri) wobbler.
wobbly ['wɔbli] *adj* usikker, vaklevorn.
Wodehouse ['wudhaus].
Woden ['woudn] Odin.
woe [wou] *sb* ve, smerte, sorg, ulykke, elendighed; *interj* ve! ~ *is me* ve mig, ak desværre; ~ *(be) to him,* ~ *betide him!* ve ham!
woebegone ['woubigɔn] *adj* fortvivlet, ulykkelig; bedrøvelig.
woeful ['wouful] *adj* sørgmodig, ulykkelig, sørgelig, elendig.
wog [wɔg] *sb* **S** *(neds* betegnelse for mørkhudet udlænding; *omtr)* 'spaghetti'.
woke [wouk] *præt* og *pp* af *wake.*
wold [would] *sb* udyrket, åben og højtliggende landstrækning.
wolf [wulf] *sb (pl* wolves [wulvz]) ulv; *vb* hugge i sig, sluge grådigt; *have a* ~ *by the ears* være i en farlig stilling; *cry* ~ gøre falsk alarm; *keep the* ~ *from the door* holde sulten fra døren; *a* ~ *in sheep's clothing* en ulv i fåreklæder.
wolf| call piften efter en pige. ~ **cub** ulveunge. **-fish** *zo* havkat.
wolfish ['wulfiʃ] *adj* ulveagtig, ulve-; *(fig)* grådig, grisk, glubsk.
wolfsbane ['wulfsbein] *sb (bot)* stormhat.
wolf whistle = *wolf call.*
Wolsey ['wulzi].
wolverene, wolverine ['wulvəri:n] *sb zo* jærv.
wolves [wulvz] *sb pl af* wolf.
woman ['wumən] *sb (pl* women ['wimin]) kvinde, voksen kvinde *(fx my daughter will soon be a* ~*),* dame; kone *(fx my good* ~*); old* ~ (om mand) gammel kælling; *play the* ~ vise sig umandig; *born of* ~ dødelig; (se også *honest).*
woman| doctor kvindelig læge. **-hood** kvindelighed, kvinder. **-ish** kvindagtig. **-ize** gøre kvindagtig; **T** være skørtejæger. **-kind** kvindekønnet, kvinderne. **-ly** kvindelig.
womb [wu:m] *sb* livmoder, moderskød; *in the* ~ *of time* i fremtidens skød.
wombat ['wɔmbæt] *sb zo* vombat.
women ['wimin] *sb pl* af *woman;* Women's Lib (bevægelse der kæmper for kvindernes frigørelse).
womenfolk ['wiminfouk] *sb* kvindfolk; *one's* ~ *(glds)* de kvindelige medlemmer af ens husstand *el.* familie.
won [wʌn] *præt* og *pp* af *win.*
I. wonder ['wʌndə] *sb* under, vidunder, underværk, mirakel; *(cf II. wonder)* undren; (se også *nine); how in the name of* ~*!* hvordan i alverden! *for a* ~ underligt nok; *it's a* ~ *that he refused* det er underligt at han sagde nej; *signs and* -*s* tegn og undergerninger; *work (el.* do) -*s* gøre underværker.
II. wonder ['wʌndə] *vb* undre sig, undres, forundre sig; (foran bisætning) undre sig over *(fx I* ~ *that he refused);* spekulere på *(el.* over) *(fx he -ed what had happened); I* ~ jeg gad vide; mon? *I* ~ *whether she will come* mon hun kommer; Gud ved om hun kommer.
wonderful ['wʌndəf(u)l] *adj* vidunderlig, forunderlig.
wondering ['wʌndriŋ] *adj* undrende; *sb* undren.
wonderland ['wʌndəlænd] *sb* eventyrland.
wonderment ['wʌndəmənt] *sb* undren; forundring.
wonder-worker ['wʌndəwə:kə] *sb* mirakelmager.
wondrous ['wʌndrəs] *adj* vidunderlig; *adv* vidunderlig(t); såre.
wonky ['wɔŋki] *adj* **T** vakkelvorn, usikker, skrøbelig, upålidelig; i uorden, i ulave.
I. won't [wount] sammentrækning af *will not.*
II. wont [wount] *adj* vant *(fx he is* ~ *to walk); sb* sædvane, skik.
wonted ['wountid] *adj* sædvanlig, vant *(fx my* ~ *place).*
woo [wu:] *vb* bejle til, fri til; fri.
wood [wud] *sb* skov; træ, ved; brænde; (til vin, øl) fad; *the* ~ *(mus.)* træblæserne; *he cannot see the* ~ *for the trees* han kan ikke se skoven for bare træer; *beer from the* ~ øl fra fad; *be out of the* ~ *(fig)* have overstået

vanskelighederne; *don't halloo till you are out of the* ~ glæd dig ikke for tidligt.

wood| alcohol træsprit. ~ **anemone** *(bot)* hvid anemone. ~ **ant** *zo* skovmyre. **-bin** brændekasse. **-bine** ['wudbain] *(bot)* kaprifolium; *(am)* vildvin; *Woodbine* (billig cigaret). **-block** træklods, træblok. **-carver** billedskærer. **-chat (shrike)** *zo* rødhovedet tornskade. ~ **chisel** stemmejern. **-chuck** ['wudtʃʌk] *(am)* zo skovmurmeldyr. **-cock** *zo* skovsneppe. **-craft** skovkyndighed. **-cut** træsnit. **-cutter** brændehugger; træskærer.

wooded ['wudid] *adj* skovbevokset, skovrig.

wooden ['wudn] *adj* træ-, af træ; *(fig)* stiv, klodset; knastør; udtryksløs; *a* ~ stare et stift blik.

wooden|head dumrian, kødhoved. ~ **-headed** tykhovedet.

wood| fibre vedtave. ~ **hyacinth** *(bot)* klokkehyacint. ~ **ibis** *zo (am)* skovibis. **-land** skovstrækning; skov-. **-lark** hedelærke. ~ **louse** *zo* bænkebider. **-man** skovarbejder. **-pecker** *zo* spætte.

wood| pigeon ringdue. **-pile** brændestabel; (se også *nigger*). ~ **pimpernel** *(bot)* lund-fredløs. ~ **pulp** træmasse. **-ruff** ['wudrʌf] *(bot)* skovmærke. ~ **sandpiper** *zo* tinksmed. **-shed** brændeskur. **-skin canoe** barkkano. ~ **sorrel** *(bot)* skovsyre. ~ **spirit** træsprit. ~ **tar** trætjære. ~ **thrush** *zo (am)* skovdrossel. ~ **tick** *zo* skovflåt. ~ **warbler** *zo* skovsanger. ~ **wasp** træhveps. **-wind** træblæseinstrumenter, træblæsere. **-work** træværk; træarbejde, sløjd.

woody ['wudi] *adj* skovrig; skov-; træagtig; ~ *plant* vedplante.

woodyard ['wudja:d] *sb* tømmerplads.

wooer ['wu:ə] *sb* bejler, frier.

woof [wu:f] *sb* islæt.

woofer ['wu:fə] *sb* bashøjttaler.

wool [wul] *sb* uld, uldgarn; uldhår; uldent tøj; S hår; *keep your* ~ *on!* bare rolig; ikke hidsig! *lose one's* ~ blive gal i hovedet, ryge i flint; *pull the* ~ *over sby's eyes* stikke en blår i øjnene; (se også II. *cry* og *dye*).

wool| clip årsproduktion af uld. ~ **fat** lanolin. **-gathering** *adj* drømmende, adspredt; *sb* adspredthed, åndsfraværelse, drømmerier; *go -gathering* gå i giftetanker. **-grower** uldproducent. **-growing** uldproduktion.

woollen ['wulən] *adj* uld-, ulden; *sb* uldent stof, uldtøj; *-s* (også) uldvarer, strikvarer; ~ *draper* uldvarehandler; ~ *yarn* kartegarn, strøggarn.

woolly ['wuli] *adj* ulden, uld-; uldagtig, uldhåret; *(fig)* forvirret, uklar, tåget; *sb* sweater. **woolly| bear** *zo* larve af bjørnespinder. ~ **-headed** uldhåret; *(fig)* = **-minded** forvirret, uklar, tåget.

woolsack ['wulsæk] *sb* uldsæk; *the* ~ lordkanslerens sæde i Overhuset.

Woolwich ['wulidʒ].

woozy ['wu:zi] *adj* S omtåget; tåget, forvirret.

Worcester ['wustə].

I. word [wə:d] *sb* ord; løfte; besked *(fx send him* ~ *that* (om at); ~ *came that ...);* (især *mil.*) kommando, ordre *(fx give* ~ *to attack);* feltråb; *-s* (også) tekst; *the Word (rel)* Guds ord; ordet; *eat one's -s* tage sine ord i sig igen; *fair -s* fagre ord; *be as good as one's* ~ holde (sit) ord; *break (, keep) one's* ~ bryde (, holde) sit ord; *have -s* skændes; *the last* ~, se II. *last; put in (el. say) a good* ~ *for* lægge et godt ord ind for; *take him at his* ~ tage ham på ordet; *take his* ~ *for it* tro ham på ordet *(el.* hans ord);

by ~ *of mouth* mundtlig; ~ *for* ~ ord for ord; ordret; ord til andet; *hungry is just the* ~ *for it* sulten er netop ordet; *in a* ~ kort sagt; *in other -s* med andre ord; *in so many -s* kort og godt; rent ud; *upon my* ~ på (min) ære, minsandten; nu har jeg aldrig kendt så galt; *a play upon -s* et ordspil; *a* ~ *with you!* åh, et øjeblik! *can I have a* ~ *with you!* må jeg tale et par ord med Dem! *have -s with* skændes med.

II. word [wə:d] *vb* affatte, formulere.

wordage ['wə:didʒ] *sb* ord; antal ord.

wording ['wə:diŋ] *sb* ordlyd, affattelse, udtryksmåde, formulering.

word|less tavs. ~ **order** *(gram.)* ordstilling. ~ **-painting** = ~ *picture.* **-perfect:** *be* ~ *-perfect* kunne sin rolle *(etc)* på fingrene. ~ **picture** malende beskrivelse. **-play** leg med ord, ordspil. ~ **splitting** ordkløveri.

Wordsworth ['wə:dzwə(:)θ].

wordy ['wə:di] *adj* ordrig; snakkesalig.

wore [wɔ:] *præt* af *wear.*

I. work [wə:k] *sb* arbejde; gerning; værk *(fx a new* ~ *by the famous master; the -s of Byron);* noget man arbejder med, sytøj *(etc);* **-s** (også) -værk, fabrik; værk *(fx i et ur);* *(mil.)* forsvarsværker, befæstning; *public -s* offentlige arbejder; *the -s (am* S) alt hvad der hører sig til, hele molevitten; *get the -s* S blive mishandlet på alle mulige måder; blive myrdet; *give him the -s* S gøre det af med ham, skyde ham ned; gennemprygle ham, mishandle ham; *-s of mercy* barmhjertighedsgerninger;

at ~ i (, på) arbejde, ved arbejdet; i gang; *(fig)* på færde; *that's all in the day's* ~ det må man tage med; det er vi så vant til; *Ministry of Works* ministerium for offentlige arbejder; *piece of* ~ stykke arbejde; *he is a nasty piece of* ~ han er en skidt fyr; *in search of* ~ arbejdssøgende; *out of* ~ arbejdsløs; *get (el. set) to* ~ gå i gang; (se også II. *cut*, I. *short).*

II. work [wə:k] *vb (-ed, -ed; glds: wrought, wrought)* arbejde *(fx* ~ *hard);* fungere, virke *(fx the bell is not -ing);* have arbejde *(fx in a factory);* (bevæge sig *etc)* bane sig vej *(fx* ~ *through the forest);* arbejde sig *(fx* ~ *loose);* (om væske) gære; (med objekt) drive *(fx a farm);* lade arbejde, få til at arbejde; 'tumle' *(fx* ~ *one's servants);* udnytte *(fx an invention);* (fremkalde:) bevirke *(fx* ~ *changes);* udrette, gøre *(fx* ~ *wonders);* anrette *(fx the destruction wrought by the fire);* (i håndarbejde) brodere *(fx one's initials on sth);* (om arbejdsstykke *etc)* bearbejde, forarbejde; (om dej, ler) ælte;

~ *one's way (forward)* arbejde sig frem; ~ *a tooth loose* vrikke en tand løs; ~ *a typewriter* skrive på maskine; ~ *one's men too hard* køre sine folk for hårdt, overanstrenge sine folk; *I'll* ~ *it if I can* S jeg skal se, om jeg kan klare den; *it doesn't* ~ T den går ikke;

(forb med præp og adv) ~ *against* modarbejde; *they -ed against time* de arbejdede forceret; det var et kapløb med tiden; ~ *at* arbejde med *(el.* på); ~ *in* få anbragt; få placeret, få indpasset; ~ *into* arbejde sig ind i; indarbejde i; få lirket (, maset) ind i (, ned i); ~ *oneself into a rage* arbejde sig op til raseri; ~ *off* afsætte, komme af med; få brugt *(fx superfluous energy);* få til side; ~ *on* arbejde med *(el.* på); påvirke; ~ *out* arbejde på; udregne, beregne; finde ud af; udarbejde, udvikle, planlægge; udtømme *(fx a mine);* (uden objekt) lykkes, blive til noget; udvikle sig; (i sport) træne; *it -s out at £10* det bliver £10; *I have -ed it out at £10* jeg har fået *(el.* beregnet) det til £10; ~ *to rule* arbejde under streng overholdelse af alle reglementer (ɔ: som en form for obstruktion); ~ *up* oparbejde *(fx a reputation);* lidt efter lidt ophidse; udarbejde, forme; udpensle; puste op *(fig).*

workable ['wə:kəbl] *adj* som kan udføres; bearbejdelig; til at arbejde i *(fx* ~ *ground);* gennemførlig.

workaday ['wə:kədei] *adj* hverdags-; *(fig)* kedsommelig; *in this* ~ *world* i denne prosaiske verden.

work|bag sb sypose. **-basket** sy- og stoppekurv. **-bench** (arbejds)bænk. **-book** *(am)* instruktionsbog; studievejledning; arbejdsbog. **-box** syæske. **-day** hverdag; *adj* hverdags-.

worker ['wə:kə] *sb* arbejder. **worker| ant** *zo* arbejder (om myre). ~ **bee** *zo* arbejder (om bi).

workhouse ['wə:khaus] *sb* fattighus; *(am)* arbejdsanstalt.

working ['wə:kiŋ] *adj* arbejdende; arbejds-; drifts-; (se *sms ndf);* tilstrækkelig til at man kan klare sig *(fx have a* ~ *knowledge of English);* *sb* arbejde; drift, gang; gæring; bevægelse; bearbejdning, forarbejdning, *-s* udgravninger, minegange; *(mat.)* udregninger, mellemregninger; *(fig)* måde at arbejde på *(fx the -s of his mind).*

working| capital driftskapital. ~ **class** arbejderklasse. **-class** *adj* af arbejderklassen, arbejder-. ~ **day** arbejdsdag; hverdag. ~ **drawing** arbejdstegning. ~ **expenses** driftsudgifter. ~ **hours** arbejdstid. ~ **hypothesis** arbejdshypotese. ~ **instructions** betjeningsforskrift. ~ **load** *(tekn)* tilladelige belastning. ~ **majority** arbejdsdygtigt flertal (fx i parlament). **-man** arbejder. ~ **order:** *in* ~ *order* i (driftsmæssig *el.* brugbar) stand. ~ **-out** udførelse, udformning. ~ **party** arbejdshold; arbejdsudvalg, arbejdsgruppe. ~ **title** arbejdstitel (på film *etc).*

work|less ['wə:klis] *adj* arbejdsledig, arbejdsløs. **-man** arbejder. **-manlike** håndværksmæssig, fagmæssig; godt udført. **-manship** dygtighed; (håndværksmæssig *el.* fagmæssig) udførelse *(fx good (, bad) ~);* stykke arbejde. **-out** *(am)* træningsøvelse; afprøvning i praksis. **-people** arbejdere. **-piece** arbejdsstykke. **-room** arbejdsrum, systue.
works committee bedriftsråd.
work|shop værksted; *(fig)* seminar, gruppediskussion; *theatre ~* værkstedsteater. **-shy** arbejdssky.
works manager driftsleder.
work| studies arbejdsstudier. **-table** sybord; arbejdsbord. **-top** køkkenbord. **~ -to-rule** (form for strejke der består i at arbejderne strengt overholder alle reglementer hvorved arbejdet forsinkes). **-woman** arbejderske.
world [wə:ld] *sb* verden; folk *(fx what will the ~ say?); not* **for** *the ~* ikke for alt i verden; *for all the ~* fuldstændig *(fx he sounded for all the ~ as if ...); he looked for all the ~ like* (også) han lignede mest af alt ...; *all the riches* **in** *the ~* alverdens rigdom; *bring* **into** *the ~* sætte i verden; *make the best of both -s (fig)* forene to modstridende interesser; få det bedste ud af begge dele; *she thinks the ~ of them* hun sætter dem umådelig højt; *it did him a ~ of good* han har umådelig godt af det; *he will never set the ~ on fire (am)* han kommer aldrig til at udrette noget særligt; han har ikke opfundet krudtet; *live* **out of** *the ~* leve afsondret fra verden; *it was out of this ~* S det var helt fantastisk; *dead* **to** *the ~* T døddrukken; fuldstændig udmattet; *she is all the ~ to him* hun er hans et og alt; *~ without end* fra evighed til evighed.
world|-famous verdensberømt. **-ling** verdensbarn. **-ly** verdslig, verdsligsindet. **-ly-minded** verdsligsindet. **-ly-wise** verdenskklog, klog på denne verdens ting. **~ -old** urgammel. **~ power** verdensmagt. **~ -weary** træt af verden, livstræt. **-wide** verdensomspændende; verdens- *(fx fame).*
worm [wə:m] *sb* orm, kryb; *(tekn)* snekke, skruegænge; (på hund) tungebånd; *vb* lirke, liste *(fx ~ secrets out of sby);* rense *el.* kurere for orm; *even a ~ will turn* (selv den sagtmodigste kan man plage så længe at han bider fra sig); *~ one's way into* lirke *(el.* liste) sig ind i.
worm|cast regnorms ekskrementer. **~ -eaten** ormstukken; *(fig)* mølædt. **~ gear** snekkedrev, snekkehjul. **-seed** ormefrø. **-'s eye view** frøperspektiv. **~ wheel** snekkehjul. **-wood** *(bot)* malurt; *gall and -wood (fig)* bitter ydmygelse.
wormy ['wə:mi] *adj* ormstukken.
worn [wə:n] *pp* af *wear; adj* slidt; træt. **worn|-down** slidt, træt, afslidt. **~ -out** udslidt, udlevet, udtjent.
worried ['wʌrid] *adj* bekymret, besværet, plaget.
worriment ['wʌrimənt] *sb* T plage, bekymring, ærgrelse.
I. worry ['wʌri] *vb* plage *(fx ~ sby with questions);* pine, genere; volde bekymring, volde ængstelse, bekymre, forurolige; (om hund) rive og ruske i med tænderne; (uden objekt) gøre sig bekymringer, være urolig; være ked af det; *~ along* lige holde den gående (økonomisk); (lige) klare sig (trods vanskeligheder); *~ out the solution to a problem* tumle med et problem til man får det løst; *I should ~* T det rører mig ikke; *~ through* kæmpe sig igennem.
II. worry [wʌri] *sb* bekymring, ærgrelse, plage.
worse [wə:s] *adj, adv* (komparativ af *bad, ill)* værre; ringere; *~ was to come* det skulle blive værre endnu; *the ~ for drink* beruset; *the ~ for wear* slidt, medtaget; *he is none the ~ for it* han har ikke taget skade af det; *go from bad to ~* blive værre og værre.
worsen ['wə:sn] *vb* forværre, forværres.
worship ['wə:ʃip] *sb (rel)* gudsdyrkelse; (også *fig)* dyrkelse *(fx hero ~),* tilbedelse; *vb* dyrke, tilbede; (uden objekt) gå i kirke, være til gudstjeneste; *Your (, His) Worship* (titel for visse øvrighedspersoner); *place of ~* gudshus.
worshipful ['wə:ʃipf(u)l] *adj* ærværdig, æret.
worshipper ['wə:ʃipə] *sb* kirkegænger, -tilbeder *(fx sun ~),* -dyrker.
I. worst [wə:st] *adj, adv* (superlativ af *bad, ill)* værst, dårligst; *at (the) ~* i værste fald; *if the ~ comes to the ~* i værste fald, om galt skal være; *do one's ~* gøre den skade man kan; *get the ~ of it* trække det kortese strå.
II. worst [wə:st] *vb* besejre, overvinde.

worsted ['wustid] *sb* kamgarn; *adj* kamgarns-.
wort [wə:t] *sb* urt, maltafkog.
I. worth [wə:θ] *adj* værd; *it was ~ the money* det var pengene værd; *de penge var godt givet ud; have one's money's ~* få (fuld) valuta for pengene; *he is ~ a lot of money* han ejer en masse penge; *it is as much as my job is ~* det kan koste mig min stilling; *I tell you this for what it is ~ (omtr)* jeg fortæller dig dette uden at indestå for rigtigheden af det; *he ran for all he was ~* han løb af alle kræfter *(el.* det bedste han havde lært); *~ while, se while.*
II. worth [wə:θ] *sb* værdi, værd; *a pound's ~ of sweets* bolsjer for ét pund; *£1000 ~ of goods* varer for *(el.* til en værdi af) £ 1000.
worthless ['wə:θlis] *adj* værdiløs, ubrugelig; karakterløs; *a ~ fellow* en skidt fyr.
worthwhile ['wə:θ(')wail] *adj* som er umagen værd, som er værd at have med at gøre, som er værd at give sig af med; lødig, værdifuld.
I. worthy ['wə:ði] *adj* værdig *(fx opponent);* (ironisk:) brav, agtværdig, fortræffelig; *~ of* værdig til; som fortjener *(fx ~ of praise); courage ~ of a better cause* et mod der var en bedre sag værdig.
II. worthy ['wə:ði] *sb* fremragende person, stormand; (nedladende:) hædersmand, brav mand.
would [wud] *præt* af *will.*
would-be ['wudbi:] *adj* som ønsker (, prøver på, giver sig ud for) at være; *a ~ poet* en der har digteriske aspirationer, en der bilder sig ind at være digter.
I. wound [waund] *præt* og *pp* af *III. wind.*
II. wound [wu:nd] *sb* sår; *(fig)* krænkelse; *vb* såre, krænke.
woundwort ['wu:ndwə:t] *sb (bot)* galtetand.
wove [wouv] *præt* af *I. weave.*
woven ['wouvn] *pp* af *I. weave.*
wove paper velinpapir.
wow [wau] *sb (am)* S kæmpesucces, knaldsucces; (lydfejl:) wow; *vb* begejstre; (udråb) orv! nåda!
wowser ['wauzə] *sb (austr)* religiøs fanatiker; hellig rad.
W.P. *fk* weather permitting.
WRAC *fk* Women's Royal Army Corps.
wrack [ræk] *sb (bot)* tang; *(glds)* ødelæggelse.
WRAF *fk* Women's Royal Air Force.
wraith [reiθ] *sb* dobbeltgænger (som ses kort før eller efter en persons død), ånd, genfærd, syn.
wrangle ['ræŋgl] *vb* skændes, mundhugges, kævles; *sb* skænderi, mundhuggeri, kævl.
wrangler ['ræŋglə] *sb* trættekær person; *(glds)* kandidat der får første karakter ved *tripos* i matematik ved Cambridge Universitet.
I. wrap [ræp] *vb* pakke ind; hylle ind; svøbe ind; vikle ind; *~ up* pakke (, hylle *etc)* ind; pakke sig ind; *(fig)* T afslutte; *be -ped up in* (fig) have tanke for andet end, være helt opslugt af *(fx one's work); -ped up in dreams* helt fortabt i drømmerier; *be -ped up in sby* sværme for en, være helt væk i en; *-ped in mist (, mystery)* indhyllet i tåge (, mystik).
II. wrap [ræp] *sb* dække; stykke overtøj, sjal, rejsetæppe *(etc,* til at svøbe om sig); *-s* (også) overtøj; *in (el. under) -s (fig)* hemmeligholdt, 'mørklagt'.
wraparound ['ræpəraund] *adj* slå-om kjole (, nederdel).
wrapper ['ræpə] *sb* kimono; (til forsendelse:) korsbånd; (om cigar) omblad; (om bog) omslag; *in -s* (om bog) brocheret.
wrapping ['ræpiŋ] *sb* emballage.
wrap skirt slå-om nederdel.
wrasse [ræs] *sb zo* galt (en fisk).
wrath [rɔθ] *sb* vrede, forbitrelse.
wrathful ['rɔθf(u)l] *adj* vred, opbragt, rasende.
wreak [ri:k] *vb: ~ vengeance on him* lade sin hævn ramme ham.
wreath [ri:θ] *sb (pl -s* [ri:ðz]) krans; spiral, hvirvel (af røg, tåge *etc).*
wreathe [ri:ð] *vb* binde, flette (en krans); omslutte, omkranse, bekranse; (uden objekt) *(fx om røg)* hvirvle, bevæge sig i spiraler; sno sig; *~ one's arms about sby* lægge sine arme om en; *-d in smiles* lutter smil.
I. wreck [rek] *sb* vrag; ruinhob, rester; *(cf II. wreck)* for-

lis, skibbrud; undergang, ødelæggelse.
II. wreck [rek] *vb* forlise, lide skibbrud; forulykke; (med objekt) få til at forlise (, forulykke), gøre til vrag; *(fig)* tilintetgøre *(fx his hopes)*; ødelægge *(fx his plans)*.
wreckage ['rekidʒ] *sb* vraggods, strandingsgods; vragrester; tilintetgørelse, ødelæggelse.
wreck amendment forslag der fremsættes som afledningsmanøvre *el.* obstruktion.
wrecked [rekt] *adj* skibbruden, forlist.
wrecker ['rekə] *sb* strandrøver, vragplyndrer; bjærger; *(am)* nedrivningsentreprenør; (bil:) kranvogn.
wrecking ['rekiŋ] *sb* vragplyndring; bjærgning; *adj* bjærgnings-, rednings- *(fx crew* mandskab); ~ *bar* brækjern; ~ *car* kranvogn.
I. wren [ren] *zo* gærdesmutte.
II. Wren [ren] *sb* medlem af *WRNS.*
wrench [ren(t)ʃ] *vb* vride, rykke, vriste *(fx sth loose)*; forvride *(fx one's ankle)*; *(fig)* forvanske, fordreje *(fx the facts)*; *sb* ryk, skarp drejning, forvridning; smerte; *(tekn)* skruenøgle; *-ed with pain* fortrukket af smerte.
wrest [rest] *vb* rykke; vriste *(fx the knife out of his hands)*; *(fig)* tvinge *(fx a confession from him)*; fordreje, forvanske *(fx the facts)*; *sb* ryk; *(mus.)* stemmenøgle; ~ *from* (også) fravriste.
wrestle ['resl] *vb* brydes, kæmpe, brydes med; *sb* brydekamp, kamp.
wrestler ['reslə] *sb* bryder.
wrestling ['resliŋ] *sb* brydning; ~ *match* brydekamp.
wretch [retʃ] *sb* ulykkeligt menneske, stakkel; *(neds)* usling, nidding; *(spøg)* skurk, skarn.
wretched ['retʃid] *adj* ulykkelig, stakkels; *(neds)* elendig, ussel, ynkelig; nederdrægtig *(fx a ~ toothache)*.
wrick [rik] *sb* let forstrækning, let forvridning; *vb* forstrække, forvride.
wriggle ['rigl] *vb* vrikke, vride sig; sno sig; (med objekt) vrikke med *(fx one's toes)*; *sb* vriden, vrikken.
I. wring [riŋ] *vb (wrung, wrung)* vride; *(fig* også) presse *(fx ~ a confession out of sby)*; ~ *one's hands* vride sine hænder; ~ *sby's hand* knuge ens hånd; *it -s my heart (litt)* det smerter mig dybt; ~ *the neck of* vride halsen om på; ~ *clothes* out vride tøj.
II. wring [riŋ] *sb* vriden, vridning.
wringer ['riŋə] *sb* vridemaskine.
wringing wet drivende våd; lige til at vride.
wrinkle ['riŋkl] *sb* rynke; T kneb, fidus; *vb* rynke; slå rynker; *it resists -s* (om stof) det krøller ikke; ~ *(up) one's forehead* rynke panden; *with -d stockings* med ål i strømperne. **wrinkly** ['riŋkli] rynket.
wrist [rist] *sb* håndled.
wristband ['ris(t)bænd] *sb* håndlinning; manchet.
wristlet ['ristlit] *sb: woollen* ~ muffedise.
wristlet watch, wrist watch armbåndsur.
I. writ [rit] *sb* (skriftlig) ordre, arrestordre, stævning; *Holy Writ* den hellige skrift (ɔ: Biblen); *in the areas where their* ~ *runs* i de områder hvor de har magten *(el.* som de kontrollerer).
II. writ [rit] gammel *præt* og *pp* af *write;* ~ *large* i endnu større målestok; *be* ~ *large* ses tydeligt.
write [rait] *vb (wrote, written)* skrive; skrive til *(fx* ~ *me tomorrow)*; ~ *down* skrive op *(el.* ned); rakke ned på (på tryk); *(merk)* nedskrive; *I should* ~ *him down a fool* jeg vil nærmest kalde ham et fæ; ~ *down to* gøre sig (for) meget umage for at skrive populært for; *nothing to* ~ *home about* ikke noget at råbe hurra for; ~ *off* smøre ned, ryste ud af ærmet; *(merk)* afskrive *(fx debt)*; *(fig)*

afskrive; ~ *out* nedskrive; udfærdige; udarbejde; ~ *out fair* renskrive; ~ *oneself out* skrive sig tom; ~ *up* rose (på tryk); give fyldig *(el.* overdreven) beskrivelse af; nedskrive; udarbejde (på grundlag af notater); føre à jour *(fx one's diary; (merk)* opskrive.
write-off ['raitɔf] *sb* S totalt vrag.
writer ['raitə] *sb* skribent, forfatter; digter; skriver; *French* ~ (også, *am el. glds)* lærebog der giver vejledning i at skrive fransk; *-'s cramp* skrivekrampe.
write-up ['raitʌp] *sb (am* T) (især: rosende) anmeldelse *(el.* omtale); *(am merk)* opskrivning.
writhe [raið] *vb* vride sig; krympe sig.
writing ['raitiŋ] *sb* skrivning; håndskrift; skrift; indskrift; skriveri; dokument; skrivemåde, stil; *adj* skrive-; *-s* værker *(fx the -s of Plato); in* ~ skriftlig; *commit to* ~ skrive ned, sætte på prent.
writing| case skrivemappe. ~ **desk** skrivepult, skrivebord. ~ **ink** blæk. ~ **master** skrivelærer. ~ **paper** skrivepapir, brevpapir. ~ **table** skrivebord.
written [ritn] *pp* af *write.*
I. wrong [rɔŋ] *adj* forkert, urigtig, gal; forkastelig; *be* ~ være forkert *(osv.)*; have uret, tage fejl; *the* ~ *side* vrangen; *on the* ~ *side of 40* på den gale side af de 40, over 40; *get sth down the* ~ *way* få noget i den gale hals; ~ *in the head* T ikke rigtig klog; *there is sth* ~ *with* der er noget i vejen *(el.* galt) med; *what's* ~ *with that?* (også) hvorfor ikke det?
II. wrong [rɔŋ] *adv* forkert, galt *(fx answer* ~, *guess* ~); *you get me* ~ T du misforstår mig; *go* ~ komme i uorden *(fx the machine has gone* ~); (om mennesker) gå forkert, gå galt; *(fig)* komme på afveje, komme på gale veje, gå i hunde; (om foretagende) mislykkes; *treat sby all* ~ behandle en helt forkert; *be in* ~ *with (am)* være uvenner med.
III. wrong [rɔŋ] *sb* uret, forurettelse; retsbrud; *do* ~ gøre uret, forse sig; *be in the* ~ have uret; ikke have retten på sin side; *put sby in the* ~ give det udseende af at en har uret, vælte skylden over på en.
IV. wrong [rɔŋ] *vb* forurette; ~ *shy* (også) gøre én uret; tænke for ringe om én.
wrong|doer *en.* der forser sig, forbryder. **-doing** forseelse, forsyndelse, forbrydelse. **-ful** urigtig, uretfærdig, uretmæssig. **-headed** stædig, som stædig fremturer i noget forkert.
wrote [rout] *præt* af *write.*
wroth [rouθ] *adj (glds)* vred, gram i hu.
I. wrought [rɔːt] *(glds) præt* og *pp* af *work.*
II. wrought [rɔːt] *adj:* ~ *iron* smedejern; ~ *-up* eksalteret.
wrung [rʌŋ] *præt* og *pp* af I. *wring.*
wry [rai] *adj* skæv; *(fig)* ironisk; bitter; *make a* ~ *face* skære en grimasse; *a* ~ *smile* et skævt smil; *-ly* skævt; *(fig)* med et skævt smil, ironisk, bittert.
wryneck ['rainek] *sb zo* vendehals.
W.S.W *fk west-south-west.*
wt. *fk weight.*
W. Va. *fk West Virginia.*
W. V. S. *fk Women's Voluntary Service* (svarer til:) Kvindernes Beredskabstjeneste.
Wyandotte ['waiəndɔt] *sb* wyandot (hønserace).
wych elm ['witʃ'elm] *sb (bot)* storbladet elm.
Wycherley ['witʃəli].
Wyclif(fe) ['wiklif].
wynd [waind] *sb* (på skotsk:) stræde, smøge.
Wyo. *fk Wyoming* [wai'oumiŋ].

X [eks].
Xanadu ['zænədu:].
Xanthippe [zæn'θipi] *sb* xanthippe, arrig kælling.
xd, x-div *fk* *ex dividend* eksklusive dividende.
xebec ['zi:bek] *sb* chebec (slags sejlskib).
xenon ['zenɔn] *sb (kem)* xenon.
xenophobe ['zenəfoub] *sb* fremmedhader.
xenophobia [zenə'foubiə] *sb* fremmedhad.
xerography [ziə'rɔgrəfi] *sb* xerografi.
xerophyte ['ziərəfait] *sb* tørkeplante.
xerox ['ziərɔks] *vb* xeroxe, fotokopiere.

Xerxes ['zə:ksi:z].
xi [sai] *sb* ksi (græsk x).
Xmas ['krisməs] *fk Christmas*.
x-member krydsafstivning.
X-ray ['eks'rei] *adj* røntgen- *(fx·treatment)* ; *vb* røntgenfotografere, røntgenbehandle; *sb* røntgenbillede; *-s pl* røntgenstråler.
xylograph ['zailəgra:f] *sb* xylografi, træsnit.
xylographer [zai'lɔgrəfə] *sb* xylograf, træskærer.
xylography [zai'lɔgrəfi] *sb* træskærerkunst, xylografi.
xylophone ['zailəfoun] *sb* xylofon.

Y

Y [wai].

y. *fk* year, years; yard, yards.

yacht [jɔt] *sb* lystbåd, lystyacht; *vb* sejle i lystyacht.

yachting ['jɔtiŋ] *sb* sejlsport.

yachting match, yacht race kapsejlads.

yachtsman ['jɔtsmən] *sb* sejlsportsmand.

YAF *fk* Young Americans for Freedom.

yah [ja:] *interj* æv, hæ-æ, pyt; *(am)* ja.

Yahoo [jə'hu:] *sb* Yahoo (frastødende menneskelignende væsen i Gulliver's Travels).

yak [jæk] *sb zo* yakokse; *vb* bjæffe; **T** sladre; pjadre; jappe.

Yale [jeil] (kendt *am* universitet); yalelås.

yam [jæm] *sb (bot)* yamsrod; *(am* også) batat.

I. yank [jæŋk] *sb* ryk; *vb* rykke, trække med et ryk.

II. Yank [jæŋk] *sb* **S** *fk* Yankee.

Yankee ['jæŋki] *sb* amerikaner; (i USA) person fra *New England;* nordstatsmand. **Yankeefied** ['jæŋkifaid] *adj* amerikaniseret; (i USA) nordstatspræget. **Yankeeism** ['jæŋkiizm] *sb* amerikanisme, (i USA) nordstatspræg *(el. -udtryk).*

yap [jæp] *vb* gø, bjæffe, galpe; **S** snakke, kæfte op, skælde ud; *sb* bjæf.

yapp [jæp] *sb (hogb)* posebind.

I. yard [ja:d] *sb* gård, gårdsplads; oplagsplads; -plads *(fx coalyard, timberyard),* -gård; *(am* også) have; *(mar)* værft; *(jernb)* sporterræn; *the Yard = Scotland Yard.*

II. yard [ja:d] *sb (mar)* rå.

III. yard [ja:d] *sb* yard (længdemål *= 3 feet).*

yardarm ['ja:da:m] *sb (mar)* rånok.

yardmaster ['ja:dma:stə] *sb (jernb)* rangerformand.

yardstick ['ja:dstik] *sb* yardstok; *apply the same ~ to (fig)* anvende samme målestok over for, skære over én kam.

yare ['jɛə] *adj (glds)* rede, parat; hurtig.

Yarmouth ['ja:məθ].

yarn [ja:n] *sb* garn; **T** historie, fortælling; skipperløgn, røverhistorie; *vb* fortælle en historie, spinde en ende; snakke.

yarrow ['jærou] *sb (bot)* røllike.

yashmak ['jæʃmæk] *sb* muhamedanerkvindes slør.

yataghan ['jætəgən] *sb* (tyrkisk sværd).

yatter ['jætə] *vb* pjadre, snakke; *sb* snakken.

yaw [jɔ:] *(mar, flyv) vb* gire, dreje, slingre; *sb* giring, gir; drejning, slingren.

yawl [jɔ:l] *sb* jolle; yawl.

yawn [jɔ:n] *vb* gabe; *sb* gaben, gab; vid åbning.

yawp [jɔ:p] *vb* skrige, brøle; kæfte op; *sb* skrig, brøl.

yaws [jɔ:z] *sp pl (med.)* guineaknopper, framboesia (tropesygdom).

yclept [i'klept] *adj (glds)* kaldet, ved navn.

yd. *fk* yard, yards.

I. ye [ji:] *pron (glds)* I, eder.

II. ye [ji(:); ði(:)] *(glds) = the (fx Ye Olde Tea Shoppe).*

yea [jei] *adv (glds)* ja; *sb: -s (am)* jastemmer.

yeah [jɛə] *interj (am* **T**) ja.

year [jə:, jiə] *sb* år; årgang; *once a ~* en gang om året; *this ~* i år; *last ~* i fjor; *for -s* i årevis.

year|book årbog. **-ling** årgammel (unge). **-ly** årlig; års-.

yearn [jə:n] *vb* længes inderligt *(for* efter).

yearning ['jə:niŋ] *adj* længselsfuld; *sb* (inderlig) længsel.

yeast [ji:st] *sb* gær.

yeasty ['ji:sti] *adj* gærende, gær-; skummende; *(fig)* overfladisk.

Yeats [jeits].

yegg [jeg] *sb (am* **S)** indbrudstyv, pengeskabstyv.

yell [jel] *vb* hyle; *sb* hyl.

yellow ['jelou] *adj* gul; **S** fej; (om avis) sensationspræget, sensations-; *sb* gult; gul farve; *vb* gulne, blive (, farve) gul.

yellow| archangel *(bot)* guldnælde. **~ bunting** *zo* gulspurv.

~ camomile *(bot)* farvegåseurt. **~ fever** *(med.)* gul feber. **-hammer** *zo* gulspurv. **~ jack** gul feber; *(mar)* karantæneflag. **-legs** *zo* gulbenet klire. **~ ochre** (lys)okker. **~ peril:** *the ~ peril* den gule fare. **~ pimpernel** *(bot)* lundfredløs. **~ poplar** *(bot)* tulipantræ. **~ press** sensationspresse, boulevardpresse. **~ rattle** *(bot)* skjaller. **~ spot** gul plet (i øjet).

yelp [jelp] *vb* bjæffe; *sb* bjæf, hyl *(fx a ~ of pain).*

yen [jen] *sb* yen (japansk mønt); *(am)* **S** voldsom trang *(el.* længsel); *vb* længes.

YEO *fk* Youth Employment Officer.

yeoman ['joumən] *sb* selvejerbonde; bereden frivillig; *~ service* god hjælp.

yeomanry ['joumənri] *sb* selvejerstand, bønder; frivilligt kavaleri.

yes [jes] *adv* ja, jo; såh, ja så; *yes?* nå? hvad? forstår du? De ønsker?

yesman ['jesmæn] *sb* **T** jasiger, nikkedukke, eftersnakker.

yesterday ['jestədi, -dei] *adv* i går; *sb* dagen i går; *~ morning* i går morges; *the day before ~* i forgårs; *-'s paper* avisen for i går.

yesteryear ['jestə'jiə] *adv* i fjor.

yestreen [jes'tri:n] *adv* (på skotsk) i går aftes.

yet [jet] *adv* endnu *(fx he is not here ~; ~ more beautiful);* *adv, conj* dog, alligevel *(fx he is poor, ~ he is content);* *as ~* endnu; *nor ~* heller ikke; *~ others* atter andre, andre igen.

yew [ju:] *sb (bot)* taks, takstræ.

Yid [jid] *sb* **S** *(neds)* jøde.

Yiddish ['jidiʃ] *sb adj* jiddisch.

I. yield [ji:ld] *vb* yde; give *(fx these trees will ~ good timber),* afkaste *(fx investments -ing 15 p.c.);* (ikke beholde) opgive, overgive *(fx a fort);* (uden objekt) give, (om frugttræ *etc)* bære *(fx the apple trees ~ well);* (ikke holde stand) vige *(to* for, *fx to force),* give efter *(to* for, *fx the door -ed to their blows; he -ed to their prayers);* give sig; *~ the point* give efter, give sig (i en diskussion); *~ right of way* give forkørselsret; *~ to no one in* ikke stå tilbage for nogen med hensyn til; *~ up the ghost* opgive ånden.

II. yield [ji:ld] *sb* udbytte; ydelse; renteafkast; *current (el. true) ~* direkte rente (af obligation).

yielding ['ji:ldiŋ] *adj* bøjelig; *(fig)* eftergivende, føjelig.

yield point (i statik) flydegrænse.

Y.M.C.A. *fk* Young Men's Christian Association *= K.F.U.M.*

yob [jɔb], **yobbo** ['jɔbou] *sb* **S** drønnert; bisse.

yodel ['joudl] *vb* jodle; *sb* jodlen.

yoga ['jougə] *sb* yoga (en indisk filosofi).

yogh [jouk, jok] *sb* (det middelengelske bogstav) ʒ.

yoghourt ['jogə(:)t] *sb* yoghurt.

yogi ['jougi] *sb* yogi (udøver af yoga).

yo-heave-ho ['jouhi:v'hou], **yoho** [jou'hou] *interj (mar)* hiv-ohøj.

yoicks [jɔiks] *interj* (tilråb til hundene ved rævejagt).

yoke [jouk] *sb* åg; (på kjole) bærestykke; *(~ of oxen)* spand okser; *(mar)* juk; *vb* spænde i åg; *(fig)* forene; bringe under åget.

yokefellow ['joukfelou] *sb* fælle, kammerat; ægtefælle.

yokel ['joukl] *sb* bondeknold.

yoke lines *(mar)* jukliner, styreliner.

yokemate ['joukmeit] *sb = yokefellow.*

Yokohama [joukə'ha:mə].

yolk [jouk] *sb* æggeblomme; (hos får) uldsved, uldfedt; *in the ~* (om uld) uvasket, uaffedtet.

yon [jɔn], **yonder** ['jɔndə] *(glds, poet) pron* den der (henne), hin; *adv* derhenne, hist.

yore [jɔ:] *sb (glds): of ~* fordums, tilforn; *in days of ~* i fordums dage.

york [jɔ:k] *vb* (i kricket) kaste en yorker.

yorker ['jɔːkə] *sb* (i kricket) kast hvor bolden rammer gærdet helt nede i bunden.

Yorkshire ['jɔːkʃə]; ~ *pudding* slags bagværk der serveres sammen med oksesteg.

you [juː] *pron* I, jer; De, Dem; du, dig; man, en; ~ *fool!* dit fjols! ~ *are another* T det kan du selv være; ~ *never can tell* man kan aldrig vide; *sweaters are not quite* ~ sweaters klæder dig ikke rigtig.

young [jʌŋ] *adj* ung, uerfaren, grøn, lille; (om dyr, *pl*) unger *(fx animals with their* ~*); with* ~ drægtig, som skal have unger; *a* ~ *one* en unge; ~ *people* unge mennesker, ungdom.

youngish ['jʌŋiʃ] *adj* yngre, temmelig ung.

youngling ['jʌŋliŋ] *adj* ungdommelig; *sb* ungt menneske, yngling; unge.

youngster ['jʌŋstə] *sb* ungt menneske; knægt *(fx a pert answer from a snotty* ~*).*

younker ['jʌŋkə] *sb (glds)* ung fyr.

your [jɔː, juə] *pron* din, dit, dine; jeres, eders; Deres; ens, sin, sit, sine (possessiv svarende til man); (ofte:) den velkendte (, typiske); denne (, dette, disse) hersens.

yours [jɔːz, juəz] *pron* din, dit, dine; jeres, eders; Deres; *what's* ~? T hvad vil du have (at drikke); *Yours affec-*

tionately (, truly etc), se *affectionate(ly)* etc.

yourself [jɔːˈself, juəˈself] *pron* du (, dig, De, Dem) selv; dig, Dem; selv; sig (svarende til *you* i betydningen: man); *be* ~! *(am)* T tag dig sammen.

yourselves [jɔːˈselvz, juəˈselvz] *pron pl* I (, jer, De, Dem) selv; jer, Dem; selv.

youth [juːθ] *sb* ungdom; ungt menneske, unge mennesker; *adj* ungdoms- *(fx movement); a friend of my* ~ en ungdomsven af mig.

youth|ful ungdoms-, ung, ungdommelig, kraftig. ~ **hostel** vandrehjem.

yowl [jaul] *vb* hyle ynkeligt; *sb* ynkeligt hyl.

yo-yo ['joujou] *sb* jo-jo (legetøj); *adj* som går op og ned, svingende; *vb* gå op og ned, svinge.

yucca ['jʌkə] *sb (bot)* yucca, palmelilje.

Yugoslav ['juːgouslaːv] *adj* jugoslavisk; *sb* jugoslav(er).

Yugoslavia ['juːgouˈslaːviə] Jugoslavien.

yule [juːl] *sb (glds)* jul.

yule| log brændeknude som efter gammel skik lægges på ilden juleaften. **-tide** *sb* juletid; *adj* jule-.

yum-yum ['jʌmˈjʌm] *interj* nam-nam, uhm, ah.

Y.W.C.A. *fk Young Women's Christian Association* K. F. U. K.

Z [zed; *am* zi:].
zany ['zeini] *sb* bajads, nar; tåbe; *adj* naragtig; skør; latterlig med et anstrøg af vanvid.
zareba [zə'ri:bə] *sb* beskyttende hegn.
zeal [zi:l] *sb* iver, tjenstiver, nidkærhed.
Zealand ['zi:lənd] Sjælland.
zealot ['zelət] *sb* fanatiker.
zealotry ['zelətri] *sb* iver, fanatisme.
zealous ['zeləs] *adj* ivrig, nidkær.
zebra ['zi:brə] *sb* zebra.
zebra| crossing fodgængerovergang, fodgængerfelt. ~ **wood** zebratræ.
zebu ['zi:bu:] *sb* zebu (indisk pukkelokse).
zed [zed], *(am)* **zee** [zi:] bogstavet z.
zemindar ['zeminda:] *sb* (indisk) godsejer.
zenana [ze'na:nə] *sb* (i Indien) kvindernes opholdsrum.
Zen (Buddhism) ['zen ('budizm)] zen-buddhisme.
Zend [zend] *sb* zend (det gammelpersiske sprog).
zenith ['zeniθ] *sb (astr)* zenit; *(fig)* zenit, toppunkt, højdepunkt.
zephyr ['zefə] *sb* zefyr, vestenvind, mild vind; (tekstil:) slags fint uldent stof; let sportstrøje.
Zeppelin ['zepəlin] *sb* zeppeliner.
zero ['ziərou] *sb* nul, nulpunkt, frysepunkt; *vb:* ~ *(in)* indskyde, indstille (sigtet på et gevær); rette ind *(on* mod).
zero| gravity vægtløshed. ~ **hour** *(mil.)* tidspunkt for et angrebs begyndelse. ~ **-rated:** ~ *-rated for VAT* momsfri.
zest [zest] *sb* krydderi, forhøjet smag; *(fig)* lyst, iver, velbehag, oplagthed, appetit; *add (el. give)* ~ *to life* sætte krydderi på tilværelsen.
Zeus [zju:s].
zigzag ['zigzæg] *sb* siksaklinie; *adj* siksak-, som går i siksak; *vb* bevæge sig *(el.* gå) i siksak; ~ *rule* tommestok.
zilch [ziltʃ] *sb (am)* nul.
zinc [ziŋk] *sb* zink; *vb* overtrække med zink, forzinke.
zinc|iferous [ziŋ'kifərəs] *adj* zinkholdig. **-ify** ['ziŋkifai] *vb* forzinke, galvanisere. **-ing** ['ziŋkiŋ] *sb* forzinkning, galvanisering.
zincography [ziŋ'kɔgrəfi] *sb* zinkografi.
zincous ['ziŋkəs] *adj* zink-.
zing [ziŋ] *sb* syngende lyd; piben, **T** fut, liv, fart; *vb* synge, klinge.
zingaro ['ziŋgərou] *sb (pl zingari* ['ziŋgəri]) sigøjner.
zinnia ['zinjə] *sb (bot)* zinnia.
Zion ['zaiən]. **Zionism** ['zaiənizm] *sb* zionisme.

Zionist ['zaiənist] *sb* zionist.
I. zip [zip] *sb* lynlås; (lyd:) hvislen; **T** fart, fut, liv.
II. zip [zip] *vb* åbne (, lukke) med lynlås, lyne op (, i); *(fx* om geværkugle) hvisle, fløjte; (skynde sig:) fare.
zip code *(am)* postnummer.
zip-fastener ['zip fa:snə] *sb* lynlås.
zipped [zipt] *adj* med lynlås; *(am* også) med postnummer.
zipper ['zipə] *sb* lynlås.
zither ['ziðə] *sb* citer.
zodiac ['zoudiæk] *sb (astr): the* ~ dyrekredsen; *sign of the* ~ himmeltegn.
zodiacal [zou'daiəkl] *adj* zodiakal-; *the* ~ *light* zodiakallyset.
zombie ['zɔmbi] *sb (opr.:* lig gjort levende ved trolddom); **S** robot; åndssvag; en der bevæger sig som i trance.
zonal ['zounl] *adj* zone-.
zonation [zou'neiʃn] *sb* zone-inddeling.
zone [zoun] *sb* zone, bælte; *vb* inddele i zoner.
zone time lokal tid.
zoning ['zouniŋ] *sb* zoneinddeling.
zonked [zɔŋkt] *adj* **S** smækbedøvet, helt væk.
Zoo [zu:] *sb* zoologisk have; især *the Zoo* (i London).
zoographer [zou'ɔgrəfə] *sb* dyrebeskriver.
zoography [zou'ɔgrəfi] *sb* dyrebeskrivelse.
zoological [zouə'lɔdʒikl] *adj* zoologisk; ~ *gardens* zoologisk have.
zoologist [zou'ɔlədʒist] *sb* zoolog.
zoology [zou'ɔlədʒi] *sb* zoologi.
zoom [zu:m] *sb* brummen, summen; *(flyv)* hurtigt kraftigt optræk, brat stigning; *(fig)* pludseligt opsving; (i film) hurtig bevægelse mod *el* bort fra motivet (ved hjælp af zoom-linse); *vb* brumme, summe; stige brat; zoome, bevæge sig hen imod *el.* bort fra motivet.
zoom lens (film) zoom-linse, transfokallinse, gummilinse.
zoomorphic [zouə'mɔ:fik] *adj:* ~ *ornaments* dyreornamentik.
zoospore ['zouə'spɔ:] *sb* sværmespore.
zoot [zu:t]: ~ *suit* mandsdragt *omtr* som swingpjatters.
Zouave [zu'a:v] *sb* (fransk) zuav.
zounds [zaundz] *interj (glds)* død og pine!
Zulu ['zu:lu:] *sb* zulukaffer; zulusprog.
Zürich ['z(j)uərik].
zymos|is [zai'mousis] *sb (pl -es* [-i:z]) gæring; infektionssygdom.
zymotic [zai'mɔtik] *adj* gærings-; ~ *disease* infektionssygdom.

Most Danish verbs form the preterite in -(e)de, and the past participle in -(e)t, e.g. elske, elskede, elsket, or the preterite in -te, and the past participle in -t, e.g. bage, bagte, bagt. But a number af verbs are inflected differently. Where the present tense is not given in the list, it is formed by adding r to the infinitive, e.g. bede – beder.

bede *(ask, pray)* bad, bedt
betyde *(mean)* betød *(meant)* betydet
 betydede *(gave to understand)*
bide *(bite)* bed, bidt
binde *(tie, bind)* bandt, bundet
blive *(become, remain)* blev, blevet
bringe *(bring)* bragte, bragt
briste *(burst)* brast *el.* bristede, bristet
bryde *(break)* brød, brudt
burde, bør *(ought to)* burde, burdet
byde *(command)* bød, budt
bære *(carry)* bar, båret
drage *(go; draw)* drog, draget
drikke *(drink)* drak, drukket
drive *(drive; idle)* drev, drevet
dø *(die)* døde, død
dølge *(conceal)* dulgte, dulgt
falde *(fall)* faldt, faldet
fare *(rush)* for, faret
finde *(find)* fandt, fundet
flyde *(flow)* flød, flydt
flyve *(fly)* fløj, fløjet
fnyse *(snort)* fnøs *el.* fnyste, fnyst
fortryde *(regret)* fortrød, fortrudt
fryse *(freeze)* frøs, frosset
fyge *(drift)* føg, føget
følge *(follow)* fulgte, fulgt
få *(get)* fik, fået
gide *(take the trouble to)* gad, gidet
give *(give)* gav, givet
glide *(slide)* gled, gledet
gnide *(rub)* gned, gnedet
gribe *(catch)* greb, grebet
græde *(cry, weep)* græd, grædt
gyde *(pour)* gød, gydt
gyse *(shiver)* gøs *el.* gyste, gyst.
gælde *(be valid)* gjaldt, (gældt)
gøre *(do)* gør, gjorde, gjort
gå *(go, walk)* gik, gået
have *(have)* har, havde, haft
hedde *(be called)* hed, heddet
hive *(heave)* hev, hevet
hjælpe *(help)* hjalp, hjulpet
holde *(keep)* holdt, holdt
hænge *(hang)* hang *(intransitive)* /hængte
 (transitive), hængt
jage *(chase)* jog *el.* jagede, jaget
klinge *(sound)* klang, klinget
knibe *(pinch)* kneb, knebet
komme *(come, put)* kom, kommet
krybe *(creep)* krøb, krøbet
kunne *(be able to)* kan, kunne, kunnet
kvæde *(sing)* kvad, kvædet
kvæle *(choke)* kvalte, kvalt
lade *(let)* lod, ladet *el.* ladt.
le *(laugh)* lo, let
lide *(suffer)* led, lidt
ligge *(lie)* lå, ligget
lyde *(sound)* lød, lydt
lyve *(lie, tell a lie)* løj, løjet
lægge *(lay)* lagde, lagt
løbe *(run)* løb, løbet
måtte, må *(may, must)* måtte, måttet
nyde *(enjoy)* nød, nydt
nyse *(sneeze)* nøs *el.* nyste, nyst

pibe *(pipe, whistle)* peb, pebet
ride *(ride)* red, redet
rinde *(flow)* randt, rundet
rive *(tear)* rev, revet
ryge *(smoke)* røg, røget
række *(pass, reach)* rakte, rakt
se *(see)* så, set
sidde *(sit)* sad, siddet
sige *(say)* sagde, sagt
skride *(stalk)* skred, skredet
skrige *(scream)* skreg, skreget
skrive *(write)* skrev, skrevet
skulle, skal *(shall)* skulle, skullet
skyde *(shoot)* skød, skudt
skælve *(tremble)* skælvede *el.* skjalv, skælvet
skære *(cut)* skar, skåret
slibe *(grind)* sleb, slebet
slide *(wear out, work hard)* sled, slidt
slippe *(let go)* slap, sluppet
slå *(strike)* slog, slået
smide *(throw)* smed, smidt
smøre *(smear)* smurte, smurt
snige *(sneak)* sneg, sneget
snyde *(cheat)* snød, snydt
sove *(sleep)* sov, sovet
spinde *(spin)* spandt, spundet
springe *(jump)* sprang, sprunget
sprække *(crack)* sprak, sprukket
spørge *(ask)* spurgte, spurgt
stige *(rise)* steg, steget
stikke *(thrust, stick, sting)* stak, stukket
stinke *(stink)* stank, stinket
stjæle *(steal)* stjal, stjålet
stride *(fight)* sted, stridt
stryge *(stroke)* strøg, strøget
strække *(stretch)* strakte, strakt
stå *(stand)* stod, stået
svide *(scorch)* sved, svedet
svige *(betray)* sveg, sveget
svinde *(shrink)* svandt, svundet
svinge *(swing)* svang *el.* svingede, svunget *el.* svinget
sværge *(swear)* svor, svoret
synes *(seem)* synes, syntes, syntes
synge *(sing)* sang, sunget
synke *(sink)* sank, sunket
sælge *(sell)* solgte, solgt
sætte *(set, put)* satte, sat
tage *(take)* tog, taget
tie *(be silent)* tav, tiet
træde *(step)* trådte, trådt
træffe *(hit)* traf, truffet
trække *(pull)* trak, trukket
turde *(dare)* tør, turde, turdet
tvinde *(twist)* tvandt, tvundet
tvinge *(compel)* tvang, tvunget
tælle *(count)* talte, talt
vide *(know)* ved, vidste, vidst
vige *(give way)* veg, veget
ville, vil *(will)* ville, villet
vinde *(win; wind)* vandt, vundet
vride *(twist, wring)* vred, vredet
vække *(awaken)* vækkede, vakte, vækket, vakt
vælge *(choose)* valgte, valgt
være *(be)* er, var, været
æde *(eat)* åd, ædt